K. J. KUTSCH / LEO RIEMENS

Großes Sängerlexikon

Ergänzungsband

Colligite fragmenta ne pereant
(Joh. VI, 12)

FRANCKE VERLAG BERN

CIP-Titelaufnahme der Deutschen Bibliothek

Kutsch, Karl J.:
Grosses Sängerlexikon / K. J. Kutsch ; Leo Riemens. – Bern :
Francke.
NE: Riemens, Leo:; HST

Ergänzungsbd. – 1991
ISBN 3-317-01763-5

Gedruckt auf säurefreiem Papier / Printed on acid free paper

A. Francke Verlag AG Bern, 1991
im Vertrieb K. G. Saur Verlag GmbH & Co. KG
Part of Reed International P.L.C.

Gesamtherstellung: Friedrich Pustet, Regensburg
ISBN: 3-317-01763-5

INHALT

VORWORT

Im Frühjahr 1987 erschienen die beiden Bände unseres «Großen Sängerlexikons». Drei Jahre danach muß man beim Durchblättern der Bände feststellen, wieviel sich seither geändert hat. Neue Sterne sind am Himmel der Gesangkunst aufgegangen, glanzvolle Karrieren sind zum Abschluß gekommen, andere haben sich weiter entfaltet, viele Künstler haben uns für immer verlassen. Nicht zuletzt haben die technischen Möglichkeiten der Aufzeichnung der menschlichen Stimme sich in geradezu stürmischer Weise weiter entwickelt. Die Compact Disc-Aufnahme, Videoaufzeichnungen von Opern und Konzerten, die Entwicklung der Bildplatte haben neue Dimensionen aufgezeigt. Nicht mehr zu zählen sind die Mitschnitte von Opernaufführungen und Rundfunksendungen, die bis in die dreißiger Jahre unseres Jahrhunderts zurückreichen und nun, auf Schallplatten überspielt, uns zugänglich gemacht werden.

Vieles konnte exakter ermittelt werden, manche Biographien ließen sich erweitern, unrichtige Daten konnten korrigiert werden, neue kamen hinzu. Vielen Freunden in aller Welt haben wir für ihre unermüdliche Mitarbeit zu danken. Es würde zu weit führen hier alle zu nennen. Stellvertretend für viele möchten wir unseren besonderen Dank Frau Leena Hirvonen, Helsinki, den Herren Josef Bach, Übach-Palenberg († 1990), David Cummings, Harrow (Middlesex, England), Prof. Jens Malte Fischer, München, Prof. Clemens M. Gruber, Wien. Dr. Kurt Malisch, München, Antonio Massisimo, Mataró-Barcelona, Helmut Reinold, Niederehe, Hansjörg Rost, Kerpen-Sindorf, Paul Suter, Zürich, und Christoph Zimmermann, Köln, abstatten. Ich danke auch meinem Sohn Anbu P. Kutsch für seine Hilfe.

Trotz ständiger Arbeit wird sich das Ziel einer absoluten Genauigkeit der Datierungen nie ganz erreichen lassen. Zuviel steht dem entgegen. Auf den Katalog der Unsicherheitsfaktoren haben wir bereits in unserem Vorwort zu den beiden Hauptbänden hingewiesen und man darf nochmals festhalten, daß sich bei der ständigen Beschäftigung mit der Materie die kritische Distanz zu den übermittelten Angaben nur vergrößert.

Diese Schwierigkeiten dürfen aber nicht Anlaß sein, sich der einmal gestellten Aufgabe zu entziehen. Darum hielten wir es für richtig, eine Anzahl neuer Biographien in diesen Ergänzungsband aufzunehmen und diese neben die Ergänzungen und Korrekturen zu den Biographien der beiden Hauptbände zu stellen. Es dürfte für den Benutzer empfehlenswert sein, in jedem Fall zu einem Artikel in den Hauptbänden den Ergänzungsband hinzuzuziehen, damit keine Details einer Biographie übersehen werden. Um eine unproblematische Benutzung durch den Leser zu gewährleisten wurden in einigen Fällen, in denen die Ergänzungen und Korrekturen zu zahlreich waren, Neufassungen der Biographien mitgeteilt und in entsprechender Weise kenntlich gemacht. Ebenso hielten wir es für zweckmäßig, Verwandtschaftsverhältnisse in Sängerfamilien durch beigegebene Stammbäume übersichtlich darzustellen.

Bei den neu in den Ergänzungsband aufgenommenen Biographien handelt es sich zum Teil um die notwendige Aufnahme älterer Sängerpersönlichkeiten, die in den Hauptbänden vermißt wurden, zum Teil um eine neue Generation von Sängern, die die Bühnen und die Konzertpodien betreten hat. Nicht zuletzt sollte man daraus sehen, wie lebendig die Materie ist und bleibt, mit der sich dieses Lexikon befaßt.

Alle Angaben konnten in diesem Ergänzungsband berücksichtigt werden, die vor dem 1. Juni 1990 erfaßt waren; einige weitere Daten konnten in die Korrekturabzüge nachgetragen werden. Abschließend möchte ich zwei Gedanken festhalten, die mich bei der Ausgabe dieses Ergänzungsbandes tief bewegen: das Gedenken an meinen 1985 verstorbenen Freund Leo Riemens, mit dem zusammen ich diese Arbeit begonnen habe, und der Dank an den Francke-Verlag, Bern, mit dem mich eine über 25jährige Zusammenarbeit verbindet.

«Colligite fragmenta ne pereant»

Breberen, Juni 1990   Karl-Josef Kutsch

Abkürzungen von Schallplatten-Marken
(Ergänzung zu Band 1, VIII)

BI	Barclay Inedit
CAL	Calig-Verlag
CBC	Canadian Broadcasting Company
CLA	Claves-Verlag
CWR	Conifer World Records
DCA	Da Camera-Verlag
DF	Discophiles Français
DR	Discoreale
HS	Haydn Society
INT	Intercord
MB	Musica Bavarica
MET	Metronome
MH	Murray Hill
MM	Movimento Musica
MV	Musica Viva
MW	Musique en Wallonie
PEN	Pensance
PH	Phonogram
PHR	Phonotype Records(Fonotipia)
RAR	Raritas
REP	Replica
SAS	Sastruphon(Da Camera)
SDG	Soli Deo Gloria
TER	That's Entertainment Record
TD	Teatro Dischi
TIS	Teldec Import Service
TUR	Turnabout
WER	Wergo

A

Abajan, Maria, Sopran, * 1952 (?) in der Nähe von Eriwan in Armenien. Sie begann ihr Gesangstudium am Konservatorium der armenischen Hauptstadt Eriwan und vervollständigte diese Ausbildung am Tschaikowsky-Konservatorium in Moskau. 1977 emigrierte sie mit ihrer Familie zusammen in die USA. Dort verfolgte sie ihre Gesangausbildung weiter an der Universität von Los Angeles. Sie nahm an mehreren Gesangwettbewerben teil und gewann den Metropolitan Opera Wettbewerb in San Francisco, den Concours Mario del Monaco in Italien und den St. Louis Potosi-Concours in Mexiko. Sie kam zu großen Erfolgen bei Bühnenauftritten in Europa. 1985 und 1987 gastierte sie an der Opéra de Wallonie Lüttich, 1988 sang sie im Lütticher Palais des Sports die Titelheldin in Puccinis «Turandot»; in Brüssel hörte man sie 1987 als Abigaille im «Nabucco» von Verdi. Sie sang in Zürich und in Santiago de Chile die Aida und 1988 in Hamburg die Leonore im «Troubadour» (und bereits zuvor die Elisabetta im «Don Carlos» von Verdi). Am Opernhaus von Essen trat sie als Tosca mit José Carreras in der Rolle des Cavaradossi auf, dann auch als Amelia in Verdis «Ballo in maschera» zusammen mit Giacomo Aragall.

Abruñedo, Lorenzo, Tenor, * 1836 in der spanischen Provinz Asturien, † 1904; er war Schüler von Giorgio Ronconi, einem der berühmtesten Baritonisten seiner Epoche, und studierte noch bei weiteren Pädagogen in Mailand. Der Höhepunkt seiner Bühnenkarriere fiel in das Jahrzehnt zwischen 1860 und 1870. In dieser Zeit trat er sehr erfolgreich am Teatro Liceo Barcelona, an der Mailänder Scala, am Teatro Regio Turin und vor allem am Teatro Real Madrid auf. Hatte er ursprünglich die mehr lyrischen, virtuosen Belcanto-Partien aus der italienischen Opernliteratur im Sinne eines «Tenore di grazia» gesungen, so wandte er sich den damals aufkommenden Opern Verdis und der französischen Grand Opéra zu, so daß man eine Entwicklung zum Spinto-Fach hin konstatierte. Eine seiner erfolgreichsten Kreationen war der Riccardo in Verdis «Un ballo in maschera». Allgemein hielt man ihn für einen der bedeutendsten Interpreten dieser Partie. Spätere Betätigung auf pädagogischen Gebiet.

Abt, Karl Julius, Baß, * 9.3. 1822 Kassel, † 12.4. 1900 Coburg; er wurde durch den berühmten Komponisten und Dirigenten Louis Spohr in Kassel gefördert und konnte 1842 seine Bühnenkarriere in Lüneburg beginnen. Er war dann nacheinander am Opernhaus von Riga, am Stadttheater von Straßburg und am Hoftheater von Mannheim engagiert. 1852 folgte er einem Ruf an das Hoftheater von Coburg. An dieser Bühne war er für viele Jahre eine der führenden Kräfte des Ensembles, das unter dem musikliebenden und selbst als Opernkomponist auftretenden Herzog Ernst II. von Coburg und Gotha eine besondere Glanzperiode durchlebte. So wirkte er dann auch am 2.4. 1854 in der Uraufführung von dessen Oper «Santa Chiara» am Hoftheater von Gotha mit. Im gleichen Jahr sang er in Coburg in der dortigen Premiere von R. Wagners «Tannhäuser» die Partie des Landgrafen. Seit 1861 war er in Coburg auch als Chordirektor und Regisseur, seit 1870 als Musikdirektor tätig. 1881 trat er in den Ruhestand, den er in Coburg verlebte.

Adami Corradetti, Iris, Sopran, * 14.3. 1903 Mailand; sie war die Tochter eines berühmten Sängerehepaares, des Baritons *Ferruccio Corradetti* (1866–1939) und der Sopranistin *Bice Adami* (1875–1969). Sie studierte zunächst am Konservatorium von Mailand Klavierspiel, bevor ihre Stimme bei einer privaten Veranstaltung durch den großen Dirigenten Arturo Toscanini entdeckt wurde. Sie erhielt nur eine kurze Ausbildung durch ihre Mutter und debütierte im Dezember 1927 als Page in der Oper «Sly» von E. Wolf-Ferrari an der Mailänder Scala. 1928–32 war sie an der Scala engagiert, wo sie in erster Linie kleinere Partien, aber auch bereits die Musetta in «La Bohème» und die Liu in «Turandot» von Puccini sang. Seit 1930 kam sie an den großen italienischen Operntheatern zu bemerkenswerten Erfolgen; 1930 gastierte sie in Turin, 1932 am Teatro San Carlo Neapel und am Teatro Fenice Venedig, seit 1938 am Teatro Carlo Felice Genua, seit 1936 war sie bis 1945 ständig an der Scala anzutreffen. 1936 gastierte sie an der Oper von Monte Carlo, 1938 am Teatro San Carlos Lissabon. 1945 sang sie als letzte Partie an der Scala die Titelrolle in «Madame Butterfly» als Partnerin von Mario del Monaco, trat aber 1951 nochmals als Francecsca da Rimini, eine ihrer Glanzrollen, von Zandonai auf. An der Mailänder Scala kreierte sie mehrere Partien in den Uraufführungen von Opernwerken, so in «La Notte di Zoraima» von Montemezzi (31.1. 1931), in «Bacco in Toscana» von M. Castelnuovo-Tedesco (1931) und in «Il Campiello» von Ermanno Wolf-Ferrari (12.2. 1936 die Lucieta); 1929 wirkte sie an der Scala in der italienischen Erstaufführung der Oper «Das Märchen vom Zaren Saltan» von Rimsky-Korssakow mit. Nach Beendigung ihrer Bühnenkarriere wurde sie eine hoch geschätzte Gesanglehrerin. Zuerst wirkte sie als solche in Triest, dann seit 1959 als Professorin am Conversatorio Benedetto Marcello in Venedig, zuletzt in Padua. Sie war u. a. die Lehrerin von Katja Ricciarelli und von Margherita Roberti. Seit 1973 richtete sie am Teatro Verdi Padua eine Stagione mit interessanten Opernaufführungen ein. Auf der Bühne beherrschte sie ein Repertoire von rund hundert Rollen, darunter auch zeitgenössische Partien. Zu nennen sind die Butterfly, die Giorgietta in Puccinis «Il Tabarro», die Nedda im «Bajazzo», die Columbina in Mascagnis «Le Maschere», die Titelheldin in dessen «Lodoletta», die Elsa im «Lohengrin» und die Diemut in «Feuersnot» von R. Strauss.
Offizielle Schallplatten der bedeutenden Sängerin sind nicht bekannt; es ist nicht auszuschließen, daß Mitschnitte von Rundfunksendungen vorhanden sind.

Adams, Donald, Baß-Bariton, * 20. 12. 1928 Bristol; er war zuerst zu Beginn des Zweiten Weltkrieges

Chorist im Chor der Kathedrale von Worcester und entschloß sich dann zur Karriere eines Schauspielers. Als solcher trat er nach Kriegsende in Bristol wie beim englischen Rundfunk BBC auf. Nachdem man seine Stimme entdeckt hatte, trat er dem Chor der D' Oily Carte Opera Company bei. Seit 1953 übernahm er bei dieser Gesellschaft Solo-Partien, hauptsächlich in den in England beliebten Operetten von Gilbert & Sullivan. Er heiratete die erste Sopranistin dieser Operntruppe *Muriel Harding*. Später bereiste er mit einer eigenen Truppe, die er zusammen mit Thomas Round leitete, die USA, England und Australien mit Operetten-Programmen. Nachdem man annahm, daß seine rund dreißigjährige Karriere als Operettensänger abgeschlossen sei, wandte sich der über 60 Jahre alte Sänger dann der Oper zu. Als er 1983 in Chicago in der Operette «The Mikado» von Gilbert & Sullivan auftrat, lud man ihn für die nächste Spielzeit ein, dort den Bartolo in Rossinis «Barbier von Sevilla» zu übernehmen. Noch zuvor trat er 1983 in einer kleinen Partie in Mussorgskys «Boris Godunow» an der Covent Garden Oper London auf und kam als Bartolo in Chicago zu einem ungewöhnlichen Erfolg. Er wiederholte diese Partie bei der Scottish Opera Glasgow und wurde nun in weiteren Opern-Aufgaben bekannt. So gastierte er am Grand Théâtre Genf als Sakristan in «Tosca», 1989 in Amsterdam als Bartolo und sang 1988–89 bei der English National Opera wie bei den Festspielen von Glyndebourne den Dikoy in «Katja Kabanowa» von Janáček. 1989 sang er bei der Glyndebourne Touring Opera den Bartolo in «Nozze di Figaro» und mit besonderem Erfolg den Antonio in der gleichen Oper bei den dortigen Festspielen. Eine weitere große Partie des Künstlers war der Frank in der Strauß-Operette «Die Fledermaus», den er an der Covent Garden Oper London, in Chicago (1989) und bei der Welsh Opera Cardiff sang. Am letztgenannten Haus kam er 1990 als Ochs im «Rosenkavalier» zu einem besonderen Erfolg.
Schallplatten: Savoy-Video («Ruddigore» von Gilbert & Sullivan); Aufnahmen auf Decca, BASF, RCA-Victor, Pearl, zumeist aus seinem Operetten-Repertoire.

Addison, Adele, Sopran, * 24. 7. 1925 New York City; sie erhielt ihre Ausbildung im Westminster Choir College, Princeton (New Jersey) und erwarb den akademischen Grad eines Bachelor of Music. Sie war auch Schülerin von Boris Goldovsky im Berkshire Music Center Tanglewood und von der großen Liedersängerin Povla Frijsh in New York. 1948 erfolgte ihr Debüt als Konzertsängerin in Boston; 1951 sang sie sehr erfolgreich in der New Yorker Town Hall. Seitdem trat sie im Konzertsaal als Solistin mit den großen amerikanischen Orchestern zusammen auf und gastierte an einigen Opernhäusern, u. a. an der City Centre Opera New York und an der New England Opera. 1963 unternahm sie eine glanzvolle Tournee durch Sowjetrußland. Sie übte eine umfassende pädagogische Tätigkeit aus und war als Lehrerin an der Eastman School of Music Rochester (New York), am Philadelphia College of Performing Arts, an der Aspen Music School

und an der New York State University in Stony Brook tätig. Eine ihrer Schülerinnen war die Sopranistin Faith Esham.
Schallplatten: CBS («Messias» von Händel, 9. Sinfonie von Beethoven), Composer's Recordings.

Adrian, Max Tenor, * 4. 11. 1888 Bračna Vas bei Bizeljskem (Jugoslawien), † 16. 1. 1969 Ljubljana (Laibach); anscheinend absolvierte der Künstler zunächst ein wissenschaftliches Studium und erwarb den Doktorgrad. Dann Ausbildung der Stimme in Wien, wo er 1924–25 an der Volksoper engagiert war. 1925–26 sang er am Theater von Ustí nad Labem (Aussig), 1926–28 am Deutschen Theater Prag. 1928–30 war er Mitglied des Staatstheaters Hannover, 1930–31 nahm er an der Nordamerika-Tournee der von Johanna Gadski zusammengestellten German Opera teil. 1931–35 war er dann wieder an der Wiener Volksoper tätig und gastierte u. a. an der Staatsoper Wien (1935), in Berlin und in Ljubljana. Seit 1937 wirkte er dort als Gesanglehrer. Höhepunkte im Bühnenrepertoire des Sängers waren der Manrico im «Troubadour», der Radames in «Aida», der Lohengrin, der Turiddu in «Cavalleria rusticana», der José in «Carmen» und der Titelheld in «Palestrina» von Hans Pfitzner. In seiner jugoslawischen Heimat trat er unter dem Namen Makso Adrian auf.

Agache, Alexandru, Bariton, * 16. 1955 Cluj-Napoca (Rumänien); er erhielt seine Ausbildung zum Sänger an der Musikhochschule seiner Heimatstadt Cluj (Klausenburg). 1979 debütierte er am Opernhaus von Cluj in der Partie des Sharpless in «Madame Butterfly». Nach ersten Erfolgen an diesem Theater wie bei Bühnen- und Konzertauftritten in seiner rumänischen Heimat wurde er 1983 erster Preisträger beim Internationalen Gesangwettbewerb von Lucca. Er gastierte dann 1986 als Don Giovanni bei den Festspielen von Livorno, an den Staatsopern von Berlin und Dresden (1985–86). 1987 kam er zu einem großen Erfolg, als er am Opernhaus von Toulon den Titelhelden im «Don Giovanni» sang. 1988 trat er an der Covent Garden Oper London als Renato in Verdis «Ballo in maschera» auf. Ebenfalls 1988 gab er sein Debüt an der Mailänder Scala als Belcore in «Elisir d'amore» von Donizetti. An der Staatsoper Hamburg hörte man ihn als Posa im «Don Carlos» von Verdi und als Silvio im «Bajazzo» (1988), am Opernhaus von Zürich als Renato im «Maskenball» (1989). Diese Partie sang er auch 1989 an der Deutschen Oper am Rhein Düsseldorf–Duisburg.
Schallplatten: Alfio in vollständiger Aufnahme von «Cavalleria rusticana», Hänssler-Verlag (Messa per Rossini).

Ahlstedt, Douglas, Tenor, * 16. 3. 1945 Jamestown (New York); seine Ausbildung erfolgte an der State University New York und an der Eastman School of Music, dann auch bei Josephine Antoine in Rochester. 1971 debütierte er am Western Opera Theatre San Francisco als Ramiro in Rossinis «La Cener-

entola». Nachdem er bei verschiedenen kleineren Operngesellschaften aufgetreten war, gewann er 1973 den Gesangwettbewerb der Metropolitan Oper New York und debütierte an diesem Haus in der folgenden Spielzeit 1974–75 als italienischer Sänger im «Rosenkavalier». Er sang dort auch den Fenton in Verdis «Falstaff», ging dann aber nach Europa und war 1975–84 Mitglied der Deutschen Oper am Rhein Düsseldorf–Duisburg, seit 1984 auch der Staatsoper Wien. Durch Gastverträge war er mit dem Opernhaus Zürich (1980–81), dem Staatstheater Karlsruhe (1984–87) und der Hamburger Staatsoper (1982–84) verbunden. Seit 1983 hatte er dann auch wieder an der New Yorker Metropolitan Oper große Erfolge in Partien wie dem Ferrando in «Così fan tutte», dem Iopas in «Les Troyens» von Berlioz, dem Grafen Almaviva im «Barbier von Sevilla» und dem Pelléas in «Pelléas et Mélisande» (1988). Er gastierte außerdem an den Opern von Philadelphia (1979) und Dallas (1987), beim Holland Festival (1977 als Rinuccio in «Gianni Schicchi» von Puccini), an den Opern von Antwerpen (1985) und Genf (1978), in Amsterdam (1979) und Bordeaux (1981), in Santiago de Chile (1985, 1987 als Don Ottavio im «Don Giovanni» und als Fenton), in Rio de Janeiro (1989), Avignon (1983) und Milwaukee (1976), am Nationaltheater Prag (1987), am Teatro San Carlo Neapel (1988 als Oreste in «Ermione» von Rossini), in Genua, an der Oper von Rom (1982 als Idreno in «Semiramide» von Rossini) und 1989 auch wieder an der Deutschen Oper am Rhein Düsseldorf–Duisburg. Bei den Salzburger Festspielen hörte man ihn als Anfinomo in Monteverdis «Il Ritorno d' Ulisse in patria». Von den vielen Partien für lyrischen Tenor, die er gesungen hat, sind noch der Tamino in der «Zauberflöte», der Jacquino im «Fidelio», der Narcisio in Rossinis «Il Turco in Italia», der Châteauneuf in «Zar und Zimmermann» von Lortzing, der Brighella in «Ariadne auf Naxos» von R. Strauss, der Fuchs im «Schlauen Füchslein» van Janáček und der Peter Quint in «The Turn of the Screw» von Benjamin Britten zu erwähnen. Auch als Konzertsänger kam er zu einer großen internationalen Karriere; so gab er 1979 erfolgreiche Konzerte in London.
Schallplatten: HMV.

Aichberger, Ewald, Tenor, * 1944 (?); der Künstler war in den Jahren 1968–88 Mitglied der Staatsoper Wien. Er sang an diesem Haus vor allem Partien aus dem Comprimario-Fach und nahm an den großen Ereignissen, die in die Zeit seines dortigen Engagements fielen, teil. Gelegentlich hörte man ihn auch in größeren Partien wie dem Froh im «Rheingold», dem Kilian im «Freischütz», dem Rodrigo in Verdis «Othello», dem Steuermann im «Fliegenden Holländer», dem Yamadori in «Madame Butterfly», dem Arturo in «Lucia di Lammermoor», dem ersten Geharnischten in der «Zauberflöte» und dem Flavio in «Norma». Insgesamt hat er an der Wiener Staatsoper rund 50 Partien vorgetragen und erwies sich als ein für den Spielbetrieb unentbehrliches Ensemble-Mitglied. 1975 wirkte er hier in der Uraufführung von G. von Einems «Besuch der alten Dame» mit,

1977 nahm er an dem Gastspiel der Wiener Staatsoper beim Maggio musicale Florenz teil.
Einige seiner kleinen Partien hat er auch auf Schallplatten gesungen, u. a. auf DGG in «Ariadne auf Naxos» von R. Strauss, auf Decca im «Parsifal», auf Amadeo im «Besuch der alten Dame» (Mitschnitt der Uraufführung).

Aijrjan, Artasches, Bariton, * 1938 Baku (Aserbaidschan); als er einen Monat alt war, verzogen seine Eltern, die aus Armenien stammten, in den Iran. Hier beschäftigte er sich nach seiner Schulzeit mit schriftstellerischen Arbeiten über sein Heimatland Armenien, in das er erst 1960 zurückkehren konnte. Dort wurde er Schüler des in Armenien bekannten Baritons Aram Sakissjan. Er begann seine Bühnenkarriere mit einem fünfjährigen Engagement am Opernhaus von Baku, erreichte dann aber den Höhepunkt seiner Bühnenlaufbahn am Opernhaus der armenischen Metropole Eriwan. Er trat dort als großer Interpret der armenischen Oper hervor, wobei der Mossi in «Anush» von Armen Tigranjan seine eigentliche Glanzrolle war. Er sang in Eriwan aber auch Partien wie den Grafen Luna im «Troubadour», den Germont-père in «La Traviata», den Posa im «Don Carlos» von Verdi und den Escamillo in «Carmen». Besonderes Ansehen genoß der Sänger, dem zum Volkskünstler der Armenischen Republik ernannt wurde, als Interpret des armenischen Volks- und Kunstliedes. Gerade auf diesem Gebiet konnte er bei seinen Tourneen in der Sowjetunion und im Ausland bei seinen in aller Welt verstreuten Landsleuten wie beim örtlichen Publikum große Erfolge davontragen. Einen Höhepunkt in seiner Laufbahn bezeichnete 1988 eine große Konzerttournee durch Frankreich und Spanien.
Schallplatten der staatlichen sowjetrussischen Produktion (Melodiya), darunter die vollständige Oper «Anush» und armenische Lieder.

Aimo, Rosina, Sopran, * 1856 (?) Tortona, † (?); nach ihrer Ausbildung durch Lauretta Romanò in Mailand kam es 1874 zu ihrem Bühnendebüt am Teatro Municipale Alessandria als Sinaide in Rossinis «Mosè». 1875–76 hatte sie große Erfolge am Teatro Chiabrera von Savona, dann in Turin und 1877 am Teatro Dal Verme Mailand als Elvira in Verdis «Ernani». Sie unternahm erfolgreiche Gastspiele an führenden italienischen Opernhäusern und sang 1880 mit einer Stagione in Alexandria in Ägypten. Es schlossen sich wieder Auftritte in Italien an, u. a. am Teatro Malibran Venedig, am Teatro Politeama Genua und 1882 am Opernhaus von Triest. 1883–84 gastierte sie an spanischen Bühnen und am Teatro San Carlos Lissabon. 1885 ist sie an den Opernhäusern von Charkow und Rostow am Don anzutreffen, 1887 in Madrid. 1888 war sie die eigentliche Primadonna einer Operntruppe, mit der der Impresario Martin Simonsen eine Tournee durch Australien und Neuseeland unternahm; dabei sang sie u. a. die Leonore im «Troubadour», die Titelheldin in Bellinis «Norma», die Amelia in Verdis «Ballo in maschera» und die Elvira in «Ernani». 1891 unternahm sie eine ähnliche Tournee durch die Länder

Süd- und Mittelamerikas. Nach ihrer Rückkehr gastierte sie am Theater von Korfu und in Barcelona. 1895 hörte man sie in Nizza innerhalb von 39 Tagen in 29 verschiedenen italienischen Opern. In den Jahren 1882–95 war sie immer wieder am Teatro Rossetti von Triest zu Gast, dessen Publikum die Künstlerin sehr schätzte. Mit Auftritten am Teatro Ariosto in Reggio Emilia, am Teatro Sociale von Viadana und 1897 in Smyrna scheint ihre für die damaligen Verhältnisse ganz internationale Karriere zum Ausklang gekommen zu sein.

Alagno, Roberto, Tenor, * 1964 Syracus (Sizilien); er war zunächst als Unterhaltungssänger tätig und sang bereits im Alter von 15 Jahren in Pariser Kabaretts Schlager (wobei er Charles Aznavour karikierte) und neapolitanische Lieder. 1989 kam es dann zu einem ganz unerwarteten, glänzenden Debüt als Opernsänger in der Partie des Alfredo in Verdis «La Traviata». Diese Rolle sang er 1989 in Montpellier als Partner von Jenny Drivala. Man sprach von einem «Tenorwunder» und rühmte den unglaublichen Glanz der strahlenden Tenorstimme des Sängers, der zum Zeitpunkt seiner Entdeckung nicht einmal Noten lesen konnte. 1989 trat er bei der Glyndebourne Touring Opera Company auf, ebenso 1989 an der Oper von Monte Carlo als Alfredo zusammen mit der berühmten rumänischen Sopranistin Nellie Miricoiu. Nach nochmaligem intensivem Studium bei seinem eigentlichen Entdecker, dem Dirigenten Riccardo Muti, sang er dann im Frühjahr 1990 den Alfredo an der Mailänder Scala zusammen mit der ebenfalls noch ganz unbekannten Sopranistin Tiziana Fabbricini. Für beide Sänger wurde diese Aufführung ein großer Triumph, der sie mit einem Schlag weltbekannt machte.

Alaimo, Simone, Baß-Bariton, * 1956 (?) Villabate bei Palermo; er erhielt seine Ausbildung zum Sänger zuerst in Palermo und wurde dann in die Opernschule der Mailänder Scala aufgenommen. 1980 erfolgte sein Bühnendebüt an der Scala in der Oper «La Testa di bronzo» von C. Soliva. 1980 gewann er einen Preis beim Concorso Maria Callas. Seine Karriere entwickelte sich nunmehr sehr schnell. 1980 sang er in Las Palmas und in Genua (wo er seither oft auftrat), 1981 und dann immer wieder am Teatro San Carlo Neapel, seit 1982 auch an der Oper von Rom. 1982 gastierte er am Teatro Liceo Barcelona und beim Rossini Festival in Pesaro, 1982, 1984 und 1986 bei den Festspielen von Martina Franca. Hatte er bis 1984 Baß-Partien gesungen, so wandte er sich seitdem auch dem Bariton-Fach zu, so daß sein Rollenrepertoire einen besonders großen Umfang annahm. 1985 war er zu Gast am Théâtre Châtelet Paris, 1987 am Teatro San Carlos Lissabon; 1987 kam es zu seinem Nordamerika-Debüt an der Oper von Chicago als Mustafà in Rossinis «Italiana in Algeri». Am Theater von Savona sang er 1986 den Murena in Donizettis «L' Esule di Roma», 1989 den Issachar in der vergessenen Oper «L' Ebreo» von Giuseppe Apolloni. 1988 gastierte er mit großen Erfolgen an der Oper von San Francisco, an der Covent Garden Oper London (wieder in «Italiana in

Algeri») und an der Staatsoper Wien. In San Francisco wirkte er 1988 in der amerikanischen Premiere von Rossinis «Maometto II.» mit. Von den vielen Bühnenpartien, die sein Repertoire bildeten, sind zu nennen: der Ubaldo in «La Serva Padrona» von Pergolesi, der Basilio im «Barbier von Sevilla» von Paisiello, der Bartolo in «Nozze di Figaro», der Graf Robinson in Cimarosas «Matrimonio segreto», der Alidoro in Rossinis «La Cenerentola», der Selim in dessen «Il Turco in Italia», der Assur in «Semiramide», der Faraone in «Mosè in Egitto», der Dulcamara in «Elisir d' amore», der Raimondo in «Lucia di Lammermoor», der König Heinrich VIII. in «Anna Bolena», die Titelpartien in den Donizetti-Opern «Don Pasquale» und «Torquato Tasso», der Conte Rodolfo in «La Sonnambula» von Bellini, der Vater Miller in Verdis «Luisa Miller», der Albano in «I Lituani» von Ponchielli und der Argante in «Rinaldo» von G. F. Händel.
Schallplatten: Philips («La Cenerentola», «Maria Stuarda» von Donizetti), Decca («I Masnadieri» von Verdi), Fonit Cetra («Viva la mamma» und «L' Esule di Roma» von Donizetti), Bongiovanni («Il Turco in Italia», «Torquato Tasso»), CBS («Der Barbier von Sevilla» von Rossini).

Alasia, Teresa, Alt, * September 1867 Turin, † 26. 3. 1900 San Salvador; sie studierte in den Jahren 1885–88 am Liceo musicale von Turin und war Schülerin der berühmten Antonietta Fricci. 1889 debütierte sie am Teatro Regio Turin als Cieca in «La Gioconda» von Ponchielli. Es folgte eine schnelle Karriere an führenden italienischen Opernhäusern, u. a. in Messina, Modena und am Teatro Dal Verme Mailand. 1896 kreierte sie in Reggio Emilia die Kantate «Edmengarda» von Pietro Meloni. Ihre großen Bühnenrollen waren die Maddalena im «Rigoletto», die Casilda in «Ruy Blas» von Marchetti, die Amneris in «Aida» und die Azucena im «Troubadour». 1899 beteiligte sie sich an einer Tournee einer italienischen Operngesellschaft durch Süd- und Mittelamerika. Sie erkrankte in San Salvador an einer schweren fieberhaften Infektion und starb dort innerhalb weniger Tage, noch bevor ihre Karriere den eigentlichen Höhepunkt erreicht hatte.

Alasia, Tina, Mezzosopran, * 4. 7. 1876 Turin, † 10. 5. 1948 Turin; eigentlicher Name Maria Elisabetta Alasia. Sie begann ihre Ausbildung 1897 am Liceo musicale von Turin und war anschließend Schülerin von Annetta Casaloni und von L. Perigozzo. Ihr Debüt erfolgte 1902 am Teatro Politeama von Acqui als Pierotto in «Linda di Chamounix» von Donizetti. Schon sehr bald kam sie nach ersten Erfolgen an den Theatern von Bra und Lucca an die Mailänder Scala, an der sie 1903 als Erda im «Rheingold» und als Maddalena im «Rigoletto» erschien. Am 17. 2. 1904 sang sie in der unglücklichen Uraufführung von Puccinis «Madame Butterfly» an der Mailänder Scala die Partie der Suzuki, die Puccini selbst mit ihr einstudiert hatte. Ihre Karriere führte sie innerhalb von rund 30 Jahren an die großen Opernbühnen in Europa, in Nord- und Südamerika wie nach Australien. 1907 hatte sie einen besonderen Erfolg als Brangäne im «Tristan» in Bologna; bei den Verdi-Feiern des Jahres 1913 sang sie am Teatro Regio Parma die Ulrica in der Verdi-Oper «Un ballo in maschera». Zu ihren weiteren Glanzrollen gehörten die Amneris in «Aida», die Azucena im «Troubadour» und die Ortrud im «Lohengrin». 1907 wirkte sie am Teatro Comunale von Bologna in der italienischen Erstaufführung von Tschaikowskys Oper «Jolanthe» mit, am Teatro Verdi von Padua sang sie in der Uraufführung der Oper «Mosè» von G. Orefice die Partie der Myriam (11.6.1905). Sehr große Erfolge erzielte sie bei Gastauftritten in der Türkei, wobei der Sultan Abdul-Hamid II. sie, ganz gegen die Etikette seines Hofes, mit einem Handkuß ehrte. Die auch als Konzertsolistin bekannte Sängerin wirkte später als Pädagogin in ihrer Geburtsstadt Turin.

Albanese, Cecilia, Sopran, *26.11.1937 Caracas (Venezuela); eigentlicher Name Cecilia Nuñez; sie kam aus ihrer südamerikanischen Heimat nach Italien und erhielt ihre Ausbildung zur Sängerin am Conservatorio Giuseppe Verdi in Mailand und durch die Pädagogen Ettore Campogalliani und Magda Piccarolo. Sie gewann Gesangwettbewerbe in Macerata, Vercelli und Parma und debütierte in Reggio Emilia als Gilda im «Rigoletto». Sie kam von ihrem Wohnort Mailand aus am Teatro San Carlo Neapel, an der Hamburger Staatsoper, am Teatro Liceo Barcelona, an der New York City Centre Opera sowie in England bei der Welsh Opera Cardiff und bei der Scottish Opera Glasgow zu großen Erfolgen im Koloraturfach, hatte aber ähnliche Erfolge auch bei Gastspielen und Konzerten in anderen internationalen Musikzentren. Aus ihrem Bühnenrepertoire sind zu nennen: die Amina in «La Sonnambula» von Bellini, die Lucia di Lammermoor, die Norina im «Don Pasquale», die Königin der Nacht in der «Zauberflöte», die Rosina im «Barbier von Sevilla» von Rossini, die Violetta in «La Traviata», die Nannetta im «Falstaff» von Verdi, die Musetta in Puccinis «La Bohème» und die Monica in «The Medium» von Gian Carlo Menotti.

Alberis, Teresa, Sopran/Mezzosopran, *1725 (?), †(?); die Sängerin erscheint in den Jahren 1750–62 an verschiedenen italienischen Theatern in interessanten Rollen. Im Herbst 1752 sang sie am Teatro San Samuele Venedig in einer Oper «I portentosi effetti della madre natura» nach einem Text von Goldoni, deren Komponist nicht bekannt ist. 1753 erscheint sie an diesem Theater in «Il mondo alla rovescia» als Ferramonte und in «I bagni d'Albano» in der Partie des Monsieur La Flour, beides Opern von Baldassare Galuppi. Im Herbst 1760 und im Karnevalssaison 1761 ist sie am Teatro Sant'Angelo Venedig anzutreffen, wo sie in den Opern «Amor contadino» von Giovanni Battista Lampugnani, «L'amor artigiano» von G. Latilla und «Amore in caricatura» von V. Ciampi erfolgreich auftrat. Damit brechen die Nachrichten über die Sängerin ab.

Albert, Eugen, Tenor, *1876 (?), † (?); der Künstler debütierte 1900 am Stadttheater von Colmar (Elsaß) und sang dann 1901–03 am Stadttheater von Würzburg, 1903–04 am Stadttheater von Basel, 1904–05 am Stadttheater von Mülhausen (Mulhouse, Elsaß), 1906–08 am Stadttheater von Freiburg i. Br. und 1908–14 am Opernhaus von Düsseldorf. 1914–20 und 1925–27 war er am Opernhaus von Leipzig engagiert und gehörte in den dazwischen liegenden Jahren 1920–21 dem Stadttheater Halle (Saale) und 1921–25 dem Stadttheater Basel an. 1927–36 wirkte er als Sänger und Regisseur am Theater von Danzig; dort ist er gelegentlich auch als Schauspieler in Erscheinung getreten. 1914 gastierte er an der Covent Garden Oper London als David in den «Meistersingern», 1913 am Théâtre de la Monnaie Brüssel als Mime im Nibelungenring, 1915 an der Hofoper Dresden, 1920 am Opernhaus von Köln. Am 26.10.1919 wirkte er in Leipzig in der Uraufführung der Oper «Revolutionshochzeit» von E. d' Albert mit. Er beherrschte ein breites Repertoire aus lyrischen und Buffo-Rollen, darunter den Pedrillo in der «Entführung aus dem Serail», den Monostatos in der «Zauberflöte», den Jacquino im «Fidelio», den Peter Iwanow in «Zar und Zimmermann», den Veit in «Undine» von Lortzing, den Bardolph in Verdis «Falstaff», den Spoletta in «Tosca», den Beppe im «Bajazzo», den Totonno in «Il gioielli della Madonna» von Wolf-Ferrari, den Thibaut in «Das Glöckchen des Eremiten» von Maillart, den Spalanzani in «Hoffmanns Erzählungen» und den Beppo in «Fra Diavolo» von Auber. Daneben trat er auch sehr erfolgreich in Operetten-Partien auf (Titelheld in Offenbachs «Orpheus in der Unterwelt», Paris in «La belle Hélène», Alfred in der «Fledermaus», Barinkay im «Zigeunerbaron»).

Albertelli, Francesco, Baß, *(?), †(?); erstmals hören wir etwas über den aus Italien stammenden Sänger, als er 1788 in Wien in der Oper «Axur Re d' Ormus» von Antonio Salieri in der Partie des Biscroma debütierte. Dabei handelte es sich um die Uraufführung der Oper am 4.4.1788 (die wiederum eine Bearbeitung der im Jahr zuvor von Salieri komponierten Oper «Tarare» darstellte). Drei Wochen später wirkte er in der Oper «La modista raggiratrice» von Giovanni Paisiello mit. Am 7.5.1788 sang er dann in der Wiener Erstaufführung von Mozarts «Don Giovanni» die Titelpartie. Im Juni 1788 bewunderte man ihn als Sänger wie als Darsteller (vor allem von Buffo-Typen) in der Oper «Le gelose fortunate» von Pasquale Anfossi. Neun verschiedene Komponisten hatten für diese Aufführung zusätzliche Einlagen komponiert, Mozart stellte dabei die Baß-Arie «Un bacio di mano» zur Verfügung. Es hat den Anschein, daß der große Meister den Sänger sehr schätzte. 1791 trat Franceso Albertelli am King's Theatre London auf, 1792 wirkte er in den von Johann Peter Salomon in den Hanover Square Rooms in der englischen Hauptstadt veranstalteten Konzerten mit. Damit enden die Nachrichten über den Künstler.

Albertini, Giuliano, Alt (Kastrat), *(?), †(?); er stammte aus Florenz und lebte am Hof des Kardinals de'Medici und späteren Herzogs der Toskana. 1705 gastierte er als Opernsänger in Venedig, in den Jahren 1707–09 in Neapel, wo er u. a. in der Oper «Teodosio» von Alessandro Scarlatti auftrat. 1709 hörte man ihn abermals in Venedig, jetzt in Werken von Antonio Lotti und in der Oper «Agrippina» von G. F. Händel. In diesem Werk sang er die Partie des Narciso. 1711 war er in Bologna zu Gast, 1716 in Modena und schließlich 1718–24 wiederholt in Venedig. Er tritt nochmals bei Opernaufführungen 1729 in Rom in Erscheinung. Dann verliert sich seine Lebensspur im Dunkel.

Albinolo, Giovanni, Bariton, * 13. 6. 1865 Turin, † 7. 7. 1925 Turin; seine Stimme wurde in einem Chor entdeckt; 1896 kam es zu seinem Bühnendebüt am Teatro Piccinni von Bari in der Partie des Grafen Luna im «Troubadour» von Verdi. Er wurde bekannt als Titelheld in Verdis «Rigoletto», vor allem aber als Jago in dessen «Othello», den er im Verlauf seiner Karriere 400mal gesungen hat. 1899 hörte man ihn am Teatro San Carlo Neapel als Don Carlo in «Ernani», als Grafen Luna im «Troubadour», als Enrico in «Lucia di Lammermoor», als Barnaba in «La Gioconda» von Ponchielli, als Germont-père in «La Traviata», als Renato in Verdis «Ballo in maschera» und, zusammen mit dem berühmten Tenor Francesco Tamagno, mit dem er befreundet war, in «Poliuto» von Donizetti. Er galt auch als großer Interpret der Baritonpartien in den damals aufkommenden Opern des italienischen Verismo. So sang er 1902 am Teatro Vittorio Emanuele von Turin in der Oper «A basso porto» von Spinelli die Rolle des Cicillo. An diesem Theater war er oft anzutreffen; hier wirkte er auch in mehreren Uraufführungen von Opern mit («Il Battista» von Giocondo Fino 1906, «Margherita d'Orleans» von A. Restano 1897, «Suprema Via» von Radeglia 1902, «Dolorosa» von E. Sanchez 1911). Auch als Konzertsänger hervorgetreten.

Albrecht, Karoline, Sopran, * 26. 2. 1802 Memel, † 15. 2. 1875 St. Petersburg; sie war die Tochter des Schauspieldirektors Horian und trat bei dessen wandernder Truppe bereits im Alter von sieben Jahren in Kinderrollen auf. Sie wandte sich dann dem Schauspiel zu, übernahm Rollen für sentimentale Liebhaberinnen und wurde durch den Schriftsteller und Theaterdichter August von Kotzebue bei ihren Auftritten in Reval gefördert. Sie entschloß sich jedoch zur Karriere einer Bühnensängerin und hatte 1822 in Riga als Ännchen im «Freischütz» (wahrscheinlich in der dortigen Premiere der Oper) einen ersten großen Erfolg. Sie sang dann seit 1827 am Deutschen Opernhaus in St. Petersburg und hatte dort in Koloratur- und Soubrettenpartien eine glänzende Karriere. Nachdem ihr Ehemann, ein deutscher Arzt, gestorben war, blieb sie, praktisch bis zu ihrem Lebensende, beim Theater und trat zuletzt in Rollen aus dem Fach der Komischen Alten auf.

Albright, Claudia, Mezzosopran, * 1880 (?), † (?); bereits 1905 erscheint die Sängerin im Ensemble der Savage English Opera Company, der damals auf ihrer USA-Tournee 1905–06 so bedeutende Sänger wie Florence Easton, Francis Maclennan, Gertrude Rennyson und Rita Fornia angehörten. Sie sang bei dieser Operngesellschaft u. a. die Venus im «Tannhäuser», den Siebel im «Faust» und kleinere Partien in der «Walküre» wie im «Parsifal». 1910 war sie in Europa und sang u. a. am Stadttheater von Bremen. 1924–25 entstanden dann auf Edison-Platten einige Aufnahmen ihrer Stimme, darunter die Habanera aus «Carmen» sowie spanische Volkslieder. Dabei wird man von der Qualität ihrer Stimme angesichts einer eher bescheidenen Karriere überrascht.

Aleksandrić, Zoran, Bariton, * 10. 6. 1941 Belgrad; er erhielt seine Ausbildung durch B. Cvejić und S. Janković in Belgrad und kam 1972 zu seinem Bühnendebüt. Er wurde noch im gleichen Jahr an die Nationaloper von Belgrad verpflichtet, an der er eine jahrelange erfolgreiche Karriere hatte, die durch Gastspiele und Konzertauftritte ergänzt wurde. Von seinen Bühnenpartien verdienen der Belcore in «Elisir d'amore», der Renato im «Maskenball» von Verdi, der Rigoletto, der Lescaut in «Manon Lescaut» von Puccini, der Tonio im «Bajazzo» und der Sharpless in «Madame Butterfly» Erwähnung.
Schallplatten: Jugoton.

Aler, David, Bariton, * 26. 4. 1959 Stockholm; er besuchte bis 1987 die Staatsakademie für Drama und Oper in Göteborg, wo er hauptsächlich Schüler von Jaqueline Delman war. Er studierte auch bei Geoffrey Parsons, bei Galina Wischnewskaja, bei Thomas Hemsley, Janet Baker und Kim Borg. Noch während er diese Ausbildung absolvierte, wurde er an das Landestheater von Coburg für einige Opernpartien verpflichtet. Man hörte ihn hier wie bei Auftritten in seiner schwedischen Heimat als Don Giovanni, als Guglielmo in «Così fan tutte», als Bob in «The Old Maid and the Thief» von G. C. Menotti und als Tarquinius in «The Rape of Lucretia» von B. Britten. 1988 gewann er den englischen Gesangwettbewerb «The English Song Award». 1988 sang er in Vadstena in der Uraufführung von «Someone I have seen» von Karolina Eiriksdottir und 1989 in Aufführungen des gleichen Werks in Reykjavik. 1989 trat er am Stora Teater Göteborg als Schaunard in «La Bohème» auf und war Solist in einem Gala-Konzert anläßlich der Eröffnung des schwedischen Parlaments in Stockholm. 1990 folgten Konzerte mit dem Drottningholm Barock-Ensemble und mit der Chapelle Royale in Versailles, weitere Konzerte in Schweden, Finnland und Frankreich. Auch als Rundfunksänger in Erscheinung getreten.

Aler, John, Tenor, * 4. 10. 1949 Baltimore; Studium an der Catholic University Washington und an der Juilliard School of Music New York. Erstes Auftreten 1973 am Goldovsky Opera Theatre als Titelheld in B. Brittens «Albert Herring»; professionelles Debüt 1977 im Juilliard Opera Center als Ernesto in «Don Pasquale». 1981 großer Erfolg an der New York City Centre Opera als Don Ottavio im «Don Giovanni», dann als Arturo in «I Puritani» von Bellini. In den USA sang er in Baltimore (italienischer Sänger im «Rosenkavalier», Lindoro in Rossinis «Italiana in Algeri», Steuermann im «Fliegenden Holländer»), in Washington, Santa Fé, St. Louis und San Diego; auch in Kanada trat er auf. In Europa debütierte er an der Opéra du Rhin Straßburg als Ferrando in «Così fan tutte» und hatte dann brillante Erfolge am Théâtre de la Monnaie Brüssel (1979 als Belmonte in der «Entführung aus dem Serail») und 1979 bei den Festspielen von Glyndebourne, bei denen man seinen Ferrando in «Così fan tutte» bewunderte. Diese Partie sang er auch 1982 an der Wiener Staatsoper, an der er den auch als Graf Almaviva im «Barbier von Sevilla» von Rossini, als Ramiro in «La Cenerentola» und als Don Ottavio auftrat. Bei den Festspielen von Aix-en-Provence gastierte er in den klassischen Opern «Les Boréades» und «Hippolyte et Aricie» von Rameau wie 1984 in «La finta giardiniera» von Mozart. Bei Gastspielen an der Staatsoper von München, in Genf, Paris (Théâtre du Châtelet) und Hamburg erwies er sich als lyrischer Tenor von großer technischer Versiertheit und einem ungewöhnlichen Ausdrucksvermögen; er spezialisierte sich auf das Mozart-, das Belcanto- und das Barock-Repertoire. 1985 hörte man ihn beim Glyndebourne Festival als Idamante in «Idomeneo» von Mozart. 1986 debütierte er an der Covent Garden Oper London, wiederum als Ferrando, im gleichen Jahr unternahm er eine Tournee durch den Fernen Osten. Nicht weniger glanzvolle Karriere auch im Konzertsaal. 1988 sang er an der Covent Garden Oper den Riccardo Percy in Donizettis «Anna Bolena» als Partner von Joan Sutherland. Bei den Salzburger Festspielen hörte man ihn 1988 als Don Ottavio im «Don Giovanni».

Schallplatten: Philips («Iphigénie en Tauride» von Gluck als Pylades, «Le Comte Ory» von Rossini, «Pêcheurs de perles» von Bizet), HMV («Postillon de Lonjumeau» von Adam, «La muette de Portici» von Auber, «Roméo et Juliette» von Berlioz), RCA (Tenorsolo im «Messias», Carmina Burana von C. Orff), Erato («Les Boréades» und «Hippolyte et Aricie» von Rameau), HMV-Electrola («La belle Hélène» von Offenbach), Telarc (Messe C-dur von Mozart).

Alexandrovich, Michail, Tenor, * 1917 Riga; er gehörte einer strenggläubigen jüdischen Familie an. Als Kind von sechs Jahren erregte er Aufsehen, als er in seiner lettischen Heimat, in Litauen, Polen und Deutschland Lieder von Schubert, Tschaikowsky, Glinka und Grieg in Konzerten vortrug, ebenso auch jüdische religiöse Vokalmusik. Er studierte dann am Konservatorium von Riga Gesang, Piano- und Violinspiel und gewann einen Gesangwettbewerb in Manchester. Etwa 1937 begann er eine Karriere als Opernsänger an den Opernhäusern von Riga und Kaunas (Kowno). An der letzteren Bühne sang er u. a. den Grafen Almaviva im «Barbier von Sevilla», den Lindoro in Rossinis «Italiana in Algeri», den Nemorino in «Elisir d'amore» und den Prinzen in «Rusalka» von Dvořák. Seit 1940 hatte er eine erfolgreiche Karriere als Rundfunksänger bei Radio Riga, mußte aber bei der Besetzung der baltischen

Staaten durch die deutschen Truppen 1941 als Jude in das Innere der Sowjetunion flüchten. Er gab während des Zweiten Weltkrieges Konzerte vor russischen Soldaten und trat sogar im belagerten Leningrad auf. Dafür wurde er von der sowjetischen Regierung mit mehreren Orden ausgezeichnet. Nach Kriegsende ließ er sich in Moskau nieder, beantragte jedoch die Ausreise nach Israel, die ihm verweigert wurde. Nach langjähriger Wartezeit und durch Vermittlung von Persönlichkeiten wie der israelischen Ministerpräsidentin Golda Meir und des UN-Generalsekretärs U-Thant wurde dem Künstler 1972 endlich die Ausreise nach Israel gestattet. Er ließ sich dort in dem Kibbuz Ramat-Gan bei Tel-Aviv nieder und brachte auf der Schallplattenmarke RCA Aufnahmen mit jüdischer Volksmusik und religiösen Gesängen heraus. 1974 unternahm er eine Konzertreise durch die USA und wurde schließlich für eine Reihe von Jahren Kantor an der Synagoge Beth David in Toronto.

Neben den bereits erwähnten RCA-Platten sind in der UdSSR zahlreiche Aufnahmen der staatlichen sowjetrussischen Plattenproduktion entstanden, die eine schön gebildete, lyrische Tenorstimme präsentieren, die an die großen Tenöre der russischen Schule erinnert.

Alexejew, Alexander (Iwanowitsch), Tenor, * 20. 10.(1. 11.) 1895, † 2. 7. 1939; er studierte in Moskau und sang bereits 1923 kleine Partien am dortigen Bolschoj Theater, widmete sich aber in den Jahren 1923–25 weiteren Studien in der russischen Metropole. 1925–27 trat er abermals in kleineren Rollen am Bolschoj Theater auf und sang 1927–28 am Moskauer Operettentheater. 1928–29 wirkte er als erster lyrischer Tenor am Opernhaus von Tiflis (Tblissi) und folgte dann wieder einem Ruf an das Bolschoj Theater Moskau, dessen Mitglied er bis zu seinem Tod geblieben ist. Hier wie bei Gastspielen an führenden russischen Opernbühnen hörte man ihn in Partien wie dem Lenski im «Eugen Onegin», dem Grafen Almaviva im «Barbier von Sevilla» von Rossini, dem Alfredo in «La Traviata», dem Gérald in «Lakmé» von Delibes, dem Rodolfo in Puccinis «La Bohème» und dem ‹Lohengrin›. Bekannt wurde er auch als Konzert- und Liedersänger.

Schallplattenaufnahmen der staatlichen sowjetrussischen Produktion.

Alfermann, Marianne, Sopran, * 8. 6. 1891; sie begann ihre Karriere mit einem Bühnenengagement am Stadttheater von Mainz 1910–12. Nach einem Gastspiel an der Berliner Hofoper im Dezember 1911 war sie 1912–17 Mitglied dieses Opernhauses. 1917–18 war sie an der Oper von Frankfurt a. M. engagiert, wo sie u. a. die Zerbinetta in «Ariadne auf Naxos» von R. Strauss, die Violetta in «La Traviata», aber auch bereits viele Operetten-Partien sang. Seit 1918 lebte sie gastierend in Berlin und wandte sich mehr und mehr dem Gebiet der Operette zu. In der zweiten Hälfte der zwanziger Jahre war sie immer wieder am Berliner Central-Theater als große Operetten-Diva anzutreffen. Sie sang in diesem Bereich eine Vielzahl von Partien in den

klassischen Operetten von Offenbach, Johann Strauß, Millöcker, Leo Fall, von Gilbert & Sullivan wie auch von zeitgenössischen Komponisten. Als Opernsängerin hatte sie bereits 1912 am Hoftheater von Darmstadt, 1916 an der Dresdner Hofoper gastiert; hier sang sie Partien wie die Gilda im «Rigoletto», die Königin der Nacht in der «Zauberflöte», die Musetta in Puccinis «La Bohème», die Sophie im «Rosenkavalier» und die Königin Marguerite in den «Hugenotten» von Meyerbeer.
Schallplatten: Homochord (Solo-Aufnahmen; Finale des 1. Aktes der «Fledermaus» als Adele zusammen mit Vera Schwarz, Hans Heinz Bollmann und Richard Bitterauf), Odeon (Duette mit Richard Tauber).

Alford, Janice, Mezzosopran, * 1955 (?); die aus England stammende Sängerin begann ihr Gesangstudium am Royal College of Music in London und setzte es an der Musikhochschule von Wien fort. 1977 gewann sie einen internationalen Gesangwettbewerb in Paris, 1978 in München. 1979–81 gehörte sie dem Opernstudio der Wiener Staatsoper an. Am 7. 8. 1981 wirkte sie bei den Festspielen von Salzburg in der Uraufführung der Oper «Baal» von Friedrich Cerha mit. Sie übernahm Partien an den Theatern von Flensburg und Münster (Westfalen) und wurde 1983 an das Opernhaus von Dortmund verpflichtet, dem sie bis 1986 angehörte. Sie kam auch als Konzert- und Oratoriensolistin, u. a. bei Veranstaltungen in Berlin und Wien, zu bedeutendem Erfolg; sie sang beim Flandern Festival und in der Londoner Albert Hall. Als eine ihrer erfolgreichsten Bühnenpartien galt die Carmen.

Alken-Minor, Minna, Alt, * 9. 5. 1860 Singhofen (Hessen-Nassau), † 9. 6. 1905 Schwerin, ihr Geburtsname war Minna Minor, ihr Vater war Posthalter in ihrem Heimatort Singhofen. Sie durchlief fast ihre gesamte Karriere am Hoftheater von Schwerin, das in den beiden letzten Dekaden des 19. Jahrhunderts einen besonderen Höhepunkt seiner Geschichte erlebte und sich vor allem durch seine Wagner-Aufführungen auszeichnete, an denen auch die Sängerin Anteil hatte. Nach dem Brand des Hoftheaters von 1882 und dessen prächtigem Wiederaufbau sang sie in der Eröffnungsvorstellung am 3. 10. 1886 die Klytämnestra in Glucks «Iphigenie in Aulis». Sie war auch eine hervorragende Konzert- und Oratorienaltistin und hatte als solche u. a. beim Mecklenburgischen Musikfest von 1889 in Schwerin großen Erfolg, der sich auch bei Gastspielen und Konzerten in den deutschen Musikzentren einstellte. Sie war verheiratet mit dem Schauspieler *Josef Alken* (* 17. 3. 1860 Trier), der auch in Partien für Baß-Buffo auftrat und zuerst in Straßburg, dann seit 1886 in Schwerin engagiert war.

Alliot-Lugaz, Colette, Sopran, * 20. 7. 1947 Albertville (Savoie); sie wurde durch Magda Foney, dann im Centre Lyrique Genf und im Opernstudio der Grand Opéra Paris ausgebildet. Im Pariser Opernstudio kam es dann auch 1976 zu ihrem Bühnendebüt als Pamina in der «Zauberflöte». Sie wurde an

die Oper von Lyon engagiert, an der sie 1976–83 regelmäßig auftrat (u. a. 1980–81 als Jonathas in «David et Jonathas» von Marc-Antoine Charpentier) und war seit 1979 auch vertraglich der Opéra-Comique Paris verbunden. Sie gastierte sehr erfolgreich an den großen französischen Opernhäusern sowie am Théâtre de la Monnaie Brüssel (1980, 1988, 1989). An diesem letztgenannten Haus wirkte sie in der Uraufführung der Oper «La Passion de Gilles» von Philippe Boesmans (18. 10. 1983) in der Rolle des Pagen mit. 1981 war sie zu Gast an der Oper von Rom; 1981 sang sie bei den Festspielen von Glyndebourne den Cherubino in «Nozze di Figaro», 1982–83 die Ninetta in «L' Amor des trois oranges» von Prokofieff. 1981 kam sie an die Grand Opéra Paris zu bedeutenden Erfolgen. 1985 sang sie beim Festival von Edinburgh die Lazuli in «L' Étoile» von E. Chabrier, in Aix-en-Provence 1985 die Musica in «Orfeo» von Monteverdi, 1986 in «Tancrède» von Campra. 1985 trat sie am Théâtre des Champs-Élysées Paris als Mélisande in «Pelléas et Mélisande» auf, 1986 an der Mailänder Scala in «Le Martyre de Saint Sébastien» von Debussy. Weitere Gastspiele und Konzerte fanden in Turin, Neapel und Lausanne, in der New Yorker Carnegie Hall und in vielen anderen Zentren des internationalen Musiklebens statt. Aus ihrem Bühnenrepertoire sind nachzutragen: die Zerline im «Don Giovanni», der Siebel im «Faust» von Gounod, die Jacqueline in «Fortunio» von Messager, der Nicklausse in «Hoffmanns Erzählungen», die Euyridike in «Opera» von Berio und der Gymnasiast in «Lulu» von A. Berg. Mit gleichem Erfolg trat sie im Konzertsaal hervor, wo sie sich namentlich als Interpretin von Barock-Musik ihrem Publikum vorstellte.
Schallplatten: Erato («David et Jonathas» von Charpentier, «Fortunio» von Messager, «Pénélope» von Gabriel Fauré, «Orfeo» von Monteverdi, «Évocations et Mélodies» von A. Roussel), HMV («Manon» von Massenet, «L' Étoile» von Chabrier, «La belle Hélène» und «Les Brigands» von Offenbach), Philips («Iphigénie en Tauride» von Gluck), CBS (Mozart-Requiem), RCA («Ercole amante» von Cavalli).

Allister, Jean, Sopran, * 26. 2. 1932 in Nordirland; sie erhielt ihre Ausbildung an der Royal Academy of Music London. 1954 debütierte sie als Konzertsängerin und kam zunächst als solche in England zu einer erfolgreichen Karriere. Sie sang 1959–70 bei den Henry Wood Promenade Concerts, 1961–77 beim Three Choirs Festival und in vielen weiteren großen Konzertveranstaltungen. Beim Camden Festival von 1961 trat sie auf der Bühne in Rossinis «Italiana in Algeri» auf und debütierte im folgenden Jahr an der Sadler's Wells Opera London. 1962–68 wirkte sie bei den Festspielen von Glyndebourne mit, 1965 hörte man sie in Leeds in der englischen Premiere von «Novae de Infinito Laude» von H. W. Henze, 1969 in München als Melinde in der Barock-Oper «L' Ormindo» von Cavalli. 1969 sang sie als Antrittsrolle an der Covent Garden Oper London den Pagen in «Salome» von R. Strauss, 1970 bei der Handel Opera Society wie bei den Festspielen von

Herrenhausen und Drottningholm in der Oper «Scipione» von G. F. Händel. 1972 trat sie bei der Sadler's Wells Opera in der Oper «Koanga» von F. Delius auf, 1975 sang sie in der englischen Premiere des Requiems von Frank Martin. Nachdem sie 1980 bei der Opera North Leeds als Jenufa in der gleichnamigen Oper von Janáček große Erfolge gehabt hatte, gab sie ihre Karriere wenig später auf. Sie war verheiratet mit dem Konzert-Tenor *Edgar Fleet*, der zahlreiche Schallplattenaufnahmen (DGG, Oiseau Lyre, EA) gemacht hat.

Schallplatten: Oiseau Lyre (Messe von Strawinsky), RCA-Victor (Ausschnitte aus Operetten von Gilbert & Sullivan), Argo («L' Ormindo»), HMV («Koanga»).

Allman, Robert, Bariton, *8.6. 1927 Melbourne; seine Tante, die selbst Sängerin gewesen war, stellte ihn dem berühmten Bariton Horace Stevens vor, der zur Ausbildung seiner Stimme riet. Diese erfolgte seit 1952 am Konservatorium von Melbourne, dann durch Marjorie Smith in Sydney und 1955–57 in Paris durch Dominique Modesti. Nachdem er bereits in seiner australischen Heimat in Konzerten und Opernaufführungen (Debüt 1952 bei der Victoria National Opera Company) aufgetreten war, kam er seit 1957 zu einer erfolgreichen Karriere an der Covent Garden Oper London wie auch bei der Sadler's Wells Opera Company London (1957–58). Bis 1959 trat er in England wie bei Gastspielen an der Berliner Staatsoper, an der Staatsoper Hamburg (Jago in Verdis «Othello»), an der Städtischen Oper Berlin und am Opernhaus von Frankfurt a. M. (Tonio im «Bajazzo») in Erscheinung. 1959–60 hielt er sich wieder in Australien auf; er sang in Melbourne das Baß-Solo im «Messias» und nahm an einer Tournee der Elizabethan Opera Company teil, bei der er als Rigoletto, als Jochanaan in «Salome», als Sharpless in «Madame Butterfly» und als Sprecher in der «Zauberflöte» auftrat. In Melbourne hörte man ihn in seiner Glanzrolle, dem Scarpia in «Tosca». Darauf verlegte er seine Tätigkeit wieder nach Westdeutschland und war 1960–62 am Opernhaus von Wuppertal und 1962–68 am Opernhaus von Köln engagiert. Während dieser Zeit gab er Gastspiele an den Staatsopern von München (1966) und Stuttgart, an der Deutschen Oper am Rhein Düsseldorf–Duisburg, an den Opernhäusern von Essen und Kassel, am Staatstheater von Wiesbaden, in Augsburg, an der Wiener Volksoper (Gastspielvertrag für mehrere Jahre seit 1961), am Opernhaus von Zürich und bei den Festspielen von Eutin. An der Opéra du Rhin Straßburg gastierte er 1962 als Macbeth in Verdis gleichnamiger Oper, 1964 als Simon Boccanegra. Er gastierte auch an den Opern von New Orleans (1965, 1967) und Houston/Texas, in Johannesburg und Pretoria (1968) und sang 1979 bei den Festspielen von Glyndebourne den Pizarro im «Fidelio». Nachdem er 1964/65 eine zweite Gastspiel-Tournee mit der Elizabethan Company (an der auch die große Primadonna Joan Sutherland teilnahm) unternommen hatte, wurde er schließlich 1971 Mitglied der Australian Opera Sydney. Hier entfaltete er eine langjährige Karriere in einer Vielfalt von

Bühnenrollen; nicht weniger von Bedeutung war sein Wirken als Konzert- und Oratoriensänger. Noch 1988 sang er in einer Aufführung von «Aida» während der Weltausstellung von Brisbane den Amonasro, wie er denn allgemein als großer Interpret von Verdi-Partien galt.

Allmeroth, Heinrich, Tenor, *1900, †18.10. 1961 Dresden; er studierte zunächst Wirtschaftswissenschaften an der Universität von Frankfurt a. M. und promovierte zum Doktor. Neben seiner kaufmännischen Tätigkeit in Kassel ließ er dort auch seine Stimme ausbilden. 1926 kam es zu seinem Bühnendebüt am Stadttheater von Göttingen als Max im «Freischütz». Dort war er bis 1927 und dann nacheinander 1927–28 am Stadttheater von Halle/Saale, 1928–29 am Stadttheater Dortmund, 1929–32 am Opernhaus von Köln, 1932–34 am Opernhaus von Düsseldorf und 1935–38 an der Staatsoper von Stuttgart engagiert. 1938–44 wirkte er am Opernhaus von Leipzig und nach dem Zweiten Weltkrieg 1946–48 an der Volksbühne Leipzig, 1948–49 am Berliner Metropoltheater. 1949–52 leitete er als Intendant das Theater von Rostock, 1952–54 stellvertretender Intendant der Berliner Staatsoper, schließlich von 1954 bis zu seinem Tod Intendant der Staatsoper Dresden. Er gastierte u. a. 1931 in Amsterdam, 1934 in Basel und 1939 an der Wiener Staatsoper. 1937 sang er in Stuttgart in der Uraufführung der Operette «Monika» von Nico Dostal, 1941 in Leipzig in der der Oper «Die Windsbraut» von Winfried Zillig, 1938 in Stuttgart in der deutschen Erstaufführung von A. Casellas «La Favola d'Orfeo» die Titelrolle. Sein Rollenrepertoire für die Bühne besaß einen großen Umfang; zu nennen sind im einzelnen der Tamino in der «Zauberflöte», der Edgar im «Vampyr» von Heinrich Marschner, der Lyonel in Flotows «Martha», der Graf Almaviva im «Barbier von Sevilla» von Rossini, der Wilhelm Meister in «Mignon» von A. Thomas, der Alfredo in «La Traviata», der Alvaro in «La forza del destino» und der Titelheld im «Don Carlos» von Verdi, der Rodolfo in Puccinis «La Bohème», der Pinkerton in «Madame Butterfly» und der Palestrina in der gleichnamigen Oper von Hans Pfitzner.

Almansi, Margherita, Sopran, *1880 (?), †(?); über die Karriere der Sängerin ist so gut wie nichts bekannt, außer daß sie in den Jahren von etwa 1905 bis 1910 an italienischen Provinztheatern in lyrischen und Koloraturpartien aufgetreten ist. Sie ist aber von Interesse, weil sie 1905 unter dem Etikett von Zonophone drei Schallplatten publizierte, darunter die erste Aufnahme der Butterfly-Arie «Un bel di vedremo», die überhaupt gemacht worden ist, dazu Koloraturarien aus «Lucia di Lammermoor» und «Rigoletto». Gemessen an der Qualität dieser Schallplattendokumente ist ihre relativ bescheidene Karriere nicht zu begreifen.

Amadi, Alberto, Tenor, *1880 (?); er begann seine Karriere etwa 1902 an italienischen Provinztheatern und ging dann nach Nordamerika, wo er mit wandernden Opernbühnen die USA durchreiste. Zuvor entstanden jedoch 1908 in Italien einige Schallplattenaufnahmen auf G & T, und zwar Duette zusammen mit seiner Gattin, der Sopranistin *Maria Ballierès*. 1911 sang er in Havanna, 1912 in Mexico City. In Nordamerika entstanden einige weitere Aufnahmen auf Victor, die eine ausdrucksvolle Tenorstimme präsentieren. Das Ende der Karriere des Sängers gestaltete sich tragisch; er erkrankte frühzeitig und blieb gelähmt. Seine Gattin arbeitete 25 Jahre lang an der Metropolitan Oper als Platzanweiserin, um den Unterhalt für die Familie zu bestreiten.

Ambrosi, Ferdinando, Tenor, * 1845 (?), Turin, † (?); seine Stimme erregte erstes Aufsehen, als er in Turin ein Konzert gab, während er dort noch bei della Candia studierte. Ein schwedischer Zuhörer riet ihm, nach Stockholm zu gehen. Dort kam es 1868 an der Königlichen Oper zu seinem Bühnendebüt in der Partie des Vasco in Meyerbeers «Africaine». Für die folgenden zwanzig Jahre blieb er der gefeierte erste Tenor dieses Opernhauses, an dem er die großen Partien des italienischen wie des französischen Repertoires vortrug, mehrere davon in den Erstaufführungen dieser Opern in Schweden. Zu seinen Glanzrollen gehörten der Herzog in Verdis «Rigoletto», der Manrico im «Troubadour», der Alfredo in «La Traviata», der Riccardo in «Un ballo in maschera», der Titelheld in «Ernani», der Alvaro in «La forza del destino», der Edgardo in «Lucia di Lammermoor», der Fernando in Donizettis «La Favorita», der Charles in «Linda di Chamounix», der Nemorino in «Elisir d'amore», der Arnoldo in Rossinis «Wilhelm Tell», der Elvino in «La Sonnambula» von Bellini, der Enzo in «La Gioconda» von Ponchielli und der Titelheld im «Faust» von Gounod. Seine großen Erfolge in Stockholm ließen ihm nur wenig Zeit für Gastspiele an italienischen Bühnen. 1873–74 und 1881 gastierte er am Teatro Vittorio Emanuele von Turin, 1875 in Vercelli, am Teatro Giglio in Lucca, am Teatro Pagliano in Florenz und am Teatro Politeama in Genua. 1885 hatte er in Südamerika große Erfolge. Zusammen mit dem berühmten Tenor Francesco Tamagno, mit dem er freundschaftlich verbunden war, sang er in dieser Saison am Teatro Colón Buenos Aires in der Oper «Poliuto» von Donizetti, dazu den Manrico im «Troubadour» und den Raoul in den «Hugenotten» von Meyerbeer. Seine Gattin, die Sopranistin *Carolina Ambrosi,* hatte in Stockholm wie bei Gastspielen eine Karriere von Bedeutung.

Ames, Richard, Tenor, * 20. 8. 1931 Cleveland (Ohio); eigentlicher Name Herbert Edward Abrams; er wurde zunächst durch Mario Basiola in Mailand zum Bariton ausgebildet und debütierte 1958 in diesem Stimmfach bei der New Orleans Opera in der Rolle des Masetto im «Don Giovanni». Er sang in den folgenden Spielzeiten in Philadelphia und Boston und kam 1961 nach Europa. Hier debütierte er 1961 am Stadttheater von Münster (Westfalen) als Don Giovanni. 1962–65 war er am Opernhaus von Wuppertal verpflichtet, wo er Partien wie den Jago im «Othello» von Verdi, den Amfortas im «Parsifal», den Tonio im «Bajazzo» und den Nick

Shadow in «The Rake's Progress» von Strawinsky sang. 1966–68 wurde seine Stimme durch den berühmten Max Lorenz zum Heldentenor umgeschult; als solcher debütierte er 1967 am Staatstheater von Oldenburg mit dem Siegmund in der «Walküre». 1968 wurde er Mitglied des Opernhauses von Graz, an dem er in den folgenden zwanzig Jahren große Erfolge hatte, darunter als Siegmund, als Titelheld in Pfitzners «Palestrina», als Florestan im «Fidelio», als Othello von Verdi, als Canio im «Bajazzo» und als Lohengrin. Später wandte er sich bevorzugt dem Charakterfach zu und erlangte vor allem als Herodes in «Salome» von Richard Strauss großes Ansehen. Er sang diese Partie u. a. an den Opern von Rom (1977)und Monte Carlo (1977), am Théâtre de la Monnaie Brüssel (1974), am Stadttheater Augsburg (1988) und an weiteren Bühnen. Nicht weniger bekannt wurde er als Mime im Nibelungenring, als Ägisth in «Elektra» von R. Strauss, als Hauptmann in A. Bergs «Wozzeck», als Bürgermeister im «Besuch der alten Dame» von G. von Einem und in vielen zeitgenössischen Opernpartien. So wirkte er in den Uraufführungen der Opern «Die Lederköpfe» von Rudolf Weishappel (1970 in Graz) und «Der lange Weg zur großen Mauer» von Schwertsik (1975 in Luzern) mit. Auch auf den Gebieten des Musicals und des Schauspiels trat er erfolgreich in Erscheinung. Gastengagements an den Opernhäusern von Leipzig, Budapest, Zagreb am Stadttheater von Basel, am Theater von Bern, in Dortmund, Kassel und Mannheim, am Teatro San Carlos Lissabon, beim Steirischen Herbst in Graz, bei den Wiener Festwochen und beim Festival de Lausanne. Mitschnitte von Rundfunksendungen.

Amiranaschwili, Medea (Petrowna), Sopran, * 10. 10. 1930 Schorapani (Georgien); sie war die Tochter des bekannten georgischen Baritons *Petr Amiranaschwili* (* 1907). Sie erhielt ihre Ausbildung am Konservatorium von Tblissi (Tiflis); hier Schülerin der Pädagogen Bachitaschwili-Schulgina und S. Inaschwili. 1951 wurde sie in das Opernstudio des Opernhauses von Tblissi aufgenommen, wo sie im gleichen Jahr als Marguerite im «Faust» von Gounod debütierte. Seit 1954 war sie reguläres Mitglied dieses bedeutenden Operntheaters, an dem sie sowohl im nationalgeorgischen wie im russischen und italienisch-französischen Repertoire zu großen Erfolgen kam und als führendes Mitglied des Instituts galt. Sie gab Gastspiele an den ersten Opernhäusern der UdSSR, darunter am Bolschoj Theater Moskau, an Opernbühnen in Österreich, Polen, Bulgarien, Rumänien, Australien und Kanada. Als Konzertsängerin brachte sie auch folkloristische georgische Musik zum Vortrag.
Schallplattenaufnahmen der staatlichen sowjetrussischen Plattenherstellung (Melodiya).

Amparán, Belen, Alt, * 11. 9. 1931 El Paso (Texas); sie entstammte einer mexikanischen Familie und studierte am Konservatorium von Mexico City, dann in Mailand bei Adelaide Saraceni. 1952 debütierte sie am Teatro Nuovo Mailand. 1956 wurde sie an die Metropolitan Oper New York berufen (Debütrolle:

Giulietta in «Hoffmanns Erzählungen» von Offenbach), an der sie bis 1968 in einer Vielzahl kleinerer und größerer Partien aufgetreten ist. Seit 1953 war sie immer wieder an der Oper von Mexico City anzutreffen, zu deren Ensemble sie während der sechziger Jahre gehörte. 1955 gastierte sie an der Oper von Rom und am Teatro Liceo Barcelona, 1959 am Opernhaus von Philadelphia, am Teatro San Carlo Neapel und bei den Festspielen in den Thermen des Caracalla in Rom, wo sie die Amneris in «Aida» sang. 1961 zu Gast an der Oper von Pittsburgh, 1963 in Bordeaux. Weitere Gastspielauftritte am Teatro Regio Parma, an den Opernhäusern von Catania und Florenz, in Wiesbaden, Boston, San Francisco und Chicago. 1955 unternahm sie eine ausgedehnte Konzerttournee durch Frankreich. Ihr Bühnenrepertoire besaß einen großen Umfang und enthielt als Höhepunkte die Amneris und die Carmen, dazu Rollen wie die Azucena im «Troubadour», die Ulrica in Verdis «Ballo in maschera», den Titelhelden im «Orpheus» von Gluck, die Cieca in Ponchiellis «La Gioconda», die Dalila in «Samson et Dalila» von Saint-Saëns, die Mary im «Fliegenden Holländer», die Fricka in der «Walküre», die Czipra im «Zigeunerbaron» von J. Strauß und die Olga im «Eugen Onegin» von Tschaikowsky.
Schallplatten: RCA (Cieca in «La Gioconda», 1958), Melodram (eine der Walküren in «Die Walküre» aus der Metropolitan Oper, 1956).

Ancelotti, Alba, s. unter *Anzellotti*, Alba.

Anderson, Lorna, Sopran, * 1962 Glasgow; sie studierte an der Royal Scottish Academy of Music Glasgow bei Patricia Mac Mahon und am Royal College of Music London. 1984 gewann sie den ersten Preis im Peter Pears-Concours. 1986 den Purcell-Britten-Preis in Aldeburgh. Sie begann dann eine sehr erfolgreiche Tätigkeit als Konzertsängerin und sang in London, bei den Festspielen von Edinburgh, Brighton und Aldeburgh; 1988 trat sie erstmals als Solistin in einem Londoner Promenade Concert auf. Sie war vor allem als Interpretin von Barock-Werken bekannt, doch beherrschte sie ein weitläufiges Konzertrepertoire, das sie mit den großen englischen Orchestern zusammen vortrug. Bedeutende Erfolge hatte sie auch bei Konzerttourneen in Spanien und Polen wie auch bei Rundfunksendungen. Auf der Bühne ist sie nicht aufgetreten.

Andersson, Frans, Baß-Bariton, * 23. 5. 1911 Kopenhagen; er war zuerst Bankangestellter, ließ aber seit 1934 seine Stimme in Kopenhagen durch V. Herold und durch W. Lincke ausbilden. Er ergänzte seine Ausbildung in Mailand. 1943 debütierte er als Crown in der denkwürdigen europäischen Erstaufführung der Gershwin-Oper «Porgy and Bess» im von deutschen Truppen besetzten Kopenhagen. (Vielleicht ging ein Auftritt 1941 voraus). 1943–50 war er Mitglied der Königlichen Oper Kopenhagen. 1941–52 sang er am Stadttheater von Krefeld, 1952–55 am Opernhaus von Köln und gab anschließend dort bis 1962 Gastspiele. 1956–57 war er durch einen Gastspielvertrag der Komischen Oper Berlin,

1955–61 der Berliner Staatsoper verbunden. Bei den Festspielen von Bayreuth sang er 1958 den Alberich im Nibelungenring, eine seiner Glanzrollen, 1959 den Kurwenal im «Tristan». Den Alberich sang er auch 1963 an der Mailänder Scala und 1964 an der Covent Garden Oper London. Weitere Gastspiele beim Maggio musicale Florenz 1961 (als Telramund im «Lohengrin»), am Teatro San Carlos Lissabon (1962), an den Opernhäusern von Genua (1964, 1967), Turin (1964) und Triest (1964), an den Staatsopern von Wien und München, in Schweden und bis 1967 regelmäßig an der Oper von Kopenhagen. 1959 kreierte er an der Oper von Köln die Titelpartie in der Uraufführung der Oper «Der Tod des Grigorij Rasputin» von N. Nabokow. Aus seinem sehr vielseitigen Bühnenrepertoire sollten noch der Titelheld in «Giulio Cesare» von Händel, der Kaspar im «Freischütz», der Jago im «Othello» von Verdi, der Scarpia in «Tosca», der Titelheld im «Fliegenden Holländer», der Klingsor im «Parsifal», der Boris Godunow, der Mathis in «Mathis der Maler» von Hindemith, der Jochanaan in «Salome» von R. Strauss und der Pizarro im «Fidelio» erwähnt werden. Der auch im Konzertsaal erfolgreiche Künstler war zeitweilig mit der Sopranistin *Rita Bartos* (* 1925 Wien) verheiratet. Er lebte später in Fuglsø bei Arhus, wo er ein Hôtel betrieb.
Schallplatten: Polydor, Felix, Melodram («Rheingold» aus Bayreuth), Danacorn (Saul in «Saul og David» von Carl Nielsen).

Andonian, Andrea, Mezzosopran, * 1952 (?) im amerikanischen Staat Colorado; sie erhielt ihre erste Ausbildung an Universitätsinstituten in Florida und Ohio und ging darauf zu deren Vervollständigung nach Europa. Hier war sie 1976–77 Mitglied des Opernstudios der Kölner Oper und sang in der Spielzeit 1977–78 als Gast am Kölner Offenbach-Theater. 1978–85 war sie an den Vereinigten Theatern Krefeld–Mönchengladbach im Engagement und folgte dann einem Ruf an das Opernhaus von Köln. Seit 1986 war sie durch einen Gastvertrag auch der Deutschen Oper Berlin verbunden. Ihr Bühnenrepertoire war umfangreich und enthielt Partien wie den Cherubino in «Figaros Hochzeit», die Dorabella in «Così fan tutte», den Ramiro in «La finta giardiniera», den Idamante in «Idomeneo» wie den Annio in «La clemenza di Tito» von Mozart, die zweite Dame in der «Zauberflöte», den Hänsel in «Hänsel und Gretel», den Siebel im «Faust» von Gounod, den Pagen Urbain in Meyerbeers «Hugenotten» (Deutsche Oper Berlin 1987), den Prinzen in Massenets «Cendrillon», die Pauline in «Pique Dame» von Tschaikowsky, die Lucretia in «The Rape of Lucretia» und die Hermia in «A Midsummer Night's Dream» von Benjamin Britten. Auch im Konzertsaal trat sie mit Erfolg auf.
Schallplatten: HMV (Requiem von R. Schumann).

Andrade, Rosario, Sopran, * 6. 4. 1951 Veracruz (Mexiko); sie erhielt ihre erste Ausbildung am Konservatorium ihrer Geburtsstadt Veracruz und war dann Schülerin der Accademia di Santa Cecilia Rom. 1974 debütierte sie am Teatro de las Bellas

Artes in Mexico City als Butterfly. Sie kam bald zu einer großen Bühnenkarriere in Europa wie in Nordamerika. Dabei sang sie vor allem das lyrische Repertoire ihres Stimmfachs, Partien wie die Mimi in «La Bohème», die Micaela in «Carmen», die Marguerite im «Faust» von Gounod und die Antonia in «Hoffmanns Erzählungen». So gab sie Gastspiele am Théâtre de Wallonie in Lüttich (1977), am Théâtre de la Monnaie Brüssel (1978), an der Oper von Lyon (1979 in «La Calisto» von Cavalli), an der Nationaloper von Warschau (1981, 1982), an der Oper von Pittsburgh (1988), bei der Mississippi Opera Company (1988) und bei der Connecticut Opera (1987). Bei den Festspielen von Glyndebourne hörte man sie 1977–78 als Donna Elvira im «Don Giovanni». 1982 debütierte sie an der Metropolitan Oper New York als Antonia in «Hoffmanns Erzählungen»; 1986 gastierte sie dort als Manon in der gleichnamigen Oper von Massenet. 1984 und 1985 bereiste sie Ostasien mit einer Operngesellschaft; auch an südamerikanischen Opernhäusern trat sie mit großen Erfolgen in Erscheinung. Aus ihrem Repertoire sind ergänzend die Donna Anna im «Don Giovanni», die Traviata, die Aida, die Maddalena in «Andrea Chénier» von Giordano, die Tosca und die Marguerite in «La damnation de Faust» von Berlioz zu nennen. Sie kam auch zu einer internationalen Karriere als Konzertsolistin.
Schallplatten: Muza (Recital).

Andrašević, Stepan, Tenor, * 28. 11. 1912 Zagreb; seine Stimme wurde in Rom durch die berühmten Sänger Riccardo Stracciari und Christy Solari ausgebildet. 1933 kam es zu seinem Bühnendebüt am Theater von Osijek (Esseg). 1935 wurde er an die Kroatische Nationaloper in Zagreb verpflichtet, deren Mitglied er bis 1951 blieb. In den Jahren 1935–38 war er an diesem Haus als Chorist engagiert und wurde dann als Solist in das Ensemble übernommen, zu dessen führenden Mitgliedern er bald zählte. 1951–69 setzte er seine Karriere an der Nationaloper von Belgrad fort. Er gastierte in Italien, Österreich, Spanien, England, in Ostdeutschland wie in der Schweiz und war auch ein hoch angesehener Konzertsolist. Beim Edinburgh Festival sang er 1962 in der englischen Premiere von Prokofieffs «Der Spieler». Von den vielen Partien, die er auf der Bühne gestaltet hat, sind zu nennen: der Belmonte in der «Entführung aus dem Serail», die Titelrollen in «Faust» von Gounod und «Werther» von Massenet, der Ernesto im «Don Pasquale», der Edgardo in «Lucia di Lammermoor», der Herzog im «Rigoletto», der Alfredo in «La Traviata», der Hans in Smetanas «Verkaufter Braut», der Hoffmann in «Hoffmanns Erzählungen», der Dimitrij im «Boris Godunow», der Zar in «Snegourotchka» von Rimsky-Korssakow und der Prinz in Prokofieffs «Liebe zu den drei Orangen».
Schallplatten: Decca (Schuiskij im «Boris Godunow», Zar in «Snegourotchka», Mr. Triquet in «Eugen Onegin»), Jugoton.

Andreoni, Giovanni Battista, Mezzosopran (Kastrat), * (?) Lucca, † 23. 4. 1797 Lucca; im März 1736

wird er als erster Sopran in die Cappella Palatina in Lucca aufgenommen und erhält zugleich die Erlaubnis zu einer zweijährigen Weiterbildung in Bologna. 1738–39 war er in Venedig in Opern der damals dominierenden Komponisten Pergolesi, Lampugnani, Hasse und Porpora zu hören. Lord Middlesex engagierte ihn dort für die Opernsaison, die er im Winter 1739–40 am New Haymarket Theatre London veranstaltete. Er war in der englischen Metropole so erfolgreich, daß er in den folgenden zwei Jahren nach dort zurückkehrte. So sang er 1740–41 in der letzten von Georg Friedrich Händel veranstalteten Spielzeit am Lincoln's Inn Fields Theatre und wirkte dabei in zwei Uraufführungen von Händel-Opern mit, am 22. 11. 1740 in «Imeneo», am 10. 1. 1741 in «Deidamia» (als Ulysses), der letzten Oper des großen Meisters. 1741–42 war der Sänger dann wieder am Haymarket Theatre in der durch Lord Middlesex gegebenen Saison anzutreffen. Am Londoner King's Theatre werden Auftritte des Künstlers in den damals sehr beliebten Pasticcios erwähnt. Er soll zuletzt überaus korpulent gewesen sein; Burney nennt in: «a good singer of the second class». Nachdem er London verlassen hatte, sang er 1742–43 und nochmals 1747–48 in Florenz und ist auch in Spanien aufgetreten. Dort soll er mit dem berühmten Kastraten Farinelli zusammengetroffen sein, der sich ihm sehr gewogen gezeigt habe. Man sagt, er sei zuletzt mit seinem Sängerberuf unzufrieden gewesen, habe sich ganz daraus zurückgezogen und sei schließlich in Rom in einen Orden eingetreten. Am 22. 3. 1785 wird ihm seitens der Cappella Palatina Lucca eine Pension von monatlich fünf Scudi gewährt. In seiner Geburtsstadt Lucca ist er auch gestorben.

Andrew, Jon, Tenor, * 1936 (?) in Neuseeland; er erhielt seine Ausbildung in Auckland und hatte dort auch 1962 seinen ersten Erfolg in der Partie des José in «Carmen», eine Rolle, die einen Höhepunkt in seinem Repertoire einnehmen sollte. Er ging nach England und war 1963–68 an der Sadler's Wells Opera London tätig. Hier übernahm er in erster Linie Partien aus dem italienischen Stimmfach wie den Riccardo in Verdis «Ballo in maschera», den Herzog im «Rigoletto», den Radames in «Aida» und wiederum den José in «Carmen». 1965 wirkte er bei der ersten szenischen Aufführung von Prokofieffs «L' Ange de Feu» in England in der Rolle des Agrippa mit. Er kam dann nach Deutschland und arbeitete sich dort in das Wagner-Repertoire ein, das jetzt, mit dem Siegmund in der «Walküre» als Hauptrolle, in den Vordergrund seines Repertoires trat. Er war 1969–72 am Staatstheater Karlsruhe, 1972–75 am Nationaltheater Mannheim und 1975–79 an der Deutschen Oper am Rhein Düsseldorf-Duisburg engagiert. Seit 1979 trat er nur noch gastierend auf. In Düsseldorf sang er 1977 in der deutschen Erstaufführung von «Ein Engel kommt nach Babylon» von R. Kelterborn. Bei den Festspielen von Glyndebourne gastierte er 1965 als italienischer Sänger im «Rosenkavalier», an der Covent Garden Oper London 1967 als Froh im «Rheingold» und 1974 als Dimitrij im «Boris Godunow». Weitere

Gastspiele bei der Welsh Opera Cardiff (1967), bei der Handel Opera Society London (1967), am Stadttheater Bremen (1971), an der Oper von San Diego (1975 als Siegmund, 1976 als Titelheld in Verdis «Othello»), am Teatro Fenice Venedig (1976), am Teatro San Carlos Lissabon (1976), in New Orleans (1976) und Madrid (1976 als Siegmund), an der Oper von Houston/Texas (1976 als Othello), an der Staatsoper Berlin (1972–73 als Siegmund), an der Oper von Chicago (1976 als Othello), bei der English National Opera London (1975 als Siegmund), an der Opéra du Rhin Straßburg (1974), beim Wexford Festival («Pedro in «Tiefland» von d'Albert), an den Opernhäusern von Nizza (1981) und Santiago de Chile (1981). 1974 hörte man an der Mailänder Scala seinen Siegmund in der «Walküre». Von seinen Bühnenpartien sind noch der Turiddu in «Cavalleria rusticana», der Luigi in Puccinis «Il Tabarro», der Erik im «Fliegenden Holländer», der Max im «Freischütz», der Laça in Janáčeks «Jenufa», der Schapkin in dessen «Aus einem Totenhaus», der Bob Boles in «Peter Grimes» von B. Britten und der Alfred in der «Fledermaus» zu nennen.

Angiolini, Emilia, Sopran/Mezzosopran, *(?) Turin, †(?); sie war aller Wahrscheinlichkeit nach eine Tochter des berühmten Tänzers, Choreographen und Komponisten Gasparo Angiolini (*9.2. 1731 Florenz, †5.2. 1803 Mailand), der zuerst in Italien, dann seit 1754 in Wien und 1765–82 (mit mehreren Unterbrechungen) in St. Petersburg seine Triumphe feierte. 1795 kam die Sängerin bei Konzerten in Danzig zu großem Erfolg. 1795 und 1797 unternahm sie ausgedehnte Konzertreisen in den deutschsprachigen Musikzentren. 1796 bewunderte man ihre Kunst in St. Petersburg und Moskau, 1798 war sie nochmals bei einem Gewandhauskonzert in Leipzig zu hören. Über den weiteren Verlauf ihrer Karriere, namentlich über Auftritte in Italien, ist nichts Sicheres bekannt.

Anhorn, Carmen, Sopran-Mezzosopran, *5.8. 1956 Luzern; sie war an der Musikhochschule von Zürich Schülerin von Sylvia Gähwiller und Carol Smith (1975–80) und 1980–82 im Opernstudio der Bayerischen Staatsoper München, wo sie auch durch Brigitte Fassbaender und seit 1985 in Augsburg durch Leonore Kirschstein unterrichtet wurde. Ihr erstes Solistenengagement erhielt sie 1982 an der Staatsoper von München, deren Mitglied sie bis 1988 blieb. Hatte sie zunächst Partien für Koloratursopran und bevorzugt aus dem Soubrettenfach gesungen, so trat sie seit 1987 als Mezzosopranistin auf. Von München aus, wo sie wohnte, gastierte sie an der Staatsoper von Hamburg, an der Deutschen Oper am Rhein Düsseldorf–Duisburg, am Opernhaus von Frankfurt a. M., bei den Osterfestspielen von Salzburg, an der Mailänder Scala, am Teatro Comunale Florenz, am Teatro Liceo Barcelona, an den Opern von Antwerpen, Gent, Nizza und Bordeaux. 1989 sang sie bei den Festspielen von Bayreuth eine Soloblume im «Parsifal», 1990 an der Wiener Volksoper den Cherubino. Aus ihrem Repertoire für die Bühne sind hervorzuheben: die Barbarina wie der Cherubino in

«Nozze di Figaro», die Zerline im «Don Giovanni», die Despina in «Così fan tutte», die Papagena in der «Zauberflöte», der Amor im «Orpheus» von Gluck, die Woglinde im «Rheingold», die Musetta in «La Bohème» von Puccini, die Najade wie der Komponist in «Ariadne auf Naxos» von R. Strauss. Als Konzertsängerin trat sie in Oratorien und geistlichen Vokalwerken u. a. bei den Bach-Wochen in Ansbach, in Budapest, Barcelona, Leipzig, München, Moskau, Madrid und Wien auf.
Schallplatten: RCA (Nuri in «Tiefland» von d'Albert), Orfeo (vollständige Opern «Iphigénie en Tauride» von Gluck, «Peer Gynt» von W. Egk).

Antonjan, Marietta, Mezzosopran, *1945 in der Nähe der armenischen Hauptstadt Eriwan; ihre Stimme fiel bereits während des Besuchs der Elementarschule auf. Sie studierte dann am Konservatorium von Eriwan. Hier kam es, noch während des Studiums, zu ihrem Bühnendébüt am Opernhaus von Eriwan (1968) in der Partie der Parandse in der armenischen Oper «Arschak II.» von Tigran Tschuchdshjan. Bald darauf wurde sie als Solistin an dieses Institut verpflichtet, an dem sie als erste große Partie die Adalgisa in Bellinis «Norma» vortrug und dann zu großen Erfolgen kam. Ihr Bühnenrepertoire war sehr umfassend und enthielt neben Partien aus dem Bereich der armenischen wie der russischen Oper Aufgaben wie die Eboli im «Don Carlos» von Verdi, die Azucena im «Troubadour», die Preziosilla in «La forza del destino» und die Carmen. Nach der großen Erdbeben-Katastrophe in ihrer armenischen Heimat unternahm sie 1988 zusammen mit dem Ensemble der Oper von Eriwan Gastspielreisen in Italien, Spanien und Frankreich, die ihr große Erfolge eintrugen. Neben ihrem Wirken auf der Bühne galt sie als hervorragende Liedersängerin, in erster Linie als Interpretin des armenischen Volksliedes.
Schallplattenaufnahmen der staatlichen sowjetrussischen Produktion (Melodiya), darunter armenische Opern und Lieder.

Anzellotti, Alba, Sopran, *23. 8. 1907 Rom; dort durch Frau Ferni Germano und durch Marietta Amstadt ausgebildet. 1937 trat sie am Teatro Politeama Garibaldi Palermo in einem Konzert mit Werken von Adriano Lualdi auf. 1945 gastierte sie an der Oper von Rom als Vivetta in «L'Arlesiana» von Cilea mit dem berühmten Tenor Tito Schipa als Partner, 1949 am Teatro Carlo Felice Genua in «Jephtha» von Carissimi. Zugleich war sie oft bei Radioaufführungen von Opern im italienischen Rundfunk anzutreffen. Dort begann ihre Karriere etwa 1934 und dauerte bis 1941–42 und wurde nochmals in den Jahren 1947–48 aufgenommen. Sie übernahm in diesen Opernsendungen Partien wie die Rosaura in «Le Donne curiose» von Wolf-Ferrari, die Titelrolle in «Ciottolino» von Ferrari-Trecate, die Mary in «Peter Ibbetson» von Deems Taylor (mit Giovanni Malipiero zusammen), die Almirena in Händels «Rinaldo», die große Schwester in «Delitto e castigo» von Pedrollo und die Filomena in «Filomena e l'infantuato» von Malipiero (mit Piero Pauli als Partner). In erster Linie war sie Konzertsängerin (Oratorien-, Liedgesang) und trat in ihren Tourneen unter den ersten Dirigenten ihrer Zeit auf. Seit 1941 Pädagogin am Conservatorio Sta. Cecilia Rom. Sie befaßte sich gern mit zeitgenössischer Musik und sang auf HMV-Schallplatten, auf denen sich eine schön gebildete, ausdrucksvolle Sopranstimme präsentiert. Der Familienname der Sängerin kommt auch in der Schreibweise Ancellotti vor.

Appelgren, Curt, Baß-Bariton, * 1945 Schweden; er studierte zunächst Violinspiel und gab Auftritte als Geiger, entschloß sich dann aber zur Sängerkarriere. Er debütierte am Barocktheater auf Schloß Drottningholm als Dulcamara in Donizettis «Elisir d'amore» und trat danach an der Königlichen Oper Stockholm als Pogner in den «Meistersingern» auf. Dort kam er zu einer großen Karriere; man hörte ihm u. a. als Jochanaan in «Salome» von R. Strauss, als Leporello im «Don Giovanni», in Cimarosas «Il Maestro di Capella» und in der Uraufführung der Oper «Christina» von Hans Gefors (18. 10. 1986 als Oxenstierna). Bei den Festspielen von Perugia gastierte er in «La Vestale» von Spontini, bei den Festspielen von Glyndebourne als Rocco im «Fidelio», als Basilio im «Barbier von Sevilla» und 1989 als Bottom in «A Midsummer Night's Dream» von Benjamin Britten. Diese letztere Partie wiederholte er beim Hongkong Festival. Zu seinen großen Bühnenpartien zählten auch der Scarpia in «Tosca» und der Fliegende Holländer. Neben seinem Wirken auf der Bühne war er ein hoch geschätzter Konzertsänger. So trat er auf diesem Gebiet u. a. mit dem London Philharmonic Orchestra in der Londoner Festival Hall auf. Auch in Rundfunksendungen bekannt geworden.

Arazym-Haape, Martha, Sopran, *21. 5. 1915 Wien; sie war Tochter eines Wiener Kaufmanns und erhielt ihre Ausbildung durch den berühmten Tenor und Pädagogen Alexander Kirchner in Wien. 1936 begann sie ihre Bühnenkarriere am Opernhaus von Brno (Brünn); von dort ging sie 1937 an das Theater von Reichenberg (Liberec). 1938–43 war sie am Stadttheater von Duisburg engagiert. 1943–50 wirkte sie sehr erfolgreich an der Staatsoper von Stuttgart. Ihre Gastspiele führten sie an die großen Opernbühnen des deutschen Sprachgebiets. Aus ihrem Bühnenrepertoire sind als Höhepunkte Partien wie die Nedda in «Bajazzo», die Aida, die Carmen, die Titelfigur in «Mignon» von A. Thomas, die Butterfly und die Tosca in den gleichnamigen Opern von Puccini hervorzuheben. Neben ihrem Wirken auf der Bühne genoß sie auch als Konzertsängerin hohes Ansehen. Seit 1942 war sie mit dem Arzt und Verleger Haape verheiratet.

Arbuffo, Matilde, Sopran, * 13. 7. 1900 Saluzzo bei Turin; am Liceo musicale Turin waren ihre Lehrer Maestro Thermignon und Maestro della Toreno. Sie debütierte am Teatro Regio Turin als Waldvogel im »Siegfried«, indem sie eine erkrankte Kollegin ersetzte. Sie begann dann ihre professionelle Karriere 1927 am Teatro Vittorio Emanuele und am Teatro di Torino in Turin, wo sie u. a. in der Oper »Fata Malherba« von Vittorio Gui auftrat. 1928 war sie am Teatro Politeama von Florenz anzutreffen und unternahm dann 1928–29 eine Südamerika-Tournee. In dem Jahrzehnt 1928–39 hatte sie sehr große Erfolge an der Oper von Rom. Hier sang sie als Partnerin von Aureliano Pertile in «Fedora» von Giordano, von Fedor Schaljapin in «Boris Godunow» und von Giacomo Lauri-Volpi in Verdis «Troubadour». An der Oper von Rom wirkte sie auch in den Uraufführungen der Opern «La Donna serpente» von Casella (17. 3. 1932) und «La Fiamma» von Respighi (23. 11. 1934) mit. In der Saison 1936–37 sang sie an der Mailänder Scala die Samaritana in Zandonais «Francesca da Rimini»; sie gastierte dann auch am Teatro Fenice Venedig und an der Oper von Bologna. Sehr erfolgreich gestaltete sich ihre Karriere in Südamerika. 1939–43 wirkte sie dort als gefeierte Primadonna von São Paulo, 1943 sang sie am Theater von Porto Alegre eine Vielzahl von großen Partien. Sie verlegte ihre Tätigkeit ganz nach Brasilien, nachdem sie 1940 in São Paulo eine Gesangschule eröffnet hatte. Sie gab sehr erfolgreiche Konzerte in den brasilianischen Großstädten und am Rundfunk von São Paulo. 1950 unternahm sie nochmals von dort aus eine Gastspiel-Tournee durch Argentinien. 1953 gab sie ihre Karriere auf und lebte dann auf ihrem Landsitz San Sebastiano in der Nähe von São Paulo. 1967 kehrte sie in ihre italienische Heimat zurück und wohnte seither in Turin.

Archibald, Phyllis, Alt, * 1890 (?); diese englische Sängerin war eine Schülerin von Blanche Marchesi und wurde zuerst als Mitglied der Carl Rosa Opera Company bekannt, mit der sie England bereiste. Dort war sie in den Jahren 1914–20 zu hören; später sang sie bei der British National Opera London. Nachdem sie frühzeitig an einem unheilbaren Nervenleiden erkrankt war, mußte sie ihre Karriere aufgeben und schließlich in einem Sanatorium versorgt werden (ein ähnliches Schicksal wie es auch Lina Bruna Rasa und Jeanne Gordon erlitten). Wahrscheinlich existiert von ihrer reich gebildeten, dunklen Altstimme nur eine einzige Schallplattenaufnahme auf Columbia, und zwar das Duett Azucena-Manrico aus Verdis «Troubadour» zusammen mit dem Tenor Hughes Macklin.

Ardelli, Norberto, Tenor, * 1902 in Polen, † 2. 8. 1971 New York; er erhielt seine Ausbildung in seiner polnischen Heimat, dann in Italien, wo er 1929 am Teatro Sociale von Como als Herzog im «Rigoletto» debütierte. Er verlegte seine Tätigkeit nach Deutschland und war nacheinander am Stadttheater von Lübeck (1930–31), am Stadttheater von Stettin (1933–34) und an der Wiener Volksoper (1934–35) engagiert. In den Jahren 1935–38 gehörte er als ständiger Gast der Wiener Staatsoper an. Im Januar 1938 wurde er deren reguläres Mitglied, mußte aber bereits im März des gleichen Jahres im Zusammenhang mit der deutschen Besetzung Österreichs dieses Engagement aufgeben. Seitdem gab er Gastspiele an verschiedenen europäischen Bühnen; 1940 gastierte er an der Mailänder Scala als Lohengrin und als Turiddu in «Cavalleria rusticana». Während des Zweiten Weltkrieges emigrierte er in die USA. Hier sang er an der New York City Centre Opera und an der Cincinnati Summer Opera, war ein geschätzter Konzertsänger und wirkte später im pädagogischen Bereich in New York. In seinem Bühnenrepertoire fanden sich als Höhepunkte Rollen wie der Titelheld in «Andrea Chénier» von Giordano, der Gabriele Adorno in Verdis «Simon Boccanegra», der Gennaro in Donizettis «Lucrezia Borgia», der Paolo in «Francesca da Rimini» von Zandonai und der Dimitrij im «Boris Godunow» von Mussorgsky.

Schallplatten: Nachdem man lange der Ansicht war, die Stimme des Sängers sei nicht durch Aufnahmen überliefert, sind Mitschnitte von Aufführungen der Wiener Staatsoper auf Belvedere-Teletheater veröffentlicht worden, die von 1937 herrühren.

Arden-Griffith, Paul, Tenor, * 18. 1. 1952 Stockport (England); er studierte Gesang und Klavierspiel am Royal Manchester College of Music und am Royal Northern College of Music. 1973 debütierte er bei der Sadler's Wells Opera London als Puck in «A Midsummer Night's Dream» von B. Britten. An der English National Opera London kam er zu großen Erfolgen in Lehárs «Lustiger Witwe», an der Covent Garden Oper London wirkte er 1976 in der Uraufführung von Hans Werner Henzes «We come to the River» mit. Beim Festival von Aldeburgh sang er 1976 in der englischen Erstaufführung von Benjamin Brittens Frühwerk «Paul Bunyan». 1980 hörte man ihn beim Wexford Festival in Irland in der Oper «Of Mice and Men» von Carlisle Floyd, 1980 beim internationalen Festival von Singapur in «Carmina Burana» von C. Orff. 1983 unternahm er eine Welt-Tournee als Konzertsänger. 1985 gab er Konzerte in Hongkong, Singapur und Sydney, 1986 sang er am Londoner Her Majesty's Theatre in der Uraufführung von «The Phantom of The Opera» von Andrew Lloyd Webbers. Er war einer der Gründer der Operngesellschaft Arts Council's Opera, die Gastspielreisen im gesamten britischen Commonwealth unternahm.

Schallplatten: Privataufnahmen («Paul Arden-Griffith-The Song is You», 1986; vollständige Aufnahme «The Phantom of The Opera»), Video-Aufzeichnungen.

Argenta, Nancy, Sopran, * 17. 1. 1957; die kanadische Künstlerin studierte an der University of Western Ontario Gesang und Musik und schloß diese Ausbildung 1980 mit ihrem Diplom ab. Sie war auch Schülerin von Peter Pears, Gérard Souzay und Vera Rozsa. Sie begann dann eine große Karriere als Konzertsängerin, die ihr in Europa wie in Nordamerika bald internationale Anerkennung verschaffte. Ihr ausgedehntes Konzertrepertoire erstreckte sich von den Meistern des 17. Jahrhunderts bis zu zeitgenössischen Kompositionen. Sie trat bei den Festspielen von Aldeburgh und Bath auf, sie sang mit dem English Chamber Orchestra in Barcelona in der c-moll-Messe von Mozart, in New York und in den kanadischen Musikzentren das Sopransolo im «Mes-

sias»; sie gab Konzerte in Berlin und Wien und wirkte in Sendungen des englischen wie des kanadischen Rundfunks und über Radiostationen in Deutschland und Frankreich mit. Auch auf der Bühne trat sie in Erscheinung: in Lyon sang sie 1986 die Susanna in «Nozze di Figaro» und die Asteria in «Tamerlano» von Händel, bei den Festspielen von Aix-en-Provence hörte man sie in «Hippolyte et Aricie» von Rameau, in «King Arthur» und 1989 in «The Fairy Queen» von Henry Purcell. 1984 übernahm sie bei den Händel-Festspielen von Göttingen die Partie der Königin von Saba in Händels «Salomon». Sie galt als hervorragende Bach- und Händel-Interpretin und wurde nicht zuletzt durch eine Vielzahl von Schallplattenaufnahmen bekannt.

Ihre zahlreichen Schallplatten erschienen auf mehreren Marken: auf DGG («Orfeo» von Monteverdi, Weihnachtsoratorium und Johannespassion von J. S. Bach), auf Philips («Salomon» von Händel, Magnificat und Kantaten von J. B. Bach), auf RCA («Tamerlan» von Händel), Harmonia mundi («Venus and Adonis» von John Blow, «L'Indefeltà delusa» von J. Haydn, «The Fairy Queen» von Purcell) wie auf Decca (Barbarina in «Figaros Hochzeit»).

Aristo, Giorgio, Tenor, * 28. 12. 1950 im amerikanischen Staat New York; sein Vater war aus Griechenland in die USA eingewandert, der eigentliche Name des Sängers war Giorgios Crucicos. Seine Mutter war ausgebildete Sängerin, hatte aber aus familiären Gründen keine Karriere begonnen. Er studierte an der New York State University Tenor-Saxophon und Klarinette und erwarb für das letztgenannte Instrument ein Diplom. Im Vietnam-Krieg wurde er zur amerikanischen Armee in Vietnam eingezogen, wo er eine Band zusammenstellte. Nach seiner Heimkehr ließ er an der Manhattan School of Music in New York seine Stimme durch Gabor Carelli ausbilden. Nachdem er bereits in New York gelegentlich aufgetreten war, erhielt er ein Stipendium für seine Weiterbildung im Opernstudio von Zürich. Studien bei Arturo Merlini in Mailand führten zu einem ersten Engagement am Stadttheater von Passau (1979–81). Er sang dort Partien wie den Herzog im «Rigoletto», den Grafen Almaviva im «Barbier von Sevilla», den Rodolfo in Puccinis «La Bohème» und den Danilo in der «Lustigen Witwe» von Lehár. 1981–83 war er am Opernhaus von Essen engagiert und gehörte seit 1983 als erster Tenor dem Staatstheater Hannover an. Er gab Gastspiele an der Deutschen Oper am Rhein Düsseldorf–Duisburg (als José in «Carmen»), an den Staatsopern von Wien (Titelheld im «Werther» von Massenet), München (Hans in der «Verkauften Braut») und Hamburg (José in «Carmen»), an der Wiener Volksoper, an der Königlichen Oper von Kopenhagen (Cavaradossi in «Tosca»), in Zürich und Berlin. 1988 sang er am Opernhaus von Nantes den Kalaf in Puccinis «Turandot», 1989 in Toulon und in Lüttich den Titelhelden in «Andrea Chénier» von Giordano; zu den weiteren Glanzrollen des Künstlers, der auch als Konzertsänger eine bedeutende Karriere hatte, gehörten der Alfredo in «La Traviata» und der Turiddu in «Cavalleria rusticana». Verheiratet mit der Sopra-

nistin *Melody Kielisch,* die am Opernhaus von Essen engagiert war.
Schallplatten: Amadeo (Arien).

Arndt, Friedrich Hermann, Bariton, * 6. 10. 1814 Löwen in Schlesien, † 1877 Stuttgart; er begann seine Bühnenkarriere 1835 am Theater von Brieg (Schlesien). In den Jahren 1840–41 sang er an den Bühnen von Köln und Königsberg (Ostpreußen) und wurde dann Mitglied des Hoftheaters von Stuttgart. Bis 1864 hatte er an diesem Haus große Erfolge und übernahm dort eine Vielzahl von Baritonpartien aus allen Bereichen der Opernliteratur. Seit 1859 trat er am Stuttgarter Hoftheater auch in Sprechrollen auf. Aus seinem Opernrepertoire sind als Höhepunkte Partien wie der Don Giovanni, der Titelheld in «Zampa» von Hérold, der Simeon in «Joseph» von Méhul, der Figaro in «Figaros Hochzeit» wie im «Barbier von Sevilla», der Titelheld in «Hans Heiling» von Marschner und der Belisario in der Oper gleichen Namens von Donizetti zu erwähnen. Neben seinem Wirken auf der Bühne war er ein geschätzter Konzert- und Oratoriensänger.

Arnold, Anton, Tenor, * 31. 1. 1881 Weißkirchen (Bela Crkva im Banat), † 1954 Wien; er erhielt seine Ausbildung durch Paul Greiff und Laura Hilgermann und begann seine Bühnenkarriere in der Spielzeit 1909–10 am Theater von Olmütz (Olomouc). Es folgten Engagements am Stadttheater von Regensburg (1910–11), am Theater von Teplitz (Teplice, 1911–12), am Stadttheater von Dortmund (1912–13), wiederum am Theater von Olmütz (1913–14), in Teplitz (1914–15) und Regensburg (1915–16). 1916 folgte er einem Ruf an die Hofoper (die spätere Staatsoper) Wien, an der er bis 1942 als Mitglied des Ensembles wirkte, und wo er noch nach 1945 als Gast auftrat. Hatte er zu Beginn seiner Laufbahn jugendliche und sogar heldische Partien (Max im «Freischütz», Walther von Stolzing in den «Meistersingern») gesungen, so konzentrierte er sich an der Wiener Oper auf das Charakter- und Comprimario-Fach, wobei er in einer Vielzahl von Partien beim Publikum große Beliebtheit erwarb. Am 10. 10. 1919 sang er in der Wiener Uraufführung der Richard Strauss-Oper «Die Frau ohne Schatten» die Rolle des Buckligen. Aus seinem Repertoire seien noch der Don Curzio in «Figaros Hochzeit», der Yamadori in «Madame Butterfly», der Alcindor in «La Bohème» und der Wenzel in Smetanas «Verkaufter Braut» genannt. In den zwanziger Jahren nahm er an mehreren Tourneen deutscher Operngesellschaften in den USA teil. Bei den Salzburger Festspielen von 1938 übernahm er die Partie des Balthasar Zorn in den «Meistersingern»; 1941 war er an der Wiener Volksoper zu Gast.

Arnold, David Charles (Karl); Bariton, * 25. 12. 1943 Atlanta (Georgia); er absolvierte seine Ausbildung in New York, wo er in den Jahren 1977–83 mehrere Preise bei Gesangwettbewerben davontrug. Er kam seit den siebziger Jahren in den USA wie in England zu einer großen Bühnen- und Konzertkarriere. So sang er an der City Centre Opera New York (Debüt als Zurga in «Pêcheurs de perles» von Bizet), an der Metropolitan Oper New York (Debüt als Enrico in «Lucia di Lammermoor») und bei der English National Opera London (Debüt als Escamillo in «Carmen», 1987). Er wirkte in den Uraufführungen der Opern «The Winter's Tale» (1974) und «Full Moon in March» (1977) von John Harbison mit und kreierte in der New Yorker Carnegie Hall die Solopartie in der Uraufführung der 9. Sinfonie von David Diamond unter der Leitung von Leonard Bernstein. Im Weißen Haus in Washington sang er in einer Aufführung des Oratoriums «L'Enfance du Christ» von Berlioz; an der Oper von Boston hörte man ihn als Amonasro in «Aida»; als Gast auch an der Oper von Montreal und bei der Omaha Opera aufgetreten. Im Konzertsaal wurde er als Solist für Aufführungen mit den großen amerikanischen Orchestern verpflichtet; allein während fünf Jahren war er Solist des Boston Symphony Orchestra.
Schallplatten: CRI («Full Moon in March»), Arabesque («Walpurgisnacht» von Mendelssohn), Leonard Records.

Aschenbrenner, Eduard, Baß, * 14. 3. 1857 Jičin (Jitschin, Böhmen), † 2. 11. 1921 Prag; er war ein Schüler des bekannten Tenors Jan Lukes in Prag. 1879 debütierte er, noch am Interimstheater (Prozatímní divadlo), in Prag und nahm am Umzug in das neu erbaute Nationaltheater (Národni divadlo) teil, an dem er bis 1893 wirkte. 1893–96 war er am Theater von Brno (Brünn), 1896–1902 an der Oper von Zagreb (Agram) und 1902–05 am Theater von Plzeň (Pilsen) im Engagement. 1905–07 gehörte er wieder dem Opernhaus von Brno und betätigte sich zunehmend als Regisseur. Sein Bühnenrepertoire hatte einen großen Umfang und gipfelte in Partien wie dem Mephisto im «Faust» von Gounod, dem Sarastro in der «Zauberflöte», dem Rocco im «Fidelio», dem Kardinal in Halévys «La Juive», dem Colonna in «Rienzi» von R. Wagner, dem Hunding in der «Walküre» und dem Ramphis in Verdis «Aida». Seine Tochter *Blažena Snopková-Aschenbrennerová* (* 1899 Prag) wurde eine bekannte Opernsängerin.

Assandria, Augusto, Tenor, * 6. 10. 1877 Benevagienna bei Cuneo (Piemont), † 16. 11. 1932 Turin; er war ein Sohn des bekannten Historikers und Numismatikers Giuseppe Assandria. Er studierte an der Universität von Turin Jura und legte 1902 sein Endexamen in dieser Wissenschaft ab. Seine Stimme wurde durch die Pädagogen Frau Farinelli und Ferdinando Guarini ausgebildet. Sein Bühnendebüt kam ganz unerwartet zustande, als er 1909 am Teatro Regio Turin den erkrankten Tenor Ignacio Dygas in der Partie des Pollione ersetzte, während die große Primadonna Giannina Russ die Titelheldin in Bellinis «Norma» sang. Der Erfolg war sehr groß und leitete eine glanzvolle Karriere im Heldentenor-Fach ein. 1911 gastierte er am Teatro Regio Parma als Jean in «Hérodiade» von Massenet. Er ist an den führenden Opernhäusern in Spanien und Portugal, in Südamerika, in Frankreich und England als Gast erschienen und kam zu großen Erfolgen in seiner italienischen Heimat. Er galt vor allem als begabter Wagner-Interpret in Partien wie dem Walther von Stolzing in den «Meistersingern», dem Siegmund in der «Walküre», dem Siegfried im «Siegfried» und dem Parsifal.

Asserson, Beate, Mezzosopran, * 9. 3. 1913 Bjelland (Norwegen); sie studierte zuerst in Oslo, dann bei Konrad von Zawilowski in Berlin. 1936–44 war sie an der Berliner Staatsoper engagiert, wo sie u. a. 1940 in der Uraufführung der Oper «Andreas Wolfius» von Fr. Walter mitwirkte. Bei den Bayreuther Festspielen trat sie 1937–39 in kleinen Partien im «Parsifal» (1. Knappe, Soloblume) auf. Nach dem Zweiten Weltkrieg lebte sie in Oslo und entwickelte eine rege Gastspieltätigkeit. So sang sie 1954 an der Mailänder Scala in der «Götterdämmerung», 1955 an der Grand Opéra Paris in Aufführungen des Ring-Zyklus. Sie gastierte an der Wiener Staatsoper, an der Oper von Rom, an der Budapester Nationaloper und an der Opéra de Wallonie Lüttich, wobei sie sich vor allem im Wagner-Repertoire auszeichnete. Neben ihrem Wirken auf der Bühne stand eine zweite erfolgreiche Karriere als Konzert- und Liedersängerin.
Schallplatten: Decca (Floßhilde in der «Götterdämmerung», 1956 in Oslo aufgenommen).

Ast, Margarethe, Mezzosopran, * 1932 (?) Guben (Niederlausitz); Gesangstudium an der Musikhochschule Berlin. Sie begann ihre Bühnenkarriere mit einem Engagement an der Staatsoper von Hamburg 1955–58. 1958 wurde sie an das Staatstheater von Kassel berufen, an dem sie seitdem zu einer über dreißigjährigen Karriere kam. Sie wirkte in Kassel in den Uraufführungen der Opern «Barnstable» von F. Burt (1969) und «Ein Menschentraum» von P. M. Hamel (1981) und bereits zuvor in Hamburg in der von «Pallas Athene weint» von Ernst Křenek (17. 10. 1955) mit. In den Jahren 1965–68 war sie gleichzeitig auch Mitglied der Staatsoper von Wien. Sie gab Gastspiele am Opernhaus von Frankfurt a. M., am Deutschen Opernhaus Berlin und 1962 bei den Wiener Festwochen. Ihr Bühnenrepertoire besaß einen ungewöhnlichen Umfang und enthielt Partien wie den Orpheus von Gluck, die Marcellina in «Figaros Hochzeit», die Magdalene in den «Meistersingern», die Erda, die Waltraute, die Fricka und die Floßhilde im Ring-Zyklus, den Komponisten in «Ariadne auf Naxos» von R. Strauss, die Adelaide in «Arabella», die Herodias in «Salome», die Klytämnestra in «Elektra», die Amneris in «Aida», die Eboli in Verdis «Don Carlos», die Quickly in dessen «Falstaff», die Marina im «Boris Godunow», die Titelfigur in Tschaikowskys «Jungfrau von Orléans» (Kassel, 1967), die Küsterin in Janáčeks «Jenufa», die Kabanisha in «Katerina Ismailowa» von Schostakowitsch, die Gräfin Geschwitz in «Lulu» von A. Berg, die Mrs. Herring in Benjamin Brittens «Albert Herring» und die Charlotte in «Die Soldaten» von B. A. Zimmermann. Auch als Konzertsängerin war sie angesehen.
Schallplatten: Columbia.

Auer-Rebba, Nada, Mezzosopran, * 5. 7. 1908 Wien; sie begann zunächst in Wien eine Ausbildung als Pianistin, wandte sich dann aber dem Gesangstudium zu, das sie in Wien und München absolvierte. 1927–47 war sie an der Nationaloper von Zagreb (Agram) tätig. Sie sang dort Partien wie die Santuzza in «Cavalleria rusticana», die Carmen, die Charlotte im «Werther» von Massenet, die Marina im «Boris Godunow» von Mussorgsky, die Azucena im «Troubadour», die Dalila in «Samson et Dalila» von Saint-Saëns und die Giulietta in «Hoffmanns Erzählungen» von Offenbach. Seit 1947 betätigte sie sich am Theater von Rijeka (Fiume), wo sie sich später auch als Pädagogin niederließ.

Avedano, Ferdinando, Tenor, * 17. 7. 1863 Cuneo bei Turin, † (?); nach seiner Ausbildung am Liceo musicale von Turin (1886–87) sang er als erste große Partie 1890 am Theater von Sinigaglia den Pollione in Bellinis «Norma», eine seiner Glanzrollen. Nach erfolgreichen Auftritten in Novi Ligure, Pisa, am Teatro Carcano Mailand (wieder als Pollione, 1891) und am Teatro Politeama Genua wurde er 1892 an die Mailänder Scala berufen, wo er abermals den Pollione, jetzt als Partner von Teresa Arkel, sang. 1892 wirkte er am Teatro Carlo Felice Genua in der Uraufführung der Oper «Vindice» von Umberto Masetti mit, die von Arturo Toscanini dirigiert wurde. Es schlossen sich erfolgreiche Gastspiele an führenden Opentheatern in Europa, in Süd- wie in Nordamerika an. 1896 hörte man ihn an der Mailänder Scala als Siegfried in Wagners «Götterdämmerung». Den Titelhelden in Verdis «Othello», einen weiteren Höhepunkt in seinem Repertoire, hat er im Lauf seiner Karriere 200mal vorgetragen. Auch als Konzertsänger hatte er seine Erfolge; 1896 bewunderte man ihn in Catania als Oloferne in dem Oratorium «Giuditta» von Pacini. Nach der Jahrhundertwende wurde wenig mehr über den Künstler bekannt, der sich schließlich in San Francisco niederließ und dort einen Weinhandel betrieb.

Avezza, Maria, Sopran, * 1880 (?); sie debütierte 1904 am Teatro Verdi Triest, sang in der Saison 1905–06 am Teatro Regio Parma und ebenfalls 1906 am Teatro Verdi von Pisa. In den Jahren 1910–13 war sie am Teatro Colón Buenos Aires anzutreffen, wo sie kleinere und Comprimario-Partien übernahm und u. a. die Xenia im «Boris Godunow» von Mussorgsky sang. Am 19. 2. 1914 wirkte sie in der Uraufführung von Zandonais Oper «Francesca da Rimini» am Teatro Regio Turin in einer kleinen Rolle mit. 1919 hörte man sie am Teatro Rossini von Pesaro in einer weiteren Oper von Zandonai «La Via della finestra». 1922 war sie an der Mailänder Scala im Engagement; sie sang hier die Berta im «Barbier von Sevilla» von Rossini, eine kleine Partie in «In quattro rusteghi» von Wolf-Ferrari und Comprimario-Partien. 1924 ist sie nochmals bei den Festspielen in der Arena von Verona anzutreffen.
1909 wurden auf Edison-Zylindern, die 1912 als Amberola-Zylinder herausgegeben wurden, Duette der Sängerin mit dem Tenor Francesco Daddi aufgenommen. Dabei singt sie Partien von der Lucia di

Lammermoor bis zur Azucena im «Troubadour», die sie wohl nie auf der Bühne übernommen hat, auf der sie immer nur in vergleichsweise bescheidenen Aufgaben eingesetzt wurde.

Avogadro, Liana, Sopran/Mezzosopran, * 1896 Novara, † 18. 6. 1969 Turin; sie war in Mailand Schülerin der Pädagogen Ercole Pizzi und Franco Mannucci und debütierte 1920 in Parma in der Titelpartie von Puccinis «Tosca». In den ersten Jahren ihrer Bühnentätigkeit sang sie Sopranpartien an kleineren italienischen Opernhäusern, u. a. am Teatro Andreani in Mantua, am Teatro Verdi in Pisa und am Teatro Coccia in Novara. Dann wechselte sie jedoch ins Mezzosopranfach und trat nun an der Mailänder Scala, am Teatro Costanzi Rom, am Teatro Regio Turin, am Teatro San Carlo Neapel und an weiteren führenden Bühnen der italienischen Halbinsel auf. 1926 nahm sie an einer denkwürdigen Aufführung von Glucks «Alceste» in Turin teil, 1938 sang sie am Teatro Municipale von San Remo in der italienischen Erstaufführung von Menottis Oper «Amelia al ballo» unter der Leitung von A. Votto. Gastspiele der Künstlerin, die ein sehr umfangreiches Repertoire beherrschte, führten auch in verschiedenen europäischen Musikzentren zu beachtlichen Erfolgen.
Schallplatten: Cetra («Gianni Schicchi», «La forza del destino»).

Avoglio, Maria Christina, Sopran, * um 1705 (?), † (?); über die Anfänge ihrer Karriere ist ebensowenig bekannt wie über ihre genaue Herkunft. Wahrscheinlich war sie jene «Mme Avogli», die 1729 in Hamburg die Cleopatra in Aufführungen von Händels «Giulio Cesare» sang. Georg Friedrich Händel erwähnt sie in einem Brief an seinen Freund Jennens vom 29. 12. 1741 aus Dublin, wo sie die Primadonna einer Opernsaison war, die der große Komponist dort veranstaltete: «Sigra. Avoglio which I brought with me from London pleases extraordinary ...» Am 13. 4. 1742 übertrug Händel ihr dann in der Uraufführung seines großen Oratoriums «Der Messias» in Dublin das Sopransolo. Das Dublin Journal nennt sie in seinem Bericht über die Aufführung unter den Mitwirkenden, «who performed their parts to Admiration». Sie sang in Dublin auch Solopartien in weiteren Oratorien von Händel, u. a. in «Esther», «Saul» und «L'Allegro, il Penseroso ed il Moderato», dazu natürlich Sopranrollen in dessen Opern. Im April und im Juni 1742 gab sie Benefiz-Konzerte in Dublin. In der Saison 1743–44 war sie Mitglied der Operntruppe, die unter Händel in der Covent Garden Oper auftrat. Am 18. 2. 1743 kreierte sie in der Uraufführung des Händel-Oratoriums «Samson» abwechselnd mit Mrs. Edwards die Sopransoli; dabei steht fest, daß sie die berühmte Arie «Let the bright Seraphims» gesungen hat. Im März 1743 war sie dann auch die Solistin in der ersten Londoner Aufführung des «Messias». Im Juni 1743 wirkte sie bei drei Aufführungen von Händels «Alexander's Feast» im Ruckholt House (Essex) mit. Am 10. 2. 1744 sang sie in der Uraufführung der Oper «Semele» von Händel am Covent Garden Theatre die Partie der Iris. Kurz zuvor hatte sie am Londoner Drury Lane Theatre in der Uraufführung der Pantomime «The Amorous Goddess» die Rolle der Hecate kreiert. Eine letzte Nachricht vom 23. 6. 1746 besagt, daß sie ein Konzert in den Salisbury Assembly Rooms in London gab. Weitere Daten über die bedeutende Sängerin sind nicht vorhanden.

B

Bačanović, Milivoj, Bariton, *5.12. 1921 Herceg-Novi (Montenegro); er studierte Gesang am Conservatorio Rossini in Pesaro, wo er Schüler von Elvira Casazza war. 1946 debütierte er am Theater von Sarajewo als Rigoletto und blieb bis 1955 Mitglied dieses Hauses. 1955 wechselte er an die Nationaloper von Zagreb, an der er jahrzehntelang an führender Stelle wirkte. Gastspiele führten ihn nach Bulgarien, Italien, Belgien und Griechenland; auch als Konzertsänger wurde er international bekannt. Aus seinem umfangreichen Bühnenrepertoire verdienen der Graf Luna im «Troubadour», der Posa im «Don Carlos» von Verdi, der Jago im «Othello», der Figaro in «Nozze di Figaro», der Guglielmo in «Così fan tutte», der Papageno in der «Zauberflöte», der Titelheld im «Eugen Onegin», der Lescaut in «Manon» von Massenet wie in Puccinis «Manon Lescaut» und der Escamillo in «Carmen» Erwähnung.
Schallplatten: Philips («Sadko» von Rimsky-Korssakow), Jugoton.

Bacchetta, Cesare, Bariton, *1860 Novara, † (?); er studierte in seiner Geburtsstadt Novara Gesang und debütierte 1883 am Theater von Crema bei Mailand in Verdis «Aroldo». Nach Auftritten am Theater von Zara und in Vercelli sang er 1884 am Teatro Carcano Mailand als Partner der berühmten Gemma Bellincioni in «Lucia di Lammermoor» von Donizetti und in «I promessi Sposi» von Ponchielli. Am gleichen Haus wirkte er am 13.11.1884 in der Uraufführung der Oper «Atala» von F. Guglielmi mit. 1884–85 war er am Teatro Vittorio Emanuele von Messina zu hören, gastierte darauf in Rom, Brescia, Mantua, Turin und Rimini und erschien 1887 am Opernhaus von Triest wie wiederum am Teatro Carcano Mailand, diesmal in der Uraufführung der Oper «Roderico Re dei Goti» von Ponchielli (29.1. 1888). 1889 trat er am Teatro Costanzi Rom und Teatro Politeama Florenz als Zurga in «Pêcheurs de perles» von Bizet auf, 1889–90 am Teatro Piccinni von Bari als Telramund im «Lohengrin», den er auch 1893 in Turin sang. 1893 wirkte er bei den Donizetti-Gedenkfeiern in dessen Heimatstadt Bergamo mit. 1893–94 erreichte er dann die Mailänder Scala; hier sang er in «Cristoforo Colombo» von Franchetti und in der Uraufführung einer weiteren Oper Franchettis «Fior d'Alpe» (15.3. 1894). 1895 war er am Teatro Nuovo in Pisa engagiert, in der Saison 1895–96 am Teatro Pagliano Florenz, wo er in der Uraufführung von V. Fornaris «Dramma in vendemmia» (13.2. 1896) auftrat. Gegen Ende seiner Karriere, die bis etwa 1905 an den italienischen Bühnen anhielt, sang er gerne die Rollen des Lescaut in «Manon Lescaut» und des Marcello in «La Bohème» von Puccini. Geschätzt wurde er auch als Konzertsänger, vor allem als Solist in den Oratorien von Lorenzo Perosi.

Bader, Helena, Sopran, *16.9. 1918 München; sie erhielt ihre Ausbildung durch Emmy Feuge-Gleiss und durch E. Wack. An der Münchner Akademie der Tonkunst war sie Schülerin der großen Sopranistinnen Anna Bahr-Mildenburg und Emmy Krüger.

1940 fand sie ihr erstes Engagement am Stadttheater von Salzburg und blieb dort bis 1942. 1942–44 sang sie am Opernhaus von Brünn (Brno); nach dem Zweiten Weltkrieg war sie 1947–48 am Stadttheater von Mönchengladbach, 1947–48 am Stadttheater von Karlsruhe und 1950–52 am Staatstheater Hannover engagiert. Sie unternahm dann von ihrem Wohnsitz Hannover aus Gastspiele und Konzertauftritte, die ihr in der Schweiz, in Italien, Frankreich und Portugal Erfolge brachten. Bei den Bayreuther Festspielen des Jahres 1957 gastierte sie als Siegrune in der «Walküre». In ihrem Bühnenrepertoire fanden sich an erster Stelle dramatische und Wagner-Rollen.
Schallplatten: Period, MMS (Rezia im «Oberon» von Weber).

Badia, Conchita, Sopran, *1897, † 1975 Barcelona; diese Künstlerin war die große spanische Liedersängerin ihrer Epoche. Ihre Interpretation der Lieder von Manuel de Falla, Enrique Granados, Joaquín Turina, Joaquín Nin und anderer spanischer Liedkomponisten galt als unvergleichlich. Zahlreiche Liedkompositionen dieser Meister wurden ihr gewidmet und durch sie zur Uraufführung gebracht. Dagegen erschien sie nur ausnahmsweise auf der Opernbühne, so 1916 am Teatro Liceo Barcelona in «Maria del Carmen» von Granados, kurz nach dem tragischen Tod des großen Meisters bei der Versenkung der «Lusitania» (bei dessen Rückkehr von der New Yorker Uraufführung seiner Oper «Goyescas» an der dortigen Metropolitan Oper). Bei ihren glanzvollen Liederabenden wurde sie durch so bedeutende spanische Pianisten wie Ricardo Viñes und Alicia de Larrocha am Klavier begleitet. Sie betätigte sich später auch im pädagogischen Bereich und war u. a. in Barcelona die Lehrerin der großen spanischen Sopranistin Montserrat Caballé.
Schallplattenaufnahmen ihrer Stimme sind vor allem auf HMV erhalten, darunter an erster Stelle spanische Lieder, aber auch Volkslieder und Arien aus Zarzuelas.

Badorek, Wilfried, Tenor, *1936 (?); nach einem Engagement am Staatstheater Karlsruhe (1960–62) sang er nacheinander an den Stadttheatern von Aachen (1962–63) und Essen (1963–65) und am Theater am Gärtnerplatz München (1965–67). Er hatte bis dahin vor allem lyrische und Operettenpartien gesungen, führte nun aber seine Gesangausbildung weiter, um sich dem heldischen Stimmfach zu widmen. Darauf war er 1968–69 wieder in Aachen, 1969–72 am Mannheimer Nationaltheater und in dem Jahrzehnt 1972–82 am Opernhaus von Köln tätig. Gleichzeitig bestanden Gastverträge mit dem Opernhaus von Graz (1977–79) und dem Landestheater Innsbruck (1979–83), zeitweilig auch mit den Staatsopern von Hamburg und München. 1971 gastierte er an der Wiener Volksoper, 1972 und 1973 an der Opéra du Rhin Straßburg, 1972 am Teatro Liceo Barcelona, 1973 auch an der Staatsoper Wien und bei den Festspielen von Bregenz (als Erik im «Fliegenden Holländer»). 1974 am Teatro Fenice Vene-

dig als Max im «Freischütz» zu Gast, 1977 an der Oper von Rom wie am Teatro San Carlos Lissabon als Florestan im «Fidelio», 1978 am Grand Théâtre Genf und 1981 am Théâtre de la Monnaie Brüssel als Tambourmajor in «Wozzeck» von A. Berg. Weitere Gastspiele in Teheran (1976) und Ottawa (1977). War er zunächst vorwiegend in Partien aus dem italienischen Repertoire aufgetreten (Herzog im «Rigoletto», Gabriele Adorno in Verdis «Simon Boccanegra», Pinkerton in «Madame Butterfly», Andrea Chénier, Turiddu in «Cavalleria rusticana») so wandte er sich später dem deutschen und dem Wagner-Stimmfach zu und sang u. a. den Lohengrin, den Walther von Stolzing in den «Meistersingern», den Parsifal, den Bacchus in «Ariadne auf Naxos» von R. Strauss, den Kaiser in dessen «Frau ohne Schatten», aber auch den Hoffmann in «Hoffmanns Erzählungen» und den Titelhelden in «Damnation de Faust» von Berlioz.
Schallplatten: Operetten-Querschnitte auf Telefunken, HMV («Zauberflöte», 1973).

Badridse, David, Tenor, * 1899 in Georgien; nach einem Studium in Tiflis (Tblissi) wurde er der gefeierte erste Tenor des Opernhauses der georgischen Hauptstadt Tiflis. Er sang dort mit großem Erfolg zahlreiche Partien aus dem lyrischen Fachbereich der russischen wie der georgischen Opernliteratur. Im Laufe der Zeit übernahm er auch schwerere Partien in sein umfangreiches Bühnenrepertoire und sang die Titelfiguren in «Hoffmanns Erzählungen» von Offenbach und im «Werther» von Massenet und den Lohengrin in der Wagner-Oper gleichen Namens. Gastspiele und Konzerte, in denen er sich als großer Lied-Interpret erwies, führten ihn in die Zentren des russischen Musiklebens. Erst gegen Ende seiner Karriere wurde er 1944 an das Bolschoj Theater Moskau berufen, dessen Ensemble er noch bis 1948 angehörte.
Zahlreiche Schallplattenaufnahmen des Künstlers wurden im Rahmen der staatlichen sowjetrussischen Plattenproduktion (Melodiya) herausgebracht, darunter Arien aus den Opern «Sadko» von Rimsky-Korssakow, «Dubrowski» von E. Naprawnik, aus «Fürst Igor» von Borodin, aus «Faust» von Gounod, «Hoffmanns Erzählungen», «Werther» und Lieder von Robert Schumann.

Baehr, Colmar, Tenor, * 11. 1. 1834 Fidichow, † 27. 11. 1894 Riga; er war zuerst Mitglied der Berliner Hofoper, ging darauf an die Hofoper von Dresden und sang dann zehn Jahre hindurch von 1872 bis 1882 am Opernhaus von Riga. Er bewältigte auf der Bühne ein umfangreiches Rollenrepertoire, das sowohl Partien aus dem lyrischen Fach wie auch Buffo-Rollen enthielt. Zuletzt arbeitete der auch im Konzertsaal geschätzte Sänger als Pädagoge in Riga.

Baer, Madeleine, Sopran, * 11. 11. 1922 Brugg (Kanton Aargau, Schweiz); sie begann ihre Ausbildung 1946–48 am Konservatorium von Zürich, war 1952–53 Schülerin von Fernando Carpi am Konservatorium von Genf, 1953–55 der Wiener Musikakademie, wo Paula Henke-Müller und Tino Pattiera

ihre Lehrer waren. 1956–57 sang sie als Choristin am Stadttheater von Basel. 1954 gewann sie den Wettbewerb der Gesellschaft der Musikfreunde in Wien, 1957 den Concours von Verviers. Seit 1945 trat sie sehr erfolgreich als Konzertsolistin auf. Sie trug Partien in Oratorien und anderen Vokalwerken vor, wobei ihr Repertoire von J. S. Bach und Händel bis hin zu modernen Meistern reichte; dazu war sie eine geschätzte Lied-Interpretin. Als Konzertsängerin hörte man sie in den Musikzentren ihrer Schweizer Heimat, in Berlin und Wien, in Stuttgart und Straßburg, in London, Frankfurt a. M., Bordeaux und in Göttingen. Auch auf der Opernbühne ist sie in Erscheinung getreten; 1961–69 war sie am Opernhaus von Zürich engagiert. Gastweise trat sie am Stadttheater von Bern, am Grand Théâtre Genf, am Stadttheater von Basel, an der Hamburger Staatsoper, an der Kammeroper Wien und bei den Festwochen von Interlaken auf. Dabei sang sie Bühnenpartien wie die Micaela in «Carmen», die Pamina in der «Zauberflöte», die Marianne Leitmetzerin im «Rosenkavalier», die Madeleine in «Le Postillon de Lonjumeau» von Adam, die Sandrina in «L' Infedeltà delusa» von Haydn, die Belinda in «Dido and Aeneas» von Purcell, die Marie in «Zar und Zimmermann» von Lortzing, die Jungfer Anne in den «Lustigen Weibern von Windsor» von Nicolai und die Arsena im «Zigeunerbaron» von J. Strauß. In Zürich wirkte sie 1967 in der Uraufführung der Oper «Madame Bovary» von H. Sutermeister mit.

Bahling, Hans, Bariton, * 14. 4. 1878 Frankfurt a. M., † 12. 1. 1938 Auerbach an der Bergstraße; er debütierte 1903 am Stadttheater von Plauen (Sachsen) und sang in der folgenden Spielzeit 1904–05 am Stadttheater von Aachen. 1905–08 war er am Stadttheater von Barmen tätig; er folgte dann einem Ruf an das Mannheimer Nationaltheater, an dem er über zwanzig Jahre lang 1908–30 im Engagement blieb und auch später noch als Gast auftrat. 1906 gastierte er am Opernhaus von Frankfurt a. M., 1909 an den Hofopern von München und Stuttgart, 1910 am Opernhaus von Leipzig. In Mannheim trat er in den Uraufführungen der Opern «Kjartan und Gudrun» von Paul von Klenau (1918) und «Alkestis» von Egon Wellesz (20. 3. 1924 als Herakles) auf. 1925 sang er in Mannheim in der deutschen Erstaufführung von Borodins Oper «Fürst Igor» die Titelpartie. Er galt als hervorragender Wagner-Sänger in Rollen wie dem Hans Sachs, dem Fliegenden Holländer, dem Kurwenal im «Tristan» und dem Wotan in den Opern des Ring-Zyklus, sang aber auch Partien wie den Rigoletto, den Pizarro im «Fidelio», den Sebastiano in «Tiefland» von d'Albert, den Borromeo in «Palestrina» von Hans Pfitzner, den Nelusco in «L'Africaine» von Meyerbeer und den Amonasro in «Aida». Der Künstler, der auch als Konzertsänger bekannt war, war verheiratet mit der Sopranistin *Sofie Berg* († Mai 1913 München), die am Opernhaus von Köln und am Stadttheater von Barmen engagiert war.
Schallplatten: Mitte der zwanziger Jahre entstand eine akustische Aufnahme des Monologs des Titelhelden aus dem «Fliegenden Holländer», die auf

einer Gedächtnisplatte des Mannheimer National-theaters wiederveröffentlicht wurde.

Baird, Edward Allen, Baß-Bariton, * 18. 3. 1933 Kansas City; seine Ausbildung erfolgte an der University of Missouri in Kansas City bei Hardin Van Deursen, an der University of Michigan in Ann Arbor bei Chase Baromeo, Ralph Herbert und Joseph Blatt und bei Boris Goldovsky. 1963 Debüt auf der Bühne der Fort Worth Opera als Grenvil in Verdis «La Traviata». An diesem Opernhaus ist er im Lauf seiner Karriere immer wieder in Erscheinung getreten; er sang weiter an den Opern von Houston/Texas, Kansas City, New Orleans, Dallas und San Diego und ging einer ausgedehnten Konzerttätigkeit nach. Aus seinem Bühnenrepertoire verdienen der Arkel in «Pelléas et Mélisande» von Debussy, der Figaro in «Nozze di Figaro», der Leporello im «Don Giovanni», der Masetto wie der Commendatore in der gleichen Oper, der Bartolo wie der Basilio im «Barbier von Sevilla» von Rossini, der Don Magnifico in «La Cenerentola», der Doktor in «Vanessa» von Samuel Barber und der Colline in «La Bohème» von Puccini Erwähnung. 1972 sang er in Dallas in der Uraufführung der Oper «The Samuel Wrestler» von Adler die Partien des Obadiah und des Esau, bereits 1966 wirkte er in Fort Worth in der Uraufführung von «The Shepherdess and The Chimney Sweep» von Smith mit.

Baker, Donald, Bariton, * 17. 10. 1879 Merton (Surrey, England), † 22. 3. 1970 Vancouver; er erhielt seine Ausbildung an der Royal Academy of Music London und war zuerst als Organist und Chorleiter an der Guard's Chapel, dann 1894–96 in gleicher Position an der St. Mary Magdalena Church in London tätig. Während dieser Zeit setzte er seine Gesangausbildung fort und debütierte 1902 als Konzertsänger in London. Er entwickelte sich rasch zu einem der führenden englischen Oratorien- und Konzertsänger seiner Generation. Er wirkte am 3. 10. 1906 beim Birmingham Festival in der Uraufführung des Oratoriums «The Kingdom» von Edward Elgar mit. 1908 unternahm er eine große Konzerttournee durch die USA, der 1909 eine durch England folgte. Bei Ausbruch des Ersten Weltkrieges ging er nach Kanada und wurde Gesanglehrer am Konservatorium von Toronto. Dort gründete er später einen Chor. Daneben trat er jedoch weiter bis 1924 in Kanada wie in den USA als Konzertsänger auf. Seit 1934 wirkte er als Gesangpädagoge und Chorleiter in Vancouver, wo er noch 1956 regelmäßig Radiosendungen moderierte. Er trat auch als Komponist kirchenmusikalischer Vokalwerke in Erscheinung. Von seiner Stimme sind keine Schallplattenaufnahmen vorhanden.

Baker, Gregg, Bariton, * 7. 12. 1955 Chicago; er studierte an der Northwestern University und bei dem Pädagogen Andrew Smith. Er begann seine Karriere als Sänger am New Yorker Broadway, wo er in Musicals wie «The Wiz», «Timbuktu» und «Raisin» auftrat. Der junge farbige Sänger debütierte im Februar 1985 an der Metropolitan Oper sehr erfolgreich als Crown in «Porgy and Bess» von Gershwin. Er sang an diesem traditionsreichen Opernhaus weiter den Escamillo in «Carmen» und den Hohenpriester in «Samson et Dalila» von Saint-Saëns. 1986 gastierte er bei den Festspielen von Glyndebourne wiederum in der Partie des Crown in «Porgy and Bess». Er gastierte als Crown auch in Helsinki und Tulsa, als Escamillo in Tel Aviv. Aus seinem umfangreichen Opernrepertoire sind als Höhepunkte noch der Ford im «Falstaff» von Verdi, der Graf Almaviva in «Nozze di Figaro» und der Marcello in Puccinis «La Bohème» hervorzuheben. Schallplatten: HMV (Crown in «Porgy and Bess»).

Balanowskaja, Leonida Nikolajewna, Sopran, * 26. 10. 1883 Sphola bei Kiew, † 28. 8. 1960 Moskau; sie wuchs in Jelisawetgrad auf und wurde am Konservatorium von St. Petersburg durch die Pädagogin G. Tsekhanowskaya ausgebildet. 1905 mußte sie aus finanziellen Gründen ihre Ausbildung abbrechen und ein Engagement annehmen. 1906 sang sie in der ersten russischen konzertanten Aufführung des «Parsifal» in St. Petersburg die Partie der Kundry. Sie machte ihr Operndebüt in der Titelrolle von Ponchiellis «La Gioconda» und wurde für die Saison 1906–07 an die Petersburger Hofoper (Mariensky Theater) verpflichtet, wo sie als erste Partie die Valentine in den «Hugenotten» von Meyerbeer sang. 1907–08 war sie am Opernhaus von Kiew engagiert und danach 1908–18 am Bolschoj Theater Moskau. Hier ist sie in 33 großen Partien aufgetreten. Dabei übernahm sie sowohl dramatische Sopran- als auch Mezzosopran-Partien. Davon seien die Marina im «Boris Godunow», die Natascha in «Rusalka» von Dargomyshski, die Aida wie die Amneris in «Aida», die Amelia in Verdis «Ballo in maschera», die Leonore im «Troubadour», die Venus im «Tannhäuser», die Ortrud im «Lohengrin», die Brünnhilde im Nibelungenring, die Lisa in «Pique Dame», die Tatjana im «Eugen Onegin» und die Kupawa in «Snegourotchka» von Rimsky-Korssakow genannt. Sie gastierte 1911–12 in Frankreich, 1914 in Österreich, England und wiederum in Frankreich, wobei sie vor allem in Wagner-Konzerten große Erfolge hatte. Nach einer schweren Erkrankung verließ sie 1918 das Bolschoj Theater, trat aber noch als Konzertsolistin auf und arbeitete seit 1922 als Pädagogin zusammen mit dem großen Tenor Leonid Sobinow an dem von diesem begründeten Konservatorium in Sewastopol. 1924–25 unternahm sie eine Konzerttournee durch den Nahen Osten und war dann nochmals 1928–29 am Moskauer Bolschoj Theater engagiert, schließlich 1929 bis zu ihrem Abschied von der Bühne am Opernhaus von Charkow. Sie wurde dann als Pädagogin an das Konservatorium von Moskau berufen und war in beratender Funktion am Bolschoj Theater tätig. Schallplatten: Pathé (sechs sehr seltene Aufnahmen aus der Serie «Goldene Pathé» von 1913; davon wurde die Schlußszene aus «Tristan und Isolde» auf Melodiya übernommen).

Balanqué, Mathieu-Émile, Baß, * 1827, † Mai 1866 Paris; er erscheint erstmals 1852 am Théâtre Lyrique

Paris, als er dort den Chevalier de Romuald in der Oper «Joanita», einem Werk des berühmten Tenors Gilbert Duprez, sang (vielleicht handelt es sich bei diesem Auftritt um sein Bühnendebüt). Sein Name wurde bekannt durch sein Mitwirken in Uraufführungen am Théâtre Lyrique während seines Engagements an diesem Hause in den Jahren 1856–62. 1856 sang er dort in der Uraufführung von Victor Massés «La Reine Topaze», 1860 in «Les pêcheurs de Catane» von A. Maillart, am 18. 2. 1860 in «Philémon et Baucis» von Gounod (als Vulcain) und am 11. 4. 1861 in «La Statue» von Ernest Reyer (als Armgyad). Der große Tag im Leben des Künstlers war jedoch der 19. 3. 1859, als er am Théâtre Lyrique in der Uraufführung des «Faust» von Gounod als Mephisto auftrat. Große Bewunderung erregte er auch als Graf Almaviva in «Figaros Hochzeit» von Mozart. Das Ende seiner Karriere gestaltete sich unglücklich. Mit 35 Jahren verlor er seine Stimme. Darauf ging er als Bühnenregisseur an das Theater von Angers, das jedoch wenig später abbrannte. Er kehrte mit seiner Frau und fünf Kindern nach Paris zurück und starb einige Jahre später in großer Armut.

Baldisseri, Nerina, Sopran, *1890 (?) Florenz, †1977 Mailand; die Künstlerin hatte als lyrischer Sopran an italienischen Theatern in den Jahren zwischen 1910 und 1930 eine erfolgreiche Karriere, ist aber nicht an der Mailänder Scala oder an der Oper von Rom aufgetreten. Soweit sich sehen läßt, war sie häufig in ihrer Geburtsstadt Florenz zu hören. Nach Abschluß ihrer Bühnenlaufbahn wurde sie in die Casa di riposo Verdi in Mailand aufgenommen. Ihr Name ist in erster Linie durch eine Duettszene, das Kirschenduett aus «Amico Fritz» von Mascagni, bekannt, das sie 1919 zusammen mit dem berühmten Tenor Benjamino Gigli auf HMV aufgenommen hat. Weitere Schallplatten der Sängerin sind nicht vorhanden.

Baldszun, Georg, Tenor, *30. 4. 1884 Berlin, †27. 5. 1948 Hannover; er erhielt seine Gesangausbildung durch den Pädagogen Eugen Robert Weiß in Berlin und debütierte 1909 am Hoftheater von Kassel, dessen Mitglied er bis 1912 blieb. 1912–13 war er am Stadttheater von Essen, dann am Stadttheater von Dortmund verpflichtet und kam nach kurzer Kriegsteilnahme 1917 an das Hoftheater Hannover. Er blieb Mitglied dieses Hauses bis zu seinem Abschied von der Bühne 1939. Er gab Gastspiele an zahlreichen deutschen Opernhäusern, darunter in Wiesbaden, Dresden und Köln. Anfänglich hatte er Partien aus dem lyrischen Fachbereich gesungen, wie etwa den Tamino in der «Zauberflöte» oder den Grafen Almaviva im «Barbier von Sevilla», wandte sich dann aber ganz den Buffo- und Charakterrollen zu, in denen er sehr erfolgreich war. So sang er den Monostatos in der «Zauberflöte» und den Peter Iwanow in «Zar und Zimmermann», den Veit in Lortzings «Undine» und den Georg in dessen «Waffenschmied», den David in den «Meistersingern» und den Mime im Nibelungenring, den Goro in «Madame Butterfly», den Junker Kurt in «Herzog

Wildfang» von Siegfried Wagner und die vier Charakterpartien in «Hoffmanns Erzählungen». Auch in einigen Operettenpartien (Eisenstein in der «Fledermaus», Barinkay im «Zigeunerbaron») wurde er bewundert. Er war verheiratet mit der Sopranistin *Isi Karma* (*1894 Hannover), die nach ihrer Ausbildung in Berlin am Residenztheater Hannover engagiert war, nach ihrer Heirat zu Beginn der zwanziger Jahre noch gastierend auftrat und vor allem Partien aus dem Soubrettenfach sang, wobei sie sich auch auf pädagogischem Gebiet betätigte.
Die Stimme von Georg Baldszun ist auf Electrola-Platten zu hören.

Ballarini, Stefano, Bariton, *1900 (?), der Sänger, der ungarischer Herkunft war, hieß eigentlich István Balló und kam zur Ausbildung seiner Stimme nach Deutschland. Dort begann er unter dem Namen Stefan Balla 1925–26 am Opernhaus von Breslau seine Karriere und unternahm dann (unter dem Namen Stefano Ballarini) Gastspielreisen in Frankreich und Italien. Dabei trat er 1928 an der Mailänder Scala als Donner im «Rheingold» auf. Danach nahm er wieder Engagements im deutschen Sprachraum an und sang u. a. 1929–30 an der Staatsoper Berlin, 1930–31 an der Staatsoper Dresden und 1932–33 an der Wiener Volksoper. Gastspiele führten ihn weiter an das Teatro Colón Buenos Aires (1933) sowie an die Staatsoper von Wien (1935). Ende der dreißiger Jahre verlegte er seine Tätigkeit nach Nordamerika und sang dort 1939 an der Oper von San Francisco den Enrico in «Lucia di Lammermoor». 1945–46 war er bei der San Carlo Opera Company engagiert, 1952 trat er nochmals an der City Centre Opera New York (jetzt unter dem Namen Stephan Ballarini) auf. Der Schwerpunkt seines Bühnenrepertoires lag im italienischen Stimmfach mit Partien wie dem Don Carlo in Verdis «Ernani», dem Rigoletto, dem Renato in «Un Ballo in maschera», dem Marcello in «La Bohème», dem Sharpless in «Madame Butterfly» und dem Silvio im «Bajazzo». Auch im Konzertsaal aufgetreten.
Schallplatten: Pathé (Paris, 1927), Fonotipia, Ultraphon.

Balleys, Brigitte, Mezzosopran, *18. 6. 1959 Martigny (Kanton Walis, Schweiz); sie studierte am Conservatoire von Sion bei Oscar Lagger (1976–78), dann am Konservatorium von Bern (1978–84) bei Jakob Stämpfli und wurde auch durch Elisabeth Schwarzkopf und Elisabeth Glauser unterrichtet. 1976 begann sie eine ausgedehnte Konzertkarriere. Im Konzertsaal bewältigte sie ein sehr umfangreiches Repertoire mit Werken aus dem Bereich des Oratoriums wie der religiösen Vokalmusik; Höhepunkte darin waren die großen Passionen, die Hohe Messe und das Kantatenwerk von J. S. Bach, die Alt-Rhapsodie von J. Brahms, Messen von Mozart, Haydn, Bruckner, Dvořák, Schubert und Rossini, der «Messias» von Händel, «Paulus» von Mendelssohn, R. Schumanns «Paradies und die Peri», Oratorio de Noël von Saint-Saëns, «In Terra Pax» von Frank Martin und die «Lieder eines fahrenden Gesellen» von Gustav Mahler. Sie gab ihre Konzerte in

den Musikmetropolen in der Schweiz und in Westdeutschland, in Paris, Nizza und Rouen, beim Festival von La Chaise Dieu, in Florenz und Siena, in Granada und Madrid, in Lissabon und London, in Buenos Aires und Brno (Brünn), bei den Internationalen Festwochen von Zürich und Luzern. Als begabte Liedersängerin erwies sie sich im Vortrag des deutschen wie des französischen Liedes, der Lieder von M. de Falla, Schostakowitsch, Othmar Schoeck und E. Wolf-Ferrari. Sie entfaltete dann auch eine Bühnenkarriere; in der Spielzeit 1985–86 war sie am Stadttheater von Freiburg i. Br. engagiert und ging von ihrem Wohnort Münchenbuchsee (im Kanton Bern) einer internationalen Gastspieltätigkeit nach. Sie war am Opernhaus von Zürich, am Grand Théâtre Genf, an der Wiener Staatsoper, bei den Schwetzinger Festspielen, in Lausanne und Basel, in Paris, Avignon und Montpellier zu hören. Von den Partien, die sie dort sang, seien der Titelheld im «Orpheus» von Gluck, der Cherubino in «Nozze di Figaro», der Octavian im «Rosenkavalier», die Pauline in «Pique Dame» von Tschaikowsky, die Meg Page in Verdis «Falstaff» und der Prinz Orlowsky in der «Fledermaus» genannt.
Schallplatten: DGG («La Damoiselle élue» von Debussy, «Tagebuch eines Verschollenen» von Janáček), RCA-Erato («Paulus» von Mendelssohn), Claves (Requiem von J. D. Zelenka).

Banasch, Richard, Tenor, * 1870 (?), † (?); wahrscheinlich hatte er vor Beginn seiner Ausbildung zum Sänger bereits ein wissenschaftliches Studium absolviert, da er als Dr. Richard Banasch erscheint. Als erstes Engagement läßt sich 1894–95 seine Tätigkeit am Stadttheater von Dortmund feststellen. Er wirkte dann nacheinander an den Stadttheatern von Danzig (1895–98), Lübeck (1899–1900), Regensburg (1901–04) und Halle/Saale (1904–05). Es schlossen sich Verpflichtungen an den Stadttheatern von Magdeburg (1906–08), Elberfeld (1909–10) und Würzburg (1910–11) an. Er nahm seinen Wohnsitz in Berlin und gab Gastspiele, war aber seit 1914 als Soldat im Ersten Weltkrieg eingezogen. 1919–20 sang er während einer Saison in Opernaufführungen an den Vaterländischen Schauspielen Berlin, 1922–24 am Theater von Tilsit, 1924–26 am Theater von Stralsund. Im Lauf seiner Karriere wurde er durch zahlreiche Gastspiele bekannt. 1900 gastierte er am Opernhaus von Brünn (Brno), 1904 und 1906 am Opernhaus von Breslau, 1905 an den Hofopern von Dresden und München, 1906 am Hoftheater von Coburg, seit 1906 mehrfach am Hoftheater von Kassel, 1907 am Hoftheater Braunschweig und am Opernhaus von Riga, 1908 und 1909 am Deutschen Theater Prag, 1910 am Hoftheater von Wiesbaden. 1910 sang er an der Londoner Covent Garden Oper den Titelhelden im «Tristan» von R. Wagner. Im Mittelpunkt seines heldischen Bühnenrepertoires standen seine Wagner-Heroen: der Erik im «Fliegenden Holländer», der Lohengrin, der Tannhäuser, der Walther von Stolzing in den «Meistersingern», der Loge, der Siegmund wie der Siegfried im Nibelungenring und der Tristan. Dazu hörte man ihn als Florestan im «Fidelio», als Manrico im «Trouba-

dour», als Canio im «Bajazzo», als Turiddu in «Cavalleria rusticana», als José in «Carmen», als Eleazar in Halévys «La Juive» und als Pedro in «Tiefland» von d'Albert.

Bandini, Alvaro, Tenor, * 25. 3. 1910 Ghezzano bei Pisa; er begann sein Gesangstudium im Alter von 17 Jahren bei Maestro Masi in Pisa. 1930 debütierte er am Teatro Duse in Bologna als Nemorino in Donizettis «Elisir d'amore». 1931 hatte er großen Erfolg, als er am Teatro Petruzzelli von Bari den Turiddu in «Cavalleria rusticana» und den Herzog im «Rigoletto» sang. Die letztgenannte Partie trug er auch 1931 am Teatro Politeama seiner Heimatstadt Pisa vor. Es schlossen sich Gastspiele und Tourneen mit Wanderbühnen in Frankreich, in der Schweiz, auf Malta und in Indonesien an. 1939 wurde er an das Teatro Municipal Rio de Janeiro engagiert. Er sang hier als Antrittsrolle den Rodolfo in Puccinis «La Bohème», dann den Herzog im «Rigoletto», den Grafen Almaviva im «Barbier von Sevilla» und den Edgardo in «Lucia di Lammermoor». Seit 1940 wirkte er am Teatro Colón Buenos Aires, wo er bis 1957 Jahr für Jahr in zahlreichen Partien aus dem italienischen Repertoire zu hören war. 1943 absolvierte er ein längeres, sehr erfolgreiches Gastspiel am Teatro Solis in Montevideo. Von Buenos Aires aus, wo er seinen Wohnsitz nahm, ging er in Südamerika einer ausgedehnten Gastspiel- und Konzerttätigkeit nach.

Bandler, Rudolf, Baß, * 1881 (?), † (?); er war nacheinander engagiert am Stadttheater von Trier (1904–05), am Stadttheater von Metz (1905–07), am Stadttheater von Essen (1907–12) und in den Jahren 1912–21 sowie 1924–27 an der Volksoper Wien. 1927 ging er an das Deutsche Theater Prag, an dem er bis 1933 als Sänger wie auch als Regisseur wirkte. Er gab erfolgreiche Gastspiele an den Opernhäusern von Breslau (1905) und Köln (1908), am Stadttheater von Bremen (1909) und am Opernhaus (Stadttheater) von Hamburg (1909) sowie seit 1919 oftmals an der Staatsoper von Wien. Hatte er anfänglich Partien für seriösen Baß gesungen, so wandte er sich im späteren Verlauf seiner Karriere mehr und mehr dem Buffo-Fach zu und brillierte als Osmin in der «Entführung aus dem Serail», als Rocco im «Fidelio», als van Bett in «Zar und Zimmermann», als Baculus im «Wildschütz» von Lortzing, als Beckmesser in den «Meistersingern», als Bartolo im «Barbier von Sevilla» und als Dulcamara in «Elisir d' amore».

Baniewicz, Vera, Mezzosopran, * 1950 (?); die in Rußland geborene Sängerin war in Polen aufgewachsen. Zunächst wollte sie Jazzsängerin werden, wechselte dann jedoch zum seriösen und zum Operngesang und erhielt eine entsprechende Ausbildung an der Musikakademie von Warschau. Sie sang zunächst bei den Kammeropern in Warschau und Krakau und erregte erstes internationales Aufsehen, als sie Preisträgerin bei Gesangwettbewerben in Genf, Montreal und Toulouse wurde. 1976 erhielt sie ein Engagement am Opernhaus von Dortmund.

Als erste Partie sang sie dort die Floßhilde im «Rheingold» und kam bald als Olga im «Eugen Onegin» von Tschaikowsky, als Octavian im «Rosenkavalier», als Conception in «L'Heure espagnole» von Ravel, vor allem aber als Carmen zu wichtigen Erfolgen. Bis 1983 blieb sie in Dortmund und ging dann einer intensiven Gastspieltätigkeit nach. 1985–87 war sie nochmals am Staatstheater Hannover im Engagement und begeisterte dort ihr Publikum u. a. als Renata in Prokofieffs «Ange de Feu»; an den Staatsopern von München und Hamburg hörte man sie als Eboli in Verdis «Don Carlos». Weitere Gastspiele an der Deutschen Oper Berlin, an der Stuttgarter Staatsoper, am Staatstheater Hannover, am Staatstheater Braunschweig (1989 als Kundry), am Teatro Liceo Barcelona (1989 als Herodias in «Salome» von R. Strauss) und an der Deutschen Oper am Rhein Düsseldorf–Duisburg in Partien wie der Lady Macbeth in Verdis «Macbeth», der Preziosilla in «La forza del destino», der Azucena im «Troubadour», der Maddalena im «Rigoletto», der Brangäne im «Tristan» und der Kundry im «Parsifal». Verheiratet mit dem Dirigenten Christoph Slovinski.
Schallplatten: Muza («Gespensterschloß» von Moniuszko), Ariola-Eurodisc (Zita in «Gianni Schicchi» von Puccini).

Banovec, Svetozar (Rudolf), Tenor, *20. 3. 1894 Ljubljana (Laibach), †26. 9. 1978 Ljubljana; der Künstler war dreißig Jahre hindurch als erster Tenor am Opernhaus von Ljubljana engagiert und gehörte während dieser langen Zeit zu den beliebtesten Sängern des Hauses. Er sang dort Partien wie den Rodolfo in «La Bohème» von Puccini, den Pinkerton in «Madame Butterfly», den Herzog in Verdis «Rigoletto», den Hans wie den Wenzel in der «Verkauften Braut» von Smetana und den des Grieux in «Manon» von Massenet. Er wurde auch auf internationaler Ebene bekannt und unternahm u. a. 1929–30 eine Nordamerika-Tournee.

Baranius, Henriette, Sopran, *1768 Danzig, †5. 6. 1853 Berlin; sie hieß eigentlich Henriette Husen und war als Sängerin wie als Schauspielerin Mitglied der Schuch'schen Gesellschaft. 1784 wurde sie an die Berliner Hofoper berufen, an der sie zu einer sehr erfolgreichen Karriere kam; das Publikum der preußischen Hauptstadt schätzte sie namentlich in Partien aus dem Soubrettenfach, wobei man ihr glänzendes darstellerisches Talent ebenso bewunderte wie ihre hübsche Koloraturstimme. Als Mozart 1789 zusammen mit dem Fürsten Karl Lichnowsky nach Berlin kam, führte man dort seine «Entführung aus dem Serail» mit ihr als Blondchen auf. Mozart begeisterte sich für die Kunst der Sängerin und verliebte sich in sie, so daß Fürst Lichnowsky und seine übrigen Freunde sich um die Trennung der beiden bemühen mußten. Bis 1797 gehörte Henriette Baranius der Berliner Hofoper an. Wie beliebt sie in Berlin war, geht auch daraus hervor, daß man eine eigene Münze auf sie prägte. Nachdem sie sich noch einige Zeit als Schauspielerin betätigt hatte, war sie in Berlin als Pädagogin tätig.

Barasorda, Antonio, Tenor, *1948 (?) auf Puerto Rico; sein Bühnendebüt erfolgte 1971 in San Juan auf Puerto Rico als Don Ottavio im «Don Giovanni» zusammen mit Justino Diaz und Fernando Corena. 1973 gewann er den Gesangwettbewerb der New Yorker Metropolitan Oper, 1975 in Paris den «Grand Prix National de la Critique». Seit 1971 kam er zu großen Erfolgen bei Auftritten an der New York City Centre Opera, an den Opern von Boston, San Francisco und Pittsburgh, in Santiago de Chile und bei den Festspielen von Wexford. 1975 erregte sein Graf Almaviva in Rossinis «Barbier von Sevilla» an der Pariser Grand Opéra Aufsehen. Er gastiere am Opernhaus von Triest als Cavaradossi in «Tosca», an der Oper von Marseille als Rodolfo in «Luisa Miller» von Verdi und sang 1986 am Teatro Fenice Venedig die Titelpartie in Verdis Oper «Stiffelio» als Partner von Rosalind Plowright. 1986–87 hörte man den Künstler an der Oper von San Diego in Bellinis «Norma», in Bologna als Gennaro in «Lucrezia Borgia» von Donizetti, in Genua als Alfredo in «La Traviata». Aus seinem reichhaltigen Repertoire für die Bühne verdienen noch der Tamino in der «Zauberflöte», der Pinkerton in «Madame Butterfly», der Hoffmann in «Hoffmanns Erzählungen», der Mylio in «Le Roi d'Ys» von Lalo, der Macduff in Verdis «Macbeth», der Rinuccio in «Gianni Schicchi» von Puccini, der Edgardo in «Lucia di Lammermoor» und der Fenton in Verdis «Falstaff» Erwähnung.
Schallplatten: Decca («Macbeth» von Verdi).

Baratto, Giovanni, Bariton, *1882 Vercelli, †1934 Vercelli; er erlernte den Beruf eines Elektrikers, ließ dann jedoch seine Stimme ausbilden und debütierte 1909 am Theater von Finalmarina. Nach weiterem Studium sang er in Vercelli, in Biella, am Theater von Como, in Pistoja und an weiteren italienischen Provinzbühnen. Es schloß sich eine Rußland-Tournee an, dann wieder Auftritte an Opernhäusern in Italien (Monza, Bologna, Verona, Vicenza, Novara, Turin) und 1913 ein längeres Gastspiel in Tunis. Er setzte sein Wanderleben von einer italienischen Bühne zur anderen fort, gastierte in Ägypten und Portugal und sang während des Ersten Weltkrieges Konzerte vor französischen Soldaten in Frankreich. Am Teatro San Carlo Neapel hörte man ihn als Jago in Verdis «Othello», als Scarpia in «Tosca», als Grafen Luna im «Troubadour», als Gellner in «La Wally» von Catalani und in der Uraufführung der Oper «Clauco» von Alberto Franchetti (8. 4. 1922). Einen Höhepunkt seiner Karriere erreichte der Künstler, als er 1922 bei den Festspielen in der Arena von Verona den Telramund im «Lohengrin» sang. Er setzte seine Auftritte an den führenden italienischen Opernhäusern fort, sang in Florenz (Teatro della Pergola, 1920–21), Triest (1921 in Puccinis «La fanciulla del West»), Venedig, Turin, Brescia und wirkte am Teatro Sociale von Como in der Uraufführung von «Severo Torelli» von Bittichiari (1924) mit, mußte aber wegen eines Herzleidens vorzeitig seine Laufbahn beenden.
Schallplatten: Schöne Aufnahmen auf Pathé, darunter ein Duett aus Verdis «La forza del destino» mit

Ismaele Voltolini; bereits 1910 erschienen einige Edison Amberola-Zylinder.

Barbieri, Amleto, Bariton, * 4. 12. 1883 Mezzana bei Pisa, † 1957 New York; er war ein Sohn des bekannten Baritons *Emilio Barbieri* (1848–99). Sein Vater ließ ihn durch Lelio Casini in Mailand ausbilden. 1905 stand er erstmals am Teatro Politeama von Pisa als Renato in Verdis «Ballo in maschera» auf der Bühne. Er sang dann an verschiedenen Theatern in der italienischen Provinz, u. a. 1911 am Teatro Fenice Venedig, 1914 am Teatro Verdi Padua und 1915 am Teatro Politeama Pisa. Am 2. 4. 1914 wirkte er an der Mailänder Scala in der Uraufführung von Alfanos Oper «L'Ombra di Don Giovanni» in der Partie des Rinuccio mit (in den weiteren Hauptrollen Tina Poli Randaccio und Edward Johnson). In den Jahren nach dem Ersten Weltkrieg verließ er Italien und ließ sich in New York nieder. Hier sang er 1921 am New York Opera House den Amonasro in «Aida», 1922 den Jago in Verdis «Othello», kam aber nicht zu der erhofften großen Bühnenkarriere. 1925 trat er nochmals bei einem Konzert in der New Yorker Carnegie Hall auf und widmete sich dann der pädagogischen Arbeit.

Barbieri, Emilio, Bariton, * 8. 10. 1848 Mezzana bei Pisa, † 9. 1. 1899 Pisa; er arbeitete zunächst im Unternehmen seines Vaters, das medizinische Instrumente herstellte. Es kam schließlich zur Ausbildung seiner Stimme durch den Pädagogen Tito Sterbini in Pisa. 1875 debütierte er in der Arena Federici in Pisa als Don Carlo in Verdis «Ernani». Er hatte bald eine sehr erfolgreiche Laufbahn an den führenden Opernhäusern der italienischen Halbinsel. So hörte man ihn am Teatro Carlo Felice Genua (1879 als Rigoletto, als Macbeth in Verdis gleichnamiger Oper und als Cacico in «Il Guarany» von Carlos Gomes), am Teatro Regio Parma (1882–83, u. a. als Titelheld in «Belisario» von Donizetti und in Halévys «La Reine de Chypre»), in Messina, am Teatro Argentina Rom und am Teatro Costanzi Rom. An diesem Opernhaus sang er 1885 in der Uraufführung der Oper «Hermosa» von Branca, 1894 in «Carmen» und in Verdis «Falstaff». Am Teatro Comunale Bologna sang er 1887, am Teatro Pagliano Florenz 1893 den Telramund im «Lohengrin». Besonders beliebt war er in seiner Heimatstadt Pisa, wo er immer wieder am Teatro Politeama auftrat und im Oktober 1898, wenige Monate vor seinem Tod, seine letzte Partie, den Germont-père in «La Traviata», sang. Er war verheiratet mit der Sopranistin *Elvira Barbieri-Angeli* († 1924), die ähnlich wie ihr Gatte eine ganz italienische Karriere in den letzten zwanzig Jahren des 19. Jahrhunderts hatte. Ein Sohn, *Amleto Barbieri* (1883–1957), wurde wie sein Vater ein angesehener Bariton.

Bardelli, Cesare, Bariton, * 24. 12. 1911 Genua; sein Vater *Alfredo Bardelli* trat gelegentlich als Tenor-Solist in Kirchen auf und ließ seinen Sohn durch die Pädagogen Barsanti und Pizzi in Pisa, wo die Familie lebte, ausbilden. 1937 debütierte er in Alessandria als Amonasro in «Aida»; 1938 sang er an der Oper von Kairo bereits den Scarpia in »Tosca« zusammen

mit so großen Künstlern wie Benjamino Gigli und Maria Caniglia. In den Jahren 1944–46 sang er am Teatro Verdi von Triest eine Vielzahl von Partien wie den Gérard in «Andrea Chénier» von Giordano, den de Siriex in «Fedora», den Figaro im «Barbier von Sevilla», den Enrico in «Lucia di Lammermoor», den Rigoletto, den Don Carlos in «La forza del destino» von Verdi, den Germont-père in «La Traviata», den Grafen Luna im «Troubadour», den Kurwenal im «Tristan» von R. Wagner und den Jochanaan in «Salome» von Richard Strauss. 1946 gastierte er am Teatro Massimo Palermo. 1947 ging er nach Nordamerika und sang dort zuerst in Philadelphia, u. a. 1947 als Jago in Verdis «Othello», 1948 in San Francisco und Detroit, 1955 an der Oper von Chicago. 1957 debütierte er an der New Yorker Metropolitan Oper als Alfio in «Cavalleria rusticana» zusammen mit Zinka Milanov und Jussi Björling. Er ist dort bis 1966 (mit Unterbrechungen) aufgetreten, als Scarpia, als Amonasro und als Jack Rance in Puccinis «La fanciulla del West». Eine ganz internationale Karriere schloß sich an; er gastierte an der Staatsoper von Wien und am Teatro Liceo Barcelona, am Teatro Fenice Venedig und am Teatro Comunale Bologna, am Teatro San Carlo Neapel (1969), am Opernhaus von Philadelphia (1975, 1977), in Houston/Texas (1965) und Newark (1965, 1974), in Providence und in Caracas (1976). An der Belgrader Nationaloper sang er 1968 in einem längeren Gastspiel den Grafen Luna, den Jago, den Don Carlos in «La forza del destino» und den Nabucco von Verdi. Nach seinem Rücktritt von der Bühne lebte er in Vercelli.
Schallplatten: Vollständige Oper «Cavalleria rusticana» auf Teatro Dischi (mit Eileen Farrell und Richard Tucker, 1964).

Barham, Edmund, Tenor, * 1950; dieser englische Sänger studierte am Trinity College of Music London und kam dann in das London Opera Centre. Er begann seine Bühnenkarriere in Westdeutschland, wo er bis 1984 am Opernhaus von Wuppertal und 1984–86 am Theater am Gärtnerplatz in München engagiert war. Er gastierte an weiteren deutschen Bühnen und kam 1985 an die English National Opera London. Hier sang er den Hans in Smetanas «Verkaufter Braut», den Turiddu in «Cavalleria rusticana», den Pinkerton in «Madame Butterfly», den Narraboth in «Salome» von R. Strauss, den Cavaradossi in «Tosca», den Gabriele Adorno in «Simon Boccanegra» von Verdi und den Wakula in der englischen Erstaufführung von «Die Weihnachtsnacht» («Christmas Eve», 1988) von Rimsky-Korssakow. An der Opera North Leeds hörte man ihn als José in «Carmen», als Boris in «Katja Kabanowa» von Janáček und als Dimitrij im «Boris Godunow». Im englischen Fernsehen BBC sang er das Tenorsolo in der Messe solennelle von Gounod. In der Schweiz gastierte er in «Aufstieg und Fall der Stadt Mahagonny» von K. Weill und in «Adriana Lecouvreur» von Cilea, bei den Festspielen von Bregenz als José in «Carmen». In England wie in den skandinavischen Ländern hatte er als Konzert- und Oratoriensolist seine Erfolge.

Schallplatten: Philips («Zauberflöte»), Nimbus (Englische Lieder des 18. Jahrhunderts für Chor und Orchester, Petite Messe solennelle von Rossini).

Barlow, Clara, Sopran, * 28. 7. 1928 Brooklyn (New York); eigentlicher Name Alma Claire Williams; sie war Schülerin von Cecile Jacobson in New York, ging nach ihrer Ausbildung nach Europa und debütierte dort 1962 am Stadttheater von Bern (Schweiz) als Venus im «Tannhäuser». Sie sang anschließend 1963–65 am Stadttheater von Oberhausen und 1965–66 in Kiel. In der Saison 1966–67 erregte sie an der Komischen Oper Berlin als Donna Anna im «Don Giovanni» in einer Inszenierung der Oper durch W. Felsenstein Aufsehen und war dann 1967–69 am Staatstheater Wiesbaden, 1969–70 am Opernhaus Zürich engagiert. Seit 1968 ging sie einer ausgedehnten Gastspieltätigkeit nach, wobei sie vor allem in jugendlich-dramatischen, später in hochdramatischen Partien auftrat, zumal in Wagner- und Richard Strauss-Opern. So erschien sie bereits 1968 beim Festival von Spoleto als Isolde im «Tristan», gastierte an der Portland Opera und am Opernhaus von San Diego (1969) und sprang 1970 an der Metropolitan Oper New York sehr erfolgreich als Leonore im «Fidelio» ein. Auch später sang sie mehrfach an diesem Opernhaus, so 1974 als Isolde. 1970 war sie zu Gast an der Deutschen Oper Berlin, 1973 an der Staatsoper Wien, 1972 und 1974 an der Opéra du Rhin Straßburg, 1970 und 1974 am Teatro Verdi Triest, 1973 am Teatro Comunale Bologna und in Genua. Bei den aufsehenerregenden Inszenierungen des Nibelungenrings an der Oper von Seattle sang sie 1970–72 und 1976 die Brünnhilde, die sie auch 1981 an der Oper von Dallas übernahm. An der Mailänder Scala war sie 1974 als Fata Morgana in Prokofieffs «Amour des trois oranges» und als Leonore im «Fidelio» anzutreffen. Sie gastierte an den Staatsopern von Dresden, Stuttgart, Hamburg und München, bei der Scottish Opera Glasgow (1973 als Isolde), an den Opern von Chicago (1976, 1977), Houston/Texas (1970), Cincinnati (1978), in Budapest, Toulouse, Kopenhagen, Toronto und Mexico City. Seit Beginn der achtziger Jahre war sie pädagogisch tätig, setzte aber ihre Bühnenkarriere weiter fort und trat u. a. noch 1985–86 am Stadttheater Bremen (Elektra von R. Strauss, Leonore im «Fidelio») und am Theater von Bielefeld (Färberin in «Die Frau ohne Schatten» von R. Strauss) auf. Von den vielen Partien, die sie auf der Bühne sang, sind noch die Agathe im «Freischütz», die Senta im «Fliegenden Holländer», die Elsa im «Lohengrin», die Elisabeth im «Tannhäuser», die Titelfiguren in den Richard Strauss-Opern «Ariadne auf Naxos» und «Salome», die Aida, die Amelia in Verdis «Ballo in maschera», die Elisabetta im «Don Carlos», die Tosca, die Jenufa in der Oper gleichen Namens von Janáček, die Marina im «Boris Godunow» und die Giulietta in «Hoffmanns Erzählungen» nachzutragen.

Barra, Gennaro, Tenor, * 1884 Neapel, † 19. 6. 1969 Mailand; er erhielt seine Ausbildung zum Sänger in Neapel, wo er noch Schüler des berühmten Tenors

Fernando de Lucia war. 1915 kam es zu seinem Debüt am Teatro Dal Verme Mailand als Turiddu in «Cavalleria rusticana». Er trat dann an den führenden italienischen Opernhäusern auf, darunter am Teatro San Carlo Neapel und an der Oper von Rom (anscheinend aber nicht an der Mailänder Scala). Er hatte auch in Nord- und Südamerika eine erfolgreiche Karriere und sang u. a. in der Saison 1928–29 an der Oper von San Francisco. 1940 sang er als letzte Partie an der Oper von Rom den Walther in Catalanis «Loreley» und wirkte dann als Gesanglehrer in Mailand. Der Schwerpunkt seiner Rollen lag im italienischen Repertoire mit Partien wie dem Cavaradossi in «Tosca», dem Rodolfo in «La Bohème», dem Pinkerton in «Madame Butterfly», dem Ruggero in «La Rondine» von Puccini, dem Rinuccio in «Gianni Schicchi», dem Kalaf in Puccinis «Turandot», dem Andrea Chénier in der gleichnamigen Oper von Giordano und dem Faust in «La damnation de Faust» von Berlioz. Er ist zeitweilig auch unter dem Namen Gennaro Barra-Caraciolo aufgetreten.

Schallplatten seiner Stimme sind nicht vorhanden.

Barré, Auguste-Armand, Baß-Bariton, * 11. 12. 1838 Pallet bei Nantes (Departement Loire-Inférieure), † 6. 5. 1885 Paris; er arbeitete zunächst als Angestellter in einem Notariat, ging dann nach Paris und wurde am Conservatoire National in erster Linie Schüler des Pädagogen Fontana. Er debütierte 1857 in Paris und war in der Saison 1858–59 an der dortigen Opéra-Comique engagiert. Er ging dann jedoch nach Italien, ließ seine Stimme weiter ausbilden und ist auch an einigen italienischen Operntheatern aufgetreten. 1863–65 gehörte er dem Ensemble des Théâtre de la Monnaie Brüssel an. Dann kam er wieder nach Paris zurück und hatte dort glänzende Erfolge 1866–67 am Théâtre Lyrique. Als Antrittsrolle sang er an diesem Haus den Don Giovanni. Er wirkte am Théâtre Lyrique in zwei wichtigen Uraufführungen mit: am 27. 4. 1867 sang er den Mercutio in «Roméo et Juliette» von Gounod, am 26. 12. 1867 den Herzog von Rothesay in «La jolie fille de Perth» von Bizet. 1868–69 war er während einer Spielzeit an der Opéra-Comique tätig und leitete anschließend eine Opern-Wandertruppe auf einer Tournee durch die französische Provinz. Es folgten Gastspiele und schließlich ein abermaliges Engagement an der Opéra-Comique Paris von 1874 bis zu seinem Tod. Hier sang er 1877 in der Uraufführung der Oper «Cinq-Mars» von Gounod und am 14. 4. 1883 den Frédéric in der Uraufführung der Oper «Lakmé» von Léon Delibes. Sein Repertoire für die Bühne hatte seine Höhepunkte in Partien wie dem Papageno in der «Zauberflöte», dem Plumkett in Flotows «Martha», dem Montauciel in «Le Déserteur» von Monsigny, dem Frontin in «Le Nouveau Seigneur du Village» von Boieldieu, dem Girot in «Le Pré aux Clercs» von Hérold, dem Juliano in «Le Domino noir» von Auber, dem Jean in «Les Noces de Jeannette» von Massé, dem Ourrias in «Mireille» von Gounod, dem Bellamy in «Le Dragons de Villars» von Maillart und dem Laërtes in «Mignon» von A. Thomas, den er an der Opéra-Comique auch in der 500. Aufführung der Oper sang. Auch als Konzertsolist hervorgetreten.

Bartel, Reinhold, Tenor, * 1929 (?); er begann seine Bühnenlaufbahn mit einem Engagement am Stadttheater von Trier 1953–56 und wechselte dann an das Staatstheater Wiesbaden, dessen Mitglied er bis zu seinem Abschied von der Bühne 1977 blieb. Gastspiele führten ihn u. a. an die Staatsoper von Wien und an die Nationaloper von Warschau. Dabei trug er vor allem Partien aus dem lyrischen Fachbereich vor: den Titelhelden in «Xerxes» («Serse») von Händel, den Idamante im «Idomeneo» von Mozart, den Don Ottavio im «Don Giovanni», den Tamino in der «Zauberflöte», den Jacquino im «Fidelio», den Wilhelm Meister in «Mignon» von A. Thomas, den Lenski im «Eugen Onegin» und den Stewa in Janáčeks «Jenufa». Später nahm er auch Charakterpartien in sein Repertoire auf (Hauptmann im «Wozzeck» von A. Berg, Schwalb in «Mathis der Maler» von Hindemith). Daneben war er ein geschätzter Operettensänger, der auch häufig in deutschen Rundfunksendern auftrat. In Wiesbaden sang er 1966 in der Uraufführung der Oper «Yolimba» von W. Killmayer und in den deutschen Erstaufführungen von «The Crucible» von R. Ward (1963) und «La Diavolezza» von B. Galuppi (1964). Neben seinem Wirken auf der Bühne entfaltete er eine erfolgreiche Karriere als Konzert- und Oratoriensänger.
Schallplatten: Telefunken (Recital, Operetten-Querschnitte), Polydor (Operetten-Querschnitte), HMV, Vox («L' incoronazione di Poppea» von Monteverdi), Melodram (Szene aus «Don Giovanni» zusammen mit Liane Synek).

Bartoli, Cecilia, Mezzosopran, * 1966 Rom; sie studierte an der Accademia di Santa Cecilia in Rom, trat schon während ihrer Ausbildung als Hirte in Puccinis «Tosca» auf und gewann den Fernsehwettbewerb des italienischen Fernsehens RAI. Nach ersten Konzertauftritten in Rom, Florenz, Bologna, Modena und bei den Festspielen von Macerata kam es 1987 zu ihrem eigentlichen Bühnendebüt in Verona. Noch im gleichen Jahr gastierte sie an der Oper von Rom, an der Staatsoper Berlin, am Opernhaus von Nantes und an der Nationaloper Warschau. Als ihre Glanzrolle galt die Rosina in Rossinis «Barbier von Sevilla», die sie in der schwierigen Originalfassung für Koloratur-Contralto am Opernhaus von Köln (1988), am Teatro Bellini Catania und bei den Festspielen von Schwetzingen (1988) vortrug. 1989 hörte man sie am Opernhaus von Zürich als Rosina wie als Cherubino in «Nozze di Figaro», beim Rossini Festival in Pesaro 1988 in «La Scala di Seta». Sie gastierte mit dem Ensemble der Oper von Rom an der Hamburger Staatsoper als Cherubino. Eine weitere Glanzrolle der jungen Sängerin war die Dorabella in «Così fan tutte».
Schallplatten: Capriccio (Arien-Platte), Decca (Arien, Rosina im «Barbier von Sevilla»).

Bartolini, Lando, Tenor, * 11. 4. 1947 Casale di Prato bei Florenz; er machte zunächst eine Elektroniker-Ausbildung durch, verließ dann aber Italien und ging in die USA. Angeregt durch seinen früh verstorbenen Bruder, der ein bekannter Schlagersänger gewesen war, begann er 1968 in Philadelphia das Gesangstudium. 1973 debütierte er am Teatro Liceo Barcelona als Osaka in Mascagnis «Iris» und sang in den folgenden Jahren viel in Südamerika, vor allem in Venezuela, und an der Oper von Mexico City. 1976–80 war er an der New York City Centre Opera engagiert. Er begann jetzt auch mit Auftritten an den europäischen großen Theatern und sang seit 1982 oft an der Mailänder Scala. Er gastierte am Teatro Sociale Mantua (1982), am Teatro Verdi Triest und sang 1983 bei den Festspielen in der Arena von Verona den Radames in «Aida» und den Kalaf in Puccinis «Turandot». 1983 war er am Teatro Colón Buenos Aires zu Gast, 1983–84 und 1987–88 an der Oper von Santiago de Chile. 1984 hörte man ihn an der Staatsoper von Hamburg, am Deutschen Opernhaus Berlin, bei der Welsh Opera Cardiff und an der Oper von Chicago. 1985 gastierte er an der Staatsoper von Wien, bei den Festspielen von Orange, 1984–85 beim Festival von Macerata, 1984–87 am Teatro Liceo Barcelona, 1985 auch an der Oper von Johannesburg. 1985 und 1988 absolvierte er Gastspiele an der Staatsoper von München (u. a. 1988 als Kalaf), 1986 an der Grand Opéra Paris, in Montreal und am Teatro San Carlo Neapel, 1987 sang er an der Pariser Opéra-Comique den Luigi in Puccinis «Il Tabarro». 1987 war er auch an der Oper von New Orleans anzutreffen, 1987–88 am Teatro San Carlos Lissabon (als Faust in Boitos «Mefistofele» und als Radames), 1988 an der Oper von Köln, in Madrid und am Grand Théâtre Genf. Am Deutschen Opernhaus Berlin sang er 1988 den Manrico im «Troubadour». 1989 debütierte er an der Covent Garden Oper London als Kalaf in «Turandot». Seine große Partie war der Radames in Verdis «Aida»; weitere Höhepunkte in seinem Bühnenrepertoire waren neben den bereits genannten der Pollione in Bellinis «Norma», der Herzog im «Rigoletto», der Titelheld in Verdis «Ernani», der Alfredo in «La Traviata», der Gabriele Adorno in «Simon Boccanegra», der Titelheld in Verdis «Don Carlos», der Cavaradossi in «Tosca», der Rodolfo in «La Bohème», des Grieux in «Manon Lescaut» von Puccini, der Titelheld in «Andrea Chénier» von Giordano, der José in «Carmen» und der italienische Sänger im «Rosenkavalier» von R. Strauss.
Schallplatten: Cetra («I Cavalieri di Ekebú» von Zandonai), Felmain Records (Arien).

Bartolitius, Alfred, Tenor, * 1904 (?) Königsberg (Ostpreußen); der Künstler war 1928–33 an der Staatsoper Berlin und dann 1933–44 am Opernhaus von Leipzig tätig. Er hatte gleichzeitig eine bedeutende Karriere als Konzert- und namentlich als Oratoriensänger. Er gastierte an der Staatsoper von Dresden und 1934 an der Covent Garden Oper London, wo er den Elemer in der englischen Erstaufführung der Richard Strauss-Oper «Arabella» (mit dem Dresdner Ensemble der Uraufführung) sang. Er wirkte in einigen Uraufführungen zeitgenössischer Opernwerke mit, so 1929 an der Berliner Kroll-Oper in «Neues vom Tage» von Hindemith,

1936 in Leipzig als Titelheld in «Der Eulenspiegel» von Hans Stieber und 1943, ebenfalls in Leipzig, in «Das kalte Herz» von Norbert Schulze. Aus seinem Bühnenrepertoire sind an erster Stelle der Pylades in Glucks «Iphigenie auf Tauris», der Konrad in «Hans Heiling» von H. Marschner, der Loge wie der Mime im Nibelungenring, der Titelheld im «Armen Heinrich» von Hans Pfitzner, der Novagerio in dessen «Palestrina» und der Kaiser Altoum in Puccinis «Turandot» hervorzuheben. Über die Karriere wie über die Lebensverhältnisse des Sängers in der Zeit nach dem Zweiten Weltkrieg ist nichts bekannt.

Basi, Leonildo, Bariton, *1895; er kam zu einer kurzen Karriere an italienischen Provinzbühnen in den Jahren um 1930, hat aber weder an der Mailänder Scala noch an der Oper von Rom gesungen. Sein Name ist Schallplattensammlern bekannt, weil er in einer vollständigen Aufnahme des «Bajazzo» auf HMV die Partie des Silvio singt, während Adelaide Saraceni und Alessandro Valente in den weiteren Hauptrollen erscheinen. Auf der gleichen Marke sang er auch in einer vollständigen Aufnahme von Ponchiellis «La Gioconda» von 1930 mit Luisa Lucini, Guglielmo Masini und Irene Minghini-Cattaneo. Dazu sind einige Solo-Aufnahmen auf HMV vorhanden.

Basil, Hans, Bariton, *19.5. 1872 Halberstadt, †(?); er hieß mit seinem eigentlichen Namen Hans Meyer und war ein Bruder des Schauspielers Friedrich Basil (Friedrich Meyer, 1862–1938). Er wurde durch den berühmten Pädagogen Benno Stolzenberg ausgebildet und debütierte 1895 am Stadttheater von Elberfeld. 1896 nahm er ein Engagement am Stadttheater von Halle (Saale) an, 1897 wechselte er an das Hoftheater Wiesbaden, 1898 an das Hoftheater Darmstadt. 1899 ging er an das Stadttheater Stettin, 1900 an das Opernhaus (Stadttheater) von Zürich. Später war er in Aachen, in Mannheim und zuletzt am Hoftheater von Schwerin tätig, wo er auch als Schauspieler aufgetreten ist und schließlich 1914 seinen Bühnenabschied nahm. Auf der Bühne standen die dramatischen und vor allem die Wagner-Partien im Vordergrund seines umfangreichen Rollenrepertoires: der Wolfram im «Tannhäuser», der Titelheld im «Fliegenden Holländer», der Telramund im «Lohengrin», der Wotan in den Opern des Ring-Zyklus, dazu der Don Giovanni, der Graf in «Figaros Hochzeit», der Falstaff in der gleichnamigen Verdi-Oper und der Titelheld in «Hans Heiling» von Marschner.

Basso Borio, Rita, Sopran, *1818 (?) Turin, †(?); sie erhielt ihre Ausbildung zur Sängerin in ihrer Heimatstadt Turin und kam in dem Jahrzehnt 1840–50 zu einer großen internationalen Karriere. Nach ersten Erfolgen in Italien sang sie 1842 im Teatro Circo von Madrid in Aufführungen der Oper «Saffo» von Giovanni Pacini. Dieser Komponist schätzte ihre Kunst in besonderer Weise und sorgte dafür, daß sie im September 1845 in Turin die Titelpartie in seiner Oper «Medea» übernahm. Einen ihrer größten Erfolge hatte die Sängerin, als sie im

März 1845 am Her Majesty's Theatre London die Elvira in der englischen Erstaufführung von Verdis «Ernani» kreierte. Die gleiche Partie sang sie 1846 an der Mailänder Scala und am Teatro Municipale Piacenza. Im September 1846 hörte man sie am Teatro Nuovo Verona als Odabella in Verdis «Attila»; an der Scala war sie auch als Teodora in «Il Bravo» von Mercadante erfolgreich. Die Künstlerin, die mit dem Dirigenten und Komponisten Giuseppe Borio (1812–87) verheiratet war, scheint nach 1850 nicht mehr aufgetreten zu sein.

Bastian, Hanns, Tenor, *30. 1. 1928 Pforzheim; Er erhielt seine Ausbildung in Karlsruhe bei dem Pädagogen Karl Hartlieb, in Pforzheim und Coburg. 1946 begann er seine Bühnenkarriere mit einem Engagement am Stadttheater von Pforzheim, das bis 1953 dauerte. Nach zweijährigem Wirken am Landestheater von Coburg (1953–55) wurde er an das Stadttheater Basel verpflichtet, an dem er seit 1955 engagiert war, und wo er bis zur Spielzeit 1980–81 aufgetreten ist, in den letzten Jahren als Gast. Während dieser langen Zeit sang er in Basel eine Vielzahl von kleineren wie größeren Partien, namentlich aus dem Buffo- und dem Charakterfach, und wirkte in einigen Uraufführungen von Opern mit (»Bunbury» von Paul Burkhard 1966, «Titus Feuerfuchs» von H. Sutermeister, 15. 4. 1958). Gastspiele führten ihn an das Opernhaus von Zürich, an das Stadttheater von Bern, an das Staatstheater Darmstadt, an das Raimund-Theater Wien und zu den Festspielen von Bregenz. Von den vielen Partien, die er in Opern wie in Operetten gesungen hat, seien einige hervorgehoben: der Jacquino in «Fidelio», der Pedrillo in der «Entführung aus dem Serail», der Monostatos in der «Zauberflöte», die vier Charakterpartien in «Hoffmanns Erzählungen», der Wenzel in Smetanas «Verkaufter Braut», der David in den «Meistersingern», der Steuermann im «Fliegenden Holländer», der Filipeto in «I quattro rusteghi» von E. Wolf-Ferrari, Rollen in Operetten von Johann Strauß, Millöcker, E. Kálmán, F. Lehár, Offenbach, Zeller und Lecoq.

Bastide, Chantal, Sopran, *1954 (?); sie studierte am Conservatoire National de Paris und wurde dort 1976 mit dem Prix d' Art Lyrique ausgezeichnet. Seit 1978 kam sie, zunächst in Frankreich, zu einer bedeutenden Bühnen- und Konzertkarriere. Sie sang an den Opernhäusern von Marseille, Toulouse, Rouen, in Aix-en-Provence und Nîmes. Sie gastierte auch im Ausland, u. a. am Teatro Liceo Barcelona und bei den Festspielen von Cremona. 1981–82 hörte man sie an der Opéra de Wallonie Lüttich als Gilda im «Rigoletto», 1986–87 als Mireille in der gleichnamigen Oper von Gounod. Höhepunkte in ihrem Repertoire waren Koloraturpartien aus der französischen wie der italienischen Opernliteratur. Im Konzertsaal trat sie in einem umfangreichen Repertoire unter führenden Dirigenten ihrer Zeit auf.

Batic, Polly, Mezzosopran, *1906 Wien; nach Abschluß ihres Gesangstudiums sang sie 1929–30 am Stadttheater von Trier. 1929 heiratete sie den Musikologen Max Graf (1873–1958); sie unternahm in den folgenden Jahren von ihrem Wohnort Wien aus Gastspiele und Konzertauftritte und wurde vor allem durch ihr Auftreten bei den Salzburger Festspielen bekannt. 1931–37 gastierte sie dort u. a. als Marcellina in «Figaros Hochzeit», als Annina im «Rosenkavalier» und in mehreren kleineren Partien. 1949, 1951 und 1953 war sie wiederum in Salzburg, wo sie jetzt in der Uraufführung der Oper «Der Prozess» von Gottfried von Einem (17.8. 1953) im Rahmen der Festspiele mitwirkte; auch als Konzertsolistin war sie bei den Salzburger Festspielen zu hören. 1941–42 war sie am Theater von Bernburg (Saale), 1942–44 am Stadttheater von Liegnitz im Engagement. 1948 wurde sie an die Wiener Staatsoper berufen, an der sie bereits 1935 gastiert hatte, und blieb deren Mitglied bis zum Ende ihrer Bühnenkarriere 1963. Sie gastierte mit dem Ensemble der Wiener Oper 1950 an der Mailänder Scala, 1953 an der Grand Opéra Paris. Auch nach dem Zweiten Weltkrieg wurde sie als Konzert-, Oratorien- und Liedersängerin bekannt. Sie verbrachte ihren Ruhestand in Wien.

Schallplatten: Bruno Walter Society (Schwertleite in der «Walküre», 3. Knabe in der «Zauberflöte» aus Salzburg 1949, eine der Mägde in «Elektra» von R. Strauss, ebenfalls aus Salzburg), Fonit-Cetra (kleine Partie im «Rosenkavalier», Salzburg 1949), New Records (Lieder von Josef Hauer und Ernst Křenek).

Bauberger, Alfred, Baß-Bariton, *22. 2. 1866 Krumbach (Bayern), †18.5. 1937 München; er brachte zunächst ein Studium der Zahnmedizin zum Abschluß, ließ dann aber seine Stimme durch den Pädagogen Brulliot in München ausbilden. 1891 debütierte er an der Hofoper von München als erster Priester in der «Zauberflöte» und blieb bis zu seinem Rücktritt von der Bühne 1926 ständig an diesem Opernhaus tätig. In München wirkte er während dieser langen Zeit in einer Vielzahl von Uraufführungen mit, so in «Die vier Grobiane» («I quattro rusteghi») von Ermanno Wolf-Ferrari am 19. 3. 1906, in «Violanta» von Korngold (28. 3. 1916), in «Palestrina» von Hans Pfitzner (12. 6. 1917 im Prinzregententheater München als Ercole), in «Das Spielwerk» von Franz Schreker (30. 10. 1920, Zweitfassung des Werks) und in «Die Vögel» von Walter Braunfels (4. 12. 1920). 1903 trat er in München in der deutschen Erstaufführung von Bruneaus Oper «Messidor» auf. Aus dem umfangreichen Bühnenrepertoire des in München sehr beliebten Künstlers sind zu nennen: der Heerrufer im «Lohengrin», der Kurwenal im «Tristan», der Klingsor im «Parsifal», der Amonasro in «Aida», der Don Fernando im «Fidelio», der St. Bris in den «Hugenotten» von Meyerbeer, der Silvio im «Bajazzo» und der Vater in «Hänsel und Gretel» von Humperdinck. Auch als Konzertsänger wurde er geschätzt.

Schallplatten seiner Stimme sind nicht vorhanden.

Bauer, Ernest, Tenor, *16. 4. 1889 Vevey, †11. 3. 1956 Neuchâtel; er studierte am Conservatoire von Genf, bei Peter Hegar in Basel und bei Magda

Donatelli in Paris. Sein Wirken auf der Bühne beschränkte sich auf Gastspielauftritte, u. a. am Opernhaus von Genf, wo er den Don Ottavio im «Don Giovanni», den Belmonte in der «Entführung aus dem Serail», den Florestan im «Fidelio», den Max im «Freischütz», den Froh im «Rheingold» und den Titelhelden im «Faust» von Gounod sang. Am Opernhaus von Zürich gastierte er in der Saison 1930–31 in den Opern «Don Ranudo» und «Das Märchen vom Fischer un syner Fru» von Othmar Schoeck unter Leitung des Komponisten; in Basel sang er den Hüon in Webers «Oberon» und den Kalaf in «Turandot» von Puccini. In erster Linie war er jedoch ein großer Konzertsänger. In einer internationalen Konzertkarriere mit Auftritten in Amsterdam, Budapest, Berlin, Hannover, Köln, Wiesbaden, München, Lüttich, Paris, an der Mailänder Scala, in Straßburg und natürlich in den Zentren des Schweizer Musiklebens brachte er ein umfangreiches Konzert- und vor allem Oratorien-Repertoire zum Vortrag. Er war ein geschätzter Bach-Interpret, wirkte aber auch in zeitgenössischen Werken erfolgreich mit. So sang er 1936 in Basel in der Uraufführung des Oratoriums «Das Gesicht Jesajas» von W. Burkhard und 1938 in der von A. Honeggers «Jeanne d' Arc au Bûcher» (als Oratorium), ebenfalls in Basel. 1936–47 war er Direktor des Konservatoriums von Neuchâtel.

Baum, Marie, Sopran, *8. 9. 1808 Weimar, †12. 3. 1875 Weimar; sie war die Tochter eines Instrumentalmusikers namens Schmidt, der in Weimar tätig war. 1823 betrat sie erstmalig die Bühne des Weimarer Hoftheaters in der Partie der Ännchen im «Freischütz» von Weber. Weimar und sein Hoftheater blieben die eigentliche künstlerische Heimat der Künstlerin, die dort bis 1858 aufgetreten ist. Sie ist auch an den Hoftheatern von Hannover, Oldenburg und Dessau mit bedeutendem Erfolg zu hören gewesen. Sie gestaltete ein Bühnen- wie ein Konzertrepertoire von erheblichem Umfang, aus dem als Glanzrollen für die Bühne Partien wie die Konstanze in der «Entführung aus dem Serail», die Susanna in «Figaros Hochzeit», die Donna Elvira im «Don Giovanni», die Titelheldin in Flotows «Martha» und die Marzelline im «Fidelio» genannt seien.

Baumann, Carl, Tenor, *21. 5. 1824 Wien, †Dezember 1906 Wien; er begann seine Karriere 1846 am Opernhaus von Riga, wo er bereits als Tenor-Buffo einen angesehenen Namen erwarb. Seine insgesamt rund zwanzig Jahre dauernde Bühnenkarriere führte ihn später an das Hoftheater von Kassel, schließlich an das Opernhaus von Frankfurt a. M. Er zog sich nach seinem Rücktritt von der Bühne in seine Heimatstadt Wien zurück, wo er noch pädagogisch arbeitete.

Baumann, Paula, Sopran, *1910 (?), sie begann ihre Bühnenkarriere 1934 am Staatstheater Karlsruhe und blieb während ihrer gesamten Karriere bis 1957 Mitglied dieses Hauses, wo sie noch bis 1960 als Gast auftrat. In Karlsruhe sang sie u. a. 1941 die Titelpartie in der deutschen Erstaufführung der Oper «Donata» von Scuderi. 1942 sang sie bei den Festspielen von Bayreuth die Senta im «Fliegenden Holländer»; seit 1943 gastierte sie immer wieder an der Stuttgarter Staatsoper, seit 1949 auch an der Bayerischen Staatsoper München. 1954 gab sie Gastspiele an der Städtischen Oper Berlin, an der Königlichen Oper Stockholm und am Opernhaus von Straßburg, 1955 an der Oper von Frankfurt a. M. Sie gastierte an der Staatsoper Berlin und am Teatro Liceo Barcelona und hatte auch im Konzertsaal bedeutende Erfolge. Ihr umfangreiches Bühnenrepertoire enthielt jugendlich-dramatische Partien (Senta, Elsa im «Lohengrin», Elisabeth im «Tannhäuser», Sieglinde in der «Walküre», Leonore im «Fidelio») wie Aufgaben aus dem hochdramatischen Fach (Brünnhilde in den Opern des Ring-Zyklus, Titelrolle in «Ilsebill» von Friedrich Klose) und Rollen wie die Lady Macbeth in Verdis «Macbeth» und die Prinzessin Eboli in dessen Oper «Don Carlos».

Baumwoll, Esther Levi, Sopran, *2.6. 1937 Tel Aviv; sie studierte zuerst am Konservatorium von Tel-Aviv bei Nora Vecsler und Hilel Pincus, nachdem sie bereits eine Ausbildung als Ballettänzerin begonnen und in der Armee des Staates Israel gedient hatte. Sie setzte ihre Ausbildung an der Manhattan School of Music New York fort und debütierte 1961 an der Israel National Opera Tel Aviv als Titelheldin in der Offenbach-Operette «La Périchole». In den folgenden zwanzig Jahren stand sie im Mittelpunkt des Ensembles dieses Opernhauses. Sie sang hier Partien wie die Gilda im «Rigoletto», die Violetta in «La Traviata», die Gräfin in «Figaros Hochzeit», die Micaela in «Carmen», die Norina in Donizettis «Don Pasquale», die Adina in «Elisir d'amore», die Lucia di Lammermoor, die Mimi wie die Musetta in Puccinis «La Bohème», die Juliette in «Roméo et Juliette» von Gounod, die Liu in «Turandot», die Marie in Smetanas «Verkaufter Braut», die Nedda im «Bajazzo» und die Rosalinde in der «Fledermaus» von J. Strauß. Auch als Konzertsolistin besaß sie in Israel hohes Ansehen. Ihr Familienname erscheint auch in der Schreibweise Baumvoll.
Von ihrer Stimme sind Mitschnitte von Rundfunksendungen vorhanden.

Bayer, Aloys, Tenor, *3.7. 1802 Sulzbach in der Oberpfalz, †7.7. 1863 Grabenstädt am Chiemsee; der Künstler erhielt seine Ausbildung zum Sänger in München, debütierte 1823 am dortigen Hoftheater und blieb während seiner gesamten Karriere mit diesem Haus wie mit der bayerischen Metropole verbunden. In den Jahren 1826 bis 1843 war er als erster Heldentenor ein prominentes Mitglied der Münchner Hofoper. Er brachte dort ein breit angelegtes Repertoire mit Partien aus der gesamten Opernliteratur zum Vortrag und war zugleich ein vielseitiger Konzertsolist. Nach seinem Bühnenabschied war er in München mit pädagogischer Arbeit befaßt.

Bayo, Joaquín, Tenor, *1864, † (?); der aus Spanien stammende Sänger hatte nach ersten Erfolgen in seiner spanischen Heimat eine erfolgreiche Karriere in Italien. Hier sang er in der Saison 1894–95 an der Mailänder Scala den Nadir in «Pêcheurs de perles» von Bizet und den des Grieux in Massenets «Manon». Als das von dem bekannten Musikverleger Edoardo Sonzogno erbaute Teatro Lirico 1894 in Mailand eröffnet wurde, gehörte der spanische Tenor bereits dem Ensemble des neuen Hauses an und hatte dort in den folgenden Spielzeiten sehr erfolgreiche Auftritte. Bis 1898 war er am Teatro Lirico in Partien wie dem Wilhelm Meister in «Mignon» von A. Thomas, dem Gérald in «Lakmé» von Delibes, dem Nadir in den «Pêcheurs de perles», dem des Grieux in «Manon» wie dem Vincint in «Mireille» von Gounod zu hören und nahm an Aufführungen der damals modernen Opern «Amico Fritz» und «I Rantzau» von Mascagni teil. Er ist auch an anderen Opernbühnen in Italien wie in Spanien aufgetreten; über den Ausgang seiner Karriere besteht keine Klarheit.

Bazuky, Maya, Mezzosopran, *15.7. 1932 Den Haag (Holland); die Sängerin, deren eigentlicher Name Maria Johanna Michel war, studierte am Königlichen Konservatorium im Haag bei Nelly Vertragt, Frans Vroons und Wolf-Dieter Ludwig. 1961 gewann sie den Noëmie Perugia-Concours, 1967 debütierte sie am Stadttheater von Bern (Schweiz) als Amneris in «Aida». Sie ging von ihrem Wohnsitz Antwerpen aus einer weitreichenden Gastspieltätigkeit nach. Dabei trat sie an der Mailänder Scala, am Teatro San Carlo Neapel, am Teatro Massimo Palermo, am Grand Théâtre Genf, in Holland und Belgien auf und war nicht weniger erfolgreich im Konzertfach. Ihr Bühnenrepertoire hatte seine Höhepunkte im dramatischen Stimmbereich: so sang sie die Carmen, die Gräfin in «Pique Dame» von Tschaikowsky, die Azucena im «Troubadour», die Eboli in Verdis «Don Carlos», die Eglantine in «Euryanthe» von Weber, die Ortrud im «Lohengrin», die Erda und die Fricka im Nibelungenring von R. Wagner.

Beardslee, Bethany, Sopran, *25.12. 1927 Lansing (Michigan); sie studierte Gesang und Musik an der Michigan State University und an der Juilliard School of Musik. 1949 debütierte sie als Konzertsängerin in New York. Sie sang vor allem in Konzerten unter dem Dirigenten Jacques-Louis Monod (*1927), mit dem sie in erster Ehe verheiratet war. Dabei brachte sie mehrere zeitgenössische Werke von Komponisten wie A. Berg, E. Křenek, I. Strawinsky, A. Webern und A. Schönberg zur Erstaufführung in den USA. Anderseits wandte sie sich der mittelalterlichen und der Barockmusik zu und trat 1957–60 zusammen mit dem New Yorker Ensemble Pro Musica auf. 1972 brachte sie zusammen mit dem Cleveland Symphony Orchestra Schönbergs «Pierrot Lunaire» zur Aufführung. Der Komponist Milton Babbitt komponierte für sie «Philomele», 1966 von ihr dann auch in der Uraufführung gesungen. Seit 1976 wirkte sie als Pädagogin am Westminster Choir College, 1981–82 als Professorin an der University of Texas in Austin, seit 1983 am Brooklyn College und an der City University New York. Seit

1981 trat sie oft zusammen mit dem Pianisten Richard Goode auf.

Schallplatten: CBS («Pierrot Lunaire» von Schönberg, Vokalwerke von Strawinsky, von Milton Babbitt, George Perle und Mel Powell, Arien von J. S. Bach, Haydn und Pergolesi).

Beck, Josepha, Sopran, * (?) Mannheim, † 20. 4. 1827 Karlsruhe; ihr eigentlicher Name war Josepha Scheefer (auch Schäfer geschrieben). Sie war in Mannheim und München Schülerin der Sopranistin und Pädagogin Dorothea Wendling, die 1781 in der Münchner Uraufführung von Mozarts «Idomeneo» die Partie der Ilia kreiert hatte. Sie heiratete ganz jung den verwitweten Schauspieler und Theaterdirektor Heinrich Beck (1760–1803), der im Theaterleben der deutschen Klassik am Hoftheater von Mannheim, als Direktor des Münchener Hoftheaters (1799–1801) und dann wieder in Mannheim, vor allem aber als Darsteller in den Uraufführungen von Dramen Schillers (mit dem er befreundet war), eine führende Rolle spielte. Josepha Beck hatte als Opernsängerin namentlich in Mannheim und München sehr große Erfolge, wobei man ihre Konstanze in der «Entführung aus dem Serail» von Mozart als Höhepunkt eines umfassenden Bühnen- und Konzertrepertoires rühmte. Ihre Tocher Louise Beck (1789–1857) wurde eine angesehene Schauspielerin.

Beck-Radecke, Anna, Alt, * 19. 12. 1861 Osnabrück, † (?); sie begann ihre Bühnenkarriere 1881 am Opernhaus von Köln, ging aber in der folgenden Spielzeit an das Hoftheater von Wiesbaden, das sie bis 1889 angehörte. 1889–91 war sie wieder in Köln engagiert und folgte dann einer Verpflichtung an das Hoftheater Hannover, an dem sie bis zu ihrer Pensionierung 1903 eine jahrelange erfolgreiche Karriere entfaltete. Sie sang dort wie bei Gastspielen und in ihren Konzertauftritten (u. a. bei Gewandhaus-Konzerten in Leipzig und in Berlin) ein Repertoire von großer Vielseitigkeit und wurde auf der Bühne als Opern- wie als Operettensängerin geschätzt. Ihre großen Bühnenpartien waren der Orpheus von Gluck, der Adriano in «Rienzi», die Ortrud im «Lohengrin», die Fricka, die Azucena im «Troubadour», die Amneris in «Aida», die Fides im «Propheten» von Meyerbeer und die Carmen. Sie war verheiratet mit dem Schauspieler und späteren Oberspielleiter des Münchner Volkstheaters Cäsar Beck (1850–1925), von dem sie sich jedoch 1897 wieder trennte.

Beckmann-Muzzarelli, Adele, Sopran, * 4. 6. 1816 Venedig, † 3. 11. 1885 Paris; sie entstammte einer seit Generationen im Theaterbetrieb lebenden Familie: ihr Großvater war Ballettmeister der Wiener Oper unter Kaiser Joseph II. gewesen, ihr Vater war der italienische Tenor *Muzzarelli,* ihre Mutter wirkte als Primaballerina am Teatro Fenice Venedig. Sie erhielt ganz früh Gesang- und Tanzunterricht, mit fünf Jahren stand sie bereits in Ballettaufführungen auf der Bühne. Sie ließ später in Wien ihre Stimme durch den berühmten Giuseppe Ciccimarra ausbilden und war Choristin am dortigen Theater am

Kärntnertor. 1830 debütierte sie am Theater von Brünn (Brno) als Zerline im «Don Giovanni». Bis 1832 blieb sie in Brünn, wo sie Rollen wie die Rosina im «Barbier von Sevilla», die Semiramide in der gleichnamigen Oper von Rossini und die Isolde in »Der Vampyr» von Lindpaintner übernahm. 1832 nahm sie ein Engagement am Deutschen Opernhaus in Budapest an, verlor dann aber ihre Stimme. Nachdem sie einige Zeit pausiert hatte, trat sie in Soubrettenrollen zuerst am Carl-Theater Wien, dann am Königstädtischen Theater Berlin auf. 1839 heiratete sie in Berlin den bekannten Schauspieler Friedrich Beckmann (* 13. 1. 1803 Breslau, † 7. 9. 1866 Wien), der vor allem wegen seiner Darstellung komischer Rollen bekannt war und zuerst in Berlin, später in Wien auftrat. Sie gab dann bald ihre Karriere endgültig auf. Nach dem Tod ihres Gatten verließ Adele Beckmann-Muzzarelli Wien und lebte zumeist in Frankreich. Sie gründete die «Friedrich Beckmann-Stiftung zur Unterstützung bedürftiger österreichischer Bühnenangehöriger oder durch Wien reisender deutscher Schauspieler».

Bedel, Richard, Baß, * 7. 5. 1918 Würzburg; er war Schüler der Pädagogin und Sängerin *Marianne Baur-Pantoulier* in München, die er heiratete. 1940–41 war er als Chorist am Theater von Liegnitz in Schlesien, 1941–42 am Stadttheater Würzburg verpflichtet, wo er bereits Solopartien übernahm, 1942–43 am Stadttheater Freiberg (Sachsen). Nach dem Zweiten Weltkrieg nahm er seine Karriere mit einem Engagement am Theater von Kiel (1949–50) wieder auf, sang dann am Stadttheater Heidelberg (1950–52), am Pfalztheater Kaiserslautern (1952–53) und am Theater von Bremerhaven (1953–54). 1954 wurde er an das Stadttheater der Schweizer Bundeshauptstadt Bern berufen und blieb für fast dreißig Jahre bis zur Aufgabe seiner Bühnenkarriere 1983 dessen Mitglied. Er trat dort in über 2400 Vorstellungen auf und wurde zum Ehrenmitglied des Hauses ernannt. Dabei umfaßte sein Repertoire für die Bühne eine Fülle von Opern- und Operettenpartien aus allen Bereichen der Opernliteratur. Als Gast trat er an den Bühnen von Basel, Zürich und St. Gallen auf und gastierte zusammen mit dem Berner Ensemble in Genf und Fürth. Er wirkte in zahlreichen Sendungen des Schweizer Rundfunks mit.

Schallplatten: IGI (Tartaglia in vollständiger Oper «Turandot» von F. Busoni).

Begley, Kim, Tenor, * 23. 6. 1952 Wirral (Cheshire); er studierte 1980–82 an der Guildhall School of Music, 1982–83 im National Opera Studio London. 1983 debütierte er an der Covent Garden Oper London als Andres in «Wozzeck» von Alban Berg. Er sang an diesem Haus in den folgenden Jahren den Lysander in «A Midsummer Night's Dream» von B. Britten, den Prinzen in «Eine Florentinische Tragödie» von A. Zemlinsky, den Achilles in «King Priam» von M. Tippett, den Basilio in «Nozze di Figaro» und den Froh im «Rheingold». Am Sadler's Wells Theatre London gastierte er als Alfredo in «La Traviata», an der Scottish Opera Glasgow als Nadir in «Pêcheurs de perles» von Bizet, beim Camden

Festival als Thibault in «Margot la Rouge» von
Delius. Aus seinem Repertoire für die Bühne sind
noch der Schuiskij im «Boris Godunow», der Giove
in «Il ritorno d' Ulisse in patria» von Monteverdi und
der Licinio in Spontinis «La Vestale» zu nennen, den
er in einer konzertanten Aufführung des Werks in
der Elizabeth Hall in London sang. Als Konzertsänger trat er in «Roméo et Juliette» von Berlioz (Promenade Concerts London), in Beethovens 9. Sinfonie, in «Alexander's Feast» von Händel (London),
in «The Mask of Time» von M. Tippett (London)
und in vielen anderen Werken auf.
Schallplatten: Decca (vollständige Oper «Norma»).

Beinert, Paul, Tenor, * 9. 6. 1893 Molsheim (Elsaß);
er absolvierte seine Ausbildung zum Sänger an der
Münchner Akademie der Tonkunst. Sein erstes Engagement fand er am Stadttheater von Plauen (Sachsen) in den Jahren 1922–25. 1925 wurde er an das
Opernhaus von Leipzig verpflichtet, dessen Mitglied
er bis 1933 blieb. In diese Zeit fallen mehrere wichtige Opern-Uraufführungen in Leipzig, an denen er
teilnahm: «Johnny spielt auf» von Ernst Křenek
(10. 2. 1927 als Max), «Der Zar läßt sich photographieren» von Kurt Weill (18. 2. 1928), «Frühlings
Erwachen» von Max Ettinger (1928), «Das Leben
des Orest» von Ernst Křenek (19. 1. 1930 als
Aegisth), «Aufstieg und Fall der Stadt Mahagonny»
von Kurt Weill (9. 3. 1930 als Jim). 1933 verließ er
Leipzig und sang 1933–37 am Stadttheater von Freiburg i. Br. 1937–43 war er Mitglied der Berliner
Staatsoper. 1943–44 war er am Stadttheater von Kiel
tätig, nahm aber nach dem Zweiten Weltkrieg kein
neues Engagement mehr an. Aus seinem Bühnenrepertoire sind der Radames in «Aida», der Arrigo in
Verdis «Sizilianischer Vesper», der Cavaradossi in
«Tosca», der José in «Carmen», der Titelheld in
«Rienzi» von R. Wagner, der Tannhäuser, der Erik
im «Fliegenden Holländer», der Parsifal, der Pedro
in «Tiefland» von d'Albert und der Titelheld im
«Armen Heinrich» von Hans Pfitzner zu erwähnen.

Beißner, Walter, Tenor, * 22. 2. 1918 Hildesheim,
† 23. 1. 1964 Düsseldorf; er erhielt seine Ausbildung
am Konservatorium von Hannover, wurde zuerst
Chorist am Mellini-Theater Hannover, dann aber im
Zweiten Weltkrieg als Soldat eingezogen. 1943–44
war er am Stadttheater von Neiße (Schlesien),
1945–47 am Stadttheater von Hildesheim engagiert.
1947–50 sang er am Staatstheater von Braunschweig,
1950–51 am Staatstheater von Kassel, seit 1951 bis zu
seinem Tod am Opernhaus von Düsseldorf (seit 1956
Deutsche Oper am Rhein Düsseldorf–Duisburg).
Gastspiele führten ihn 1962 an die Staatsoper von
Wien, 1963 an die Grand Opéra Paris, nach Amsterdam und an spanische Bühnen. In Düsseldorf wirkte
er in zwei Uraufführungen von Opern des zeitgenössischen Komponisten Giselher Klebe mit: 1957 als
Karl Moor in «Die Räuber» und 1959 in «Die tödli-
chen Wünsche»; 1955 sang er dort in der deutschen
Erstaufführung von Kurt Weills «Street Scene».
Seine wichtigsten Bühnenrollen waren der Erik im
«Fliegenden Holländer», der Lohengrin, der Wal-
ther in den «Meistersingern», der Parsifal, der Man-

, rico in Verdis «Troubadour», der Alvaro in «La
forza del destino», der Titelheld im «Othello», der
Herodes in «Salome» von R. Strauss, der Bacchus in
dessen «Ariadne auf Naxos», der Hauptmann im
«Wozzeck» von A. Berg und der Eisenstein in der
«Fledermaus» von J. Strauß.

Belarsky, Sidor, Baß, * 27. 12. 1900 Odessa; er entstammte einer jüdischen Familie, studierte noch in
Rußland und kam um 1930 nach Nordamerika. Dort
begann er eine Konzertkarriere, die ihm in den USA
wie in Kanada bedeutende Erfolge brachte. Er sang
mit den großen Orchestern zusammen und war an
den Opernhäusern von Los Angeles, San Francisco
und Chicago anzutreffen. Seine größten Erfolge erzielte er an der New York City Centre Opera, namentlich als Daland im «Fliegenden Holländer» und
als Rocco im «Fidelio». Während mehrerer Spielzeiten war er an der Oper von Rio de Janeiro zu Gast.
Toscanini wählte ihn für die Partie des Rocco aus, als
er Beethovens «Fidelio» 1944 auf RCA-Victor aufnahm (zusammen mit Rose Bampton, Eleanor Steber, Jan Peerce und Herbert Janssen).

Belavić, Milivoj, Bariton, * 21. 8. 1914 Zagreb
(Agram); er erhielt seine Ausbildung am Konserva-
torium von Zagreb und trat in den Chor von Radio
Zagreb ein. 1949 debütierte er als Solist am Theater
von Split in der Rolle des Schaunard in Puccinis «La
Bohème». Bis 1952 blieb er in Split und wurde dann
Mitglied der Kroatischen Nationaloper Zagreb, zu
deren Ensemble er bis 1974 gehörte. 1961 war er zu
Gast in Frankfurt a. M., 1963–69 mehrere Gastspiele
in Italien, 1967 in Österreich und in Ostdeutschland.
Seine großen Bühnenpartien waren der Rigoletto,
der Germont-père in «La Traviata», der Renato in
Verdis «Ballo in maschera», der Posa in dessen
«Don Carlos», der Amonasro in «Aida», der Sharp-
less in «Madame Butterfly», der Marcello in «La
Bohème», der Valentin in «Faust» von Gounod, der
Escamillo in «Carmen» und der Jeletzky in «Pique
Dame» von Taschaikowsky. 1974 verabschiedete
sich der Künstler in Zagreb als Graf Luna im «Trou-
badour» aus seiner Bühnenkarriere und war bis 1981
als Pädagoge am Konservatorium von Zagreb tä-
tig.
Schallplatten: Jugoton (vollständige Oper «Nikola
Šubić Zrinski» von I. Zajc).

Belloni, Jago, Bariton, * 21. 12. 1877 Florenz,
† 26. 12. 1949 Pisa; er wurde durch den Pädagogen
Alfredo Torri in Pisa ausgebildet und debütierte am
dortigen Teatro Politeamo 1894 in einem Konzert
mit Opernszenen. 1894–97 wirkte er hier in ähnlichen Konzertveranstaltungen mit. 1899 sang er als
erste Bühnenpartien am Teatro Garibaldi Chioggia
den Grafen Luna im «Troubadour» und den Francesco in «I Masnadieri» von Verdi. 1901 gastierte er
in Genf, Lausanne und Bern und sang am Teatro
Carcano Mailand, 1902 am Teatro Duse Bologna in
«Maria di Rohan» von Donizetti, 1905 wieder in Pisa
in «Andrea Chénier» von Giordano. Erfolgreiche
Gastspiele in den Jahren vor und nach dem Ersten
Weltkrieg am Teatro Fraschini Pavia (1913 in «La

fanciulla del West» von Puccini), am Teatro Coccia Novara, am Teatro Nuovo Bergamo, am Teatro Bellini Catania, am Teatro Carigliano Turin und am Teatro Politeama Neapel. Er bereiste auch Rußland und sang dort 1907 am Opernhaus von Baku; 1917 wurde er bei einer Gastspieltournee von der russischen Oktoberrevolution überrascht und kam in einer abenteuerlichen Flucht über China in seine italienische Heimat zurück. In den Jahren 1931–33 sang er viele Partien in den Opernsendungen des italienischen Rundfunks EIAR in Turin, darunter den Kyoto in Mascagnis «Iris», den Ursus in «L'Uomo che ride» von Arrigo Pedrollo, den Barone in «L'Ospite inatteso» von Riccardo. Pick-Mangiagalli, den König in «Isabeau» von Mascagni, den Euriti d'Illaco in «Fedra» von Pizzetti, den Barabba in «Maria di Magdala» von Vincenzo Michetti und den Pang in Puccinis «Turandot». Nach Abschluß seiner Karriere lebte er in Pisa.

Schallplatten: einige Beka-Aufnahmen.

Bellwidt, Emma, Sopran, *20.6. 1879 Lindau am Bodensee, †28.8. 1937 Frankfurt a. M.; sie studierte Gesang an der Akademie der Tonkunst in München bei Emilie Kaula sowie bei dem hoch angesehenen Pädagogen Eduard Bellwidt († 1924 Frankfurt a. M.), den sie später heiratete. Seit 1900 war sie bis zu Beginn der zwanziger Jahre als Konzert- und Oratoriensängerin tätig und ging von ihrem Wohnsitz Frankfurt a. M. aus einer umfangreichen Konzertkarriere nach, die ihr in den Musikzentren in Deutschland, in Holland, Belgien und in der Schweiz ungewöhnliche Erfolge eintrug. Seit 1906 war sie häufig in Wien zu hören. Sie sang in der Uraufführung der 8. Sinfonie («Sinfonie der Tausend») von Gustav Mahler am 12.9. 1910 in München die Mater Gloriosa. Daneben war sie, wie ihr Gatte, als gesuchte Pädagogin tätig.

Beltacchi, Tamara, Mezzosopran, * 1900 (?); diese italienische Sängerin trat in der Dekade 1925–35 an verschiedenen italienischen Opernhäusern in Comprimaria-Partien auf. 1930 war sie am Teatro Colón Buenos Aires engagiert und sang hier die Emilia in Verdis «Othello» mit Giovanni Zenatello in der Titelpartie und die Lola in «Cavalleria rusticana». Im gleichen Jahr 1930 hörte man sie an der Covent Garden Oper London wiederum als Emilia, als Suzuki in «Madame Butterfly» und als Flora in «La Traviata». Sie ist Schallplattensammlern, dadurch bekannt, daß sie in zwei vollständigen Opernaufnahmen auf HMV mitwirkte, als Emilia im «Othello» (mit Nicola Fusati, Maria Carbone und Apollo Granforte) und als Mercedes in «Carmen» (mit Gabriella Besanzoni und Piero Pauli), beide 1932 aufgenommen.

Beltramelli, Giuditta, Sopran, * 1834 Bergamo, †(?); ihr Vater war Musikprofessor in Bergamo. Sie studierte am Konservatorium von Mailand zuerst Klavierspiel und trat bereits im Alter von 14 Jahren als Konzertpianistin auf. Zugleich ließ sie jedoch auch ihre Stimme ausbilden und debütierte, erst 17 Jahre alt, in Berlin als Amina in «La Sonnambula».

Nachdem sie an der Berliner Oper noch in der Oper «Mosè in Egitto» von Rossini, in Meyerbeers «Robert le Diable» und in «Il matrimonio segreto» von Cimarosa gesungen hatte, kam es sprunghaft zur Entwicklung einer internationalen Karriere. Sie gastierte in London zusammen mit den großen Sängern Giulia Grisi und Giovanni Mario in «Les Huguenots» und «Le Prophète» von Meyerbeer und in «La Juive» von Halévy, anschließend am Théâtre de la Monnaie Brüssel mit Giovanni Mario und Luigi Lablache in der «Zauberflöte». Es folgten eine Tournee durch Irland und Schottland, ein Gastspiel am Teatro Riccardi von Bergamo, schließlich ein weiteres Gastspiel am Théâtre-Italien Paris als Amina in «La Sonnambula» und als Elvira in «I Puritani» von Bellini. In Lyon feierte man sie als Rosina im «Barbier von Sevilla» von Rossini; ähnliche Erfolge ergaben sich bei einer Ägypten-Tournee und 1854 in Neapel in den Titelrollen der Verdi-Opern «Luisa Miller» und «La Tràviata». Die Karriere der Sängerin scheint jedoch früh ein Ende gefunden zu haben.

Bencze, Miklos, Baß, * 19.6. 1911 Budapest; er wurde am Konservatorium von Budapest und bei Manfredo Polverosi in Rom ausgebildet. Nachdem er bereits als Konzertsänger aufgetreten war, kam es (wohl bedingt durch die Kriegsverhältnisse) zu einem relativ späten Bühnendebüt 1946 an der Nationaloper von Budapest als Ferrando in Verdis «Troubadour». Er blieb deren Mitglied bis 1956, verließ aber nach dem ungarischen Aufstand von 1956 seine Heimat und gastierte in den Jahren 1956–57 in Jugoslawien und Österreich. Er wanderte schließlich in die USA aus, wo er bis Mitte der sechziger Jahre bei verschiedenen Opernunternehmen auftrat. So sang er 1961 an der Oper von Houston/Texas, 1964 in San Antonio. Er war vor allem auf das Buffo-Repertoire seines Stimmfachs spezialisiert und sang Partien wie den Leporello im «Don Giovanni», den Osmin in der «Entführung aus dem Serail», den Bartolo wie den Basilio in Rossinis «Barbier von Sevilla», den Mesner in «Tosca» und den Kezal in der «Verkauften Braut». Hinzu kamen jedoch weitere Rollen: der Raimondo in «Lucia di Lammermoor», der Sparafucile im «Rigoletto», der Ramphis in «Aida», der König Heinrich im «Lohengrin», der Hunding in der «Walküre», der Mephisto im «Faust» von Gounod, der Timur in Puccinis «Turandot» und der Gremin im «Eugen Onegin» von Tschaikowsky.

Schallplatten: Qualiton (Hungaroton).

Benda, Felicitas Agnesia, Sopran, * 1756 Würzburg, † 1835; sie hieß eigentlich Felicitas Agnesia Ritz (oder auch Rietz geschrieben) und war die Schwester der Sopranistin *Sabine Ritz-Steffani* (1760–1806). Sie wurde durch deren Gatten *Domenico Steffani* (1738–83) ausgebildet, der auch in Würzburg der Lehrer der berühmten Primadonna Sabine Hitzelberger war. Sie heiratete in erster Ehe den Violinisten und Komponisten Friedrich Ludwig Benda (1752–92), den Sohn des berühmten böhmischen Komponisten Georg Benda (1722–95), der zuerst als Kapellmeister in Hamburg wirkte und dann als Musikdirektor und Hofkapellmeister an den Hof von Mecklenburg-Schwerin berufen wurde. Die Künstlerin begleitete ihren Gatten an diese Stätten seines Wirkens und wurde Hofsängerin in Schwerin. 1789 sang sie dort die Hauptrolle in dem Singspiel des Hofkomponisten Franz Anton Rösler «Das Winterfest der Hirten». Sie folgte auch ihrem Ehemann, als dieser 1789 als Kapellmeister nach Königsberg (Ostpreußen) verpflichtet wurde. Hier wie bei zahlreichen Gastspielen und Konzerten kam sie zu bemerkenswerten Erfolgen. Nachdem Friedrich Ludwig Benda 1789 in Königsberg gestorben war, heiratete sie in zweiter Ehe den Flötisten und Komponisten Samuel Heym (1764–1821), der wiederum am mecklenburgischen Hof in Schwerin und Ludwigslust wirkte. Später ging sie noch eine dritte Ehe mit einem Herrn Zeibisch ein. Sie verbrachte ihren Lebensabend hauptsächlich in Schwerin.

Bendazzi-Garulli, Tina (Ernestina), Sopran, * 1864 Neapel, † 1931 Triest; sie war die Tochter der bekannten Sopranistin *Luigia Bendazzi* (1829–1901) und des Dirigenten und Pädagogen Benedetto Secchi. Sie erhielt ihre Ausbildung durch ihren Vater und trat schon ganz früh als Konzertsängerin in Erscheinung. So hatte sie im April 1884 großen Erfolg als Solistin im Stabat mater von Rossini am Teatro Constanzi in Rom. Ihr Bühnendebüt fand im folgenden Jahr 1885 am Teatro Comunale Triest als Zerline in «Fra Diavolo» von Auber statt; anschließend sang sie dort die Titelheldin in «Dinorah» von Meyerbeer und in der Oper «Bianca dalla Cervia» von Antonio Smareglia. Es folgten Auftritte am Teatro Comunale Bologna als Sulamith in Goldmarks «Königin von Saba», als Dinorah und als Anna in der Oper «Le Villi» von Puccini. Im Dezember 1885 kam es zu ihrem Debüt an der Mailänder Scala als Isabella in «Robert le Diable» von Meyerbeer. 1886 sang sie an der Scala die Leila in der italienischen Erstaufführung von Bizets «Pêcheurs de perles», neben der Lidia in der Oper «Flora mirabilis» von Spiro Samara ihre eigentliche Glanzrolle. Die letztgenannte Partie trug sie 1886 sehr erfolgreich am Teatro Carcano Mailand vor. In diesen beiden Rollen brillierte sie 1886 auch am Teatro Argentina Rom. 1886–87 gastierte sie am Teatro San Carlos Lissabon, 1887 an der Berliner Kroll-Oper (als Traviata und als Marguerite im «Faust» von Gounod). 1887 heiratete sie den Tenor *Alfonso Garulli* (1858–1915), mit dem sie seitdem oft zusammen auftrat. 1889 war sie am Teatro Carignano Turin in einer Spielzeit anzutreffen, in der der junge Arturo Toscanini dort als Dirigent beschäftigt war. 1894 hörte man sie am Teatro Lirico Mailand, 1902 am Teatro Politeama von La Spezia, 1904 in Aix-les-Bains. Nach Abschluß ihrer Bühnenkarriere ließ sie sich in Triest als gesuchte Gesanglehrerin nieder. Schallplatten: Pathé-Zylinder und -Platten (darunter ein Duett aus «Mireille» mit Alfonso Garulli).

Bender, Gertrud, Sopran, * 15. 10. 1892 Ludwigshafen, † 5. 4. 1965 Stuttgart; sie war eine Schülerin der Pädagogin Anna Rocke-Heindl in Mannheim. In der Spielzeit 1915–16 erfolgte ihr Bühnendebüt am

Opernhaus von Breslau. Danach war sie 1916–17 am Stadttheater von Bern, 1917–21 am Opernhaus von Köln und 1921–29 am Staatstheater Stuttgart engagiert. In den folgenden Jahren gab sie Gastspiele an verschiedenen Bühnen, so 1932–34 am Stadttheater von Augsburg. Sie war zu dieser Zeit mit dem Dirigenten Joseph Rosenstock (1895–1985) verheiratet, mußte aber mit ihm, da er Jude war, 1933 Deutschland verlassen. Sie sang dann noch 1935–36 am Opernhaus von Brünn (Brno), emigrierte dann aber zusammen mit ihrem Gatten in die USA, wo dieser sich jedoch von ihr trennte. Nach dem Zweiten Weltkrieg kam sie nach Deutschland zurück und lebte in Stuttgart. Auf der Bühne übernahm sie in erster Linie Partien aus dem Koloratur- und aus dem lyrischen Fachbereich: die Marie im «Waffenschmied» und die Titelheldin in «Undine» von Lortzing, den Amor im «Orpheus» von Gluck, den Cherubino in «Figaros Hochzeit», die Marcelline im «Wasserträger» von Cherubini, die Nuri in «Tiefland» von d'Albert, die Agnes im «Armen Heinrich» von H. Pfitzner, den Ighino in dessen «Palestrina», die Gretel in «Hänsel und Gretel», die Mimi in «La Bohème» und die Titelfigur in «Madame Butterfly» von Puccini.

Bender-Schäfer, Franziska, Mezzosopran, *1877(?), †(?); sie eröffnete ihre Bühnenlaufbahn mit einem Engagement am Stadttheater von Plauen 1900–1901 und wurde bereits 1901 an die Hofoper von Dresden berufen, an der sie als Ensemblemitglied bis 1913 blieb. Sie wirkte dort in verschiedenen Uraufführungen mit, so am 22. 11. 1901 in «Feuersnot» von R. Strauss (als Ursula), am 6. 10. 1902 in «Das war ich» von Leo Blech und am 25. 1. 1909 in «Elektra» von R. Strauss (als 1. Magd). Sie gab zahlreiche Gastspiele, u. a. 1910 an der Hofoper München, wo sie 1911 bei den Wagner-Festspielen dann auch die Brangäne im «Tristan» sang. 1913 war sie zu Gast an der Oper von Boston, 1913 und 1914 an der Covent Garden Oper London, an der man sie als Magdalene in den «Meistersingern» und als Brangäne hörte. Sie ist noch bis 1927 gastierend an der Hofoper (Staatsoper) Dresden aufgetreten und hatte eine zweite erfolgreiche Karriere als Konzert- und Oratoriensolistin. Seit 1919 war sie außerdem als Pädagogin am Konservatorium von Dresden tätig. Von ihren Bühnenpartien seien noch die Frau Reich in den «Lustigen Weibern von Windsor» von Nicolai, die Fricka im Nibelungenring, die Azucena im «Troubadour», die Ulrica in Verdis «Maskenball», die Amneris in «Aida» und die Czipra im «Zigeunerbaron» von J. Strauß genannt.

Benedetti, Oreste, Bariton, * 19. 12. 1872 Pisa, † 26. 12. 1917 Novara; er arbeitete zunächst in einer Keramikfabrik in Pisa. Der Vater des berühmten Baritons Titta Ruffo, Natale Titta, setzte sich für die Ausbildung des begabten jungen Arbeiters ein und vermittelte ihm die Aufnahme in die Accademia di Santa Cecilia in Rom. Oreste Benedetti blieb während seiner ganzen Karriere mit Titta Ruffo und seiner Familie freundschaftlich verbunden. Er sang bereits 1893 in Konzertveranstaltungen am Teatro Politeama Pisa. Danach debütierte er 1894 auf der Bühne des Teatro Quirino in Rom als Graf Luna im «Troubadour». Nachdem er am Teatro Regio Rovigo, am Teatro Municipale Reggio Emilia und am Teatro Manzoni in Rom erstes Aufsehen erregt hatte, sang er in der Saison 1897–98 in Buenos Aires den Rigoletto, seine große Glanzrolle, den Nelusco in «L'Africaine» von Meyerbeer und den Grafen Luna im «Troubadour». 1898 hörte man ihn am Teatro Costanzi Rom als Valentin im «Faust» von Gounod und als Telramund im «Lohengrin», 1899 am Teatro Regio Parma in dem Oratorium «La risurrezione di Lazzaro» von Lorenzo Perosi. Es kam in den folgenden Jahren zu einer großen Bühnenkarriere an den führenden italienischen Opernhäusern: am Teatro Regio Parma (1900 und 1909) am Teatro Comunale Bologna (1908–09 u. a. als Gunther in der «Götterdämmerung»), am Teatro Comunale Treviso, am Teatro Petruzzelli Bari (1906 als Rigoletto und als Telramund), vor allem aber am Teatro Costanzi in Rom, 1914 auch nochmals am Teatro Politeama seiner Geburtsstadt Pisa. Als letzte Partie hörte man dort im Oktober 1915 seinen Kyoto in Mascagnis «Iris». Seine Karriere wurde durch eine schwere, immer wieder ausbrechende Erkrankung dreimal unterbrochen und schließlich durch einen vorzeitigen Tod im Alter von 45 Jahren beendet.

Schallplatten: Von seiner Stimme ist ein einziger Edison-Zylinder vorhanden, auf dem er ein Duett aus Puccinis «La Bohème» mit dem Tenor Aristodemo Giorgini singt.

Bengl, Volker, Tenor, * 19. 7. 1960 Ludwigshafen (Pfalz); nachdem er zunächst eine Lehre in einem Chemiewerk absolviert hatte, ließ er seine Stimme an der Musikhochschule Mannheim-Heidelberg ausbilden und nahm an zusätzlichen Meisterkursen in München teil. 1982 gewann er den Bundeswettbewerb für Gesang in Berlin. 1985 erhielt er sein erstes Engagement am Staatstheater Saarbrücken, dessen Mitglied er seither blieb. Er gastierte von dort aus an den Opernhäusern von Essen und Nürnberg, am Staatstheater Braunschweig, am Staatstheater Karlsruhe und am Stadttheater Heidelberg. Am Pfalztheater Kaiserslautern war er 1990 als Hans in Smetanas «Verkaufter Braut» zu Gast. Zu den Glanzpartien des jungen Sängers gehörten weiter der Max im «Freischütz», der Tamino in der «Zauberflöte», der Belfiore in «La finta giardiniera» von Mozart, der José in «Carmen», der Pinkerton in «Madame Butterfly», der Baron im «Wildschütz» von Lortzing und aus seinem Operetten-Repertoire die Titelrollen in «Der Zarewitsch», «Paganini» und der Prinz Sou-Chong in «Das Land des Lächelns» von Lehár. Als Konzertsänger trat er in Deutschland wie im Ausland in einem umfangreichen Repertoire auf; so sang er u. a. 1989 beim German Heritage Festival im Garden State Arts Center bei New York. In Berlin hörte man ihn als Solisten im Te Deum und in der f-moll-Messe von A. Bruckner. Er sang Soli im Weihnachtsoratorium von J. S. Bach und im Requiem von A. Dvořák. In besonderer Weise wurde

der junge Sänger seit 1987 durch Rundfunk- und Fernsehauftritte bekannt.

Schallplatten: Moro (Heinrich der Schreiber in vollständiger «Tannhäuser»-Aufnahme), Mitschnitte von Rundfunksendungen.

Bennett, Mavis, Sopran, * 28. 3. 1900 Redditch (Worcestershire), † 28. 1. 1990 Stalbridge (Devonshire); sie studierte in Birmingham und kam 1921 zu der D' Oyly Carte Opera Company. Lilian Baylis holte sie dann an das von ihr geleitete Old Vic Theatre London, wo sie u. a. als Susanna in «Nozze di Figaro», als Butterfly, als Mimi in «La Bohème», als Gilda im «Rigoletto», als Nedda im «Bajazzo», als Pamina in der «Zauberflöte» und als Marguerite im «Faust» von Gounod auftrat. Neben ihrer Bühnenkarriere entfaltete sie eine zweite Karriere beim englischen Rundfunk, auf Grund derer sie als «The Nightingale of the Wireless» bekannt wurde. Ihre Laufbahn wurde vorzeitig beendet, als sie 1939 nach einer Operation ihre Gesangstimme verlor. Seitdem war sie im pädagogischen Bereich tätig.

Schallplattenaufnahmen auf HMV.

Benoit, Jean-Christophe, Baß-Bariton, * 18. 3. 1925 Paris; er entstammte einer sehr musikalischen Familie. Sein Vater war Mitglied des berühmten Calvet-Streichquartetts, seine Mutter war als Komponistin tätig. Er erhielt seine Ausbildung am Pariser Conservatoire National und trat zunächst als Konzert- und Liedersänger auf. Seit Anfang der fünfziger Jahre begann er dann eine Bühnenkarriere, zunächst an Theatern in der französischen Provinz. 1959 folgte er einem Ruf an die Grand Opéra Paris und an die Pariser Opéra-Comique. An letzterer ist er bis Anfang der achtziger Jahre aufgetreten. 1970 erhielt er als Nachfolger von Roger Bourdin eine Professur am Conservatoire von Paris. Noch bis 1988 trat er gelegentlich als Sänger auf, war aber auch als Regisseur tätig. Am Grand Théâtre Genf wirkte er in zwei wichtigen Uraufführungen von Opern mit: 1963 als Sbrignani in «Monsieur de Pourceaugnac» von Frank Martin und am 13. 6. 1966 als Figaro in «La Mère coupable» von Darius Milhaud. In den Jahren 1954–77 war er fast alljährlich bei den Festspielen von Aix-en-Provence zu hören, 1956 gab er Konzerte bei den Festspielen von Salzburg. 1958 gastierte er an der Mailänder Scala als Torquemada in «L'Heure espagnole» von Ravel, 1963 und 1968 wirkte er beim Holland Festival mit; 1966, 1967 und 1979 war er an der Oper von Monte Carlo zu Gast, 1965 und 1967 am Théâtre de la Monnaie Brüssel, 1967 in London. Hinzu kamen zahlreiche Gastspielauftritte an Bühnen in der französischen Provinz. Sein sehr vielseitiges Bühnenrepertoire enthielt an erster Stelle Partien aus dem Buffo- und dem Charakterfach. So sang er den Guglielmo in «Così fan tutte», den Antonio in «Figaros Hochzeit», den Basilio im «Barbier von Sevilla», den Grafen Robinson in Cimarosas «Matrimonio segreto», den Rimbaud in Rossinis «Le Comte Ory», den Somarone in «Béatrice et Bénédict» von Berlioz, den Jean in «Les Noces de Jeannette» von Massé, den Boniface in «Le jongleur de Notre-Dame» von Massenet, den König in «Le Roi d'Yvetot» von Ibert und den Torquemada in «L'Heure espagnole». Seine Schwester, *Denise Benoit,* hatte als Sopranistin eine erfolgreiche Karriere, die sie jedoch relativ früh aufgab. Von ihrer Stimme existieren Schallplattenaufnahmen auf Decca und Pathé.

Jean-Christophe Benoit hat Aufnahmen auf sehr vielen Schallplattenmarken gemacht. Dabei handelt es sich meistens um kleinere Partien in kompletten Opernaufnahmen; so singt er allein in vier «Carmen»-Aufnahmen den Dancairo. Seine Schallplatten erschienen bei Pathé («Platée» von Rameau, «Les cloches de Corneville» von Planquette), HMV (vollständige Opern «Lakmé» und «Hoffmanns Erzählungen», Bartolo im «Barbier von Sevilla»), RCA, Vox, CBS («Les Indes galantes» von Rameau), Decca, Eurodisc, Nonesuch, Columbia («La Périchole» von Offenbach), Barclay Records («Le Maître de chapelle» von Paër).

Benoit-Favre, Ellen, Sopran, *22. 3. 1902 Genf; sie war am Konservatorium von Genf Schülerin von Rose Féart. Sie begann eine Konzertkarriere, die ihr auf den Gebieten des Oratorien- wie des Liedgesangs bedeutende Erfolge eintrug. Dabei erstreckte sich ihre Tätigkeit auf die Musikzentren in der Schweiz (Basel, Lausanne, Genf, Zürich, Lugano) wie auf Konzertauftritte in Paris, Rom, Turin, Marseille und Poitiers. Sie gehörte auch dem Quatuor Vocal de Genève zusammen mit Juliette Salvisberg, Hugues Cuénod und Derrik Olsen an. Auf der Bühne trat sie nur ausnahmsweise auf, so 1943 am Grand Théâtre von Genf in der Uraufführung der Oper «Le Malade imaginaire» von J. Dupérier (als Angélique). Dagegen war sie oft in Sendungen des Schweizer Rundfunks wie über Radio Paris zu hören.

Schallplatten: HMV (Werke von Debussy, Jaques-Dalcroze und Mozart).

Bensaude, Maurizio, Bariton, *1863 auf der Azoren-Insel San Miguel, †1912 Lissabon; er kam 1884 nach Lissabon, erhielt dort eine kurze Gesangausbildung und debütierte noch im gleichen Jahr 1884 am Teatro da Trinidad in Lissabon in der Operette «La petite Imariée» von Charles Lecocq. Er ging dann an ein anderes Operettentheater der portugiesischen Hauptstadt, das Teatro de D. Maria, wo er in Operetten und Singspielen auftrat. Er betrieb jedoch weiter das Gesangstudium und begann gegen Ende der achtziger Jahre damit, Opernpartien zu übernehmen. Dabei kam er schnell zu sehr großen Erfolgen und konnte jetzt eine umfangreiche internationale Gastspieltätigkeit entfalten. In den Spielzeiten 1893–94 und 1898–99 war er an der Metropolitan Oper New York engagiert. 1899 gastierte er am Teatro Regio Turin, 1900 an der Covent Garden Oper London als Amonasro in «Aida» und als Figaro im «Barbier von Sevilla». Weitere Gastspiele an der Hofoper Berlin, am Teatro Argentina Rom, in Paris und Mailand, an den Opern von Odessa und Agram (Zagreb) kennzeichnen die erfolgreiche Laufbahn des Künstlers. Er unternahm Tourneen durch Brasilien und durch die USA. 1910 gab er

seine Bühnenkarriere auf. Jetzt leitete er zeitweilig eine Operntruppe, mit der er in Portugal Opernaufführungen in der Landessprache veranstaltete. Er betätigte sich als Pädagoge und war in der Verwaltung des Teatro San Carlos Lissabon tätig, starb aber bereits zwei Jahre nach seinem Bühnenabschied. Verheiratet mit der Opernsängerin *Julia Defano.* Aus seinem Rollenrepertoire für die Bühne sind der Enrico in «Lucia di Lammermoor», der Germont-père in «La Traviata», der Lescaut in «Manon» von Massenet, der Escamillo in «Carmen», der Marcello in Puccinis «La Bohème» und der Alfio in «Cavalleria rusticana» zu erwähnen.

Schallplatten: Eden Disque (Paris), Zonophone (USA, 1906–07), die jedoch alle nur Lieder aus dem Unterhaltungsrepertoire enthalten, u. a. Lieder von Tosti. Er hat auch unter dem Pseudonym M. Roland gesungen.

Ben-Schachar, Mordecai, Bariton, *18. 2. 1926 Craiova (Rumänien); der Künstler, der eigentlich Maximilian Enric Stern hieß, kam frühzeitig nach Israel und erhielt hier seine Ausbildung zum Sänger am Konservatorium Sulamith in Tel Aviv und auch an der Academy of Vocal Arts in Philadelphia. 1951 debütierte er bei der Israel Opera in Tel Aviv als Escamillo in «Carmen». Seitdem gehörte er länger als zwanzig Jahre zu den führenden Kräften dieses Hauses. Er gastierte an der Oper von Philadelphia und am Opernhaus von Zürich. Von den Gestalten, die er auf der Bühne dargestellt hat, sind zu nennen: der Valentin im «Faust» von Gounod, der Belcore in «Elisir d'amore» von Donizetti, der Figaro im «Barbier von Sevilla» von Rossini, der Grand prêtre in «Samson et Salila» von Saint-Saëns, der Alfio in «Cavalleria rusticana», der Marcello in Puccinis «La Bohème» und der Sharpless in «Madame Butterfly». Auch als Konzertsänger wie als Gesanglehrer angesehen.

Benza, Ida, Sopran, *1846 (nach anderen Quellen 1848) Budapest, †10. 5. 1880 Budapest; ihr Vater *Károly Benza* (1812–72) war viele Jahre erfolgreich am Budapester Nationaltheater als Baß-Buffo engagiert. Sie erhielt ihre Ausbildung in Wien durch H. Proch, Salvi und Frau Bockholtz-Falconi. 1865 debütierte sie in Wien und war 1866–68 als Elevin an der dortigen Hofoper engagiert. Dann unternahm sie eine große Gastspiel-Tournee, die sie an führende Bühnen in der österreichisch-ungarischen Monarchie (Graz, Brünn) und vor allem nach Italien führte. Hier sang sie an der Mailänder Scala am 20. 2. 1869 in einer Neu-Bearbeitung von Verdis «La forza del destino» die Partie der Preziosilla, am gleichen Haus am 3. 4. 1869 in der Uraufführung von Filippo Marchettis «Ruy Blas» die Maria. Weitere Gastspiele brachten ihr am Teatro Regio Turin und am Teatro San Carlos Lissabon glänzende Erfolge ein. Nachdem sie 1870 sehr erfolgreich an der Wiener Hofoper als Gast aufgetreten war, scheiterte ein erneutes Engagement an diesem Haus an ihren zu hohen Gagenforderungen. Seit 1871 war sie dann die große Primadonna der Budapester Nationaloper. Hier sang sie 1875 die Aida in Verdis bekannter

Oper bei deren Erstaufführung in der ungarischen Hauptstadt. Sie beherrschte (wie damals eine Reihe von Sängerinnen) ein Repertoire, das Partien aus allen Fachbereichen enthielt: die Königin der Nacht wie die Pamina in der «Zauberflöte», die Donna Anna im «Don Giovanni», die Leonore im «Fidelio», die Alice in «Robert le Diable» von Meyerbeer, die Valentine in den «Hugenotten», die Selika in Meyerbeers «Africaine», die Rachel in Halévys «La Juive», die Marguerite im «Faust» von Gounod, die Leonore im «Troubadour», die Traviata, die Amelia in Verdis «Ballo in maschera», die Melinda in «Bank Ban» und die Erzsebeth in «Hunyady László» von Ferenc Erkel. Auch als Konzertsängerin berühmt geworden.

Benzell, Mimi, Sopran, * 1924 (?) Bridgeport (Connecticut), † 23. 12. 1970 New York. Ausbildung am Hunter College (1939–41) und an der David Mann Music School (1941–43). Debüt 1943 in Brooklyn als Hänsel in «Hänsel und Gretel». Die junge Sängerin erregte Aufsehen, als sie 1944 an der New Yorker Metropolitan Oper in der Rolle der Königin der Nacht in der «Zauberflöte» debütierte. Während der folgenden fünf Spielzeiten und nochmals 1954–56 hatte sie an diesem berühmten Opernhaus eine bedeutende Karriere. Sie sang dort zahlreiche Partien aus dem Koloraturfach: die Gilda im «Rigoletto», die Philine in «Mignon» von Ambroise Thomas, die Blondchen in der «Entführung aus dem Serail», die Barbarina in «Nozze di Figaro», den Waldvogel im «Siegfried», die Marzelline im «Fidelio», an erster Stelle jedoch ihre Glanzrolle, die Musetta in Puccinis «La Bohème». 1944 gastierte sie in Mexico City als Königin der Nacht unter Sir Thomas Beecham, auch in Rio de Janeiro aufgetreten. 1949 verließ sie die Metropolitan Oper und sang jetzt am New Yorker Broadway in Musicals; so hatte sie am dortigen Hebrew-Theater einen großen Erfolg in dem jiddischen Musical «Milk and Honey». Diese Karriere wie auch Auftritte im Konzertsaal mit Koloraturarien und -kanzonen setzte sie während einer Reihe von Jahren fort.
Schallplatten: Auf Columbia wie auf Robin Hood Records erscheint sie als Musetta in «La Bohème», in letztgenannter Aufnahme aus der Metropolitan Oper von 1948 zusammen mit Bidù Sayao und Jussi Björling. Musical-Aufnahmen auf Design.

Beralta, Célys, Sopran, * 1890 (?); die aus Belgien stammende Sängerin war in den Jahren nach 1920 sowohl an spanischen wie an italienischen Bühnen tätig. So sang sie im Herbst 1920 am Teatro Liceo Barcelona die Gilda im «Rigoletto» als Partnerin von Hippolíto Lázaro und die Olga in Giordanos Oper «Fedora». Weitere Einzelheiten über ihre Karriere sind kaum bekannt, doch darf man annehmen, daß sie auch in Belgien und Frankreich aufgetreten ist. Zu Beginn der zwanziger Jahre wurden von ihrer Stimme in London einige akustische Aufnahmen auf Vocalion hergestellt, Arien aus «Rigoletto» und «La Traviata», aus «Mignon» von A. Thomas und aus Rossinis «Barbier von Sevilla» (alle in italienischer Sprache), die einen gut geführten Koloratursopran zeigen.

Berg, Anton Philipp, Bariton, * 6. 8. 1795 Frankfurt a. M., † 3. 9. 1866 Budapest; er betrat erstmals 1816 in Bamberg die Bühne und betätigte sich, einer alten, in Deutschland lebendigen Tradition folgend, gleichzeitig als Sänger wie auch als Schauspieler. Von Bamberg aus kam er über München, Köln und Freiburg i. Br. im Jahre 1833 an das Deutsche Theater in Budapest. Hier blieb er bis zu seinem Lebensende tätig. Überwog im Anfang seiner Karriere sein Auftreten in Opernpartien, so stellte er sich mit zunehmendem Alter auf Sprechrollen um und war zuletzt ein geschätzter Darsteller von Väterrollen wie dem Musikus Miller in «Kabale und Liebe» von Schiller.

Berger, Franzi, Sopran, * 25. 7. 1934 Rosenheim (Bayern); sie erhielt ihre Ausbildung durch Rudolf Grossmann in München. Sie eröffnete ihre Bühnenkarriere mit einem Engagement am Stadttheater von Aachen (1957–60), sang dann am Staatstheater von Braunschweig (1960–61), am Staatstheater von Wiesbaden (1961–63), am Stadttheater von Bern (Schweiz, 1963–65) und schließlich in einer fast zwanzigjährigen Karriere am Stadttheater von Basel (1965–84). Als Gast hörte man sie an der Staatsoper Stuttgart, an den Opernhäusern von Zürich, Köln und Graz, am Staatstheater Hannover, am Theater am Gärtnerplatz München, an den Stadttheatern von Augsburg und Freiburg i. Br., am Staatstheater Karlsruhe, am Theater von St. Gallen, an der Niederländischen Oper Amsterdam und bei der Operngesellschaft Forum in Enschede (Holland). Sie brachte auf der Bühne ein vielseitiges Repertoire zum Vortrag, das Partien aus den Bereichen der Oper wie der Operette enthielt, und aus dem nur die Micaela in «Carmen», die Fiordiligi in «Così fan tutte», die Donna Elvira im «Don Giovanni», die Sandrina in «La finta giardiniera», der Cherubino in «Figaros Hochzeit», die Mimi in «La Bohème», die Liu in Puccinis «Turandot», die Micaela in «Carmen», die Tatjana im «Eugen Onegin», die Eva in den «Meistersingern», die Agathe im «Freischütz», die Titelfiguren in «La belle Hélène» von Offenbach, in der «Lustigen Witwe» von Lehár und in «Gräfin Mariza» von E. Kálmán, die Rosalinde in der «Fledermaus» und die Saffi im «Zigeunerbaron» aufgeführt seien. Bekannt wurde sie auch durch Konzert- und Rundfunkauftritte. Sie lebte später in Neubeuern (Bayern).

Bergopzoomer, Katharina, Sopran/Mezzosopran, * 1753 Wien, † 18. 6. 1788 Prag; sie hieß eigentlich Katharina Leitner, wurde aber nach dem frühen Tod ihrer Eltern von dem Ehemann ihrer Stiefschwester, Philipp Ernst Schindler, Direktor der Wiener Porzellanmanufaktur, adoptiert und nahm dessen Familiennamen Schindler an. Unter diesem Namen sang sie, ganz jung, 1770 am Hoftheater von Laxenburg in einer Aufführung des Intermezzo tragico «Piramo e Tisbe» von Johann Adolf Hasse den Piramo. Bis 1774 ist sie mehrfach an diesem Theater anzutreffen.

Am 3. 11. 1770 kreierte sie am Theater in der Hofburg in Wien die Elena in der Uraufführung der Oper «Paride ed Elena» von Gluck. 1774 unternahm sie eine große Kunstreise durch Deutschland und Italien. Sie blieb dann in Italien, wo sie zwei Jahre hindurch mit glänzenden Erfolgen in Venedig auftrat. Nicht weniger glanzvoll gestaltete sich ein längerer Gastspielauftritt in London. Sie stellte 1776 ein eigenes Bühnenensemble zusammen, dem auch der Tenor Martin Ruprecht angehörte, mit dem sie im Wiener Stadttheater Opern zur Aufführung brachte. 1777 heiratete sie den Wiener Hofschauspieler und Verfasser von volkstümlichen Schauspielen Johann Baptist Bergopzoomer (* 9. 9. 1742 Wien, † 12. 1. 1804 Wien), der seinen Familiennamen auch Bergopzoom schrieb. Seitdem trat auch sie unter diesem Namen auf. Aus dieser Ehe gingen elf Kinder hervor. Katharina Bergopzoomer besaß eine Stimme von großem Tonumfang und einer besonderen dramatischen Ausdruckskraft des Vortrages. Ihre Glanzrollen fanden sich vor allem im damals aktuellen Repertoire der italienischen Oper, doch setzte sie sich auch für die Reformbestrebungen von Chr. W. von Gluck ein. Dazu rühmte man ihre hervorragende Kunst der Darstellung.

Bermanis, Simons, Tenor, * 9. 7. 1912 Liepaja (Libau, Lettland); er studierte am Konservatorium seiner Heimatstadt Liepaja und vollendete seine Ausbildung am Neuen Wiener Konservatorium. Bereits 1934 debütierte er am Theater von Liepaja. 1937 wurde er an das Stadttheater (Opernhaus) von Zürich verpflichtet, dessen Mitglied er bis 1940 blieb, und an dem er auch später noch als Gast auftrat. In Zürich sang er Partien wie den Belmonte in der «Entführung aus dem Serail», den Tamino in der «Zauberflöte», den Grafen Almaviva im «Barbier von Sevilla», den Hüon im «Oberon» von Weber, den Herzog im «Rigoletto», den Loge im «Rheingold», den Rodolfo in «La Bohème», den Pinkerton in «Madame Butterfly», den Narraboth in «Salome» von R. Strauss, den italienischen Sänger im «Rosenkavalier» und den Diomedes in «Penthesilea» von O. Schoeck. Am 28. 5. 1938 sang er in Zürich in der Uraufführung von P. Hindemiths Oper «Mathis der Maler» den Wolfgang Capito. Er gastierte am Theater von Basel und mit dem Zürcher Ensemble in Amsterdam. Seit 1940 wirkte er bis in die Nachkriegsjahre als Solist beim Schweizer Radiosender Monte Ceneri. Er wanderte später in die USA aus und lebte in Plaza Dolores (Kalifornien).

Bernal-Resky, Gustavo, Bariton, * 1870 Aguascalientes (Mexiko), † 1918 Paris; er erhielt seine Ausbildung zum Sänger in Mexico City und in Italien. Seit Mitte der neunziger Jahre trat er an zahlreichen Bühnen in Italien, Spanien und Südamerika auf. In der Saison 1905–06 sang er unter dem Namen Gustavo Berl-Resky an der Metropolitan Oper New York. An erster Stelle standen in seinem Bühnenrepertoire Partien wie der Alfonso in «La Favorita» von Donizetti, der Germont-père in «La Traviata», der Jago in Verdis «Othello», der Scarpia in «Tosca» und der Gérard in «Andrea Chénier» von Giordano;

zu seinen Glanzrollen gehörten weiter der Valentin im «Faust» von Gounod und der Nelusco in Meyerbeers «Africaine». Er war verheiratet mit der Sopranistin *Maria Scorphy.*
Von der Stimme des Künstlers sind interessante Schallplattenaufnahmen vorhanden; diese erschienen auf Zonophone (USA, 1904–05), auf Victor (1906), Columbia (Mailand, 1906) sowie auf Edison-Zylindern (USA, 1906 Arien und Lieder). Auch seine Gattin Maria Scorphy hat einige Edison-Zylinder hinterlassen, darunter zwei Duette der beiden Ehegatten.

Bernard, Annabelle, Sopran, * 11. 10. 1934 New Orleans; die farbige Sängerin studierte an der Xavier University und am New England Conservatory Boston. Sie debütierte in Boston als Susanna in «Nozze di Figaro» und kam 1961 nach Europa, wo sie ihre Ausbildung in Stuttgart und am Mozarteum von Salzburg fortsetzte. 1961–62 gastierte sie an Theatern in der DDR, an der Staatsoper von Stuttgart und sang an der Deutschen Oper Berlin die Titelheldin in Verdis «Aida». Sie wurde darauf an dieses Haus verpflichtet, dem sie seitdem für mehr als 25 Jahre angehörte. Hier wurde sie vor allem als Mozart- und als Verdi-Interpretin bekannt. Sie gastierte seit 1971 mehrfach an der Staatsoper von München, 1970 am Opernhaus von Köln; weitere Gastspiele an der Staatsoper von Wien, am Opernhaus von Zürich, an der Hamburger Staatsoper, beim Holland Festival (1971), bei den Festspielen von Salzburg (1973 als Elettra in «Idomeneo» von Mozart), an der Oper von New Orleans (1976) und am Teatro San Carlo Neapel (1983). An der Deutschen Oper Berlin wirkte sie in den Uraufführungen der Opern «Montezuma» von R. Sessions (1964 als Malinche) und «Odysseus» («Ulisse») von Dallapiccola (1968 als Kalypso und Penelope) mit. Ihre Hauptrollen waren die Donna Anna im «Don Giovanni», die Fiordiligi in «Così fan tutte», die Vitellia in «La clemenza di Tito» von Mozart, die Leonore im «Troubadour», die Elisabetta im «Don Carlos» von Verdi, die Leonore in «La forza del destino», die Butterfly, die Giorgietta in Puccinis «Il Tabarro», die Liu in «Turandot», die Maddalena in «Andrea Chénier» von Giordano, die Bertha im «Propheten» von Meyerbeer, die Giulietta in «Hoffmanns Erzählungen», die Lisa in «Pique Dame» und die Tatjana im «Eugen Onegin» von Tschaikowsky. Gleichzeitig wurde sie als Konzertsängerin, und zumal als begabte Lied-Interpretin, bekannt. Seit 1972 wirkte sie als Dozentin an der Musikhochschule Hamburg. Verheiratet mit dem Tenor *Karl Ernst Mercker* (* 1933).
Schallplatten: Philips (Ausschnitte aus «Porgy and Bess» von Gershwin), Eurodisc.

Bernardi, Bernardo, Tenor, * 3. 8. 1882 Warschau, † 11. 3. 1923 Düsseldorf; sein eigentlicher Name war Laib Berek Vogelnest. Er verbrachte seine Jugend in Italien, kam dann in die Schweiz und wurde 1905 Schüler des Pädagogen Hans Rogorsch in Zürich. 1906 fand er in Zürich sein erstes Bühnenengagement und blieb bis 1913 Mitglied des dortigen Stadt-

theaters. Hier sang er eine Vielzahl von Partien und kreierte u. a. für Zürich und die Schweiz den Narraboth in «Salome» (1907) und den Bacchus in «Ariadne auf Naxos» (Erstfassung der Oper, 1912) von R. Strauss, den Lenski im «Eugen Onegin» von Tschaikowsky (Saison 1908–09), den Pinkerton in «Madame Butterfly» (Spielzeit 1909–10) und den Titelhelden in Verdis «Don Carlos» (1911). Dazu sang er auf der Bühne ein breit gefächertes Repertoire, das vor allem Partien aus dem italienischen Repertoire zum Inhalt hatte. 1913–15 war er am Opernhaus von Düsseldorf engagiert. Seit 1915 war er als ständiger Gast an den Theatern von Zürich, Basel, Bern und Luzern zu hören, eine Tätigkeit, die er bis kurz vor seinem Tod fortsetzte.
Schallplatten: G&T (1907), HMV (1908–09), Zonophone (1908), überwiegend sentimentale Lieder.

Bernardi-Fabbrica, Rita, Sopran, * 1822 Turin, † 2. 9. 1902 Ravenna; sie war Schülerin des berühmten Dirigenten und Pädagogen Luigi Fabbrica († 1894), den sie heiratete. Sie begann ihre Karriere an italienischen Theatern, hatte aber ihre großen Erfolge vor allem in Rußland. Dort sang sie, oft zusammen mit der gefeierten Primadonna Angiolina Bosio, an den Hoftheatern von St. Petersburg und Moskau. Sie interpretierte dabei Partien in Opern von Rossini, Verdi, Weber, Meyerbeer und auch bereits Rollen in zeitgenössischen russischen Opernwerken. Nach Abschluß ihrer Bühnenkarriere wohnte sie zusammen mit ihrem Gatten in Turin und nach dessen Tod 1894 bei ihrer Tochter Adele Fabbrica in Ravenna.

Bernardić, Drago, Baß, * 27. 8. 1912 Karlovac (Karlstadt, Kroatien); er wurde an der Musikakademie von Zagreb durch M. Reizer und M. Kostrencić ausgebildet und studierte dann noch Gesang in Italien, nachdem er ursprünglich Violoncello studiert hatte. Er sang zuerst 1933–38 bei den Zagreber Madrigalisten und trat auch bei Radio Zagreb auf. Er entschloß sich dann jedoch zur Bühnenkarriere und debütierte 1938 an der Oper von Zagreb als Firmin in der Oper «Medvedgradskoj Kraljici» von L. Kavica. Bis 1939 blieb er in Zagreb engagiert, sang 1939–40 am Theater von Split, 1940–43 in Osijek (Esseg) und durchlief dann seit 1943 nochmals eine fast 30jährige Karriere an der Kroatischen Nationaloper Zagreb, der er bis 1972 angehörte. Gastspiele trugen dem Sänger auch auf internationaler Ebene Erfolge ein; man hörte ihn in Italien, Deutschland, Griechenland, Frankreich, Polen, in der ČSSR, Polen, Rumänien und Bulgarien. 1956 sang er bei den Festspielen von Glyndebourne den Sarastro in der «Zauberflöte». Seine weiteren großen Partien waren der Mephisto im «Faust» von Gounod, der Titelheld in Glinkas «Iwan Susanin» («Ein Leben für den Zaren»), der König Philipp in Verdis «Don Carlos», der Ramphis in «Aida», der Rocco im «Fidelio», der Leporello im «Don Giovanni», der König Arkel in «Pelléas et Mélisande» von Debussy, der Daland im «Fliegenden Holländer» und der Pimen in «Boris Godunow». Auch als Konzertbassist bekannt geworden.

Schallplatten: Philips (vollständige Oper «Sadko» von Rimsky-Korssakow), Jugoton («Nikola Šubić Zrinski» von I. Zajc, «Ero, der Schelm» von Gotovac).

Bernbrunn-Lang, Margarethe, s. unter *Flerx,* Josefa.

Bernhard, Maria, Sopran, * 31. 1. 1893 Graz, † 7. 9. 1970 Zürich; sie bildete sich zunächst autodidaktisch zur Sängerin aus und war dann in Weimar Schülerin des großen Baritons Karl Scheidemantel. 1909–19 sang sie am Hoftheater Weimar zuerst im Chor, wurde dann aber als Solistin ins Ensemble übernommen. 1919–21 war sie am Stadttheater von Bremen (hier u. a. Titelrolle in der Uraufführung von «Wolfgang Gurlitts «Die Heilige» 1920), 1921–22 am Opernhaus von Breslau verpflichtet. 1922 ging sie an das Stadttheater von Zürich dem sie bis 1925 angehörte. 1925–32 war sie am Opernhaus von Köln verpflichtet, ging aber 1932 wieder nach Zürich zurück, wo sie bis 1939 wirkte. In Zürich nahm sie an mehreren wichtigen Uraufführungen und Premieren von Opern teil, so u. a. an der Uraufführung von «Der Kreidekreis» von Zemlinsky (14. 10. 1933 als Yü-Pei) und an der des Fragments «Lulu» von A. Berg (2. 6. 1937 als Gräfin Geschwitz). Sie gab Gastspiele an der Staatsoper Wien und am Stadttheater Basel und war eine hoch geschätzte Konzertsängerin. Ihr Bühnenrepertoire enthielt vor allen Dingen Partien aus dem dramatischen Stimmfach, darunter die Martha in «Tiefland» von E. d'Albert, die Leonore im «Fidelio», die Santuzza in «Cavalleria rusticana», die Küsterin in Janáčeks «Jenufa», die Tosca wie die Turandot in den gleichnamigen Puccini-Opern, die Ariadne in «Ariadne auf Naxos» von R. Strauss, die Marschallin im «Rosenkavalier», die Aida, die Amelia in Verdis «Ballo in maschera», die Desdemona in dessen «Othello», die Marina im «Boris Godunow», die Agathe im «Freischütz», die Rezia im «Oberon» von Weber, die Marietta in der «Toten Stadt» von Korngold, dazu zahlreiche Wagner-Rollen (Senta, Elisabeth, Venus, Elsa, Eva, Brünnhilde, Sieglinde, Gutrune, Kundry). Zu Beginn ihrer Karriere ist sie auch unter dem Namen Maria Ruhmer-Ulbrich aufgetreten. Sie war verheiratet mit dem Zürcher Sänger und Gesanglehrer *Hans Bernhard Nötzli.*

Berti, Tommaso, Tenor, * 1775 (?), † (?); der Name dieses Sängers verdient festgehalten zu werden, weil er in drei Uraufführungen von frühen Rossini-Opern mitwirkte. Am 26. 10. 1811 sang er am Teatro del Corso Bologna in der Uraufführung der Oper «L'Equivoco stravagante» die Rolle des Ermanno, am 24. 11. 1812 am Teatro San Moisè Venedig den Conte Alberto in «L'Occasione fa il ladro», Ende Januar 1813 (das genaue Datum ist nicht bekannt) am gleichen Haus den Florville in «Il Signor Bruschino».

Bertocci, Aldo, Tenor, * 9. 5. 1920 Turin; er war in seiner Heimatstadt Turin Schüler von Maestro Bel-

tramo und von Anna Maria Nobile. 1943 gewann er einen Gesangwettbewerb in Alessandria. 1944 erfolgte sein Bühnendebüt in Turin; er sang in der Nachkriegszeit an italienischen Provinzbühnen Partien wie den Herzog im «Rigoletto», den Alfredo in «La Traviata», den Rodolfo in Puccinis «La Bohème», den Cavaradossi in «Tosca», den Rinuccio in «Gianni Schicchi» und den Edgardo in «Lucia di Lammermoor» von Donizetti. Im weiteren Verlauf seiner Karriere übernahm er gerne Aufgaben in Opern zeitgenössischer Komponisten wie Paul Hindemith, Ildebrando Pizzetti, Gian Francisco Malipiero, Carl Orff, Luigi Dallapiccola, Alfredo Casella, Igor Strawinsky und Lodovico Rocca. 1952 trat er erstmalig an der Mailänder Scala auf; hier wirkte er am 24. 1. 1953 in der Uraufführung der Oper «Cagliostro» von I. Pizzetti mit (die in einer Sendung der RAI Turin, gleichfalls mit ihm, wiederholt wurde) und sang dort den Dimitrij im «Boris Godunow» von Mussorgsky. Es blieb eine enge Verbindung zwischen dem Künstler und der Mailänder Scala bestehen, an der er insgesamt während 16 Spielzeiten zu hören war. Gegen Ende seiner Karriere nahm er den Titelhelden in Verdis «Othello» in sein Repertoire auf, den er an vielen führenden italienischen und europäischen Bühnen sang.
Schallplatten: Cetra (Alvino in vollständiger Aufnahme von Verdis «I Lombardi», 1951), MRF («Zanetto» von Mascagni), RPL (Percy in «Anna Bolena» von Donizetti, RAI 1958), Angelicum, MMS (Radames in vollständiger «Aida»).

Bertram, Klaus, Baß-Bariton, * Oktober 1933 Essen; er begann seine Laufbahn 1959 am Staatstheater Karlsruhe, schloß dann bald einen Gastvertrag mit der Staatsoper Stuttgart, deren Mitglied er in der langen Zeit von 1961 bis 1985 war. 1966 wirkte er an diesem Haus in der Uraufführung der Oper «17 Tage und 4 Minuten» von Werner Egk mit. Gastspiele führten ihn an die größeren deutschen Opernbühnen und ins Ausland. Sein Repertoire umfaßte Partien wie den Rocco im «Fidelio», den Daland (gelegentlich auch den Titelhelden) im «Fliegenden Holländer», den Scherasmin im «Oberon» von Weber, den Waldner in «Arabella» von R. Strauss, den Boris Godunow, den Selim in Rossinis «Il Turco in Italia», den Walter in Verdis «Luisa Miller», den Inigo in «L' Heure espagnole» von M. Ravel und den Dreieinigkeitsmoses in «Aufstieg und Fall der Stadt Mahagonny» von Weill. Er war zeitweilig als Rundfunkmoderator tätig und hatte auch als Konzertsänger eine erfolgreiche Karriere.
Schallplatten: DGG (Colline in Gesamtaufnahme «La Bohème», Opern-Querschnitte).

Betti, Freda, Mezzosopran, * 1922, † November 1979; sie war am Konservatorium von Nizza Schülerin von Edouard Rouard. 1947 debütierte sie an der Oper von Monte Carlo als Nicklausse in «Hoffmanns Erzählungen» von Offenbach. Bis zu ihrem Tod trat sie sehr erfolgreich an den führenden Opernthheatern in der französischen Provinz auf, in Bordeaux und Marseille, in Nizza und Toulouse, an der Opéra du Rhin Straßburg und in Nantes. 1948–50 und 1968

gehörte sie dem Ensemble der Oper von Monte Carlo an, in den Jahren 1957–61 hörte man sie regelmäßig bei den Festspielen von Aix-en-Provence, 1958 gastierte sie an der Mailänder Scala in «L'Enfant et les sortilèges» von Ravel. 1961 wirkte sie in Aix-en-Provence in der Uraufführung der Oper «Lavinia» von Henri Barraud mit, im gleichen Jahr sang sie in Paris in der konzertanten Uraufführung von Nikolai Nabokovs «Der Tod Rasputins». Ihre große Partie war die Carmen, die sie im Verlauf ihrer Karriere über 150mal sang; weitere Höhepunkte in ihrem Bühnenrepertoire waren der Siebel im «Faust» von Gounod, die Taven in «Mireille», die Myrtale in «Thaïs» von Massenet, die Javotte in dessen «Manon», die Mallika in «Lakmé» von Delibes, die Teresa in Bellinis «La Sonnambula», die Maddalena im «Rigoletto», die Emilia in Verdis «Othello», die Suzuki in «Madame Butterfly», die Brangäne im «Tristan», die Fricka in der «Walküre», die Marcellina in «Nozze di Figaro» und der Feodor im «Boris Godunow».
Schallplatten: Philips (Querschnitt «Carmen»), HMV, INA («La Mascotte» von Audran).

Bettini, Alessandro, Tenor, * 20. 7. 1821 Trecate bei Novara, † 1. 11. 1898 Rom; der Künstler hatte eine sehr lange, nahezu 50jährige Karriere von internationalem Rang. Besonders beliebt war er in England; hier sang er allein während zwanzig Spielzeiten an der Covent Garden Oper und an anderen Londoner Opernthheatern. Nicht weniger erfolgreich waren seine zahlreichen Auftritte am Théâtre-Italien in Paris. Hier wirkte er auch bei den Konzerten mit, die der große Komponist Gioacchino Rossini in seinem Haus veranstaltete. Seine besondere Glanzrolle war der Graf Almaviva in Rossinis «Barbier von Sevilla», den er im Verlauf seiner Karriere 1800mal gesungen haben soll. 1846 sang er sehr erfolgreich am Teatro Valle von Rom den Tonio in Donizettis «Regimentstochter» als Partner der damals in dieser Oper brillierenden Angiolina Zoja. 1860 feierte man ihn am Teatro Apollo von Rom; am Teatro Real Madrid wie bei Konzerten vor dem spanischen Hof kam er zu großen Erfolgen. 1870 wirkte er in der englischen Premiere der Oper «Mignon» von Ambroise Thomas mit, die am Drury Lane Theatre London stattfand. Von den Uraufführungen zeitgenössischer Opern, an denen er teilnahm, seien genannt: «Roberto Bruce» von Rossini (Grand Opéra Paris, 30. 12. 1846), «Gianni di Nisida» von G. Pacini (Teatro Apollo Rom, 29. 10. 1860), «Stefania» von R. Gentili (ebenfalls Teatro Apollo Rom, 24. 11. 1860), «Esmeralda» von Campana (Kaiserliche Hofoper St. Petersburg, 20. 12. 1869). 1877 sang er in der Londoner Georges Hall eine Solopartie in der Kantate «Maria di Gand» von Tito Mattei. Noch 1894 ist er in Rom in einem Konzert aufgetreten. Er war verheiratet mit der berühmten Mezzosopranistin *Zélia Trebelli* (1834–92), die zu den großen Primadonnen der englischen Hauptstadt ihrer Epoche gehörte und zuerst am Her Majesty's Theatre und seit 1868 oft an der Covent Garden Oper London sang. Aus dieser Ehe, die nur einige Jahre Bestand hatte, stammte eine Tochter, die zuerst unter dem Namen

Antoinette Trebelli-Bettini, später unter dem Künstlernamen *Antonia Dolores* auftrat. Der Künstler sollte nicht mit dem gleichaltrigen italienischen Tenor *Geremia Bettini* (1823–65) verwechselt werden.

Beuer, Elise, Sopran/Mezzosopran, * 1861 Karlsbad (Karlovy Vary), † (?): sie wurde durch ihren Vater ausgebildet, der Musikdirektor in Karlsbad war; anschließend studierte sie noch in Wien. 1888 debütierte sie an der Kroll-Oper Berlin und war dann bis 1890 am Opernhaus von Breslau engagiert. 1890–91 sang sie am Stadttheater Chemnitz, 1891–92 am Stadttheater Mainz, 1892–99 am Opernhaus von Leipzig und schließlich in den Jahren 1899–1908 am Opernhaus (Stadttheater) von Hamburg. 1908 gab sie nach ihrer Heirat ihre Bühnenkarriere auf. Sie gastierte u. a. an der Hofoper Berlin (1892), an der Hofoper Dresden (1899), am Stadttheater von Bremen (1902), am Hoftheater Karlsruhe (1906) und seit 1899 häufig am Hoftheater von Hannover. Zunächst hatte sie Partien aus dem Mezzosopran-Fach vorgetragen, darunter die Frau Reich in den «Lustigen Weibern von Windsor» von Nicolai, den Adriano in «Rienzi», die Ortrud im «Lohengrin», die Fricka im Nibelungenring, die Brangäne im «Tristan», die Magdalene in den «Meistersingern», die Gertrud in «Hänsel und Gretel», die Quickly in Verdis «Falstaff», die Azucena im «Troubadour», die Amneris in «Aida» und die Fides im «Propheten» von Meyerbeer. Sie nahm dann aber auch Sopranpartien in ihr Repertoire auf (Leonore im «Fidelio», Selika in «L' Africaine» von Meyerbeer, Brünnhilde in den Opern des Ring-Zyklus). Die auch im Konzertbereich erfolgreiche Sängerin lebte nach Beendigung ihrer Karriere in Freiburg i. Br.

Bevan, Maurice, Bariton, * 10. 3. 1921 London; er erhielt seine musikalische Ausbildung am Magdalen College in Oxford. 1949 wurde er Vicar Choral an der Londoner St. Pauls-Kathedrale, eine Position, in der er bis 1989 wirkte. Er war einer der Mitbegründer des bekannten Deller Consort, das sich um den Countertenor Alfred Deller bildete und vor allem Werke aus der Barock-Epoche in authentischer Form zur Aufführung brachte. Mit diesem Vokal-Ensemble kam er in England wie bei Konzertreisen in aller Welt zu aufsehenerregenden Erfolgen. So trat er in Europa, in den USA, in Israel und in Brasilien auf. Er gab dazu englische Barockmusik des 17. und 18. Jahrhunderts neu heraus, war als Musikologe und Schriftsteller tätig, wobei er auch auf diesen Gebieten allgemein bekannt wurde. Nicht zuletzt sind seine zahlreichen Schallplattenaufnahmen zu erwähnen, die zumeist mit dem Deller Consort erfolgten; sie erschienen auf den Marken RCA, Harmonia mundi («Acis und Galatea» von Händel, 1970; «The Fairy Queen», «The Indian Queen» und «King Arthur» von Purcell; dazu Arien und Lieder), Vanguard (Aeneas in Purcells «Dido and Aeneas», 1956), Abbey (Religiöse Musik des 17. und 18. Jahrhunderts).

Beyer, Friedrich Hermann, Tenor, * 12. 2. 1814 Obergersdorf bei Kamenz (Sachsen), † 1. 8. 1877

Berlin; er studierte zuerst protestantische Theologie, entschloß sich dann jedoch zu einer Bühnenkarriere und ließ seine Stimme ausbilden. 1836 debütierte er als Sänger in Prag und kam dann als Heldentenor zu ersten Erfolgen am Theater von Olmütz (Olomouc). Seine Karriere führte ihn in schneller Reihenfolge an die Bühnen von Nürnberg, Wiesbaden, Breslau, Hamburg, an die Hofoper von St. Petersburg, nach Köln und Königsberg (Ostpreußen). Er übernahm schließlich die Direktion des Stadttheaters von Mainz, wo er aber auch noch als Sänger in Erscheinung trat. Lange Jahre hindurch war er als Regisseur in Amsterdam tätig und führte später Arbeiten im Bereich der Opernregie am Deutschen Opernhaus Rotterdam durch. Während der Sommermonate arbeitete er auch als Regisseur an der Berliner Kroll-Oper. Als Sänger brachte er ein umfangreiches Rollenrepertoire zum Vortrag, in dem die heldischen Tenorpartien an erster Stelle standen.

Beyer, Wilhelm, Tenor, * 5. 11. 1819 Berlin, † 10. 3. 1897 Weimar; er war als erster Tenor lange Jahre am Stadttheater von Nürnberg, später am Stadttheater von Bremen (1870–78) tätig und war als Gast an deutschen Bühnen wie im Konzertsaal erfolgreich. Neben seinem Wirken als Opernsänger übernahm er auch Rollen im Bereich des Schauspiels und Aufgaben innerhalb der Bühnenregie und -verwaltung. 1878–96 war er als Sekretär am Theater von Riga tätig, wo er auch noch künstlerische Aufgaben als Schauspieler ausführte.

Beyer, Wilhelm, Bariton, * 3. 10. 1865 Karlsruhe, † 26. 10. 1904 Karlsruhe; die gesamte Karriere des Künstlers hat sich, abgesehen von einigen Gastspielen, in seiner Geburtsstadt Karlsruhe abgespielt. Hier wurde er durch die Pädagogen August Harlacher und Rudolf Lange ausgebildet und betrat 1884 erstmals die Bühne des dortigen Hoftheaters. Bis zur Aufgabe seiner Karriere aus Gesundheitsgründen 1903 blieb er ein hoch geschätztes Mitglied des Karlsruher Hoftheaters. Das Repertoire, das er auf der Bühne zum Vortrag brachte, umfaßte eine Vielzahl von Opernpartien, dazu Sprechrollen aus dem Bereich des Schauspiels. Als Sänger brillierte er vor allem in Aufgaben wie dem Papageno in der «Zauberflöte», dem Ottokar im «Freischütz», dem Lord Cockburn in «Fra Diavolo» von Auber, dem Plumkett in Flotows «Martha», um nur einige von vielen Partien zu nennen.

Bianchi, Luciano, Tenor, * 1775 (?) Pesaro, † (?), dieser Tenor, der aus der Vaterstadt des großen Komponisten Gioacchino Rossini stammte, ist vor allem von Bedeutung, weil er in den Uraufführungen mehrerer Rossini-Opern mitwirkte. Am 6. 2. 1813 sang er am Teatro Fenice Venedig in der Uraufführung von Rossinis «Tancredi» die Partie des Orbazzano, am 26. 12. 1814 gleichfalls am Teatro Fenice in «Sigismondo» die beiden Rollen des Ulderico und des Zenovito, am 24. 4. 1819 am Teatro San Benedetto Venedig in «Eduardo e Cristina» den Giacomo, principe di Scozia. In dieser Uraufführung wirkte auch der Tenor Eliodoro Bianchi als Carlo, re di Svezia mit. Letzterer ist auch in den Besetzungslisten von Uraufführungen der Opernwerke Rossinis anzutreffen, darf aber nicht mit Luciano Bianchi verwechselt werden, der im übrigen im Lauf seiner Karriere hauptsächlich in kleineren Partien aufgetreten ist.

Bieber, Clemens, Tenor, *26. 1. 1956 Würzburg; er wurde an der Musikhochschule Würzburg ausgebildet. Er war Schüler der beiden bekannten Tenöre Adalbert Kraus und Horst Rudolf Laubenthal. 1986 begann er seine Karriere am Staatstheater von Saarbrücken, dem er bis 1988 angehörte. 1988 folgte er einem Ruf an das Deutsche Opernhaus Berlin. Hier debütierte er als Graf Almaviva im «Barbier von Sevilla» von Rossini und kam in lyrischen Tenor-Partien zu großen Erfolgen, vor allem im Mozart-Fach, aber auch als Châteauneuf in «Zar und Zimmermann» von Lortzing, als Fenton im «Falstaff» von Verdi und in ähnlichen Aufgaben. Bei den Festspielen von Bayreuth sang er 1987–89 die Rolle Heinrichs des Schreibers in «Tannhäuser», 1989 auch einen der Edlen im «Lohengrin». An der Deutschen Oper Berlin wirkte er in der Uraufführung der Oper «Das verratene Meer» von Hans Werner Henze in der Partie des Noburu mit (5. 5. 1990).Neben Bühnengastspielen standen zahlreiche Konzertauftritte im Mittelpunkt seiner Karriere. Dabei zeichnete er sich besonders als Bach-Interpret (Evangelist in den großen Passionen, Soli in Kantaten) aus.
Schallplatten: DGG (Heinrich der Schreiber im «Tannhäuser»).

Biel, Anne Christine, Sopran, *1958 (?); die schwedische Sängerin absolvierte ein sehr gründliches Musik- und Gesangstudium an der Königlichen Musikakademie Stockholm; hier erwarb sie 1982 den akademischen Grad eines Master of Music und 1985 den eines Doktors der Musik. Ihre Gesanglehrer waren Birgit Sternberg und Daniel Ferro. Einen ihrer ersten großen Erfolge hatte sie 1981 bei den Festspielen im Barocktheater von Drottningholm als Cherubino in «Nozze di Figaro». 1982 und 1989 sang sie in Drottningholm die Pamina in der «Zauberflöte», 1986 die Fiordiligi in «Così fan tutte» und die Ilia in «Idomeneo» von Mozart, 1987 die Susanna in «Nozze di Figaro», 1988 die Serpetta in «La finta giardiniera». An der Königlichen Oper Stockholm war sie 1985 in «L' Arbore di Diana» von Martín y Soler, 1986 als Page Oscar in Verdis «Ballo in maschera» anzutreffen. 1986 wirkte sie am Stadttheater der Schweizer Bundeshauptstadt Bern in der Uraufführung der Oper «Mozart und der graue Bote» von A. Schibler in der Partie der Konstanze mit. 1982–88 nahm sie an der weltweiten Tournee der «Carmen»-Inszenierung durch P. Brook («La Tragédie de Carmen») teil, bei der sie in Paris, Hamburg, New York und Tokio als Micaela auftrat. Am Théâtre des Champs Élysées Paris gastierte sie 1986 als Barbarina in «Nozze di Figaro». Neben ihrem Wirken auf der Bühne kam sie auch als Konzertsängerin zu einer erfolgreichen Karriere; sie gab u. a. Konzerte in Stockholm, Kopenhagen und New York in einem Repertoire, das die großen Passionen von J. S. Bach, «Die Schöpfung» von Haydn (Drottningholm, 1988), das Mozart-Requiem, die Monteverdi-Vespern und «Ein Deutsches Requiem» von Brahms enthielt.

Biel, Julián, Tenor, *1870 Saragossa, †1945 (?) Barcelona; er arbeitete zuerst als Konditor, dann als Anstreicher in Madrid. Als er im Palast der Marquisa de Villamejor tapezierte, hörte diese, wie er ein Lied sang und war von seiner Stimme begeistert. Sie finanzierte seine Ausbildung bei dem berühmten Pädagogen Antonio Cotogni in Mailand. 1898 begann er als Chorist am Teatro Real Madrid. 1899 debütierte er als Solist bei Opernaufführungen in den Retido-Gärten in der spanischen Hauptstadt. Im Oktober 1900 ging er nach Italien und erregte dort erstes Aufsehen als Manrico im «Troubadour», seiner besonderen Glanzrolle, am Teatro Duse in Bologna und am Teatro Quirino Rom. 1901 sang er am Teatro Real Madrid den Radames in «Aida» und den José in «Carmen», am Teatro San Carlos Lissabon den Vasco in Meyerbeers «Africaine». 1901–02 kam er zu großen Erfolgen am Teatro Liceo Barcelona. 1902 wurde er durch Arturo Toscanini an die Mailänder Scala engagiert und als Manrico bewundert. Er sang diese Partie dort 14mal; Toscanini hielt ihn für den besten lebenden Interpreten dieser Verdi-Rolle. Er gastierte dann oft in Südamerika (1902 am Teatro de la Opera Buenos Aires und in Montevideo, 1907 in Santiago de Chile und Valparaiso, 1908 wieder in Buenos Aires – jetzt am Teatro Politeama in der Uraufführung der Oper «Horrida Nox» von Arturo Berutti, 7. 7. 1908 – und in Montevideo). 1903 und in der Saison 1906–07 feierte man ihn am Teatro Liceo Barcelona als Samson in «Samson et Dalila» von Saint-Saëns, als Turiddu in «Cavalleria rusticana», als Titelhelden in Verdis «Ernani» und als José in «Carmen». 1905 Gastspiel an der Londoner Covent Garden Oper als Manrico und als Radames. Auftritte als Siegmund in der «Walküre» und als Vasco in Meyerbeers «Africaine» 1909 in der Arena von Barcelona und nochmals als Vasco im März 1910 am Teatro San Carlos Lissabon bezeichnen das Ende der Bühnenkarriere des bedeutenden Tenors.
Schallplatten: Zehn Titel auf G & T (Mailand, 1903).

Bielczizky, Wenzel, s. unter Bielezizky, Wenzel.

Bielezizky, Wenzel, Tenor, *1818 Prag, †1865 Salzburg; er begann seine Karriere an Operntheatern im Bereich der österreichisch-ungarischen Monarchie und sang nacheinander an den Opernhäusern von Agram (Zagreb) und Laibach (Ljubljana). Er kam dann vorübergehend an die Hofoper von Wien. Ein Gastspiel an der Hofoper von Dresden 1841 führte zu einem Engagement an diesem Haus, dem er bis 1847 als lyrischer Tenor angehörte. Er wirkte in Dresden in der Epoche, in der dort die frühen Opern von Richard Wagner zur Uraufführung kamen, der selbst in den Jahren 1842–48 in Dresden als Hofkapellmeister tätig war. So sang er denn auch am 2. 1. 1843 in der denkwürdigen Uraufführung des «Fliegenden Holländers» die Partie des Steuermanns, während Wilhelmine Schröder-Devrient die Senta kreierte und Johann Wilhelm Wächter und Wilhelm Risse in den weiteren Hauptrollen auftraten. Nachdem er Dresden verlassen hatte, hörte man ihn in der Saison 1847–48 am Wiener Theater an der Wien. 1848 übernahm er die Direktion des Theaters von Salzburg, die er jedoch 1850 wieder abgab. Sein Familienname kommt auch in der Schreibweise Bielczizky vor.

Birnstill, Josef, Baß, * 1800 (?), † 1867 Darmstadt; der Sänger begann seine Bühnenkarriere in den zwanziger Jahren des 19. Jahrhunderts am Hoftheater von Mannheim und war 1836–59 am Hoftheater von Darmstadt engagiert. Er sang ein umfassendes Bühnen- und Konzertrepertoire und befaßte sich seit 1843 in Darmstadt auch mit Aufgaben aus dem Bereich der Bühnenregie.

Bischoff, Lisa, Sopran, * 16. 10. 1898 in Thüringen; sie war zuerst als Schauspielerin am Stadttheater von Göttingen tätig, studierte während dieser Zeit dort Gesang und trat dann seit 1921 in Göttingen als Sängerin auf. Nachdem sie bis 1934 in Göttingen engagiert gewesen war, sang sie 1935–36 bei der Deutschen Landesbühne (einem wandernden Ensemble), 1936–37 am Stadttheater von Ulm und dann 1937–60 an der Staatsoper von Hamburg. Sie übernahm vor allem Soubrettenpartien und lyrische Rollen wie die Zerline im «Don Giovanni», die Marzelline im «Fidelio», die Papagena in der «Zauberflöte», die Ännchen im «Freischütz» und die Marie in «Zar und Zimmermann» von Lortzing. Bis 1964 war sie noch als Gast in Hamburg zu hören und nahm in diesem Jahr als Marzelline im «Fidelio» endgültig ihren Bühnenabschied. Zu Beginn ihrer Karriere ist sie auch unter dem Namen Lisa Bischoff-Trott aufgetreten.
Schallplatten: Acanta (4. Magd in einer «Elektra»-Gesamtaufnahme aus Hamburg von 1943).

Bitzos, Theodor, Tenor, * 23. 11. 1914 Thessaloniki (Griechenland), † 15. 5. 1989 Bern; er hatte sein Gesangstudium am Konservatorium von Thessaloniki bei Maria Makri und in Athen bei Jenadi absolviert, kam dann in den Kriegsjahren nach Deutschland und war 1942–44 am Theater von Liegnitz in Schlesien engagiert. Er gastierte in Görlitz und Breslau, ging aber schließlich in die Schweiz. Dort fand er am Stadttheater der Bundeshauptstadt Bern seine eigentliche künstlerische Heimat. Er war dort in den Jahren 1947–60 und 1965–79 engagiert und wirkte dazwischen 1961–63 für zwei Spielzeiten an den Städtischen Bühnen Krefeld-Mönchengladbach. Als Gast sang er am Opernhaus von Zürich, am Grand Théâtre Genf, am Stadttheater von Basel, an der Staatsoper Hamburg, in Amsterdam, bei den Festspielen im Theater des Herodes Atticus in Athen, in St. Gallen und Freiburg i. Br. Er übernahm vor allem Partien aus dem heldischen Fach, darunter den José in «Carmen», den Radames in «Aida», den

Riccardo in Verdis «Ballo in maschera», den Alvaro in «La forza del destino», den Othello von Verdi, den Herzog im «Rigoletto», den Manrico im «Troubadour», den Alfredo in «La Traviata», den Canio im «Bajazzo», den Turiddu in «Cavalleria rusticana», den Titelhelden in «Andrea Chénier» von Giordano, den Lohengrin, den Walther von Stolzing in den «Meistersingern», den Titelhelden in «Hoffmanns Erzählungen», den Cavaradossi in «Tosca», den Max im «Freischütz» und den Kaiser in der «Frau ohne Schatten» von R. Strauss.

Black, Andrew, Bariton, * 15. 1. 1859 Glasgow, † 15. 9. 1920 Sydney (Australien); er wurde zunächst Organist an der Anderson United Presbyterian Church in Glasgow, ließ dann aber seine Stimme bei Alberto Randegger und John B. Wech in London sowie bei Domenico Scafati in Mailand ausbilden. Er begann seine Karriere in Schottland und hatte 1887 seinen ersten erfolgreichen Auftritt im Crystal Palace in London. Seine Karriere war im wesentlichen auf das Oratorium ausgerichtet. Solopartien im «Elias» von Mendelssohn (1894 beim Birmingham Festival und bei vielen weiteren Gelegenheiten), in «The Apostles» von Edward Elgar (Partie des Judas, die er in der Uraufführung des Oratoriums beim Birmingham Festival am 14. 10. 1903 kreierte) und in «Die Geisterbraut» (Leeds Festival, 1892) von A. Dvořák gehörten zu den Höhepunkten in seinem umfangreichen Oratorien- und Konzertrepertoire, das auch zahlreiche Liedkompositionen enthielt. In England wie in den USA ist er auch gelegentlich als Opernsänger in Erscheinung getreten. Bei der Eröffnung des Royal College of Music Manchester 1893 wurde er zu dessen Professor ernannt. Nach einer Australien-Tournee blieb er dann jedoch dort als Pädagoge tätig.
Schallplatten: G & T (London 1906, zumeist Lieder, einige Arien aus Oratorien).

Blackwell, Harolyn, Sopran, * 1960(?) Washington; Gesang- und Musikstudium an der Catholic University of America in Washington; ergänzende Ausbildung u. a. durch Carlo Bergonzi und Renata Tebaldi in Italien. 1983 erregte sie Aufsehen beim Gesangwettbewerb der New Yorker Metropolitan Oper. Sie kam in den folgenden Jahren schnell zu einer internationalen Karriere. An der Oper von Chicago sang die junge farbige Sängerin den Pagen Oscar in Verdis «Un ballo in maschera» zusammen mit Luciano Pavarotti als Riccardo. Man hörte sie an der Oper von Miami als Gilda im «Rigoletto», in San Antonio als Jemmy in Rossinis «Wilhelm Tell», in Cleveland als Papagena in der «Zauberflöte». 1986–87 sang sie beim Glyndebourne Festival die Clara in «Porgy and Bess» von Gershwin, 1989 die Zdenka in «Arabella» von R. Strauss. Sie sang dort auch die Prinzessin in «L'Enfant et les sortilèges» von Ravel. An der Oper von Philadelphia gastierte sie als Sophie in Massenets «Werther» (wieder mit Luciano Pavarotti zusammen), an der Oper von Toronto als Soeur Constance in «Dialogues des Carmélites» von Poulenc und als Page Oscar (1989), an der Oper von Nizza als Nannetta in Verdis «Falstaff», an der Oper von Frankfurt a. M. in der Uraufführung der Oper «Europera» von John Cage (1986). An der Metropolitan Oper New York debütierte sie als Poussette in «Manon» von Massenet und sang dort die Xenia im «Boris Godunow» sowie in der Spielzeit 1988–89 die Barbarina in «Nozze di Figaro» und die Sophie im «Werther». Als Konzertsängerin trat sie in den amerikanischen Musikzentren in Erscheinung.

Schallplatten: HMV (Clara in «Porgy and Bess»).

Blake, Rockwell, Tenor, * 10. 1. 1951 Plattsburgh (New York); nachdem er ersten Gesangunterricht bei Lynn Wilke in Plattsburgh erhalten hatte, wurde seine Stimme durch die Pädagogin Renata Carisio Booth entdeckt und ausgebildet. Er besuchte das Suny College in Fredonia und die Catholic University Washington und tat dann Dienst in der amerikanischen Marine. Er wurde dort Mitglied und schließlich Tenor-Solist des Sea Chanters Chorus. Er gewann Stipendien des von George London geleiteten National Opera Institute und sang erste Rollen bei der Goldovsky Opera und bei der Michigan Opera. 1976 hatte er sein eigentliches Bühnendebüt, als er in Washington den Lindoro in Rossinis «Italiana in Algeri» sang. 1979 hatte er einen sensationellen Erfolg an der New York City Centre Opera in der Titelpartie von «Le Comte Ory», ebenfalls von Rossini. Er spezialisierte sich in erster Linie auf die klassischen Partien des italienischen Belcanto in Opern von Rossini, Bellini, Donizetti und von Komponisten des 18. Jahrhunderts. 1981 erreichte er die New Yorker Metropolitan Oper (Antrittsrolle: Lindoro in «Italiana in Algeri»). Hier sang er 1981–83, 1986 und 1988 auch den Don Ottavio im «Don Giovanni», den Grafen Almaviva im «Barbier von Sevilla» und den Arturo in «I Puritani». Internationale, weltweite Karriere mit Gastspielen an den Opern von Chicago (Debüt 1977), Houston/Texas, Pittsburgh, am Théâtre de la Monnaie Brüssel, an der Pariser Grand Opéra (1985), an den Staatsopern von Hamburg (Debüt 1976) und Wien (1983, 1987), am Teatro Margherita Genua, am Teatro San Carlo Neapel (1985–88) und bei den Festspielen von Aix-en-Provence (u. a. 1988 Rinaldo in «Armida» von Rossini). 1983–88 kam er zu großen Erfolgen bei den Rossini-Festspielen in Pesaro, dem Geburtsort des berühmten Komponisten, 1986 an der Oper von Nizza und am Teatro San Carlo Neapel als Idreno in «Semiramide» von Rossini. Er sang 1987 in Pesaro in Rossinis «Ermione», im gleichen Jahr beim Festival von Ravenna den Seide in «Alcina, Regina di Golconda» von Donizetti, 1988 in Pesaro in Rossinis «Otello». 1987 gastierte er an der Staatsoper München, 1987–88 an der Oper von Rom. Mit seiner technisch perfekt gebildeten, vor allem in den hohen und höchsten Lagen strahlenden Tenorstimme sang er in erster Linie Rollen wie den Lindoro in Rossinis «Italiana in Algeri», den Grafen Almaviva im «Barbier von Sevilla», den Osiride in «Mosè in Egitto», den Giacomo in «La donna del lago», den Ramiro in «La Cenerentola», den Norfolk in Donizettis «Anna Bolena», den Tonio in «La fille du régiment», den Fernando in «Il furioso all' isola di San Domingo»,

den Titelhelden in «Mitridate» von Mozart (1983 Aix-les-Bains), den Arturo in «I Puritani» von Bellini, den Gualtiero in «Il Pirata» und den Adriano in «Il Crociato in Egitto» von Meyerbeer. Große Karriere auch als Oratorientenor.

Schallplatten: DGG («Semele» von Händel), Arabesque (Rossini-Arien), Nuova Era («Alina» von Donizetti), Fono («Barbier von Sevilla» von Rossini).

Blangini, Felice, Tenor, * 18. 11. 1781 Turin, † 18. 12. 1841 Paris; eigentlich Giuseppe Marco Maria Felice Blangini. Er sang bereits als Knabe im Chor der Turiner Kathedrale, studierte dann Musik und Gesang und wurde ein angesehener Tenor. 1799 ging er nach Paris. Hier erregte er erstes Aufsehen, als er eine von Pierre-Antoine-Dominique Della Maria unvollendet hinterlassene Oper «La Fausse Duègne» ergänzte und diese zur Aufführung brachte. 1803 kam seine eigene Oper «Chimère et réalité» in Paris zur Uraufführung, 1806 eine weitere Oper «Nephtali ou Les Ammonites», die einen biblischen Stoff zum Gegenstand hatte. Insgesamt hat er über dreißig Opern geschrieben, darunter «Inez de Castro» (1810), «Les Fêtes lacédémoniennes» (1807) und «Le Sacrifice d'Abraham» (1810). Er war auch an der Komposition der Oper «La Marquise de Brinvilliers» beteiligt, die 1831 an der Pariser Opéra-Comique zur Uraufführung kam, und zu der neun der damals bedeutendsten in Frankreich wirkenden Opernkomponisten (darunter Auber, Cherubini, Boieldieu, Hérold und Paër) Beiträge geleistet hatten. 1809 wurde er als Musikdirektor an den Hof des Königs von Westfalen Jérôme Bonaparte in Kassel berufen. Hier wirkte er bis 1814. Dann kam er wieder nach Paris und wurde 1816 Professor für Gesangpädagogik am Conservatoire National. Außer Opern komponierte der Künstler, der auch immer wieder als Sänger in Erscheinung trat, eine Kantate «Die letzten Augenblicke Werthers» (nach Goethe) und über 170 Lieder.

Blanke, Edeltraud, Sopran, * 17. 7. 1939 Berlin; sie erhielt ihre Ausbildung an der Musikhochschule Berlin und war Schülerin von Margarethe Bärwinkel. 1965 debütierte sie am Stadttheater von Münster (Westfalen) als Arabella in der gleichnamigen Richard Strauss-Oper. Sie hatte ihre wichtigsten Erfolge als Mitglied der Berliner Staatsoper und des Nationaltheaters Mannheim, trat aber auch an der Deutschen Oper am Rhein Düsseldorf–Duisburg, an den Opernhäusern von Köln, Dortmund, Kassel, in Hannover, Frankfurt a. M. und Wiesbaden, an den Opernbühnen von Bordeaux und Nürnberg auf. Dabei sang sie bevorzugt Partien aus dem lyrisch-dramatischen Fach: die Gräfin in «Figaros Hochzeit», die Donna Elvira im «Don Giovanni», die Agathe im «Freischütz», die Marguerite im «Faust» von Gounod, die Santuzza in «Cavalleria rusticana», die Mimi in Puccinis «La Bohème», die Titelheldin in dessen «Manon Lescaut», die Butterfly, die Marschallin im «Rosenkavalier», die Amelia in Verdis «Maskenball», die Leonore im «Troubadour», die Alice Ford im «Falstaff», die Giulietta in Offenbachs

Oper «Hoffmanns Erzählungen», die Lucille in «Dantons Tod» von G. von Einem, die Penelope in «Gloriana» von Benjamin Britten, die Tochter in «Cardillac» von Hindemith und eine Anzahl von Wagner-Gestalten (Senta, Elisabeth, Elsa, Eva, in den «Meistersingern»). Dazu als Konzertsängerin bekannt geworden.

Blankenburg, Heinz, Bariton, * 15. 10. 1931 New York; er studierte an der Universität von Kalifornien in Los Angeles und trat 1955–57 an der Oper von San Francisco in kleineren Rollen auf. 1957–58 war er bei den Festspielen von Glyndebourne zu hören und blieb seitdem mit diesen alljährlichen Veranstaltungen eng verbunden. Er trat in Glyndebourne weiter 1960, 1962, 1966 und 1970 auf, u. a. als Papageno in der «Zauberflöte», als Figaro in «Nozze di Figaro», als Titelheld in «Arlecchino» von Busoni, als Raimbaud in «Le Comte Ory» von Rossini, wobei vor allem sein Papageno bewundert wurde. Seit 1958 war er an deutschen Theatern engagiert. 1958–60 war er Mitglied des Theaters am Gärtnerplatz in München, dann für lange Jahr 1959–73 der Staatsoper von Hamburg. 1959 und 1967 gastierte er beim Festival von Aix-en-Provence, 1966–67 am Théâtre de la Monnaie Brüssel; mehrfache Gastspiele an der Staatsoper von Wien. Er gastierte auch an den Staatsopern von München und Stuttgart, an der Oper von Frankfurt a. M., am Théâtre de la Monnaie Brüssel (1966 und 1967) und in Amsterdam, an der Oper von Rom und am Teatro San Carlo Neapel, am Teatro Fenice Venedig und am Stadttheater von Basel, an den Opern von Los Angeles und Seattle. Auch an der Metropolitan Oper New York aufgetreten. Seit 1973 lebte er wieder in Kalifornien, wo er sich auf pädagogischem Gebiet betätigte, aber auch noch auf der Bühne auftrat, so u. a. 1978 am Opernhaus von Vancouver. Als Pädagoge wirkte er an der University of California Los Angeles und an der California State University. 1977 wurde er zum Ehrendoktor ernannt. Während seines Engagements an der Hamburger Staatsoper sang er in den Uraufführungen der Opern «Die Reise» von L. Wehle (1969) und «Die Teufel von Loudun» von K. Penderecki (20. 6. 1969). Neben seinem Wirken auf der Bühne auch als Konzert- und Oratoriensänger geschätzt.
Schallplatten: Decca (Masetto im «Don Giovanni», Matthäuspassion), Philips («Die Teufel von Loudun»), MGM.

Blankenship, Rebecca, Sopran, * 24. 3. 1954 New York; Tochter des bekannten amerikanischen Tenors *William Blankenship* (* 1928). Sie kam im Alter von einem Jahr nach Österreich und verlebte ihre Jugend dort, in Westdeutschland und in der Schweiz. Ihre Ausbildung zur Sängerin erhielt sie in New York bei Judith Oas. 1983 kam sie nach Europa zurück und fand 1984–86 ein erstes Engagement am Stadttheater von Ulm als Mezzosopranistin. Sie wechselte dann jedoch ins Sopranfach und war 1986–88 Mitglied des Stadttheaters von Basel. Hier sang sie Partien wie die Elettra in «Idomeneo» von Mozart, die Leonore im «Troubadour», die Titelhel-

din in «Katerina Ismailowa» von Schostakowitsch und den Female Chorus in «The Rape of Lucretia» von Benjamin Britten. Eine ausgedehnte Gastspieltätigkeit ließ sie zu internationalem Ansehen kommen; so gastierte sie an der Wiener Volksoper (als Agathe im «Freischütz», als Martha in d'Alberts «Tiefland» wie als Hanna Glawari in Lehárs «Lustiger Witwe», 1988–89), an der Staatsoper Stuttgart (Leonore im «Fidelio» 1988), an der Berliner Staatsoper (als Martha in «Tiefland», 1988), an der Opéra de Wallonie Lüttich (Elsa im «Lohengrin»), in Madrid, Amsterdam, und am Stadttheater von Bern (1989–90). Bei den Bregenzer Festspielen hörte man sie 1989 als Senta im «Fliegenden Holländer»; bei der Japan-Tournee der Wiener Staatsoper trat sie als Marie im «Wozzeck» von A. Berg auf, an der Opera Forum im holländischen Enschede als Leonore im «Fidelio». Auch als Konzertsängerin kam sie zu einer Karriere auf internationalem Niveau.
Von ihrer Stimme sind Mitschnitte von Rundfunksendungen vorhanden.

Blasi, Angela Maria, Sopran, * 16. 8. 1956 Brooklyn (New York); sie war die Tochter italienischer Eltern. Sie wurde in Los Angeles durch Seth Riggs und Jack Metz ausgebildet und trat dort in den Jahren 1980–82 in dem Musical «Evita» auf. Sie kam dann nach Europa und war 1982–85 am Staatstheater von Wiesbaden engagiert. Seit 1985 Mitglied der Bayerischen Staatsoper München. Durch Gastspiele auf internationaler Ebene wurde die Sängerin schnell bekannt. 1984 sang sie an der Mailänder Scala wie an der Covent Garden Oper London die Pamina in der «Zauberflöte»; 1984 gastierte sie an der Staatsoper von Hamburg und am Opernhaus von Frankfurt a. M., 1985 am Deutschen Opernhaus Berlin. Bei den Salzburger Festspielen brachte sie 1985–86 ihre große Glanzrolle, die Pamina, zum Vortrag. 1987 gastierte sie an der Oper von Washington als Nannetta im «Falstaff» von Verdi, im gleichen Jahr hörte man sie an der Covent Garden Oper als Pamina und als Juliette in «Roméo et Juliette» von Gounod; am Opernhaus von Zürich hatte sie 1986, wieder als Pamina, große Erfolge. Neben ihrem Wirken auf der Bühne war sie eine Konzert- und vor allem eine Oratoriensolistin von großer Begabung.
So singt sie denn auf ihren ersten Schallplattenaufnahmen, die bei Telefunken herausgebracht wurden, Solopartien in großen Konzertwerken (h-moll-Messe von J. S. Bach, «Schöpfung» und «Jahreszeiten» von J. Haydn). Auf RCA-Erato singt sie die Musetta in Puccinis «La Bohème».

Blasius, Martin, Baß, * 5. 6. 1956 Schwelm (Westfalen); seit 1976 Gesangstudium an der Folkwang-Musikhochschule Essen als Schüler von Edmund Illerhaus, das er 1983 mit Auszeichnung abschloß. Er begann zunächst eine Tätigkeit im Konzertsaal, sang an deutschen, österreichischen und italienischen Rundfunksendern (RAI) und wirkte u. a. bei den Bach-Tagen von Ansbach, bei den Göttinger Händel-Festspielen (1988) und bei den Frankfurter Musikfesten mit. 1983 wurde er an das Musiktheater im Revier Gelsenkirchen verpflichtet (Debüt als

Dulcamara in «Elisir d'amore»). Hier trat er in einer Anzahl von Partien aus dem Buffo- wie dem seriösen Baß-Fach in Erscheinung und blieb für vier Jahre an diesem Haus tätig. 1987 wurde er als erster seriöser Baß an das Staatstheater Hannover verpflichtet, seit 1989 war er auch der Deutschen Oper am Rhein Düsseldorf–Duisburg verbunden. Gastspiele an führenden Bühnen, weitere Konzert- und Radioauftritte sowie Schallplattenaufnahmen ergänzen das künstlerische Wirken des Sängers.

Schallplatten: Capriccio («Der Traumgörge» von A. Zemlinsky als Pastor), Concord (Weihnachtsoratorium von Saint-Saëns), Vengo Records («Golgotha» von Frank Martin).

Bletzacher, Josef, Baß, * 14. 8. 1835 Schwolch in Tirol, † 16. 6. 1895 Hannover; er war der Sohn eines Volksschullehrers und Organisten in Zell im Zillertal. Er besuchte das Gymnasium der Franziskaner in Wien und begann dann das Jurisprudenzstudium an der Wiener Universität. 1859 nahm er als Offizier der österreichischen Armee an den Kämpfen in Italien teil, begann aber daran anschließend das Gesangstudium. Seine Lehrer waren Gustav Gunz und Emil Holub in Wien; er vervollständigte seine Ausbildung bei dem berühmten Pädagogen Julius Stockhausen. 1861 begann er seine Bühnenlaufbahn am Stadttheater von Würzburg. 1862 folgte er einem Ruf an das Hoftheater von Hannover, dessen Mitglied er für viele Jahre blieb. In Hannover schätzte man ihn als Bühnen- wie als Konzertbassisten sehr; auch bei Gastspielen kam er an führenden Operntheatern im deutschen Sprachraum zu großen Erfolgen. So gastierte er u. a. in Berlin, Hamburg, Rotterdam und Kassel. Aus seinem Bühnenrepertoire verdienen sein Sarastro in der «Zauberflöte», sein Figaro in «Figaros Hochzeit», sein Leporello im «Don Giovanni», sein Plumkett in «Martha» von Flotow und sein Alberich in den Opern des Ring-Zyklus von R. Wagner besondere Erwähnung. 1878 sang er in Hannover den Iwan Susanin in der deutschen Erstaufführung von Glinkas «Ein Leben für den Zaren». Mitbegründer der Deutschen Schauspielergenossenschaft.

Blouse, Valère, Bariton, * 1892 la Bouverie (Provinz Hainaut in Belgien), † Mai 1970 Marseille; Ausbildung am Konservatorium von Mons durch Edouard Martiny. 1919 begann seine lange Bühnenkarriere in Verviers. Ein unruhiges Wanderleben von einer Bühne zur anderen führte ihn dann nacheinander nach Limoges, Nantes, Nancy, la Rochelle, Algier, Oran, Gent, Rouen, Bordeaux und Lyon. 1934 wurde er an die Oper von Marseille engagiert, an der er noch 1963 aufgetreten ist. Gastspiele führten ihn an viele französische Opernhäuser, doch blieb die Oper von Marseille, der er länger als dreißig Jahre angehörte, Mittelpunkt seines künstlerischen Wirkens. Er gastierte u. a. an der Grand Opéra Paris (1935 als Telramund im «Lohengrin»), an der Oper von Monte Carlo (1944 und 1951 als Kurwenal im «Tristan»), am Théâtre de la Monnaie Brüssel (1953). Sein Repertoire enthielt 120 Partien aus allen Bereichen der Opernliteratur, darunter den

Scarpia in Puccinis «Tosca», den Escamillo in «Carmen», den Rigoletto, den Athanaël in «Thaïs» von Massenet, den Jago in Verdis «Othello», den Titelhelden in «Wilhelm Tell» von Rossini, den Alfonso in «La Favorita» von Donizetti, den Nevers in den «Hugenotten» von Meyerbeer, den Enrico in «Lucia di Lammermoor», dazu Wagner-Heroen wie den Wolfram im «Tannhäuser», den Telramund im «Lohengrin», den Amfortas im «Parsifal», den Wotan und den Alberich im Nibelungenring.

Mit Sicherheit existieren von seiner Stimme Privataufnahmen, von denen eine auf HMV überspielt wurde («Les Grandes Voix du Hainaut», 1985).

Blume, Bianka, Sopran, * 4. 5. 1843 Reichenbach (Schlesien), † Dezember 1896 Buenos Aires; sie war die Tochter eines Buch- und Musikalienhändlers und hieß eigentlich Bianka George. Nach dem frühen Tod ihrer Eltern wurde sie durch den Breslauer Druckereibesitzer Santer adoptiert. Zuerst wollte sie Lehrerin werden, ließ dann aber ihre Stimme durch Julius Hirschberg in Breslau und bei Sieber in Berlin ausbilden. 1862 begann sie ihre Bühnenkarriere mit einem Auftritt am Theater von Breslau als Alice in «Robert le Diable» von Meyerbeer, ging dann nach Magdeburg (1862–63) und wurde bereits 1863 an die Hofoper Berlin verpflichtet. In der Spielzeit 1866–67 sang sie an der Dresdner Hofoper, ging aber dann wieder nach Berlin zurück. 1868 wechselte sie an das Hoftheater von Mannheim. Sie nahm jedoch bald kein festes Engagement mehr an, sondern unternahm ausgedehnte Gastspielreisen, die ihr an führenden Opernbühnen im deutschen Sprachraum, vor allem aber auch in Italien, Frankreich und Spanien große Erfolge eintrugen. 1870 sang sie an der Mailänder Scala die Rachel in «La Juive» von Halévy und die Alice in «Robert le Diable». Am Teatro Comunale Bologna wirkte sie in den italienischen Erstaufführungen der Wagner-Opern «Lohengrin» (1871 als Elsa) und «Tannhäuser» (1872 als Elisabeth) mit. 1871 erschien sie als Gast am Teatro San Carlo Neapel, 1872 an der Hofoper München, 1875 am Théâtre-Italien Paris. 1873 unternahm sie mit der Truppe des großen Tenors Enrico Tamberlik eine Südamerika-Tournee. Sie setzte ihre intensive Gastspieltätigkeit an den großen deutschen und italienischen Theatern weiter fort. Sie trat auch unter dem Namen Bianka Blume-Santer auf. Seit 1866 war sie mit dem Gesanglehrer *Alfred Blume* verheiratet. Ihr umfassendes Repertoire hatte seine Höhepunkte in Partien wie der Donna Anna im «Don Giovanni», der Pamina in der «Zauberflöte», der Agathe im «Freischütz», der Alice in «Robert le Diable» von Meyerbeer und der Leonore im «Fidelio». Auch als Konzertsängerin kam sie zu einer großen internationalen Karriere.

Boas, Irmgard, Sopran, * 22. 11. 1928 Rohritzsch (Bezirk Leipzig); sie war zunächst Schülerin von E. Sadowska in Halle (Saale), dann von Elisabeth Reichelt in Dresden. 1956 debütierte sie am Theater von Köthen als Tosca in der gleichnamigen Puccini-Oper. Sie blieb an diesem Haus bis 1959 und sang danach 1959–61 am Staatstheater von Schwerin,

1965–74 am Theater von Erfurt und seit 1974 am Theater von Halle (Saale). Durch einen Gastspielvertrag war sie mit dem Opernhaus von Leipzig verbunden. Hier wie bei weiteren Gastspielen zeichnete sie sich als dramatische Sopranistin, vor allem in Opern von Verdi und R. Wagner, aus. Auch als Konzertsängerin wurde sie bekannt. Später war sie im pädagogischen Bereich tätig und lehrte als Professorin an der Hanns Eisler-Musikhochschule Berlin. Zu ihren Schülern gehörte dort auch ihre Tochter, die Koloratursopranistin *Christiane Hossfeld* (* 1961).

Boccabadati, Virginia, Sopran, * 29. 4. 1828 Turin, † 6. 8. 1922 Turin; sie war die Tochter der berühmten Sopranistin *Luigia Boccabadati* (1800–1850); ihre Geschwister *Augusta Boccabadati* († 1875), *Cecilia Boccabadati* († 1906) und *Cesare Boccabadati,* der Bassist war, schlugen die Sängerlaufbahn ein. Virginia Boccabadati war Schülerin ihrer Mutter und debütierte 1847 am Teatro Massimo von Palermo in der Titelrolle von Donizettis «Linda di Chamounix». 1849 sang sie am Teatro Regio Turin in der Oper «Piero De Medici» von Roberti und hatte am gleichen Haus 1856 glänzende Erfolge in den Verdi-Opern «Rigoletto» und «La Traviata» zusammen mit dem Tenor Sarti und dem Bariton Enrico Delle Sedie. Verdi soll mehrere Versuche unternommen haben, die Künstlerin für die Titelrolle in der Uraufführung seiner Oper «La Traviata» zu gewinnen, die jedoch scheiterten. Die Traviata wurde später jedoch die große Glanzrolle der Sängerin. 1856–57 gastierte sie am Teatro Regio Parma, wo abermals ihre Traviata großes Aufsehen erregte. Große Erfolge brachten der Künstlerin Auftritte am Teatro della Pergola Florenz (1850, 1857), am Teatro Argentina Rom (1850), in Bologna (1853), Venedig (1859) und namentlich auch am Théâtre-Italien von Paris, wo sie 1852 und 1855–56 zu Gast war. Im Mai 1860 heiratete sie den bekannten Maler Carignani, trat aber jetzt nur noch selten auf sondern wirkte als geschätzte Pädagogin am Liceo Musicale von Pesaro. Zu ihren Schülerinnen gehörten die berühmten Sängerinnen Celestina Boninsegna und Maria Farneti. 1893 veröffentlichte sie *«Osservazioni pratiche per lo studio del canto».* Hochbetagt zog sie sich schließlich in das Istituto Maria Felicità di Savoia in Turin zurück.

Bockholt, Wilhelm, Bariton, * 6. 8. 1869 Lütgenhof bei Dassow (Mecklenburg), † 20. 9. 1956 Zürich; er erhielt eine Ausbildung als Theatermaler. Während seiner Tätigkeit in diesem Beruf am Stadttheater von Freiburg i. Br. (1889–90) und am Hoftheater von Sondershausen in Thüringen (1890–91) gehörte er gleichzeitig den dortigen Theaterchören an. 1891–94 war er als Chorist am Stadttheater (Opernhaus) von Zürich engagiert, dann als Solist am Stadttheater von Bern (1894–95), am Stadttheater von Mainz (1895–97), am Stadttheater von Nürnberg (1897–1901) und seit 1901 wieder in Zürich. Bis zur Beendigung seiner Bühnenkarriere 1935 blieb er Mitglied dieses Hauses, an dem er in einem sehr vielgestaltigen Rollenrepertoire im Lauf von 34 Jahren allge-

mein geschätzt wurde. Hatte er mit mehr lyrischen Partien begonnen, so sang er später Helden- und Charakterpartien und wechselte schließlich ins Baß-Buffofach. Er wirkte in Zürich in einer großen Anzahl von Erstaufführungen und Premieren mit. Am 11. 5. 1917 sang er in den Uraufführungen der Opern «Arlecchino» (als Ser Matteo del Sarto) und «Turandot» (als Tartaglia) von Ferruccio Busoni, 1919 in der Uraufführung von Othmar Schoecks «Don Ranudo», 1922 in der der Oper «Venus» vom gleichen Komponisten. Er kreierte für Zürich die Rollen des Sharpless in «Madame Butterfly» (Spielzeit 1909–10), des Amfortas im «Parsifal» (1913), des Posa in Verdis «Don Carlos» (1911), des Spielmanns in den «Königskindern» von Humperdinck (Saison 1911–12), des Conte Gil in Wolf-Ferraris «Il Segreto di Susanna» (1910), um nur einige von vielen zu nennen.

Böhme, Elisabeth, Sopran, * 1756 Riga, * 1800 (?) Berlin; sie war zusammen mit ihrem ersten Ehemann, dem italienischen Musiker Cartellieri, am Großherzoglichen Hof von Mecklenburg-Strelitz engagiert. 1783 betrat sie dort erstmalig die Bühne. Seit 1787 sang sie – jetzt nach ihrer Heirat in zweiter Ehe mit dem Schauspieler Böhme unter dem Namen Elisabeth Böhme (oder auch Böhm geschrieben) – an der Berliner Hofoper. Dort durchlief sie bis 1799 eine erfolgreiche Bühnen- und Konzertkarriere ist aber wohl im folgenden Jahr 1800 verstorben.

Börgesen, Holger, Bariton, * 1888 (?), † (?); er begann seine Bühnenkarriere 1912 am Theater von Troppau (Opava) und sang dann 1913–14 am Stadttheater von Plauen (Sachsen). 1914–21 gehörte er dem Ensemble der Deutschen Oper Berlin-Charlottenburg an. 1921–29 war er am Stadttheater von Duisburg, 1929–31 in Nürnberg und 1931–32 in Oldenburg engagiert. 1933–42 wirkte er am Thüringischen Landestheater Gotha. 1942–44 war er Spielleiter am Stadttheater von Remscheid. 1945–47 lebte er in Sondershausen (Thüringen) und nahm dann 1947–49 eine Position als Oberspielleiter am Theater von Altenburg (Thüringen) und 1949–50 die gleiche Stellung am Landestheater Gotha ein. Weitere Nachrichten waren bislang nicht erhältlich. Der Künstler, der auch als Konzertsänger angesehen war, wirkte in den deutschen Erstaufführungen der Opern «Amore dei tre Re» von Montemezzi (Deutsche Oper Berlin 1919) und «König Roger» von K. Szymanowski (Duisburg 1928 in der Titelpartie) mit.
Schallplatten: Grammophon (Terzett aus Verdis «Troubadour» mit L. Dornay und Barbara Kemp), Parlophon (zwei Szenen aus den «Königskindern» von Humperdinck, Duett aus der «Zauberflöte» mit Hertha Stolzenberg).

Börs, Thoma, Sopran, * 10. 10. 1850 Hamburg, † (?); sie erhielt ihre erste Ausbildung durch ihren Vater und war dann Schülerin von Tergiani in Rom. Nach einigen Bühnenauftritten in Italien war sie 1875–76 an der Kaiserlichen Hofoper Moskau engagiert. Sie kehrte dann nach Deutschland zurück und war 1876–79 Mitglied des Hoftheaters Schwerin. 1879 wechselte sie an das Hoftheater Hannover, dem sie bis zur Aufgabe ihrer Karriere 1891 angehörte. Dort wirkte sie u. a. 1881 in der Uraufführung der Oper «Der verschleierte Prophet» («The Veiled Prophet») von Ch. Stanford mit. 1876 gastierte sie an der Wiener Hofoper, 1884 an der Covent Garden Oper London; sie trat als Gast an den Hofopern von München und St. Petersburg auf. Ihr Repertoire enthielt Partien für jugendlich-dramatischen wie für hochdramatischen Sopran und hatte seine Höhepunkte in den Titelheldinnen der Opern «Iphigenie auf Tauris» und «Armida» von Gluck, der Donna Anna im «Don Giovanni», der Senta im «Fliegenden Holländer», der Elsa im «Lohengrin», der Brünnhilde im Nibelungenring, der Leonore im «Fidelio», der Rachel in «La Juive» von Halévy, der Valentine in den «Hugenotten» von Meyerbeer und der Santuzza in «Cavalleria rusticana». Sie kam auch zu einer erfolgreichen Karriere im Konzertsaal.

Böttcher, Else, * 7. 9. 1905 Zürich; sie erhielt ihre Ausbildung durch Alfredo Cairati in Zürich. 1930 begann sie ihre Karriere auf der Bühne mit einem dreijährigen Engagement bis 1933 am Stadttheater (Opernhaus) von Zürich. 1936–39 war sie Mitglied des Stadttheaters von Basel. 1939–41 war sie am Opernhaus von Nürnberg und 1941–44 an der Staatsoper von Wien verpflichtet, wo ihre Karriere einen Höhepunkt erreichte. Bei den Salzburger Festspielen des Jahres 1942 sang sie die Fiakermilli in der Richard Strauss-Oper «Arabella». Sie wurde nach dem Zweiten Weltkrieg 1945 wieder an das Stadttheater von Basel berufen, wo sie bis 1957 eine erfolgreiche Bühnenlaufbahn hatte. Sie gastierte an den Theatern von Bern, Biel-Solothurn, Genf, St. Gallen und Luzern und auch nach 1945 noch an der Wiener Staatsoper. Auf der Bühne sang sie eine Vielzahl von Opern- und Operettenpartien aus dem Koloratur- wie dem Soubretten-Fach, darunter die Fiordiligi wie die Despina in «Così fan tutte», die Blondchen wie die Konstanze in der «Entführung aus dem Serail», die Susanna in «Figaros Hochzeit», die Zerline wie die Donna Elvira im «Don Giovanni», die Königin der Nacht, die Pamina wie die Papagena in der «Zauberflöte», die Ilia in «Idomeneo» von Mozart, die Marzelline im «Fidelio», die Euridice im «Orpheus» von Gluck, den Pagen Oscar in Verdis «Ballo in maschera», die Violetta in «La Traviata», die Gilda in «Rigoletto», die Nannetta wie die Alice Ford in Verdis «Falstaff», die Ännchen wie die Agathe im «Freischütz», die Rosina im «Barbier von Sevilla», die Mimi wie die Musetta in Puccinis «La Bohème», die Butterfly, die Liu in «Turandot», die Sophie im «Rosenkavalier», die Mignon wie die Philine im «Mignon» von A. Thomas, die Titelheldin in Wolf-Ferraris «Segreto di Susanna» und die Rosalinde in der «Fledermaus». Sie wirkte in Basel in der Uraufführung der Oper «Tartuffe» von Hans Haug mit (1937) und sang dort in den deutschsprachigen Erstaufführungen der Opern «The Consul» von Menotti (als Sekretärin, 1950), «L'Ange de feu» von Prokofieff (1957) und «Raskolnikow» von H. Sutermeister (1948, zwei Monate nach der Urauf-

führung in Stockholm). 1946 sang sie in der Schweizer Erstaufführung von Glinkas «Leben für den Zaren» in Basel die Antonida. Angesehene Konzert- und Oratoriensolistin (u. a. Konzertauftritte im Rahmen der Salzburger Festspiele). In erster Ehe mit dem Dirigenten und Komponisten Alexander Krannhals (1908–61) verheiratet, dann mit dem Schauspieler Alfred Schlageter. Sie lebte später in Zürich.
Schallplatten: Bellaphon-Acanta (kleine Partie in vollständiger Oper «Macbeth» von Verdi).

Boetti, Alessandro, Tenor, * 1850 (?) Turin, † 2. 7. 1897 Mailand; er hatte seine ersten Erfolge an italienischen Opernbühnen. Nachdem er 1872 die Mezzosopranistin *Dove Dolby* geheiratet hatte, verlegte er seine Tätigkeit nach Spanien, hauptsächlich jedoch nach Südamerika. Er sang in Rio de Janeiro und Buenos Aires und erschien als Gast in Opernaufführungen und Konzerten in den Mittelpunkten des dortigen Musiklebens. Dagegen war sein Wirken in Italien vergleichsweise von geringerer Bedeutung. 1870 gastierte er am Teatro Municipale von Piacenza, 1873 am Teatro Comunale von Ferrara u. a. in der Uraufführung der Oper «Il conte di Renzeval» von Cucilla und 1875 am Teatro Comunale von Reggio Emilia in der Uraufführung von «Amore e vendetta» von Marchiò. Im Oktober 1893 wirkte er in Chicago in einem Gala-Konzert zur 70-Jahrfeier der Unabhängigkeit Brasiliens unter der Leitung des brasilianischen Komponisten Carlos Gomes mit. Sein Bühnenrepertoire hatte einen großen Umfang und enthielt Partien wie den Edgardo in «Lucia di Lammermoor» von Donizetti, den Fernando in «La Favorita», den Titelhelden in «Ruy Blas» von Marchetti, den Lyonel in Flotows «Martha», den Herzog im «Rigoletto» von Verdi, den Alfredo in «La Traviata», den Manrico im «Troubadour», den Ernani und den Riccardo in Verdis «Ballo in maschera». Er zog sich nach Ausbruch einer schweren, unheilbaren Krankheit nach Mailand zurück.

Böttcher, Louis, Baß/Bariton, * 1813 Berlin, † 9. 6. 1867 Berlin; er war der Sohn eines Königlich Preußischen Kammermusikers. 1832 wurde er Mitglied der Berliner Königlichen Kapelle. Er erregte das Aufsehen des Generalmusikdirektors der Berliner Hofoper Gasparo Spontini und wurde an dieses Haus engagiert. 1836 erfolgte dort sein Bühnendebüt in der Partie des Sarastro in der «Zauberflöte». Er sang in den folgenden 15 Jahren in Berlin mit großem Erfolg eine Anzahl von Partien aus dem Baß- wie dem Baritonfach, darunter den Titelhelden in Rossinis «Wilhelm Tell», den Figaro in «Figaros Hochzeit» wie im «Barbier von Sevilla», den Bertram in «Robert le Diable» von Meyerbeer, den Don Giovanni und den Kaspar im «Freischütz» von Weber. 1851 mußte er vorzeitig wegen eines Halsleidens seine Sängerkarriere aufgeben und wirkte dann noch als Pädagoge in Berlin. Sein Familienname kommt auch in der Schreibweise Böttcher vor.

Bogdan, Nikola, Baß, * 22. 11. 1907 Zagreb; war an der Musikakademie von Zagreb Schüler der Pädago-

gen M. Reizer und M. Vusković. 1925 debütierte er an der Kroatischen Nationaloper Zagreb, deren Mitglied er während seiner gesamten, jahrzehntelangen Karriere geblieben ist. An diesem Haus wurde er in einer Vielzahl von Partien gefeiert und kam zu entsprechenden Erfolgen bei Gastspielen und Konzerten in Jugoslawien wie auch im Ausland.
Schallplatten: Auf Jugoton in der kompletten Oper «Nikola Šubić Zrinski» des kroatischen Komponisten Ivan Zajc zu hören.

Bogdani, Wanda von, Sopran, * 23. 3. 1851 Lemberg (Lwów), † (?); sie gehörte einer alten polnischen Adelsfamilie an und hieß eigentlich Wanda Gräfin von Kleczkowsky. Sie kam nach Wien und wurde dort Schülerin der bekannten Pädagogin Wilhelmine von Hasselt-Barth. Sie begann ihre Karriere an der Münchner Hofoper, kam dann nach Frankfurt a. M., unterbrach jedoch ihr dortiges Engagement und ging zur weiteren Ausbildung nach Mailand, wo sie Schülerin von Francesco Lamperti wurde. Sie sang an der Mailänder Scala, dann auch am Teatro Regio Turin und kam an der Pariser Grand Opéra zu viel beachteten Erfolgen. Nachdem sie auch in Wien und am Volkstheater Walhalla in Berlin aufgetreten war, heiratete sie den Grafen Charles van der Meere und gab ihre Bühnenkarriere auf, in der sie vor allem im Koloraturfach (Glanzrolle: Rosina im «Barbier von Sevilla» von Rossini) brilliert hatte.

Boghossian, Levon, Baß-Bariton, * 10. 10. 1930 Beirut (Libanon); er gehörte einer emigrierten armenischen Familie an. Seine Lehrer waren in Südamerika, wohin er später auswanderte, die Pädagogen Primavera und Enrique de Sivieri. Zu seinem Bühnendebüt kam es 1959 am Opernhaus von Eriwan in der Armenischen Republik der UdSSR als Fürst Igor in der gleichnamigen Oper von Borodin. Seine großen Erfolge hatte der Sänger jedoch in Südamerika, wo er lange Jahre hindurch am Teatro Colón Buenos Aires sang und an der Oper von Rio de Janeiro wie an anderen Bühnen zu Gast war. Sein Repertoire für die Bühne enthielt Partien wie den Escamillo in «Carmen», den Zaccaria in Verdis «Nabucco», den Mephisto im «Faust» von Gounod, den Boris Godunow in Mussorgskys bekannter Oper, den Colline in «La Bohème» von Puccini, den Scarpia in «Tosca», den Michele in «Il Tabarro» und den Lorenzo in «I Capuleti ed I Montecchi» von Bellini. Neben seinem Wirken auf der Bühne wurde er als Konzertsolist bekannt.

Bogino, Lucia Leonilde, Sopran, * 1888 Turin, † 1956 Turin; sie war Schülerin der Pädagogin Virginia Ferni-Germano in Turin. 1914 kam es zu ihrem Bühnendebüt am Teatro Vittorio Emanuele von Turin als Micaela in «Carmen» mit Gabriella Besanzoni und Giuseppe Taccani als Partnern. Ihre Karriere dauerte bis 1935; lange Jahre hindurch bereiste sie mit der Compagnia Lert-Govoni, einer Opern-Wanderbühne, Italien. Dort wie bei vielen Gastspielen in den Musikzentren Italiens sang sie Partien wie die Titelheldin in «Lucia di Lammermoor» von Donizetti, die Adina in «Elisir d' amore», die Norina im

«Don Pasquale», die Amina in «La Sonnambula» von Bellini, die Gilda im «Rigoletto», die Mimi in Puccinis «La Bohème», die Suzel in «Amico Fritz» von Mascagni und die Nedda im «Bajazzo». Als ihre besonderen Glanzrollen galten die Violetta in «La Traviata» und die Carolina in Cimarosas «Matrimonio segreto». Sie war eine der ersten italienischen Sängerinnen, die in Sendungen des Rundfunks mitwirkten. Auch ihre Schwester *Margherita Bogino* war eine erfolgreiche Koloratursopranistin. Sie war Schülerin von Martinotti und Pomé und trat vor allem an Opernhäusern in Norditalien auf, hatte aber auch (für italienische Sängerinnen eine ganz ungewöhnliche Karriere) Erfolge als Operettensängerin. Sie sang fast das gleiche Repertoire wie ihre Schwester. 1940 zog sie sich aus ihrer Karriere zurück und wirkte in ihrer Geburtsstadt Turin im pädagogischen Bereich.

Bogino, Margherita, s. unter *Bogino,* Lucia Leonilde.

Bognár-Balász, Vilma, Sopran, * 5. 10. 1845 Budapest, † 3. 6. 1904 Budapest; ihr Vater *Ignác von Bognár* (1811–83) war in den Jahren 1847–62 als Tenor an der Ungarischen Oper in Pest tätig, ihre Mutter, Julie Miskolazi-Bognár, war als Schauspielerin aufgetreten, ebenso ihre Stiefschwester Friederike von Bognár. Sie erhielt ihre Ausbildung zuerst bei ihrem Vater, dann seit 1862 bei Francesco Lamperti in Mailand, nachdem sie bereits mit 15 Jahren in Budapest debütiert hatte. Nach Abschluß ihrer Ausbildung war sie 1863–67 am Nationaltheater in Pest engagiert, sang dann bei der Operngesellschaft Salvi in Wien (1867) und unternahm Gastspiele an der Hofoper von Dresden (1867), an anderen deutschen Bühnen und in Holland (Amsterdam, Rotterdam, den Haag). 1868–70 war sie Mitglied des Hoftheaters Hannover und gab während dieser Zeit Gastspiele in Köln, Leipzig, Bremen und Hamburg sowie an der Hofoper Berlin (1870). Auch in London trat sie als Gast auf. 1870–80 wirke sie dann am Nationaltheater von Budapest. Ihre wichtigsten Rollen waren die Lucia di Lammermoor, die Amina in «La Sonnambula» von Bellini, die Rosina im «Barbier von Sevilla», die Leonore im «Troubadour», die Bertha im Propheten» von Meyerbeer, die Isabella in «Robert le Diable», die Gilda im «Rigoletto», die Eudoxia in «La Juive» von Halévy, die Madeleine im «Postillon de Lonjumeau» von Adam, die Susanna in «Figaros Hochzeit», die Frau Fluth in den «Lustigen Weibern von Winsor» von Nicolai und die Marguerite im «Faust» von Gounod. Die Künstlerin, die später als Pädagogin am Nationalkonservatorium von Budapest arbeitete, war mit dem Schriftsteller Alexander von Balász verheiratet.

Bogošević, Dobrila, Sopran, * 20. 8. 1929 Uroševac (Serbien); sie besuchte die Musikakademien von Belgrad und Zagreb und wurde 1954 sogleich an die Nationaloper Belgrad verpflichtet. Für viele Jahre blieb sie Mitglied dieses Operninstituts und wurde hier in Partien wie der Norina im «Don Pasquale», der Rosina in Rossinis «Barbier von Sevilla», der

Gilda im «Rigoletto», der Violetta in «La Traviata» und der Marguerite im «Faust» von Gounod herausgestellt. Ihre Tätigkeit beschränkte sich jedoch nicht auf die jugoslawische Metropole; sie unternahm Gastspiele in Polen, in Ostdeutschland, in der Schweiz, in Italien, England und Ägypten. Dabei trat sie nicht nur auf der Bühne sondern auch als Lieder- und Konzertsängerin hervor.
Aufnahmen ihrer Stimme existieren unter dem Etikett von Jugoton.

Bohanec, Mirjana, Sopran, *2.10. 1939 Zagreb; ihre Ausbildung zur Sängerin fand an der Musikakademie von Zagreb statt und wurde durch Emmy Loose in Wien fortgesetzt. 1966 debütierte die Künstlerin an der Kroatischen Nationaloper Zagreb, an der sie zunächst bis 1968 blieb. 1968–69 war sie an der Wiener Volksoper engagiert, kam dann aber wieder an die Oper von Zagreb zurück, an der sie eine langjährige, erfolgreiche Karriere entfalten konnte. Sie sang hier vor allem Partien aus dem Fach der Koloratursoubrette, Rollen wie die Zerline im «Don Giovanni», die Susanna in «Nozze di Figaro», die Adina in «Elisir d' amore», die Norina im «Don Pasquale», die Nedda im «Bajazzo», den Pagen Oscar in Verdis «Ballo in maschera» und die Titelfigur in «La Traviata». Nicht weniger erfolgreiche Gastspiel- und Konzertauftritte.
Aufnahmen auf der jugoslawischen Marke Jugoton.

Bohmann, Gunnel, Sopran, *4.3. 1959 Stockholm; sie begann ihr Gesangstudium an der Königlichen Musikakademie in Stockholm bei Hans Wihlborg, Hans Gertz und Torsten Föllinger und vervollständigte ihre Ausbildung im Opernstudio der Wiener Staatsoper. Nachdem sie bereits zuvor gelegentlich aufgetreten war, erhielt sie 1983 einen Ruf an das Nationaltheater von Mannheim. Hier sang sie Partien wie die Pamina, die Marie in der «Verkauften Braut» und die Agathe im «Freischütz». 1987 wurde sie an die Wiener Volksoper verpflichtet, an der sie als Fiordiligi in «Così fan tutte» einen großen Erfolg erzielen konnte. Bei den Bregenzer Festspielen sang sie 1985–86 die Pamina in der «Zauberflöte». Sie war durch Gastspielverträge mit der Wiener Staatsoper (seit 1988) und mit dem Opernhaus von Zürich (seit 1987) verbunden. In Zürich sang sie 1987 die Marie in der «Verkauften Braut» von Smetana, 1988 an der Volksoper Wien die Ännchen im «Freischütz». Ebenfalls 1987 gastierte sie am Teatro Regio von Parma als Euridice im «Orpheus» von Gluck. 1989 sang sie bei den Festspielen von Glyndebourne und in einer konzertanten Aufführung in der Londoner Albert Hall die Gräfin in «Figaros Hochzeit». Weitere Gastspiele in Frankfurt a. M., Stuttgart und an der Deutschen Oper am Rhein Düsseldorf–Duisburg. Neben ihrem Wirken auf der Opernbühne kam die Künstlerin auch zu einer erfolgreichen Karriere im Konzertsaal.
Schallplatten: BIS (Konzert-Arien von Mozart).

Bolgan, Marina, Sopran, *20.3. 1957 Mestre bei Venedig; sie studierte am Conservatorio Benedetto Marcello Venedig bei Paolo Mirko Bononi und nahm an Perfektionskursen an der Accademia Chigiana Siena und an der Accademia di Santa Cecilia Rom (bei Giorgio Favaretto) teil. Sie gewann mehrere wichtige internationale Gesangwettbewerbe, darunter 1981 und 1982 den Concorso Mattia Battistini in Rieti, 1982 den Concorso Achille Peri in Reggio Emilia, 1982 den Concorso Verdi in Parma, 1983 den Concours Francesco Viñas in Barcelona, 1985 den Pavarotti-Wettbewerb in Philadelphia und 1984 den Internationalen Wettbewerb L. Sigall in Viña del Mar (Chile). Im Anschluß an den Gewinn des Concorso Mattia Battistini sang sie 1981 in mehreren italienischen Städten die Rosina im «Barbier von Sevilla» als Partnerin von Rolando Panerai, 1982 die Gilda im «Rigoletto». 1982 begann sie ihre internationale Karriere mit einem Gastspiel am Teatro della Zarzuela Madrid als Nannetta in Verdis «Falstaff». 1983 sang sie in Toulouse die Gilda im «Rigoletto», beim Festival von Spoleto die Kitty in «The Last Savage» («L'ultimo Selvaggio») von G. C. Menotti. Ebenfalls 1984 hörte man sie am Teatro Fenice Venedig als Adina in «Elisir d' amore», in Nîmes und Avignon als Olympia in «Hoffmanns Erzählungen», 1985 bei den Festspielen von Bregenz als Elvira in Bellinis «I Puritani». 1985 hatte sie große Erfolge als Konzertsolistin in Chile. Weitere Stationen ihrer Karriere waren das Teatro Verdi Triest (Page Oscar in Verdis «Ballo in maschera»), das Teatro Comunale Bologna (Elvira in «I Puritani»), das Teatro Bellini Catania (Lisa in «La Sonnambula» von Bellini 1986, Titelrolle in «Nina ossia La pazza per amore» von Paisiello 1988), das Teatro Margherita Genua (1987 als Gilda), das Teatro Filarmonico Verona (Gilda, 1987) und das Teatro Fenice Venedig (Annetta in «Crispino e la comare» von L. und F. Ricci). Letztgenannte Partie sang sie dann auch am Théâtre des Champs-Élysées Paris. Am Theater von Klagenfurt gastierte sie in den Jahren 1987–88 u. a. als Amina in «La Sonnambula» von Bellini und als Giulietta in dessen «I Capuleti ed I Montecchi», am Opernhaus von Zürich 1987 als Elvira in «I Puritani», 1989 als Lucia di Lammermoor, die sie auch sehr erfolgreich 1988 an der Wiener Staatsoper und am Theater von St. Gallen übernahm. 1988 sang sie an der Staatsoper von Hamburg (Adina in «Elisir d'amore») und beim Festival von Fermo («La Romanziera» und «Betly» von Donizetti).

Bollen, Ria, Alt, *11.2. 1942 St. Truiden (Provinz Limburg, Belgien); sie wurde am Konservatorium von Antwerpen ausgebildet und debütierte 1965 als Solistin in dem Oratorium «Godelieve» von E. Tinel. Sie entfaltete dann eine ausschließliche Konzertkarriere, wobei sie sich sowohl als Oratorienwie als Liedersängerin auszeichnen konnte. Gastspielreisen führten die Künstlerin nach Kanada, Österreich und England, nach Westdeutschland und in die Schweiz. Dazu trat sie immer wieder in den Musikzentren in Belgien und Holland auf. Nicht zuletzt ist sie durch zahlreiche Schallplattenaufnahmen bekannt geworden, darunter auf Intercord Messen von J. Haydn, auf CBS geistliche Musik von J. S. Bach, auf Claves religiöse Vokalmusik von

Galuppi; weitere Aufnahmen auf HMV (Lieder, «Alessandro» von Händel) und auf Disco Jecklin (Requiem von Frank Martin, Mitschnitt der Uraufführung des Werks von 1973).

Bolotine, Mina, Mezzosopran-Sopran, *20. 4. 1904 Antwerpen, † 13. 9. 1973 Antwerpen; der eigentliche Name der Sängerin war Wilhelmina Verhoeven. Sie studierte am Konservatorium von Antwerpen bei Aaltje Noordewier-Reddingius und ergänzte diese Ausbildung durch Studien bei Scolari in Italien und bei Roentgen in Deutschland. 1927 debütierte sie an der Königlichen Oper von Antwerpen als Reinhilde in «De Herbergprinses» von Jan Blockx. Bis 1937 blieb sie Mitglied dieses Hauses. Danach sang sie 1937–54 als erste dramatische Sopranistin am Théâtre de la Monnaie Brüssel, wo sie noch bis 1958 als Gast auftrat. Hier gestaltete sie 1952 in der französischsprachigen Erstaufführung von Strawinskys «The Rake's Progress» die Partie der Türkenbab, 1951 in der von Menottis «The Consul» die der Mutter. In den Spielzeiten 1956–57 und 1958–59 war sie als Gast am Staatstheater Hannover verpflichtet. Bei den Bayreuther Festspielen gastierte sie 1954–55 als dritte Norn im Nibelungenring. Sie war auch zu Gast an der Staatsoper Berlin, in Holland, Spanien und in der Schweiz. Auch im Konzertfach kam sie zu einer großen Karriere. Auf der Bühne sang sie Partien aus dem dramatischen Sopran- wie aus dem Mezzosopranfach: die Venus im «Tannhäuser», die Isolde im «Tristan», die Kundry im «Parsifal», die Brünnhilde im Ring-Zyklus, die Titelfiguren in «Alceste» von Gluck, im «Orpheus» vom gleichen Meister und in «Carmen» von Bizet, die Eboli in Verdis «Don Carlos», die Charlotte im «Werther» von Massenet, die Margared in «Le Roi d'Ys» von Lalo und die Klytämnestra in «Elektra» von Richard Strauss. In den Jahren 1959–61 leitete sie als Direktorin die Oper von Antwerpen und war dann als Professorin am Konservatorium von Brüssel tätig. Zu ihren Schülern gehörte der Bariton Jef Vermeersch. Schallplatten: Vox (Ausschnitte aus «Tristan und Isolde»).

Bolschakow, Grigorij Filippowisch, Tenor, *23. 1. (5. 2.) 1904; nachdem er zuerst ein technisches Studium begonnen hatte, wurde er in Leningrad Schüler der Gesangpädagogen N. Suprunenko und P. Nuwelnord. 1927–28 war er am Maly-Theater Leningrad als Eleve beschäftigt und wurde dann als Solist für dieses Haus engagiert, dem er bis 1930 angehörte, um dann an das Große Leningrader Opernhaus (Kirow-Theater) zu wechseln, an dem er 1930–36 seine Erfolge hatte. 1936–38 sang er an Opernhaus von Saratow und folgte darauf 1938 einem Ruf an das Bolschoj Theater Moskau, an dem er nun eine große Karriere durchlief. Er sang hier Partien wie den Sobinin in Glinkas «Iwan Susanin», den Hermann in «Pique Dame», den Wakula in «Tscherewitschki» und den Andrej in «Mazeppa» von Tschaikowsky, den Prinzen in «Rusalka» von Dargomyshski, den Abessalom in der georgischen Oper «Abessalom i Eteri» von Paliaschwili, den Mimuk in «Der stille Don» von Dsershinski, den

Prinzen in «Die Liebe zu den drei Orangen» von Prokofieff, den Grafen Almaviva im «Barbier von Sevilla» von Rossini, den Herzog im «Rigoletto» und den Alfredo in «La Traviata» von Verdi. 1951 erfolgte seine Ernennung zum verdienten Künstler der UdSSR. Gastspiele an den führenden Bühnen und Konzerte ließen ihn zu einem der bekanntesten russischen Tenöre seiner Generation werden. Schallplatten: Melodiya (Andrej in «Khovantchina» von Mussorgsky, Andrej in Tschaikowskys «Mazeppa»).

Bondra, Anna, Sopran, *20. 3. 1798 Wien, † 11. 7. 1836 Wien; sie war die Tochter eines Wiener Chordirektors, der u. a. am Theater am Kärntnertor wirkte, und trat schon 1811 in Singspielen in Kinderrollen auf. 1813 wurde sie Mitglied des Chores der Wiener Hofoper im Theater am Kärntnertor und 1814 als Solistin in das Ensemble des Hauses aufgenommen. Am 23. 5. 1814 sang sie am Kärntnertor-Theater in der Uraufführung der dritten (und endgültigen) Fassung von Beethovens «Fidelio» die Partie der Marzelline. Bis zu ihrem Rücktritt von der Bühne im Jahre 1836 hatte sie dort eine große Karriere, seit 1821 war sie vor allem in italienischen Partien zu hören. Ihr Bühnenrepertoire umfaßte eine Vielzahl von Partien aus dem jugendlich-dramatischen Sopranfach, darunter als Höhepunkte Rollen wie die Giulia in «La Vestale» von Spontini, die Pamina in der «Zauberflöte», die Lady Pamela in «Fra Diavolo» von Auber und die Titelfigur in «Fanchon das Leiermädchen» von Friedrich Heinrich Himmel. Später übernahm sie auch Mezzosopran- und Charakterpartien. Auch als Konzertsolistin kam sie zu entsprechenden Erfolgen.

Bonnema, Albert, Tenor, *18. 4. 1953 Trummarum (Provinz Friesland, Holland); er erlernte den Beruf eines Elektrotechnikers, den er während einiger Jahre ausübte. Er begann dann das Gesangstudium am Sweelinck-Konservatorium in Amsterdam als Schüler von Cora Canne-Meyer; seine Ausbildung wurde durch den berühmten Tenor Nicolai Gedda vervollständigt. Nach Erwerbung seines Diploms sang er seit 1985 im Chor der Niederländischen Oper Amsterdam und wurde dort schon bald in kleineren Tenorpartien eingesetzt. Es schlossen sich Auftritte in klassischen Operettenrollen (Symon im «Bettelstudenten», Camille in der «Lustigen Witwe», Paris in Offenbachs «Schöner Helena») bei der Operngesellschaft Forum in Enschede, in Amsterdam und in anderen holländischen Städten an. 1988 sang er am Berliner Theater des Westens den Sou-Chong in «Das Land des Lächelns» von F. Lehár. Gastspiele in Opernpartien führten den Künstler an das Staatstheater Wiesbaden, an das Landestheater Salzburg, an das Theater von Klagenfurt (1988–89 u. a. als Cassio in Verdis «Othello»), an das Stadttheater von Bern (Schweiz) und an die Niederländische Oper Amsterdam. Auch als Konzertsänger aufgetreten.

Booth-Jones, Christopher, Bariton, *1943 Somerset (England); er studierte an der Royal Academy of Music London. 1972–73 nahm er an einer England-

Tournee der Welsh Opera Cardiff teil, bei der er den Titelhelden in «Figaros Hochzeit» und den Marcello in Puccinis «La Bohème» sang. Er trat dann beim Glyndebourne Festival und im Ensemble der Glyndebourne Touring Opera auf. Seit 1982 gehörte er der English National Opera London an. Hier wirkte er in Aufführungen der Opern «Roméo et Juliette» von Gounod, «Così fan tutte», im «Bajazzo» wie in «La Bohème», in «Serse» von Händel, in «Krieg und Frieden» von Prokofieff, in «Ošud» von Janáček und 1989 in der englischen Erstaufführung der Oper «Akhnaten» («Echnathon») von Philip Glass mit. An English Music Theatre London hörte man ihn in «La Cenerentola» von Rossini, in «Tom Jones» von Philidor und in der Dreigroschenoper von Weill/Brecht, an der Opera North Leeds im «Freischütz», in «A Midsummernight's Dream» von B. Britten und in «Béatrice et Bénédict» von Berlioz, bei der Kent Opera als Monostatos in der «Zauberflöte». Auch im Konzertsaal aufgetreten.
Schallplatten: HMV («Giulio Cesare» von Händel); Video-Aufnahmen «Serse», «Billy Budd» von B. Britten und der Gilbert & Sullivan-Operette «The Gondoliers».

Borello, Camille, Sopran, *(?), †(?); über diese französische Sängerin sind keine biographischen Daten bekannt. 1909 erschienen in den USA fünf doppelseitige Columbia-Schallplatten, die eine Sopranstimme von ungewöhnlicher Schönheit und einem seltenen Stilgefühl zeigen. Es läßt sich jedoch nirgendwo eine Bühnen- oder Konzertkarriere der Künstlerin in dieser Zeit feststellen, weder in Nordamerika noch in Frankreich. Sie lebte später jedenfalls in Paris und wird als dort ansässig noch 1938 im Dictionnaire des Artistes für dieses Jahr erwähnt.

Borghèse, Juliette, Sopran *1818 (?), †(?); diese Sängerin, die auch unter dem Namen Juliette Bourgeois (vielleicht ihr wirklicher Name) auftrat, stammte aus Frankreich. Über ihre Biographie sind nur einige Details bekannt, die sich kaum zu einem Gesamtbild zusammenfügen lassen. Sie ist musikhistorisch vor allem dadurch von Bedeutung, daß sie in der Uraufführung von Donizettis Oper «La fille du régiment» am 11. 2. 1840 an der Opéra-Comique Paris die Partie der Marie sang. Nach einer zeitgenössischen Kritik soll dies gleichzeitig ihr Bühnendebüt gewesen sein. Sie trat dann weiter an diesem Opernhaus auf und war in den Jahren 1856–58 am Pariser Théâtre Lyrique tätig. Hier sang sie am 19. 9. 1856 in der Uraufführung der Oper «Les Dragons de Villars» («Das Glöckchen des Eremiten») von Maillart die Partie der Rose Friquet. Man hörte sie dort auch als Puck im «Oberon» von Weber, als Eglantine in dessen «Euryanthe» und in einer weiteren Oper von Maillart «Gastibelza» in der Rolle der Doña Sabine. Nach einer Heirat verließ sie 1858 die Bühne; ihr Name erscheint dann in den Jahren 1863–64 am Théâtre de la Monnaie Brüssel, wo sie wiederum den Puck im «Oberon singt». 1868 gastiert sie nochmals an diesem Haus. In der Saison 1869–70 tritt eine Sängerin des gleichen Namens abermals am Pariser Théâtre Lyrique auf, jetzt als Altistin, und

singt Partien wie die Ulrica in Verdis «Ballo in maschera» und den Adriano in der französischen Erstaufführung von R. Wagners «Rienzi» (1869); dazu wirkt sie in der Uraufführung der Oper «Le dernier Jour de Pompéi» von Victorin de Joncières mit (1869). Ob es sich dabei immer noch um jene Sängerin handelt, die die Marie in «La fille du régiment» kreiert hatte, kann nicht entschieden werden, ist aber immerhin als möglich anzusehen.

Borghi-Mamo, Erminia, Sopran, *1854 Paris, †1941 Bologna; sie war wie die Tochter eines Sängerehepaars. Ihr Vater war der Tenor *Michele Mamo*, ihre Mutter die berühmte Mezzosopranistin *Adelaide Borghi-Mamo* (1826–1901). Diese hatte noch wenige Stunden vor der Geburt ihrer Tochter in Paris als Azucena im «Troubadour» auf der Bühne gestanden. Erminia Borghi-Mamo wurde durch ihre Eltern ausgebildet und debütierte 1873 am Opernhaus von Nizza als Leonore in Verdis «La forza del destino». Am 4. 10. 1875 sang sie in der Premiere einer Neu-Fassung von A. Boitos «Mefistofele» am Teatro Comunale Bologna die beiden Partien der Margherita und der Elena und trug mit zu dem Erfolg des Werks bei, nachdem die Uraufführung in Mailand 1868 erfolglos geblieben war. 1882 gastierte sie am Teatro San Carlos Lissabon als Alice in «Robert le Diable» von Meyerbeer. 1886 großer Erfolg in Bologna als Paolina in Donizettis «Poliuto» mit dem berühmten Tenor Francesco Tamagno als Partner. Nachdem sie den Direktor der italienischen Zeitung «Gazetta d'Italia» Antonio Cuzzocrea geheiratet hatte, gab sie ihre Karriere auf und lebte in Bologna.

Bork, Hanneke van, Sopran, *1935 (?) Amsterdam; sie sang 1959–60 am Städtebundtheater Solothurn-Biel, 1960–61 am Landestheater Innsbruck, 1961–62 am Staatstheater Braunschweig und war in den Jahren 1962–66 Mitglied des Stadttheaters von Basel. An diesem Haus ist sie noch bis 1972 als Gast aufgetreten. 1964 war sie als Gast am Opernhaus von Graz, 1968 sang sie bei den Festspielen von Glyndebourne in der Barock-Oper «L'Ormindo» von Cavalli, 1969 die Fiordiligi in «Così fan tutte». 1971 und 1972 trat sie im Rahmen des Holland Festivals auf, 1968 wirkte sie beim Wexford Festival in Irland mit. In den Jahren 1972–74 erschien sie als Gast an der Niederländischen Oper Amsterdam, u. a. 1973 als Elsa im «Lohengrin» mit dem Ensemble des Stadttheaters von Mainz. Auf der Bühne sang sie ein vielseitiges Repertoire, das als Höhepunkte die Fiordiligi, die Vitellia in «La clemenza di Tito» von Mozart, die Pamina in der «Zauberflöte», die Eurydike im «Orpheus» von Gluck, die Mélisande in «Pelléas et Mélisande», die Ellen Orford in «Peter Grimes» von B. Britten und die Sicle in «L'Ormindo» von Cavalli enthielt. Ebenfalls bedeutende Karriere als Konzert- und Oratoriensängerin.
Schallplatten: MMS, Decca (erste Dame in der «Zauberflöte», «L'Ormindo»), HMV (Stabat mater von Scarlatti), Argo («L'Ormindo»), DGG.

Bornemann, Barbara, Mezzosopran, *8. 3. 1955 Dingelstädt (Eichsfeld, DDR); sie spielte bereits als

Kind mehrere Instrumente (Blockflöte, Gitarre, Akkordeon, später Klavier) und hatte ihren ersten Musikunterricht durch den Kantor Heinrich Baum in ihrem Heimatort. Sie erhielt ihre Sängerausbildung an der Franz Liszt-Musikhochschule Weimar (1971–74) und an der Hanns Eisler-Musikhochschule Berlin (1974–78), vor allem durch Hanne-Lore Kuhse. 1978 schloß sie ihre Ausbildung mit ihrem Staatsdiplom ab und debütierte im Oktober 1978 am Volkstheater von Halberstadt als Olga im «Eugen Onegin» von Tschaikowsky. Sie blieb an diesem Theater bis 1981 und sang dann 1981–86 am Staatstheater Schwerin. Seit 1984 gastierte sie regelmäßig an der Staatsoper Berlin und wurde 1986 Mitglied dieses Hauses. Durch Gastverträge war sie der Staatsoper Dresden und dem Opernhaus Leipzig verbunden. Weitere Gastspiele und Konzertauftritte in Westdeutschland, in der ČSSR, in Polen und in Japan kennzeichneten die Karriere der Künstlerin. In ihrem Bühnenrepertoire standen an erster Stelle Partien wie die Marcellina in «Figaros Hochzeit», die Ulrica im «Maskenball» von Verdi, die Mrs. Quickly im «Falstaff» vom gleichen Komponisten, die Frau Reich in Nicolais «Lustigen Weibern von Windsor», die Gräfin in «Pique Dame» von Tschaikowsky, die Jezibaba in «Rusalka» von Dvořák, die Mary im «Fliegenden Holländer» (Bayreuth, 1990), die Magdalene in den «Meistersingern», die Fricka wie die Erda im Nibelungenring und das Fischweib in «Die Verurteilung des Lukullus» von Dessau. Aus ihrem Kozertrepertoire seien Soli in der Matthäus- wie der Johannespassion von J. S. Bach, in dessen Weihnachtsoratorium und in seinen Kantaten, im Mozart- wie im Verdi-Requiem, im «Elias» und im «Paulus» von Mendelssohn, die Kindertotenlieder und Solopartien in Sinfonien von Gustav Mahler und die Wesendonck-Lieder von Wagner genannt. Auch als Liedersängerin brachte sie ein weit gespanntes Repertoire zum Vortrag.
Mitschnitte von Rundfunksendungen.

Borowska, Joanna, Sopran, * 1956 (?) Warschau; sie sang bereits frühzeitig in Chören in der polnischen Metropole, begann dann aber eine kaufmännische Lehre. Daneben nahm sie privat Gesang- und Klavierunterricht. Schließlich entschloß sie sich zu einem professionellen Gesangstudium an der Musikhochschule Warschau und gewann dort einen Gesangwettbewerb. 1980–82 setzte sie ihre weitere Ausbildung im Opernstudio der Wiener Staatsoper fort, nachdem sie noch zuvor in Warschau als Romilda in «Serse» von Händel und als Micaela in «Carmen» debütiert hatte. Seit 1982 gehörte sie als Mitglied dem Ensemble der Wiener Staatsoper an, wo sie zunächst kleinere Partien (Blumenmädchen im «Parsifal», eine der Mägde in «Elektra», Gerhilde in der «Walküre») übernahm. 1984 hatte sie dort einen sensationellen Erfolg, als sie für eine erkrankte Kollegin als Marie in der «Verkauften Braut» von Smetana einsprang. Seitdem war sie in Wien in großen Rollen erfolgreich, darunter als Fiordiligi in «Così fan tutte», als Susanna in «Figaros Hochzeit», als Marzelline im «Fidelio», als Iphigenie

in Glucks «Iphigenie in Aulis» (1987), als Mimi in «La Bohème» (1988) und als Marguerite im «Faust» von Gounod. 1982–83 gastierte sie am Theater von Klagenfurt als Fiordiligi und als Gräfin in «Figaros Hochzeit», 1984 bei den Festspielen von Bregenz als Kurfürstin im «Vogelhändler» von Zeller. 1983 war sie als Gast am Stadttheater von Bern (Schweiz), 1986 am Teatro Liceo Barcelona erfolgreich. 1986 nahm sie an den Japan-Tourneen der Wiener Staatsoper wie der Covent Garden Oper London teil. Auch als Konzert- und Oratoriensängerin bekannt geworden.
Schallplatten: Preiser (Messen von J. Haydn).

Borrione, Carlo, Baß-Bariton, * 1850 (?) Biella (Piemont), † (?) Mailand; er war Schüler des Pädagogen Malaspina und debütierte 1895 in seiner Geburtsstadt Biella in der Oper «Il Guarany» von Carlos Gomes. In den ersten zehn Jahren seiner Karriere sang er Partien aus dem Baritonfach, u. a. den Don Carlo in Verdis «Ernani», den Renato in «Un ballo in maschera», den Grafen Luna im «Troubadour», den Amonasro in «Aida», den Jago im «Othello», den Enrico in «Lucia di Lammermoor» von Donizetti, den Severo in dessen «Poliuto» und den Mephisto im «Faust» von Gounod. Er nahm dann jedoch eine Anzahl von Baß-Partien zusätzlich in sein Repertoire auf. Seine Karriere kam zu einer internationalen Entwicklung. Außer an den führenden italienischen Theatern hörte man ihn bei Gastspielen in Rußland, in Ägypten, in Rumänien, in Frankreich, in der Schweiz und in Deutschland. 1907 sang er am Teatro Vittorio Emanuele von Turin in der Uraufführung einer Oper «Iglesias» von V. Baravalle. Nach Beendigung seiner aktiven Karriere zog er sich in die Casa di Riposo Verdi in Mailand zurück.

Borris, Kaja, Alt, * 8. 1. 1948 (?) Den Haag (Holland); sie entstammte einer sehr musikalischen Familie, ihr Vater war der Musikwissenschaftler und Komponist Siegfried Borris, ihre Mutter, *Condoo Kerdyk,* eine angesehene Sopranistin. Sie erhielt ihre Schulausbildung in Berlin, wurde dann aber von ihren Eltern nach Den Haag zurückgeschickt und erlernte dort den Beruf einer Fremdsprachensekretärin. Sie nahm jedoch gleichzeitig am Königlichen Konservatorium in Haag das Klavierstudium auf, ließ aber nebenbei auch ihre Stimme ausbilden. Nachdem die Pädagogen Laurens Bogtman und Helena Rott deren Qualität erkannt hatten entschloß sie sich zur Sängerkarriere. Als ihre Lehrerin Helena Rott vom Haag an die Musikhochschule Köln wechselte, folgte Kaja Borris ihr dorthin. Sie war auch Schülerin von Heinz Marten und in Berlin von Wolfgang Schütt und Irmgard Hartmann-Dressler. Dabei entwickelte sich die Stimme von einem anfänglichen Sopran zum dramatischen Alt. Sie trat 1971 in das Opernstudio der Deutschen Oper Berlin ein und wurde 1973 in das Ensemble des Hauses übernommen, dem sie seither angehörte. Sie kam dort in Partien wie der Dame Quickly in Verdis «Falstaff», der Ulrica im «Maskenball», der Annina im «Rosenkavalier», der 3. Dame in der «Zauberflöte», der

Emilia in Verdis «Othello», der Marthe im «Faust» von Gounod (1988), der Geneviève in «Pelléas et Mélisande» von Debussy (1984), der Principessa in Puccinis «Suor Angelica», der Azucena im «Troubadour» und in weiteren Rollen zu bedeutenden Erfolgen. Am 25. 9. 1984 wirkte sie am Deutschen Opernhaus Berlin in der Uraufführung der Oper «Gespenstersonate» von A. Reimann mit. Bei den Salzburger Osterfestspielen 1982–83 hörte man sie als Mary im «Fliegenden Holländer». Sie gastierte an den Staatsopern von Wien, München und Hamburg und wirkte 1973 bei den Festspielen von Schwetzingen mit. Fast noch erfolgreicher als auf der Bühne gestaltete sich ihre Karriere im Konzertsaal. Ihre Konzertreisen führten sie in die Musikzentren in Deutschland, Holland, Italien, Österreich und Frankreich; dazu zahlreiche Rundfunkauftritte.
Schallplatten: HMV (Mary im «Fliegenden Holländer»), Acanta («Feuersnot» von R. Strauss), DGG («Lustige Witwe» von F. Lehár), Schwann («Der Corregidor» von Hugo Wolf), Capriccio («Notre Dame» von F. Schmidt).

Borst, Danielle, Sopran, * 27. 1. 1946 Genf; sie begann ihre Ausbildung am Conservatoire von Genf und war dann Schülerin von Juliette Bise in Bern und von *Philippe Huttenlocher* (* 1942), den sie heiratete. Wie dieser als Bariton kam auch sie im Sopranfach zu einer großen internationalen Karriere. Sie war während mehrerer Jahre Mitglied des Ensemble Vocal de Lausanne, das von Michel Corboz geleitet wurde. Sie ging daran von den Wohnorten des Künstlerehepaars in Cormondrèche (Kanton Neuenburg) und Paris aus einer intensiven Gastspieltätigkeit an der Bühne wie im Konzertsaal nach. Sie sang am Grand Théâtre Genf und in Lausanne, am Städtebundtheater Biel-Solothurn und beim Festival von Aix-en-Provence, an den Opernhäusern von Lyon, Nancy, Montpellier und Toulouse, in Reggio Emilia und an der Staatsoper von Wien. Große Erfolge an den beiden Opernhäusern von Paris, der Opéra-Comique und der Grand Opéra (1988 Eurydice in «Orphée aux enfers» von Offenbach). Bei den Festspielen in der Scheune von Mézières sang sie 1988 die Euridice im «Orpheus» von Gluck. Von ihren Bühnenpartien seien noch die Despina in «Così fan tutte», die Susanna in «Nozze di Figaro», die Pamina in der «Zauberflöte», die Sandrina in «La finta giardiniera» von Mozart, die Ilia in «Idomeneo», die Juliette in «Roméo et Juliette» von Gounod, die Micaela in «Carmen», die Belinda in «Dido and Aeneas» von Purcell, die Dalinda in «Ariodante» von Händel, die Aricie in «Hippolyte et Aricie» von Rameau, die Ännchen im «Freischütz» und die Rosalinde in der «Fledermaus» genannt. Sie erwies sich als große Konzert- und Oratoriensängerin in Werken von J. S. Bach, Monteverdi, Pergolesi, Händel, J. Haydn («Schöpfung», «Jahreszeiten»), Mozart, Berlioz («Enfance du Christ»), Debussy, Gustav Mahler und A. Honegger («Roi David»). Ihre Konzerte fanden in Genf, Fribourg, Lausanne, Bern und Zürich, in Paris, Montpellier und Straßburg, in Antwerpen und Stuttgart, in Prag und Warschau statt. Von der Stimme der Sängerin sind zahlreiche Schall-

plattenaufnahmen vorhanden: auf Erato ist sie in den Opern «Pénélope» von Gabriel Fauré, «Armide» von Lully, «Orfeo» von Monteverdi, «Dido and Aeneas» von Purcell und als Colette in «Le Devin du village» von J. J. Rousseau zu hören. Weitere Aufnahmen auf Philips («Iphigénie en Tauride» von Gluck), auf Remington (Werke von Duparc) und VDE-Gallo.

Boschetti, Therese, Sopran, * 1847 Prag, † (?); sie war die Tochter eines Prager Seidenfärbers und stand bereits im Alter von drei Jahren in einer Kinderrolle in Raimunds «Verschwender» auf der Bühne des Deutschen Landestheaters in Prag. Sie studierte bei Karl Maria Wolf in Wien. 1860 war sie in Salzburg und wurde 1862 für kleine Soubrettenpartien an das Prager Deutsche Theater verpflichtet. 1864 ging sie als Opernsängerin an das Hoftheater von Wiesbaden, 1869 an die Wiener Hofoper und schließlich 1872 an das Opernhaus von Leipzig. Im Mittelpunkt ihres Bühnenrepertoires standen Partien aus dem Koloratur- und dem Soubrettenfach wie die Susanna in «Figaros Hochzeit», die Zerline im «Don Giovanni», die Eurydice im «Orpheus» von Gluck, die Ännchen im «Freischütz» von Weber und die Marzelline im «Fidelio». Über den Ausgang ihrer Karriere wie ihres Lebens sind keine Daten bekannt. Ihr Sohn Victor Boschetti (1872–1933) wirkte viele Jahre als Korrepetitor an der Hof- und Staatsoper Wien.

Botgorschek, Caroline, Alt, * 21. 5. 1815 Wien, † 7. 10. 1875 Niemes (Mimoň, Böhmen); sie entstammte einem sehr musikalischen Elternhaus, ihr Bruder Franz Botgorschek wurde ein bekannter Flötist. Sie erhielt ihre Ausbildung zur Sängerin am Konservatorium von Wien durch die Pädagogen Ciccimarra und Mozatti. Obwohl sie bei ihrem Debüt 1832 an der Wiener Hofoper als Arsace in «Semiramide» von Rossini sehr erfolgreich war, übertrug man ihr dort nur zweitrangige Partien. 1836 wurde sie durch die berühmte Sopranistin Wilhelmine Schröder-Devrient bei deren Gastspiel in Wien entdeckt und an die Dresdner Hofoper vermittelt. Dort debütierte sie 1837 mit großem Erfolg in der Titelpartie von Rossinis «Tancredi» und erhielt einen Kontrakt auf Lebenszeit für Dresden. 1838–39 gastierte sie in Wien, Berlin und Leipzig und gab glänzende Konzerte in Leipzig und Breslau. Gasparo Spontini versuchte, sie für die von ihm geleitete Berliner Hofoper zu gewinnen, doch blieb sie in Dresden, wo man sie sehr verehrte. In Partien wie dem Tancredi, dem Romeo in «I Capuleti ed I Montecchi» von Bellini, dem Sesto in Mozarts «Titus», der Grande Vestale in Spontinis «Vestale», dem Armando in «Il crociato in Egitto» von Meyerbeer und in vielen weiteren Rollen konnte man sie bewundern; im Konzertsaal galt sie als eine hoch begabte Liedersängerin. 1841 nahm sie von ihrem Dresdner Engagement wie von der Bühne Abschied und heiratete den französischen Architekten und Dekorationsmaler Feuchère, mit dem sie in Paris lebte. Nach dem Tod ihres Gatten verlegte sie 1856 ihren Wohnsitz nach Niemes in Böhmen.

Botiaux, Gustave, Tenor, * 14. 7. 1926 Paris; Ausbildung am Conservatoire National de Paris. Zu seinem Debüt kam es 1955 am Théâtre de la Monnaie Brüssel in der Rolle des Pinkerton in Puccinis «Madame Butterfly». Nachdem er dort bis 1956 aufgetreten war, begann er 1956 seine Karriere an den beiden großen Opernhäusern der französischen Metropole, der Grand Opéra und der Opéra-Comique Paris. 1961 gastierte er mit dem Ensemble der Grand Opéra in Japan, wobei er als José in «Carmen» Aufsehen erregte. Sehr erfolgreich gestalteten sich zahlreiche Gastspiele an den großen französischen Provinztheatern, in Bordeaux und Toulouse, in Marseille und Straßburg, in Nancy und Vichy. Von seinen Bühnenpartien verdienen der Faust von Gounod, der Roméo in «Roméo et Juliette», der José in «Carmen», der Vasco in Meyerbeers «Africaine», der Titelheld in «Sigurd» von Reyer, der Herzog im «Rigoletto», der Alfredo in «La Traviata», der Radames in «Aida», der Turiddu in «Cavalleria rusticana», der Cavaradossi in «Tosca», der Pinkerton in «Madame Butterfly», der Dick Johnson in Puccinis «Fanciulla del West» und der Lohengrin besondere Erwähnung. Verheiratet mit der Sopranistin *Jacqueline Silvy* (* 1924).
Schallplatten: Orphée (Recital), Vogue (Recital sowie Ausschnitte aus «Faust», «Sigurd» und «Tosca»).

Bottero, Osvaldo, Baß, * 1849 Casale Monferrato (Piemont), † Juli 1892 Florenz; er war der Sohn des bekannten Bassisten *Alessandro Bottero* (1831–92), der als einer der größten Buffosänger innerhalb seiner künstlerischen Generation in Italien galt. Er studierte zuerst Literatur und Philosophie, entschloß sich dann aber zur Ausbildung seiner Stimme, die durch Maestro Giovannini am Mailänder Konservatorium übernommen wurde. Im September 1882 debütierte er am Theater von Lecco als Sparafucile im «Rigoletto» und sang anschließend dort den Padre Cristoforo in «I Promessi Sposi» von Ponchielli. Nach Auftritten am Teatro Municipale Alessandria und am Teatro Concordi Padua sang er 1883 in Turin sehr erfolgreich in «La Sonnambula» von Bellini, in «Ruy Blas» von F. Marchetti und im «Troubadour» von Verdi. Es folgten Gastspiele an verschiedenen italienischen Bühnen, u. a. in Cesena, Siena, am Teatro Carignano Turin, am Teatro Doria Genua und am Teatro della Pergola Florenz, wo sein Lotario in «Mignon» von A. Thomas das Publikum begeisterte. Am 16. 5. 1886 sang er am Teatro Carcano Mailand in der Uraufführung der damals viel bewunderten Oper «Flora mirabilis» von Spiro Samara. 1886–87 hörte man ihn am Teatro Reale von Madrid. 1890 hatte er, wieder als Lotario in «Mignon», einen glänzenden Erfolg am Teatro Regina Margherita in Genua unter Arturo Toscanini als Dirigenten. 1891 gastierte er an der königlichen Oper Stockholm in der Titelpartie von Boitos «Mefistofele». Als im folgenden Jahr kurz hintereinander seine Gattin, die Opernsängerin *Giorgina Sommelius*, und sein Vater starben, verfiel er in tiefe Depressionen und schied schließlich freiwillig aus dem Leben.

Bottone, Bonaventura, Tenor, * 1950; der aus England gebürtige Sänger studierte an der Royal Academy of Music bei Bruce Boyce. Er kam zu einer schnellen Karriere durch Auftritte bei der English National Opera London. Hier sang er Partien aus dem lyrischen wie aus dem Charakterfach, darunter den Herzog im «Rigoletto», den David in den «Meistersingern», den Beppe im «Bajazzo», den Nanki-Poo in der Inszenierung der Sullivan-Operette «The Mikado» durch Jonathan Miller und den Truffaldino in Prokofieffs «Amour des trois oranges». 1987 debütierte er an der Covent Garden Oper London als italienischer Sänger im «Rosenkavalier». An der Opera North Leeds kam er, ebenfalls 1987, zu einem großen Erfolg als Pedrillo in der «Entführung aus dem Serail», der sich dann an der Oper von Houston/Texas in dieser Partie wiederholte (1987). An der Scottish Opera Glasgow war er 1988–89 als Governor General in «Candide» von L. Bernstein, als Jack in «A Midsummer Marriagge» von M. Tippett, als Gregor in «Die Sache Makropoulos» von Janáček und als Loge im «Rheingold» erfolgreich. Beim Wexford Festival, bei den Festspielen von Batignano und bei weiteren Gastspielen erwies er sich als ein hervorragender Darsteller. Er trat in zahlreichen Radiosendungen, namentlich der Gesellschaft BBC, auf.
Schallplatten: TER («The Mikado», «Candide», «Orphée aux Enfers» von Offenbach).

Boucher, Gene, Bariton, * 6. 12. 1933 Tagbilaren (Bohol auf den Philippinen); nachdem er privat in Jefferson City im amerikanischen Staat Missouri studiert hatte, ging er nach Europa, wo er seine Ausbildung in Frankreich fortsetzte und 1956 in Lille sein Diplom als Musiklehrer erwarb. Er debütierte 1958 am Teatro Nuovo Mailand. 1958 gewann er den Gesangwettbewerb der New Yorker Metropolitan Oper und vervollkommnete seine Ausbildung 1962–65 im Opernstudio dieses Hauses. Im September 1965 kam es zu seinem Bühnendebüt an der New Yorker Metropolitan Oper als Zeremonienmeister in Tschaikowskys «Pique Dame». In den folgenden zwanzig Jahren bis 1984 ist er dort in vielen Comprimario-Partien aufgetreten; insgesamt mehr als 50 dieser kleinen und kleinsten Rollen hat er dort vorgetragen, wobei man nicht zuletzt auch seine Darstellungskunst bewunderte. Beim New Yorker Opernpublikum war er sehr beliebt, hatte aber auch bei Gastspielen und Konzertveranstaltungen seine Erfolge. Seit 1977 Präsident der American Guild of Musical Artists.
Schallplatten: Er singt seine Comprimario-Rollen in vielen Gesamtaufnahmen von Opern, u. a. auf HMV als Douphol in «La Traviata» zu hören; dazu existieren sehr viele Mitschnitte von Aufführungen aus der Metropolitan Oper, wahrscheinlich auch solche bei denen nicht einmal sein Name genannt wird.

Bourgeois, Juliette, s. unter *Borghèse,* Juliette.

Bowen, Kenneth, Tenor, * 3. 8. 1932 Llanelli (Grafschaft Dyfed, Wales); er studierte an der University

of Wales und am St. John's College Cambridge, wo er Choral-Scholar war. Er leitete seine Karriere damit ein, daß er 1961 den Queen's Price in London und 1962 den ersten Preis im Internationalen Gesangwettbewerb in München gewann. Er wurde ein hoch geschätzter Konzert- und Oratoriensänger und trat zusammen mit den führenden englischen Orchestern und deren Dirigenten auf. Als Solist wurde er bei den zahlreichen englischen Music Festivals, in Israel, in den USA, in Kanada, in Hongkong und Singapur wie in den Musikzentren in ganz Europa bekannt. Als Bühnensänger debütierte er in London in der Partie des Tom Rakewell in «The Rake's Progress» von Strawinsky. Er trat gerne in zeitgenössischen Opernwerken auf, so an der Covent Garden Oper in «King Priam» von Tippett und in «Albert Herring» von B. Britten; er wirkte in der Premiere von Paisiellos «Don Quixote» (in der Bearbeitung von H. W. Henze) in England und in den Uraufführungen der Opern «An Actor's Revenge» von Minoru Miki und «The Rajah's Diamond» von Alun Hoddinott (1979) mit. Bei der English National Opera London, bei der Glyndebourne Touring Opera und bei der Welsh Opera Cardiff kam er in Mozart-Partien zu bemerkenswerten Erfolgen. In einer Zeitspanne von mehr als 25 Jahren hatte er beim englischen Rundfunk eine anhaltend erfolgreiche Laufbahn. Schließlich wurde er als Professor an die Royal Academy of Music London berufen.
Schallplatten: CBS (Ausschnitte aus dem «Messias», «Gurrelieder» von A. Schönberg).

Bradley, Gwendolyn, Sopran, * 18. 12. 1952 New York; sie verbrachte ihre Jugendzeit in Kalifornien und erhielt ihre Ausbildung an der North Carolina School of Arts, am Curtis Institute und an der Academy of Vocal Arts in Philadelphia. 1976 debütierte sie bei der Lake George Opera als Nannetta im «Falstaff» von Verdi. Bereits 1979 hatte sie einen ersten aufsehenerregenden Erfolg bei einem Konzert in New York. 1981 kam es zu ihrem Debüt an der New Yorker Metropolitan Oper als Nachtigall in «L'Enfant et les sortilèges» von Ravel. Dort sang sie in den folgenden Spielzeiten Partien wie die Olympia in «Hofmanns Erzählungen» von Offenbach, die Titelrolle in Strawinskys «Le Rossignol», die Blondchen in der «Entführung aus dem Serail», die Zerbinetta in «Ariadne auf Naxos» von R. Strauss, die Fiakermilli in dessen «Arabella», den Waldvogel im «Siegfried», die Clara in «Porgy and Bess» von Gershwin, vor allem aber die Gilda im «Rigoletto» als Partnerin von Sherril Milnes. Sie gastierte in den USA auch an der Memphis Opera, am Michigan Opera Theatre, an der Central City Opera, in Cleveland und Philadelphia. An der Staatsoper von Hamburg sang sie die Zerbinetta, die Blondchen, die Susanna in «Figaros Hochzeit» und die Adina in «Elisir d' amore», im französischen Rundfunk den Pagen Oscar in Verdis «Ballo in maschera». Bereits 1983–84 hatte sie an der Niederländischen Oper Amsterdam die Titelfigur in Händels «Rodelinda» gesungen, später war sie dort als Sophie im «Rosenkavalier» sehr erfolgreich, 1986 sang sie an der Grand Opéra Paris die Zerbinetta,

1987 bei den Festspielen von Glyndebourne die Fiakermilli in «Arabella», 1988 an der Deutschen Oper Berlin die Musetta in «La Bohème», 1989 in Wiesbaden die Gilda. Zugleich setzte sie ihre Karriere als Konzertsopranistin fort.
Schallplatten: Decca (Fiakermilli in «Arabella»).

Braglia, Alfredo, Tenor, * 1878, † (?); dieser italienische Sänger absolvierte seine Karriere im wesentlichen an kleineren Opemtheatern in der italienischen Provinz und bei Wanderbühnen. 1904 gastierte er während einer Saison auf Kuba. Als Partner der berühmten Primadonna Luisa Tetrazzini sang er dort den Titelhelden im «Faust» von Gounod, den Elvino in Bellinis «La Sonnambula» und den Corentin in «Dinorah» von Meyerbeer, dazu den Cavaradossi in «Tosca» und den Canio im «Bajazzo». 1921 ist er am Teatro Morgana in Rom in der Titelpartie der Oper «Ruy Blas» von Marchetti zu finden. Seine Schallplatten, die unter dem Etikett von Beka erschienen sind, zeigen eine dramatische Tenorstimme in Arien aus «L'Africaine» von Meyerbeer, aus Verdis «Ballo in maschera» und aus Mascagnis «Iris».

Brandes, Wilhelm, Tenor, * 1825, † 21. 2. 1871 Klingenmünster bei Bergzabern (Pfalz); er begann seine Bühnenlaufbahn 1847 an der Hofoper von Wien, an der er zwei Jahre blieb. 1849–56 war er an der Hofoper von München im Engagement. In den Jahren 1862–70 hatte er als erster Heldentenor am Hoftheater von Karlsruhe große Erfolge. Man hörte ihn hier und bei Gastspielen an den großen deutschen Bühnen in Partien wie dem Florestan im «Fidelio», dem Hüon im «Oberon» von Weber, dem Titelhelden in «Robert le Diable» von Meyerbeer, dem Raoul in dessen «Hugenotten», dem Titelhelden im «Propheten», ebenfalls von Meyerbeer, dem Tannhäuser und in weiteren Rollen aus dem heldischen und dem Wagner-Repertoire. Angesehen war er dazu als Konzert- und Oratoriensänger.

Brandt, Hans, * 15. 6. 1890 Kassel, † (?); seine Ausbildung erfolgte durch Paul Kuhn und Wilhelm Hauschild in München sowie durch Hugo Rasch in Berlin. Er war in der Spielzeit 1913–14 an der Hofoper von München engagiert, wurde dann aber bis 1916 als Soldat im Ersten Weltkrieg eingezogen. 1916 setzte er seine Karriere am Hoftheater Hannover fort. An dieser Bühne wirkte er bis 1922. 1922–24 war er am Stadttheater von Basel, 1924–30 am Opernhaus von Frankfurt a. M. tätig, 1930–32 am Stadttheater von Mainz. 1935 wurde er als Oberspielleiter an das Staatstheater Schwerin berufen an dem er bis 1944 wirkte. In Frankfurt a. M. sang er in der Uraufführung von d'Alberts Oper «Der Golem» (14. 11. 1926) und in der deutschen Erstaufführung von «Die Sache Makropoulos» von Janáček (1929). In seinem Bühnenrepertoire fanden sich Partien wie der Ferrando in «Così fan tutte», der Don Ottavio im «Don Giovanni», der Baron Kronthal im «Wildschütz» von Lortzing, der Froh wie der Loge im «Rheingold», der José in «Carmen», der Titelheld in «Hoffmanns Erzählungen» und der Astrologe in

«Der goldene Hahn» von Rimsky-Korssakow. Er war verheiratet mit der Konzertsopranistin *Alice Rau* (* 1893) und war auch selbst ein geschätzter Konzertsolist.

Brandt-Görtz, Mathilde, Sopran, * 8. 6. 1856 Darmstadt, † 12. 4. 1892 Kassel; die Künstlerin erhielt ihre Ausbildung in München und war Schülerin von Wüllner. Sie debütierte 1876 in Kassel. Sie kam zu einer erfolgreichen Karriere als dramatische Sopranistin am Hoftheater von Kassel (1876–81) wie am Stadttheater (Opernhaus) von Hamburg (1881–91), dazu gastierte sie an den führenden Opernhäusern des deutschen Sprachgebiets (Hofopern Berlin und München, Schwerin, Wiesbaden, Kroll-Oper Berlin, Bremen) und war eine angesehene Konzertsolistin. Seit 1891 war sie am Hoftheater von Hannover engagiert, starb aber bereits im folgenden Jahr im Alter von nur 36 Jahren an den Folgen einer Operation. Ihr Repertoire für die Opernbühne enthielt als Höhepunkte Rollen wie die Donna Anna im «Don Giovanni», die Leonore im «Fidelio», die Eglantine in «Euryanthe» von Weber, die Rezia im «Oberon», die Amazili in «Jessonda» von L. Spohr, die Elsa im «Lohengrin», die Brünnhilde im Ring-Zyklus, die Titelfiguren in «Norma» von Bellini und «Lucrezia Borgia» von Donizetti, die Desdemona in Verdis «Othello» und die Santuzza in «Cavalleria rusticana». Sie war verheiratet mit dem Maschinenmeister des Kasseler Hoftheaters Georg Brandt, einem Mitglied der auf diesem Fachgebiet allseits bekannten Familie.

Brauer, Frieda, Sopran, * 28. 1. 1873 Stuttgart, † (?); Gesangstudium bei Nikolaus Rothmühl in Stuttgart. 1899 kam es zu ihrem Bühnendebüt am Stadttheater von Zürich, dem sie bis 1902 angehörte. Es schloß sich ein Engagement am Opernhaus von Königsberg (Ostpreußen) an, das bis 1904 dauerte. Sie lebte anschließend gastierend in Berlin, später in Swinemünde. So gab sie 1902 ein längeres Gastspiel am Deutschen Theater von Prag. Nach 1904 erscheint sie, wohl nach einer Heirat, unter dem Namen Richert-Brauer. Die Künstlerin, die auf der Bühne als Elsa im «Lohengrin», als Sieglinde in der «Walküre», als Leonore im «Fidelio» und in weiteren dramatischen Sopranpartien auftrat, ist dadurch von einiger Bedeutung, daß 1904 mehrere Aufnahmen ihrer Stimme auf G & T in Stuttgart gemacht wurden, die von Sammlern gesucht sind.

Braun, Friedrich, Baß-Bariton, * 1872 Zürich, † 15. 9. 1918 Dortmund; er erhielt zunächst eine kaufmännische Ausbildung und war auf diesem Gebiet in seiner Heimatstadt Zürich tätig. Er nahm jedoch Gesangunterricht bei dem dort ansässigen Pädagogen Angerer und später bei Iffert in Dresden. 1899 kam es zu seinem Bühnendebüt am Hoftheater von Altenburg (Thüringen). 1900–1901 war er am Stadttheater von Lübeck, 1902–04 am Theater von Metz, 1904–07 am Stadttheater von Essen im Engagement. Den Höhepunkt seiner Karriere erreichte er mit Verpflichtungen an die Opernhäuser von Frankfurt a. M. (1907–12) und Köln (1912–14). Seit

1914 sang er bis zu seinem plötzlichen Tod am Stadttheater von Dortmund. Gastspiele brachten ihm, namentlich in den großen Wagner-Partien, Erfolge auf internationalem Niveau. So gastierte er in den Jahren 1904, 1906 und 1907 an der Covent Garden Oper London als Wotan im Nibelungenring und als Pogner in den «Meistersingern», 1908 an der Berliner Hofoper, 1909 am Opernhaus von Leipzig, 1910 an der Hofoper von München und 1916 am Stadttheater von Zürich. Er sang auf der Opernbühne als Glanzrollen seine Wagner-Heroen (Fliegender Holländer, Wolfram, Telramund, Kurwenal, Wotan, Wanderer, Gunther, Hans Sachs, Pogner), dazu den Pizarro im «Fidelio», den Nelusco in Meyerbeers «Africaine», den Rigoletto und den Scarpia in Puccinis «Tosca».

Braun, Katinka, Sopran, * 24. 3. 1799 Würzburg, † 8. 6. 1832 Ludwigsburg; sie erhielt ihre Ausbildung durch den Chordirektor Seiffert und betrat 1815 am Hoftheater von Hannover erstmalig die Bühne. 1817–20 war sie in Hamburg, 1822–23 am Hoftheater von Kassel, dann 1823–25 an der Berliner Hofoper im Engagement. Am Hoftheater von Kassel sang sie am 28. 7. 1823 in der Uraufführung der Oper «Jessonda» unter der Leitung des Komponisten Louis Spohr die Titelpartie. In Berlin heiratete sie ihren Vetter, den Oboisten Wilhelm Braun, gab aber bereits 1825 ihre Bühnenkarriere auf. In zwei ihrer Glanzrollen, der Agathe im «Freischütz» von Weber und der Titelfigur in «Fanchon das Leiermädchen» von Friedrich Heinrich Himmel, nahm sie von dem Berliner Opernpublikum, das sie sehr geschätzt hatte, Abschied.

Braunecker-Schäfer, Therese, Sopran/Mezzosopran, * 3. 4. 1825 Wien, † 8. 3. 1888 Iglau (Jihlava); sie entstammte einer hochadligen Familie und führte den Titel einer Reichsfreiin. 1850 erregte sie erstes Aufsehen am Deutschen Theater von Budapest, wo sie als Soubrette wie als Tänzerin hervortrat. 1851 kam sie an das Deutsche Theater in Prag, 1855 an das Wiener Carl-Theater. Hier erlebte sie den Höhepunkt ihrer Karriere, als sie neben Johann Nestroy und weiteren Künstlern ihren Beitrag zur Glanzperiode dieses Hauses leistete. Ihr Auftreten in den Operetten von Offenbach trug ihr größten Beifall ein; ihre Darstellung der darin enthaltenen Soubrettenrollen galt als unvergleichlich. Um 1880 gehörte sie zum Ensemble des Theaters an der Wien, wo sie zunächst Rollen aus dem Fach der komischen Alten übernahm. Hier sang sie am 24. 10. 1885 in der Uraufführung des «Zigeunerbarons» von Johann Strauß die Partie der Mirabella. In Operetten von Strauß, Millöcker und F. von Suppé wie in vielen anderen Werken, die im «Goldenen Zeitalter der Wiener Operette» entstanden, konnte sie ihr Publikum, vor allem auch durch ihr eminentes schauspielerisches Talent, begeistern. Sie wirkte in vielen weiteren Uraufführungen mit: «Prinz Methusalem» (1877 Carl-Theater), «Das Spitzentuch der Königin» (1880 Theater an der Wien), «Der lustige Krieg» (1881 Theater an der Wien) von Johann Strauß, «Der Feldprediger» von C. Millöcker (1884 Theater an der Wien) «Donna Juanita» von F. von Suppé (1880 Carl-Theater). 1886 mußte sie aus Krankheitsgründen ihre Karriere beenden.

Brazzi, Jean, Tenor, * 30. 5. 1936 Troyes (Departement Aube); er studierte zuerst am Konservatorium von Troyes, dann am Conservatoire National Paris. 1961 debütierte er als Konzertsänger, begann aber auch im gleichen Jahr seine Bühnenkarriere am Theater von Besançon als Alfredo in «La Traviata». Er sang regelmäßig an den führenden Opernhäusern in der französischen Provinz, darunter in Marseille, Lyon, Bordeaux, Rouen, Lille, Toulouse und an der Opéra du Rhin Straßburg. 1968 und 1980 hörte man ihn an der Grand Opéra Paris. Hinzu traten erfolgreiche Auftritte im Ausland. Bereits 1966 und wieder 1969 gastierte er bei den Festspielen von Glyndebourne in einer seiner Glanzrollen, dem Titelhelden in «Werther» von Massenet. 1966 sang er am Grand Théâtre Genf, 1967 beim Wexford Festival (Roméo in «Roméo et Juliette» von Gounod), 1970 an der Oper von Monte Carlo (Julien in «Louise» von Charpentier), 1980 am Teatro Liceo Barcelona (Hoffmann in «Hoffmanns Erzählungen»). Weiter zu Gast an den Opern von Gent und Lüttich wie in Mexico City. 1972 sang er an der Oper von Marseille in der französischen Erstaufführung der Oper «Socrate» von Satie die Partie des Phaëdon. Sein Repertoire war in der Hauptsache französisch-italienisch orientiert; aus ihm seien noch als Höhepunkte der Faust von Gounod, der des Grieux in Massenets «Manon», der José in «Carmen», der Jean in «Hérodiade» von Massenet, der Turiddu in «Cavalleria rusticana», der Cavaradossi in «Tosca», der Pinkerton in «Madame Butterfly», der Maurizio in «Adriana Lecouvreur» von Cilea, der Rinuccio in Puccinis «Gianni Schicchi», der Stewa in Janáčeks «Jenufa» und der Paco in «La Vida breve» von de Falla genannt. Zu Beginn der achtziger Jahre gab der auch als Konzert- und Oratoriensolist bekannte Sänger seiner Karriere auf.
Schallplatten: Philips (Querschnitt «Werther»), Rodolphe Records (Gesamtaufnahme «Hérodiade»), Charlin Disques («Les Béatitudes» von César Franck).

Brehm-Fritsch, Sophie, Sopran, * 1. 12. 1861 Stuttgart, † (?); sie hieß eigentlich Sophie Fritsch und war die Tochter eines Stuttgarter Kaufmanns. Dort erhielt sie auch ihre Ausbildung und debütierte 1881 am Hoftheater von Wiesbaden. Hier blieb sie bis 1882, sang dann 1882–85 an der Hofoper Stuttgart und wechselte 1885 an das Hoftheater Karlsruhe, dessen Mitglied sie bis zu ihrem Abschied von der Bühne 1900 blieb. In Karlsruhe sang sie u. a. in der deutschen Erstaufführung von «Der König wider Willen» («Le Roi malgré lui») von E. Chabrier 1890 die Partie der Minka und wirkte in der Uraufführung der Oper «Das Unmöglichste von allem» von A. Urspruch (1897) mit. Gastspiele brachten ihr an führenden deutschen Bühnen große Erfolge ein, darunter an der Hofoper Berlin (1884), am Hoftheater von Mannheim (1899) und bei den Bayreuther Festspielen, bei denen sie 1886–89 eine Soloblume im «Parsi-

fal» sang. Aus der Vielzahl von Koloraturpartien, die sie gesungen hat, sind die Susanna in «Figaros Hochzeit«, die Zerline im «Don Giovanni», die Ännchen im «Freischütz», die Wellgunde im Nibelungenring, die Marie im «Waffenschmied» von Lortzing, die Gretel in «Hänsel und Gretel», die Philine in «Mignon» von A. Thomas, die Norina im «Don Pasquale» und die Zerline in «Fra Diavolo» zu erwähnen. Die Künstlerin war verheiratet mit dem Schauspieler und Bühnendirektor Fritz Brehm (1858–1920), der seit 1899 als Spielleiter am Stadttheater von Mainz tätig war und dann die Leitung des Stadttheaters von Görlitz übernahm. Sophie Brehm-Fritsch ließ sich nach ihrem Rücktritt von der Bühne zuerst in München, dann in Mainz als Pädagogin nieder. Sie verbrachte ihren Lebensabend in Bad Reichenhall. 1927 veröffentlichte sie ihre Lebenserinnerungen unter dem Titel *«Ernstes und Heiteres aus meiner Künstlerlaufbahn».*

Brell, Mario, Tenor, * 1937 Hamburg; nach einer Anstreicher-Lehre kam es zur Ausbildung seiner Stimme in Hamburg. Er war u. a Schüler von Hanni Mack-Cosack. 1963 begann er seine Bühnenkarriere und war zunächst als Operettentenor am Städtebundtheater Hof (1963–65), am Stadttheater Luzern (1965–67), am Staatstheater Oldenburg (1967–71), am Stadttheater Krefeld (1971–73), dann am Theater von Gelsenkirchen (1973–82) engagiert, wobei er sich allmählich dem Opernrepertoire zuwandte und schließlich Partien wie den Lohengrin, den Parsifal, die Titelpartie in «Der Zwerg» von Zemlinsky, den Hoffmann in «Hoffmanns Erzählungen», den Bacchus in «Ariadne auf Naxos» von R. Strauss, den Diomedes in «Penthesilea» von O. Schoeck (Düsseldorf 1986), den Grafen in «Irrelohe» von Franz Schreker, den Jim in «Aufstieg und Fall der Stadt Mahagonny» von Weill und den Max im «Freischütz» sang. Seit 1982 Mitglied der Deutschen Oper am Rhein Düsseldorf-Duisburg. Vertraglich auch den Opernhäusern von Zürich (1978–79), Frankfurt a. M. (1985–86) und Köln, der Hamburger Staatsoper (1982–83), dem Staatstheater Karlsruhe (1975–77) und der Wiener Volksoper (1980–81) verbunden. Am Staatstheater Wiesbaden sang er 1986 in der Uraufführung der Oper «Belshazar» von Volker David Kirchner. Er gastierte in Amsterdam (1987 Mephisto in «Doktor Faust» von Busoni) und im Haag, in Antwerpen und am Stadttheater von Basel (1989).
Schallplatten: Capriccio («Der Zar läßt sich photographieren» von K. Weill).

Brenneis, Gerd, Tenor, * 3. 1. 1936 Nienhagen in Mecklenburg; nachdem er anfänglich Chemie studieren wollte, ließ er seine Stimme im Opernstudio der Städtischen Oper Berlin ausbilden und begann seine Karriere 1960 am Opernhaus von Essen. Als Antrittspartie sang er hier den Curzio in «Figaros Hochzeit» und hatte einen ersten Erfolg in der Titelrolle der Benjamin Britten-Oper «Albert Herring». 1962 wechselte er an das Stadttheater von Augsburg, zu dessen Ensemble er elf Jahre lang gehörte, auch nachdem er bereits 1970 Mitglied der Deutschen

Oper am Rhein Düsseldorf–Duisburg geworden war. In Augsburg sang er seine ersten Wagner-Helden, den Lohengrin, den Parsifal und den Walther von Stolzing in den «Meistersingern» und wurde bald als großer Wagner- und Heldentenor bekannt. Später konzentrierte sich seine Tätigkeit wesentlich auf die Deutsche Oper Berlin, an der er zuerst 1974 als Max im «Freischütz», dann als Walther von Stolzing, als Parsifal und in weiteren Partien für Heldentenor auftrat. 1972–77 gastierte er ständig an der Hamburger Staatsoper, u. a. als Max im «Freischütz», als Parsifal und als Dimitrij im «Boris Godunow» von Mussorgsky. 1975–77 auch an der Staatsoper Stuttgart engagiert. Eine ausgedehnte Gastspieltätigkeit führte den Künstler an die Opernhäuser in aller Welt: an die Staatsoper von Wien (1976–85 durch Vertrag verbunden) und an die Mailänder Scala (Florestan im «Fidelio» unter Karl Böhm, 1975), an die Oper von Mexico City (1981 als Lohengrin), an das Teatro Regio Turin (1984, 1988), an das Teatro Liceo Barcelona (1977), an die Oper von New Orleans (1977), nach Pretoria (1985), Tokio (1986) und schließlich 1976–81 an die Metropolitan Oper New York, an der er einen seiner größten Erfolge als Kaiser in der «Frau ohne Schatten» von R. Strauss wie auch als Tristan und Walther von Stolzing hatte. Bei den Bayreuther Festspielen der Jahre 1973–74 hörte man ihn als Walther von Stolzing, als Siegmund in der «Walküre» und als Walther von der Vogelweide im «Tannhäuser». 1984 wirkte er beim Maggio musicale von Florenz mit. 1988 gastierte er an der Oper von Nizza als Siegfried im Nibelungenring.
Mitschnitte von Rundfunksendungen des Sängers sind vorhanden.

Brenner, Jenny, Sopran, * 1820, † 26. 1. 1876 Brasov (Kronstadt, Siebenbürgen); die Künstlerin begann ihre Bühnenkarriere am Deutschen Theater von Budapest und ging 1857 an das Opernhaus von Leipzig. Später kam sie in Wien zu hohem Ansehen als Koloratrice, und sie beendete ihre Karriere mit einem Engagement am Deutschen Landestheater Prag, das sie 1870 antrat. Man bewunderte ihre technische Brillanz in der Ausführung schwierigster Koloraturpartien wie der Königin der Nacht in der «Zauberflöte», der Marguerite de Valois in Meyerbeers «Hugenotten», der Titelheldin in Flotows «Martha» und insgesamt in einem breit angelegten Bühnen- und Konzertrepertoire.

Bressler, Charles, Tenor, * 1. 4. 1926 Kingston (Pennsylvania); er wurde an der Juilliard School of Music ausgebildet und war Schüler der Gesangspädagogen Lucia Dubham, Sergius Kagen und Marjorie Schloss. Er schloß seine Ausbildung mit der Diplomprüfung 1950 ab. Er wurde als Mitglied von verschiedenen Vokal-Ensemblegruppen bekannt, mit denen er ausgedehnte Konzertreisen in Nordamerika unternahm. So gehörte er zu den Gründern des Ensembles Pro Musica New York, mit dem er 1953–63 eine Reihe von erfolgreichen Tourneen absolvierte. 1957 war er einer der Gründer der New York Chamber Soloists. Er ist auch gastweise auf der Opern-

bühne aufgetreten, so an der Santa Fé Opera und bei der Washington Opera Society. Seine Konzerte, die er später auch in den europäischen Musikzentren gab, enthielten eine Vielfalt von Werken, von mittelalterlicher Vokalmusik bis zu zeitgenössischen Kompositionen reichend. Der Künstler wurde ein hoch angesehener Pädagoge und unterrichtete an verschiedenen Instituten in den USA, so seit 1966 am Mannes College of Music, seit 1977 an der Manhattan School of Music.
Seine Stimme begegnet uns auf vielen Schallplatten der Firmen Columbia, Nonesuch, Vanguard, New World Records und CRI.

Brett, Charles, Countertenor, * 27. 10. 1941 Maidenhead (bei London); er war Choral Scholar am King's College in Cambridge, wo er auch seine musikalische Ausbildung erhielt. Er wurde bald als Solist in verschiedenen Vokal- und Instrumental-Ensembles bekannt, die sich im wesentlichen der Interpretation von Barockmusik widmeten. Zuerst kam er in England, dann bei Gastauftritten in aller Welt zu großen Erfolgen. So bereiste er die USA, Frankreich, die Schweiz, Deutschland, Spanien und Norwegen. Er sang Händels «Theodora» in Oslo, «Israel in Egypt» in Genf, das Weihnachtsoratorium von J. S. Bach in Versailles, die Johannespassion vom gleichen Meister in Cambridge und London, die Hohe Messe h-moll von Bach in Lourdes, Paris und Lyon zusammen mit dem Collegium Vocale Gent. Zahlreiche Konzerte zusammen mit der Grande Ecurie du Roy unter Jean-Claude Malgoire. 1984 erfolgte dann sein Debüt auf der Opernbühne; er sang am Opernhaus von Graz (zu dessen Eröffnung nach einer Renovierung) in der Barock-Oper «Angelica Vincitrice di Alcina» von Johann Joseph Fux. Bei den Festspielen von Ludwigsburg trat er in der Händel-Oper «Semele» auf; er unternahm eine Tournee durch Frankreich mit Aufführungen von Mozarts «La clemenza di Tito». Am Stadttheater von Aachen hörte man ihn 1987 als Oberon in Benjamin Brittens «A Midsummer Night's Dream». Er war der Gründer und Leiter des Amaryllis Consort, einer Vokalgruppe, die sich auf die Musik der Renaissance spezialisierte.
Zahlreiche interessante Schallplattenaufnahmen, u. a. auf Erato (Magnificat und Kantaten von J. S. Bach, «Israel in Egypt» von Händel), Hyperion («The Triumph of Time and Truth» von Händel), Philips («Messias» von Händel), HMV (Werke von Purcell), Decca, Virgin Classics (Hohe Messe von J. S. Bach), CBS (Eustazio in «Rinaldo» von Händel).

Brian, Maria Issajakowna, Sopran, * 23. 8. (4. 9.) 1886, † (?); sie studierte zuerst in Rußland, dann 1903–09 in Paris, schließlich am Konservatorium von St. Petersburg. 1912 begann sie ihre Bühnenlaufbahn am Mariensky Theater, der Hofoper von St. Petersburg. Hier sang sie Partien wie die Tatjana im «Eugen Onegin», die Marguerite im «Faust» von Gounod, die Mimi in Puccinis «La Bohème», die Antonia in «Hoffmanns Erzählungen» von Offenbach und kreierte 1915 für Rußland die Mélisande in der Erstaufführung von Debussys «Pelléas et Mélisande» in St. Petersburg. 1913–14 nahm sie an den Tourneen der Opéra Russe unter Sergej Diaghilew teil, die durch ihre Aufführungen am Théâtre des Champs Élysées Paris und am Londoner Drury Lane Theatre die russische Oper in Westeuropa bekannt machten; dabei sang sie die Xenia im «Boris Godunow» und in Rimsky-Korssakows «Mainacht». Bis 1920 war sie an der Oper von St. Petersburg (seit 1914 Petrograd) tätig. Sie wirkte dann als Pädagogin an der Musikakademie von Leningrad. 1938 wurde sie zur Volkskünstlerin der UdSSR ernannt.

Briede, Vilma, Sopran, * 1904 in Lettland; sie begann ihre Laufbahn am Theater von Libau (Liepaja) und wurde 1937 an die Lettische Nationaloper Riga verpflichtet. Dort hatte sie in Partien wie der Marguerite im «Faust» von Gounod, der Antonia in «Hoffmanns Erzählungen», der Tatjana im «Eugen Onegin» von Tschaikowsky, der Titelfigur in «Madame Butterfly», der Mimi in Puccinis «La Bohème», der Nedda im «Bajazzo», der Micaela in «Carmen» und der Elsa im «Lohengrin» ihre Erfolge. 1939 sang sie in Riga die Aida unter Leo Blech, der 1937–41 als Dirigent am Opernhaus von Riga wirkte, und der ihre Stimme besonders schätzte. 1940 übernahm sie an diesem Haus den Pagen Oscar in Verdis «Maskenball» mit Alida Vane in der Rolle der Amelia. 1937 sang sie an der Oper von Riga die Kristine in der Uraufführung der Oper «Im Feuer» des lettischen Komponisten Jānis Kalniņš, 1939 die Titelpartie in Mascagnis «Iris». Als die sowjetrussischen Truppen 1944 Lettland wieder besetzten, schloß sich sich in Kurland lettischen Partisanentruppen an, wurde aber gefangengenommen und nach Sibirien deportiert. Ihr weiteres Schicksal ist unbekannt.

Brilli, Pietro, Baß, * (?), † (?); der Name dieses italienischen Sängers ist Schallplattensammlern dadurch geläufig, daß er in einer vollständigen, akustischen Aufnahme von Verdis «Aida» auf HMV die Partie des Königs singt. Aus seiner Karriere sind nur einige spärliche Details bekannt. So bereiste er 1913 mit einer Wandertruppe, der Western Metropolitan Opera, die USA und sang bei dieser Tournee in San Francisco den König in «Aida», den Colline in Puccinis «La Bohème» und wirkte in der amerikanischen Erstaufführung von Leoncavallos Oper «I Zingari» unter der Leitung des Komponisten mit.

Brock, Karl, Tenor, * 17. 6. 1930 Great Bend (Kansas); er war Schüler des großen Tenors Paul Althouse in New York und wurde zusätzlich durch die New Yorker Pädagogen Alice Nichols und Rose Landver ausgebildet. 1957 debütierte er am Stadttheater von Basel als Tamino in der «Zauberflöte». Er hatte an dieser Bühne wie in Westdeutschland an den Opernhäusern von Essen, Hannover, Bonn und Wiesbaden seine Erfolge. Zu Gast an der Oper von Monte Carlo wie an der Oper von St. Paul. Sein Repertoire hatte seine Höhepunkte in heldischen wie lyrischen Tenorpartien: als Florestan im «Fidelio», als José in «Carmen», als Canio im «Bajazzo», als Belmonte in der «Entführung aus dem Serail», als

Don Ottavio im «Don Giovanni», als Tamino in der Zauberflöte», als Ferrando in «Così fan tutte», als Riccardo in Verdis «Ballo in maschera», als Titelheld in «Hoffmanns Erzählungen» von Offenbach, als Rodolfo in Puccinis «La Bohème», als Pinkerton in «Madame Butterfly», als Michele in «Il Tabarro», als Lohengrin, als Hans in der «Verkauften Braut» von Smetana, als Fenton in Nicolais «Lustigen Weibern von Windsor», als Pedro in «Tiefland» von d'Albert, als Titelheld in «Albert Herring» und als Male Chorus in «The Rape of Lucretia» von B. Britten und als Michele in «The Saint of Bleecker Street» von Menotti. Er lebte in Oshkosh, wo er an der University of Wisconsin einen Lehrauftrag wahrnahm und unternahm von dort aus Gastspiele wie Konzerte in den Musikzentren der USA.
Schallplatten: Mitschnitte von Rundfunk- und Fernsehaufnahmen (Grumio in «The Taming of the Shrew» von Vittorio Giannini).

Brodard, Michel, Baß-Bariton, * 1. 4. 1946 Fribourg (Schweiz); er wurde am Conservatoire Fribourg in den Jahren 1965–74 ausgebildet, begann aber bereits 1971 eine ausgedehnte Tätigkeit als Konzert- und vor allem als Oratoriensänger. Er trat nur selten als Gast auf der Bühne in Erscheinung (u. a. in Genf, Lausanne, Luzern, Nancy und Metz), sang aber Opernpartien in konzertanten Aufführungen und in Rundfunksendungen sowie auf Schallplatten. Im Konzertsaal kam er zu einer internationalen Karriere mit Auftritten in den Mittelpunkten des Schweizer Musiklebens, in Brüssel, Marseille, Paris, Toulouse, Lyon und Straßburg, in Bologna, Rom und Lucca, in Frankfurt a. M., Hannover und Stuttgart, in Barcelona, Granada und Lissabon, in Buenos Aires, Madrid, Tel Aviv und Wroclaw (Breslau). Teilnahme an vielen internationalen Musikfestspielen. Sein Repertoire im Konzertsaal reichte von den Barock-Werken eines J. S. Bach und Händel bis zu zeitgenössischen Vokalwerken; auch als Lied-Interpret geschätzt. Er lebte in La Roche im Schweizer Kanton Fribourg.
Schallplatten: Erato («L'Enfant et les sortilèges» von Ravel, «Pelléas et Mélisande», Weihnachtsoratorium von J. S. Bach, Theresienmesse von J. Haydn, Madrigale und Marienvesper von Monteverdi, Messe Es-dur von Schubert, Psalm 110 von Vivaldi), Editions Rencontre («Renard» von Strawinsky), VDE-Gallo (Mozart-Messen, «Noces» von Strawinsky).

Brodmann, Nelly, Sopran, * 1870 (?) St. Gertraud (Kärnten), † (?); sie erhielt ihre Ausbildung am Wiener Konservatorium und hatte ihren ersten Bühnenauftritt 1890 am Schloßtheater von Totis in Ungarn. Noch im gleichen Jahr wurde sie an das Hoftheater von Wiesbaden verpflichtet, dem sie bis 1911 angehörte. Sie heiratete den in Wiesbaden engagierten Dirigenten Josef Schlar (1861–1922) und erlangte beim Wiesbadener Publikum große Beliebtheit. Gastspiele am Opernhaus von Leipzig (1898), an der Berliner Hofoper (1904), an den Hoftheatern von Schwerin (1903) und Karlsruhe (1905). Seit 1899 gastierte sie häufig am Opernhaus von Frankfurt

a. M. Sie meisterte auf der Bühne ein sehr vielseitiges Rollenrepertoire, das Partien wie die Carmen, die Titelfigur in «Mignon» von A. Thomas, die Elisabeth im «Tannhäuser», die Sieglinde in der «Walküre», die Santuzza in «Cavalleria rusticana», die Rezia im «Oberon» von Weber, die Katharina in «Der Widerspenstigen Zähmung» von Hermann Goetz, die Desdemona in Verdis «Othello», aber auch die Amneris in «Aida» und die Brangäne im «Tristan» enthielt.

Die Stimme der Künstlerin ist durch zwei sehr seltene Aufnahmen auf G & T überliefert, die bereits 1901 in Wiesbaden entstanden sind.

Bronhill, June, Sopran, * 1931 (?) Broken Hill im australischen Staat New South Wales; eigentlicher Name June Gough. Sie gewann 1950 den Sydney Sun Aria Contest, worauf ihre Heimatstadt in einer Sammlung die Kosten für ihre weitere Ausbildung in London zusammentrug. Aus Dankbarkeit nahm sie darauf den Künstlernamen Bronhill an (eine Kontraktion des Namens Broken Hill). 1952 kam sie zum Weiterstudium nach London; 1954 debütierte sie an der Londoner Sadler's Wells Opera als Adele in der «Fledermaus» von J. Strauß, sang dort die Gilda im «Rigoletto», die Norina im «Don Pasquale» und mit besonderem Erfolg 1958 die Hanna Glawari in der Lehár-Operette «Die lustige Witwe». In dieser Partie war sie so erfolgreich, daß sie sie in den Jahren 1958–60 in London wie in weiteren englischen Städten und schließlich im Herbst 1960 bei einer Australien-Tournee in 200 Vorstellungen wiederholte. 1958 gastierte sie an der Covent Garden Oper London in der Titelpartie der Oper «Lucia di Lammermoor» von Donizetti. 1961 hörte man sie bei der Sadler's Wells Opera als Zerbinetta in «Ariadne auf Naxos» von R. Strauss; auch als Königin der Nacht in der «Zauberflöte», in Menottis «The Telephone» und in «Orpheus in der Unterwelt» von Offenbach ist sie dort aufgetreten. Sie wandte sich in der Folgezeit mehr dem Musical und der Operette zu und trat 1962–64 in solchen Werken in Australien auf, sang hier aber auch Opernpartien in Syndney und Melbourne. 1964 gastierte sie wieder bei der Sadler's Wells Oper als Saffi im «Zigeunerbaron» von J. Strauß. Verheiratet mit dem Fernseh-Produzenten Richard Finney, der aus Neuseeland stammte.
Schallplatten: HMV (Querschnitte und Arien aus Operetten).

Bronzino, Giuseppe, Tenor, * 1832 Grugliasco (Piemont), † 1913 Grugliasco; er entstammte einer Bauernfamilie. Vier Jahre lang ging er dreimal in der Woche zu Fuß von seinem Heimatort Grugliasco nach Turin, wo er durch Maestro Fabbrica unterrichtet wurde. 1859 debütierte er am Teatro Rossini in Turin als Nemorino in «Elisir d'amore» von Donizetti. Der Erfolg war so groß, daß man ihn für die Spielzeit 1859–60 an das Teatro Regio Turin verpflichtete, wo er in der Rolle des Fischers in Rossinis «Wilhelm Tell» das Publikum begeisterte. 1860 kam es bereits zu einem längeren Gastspiel in Holland, 1861 hörte man ihn in Turin als Elvino in «La Sonnambula» von Bellini. Er unternahm in den folgenden

25 Jahren ausgedehnte Gastspielreisen, zumeist mit wandernden italienischen Operntruppen, die ihn in die entferntesten Länder führten. Vor allem kam er in Südamerika zu bedeutenden Erfolgen, doch war er auch in Indien, auf der Insel Java, in Ägypten, Griechenland, in Holland, Portugal und in Rußland zu Gast. In Italien ist er dagegen nur selten und zumeist an kleineren Bühnen aufgetreten, so 1870–72 am Teatro Concordia von Cremona, am Teatro Umberto Florenz und in Verona. Nach Aufgabe seiner Bühnenkarriere betätigte er sich noch längere Zeit als Konzert- und Kirchensänger.

Broulik, František (Franz), Tenor, * 24. 4. 1854 Ustì nad Orlici (ČSR), † November 1931 Stanislawu (bei Lwów, Polen); er war zunächst als Angestellter in einer Kanzlei in Ustì nad Orlici beschäftigt, nahm dann aber 1875–78 Gesangunterricht bei dem bekannten tschechischen Tenor Jan Ludvik Lukes in Prag. Als erste Opernpartie sang er 1978 am Nationaltheater von Prag den Lyonel in Flotows «Martha», blieb aber nur während einer Saison 1878–79 an diesem Haus im Engagement. Er ging dann nach Deutschland und sang 1879–80 am Stadttheater von Stettin, 1880–82 am Opernhaus von Leipzig, 1882–84 an der Hofoper Wien. 1884–96 war er an der Hofoper von Budapest tätig, wo er in den Jahren 1900–1903 nochmals auftrat. Hier wirkte er in wichtigen Erstaufführungen und Premieren mit; er gastierte an vielen deutschen Bühnen, darunter an der Hofoper von München (1882), am Hoftheater Mannheim (1892), am Stadttheater von Brünn (Brno, 1883), am Opernhaus von Breslau (1897) und am Theater von Graz (1883). In den Jahren 1882–98 war er immer wieder als Gast am Nationaltheater Prag anzutreffen. Aus seinem Bühnenrepertoire sind hervorzuheben: der Don Ottavio im «Don Giovanni», der Hüon im «Oberon» von Weber, der Arnoldo in Rossinis «Wilhelm Tell», der Manrico im «Troubadour», der José in «Carmen», der Chapelou in «Le Postillon de Lonjumeau» von Adam, der Assad in Goldmarks «Königin von Saba», der Johann von Leiden im «Propheten» von Meyerbeer, der Raoul in dessen «Hugenotten», der Lohengrin und der Siegmund in der «Walküre». Neben seinem Wirken auf der Bühne hatte er als Konzert- und Oratorientenor sehr große Erfolge. Dabei rühmte man besonders die hervorragende Ausbildung seiner Stimme in den hohen und höchsten Lagen. Nach Abschluß seiner Bühnenlaufbahn war er in Wien als Pädagoge tätig. Später zog er zu seiner Tochter, die in Polen lebte.

Brouwer, Katharina, Sopran, * 7. 3. 1778 Den Haag, † (?); sie entstammte einer begüterten holländischen Kaufmannsfamilie und erhielt ihre Ausbildung durch den Sänger und Kapellmeister Friedrich Franz Hurka in Berlin. 1797–98 erregte sie erstes Aufsehen, als sie an der Berliner Hofoper auftrat und unternahm dann glanzvolle Gastspielreisen durch Deutschland, Österreich und Holland. 1800 bewunderte man sie in Leipzig, dann in Dresden, Wien, München und Hamburg. 1803 kam sie nach Berlin zurück. Dort heiratete sie den Cellisten Daniel

Braun und setzte ihre Karriere auf der Bühne wie im Konzertsaal fort, wobei sie jetzt unter dem Namen Katharina Braun auftrat. Über den Ausgang ihrer Künstlerlaufbahn ist nichts Sicheres bekannt.

Browner, Alison, Mezzosopran, * 1957 Dublin; sie studierte in Dublin Violinspiel und Musikwissenschaft und sang dort in einem Chor. Sie erhielt dann ein Stipendium zur Ausbildung ihrer Stimme an der Hamburger Musikhochschule und trat dem Chor des Norddeutschen Rundfunks bei. Sie studierte seit 1981 auch bei dem berühmten Baß-Bariton Hans Hotter. 1981 erhielt sie ein Anfängerengagement im Opernstudio der Münchner Staatsoper. 1983 hatte sie ihren ersten großen Erfolg als Annius in «La clemenza di Tito» von Mozart bei den Festspielen von Ludwigsburg. 1984 wurde sie an das Staatstheater von Darmstadt verpflichtet; hier erregte sie als Dorabella in «Così fan tutte», als Charlotte im «Werther» von Massenet und in der schwierigen Koloraturpartie der Angelina in der Rossini-Oper «La Cenerentola» Aufsehen. 1987 folgte sie einem Ruf an das Nationaltheater Mannheim. Bereits 1985 sang sie bei den Festspielen von Bayreuth ein Blumenmädchen im «Parsifal», am Opernhaus von Frankfurt a. M. hörte man sie als Rheintochter im Nibelungenring, 1987 am Staatstheater Wiesbaden als Dorabella, 1988 beim Wexford Festival. Auf der Bühne sang sie auch den Cherubino in «Figaros Hochzeit», den Titelhelden im «Orpheus» von Gluck, die Conception in «L'Heure espagnole» von Ravel, im Konzertsaal ein vielseitiges Repertoire. Seit 1984 verheiratet mit dem Tenor und Gesangpädagogen *Wilhelm Gries,* der als Stimmbildner den Domchor in Limburg a. d. Lahn leitete.
Schallplatten: Philips (Blumenmädchen im «Parsifal», Aufnahme aus Bayreuth, 1985), Orfeo («Oberto» von Verdi), Wergo (Kantaten von C. Orff).

Brozel, Philipp, Tenor, * etwa 1870 (wahrscheinlich in Polen); seit 1895 sang er in England bei der Carl Rosa Opera Company und, nach deren Gründung, seit 1898 auch bei der Moody-Manners Company. In den Jahren 1894–95, 1897 und 1902 war er, zum Teil bei Ensemble-Gastspielen der oben genannten Operntruppen, an der Covent Garden Oper London anzutreffen. Hier wirkte er auch 1895 in der Uraufführung der Oper «Harold» von Frederick Cowen in der Titelpartie mit. Er ging dann nach Deutschland und sang 1905–07 am Stadttheater von Mainz, 1907–08 an der Wiener Hofoper und ist noch bis etwa 1920 bei Gastspielauftritten zu finden. So gastierte er 1904 am Deutschen Theater Prag, 1905 am Opernhaus von Köln und sang im gleichen Jahr an der Berliner Hofoper den Tristan. 1906 und 1907 am Hoftheater Hannover, 1906 am Opernhaus von Frankfurt a. M. und 1910 nochmals an der Londoner Covent Garden Oper zu Gast. Bei den Bayreuther Festspielen von 1902 sang er den Steuermann im «Fliegenden Holländer» und den 4. Knappen im «Parsifal». Auf der Bühne trat er in einem vielseitigen Repertoire auf, einmal in Wagner-Partien (Lohengrin, Tannhäuser, Tristan, Siegfried in der «Göt-

terdämmerung»), aber auch als Don Ottavio im «Don Giovanni», als Manrico im «Troubadour», als José in «Carmen», als Faust von Gounod und als Herodes in «Salome» von R. Strauss.

Brückl, Wally, Sopran, * 31. 10. 1906 München; nachdem sie in München ihre Ausbildung erhalten hatte, war sie 1927–30 am Stadttheater von Nürnberg und 1930–31 am Stadttheater von Augsburg engagiert. 1931 wurde sie an das Staatstheater Stuttgart berufen, dem sie bis 1944 angehörte. Während dieser Zeit gab sie Gastspiele an den großen deutschen Bühnen und sang in den dreißiger Jahren mehrfach an der Münchner Staatsoper. In Stuttgart hörte man sie in den Uraufführungen der Opern «Der Gondoliere des Dogen» von N. von Reznicek (1931) und «Michael Kohlhaas» von P. von Klenau (1933) und in der deutschen Erstaufführung von Cileas Oper «L'Arlesiana», bei der sie die Partie der Mama Rosa kreierte. Hatte sie als Zwischenfachsängerin begonnen, so weitete sie ihr Bühnenrepertoire in den Bereich des hochdramatischen Fachs aus. So sind aus ihrem Repertoire die Elisabeth im «Tannhäuser», die Elsa im «Lohengrin», die Sieglinde wie die Brünnhilde im Nibelungenring, die Kundry im «Parsifal», die Titelfigur in «Mona Lisa» von Max von Schillings, die Chrysothemis in «Elektra» von R. Strauss, die Carlotta in «Die Gezeichneten» von Franz Schreker, die Elena in Verdis «Sizilianischer Vesper», die Tosca, die Fürstin in «Adriana Lecouvreur» von Cilea und die Giulietta in «Hoffmanns Erzählungen» zu nennen. Auch als Konzertsolistin hatte sie eine belangreiche Karriere. Sie ist anscheinend nach dem Zweiten Weltkrieg nicht mehr aufgetreten.

Brun, Annette, Sopran, * 15. 8. 1910 Zürich; sie studierte in Zürich am Konservatorium Klavierspiel bei Emil Frey, privat Gesang bei Alice Frey-Knecht. 1934–35 hatte sie ihr erstes Bühnenengagement am Stadttheater von Luzern; 1935–38 sang sie am Stadttheater von Bern und 1939–46 am Stadttheater Basel. Seitdem ging sie einer Gastspieltätigkeit nach, die sie vor allem an das Opernhaus von Zürich, nach Genf und Lausanne, aber auch an das Théâtre de la Monnaie Brüssel und an die Oper von Antwerpen führte. Am 1. 6. 1954 sang sie in der konzertanten Uraufführung der Oper «David» von Darius Milhaud in Jerusalem anläßlich der 3000-Jahrfeier der Gründung der Stadt die Partie der Abishag. Sie trat auch bei Konzerten im Rahmen der Salzburger Festspiele auf. Ihr Bühnenrepertoire enthielt vor allem Koloraturrollen wie die Zerline im «Don Giovanni», die Despina in «Così fan tutte», die Blondchen in der «Entführung aus dem Serail», die Marzelline im «Fidelio», die Titelpartie in Flotows «Martha», die Rosina im «Barbier von Sevilla», die Gilda im «Rigoletto», den Pagen Oscar in Verdis «Ballo in maschera», die Nannetta in dessen «Falstaff», die Ännchen im «Freischütz», die Norina im «Don Pasquale», die Adina in «Elisir d'amore», die Marie in Donizettis «Fille du régiment», die Marie in «Zar und Zimmermann», die Baronin im «Wildschütz», die Titelfigur in «Manon» von Massenet, die Musetta in «La Bohème», die Butterfly, die Marie in der «Verkauften Braut», die Sophie im «Rosenkavalier», die Zdenka in «Arabella» von R. Strauss, die Adele in der «Fledermaus», die Prothoë in «Penthesilea» von Schoeck und die Miranda in der «Zauberinsel» von H. Sutermeister. Seit 1969 pädagogische Tätigkeit in Zürich und Basel.

Brunetti, Therese, Sopran, *28. 1. 1803 Prag, †3. 12. 1866 Karlsruhe; sie war die Tochter der zuerst als Sängerin bei der Gesellschaft Guardasoni, dann in Prag als Schauspielerin wirkenden *Therese Brunetti-Frei* (*24. 12. 1782 Wien, †15. 5. 1864 Prag), die 1797 den Prager Ballettmeister Brunetti geheiratet hatte und nach dessen Tod in zweiter Ehe die Gattin des Liederkomponisten Johann Wenzel Knize (Knže) wurde. Sie spielte im geistigen Leben der Metropole Prag eine große Rolle und war u. a. mit Carl Maria von Weber befreundet, der ihr Urteil sehr zu schätzen wußte und ihr darum seine Kompositionen nach deren Niederschrift in ihrer Wohnung zeigte. – Ihre Tochter, ebenfalls Therese wie die Mutter genannt, wurde am Konservatorium von Prag ausgebildet und erregte dort Aufsehen, als sie zusammen mit ihrer Jugendfreundin, der späteren großen Primadonna Henriette Sontag, auftrat. Ihre Karriere war jedoch nur von kurzer Dauer. 1822 heiratete sie den Dirigenten und Komponisten Johann Baptist Wenzel Kalliwoda (Ján Křitel Václáv Kalivoda, 1801–66), mit dem sie 1822 nach Donaueschingen verzog, wo er Kapellmeister der Fürstenbergischen Hofkapelle wurde und bis 1866 dieses Amt bekleidete. Therese Kalliwoda-Brunetti ist dort nur noch gelegentlich aufgetreten; ihr Sohn Wilhelm Kalliwoda (1826–93) war als Komponist und Theaterkapellmeister in Karlsruhe tätig.

Bruno, Elisa, Mezzosopran, *26. 11. 1869 Turin, †(?); sie war am Liceo musicale von Turin Schülerin der berühmten Antonietta Fricci und hatte ihr Debüt 1890 am Opernhaus von Valencia als Cieca in «La Gioconda» von Amilcare Ponchielli. Im gleichen Jahr war sie am Teatro Politeama Genua als Siebel im «Faust» von Gounod und wiederum als Cieca zu hören, 1891–92 sang sie am Teatro Municipale Modena u. a. die Lola in «Cavalleria rusticana». 1893–94 gastierte sie am Teatro Grande von Brescia als Emilia in Verdis «Othello» und in der Uraufführung einer Oper «Il Malacarne» von G. Coronaro. Es folgten Auftritte am Teatro Alfieri Turin, am Teatro Dal Verme Mailand (1894 als Frau Reich in den «Lustigen Weibern von Windsor» von Nicolai), am Teatro Comunale Ferrara (1895 als Mrs. Quickly in Verdis «Falstaff»), am Teatro Sociale von Como und am Teatro Vittorio Emanuele von Turin. 1899 sang sie am Teatro Carlo Felice Genua in Massenets Oper «Sapho» und den Prolog der Oper «Ero e Leandro» von Mancinelli. 1898–99 hatte sie bedeutende Erfolge an der Mailänder Scala, wo sie als Edvige in Rossinis «Wilhelm Tell» debütierte und in den Wagner-Opern «Lohengrin» und «Siegfried» wie in Tschaikowskys «Eugen Onegin» auftrat. Sie wurde auch als Solistin in den Oratorien von Lorenzo Perosi weiten Kreisen bekannt und sang 1900

u. a. in dessen Werk «La strage degli Innocenti» in Mailand. 1902 sang sie beim Jahrgedächtnis des Todes von Giuseppe Verdi an der Mailänder Scala des Alt-Solo in dessen Requiem unter Arturo Toscanini. Am Teatro Costanzi Rom war sie in den Jahren 1902–06 immer wieder zu hören. An der Scala wurde sie durch Toscanini in großen Aufgaben herausgestellt; unter ihm sang sie dort in der denkwürdigen Premiere der Richard Strauss-Oper «Salome» die Partie der Herodias (26. 12. 1906). In den Jahren 1906–09 war sie an der Scala als Cieca in «La Gioconda», als Lola in «Cavalleria rusticana», als Bersi in «Andrea Chénier» von Giordano, in der wichtigen Premiere von Mussorgskys «Boris Godunow» mit Fedor Schaljapin in der Titelrolle (1909) und in der italienischen Erstaufführung der Oper «Theodora» von Xavier Leroux (1909) anzutreffen. 1907 wirkte sie am Teatro Regio Turin in der italienischen Premiere von Massenets Oper «Ariane» in der Rolle der Persephone mit. Sie gastierte 1900 an der Hofoper Wien, 1910 am Deutschen Theater Prag.
Schallplatten: G & T, HMV, darunter Duette mit Giovanni Zenatello, Fonotipia (ca. 1902), Pathé (Mailand, 1905–06).

Brussa, Teresina, Sopran; über das Leben wie die Karriere der Sängerin ist kaum etwas bekannt. Um 1905 kam jedoch eine Anzahl von Schallplattenaufnahmen heraus, die eine schön gebildete lyrische Sopranstimme zeigen. Auf Phonodisc-Mondial singt sie eine Arie aus «La Traviata» und ein Duett aus «Rigoletto» mit Luigi Baldassari, auf Pathé zwei Arien aus «Manon Lescaut» von Puccini (mit Klavierbegleitung) sowie Opernszenen aus «La Bohème», «Tosca», «Madame Butterfly», «Rigoletto», «Ernani» von Verdi, «Mefistofele» von A. Boito und ein Duett aus «Cavalleria rusticana» mit Rinaldo Grassi als Partner.

Brustmann, Monika, s. unter *Rubens,* Monica.

Bryn-Julson, Phyllis, Sopran, *5. 2. 1945 Bowdon (North Dakota); sie entstammte einer ursprünglich norwegischen Familie. Sie erhielt ihre Ausbildung im Berkshire Music Centre in Tanglewood und hatte 1966 ein aufsehenerregendes Debüt, als sie zusammen mit dem Bostoner Sinfonie-Orchester in der «Lulu»-Sinfonie von Alban Berg das Sopransolo sang. 1973 kam sie in New York zu großen Erfolgen als Solistin mit den New Yorker Philharmonikern unter der Leitung von Pierre Boulez. 1975 debütierte sie in England, indem sie in London die Solopartie in «Pli selon pli» von Boulez zum Vortrag brachte. 1976 sang sie in der amerikanischen Erstaufführung der zeitgenössischen Oper «Montezuma» von Roger Sessions (nach deren Uraufführung 1964 in Berlin) die Partie der Malinche. Sie galt als hervorragende Interpretin der modernen Musik und wurde als Solistin in Werken wie Schönbergs «Pierrot lunaire» weithin bekannt. Auch in ihren Liederabenden spezialisierte sie sich auf das Liedschaffen zeitgenössischer Komponisten.
Schallplattenaufnahmen auf RCA, darunter Lieder von Benjamin Britten, auf Etcetera in «Punch and

Judy» von Birtwistle, auf Wergo in «Requiem für einen jungen Dichter» von B. A. Zimmermann.

Bucar, Franz, Tenor, *20. 1. 1861 Adelsberg (Post-ojna), in Kärnten † (?); er war zunächst Lehrer an einer Fachschule für Holzverarbeitung in Ljubljana (Laibach). Er ließ dann jedoch seine Stimme in Wien, Prag und Mailand ausbilden und debütierte als lyrischer Tenor 1892 am Opernhaus von Preß-burg (Bratislava), wo er während einer Saison blieb. Es folgten Engagements am Stadttheater von Ol-mütz (Olomouc, 1893–94), am Opernhaus von Leipzig (1894–96), am Hoftheater von Darmstadt (1896–1900), an der Wiener Hofoper (1900–01), am Opernhaus von Frankfurt a. M. (1901–02), am Thea-ter des Westens Berlin (1902–03), am Opernhaus von Köln (1903–04) und am Hoftheater von Weimar (1904–09). 1909–11 war er am Stadttheater von Es-sen als Sänger wie als Regisseur beschäftigt, 1911–12 in ähnlicher Stellung am Theater von Colmar im Elsaß. 1912–15 wirkte er am Stadttheater von Dan-zig als Sänger und Oberregisseur. Gastspiele des Künstlers fanden in Frankfurt a. M. (1897), am Hof-theater von Wiesbaden (seit 1898), an der Oper von Agram (Zagreb 1899), an den Hofopern von Stutt-gart (1899), München (1901 und 1902) und Berlin (1907) sowie seit 1907 mehrfach am Hoftheater von Kassel statt. Sein Repertoire für die Bühne hatte seine Höhepunkte in Rollen wie dem Belmonte in der «Entführung aus dem Serail», dem Florestan im «Fidelio», dem Erik im «Fliegenden Holländer», dem Froh im «Rheingold», dem Tannhäuser, dem David in den «Meistersingern», dem Tonio in der «Regimentstochter», dem Manrico im «Trouba-dour», dem Alfredo in «La Traviata», dem Radames in «Aida», dem Faust von Gounod, dem Titelhelden in «Fra Diavolo» von Auber, dem José in «Carmen», dem Wilhelm Meister in «Mignon» von A. Thomas, dem Hoffmann in «Hoffmanns Erzählungen» und dem Eisenstein in der «Fledermaus». Nach Been-digung seiner Bühnenkarriere verlegte er seinen Wohnsitz nach München, wo er 1919 noch genannt wird. Er wird auch unter dem Namen Franz Bučar de Petru erwähnt; vielleicht war dies sein richtiger Name, da er aus dem slowenischen Teil Kärntens stammte.

Buchan, Cynthia, Mezzosopran, * 1960 Edinburgh; sie erhielt ihre Ausbildung als Sängerin an der Royal Scottish Academy of Music. Sie kam in England und bei Gastspielen an zahlreichen europäischen Thea-tern in Partien wie der Dorabella in «Così fan tutte», der Charlotte im «Werther» von Massenet, der Ro-sina im «Barbier von Sevilla», der Preziosilla in Verdis «La forza del destino», der Olga in Tschai-kowskys «Eugen Onegin», dem Cherubino in «Figa-ros Hochzeit» und der Carmen zu großen Erfolgen. 1987 sang sie bei den Festspielen von Glyndebourne in «L' Enfant et les sortilèges» von Ravel, 1989 die Hermia in «A Midsummer Night's Dream» von B. Britten. An der Opera North Leeds erregte sie als Carmen, an der Welsh Opera Cardiff als Mrs. Quickly in Verdis «Falstaff» Aufsehen. Gastspiele führten die junge Sängerin nach Paris (Rosina im

«Barbier von Sevilla») und Madrid, nach München und Frankfurt a. M. (Babette in «Die englische Katze» von H. W. Henze), nach Amsterdam (1988 Varvara in «Katja Kabanowa» von Janáček) und nach Adelaide in Australien. In Zürich, Paris und Lyon wie auch in den englischen Musikzentren trat sie als Konzert- und Oratoriensolistin hervor.
Schallplatten: Video-Thorn (Bersi in «Andrea Ché-nier» von Giordano).

Buchta, Hubert, Tenor, * 31. 5. 1899 Wien, † 1987 Stuttgart; er arbeitete zunächst im Bankfach, nahm aber gleichzeitig Gesangunterricht. 1926 kam es zu seinem Bühnendebüt als Operettensänger am Thea-ter von Ostrava (Mährisch-Ostrau). In der Saison 1927–28 sang er dann am Theater von Teplitz-Schö-nau (Teplice) und wurde 1928 nach einem Gastspiel an die Staatsoper Stuttgart berufen. An diesem Haus blieb er seitdem bis zu seinem Rücktritt von der Bühne 1975, also für mehr als 45 Jahre, tätig. Er war beim Stuttgarter Publikum ungewöhnlich beliebt; er trat dort in über 120 Rollen in insgesamt 5600 Vor-stellungen auf und wurde 1965 zum Ehrenmitglied des Hauses ernannt. Er sang in Stuttgart in den Uraufführungen der Operetten von Nico Dostal «Monika» (3. 10. 1937), «Die ungarische Hochzeit» (4. 2. 1939) und «Flucht ins Glück» (1941) und in der einer weiteren Operette «Die Nacht mit Casanova» von Franz Grothe (1942). Am 11. 12. 1959 wirkte er in der Uraufführung der Oper «Oedipus der Ty-rann» von Carl Orff mit, 1966 in der von Werner Egks «17 Tage und 4 Minuten» sowie 1946 in der deutschen Erstaufführung von Hindemiths «Mathis der Maler» (als Capito). Von den vielen Partien, die er gesungen hat, seien als kleiner Ausschnitt der Pedrillo in der «Entführung aus dem Serail», der Monostatos in der «Zauberflöte» (den er mehr als 250mal sang), der Veit in Lortzings «Undine», der Georg in dessen «Waffenschmied», der David in den «Meistersingern», die Hexe in «Hänsel und Gretel», der Spoletta in «Tosca», der Goro in «Madame Butterfly», die vier komischen Partien in «Hoff-manns Erzählungen» und der Wenzel in Smetanas «Verkaufter Braut» genannt. Auch als Konzertsän-ger in Erscheinung getreten.
Schallplatten: Historia («Figaros Hochzeit», Rund-funkaufführung von 1938), BASF («Il Tabarro» von Puccini, ebenfalls Rundfunksendung von 1938), DGG («Oedipus der Tyrann»).

Buchwieser, Kathinka, Sopran, * 1789, † 9. 7. 1828 Wien; sie begann 1809, noch ganz jung, ihre Karriere als Opernsängerin in der österreichischen Metropole und zeichnete sich an den verschiedenen damaligen Wiener Theatern als Koloratursopranistin aus. Ei-nem alten Brauch folgend ist sie während dieser Zeit, die durch die Ereignisse des Wiener Kongres-ses bestimmt wurde, auch als Schauspielerin aufge-treten. Der junge Joseph von Eichendorff bewun-derte die gefeierte Koloratrice 1811 am Theater an der Wien. Nachdem sie 1817 den ungarischen Adli-gen Laszny von Fokusfodva geheiratet hatte, gab sie ihre Bühnenkarriere auf. Sie beschränkte ihre weitere Tätigkeit auf einige Konzertauftritte, starb aber bereits 1828.

Bürger, Max, Tenor, * 22. 6. 1854, Leipzig, † 5. 10. 1902 Friedrichroda bei Leipzig; er erhielt seine Ausbildung zum Sänger in Leipzig und in Paris. 1875 begann er seine Bühnenkarriere als lyrischer Tenor am Hoftheater von Coburg. 1881 ging er von dort an das Hoftheater von Braunschweig, dem er bis 1887 angehörte. Es folgte ein Engagement als erster Tenor am Opernhaus von Köln. Schließlich kehrte er wieder an das Coburger Hoftheater zurück, an dem er dann auch als Schauspieler auftrat. Von seinen zahlreichen Bühnenpartien sind zu nennen: der Graf Almaviva in Rossinis «Barbier von Sevilla», der Titelheld in Flotows «Alesandro Stradella», der Chapelou im «Postillon de Lonjumeau» von Adam, der José in «Carmen» und der Roméo in «Roméo et Juliette» von Gounod. Neben seinem Wirken auf der Bühne war er ein ebenso erfolgreicher Konzertsolist.

Bürgmann, Ferdinand, Tenor, * 14. 3. 1904 Kuttenplan (Chodova Planá, ČSR), † 30. 5. 1987 Leipzig; er studierte zunächst an der Bergbau-Akademie in Freiberg in Sachsen, ließ dann jedoch seine Stimme durch Lothar Wallerstein in Prag und durch Josef von Manowarda in Wien ausbilden. Er war zunächst als Chorist am Stadttheater von Ratibor (1933–34), am Stadttheater von Greifswald (1934–35) und seit 1935 an der Staatsoper Berlin tätig. Dort wurde er 1937 als Solist in das Ensemble aufgenommen und blieb bis 1939 Mitglied des Hauses. Es schlossen sich Engagements am Stadttheater von Krefeld (1939–44), am Stadttheater von Rostock (1945–48) und am Opernhaus von Leipzig (1948–69) an. In Leipzig erreichte die Karriere des Künstlers ihren Höhepunkt. Dort trat er namentlich im Wagner-Fach, später auch in Charakterpartien, auf. Bereits 1937 gastierte er bei den Festspielen von Bayreuth (Gralsritter im «Parsifal»); an der Berliner Staatsoper wirkte er in der Uraufführung der Oper «Rembrandt van Rijn» von Paul von Klenau mit (23. 1. 1937). Er gastierte während seines Leipziger Engagements an den Staatsopern von Dresden und Berlin und in den fünfziger Jahren auch an westdeutschen Bühnen. Hatte er zu Beginn seiner Karriere lyrische Partien wie den Fenton in den «Lustigen Weibern von Windsor» von Nicolai, den Lyonel in Flotows «Martha», den Alfredo in «La Traviata», den Faust von Gounod gesungen, so wandte er sich später dem italienischen dramatischen Fach zu und sang jetzt u. a. den Riccardo in Verdis «Maskenball», den Alvaro in «La forza del destino», den Radames in «Aida» und den Turiddu in «Cavalleria rusticana». Im letzten Drittel seiner Karriere standen dann Wagner-Heroen wie der Erik im «Fliegenden Holländer», der Rienzi, der Tannhäuser, der Parsifal, der Siegmund wie der Siegfried im Nibelungenring, der Tristan, weiter der Othello von Verdi, der Canio im «Bajazzo», der Herodes in «Salome» von R. Strauss und der Ägisth in dessen «Elektra» im Vordergrund seines Wirkens auf der Bühne.

Wahrscheinlich existieren Schallplattenaufnahmen bei Eterna.

Büsching, Rainer, Baß, * 1943 Halle (Saale); er erlernte zuerst den Beruf eines Optikers, erhielt aber bereits ersten Gesangunterricht durch seine Mutter, die selbst Sängerin gewesen war. 1967 begann er das Gesangstudium an der Felix Mendelssohn-Bartholdy Musikhochschule Leipzig, das er 1971 mit dem Examen als Opern- und Konzertsänger abschloß. Nach verschiedenen Gastspielen war er 1973–85 am Landestheater von Dessau engagiert. 1985 folgte er einem Ruf an die Staatsoper von Dresden, an der er als erster seriöser Baß nun zu einer sehr erfolgreichen Karriere kam. Gastspiele führten ihn nach Italien, Polen und in die Sowjetunion. Aus seinem reichhaltigen Bühnenrepertoire sind der Daland im «Fliegenden Holländer», der Pogner in den «Meistersingern», der Landgraf im «Tannhäuser», der König Heinrich im «Lohengrin», der Titurel im «Parsifal», der Zaccaria in Verdis «Nabucco», der Ramphis in «Aida», der Pater Guardian in «La forza del destino», der Sarastro in der «Zauberflöte», der Komtur im «Don Giovanni», der Kaspar wie der Eremit im «Freischütz», der Lysiart in Webers «Euryanthe», der Basilio in Rossinis «Barbier von Sevilla», der Titelheld in «Giulio Cesare» von Händel und der Gremin im «Eugen Onegin» hervorzuheben. Neben seiner Bühnenkarriere stand eine zweite, ebenso bedeutende Karriere im Konzertsaal, wo er sich als Solist in Oratorien (Matthäus- und Johannes-Passion von J. S. Bach, «Messias» von Händel, «Schöpfung» und «Jahreszeiten» von Haydn) wie als Liedersänger («Winterreise» von Schubert) bewährte.

Buglione di Monale, Carolina, Sopran, * 22. 6. 1865 Pinerolo bei Turin, † (?); ihre Familie gehörte dem alten piemontesischen Adel an, sie führte den Titel einer Contessa; ihr Vater war Offizier in der italienischen Armee. Ihre musikalische Begabung zeigte sich in einem ungewöhnlich frühen Alter. Sie studierte als Kind Klavierspiel, erhielt ihre ersten Gesangstunden durch einen Freund ihrer Familie Vincenzo Robaudi und wurde dann Schülerin von Maestro Sangiovanni in Mailand. 1876 erregte sie als elfjähriges Mädchen großes Aufsehen, als sie am Konservatorium von Mailand eine Koloraturarie aus «I Puritani» von Bellini und die Variationen von Benedict vortrug. 1876–77 kam es dann zu ersten Bühnenauftritten am Teatro Municipale Piacenza, am Teatro Grande Brescia und am Teatro Regio Turin. 1877–78 findet man sie am Teatro Reale Madrid u. a. als Inez in Meyerbeers «Africaine». 1880 erregte sie als Violetta in «La Traviata» am Teatro Dal Verme Mailand größtes Aufsehen; diese, ihre eigentliche Glanzrolle, hat sie im Lauf ihrer Karriere über 900mal gesungen. Am Teatro Dal Verme hörte man sie in den folgenden Jahren u. a. als Prascovia in «L'Étoile du Nord» von Meyerbeer, als Gilda im «Rigoletto» und als Micaela in «Carmen». 1881 kam es dann zum Debüt der Künstlerin an der Mailänder Scala, als sie dort die Cecilia in «Il Guarany» von C. Gomes sang. Sehr erfolgreich gestalteten sich Gastspiele in der rumänischen Hauptstadt Bukarest und wiederum 1883 am Teatro Real Madrid. 1883 sang sie am Teatro Argentina Rom in der italienischen Erstaufführung von Bizets «La jolie fille de Perth» die Partie der Cathérine. 1886 absolvierte sie eine sehr erfolgreiche Gastspiel-Tournee durch Brasilien. 1887 war sie wieder an der Mailänder Scala anzutreffen, und zwar in Verdis «Aida» und in der Oper «Flora mirabilis» von Spiro Samara. 1888 sang sie am Teatro Dal Verme Mailand, am Teatro Comunale Ferrara und am Teatro Carignano Turin, 1890 in Cremona, 1891–92 in Florenz in «I Lombardi» von Verdi und in Donizettis «Marino Faliero». Sie scheint sich früh aus ihrer Karriere zurückgezogen zu haben.

Buljubasić, Mileva (Milica), Sopran, * 17.3. 1937 Sarajewo; sie begann ihr Musik- und Gesangstudium an der Musikakademie von Sarajewo und betrieb ergänzende Studien in Italien wie in Österreich. 1960–68 war sie als Konzertsopranistin beim Rundfunksender Sarajewo engagiert. 1970 begann sie ihre erfolgreiche Bühnenkarriere an der Kroatischen Nationaloper Zagreb. Gastspiele trugen der Sängerin an Theatern in Deutschland und Italien, in Österreich und England, in der Sowjetunion, in Rumänien, der ČSSR und Japan bedeutende Erfolge ein. 1978–79 war sie am Stadttheater von Hagen (Westfalen engagiert; seit 1979 war sie Mitglied der Deutschen Oper am Rhein Düsseldorf–Duisburg. 1985 an der Oper von Seattle zu Gast. Ihr Bühnenrepertoire hatte seine Höhepunkte in Rollen wie der Butterfly, der Mimi in «La Bohème», der Nedda im «Bajazzo», der Marie in der «Verkauften Braut», der Rusalka in der gleichnamigen Oper von A. Dvořák, der Leonore im «Fidelio», der Dula in «Ero, der Schelm» von Gotovac, der Amelia im «Maskenball» und der Leonore im «Troubadour» von Verdi. Im Konzertsaal war sie in einem Repertoire von einem ähnlichen Umfang anzutreffen.

Bullard, Gene, Tenor, * 26. 10. 1937 Bessemer (Alabama); nachdem er in verschiedenen Berufen gearbeitet hatte, kam es zur Ausbildung seiner Stimme durch den Pädagogen Raymond Buckingham in New York. Bühnendebüt 1964 an der Oper von Baltimore als Herzog im «Rigoletto» von Verdi. Er hatte eine große Karriere an führenden Bühnen in seiner nordamerikanischen Heimat, darunter an der City Centre Opera New York, an den Opern von Cincinnati, Baltimore, New Orleans, San Francisco, Philadelphia, Houston/Texas, Seattle, Miami, bei der Kentucky wie der Hawaii Opera. In Europa gab er u. a. Gastspiele an der Wiener Staatsoper und am Teatro Liceo Barcelona. Der Künstler, der auch als Konzertsänger erfolgreich wirkte, sang auf der Bühne als Hauptpartien den Belmonte in der «Entführung aus dem Serail», den Don Ottavio im «Don Giovanni», den Tamino in der «Zauberflöte», den Grafen Almaviva im «Barbier von Sevilla» von Rossini, den Edward Milfort in dessen «Cambiale di matrimonio», den Don Ramiro in «La Cenerentola», den Alfredo in «La Traviata», den Riccardo in Verdis «Ballo in maschera», den Radames

in «Aida», den José in «Carmen», den Gérald in «Lakmé» von Delibes, den Faust von Gounod, den Riccardo in «Anna Bolena» von Donizetti, den Edgardo in «Lucia di Lammermoor», den Nemorino in «Elisir d'amore», den Leicester in Donizettis «Maria Stuarda», den Dimitrij in «Boris Godunow» von Mussorgsky, den Rodolfo in «La Bohème» von Puccini, den Cavaradossi in «Tosca» und den Kalaf in «Turandot».

Bulterini, Carlo, Tenor, * 1839 Novara, † 6. 1. 1912 Mailand; der Sänger, dessen eigentlicher Name Carlo Bolter war, erhielt seine Ausbildung durch den Pädagogen Graffigna. In den Jahren von etwa 1860 bis 1892 hatte er eine glänzende Karriere an den führenden italienischen Opernhäusern wie in aller Welt. An der Mailänder Scala, wo er bereits 1866 anzutreffen ist, hatte er in den Jahren 1873–75 große Erfolge als Titelheld in «Robert le Diable» von Meyerbeer, als Johannes in dessen «Prophet», als Edgardo in «Lucia di Lammermoor» von Donizetti, als Titelheld in «Poliuto», einem Werk des gleichen Meisters, und in der Uraufführung der Oper «Fosca» von dem brasilianischen Komponisten Carlos Gomez, in der er am 16. 2. 1873 die Partie des Paolo kreierte. Besonders beliebt war er in Südamerika. Während eines Zeitraums von zwanzig Jahren war er fast alljährlich an den führenden Theatern dieses Kontinents zu hören: am Teatro Solis von Montevideo, am Teatro Colón von Buenos Aires, in Rio de Janeiro, Santiago de Chile und bei Tourneen in den weiteren Musikzentren. 1879 absolvierte er ein längeres Gastspiel am Teatro Liceo Barcelona, bei dem er als Vasco in Meyerbeers «Africaine», als Edgardo in «Lucia di Lammermoor», als Riccardo in Verdis «Ballo in maschera», als Manrico im «Troubadour» und als Raoul in den «Hugenotten» brillierte. 1882 gastierte er am Teatro San Carlos Lissabon u. a. als Radames in Verdis «Aida», 1885 am Opernhaus von Porto als Riccardo in «Un ballo in maschera», als Radames und als Eleazar in «La Juive» von Halévy. Als Gast ist er auch an der Grand Opéra Paris, an den Hofopern von St. Petersburg (u. a. als Herzog im «Rigoletto») und Moskau, an der Oper von Odessa und an weiteren russischen Bühnen aufgetreten. Im Oktober 1890 hatte er, damals bereits 51 Jahre alt, nochmals einen glänzenden Erfolg, als er am Teatro Politeama Rossetti von Triest den Edgardo in «Lucia di Lammermoor» sang. Im folgenden Jahr beendete er seine Bühnenkarriere und wirkte dann in Mailand als Gesanglehrer.

Bundschuh, Eva-Maria, Mezzosopran/Sopran, * 16. 10. 1941 Braunschweig; sie erlernte zuerst den Beruf einer Textilmeisterin, studierte dann Gesang in Karl-Marx-Stadt (Chemnitz) bei Emmy Senff-Thieß, darauf in Leipzig bei Helga Forner. 1967 debütierte sie am Carl Maria von Weber-Theater in Bernburg (Bezirk Anhalt) als Hänsel in «Hänsel und Gretel» von Humperdinck. Nachdem sie zwei Jahre lang an dieser Bühne aufgetreten war, wurde sie 1969 an das Theater von Karl-Marx-Stadt (Chemnitz) verpflichtet, dem sie bis 1974 angehörte.

1974–77 war sie Mitglied des Musiktheaters von Potsdam. Seit 1976 war sie auch Mitglied der Staatsoper Berlin, später durch einen Gastspielvertrag diesem Haus verbunden. Mit ihrer Berufung an die Komische Oper Berlin begann 1981 für die Künstlerin eine große, internationale Karriere. Hatte sie ursprünglich Partien aus dem Mezzosopran-Fach wie die Carmen, die Dorabella in «Così fan tutte» oder die Prinzessin Eboli im «Don Carlos» von Verdi gesungen, so wandte sie sich seit etwa 1978 mehr dem Sopran-Repertoire zu und brillierte jetzt in Aufgaben wie den Sopranpartien in «Hoffmanns Erzählungen» von Offenbach, der Eva in den «Meistersingern», der Freia im «Rheingold», der Violetta in «La Traviata», der Musetta in Puccinis «La Bohème», der Rosalinde in der «Fledermaus» und der Donna Anna im «Don Giovanni». In der letztgenannten Partie gastierte sie 1983 am Opernhaus von Leipzig, 1986 gestaltete sie an der Staatsoper Berlin die Jenufa in der gleichnamigen Oper von Janáček, am 28. 9. 1985 die Titelpartie in der Uraufführung der Oper «Judith» von S. Matthus, 1988 die Isolde im «Tristan». 1987–88 hörte man sie an der Komischen Oper Berlin als Donna Anna und als Salome von R. Strauss, 1988 bei den Festspielen von Bayreuth als Gutrune in der «Götterdämmerung». Die Salome sang sie auch bei einem Gastspiel 1988 in Amsterdam. 1986 wirkte sie bei den Salzburger Festspielen in Aufführungen der Barock-Oper «La Rappresenzione di anima e di corpo» von Emilio de Cavalieri mit. Gastierte weiter bei den Festspielen von Wiesbaden, an der Nationaloper von Bukarest, am Bolschoj Theater Moskau, in Kiew und Tartu (Dorpat) und in Japan. Auch als Konzertsängerin hervorgetreten.
Schallplatten: Ariola-Eurodisc (eine der Walküren in der «Walküre»), Eterna («Salomo» von Händel).

Bunger, Reid, Baß-Bariton, * 6. 3. 1935 Chicago; er diente zunächst als Offizier in der amerikanischen Armee und war dann als Schullehrer tätig. Er ließ seine Stimme an der Texas Christian University in Fort Worth ausbilden und gewann 1965 ein Fulbright Stipendium, mit dem er in Europa seine Ausbildung ergänzte. 1966 debütierte er an der Wiener Staatsoper als Morales in «Carmen» von Bizet. Bis 1984 ist er Mitglied dieses traditionsreichen Operninstituts geblieben. Gastspiele trugen ihm am Opernhaus von Graz, am Stadttheater von Basel, an den Opernhäusern von Leipzig und Essen wie in Montreal bedeutende Erfolge ein. Auch bei den Bayreuther Festspielen hat er mitgewirkt. Seine besten Leistungen auf der Bühne konnte er als Pizarro im «Fidelio», als Großinquisitor in Verdis «Don Carlos», als Fra Melitone in dessen «Forza del destino», als Fiesco in «Simon Boccanegra», als Titelheld im «Fliegenden Holländer», als Hans Sachs in den «Meistersingern», als Klingsor im «Parsifal», als Jochanaan in «Salome» von R. Strauss und als König Wladislaw in «Dalibor» von Smetana vorweisen. Zusätzlich war er als Konzertsänger wie als gesuchter Gesanglehrer tätig.
Schallplatten: Decca (kleine Partien in Pavarotti-Recital).

Burchardt, Margarethe, Sopran, * 1878 (?), † (?) Stuttgart; sie begann ihre Bühnenlaufbahn 1902 am Stadttheater von Rostock. Von dort kam sie für die Jahre 1904–07 an das Hoftheater Schwerin. 1907–11 war sie am Hoftheater von Hannover engagiert und dann 1911–20 am Hoftheater von Stuttgart. Sie sang am 25. 10. 1912 in Stuttgart in der Uraufführung der Richard Strauss-Oper «Ariadne auf Naxos» die Partie der Najade, 1913 wirkte sie dort in der Uraufführung der Oper «Ulenspiegel» von Walter Braunfels als Nele mit. Sie gastierte an der Hofoper von Dresden (1903), bei den Festspielen von Wiesbaden (1905), am Hoftheater von Karlsruhe (1910) und seit 1905 häufig an der Berliner Hofoper. An der Covent Garden Oper London hörte man sie 1906 als Gutrune in der «Götterdämmerung» und als Margiana im «Barbier von Bagdad» von P. Cornelius. Sie trat auf der Bühne wie im Konzertsaal in einem weitläufigen Repertoire vor ihr Publikum. Von ihren Bühnengestalten sind zu nennen: die Pamina in der «Zauberflöte», die Agathe im «Freischütz», die Undine in Lortzings Oper gleichen Namens, die Senta im «Fliegenden Holländer», die Elsa im «Lohengrin», die Eva in den «Meistersingern», die Aida, die Mimi in «La Bohème», die Sophie im «Rosenkavalier», die Marguerite im «Faust» von Gounod, die Micaela in «Carmen», die Titelheldin in «Mignon» von A. Thomas, die Elsbeth in Leoncavallos «Roland von Berlin» und die Hanna Glawari in Lehárs «Lustiger Witwe». 1920 nahm sie als Martha in «Tiefland» von d'Albert in Stuttgart Abschied von der Bühne. Seit 1908 war sie mit dem in Stuttgart wirkenden Schauspieler und Regisseur Kurt Junker (1878–1953) verheiratet und trat daher auch unter dem Namen Margarethe Junker-Burchardt auf. Bei dessen Tod 1953 war sie jedenfalls bereits verstorben.
Schallplatten: G & T (Schwerin, 1905), HMV (Hannover 1908), auf beiden Marken Soli und Duette.

Bureau, Karen, Sopran, * 3. 2. 1951 Glen Ellyn (Illinois); sie wurde zunächst am York College of Pennsylvania ausgebildet und kam 1981 in die Opernschule der New Yorker Metropolitan Oper, in der sie bis 1984 ihre Studien ergänzte. Seit 1982 trat sie an der Metropolitan Oper in kleineren Partien auf (Antrittsrolle: Kammerfrau in Verdis «Macbeth»). Nachdem sie auch an anderen amerikanischen Theatern gastiert hatte, kam sie nach Westdeutschland und war dort seit 1985 Mitglied des Staatstheaters Hannover. Hier und bei Gastspielen trat sie in Partien wie der Leonore im «Fidelio», der Rezia im «Oberon» von Weber, der Senta im «Fliegenden Holländer», der Freia im «Rheingold», der Elsa im «Lohengrin», der «Elisabeth» im «Tannhäuser», der Leonore in Verdis «La forza del destino», der Maddalena in «Andrea Chénier» von Giordano und der Andromache in der zeitgenössischen Oper «Troades» von A. Reimann auf. 1984 und 1986 war sie an der Oper von Seattle als Gutrune in Aufführungen des Nibelungenrings zu Gast. Erfolgreiche Konzertkarriere.

Burg-Zimmermann, Emmy, Sopran, * 1878 New York, † 21. 6. 1954 Berlin; sie begann ihre Bühnen-

laufbahn 1899–1900 am Stadttheater von Rostock und setzte sie 1901–02 am Theater von Reichenberg (Liberec) fort. 1902–06 war sie am Opernhaus (Stadttheater) von Hamburg engagiert, 1906–12 an der Hofoper von München. Sie erreichte einen weiteren Höhepunkt ihrer Karriere mit einem Engagement am Deutschen Opernhaus Berlin–Charlottenburg in den Jahren 1912–22. Gastspiele brachten ihr am Opernhaus von Leipzig (1900), an den Hoftheatern von Schwerin (1900), Mannheim (1910), Karlsruhe (1908) und Wiesbaden (1909), an den Stadttheatern von Bremen (1902) und Bern (1908) bedeutende Erfolge ein. 1903 gab sie ein Gastspiel an der Berliner Hofoper. Ihr Bühnen- wie ihr Konzertrepertoire war vielseitig ausgebildet. Ihre Tochter war die bekannte Chansonsängerin und Schauspielerin Eva Busch (* 1912).
Schallplatten unter dem Etikett von G & T (München, 1908).

Burger, Ellen, Sopran, * 1902 (?); sie begann ihre Karriere 1926 am Stadttheater von Magdeburg, dem sie bis 1927 angehörte. 1927 wurde sie an die Berliner Staatsoper verpflichtet, trat aber hauptsächlich an der dortigen Kroll-Oper auf, in der in der damals aufsehenerregende Vorstellungen gegeben wurden. Sie sang dort die Parasha in «Mavra» von Strawinsky und die Lucinde in «Le Medecin malgré lui» von Gounod, die Angèle in «Le Domino noir» von Auber und die Nella in «Gianni Schicchi» von Puccini, die Elisetta in Cimarosas «Matrimonio segreto» und in der Oper «Das geheime Königreich» von E. Křenek. Die Sängerin scheint ihre Karriere bald nach ihrer Heirat (1928) aufgegeben zu haben; 1929 schied sie aus dem Ensemble der Berliner Staatsoper aus. Weitere Engagements lassen sich dann nicht mehr feststellen.

Burger-Weber, Amalie, Sopran, * 29. 3. 1837 Halle a. d. Saale, † 15. 2. 1915 Halle a. d. Saale; die Sängerin begann ihre Karriere 1858 am Stadttheater von Magdeburg. Sie war in den folgenden 25 Jahren eine erfolgreiche Bühnen- und Konzertsängerin und nacheinander an den Stadttheatern von Dortmund und Krefeld, am Hoftheater von Sondershausen und schließlich am Theater von Barmen und Elberfeld engagiert. Hier sang sie vor allem die großen dramatischen Partien aus allen Bereichen der Opernliteratur, darunter auch Wagner-Rollen. 1882 gab sie ihre Bühnenkarriere zugunsten einer pädagogischen Tätigkeit in ihrer Heimatstadt Halle (Saale) auf.

Burghardt, Susan, Sopran, * 1954 (?) Cleveland (Ohio); sie studierte an der Ohio State University und erwarb die akademischen Grade eines Bachelor und eines Master of Music. Weitere Ausbildung an der Juillard School of Music. Bereits während ihres Studiums debütierte sie 1976 an der Oper von Cleveland als Rosina im «Barbier von Sevilla». Sie kam dann zu ihren ersten Erfolgen in den USA beim American Opera Center New York (Nannetta in Verdis «Falstaff»), an der Akron Opera (Zerline im «Don Giovanni»), an der Goldovsky Opera (Musetta in «La Bohème», Rosina, Zerline), an der New

York City Centre Opera (Frasquita in «Carmen») und bei der Aspen Opera (Königin der Nacht in der «Zauberflöte»). 1986 sang sie als erste Partie in England, wo sie seit 1984 in London lebte, bei der Welsh Opera Cardiff die Lucia di Lammermoor. Sie trat in England als Konzertsängerin in Erscheinung und gastierte 1987 als Musetta an der Scottish Opera Glasgow. 1988 wurde sie an das Stadttheater von Bielefeld verpflichtet, an dem sie als Königin der Nacht auftrat und u. a. die Eudoxia in «La Juive» von Halévy und die Chiang Ching in der deutschen Erstaufführung der Oper «Nixon in China» von John Adams sang. Am Opernhaus von Köln gastierte sie 1988–89 als Königin der Nacht. Von ihren Bühnenpartien sind noch die Elisetta in Cimarosas «Matrimonio segreto», die Eurilla in «Orlando Paladino» von J. Haydn, die Konstanze wie die Blondchen in der «Entführung aus dem Serail», die Marie in Donizettis «Fille du régiment», die Lauretta in Puccinis «Gianni Schicchi», die Lucy in «The Telephone» von Menotti und die Mutter in dessen «Amahl and the Night Visitors» zu nennen. Im Konzertsaal trat sie in einem umfassenden Repertoire, zumal im Bereich des Oratoriums und der geistlichen Musik, auf.
Schallplatten: Unicorn (Sinfonie Nr. 3 «Espansiva» von C. Nielsen).

Burkhardt, Eugenie, Sopran, * 19. 7. 1899 Heilbronn; sie wurde zunächst durch Frau Rückbeil-Hiller in Stuttgart, dann durch Jacques Stückgold in München ausgebildet. 1917 begann sie ihre Bühnenlaufbahn als Volontärin am Hoftheater von Karlsruhe. 1919–21 war sie am Theater von Altenburg in Thüringen engagiert, 1921–24 am Stadttheater von Chemnitz. 1924 folgte sie einem Ruf an die Dresdner Staatsoper, an der sie bis 1935 als erste hochdramatische und Wagner-Sopranistin wirkte. 1927 gastierte sie am Stadttheater von Bremen, in den Jahren 1927–28, 1930 und 1933 an der Staatsoper von Wien. In Dresden wirkte sie in der Uraufführung der Oper «Penthesilea» von Othmar Schoeck in der Partie der Meroë mit (8. 1. 1927); im Rahmen der von Dresden in den zwanziger Jahren ausgehenden Verdi-Renaissance sang sie 1928 die Lady Macbeth in Verdis «Macbeth». Bei den Festspielen in der Waldoper von Zoppot gastierte sie 1928 als Kundry im «Parsifal», 1933 als Leonore im «Fidelio» und als Venus im «Tannhäuser». Aus ihrem Repertoire sind noch zu nennen: die Isolde im «Tristan», die Amme in der «Frau ohne Schatten» von R. Strauss, die Martha in «Tiefland» und die Alaine in «Revolutionshochzeit» von Eugen d'Albert. Auch als Konzertsopranistin aufgetreten.
Schallplattenaufnahmen der Künstlerin sind nicht bekannt.

Burlak, Iwan, Bariton, * 6.(18.)12. 1893, † 1964; eigentlicher Name Iwan Strelzow. Er studierte am Konservatorium von Moskau und kam 1920 zu seinem Debüt am Opernhaus von Charkow. Bereits im folgenden Jahr 1921 wurde er in das Ensemble des Bolschoj Theaters Moskau berufen, an dem er in mehr als dreißig Jahren zu einer sehr erfolgreichen Karriere kam. 1951 erhielt er seine Ernennung zum

Volkskünstler der UdSSR. Er galt als einer der bedeutendsten russischen Sänger seines Stimmfachs und wurde bei seinen Bühnenauftritten auch wegen seiner eminenten Kunst der Darstellung geschätzt, war aber dazu als hervorragender Konzertsänger bekannt. Von den Gestalten, die er auf der Bühne verkörpert hat, sind im einzelnen zu nennen: der Jeletzky in «Pique Dame» von Tschaikowsky, der Shaklovitij in «Khovantchina» von Mussorgsky, der Rigoletto, der Escamillo in «Carmen», der Figaro in «Figaros Hochzeit» wie in Rossinis «Barbier von Sevilla», dazu natürlich zahlreiche weitere Baritonrollen aus dem russischen Opernrepertoire.

Schallplatten der staatlichen sowjetrussischen Plattenherstellung, darunter u. a. die vollständigen Opern «La Bohème» (als Marcello), «Der Barbier von Sevilla», «Faust» und «Roméo et Juliette» von Gounod.

Burnett, Elizabeth, s. unter *Forbes,* Rupert Oliver.

Burt, Michael, Baß-Bariton, *1944 (?) Farnham (Surrey); er sang als Knabe in einem englischen Kirchenchor, studierte dann in Bristol und an der Universität von Bath Chemie, nahm aber eine Tätigkeit als Marketing-Berater auf, die ihn 1973 in die USA führte. Dort wurde seine stimmliche Begabung erkannt; er studierte in New York bei Richard Fredericks Gesang, entschied sich erst 1975 endgültig für eine Karriere als Sänger, arbeitete aber doch auch noch weiter in seinem bisherigen Beruf. 1977 debütierte er am Opernhaus von Caracas, indem er an einem Abend den Monterone wie den Sparafucile im «Rigoletto» sang. Er sang dann in Nordamerika, u. a. auch als Konzertsolist (darunter im Weihnachtsoratorium und in der h-moll-Messe von J. S. Bach in der New Yorker Carnegie Hall). Es kam zu weiteren Bühnenauftritten, so 1979 an der Covent Garden Oper London als zweiter Geharnischter in der «Zauberflöte». Er gastierte an der Oper von Frankfurt a. M. als Pizarro im «Fidelio» und sang als erste Wagner-Partie an der Oper von New Orleans den König Heinrich im «Lohengrin». 1986–87 war er am Staatstheater Hannover tätig, wo er als Zaccaria in Verdis «Nabucco» und in den vier dämonischen Partien in «Hoffmanns Erzählungen» beeindruckte. Am Opernhaus von Graz sang er den König Philipp in Verdis «Don Carlos» und 1988 den Wotan im Nibelungenring. Neben seinem Wirken auf der Bühne war er ein geschätzter Konzert- und Oratoriensänger.

Bussani-Sardi, Dorothea, Sopran/Mezzosopran, *1763 Wien, † nach 1810; sie war die Tochter eines Professors an der Wiener Militärakademie Karl von Sardi. Am 20. 3. 1786 heiratete sie den italienischen Bassisten *Franceso Bussani,* der 1763 in Rom debütiert hatte und demnach wesentlich älter als sie war. Seit 1784 wirkte Francesco Bussani am Wiener Burgtheater, der damaligen Wiener Hofoper. Am 1. 5. 1786 sang er dort in der denkwürdigen Uraufführung der Mozart-Oper «Figaros Hochzeit» die beiden Partien des Bartolo und des Antonio, seine Gattin Dorothea Bussani übernahm jedoch die Rolle des

Cherubino. Diese sang auch am 26. 1. 1790 in der Uraufführung von Mozarts «Così fan tutte» die Despina. Am 7. 2. 1792 wirkte sie in einer weiteren denkwürdigen Uraufführung in Wien mit: sie sang die Fidalma in «Il matrimonio segreto» von Cimarosa. Die Oper gefiel dem anwesenden Kaiser Leopold II. so sehr, daß er nach einem Diner für die Mitwirkenden noch für den gleichen Abend eine zweite Aufführung der Oper anordnete. 1794 gingen Francesco und Dorothea Bussani von Wien nach Italien, zunächst nach Florenz. In den folgenden zehn Jahren ist die Sängerin vielerorts in Italien aufgetreten. 1807–09 war sie am Opernhaus von Lissabon zu finden, 1810 am Londoner King's Theatre. Über die letzten Lebensjahre der Sängerin sind ebensowenig Nachrichten vorhanden wie über die ihres Ehemannes.

Bussard, Hans, Tenor, *9. 12. 1864 Mannheim, † 22. 11. 1946 Karlsruhe; 1882 stand er erstmals an einem kleinen Theater in Schlesien auf der Bühne. Er entschloß sich zur Ausbildung seiner Stimme, die in Berlin erfolgte. Darauf begann er seine Karriere als Opernsänger am Stadttheater von Koblenz. Anschließend sang er am Stadttheater von Magdeburg, dann an der Berliner Kroll-Oper, am Stadttheater von Nürnberg und am Hoftheater von Wiesbaden. 1896 folgte er einem Ruf an das Hoftheater von Karlsruhe. Hier wie bei Gastspielen und in Konzertauftritten kam er zu einer langen, erfolgreichen Karriere, nach deren Abschluß er in Karlsruhe als Gesanglehrer tätig war. Auf der Bühne glänzte er als hervorragender Sänger und Schauspieler in Buffo-Partien, vor allem in der Rolle des Mime im Nibelungenring. Andererseits übernahm er aber auch Partien wie den Titelhelden in «Fra Diavolo» von Auber, den Lyonel in Flotows «Martha» und den Faust in der gleichnamigen Oper von Gounod.

Busse, Barry, Tenor, *18. 8. 1946 Gloverville (New York); Gesangstudium am Oberlin College und an der Manhattan School of Music. Seit Anfang der siebziger Jahre trat er bei kleineren amerikanischen Operngesellschaften auf und hatte dann 1979 erste große Erfolge an der San Francisco Opera und bei den Festspielen von Santa Fé (1979 als Alwa bei der ersten Aufführung der vollständigen Oper «Lulu» von A. Berg in den USA). Bereits 1978 hatte er bei der Virginia Opera in der amerikanischen Erstaufführung der Oper «Mary, Queen of Scots» von Thea Musgrave mitgewirkt. Seine Karriere entwickelte sich nun rasch; so sang er seit 1981 oft an der City Centre Opera New York und an der Oper von Houston/Texas. 1981 trat er bei der Miami Opera, 1984 in Fort Worth und in Honolulu auf. Bei den aufsehenerregenden Aufführungen des Ring-Zyklus in Seattle hörte man ihn 1984–87 als Siegmund in der «Walküre». Seit 1982 gastierte er auch an europäischen Bühnen, so bei der Niederländischen Oper Amsterdam (1982), an der Oper von Toulouse (1987 als Parsifal) und 1988 beim Maggio musicale Florenz als Titelheld in «Peter Grimes» von B. Britten. Er beherrschte ein vielseitiges Bühnenrepertoire, das den Florestan im «Fidelio», den Narraboth in «Salome» und den Apollo in «Daphne» von R. Strauss, den Pollione in «Norma», den Canio im «Bajazzo», den Cavaradossi in «Tosca», den des Grieux in «Manon Lescaut» von Puccini, den José in «Carmen», den Boris in «Katja Kabanowa» von Janáček sowie Partien in modernen amerikanischen Opern umfaßte.

Schallplatten: Desto («Postcard from Marocco» von Argento), EMC-Novello («Mary, Queen of Scots»).

Bustos, Germán, Tenor, *26.2. 1938 Chillán (Chile); er hatte bereits in verschiedenen Berufen gearbeitet (u. a. im Entwicklungsdienst der USA und als künstlerischer Direktor von zwei Zeitschriften in Santiago de Chile), bevor er seine Stimme am Conservatorio Nacional de Chile in Santiago ausbilden ließ. 1969 debütierte er an der Oper von Santiago de Chile als Cassio in Verdis «Othello». Er setzte seine Ausbildung an der Academy of Vocal Arts in Philadelphia fort, wo er 1970 und 1971 bei Gesangwettbewerben Stipendien gewann. Er hatte dann an der Oper von Philadelphia eine erfolgreiche Karriere und betätigte sich dort als Pädagoge an der Academy of Vocal Arts. Gastspiele an den Opern von Tel Aviv und Hartford, weitere Bühnen- und Konzertauftritte in Nord- und Südamerika kennzeichnen den Werdegang des Künstlers, aus dessen Bühnenrepertoire der Titelheld im «Faust» von Gounod, der Tonio in «La fille du régiment» von Donizetti, der Graf Almaviva in Rossinis «Barbier von Sevilla», der Rodolfo in «La Bohème» von Puccini, der Rinuccio in «Gianni Schicchi», der Herzog im «Rigoletto» von Verdi und der Alfredo in «La Traviata» zu nennen sind.

Byers, Reginald, Tenor, *5.12. 1934 Sydney; er arbeitete zunächst als Angestellter bei der Australischen Marine und in kaufmännischen Berufen, ließ dann aber seine Stimme am Sydney Conservatory durch Fred Foscley ausbilden. Zusätzliche Ausbildung mit Hilfe eines Stipendiums (Championship of Sydney) in Österreich bei Margerita Mayer in Kufstein. Er debütierte bei der Australian Opera Sydney als Cavaradossi in «Tosca» und hatte an diesem Opernhaus eine langjährige Karriere. Gastspiele brachten ihm an der New York City Centre Opera und in England bei der Scottish Opera Glasgow große Erfolge ein. Auf der Bühne sang er in erster Linie Partien wie den Radames in Verdis «Aida», den Riccardo in dessen «Maskenball», den Ismaele in «Nabucco», den Gabriele Adorno in «Simon Boccanegra», den Alfredo in «La Traviata», den Titelhelden in «Don Carlos», ebenfalls von Verdi, den Faust von Gounod, den Turiddu in «Cavalleria rusticana», den Rodolfo in Puccinis «La Bohème», den Dick Johnson in dessen «Fanciulla del West», den Luigi in «Il Tabarro», den Kalaf in «Turandot», den Stewa in Janáčeks «Jenufa» und den Bacchus in «Ariadne auf Naxos» von R. Strauss. Ging von seinem Wohnsitz Sydney aus einer ausgedehnten Konzerttätigkeit nach und arbeitete dort im pädagogischen Bereich.

C

Cabisius, Arno, Bariton, * 13. 9. 1843 Magdeburg, † 6. 3. 1907 Magdeburg; er war ein Sohn des Cellisten und Konzertmeisters Julius Cabisius (1814–98). Er wurde durch den berühmten Sänger und Pädagogen Julius Stockhausen auf die Bühnenlaufbahn vorbereitet und debütierte 1867 am Stadttheater von Mainz. Er sang anschließend an den Theatern von Danzig, Posen (Poznań), Freiburg i. Br. und seit 1873 in Stettin. Es schlossen sich Engagements an den Stadttheatern von Danzig und Lübeck, schließlich am Deutschen Theater von Prag an. Seit 1886 leitete er das Stadttheater von Stettin, seit 1891 das Stadttheater von Magdeburg. Auf der Bühne wurde er vor allem als Titelheld in Marschners «Hans Heiling», als Don Giovanni, als Wilhelm Tell in der gleichnamigen Oper von Rossini, als Fliegender Holländer und in weiteren heldischen Baritonpartien gefeiert. 1881 heiratete er die dramatische Sopranistin *Elisabeth Kreuzer,* eine Tochter des bekannten Tenors *Heinrich Kreuzer* (1817–1900),. die in erster Ehe den Prinzen Paul von Thurn und Taxis geheiratet hatte und von daher den Titel einer Baronin Fels führte.

Cachemaille, Gilles, Baß-Bariton, * 25. 11. 1951 Orbe im Schweizer Kanton Waadt; er wurde zunächst Volksschullehrer, wandte sich dann dem Gesangstudium zu; er war am Konservatorium von Lausanne Schüler von Juliette Bise. 1982 gewann er mehrere Gesangwettbewerbe in Paris, darunter den Prix Mozart, 1985 einen weiteren Concours in Monte Carlo. Bereits 1978 begann er seine Tätigkeit im Konzertsaal, jedoch erst 1982 eine ausschließliche Sängerkarriere, die ihm in den Musikzentren in der Schweiz, beim Festival von Aix-en-Provence, bei den Festspielen von Salzburg, in Paris, Lyon und Straßburg, in Buenos Aires und Madrid, in Lissabon und Tokio große Erfolge eintrug. Dabei sang er im Konzertsaal ein umfassendes Repertoire, das Solo-Aufgaben in den Passionswerken von J. S. Bach, in Beethovens 9. Sinfonie, in «Les Béatitudes» von César Franck, in «Enfance du Christ» von Berlioz, in der «Schöpfung» und den «Jahreszeiten» von Haydn und in Werken von Monteverdi und Frank Martin enthielt. Dazu zeichnete er sich als hoch begabter Liedersänger aus (Lieder von Duparc, Poulenc, Ravel, Schubert und Richard Strauss). Fast noch bedeutender wurde seine Tätigkeit als Opernsänger. Zwei Jahre lang war er an der Oper von Lyon engagiert (1982–84). Von seinem Wohnsitz Lausanne aus entfaltete er nach einem ersten Erfolg bei den Festspielen von Aix-en-Provence 1982 in «Les Boréades» von Rameau eine Gastspielkarriere auf internationaler Ebene. In Lausanne hörte man ihn als Guglielmo in «Così fan tutte», als Simone in «La finta semplice» von Mozart, als Titelheld in «Nozze di Figaro», als Papageno in der «Zauberflöte», als Musiklehrer in «Ariadne auf Naxos» von R. Strauss und als Belcore in Donizettis «Elisir d'amore» (1988). Er wirkte bei den Osterfestspielen und bei den Sommerfestspielen (Morales in «Carmen») von Salzburg mit; bei den Festspielen in der Scheune von Mézières hinterließ er 1988 einen nachhaltigen Eindruck in der Titelpartie des «Orpheus» von Gluck. Er gastierte an der Hamburger Staatsoper (1987 Leporello im «Don Giovanni») und am Opernhaus von Frankfurt a. M., in Lyon, Nancy, Montpellier und Rennes, bei den Festspielen von Aix-en-Provence (Titelheld in «Nozze di Figaro», eine seiner Glanzrollen), an der Wiener Staatsoper (1989 als Leporello im «Don Giovanni») und am Theater von Bern. Am 8. 4. 1987 sang er am Grand Théâtre Genf in der Uraufführung der Oper «La Forêt» von Rolf Liebermann die Partie des Thomas. Von seinen weiteren Bühnenpartien sind zu nennen: der Apollon in «Alceste» von Gluck, der Oreste in «Iphigénie en Tauride» vom gleichen Meister, der Lescaut in «Manon» von Massenet, der Titelheld in «Orfeo» von Monteverdi und der Ottone in dessen «Incoronazione di Poppea», der Gouverneur in «Le Comte Ory» von Rossini und der Eugen Onegin in der gleichnamigen Oper von Tschaikowsky. Von der Stimme des Künstlers sind zahlreiche interessante Schallplattenaufnahmen vorhanden: auf Erato («Enfance du Christ» von Berlioz, «Roi Arthus» von Chausson, «Iphigénie en Aulide» von Gluck, Clavaroche in «Fortunio» von Messager, «Les Boréades» von Rameau, kleine Partie im «Parsifal», Arienplatte), auf Decca (Dominik in «Arabella» von R. Strauss) und Philips (Wagner im «Faust» von Gounod, «Le Comte Ory» von Rossini).

Caddy, Ian, Baß-Bariton, * 1. 3. 1947 Southampton (England); er erhielt seine Ausbildung zum Sänger in den Jahren 1965–70 an der Royal Academy of Music London. Ergänzende Studien bei Otakar Kraus und Iris Dell' Aqua, ebenfalls in London. 1974 debütierte er in der englischen Hauptstadt und trat bald an allen großen Operntheatern seiner Heimat auf, an der Kent Opera, an der English National Opera wie an der Covent Garden Oper London, bei der Glyndebourne Touring Opera und an der Scottish Opera Glasgow. Gleichzeitig brachte er eine große Karriere als Konzert- und Oratoriensänger zur Entwicklung. Er widmete sich gern der Interpretation von Barock-Musik, sowohl auf der Bühne wie auf dem Konzertpodium, und trat als Gast in Versailles und Paris, in Monte Carlo und Athen (1987 Dido and Aeneas» von Purcell), in den USA und Deutschland, in Holland, Spanien, Jugoslawien, Dänemark und Hongkong auf. Bei der English National Opera London hatte er einen seiner größten Erfolge als Poo-Bah in der Sullivan-Operette «The Mikado» (1987–88). Als Konzertsänger hörte man ihn in den Passionswerken von J. S. Bach, in Händels «Messias», im «Elias» von Mendelssohn, im Verdi-Requiem (Valencia, 1987), wie in der «Schöpfung» von Haydn (Bremen 1988), in «The Dream of Gerontius» von E. Elgar, in «Belshazzar's Feast» von William Walton und in vielen weiteren Werken. Auch durch Rundfunkauftritte wurde er bekannt. 1984 wurde der Künstler zum Mitglied der Royal Academy of Music gewählt. Schallplatten: RCA («Naïs» von Rameau, Dixit Dominus von Vivaldi), Meridien («Notturno» von Othmar Schoeck, Lieder von Donizetti); Video-Aufnahmen von Verdis «Macbeth», «Castor et Pollux» von Rameau, «La Fanciulla del West» von Puccini, «Intermezzo» von R. Strauss.

Cahnbley-Hinken, Tilly, Sopran, * 12. 6. 1880 Bremen, † 20. 1. 1932 Würzburg; sie begann ihre Ausbildung bei den Pädagogen Eduard Nößler und Marie Bußjäger in Bremen und war am Konservatorium von Köln dann Schülerin von Ernst Wolff und Franz Wüllner. 1900 debütierte sie als Konzertsopranistin und ist im Lauf ihrer Karriere fast ausschließlich als solche, vor allem als Oratorien- und Liedersängerin, aufgetreten. Ausnahmsweise betrat sie bei den Bayreuther Festspielen von 1906 als 1. Knappe und als Soloblume im «Parsifal» die Bühne. Sie kam zu großen Erfolgen bei Konzertauftritten in Berlin, Köln, Frankfurt a. M., Dresden, Leipzig und in weiteren Zentren des deutschen Musiklebens. Sie gastierte in Österreich (u. a. 1907 in Wien), Holland, Belgien und Frankreich. Seit 1921 wirkte die Künstlerin, die mit dem Cellisten Ernst Cahnbley (* 1875) verheiratet war, als Pädagogin am Konservatorium von Würzburg. Dort ist sie noch 1931 als Solistin in der 2. Sinfonie von Gustav Mahler aufgetreten. Ihre Tochter und Schülerin *Annelore Cahnbley-Maedel* (* 1923) hatte, ganz ähnlich wie ihre Mutter, eine bedeutende Karriere als Konzertsolistin.
Es sind keine Schallplattenaufnahmen der Sängerin bekannt geworden.

Cahnbley-Maedel, Annelore, Sopran, * 19. 11. 1923 Würzburg; sie war die Tochter der bekannten Konzertsopranistin *Tilly Cahnbley-Hinken* (1880–1932) und des Cellisten Ernst Cahnbley (* 1875). Ihre Mutter, die als Pädagogin am Konservatorium von Würzburg tätig war, bildete ihre Stimme aus. Ähnlich wie diese kam auch Annelore Cahnbley zu einer bedeutenden Konzertkarriere. Nach ihrer Heirat mit dem Musikpädagogen und Professor am Salzburger Mozarteum Rolf Maedel (* 1917) lebte sie in Salzburg. Sie wurde vor allem durch ihre Konzertauftritte im Rahmen der Salzburger Festspiele in den Jahren 1955–64 bekannt, namentlich durch das Domkonzerte, in denen sie geistliche Vokalmusik von Mozart zum Vortrag brachte.
Schallplattenaufnahmen der Marke Philips mit religiöser Musik von Mozart.

Cairns, Christine, Sopran, * 11. 2. 1959 Ayrshire (Schottland); sie erhielt ihre Ausbildung an der Royal Scottish Academy of Music Glasgow und durch Nelson Taylor. Sie trat zuerst in Konzerten unter dem Dirigenten André Previn auf und hatte einen besonderen Erfolg, als sie 1985 in Los Angeles eine Solopartie in «Alexander Newsky» von Prokofieff vortrug. Sie sang zusammen mit dem Los Angeles Philharmonic Orchestra, mit dem Cleveland und dem Philadelphia Orchestra und 1988 mit dem Royal Philharmonic Orchestra London in den «Kindertotenliedern» von Gustav Mahler. Auf einer USA-Konzerttournee sang sie das Solo in der 4. Sinfonie vom gleichen Komponisten; 1988 trug sie in der Londoner Festival Hall Schönbergs Lieder op. 22

vor, 1989 bei den Londoner Promenade Concerts das Sopransolo in der Krönungsmesse von Mozart. Als Gast gab sie Konzerte in Paris und Rom, in Zürich, Singapur und Rio de Janeiro. In Valencia betrat sie dann in der Monteverdi-Oper «Orfeo» auch die Bühne.
Mitschnitte von Rundfunkaufnahmen.

Čakarević, Durdevka, Mezzosopran, * 8. 4. 1926 Gaj kod Kovina (Wojwodina); sie war an der Musikakademie von Belgrad Schülerin von J. Stamatović-Nikolić. Sie begann ihre Karriere 1952 am Belgrader Operettentheater Komödie, an dem sie vier Jahre hindurch auftrat. 1957 folgte sie einem Ruf an die Nationaloper Belgrad, an der sie seitdem eine lange, erfolgreiche Karriere absolvieren konnte. Sie gab auf internationaler Ebene Gastspiele in Rom und Turin, am Grand Théâtre Genf, in der Sowjetunion, der ČSSR, in Ungarn, Ostdeutschland, Kuba und Argentinien. 1962 gastierte sie beim Festival von Edinburgh in Prokofieffs «Der Spieler». Dabei brachte sie auf der Bühne Partien wie die Dalila in «Samson et Dalila» von Saint-Saëns, die Adalgisa in Bellinis «Norma», die Azucena im «Troubadour», die Amneris in «Aida», die Eboli im «Don Carlos» von Verdi, die Ulrica in Verdis «Ballo in maschera», die Marfa in «Khovantchina» von Mussorgsky, die Küsterin in «Jenufa» von Janáček und die Jokaste in «Oedipus Rex» von Strawinsky zum Vortrag. Sie genoß darüber hinaus internationales Ansehen als Konzert- und Oratoriensängerin.
Schallplattenaufnahmen bei Jugoton.

Caligaris, Rosa, Sopran, * (?), † (?); über diese Sängerin sind nur wenige biographische Daten bekannt. 1898 erscheint sie bei einem Gastspiel an der Oper von Odessa, 1899 am Teatro Comunale von Triest. Einen Höhepunkt scheint die Karriere der Sängerin erreicht zu haben, als sie 1902 an der Mailänder Scala die Leonore im «Troubadour» von Verdi sang. Ihr Name ist jedoch durch Schallplattenaufnahmen, die sie zu Beginn des Jahrhunderts gesungen hat, in Sammlerkreisen bekannt geblieben. Diese kamen unter den Etiketten von G & T (Mailand, 1903–04) und Pathé (etwa 1905) heraus. Auf ihnen singt sie Arien aus Opern wie «Aida», «Ernani» und «La forza del destino» von Verdi wie auch aus «Cavalleria rusticana» von Mascagni.

Callery-Viviani, Elettra, Sopran, * 1861 Turin, † (?); sie erhielt ihre Ausbildung am Istituto musicale Florenz durch Regionaldo Grassini. 1880 debütierte sie am Teatro Civico von Cagliari als Cecilia in der Oper «Il Guarany» von C. Gomes. 1882 gastierte sie am Deutschen Theater Prag in Verdis «Ballo in maschera», im «Troubadour», in «La Favorita» von Donizetti und in «Fra Diavolo» von Auber. Es schlossen sich sehr erfolgreiche Gastspielauftritte am Teatro Alfonso Madrid und am Royal Theatre auf Malta (1882–83) an. 1887 hörte man sie in Portugal an der Oper von Porto als Leonora in «La Favorita» und als Titelheldin in Verdis «Traviata». Auch in Italien kam sie zu beachtlichen Erfolgen; so sang sie 1884 in Parma, 1885 am Teatro Umberto

Rom, in der Saison 1885–86 am Teatro Comunale Catania, 1889 am Teatro Politeama Genua (u. a. als Norma), am Teatro Balbo Turin, in Pisa, Prato und Cagliari. 1894 gab sie, auf dem Höhepunkt ihrer Karriere stehend, diese auf und wirkte dann in Mailand als Gesanglehrerin. Zu ihren Schülern gehörten die Sopranistin Lucia Caimi und der Tenor Ivo Zaccari.

Calm, Birgit, Mezzosopran, * 1960 (?) Lübeck; sie studierte in Kiel zuerst Musikwissenschaft und Germanistik und konnte ihr Studium mit Hilfe eines Fulbright-Stipendiums in den USA fortsetzen. Nachdem sie an der Musikhochschule Lübeck ihre Stimme hatte ausbilden lassen, war sie in den Jahren 1982–84 in der Opernklasse der Hochschule für Musik und darstellende Kunst in Hamburg, wo sie ihr Operndiplom erwarb. Sie begann ihre Bühnenkarriere mit einem Gastvertrag am Theater von Kiel und war dann in der Spielzeit 1984–85 am Stadttheater von Osnabrück engagiert. Sie erregte beim Internationalen Belvedere-Gesangwettbewerb in Wien Aufsehen und wurde zu einem Gastspiel an die Bayerische Staatsoper München eingeladen, an der sie 1984 als Hänsel in «Hänsel und Gretel» sehr erfolgreich auftrat. Darauf wurde sie 1985 durch Wolfgang Sawallisch an dieses traditionsreiche Haus verpflichtet und blieb seither dessen Mitglied. Sie sang dort u. a. die Alcmene in «Die Liebe der Danaë» und die Carlotta in der «Schweigsamen Frau» von Richard Strauss im Rahmen der Münchner Festspiele. Sie gastierte in Deutschland wie im Ausland, wandte sich einer intensiven Tätigkeit im Konzertbereich zu und trat in Radiosendungen vor ihr Publikum.
Schallplatten: Harmonia mundi (Geistliche Musik von Dittersdorf).

Calmbach, Sophie, Sopran, * 3. 2. 1862 Stuttgart, † (?); sie war eine Schülerin des Heldentenors und Pädagogen Adolf Grimminger in Stuttgart. Sie wirkte zu Beginn ihrer Laufbahn als erste dramatische Sängerin am Stadttheater (Opernhaus) von Hamburg, wo sie 1883 debütierte, sang dann an den Hoftheatern von Hannover (1885–86) und Kassel (1886–88) und am Stadttheater von Stettin (1888–90). 1890 wurde sie an das Opernhaus von Leipzig verpflichtet, an dem sie bis 1892 blieb und dann noch 1892–93 in Mannheim auftrat. Sie gastierte an der Hofoper und an der Kroll-Oper Berlin (1892) und am Hoftheater von Coburg (1892). Sie sang vor allem Wagner-Partien (Elsa, Elisabeth, Venus, Sieglinde), aber auch die Santuzza in «Cavalleria rusticana». Auch als Konzert- und Oratoriensängerin stand sie in hohem Ansehen.

Cameron, John, Bariton, * 1920 Coolamon (New South Wales, Australien); während des Zweiten Weltkrieges diente er bei der Australian Artillery und gab für australische Soldaten auf Neuguinea Konzerte. Nach Kriegsende studierte er am Konservatorium von Sydney, trat als Konzert- und Oratoriensänger in Erscheinung und gewann 1948 einen Gesangwettbewerb des australischen Rundfunks. Er

durchreiste Australien und Neuseeland mit der National Opera Company of New South Wales und sang bei der National Opera Company in Melbourne. 1950 ging er nach England und debütierte an der Londoner Covent Garden Oper als Germont-père in «La Traviata». In den folgenden drei Jahren war er als erster Bariton an diesem Haus engagiert. Bei den Festspielen von Glyndebourne sang er 1953–54 in «Alceste» von Gluck, 1959 in Mozarts «Idomeneo». Bei der Sadler's Wells Oper London war er als Titelheld in «Nozze di Figaro» wie als Sidney Carton in der Uraufführung der Oper «A Tale of Two Cities» von Arthur Benjamin (23. 7. 1957) sehr erfolgreich. 1959 wirkte er dort in der englischen Erstaufführung von Dallapicollas «Il Prigioniero» mit. In London wie in vielen anderen Brennpunkten des internationalen Musiklebens trat er als Solist in Oratorien hervor; er sang in einem Konzert in der Londoner Festival Hall vor Königin Elizabeth II. und Prinz Philipp. 1955 gab der Künstler Liederabende in Indien und trat im Australischen Rundfunk auf; im folgenden Jahr 1956 bereiste er mit der Elizabethan Trust Opera Company Australien und wurde als Figaro, als Guglielmo in «Così fan tutte» und als Papageno bewundert. Dazu war er immer wieder im Konzertsaal zu hören: in Brüssel und München, in Edinburgh wie in Leeds; beim Three Choirs Festival wie in Prag (Requiem von Benjamin Britten) in Radio- und Fernsehsendungen in England, in Frankreich und in Deutschland wirkte er mit. 1962 nahm er ein Engagement am Staatstheater von Oldenburg (in Oldenburg) an, sang dort 1963–65 und ging weiter seiner intensiven Konzert- und Gastspieltätigkeit nach. So sang er bis 1970 bei der New Opera Company London (u. a. in den englischen Erstaufführungen von «Cardillac» von Hindemith 1970 als Titelheld, von «Arden must die» von A. Goehr 1974, von «Der Landarzt» von H. W. Henze 1966, von «Der Prozess» von G. von Einem 1973). Er gastierte an der Sadler's Wells Oper als Tovey in der Uraufführung von «The Mines of Sulphur» von Richard Rodney Bennett (24. 4. 1965), in Aufführungen von Brittens «Gloriana», beim Aldeburgh Festival 1968 in der Uraufführung von «Punch and Judy» von H. Birtwistle (8. 6. 1968 als Punch) und im englischen Rundfunk BBC in einer speziellen Sendereihe «My Songs Go Round the World».
Schallplatten: HMV (Macheath in der «Beggars Opera» unter Sir Malcolm Sargent, 1955), Decca («King Arthur» von Purcell, «Elias» von Mendelssohn), L'Oiseau Lyre (Claudio in «Béatrice & Bénédict» von Berlioz, 1961), MRF («Applausus» von Haydn mit Joan Sutherland), Capitol.

Cammarota, Ernesto, Tenor, * 23. 12. 1861 Bari, † 28. 2. 1934 · Zagreb; nach seinem Gesangstudium debütierte der Sänger 1882 in seiner italienischen Heimat. Hier sang er u. a. am Teatro Rossi von Pisa 1886 den Alfredo in «La Traviata» und nochmals 1893 den Titelhelden in «Ruy Blas» von Marchetti und den Fernando in Donizettis «La Favorita». 1887 folgte er einem Ruf an die Kroatische Nationaloper von Zagreb (Agram) und war dort so erfolgreich, daß er bis zur Beendigung seiner Bühnenlaufbahn

1924, also für 37 Jahre, Mitglied dieses Instituts blieb. Er wurde beim Publikum in besonderer Weise beliebt und kreierte für Zagreb eine Anzahl von Partien, so den Faust in «Mefistofele» von Boito, den Rodolfo in Puccinis «La Bohème» (1898), den Canio im «Bajazzo» (1894), den Turiddu in «Cavalleria rusticana», den Titelhelden in Massenets «Werther» und den Hoffmann in «Hoffmanns Erzählungen» von Offenbach. 1897 sang er an der Oper von Zagreb die Titelpartie in der Uraufführung der Oper «Porin» von Lisinski. Nach Abschluß seiner Karriere wirkte er als gesuchter Pädagoge in Zagreb.

Campagnolo, Francesco, Tenor, *(?), † 1630 Innsbruck; er war in Mantua Schüler des berühmten Komponisten Claudio Monteverdi und trat dort am Hof des Herzogs Ferdinando Gonzaga auf. Dabei wird darauf hingewiesen, daß er ein angeborenes Talent zum Opernsänger gehabt habe. 1616 mußte er, hoch verschuldet, aus Mantua fliehen und reiste an den Hof des kunstliebenden Erzbischofs Marcus Sitticus von Salzburg, der ihn gerne aufnahm. Darüber kam es zu Mißstimmungen zwischen dem Herzog von Mantua und dem Erzbischof, die sich in einem Briefwechsel der beiden Fürsten niederschlugen. In Salzburg führte der Sänger, der sich auch «Cavaliere Campagnolo» nannte, die neue aus Italien stammende Kunst der musikalischen Unterhaltung ein, verließ aber die Residenzstadt noch vor dem Tod des Fürsterzbischofs 1619. Er ging wieder nach Mantua, setzte dort seine Karriere fort, ist aber noch vor 1629 am Hof des Erzherzogs Leopold von Habsburg in Innsbruck zu finden. Er starb dort bereits im folgenden Jahr 1630, mit den Vorbereitungen für die musikalische Ausgestaltung der Hochzeit des österreichischen Thronfolgers Ferdinand (später Kaiser Ferdinand III.) begriffen, die dann durch den Sänger Bernardino Pasquino Grassi übernommen wurde.

Canonici, Luca, Tenor, *1963 (?) Montevarchi in der Toskana; er wurde u. a. durch den großen Bariton Tito Gobbi in Rom ausgebildet. 1985 gewann er einen internationalen Gesangwettbewerb in Parma. Darauf kam es 1986 zu seinem Bühnendebüt am Teatro Sociale von Mantua in der Partie des Herzogs im «Rigoletto». Die gleiche Partie sang er 1986 auch an der Oper von Rom. Er trat dann an verschiedenen italienischen Opernhäusern auf, darunter am Teatro Comunale Bologna und in Florenz, wo er in der italienischen Erstaufführung von Monteverdis «Il Ritorno d'Ulisse in patria» in einer Neu-Bearbeitung von Hans-Werner Henze mitwirkte. 1986 sang er in Deutschland in einem Konzert des Bayerischen Rundfunks München zusammen mit der Sopranistin Barbara Hendricks. Er war dann auch 1987 ihr Partner als Rodolfo in der Verfilmung der Puccini-Oper «La Bohème» durch Luigi Comancini, wobei er den zuerst für diese Rolle vorgesehenen, dann aber schwer erkrankten José Carreras ersetzte. 1987 gastierte er bei den Festspielen von Martina Franca, 1988 am Teatro San Carlo Neapel, 1989 beim Rossini Festival in Pesaro. Von den weiteren Partien des jungen Sängers aus dem lyrischen Fachbereich sind

der Nemorino in «Elisir d'amore», der Federico in «L'Arlesiana» von Cilea, der Pylades in «Ermione» von Rossini, der Graf Almaviva im «Barbier von Sevilla», der Ernesto im «Don Pasquale», der Fernando in Donizettis «Il Furioso all' isola di San Domingo» und der Titelheld im «Werther» von Massenet hervorzuheben. Neben einer großen Bühnenkarriere bahnte sich eine zweite nicht weniger bedeutende Konzertlaufbahn an.
Schallplatten: RCA-Erato («La Bohème», Soundtrack des oben erwähnten Tonfilms; Arien-Platte).

Caporale, Claudia, s. unter *Kriese-Caporale*, Gladys.

Carden, Joan, Sopran, *9. 10. 1941 (?) Melbourne; sie begann ihre Ausbildung in ihrer australischen Heimat bei Thea Phillips und Henry Portnoj in Melbourne, seit 1961 auch bei Vida Hartford in London, nachdem sie zuerst als Sekretärin gearbeitet hatte. Sie wurde 1967 Preisträgerin beim Internationalen Gesangwettbewerb in München und gewann ein Stipendium für das London Opera Centre, in das sie 1967 aufgenommen wurde. Sie sang bereits 1963 bei der New Opera Company in der Uraufführung von «Our Man in Havanna» von Williamson am Sadler's Wells Theatre London. 1971 debütierte sie bei der Australian Opera Sydney als Liu in «Turandot» von Puccini. Seitdem war sie eine der führenden Kräfte dieses Opernhauses, wo man sie in Partien wie der Fiordiligi in «Così fan tutte», der Gräfin in «Figaros Hochzeit», der Donna Elvira im «Don Giovanni», der Pamina in der «Zauberflöte», der Gilda im «Rigoletto», der Violetta in «La Traviata», den drei Frauengestalten in «Hoffmanns Erzählungen», der Marguerite im «Faust» von Gounod, der Natascha in «Krieg und Frieden» von Prokofieff und in weiteren Rollen hörte. 1978 nahm sie an der USA-Tournee der Metropolitan Oper New York teil. 1988 sang sie in Sydney bei den Feierlichkeiten zur australischen Zweihundertjahrfeier die Leonore in «La forza del destino» von Verdi. Sie war zu Gast an der Covent Garden Oper London und wirkte 1969 im englischen Rundfunk BBC in der Uraufführung der Oper «Captive» von Wishart mit. Auch als Konzertsolistin kam sie in Australien wie in England zu bemerkenswerten Erfolgen. 1971 sang sie bei der Glyndebourne Touring Opera, 1977 bei der Scottish Opera Glasgow und an der Oper an Houston/Texas, 1981 an der Oper von Miami, 1980 im Kennedy Center Washington, 1983 in Singapur, 1984 beim Festival von Adelaide. Sie lebte in Melbourne.
Schallplatten: HMV (Mozart-Arien, Szenen aus Verdi-Opern).

Cariaga, Marvellee, Sopran-Mezzosopran, *11. 8. 1942 Huntington Park (Kalifornien); Gesangausbildung an der California State University. Seit Ende der sechziger Jahre trat sie an amerikanischen Bühnen in Erscheinung und war seit 1971 regelmäßig an der Oper von San Diego anzutreffen. Bei den aufsehenerregenden Aufführungen des Nibelungenrings an der Oper von Seattle hörte man sie 1975–81 in der Partie der Fricka. Beim Spoleto Festival von 1977 sang sie die Magda Sorel in «The Consul» von Menotti. Sie gastierte weiter an den Opern von San Francisco (1981), Pittsburgh und Portland, in Los Angeles (1987, 1988) und in Kanada am Opernhaus von Vancouver in den Jahren 1975–78. 1979 war sie an der Oper von Rio de Janeiro als Santuzza in «Cavalleria rusticana» zu Gast, 1979 und 1982 an der Niederländischen Oper Amsterdam. In ihrem Bühnenrepertoire fanden sich sowohl Sopran- als auch Mezzosopranpartien, darunter zahlreiche Wagner-Rollen (Venus, Ortrud, Fricka, Waltraute, Brünnhilde im «Siegfried», Isolde, Magdalene in den «Meistersingern»). Sie trat auch als Dona Anna im «Don Giovanni», als Amelia in Verdis «Ballo in maschera», als Herodias in «Salome» von R. Strauss und als Küsterin in Janáčeks «Jenufa» hervor. 1986 wirkte sie in Columbus (Ohio) in der Uraufführung der Oper «The Three Sisters» von Thomas Pasatieri mit. Sie sang dann auch in einer Schallplattenaufnahme dieser Oper auf PS.

Caro, Georgette, Sopran/Mezzosopran, *5.9. 1896, †5.4. 1953; ausgebildet am Conservatoire National de Paris. 1922 wurde sie an die Grand Opéra Paris berufen, an der sie fast zwanzig Jahre lang bis 1941 tätig blieb. In der Saison 1933–34 trat sie am Théâtre de la Monnaie Brüssel auf. Sie hatte an der Grand Opéra als Ortrud im «Lohengrin» debütiert und sang diese Partie auch 1923 an der Oper von Monte Carlo, dazu die Marguerite in «La damnation de Faust» von Berlioz. Ebenfalls 1923 wirkte sie an der Oper von Monte Carlo in der Uraufführung der Oper «Lysistrata» von Raoul Gunsbourg mit. 1925 gastierte sie an der Covent Garden Oper London als Amneris in «Aida», 1931 nochmals in Brüssel. An der Grand Opéra trat sie in mehreren Opern-Uraufführungen auf: 1924 in «Nerto» von Charles-Marie Widor, 1925 in «Brocéliande» von André Bloche und im gleichen Jahr in «L'Isle desanchantée» von Henri Février. 1929 sang sie an der Grand Opéra die Didon in «Les Troyens» von Berlioz in einer komprimierten Fassung des Opernwerks an einem einzigen Abend. Hatte sie anfänglich dort Sopranpartien wie die Sieglinde in der «Walküre» gesungen, so trat sie später in Mezzosopranrollen wie der Venus im «Tannhäuser», der Fricka im Nibelungenring, der Herodias in «Salome» von R. Strauss, der Klytämnestra in dessen «Elektra», der Marina im «Boris Godunow», der Titelheldin in Massenets «Hérodiade», der Charlotte in «Werther», der Bersi in «Andrea Chénier» von Giordano und der Dalila in «Samson et Dalila» von Saint-Saëns auf.

Carpi, Vittorio, Bariton, *1846, †1917 Florenz; er war der Sohn eines italienischen Patrioten Leone Carpi, der sich an den italienischen Revolutionskriegen beteiligt hatte. Er kam in den siebziger Jahren des 19. Jahrhunderts zu einer bedeutenden Bühnenkarriere. So sang er 1874 am Teatro Andrea Doria von Genua den Enrico in «Lucia di Lammermoor» als Partner der großen Primadonna Erminia Frezzolini und im gleichen Jahr am Teatro Carlo Felice Genua den Fra Melitone in Verdis «La forza del destino» wie den Alfonso in «La Favorita» von Doni-

zetti. 1875 ist er am Teatro Fenice Venedig anzutreffen, wo er später als Partner von Gemma Bellincioni in Donizettis «Linda di Chamounix» auftrat. 1884 gastierte er am Teatro Regio Turin in «Poliuto» von Donizetti mit Francesco Tamagno und wiederum Gemma Bellincioni zusammen, 1886 am Teatro Argentina Rom als Escamillo in «Carmen». Fast noch größeren Ruhm als in seiner italienischen Heimat erwarb er sich bei ausgedehnten Gastspielreisen. So gastierte er in London und Washington, in Nizza, Odessa und Havanna. 1890 wurde er zum Direktor der Vokalklasse des Konservatoriums von Chicago ernannt, wo er bis 1898 wirkte. Dann setzte er in Italien seine pädagogische Tätigkeit fort; eine seiner Schülerinnen war die Sopranistin Luisa Garibaldi. Er publizierte eine Schrift *«Ancora qualche apprezzamento sull' arte del canto»*, komponierte Romanzen und Klavierstücke.

Carrera, Avelina, Sopran, *2.1. 1871 Barcelona, †1939 Rubi bei Barcelona; obwohl sie sich bereits als Kind durch eine schöne Stimme auszeichnete, hatte sie zunächst nicht die Absicht Sängerin zu werden, wurde dann aber doch durch E. Puig und Tintora in Barcelona ausgebildet. Während eines nochmaligen dreijährigen Studiums bei Juan Goula in Barcelona befand sich der große spanische Tenor Francisco Vignas in ihrer Unterrichtsklasse. 1889 debütierte sie mit großem Erfolg am Teatro Liceo Barcelona als Elsa im «Lohengrin». Es folgte eine Spanien-Tournee, dann Gastspiele am Teatro Real Madrid und am Teatro Liceo Barcelona sowie 1893 am Teatro San Carlo Neapel wiederum als Elsa und in der Uraufführung der Oper «Il Profeta velato» von D. Napolitano. In Barcelona sang sie in den spanischen Erstaufführungen der Opern «La jolie fille de Perth» von Bizet und «Nerone» von Rubinstein wie in der Uraufführung von «Bruniselda» von Morera, am Teatro Principal Valencia in der Uraufführung einer Oper «Sagunta» von Ginér. 1893 war sie am Teatro San Carlos Lissabon als Brünnhilde in der «Walküre» zu Gast. Der russische Zar setzte sich für ein Gastspiel der inzwischen international bekannt gewordenen Sängerin 1894 am Bolschoj Theater Moskau ein. 1895 (und nochmals 1901) sang sie am Teatro Real Madrid die Elsa im «Lohengrin» als Partnerin von Francisco Vignas. Am 29.3. 1896 sang sie dann an der Mailänder Scala in der Uraufführung der Oper «Andrea Chénier» von Giordano die Partie der Maddalena, während Giuseppe Borgatti die Titelrolle kreierte. 1899 hörte man sie am Teatro Real Madrid als Brünnhilde in der Premiere von Richard Wagners «Siegfried»; am Opernhaus von Triest gastierte sie als Elisabeth in «Tannhäuser», in Lissabon als Desdemona in Verdis «Othello» und als Alice Ford im «Falstaff». Auch in Südamerika kam sie zu einer glanzvollen Karriere; 1900 sang sie am Teatro de la Opera Buenos Aires als Partnerin des berühmten Enrico Caruso in Goldmarks «Königin von Saba» und als Manon von Massenet und kehrte 1901 und 1903 an dieses Haus zurück. 1900 durchreiste sie Mittelamerika und die Karibik und war u. a. in Mexico City, Vera Cruz und Havanna zu Gast, 1901 war sie in Kairo anzutreffen. Nach weiteren Auftrit-

ten an Bühnen in Österreich, Spanien und Portugal nahm sie auf dem Höhepunkt ihrer Karriere ihren Abschied vom Theater und betätigte sich als Pädagogin in Barcelona.
Schallplatten auf Fonotipia, darunter auch Duette mit Francisco Vignas.

Carrère-Xanrof, Marguerite, Sopran, * 1865 (?) Bordeaux, † (?); sie erhielt ihre Ausbildung zur Sängerin in Paris durch Pierre-François Wartel, Mme Lhérie, Gabrielle Krauss und Rosine Laborde. 1888 kam es zu ihrem Bühnendebüt am Opernhaus von Marseille als Königin Marguerite de Valois in den «Hugenotten» von Meyerbeer. 1889–92 war sie am Théâtre de la Monnaie Brüssel engagiert und wurde dann an die Grand Opéra Paris berufen. Hier sang sie in den folgenden zehn Jahren Partien wie die Marguerite im «Faust» von Gounod (ihre Antrittsrolle), die Isabella in «Robert le Diable» von Meyerbeer, die Eudoxia in «La Juive» von Halévy, die Titelheldinnen in «Roméo et Juliette» von Gounod, «Thaïs» von Massenet und «Briseïs» von E. Chabrier, die Hélène in «Messidor» von Bruneau, die Zerline im «Don Giovanni», die Sieglinde in der «Walküre» und die Venus im «Tannhäuser» von R. Wagner. 1894 sang sie als Gast an der Oper von Monte Carlo die Bertha in Meyerbeers «Le Prophète», 1904 in Brüssel die Carmen. Verheiratet mit dem Schriftsteller und Chansonautor Léon Xanrof (1867–1953).

Carron, Elisabeth, Sopran, * 12. 2. 1933; sie hieß mit ihrem eigentlichen Namen Elisabetta Caradonna und wurde durch die Pädagogin Mrs. Rodney Saylor in New York ausgebildet. Ihr Bühnendebüt fand 1957 an der New York City Centre Opera in der Rolle der Butterfly in Puccinis gleichnamiger Oper statt. Sie kam dann zu einer erfolgreichen Karriere in den Zentren des nordamerikanischen Musiklebens und sang an den Opern von Cincinnati, Houston/Texas, Chicago, Dallas, Philadelphia, Pittsburgh, San Francisco, St. Paul, New Orleans, sehr oft an der City Centre Opera New York (bis 1977 fast alljährlich) und war zu Gast am Opernhaus von Mexico City. 1958 sang sie an der Oper von Dallas die Dirce in Cherubinis klassischer Oper «Medea» als Partnerin der großen Maria Callas. Mit dem Ensemble der Washington Opera gastierte sie 1984 beim Festival von Edinburgh. Ihr umfangreiches Repertoire für die Bühne gipfelte in Partien wie der Micaela in «Carmen», der Violetta in «La Traviata», der Konstanze in der «Entführung aus dem Serail», der Susanna in «Nozze di Figaro», der Zerline im «Don Giovanni», der Mimi wie der Musetta in «La Bohème» von Puccini, der Butterfly, der Liu in «Turandot», der Norina im «Don Pasquale» von Donizetti, den Titelrollen in «Salome» und «Daphne» von Richard Strauss, der Aithra in dessen «Ägyptischer Helena» und der Birdie in «Regina» von Marc Blitzstein. Auch als Konzertsopranistin und als Gesanglehrerin erlangte sie Ansehen.
Schallplatten: Columbia («Regina» von M. Blitzstein), RCA, Penzance (Aufnahme der oben erwähnten Oper «Medea» aus Dallas von 1958).

Carson, Mary, Sopran; mit dem Namen dieser Künstlerin verbindet sich eine mysteriöse Ankündigung im Edison-Katalog von 1912. Es heißt dort: «... during her comparatively short musical carrer, Miss Caron has sung in practically all the principal operas in Italy, and has given many notable performances in this country, for which we have innumerable flattering press comments». Gleichzeitig ist ein Bild der Sängerin beigefügt, so daß man nicht annehmen kann, daß es sich um ein Pseudonym handelt. Anderseits läßt sich kein Auftritt (und ebensowenig ein Pressebericht) über eine Sängerin namens Mary Carson aus dieser Zeit in Italien belegen, sodaß sie dort kaum eine Karriere von Bedeutung gehabt haben kann. Bei den von ihr auf Edison-Platten wie -zylindern gesungenen Stücken handelt es sich um volkstümliche Ballads und einige Koloraturwalzer von Arditi, alle in englischer Sprache.

Casaloni, Annetta, Alt, * 13. 12. 1826 Mondovi (Ligurische Alpen), † 7. 1. 1915 Turin; die Sängerin ist vor allem dadurch von Bedeutung, daß sie in der Uraufführung von Verdis Oper «Rigoletto» am 11. 3. 1851 am Teatro Fenice von Venedig die Partie der Maddalena kreierte. Giuseppe Verdi hatte sie im September 1850 am Teatro Carcano in Mailand als Federica in seiner Oper «Luisa Miller» gehört und war von ihrer Stimme wie von ihrer aparten Erscheinung auf der Bühne so angetan, daß er dafür sorgte, daß sie die Maddalena übernahm. Bereits 1849 war sie am Her Majesty's Theatre London als Partnerin der legendären Henriette Sontag in der Rolle des Pierotto in «Linda di Chamounix» von Donizetti aufgetreten. Während der zwanzig Jahre, die ihre Karriere dauerte, kam sie an den großen Bühnen in Italien wie in ganz Europa, in Nord- und namentlich in Südamerika zu ständigen Erfolgen. Sehr beliebt war sie an der Oper von Montevideo, wo man sogar ihr zu Ehren ein Denkmal errichtete. Zu ihren großen Partien gehörte auch die Azucena in Verdis «Troubadour», die sie u. a. 1861 am Teatro Regio Turin und 1862 am Teatro Carlo Felice Genua vortrug. Nach Aufgabe ihrer Bühnenkarriere wirkte sie für einige Jahre als Gesangpädagogin an der Scuola della Confederazione Centrale Teatrale di Musica in Rom und zog sich dann nach Turin zurück. Auch hier war sie pädagogisch tätig und bildete u. a. die Schwestern Adele und Lucia Ponzano wie den Bariton Giovanni Comune aus. Nach ihrer Heirat ist sie auch unter dem Namen Annetta Casaloni-Barboglia aufgetreten.

Casavecchi, Agostino, Tenor, * 28. 4. 1900; er begann seine Karriere in den zwanziger Jahren und kam 1929 zu einem ersten wichtigen Erfolg, als er am Teatro Massimo Palermo als Partner der japanischen Sopranistin Nobuko Hara den Pinkerton in «Madame Butterfly» sang. In den folgenden Jahren hörte man ihn hauptsächlich an italienischen Provinztheatern in Partien aus dem leichteren lyrischen Stimmfach. 1937 war er bei der Italienischen Oper in Holland anzutreffen; dort sang er Rollen wie den Rodolfo in «La Bohème», den Herzog im «Rigoletto», den Grafen Almaviva im «Barbier von Sevilla» und wirkte in der Premiere der Oper «Le Preziose ridicole» von Lattuada mit. 1941–42 sang er während einer Spielzeit an der Mailänder Scala u. a. den Cassio im «Othello», den Leukippos in der italienischen Erstaufführung von «Daphne» von R. Strauss und in der Premiere der «Carmina burana» von C. Orff. Nach dem Zweiten Weltkrieg ist er oft an französischen Theatern wie Toulouse, Bordeaux, Marseille und an der Oper von Lüttich aufgetreten. Auf der Bühne erregte nicht zuletzt seine elegante Erscheinung Aufsehen.

Um 1930 kamen auf HMV einige Opernausschnitte («Don Pasquale», «Barbier von Sevilla», darunter ein Duett mit Vittorio Weinberg) sowie volkstümliche italienische Lieder heraus.

Casini, Lelio, Bariton, * 1865 Pisa, † 22. 10. 1910 Manicomio di Volterra (Toskana); seine Stimme soll entdeckt worden sein, als er auf einem Platz in Pisa italienische Volkslieder sang. Er erhielt dann seine Ausbildung am Conservatorio Pacini in Lucca bei Maestro Angeloni. Weihnachten 1886 debütierte er am Teatro Verdi seiner Heimatstadt Pisa als Sallustio in «Ruy Blas» von Filippo Marchetti. 1887 sang er die gleiche Partie am Teatro Costanzi Rom. Nach erfolgreichen Auftritten an den Operntheatern von Pisa, Lucca und Volterra gastierte er 1890 am Teatro Politeama Genua als Graf Luna im «Troubadour», am Teatro Nicolini wie am Teatro Pagliano in Florenz. 1891 hörte man ihn am Teatro Bellini Catania als Riccardo in «I Puritani» von Bellini, in Triest und Fiume, 1896–97 am Teatro Regio Parma als Gérard in «Andrea Chénier» von Giordano, als Hoherpriester in «Samson et Dalila» von Saint-Saëns, als Lescaut in Massenets «Manon» und als Tonio im «Bajazzo», am Teatro Lirico Mailand als Alfonso in «La Favorita» von Donizetti und in «Le Cid» von Massenet. 1897 sang er am Teatro Lirico Mailand den Baldassare in der Uraufführung von «L'Arlesiana» von Cilea. 1900 übernahm er am Teatro San Carlo Neapel mit dem Wolfram im «Tannhäuser» eine Wagner-Partie und war im gleichen Jahr am Teatro Fenice Venedig zu Gast. Nicht nur an den großen italienischen Theatern sondern auch im Ausland kam der Künstler zu Erfolgen: an der Grand Opéra Paris, an der Hofoper von St. Petersburg als Rigoletto, am Teatro Liceo Barcelona wie am Teatro Real Madrid als Graf Luna, als Scarpia in «Tosca» und als Don Carlo in Verdis «Ernani»; er ist in Bukarest und Valencia, in Rio de Janeiro, in Caracas und in Guatemala aufgetreten. Bis etwa 1902 war er noch auf der Bühne anzutreffen, 1908 erschien er in Pisa nochmals in einigen Konzerten. Er gründete in Mailand eine Gesangschule; zu seinen Schülern zählte der berühmte Bariton Titta Ruffo, der ihn sehr verehrte. Weitere Schüler waren der Tenor Giuseppe Taccani, der Bariton Emilio Ghirardini und der Bariton Amleto Barbieri.

Schallplatten: Sechs Titel auf Zonophone (Mailand, 1901), acht Aufnahmen mit volkstümlichen Romanzen auf Pathé-Zylindern und -Platten (Mailand, 1902).

Casolla, Giovanna, Sopran, * 1954 (?); einen ihrer ersten Bühnenauftritte hatte sie 1977 am Teatro San

Carlos Lissabon in der Partie der Eboli in Verdis «Don Carlos». Sie durchlief dann eine schnelle internationale Karriere. 1978 und 1982 trat sie am Teatro Regio Turin auf, seit 1979 oftmals am Teatro Verdi Triest, ebenfalls 1979 am Teatro Comunale Bologna, 1980 am Teatro Coliseo Buenos Aires, 1981 in Reggio Emilia und in Detroit. 1982 sang sie am Opernhaus von San Diego in der amerikanischen Erstaufführung von Zandonais «Giulietta e Romeo» die Giulietta. In Frankreich war sie 1982 an der Oper von Bordeaux, 1983 in Toulouse und 1984 in Nizza und Rouen zu Gast. 1984 kam es zu ihrem Debüt an der Metropolitan Oper New York in der Titelpartie der Oper «Francecsca da Rimini» von Zandonai; 1986 sang sie dort die Eboli im «Don Carlos». An der Mailänder Scala war sie 1983 und wieder 1986 als Giorgietta in Puccinis «Il Tabarro» anzutreffen; 1984 sang sie am Teatro San Carlo Neapel und an der Oper von Monte Carlo (Tosca). 1986 trat sie am Teatro Colón Buenos Aires als Minnie in «La fanciulla del West» von Puccini auf, in der Arena von Verona 1986 als Maddalena in «Andrea Chénier» von Giordano und 1988 als Titelheldin in «La Gioconda» von Ponchielli, 1987 und 1989 bei den Festspielen in den Thermen des Caracalla in Rom als Tosca, die als eine ihrer größten Kreationen galt. An der Oper von Rom, an der sie seit 1986 oft sang, wirkte sie in der Uraufführung der Oper «Salvatore Giuliano» von L. Ferrero (1986) mit. Weitere Gastspiele an der Staatsoper von Wien (1988), an der Miami Opera (1988), an der Staatsoper von Stuttgart (1989), an der Deutschen Oper Berlin (1989 als Tosca) und am Teatro Fenice Venedig (1989, ebenfalls als Tosca). Sie galt als hervorragende Darstellerin; aus ihrem vielseitigen Bühnenrepertoire seien noch die Santuzza in «Cavalleria rusticana», die Fedora in der Oper gleichen Namens von Giordano, die Amelia in Verdis «Ballo in maschera», die Titelfiguren in «Adriana Lecouvreur» von Cilea und «Manon Lescaut» von Puccini, die Magda in «La Campana sommersa» von Respighi, die Silvana in «La Fiamma» vom gleichen Komponisten, die Judith in «Herzog Blaubarts Burg» von B. Bartók, die Maria in Tschaikowskys «Mazeppa» und die Elena Makropoulos in Janáčeks «Die Sache Makropoulos» genannt. Auch im Konzertsaal kam die Künstlerin zu großen Erfolgen.

Caspers, Ella, Alt, * 1880 (?), † (?); die Künstlerin, die aus dem australischen Staat New South Wales stammte, erregte schon mit 13 Jahren Aufsehen, als sie in der Town Hall von Sydney in einem Konzert auftrat. Die große englische Altistin Clara Butt, die sie während ihrer Australien-Tournee hörte, zeigte sich von ihrer Stimme sehr angetan und riet zu deren Ausbildung. Musikliebhaber aus Sydney, Goulborn und Albury ermöglichten ihr die Reise nach London und ein Studium an der dortigen Royal Academy of Music. Sie trat dann in England als Konzert- und Oratorienaltistin mit großem Erfolg auf und nahm u. a. an Konzerten in der Albert Hall wie in der Queen's Hall in London teil. Die Partie der Ruth in dem Oratorium «The Golden Legend» von Arthur Sullivan sang sie in einer glanzvollen Aufführung des

Oratoriums im Londoner Crystal Palace. Man bewunderte ihre Leistungen als Solistin im «Messias» von Händel, in Mendelssohns «Elias», in «The Dream of Gerontius» von E. Elgar und in vielen weiteren Vokalwerken. Sie ist auch in Konzertveranstaltungen in Deutschland, Frankreich und Italien in Erscheinung getreten. Sie stand im Begriff eine große United-Kingdom-Tournee zusammen mit dem berühmten Violinisten Fritz Kreisler zu beginnen, als der Erste Weltkrieg ausbrach. Darauf kam sie 1914 nach Australien zurück und setzte dort ihr Wirken im Konzertsaal fort. 1915 sang sie in einem Konzert zur Eröffnung des New South Wales Conservatory. Nachdem sie den Dentisten A. A. Maloney geheiratet hatte, nahm sie ihren Wohnsitz in Taree (New South Wales) und beschränkte ihre Aktivitäten auf einzelne Konzertauftritte in Australien.

Cassello, Kathleen, Sopran, * 1958 im amerikanischen Staat Delaware; sie studierte in Amerika und dann in Österreich Gesang und wurde am Landestheater von Salzburg als Choristin eingesetzt. 1985 erregte sie großes Aufsehen, als sie den Internationalen Mozart-Wettbewerb in Salzburg gewann und beim Belvedere-Concours in Wien durch ihre Leistungen beeindruckte. Daraus resultierte ein Solisten-Engagement am Landestheater Salzburg (1986–87); 1987 wurde sie als erste Koloratursopranistin an das Staatstheater von Karlsruhe berufen. Hier wie bei Gastspielen und Konzertauftritten wurde sie durch die ungewöhnliche Tonhöhe ihrer Sopranstimme wie durch deren technische Beherrschung bekannt. Als ihre besondere Glanzpartie galt die Königin der Nacht in der «Zauberflöte», die sie u. a. in der Eröffnungsvorstellung des renovierten Stadttheaters von Koblenz (21. 12. 1985), bei den Festspielen von Bregenz (1986) und Savolinna (1989) zum Vortrag brachte. 1989 gastierte sie als Königin der Nacht am Deutschen Opernhaus Berlin und an der Deutschen Oper am Rhein Düsseldorf–Duisburg; in Karlsruhe sang sie 1989 die Lucia di Lammermoor und die Konstanze in der «Entführung aus dem Serail».

Cassis, Alessandro, Bariton, * 1949 (?); er hatte einen seiner ersten Bühnenauftritte 1971 am Teatro Comunale Florenz in einer kleinen Partie in Verdis «Ballo in maschera» und trat auch in der Folgezeit in ähnlichen Rollen an diesem Haus auf. 1974 sang er beim Maggio musicale Florenz den Jack Wallace in Puccinis «Fanciulla del West» und wirkte an der Piccola Scala Mailand in Aufführungen von «La Favola d' Orfeo» von A. Casella mit. 1975 hörte man ihn im italienischen Rundfunk RAI als Fanuel in «Nerone» von Boito. 1977 sang er am Teatro Regio Turin, an dem er auch später oft anzutreffen war, den Germont-père in «La Traviata»; 1982 war er bei den Festspielen in der Arena von Verona (bei denen er auch 1973 und 1978 mitgewirkt hatte) als Amonasro in «Aida» (eine seiner großen Kreationen) zu Gast, ebenso gastierte er 1982 am Grand Théâtre Genf. 1983 erreichte er die Mailänder Scala, an deren großem Haus er den Michele in «Il Tabarro»

von Puccini übernahm. 1985 war er an der Scala als Sharpless in «Madame Butterfly» zu finden, bei den Festspielen von Verona 1986 als Gérard in «Andrea Chénier» von Giordano, 1988 als Barnaba in «La Gioconda» von Ponchielli. Es kam zu erfolgreichen Auftritten am Teatro San Carlo Neapel (1984), am Teatro Comunale Florenz (1985 als Carlos in «La forza del destino» von Verdi), in Genua (1985), am Teatro Massimo Palermo (1986), am Teatro Verdi Triest (1987) und bei den Festspielen in den römischen Thermen des Caracalla, bei denen er 1989 als Amonasro beeindruckte. 1987 gastierte er in Avignon, 1989 am Teatro San Carlo Lissabon als Amonasro. Von seinen zahlreichen Bühnenpartien sollen der Rigoletto, der Renato in Verdis «Ballo in maschera», der Graf Luna im «Troubadour», der Hohepriester in «Samson et Dalila» von Saint-Saëns neben den bereits genannten hervorgehoben werden.
Schallplatten: ANNA-Records («I Lituani» von Ponchielli), MRF («Nerone» von A. Boito).

Castellan, Andrea, Tenor, * 8. 9. 1812 Vicenza, † Dezember 1889 Borgosesia bei Novara; er gehörte zu den führenden italienischen Tenören seiner Generation und kam zu einer großen Karriere an den ersten Opernbühnen in Italien wie in ganz Europa. In der Karnevalssaison 1838 sang er am Teatro Nuovo von Novara in den Opern «Lucia di Lammermoor» von Donizetti und «Il Giuramento» von Saverio Mercadante. Der letztere hörte ihn in der Partie des Viscardo und berief ihn für die Uraufführung seiner Oper «Il Bravo», die am 9. 3. 1839 an der Mailänder Scala stattfand, an dieses Opernhaus. Hier sang er dann auch in der Uraufführung von Otto Nicolais «Il Proscritto» (13. 3. 1841) und in «Beatrice di Tenda» von Bellini. 1843 feierte man ihn bei Galavorstellungen von Verdis «I Lombardi» und Mercadantes «Il Bravo» in Sinigaglia zusammen mit so großen Künstlern wie Antonio Poggi, Erminia Frezzolini und Marianna Barbieri-Nini. Am 5. 3. 1845 sang er am Teatro Fenice Venedig in der Uraufführung der Oper «Lorenzino de Medici» von Giuseppe Pacini die Titelrolle, die der Komponist im Hinblick auf seine Stimme geschrieben hatte. 1845 wirkte er am Teatro Carolino Palermo in der Uraufführung eines Requiems von Raimondi mit. Er verlor plötzlich seine Stimme, mußte seine Karriere aufgeben und zog sich in die Kleinstadt Borgosesia zurück, wo er einen Tabak- und Salzhandel betrieb.

Castle, Joyce, Mezzosopran, * 17. 1. 1944 Beaumont (Texas); Studium an der University of Kansas bei Reinhold Schmidt, an der Eastman School of Music in Rochester (New York) bei Julius Huehn und bei dem New Yorker Pädagogen Harry Garland. Bühnendebüt 1970 an der Oper von San Francisco als Siebel im «Faust» von Gounod. Sie hatte eine erfolgreiche Laufbahn an den großen nordamerikanischen Opernhäusern, u. a. in Philadelphia, Houston/Texas, San Antonio, San Francisco und Washington. Dabei trat sie in Partien wie der Lola in «Cavalleria rusticana», der Mme Flora in Menottis «The Medium», der Elizabeth Proctor in «The Crucible» von

Robert Ward, der Leocadia in «Aufstieg und Fall der Stadt Mahagonny» von Weill, der Zita in Puccinis «Gianni Schicchi», der Hexe in «Hänsel und Gretel» (Houston, 1988) und in vielen anderen Rollen vor ihr Publikum. Von Arlington (Virgina) aus, wo sie mit ihrem Gatten, dem Tenor *Bruce Brewer* (* 1944) wohnte, ging sie ihrer Gastspiel- und Konzerttätigkeit nach und wirkte dort auch als Gesangpädagogin.

Schallplatten: Rodolphe Records (Biancofiore in «Francesca da Rimini» von Zandonai), New World Records («Candide» von L. Bernstein).

Castles, Dolly, Sopran, * 21. 2. 1884 Melbourne, † 29. 8. 1971 Melbourne; sie war die Tochter eines sehr musikalischen Ehepaars, dessen sieben Kinder alle begabte Sänger wurden. Darunter befanden sich als bekannteste ihre Schwestern *Amy Castles* (1880–1951) und *Eileen Castles* (1886–1970). Dolly Castles gewann wie auch die genannten beiden Schwestern bereits als Kind Goldmedaillen für ihr Singen. Wie ihre Schwestern wurde sie Schülerin von Jacques Bouhy in Paris, wo sie auch debütierte. Der australische Impresario J. C. Williamson engagierte sie darauf für Auftritte in Gilbert & Sullivan-Operetten in ihrer australischen Heimat in den Jahren 1904–06. 1907–08 trat sie im Gaiety und im Daly's Theatre London, 1910 im Londoner Drury Lane Theatre in Operetten auf. 1912 erschien sie in ähnlichen Werken am New Yorker Broadway und hatte dann eine Anzahl von Engagements in den USA. 1915 unternahm sie eine Tournee durch Australien und Neuseeland, kam aber 1916 an den New Yorker Broadway zurück. Nach ihrer Heirat 1919 gab sie ihre Karriere auf und lebte später wieder in ihrer australischen Heimat.

Castles, Eileen, Sopran, * 24. 12. 1886 Melbourne, † 30. 10. 1970 Melbourne (Australien); sie wuchs in einem sehr musikalischen Elternhaus auf. Alle sieben Kinder ihrer Eltern wurden als Sänger bekannt, darunter in erster Linie ihre beiden Schwestern *Amy Castles* (1880–1951) und *Dolly Castles* (1884–1971). Wie diese war auch Eileen Castles Schülerin von Jacques Bouhy in Paris. 1908 debütierte sie in England in der Operette «Ein Walzertraum» von Oscar Strauss. 1911 wurde sie von Paris nach London gerufen, um in einem Konzert anläßlich der Krönungsfeierlichkeiten für König Georg V. in der Londoner Albert Hall zu singen. Der Impresario J. C. Williamson engagierte sie 1911 für eine australische Opernsaison, die durch die große Primadonna Nellie Melba arrangiert worden war, in der sie die Micaela in «Carmen» und den Siebel im «Faust» von Gounod übernahm. 1914 sang sie am Century Theatre New York in Puccinis «La Bohème». Sie blieb dann in den USA und trat dort in vielen Operetten auf; der Komponist Victor Herbert schätzte sie besonders in der Titelrolle seiner Operette «Naughty Marietta». 1919 kam sie nach Australien zurück, schloß sich dort einer Operngesellschaft an und sang die Olympia in «Hoffmanns Erzählungen», sowie, unter stürmischem Beifall des Publikums, die Musetta in «La Bohème» zusammen mit ihrer Schwester Amy Cast-

les in der Partie der Mimi. 1920 trat sie in Australien in Gilbert & Sullivan-Operetten auf, 1924–28 hörte man sie dort in Opern und Operetten sowie bei Konzerttourneen, die sie zusammen mit ihrer Schwester Amy unternahm. Sie sang im australischen Rundfunk und war in Melbourne als Pädagogin tätig.

Schallplattenaufnahmen auf Columbia (1927).

Castro-Alberty, Margerita, Sopran, * Oktober 1947 auf der Insel Puerto Rico; sie wurde am Conservatorio Pablo Casals in San Juan auf Puerto Rico ausgebildet und ergänzte ihre Studien an der Accademia di Santa Cecilia Rom und an der New Yorker Juilliard School of Music. 1978 debütierte sie am Opernhaus von Santiago de Chile als Amelia in der chilenischen Premiere von Verdis «Maskenball». 1979 und 1980 erregte sie als Gast erstes Aufsehen am Teatro Colón Buenos Aires. Darauf kam es 1980 zu ihrem Europa-Debüt in Madrid in «La vida breve» von M. de Falla. 1980 gastierte sie an der Oper von Lyon, 1981 sang sie in der New Yorker Carnegie Hall in einer konzertanten Aufführung von Verdis Oper «I due Foscari» die Partie der Lucrezia. 1982 erreichte sie die Grand Opéra Paris und die Metropolitan Oper New York, an der sie als Antrittsrolle die Amelia im «Maskenball» von Verdi vortrug. 1982 war sie wieder in Santiago de Chile, 1983 beim Festival von Orange (als Aida) und am Teatro Fenice Venedig anzutreffen. 1984 brachte Gastspiele an der Staatsoper von Wien und am Deutschen Opernhaus Berlin, an den Opern von Nancy, Marseille (wo sie auch 1987 wieder auftrat) und Toronto. 1985 war sie an der Oper von Rom zu Gast. Vor allem in Frankreich kam sie auf der Bühne wie auf dem Konzertpodium zu anhaltenden Erfolgen. Neben den bereits genannten Rollen sang sie die Titelfigur in Donizettis «Lucrezia Borgia», die Elisabetta im «Don Carlos» von Verdi, die Leonore im «Troubadour» und die Magda in Puccinis «La Rondine».

Schallplatten: Erato (Recital, 1981).

Cattaneo, Claudia, Sängerin, * (?), † 10. 9. 1607 Cremona; sie war die Tochter des Musikers und Viola-Virtuosen Giacomo Cattaneo, eines Mitglieds der berühmten Kapelle des Herzogs Vincenzo Gonzaga von Mantua. Sie wurde, wohl noch ganz jung, Hofsängerin in Manuta. Am 20. 5. 1599 heiratete sie den berühmten Komponisten Claudio Monteverdi (1567–1643), den eigentlichen Begründer der Oper in der noch heute gültigen Form. 1601 wurde der erste Sohn des Künstlerehepaars, Francesco Baldassare Monteverdi, geboren, dessen Taufpate der Kronprinz von Mantua, Francesco Gonzaga, war; nachdem 1603 eine Tochter zur Welt kam, die nach einigen Monaten starb, wurde 1604 ein zweiter Sohn Massimiliano Giacomo Monteverdi, geboren. Claudia Cattaneo-Monteverdi hat mit Sicherheit Vokalwerke ihres Gatten gesungen; sie erlebte auch noch die Uraufführung seiner Oper «La favola d'Orfeo» in Mantua (24. 2. 1607), erkrankte aber kurz darauf schwer. Im Juli 1607 brachte Monteverdi sie zu seinem Vater Baldassare Monteverdi nach Cremona, wo sie dann im September des gleichen Jahres starb. Sie fand ihre letzte Ruhestätte in der Kirche SS. Nazzaro e Celso in Cremona. Der älteste Sohn, *Francesco Baldassare Monteverdi* (1601–74) hatte die musikalische Begabung seiner Eltern geerbt. Bereits mit 15 Jahren sang er kleinere Soli in San Marco in Venedig, wo sein Vater als Maestro di Cappella wirkte. 1620 trat er in den Karmeliterorden ein und wurde 1623 als Tenor in die Cappella di San Marco berufen, deren Mitglied er bis zu seinem Tod blieb. Obwohl er Angehöriger eines Ordens war, wirkte er am 6. 3. 1637 bei der Eröffnungsvorstellung des Teatro San Cassiano, des ersten öffentlichen Opernhauses überhaupt, das in Venedig durch die Patrizierfamilie Tron (daher auch Teatro Tron di San Cassiano genannt) eingerichtet worden war, mit. Man eröffnete das Haus mit der Oper «Andromeda» von Francesco Manelli; diese Vorstellung wurde zu einem spektakulären Ereignis, das in ganz Italien größte Beachtung fand.

Cavalieri, Elda, Sopran, * 1876 Neapel; † (?); über diese Sängerin sind nur wenige biographische Daten bekannt. Sie scheint zunächst an italienischen Provinztheatern aufgetreten zu sein, so u. a. 1903 am Teatro Verdi in Pisa als Violetta in «La Traviata». 1905–06 war sie in Havanna anzutreffen, wo sie in «Aida», im «Troubadour», in «La Traviata» und in «Ernani» von Verdi, in «Manon Lescaut», «La Bohème» und «Tosca» von Puccini und im «Faust» von Gounod auftrat.Sie muß auch in den USA gastiert haben, denn dort entstanden 1906–07 über zwanzig Schallplattenaufnahmen ihrer Stimme auf Victor (davon kam eine Arie aus «La Gioconda» zu einer Neu-Ausgabe auf LP). Diese zeigen eine dramatische Sopranstimme von großer Ausdruckskraft und kontrastieren zu einer Karriere, die doch wohl in einem relativ bescheidenen Rahmen absolviert wurde. Sie darf keinesfalls mit der berühmten Sopranistin Lina Cavalieri verwechselt werden.

Cavallini, Fausto, Tenor, * 30. 1. 1885 Casteldelbosco bei Pisa, † 5. 1. 1952 bei Pisa; er absolvierte seine Ausbildung bei Leopoldo Mugnone in Mailand. Erstes öffentliches Auftreten 1908 in Pisa in einem Konzert, das der bekannte Bariton Lelio Casini gab. Bühnendebüt 1913 am Teatro Comunale Catanzaro als Fernando in Donizettis «La Favorita». Nach ersten Erfolgen an italienischen Theatern nahm er 1921 an einer großen Nord- und Südamerika-Tournee mit der Bracala Company teil, der so bekannte Sänger wie Iva Pacetti und Carlo Tagliabue angehörten. 1921 sang er am Mason Theatre New York den Grafen Almaviva im «Barbier von Sevilla» als Partner des berühmten Baritons Riccardo Stracciari, 1923 gastierte er in New York in der gleichen Partie, als Faust von Gounod und als Herzog im «Rigoletto», 1922 in Los Angeles wieder als Graf Almaviva, diesmal mit Antonio Scotti zusammen, 1923 in Costa Rica als Elvino in Bellinis «La Sonnambula». Gastspiele am Teatro Colón Buenos Aires (Edgardo in «Lucia di Lammermoor») und am Opernhaus von Bogotà (Alfredo in «La Traviata») im Jahre 1924 bezeichnen den Höhepunkt seiner Karriere, die mit Auftritten an kleineren italieni-

schen Bühnen zum Ausklang kam. Er wirkte dann als Intendant und Impresario, u. a. am Teatro Verdi in Pisa und am Teatro Giglio in Lucca. Er war befreundet mit dem großen Opernkomponisten Pietro Mascagni.

Ceccarelli, Ubaldo, Baß. * 1865 (?), † (?); nur einige wenige Daten sind aus dem Leben und der Karriere des Künstlers bekannt. Er hat im ersten Abschnitt seiner Sängerlaufbahn Partien für seriösen Baß gesungen; in der Saison 1891–92 ist er am Teatro Tacon in Havanna anzutreffen, an dem er u. a. den Ramphis in «Aida» als Partner von Maria Giudice sang. Er muß sich dann wohl dem Buffo-Fach zugewandt haben. So singt er 1911 am Teatro Donizetti von Bergamo den Geronimo in Cimarosas «Il matrimonio segreto». Noch später hat er in einigen vollständigen Schallplattenaufnahmen der akustischen Epoche auf der Marke HMV mitgewirkt: er sang den Alcindor wie den Benoit in Puccinis «La Bohème» (1918), den Mesner in «Tosca» (1921) und den Sanculotto in «Andrea Chénier» von Giordano (1923).

Ceccarini, Giancarlo, Bariton, * 19. 7. 1951 Pisa; er arbeitete zunächst als Elementarschullehrer, sang dann in einem Chor seiner Heimatstadt Pisa und ließ gleichzeitig seine Stimme durch die Pädagogin Liliana Bardelli ausbilden. Nachdem er erfolgreich an Gesangwettbewerben in Reggio Emilia und in Spoleto teilgenommen hatte, kam seine Ausbildung in der Opernschule der Oper von Rom bei Maestro Rigacci zum Abschluß. 1975 debütierte er in Spoleto als Belcore in Donizettis «Elisir d'amore» und hatte dort erste Erfolge als Marcello in «La Bohème» und in Cimarosas «Il maestro di capella». 1976 sang er am Teatro Fenice Venedig den Osmano in «L'Ormindo» von Cavalli und am Teatro Comunale von Terni den Tancredi in Monteverdis «Il combattimento di Tancredi e Clorinda». Die letztgenannte Partie hat er im Lauf seiner Karriere immer wieder gesungen, u. a. in Bologna, in Zürich (1978 zusammen mit Cathy Berberian), in Mantua, Cremona, Bari und am Opernhaus von Frankfurt a. M. (1980). Seit 1977 wirkte er in mehreren Opernsendungen des Schweizer Rundfunks in Lausanne wie in Lugano mit, darunter in Werken wie «La Gazzetta» von Rossini und in «I pazzi per progresso» von Donizetti. Der Eustacchio in dieser Donizetti-Oper wurde eine weitere Glanzrolle des Sängers. Den Eustacchio wie den Podestà in «Le docteur miracle» von Bizet sang er u. a. auch 1980 als Gast in San Remo, ebenso am Teatro Margherita Genua (1980), wo er dazu als Titelheld in Puccinis «Gianni Schicchi» auftrat. 1979–81 nahm er an Gastspieltourneen in Süditalien teil, 1981 an einer ähnlichen Tournee in Westdeutschland. Er setzte seine Karriere an italienischen Theatern (Ferrara, Livorno, Monza, Foggia) fort und gastierte 1982 in San Remo als Nabucco in Verdis Oper gleichen Namens.
Schallplatten: UORC (Eustacchio in «I pazzi per progresso»).

Cegolea, Gabriela, Sopran, * 1955 (?) in der Moldauischen Sowjetrepublik (früher zu Rumänien gehörend); schon mit sechs Jahren erhielt sie Unterricht im Klavier- und Cellospiel, ließ dann aber an der Musikakademie von Bukarest ihre Stimme ausbilden. Sie setzte ihr Studium am Konservatorium Benedetto Marcello in Venedig fort, trat beim Festival von Taormina bereits auf der Bühne auf und besuchte dann die Opernschule der Königlichen Oper Stockholm. Sie wurde Preisträgerin bei Gesangwettbewerben in Lonigo, Parma und Peschiera (am Gardasee) und kam 1977 zu ihrem professionellen Bühnendebüt an der Stockholmer Oper in der Partie der Tosca. Diese sang sie dann auch an der Oper von Oslo, am Teatro Fenice Venedig die Titelfigur in «Manon» von Massenet. An der Mailänder Scala gastierte sie als Partnerin des berühmten Tenors Placido Domingo unter Georges Prêtre. Es kam anschließend zu erfolgreichen Gastspielen in New York, Berlin, Stuttgart, San Francisco, Neapel und Rom. Sie unternahm Tourneen in Brasilien, Australien und Südkorea. 1989 gastierte sie an der Opéra de Wallonie Lüttich als Maddalena in Giordanos «Andrea Chénier».

Ceppi, Antonio, Tenor, * 1867 Turin, † Mai 1901 Vicenza; sein Name erscheint erstmals an einer größeren Bühne, als er am Teatro Comunale von Lucca im Mai 1894 den Manrico im «Troubadour» von Verdi singt. Zuvor hatte er sein Gesangstudium bei dem Mailänder Pädagogen Leonida Boschini absolviert. Nach einer ausgedehnten Südamerika-Tournee war er am Teatro Bellini von Neapel 1896 sehr erfolgreich und wirkte am Teatro Mercadante, ebenfalls in Neapel, in der Uraufführung der Oper «La collana di Pasqua» von G. Luporini als Partner von Emma Carelli mit (1. 11. 1896). Im Dezember 1896 sang er als Antrittspartie an der Metropolitan Oper New York den Radames in «Aida». Ein Kritiker schreibt nach dieser Aufführung: «La sua voce è fresca, bellissima negli acuti e piena di forza ...» 1897 gastierte er, gleichfalls als Radames, an der Covent Garden Oper London in einer Aufführung, in der auch Marie Brema, Suzan Strong und Mario Ancona mitwirkten. In der Saison 1897–98 hörte man ihn am Teatro Piccinni von Bari als Othello von Verdi und als Radames, 1898 war er am Teatro Novedades Barcelona anzutreffen. 1899–1901 feierte er wahre Triumphe am Teatro Politeama Buenos Aires und unternahm dann eine Tournee durch Chile. Nach Italien zurückgekehrt, wurde er während einer Vorstellung von Verdis «Aida» in Vicenza auf der Bühne von einer plötzlichen fieberhaften Erkrankung befallen. Man mußte ihn in ein Hospital einliefern, wo er wenige Tage später starb, noch ehe seine Karriere ihren Höhepunkt erreicht hatte.
Von seiner Stimme existieren drei Bettini-Zylinder (New York, 1899).

Cerny, Florian, Bariton, * 4. 10. 1946; der aus Bayern gebürtige Sänger war der Sohn des Dirigenten Waldemar Cerny; seine Mutter war Sängerin. 1967 übersiedelte er mit seiner Familie nach Australien und begann dort das Studium der Rechtswissenschaften. Er ließ jedoch am Konservatorium von

Sydney auch seine Stimme ausbilden und konnte bereits in einigen Rollen an der Oper von Sydney auftreten. Während dieser Zeit gab er in Australien Konzerte und Liederabende. 1977–78 vervollständigte er seine Ausbildung durch Studien in Wien und München und ging dann für eine Spielzeit an die Oper von Tel Aviv. Hier übernahm er Partien wie den Alfio in «Cavalleria rusticana», den Germont-père in «La Traviata», den Titelhelden in Verdis «Nabucco», den Escamillo in «Carmen», den Marcello in «La Bohème», den Sharpless in «Madame Butterfly», den Tonio wie den Silvio im «Bajazzo». Nach einer einjährigen Tournee als Solist mit dem Jerusalem Symphony Orchestra unter Gary Bertini war er 1981–84 am Theater von Kiel engagiert. Seitdem entfaltete er eine umfangreiche Gastspieltätigkeit in Deutschland wie im Ausland. 1986–88 war er Ensemblemitglied der Bayerischen Staatsoper München, der er auch weiter als Gast verbunden blieb. Hier hörte man ihn als Fliegenden Holländer, als Donner im «Rheingold», als Grafen Luna im «Troubadour», als Paolo in «Simon Boccanegra» von Verdi, als Faninal im «Rosenkavalier», als Jochanaan in «Salome» von R. Strauss und als Sprecher in der «Zauberflöte». Erfolgreiche Gastspiele führten ihn an die Staatsopern von Hamburg und Stuttgart, an die Staatstheater von Hannover und Wiesbaden, an die Deutsche Oper am Rhein Düsseldorf–Duisburg, an die Staatsoper wie an die Deutsche Oper Berlin, an die Mailänder Scala, an die Covent Garten Oper wie an die English National Opera London, an die Grand Opéra Paris (im Théâtre des Champs-Elysées), an das Teatro Liceo Barcelona, an das Teatro Comunale Bologna und an das Grand Théâtre Genf. Gleichzeitig setzte er seine große Konzertkarriere fort.

Chabay, Leslie, Tenor, * 31. 12. 1907 Bekscsaba (Ungarn); nachdem er zunächst als kaufmännischer Angestellter gearbeitet hatte, ließ er an der Franz Liszt-Akademie in Budapest seine Stimme durch Szamosi ausbilden. Es folgten weitere Studien bei Fritz Feinhals in München und bei Edoardo Garbin in Mailand. Er fand sein erstes Engagement bei der Deutschen Musikbühne, einer Wanderoper, mit der er 1932–33 Deutschland, Belgien und Estland bereiste. 1933–35 sang er am Deutschen Theater Brünn (Brno), 1935–38 an der Volksoper Budapest. 1937–38 nahm er an der Tournee der Salzburg Opera Guild durch die USA und Kanada teil. Dabei wirkte er im November 1937 in New York in der amerikanischen Premiere von Iberts «Angélique» mit. 1938–42 war er am Stadttheater der Schweizer Bundeshauptstadt Bern engagiert, 1942–46 am Opernhaus Zürich. Hier sang er Partien aus dem Buffo- wie dem Charakterfach, darunter den Jacquino im «Fidelio», den Lorenzo in «Fra Diavolo» von Auber, den Pedrillo in der «Entführung aus dem Serail», den Basilio in «Nozze di Figaro», den Schuiskij im «Boris Godunow», den Valzacchi im «Rosenkavalier», die vier Charakterpartien in «Hoffmanns Erzählungen», den Goro in «Madame Butterfly», den Wenzel in der «Verkauften Braut», den David in den «Meistersingern», dazu zahlreiche Operetten-Partien. Er

übernahm aber auch in Zürich Partien wie den Tamino in der «Zauberflöte», den Herzog im «Rigoletto» und den Cassio in Verdis «Othello». Am Grand Théâtre Genf gastierte er als Ferrando in «Così fan tutte»; ein Höhepunkt in seinem Repertoire war auch der Mime im Nibelungenring. 1942 wirkte er in Zürich in der Uraufführung von Paul Burkhards Oper «Casanova in der Schweiz» mit. 1946 folgte er einem Ruf an die Metropolitan Oper New York, an der er während der folgenden zehn Jahre in einem vielseitigen Repertoire auftrat. Während dieser Zeit gastierte er auch in Pittsburgh (1947), New Orleans, Chicago und San Francisco (1947–49). Hinzu trat eine bedeutende Karriere als Konzert- und Oratoriensänger. 1952 sang er in der amerikanischen Erstaufführung des Oratoriums «Golgotha» von Frank Martin. In den USA sang er unter dem Namen Leslie Chabay, während er in Europa unter seinem eigentlichen Namen Laszlo Czabay auftrat. Er lebte später in Sarasota (Florida).
Schallplatten: RCA (Rodrigo in Verdis «Othello» unter A. Toscanini, «Roméo et Juliette» von Berlioz), Concert Hall, Victor (Johannespassion von J. S. Bach), Turnabout («Israel in Egypt» von Händel), Bach Guild (Ungarische Volkslieder, Lieder von Bartók und Kodaly).

Chabrand, Margherita, Sopran, * 1780 (?), † (?); die Sängerin ist seit 1802 als Primadonna an Opernhäusern in Neapel anzutreffen, wo sich ihre Karriere wenigstens bis 1820 hinzog. Sie kreierte dort am 26.9. 1816 am Teatro dei Fiorentini die Lisetta in Rossinis Oper «La Gazzetta». Sie wurde von Rossini sehr geschätzt; er wollte ihr bei der Eröffnung des wieder aufgebauten Theaters seiner Vaterstadt Pesaro (Teatro del Sole) mit seiner Oper «La gazza ladra» 1818 die Partie der Nanetta übertragen, doch ließ sich dieses Vorhaben nicht verwirklichen. Bereits 1802 war die Künstlerin an der Mailänder Scala aufgetreten. Rossini, der die Sängerin mehrfach in seinen Briefen erwähnt, schreibt ihren Familiennamen auch in der (italianisierten) Form Sciabran.

Chalker, Margaret, Sopran, * 1955 (?); die amerikanische Sängerin entstammte einer sehr musikalischen Familie, in der Vater, Mutter und mehrere Geschwister als Musikpädagogen tätig waren. Sie durchlief ebenfalls eine Ausbildung zur Musiklehrerin, spielte Querflöte und Klavier, bevor sie ihre stimmliche Begabung entdeckte. Bereits während ihres Studiums am Baldwin-Wallace College in Ohio sang sie in einer Schüleraufführung die Gräfin in «Nozze di Figaro». In den USA hatte sie vor allem in Mozart-Partien ihre Erfolge; beim Mozart Festival im New Yorker Lincoln Centre sang sie den Sifare in «Mitridate» und die Giunia in «Lucio Silla» von Mozart, an der Houston Opera (Texas) die Pamina in der «Zauberflöte». 1985 kam die Sängerin nach Europa und wurde an die Deutsche Oper am Rhein Düsseldorf–Duisburg verpflichtet. Dort hatte sie einen ersten Erfolg, als sie für eine erkrankte Kollegin als Page Oscar in Verdis «Ballo in maschera» einsprang. Sie sang dann an diesem Haus die Gilda in «Rigoletto», die Celia in «La Fedeltà premiata» von J. Haydn und die Lauretta in Puccinis «Gianni Schicchi». 1987 folgte sie einem Ruf an das Opernhaus von Zürich. Hier kam sie als Pamina, als Gilda, als Jemmy in Rossinis «Wilhelm Tell», als Sophie im «Rosenkavalier» und in der Titelrolle von Janáčeks «Schlauem Füchslein» zu bedeutenden Erfolgen. Aus ihrem Repertoire sind die Elena in Glucks Oper «Paride ed Elena», die Susanna in «Nozze di Figaro», die Konstanze in der «Entführung aus dem Serail», die Antonia in «Hoffmanns Erzählungen» und die Micaela in «Carmen» nachzutragen. Im Konzertsaal bewährte sie sich vor allem als Bach-Interpretin.

Chalmin, Victor, Baß, * 1862 (?), † 24. 2. 1922 Monte Carlo; sein Name erscheint erstmals in der Saison 1886 an der Oper von Monte Carlo. Dann trat er an französischen Provinzbühnen auf, war 1900–1901 am Théâtre de la Monnaie Brüssel engagiert, zwischen 1903 und 1906 an der Opéra-Comique Paris und in der Spielzeit 1906–07 an der Metropolitan Oper New York. Im Mittelpunkt seiner künstlerischen Tätigkeit stand jedoch die Oper von Monte Carlo, an der er von 1902 bis zu seinem Tod in jeder Spielzeit auftrat. Er sang dort in den Uraufführungen der Opern «Chérubin» von Massenet (14. 2. 1905), «Don Prokopio» von Bizet (10. 3. 1906), «Thérèse» von Massenet (7. 2. 1907) und «Théodora» von Xavier Leroux (19. 3. 1907) sowie in der französischsprachigen Erstaufführung von Giordanos «Madame Sans-Gêne» (1916). In einem zweiten Abschnitt seiner Karriere fügte er einige Wagner-Partien wie den Fafner und den Alberich im Nibelungenring in ein sonst überwiegend französisches Repertoire ein; seit 1910 übernahm er gerne Buffo-Rollen (Bartolo im «Barbier von Sevilla», Mesner in «Tosca», Pistol in Verdis «Falstaff», Betto di Signa in Puccinis «Gianni Schicchi»). Von seinen Bühnenpartien verdienen noch der Gil Perez in «Le Domino noir» von Auber, der Ramon in «Mireille» von Gounod, der Lothario in «Mignon» von A. Thomas, der Bijou im «Postillon de Lonjumeau» von Adam, der Abimelech in «Samson et Dalila» von Saint-Saëns, der Crespel in «Hoffmanns Erzählungen», der Sulpice in «La Fille du régiment», der Schaunard in «La Bohème» und der Masetto im «Don Giovanni» Erwähnung. 1907 gastierte er mit der Oper von Monte Carlo in Berlin; 1911 sang er an der Grand Opéra Paris den Brander in «La Damnation de Faust» von Berlioz. Er starb plötzlich während der Proben für eine Aufführung von «Hoffmanns Erzählungen» im Opernhaus von Monte Carlo.
Wahrscheinlich sind keine Schallplatten seiner Stimme vorhanden.

Chambers, Martin, Tenor, * 27. 9. 1944 Victoria (Kanada); er studierte an der University of British Columbia, wo er 1966 den akademischen Grad eines Bachelor of Music, 1969 den eines Master of Music erwarb. 1964 debütierte er als Konzertsänger zusammen mit dem Vancouver Symphony Orchestra. Er kam dann zu einer internationalen Karriere als Büh-

nen- wie als Konzertsolist. Er gastierte in lyrischen wie in Charakter-Partien an der Oper von Vancouver, an der Wiener Kammeroper (in «Una cosa rara» von Martín y Soler), am Staatstheater von Kassel, an den Bühnen von Lübeck, Dortmund und Essen und an der Oper von San Diego. In seiner kanadischen Heimat gastierte er beim Festival von Ottawa und an der Canadian Opera Toronto, wo er 1987 in «Adriana Lecouvreur» von Cilea sang. Gleichzeitig setzte er seine Tätigkeit im Konzertsaal in einem umfassenden Repertoire fort. Er wirkte auf pädagogischem Gebiet als Professor an der University of Western Ontario wie an der Universität von San Diego.
Schallplatten: Mehrere vollständige Opernaufnahmen auf Decca und weiteren Marken («Lucia di Lammermoor», «L' Incoronazione di Poppea» von Monteverdi, «Hamlet» von A. Thomas, «Dialogues des Carmélites» von F. Poulenc).

Chapuy, Marguerite, Sopran, * 1850, † (?); die Künstlerin entstammte einer alten französischen Schauspielerfamilie. Sie wurde am Conservatoire National de Paris von Regnier ausgebildet. 1870 kam es zu einem sehr erfolgreichen Bühnendebüt am Théâtre Vaudeville in Paris, doch wurde ihre soeben begonnene Karriere durch die Schließung der Theater infolge des Ausbruchs des deutsch-französischen Krieges 1870 bald unterbrochen. Sie benutzte diese Zeit zur weiteren Ausbildung und debütierte dann erneut 1872 an der Pariser Opéra-Comique in der Oper «Haydée» von Auber. Sie wurde an die Opéra-Comique engagiert und sang dort in der Uraufführung der Oper «Le Roi l'a dit» von Delibes am 24. 3. 1873 die Partie der Philomèle. Als man am 3. 3. 1875 an der Opéra-Comique «Carmen» von G. Bizet zur Uraufführung brachte, kreierte sie die Partie der Micaela. Im folgenden Jahr 1876 heiratete die beliebte Sängerin den Kommandanten der Artillerie General Louis André (1838–1913), der später französischer Kriegsminister wurde. Diese Heirat war wohl auch der Grund, warum sie ihre vielversprechende Karriere beendete.

Charles-Paul, Mr., Baß-Bariton, * 29. 6. 1903 Marseille, † 10. 10. 1985 Cannes; er erhielt seine Ausbildung zum Sänger in Marseille und Paris. Nach anfänglichen Auftritten an Theatern in der französischen Provinz kam er 1933 an die Opéra-Comique Paris (Antrittsrolle: Alfio in «Cavalleria rusticana»). Seit 1935 war er auch Mitglied der Pariser Grand Opéra, an der er als Mercutio in «Roméo et Juliette» von Gounod debütierte und bis 1957 als Sänger auftrat. Anschließend arbeitete er noch mehrere Jahre hindurch als Souffleur an der Grand Opéra. An diesem Haus wirkte er auch in den Uraufführungen der Opern «Oedipe» von Georges Enescu (10. 3. 1936) und «Bolivar» von Darius Milhaud (12. 5. 1950) mit. Aus seinem Rollenvorrat für die Bühne sollten der Graf in «Nozze di Figaro», der Pizarro im «Fidelio» der Heerrufer wie der Telramund im «Lohengrin», der Alberich im Ring-Zyklus, der Faninal im «Rosenkavalier», der Ourrias in «Mireille» von Gounod, der Valentin im «Faust» ebenfalls von

Gounod, der Zurga in «Les Pêcheurs de perles» von Bizet, der Zuniga in «Carmen», der Karnac in «Le Roi d'Ys» von Lalo, der Scarpia in «Tosca», der Silvio im «Bajazzo» und der Rangoni in Mussorgskys «Boris Godunow» hervorgehoben werden.

Chausson, Carlos, Baß-Bariton, * 17. 3. 1950 Saragossa (Spanien); er begann das Gesangstudium an der Musikakademie von Madrid und war Schüler der spanischen Sängerin und Pädagogin Lola Rodriguez de Aragón. Er setzte seine Ausbildung an der University of Michigan fort und debütierte auch in den USA 1977 an der Oper von San Diego als Masetto im «Don Giovanni». Er kam zu seinen ersten Erfolgen an amerikanischen Bühnen, u. a. an den Opern von Boston und Miami, am Opernhaus von Pittsburgh (1982), namentlich aber an der New York City Centre Opera, an der er 1980 und 1982–83 mit großem Erfolg auftrat, ebenso in Mexico City (hier als Partner von Beverly Sills in der Partie des Bartolo im «Barbier von Sevilla»). Ähnliche Erfolge stellten sich dann auch an europäischen Theatern ein. 1982 und 1983 gastierte er in Madrid, 1985 am Teatro Liceo Barcelona, 1986 am Opernhaus von Nancy. Seit 1986 trat er an der Wiener Staatsoper als Bartolo im «Barbier von Sevilla» (den er auch an der Hamburger Staatsoper sang), als Paolo in Verdis «Simon Boccanegra» und als Don Alvaro in der Premiere von Rossinis «Il Viaggio a Reims» auf. Im Wiener Konzerthaus sang er in einer konzertanten Aufführung von Salieris «Les Danaïdes» als Partner von Montserrat Caballé. 1987 hörte man ihn am Teatro Regio Parma in der Titelpartie der Oper «Falstaff» von A. Salieri, 1988–89 am Teatro Comunale Bologna (als Michonnet in «Adriana Lecouvreur» von Cilea, als Pantaleone in «Le Maschere» von Mascagni und als Sharpless in «Madame Butterfly»), 1988 auch am Teatro Fenice Venedig und bei den Festspielen von Ravenna. In der Spielzeit 1988–89 war er am Opernhaus von Zürich tätig. Am Teatro Liceo Barcelona wirkte er am 24. 9. 1989 in der Uraufführung von Lonardo Baladas «Cristobal Colón» in der Partie des Pinzon mit. Neben den bereits erwähnten Partien sang er den Leporello im «Don Giovanni», den Figaro in «Nozze di Figaro», den Basilio im «Barbier von Sevilla», den Zuniga wie den Escamillo in «Carmen» und den Dulcamara in «Elisir d'amore».

Chédel, Arlette, Alt, * 25. 5. 1933 Neuchâtel (Schweiz); sie begann ihre Ausbildung am Conservatoire von Neuchâtel bei Ernest Bauer und studierte dann an der Wiener Musikakademie bei Elisabeth Rado, bei Erik Werba und bei Ferdinand Grossmann. Ihre Karriere erstreckte sich in erster Linie auf den Konzertgesang, und zwar sowohl auf das Oratorium wie auf den Liedvortrag. Dabei beherrschte sie ein breit gefächertes Repertoire, das von den großen Meistern der Barock-Epoche (J. S. Bach, Händel, H. Schütz) über die Klassik und die Romantik bis zu zeitgenössischen Komponisten (A. Honegger, Frank Martin, Zoltán Kodály) reichte. 1974 sang sie bei Radio Lausanne in der Uraufführung von «Trois Visions espagnoles» von

R. Gerber, 1986 beim Festival von Montreux in der von «Folie de Tristan» von A. Schibler. Sie trat als Konzertsolistin in den Zentren des Schweizer Musiklebens, bei den Wiener Festwochen, beim Prager Frühling, in Berlin und Rom, in Nantes und Haarlem und beim Festival von Besançon auf. Auch auf der Opernbühne ist sie erschienen; sie gastierte am Grand Théâtre Genf, in Lausanne, bei den Festspielen in der Grange von Mézières, in Nantes, Nizza, Toulouse und Tours. Ihre Bühnenpartien waren u. a. die Marcellina in «Figaros Hochzeit», die Mary im «Fliegenden Holländer», die Magdalene in den «Meistersingern», die Erda im «Rheingold», die Amme im «Boris Godunow», die Geneviève in «Pelléas et Mélisande», die Annina im «Rosenkavalier», die Cathérine in «Jeanne d' Arc au Bûcher» von A. Honegger, die Taven in «Mireille» von Gounod und die Annina im «Rosenkavalier».
Schallplatten: VDE-Gallo (Werke von R. Gerber) Pan («Folie de Tristan» von A. Schibler), Erato («Noces» von Strawinsky, «L' Enfant et les sortilèges» von Ravel).

Chenard, Simon, Baß, * 20. 3. 1758 Auxerre, † 16. 11. 1832 Paris; seit 1767 war er Chorknabe an der Kathedrale seiner Heimstadt Auxerre. 1773 schloß er sich als Chorsänger einer Wanderbühne an, mit der er in Frankreich durchzog. Erst 1782 kam er an die Pariser Opéra, im folgenden Jahr an die Comédie Italienne Paris, die später in die Opéra-Comique aufging. Hier hatte er eine große Karriere in den damals modernen Opernwerken von Grétry, Dalayrac, Méhul und Cherubini. Während der Französischen Revolution wurde er in das Direktorium der Pariser Opéra-Comique berufen und verstrickte sich durch seine Sympathie für die radikalen Gruppierungen dieser Zeit in politische Verwicklungen. Da er sich bei vielen offiziellen Anlässen zum Radikalismus bekannt hatte, mußte er 1793 für einige Zeit die französische Metropole verlassen, konnte aber bald wieder seine Karriere an der Opéra-Comique fortsetzen und wurde unter Kaiser Napoleon I. Maître de chapelle. Von Bedeutung ist er vor allem durch seine Teilnahme an Uraufführungen von Opern dieser Epoche, die sich damals in Paris fast alljährlich ereigneten. So sang er u. a. in den Uraufführungen der Opern «Lodoïska» von Rodolphe Kreutzer (1. 8. 1791, Comédie Italienne, Paris), «Le jeune Henri» von Étienne Méhul (1797), «Léon» von N. L. Dalayrac (15. 10. 1798, Opéra-Comique), «Elisca» von André Grétry (1799, Opéra-Comique) und «Les deux aveugles de Tolède» von Méhul (28. 1. 1806, Opéra-Comique). Bis 1823 setzte er sein Wirken als Sänger an der Opéra-Comique fort und war auch wieder in der Direktion des Hauses tätig. Nach seinem Abschied von der Bühne lebte er zumeist in seiner Heimatstadt Auxerre.

Chizzola, Gaetano, Tenor, * 1780 (?), † (?); obwohl dieser Sänger im allgemeinen nur kleinere Partien auf der Bühne gesungen hat, ist er dadurch von Bedeutung, daß er derartige Rollen in einer Reihe von Uraufführungen der Opern von Rossini kreiert hat: den Guglielmo in «Elisabetta, regina d'Inghil-

terra» (4. 10. 1815 Teatro San Carlo Neapel), den Doge in «Otello» (4. 12. 1816 Teatro del Fondo Neapel), die drei kleinen Rollen des Eustazio, des Carlo und des Astarotte in «Armida» (11. 11. 1817 Teatro San Carlo Neapel), den Mambre in «Mosè in Egitto» (5. 3. 1818 Teatro San Carlo Neapel), den Attalo in «Ermione» (27. 3. 1819 Teatro San Carlo Neapel), den Serano in «La Donna del lago» (24. 9. 1819 Teatro San Carlo Neapel), den Selimo in «Maometto II.» (3. 12. 1820 Teatro San Carlo Neapel) und den Eacide in «Zelmira» (16. 2. 1822 Teatro San Carlo Neapel). So wirkte er allein in acht Uraufführungen von Rossini-Opern mit. In ähnlicher Weise trat er auch in Uraufführungen von Opern Donizettis in Neapel in Erscheinung, stets jedoch in kleineren und Comprimario-Rollen.

Christesen, Robert, Bariton, * 15. 2. 1943 Washington; er studierte ibero-amerikanische und skandinavische Kulturgeschichte und wandte sich dann der Ausbildung seiner Stimme zu. Diese erfolgte an der Manhattan School of Music New York durch Daniel Ferro und George Schick, an der Aspen School of Music durch Aksel Schiøtz und Jennie Tourel, an der University of Wisconsin in Madison durch David Astor, schließlich durch den berühmten Hans Hotter in München. Nachdem er Preisträger bei Gesangwettbewerben in Prag, Paris, Toulouse, s'Hertogenbosch, München, Genf und Salzburg geworden war, debütierte er 1972 an der Oper von St. Paul als Henrik in der Oper «Maskarade» des dänischen Komponisten Carl Nielsen. Er gehörte in Westdeutschland den Opernhäusern von Frankfurt a. M. und Dortmund an und gastierte erfolgreich an der Staatsoper wie an der Komischen Oper Berlin, an der Königlichen Oper Kopenhagen, an den Nationalopern von Budapest und Warschau, in Rio de Janeiro, Brünn (Brno), Toulouse, am Smetana Theater Prag und in seiner nordamerikanischen Heimat. Von den vielen Partien, die er auf der Bühne gestaltete, sind zu nennen: der Don Giovanni, der Graf Almaviva in «Nozze di Figaro», der Graf Luna im «Troubadour», der Germont-père in «La Traviata», der Ford in Verdis «Falstaff», der Ezio in dessen «Attila», der Graf Eberbach im «Wildschütz» von Lortzing, der Ramiro in «L'Heure espagnole» von Ravel, der Titelheld im «Eugen Onegin» von Tschaikowsky, der Jochanaan in «Salome» von R. Strauss, der Figaro in Rossinis «Barbier von Sevilla», der Bob in Menottis «The Old Maid and the Thief», der Kaspar im «Freischütz», der John Proctor in «The Crucible» von R. Ward und der Lescaut in «Boulevard Solitude» von H. W. Henze.

Christian, Mary Ellen, Alt, * 1848 Quebec (Kanada), † 31. 5. 1941 Sydney; sie kam als Kind bereits nach London und zeigte früh eine ungewöhnliche musikalische Begabung. 1865 gewann sie einen Wettbewerb für eine Freistelle an der Londoner Royal Academy of Music. Nach kurzem Studium gab sie in London ihre ersten Konzerte, bei denen der weite Tonumfang ihrer an sich dunklen Altstimme Aufsehen erregte. Der australische Impresario Saurin Lister versuchte sie zu überreden, sechs

Opernpartien einzustudieren, die sie bei einer Australien-Tournee mit seiner Operntruppe vortragen sollte. Sie lehnte dieses Angebot ab, kam aber 1871, nachdem sie bei einem Konzert in der St. James' Hall in London ihre Stimme vorübergehend verloren hatte, nach Australien. Sie wurde jetzt zu einer gefeierten Konzert- und Oratoriensängerin in diesem Kontinent. Ihre ersten Australien-Tourneen unternahm sie zusammen mit der französischen Violinistin Jennie Claus und der englischen Pianistin Arabella Goddard. Sie wurde dann in Australien vor allem durch ihren Vortrag von Solopartien in Oratorien und religiösen Vokalwerken berühmt; dabei waren die Sopranistin Rosina Palmer und der Tenor Armes Beaumont oft ihre Partner. 1889 sang sie in Sydney in Mendelssohns «Elias» zusammen mit dem großen englischen Bariton Sir Charles Santley. 1893 trat die Künstlerin in den katholischen Orden der Charity Sisters ein und erhielt den Namen Sister Mary Paul of the Cross. Sie gab auch jetzt noch gelegentlich Konzerte, wurde aber vor allem als Gesanglehrerin bekannt. 1905 errichtete sie in Potts Point bei Sydney wo sie im Konvent von St. Vincent lebte, die Garcia School of Music (so benannt nach ihrem Lehrer Manuel Garcia jr in London). Von den Sängerinnen, die sie hier ausbildete, sind Kate Rooney, Carrie Lancely und Ella Caspers zu nennen.

Christiany, Antonie, Sopran, * 1812 Hannover, † (?); sie erhielt ihre Ausbildung u. a. durch den berühmten Komponisten Heinrich Marschner und den Direktor des Hoftheaters Hannover Franz Ignatz von Holbein. Darauf trat sie zuerst, noch unter ihrem Geburtsnamen Antonie Wunsch, als Choristin und in kleinen Rollen am Hoftheater von Hannover auf. 1829–31 war sie als Soubrette und zugleich auch als Schauspielerin am Hoftheater von Dessau engagiert. 1834 heiratete sie einen Oberleutnant Christiany und setzte seitdem ihre Karriere unter diesem Familiennamen fort. 1835 ging sie an das Hoftheater von Kassel, 1836 an das Stadttheater (Opernhaus) von Hamburg, schließlich 1839 an das Theater an der Wien in der österreichischen Hauptstadt. Sie zeichnete sich sowohl auf den Gebieten der Oper wie der Operette aus, wo sie vor allem in Soubrettenpartien brillierte, war aber gleichzeitig eine gewandte Darstellerin auf der Sprechbühne, und zwar sowohl im Schau- wie im Lustspiel. Ihre Karriere nahm durch Gastspiele internationale Dimensionen an. So absolvierte sie erfolgreiche Gastspiele in Helsinki, Kopenhagen, Amsterdam und Lemberg (Lwów). Über den Ausgang ihrer Karriere wie ihres Lebens bestehen keine zuverlässigen Nachrichten.

Christie, Nan, Sopran, * 6. 3. 1948 Irvine (Schottland); sie hieß mit ihrem eigentlichen Namen Agnes Stevenson Christie und studierte an der Royal Scottish Academy of Music in Glasgow bei Miss W. Busfield und bei S. Duncan, dann noch im Opera Centre London bei Mme Vera Rozsa. Zu ihrem Debüt kam sie 1970 bei der Scottish Opera Glasgow in der Rolle der Flora in «The Turn of the Screw» von Benjamin Britten. Seitdem durchlief sie eine erfolgreiche Karriere an diesem Haus wie auch an der Covent Garden Oper London, beim Festival von Edinburgh, bei der Opera North Leeds (Tytania in «A Midsummer Night's Dream» von B. Britten) und als Gast am Théâtre de la Monnaie Brüssel. Von den Partien, die sie gesungen hat, sind zu nennen: die Susanna in «Figaros Hochzeit», die Musetta in Puccinis «La Bohème», die Lauretta in dessen «Gianni Schicchi», die Tytania in «A Midsummer Night's Dream» von Britten und die Violetta in «La Traviata». 1974 sang sie bei der Scottish Opera Glasgow in der Uraufführung der Oper «The Catiline Conspiracy» von Hamilton die Rolle der Galla. Bei der English National Opera Company hörte man sie 1988 als Königin der Nacht in der «Zauberflöte». Sie sang bei den Festspielen von Glyndebourne die Isotta in der «Schweigsamen Frau» von R. Strauss, die Despina in «Così fan tutte» und 1988 in «L'Enfant et les sortilèges» von Ravel. An der Niederländischen Oper Amsterdam gastierte sie als Despina, an der Oper von Nancy als Pamina, in Zürich in «Lucio Silla» von Mozart und in Frankfurt a. M. als Zerbinetta in «Ariadne auf Naxos» (1983). Die Künstlerin, die mit dem Musiker Andrew S. Hendrie verheiratet war, gab auch Konzerte.
Video-Aufnahmen aus Glyndebourne, auf Savoy-Video in Sullivan-Operetten.

Chromtschenko, Salomon Markowitsch, Tenor, * 22. 11.(4. 12.) 1907; er stammte aus der Ukraine und erhielt seine Ausbildung zum Sänger am Konservatorium von Kiew. Seit 1932 war er Mitglied des Opernhauses von Kiew (Schewtschenko Theater). 1934 wurde er an das Bolschoj Theater Moskau verpflichtet, wo er bis 1957 eine große Karriere durchlief. 1947 erfolgte seine Ernennung zum Volkskünstler der UdSSR. Sein Bühnenrepertoire war in erster Linie im lyrischen Fachbereich beheimatet; er sang Partien wie den Lenski im «Eugen Onegin», den Wladimir in «Fürst Igor» von Borodin, den Hindu-Kaufmann in «Sadko» von Rimsky-Korssakow, den Levko in dessen «Mainacht», den Grafen Almaviva im «Barbier von Sevilla», den Don Ottavio im «Don Giovanni» und den Gérald in «Lakmé» von Delibes. Neben seinem Wirken auf der Bühne, das sich auch auf Gastspiele innerhalb der Sowjetunion erstreckte, war er ein geschätzter Konzert- und Liedersänger.
Schallplatten auf Melodiya (u. a. vollständige Oper «Ruslan und Ludmilla» von Glinka, Arien aus Opern, Lieder von Mendelssohn, Dargomyshski und Tschaikowsky).

Ciannella, Giuliano, Tenor, * 25. 10. 1943 Palermo; er begann das Ingenieurstudium an der Universität von Bologna und schloß diese Ausbildung mit dem Staatsdiplom ab. Zugleich ließ er aber auch seine Stimme (nach deren zufälliger Entdeckung in einem befreundeten Hause) ausbilden, wozu die große Sopranistin Mirella Freni ihn ermutigt hatte. Am Konservatorium von Bologna war er Schüler von Leone Magiera, später wurde er durch den berühmten Tenor Carlo Bergonzi weitergebildet. Er gewann mehrere Gesangwettbewerbe, darunter den Concours von Busseto, und debütierte 1974 in Mailand als Edgardo in «Lucia di Lammermoor» von Donizetti. Er hatte daran anschließend große Erfolge bei Auftritten in Genua, Venedig und Parma und kam 1979 zu einem erfolgreichen Debüt an der Metropolitan Oper New York als Alfredo in «La Traviata». Nun entwickelte sich seine Karriere geradezu stürmisch; er sang an der Mailänder Scala (Antrittsrolle: Cassio in Verdis «Othello»), beim Maggio musicale Fiorentino, an den Staatsopern von Wien und Hamburg, in Chicago (1982 Pinkerton in «Madame Butterfly») und San Francisco (1984 José in Carmen») und am Deutschen Opernhaus Berlin. Der Sänger, der in Monte Carlo seinen Wohnsitz nahm, wurde durch Gastspiele international bekannt; 1983, 1985 und 1988 wirkte er bei den Festspielen in der Arena von Verona mit, 1987 sang er bei den Festspielen von Bregenz die Titelrolle in Verdis «Ernani». 1985 gastierte er an der Münchner Staatsoper als Don Carlos von Verdi, 1986 an der Covent Garden Oper London als Manrico im «Troubadour», 1988 in Köln als José und als des Grieux. Aus seinem reichhaltigen Bühnenrepertoire sind als Höhepunkte zu nennen: der Don Carlos in der gleichnamigen Verdi-Oper, der Manrico im «Troubadour», der Radames in «Aida», der Titelheld in «Andrea Chénier» von Giordano, der Rodolfo in Puccinis «La Bohème», der des Grieux in dessen «Manon Lescaut», der José in «Carmen», der Raoul in den «Hugenotten» von Meyerbeer und der Otello in Rossinis Oper gleichen Namens. Auch als Konzertsolist hatte er eine bedeutende Karriere.

Ciesinski, Katherine, Mezzosopran, * 13. 10. 1950 Newark (Delaware); ausgebildet an der Temple University und am Curtis Institute New York. Sie gewann die internationalen Gesangwettbewerbe von Genf und Paris (Prix à l'unamité). 1975 erfolgte ihr Bühnendebüt in Philadelphia als Leonore in Donizettis «La Favorita». Sie sang dann sehr erfolgreich in Miami die Laura in «La Gioconda» von Ponchielli, in Ottawa und Sante Fé. Beim Festival von Spoleto trat sie als Komponist in «Ariadne auf Naxos» von R. Strauss und in «Vanessa» von Samuel Barber auf, am Théâtre de la Monnaie Brüssel als Giulietta in «Hoffmanns Erzählungen» und als Marguerite in «Damnation de Faust» von Berlioz (1984), in Madrid als Eboli in Verdis «Don Carlos». Eine ihrer bedeutendsten Kreationen war die Dorabella in «Così fan tutte»; sie sang diese Partie u. a. in Washington, an der Pariser Grand Opéra und am Opernhaus von Zürich (1986). An der Kentucky Opera wie beim Taipeh International Arts Festival sang sie die Dorabella zusammen mit ihrer Schwester *Kristine Ciesinski* (* 1952), die eine große Karriere als Sopranistin hatte, in der Partie der Fiordiligi. Mit ihrer Schwester hat sie auch mehrfach bei Konzerten, namentlich in Oratorienaufführungen, gesungen. 1982 erschien sie an der Oper von Chicago als Dalila in «Samson et Dalila» von Saint-Saëns mit Placido Domingo als Partner. Am 13. 6. 1988 sang sie an der Grand Opéra Paris die Titelrolle in der Uraufführung der Oper «La Célestine» von Maurice Ohana, am 19. 11. 1988 in Dallas in der von Domi-

nick Argentos «Aspern Papers». Ebenfalls 1988 gastierte sie in Amsterdam in «Herzog Blaubarts Burg» von B. Bartók. Weitere Gastspiele am Grand Théâtre Genf, in Toronto und in anderen Zentren des internationalen Musiklebens. Zu der Bühnenkarriere gesellte sich eine nicht weniger erfolgreiche Tätigkeit im Konzertsaal, vor allem als Interpretin von Oratorien und geistlicher Vokalmusik. Schallplatten: Erato («Ariane et Barbe-Bleue» von Dukas, Sonja in «Krieg und Frieden», von Prokofieff), Rodolphe («Sapho» von Gounod, Lieder von G. Mahler, Clara Schumann und A. Dvořák), RCA (Altsolo im «Messias», «Chansons Madécasses» von Ravel).

Cigoj, Krunoslav, Tenor, * 30. 3. 1949 Zagreb; er studierte am Konservatorium seiner Geburtsstadt Zagreb bei M. Lunzer und besuchte dann das Konservatorium der Stadt Wien. 1967 kam es zu seinem Bühnendebüt am Theater von Split als Ernesto im «Don Pasquale» von Donizetti. Von dort ging er 1968 für eine Spielzeit an die Wiener Volksoper und wurde dann 1969 an die Kroatische Nationaloper in Zagreb verpflichtet, zu deren führenden Mitgliedern er für viele Jahre gehörte. Er übernahm dort Partien aus dem lyrischen wie dem dramatischen Stimmfach, darunter den Titelhelden in «Hoffmanns Erzählungen» von Offenbach, den Grafen Almaviva in Rossinis «Barbier von Sevilla», den Rodolfo in Puccinis «La Bohème», den Pinkerton in «Madame Butterfly», den Riccardo in Verdis «Ballo in maschera» und den Gabriele Adorno in dessen «Simon Boccanegra». Auch als Konzerttenor geschätzt. Schallplatten: Metronome.

Cioni, Primetta, Sopran, * 15. 10. 1883 Pisa, † 25. 5. 1970 Genua; sie war die Tochter des Baritons *Cesare Cioni* (* 8. 3. 1859 Pisa, † August 1901 Pisa). Ihr Bruder *Giuseppe Cioni* (* 12. 9. 1880 Pisa, † 14. 7. 1943 Pisa) ist als Tenor aufgetreten. Sie besuchte das Liceo musicale Mailand, an dem sie Schülerin von Achille Corrado war. Sie debütierte 1905 in Mailand als Lucia di Lammermoor. 1906 hatte sie erste Erfolge am Teatro Politeama Verdi Trient in den Partien der Gilda im «Rigoletto» und der Elvira in Bellinis «I Puritani». Sie trat in den folgenden Jahren an italienischen Provinzbühnen auf, u. a. in Venedig, Savona, Vercelli und Novara und 1911 am Teatro Verdi von Pisa als Gilda. Ihre größten Erfolge hatte sie in Südamerika zu verzeichnen. 1911 sang sie am Teatro Coliseo Buenos Aires die Gilda, im gleichen Jahr am Teatro Politeama der argentinischen Hauptstadt die Violetta in «La Traviata», die Marguerite im «Faust» von Gounod, die Titelheldin in Massenets «Manon», die Micaela in «Carmen» und die Nedda im «Bajazzo». Nach weiteren Gastspielen (1912–13) an Theatern in Argentinien und in anderen südamerikanischen Staaten kam sie 1914 wieder nach Italien zurück. Nach ihrer Heirat gab sie jedoch ihre Karriere auf und lebte in Genua.

Claar-Eibenschütz, Toni, Sopran, * 28. 6. 1871 Frankfurt a. M. † (?); ihr Vater war Opernsänger und hatte als Bariton u. a. in Frankfurt a. M., Budapest und Köln gesungen. Sie wurde am Konservatorium von Köln durch den berühmten Pädagogen Benno Stolzenberg ausgebildet. Sie begann ganz jung ihre Karriere am Stadttheater von Regensburg, sang dann in Bielitz (Biala), Franzensbad (Františkovy Lázně), in Salzburg, Karlsbad (Karlovy Vary) und in Bad Ischl. 1898 ging sie an das Landestheater von Linz (Donau), das unter der Leitung ihres Ehemanns, des Schauspielers Hans Claar (1861–1918), stand. Dort trat sie noch lange sowohl in Opern- wie Operettenpartien auf und war beim Linzer Publikum sehr beliebt. Sie sang in erster Linie Partien aus dem Soubrettenfach wie die Marie in der «Regimentstochter» von Donizetti, die Ännchen im «Freischütz», die Rosalinde wie die Adele in der «Fledermaus», die Marie im «Waffenschmied» von Lortzing, die Zerline im «Don Giovanni» und die Titelrolle in der «Schönen Helena» von Offenbach.

Claassen, René, Tenor, * 1948 (?) Helmond (Provinz Nordbrabant, Holland); Gesangstudium am Konservatorium von Amsterdam bei Boris Pelky und bei To van der Sluis; weitere Ausbildung in der Opernschule des Königlichen Konservatoriums im Haag. 1960 begann er seine Bühnenkarriere als lyrischer Tenor an der Zuid-Nederlandse Opera Maastricht. Nach ersten Erfolgen in seiner holländischen Heimat kam er 1964 als lyrischer und Spieltenor an das Stadttheater von Bremerhaven. Seit 1968 Mitglied des Staatstheaters Kassel, an dem er länger als zwanzig Jahre wirkte und in zahlreichen Partien aus dem Spiel- wie dem Charakterfach erfolgreich war. Insgesamt umfaßte sein Bühnenrepertoire rund 150 große und mittlere Rollen, darunter den Loge im «Rheingold», den Mime im «Siegfried», den Valzacchi im «Rosenkavalier», den Monostatos in der «Zauberflöte», den Hauptmann in Alban Bergs «Wozzeck», den Goro in «Madame Butterfly», den Skuratow in Janáčeks «Aus einem Totenhaus» und die vier Charakterpartien in «Hoffmanns Erzählungen» von Offenbach. Einen seiner größten Erfolge hatte er in Kassel als Aschenbach in Benjamin Brittens «Tod in Venedig» sowie 1970 und 1989 als Loge und als Mime in Aufführungen des Nibelungenrings. Diese beiden Partien sang er auch 1989 bei der Eröffnung des nach der Zerstörung im Zweiten Weltkrieg neu erbauten Theaters von Rotterdam mit dem Ring-Zyklus. In Amsterdam gastierte er u. a. in «Der Kreidekreis» von A. Zemlinsky (1986). Gastspiele an führenden Opernbühnen und Konzerte ergänzen die Karriere des Künstlers.

Claessens, Huub, Baß, * 1960 Ulestraten bei Maastricht (Holland); er spielte zunächst Flügelhorn, studierte dann am Konservatorium von Maastricht Saxophon, schließlich 1977–79 Sologesang bei Mya Besselik. Er gab darauf Konzerte, einerseits als Saxophonist, aber auch als Sänger. 1981 entschloß er sich zur Karriere eines Opernsängers. Er sang als Gast an Opernbühnen in Holland wie im Ausland und wirkte bei den Salzburger Festspielen in der Uraufführung der Oper «Die schwarze Maske» von Ch. Penderecki in der Rolle des Abtes mit (15. 8. 1986); im gleichen Jahr gastierte er an der Wiener

Staatsoper. 1988 erregte er beim Königin-Elisabeth-Concours in Brüssel Aufsehen durch seinen Vortrag von Hugo Wolf-Liedern. Auch als Oratoriensänger geschätzt.

Claessens, Marie, Mezzosopran, * 1881, † (?); der Name dieser amerikanischen Sängerin kommt zuerst 1909 am Teatro Costanzi Rom vor, wo sie die Cieca in «La Gioconda» von Ponchielli sang. Sie war in den Jahren 1909–12 an der Oper von Boston engagiert. Hier wirkte sie u. a. 1911 in der Uraufführung der Oper «The Sacrifice» von Frederick Converse als Tomasa mit. 1911–13 war sie an der Metropolitan Oper New York im Engagement. Höhepunkte in ihrem Bühnenrepertoire waren Partien wie die Amneris in «Aida», die Laura in «La Gioconda», die Ortrud im «Lohengrin», die Maddalena im «Rigoletto», die Azucena im «Troubadour», die Dalila in «Samson et Dalila» von Saint-Saëns, die Pantalis wie die Marthe in «Mefistofele» von Boito, die Emilia in Verdis «Othello», die Hexe wie die Mutter in «Hänsel und Gretel». In den Jahren 1922–25 hörte man sie an der Oper von Chicago in der Hauptsache in Charakterpartien (Amme im «Boris Godunow», Marthe im «Faust» von Gounod, Berta im «Barbier von Sevilla»). Weitere Daten der Künstlerin, die auch als Konzertsolistin hervortrat, ließen sich nicht ermitteln.

Clairfried, Hilde, Sopran, * 1894 Zürich (?), † 13. 2. 1945 Dresden; sie war in den Jahren 1912–15 am Stadttheater von Zürich als Tänzerin tätig, betrieb aber während dieser Zeit die Ausbildung ihrer Stimme und trat seit 1915 an diesem Haus in Sopranpartien aus dem Soubrettenfach auf. Dieses Engagement dauerte bis 1925. 1925–27 war sie am Staatstheater Braunschweig, 1927–31 bei den Vereinigten Bühnen Nürnberg–Fürth im Engagement. 1931 wurde sie an die Staatsoper von Dresden verpflichtet, deren Mitglied sie bis zu ihrem tragischen Tod bei dem großen Bombenangriff im Februar 1945 auf die sächsische Metropole blieb. Sie sang in Zürich in den Uraufführungen der Opern «Don Ranudo de Colibrados» (1919) und «Venus» von Othmar Schoeck (1922), in Dresden in der der Oper «Die Wirtin von Pinsk» von R. Mohaupt (1938 als Désirée). 1942 gastierte sie beim Maggio musicale Florenz als Marianne Leitmetzerin im «Rosenkavalier». Aus ihrem Repertoire sind als Höhepunkte die Zerline im «Don Giovanni», die Papagena in der «Zauberflöte», der Page Urbain in den «Hogenotten» von Meyerbeer, die Zerline in Aubers «Fra Diavolo», die Ännchen im «Freischütz», der Page Oscar in Verdis «Maskenball», der Benjamin in «Joseph» von Méhul, die Nuri in «Tiefland» von d' Albert, die Sophie im «Rosenkavalier», die Butterfly, die Wellgunde wie die Waltraute im Nibelungenring und die Agnes in «Ritter Blaubart» von Reznicek zu erwähnen. Mit besonderem Erfolg trat sie in einer Vielzahl von Operettenpartien vor ihr Publikum, wobei ihr temperamentvolles Bühnenspiel wie ihre aparte Schönheit bewundert wurden.

Clarey, Cynthia, Mezzosopran/Sopran, * 25. 4. 1949 Smithfield (Virginia); die farbige Sängerin erhielt

ihre Ausbildung an der Howard University und an der Juilliard School of Music. Nach deren Abschluß 1972 trat sie zunächst bei kleineren Operngesellschaften im mittleren Westen der USA auf und wurde dann 1977 an die City Centre Opera New York engagiert. Damit begann sie eine erfolgreiche Karriere an den führenden Opernhäusern der USA. 1979 sang sie bei der amerikanischen Erstaufführung der Oper «The Ice Break» von M. Tippett in Boston, 1981 in St. Louis in der amerikanischen Premiere von «An Actor's Revenge» von M. Miki. 1981 gastierte sie an den Opern von Dallas und Houston/ Texas (als Carmen), 1982 an der Chicago Opera, 1984 in Seattle, 1987 am Opernhaus von Philadelphia. Bei den Festspielen von Glyndebourne erlebte man sie 1984 als Ottavia in Monteverdis «Incoronazione di Porpea» sowie 1986–87 als Serena in «Porgy and Bess» von G. Gershwin, 1984 an der Deutschen Oper Berlin und 1985–87 beim Wexford Festival in Irland (u. a. als Mignon in der gleichnamigen Oper von A. Thomas). 1985 gab sie Gastspiele in Italien, 1986 war sie an der Grand Opéra Paris zu hören. Seit 1980 trat sie auch in Sopranpartien auf. Ihre großen Bühnenpartien waren die Ottavia in Monteverdis «Incoronazione di Porpea», die Penelope in dessen «Il ritorno d' Ulisse in patria», die Diana in «L' Ormindo» von Cavalli, die Titelrolle in «Rinaldo» von Händel, die Zerline im «Don Giovanni», die Isoletta in «La Straniera» von Bellini, die Preziosilla in Verdis «La forza del destino», die Dalila in »Samson et Dalila» von Saint-Saëns, die Butterfly, der Nicklausse in «Hoffmanns Erzählungen» und der Octavian im «Rosenkavalier». Auch im Konzertbereich in Erscheinung getreten.
Schallplatten: HMV (Serena in «Porgy and Bess»).

Clark, Graham, Tenor, * 10. 11. 1941 Littleborough (Lancashire); er wurde zunächst Lehrer, legte sein Examen als Magister of Science ab und war technischer Berater beim englischen Sports Council. Auf Anraten des Dirigenten Richard Bonynge, des Gatten der großen Primadonna Joan Sutherland, ließ er dann seine Stimme bei Bruce Boyce in London, in Bologna und Mantua ausbilden. 1975 begann er seine Bühnenlaufbahn bei der Scottish Opera in Glasgow und hatte seit 1976 große Erfolge bei der English National Opera London. Hier hörte man ihn in Partien wie dem David in den «Meistersingern», dem Hermann in «Pique Dame», dem Mephisto in «Doktor Faust» von Busoni (1986 in der englischen Erstaufführung der Oper) und dem Alexis in «Der Spieler» von Prokofieff. Bei der Welsh Opera Cardiff sang er den Loge im «Rheingold» wie den Kuratow in Janáčeks «Aus einem Totenhaus». International bekannt wurde er vor allem durch sein Auftreten im Rahmen der Bayreuther Festspiele. Hier sang er 1981–88 den David in den «Meistersingern», seine große Glanzrolle, 1984–85 den Steuermann im «Fliegenden Holländer», 1987 den Melot im «Tristan», 1988–89 den Loge wie den Mime im Nibelungenring. Den David sang er auch an den Staatsopern von Wien und München und beim Holland Festival. In der Saison 1985–86 erfolgte sein Debüt an der Metropolitan Oper New York als Stewa in Janáčeks

«Jenufa». 1988 sang er den Mime in einer Sendung des Nibelungenrings im französischen Rundfunk, in Rom die «Gurrelieder» von A. Schönberg unter Sinopoli. 1986 sang er den Mime im «Rheingold«» am Teatro Regio Turin; diese Partie brachte er auch noch an der Oper von Vancouver und am Teatro Liceo Barcelona zu Gehör. 1988 trat er als Loge wie als Mime in Ring-Zyklus in Nizza wie in Paris auf, 1989 in Toronto als Gregor in Janáčeks «Die Sache Makropoulos». Von seinen Bühnenpartien sind noch der Herodes in «Salome» von R. Strauss, der Hauptmann im «Wozzeck» von A. Berg und der Wenzel in Smetanas «Verkaufter Braut» zu nennen. Große Konzerterfolge in London, bei den Festivals von Edinburgh, Camden und York, in Stockholm, Paris, Mailand, Tel Aviv, Jerusalem, Kopenhagen und Luzern.
Schallplatten: Philips (Steuermann im «Fliegenden Holländer», Bayreuth 1985), Decca («Troubadour»), BJR (Ruiz in «Maria Padilla» von Donizetti).

Clark, Richard J., Bariton, * 23. 4. 1943 Tucson (Arizona); er erhielt seine Ausbildung zum Sänger an der Academy of Vocal Arts in Philadelphia und an der Juilliard Music School New York. Sein Bühnendebüt erfolgte an der Oper von San Francisco in der Rolle des Monterone im «Rigoletto». Nach Gastspielauftritten und Konzerten in seiner amerikanischen Heimat wurde er 1981 an die New Yorker Metropolitan Oper verpflichtet. Hier sang er als Antrittspartie wiederum den Monterone und war in den folgenden Jahren als Graf Luna im «Troubadour», als Barnaba in «La Gioconda» von Ponchielli, als Michele in Puccinis «Il Tabarro», als Amfortas im «Parsifal», als Kurwenal im «Tristan», als Giancotto in «Francesca da Rimini» von Zandonai, als Germont-père in «La Traviata» und als Trinity Moses in «Aufstieg und Fall der Stadt Mahagonny» von Weill zu hören. Auch als Konzertsänger in Erscheinung getreten.
Es sind sicher Mitschnitte von Rundfunksendungen aus der Metropolitan Oper vorhanden, in denen er mitwirkt.

Clarkson, Stanley, Baß, * 1905 Sydney, † 22. 1. 1961 London; als Knabe sang er in einem Kirchenchor, erhielt dann Gesangunterricht durch Rex de Rego in Sydney und am Konservatorium von Sydney durch Spencer Thomas. Er debütierte in einer Schüleraufführung der «Zauberflöte» (semiprofessionell) als Sarastro. Er ergriff dann jedoch den Beruf eines Zeitungsdruckers und sang nur gelegentlich in Konzertveranstaltungen. 1938 wurde er als Vokalist für die Australian Broadcasting Commission verpflichtet und sang jetzt Partien in zahlreichen Radiosendungen, darunter den Landgrafen im «Tannhäuser», den Leporello im «Don Giovanni» und den Sarastro. Auf der Bühne hörte man ihn 1942 in Sydney in der Uraufführung der Oper «The Pearl Tree» von Edgar L. Bainton. 1947 verlegte er seine Tätigkeit nach England; hier sang er beim Leeds Festival und in den Kathedralen von Wells und York in Oratorienauf-

führungen und vervollständigte seine Ausbildung bei Arnold Matters und Clive Carey in London. Er wurde 1948 Mitglied der Sadler's Wells Opera Company, bei der er als Bonze in Puccinis «Madame Butterfly» debütierte und bis zu seinem plötzlichen Tod in mehr als 22 Partien auftrat, darunter als Mephisto im «Faust» von Gounod, als Angelotti in «Tosca», als Alidoro in Rossinis «La Cenerentola», als Basilio im «Barbier von Sevilla», als Mr Gruff in «The School for Fathers» («I quattro rusteghi») von Wolf-Ferrari, als Dikoy in «Katja Kabanowa» von Janáček (englische Erstaufführung 1951) und als Lord Minto in der Uraufführung der Oper «Nelson» von Lennox Berkeley (1954). Er erwies sich als großer Oratoriensolist in Konzerten mit der London Bach Guild, der Royal Choral Society und der Halle Concert Society. In Sheffield sang er das Baß-Solo im «Messias» unter Sir John Barbirolli; die gleiche Partie übernahm er bei einer Fernsehsendung mit der Huddersfield Choral Society unter Sir Malcolm Sargent. In dem Film über das Leben der großen Primadonna Nellie Melba sah und hörte man ihn in der Rolle des Mephisto. 1956 unternahm er mit der Elizabethan Theatre Company eine achtmonatige Australien-Tournee, bei der er in 108 Vorstellungen zu hören war.
Schallplatten: HMV.

Claus-Dostal, Lilly, Sopran, * 13. 6. 1905 Wien; sie war die Tochter des Oberinspektors Albrecht Claus und der in Wien bekannten Konzert- und Oratoriensängerin *Lilly Claus-Neuroth* (1879–1936). Sie wurde durch ihre Mutter, dann an der Wiener Musikakademie durch Gustav Geiringer ausgebildet. Sie begann ihre Karriere auf der Bühne mit einem Engagement am Stadttheater von Saarbrücken 1926–27 und wurde 1927 an die Staatsoper von Wien verpflichtet. Hier hatte sie bis 1931 bedeutende Erfolge als Koloratrice. 1932–33 gehörte sie zum Ensemble der Wiener Volksoper an und unternahm in der Folgezeit zahlreiche Gastspiele. So gastierte sie in Mainz, Köln, Dresden und Leipzig und trat bei den Festspielen von Salzburg in Erscheinung. Ihre großen Partien auf der Bühne waren Rollen wie die Konstanze in der «Entführung aus dem Serail», die Pamina in der «Zauberflöte», die Adele in der «Fledermaus» von J. Strauß und die Titelheldin in «Madame Butterfly». Ihre größten Erfolge konnte sie jedoch als Operettensängerin erzielen. Auf diesem Gebiet bewunderte man neben der Qualität ihrer Stimme auch ihre aparte Bühnenerscheinung und ihre lebendige Darstellungskunst. 1942 heiratete sie den bekannten Operettenkomponisten Nico Dostal (1895–1981). Sie trat häufig in dessen Operetten auf und nahm an den Uraufführungen seiner Operettenwerke «Clivia» (Berlin, 23.12. 1933), «Prinzessin Nofretete» (Köln, 1936), «Die Flucht ins Glück» (Stuttgart, 1940) und «Marina» (Berlin, 1942) teil. Anderseits galt sie auch als hervorragende Interpretin zeitgenössischer Vokalmusik; 1935 kreierte sie in Wien die «Lulu-Suite» von Alban Berg für Sopran und Orchester unter O. Kabasta. Sie verbrachte ihren Ruhestand in Salzburg.
Schallplattenaufnahmen auf Polydor, zumeist Operettenmusik, darunter Duette mit Helge Roswaenge und Walther Ludwig.

Clement, Henriette, Alt, * 12. 10. 1869 Wien, † (?); sie absolvierte ihre Ausbildung zur Sängerin in Wien und war 1888–89 an der Berliner Hofoper engagiert. Nachdem sie 1889–90 am Stadttheater von Bonn aufgetreten war, kam sie 1891 an das Stadttheater (Opernhaus) von Zürich, wo sie zu einer langjährigen, erfolgreichen Karriere kam. Auf der Bühne wie im Konzertsaal beherrschte sie ein umfassendes Repertoire. Von ihren Bühnenpartien sind die Amneris in Verdis «Aida», die Azucena im «Troubadour», die Ortrud im «Lohengrin» und die Erda in den Opern des Ring-Zyklus hervorzuheben.

Clements, Joy, Sopran, * 1932 (?) Dayton (Ohio); sie war an der University of Miami Schülerin von Coral Gables, studierte an der Academy of Vocal Arts in Philadelphia und bei Marinka Gurewich in New York. 1956 fand ihr Bühnendebüt an der Miami Opera als Musetta in Puccinis «La Bohème» statt. Sie kam zu einer großen Karriere an den Opernhäusern in Nordamerika; so sang sie 1959 bis 1972 regelmäßig an der New York City Centre Opera, in Houston/Texas, Baltimore, Cincinnati, Pittsburgh, Philadelphia, St. Paul, in San Diego, Fort Worth und bei der Hawaii Opera. Am 26. 10. 1961 wirkte sie an der New York City Centre Opera in der Uraufführung der Oper «The Crucible» von Robert Ward in der Partie der Mary Warren mit. 1963 erging an sie ein Ruf an die Metropolitan Oper New York, an der sie einige Jahre blieb. Zu Gast auch an den Opernhäusern von Vancouver und Tel Aviv (1963) und am Théâtre de la Monnaie Brüssel (1975). Sie ist noch Ende der siebziger Jahre aufgetreten. Ihr Rollenrepertoire für die Opernbühne war sehr umfangreich und hatte seine Höhepunkte in Partien wie der Susanna in «Figaros Hochzeit», der Despina in «Così fan tutte», der Pamina in der «Zauberflöte», der Marzelline im «Fidelio», der Gilda im «Rigoletto», der Titelfigur in «La Traviata», der Marguerite im «Faust» von Gounod, der Juliette in dessen »Roméo et Juliette», der Mimi wie der Musetta in Puccinis «La Bohème», der Titelheldin in «Martha» von Flotow, der Manon in der gleichnamigen Oper von Massenet, der Königin von Shemakan in «Der goldene Hahn» von Rimsky-Korassakow, der Lucy in «The Telephone» von Menotti, der Monica in dessen Oper «The Medium» und der Bess in «Porgy and Bess» von Gershwin. Neben ihrem Wirken auf der Bühne stand eine zweite Karriere im Konzertsaal; außerdem als Gesanglehrerin tätig.
Schallplatten: Columbia (Querschnitt «The Tender Land» von A. Copland).

Cleve, Fanny, Sopran, * 22. 3. 1898 Ybbs an der Donau (Österreich); sie war an der Wiener Musikhochschule Schülerin von Philip Forstén. 1917 debütierte sie am Stadttheater von Straßburg und blieb dort während einer Saison. 1919–20 sang sie am Stadttheater von Freiburg i. Br., 1920–23 am Landestheater Darmstadt, 1923–24 am Opernhaus von Köln, 1924–25 an der Großen Volksoper Berlin. In den Jahren 1925–32 war sie Mitglied des Opernhauses von Leipzig. Während dieser Zeit wirkte sie dort in mehreren Uraufführungen von Opern mit: am 10. 2. 1927 als Anita in «Jonny spielt auf» von Ernst Křenek, im gleichen Jahr in «Die baskische Venus» von Hermann Wetzler und 1930 in «Der Rosenbusch der Maria» von Erwin Dressel. 1934–35 war die Künstlerin an der Wiener Volksoper im Engagement. Gastspiele ließen ihren Namen bekannt werden; so gastierte sie 1922, 1928 und 1929 an der Wiener Staatsoper, 1924 und 1927 an der Staatsoper von Dresden und seit 1927 mehrfach an der Staatsoper Berlin. 1935 ist sie bei einem Konzert in Leningrad zu finden. Als Jüdin hat sie jedenfalls nach 1933 Deutschland wie auch 1938 Österreich verlassen müssen, doch ist über ihr weiteres Schicksal nichts bekannt geworden. Von ihren Bühnenpartien sind zu nennen: die Gräfin in «Figaros Hochzeit», die Donna Anna im «Don Giovanni», die Titelfigur in Webers «Euryanthe», die Irene in Wagners «Rienzi», die Elsa im «Lohengrin», die Eva in den «Meistersingern», die Leonore in Verdis «La forza del destino», die Alice Ford in dessen «Falstaff», die Tosca, die Kaiserin in der «Frau ohne Schatten» von R. Strauss, die Hilde in «Der arme Heinrich» von Hans Pfitzner und die Myrtocle in den «Toten Augen» von E. d'Albert. Die Sängerin, die nach einer Heirat zeitweilig unter dem Namen Fanny Cleve-Suhrkamp aufgetreten ist, war auch als Konzert- und Liedersängerin von Bedeutung.

Coad, Conal, Baß, * 1946 (?) Feilding (Neuseeland); er begann seine Bühnenkarriere 1970 bei der New Zealand Opera Company, der er bis 1975 angehörte. 1975 wurde er in die Australian Opera Company Sydney berufen. Hier wie bei Gastspielen und Konzerten kam er in Australien zu bedeutenden Erfolgen. Er verlegte dann seine Tätigkeit auch nach Europa. Hier sang er namentlich an der Opéra de Wallonie Lüttich Partien wie den Bartolo in «Figaros Hochzeit» (1984–85), den Raimondo in «Lucia di Lammermoor» (1986–87) und den Ferrando im «Troubadour».
Schallplatten: Australische HMV-Aufnahmen.

Cobb, Willard, Tenor, * 19. 12. 1929 Baltimore (Maryland); er studierte am Tusculum College zunächst Klavierspiel (1947–51), dann am Oberlin College (seit 1957) und am Trinity College of Music (seit 1961) Gesang. Er wurde als Konzertsänger durch Auftritte in seiner amerikanischen Heimat, in England wie in Deutschland bekannt. 1964–70 sang er als Tenor im Studio der frühen Musik München zusammen mit der Mezzosopranistin Andrea von Ramm und Instrumentalsolisten vor allem mittelalterliche Vokalwerke. Dabei trug er ein umfangreiches Repertoire aus dem Bereich des Oratoriums und der religiösen Vokalmusik vor. Auch auf dem Gebiet des Liedgesangs beherrschte er ein weit gespanntes Repertoire. Er gab Konzerte im englischen Rundfunk BBC, im Bayerischen Rundfunk München und trat mehrfach in Fernsehsendungen auf. Seit 1979 wirkte er im pädagogischen Bereich an der St. Louis University.

Von seiner Stimme sind zahlreiche Schallplattenaufnahmen vorhanden; diese erschienen auf den Marken Telefunken (Minnelieder), Odeon, HMV und Musial Heritage Society.

Coburn, Pamela, Sopran, * 29. 3. 1959 Dayton (Ohio); sie studierte in der Indiana University, an der Eastman School Rochester und an der New Yorker Juilliard Music School. Bereits 1979 kam es zu ihrem Konzertdebüt. 1980 kam sie nach Westdeutschland und gewann noch im gleichen Jahr einen internationalen Gesangwettbewerb der ARD in München. 1982 wurde sie Preisträgerin beim Concours Auditions of the Air der Metropolitan Oper New York. In Deutschland wurde sie in ihrer Karriere durch die berühmte Sopranistin Elisabeth Schwarzkopf gefördert und kam seit 1982 an der Staatsoper von München, seit 1984 auch an der Wiener Staatsoper zu großen Erfolgen. Sie konnte vor allem als Gräfin in «Figaros Hochzeit», als Fiordiligi in «Così fan tutte», als Rosalinde in der «Fledermaus» von J. Strauß, als Lauretta in Puccinis «Gianni Schicchi», als Alice Ford im «Falstaff» von Verdi (München, 1987) und in einer Anzahl weiterer Rollen beeindrucken. 1988 sang sie beim Maggio musicale Florenz die Ellen Orford in B. Brittens Oper «Peter Grimes». Dazu hatte sie eine Karriere im Konzertsaal, die der auf der Bühne nicht nachstand; vor allem wurde sie als Solistin in Oratorien geschätzt.
Schallplatten: Christophorus-Verlag («König David» von A. Honegger), Philips (Siebel im «Faust» von Gounod, L'Oca del Cairo» von Mozart), Orfeo («Kleider machen Leute» von Joseph Suder), Capriccio (Lieder von J. Brahms, «Der Traumgörge» von Zemlinsky), Decca (1. Dame in der «Zauberflöte»).

Coda, Eraldo, Baß, * 22. 4. 1903 Biella; er kam mit seinen Eltern als Kind nach Turin, wo er in Kirchenchören und im Kinderchor des Teatro Regio sang. 1918 begann er eine erfolgreiche Tätigkeit als Designer bei den Fiat-Automobilwerken in Turin. Diese übte er bis 1926 aus, ließ aber seine Stimme durch den berühmten Bariton Arturo Pessina und durch Maestro Pomé ausbilden. 1927 debütierte er am Teatro Petrarca von Arezzo als Zuniga in «Carmen». In einer über 30jährigen Karriere brachte er dann an den Opernbühnen in Italien und bei Gastspielen in Holland, Belgien, Frankreich, in Deutschland, Portugal, in der Schweiz, in Dänemark, Ägypten und Brasilien ein Repertoire zu Gehör, das mehr als 150 Partien aus allen Bereichen der Opernliteratur umfaßte. Besonders beliebt war er in Holland, wo er, wie auch in den anderen Stationen seiner Karriere, neben seinem Wirken auf der Bühne oft in Konzerten auftrat. In Paris war er u. a. als Osmin in der «Entführung aus dem Serail» zu Gast, am Teatro Verdi von Triest hörte man ihn als Arkel in «Pelléas et Mélisande» von Debussy. 1946–47 sang er bei den Festspielen in der Arena von Verona kleinere Partien in «Aida» und in «Un ballo in maschera» von Verdi. Eine intensive Tätigkeit entfaltete er bei Sendungen im italienischen Rundfunk. Im April 1954 wirkte er in der ersten Fernsehübertragung einer Oper in Italien durch die RAI als Basilio im «Barbier von Sevilla» von Rossini mit; später nahm er auch an Fernsehaufführungen der Opern «Tosca», «Il Tabarro» und «Gianni Schicchi» von Puccini und «Adriana Lecouvreur» von Cilea teil. Zu erwähnen bleibt noch seine Begabung als Maler, die bei mehreren Ausstellungen seiner Bilder deutlich wurde.

Coelho, Eliane, Sopran, * 1951 (?) Rio de Janeiro; sie studierte zunächst in Rio de Janeiro Architektur, widmete sich dann jedoch dem Gesangstudium. Sie kam zur weiteren Fortbildung nach Europa und studierte an der Musikhochschule Hannover. 1974 fand sie ihr erstes Engagement am Landestheater von Detmold. Hier sang sie Partien wie die Nannetta im «Falstaff» von Verdi, die Gretel in «Hänsel und Gretel» von Humperdinck, die Zdenka in «Arabella» von R. Strauss, die Traviata, die Liu in «Turandot» von Puccini, die Titelheldin in «Fräulein Julie» von Bibalo und die Konstanze in der «Entführung aus dem Serail». 1976 folgte sie einem Ruf an das Stadttheater von Bremen, dem sie sechs Jahre hindurch angehörte. Hier entwickelte sich ihr Sopran nach und nach vom Koloratur- zum lyrischen Fach, und sie brachte jetzt Rollen wie die vier Frauengestalten in «Hoffmanns Erzählungen» von Offenbach, die Norina in «Don Pasquale», die Eurydice im «Orpheus» von Gluck, die Fiorilla in Rossinis «Il Turco in Italia», die Susanna in «Figaros Hochzeit», die Hanna Glawari in der Lehár-Operette «Die lustige Witwe» und mit besonderem Erfolg die Titelfigur in «Lulu» von Alban Berg zum Vortrag. 1984 wechselte die Künstlerin an die Oper von Frankfurt a. M. Als Gast sang sie am Teatro Regio Turin wiederum die Lulu; weitere internationale Gastspiel- und Konzertauftritte. So war sie 1987 am Stadttheater von Aachen und an der Wiener Volksoper zu Gast. 1988 sang sie bei den Bregenzer Festspielen die Giulietta in «Hoffmanns Erzählungen», an der Wiener Volksoper die Donna Elvira im «Don Giovanni». Auch als Liedersängerin bedeutend.

Coghill, Harry, Baß, * 14. 4. 1944 Edinburgh; Ausbildung der Stimme am Royal College of Music Manchester bei Frederick Cox (1967–71), ergänzende Studien bei Yvonne Rodd-Marling. Er debütierte 1972 als Bühnensänger an der Welsh Opera Cardiff in der Partie des Seneca in Monteverdis «Incoronazione di Poppea», nachdem er bereits 1965 eine Konzerttournee durch Nordamerika unternommen hatte. 1970–71 war er Mitglied des Glyndebourner Festspielchores. 1971 wurde er als erster Bassist an die English National Opera London verpflichtet, deren Ensemble er bis 1979 angehörte. Er sang in England bei der Kent Opera, der Handel Opera Society und bei anderen Operngesellschaften. Er trat bei den Festspielen von Aldeburgh, bei Gastspielen in Dortmund, München und Wien auf. Dabei beherrschte er für die Bühne wie für das Konzertpodium ein weitläufiges Repertoire, in dem sich auch Werke zeitgenössischer Komponisten fanden. 1980 trat er in einer Serie von Konzerten für

Flüchtlingskinder in aller Welt (Ockenden Venture) auf. Seit 1987 Dozent an der Auckland University (Neuseeland).

Cole, Vinson, Tenor, * 21. 11. 1950 Kansas City (Missouri); der junge farbige Künstler erhielt seine Ausbildung am Curtis Institute of Music in Philadelphia, wo er bereits 1975 in einer Schüleraufführung von Massenets «Werther» in der Titelpartie erstes Aufsehen erregte. 1975 gastierte er beim Santa Fé Festival in einer kleinen Rolle in «La Vida breve» von Manuel de Falla. Seit 1976 war er häufig an der Oper von St. Louis zu hören. Er kam nach Europa und hatte dort 1976 einen ersten großen Erfolg beim Festival von Angers in «Acis and Galatea» von Händel; an der Welsh Opera Cadiff gastierte er als Belmonte in der «Entführung aus dem Serail». 1977 hörte man ihn in Vancouver, 1978 in Lyon, 1980 in Boston und 1981 in Santa Fé. Seit 1980 war er Mitglied der New York City Centre Opera. Bei den Festspielen von Salzburg bewunderte man ihn 1983–85 als italienischen Sänger im «Rosenkavalier», 1985 in Monteverdis «Il ritorno d' Ulisse in patria». Eine internationale Gastspieltätigkeit kennzeichnete die weitere Karriere des hoch begabten lyrischen Tenors; er sang in Detroit (1983) und Toronto (1983), an der Opéra-Comique (1984) wie an der Grand Opéra Paris (1984 und 1986), an den Opernhäusern von Nancy (1984) und Nizza (1985). In der Saison 1987–88 begeisterte er das Publikum der Oper von Seattle als Orpheus in der Oper gleichen Namens von Gluck, 1988 gastierte er in Los Angeles als Roméo in «Roméo et Juliette» von Gounod. Gleichzeitig erwies er sich als hervorragender Konzert- und Oratoriensolist. Von seinen vielen Bühnenpartien seien noch genannt: der Tamino in der «Zauberflöte», der Fenton in den «Lustigen Weibern von Windsor» von Nicolai, der Steuermann im «Fliegenden Holländer», der Alfredo in «La Traviata», der Titelheld im «Faust» von Gounod wie in «Le Comte Ory» von Rossini, der des Grieux in Massenets «Manon», der Paolino in «Il matrimonio segreto» von Cimarosa, der Ernesto im «Don Pasquale», der Lord Percy in «Anna Bolena» von Donizetti, der Rodolfo in «La Bohème» von Puccini, der Rinuccio in dessen «Gianni Schicchi», der Lenski im «Eugen Onegin» und der Narraboth in «Salome» von R. Strauss.
Schallplatten: DGG (italienischer Sänger im «Rosenkavalier», Soli im Mozart- wie im Verdi-Requiem und in der Missa solemnis von Beethoven), Orfeo («Schöpfung» von Haydn).

Coleman, Edward, Sänger, Lautenspieler und Komponist, * (?) London, † 29. 8. 1669 Greenwich; er war der Sohn des Komponisten Charles Coleman († vor dem 9. 7. 1664), Hofmusikus des englischen Königs Karls I. und später Musiklehrer und Komponist, war aber wohl an erster Stelle Sänger. Er wie seine Gattin wirkten im September 1656 in der Uraufführung der ersten englischen Oper «The Siege of Rhodes» im Rutland House in London mit. Bei diesem «Entertainment» handelte es sich um ein gemeinsames Werk der Komponisten Matthew

Locke, Henry Cooke, Henry Lowes, George Hudson und Charles Coleman, dem bereits genannten Vater des Sängers. Als 1660 die Chapel Royal durch Karl II. wieder eingerichtet wurde, wurde Edward Coleman als Gentleman of the Chapel Royal angestellt. 1662 wurde er als Nachfolger von Nicholas Lanier Leiter der Royal Band. Er war auch als Lautenvirtuose, vor allem aber als Komponist tätig. 1662 komponierte er eine Bühnenmusik zu Shirleys «Contention of Ajax and Achilles» und gab im gleichen Jahr in der Sammlung «Select Musicall Ayres and Dialogues» eine Anzahl von ihm komponierter Lieder heraus. Auch die von dem Herausgeber Playford veröffentlichte Sammlung «Musical Companion» (1672) enthielt eine Anzahl Kompositionen, die von ihm stammten.

Collard, Jeannine, Mezzosopran, * 8. 7. 1923 Charleville (Departement Ardennes); sie war am Conservatoire National de Paris Schülerin von Paul Franz. Sie debütierte 1951 als einer der drei Knaben in der «Zauberflöte» an der Grand Opéra Paris und ist bis 1972 Mitglied dieses Opernhauses geblieben. Etwa in der gleichen Zeit war sie an der zweiten großen Bühne der französischen Metropole, der Opéra-Comique, tätig. 1954 wirkte sie in Paris in der konzertanten Uraufführung von Prokofieffs Oper «L'Ange de Feu» mit. Sie gastierte an französischen Opernhäusern und 1967 beim Festival von Aix-en-Provence. Im Konzertsaal zeichnete sie sich als Solistin in Oratorien und geistlichen Vokalwerken aus. Auf der Bühne sang sie Rollen wie die Suzuki in «Madame Butterfly», die Mallika in «Lakmé» von Delibes, die Hecuba in «Les Troyens» von Berlioz, die Geneviève in «Pelléas et Mélisande» von Debussy, die Taven in «Mireille» von Gounod, die Lucia in «Cavalleria rusticana» und die Fanny Elsler in «L'Aiglon» von Honegger.
Ihr Name ist vor allem durch zahlreiche Schallplattenaufnahmen bekannt geworden, die auf vielen Marken herausgebracht wurden. So sang sie auf HMV («Hoffmanns Erzählungen», Geneviève in «Pelléas et Mélisande»), auf Decca (kleine Partie in «Thaïs» von Massenet), Véga («Thaïs», «L'Ange de Feu»), DGG («L'Enfant et les sortilèges» von Ravel), Bourg Records («Persée et Andromède» von Ibert, 1963; «Lazare» von A. Bruneau) und auf Music Guild; dazu existieren mehrere Mitschnitte von Radiosendungen.

Collier, Frederic (Fred), Baß-Bariton, * 1885 Melbourne, † Oktober 1964 Melbourne; er war zunächst bei der australischen Eisenbahn beschäftigt, gab diese Stelle jedoch auf, nachdem er 1906 einen Gesangwettbewerb in Ballarat gewonnen hatte. Er wurde nun Leiter der Filiale der englischen Musikfirma Chappel & Company in Melbourne und trat in Konzertveranstaltungen auf, namentlich in Oratorien. 1918 entschloß er sich, zusammen mit seiner Gattin, der Sopranistin *Elsie Treweek*, mit der Williamson Opera Company an einer Gastspieltournee durch Australien und Neuseeland teilzunehmen. 1921 ging das Sängerehepaar nach England. 1922 wurde Frederic Collier Mitglied der British National

Opera Company, bei der er Partien wie den Wotan und den Hagen im Nibelungenring, den Klingsor im «Parsifal», den Kurwenal im «Tristan», den Amonasro in «Aida», den Vater in «Hänsel und Gretel» von Humperdinck, den Valentin wie den Mephisto im «Faust» von Gounod sang. Bis 1929 blieb er bei dieser Gesellschaft im Engagement und sang anschließend bei der Carl Rosa Opera Company. Als die große australische Primadonna Nellie Melba am 8. 6. 1926 in einem Spectacle coupé an der Covent Garden Oper London ihre Abschiedsvorstellung gab, standen in den letzten beiden Akten von Puccinis «La Bohème» mit ihr zusammen drei australische Sänger auf der Bühne: John Brownlee, Browning Mummery und Frederic Collier. 1934 kehrte letzterer nach Australien zurück, sang dort bei der Benjamin Fuller Opera Company, einer Wanderbühne, und beim National Theatre Movement. Noch bis kurz vor seinem Tod war er in Chören und in kleinen Bühnenrollen anzutreffen.
Schallplatten: HMV (Aufnahmen der Abschiedsvorstellung von Nellie Melba aus London 1926; weitere elektrische Aufnahmen auf dieser Marke, darunter eine Szene aus der «Götterdämmerung» mit Göta Ljungberg und Walter Widdop).

Commichau, Jürgen, Baß-Bariton, * 29. 7. 1943 Dölau bei Halle (Saale); er absolvierte sein Gesangstudium in Halle und Leipzig, wo er Schüler von Helga Forner war. Er debütierte 1967 am Stadttheater von Döbeln bei Leipzig als Lodovico in Verdis «Othello». Bis 1971 blieb er Mitglied dieses Theaters und wirkte dann in den Jahren 1971–77 am Stadttheater von Frankfurt (Oder). 1977 wurde er an die Staatsoper von Dresden verpflichtet, an der er zu einer Karriere von großer Bedeutung kam. Hier wie bei Gastspielen, zumeist mit dem Dresdner Ensemble zusammen, brachte er Partien wie den Kaspar im «Freischütz», den Leporello im «Don Giovanni», den Guglielmo in «Così fan tutte», den Geronimo in Cimarosas «Matrimonio segreto» neben vielen weiteren Rollen zum Vortrag. Auch als Konzertsänger erwarb er hohes Ansehen.

Como, Franca, Sopran, * 4. 12. 1937 Neapel; Gesangstudium bei der Pädagogin Iris Adami Corradetti in Padua. 1960 erfolgte ihr Bühnendebüt am Teatro Sperimentale von Spoleto in der Partie der Abigaille in Verdis «Nabucco». Sie kam dann zu einer bedeutenden Karriere an den großen italienischen Operntheatern, vor allem am Teatro San Carlo Neapel und am Teatro Comunale Bologna und ging von ihrem Wohnsitz Rom aus intensiven Gastspiel- und Konzerttätigkeit nach; u. a. war sie an der Nationaloper von Budapest zu Gast. An erster Stelle standen in ihrem Bühnenrepertoire Aufgaben aus dem dramatischen Fach der italienischen Oper: die Leonore in Verdis «Troubadour» wie in «La forza del destino», die Santuzza in «Cavalleria rusticana», die Turandot in der gleichnamigen Puccini-Oper und die Titelheldin in «Norma» von Bellini.

Compes, Werner, Tenor, * 1942 Düsseldorf; Gesangstudium bei Franziska Martienssen-Lohmann,

bei Paul Lohmann und bei Valerie Bak in Düsseldorf. 1975 Gewinner des Internationalen Gesangwettbewerbs für Tenöre in Montepulciano, worauf er mit einem Stipendium des Landes Nordrhein-Westfalen seine Ausbildung bei dem berühmten Tenor Mario del Monaco ergänzen konnte. Nach ersten Erfolgen als Konzert- und Rundfunksänger sowie Fernsehauftritten, zum Teil mit Anneliese Rothenberger in einer von dieser Künstlerin veranstalteten Sendung, kam er 1977 als lyrischer Tenor an das Staatstheater Braunschweig, dem er bis 1982 angehörte. 1983–84 am Staatstheater Kassel, seit 1984 am Staatstheater Darmstadt engagiert. 1977 brachte er in Hannover einen Liederzyklus des Komponisten Giselher Klebe zur Uraufführung, den dieser dem jungen Sänger gewidmet hatte. 1978 gab er zwölf Konzerte in Israel unter dem Dirigenten Zubin Mehta.
Schallplatten: Garnet («Winterreise» von Schubert, «Dichterliebe» von R. Schumann, Lieder von J. Brahms und Hugo Wolf), darüber hinaus zahlreiche Mitschnitte von Rundfunksendungen.

Coni, Paolo, Bariton, * 1957 Perugia; er studierte zunächst am Konservatorium seiner Heimatstadt Perugia und war dann Schüler von Lajos Kozma und Rodolfo Celetti. Er wurde Preisträger bei mehreren Gesangwettbewerben, darunter bei dem Mattia-Battistini-Concours. 1984 sang er am Teatro Lirico Mailand den Seid in Verdis «Il Corsaro», 1985 gastierte er in Genua, 1986, 1988 und 1989 bei den Festspielen von Martina Franca. 1985 begann er eine große Karriere am Teatro Comunale von Bologna. Diese kam zu einer ungewöhnlich schnellen Entwicklung. In Bologna hörte man ihn immer wieder in Partien wie dem Enrico in «Lucia di Lammermoor» von Donizetti, dem Riccardo in Bellinis «I Puritani», dem Germont-père in «La Traviata», dem Renato in Verdis «Ballo in maschera», dem Posa im «Don Carlos» und dem Ford im «Falstaff»; er gastierte am Teatro Donizetti Bergamo, am Opernhaus von Köln (1989), an der Staatsoper von Wien (u. a. 1988 als Enrico in «Lucia di Lammermoor»), am Grand Théâtre Genf und am Teatro San Carlo Neapel. Mit Auftritten an der Covent Garden Oper London (1987), der Mailänder Scala und der Metropolitan Oper New York (Antrittsrolle: 1988 Belcore in «Elisir d'amore») kam der junge Künstler bald zu großem internationalem Ansehen. An der Metropolitan Oper war er in «Elisir d'amore», in «La Traviata», in «La Bohème» und in Verdis «Ballo in maschera» erfolgreich zu Gast. Bei den Festspielen von Valle d'Itria hörte man ihn 1988 mit sensationellem Erfolg als Chevreuse in «Maria di Rohan» von Donizetti, 1989 beim Maggio musicale Florenz als Riccardo in «I Puritani», an der Mailänder Scala als Paolo in «Simon Boccanegra» in Verdi. Auch als Konzertsolist hervorgetreten.
Schallplatten: Decca (des Grieux in vollständiger Oper «Manon Lescaut» von Puccini, «Simon Boccanegra»), Fono («Maria di Rohan»), Nuova Era («Alina» von Donizetti).

Conrad, Barbara, Mezzosopran, * 11. 8. 1945 Pittsburg (Texas); sie absolvierte ihr Studium an der University of Texas in Austin. 1982 kam es zu ihrem Debüt an der Metropolitan Oper New York in der Partie der Annina im «Rosenkavalier» von R. Strauss. Sie hatte an diesem Opernhaus eine erfolgreiche Karriere und sang Partien wie die Maddalena im «Rigoletto», die Preziosilla in Verdis «La forza del destino» und die Maria in «Porgy and Bess» von Gershwin. Bei Gastspielen kam sie auch an Bühnen in Europa zu großen Erfolgen; so gastierte sie am Opernhaus von Frankfurt a. M. als Azucena im «Troubadour», am Théâtre de la Monnaie Brüssel als Fricka in der «Walküre», an den Staatsopern von München und Wien als Eboli im «Don Carlos» bzw. als Azucena; auch als Konzertsolistin brachte sie es zu internationalem Ansehen.
Schallplatten: Decca («Hamlet» von A. Thomas, «Porgy and Bess» von Gershwin).

Conrad-Amberg, Margit, Alt, * 21. 9. 1918 Luzern; sie war am Konservatorium von Zürich Schülerin von Ria Ginster. 1942 wurde sie Preisträgerin beim Gesangwettbewerb von Genf und begann noch im gleichen Jahr eine Konzertkarriere, die ihr Erfolge auf internationaler Ebene brachte. So sang sie in den Mittelpunkten des Schweizer Musiklebens, u. a. in Zürich, Basel, St. Gallen, Bern, bei den Internationalen Bach-Festwochen in Schaffhausen, beim September Musical Montreux, bei den Musikfestwochen Luzern, in Winterthur und Solothurn. Sie gab Konzerte in Dresden, Frankfurt a. M., Bremen, Stuttgart, Wien, Lissabon, Madrid, bei den Berliner Festwochen, beim Festival de Strasbourg, in Paris und Nancy. Dabei brachte sie ein reichhaltiges Repertoire zum Vortrag, Werke von J. S. Bach (Matthäus- und Johannespassion, Hohe Messe, Weihnachtsoratorium, zahlreiche Kantaten) und Händel («Messias», «Israel in Ägypten», «Samson», «Saul»), Beethoven (9. Sinfonie, Missa solemnis), Mozart (Requiem, Messen), J. Brahms (Alt-Rhapsodie), Bruckner (Messen, Te Deum), Verdi (Requiem), Rossini (Petite Messe solennelle, Stabat mater), A. Dvořák (Requiem, Stabat mater), Mendelssohn («Elias»), G. Mahler («Sinfonie der Tausend»), A. Honegger («Roi David») und W. Burkhard («Das Jahr»). Auch als Liedersängerin wurde sie bekannt. Gelegentlich gastierte sie an der Oper von Zürich, u. a. als Irmentraud im «Waffenschmied» von Lortzing. Seit 1967 wirkte sie als Pädagogin am Konservatorium von Bern, 1973–87 an der Akademie für Kirchen- und Schulmusik Luzern. Sie lebte in Baden bei Zürich.
Schallplatten: Erato (Speranza in «Orfeo» von Monteverdi), Claves (Markus-Passion von R. Keiser), DCA (Bach-Kantaten), Jecklin Disco (Lieder von J. Brahms und Othmar Schoeck).

Conradi, Johann, Baß, * 20. 8. 1815 Aschaffenburg, † 18. 9. 1859 Dresden; er durchlief eine erfolgreiche Karriere als erster Bassist an den Hoftheatern von Schwerin und Hannover und war dann bis zu seinem Tod an der Dresdner Hofoper im Engagement. Man schätzte ihn auf der Bühne wie im Konzertsaal als Interpreten eines breit angelegten Repertoires.

Constantin, Rudolf, Bariton, * 16. 2. 1935 Paris; eigentlicher Name Rudolph Jean Constantinidis. Sein Vater war Grieche, seine Mutter Deutsche. Er wuchs in Paris und Zürich auf und ließ dort seine Stimme durch den Pädagogen Cornelio G. Cairati ausbilden. Seine Karriere wurde mit einem Engagement an Stadttheater von Rheydt in der Spielzeit 1958–59 eingeleitet. Danach sang er 1959–60 am Stadttheater von Aachen, 1960–63 am Stadttheater von Bern, 1963–67 am Opernhaus von Graz und 1967–69 am Opernhaus von Köln. In den Jahren 1969–83 war er Mitglied des Opernhauses von Frankfurt a. M. Seit 1983 ging er, wie auch bereits zuvor, von seinem Wohnsitz in Schloßborn (Taunus) einer ausgedehnten internationalen Gastspieltätigkeit nach. Er gab Gastspiele an den Staatsopern von Berlin und Dresden, an der Deutschen Oper Berlin, an der Deutschen Oper am Rhein Düsseldorf–Duisburg, in Amsterdam und Brüssel, in Lyon, Nizza, Marseille und Monte Carlo, in Lüttich und an der Wiener Volksoper, an der Opéra du Rhin Straßburg, an der Grand Opéra wie am Théâtre des Champs Élysées Paris, an der Königlichen Oper Kopenhagen, am Teatro San Carlo Neapel, am Teatro Regio Parma, am Opernhaus von Zürich (als Ruprecht in «L'Ange de feu» von Prokofieff) und am Grand Théâtre Genf, bei den Festspielen von Edinburgh und am Nationaltheater Prag. An der Londoner Covent Garden Oper sang er den Gunther in der «Götterdämmerung», bei den Salzburger Festspielen die vier Dämonen in «Hoffmanns Erzählungen». Sein Bühnenrepertoire hatte einen ungewöhnlich weiten Umfang, wobei Partien in Opern von Verdi und R. Wagner an erster Stelle standen. Im einzelnen seien genannt: der Don Giovanni, der Graf in «Figaros Hochzeit», der Guglielmo in «Così fan tutte», der Pizarro im «Fidelio», der Riccardo in Bellinis «I Puritani», der Alfonso in Donizettis «La Favorita», der Enrico in «Lucia di Lammermoor», der Amonasro in «Aida», der Graf Luna im «Troubadour», der Germont-père in «La Traviata», der Rigoletto, der Renato in Verdis «Ballo in maschera», die Titelfiguren in «Nabucco», «Simon Boccanegra» und «Macbeth» von Verdi, der Jago im «Othello», der Carlos in «La forza del destino», der Ezio in «Attila», der Posa im «Don Carlos, der Fliegende Holländer, der Telramund im «Lohengrin», der Wolfram im «Tannhäuser», der Wotan in der «Walküre», der Alberich im Nibelungenring, der Amfortas im «Parsifal», der Jochanaan in «Salome» von R. Strauss, der Orest in «Elektra», der Faninal im «Rosenkavalier», der Mandryka in «Arabella», der Golo in «Pelléas et Mélisande» und der Gregor Mittenhofer in H. W. Henzes «Elegie für junge Liebende». Als Konzert-, Oratorien- und Liedersänger hatte er ebenfalls eine große internationale Karriere.

Mit Sicherheit existieren Mitschnitte von Rundfunksendungen.

Conti, Ida, Sopran, * 1900 (?) Turin; sie erhielt ihre Ausbildung am Liceo musicale ihrer Heimatstadt Turin. Seit etwa 1925 sang sie an der Mailänder Scala, aber auch an anderen italienischen Theatern, Comprimaria-Partien. An der Scala ist sie unter der Leitung von Toscanini u. a. als Bersi in «Andrea Chénier» von Giordano und als Marianne Leitmetzerin im «Rosenkavalier» von Richard Strauss aufgetreten. Am 29. 12. 1927 wirkte sie dort in der Uraufführung von Ermanno Wolf-Ferraris Oper «Sly» mit. Ihre Karriere dauerte bis in die Jahre des Zweiten Weltkriegs. Dabei darf sie nicht mit der etwas älteren Sopranistin Anita Conti verwechselt werden.

Schallplatten: Auf HMV singt sie in vollständigen Aufnahmen von «La Traviata» (als Flora und als Annina mit Mercedes Capsir in der Titelrolle, 1928) und «Andrea Chénier» (als Bersi, 1936).

Conwell, Julia, Sopran, * 1955 (?) Philadelphia; sie verbrachte ihre Kindheit in Houston (Texas), dann verzogen ihre Eltern nach St. Louis. Hier sang sie in Chören, erhielt ersten Gesangunterricht und wirkte bereits im Chor der St. Louis Municipal Opera mit. Ihre eigentliche Ausbildung zur Sängerin erfolgte am Curtis Music Institute, an den Universitäten von Philadelphia und Indiana und bei der großen Pädagogin Margaret Harshaw. Nach semiprofessionellen Auftritten in Schüleraufführungen in ihrer amerikanischen Heimat und einer »Bohème«-Aufführung bei der Michigan Opera, in der sie die Musetta sang, kam sie nach Europa und wurde an die Münchener Staatsoper verpflichtet, an der sie, ebenfalls als Musetta, ein erfolgreiches Debüt hatte. Einen besonderen Erfolg hatte sie in München anschließend in der Rolle der Nedda im «Bajazzo». Es kam bald zu einer ausgedehnten Gastspieltätigkeit der jungen Künstlerin; sie trat in Bremen und Karlsruhe, an der Deutschen Oper am Rhein Düsseldorf–Duisburg (1982 Liu in Puccinis «Turandot»), in Amsterdam, in Fernsehaufführungen von Opern in Italien, Deutschland und in den USA hervor. 1984 gastierte sie an der Oper von Frankfurt a. M. als Page Oscar im «Maskenball» von Verdik, an der Oper von Nizza in der Titelpartie der Oper «Louise» von Charpentier und sang über Radio France die Marzelline im «Fidelio». Im gleichen Jahr hörte man sie an der Oper von Rom als Zerline im «Don Giovanni», 1988 als Paolina in «Poliuto» von Donizetti, 1986 am Opernhaus von Essen als Gilda im «Rigoletto». Seit 1985 auch Mitglied der Staatsoper von Stuttgart. 1988 Gastspiel in Augsburg als Salome von R. Strauss, mit dem Stuttgarter Ensemble an der Deutschen Oper Berlin als Diana in «Iphigenie auf Tauris» von Gluck. Hinzu trat eine gleichbedeutende Karriere als Konzertsopranistin; u. a. nahm sie an einem großen Konzert in der Basilika San Marco in Venedig teil. Verheiratet mit dem Opernregisseur Giancarlo del Monaco (* 1945), einem Sohn des berühmten Tenors *Mario del Monaco* (1915–82).

Schallplatten: DGG (Sandrina in «La finta giardiniera» von Mozart), CBS (Euridice im «Orpheus» von Gluck), Metronom («Orpheus» von Gluck, Mitschnitt einer Kölner Aufführung von 1982), Ariola-Eurodisc (Werke von H. W. Henze).

Cook, Brian Rayner, Bariton, * 17. 5. 1945 London; er studierte an der Bristol University Orgel und

Dirigieren, ließ dann am Royal College of Music London seine Stimme ausbilden und wurde 1969 mit dem Kathleen Ferrier-Preis ausgezeichnet. Er kam bald zu einer internationalen Karriere als Konzert- und namentlich als Oratoriensänger und trat als solcher in England, in West- und Osteuropa, im Mittleren wie im Fernen Osten, in den USA, in Kanada, in Südamerika und in Afrika in Erscheinung. Auch auf der Bühne kam er zu einer erfolgreichen Karriere; so sang er 1977 in der Uraufführung von «An Occurence at Owl Creek» von Thea Musgrave beim Cheltenham Festival. Er widmete sich gern dem zeitgenössischen Musikschaffen und war zumal als Interpret von Komponisten wie Maxwell Davies und Hans Werner Henze erfolgreich. Anderseits sang er aber auch viele Werke aus der Barock-Epoche. Im belgischen Fernsehen wirkte er in der 8. Sinfonie («Sinfonie der Tausend») von Gustav Mahler mit, in New York sang er 1988 im «Elias» von Mendelssohn; er trat beim Hongkong Festival und am Opernhaus von Malta auf und sang als Solist mit den großen englischen Orchestern.
Seine Stimme erscheint auf vielen Schallplattenaufnahmen und verschiedenen Marken, u. a. auf HMV (Niels Lynne in «Fennymore and Gerda» von Delius, Requiem von G. Fauré, Biblische Lieder von Dvořák), TIS (Lieder von Coates; Werke von Vaughan Williams und E. Elgar) und Decca.

Cook-MacDonald, Linda, Sopran, * 22. 9. 1947 Twin Falls (Idaho); sie studierte am College-Conservatory of Music in Cincinnati, bei den amerikanischen Pädagogen Robert und Lucille Evans und mit Hilfe eines Fulbright Stipendiums bei Jan Tamaru in Mainz. 1971 debütierte sie an den Städtischen Bühnen Krefeld, an denen sie auch in der Folgezeit engagiert war, als Fiordiligi in «Così fan tutte». Sie gehörte auch zum Ensemble des Opernhauses von Dortmund und trat in Westdeutschland an den Opernhäusern von Essen, Wuppertal und Darmstadt auf. In ihrer amerikanischen Heimat kam sie an den Bühnen von Cincinnati, Pittsburgh, Memphis, Portland und an der City Centre Opera New York zu beachtlichen Erfolgen. Sie sang vorzugsweise Partien aus dem Koloratur- wie dem lyrischen Fach: die Konstanze in der «Entführung aus dem Serail», die Zerline im «Don Giovanni», die Pamina wie die Königin der Nacht in der «Zauberflöte», die Marguerite in «Faust» von Gounod, die Agathe im «Freischütz» von Weber, die Alice Ford in Verdis «Falstaff», die Musetta in Puccinis «La Bohème», die Zdenka in «Arabella» von R. Strauss, die Thamar in «Das Leben des Orestes» von Křenek und die Philippe in «Die Teufel von Loudun» von Chr. Penderecki. Auch als Konzertsopranistin in Erscheinung getreten.

Cooke, Henry, Baß und Komponist, * etwa 1615 Lichfield (Mittelengland), † 13. 7. 1672 Hampton Court bei London; er wurde als Schüler in die Royal Chapel London aufgenommen. Während des Bürgerkrieges diente er als Captain in der royalistischen Armee des Herzogs von Northumberland. Nach der Restauration kam er unter König Charles II. als Bassist und Master of the Children wieder in die Chapel Royal. Er wurde bekannt, als er zusammen mit Charles Coleman, George Hudson, Henry Lawes und Matthew Locke 1656 das Werk «The Siege of Rhodes» in den Rutland Entertainment Rooms in London herausbrachte und darin die Hauptpartie sang. Weitere Kompositionen von seiner Hand umfaßten Coronation Music, eine Hymne «for the installation of Knights of the Garter», Anthems, ein- und mehrstimmige Lieder und weitere Vokalwerke.

Cooper, Rachel, Alt, * 16. 4. 1963 Scunthorpe (Lincolnshire, England); sie absolvierte ihr Gesangstudium an der Royal Academy of Music London. 1986–87 bereitete sie sich in der Opera School des Royal College of Music London auf die Bühnentätigkeit vor. Sie begann eine Konzertkarriere, die sie in den Musikzentren in ihrer englischen Heimat, in Deutschland wie in Frankreich zu bedeutenden Erfolgen kommen ließ. 1986 hatte sie ein glanzvolles Debüt in der Royal Albert Hall London; seit 1983 war sie als Solistin im Lecosaldi Vokal-Ensemble beschäftigt. Sie wurde vor allem als Oratoriensolistin bekannt und trat gelegentlich auch in Opernaufführungen vor ihr Publikum.

Coppelliotti, Enrico, Tenor, * 10. 11. 1898 Turin, † Juni 1967 Rapallo; er entstammte einer vornehmen Familie und kam ganz jung im Ersten Weltkrieg als Soldat in ein Bersaglieri-Regiment. Man wurde auf seine schöne Stimme aufmerksam, als er Amateurkonzerte vor italienischen Soldaten gab. Nach Kriegsende war er zunächst als Schauspieler, dann als Bariton in einer Operettengesellschaft tätig. Der Tenor Angelo Parola hörte ihn am Olimpia-Theater in Mailand und riet zu einer Ausbildung zum Opernsänger, jedoch im Tenorfach. Diese erfolgte durch Mandolini und Solari in Mailand, und im Dezember 1922 kam es dann zum Operndebüt am Teatro di Borgo San Donnino als Ernani in der gleichnamigen Verdi-Oper. 1923 gastierte er am Teatro Municipale Reggio Emilia als Manrico im «Troubadour», sang darauf am Teatro Chiabrera Savona, am Teatro Balbo Turin (1923 Alfredo in «La Traviata» und Turiddu in «Cavalleria rusticana»), am Teatro Carcano Mailand (die gleichen Partien, ebenfalls 1923) und am Teatro Petruzzelli Bari (Cavaradossi in «Tosca» und Edgardo in «Lucia di Lammermoor» als Partner von Elvira de Hidalgo, 1923). Insgesamt beherrschte er 40 große Tenorpartien, darunter auch Wagner-Heroen wie den Tristan, den Lohengrin und den Siegmund in der «Walküre». 1929 wirkte er am Teatro Dal Verme Mailand in der Uraufführung der Oper «Ercole» von Di Martino, 1949 beim italienischen Rundfunk Turin (RAI) in der von Savinas «Il Vecchio geloso» mit. Besonders erfolgreich gestaltete sich sein Wirken in den USA, wo er während sechs Spielzeiten als erster Tenor bei der San Carlo Opera auftrat und dabei in 17 Großstädten gastierte. Er war auch zu Gast an den Opernhäusern von Malta und Kairo, am Teatro Liceo Barcelona und am Opernhaus von Tripolis. 1950 schloß er seine Karriere mit einer großen Konzerttournee durch Italien und die Schweiz ab.

Schallplatten: Cetra (Szenen aus «Boris Godunow», 1933).

Corbelli, Alessandro, Bariton, * 1953 Turin; er wurde durch Giuseppe Valdengo und durch Claude Thiolas ausgebildet und sang als eine seiner ersten Partien 1975 in Reggio Emilia den Figaro im «Barbier von Sevilla» von Paisiello. Er entfaltete eine schnelle Karriere, die ihn an die großen Opernhäuser in Europa wie in Amerika führte; 1978 gewann er einen Gesangwettbewerb in Toulouse. 1975 gastierte er am Teatro Comunale Bologna, seit 1976 vielfach am Teatro Regio Turin, 1978 am Teatro Verdi Triest, 1979 am Teatro Fenice Venedig, 1980 in Genua, 1980 am Teatro Regio Parma und am Teatro Massimo Palermo, 1980 auch am Teatro San Carlo Neapel. 1980 sang er beim Maggio musicale Florenz in der Oper «Euridice» von Caccini, 1981 und 1985–87 an der Oper von Rom, 1982, 1983 und 1989 an der Piccola Scala Mailand, 1982 wieder beim Maggio musicale Fiorentino und den Festspielen von Martina Franca. 1983 sang er am großen Haus der Mailänder Scala den Taddeo in Rossinis «Italiana in Algeri». Beim Rossini Festival in Pesaro war er 1983 als Prosdocimo in «Il Turco in Italiana», 1984 als Raimbaud in «Le Comte Ory», 1985 als Gaudenzio in «Il Signor Bruschino» anzutreffen. Ausgedehnte internationale Gastspieltätigkeit mit Auftritten in Bordeaux (1981) und Nizza (1984), in Lyon (1983) und an der Grand Opéra Paris (1983 als Sharpless in «Madame Butterfly»), an den Opernhäusern von Philadelphia (1984) und Chicago (1986), am Grand Théâtre Genf (1985, 1988) und in Toulouse (1987). Er sang bei den Festspielen von Ravenna (1986) und Edinburgh (1982 mit dem Ensemble der Piccola Scala) und in den römischen Thermen des Caracalla (1985). Bei den Festspielen von Glyndebourne trat er 1985 als Dandini in «La Cenerentola» von Rossini auf; weitere Gastspiele am Teatro San Carlos Lissabon (1987 in «L'Italiana in Algeri»), an der Staatsoper Wien (1987, ebenfalls als Taddeo in «L'Italiana in Algeri»), an den Opern von Chicago (1988 als Ford in Verdis «Falstaff») und Los Angeles (1987), an der Covent Garden Oper London (1989 wieder als Taddeo), an der Oper von Frankfurt a. M. (1988 als Figaro im «Barbier von Sevilla» von Rossini) und in Santiago de Chile (1989 als Leporello im «Don Giovanni»). An erster Stelle standen in dem Bühnenrepertoire des Sängers die Belcanto-Partien in den Opern von Rossini, in denen er auch als Darsteller brillierte, ferner der Guglielmo in «Così fan tutte», der Malatesta im «Don Pasquale», der Belcore in «Elisir d'amore», der Fabrizio in «Crispino e la Comare» der Brüder Ricci, der Marcello in «La Bohème», der Ping in Puccinis «Turandot», der Pantaleone in «L'Amour des trois oranges» von Prokofieff und der Otho in «L'Incoronazione di Poppea» von Monteverdi.
Schallplatten: CBS («Italiana in Algeri», «La Cenerentola»), DGG («Italiana in Algeri»), Nimbus («Soirées musicales» von Rossini), Frequenz-Divox («Il Barbiere di Siviglia» von Paisiello), Fonit Cetra («La buona figliuola» von Piccinni).

Cordes-Palm, Sofie, Sopran, * 1881 (?); sie begann ihre Bühnenlaufbahn 1904 am Stadttheater von Essen, wo sie bis 1907 engagiert blieb und wurde dann an das Hoftheater von Stuttgart verpflichtet, dem sie 1910–14 angehörte. Hier vollzog sie den Übergang vom lyrischen zum hochdramatischen Stimmfach und trat jetzt erfolgreich als Brünnhilde im Nibelungenring, als Kundry im «Parsifal», als Elektra in der gleichnamigen Richard Strauss-Oper, als Ortrud im «Lohengrin» und als Dido in «Les Troyens» von Berlioz auf. 1914 wechselte sie an das Hoftheater Karlsruhe, dessen Mitglied sie bis 1920 blieb. Sie brachte ihre Karriere an den Stadttheatern von Rostock (1923–26) und Essen (1926–27) zum Abschluß und lebte seit 1927 in Berlin. Bis 1930 ist sie noch gastierend aufgetreten. Sie gab zahlreiche Gastspiele an den führenden deutschen Opernntheatern, so 1906 am Hoftheater Kassel und am Hoftheater Hannover, seit 1907 oft am Hoftheater Wiesbaden, 1908 am Stadttheater Hamburg, 1910 und 1911 an der Hofoper München, 1911 am Hoftheater Mannheim, 1913 an der Oper von Frankfurt a. M., 1914 am Opernhaus Leipzig und 1915 an der Hofoper Dresden (als Isolde im «Tristan», die sie dann auch im gleichen Jahr in Amsterdam sang). Aus ihrem Bühnenrepertoire sind noch die Elisabeth wie die Venus im «Tannhäuser», die Elsa im «Lohengrin», die Leonore im «Fidelio», die Titelfigur in «Armide» von Gluck, die Martha in «Tiefland» von d'Albert, die Carlotta in «Die Gezeichneten» von F. Schreker, die Gräfin in «Figaros Hochzeit», die Valentine in den «Hugenotten» von Meyerbeer und die Carmen zu nennen. Nach dem Zweiten Weltkrieg lebte sie in Thumby in Schleswig-Holstein. Sie war in erster Ehe mit dem Opernsänger *Max Anton* verheiratet, der am Stadttheater Essen, an der Wiener Volksoper und am Theater von Wuppertal–Barmen engagiert war.

Cords, Carl, Bariton, * 1862 (?), † November 1918 Hamburg; sein Talent zum Sänger wurde durch den berühmten Impresario und Intendanten Bernhard Pollini entdeckt. 1884 kam es zu seinem Bühnendebüt am Stadttheater (Opernhaus) von Hamburg als Graf Liebenau im «Waffenschmied» von Lortzing. Engagements am Hoftheater von Neustrelitz, an den Stadttheatern von Lübeck, Nürnberg, nochmals Hamburg und Gastspiele an verschiedenen deutschen Bühnen führten 1889 zu seiner Berufung an das Hoftheater von Karlsruhe, an dem er bis 1896 eine erfolgreiche Karriere hatte. Hier wirkte er am 6. und 7.12. 1890 in der denkwürdigen Uraufführung des Gesamt-Opernwerks «Les Troyens» von Hector Berlioz unter der Leitung von Felix Mottl mit. Auch an der deutschen Erstaufführung von Tschaikowskys Oper «Jolanthe» 1894 in Karlsruhe war er beteiligt. Nachdem er 1896 sein Engagement in Karlsruhe aufgegeben hatte, sang er während der folgenden vier Jahre an den Stadttheatern von Magdeburg, Stettin und Königsberg (Ostpreußen), gab dann aber 1900 seine Bühnenkarriere endgültig auf. Auf der Bühne standen Partien wie der Wolfram im «Tannhäuser», der Telramund im «Lohengrin», der Zar in «Zar und Zimmermann» von Lortzing, der

Figaro in «Figaros Hochzeit» wie im «Barbier von Sevilla» und der Titelheld im «Trompeter von Säkkingen» von Neßler im Mittelpunkt seines umfassenden Rollenrepertoires. Dazu war er ein geschätzter Konzert- und Oratoriensolist.

Cordy, Claire, Sopran/Mezzosopran, *4.1. 1911 Basel; sie hieß mit ihrem eigentlichen Namen Clara Knutti und erhielt ihre Ausbildung in Basel und München. In den Jahren 1932–34 war sie am Stadttheater von Straßburg engagiert, sang dann in der Spielzeit 1934–35 am Stadttheater (Opernhaus) von Zürich, 1936–39 am Landestheater von Oldenburg. Nach dem Zweiten Weltkrieg war sie dann wieder 1945–49 am Opernhaus von Zürich verpflichtet. Hier sang sie jetzt die Bess in der deutschen Erstaufführung von Gershwins «Porgy and Bess» (1945) und wirkte in der Uraufführung der Oper «Die schwarze Spinne» von Willy Burkhard (28.5. 1949) mit. 1949–50 war sie am Staatstheater Braunschweig tätig, an dem sie noch bis 1955 als ständiger Gast auftrat. Weitere Gastspiele an der Wiener Staatsoper und am Stadttheater von Basel. Ihr Bühnenrepertoire hatte seine Höhepunkte in Partien wie der Marcellina in «Figaros Hochzeit», der Leonore im «Fidelio», der Venus im «Tannhäuser», der Isolde im «Tristan», der Magdalene in den «Meistersingern», der Kundry im «Parsifal», der Marschallin wie der Annina im «Rosenkavalier», den Titelpartien in den Puccini-Opern «Tosca» und «Turandot» und der Martha im «Tiefland» von d'Albert.

Corona, Leonora, Sopran, *14.10. 1900 Dallas; der eigentliche Name der Sängerin war Leonore Cohrone. Sie begann ihre Gesangsausbildung an der South Western University, war dann in Berlin noch Schülerin von Lilli Lehmann, in Mailand von Salvatore Cottone. Sie begann ihre Bühnenkarriere in Italien und debütierte 1922 am Theater von Castellamare als Elena in «Mefistofele» von Boito. Nach Auftritten an verschiedenen italienischen Bühnen gastierte sie 1926 an der Mailänder Scala als Brünnhilde im «Siegfried» und in der Uraufführung der Oper «La Bella e il Mostro» von L. Ferrari-Trecate. 1927 war sie zu Gast an der Oper von Monte Carlo, wo sie als Tosca sehr erfolgreich war, 1928 an der Opéra-Comique Paris. 1927 folgte sie einem Ruf an die Metropolitan Oper New York, deren Mitglied sie bis 1935 blieb. 1950 gab sie ihre Karriere auf, die auch im Konzertbereich zu bedeutenden Erfolgen geführt hatte. Ihre großen Partien auf der Bühne waren die Donna Anna im «Don Giovanni», die Leonore im «Troubadour», die Aida, die Titelfigur in «La Gioconda» von Ponchielli, die Mimi in Puccinis «La Bohème», die Tosca und die Santuzza in «Cavalleria rusticana».

Correll, Robert, Bariton, *1910 Bukarest; die Familie des Künstlers war deutscher Herkunft, sein Vater war Kantor an einer Synagoge in Bukarest. 1918 kehrte die Familie nach Berlin zurück, wo Robert Correll später bei Ernst Grenzebach und Jean Nadolovitch studierte. 1930 erfolgte sein Bühnendebüt als Graf Luna im «Troubadour», doch ging er zur Vervollständigung seiner Ausbildung nach Italien, wo er Schüler des großen Baritons Riccardo Stracciari wurde. Nach dem Zweiten Weltkrieg nahm er seit 1945 an zahlreichen Sendungen des italienischen Rundfunks teil, bei denen es sich sowohl um Opernaufführungen wie um Konzerte handelte. 1948 ging er nach Nordamerika, und entfaltete dort eine ähnliche Karriere bei der Radiostation NBC New York. 1949 verlegte er seine Tätigkeit nach England. Auch hier trat er als Rundfunk- und Konzertsänger hervor, widmete sich gleichzeitig jedoch einer intensiven pädagogischen Arbeit.
Mitschnitte von Radiosendungen aus Italien wie aus den USA und aus England.

Cortese, Minnie, Sopran, *1872 Chicago, †7.7. 1903 Wien; sie war die Tochter eines amerikanischen Großindustriellen und hieß mit ihrem eigentlichen Namen Hermine Kraefft. Sie absolvierte ihr Gesangstudium am Konservatorium der Stadt Wien, wo sie besonders Schülerin von Felice Mancio war. 1894 kam es zu ihrem sehr erfolgreichen Debüt in Wien. Darauf wurde sie bereits 1895 als erste lyrische Koloratursopranistin an die Hofoper von Berlin verpflichtet. Sie blieb deren Mitglied bis 1899 und hatte dort in Rollen wie der Rosina im «Barbier von Sevilla» von Rossini und der Titelheldin in Massenets «Manon» aufsehenerregende Erfolge, die sich in ähnlicher Weise auch bei Gastspielen und Konzerten einstellten. Alles schien auf eine beginnende große Karriere hinzuweisen, als die Künstlerin, wenig älter als 30 Jahre, 1903 in Wien verstarb.

Costa, Franz, Tenor, *12.9. 1861, † (?) Berchtesgaden; er war seit 1882 (Debüt am Stadttheater St. Gallen) als Schauspieler tätig und trat vor allem an Berliner Bühnen auf, übernahm aber schon damals gelegentlich Partien in Operetten. Ab Mitte der neunziger Jahre nahm er Gesangunterricht und debütierte als Opernsänger 1897 am Stadttheater von Mainz. Dort blieb er bis 1899; er setzte seine Karriere mit Engagements am Hoftheater Wiesbaden (1899–1900), am Opernhaus von Graz (1900–02), am Stadttheater von Riga (1902–04), an der Hofoper von Stuttgart (1904–05) und am Stadttheater von Nürnberg (1905–10 und 1911–13) fort. Er lebte dann gastierend in Wiesbaden und Frankfurt a. M. und trat noch Mitte der zwanziger Jahre als Operettensänger in Erscheinung. Er verbrachte seinen Lebensabend in Berchtesgaden, wo er noch im Oktober 1941 wohnte. Er gastierte bereits 1898 an der Covent Garden Oper London als Siegmund in der «Walküre» und seit 1898 immer wieder am Frankfurter Opernhaus. Weitere Gastspiele am Hoftheater Mannheim (1899), am Opernhaus von Breslau (1900), am Hoftheater Karlsruhe (1905), am Stadttheater Zürich (1905), an den Hofopern von Dresden (1906 und mehrfach seit 1910), Stuttgart (1907) und München (seit 1901). 1910 sang er an der Königlichen Oper Stockholm, 1910 und 1913 nochmals an der Londoner Covent Garden Oper, jetzt als Herodes in «Salome» von R. Strauss. Als seine Glanzrolle galt zu Beginn seiner Karriere der Siegmund in der «Walküre», später wurde er namentlich als Herodes

und als Eisenstein in der «Fledermaus» bewundert. Weitere Höhepunkte in seinem umfassenden Bühnenrepertoire waren der Florestan im «Fidelio», der Max im «Freischütz», der Hugo in Lortzings «Undine», der Rienzi, der Walther von Stolzing in den «Meistersingern», der Tannhäuser, der Lohengrin, der Loge wie der Siegfried im Ring-Zyklus, der Manrico im «Troubadour», der Faust von Gounod, der Pedro in «Tiefland» von d'Albert, der José in «Carmen», der Vasco in Meyerbeers «Africaine», der Eleazar in «La Juive» von Halévy und der Turiddu in «Cavalleria rusticana». Er war in erster Ehe verheiratet mit der Sopranistin *Sultana Cziuk* (1871–1935), in zweiter mit der Altistin *Ottilie Fellwock* (* 1877).
Schallplatten: Edison-Zylinder von etwa 1906 (Szene des Siegmund aus der «Walküre»).

Cotreuil, Édouard, Baß, * 1874, † (?); der aus Frankreich stammende Sänger, der seltsamerweise nie an einem der beiden großen Opernhäuser der französischen Metropole Paris (und auch nicht an der Oper von Monte Carlo) aufgetreten ist, war zuerst 1902–05 am Théâtre de la Monnaie Brüssel engagiert. Hier wirkte er in mehreren Opern-Uraufführungen mit, in «L'Étranger» von Vincent d'Indy (7. 1. 1903) und in «Le Roi Arthus» von Ernest Chausson (30. 11. 1903 als Merlin). An der Londoner Covent Garden Oper durchlief er eine sehr erfolgreiche Karriere. Er trat dort in den Spielzeiten 1904, 1905, 1919–20 und 1924–27 auf. Am 1. 4. 1913 sang er am Casino Municipal von Nizza in der Uraufführung der Oper «La Vida breve» von Manuel de Falla die Partie des Onkel Salvador. 1920 folgte er einem Ruf an die Oper von Chicago, an der er bis 1929 mit großen Erfolgen wirkte. Er sang hier 1920 in der amerikanischen Erstaufführung von Ravels «L'Heure espagnole» und am 30. 12. 1921 in der Uraufführung der Oper «L'Amour des trois oranges» von Prokofieff die Partie des Celio. Aus seinem Bühnenrepertoire verdienen Partien wie der Golo in «Pelléas et Mélisande» von Debussy, der Basilio im «Barbier von Sevilla», der Raimondo in «Lucia di Lammermoor», der Mephisto im «Faust» von Gounod, der Sparafucile im «Rigoletto», der Vater in «Louise» von Charpentier, der Césaire in «Sapho» von Massenet, der Hunding in der «Walküre» und der Prior in «Le Jongler de Notre Dame» Erwähnung. Auch als Konzertsänger hervorgetreten.
Schallplatten: Frühe, in Paris entstandene Aufnahmen auf G & T (1904) und Odeon (1905); auf HMV Szene aus Verdis «Othello» mit G. Zenatello (1926).

Cottini, Secondina, Mezzosopran, * 1851 Turin, † (?); sie entstammte einer Turiner Patrizierfamilie und begann ihr Gesangstudium 1867 am Liceo Musicale di Torino bei Maestro Bercanovich. 1873 legte sie dort ihr Abschlußexamen mit der Höchstzahl der erreichbaren Noten ab. 1873 sang sie am Teatro Comunale Bologna die Edvige in Rossinis «Wilhelm Tell» und in der Oper «I Goti» von Gobatti. 1874 war sie dort als Casilda in «Ruy Blas» von Marchetti, 1875 in «Mefistofele» von Boito und in Meyerbeers «Hugenotten» anzutreffen. 1874 gastierte sie an der Londoner Covent Garden Oper in Rossinis «Wilhelm Tell» und in «La Favorita» von Donizetti und im folgenden Jahr 1876 in «Roméo et Juliette» von Gounod und nochmals in «Wilhelm Tell». Am Teatro Fenice Venedig wirkte sie 1875 in der Uraufführung der Oper «Selvaggia» von Francesco Schira mit. Sie hatte in den folgenden Jahren eine große Karriere an den führenden Opernhäusern Italiens wie des Auslands, wobei die Carmen, die Leonora in Donizettis «La Favorita», die Titelfigur in «Mignon» von A. Thomas und die Casilda in «Ruy Blas» ihre Glanzrollen waren.

Cove, Kate, Sopran, * 1865 (?), † 17. 6. 1934; die englische Künstlerin, deren eigentlicher Name Mrs. Head lautete, kam in der Zeit um die Jahrhundertwende zu einer Karriere als Konzertsolistin, wobei sie vor allem typisch englische Ballad-concerts gab. Ihr Name ist Schallplattensammlern durch mehrere Serien von Aufnahmen aus der Frühzeit der Schallplatte bekannt. In den Jahren 1901 und 1904 entstanden Aufnahmen auf G & T, 1905 nochmals einige auf Zonophone, insgesamt über zwanzig Titel. Dabei handelt es sich fast ausschließlich um sentimentale Ballads, die dem damaligen Zeitgeschmack entsprachen. Ihre Stimme erwies sich hervorragend für die damalige Aufnahmetechnik geeignet, so daß man sagen kann, daß die Künstlerin mehr durch diese frühen Dokumente der Schallplatte als durch ihre Karriere von Bedeutung ist.

Covey-Crump, Rogers, Tenor, * 1950 (?); er sang als Chorknabe am New College Oxford und war dann Lay-Clerk an der St. Alban's Cathedral. Er studierte Gesang und Musik am Royal College of Music London, erwarb dort sein Diplom für Orgelspiel und an der London University den akademischen Grad eines Bachelor of Music. Zu Beginn der siebziger Jahre eröffnete er eine große Karriere als Konzert- und Rundfunksänger, wobei er als Solist wie als Mitglied verschiedener Vokal-Ensembles in Erscheinung trat. So sang er viel mit dem Hilliard Ensemble und mit dem Ensemble Gothic Voices zusammen, war Solist bei der Academy of Ancient Music und den Chören der Christ Church Oxford und des King's College Cambridge. 1984 hatte er in London große Erfolge als Solist in der Cäcilienode von Purcell, 1985 in der Matthäuspassion von J. S. Bach; 1988 erregte er in Helsinki in Händels «Messias» Aufsehen, 1988 folgte eine Tournee mit zeitgenössischen Werken, die ihn nach Berlin, Spanien und Italien führte. 1985 hörte man ihn in London in der h-moll-Messe von J. S. Bach, 1986 im finnischen Turku als Solisten in der «Schöpfung» von Haydn und 1987, ebenfalls in Turku, mit dem Hilliard Ensemble in der Johannes-Passion des zeitgenössischen Meisters Arvo Pärt. 1986 gab er Konzerte in Amsterdam und Madrid. Dazu setzte er seine Konzerttätigkeit in seiner englischen Heimat ständig fort. Er übte seine Lehrtätigkeit an der University of California wie in Sommerkursen in Finnland aus.
Sein Repertoire wurde auf einer Anzahl von Schallplatten festgehalten. So sang er auf den Marken Erato (Vokalmusik von Purcell), HMV (h-moll-Messe von

J.S. Bach, Monteverdi-Vespern, Cäcilienode von Purcell), Hyperion (Französische und englische Lieder mit Lautenbegleitung, Werke von Purcell), BIS, ECM (Johannes-Passion von Arvo Pärt).

Cowan, Sigmund, Bariton, *4.3. 1948 New York City; er wuchs in Miami auf, studierte zuerst Politische Wissenschaften und war als Manager in der New Yorker Wall Street tätig. Dann erst wandte er sich dem Gesangstudium zu, das an der Juillard Music School New York wie auch bei dem berühmten Bassisten Alexander Kipnis und bei Cornelius Reid stattfand. Er gewann mehrere Gesangwettbewerbe in den USA und in Ostende (Belgien). Er debütierte bei den Festspielen von Lake George als Schaunard in Puccinis «La Bohème», und sang an der City Centre Opera New York den Figaro im «Barbier von Sevilla» von Rossini. Seinen ersten Erfolg in Europa erzielte er beim Festival von Spoleto; darauf verpflichtete ihn Gian-Carlo Menotti für die Weltpremiere der Oper «The Egg» nach Washington. 1983 ersetzte er beim Festival von Bilbao Renato Bruson in Verdis Oper «I due Foscari». 1984 wurde er an die Deutsche Oper am Rhein Düsseldorf–Duisburg verpflichtet (Antrittsrolle: Scarpia in «Tosca»), deren Mitglied er seitdem geblieben ist. Er gab erfolgreiche Gastspiele in Amsterdam und Wien, am Théâtre de la Monnaie Brüssel und an der Opéra de Wallonie Lüttich, an der Staatsoper Berlin (Gérard in «Andrea Chénier» von Giordano), in Kanada, Spanien und Südamerika. 1989 kam er in Düsseldorf wie in Brüssel und Wien zu einem besonderen Erfolg als Graf Tamare in «Die Gezeichneten» von Franz Schreker. 1989–90 war er an der New Jersey Opera als Titelheld in Verdis «Nabucco», bei der Orlando Opera als Tonio im «Bajazzo» zu hören, 1990 an der Opéra du Rhin Straßburg als Don Giovanni. Aus seinem vielgestaltigen Bühnenrepertoire sind als weitere Höhepunkte der Rigoletto wie der Macbeth in den gleichnamigen Verdi-Opern, der Graf Luna im «Troubadour», der Germont-père in «La Traviata», der Renato in Verdis «Ballo in maschera», der Doge in «I due Foscari», der Carlos in «La forza del destino», der Don Giovanni, der Michele in Puccinis «Il Tabarro» und der Chevalier des Grieux in «Le Portrait de Manon» von Massenet zu nennen. Er nahm an Rundfunk- und Fernsehsendungen von Opern und Konzerten in den USA, in Deutschland, Belgien, Holland und Italien teil. Schallplatten: RCA-Erato (Schaunard in «La Bohème»), Bongiovanni («Nerone» von Mascagni).

Craig, Jon Tenor, *30.10. 1923 St. Louis; er studierte zuerst in Washington, dann bei Oscar Seagle und an der Juilliard School New York (1946–47), schließlich noch bei Paul Althouse. 1948 debütierte er als Pinkerton in «Madame Butterfly» und trat im Lauf seiner Karriere überwiegend an amerikanischen Bühnen auf. 1952–65 hörte man ihn fast regelmäßig an der City Centre Opera New York, wo er 1954 in der Uraufführung der Oper «The Tender Land» von A. Copland als Martin mitwirkte. Er sang dort auch in den amerikanischen Premieren der Opern «Der Prozeß» von G. von Einem (1953),

«Der Revisor» von W. Egk (1960) und «The Fiery Angel» von Prokofieff (1965). Seit 1953 trat er auch an der Metropolitan Oper New York auf. Er gastierte erfolgreich an den Opern von San Francisco (1957) und Chicago, in Pittsburgh und Philadelphia, in New Orleans und 1959 in Mexico City. Er sang auf der Bühne ein sehr vielseitiges Repertoire, das Partien wie den Herzog im «Rigoletto», den Alfredo in «La Traviata», den Fenton im «Falstaff», den Turiddu in «Cavalleria rusticana», den Rodolfo in «La Bohème», den Cavaradossi in «Tosca», den Faust von Gounod, den José in «Carmen», den Alfred in der «Fledermaus», den Erik im «Fliegenden Holländer», den Dimitrij im «Boris Godunow», den Troilus in «Troilus and Cressida» von William Walton und den Sam Polk in «Susannah» von Floyd enthielt. Auch auf dem Gebiet des Musicals ist er in einem umfangreichen Repertoire aufgetreten. Schallplatten: RCA (Querschnitt «Hoffmanns Erzählungen», Ausschnitte aus Musicals), Columbia.

Cramer, Sophie, Mezzosopran, *1779, †23.5. 1863 München; die Künstlerin, deren Geburtsname Sophie Klotz war, betrat 1793 in München erstmalig die Bühne. Während der folgenden fünfzig Jahre ist sie ununterbrochen in der bayerischen Metropole aufgetreten, wobei sie, der Tradition des 18. Jahrhunderts folgend, sowohl als Sängerin wie als Schauspielerin (also in Sprechrollen) eine erfolgreiche Karriere hatte. War sie zu Beginn ihrer Karriere vor allem in Partien aus dem Fachbereich der Soubrette in Erscheinung getreten, verlegte sie sich später auf tragische wie komische Mütterrollen.

Cravcenko, Angelica, Mezzosopran, *1900 (?); über die Herkunft der bedeutenden Sängerin ist wenig bekannt, nicht einmal ihre Nationalität ließ sich ermitteln. Sie tritt bereits 1927 am Teatro Colón Buenos Aires als Hexe in «Hänsel und Gretel», als Ortrud im «Lohengrin», in Rimsky-Korssakows «Märchen vom Zaren Saltan» und, zusammen mit Fanny Heldy, in Charpentiers «Louise» auf. 1930 wirkte sie am Teatro Colón in der Erstaufführung der Oper «Sadko» von Rimsky-Korrsakow mit und trat in der gleichen Saison dort als Waltraute in der «Götterdämmerung» auf. 1928 sang sie an der Mailänder Scala wieder im «Märchen vom Zaren Saltan» und in Puccinis «Gianni Schicchi». 1936 hörte man sie am Teatro Verdi Triest als Klytämnestra in «Elektra» von Richard Strauss. Bei den Festspielen von Salzburg trat sie 1935–39 sehr erfolgreich als Quickly im «Falstaff» von Verdi, 1936–39 auch als Marcellina in «Figaros Hochzeit» auf. In der letztgenannten Rolle gastierte sie 1938 in Amsterdam. 1938 sang sie im italienischen Rundfunk EIAR die Quickly im «Falstaff», die als ihre Glanzrolle galt. 1942 hörte man sie an der Oper von Rom in der Oper «Belfagor» von O. Respighi. Auch nach dem Zweiten Weltkrieg ist sie noch aufgetreten, so bei einem Gastspiel 1951 in Turin. Neben ihrem Wirken auf der Bühne war sie eine hoch geschätzte Konzert- und namentlich Liedersängerin. Schallplatten: Eine Liedplatte auf HMV; in der Toscanini Edition kam der Mitschnitt einer Salzburger

«Falstaff»-Aufführung von 1936 unter der Leitung von A. Toscanini heraus, in dem sie die Quickly singt.

Cravero-Turolla, Angelica, Alt, * 1835 Turin, † 1896 Mailand; sie erhielt ihre Ausbildung zur Sängerin in ihrer Heimatstadt Turin, debütierte dort und kam bald zu einer bedeutenden Karriere an den ersten Opernhäusern Italiens wie in Rußland, England, Holland und Belgien. Aus ihrem umfangreichen Bühnenrepertoire sind als Höhepunkte Partien wie die Maddalena im «Rigoletto», die Ulrica in «Un ballo in maschera» von Verdi, der Orsini in «Lucrezia Borgia» von Donizetti und der Gondi in dessen Oper «Maria di Rohan» hervorzuheben. Auf der Bühne bewies sie auch ein besonderes Talent in der Darstellung komischer Partien; so sang sie in der Saison 1859–60 am Teatro Comunale Bologna die Mimosa in der komischen Oper «La Precauzioni» von Petrella und in Donizettis «L' Ajo nell' imbarazzo». Sie war verheiratet mit dem Bassisten *Remigio Turolla,* der besonders durch seine Gestaltung von Buffo-Rollen bekannt war; ihre Tochter, *Emma Turolla* (* 1858 Turin), hatte eine große Opernkarriere im lyrischen Sopranfach.

Creech, Philip, Tenor, * 1. 6. 1950 Hempstead (New York); er erhielt seine Ausbildung zum Sänger an der Northwestern University. 1973–75 sang er in Chicago in einem Sinfonie-Chor. Seine eigentliche Bühnenkarriere begann mit seiner Berufung an die Metropolitan Oper New York. Hier debütierte er im September 1979 als Beppe im «Bajazzo» von Leoncavallo. In den folgenden Spielzeiten hörte man ihn an der Metropolitan Oper in einer Anzahl von Partien aus dem Buffo- wie aus dem lyrischen Tenorfach: als Pedrillo in der «Entführung aus dem Serail», als Edmondo in «Manon Lescaut» von Puccini, als Brighella in «Ariadne auf Naxos» von R. Strauss, als Rinuccio in Puccinis «Gianni Schicchi» und als Hylas in «Les Troyens» von Berlioz. Auch bei Gastspielen und Konzerten kam er zu Erfolgen.
Da von zahlreichen Opernaufführungen aus der Metropolitan Oper Mitschnitte existieren, ist seine Stimme darin anzutreffen. Auf DGG singt er außerdem ein Solo in den «Carmina Burana» von Carl Orff.

Christ, Richard, Tenor, * 21. 10. 1947 Harrisburg (Pennsylvania); er studierte am Messiah College in Grantham (Pennsylvania) und erwarb 1972 am New England Conservatory Boston den akademischen Grad eines Master of Music. Im gleichen Jahr debütierte er an der Oper von Boston, an der er im Lauf seiner Karriere immer wieder aufgetreten ist, in «Les Troyens» von Berlioz. Er sang an den führenden Operntheatern in den USA, in Santa Fé und Philadelphia, in San Francisco und Memphis, bei der Lake George Opera, der Virginia und der Goldovsky Opera. In Europa gastierte er an der Oper von Lyon; er sang 1984 in Kanada mit dem Mendelssohn-Chor Toronto, 1984 beim Bamboo Organ Festival in Manila und trat als Solist mit der Chorgemeinschaft Pro Arte New Jersey, mit der Beethoven Society New

York, der Rochester Oratorio Society und beim Bethlehem Bach Festival auf. Sein Bühnenrepertoire umfaßte rund 75 Partien, im Konzertsaal brachte er weitere hundert oratorische und sinfonische Werke zum Vortrag. 1984 sang er in Philadelphia in Tschaikowskys «Pique Dame» in Aufführungen, die im amerikanischen Fernsehen übertragen wurden. 1985 erreichte er die Metropolitan Oper New York, an der er in «La Traviata» debütierte. 1985–86 war er an der Staatsoper Hamburg als Florestan im «Fidelio», als Riccardo im «Maskenball» von Verdi, als Walther von Stolzing in den «Meistersingern» und als Max im «Freischütz» zu Gast; 1985 sang er an der Oper von Seattle die Titelfigur in «Hoffmanns Erzählungen» von Offenbach, 1986 in der Alten Oper Frankfurt a. M. und in Turin in «Die englische Katze» von H. W. Henze. In Philadelphia wirkte er 1986 in Aufführungen von Debussys «Pelléas et Mélisande» mit. 1988 übernahm er beim Gastspiel des Moskauer Bolschoj Theaters an der Oper von Boston die Partie des Mischujew in der modernen russischen Oper «Die toten Seelen» von Rodion Schtschedrin.

Cristini, Carlo, Sopran (Kastrat), * (?), † (?); in den Jahren 1710–20 ist er als Gesangvirtuose in der Hofkapelle des Fürsten di Carignano anzutreffen. 1715 sang er am Teatro Regio Turin in der Uraufführung der Oper «Il trionfo d'amore» von Andrea Fioré zusammen mit der Primadonna Martelli und dem Tenor Pucci. Im Herbst des folgenden Jahres 1716 ist er am Teatro Sant' Angelo in Venedig zu finden; hier trat er in der Uraufführung der Oper «Arsilda regina di Ponto» von Antonio Vivaldi in der Partie der Barzane auf und sang in den Opern «Penelope la casta» von Chelleri und «L' Incoronazione di Dario», ebenfalls von Antonio Vivaldi. Weitere Daten über den Sänger waren bisher nicht auffindbar.

Cristino, Ida, Sopran, * 1848 (?) Turin, † (?); ausgebildet in ihrer Geburtsstadt Turin, begann sie ihre Karriere, die insgesamt rund 25 Jahre dauerte, um 1870. Am 23. 6. 1874 sang sie am Teatro Mercadante Neapel in der Uraufführung der Oper «Romilda de Bardi» von Dall' Orefice die Titelpartie. In der Saison 1875–76 kam sie zu sehr großen Erfolgen am Teatro Liceo Barcelona u. a. als Selika in Meyerbeers «Africaine», als Amelia im «Maskenball», als Rachel in Halévys «La Juive», als Casilda in «Ruy Blas» von Filippo Marchetti und als Norma in der gleichnamigen Bellini-Oper (mit dem berühmten Tenor Francesco Tamagno als Partner). 1876–77 wurde sie wieder an das Teatro Liceo verpflichtet. Am Teatro Brunetti Bologna wirkte sie in der Uraufführung von Carlo Brizzis «L' Avaro» mit (19. 5. 1877); 1878–79 feierte man sie an der Hofoper von St. Petersburg. Eng verbunden blieb sie mit dem Teatro Concordi Padua, dessen Publikum sie in den Jahren 1873–74, 1880 und 1883–85 bewunderte. 1886 war sie am Teatro Grande Brescia in Flotows «Martha» und in Verdis «Rigoletto» zu hören. Ihre ganz international ausgerichtete Karriere führte die Künstlerin bis etwa 1895 an die führenden Opernhäuser in Europa, in Süd- und Mittelamerika. So sang sie am Théâtre de la Monnaie Brüssel, in Frankreich, Deutschland, Ägypten und Griechenland, am Teatro Colón Buenos Aires, am Teatro Solis Montevideo und in Guatemala.

Čuden, Drago, Tenor, * 13. 12. 1915 Ljubljana (Laibach); er war Schüler der Pädagogen M. Serpek, B. Lesković und Julius Betetto in Ljubljana. 1942 fand sein Bühnendebüt am Theater von Ljubljana in der Partie des Alfredo in Verdis «La Traviata» statt. Er ist dann für viele Jahre Mitglied dieses Hauses geblieben, wo er seine größten Erfolge als Lenski im «Eugen Onegin», als Hans in der «Verkauften Braut», als José in «Carmen», als des Grieux in «Manon» von Massenet wie in Puccinis «Manon Lescaut», als Cavaradossi in «Tosca», als Turiddu in «Cavalleria rusticana», als Dimitrij wie als Schuiskij in Mussorgskys «Boris Godunow» hatte. Hinzu kamen erfolgreiche Gastspiel- und Konzertauftritte, vor allem in den Musikzentren in Jugoslawien. Schallplatten: Philips («Die Liebe zu den drei Orangen» von Prokofieff als Truffaldino; hier erscheint sein Name in der Schreibweise Drago Chuden).

Cullen, Patricia, s. unter *Hurshell,* Edmund.

Cummings, Claudia, Sopran, * 12. 11. 1941 Santa Barbara (Kalifornien); Gesangausbildung in der San Francisco State University bei Rue Knapp. Bühnendebüt 1971 an der Oper von San Francisco. Anschließend hörte man sie bei der Kansas City Lyric Opera als Rosina im «Barbier von Sevilla» von Rossini. Sie kam dann an den führenden Opernhäusern wie in den Konzertsälen der USA zu einer erfolgreichen Karriere, wobei sie ein vielseitiges Repertoire zum Vortrag brachte. Von ihren Opernpartien sind zu nennen: die Marie in «La fille du régiment» von Donizetti, die Norina im «Don Pasquale», die Juliette in «Roméo et Juliette« von Gounod, die Titelheldin in Donizettis «Lucia di Lammermoor» und die Bianca in «The Taming of the Shrew» von Vittorio Giannini. In diesen und anderen Rollen war sie u. a. an den Theatern von Kansas City, Miami, Seattle, San Diego, Houston/Texas, der City Centre Opera New York und San Francisco zu hören. In Europa gastierte sie an der Staatsoper Stuttgart wie in Amsterdam. Verheiratet mit dem Schauspieler und Theatermanager Jack Aranson. Schallplatten: Vollständige Oper «Satyagraha» von Philip Glass.

Cunelli-Monastri, Nika, Sopran, * 23. 8. 1898 Kiew, † 31. 12. 1969 Belgrad; sie begann ihr Gesangstudium am Konservatorium von Kiew und kam dann zur weiteren Ausbildung nach Italien. Sie studierte dort bei dem Pädagogen Cunelli in Rom, den sie später heiratete. 1917 kam es zu ihrem Bühnendebüt am Teatro Costanzi Rom; es schlossen sich Gastspiele an den führenden italienischen Opernhäusern an, darunter an der Mailänder Scala (an der sie in kleinen Partien auftrat), am Teatro Fenice Venedig, in Genua und an weiteren Operntheatern. Noch bekannter wurde sie als Konzertsolistin. Sie trat in zahlreichen europäischen Ländern in einem sehr umfangreichen Konzertrepertoire auf. Seit 1938

lebte sie überwiegend in Jugoslawien, wo sie schließlich als Pädagogin an der Musikakademie von Belgrad tätig war.

Czabay, Laszlo, s. unter *Chabay,* Leslie.

Czapò, Eva, Sopran, * November 1944 Budapest; zuerst Klavierstudium am Béla Bartók-Konservatorium in Budapest. Dann ließ sie an der Musikakademie von Basel ihre Stimme bei Jörg Brena ausbilden. Sie war auch Schülerin der großen Schweizer Altistin Elsa Cavelti. 1968–69 war sie am Stadttheater von Trier engagiert. Sie gastierte später von ihrem Wohnort bei Basel aus am Opernhaus von Zürich, in Bologna bei den Festspielen von Lucca (1981) und Spoleto (1981). Sie sang Partien aus dem Koloraturfach in konzertanten Opernaufführungen wie in Opernsendungen des Schweizer, des deutschen, des österreichischen, französischen und italienischen Rundfunks und des Fernsehens. In erster Linie war sie jedoch eine hoch geschätzte Konzertsolistin. 1973 erhielt sie den ersten Preis beim Gesangwettbewerb der Mailänder Scala für neue Musik. 1976 gastierte sie bei den Salzburger Festspielen. Ihr Konzertrepertoire besaß einen sehr großen Umfang. So sang sie in den Passionen, in der h-moll-Messe und in zahlreichen Kantaten von J. S. Bach, in Beethovens 9. Sinfonie, im «Messias» und in anderen Oratorien von Händel, in «Elias» und «Paulus» von Mendelssohn, in den «Jahreszeiten» wie der «Schöpfung» von Haydn, im Mozart-Requiem wie in der Großen Messe c-moll, in Werken von Rossini, Monteverdi, Berlioz, Strawinsky, Szymanowski, Benjamin Britten, Zoltán Kodály, Luigi Nono, Schönberg, Dallapiccola, Messiaen, Hindemith, Frank Martin und Honegger, ohne daß damit auch nur annähernd ihr Repertoire wiedergegeben wäre. Ein ähnlich umfangreiches Repertoire meisterte sie auf dem Gebiet des Liedgesanges. Als Konzert- und Liedersängerin entfaltete sie eine große internationale Karriere; so sang sie Konzerte in Zürich und Basel, in Bern, Luzern (Musikfestwochen 1978) und Lugano, bei den Festspielen von Schwetzingen und Helsinki (1987), beim Festival von Granada (1986), beim Flandern-Festival (1982–85), in Lüttich, Berlin, Köln, Hamburg, München, Stuttgart und Wien, in Lyon, Monte Carlo, Straßburg, Madrid, in Paris (1982), Mailand, Rom, Turin und Parma, in Warschau und Lissabon. Sie wurde als Gesanglehrerin an das Konservatorium von Basel berufen. 1987 gründete sie in Basel das «Divertimento Vocale», ein Vokal-Ensemble. Schallplatten: HMV (Bach-Kantaten, «Rappresentazione di anima e di corpo» von Cavalieri), Philips («Moses und Aron» von Schönberg), RCA («Die Banditen» von Offenbach), Thorofon (Lieder von Mendelssohn und Schostakowitsch), Vox (Messen von Schubert), FSM-Turnabout («Davidde penitente» von Mozart), Accord (Lieder von Magnard und Ponchielli), HMV-Electrola («Dives malus» von Carissimi).

Czerwenka, Milada, Sopran, * 5. 1. 1860 Vomberk bei Prag, † 18. 2. 1919 Prag; sie wurde in der Gesangschule des Pädagogen Pivoda 1874–77 in Prag ausgebildet und ging dann zu weiteren Studien nach Deutschland. Sie hatte bereits 1874 am National-theater Prag einen der drei Knaben in der «Zauber-flöte» gesungen, begann aber ihre eigentliche Büh-nenkarriere 1876 am Hoftheater von Darmstadt, dem sie bis 1883 angehörte. Sie studierte dann noch-mals in Berlin und gab während dieser Zeit einige Gastspiele. 1885 nahm sie ein Engagement an der Hofoper von Stuttgart an, das bis 1896 dauerte. 1896–97 sang sie am Opernhaus von Breslau und lebte dann gastierend bis 1900 in Darmstadt. Darauf ging sie nach Prag zurück und blieb dort bis zu ihrem Tod als gesuchte Pädagogin tätig. Gastspiele führten sie an die Hofoper Berlin (1878), an die Hoftheater von Karlsruhe (1883), Wiesbaden (1884), und Mün-chen (1885, 1893), an das Opernhaus von Leipzig (1884), seit 1880 sehr oft an die Oper von Frankfurt a. M. und seit 1884 an das Hoftheater von Mann-heim. Zu Beginn ihrer Karriere trug sie Partien aus dem lyrischen Fach vor, ging dann aber ins jugend-lich-dramatische und schließlich ins hochdramati-sche Stimmfach über. Im einzelnen seien als Rollen genannt: die Gabriele im «Nachtlager von Granada» von C. Kreutzer, die Agathe im «Freischütz», die Titelrolle in «Alceste» von Gluck, die Leonore im «Fidelio», die Elisabeth im «Tannhäuser», die Elsa im «Lohengrin», die Sieglinde wie die Brünnhilde im Nibelungenring, die Rachel in «La Juive» von Ha-lévy, die Valentine in den «Hugenotten» von Meyer-beer, die Marguerite im «Faust» von Gounod und die Santuzza in «Cavalleria rusticana». Die auch als Konzertsolistin erfolgreiche Künstlerin ist gelegent-lich unter ihrem (tschechischen) Namen Milada Čer-venková aufgetreten.

D

Dadmun, Royal, Bariton, * 1890 (?) Williamstown (Massachusetts); er war nach seiner Ausbildung als Konzert- und Oratoriensänger vor allem in den New England-Staaten der USA tätig und genoß auch als Gesanglehrer hohes Ansehen. Er wurde dann als Haus-Künstler der Victor-Schallplattengesellschaft durch zahlreiche Schallplattenaufnahmen bekannt, die dieses Unternehmen herausbrachte. Teilweise erschienen diese unter seinem eigentlichen Namen, zum Teil auch unter dem Pseudonym Ralph Crane. Dabei handelt es sich zumeist um volkstümliche Lieder, um Ballads, Hymnen, vereinzelt auch um Titel aus Opern oder Oratorien. Mit Aufkommen der elektrischen Aufnahmetechnik nahm er dann auch anspruchsvollere Vokalwerke in sein Programm auf und sang jetzt auf der Schallplatte u. a. altitalienische Arien von Caldara und Carissimi und von anderen Barockmeistern, Lieder von Hugo Wolf und Mac Dowell. Wie bei manchen amerikanischen Schallplattensängern seiner Epoche ist man überrascht von der Qualität und der künstlerischen Präsentation einer Stimme, die nicht zu einer wirklichen Bühnen- oder Konzertkarriere gelangte.

Dadò, Armando, Bariton, * 1902 Rom, † 24. 12. 1969 Rom; er erhielt seine Ausbildung zum Sänger in Rom und war dort zunächst als Chorist in der Sixtinischen Kapelle tätig. 1929 kam es zu seinem Operndebüt am Teatro Adriano Rom als Enrico in «Lucia di Lammermoor» von Donizetti. Es folgte die Entwicklung einer erfolgreichen Karriere an italienischen Operntheatern. 1940 sang er an der Mailänder Scala den Heerrufer im «Lohengrin», 1941 in der Uraufführung der Oper «Gli Orazi» von Ennio Porrino, 1943 den Gunther in der «Götterdämmerung». 1937 gastierte er am Théâtre de la Monnaie Brüssel, 1941 am Teatro Bellini Catania, auch am Teatro San Carlo Neapel, in Holland und in Südamerika (u. a. 1947 in Rio de Janeiro als Scarpia in «Tosca»). Sehr oft war er an der Oper von Rom anzutreffen. Dort sang er 1945 den Scarpia wie den Metifio in «L' Arlesiana» von Cilea, 1947 den de Siriex in «Fedora» von Giordano, 1949 wirkte er in Rom in der italienischen Erstaufführung von Benjamin Brittens «The Rape of Lucretia» in der Rolle des Junius mit. Bei den Festspielen in den römischen Thermen des Caracalla trat er 1953 als Scarpia, 1957 als Germont-père in «La Traviata» auf. Seine Karriere kam mit Gastspielen in Bari (1947, 1955), am Opernhaus von Rom (nochmals 1958 als Albert in Massenets «Werther») und am Theater von Reggio Calabria (1959 als Alfio in «Cavalleria rusticana») zum Ausklang. Neben den bereits genannten Partien gehörten zu seinen Glanzrollen der Graf Luna im «Troubadour», der Jago im «Othello» von Verdi, der Marcello in «La Bohème» von Puccini, der Michonnet in «Adriana Lecouvreur» von Cilea, der Rabbi David in Mascagnis «Amico Fritz», der Pizarro im «Fidelio» und der Klingsor im «Parsifal». Große Erfolge auch auf den Gebieten des Konzert- und des Oratoriengesangs. Er darf nicht mit dem wesentlich älteren Bassisten *Augusto Dadò* verwechselt werden, der in der Zeit von etwa 1895 bis 1910 an den großen italienischen Theatern auftrat und u. a. 1897 und 1902 an der Mailänder Scala in «Linda di Chamounix» von Donizetti und in Webers «Euryanthe» sang. Von diesem existieren Schallplattenaufnahmen der Marken Odeon, G & T und Columbia, alle um 1907 in Mailand aufgenommen.

Schallplatten von Armando Dadò: Odeon (Solo-Aufnahmen), Edition de Musique Sacré.

Dadò, Augusto, s. unter *Dadò*, Armando.

Dahlberg, Stefan, Tenor, * 3. 5. 1955; er absolvierte sein Gesangstudium an der Königlichen Musikakademie Stockholm bei Hans Wihlborg und war auch Schüler des berühmten Tenors Nicolai Gedda. Er debütierte 1982 bei den Festspielen von Drottningholm als Tamino. Er wurde 1982 an die Königliche Oper Stockholm verpflichtet, an der er als lyrischer Tenor und namentlich als Mozart-Sänger bald Aufsehen erregte. Er trat an diesem Opernhaus u. a. als Ferrando in «Così fan tutte», als Don Ottavio im «Don Giovanni», als Tamino in der «Zauberflöte» und als Titelheld in «La clemenza di Tito» hervor. Die letztgenannte Partie wiederholte er 1987–88 bei den Festspielen im Barock-Operntheater von Drottningholm, bei denen er während mehrerer Jahre auftrat (1985–866 Don Ottavio, 1987 Titelrolle in «La clemenza di Tito», 1989 Tamino). An der Stockholmer Oper hörte man ihn weiter als Grafen Almaviva im «Barbier von Sevilla» von Rossini, als König Charles VII. in Tschaikowskys «Jungfrau von Orléans», als Sesto in «Giulio Cesare» von Händel, als Titelhelden im «Faust» von Gounod (1989) und als Beppe im «Bajazzo». Den Don Ottavio sang er auch 1987 beim Brighton Festival. Bereits 1981 trat er im schwedischen Fernsehen in Offenbach-Operetten auf, im schwedischen Rundfunk sang er in einem Konzert zusammen mit der großen Primadonna Joan Sutherland; er nahm als Solist an Konzert-Tourneen des Männerchors OD unter Eric Ericson teil. 1988 wirkte er in Konzerten beim Festival von Helsinki («Die Schöpfung» von Haydn), in Stockholm, Göteborg und Basel mit. In der Saison 1988–89 sang er in Amsterdam in einer konzertanten Aufführung der Oper «Armida» von J. Haydn, am Grand Théâtre Genf den Jacquino im «Fidelio». Im Konzertsaal kreierte er Kompositionen der zeitgenössischen schwedischen Komponisten Thomas Jennefelt und Sven-David Sandström.

Schallplatten: Electrola («Die großmüthige Tomyris» von R. Keiser), Musica Sveciae (Lieder von Emil Sjögren), Caprice.

Dahn, Felix, Bariton, * 14. 2. 1874 Berlin, † (?); er war der Sohn des Schauspielers Ludwig Dahn (1843–98) und ein Neffe des Dichters Felix Dahn (1834–1912). Er erhielt seine Ausbildung in München bei Heinrich Vogl und Hermann Levi und debütierte 1894 am Opernhaus von Frankfurt a. M., dessen Mitglied er 1895–96 war. Seine Karriere führte ihn nacheinander an das Hoftheater Karls-

ruhe (1896–97), an das Stadttheater Graz (1897–98), an das Stadttheater Straßburg (1898–99), an das Stadttheater Aachen (1899–1900) und schließlich an das Stadttheater Danzig (1900–1904), wo er auch bereits als Regisseur tätig war. Nach nochmaligen Studien in München wurde er 1905 an die Berliner Hofoper berufen, an der er neben seiner Tätigkeit als Sänger auch Regie-Aufgaben übernahm. Zugleich leitete er in Berlin 1910–11 die Opernschule am Konservatorium Klindworth-Scharwenka. Er wechselte dann als Regisseur und Schauspieler an das Deutsche Theater Berlin und war 1918–29 unter Otto Klemperer Oberspielleiter der Kölner Oper, an der er auch gelegentlich noch als Sänger auftrat. Er war später als Pädagoge (Lehrer u. a. von Josef Lindlar und Willi Störring) und Leiter einer Wanderbühne tätig. 1942 lebte er noch in Nürnberg. Er trat als Gast an der Hofoper München (1898), am Hoftheater Weimar (1899), am Berliner Theater des Westens (1899), an den Opernhäusern von Leipzig (1903) und Breslau (1904) auf. Sein Bühnenrepertoire enthielt Rollen wie den Papageno in der «Zauberflöte», den Jäger im «Nachtlager von Granada» von C. Kreutzer, den Kühleborn in Lortzings «Undine», den Grafen Liebenau in dessen «Waffenschmied», den Wolfram im «Tannhäuser», den Wotan im «Rheingold», den Walter Kirchhofer im «Trompeter von Säckingen» von Neßler, den Nevers in den «Hugenotten» von Meyerbeer, den Belamy im «Glöckchen des Eremiten» von Maillart, den Valentin im «Faust» von Gounod und den Falke in der «Fledermaus».
Schallplatten: HMV (Zuniga in der ersten Gesamtaufnahme von «Carmen», 1908).

Dalberg, Evelyn, Mezzosopran, * 23. 5. 1939 Leipzig; eigentlich Evelyn Brigitte Dalrymple; Tochter des bekannten Bassisten *Frederick Dalberg* (1908–1988) und der Sopranistin *Ellen Winther,* die 1929–33 in Karlsruhe, 1933–40 in Leipzig engagiert war. Sie studierte an der Guildhall School of Music London bei Parry Jones und war an der Musikhochschule von München Schülerin von Annelies Kupper; außerdem Ausbildung durch ihren Vater, der als Pädagoge in Kapstadt und zuvor an der Musikhochschule Mannheim wirkte. Evelyn Dalberg debütierte 1964 am Stadttheater von Koblenz als Venus im «Tannhäuser». Wie ihr Vater ging sie nach Südafrika, wo sie an der Oper von Johannesburg wie auch in Kapstadt eine jahrelange, erfolgreiche Karriere absolvierte. Sie war zugleich als Lehrkraft an der University of Cape Town (School of Music) tätig und galt als bedeutende Konzertsolistin. Ihre Hauptrollen auf der Opernbühne waren die Amneris in Verdis «Aida», die Ulrica im «Maskenball», die Eboli im «Don Carlos» und die Quickly im «Falstaff» von Verdi, die Nancy in Flotows «Martha», die Giulietta in «Hoffmanns Erzählungen» von Offenbach, die Hexe in «Hänsel und Gretel» von Humperdinck, die Suzuki in «Madame Butterfly», die Judith in «Herzog Blaubarts Burg» von Béla Bartók, die Beatrice in «Le donne curiose» von Wolf-Ferrari und der Prinz Orlowsky in der «Fledermaus» von J. Strauß.

Dale, Clamma, Sopran, * 4. 7. 1948 Chester (Pennsylvania); sie erhielt ihre Ausbildung zur Sängerin an der Juilliard Music School New York. Zu ihren Lehrern gehörten dort Pädagogen wie Hans Heinz, Alice Howland und Cornelius Reid. Im Februar 1973 debütierte sie an der New Yorker Metropolitan-Oper als St. Theresa in der Oper «Four Saints in Three Acts» von V. Thomson. Die junge farbige Sängerin kam zu einer erfolgreichen Karriere an den Opernhäusern ihrer amerikanischen Heimat. 1975 sang sie als Antrittspartie an der New York City Centre Opera die Antonia in «Hoffmanns Erzählungen» von Offenbach. Weitere Höhepunkte im Bühnenrepertoire der Künstlerin waren die Nedda im «Bajazzo», die Musetta in Puccinis «La Bohème», die Gräfin in «Figaros Hochzeit», die Pamina in der «Zauberflöte», an erster Stelle aber die Bess in «Porgy and Bess» von Gershwin. Diese Partie sang sie mit großem Erfolg 1988 bei einem Gastspiel am Theater des Westens in Berlin. An der Deutschen Oper Berlin gastierte sie 1989 als Liu in Puccinis «Turandot». Auch als Konzertsolistin hatte sie eine große Karriere.
Schallplatten: RCA (Bess in «Porgy and Bess»), DGG («Songfest» von Bernstein), Elektra-Nonsuch («Four Saints in Three Acts»).

Dale, Laurence, Tenor, * 1957 (?) in der englischen Grafschaft Sussex; er wurde an der Guildhall School of Music London zum Sänger ausgebildet. 1981 sang er bei der English National Opera London und wirkte 1982–83 bei der Tournee der «Carmen»-Inszenierung durch P. Brook («La Tragédie de Carmen») als José mit. Bereits 1982 sang er beim Festival von Aix-en-Provence den 2. Geharnischten in der «Zauberflöte», wo er dann 1987 als Fenton in Verdis «Falstaff» auftrat. 1982 sang er als Antrittsrolle an der Covent Garden Oper London den jungen Seemann im «Tristan» und ist seither mehrfach dort aufgetreten. 1983 wirkte er bei den Festspielen von Glyndebourne als Ramiro in Rossinis «La Cenerentola» mit und leitete im gleichen Jahr mit einem Engagement an der Oper von Lyon eine große Karriere in Frankreich ein. Hier sang er u. a. am Théâtre des Champs-Élysées (1985), an der Opéra-Comique (1985) wie an der Grand Opéra Paris (1988). 1984 war er beim Holland Festival, 1985 an der Welsh Opera Cardiff als Ferrando in «Così fan tutte» zu hören; 1985 und 1986 gastierte er am Grand Théâtre Genf, 1984 in Los Angeles, 1986 an der Niederländischen Oper Amsterdam, 1987 am Théâtre de la Monnaie Brüssel, 1989 in Toronto (als Tamino), 1990 in Amsterdam (als Ferrando in «Così fan tutte») 1989–90 am Opernhaus von Zürich. Zugleich setzte er seine Karriere an den englischen Opernbühnen fort (English National Opera, Welsh Opera, Opera North, Covent Garden Oper). Der Schwerpunkt seines Bühnenrepertoires lag im lyrischen Stimmfach, vor allem in Mozart- und italienischen Belcanto-Partien. So sang er den Belmonte in der «Entführung aus dem Serail», den Tamino in der «Zauberflöte», den Don Ottavio im «Don Giovanni», den Jacquino im «Fidelio», den Narcisio in Rossinis «Il Turco in Italia», den Alfredo in «La

Traviata», den Lenski im «Eugen Onegin», den Pelléas in «Pelléas et Mélisande» und den Eisenstein in der «Fledermaus». Auch als Konzert- und Oratoriensänger kam er zu einer internationalen Karriere.
Schallplatten: HMV («Padmâvati» von Roussel, Messe KV 427 von Mozart), Chant du monde (Titelpartie in «Joseph» von Méhul), Philips («Maometto Secondo» von Rossini).

dall' Occa, Sofia, s. unter *Schoberlechner, Sophie.*

Dalossy, Ellen, Sopran, * 1892 (?) Prag; sie erhielt ihre Ausbildung am Stern'schen Konservatorium in Berlin und setzte diese nach einigen Auftritten in Deutschland und Österreich bei Maestro Sibella in Mailand fort. Sie debütierte 1910 am Neuen Operettentheater Hamburg. 1911–12 sang sie in den USA bei der Savage Opera Company, kam wieder nach Deutschland zurück, trat in Operetten (vor allem am Thalia-Theater Berlin) und bei Gastspielen (Basel, 1916) auf. 1917 kam sie mit einer Operettentruppe nach Nordamerika und blieb dort. 1920 wurde sie an die Metropolitan Oper New York engagiert. Bis 1935 blieb sie ständiges Mitglied dieses großen Opernhauses, an dem sie eine Vielzahl von Partien aus dem Comprimario-Fachbereich sang, Partien wie die Xenia im «Boris Godunow», den Pagen Tebaldo in Verdis «Don Carlos», den Dimitrij in «Fedora» von Giordano, den Jemmy in Rossinis «Wilhelm Tell», den Stephano in «Roméo et Juliette» von Gounod, den Frédéric in «Mignon» von A. Thomas, den Siebel im «Faust» und die Lisabetta in «La cena delle beffe» von Giordano, um nur einige zu nennen. In den Sunday Night Concerts der Metropolitan Oper hörte man sie mehrfach mit Arien aus Opern der verschiedensten Komponisten. Die Künstlerin teilt das Schicksal vieler verdienter Comprimario-Sänger, die für den Opernbetrieb ebenso unentbehrlich wie für die Musikgeschichte schnell vergessen sind.
Schallplattenaufnahmen ihrer Stimme scheinen ebenfalls nicht zu existieren.

Damonte, Alba, Sopran, * 26. 1. 1904 Casale Monferrato (Piemont), † 17. 1. 1959 Mailand; sie war in der Hauptsache Schülerin von Bice Adami-Corradetti in Mailand, wurde aber auch durch die Pädagogen Pietro Cesari und Adelina Stehle ausgebildet. Ihr Bühnendebüt erfolgte 1921 am Teatro Boglione von Bra (Piemont) als Gilda im «Rigoletto». 1922 hatte sie ihren ersten großen Erfolg am Teatro Verdi von Padua als Elvira in Bellinis «I Puritani» mit Dino Borgioli als Partner. Über die Opernhäuser von Udine, Ravenna und Guastalla kam sie 1925 an das Teatro Fenice Venedig, anschließend an das Teatro Carcano Mailand. An der Oper von Nizza hörte man sie als Musetta in Puccinis «Bohème», als Liu in Puccinis «Turandot», als Lucieta in «I quattro rusteghi» von Wolf-Ferrari und als Gretel in Humperdincks Märchenoper «Hänsel und Gretel». 1928 erreichte sie die Mailänder Scala, an der sie am 3. 2. 1929 in der Uraufführung von Lattuadas «Preziose ridicole» mitwirkte. Weiter gastierte sie am Teatro

della Pergola Florenz, am Teatro Dal Verme Mailand und am Teatro San Carlo Neapel. 1931 hörte man sie bei den Salzburger Festspielen in der Rolle der Carolina in «Il matrimonio segreto» von Cimarosa. Am Stadttheater von Bern bewunderte man 1931 ihre Violetta in «La Traviata», die ihre große Glanzrolle war. Es folgten Gastspielauftritte in Genf und Lausanne, am Teatro Liceo Barcelona (u. a. als Fanny in «La cambiale di matrimonio» von Rossini und als Carolina in «Il matrimonio segreto»), am Teatro Malibran Venedig und am Teatro Civico Cagliari (1938 als Nannetta in Verdis «Falstaff» mit Mariano Stabile in der Titelpartie). 1936 ersetzte sie die große Koloratrice Toti Dal Monte am Teatro San Carlo Neapel als Traviata und hatte dort große Erfolge als Giulietta in Bellinis «I Capuleti ed I Montecchi». Nach dem Zweiten Weltkrieg ist sie kaum noch in Erscheinung getreten.
Schallplatten: Eine elektrische Fonotipia-Platte.

Damonte, Magali, Mezzosopran, * 30. 6. 1960 Marseille; nach ihrer Ausbildung am Conservatoire von Marseille debütierte sie 1978 am Opernhaus von Marseille als Zulma in Rossinis «Italiana in Algeri». Sie setzte ihre Ausbildung weiter in Paris und bei der großen deutschen Sopranistin Elisabeth Grümmer fort. Sie kam dann zu einer erfolgreichen Karriere an den führenden französischen Opernhäusern. So sang sie ständig an der Oper ihrer Heimatstadt Marseille und seit 1983 auch an der Oper von Lyon, weiter in Nancy, Nantes, Toulouse, am Théâtre des Champs-Élysées Paris (1989) und seit 1982 auch an der Pariser Opéra-Comique. Seit 1981 stand sie im Mittelpunkt der Festspiele von Aix-en-Provence, wo sie die Dorabella in «Così fan tutte», die Rosina in Rossinis «Barbier von Sevilla» und die Titelfigur in «La Cenerentola» vom gleichen Komponisten übernahm. 1984 gastierte sie beim Rossini Festival in Pesaro in «Le Comte Ory», 1985 bei den Edinburgher Festspielen als Aloès in «L'Étoile» von E. Chabrier. Auch als Konzert- und Oratoriensängerin hatte sie eine große Karriere. Ihr Repertoire für die Bühne enthielt Rollen wie die Carmen, die Taven in «Mireille» von Gounod, die Edvige in «Wilhelm Tell» von Rossini, die Isaura in «Tancredi», die Rosina im «Barbier von Sevilla», die Cenerentola, die Radegonde in «Le Comte Ory», die Isabella in «L'Italiana in Algeri» (alles schwierige Koloraturpartien in Rossini-Opern), die Fidalma in Cimarosas «Matrimonio segreto», die Adalgisa in «Norma» sowie die Meg im «Falstaff» von Verdi. Sie ist auch unter dem Namen Magali Damonte-Chalmeau aufgetreten.
Schallplatten: HMV (vollständige Aufnahme «L'Étoile»).

Dancuo, Mirjana, Sopran, * 16. 1. 1929 Karlovac (Karlstadt, Kroatien); sie war an der Musikakademie von Zagreb Schülerin von Marija Frankl-Borcić. 1945 debütierte sie an der Nationaloper von Zagreb als Giannetta in Donizettis «Elisir d' amore». Sie hatte an diesem Opernhaus wie bei Gastspielen an der Nationaloper von Belgrad eine bedeutende Karriere. 1954–64 trat sie am Operettentheater Komödie in Zagreb auf. Auf internationaler Ebene kam es zu Gastspielen an der Wiener Volksoper, an der Nationaloper Sofia, am Opernhaus von Brno (Brünn) und am Teatro Liceo Barcelona. Als ihr Gatte, der jugoslawische Komponist und Dirigent Zdenko Peharda (* 1923), 1964 an das Opernhaus von Oslo berufen wurde, folgte sie ihm in die norwegische Hauptstadt, wo sie gleichfalls eine große Karriere auf der Opernbühne wie als Konzertsängerin entfaltete. Aus der Vielzahl von Bühnenpartien, die sie gesungen hat, sind zu nennen: die Gräfin in «Figaros Hochzeit», die Donna Anna im «Don Giovanni», die Leonore im «Fidelio», die Amneris in «Aida», die Amelia in Verdis «Ballo in maschera», die Leonore im «Troubadour», die Nedda im «Bajazzo», die Margherita in «Mefistofele» von Boito, die Titelheldin in «La Gioconda» von Ponchielli, die Maddalena in «Andrea Chénier» von Giordano, die Tatjana im «Eugen Onegin» von Tschaikowsky, die Jaroslawna in «Fürst Igor» von Borodin, die Marina im «Boris Godunow», die Marie in Smetanas «Verkaufter Braut», die Musetta in Puccinis «La Bohème», die Titelfigur in dessen «Manon Lescaut», die Küsterin in «Jenufa» von Janáček, die Sieglinde in der «Walküre», die Elisabeth wie die Venus im «Tannhäuser», die Marschallin im «Rosenkavalier» und die Djula in «Ero der Schelm» von Gotovac.

Dannenberg, Magda, Sopran/Mezzosopran, * 1881 (?), † (?); sie erhielt ihre Ausbildung am Stern'schen Konservatorium in Berlin. 1901–04 war sie als Chorsängerin am Thalia-Theater Berlin engagiert, 1904–11 am Hoftheater von Wiesbaden. Dort sang sie bereits gelegentlich kleinere Solopartien. Ihr erstes eigentliches Engagement als Solistin hatte sie 1911–14 am Stadttheater von Bern (Schweiz). 1916 wurde sie an das Opernhaus von Breslau berufen, an dem sie bis 1927 blieb. 1927 ging sie an das Opernhaus von Leipzig, dem sie bis 1934 angehörte, doch trat sie auch später noch bei Gastspielen auf. In Leipzig wirkte sie u. a. in den Uraufführungen der Opern «Satuala» von E. N. von Reznicek (1930 als Titelheldin) und «Aufstieg und Fall der Stadt Mahagonny» von Kurt Weill (9. 3. 1930 als Begbick) mit. Sie gastierte 1910 am Hoftheater von Schwerin, 1911 an der Münchner Hofoper, 1923 an der Staatsoper Berlin, 1925 am Opernhaus von Köln; auch an der Staatsoper von Dresden zu Gast. Höhepunkte in ihrem vielseitigen Bühnenrepertoire waren die Senta im «Fliegenden Holländer», die Ortrud im «Lohengrin», die Fricka wie die Bünnhilde im Nibelungenring, die Brangäne wie die Isolde im «Tristan», die Martha in «Tiefland» von d'Albert, die Amneris in «Aida», die Azucena im «Troubadour», die Santuzza in «Cavalleria rusticana», die Tosca, die Carmen, die Dalila in «Samson et Dalila» von Saint-Saëns, die Judith in «Holofernes» von E. N. von Reznicek, die Leonore im «Fidelio» und der Ruggiero in «Alcina» von Händel. Auch im Konzertsaal mit bedeutendem Erfolg aufgetreten. Verheiratet mit dem Dirigenten Alexander Nemeti.

Dantón, Jorge, s. unter *de Narké,* Victor.

Daram, Joséphine, Sopran, * 1847, † (?); sie erhielt ihre Gesangausbildung in Paris. Dort debütierte sie auch 1865 am Théâtre Lyrique als erster Knabe in der «Zauberflöte». Bis 1870 blieb sie hier im Engagement. Am 27. 4. 1867 sang sie an diesem Haus in der Uraufführung von Gounods «Roméo et Juliette» die Rolle des Stéphano. 1874 erscheint sie dann als Mitglied der Grand Opéra Paris, an der sie als Antrittsrolle den Pagen Urbain in den «Hugenotten» von Meyerbeer sang. Sie blieb bis 1882 an diesem Haus tätig und ist dort in einer Vielzahl von Partien aus dem Koloraturfach wie auch aus dem lyrischen Bereich aufgetreten: als Zerline im «Don Giovanni», als Ännchen im «Freischütz», als Jungfer Anne in den «Lustigen Weibern von Windsor» von Nicolai, als Page Oscar in Verdis «Maskenball», als Marguerite wie als Siebel im «Faust» von Gounod, als Marguerite de Valois in den «Hugenotten» und als Isabella in «Robert le Diable» von Meyerbeer, als Eudoxia in Halévys «La Juive», als Elvira in «La Muette de Portici» von Auber und als Mathilde in Rossinis «Wilhelm Tell». Sie wirkte auch an der Grand Opéra in einigen Uraufführungen von Opernwerken mit: 1878 kreierte sie die Titelrolle in «La Reine Berthe» von Victorin de Joncières, 1880 den Erzengel Gabriel in «La Vierge» von Massenet und am 1. 4. 1881 die Xaïma in «Le Tribut de Zamora» von Gounod.

Darian, Ado, Tenor, * 18. 5. 1895 Bistrica ob Sotli (Jugoslawien), † 3. 1. 1966 Ljubljana (Laibach); er wurde im wesentlichen am Konservatorium der Stadt Wien ausgebildet und war im Lauf seiner langen Karriere vor allem als Oratorien- und Konzertsolist tätig. Als Gast ist er u. a. in Hamburg, Leipzig, Stuttgart, Prag, Berlin, in Kopenhagen und Basel aufgetreten. In seiner jugoslawischen Heimat kam er zu großen Erfolgen im Konzertsaal und gelegentlich auch auf der Opernbühne. Seit 1940 war er in Ljubljana im pädagogischen Bereich tätig, 1945 erhielt er einen Ruf als Professor an die dortige Musikakademie.

d'Arneiro, Maria, Sopran, * 8. 10. 1871 Mondovi (Piemont), † 13. 10. 1959 Loano (Riviera); sie hieß eigentlich Maria Clotilde Gigli und wurde von dem portugiesischen Adligen und Diplomaten Visconte José Augusto d'Arneiro, der sich auch mit der Inszenierung von Opern befaßte und ein großer Musikliebhaber war, adoptiert. Im Dezember 1891 debütierte sie am Teatro San Carlos Lissabon als Marguerite im «Faust» von Gounod; wenige Wochen später sang sie erstmals an einer italienischen Bühne, und zwar am Teatro Garibaldi Palermo, die Titelfigur in Catalanis Oper «Loreley» unter Arturo Toscanini. 1894 gastierte sie am Teatro Manzoni Mailand und sang dann in Mexico City die Aida, die Valentine in Meyerbeers «Hugenotten» und die Leonore im «Troubadour». 1895 war sie an der Oper von Warschau anzutreffen; es folgten Auftritte am Teatro Comunale Vicenza, am Teatro Coccia Novara, am Teatro Nuovo Pisa, am Opernhaus von Valencia (1895 als Aida, als Elsa im «Lohengrin» und als Santuzza in «Cavalleria rusticana») und am Teatro

San Carlo Neapel (1897 als Titelheldin in «Manon Lescaut» von Puccini und als Maddalena in «Andrea Chénier» von Giordano). In der Saison 1897–98 trat sie am Teatro Pagliano Florenz gleichzeitig in den Partien der Margherita wie der Elena in Boitos «Mefistofele» auf, an der Oper von Monte Carlo als Desdemona in Verdis «Othello» zusammen mit dem großen Tenor Francesco Tamagno in der Titelpartie. Am Teatro Vittorio Emanuele von Turin wirkte sie 1898 in der Uraufführung der Oper «La Creola» von Collino mit. 1901 hatte sie große Erfolge, als sie am Teatro de la Opera Buenos Aires die Sulamith in Goldmarks «Königin von Saba» und die Nefra in der Oper «Asrael» von Franchetti unter der Leitung von Toscanini sang. Bei den Krönungsfeierlichkeiten für König Alfonso XIII. von Spanien wirkte sie in Madrid in Festaufführungen von Verdis «Aida», von Meyerbeers «Hugenotten», von Donizettis «Lucrezia Borgia» und als Donna Anna im «Don Giovanni» von Mozart mit. 1905 sang sie nochmals an der Scala die Agathe im «Freischütz», 1906 in Rom die Elsa im «Lohengrin». Mit Auftritten am Teatro Apollo Rom beendete sie in der Spielzeit 1910–11 ihre große Karriere. Sie zog sich in ihre Villa an der italienischen Riviera zurück.

Dassanowsky, Elfriede von, Sopran/Mezzosopran, * 2.2. 1924 Wien; sie war Absolventin der Musikhochschule von Wien; sie studierte Gesang bei Paula Mark-Neusser, Klavierspiel bei Emil von Sauer und brachte beide Disziplinen zum Abschluß. Nach ihrem Debüt als Susanna in «Figaros Hochzeit» am Theater von St. Pölten kam sie in dem Jahrzehnt zwischen 1940 und 1950 zu einer erfolgreichen Bühnenkarriere mit Auftritten in Wien, St. Pölten, Flensburg und Hamburg. Dabei sang sie mit Hilfe ihres ungewöhnlich weiten Stimmumfangs sowohl Partien für Sopran wie für Mezzosopran: die Agathe im «Freischütz», die Inez wie die Azucena im «Troubadour», die Mimi in «La Bohème», die beiden Titelpartien in «Hänsel und Gretel», die Lola in «Cavalleria rusticana», die Carmen, den Prinzen Orlowsky in der «Fledermaus», dazu viele Rollen in Operetten von J. Strauß, C. Zeller, Millöcker, Lehár, Berté (Hannerl und Heiderl im «Dreimäderlhaus»), E. Kálmán, Heuberger, Stolz und R. Benatzky. Hinzu traten Konzertauftritte und vor allem Liederabende in Österreich wie in Deutschland. Neben ihrem Wirken als Sängerin versäumte sie nicht eine zweite künstlerische Karriere als Pianistin. Sie gab auf diesem Gebiet Konzerte, trat in Radiosendungen auf und ging einer Lehrtätigkeit an der Musikhochschule Wien nach; auch als Schauspielerin ist sie aufgetreten. Zu Beginn der sechziger Jahre wanderte sie in die USA aus. Dort übte sie noch in Sherman Oaks (Kalifornien) eine private pädagogische Tätigkeit als Gesang- wie als Klavierlehrerin aus.

Daum, Heinz, Tenor, * 1902 (?); er war zunächst am Staatstheater von Wiesbaden (1928–29) engagiert, dann am Stadttheater von Stettin (1929–31), am Stadttheater von Magdeburg (1931–32) und seit 1932 bis zum Beginn der fünfziger Jahre als erster lyri-

scher Tenor Mitglied des Opernhauses von Leipzig. Hier sang er 1939 in der Uraufführung der Oper «Die pfiffige Magd» von Julius Weismann die Partie des Leander; 1935 wirkte er dort in der Wiederaufführung der Händel-Oper «Arminio» als Segemunt, 1942 in der deutschen Erstaufführung von Alfanos «Cyrano de Bergerac» mit. Er trat in einer Vielzahl von lyrischen Tenorpartien vor sein Publikum: als Don Ottavio im «Don Giovanni», als Tamino in der «Zauberflöte», als Graf Almaviva im «Barbier von Sevilla», als Ernesto im «Don Pasquale», als Titelheld in «Alessandro Stradella» von Flotow, als Cavaradossi in «Tosca», als Turiddu in «Cavalleria rusticana», als Matteo in «Arabella» von R. Strauss und als Frieder in Siegfried Wagners «An allem ist Hütchen schuld». Gleichzeitig war er ein geschätzter Konzert- und Oratoriensänger.

Davenport, Glyn, Baß-Bariton, * 3.5. 1948 Halifax (Grafschaft Yorkshire); er wurde in den Jahren 1966–70 am Royal College of Music London zum Sänger ausgebildet und studierte dann 1970–73 an der Musikhochschule Hamburg. 1973 gab er ein erstes Konzert in der Londoner Wigmore Hall und eröffnete damit seine Karriere, die ihm im Konzertsaal wie auf der Bühne große Erfolge brachte. 1972 hatte er den Kathleen Ferrier-Concours gewonnen, 1981 wurde er Gewinner eines Gesangwettbewerbs in New York. Er trat als Bühnensänger bei der English Opera Group, an der Scottish Opera Glasgow, an der Kent Opera, an der Covent Garden Oper London und beim Wexford Festival in Irland auf und wurde in Rundfunk- und Fernsehsendungen der englischen Gesellschaft BBC bekannt. Als Konzert- und Oratoriensolist sang er in den englischen Großstädten in Deutschland, in der Schweiz und in Island. Er unternahm eine Tournee durch den Nahen und Mittleren Osten.

Davies, Arthur, Tenor, * 1950 Wrexham (Wales); er wurde ausgebildet am Royal Northern College of Music und begann seine Bühnenlaufbahn bei der Welsh Opera Cardiff. Bei dieser Gesellschaft trat er, bereits sehr erfolgreich, als Nemorino in «Elisir d'amore», als Nadir in «Pêcheurs de perles» von Bizet, als Rodolfo in «La Bohème», als José in «Carmen» und in der Titelpartie der Oper «Albert Herring» von Benjamin Britten auf. 1976 erfolgte sein Debüt an der Londoner Covent Garden Oper in der Uraufführung von H. W. Henzes «We come to the River». Er sang an diesem Opernhaus in den folgenden Spielzeiten den Edgardo in «Lucia di Lammermoor», den Alfredo in «La Traviata», den italienischen Sänger im «Rosenkavalier», den Stewa in Janáčeks «Jenufa» und 1988 den Pinkerton in «Madame Butterfly». Beim Edinburgh Festival trat er als Fuchs im «Schlauen Füchslein» von Janáček und als David in den «Meistersingern» in Erscheinung, bei der English National Opera London als Herzog im «Rigoletto», als Alfredo, als Titelheld im «Faust» von Gounod wie im «Werther» von Massenet und 1989 als Lenski im «Eugen Onegin». Bei der Opera North Leeds war er als Hans in Smetanas «Verkaufter Braut», als Nadir, als Pinkerton und als José in

«Carmen» anzutreffen. Seine Karriere erreichte internationales Niveau mit Gastspielen an den Opern von Chicago, Cincinnati, Connecticut und New Orleans, am Bolschoj Theater Moskau, an den Opernhäusern von Leipzig und Gent, am Teatro San Carlos Lissabon und an der Oper von Santiago de Chile. Mit dem Ensemble der English National Opera London gastierte er im Haus der New Yorker Metropolitan Oper. Nicht weniger erfolgreich verlief seine Karriere als Konzert- und Oratoriensänger; einen Höhepunkt auf diesem Sektor bezeichnete die Aufführung des Verdi-Requiems in der Londoner Festival Hall unter Carlo Maria Giulini.
Schallplatten: HMV («Rigoletto» in englischer Sprache), Chandos («The Dream of Gerontius» und «The Kingdom» von Elgar, Stabat mater von Rossini, «Elias» von Mendelssohn), Supraphon (Yannakos in «Griechsche Passion» von B. Martinù, 1981), TIS («Tristan und Isolde»).

Dawson, Anne, Sopran, * 1955 (?); die englische Sängerin erhielt ihre Ausbildung am Royal Northern College of Music. 1978 trat sie beim Bath Festival als Angelica in Händels «Orlando» auf, 1979 war sie beim Festival von Grenoble zu Gast. 1981 war sie Preisträgerin beim Gesangwettbewerb von s'Hertogenbosch, 1982 erhielt sie den Kathleen Ferrier-Preis. Es schlossen sich Konzertreisen durch England an. Bei der Glyndebourne Touring Opera sang sie Partien wie die Euridice im «Orpheus» von Gluck, die Susanna in «Nozze di Figaro» und die Micaela in «Carmen». Bei der Welsh Opera Cardiff hatte sie als Gilda im «Rigoletto» und als Pamina in der «Zauberflöte» und bei der English National Opera London in der Titelpartie von Janáčeks «Schlauem Füchslein» viel beachtete Erfolge. 1988 kam es dann zu ihrem ersten Auftreten an der Londoner Covent Garden Oper in Verdis «Don Carlos». Sie gastierte an den Opernhäusern von Frankfurt a. M. (Gilda) und Vancouver (Schlaues Füchslein), an der Niederländischen Oper Amsterdam und in Lausanne. Sie sang in London in einer konzertanten Aufführung der Oper «Fierrabras» von Schubert und wurde im Konzertsaal, namentlich im Bereich des Oratoriums (Carmina Burana, 1988 London), durch erfolgreiche Auftritte bekannt.
Schallplatten: Hyperion (Englische Lieder), HMV (Barbarina in «Figaros Hochzeit»).

Dawson, Lynne, Sopran, * 1953 (?); sie war zunächst als Dolmetscherin für Französisch tätig, widmete sich dann aber an der Guildhall School of Music London dem Gesangstudium. Sie wurde bald, und zwar vornehmlich als Konzertsängerin, bekannt. Seit 1985 sang sie zusammen mit dem English Concert unter Trevor Pinnock, als Solistin mit dem Monteverdi Choir, den Baroque Solists und der Academy of Ancient Music. Ihre Konzertreisen führten sie durch England, durch mehrere europäische Länder und durch die USA; sie wirkte beim Aldeburgh Festival, beim Festival von Aix-en-Provence (u. a. 1987 konzertante Aufführung von Glucks «Iphigénie en Aulide») mit und sang Konzerte in Utrecht, Turku, Paris, Wien, in San Fran-

cisco (1989 «Carmina Burana» von C. Orff) und immer wieder in London (Wigmore Hall 1989, ebenfalls 1989 bei den Promenade Concerts in Haydns «Schöpfung»). Hinzu kam eine nicht weniger erfolgreiche Bühnenlaufbahn. 1986 sang sie beim Brighton Festival die Gräfin in «Figaros Hochzeit», bei der Scottish Opera Glasgow die Pamina in der «Zauberflöte», im Französischen Rundfunk die Zdenka in «Arabella» von R. Strauss, in Lausanne die Sandrina in «La finta giardiniera» von Mozart. 1989 wirkte sie bei den Festspielen von Aix-en-Provence in «The Fairy Queen» von Purcell mit; weitere Gastspiele als Konstanze in der «Entführung aus dem Serail» (Sadler's Wells Theatre London, 1990 Théâtre de la Monnaie Brüssel), als Fiordiligi in «Così fan tutte» (Neapel) und als Teresa in «Benvenuto Cellini» von Berlioz (Amsterdam).
Von ihrer Stimme sind zahlreiche Schallplattenaufnahmen vorhanden: DGG («Orfeo» von Monteverdi, «Dido and Aeneas» von Purcell, Werke von J. S. Bach), Decca (c-moll-Messe von Mozart, Konstanze in der «Entführung aus dem Serail», Carmina Burana), Erato («Timon of Athens» von Purcell, «Iphigénie en Aulide» von Gluck), Hyperion («Messias» von Händel), Philips («Jephtha» und «Saul» von Händel), HMV (Religiöse Vokalmusik von Mozart), CBS (Mozart-Requiem), Harmonia mundi («The Fairy Queen» von Purcell).

de Angelis, Angela, Sopran, * 1880 (?) Neapel, † (?); wahrscheinlich erstreckte sich die Karriere der Künstlerin auf Theater in der italienischen Provinz. Ihr Name ist jedoch Schallplattensammlern durch sein Erscheinen auf zwei Ausgaben bekannt. 1905 sang sie auf G & T zwei Duette zusammen mit dem Bariton Francesco Cigada, 1907 auf HMV ein Duett mit dem Tenor Remo Sangiorgi. 13 Jahre später war sie dann auf einer Anzahl von Phonotype-Aufnahmen als Partnerin des berühmten Tenors Fernando de Lucia zu hören, dessen letzte Schallplattenaufnahmen bei dieser von ihm selbst begründeten Firma erschienen. Er stammte wie sie aus Neapel und lebte nach seinem Rücktritt von der Bühne (1917) dort als berühmter Pädagoge.

De Bernis, Emilio, Bariton, * 1842 Turin, † 1.8. 1907 Mailand; er hieß eigentlich Emilio Broccardo und nahm zunächst an den Feldzügen unter Garibaldi teil. 1876 debütierte er dann jedoch am Theater von Pordenone als Renato in Verdis «Ballo in maschera» und hatte 1877 einen ersten Erfolg, als er am Teatro Dal Verme Mailand den Germont-père in «La Traviata» sang. Es kam zu Auftritten am Teatro Politeama Genua, am Teatro Municipale Piacenza, wo man ihn als Amonasro in «Aida» bewunderte, und in der Spielzeit 1878–79 am Teatro Liceo Barcelona. In der Saison 1880–81 kam er an der Oper von Havanna zu großen Erfolgen, im Herbst 1881 sang er an der Mailänder Scala in «Il Guarany» von Carlos Gomes. 1882 war er zu Gast am Viktoriatheater Berlin, im gleichen Jahr an der Oper von Warschau als Amonasro, als Mephisto im «Faust» von Gounod, als Graf Luna im «Troubadour», als Renato in Verdis «Ballo in maschera» und als Alfonso in «La

Favorita» von Donizetti. 1883 unternahm er eine Tournee durch Guatemala und verschiedene Länder in Südamerika, 1884 und 1886 feierte man ihn am Teatro Regio Turin. Am 7.2. 1885 sang er in der Eröffnungsvorstellung des neu erbauten Opernhauses von Nizza den Amonasro in «Aida» und unternahm dann eine weitere Südamerika-Tournee. Seine Karriere setzte er an italienischen Theatern, u. a. am Teatro San Carlo Neapel (1887), am Teatro Bellini Catania, und in der Saison 1888–89 am Teatro San Carlos Lissabon fort. Nachdem seine Stimme frühzeitig Abnutzungserscheinungen zeigte, war er im pädagogischen Bereich tätig. Er starb plötzlich nach einer Operation in Ospedale Maggiore von Mailand.

Debogis, Marie Louise, Sopran, * 15. 8. 1879 Genf, † 8. 1. 1950 Cologny bei Genf; sie studierte zunächst Klavierspiel bei Leo Ketten in Genf und gewann in Lyon in einem Wettbewerb für Pianisten einen Preis. Dann wandte sie sich dem Gesang zu und kam seit der ersten Dekade unseres Jahrhunderts zu einer großen Konzertkarriere. Ihr Konzertrepertoire enthielt Solopartien in den Passionen wie in der h-moll-Messe von J. S. Bach, in der 9. Sinfonie wie in der Missa solemnis von Beethoven, im Verdi- wie im Mozart-Requiem, in Oratorien von Händel, Berlioz («Enfance du Christ») und R. Schumann. Dazu war sie eine hervorragende Liedersängerin, die in Liedern und Arien von Schubert, Schumann, Brahms, Liszt, Debussy, Duparc, Gabriel Fauré, Richard Strauss, Reynaldo Hahn, Camille Saint-Saëns, Fr. Hegar, Jacques-Dalcroze, J. M. Widor und in Werken weiterer Komponisten Bedeutendes leistete. 1914 sang sie in Neuchâtel in der Uraufführung eines Requiems von P. Brenner, 1919 in Genf in der Lukas-Passion von O. Barblan. Ihre Konzerttätigkeit erstreckte sich einmal auf die Musikzentren in ihrer Schweizer Heimat (Genf, Lausanne, Bern, Zürich Luzern, Basel), sie gab aber auch sehr erfolgreiche Konzerte in Wien, Mailand, Mexico-City und namentlich in Berlin. Siegfried Wagner, der sie bei einer ihrer Konzerte gehört hatte übertrug ihr bei den Bayreuther Festspielen des Jahres 1909 die Partie der Woglinde. Im übrigen trat sie nur selten auf der Bühne in Erscheinung; so sang sie in Genf und in Zürich die Elsa im «Lohengrin», ging aber sonst von ihrem Wohnsitz Genf aus ihrer intensiven Konzerttätigkeit nach. Man rühmte in ihrem Gesang die frische Natürlichkeit des Vortrags, verbunden mit dramatischer Intensität. Sie ist auch unter dem Namen Marie Louise Debogis-Bohn aufgetreten. Schallplatten ihrer Stimme sind nicht vorhanden.

de Caux, Mimi, s. unter *Laszlo-Doria,* Mimi.

Decken, Felix, Tenor, * 12.2. 1864 Wesel am Niederrhein, † 10.2. 1928 Stuttgart; nach seinen ersten Engagements an den Theatern von Köln, Nordhausen, Rostock und Elberfeld kam er 1896 an die Hofoper von Stuttgart, und hier fand er seine eigentliche künstlerische Heimat. In einem jahrelangen Wirken wurde er beim Publikum der württembergischen Hauptstadt ungewöhnlich beliebt; 1912 wurde

er mit der Goldenen Medaille für Kunst und Wissenschaften ausgezeichnet. Seine Begabung lag auf dem Gebiet des Buffo- und Charakterfachs, wobei er sich auch als großer Darsteller auszeichnete. Von den vielen Partien, die er in Stuttgart wie bei Gastspielen vortrug, seien der Pedrillo in der «Entführung aus dem Serail», der Jacquino in «Fidelio» von Beethoven, der Beppo in «Fra Diavolo» von Auber, der David in den «Meistersingern», der Mime in den Opern des Ring-Zyklus, der Wenzel in Smetanas «Verkaufter Braut» und der Eisenstein in der «Fledermaus» von Johann Strauß erwähnt. Auch als Konzertsänger ist er mit großem Erfolg aufgetreten.

de Decker, Edward, Baß, * 30. 12. 1904 Terhaegen (Belgien), † 19. 1. 1970 Antwerpen; er war am Konservatorium von Antwerpen Schüler von A. Steurbaut. 1932 debütierte er am Opernhaus von Antwerpen und blieb dort bis 1939 im Engagement. 1941–44 sang er während der deutschen Besetzung von Elsaß-Lothringen am Stadttheater von Straßburg. 1947–48 wirkte er dann wieder an der Oper von Antwerpen, 1948–51 am Opernhaus von Gent und 1951–65 abermals in Antwerpen; nur in der Spielzeit 1952–53 war er am Opernhaus von Frankfurt a. M. engagiert. 1950 war er zu Gast an der New York City Centre Opera, 1960–62 am Théâtre de la Monnaie Brüssel. Seit 1956 nahm er als Dozent einen Lehrauftrag am Konservatorium von Antwerpen wahr. Er galt als hervorragender Konzert-, Oratorien- und Liedersänger, wobei er auf all diesen Gebieten ein breit gestreutes Repertoire beherrschte. Seine Hauptrollen auf der Bühne waren der Leporello im «Don Giovanni», der Pizarro im «Fidelio», der Daland im «Fliegenden Holländer», der Landgraf im «Tannhäuser», der König Heinrich im «Lohengrin», der Hans Sachs in den «Meistersingern», der Hunding in der «Walküre», der Ochs im «Rosenkavalier», der Waldner in «Arabella» von R. Strauss, der Mephisto im «Faust» von Gounod, der Oroveso in Bellinis «Norma» und der König Philipp in Verdis «Don Carlos».
Schallplatten: Columbia (Liedaufnahmen, etwa 1952).

De Falchi, Raffaele, Bariton, * 24. 8. 1910 Viterbo, † 21. 1. 1978 Rom; er erhielt seine Ausbildung zum Sänger in Bologna und in Rom. Sein Bühnendebüt erfolgte 1934 am Royal Theatre auf Malta als Amonasro in «Aida». 1948 und 1949 gastierte er in der gleichen Partie an der Mailänder Scala; man hörte ihn an den großen Opernbühnen der italienischen Halbinsel: am Teatro San Carlo Neapel wie am Teatro Regio Parma, am Teatro Verdi Triest wie am Teatro Massimo Palermo. In besonderer Weise war er mit der Oper von Rom verbunden, wo er später auch seinen Wohnsitz hatte. Dort hatte er große Erfolge als Rigoletto (1944–45), als Marcello in Puccinis «La Bohème» (1947) und als Jack Rance in «La fanciulla del West» von Puccini (1952). Gastspielreisen führten ihn in die Länder Süd- und Mittelamerikas. Aus seinem Bühnenrepertoire sind noch zu nennen: der Renato in Verdis «Ballo in maschera», der Alfio in «Cavalleria rusticana», der Tonio im

«Bajazzo», der Escamillo in «Carmen» und der Oberpriester des Dagon in «Samson et Dalila» von Saint-Saëns.

de Gregorio, Franco, Tenor, * 1892 (?); er begann seine Karriere in Italien, wo er im ersten Jahrzehnt unseres Jahrhunderts an Provinztheatern sang. So hörte man ihn u. a. 1909 am Teatro Rossi von Pisa als Fra Diavolo in der Oper gleichen Namens von Auber. 1911 gastierte er während einer Saison bei der Italienischen Oper in Holland. In den Jahren 1915–20 durchreiste er mit kleineren Operntruppen Nordamerika. 1919 sang er bei der San Carlo Opera Company in New York den Turiddu in «Cavalleria rusticana», während die große Primadonna Rosa Ponselle als Santuzza auftrat. Über den weiteren Fortgang seiner Karriere waren keine zuverlässigen Angaben zu finden.
Schallplatten: Zahlreiche Aufnahmen auf den Marken Beka, HMV und Pathé.

de Gyldenfeldt, Graciela, s. unter *Gyldenfeldt,* Graciela von.

de la Mora, Fernando, Tenor, * 1964 Mexico City; er begann 1978 seine musikalische Ausbildung bei Leticia Velázquez de Buen-Abadi in der mexikanischen Metropole und studierte dann am Nationalen Konservatorium von Mexico City bei Rosa Rimoch und seit 1983 bei Emilio Perez Casas. Später ging er nach New York und setzte seine Ausbildung bei Joan Dornemann, Marlene Malas und Nico Castelli fort; ergänzende Studien in Tel Aviv und an der North Carolina University. Seine Stimme wurde durch den berühmten Tenor Placido Domingo entdeckt. Sein Bühnendebüt fand in Mexico City im Palacio de las Bellas Artes in der Rolle des Borsa in Verdis «Rigoletto» statt. Er kam dort wie bei Gastspielen an mexikanischen Theatern in Monterry, Guadalajara, Saltillo, Puebla und Guanajuato und beim Festival Cerrantino zu ersten Erfolgen in Partien wie dem Pinkerton in «Madame Butterfly», dem Cavaradossi in «Tosca», dem Alfredo in «La Traviata» und dem Roméo in «Roméo et Juliette» von Gounod. Die letztgenannte Partie sang er auch 1987 bei seinem USA-Debüt an der Oper von San Francisco, wo er 1988 sehr erfolgreich als Rodolfo in «La Bohème» gastierte. 1989 erregte er am Opernhaus von Köln als Alfredo in «La Traviata» großes Aufsehen und sang diese Partie dann an der Staatsoper von Wien (1989) wie am Deutschen Opernhaus Berlin (1989). In Köln wurde er auch als Titelheld im «Faust» von Gounod bewundert. Im Oktober 1989 sang er zusammen mit dem Ensemble der Mailänder Scala das Tenor-Solo im Verdi-Requiem bei deren Gastspiel in Moskau. Im April 1990 debütierte er dann in seiner Glanzrolle, dem Alfredo in «La Traviata», auf der Bühne der Mailänder Scala.

Delcampo, Ina, s. unter *Felderer,* Ingeborg.

Del Corso, Carlo, Bariton/Tenor, * 19. 12. 1888 San Giuliano Terme bei Pisa, † 19. 8. 1977 San Giuliano Terme; er debütierte in der Spielzeit 1913–14 als

Bariton am Teatro Duse Bologna in der Rolle des Riccardo in «I Puritani» von Bellini. Diese Partie sang er dann in Triest und Neapel, am Teatro Politeama Genua den König Raimondo in Mascagnis «Isabeau». 1920 war er am Teatro Dal Verme Mailand als Manfredo in «L'Amore dei tre Re» von Montemezzi, als Marcello in Puccinis «La Bohème», als Germont-père in «La Traviata» und als Amonasro in «Aida» zu hören, 1924 am Teatro Petruzzelli Bari in den Opern «Il piccolo Marat» von Mascagni und «Dejanice» von Catalani. 1925 gastierte er in Berlin, Stettin und Prag als Rigoletto, 1927 bei der Italienischen Oper in Holland als Graf Luna im «Troubadour», 1928 am Opernhaus von Toulouse als Rigoletto, als Marcello in «La Bohème», als Scarpia in «Tosca», als Enrico in «Lucia di Lammermoor» und als Germont-père. 1929 sang er in Spanien an den Theatern von Saragossa und Valencia, 1930 am Teatro Liceo Barcelona, 1929 am Opernhaus von Bordeaux. Inzwischen hatte sich seine Stimme zum Tenor gewandelt: als erste Tenorpartie sang er 1933 am Teatro Puccini Mailand den Dick Johnson in «La fanciulla del West» von Puccini, dann den Radames in «Aida». 1934 folgte er einem Ruf an die Metropolitan Oper New York. Sein Debüt fand hier als Radames statt. In der gleichen Saison sang er dort noch den Canio im «Bajazzo» und den Turiddu in «Cavalleria rusticana» mit Rosa Ponselle als Santuzza. Beim Maggio musicale Florenz hörte man ihn 1935 im Giardino di Boboli als Partner der berühmten Gina Cigna in «Alceste» von Gluck, 1936 in Triest als Ägisth in «Elektra» von R. Stauss, 1938 bei den Festspielen im Castello Sforza Mailand als Radames. Zu seinem großen Partien gehörte im letzten Abschnitt seiner Karriere der Othello in Verdis gleichnamiger Oper, den er u. a. in Neapel und Palermo, in Catania und an weiteren italienischen Bühnen sang. 1942 sang er als letzte Partie am Teatro Politeama von Viareggio den Canio im «Bajazzo» und zog sich dann in seinen Geburtsort San Giuliano Terme zurück, wo er nach 35 Jahren hochbetagt starb.

Delille, Jany, Sopran, * 1905 (?); sie hatte ihr Debüt 1929 und trat in den folgenden 25 Jahren bis 1954 an der Opéra-Comique-Paris auf. Hier sang sie ein Repertoire, das man in Frankreich als «jeune Dugazon» bezeichnet, mit Partien wie dem Cherubino in «Figaros Hochzeit» oder dem Amor in Glucks «Orpheus». Die letztgenannte Rolle singt sie auch in einer (gekürzten) Aufnahme dieser klassischen Oper auf Columbia unter der Leitung von Henri Tomasi von 1936 mit Alice Raveau und Germaine Féraldy. Auch Pathé-Aufnahmen.

Delius, Elisabeth, Sopran, * 21. 4. 1890 Mühlhausen (Mulhouse/Elsaß), † (?); die Künstlerin, deren eigentlicher Name Elisabeth Dümmler war, studierte 1912–14 am Konservatorium von Straßburg Klavierspiel und Gesang, dazu Komposition unter Hans Pfitzner. 1916–19 war sie in München Schülerin der Gesangpädagogen Ernst Preuse und Anna Schön-René. 1919–22 war sie am Stadttheater von Augsburg engagiert, sang 1922–25 am Stadttheater von

Chemnitz, 1925–26 am Deutschen Theater Prag und 1926–28 wieder in Augsburg. Nach einem zusätzlichen Studium in Italien 1926–27 ging sie ins hochdramatische Fach über und war dann 1928–35 am Opernhaus (Stadttheater) von Zürich tätig. Sie trat als Gast an der Staatsoper von Dresden wie an den Theatern von Basel und Bern auf. In Zürich sang sie 1931 in den Erstaufführungen der Opern «Wozzeck» (als Marie) von A. Berg und «Vom Fischer un syner Fru» von Othmar Schoeck. Von ihren weiteren Bühnenpartien seien die Leonore im «Fidelio», die Elettra in Mozarts «Idomeneo», die Donna Anna im «Don Giovanni», die Aida, die Lady Macbeth in Verdis «Macbeth», die Leonore im «Troubadour» wie in «La forza del destino», die Königin der Erdgeister in «Hans Heiling» von Marschner, die Milada in Smetanas «Dalibor», die Elektra in der gleichnamigen Richard Strauss-Oper, die Marschallin im «Rosenkavalier», vor allem aber ihre Wagner-Heldinnen (Senta, Venus, Ortrud, Isolde, Brünnhilde, Fricka, Kundry), genannt.

della Torre, Paola, Sopran, * 29. 6. 1902 Porto Maurizio; sie studierte zuerst Klavierspiel, war am Konservatorium von Mailand Schülerin von Maestro Franco Da Venezia und erwarb 1922 ihr Diplom als Pianistin. Nachdem sie bereits als solche in Konzerten aufgetreten war, ließ sie ihre Stimme durch die bekannte Pädagogin Virginia Ferni-Germano in Turin ausbilden. 1927 begann sie eine Karriere als Sängerin, die ihr im Konzertsaal als Interpretin der barocken und klassischen italienischen Musik große Erfolge eintrug. Dabei sang sie sowohl religiöse wie profane Vokalwerke von Komponisten wie J. S. Bach, Händel, vor allem aber Werke italienischer alter Meister. Sie galt als Autorität in der Interpretation dieser Musik und kam bei ihren zahlreichen Konzertauftritten in Italien wie im Ausland zu höchstem Ansehen. Beim Internationalen Concours von Wien wurde sie mit einem Ehrendiplom ausgezeichnet. Dagegen ist sie nur selten auf der Bühne in Erscheinung getreten; 1927 sang sie die Fanny in der denkwürdigen Aufführung der vergessenen Rossini-Oper «La cambiale di matrimonio» am Teatro di Torino, 1928 die Nedda im «Bajazzo» am Teatro Chiarella von Turin. Später entfaltete sie eine bedeutende pädagogische Tätigkeit am Conservatorio Giuseppe Verdi in Turin; ihre bekannteste Schülerin war die berühmte Mezzosopranistin Fiorenza Cossotto.
Schallplatten: HMV.

del Pane, Domenico, Sänger und Komponist, * (?) Rom, † 10. 12. 1694 Rom; er war ein Schüler des hoch angesehenen Komponisten Antonio Maria Abbatini in Rom. 1650 kam er nach Wien und trat als Sänger in die Kaiserliche Hofkapelle ein. Er blieb während der folgenden Jahre in Wien, verließ aber die österreichische Hauptstadt wieder, als er 1654 als Sänger in die Päpstliche Kapelle (Cappella Pontificia) in Rom aufgenommen wurde. 1669 wurde er zu deren Chormeister ernannt. Er war ein begabter Komponist und schrieb mehrere Messen, teilweise über Motive aus Motetten des großen Meisters Pale-

strina, dazu eigene Motetten und geistliche Konzerte, aber auch weltliche Motetten und Madrigale.

del Papa, Dante, Tenor, * 12. 3. 1854 Santa Maria del Giudice bei Pisa, † 1923 New York; er wurde in Lucca, dann am Konservatorium von Mailand durch Maestro A. Mazzucato ausgebildet. 1881 begann er seine Bühnenkarriere, indem er am Teatro Dal Verme Mailand den Lyonel in Flotows «Martha» und den Fernando in «La Favorita» von Donizetti sang. 1882 hatte er seinen ersten großen Erfolg als José in «Carmen» in Mantua; er sang dann an vielen italienischen Theatern, u. a. in Catania, Livorno, Triest, zwei Jahre hindurch auch am Opernhaus von Porto (Portugal), in Malaga, Granada und Barcelona. 1883 gastierte er am Teatro della Pergola Florenz in «I Promessi Sposi» von Ponchielli; seitdem dort immer wieder aufgetreten. 1884 erregte er am Theater von Ferrara als Faust in Boitos «Mefistofele» Aufsehen und sang in Nizza als Partner der berühmten amerikanischen Sopranistin Marie von Zandt in «Mignon» von A. Thomas und in Verdis «Rigoletto». Gastspiele am Opernhaus von Agram (Zagreb) und in Brasilien schlossen sich an; 1885 hörte man ihn am Teatro Rossini Livorno als José in «Carmen» und als Wilhelm Meister in «Mignon», in Pisa als Faust in «Mefistofele». Gastspiele an den Theatern von Lecce und Chieti, in Cremona und immer wieder an der Scala in Mailand sowie 1896 in Alexandria in Ägypten bestätigten seinen Ruf als einer der führenden Tenöre seiner Generation in Italien. 1887 sang er am Teatro Regio Turin den José und den Nadir in «Pêcheurs de perles» von Bizet; die letztere Partie trug er dann auch 1888 am Teatro Liceo Barcelona vor. Während acht Spielzeiten feierte man ihn an der Mailänder Scala (1882–90) in einer Vielzahl seiner großen Partien. Am Teatro Comunale Bologna wie am Teatro Costanzi Rom (1889–90) hatte er seine Erfolge; 1889 ersetzte er in Paris den Tenor Jean-Alexandre Talazac als Partner von Emma Calvé in «Pêcheurs de perles». Der Impresario Strakosch engagierte ihn dann für die Jahre 1890–92 für Bühnenauftritte in Spanien. 1894 kam er nach Nordamerika und wurde an die Metropolitan Oper New York verpflichtet. Er sang dort wie in den folgenden Jahren in den USA seine großen Partien, gab aber bald seine Karriere auf, blieb in Nordamerika und widmete sich in New York der pädagogischen Tätigkeit.
Von seiner Stimme wurden 115 Aufnahmen auf Bettini-Zylindern in den Jahren 1897–99 gemacht, von denen einige erhalten geblieben sind.

Delprat, Bernadette, Sopran, * 7. 12. 1901 Paris, † Februar 1971 Paris; sie war in den Jahren nach 1931 (Debüt als Tosca, 1931, wahrscheinlich zuvor bereits in Operetten aufgetreten) an der Pariser Opéra-Comique tätig und trat an Opernhäusern in Frankreich auf, darunter in Lyon, Marseille und Bordeaux. 1937–45 war sie zugleich Mitglied der Grand Opéra Paris (Debüt als Marguerite im «Faust»). In Paris war sie auch mehrfach in Operetten zu hören. Sie gastierte am Teatro Liceo Barcelona und 1936–37 an der Covent Garden Oper London. Dort kam sie als

Louise in der gleichnamigen Oper von Charpentier sowie als Giulietta und Antonia in «Hoffmanns Erzählungen» von Offenbach zu bedeutenden Erfolgen. Weitere Gastspiele am Théatre de la Monnaie Brüssel (1935–38) und an der Oper von Monte Carlo (1943). Sie sang u. a. die Gräfin in «Nozze die Figaro», die Donna Elvira, die Elsa, die Mimi in «La Bohème», die Butterfly und die Salomé in «Hérodiade» von Massenet.

Auf Pathé-Platten ist sie in Ausschnitten aus Operetten (darunter «La Vie Parisienne» von Offenbach) und sogar in Marlene Dietrich-Songs zu hören, auf Columbia singt sie ein Duett aus «Tosca» mit Georges Thill und eins aus «Le Roi d' Ys» von Lalo mit Germaine Cernay. Auf der gleichen Marke erschienen Ausschnitte aus der Oper «Miarka» von A. Georges.

Del Ry, Narciso, Tenor, * 22. 4. 1889 Pisa, † 7. 10. 1939 Rom; schon im Knabenalter zeigte sich seine musikalische Begabung. Er erlernte jedoch den Beruf eines Buchdruckers. Der aus Pisa stammende Bariton Lelio Casini setzte sich für seine Ausbildung ein und wurde sein Lehrer. 1901 debütierte er am Teatro Grande Brescia als Riccardo in Verdis «Ballo in maschera». Es schlossen sich Auftritte an führenden italienischen Theatern in der Provinz an, so in Savona, Vicenza und Lucca. 1910 kam er bei einem ausgedehnten Gastspiel an der Oper von Kairo zu glänzenden Erfolgen. Er sang dort wie auch im ägyptischen Alexandria Partien wie den Herzog im «Rigoletto», den Rodolfo in «La Bohème», den Hagenbach in «La Wally» von Catalani, den Edgardo in «Lucia di Lammermoor», den Wilhelm Meister in «Mignon» von A. Thomas, den Grafen Almaviva im «Barbier von Sevilla», den Faust in Boitos «Mefistofele» und den Dimitrij im «Boris Godunow» von Mussorgsky. 1912 gastierte er am Teatro Apollo Rom und in Reggio Emilia, 1913 in zahlreichen Partien am Teatro Politeama von Pisa. 1915 war er am Teatro Fenice Venedig wie am Teatro Regio Parma als Graf Almaviva in Rossinis «Barbier von Sevilla» zu hören. 1916–17 hielt er sich in Südamerika auf und wurde vor allem am Opernhaus von São Paulo gefeiert, an dem er 15 große Partien aus dem italienischen Repertoire und den Titelhelden in der Oper «Salvator Rosa» des brasilianischen Komponisten Carlos Gomes sang. 1928 unternahm er eine große Konzert-Tournee durch Indien und Indonesien, bei der er in 44 Konzerten auftrat. Bis 1936 setzte er seine Karriere an italienischen Bühnen fort; er lebte später in Mailand, zuletzt in Rom.
Schallplatten: Fonotipia (ca. 1909).

Delsen, Leo, Baß, * 13. 6. 1884 Mohilew (Rußland), † 11. 12. 1954 Solothurn (Schweiz); sein eigentlicher Name war Samuel Leiser Idelson. Er wurde durch den großen Bassisten Paul Bender in München ausgebildet. Er begann seine Bühnenkarriere 1910–11 am Stadttheater von Heidelberg, war 1911–13 am Stadttheater von Mährisch-Ostrau (Ostrava), 1915–17 am Stadttheater (Opernhaus) von Zürich und 1918–27 am Stadttheater von Bern engagiert.

1927 gründete er das Städtebundtheater Biel-Solothurn, das er bis zu seinem Tod als Direktor leitete, wo er aber auch als Sänger und als Regisseur wirkte. Mit dem Osmin in der «Entführung aus dem Serail», dem Masetto im «Don Giovanni», dem Bartolo in «Figaros Hochzeit», dem Basilio im «Barbier von Sevilla», dem Rocco im «Fidelio», dem Plumkett in Flotows «Martha«, dem Colline in «La Bohème», dem Sparafucile im «Rigoletto», dem Daland im «Fliegenden Holländer», dem König Heinrich im «Lohengrin», dem Hunding in der «Walküre» und dem Titurel im «Parsifal» sind einige seiner wichtigsten Partien genannt.

Deluggi, Carl, Tenor, * April 1850 Bozen (Südtirol), † (?); er begann seine Bühnenkarriere 1877 und sang in deren Anfängen an der Hofoper von München, an den Stadttheatern von Chemnitz und Düsseldorf. 1881 ging er an das Stadttheater von Basel, zu dessen Ensemble er bis 1884 gehörte. 1884–86 wirkte er am Stadttheater von Magdeburg, 1886–87 am Stadttheater von Stettin und war dann seit 1888 am Augsburger Stadttheater engagiert. An diesen Bühnen wie auch bei Gastspielen an Theatern im deutschen Sprachgebiet zeichnete er sich als Interpret lyrischer Tenorpartien aus, als Belmonte in der «Entführung aus dem Serail», als Basilio in Figaros Hochzeit», als Don Ottavio im «Don Giovanni», als Tamino in der «Zauberflöte», als Alfredo in «La Traviata», doch sang er auch schwerere Rollen wie den Florestan im «Fidelio».

Del Vivo, Graziano, Baß, * 1. 11. 1937 Florenz; als Kind kam er nach Castelfranco di Sotto in der Nähe von Pisa. Er studierte Rechtswissenschaften an der Universität Florenz und zugleich Gesang an dortigen Konservatorium. 1961 debütierte er in Spoleto als Ramphis in Verdis «Aida» und sang anschließend dort den Ferrando im «Troubadour». 1964 gastierte er am Teatro Regio von Parma als Onofrio in der Oper «I tre amanti ridicoli» von Galuppi und als Achille in «Giulio Cesare» von Händel, 1965 als Sparafucile im «Rigoletto», am Teatro Comunale Florenz 1965 in «Billy Budd» von Benjamin Britten und in «Katerina Ismailowa» von Schostakowitsch. An der Mailänder Scala sang er den Plutone in «La favola d'Orfeo» von Casella, beim Maggio musicale Fiorentino 1968 in «Robert le Diable» von Meyerbeer und 1969–70 in «La Vestale» von Spontini. 1969 und 1972 wirkte er beim Festival von Edinburgh mit. An der Oper von Rom hörte man ihn in Schostakowitschs Oper «Die Nase», am Teatro Massimo Palermo in «The Medium» von Menotti (1973), in Neapel und Genua als Solisten im Verdi-Requiem. Er wirkte auch in interessanten Opernsendungen des italienischen Rundfunks RAI mit («Il buon soldato Sveik» von Guido Turchi, «La forza del destino», «L'Intrusa» von Guido Pannain). 1973 trat er in Pisa in einem Gala-Konzert zum 100. Geburtstag des berühmten Baritons Titta Ruffo auf.
Schallplatten: Rundfunkaufnahmen von Opernsendungen.

de Maësen, Léontine, Sopran, * 1835, † 1906; sie hatte ihre Ausbildung zur Sängerin in Paris erhalten.

1863–65 war sie am Théâtre Lyrique in Paris engagiert. Zu ihrem Debüt sang sie an diesem Haus am
30. 9. 1863 in der Uraufführung der Oper «Pêcheurs
de perles» von Georges Bizet die Partie der Leila.
Einen ihrer größten Erfolge hatte sie am Théâtre
Lyrique als Gilda in «Rigoletto». Sie sang dort weiter die Donna Anna im «Don Giovanni», die Adalgisa in «Norma», die Norina im «Don Pasquale» von
Donizetti und die Doña Fernande in der Uraufführung der Oper «L'Aventurier» des polnischen Prinzen Poniatowski. In den Spielzeiten 1862–63 und
1863–64 war sie (wahrscheinlich) bereits am Théâtre
de la Monnaie Brüssel aufgetreten, vielleicht auch
1864 an der Grand Opéra Paris als Lucia di Lammermoor und als Königin Marguerite de Valois in Meyerbeers «Hugenotten». Die Zuordnung dieser Engagements ist deshalb schwierig, weil sie eine jüngere
Schwester *Camille de Maësen* hatte, die an der
Grand Opéra Paris anzutreffen ist. Es ist fast unmöglich zu entscheiden, um welche der beiden Schwestern es sich im Einzelfall handelt. Léontine de
Maësen, die nach ihrer Heirat auch als Léontine
Gradine vorkommt, scheint nur eine relativ kurze
Bühnenkarriere gehabt zu haben.

Demarcy, Gaston, Bariton, * 1884 Marcinelle (in
der belgischen Provinz Hainaut), † (?); er hieß eigentlich Gaston Culot und studierte zuerst bei Désiré Demest in Brüssel, dann bei Jean Martapoura in
Paris. 1911–14 und 1918–20 war er am Théâtre de la
Monnaie Brüssel engagiert. Hier sang er Partien wie
den Valentin im «Faust» von Gounod, den Rigoletto, den Amonasro in «Aida», den Scarpia in
«Tosca» und wirkte in den Premieren der Opern «La
fanciulla del West» von Puccini (1912), «Parsifal»
(1914) und «Pénélope» von Gabriel Fauré (1913)
mit. Nach einem Gastspiel in Rio de Janeiro und
Auftritten an der Oper von Monte Carlo war er in
den Jahren 1922–28 als erster Bariton an der Königlichen Oper von Antwerpen verpflichtet. Der weitere
Verlauf seiner Karriere läßt sich nicht genau rekonstruieren. 1944 sang er jedenfalls noch in Pau und in
Perpignan, u. a. im «Bajazzo» von Leoncavallo zusammen mit Georges Thill.
Aufnahmen auf Edison Bell von 1923.

de Martis, Delia, Sopran, * 1896 (?); über die Sängerin ist nur wenig bekannt. 1923 sang sie am Teatro
Costanzi in Rom die Maddalena in «Andrea Chénier» von Giordano zusammen mit Jesús de Gaviria
und Segura Tallien. 1924 gastierte sie an der Mailänder Scala als Elena in «Mefistofele» von Boito,
während in den weiteren Hauptrollen Hina Spani,
Aureliano Pertile und Nazzareno de Angelis auf der
Bühne standen. 1929 kreierte sie für Palermo die
Partie der Asteria in Boitos «Nerone», die sie in
neun sehr erfolgreichen Vorstellungen vortrug. Es
ist anzunehmen, daß sich die restliche Karriere der
dramatischen Sopranistin an Theatern in der italienischen Provinz abgespielt hat.
Schallplatten: Auf HMV erschienen zwei Aufnahmen aus «La Gioconda», ein Duett und ein Terzett,
wobei jedesmal die Mezzosopranistin Irene Minghini-Cattaneo ihre Partnerin ist.

Demest, Desiré, Tenor, * 16. 9. 1864 Lüttich, † 20. 9.
1932 Brüssel. Er war ausschließlich als Konzert- und
Oratoriensänger tätig und entschloß sich bereits re-
lativ früh zu einem Wirken im gesangpädagogischen
Bereich. Seit 1893 war er Professor am Königlichen
Konservatorium von Brüssel und galt als führender
belgischer Gesanglehrer seiner Generation. So be-
deutende Sänger wie Fernand Ansseau, Laurent
Swolfs, Hector Dufranne und Albert Huberty waren
seine Schüler. Er verfaßte mehrere Bücher über
Gesangsmethodik. Außerhalb Belgiens ist er als
Konzertsolist nur in den Niederlanden aufgetreten.

de Mey, Guy, Tenor, * 4. 8. 1955 Hamme (Belgien);
nach einer ersten Ausbildung bei Stella Dalberg
studierte er Gesang am Konservatorium von Brüssel
und am Konservatorium von Amsterdam, wo Erna
Spoorenberg seine Lehrerin war. 1975 begann er
eine Karriere, die sich in erster Linie auf den Konzertgesang erstreckte. Er wurde ein bekannter Ora-
torien- und Liedersänger und spezialisierte sich in
besonderer Weise auf Werke aus der Barock-Epoche. Seit 1978 wirkte er selbst im pädagogischen
Bereich am Konservatorium Brüssel. Auf der Bühne
gab er Gastspiele in geeigneten Partien. Man hörte
ihn in Berlin, Hannover und Zürich, in Paris, Straßburg und beim Festival von Spoleto, am Teatro
Fenice Venedig und am Teatro Comunale Bologna,
in der Grange de Mézières (1989 in Monteverdis «Il
ritorno d' Ulisse in patria»), am Theater von Reggio
Emilia (1987) und in Utrecht (1988). 1986 gastierte
er in London in der Titelpartie von Monteverdis
«Orfeo», 1986 in Innsbruck in «Orontea» von Cesti,
1988 am Théâtre de la Monnaie Brüssel als Maler in
«Lulu» von A. Berg. Im Konzertsaal schätzte man
ihn als Evangelisten in den Bach-Passionen und, wie
bereits ausgeführt, in einer Vielfalt von Vokalwerken der Barockzeit.
Zahlreiche Schallplatten auf den Marken HMV («Le
Cinesi» von Gluck), Hungaroton («La Giuditta»
von A. Scarlatti, «Der geduldige Sokrates» von Telemann), Harmonia mundi («Atys» von Lully),
HEK (Mozart-Lieder).

Demmer, Waltraut, Alt, * 17. 8. 1917 Pöchlarn an
der Donau (Österreich); sie war an der Wiener
Musikakademie Schülerin der großen Sopranistin
Helene Wildbrunn. 1937 begann sie ihre Bühnenlaufbahn am Opernhaus von Graz, dem sie bis 1940
angehörte. Dann sang sie 1940–44 an der Wiener
Volksoper, 1946–52 am Stadttheater von Bern und
in der Spielzeit 1952–53 am Stadttheater von Basel.
Als Gast trat sie am Grand Théâtre Genf, an der
Mailänder Scala (1949 Waltraute in der «Walküre»),
an der Grand Opéra Paris, am Opernhaus von Zürich, an den Opern von Toulouse und Lyon auf. Ihr
Bühnenrepertoire war umfangreich; im einzelnen
sind daraus zu nennen: der Titelheld im «Orpheus»
von Gluck, die Maddalena im «Rigoletto», die Azucena im «Troubadour», die Ulrica in Verdis «Ballo
in maschera», die Amneris in «Aida», die Mary im
«Fliegenden Holländer», die Magdalene in den
«Meistersingern», die Fricka, die Erda, die Wellgunde und die Waltraute im Ring-Zyklus, die Kun-

dry im «Parsifal», die Klytämnestra in «Elektra» von R. Strauss, die Herodias in «Salome», die Amme in der «Frau ohne Schatten», die Annina im «Rosenkavalier», die Mutter in «Louise» von Charpentier, die Bersi in «Andrea Chénier» von Giordano, die Marina im «Boris Godunow», der Nicklausse in «Hoffmanns Erzählungen», der Prinz Orlowsky in der «Fledermaus» und die Cathérine in «Jeanne d'Arc au Bûcher» von A. Honegger. Am Stadttheater Bern wirkte sie in der Spielzeit 1949–50 in der Uraufführung der Oper «Der spanische Rosenstock» von A. Schibler in der Rolle der Clelia mit. Sie trat auch als Konzert- und Rundfunksängerin in Erscheinung. Zeitweilig verheiratet mit dem Bassisten *Gottfried Fehr*. Sie lebte in Leubringen (Evilard) im Kanton Bern.
Schallplatten: Österr. Telefunken, Polydor.

de Montmollin, Marie-Lise, Alt, * 30. 9. 1918 Neuchâtel (Schweiz); Gesangstudium am Conservatoire von Neuchâtel bei Charles und Caro Faller, dann bei Rose Féart am Conservatoire von Genf, bei Fernando Carpi in Prag und bei Maroussia le Marc-Hadour in Genf. Sie war in erster Linie eine gefeierte Konzertsängerin und trat als solche in Genf und Fribourg (Schweiz), in Lausanne und Zürich, in Bern und Winterthur, in Paris, Straßburg und Lyon, in Brüssel, St. Gallen und La Chaux-de-Fonds auf. Sie war dabei einerseits eine große Oratoriensängerin, andererseits eine ausgezeichnete Lied-Interpretin (Lieder von Schubert, Schumann, Brahms, Dvořák, Ravel, Gabriel Fauré, Francis Poulenc, Tschaikowsky, Rachmaninoff, Sutermeister). Man hörte sie als Solistin in den Bach-Passionen, im Weihnachtsoratorium, in der Hohen Messe und in vielen Kantaten von J. S. Bach, in Beethovens 9. Sinfonie und Missa solemnis, im «Messias» von Händel, im Mozart-Requiem, in Gustav Mahlers «Lied von der Erde» und in seiner 2. Sinfonie, in Werken von Debussy («Martyre de Saint Sébastien»), Ravel, Honegger («Jeanne d'Arc au bûcher», «Roi David», «Cris du Monde»), Milhaud, Strawinsky, Frank Martin und Dallapiccola. Am Grand Théâtre von Genf ist sie auch in einigen ausgewählten Opernpartien aufgetreten: als 3. Dame in der «Zauberflöte», als Taven in «Mireille» von Gounod, als Geneviève in «Pelléas et Mélisande» von Debussy, als Cathérine in «Le Chemineau» von Xavier Leroux, als Mallika in «Lakmé» von Delibes, als Emilia in Verdis «Othello» und als Lucretia in «The Rape of Lucretia» von B. Britten. Sie wirkte in Radiosendungen der Schweizer Sender, in Paris und Lyon mit. Sie lebte später in Crêt-du-Locle im Schweizer Kanton Neuchâtel.
Schallplatten: Decca («Le Martyre de Saint Sébastien» von Debussy, «Roi David» von A. Honegger, «L'Enfant et les sortilèges» von Ravel als Maman, Tasse Chinoise und Libellule), Erato («Golgotha» von Frank Martin), Westminster («Le Vin herbé» von Frank Martin), MXT-Gallo («Noces» von Strawinsky).

de Moor, Chris, Baß, * 22. 6. 1949 Antwerpen; er studierte zunächst Klassische Wissenschaften, vor allem Sprachen, wurde dann aber in Brüssel als Kunstgeschichtler und Graphiker ausgebildet und brachte dieses akademische Studium zum Abschluß. Er entschloß sich schließlich jedoch zur Sängerkarriere und besuchte 1976–79 das Konservatorium von Brüssel und studierte auch bei der Pädagogin Vera Berning. Bereits während dieser Ausbildung war er am Théâtre de la Monnaie Brüssel als Chorist beschäftigt. An diesem Haus, dessen Mitglied er bis 1982 blieb, wurde er zunehmend in kleineren Solopartien eingesetzt. Er gewann Preise bei einer Anzahl von Gesangwettbewerben in Antwerpen (1973 und 1978), Paris (1978, 1980), Ostende (1981), Vercelli (1984) und Barcelona (1984). Er kam dann an den Opern von Antwerpen und Lüttich in tragenden Partien zu seinen ersten Erfolgen. Es folgten Gastspiele beim Holland Festival, in Paris, Nancy und Lille, in Bordeaux, Nizza und Cannes, in Berlin und in weiteren deutschen Städten, am Teatro Comunale Bologna und am Teatro Liceo Barcelona. Auftritte in Radio- und Fernsehsendungen runden das Bild seiner internationalen Karriere ab. Von seinem Wohnsitz in Braine-L'Alleud in Belgien ging er seiner umfangreichen Bühnen- und Konzerttätigkeit nach.
Schallplatten: Erato (Werke von Dukas, E. Chabrier und Heinrich Schütz), Edition Schwann.

de Narké, Victor, Baß, * 21. 12. 1930 in der argentinischen Provinz Corrientes, † 7. 12. 1986 Buenos Aires; er war der Sohn des Bassisten *Jorge Dantón* (* 1905, † 5. 12. 1986 – also zwei Tage vor seinem Sohn – Buenos Aires), der in den Jahren 1940–54 am Teatro Colón Buenos Aires eine erfolgreiche Bühnenkarriere gehabt hatte. Victor de Narké debütierte 1952 (nach anfänglichem Medizinstudium und Ausbildung der Stimme in der Opernschule des Teatro Colón) ebenfalls am Teatro Colón und blieb während seiner Karriere, die bis 1986 dauerte an diesem Bühneninstitut tätig. Er spezialisierte sich besonders auf das Wagner-Fach und hatte seine größten Erfolge in Partien wie dem Landgrafen im «Tannhäuser», dem König Heinrich im «Lohengrin», dem Marke im «Tristan» und dem Gurnemanz im «Parsifal», sang daneben aber ein vielgestaltiges Repertoire auf der Bühne wie im Konzertsaal. Am 24. 7. 1964 wirkte er am Teatro Colón in der Uraufführung der Oper «Don Rodrigo» von Alberto Ginastera mit. Auch in Europa konnte er an diese Erfolge in seiner argentinischen Heimat anknüpfen und war u. a. zu Gast an den Opernhäusern von Zürich und Nizza, am Teatro Liceo Barcelona, am Teatro Real Madrid (1966), beim Wexford Festival (1967), in Genf (1969), Rio de Janeiro, Santiago de Chile, Montevideo und bei den Festspielen von Glyndebourne. Seit 1966 trat er mehrfach in London als Konzertsänger auf. Als letzte Partie sang er 1986 am Teatro Colón Buenos Aires den Titurel im «Parsifal».
Schallplatten: Columbia («El retablo de Maese Pedro» von de Falla), HMV («La Vida breve» von de Falla).

Dene, Jozsef, Baß-Bariton, * 31. 3. 1938 Budapest; der Künstler erhielt seine Ausbildung an der Franz

Liszt-Musikakademie in Budapest. Er wurde Preisträger bei den Gesangwettbewerben von München und Genf. Nach seinen Anfängen in seiner ungarischen Heimat 1962–70 an der Nationaloper Budapest wurde er international bekannt, als er 1970 am Opernhaus von Zürich auftrat. Dort sang er als erste Partien den Leporello im «Don Giovanni», den St. Just in «Dantons Tod» von G. von Einem und den Claudius in «Agrippina» von Händel. Seitdem blieb er für die folgenden zwanzig Jahre Mitglied des Zürcher Opernhauses und hatte hier in einer Vielzahl von Rollen seine Erfolge: als Titelheld wie als Bartolo in «Figaros Hochzeit», als Alfonso in «Così fan tutte», als Papageno in der «Zauberflöte», als Bartolo im «Barbier von Sevilla», als Don Pasquale in der gleichnamigen Donizetti-Oper, als Pizarro im «Fidelio», als Kurwenal im «Tristan», als Alberich im Nibelungenring und als Klingsor im «Parsifal», ohne daß damit eine umfassende Beschreibung seines Repertoires gegeben wäre. 1977 sang er in Zürich in der Uraufführung der Oper «Ein Engel kommt nach Babylon» von Rudolf Kelterborn. Gastspiele trugen ihm große Erfolge auf internationalem Niveau ein. So war er zu Gast an den Staatsopern von München und Hamburg, an der Nationaloper Prag und am Bolschoj Theater Moskau. Bei den Bayreuther Festspielen 1973–74 sang er eine kleine Partie in den «Meistersingern». An der Komischen Oper Berlin gastierte er als Figaro in «Figaros Hochzeit» unter Walter Felsenstein. Weitere Gastspiele an der Mailänder Scala, am Teatro Liceo Barcelona und an der Oper von San Francisco. An der Grand Opéra Paris übernahm er in der Erstaufführung der Oper «Lear» von A. Reimann die Partie des Grafen Gloster, am 22. 2. 1985 sang er dort in der Uraufführung der Oper «Docteur Faustus» von Konrad Boehmer die Partie des Trithemius. Am 26. 9. 1987 wirkte er am Opernhaus von Graz in der Uraufführung einer weiteren zeitgenössischen Oper, «Der Rattenfänger» von Friedrich Cerha, mit. Er nahm in Zürich wie an anderen Bühnen gerne an Aufführungen von Opernwerken aus der Barock-Epoche teil. 1981 debütierte er an der Metropolitan Oper New York. Neben seinem Wirken auf der Bühne war er ein geschätzter Konzertsolist.
Schallplatten: Hungaroton («Don Giovanni», Simon Mago in «Nerone» von Boito, «Juditha triumphans» von Vivaldi), Telefunken («Il ritorno d'Ulisse in patria» von Monteverdi im Anschluß an eine Aufführung in Zürich, 1982).

Derenne, Paul, Tenor, * 27. 8. 1907 Rennes, † 18. 4. 1982 Paris; erhielt seine musikalische Ausbildung durch Nadja Boulanger und trat auch zunächst in deren Ensemble auf. 1937 kam es zu seinem Bühnendebüt an der Opéra-Comique Paris in der Uraufführung der Oper «Le Testament de Tante Caroline» von Albert Roussel. Er blieb Mitglied dieses Opernhauses bis in die Jahre nach dem Zweiten Weltkrieg und nahm dort u. a. an der Uraufführung der Oper «Ginevra» von Marcel Delannoy teil (1942). 1947 gastierte er an der Pariser Grand Opéra als Jacquino im «Fidelio», bereits 1946 war er zu

Gast in Lausanne, 1955 an der Oper von Monte Carlo. 1958 sang er an der Mailänder Scala in «L'Enfant et les sortilèges» von Ravel. Gastspiele auch in Spanien, England, Deutschland und Portugal. Einzelne Bühnenauftritte sind noch bis 1962 erfolgt. Von seinen Bühnenpartien sind zu nennen: der Belmonte in der «Entführung aus dem Serail», der Graf Almaviva im «Barbier von Sevilla», der Wilhelm Meister in «Mignon» von A. Thomas, der Hadji in «Lakmé» von Delibes, der Titelheld in «Fortunio» von Messager, der Brighella in «Ariadne auf Naxos» von R. Strauss, der Midas in «Galathée» von Massé und der Gonzalve in «L'Heure espagnole» von Ravel. Hohes Ansehen genoß er als Konzertsänger, und hier vor allem als Interpret von Vokalwerken der Barock-Epoche.
Schallplatten: Pathé-HMV (Aufnahmen zusammen mit dem Ensemble von Nadja Boulanger, darunter an erster Stelle Werke von Monteverdi und Charpentier), Decca («L'Heure espagnole» von Ravel), Bourg Records («La Mort de Socrate» von Satie «Les Penitents en Maillots Roses» von Sauguet).

Dermota, Gašper, Tenor, * 4. 1. 1917 Kropa (Slowenien), † 3. 8. 1969 Medno bei Ljubljana (Laibach); er war der jüngere Bruder des berühmten Tenors *Anton Dermota* (1910–89), der vor allem an der Wiener Staatsoper eine große Karriere hatte. Gašper Dermota erhielt seine Ausbildung am Konservatorium von Ljubljana und debütierte 1952 am dortigen Slowenischen Nationaltheater. Seitdem blieb er für viele Jahre Mitglied dieses Hauses, an dem er in Partien wie dem Herzog im «Rigoletto», dem Nemorino in «Elisir d' amore», dem Edgardo in «Lucia di Lammermoor», dem Lenski im «Eugen Onegin», dem Hans in der «Verkauften Braut» und dem Titelhelden in «Werther» von Massenet gehört wurde. Erfolgreiche Gastspiel- und Konzertauftritte in Jugoslawien.

de Ruda, Rosa, Sopran, * 1835 (?) in Ungarn, † Oktober 1919 Berlin; der Vater der Sängerin, die eigentlich Rozsa Bogya hieß, war Angestellter bei einer ungarischen Behörde und kam 1850 mit seiner Familie nach Wien. Dort erhielt die Tochter ihre Ausbildung zur Sängerin bei Maestro Catalano. 1854 wurde sie (unter dem Namen Rozsa Bogya) Mitglied der Budapester Oper (Debüt als Elvira in Verdis «Ernani»), nannte sich jedoch bald Rosa de Ruda. Sie kam schnell zu einer internationalen Karriere, gastierte in Bergamo und am Théâtre-Italien in Paris. In der Saison 1862–63 kam sie in Italien, vor allem an den Opernhäusern von Modena und Bologna, zu aufsehenerregenden Erfolgen; in Bologna wurde sie sogar zum Ehrenmitglied der Akademie ernannt. 1863 besuchte sie London, wo sie zusammen mit der Altistin Marietta Alboni in Konzerten auftrat. Ihre weitere Bühnen- wie Konzertkarriere spielte sich hauptsächlich in Italien und in Deutschland ab. Vor allem ihre Gastspiele an der Berliner Hofoper nahmen einen glänzenden Verlauf. Schließlich zog sie sich nach Berlin zurück. Dort ging sie einer ausgedehnten, jahrzehntelangen pädagogischen Tätigkeit nach. Zu ihren Schülerinnen zählten so bedeutende Sängerinnen wie Lola Beeth, Alma Saccur und Elisa Kutschera-de Nyß.

de Salas, Sergio, Baß-Bariton, *1947 (?); er studierte zuerst in seiner spanischen Heimat am Konservatorium von Madrid und ergänzte seine Ausbildung in Barcelona und Mailand. 1971 begann er seine Bühnenkarriere in Spanien. Er wurde bekannt, als er mehrere internationale Gesangwettbewerbe gewann, darunter in Italien den Concours Benjamino Gigli in Macerata und den Concorso Voci Verdiane in Parma (1974) sowie den Wettbewerb des spanischen Rundfunks. Er kam bald zu großen Erfolgen auf der Bühne; so sang er in Valencia den Rigoletto und trat in Paris, Marseille, am Teatro Comunale Bologna, in Sevilla und an weiteren spanischen Bühnen auf. An der Opéra de Wallonie Lüttich gastierte er 1987–88 in den vier dämonischen Rollen in «Hoffmanns Erzählungen», 1989 dort wie am Teatro Real Madrid als Gérard in «Andrea Chénier» von Giordano. Auf der Bühne war er in einem vielseitigen Repertoire zu hören, das Partien aus dem Bereich der deutschen (Fliegender Holländer), der französischen (Athanaël in «Thaïs» von Massenet, Mephisto in «La damnation de Faust» von Berlioz), der russischen («Khovantchina» von Mussorgsky) und der italienischen Oper (Verdi-Partien) umfaßte.

De Sanctis, Giuseppe, Tenor, *1850 (?) Turin, †(?); nachdem er in seiner Heimatstadt Turin sein Gesangstudium absolviert hatte, debütierte er 1874 am dortigen Teatro Balbo und sang daran anschließend in der Saison 1874–75 am Teatro Comunale von Ferrara u. a. den Rodolfo in «Luisa Miller» von Verdi. Nach weiteren Auftritten in Florenz und Rom hatte er viele Jahre hindurch große Erfolge an Bühnen in Spanien und Portugal, vor allem an der Oper von Porto, an der er bis 1895 gastierte. 1878 sang er am Teatro Bellini Neapel seine beiden besonderen Glanzrollen: den Eleazar in Halévys «La Juive» und den Vasco in «L' Africaine» von Meyerbeer. 1878 kam es zu einem Gastspiel in Berlin, 1878–79 sang er am Theatre Royal von Malta neun verschiedene Partien in insgesamt 63 Vorstellungen. 1882 erregte er als Pery in den Oper «Il Guarany» von Carlos Gomes am Teatro dei Fiorentini Neapel Aufsehen. Bei der Einweihung des Teatro Politeama von Lecce sang er im November 1884 den Radames in Verdis «Aida». 1885 hörte man ihn am Teatro Fondo Neapel in den Opern «Ruy Blas» von Marchetti, «Jone» von Petrella und – in Gegenwart der italienischen Königin Margherita – als Eleazar in «La Juive». Nach einer ausgedehnten Spanien-Tournee, die von dem Dirigenten Goula geleitet wurde, sang der Künstler 1887 den Pollione in «Norma» von Bellini am Teatro Costanzi Rom, 1888 den Alvaro in Verdis «La forza del destino» am Teatro Regio von Parma. In den weiteren Abschnitten seiner Karriere trat er dann fast ausschließlich an Opentheatern in Neapel (Teatro San Carlo, Teatro Bellini, Teatro Fondo) sowie in Spanien und Portugal auf. Sein Name kommt auch als Giuseppe De Sanctis Marianecci vor.

de Santi, Christina, Sopran, *1885 Šabac (Serbien), †17.4. 1978 New York; sie absolvierte ein sehr gründliches Gesangstudium in Wien, Berlin und Mailand. Während des Ersten Weltkrieges trat sie erstmalig in Belgrad in Opernkonzerten öffentlich auf. 1918 ging sie nach Italien und kam dort in den folgenden drei Jahren bis 1921 zu Erfolgen bei Gastspielen, u. a. in Rom, Mailand und Neapel. 1921–22 war sie an der Belgrader Nationaloper engagiert, verlegte sich dann aber auf eine internationale Gastspieltätigkeit. So sang sie 1924 in Amsterdam und bereiste 1928 die USA und Mexiko. Neben vielen weiteren Gastspielauftritten wurde sie auch durch eine intensive Tätigkeit als Konzert- und Oratoriensängerin bekannt. Aus ihrem Bühnenrepertoire seien als Höhepunkte die Tosca, die Leonore im «Troubadour» von Verdi, die Santuzza in «Cavalleria rusticana» und die Sieglinde in der «Walküre» genannt. Später lebte sie in New York. In ihrer jugoslawischen Heimat trat die Sängerin unter ihrem eigentlichen Namen Ljubica Stanković auf.

Descamps, Arthur, Tenor, *1882 Pâturages (in der belgischen Provinz Hainaut), †1948 Pâturages; er war zuerst Schüler von Achille Tondeur in Mons, dann von Adolphe Maréchal in Lüttich. Während des Ersten Weltkrieges debütierte er an der Oper von Lüttich, an der er seine großen Partien sang: den Rodolfo in Puccinis «La Bohème», den Cavaradossi in «Tosca», den Herzog im «Rigoletto», den Alfredo in «La Traviata», die Titelpartien in «Werther» von Massenet, «Faust» von Gounod und «Roméo et Juliette» vom gleichen Komponisten, den Jean in Massenets «Hérodiade» und den José in «Carmen». In den Jahren 1919–21 und 1925–27 war er Mitglied der Königlichen Oper Antwerpen, dazwischen 1921–24 des Théâtre de la Monnaie Brüssel. An diesem Opernhaus wirkte er u. a. in den Erstaufführungen der Opern «Gianni Schicchi» von Puccini (1922) und «La vida breve» von de Falla (1923) mit. In den Jahren 1920–34 gab er zahlreiche Gastspiele und Konzerte in Marseille, in Vichy, in Straßburg wie in Nordafrika. Im letzten Jahrzehnt seiner Karriere widmete er sich dem Wagner-Gesang und trat als Tristan, als Siegmund in der «Walküre», als Tannhäuser, als Parsifal und als Loge im «Rheingold» auf.
Schallplattenaufnahmen der Marke Polydor.

Desderi, Claudio, Bariton, *1943 Alessandria; er erhielt seine Ausbildung am Konservatorium von Florenz; er war zunächst als Konzertsänger tätig. 1969 kam es beim Festival von Edinburgh zu seinem Bühnendebüt als Gaudenzio in Rossinis «Il Signor Bruschino». Es folgte rasch die Entwicklung einer internationalen Karriere, wobei er sich vor allem als großer Interpret von Buffo-Partien auszeichnen konnte. Seit 1970 gastierte er häufig am Teatro Regio Turin, 1974 auch in Israel. 1975 debütierte er an der Mailänder Scala in «L'Amour de trois Oranges» von Prokofieff und sang dort wiederum 1978, 1983 und 1987 (als Leporello im «Don Giovanni»). Beim Maggio musicale Fiorentino sang er 1976 in der zeitgenössischen Oper «König Hirsch» («Re

Cervo») von H. W. Henze. Seit 1975 gastierte er ständig am Teatro Comunale Bologna, 1977 und 1983 an der Oper von Chicago. Bei den Festspielen von Salzburg kam er 1977–78 zu großen Erfolgen in dem Bühnenoratorium «Il Sant' Alessio» von Stefano Landi. 1979 trat er an der Oper von Genua und in Dallas auf. Eng verbunden war er mit den Festspielen von Glyndebourne; hier sang er 1981–82 den Bartolo im «Barbier von Sevilla», 1984 den Figaro und 1985 den Grafen in «Nozze di Figaro», 1983 den Don Magnifico in Rossinis «La Cenerentola», 1985 und 1987 den Alfonso in «Così fan tutte» und 1988 den Titelhelden im «Falstaff» von Verdi. 1982 zu Gast am Théâtre des Champs Élysées und an der Grand Opéra Paris (hier als Falstaff bewundert), beim Festival von Edinburgh und seit 1983 immer wieder am Grand Théâtre Genf. 1984–85 hörte man ihn an der Oper von Rom und in Washington, 1986 am Théâtre Châtelet Paris, 1987 an der Covent Garden Oper London und am Teatro Fenice Venedig, 1986 beim Maggio musicale Florenz (als Mustafà in Rossinis «Italiana in Algeri»). Beim Rossini Festival in Pesaro war er 1986–87 («L'Occassione fà il ladro») ebenfalls sehr erfolgreich. 1989 Gastspiel an der Covent Garden Oper London als Figaro in «Nozze di Figaro» und als Mustafà in «L'Italiana in Algeri». 1975 wirkte er in Bologna in der Uraufführung der Oper «Per Massimiliano Robespierre» von G. Manzoni, im gleichen Jahr in Turin in der italienischen Erstaufführung der Oper «Die drei Pintos» von C. M. von Weber/Gustav Mahler mit. Auch als Konzertsänger genoß er hohes Ansehen. Seit 1975 trat er auch gelegentlich als Dirigent hervor; seit 1985 auch pädagogisch tätig. Neben den bereits erwähnten Partien sang er auf der Bühne den Dandini in «La Cenerentola», den Conte Robinson in Cimarosas «Matrimonio segreto», den Macrobio in Rossinis «La Pietra del Paragone», den Sulpice in Donizettis «Fille du Régiment», den Malatesta in «Don Pasquale», den Philippo Visconti in «Beatrice di Tenda» von Bellini, den Geronte in «Manon Lescaut» von Puccini, den Nick Shadow in «The Rake's Progress» und den Ruprecht im «Feurigen Engel» von Prokofieff.
Schallplatten: Bongiovanni («Maria Egiziaca» von O. Respighi), HMV («Figaros Hochzeit»), Topaz-Video (Bartolo im «Barbier von Sevilla»).

de Sica, Gennaro, Tenor, * 1938 (?) Neapel; er war zuerst als Buchhalter bei der Bank von Neapel und als Beamter in einem Ministerium in Rom tätig, ließ dann aber seine Stimme am Conservatorio Umberto Giordano in Foggia und durch den berühmten Bariton Carlo Tagliabue an der Accademia di Santa Cecilia in Rom ausbilden. Er gewann mehrere Gesangwettbewerbe, darunter den Concours Francesco Viñas in Barcelona, den Internationalen Rundfunkwettbewerb in München, Wettbewerbe in Toulouse und Spoleto. Bühnendebüt 1963 am Teatro Sperimentale Spoleto als Ferrando in «Così fan tutte». Seine Karriere spielte sich einerseits in Italien an Opernhäusern in Bologna, Genua, Mailand, Florenz und Neapel, anderseits in Westdeutschland ab. Hier sang er an der Oper von Frankfurt a. M., am

Nationaltheater Mannheim, an den Staatstheatern von Karlsruhe und Darmstadt, in Nürnberg, Bonn und Kiel; zu Gast auch an der Königlichen Oper Kopenhagen. Höhepunkte in seinem Repertoire für die Bühne waren Partien wie der Don Ottavio im «Don Giovanni», der Tamino in der «Zauberflöte», der Titelheld in «Fra Diavolo» von Auber, der Chapelou im «Postillon de Lonjumeau» von Adam, der Ernesto im «Don Pasquale», der Nemorino in «Elisir d' amore», der Lyonel in Flotows «Martha», der Graf Almaviva in Rossinis «Barbier von Sevilla», der Titelheld in dessen «Le Comte Ory», der Don Ramiro in «La Cenerentola», der Lindoro in «L'Italiana in Algeri», der Narciso in «Il Turco in Italia», der Paolino in Cimarosas «Matrimonio segreto», der Lenski im «Eugen Onegin» von Tschaikowsky, der Herzog in «Rigoletto», der Alfredo in «La Traviata», der Fenton im «Falstaff» von Verdi, der David in den «Meistersingern» und der italienische Sänger im «Rosenkavalier» von R. Strauss. Als Konzertsolist ebenfalls in einem umfassenden Repertoire hervorgetreten.

Dessi, Daniela, Sopran, * 1960 (?) Genua; sie studierte Gesang und Klavierspiel in Parma und an der Accademia Chigiana in Siena. Sie begann ihre Tätigkeit als Konzert- und Oratoriensängerin. Als erste Opernpartie übernahm sie die Serpina in «La serva padrona» von Pergolesi. Es kam dann bald zur Ausbildung einer großen internationalen Bühnenkarriere. Am Teatro Liceo Barcelona sang sie die Desdemona in Verdis «Othello» als Partnerin von Placido Domingo, in Turin kam sie als Donna Elvira in «Don Giovanni» (1987) zu großen Erfolgen. Bei den Opernfestspielen von Ravenna gastierte sie 1987 in der vergessenen Donizetti-Oper «Alina Regina di Golconda», am Teatro Comunale Bologna 1988 als Alice Ford in Verdis «Falstaff». Sie sang Partien in Opern von Mozart, Rossini, Verdi und Puccini, aber auch in Werken von Carissimi, Monteverdi (Titelpartie in «L'Incoronazione di Poppea» 1988 bei den Festspielen von Valle d'Itria) und Händel, andererseits in modernen Bühnenwerken wie «Der Spieler» von Prokofieff. Neben ihrer Bühnentätigkeit setzte sie ihr Wirken als Konzertsolistin fort. So sang sie in Paris das Sopran-Solo im Verdi-Requiem unter Riccardo Muti, beim Festival von Valle d'Itria 1988 das Solo in der «Schöpfung» von J. Haydn.
Schallplatten: HMV (Gilda in vollständigem «Rigoletto»), Frequenz (Berta in Rossinis «Barbier von Sevilla», 1982), Bongiovanni («Adriano in Siria» von Pergolesi).

Destal, Fred, Baß-Bariton, * 1905 (?); er begann seine Bühnenlaufbahn als Chorsänger am Stadttheater von Liegnitz (1926–27), ließ dann aber seine Stimme für die Solistenkarriere ausbilden. Als solcher sang er 1928–30 am Stadttheater von Plauen (Sachsen), am Deutschen Theater von Brünn (Brno, 1930–31) und in den Jahren 1931–33 am Deutschen Opernhaus Berlin. 1933 verließ er aus politischen Gründen Deutschland, sang 1933–36 am Opernhaus von Zürich, 1936–38 an der Staatsoper von Wien und emigrierte bei der deutschen Besetzung von Öster-

reich in die USA. Er gastierte u. a. 1936 am Teatro Colón Buenos Aires und am Opernhaus von Montevideo und 1939 an der Oper von San Francisco als Wotan und als Pizarro im «Fidelio». 1945–46 hörte man ihn an der New York City Centre Opera, 1948 trat er nochmals als Gast an der Staatsoper von Wien auf. In Zürich wirkte er in der Uraufführung der Oper «Der Kreidekreis» von Alexander Zemlinsky mit (14. 10. 1933). Er wurde vor allem als Wagner-Interpret geschätzt, wobei der Wotan im Ring-Zyklus, der Hans Sachs in den «Meistersingern», der Kurwenal im «Tristan», der Fliegende Holländer und der Telramund im «Lohengrin» seine großen Partien waren. Von seinen weiteren Rollen seien der Titelheld im «Falstaff» von Verdi, der Paolo in «Simon Boccanegra», der Alfio in «Cavalleria rusticana», der Scarpia in «Tosca», der Archidiakon in «Notre-Dame» von Franz Schmidt und der Grand Prêtre in «Samson et Dalila» von Saint-Saëns genannt. Erfolgreiche Auftritte auch als Konzert- und Oratoriensänger.
Schallplatten: Es ist ein Mitschnitt einer «Walküren»-Aufführung aus Montevideo von 1936 vorhanden, in dem er den Wotan singt.

Deulin, Eglantine, Sopran, * 1905 Marcinelle (in der belgischen Provinz Hainaut); ohne eine wesentliche Ausbildung debütierte sie 1927 am Théâtre de la Monnaie Brüssel. Bis 1938 blieb sie, abgesehen von einem kurzen Engagement an der Oper von Lyon im Jahre 1933, Mitglied der Oper von Brüssel, an der sie in Partien wie der Salomé in «Hérodiade» von Massenet, der Leonore im «Troubadour» wie in Verdis «La forza del destino», der Aida, der Elisabeth im «Tannhäuser» und der Marguerite im «Faust» von Gounod zu großen Erfolgen kam. 1932 kreierte sie dort die Marie in der französischen Erstaufführung von Alban Bergs «Wozzeck». In der Saison 1937–38 gab sie Gastspiele an französischen Theatern, darunter in Marseille, Lyon und Nizza; sie trat dort u. a. als Partnerin von Georges Thill in Verdis «Othello» wie in den Wagner-Opern «Tannhäuser», «Lohengrin» und «Parsifal» auf. Ihre Karriere wurde durch den Zweiten Weltkrieg unterbrochen; bis 1953 ist sie noch gelegentlich im Konzertsaal zu hören gewesen.
Private Aufnahmen haben die Stimme der Künstlerin bewahrt.

Devallier, Lucienne, Alt, * 11. 4. 1923 Genf, † 12. 9. 1969 Lausanne; sie wurde am Conservatoire von Genf ausgebildet, wo sie Gesangunterricht durch Nina Nüesch und Albert Valmond erhielt. Seit 1950 kam sie in der Schweiz (Zürich, Genf, Lausanne, Bern, Lugano, Neuchâtel, Montreux, Winterthur, Vevey) zu viel beachteten Erfolgen im Konzertsaal. Sie trat dann auch im Ausland, darunter in Bologna, Mailand, Lyon, Montpellier, Paris, Rimini, in Straßburg und beim Festival von Stavelot (Belgien) auf. Aus ihrem Repertoire sind Werke von J. S. Bach, von Mozart, Haydn, Rossini, Strawinsky und A. Honegger anzuführen; gern widmete sie sich auch dem Schaffen zeitgenössischer Komponisten. Sie gab auch einige Gastspiele an den Theatern von Bern,

Lyon und Genf. 1965 sang sie über Radio Genf in der Uraufführung der Oper «Médée» von A. Kovach die Partie der Amme.
Schallplatten: Ars Nova («Jephte» von Carissimi, Psalmen von G. Marcello), Decca («Noces» von Strawinsky), Cycnus («Péchés de ma vieillesse» von Rossini), CTS (Lieder von W. Courvoisier).

De Vaughn, Pauletta, Sopran, * 8. 8. 1951 im amerikanischen Staat Kalifornien; die farbige amerikanische Künstlerin studierte zuerst bei Martial Singher in Santa Barbara, dann an der Juilliard School of Music in New York und mit Hilfe eines Stipendiums an der Musikhochschule Wien bei Frau Luise Scheit. 1975 wurde sie in das Opernstudio der Wiener Staatsoper aufgenommen. Nachdem sie mehrere Gesangwettbewerbe in den USA wie in Italien (Concours Mario del Monaco) gewonnen hatte, debütierte sie an der Grand Opéra Paris als Elisabeth in Verdis «Don Carlos». 1983 sang sie an der Wiener Staatsoper die Gerhilde in der «Walküre», am Theater von Lübeck die Elisabetta. Seit 1980 hörte man sie am Smetana Theater Prag u. a. als Tosca, als Leonore im «Troubadour», als Butterfly, als Mimi in «La Bohème», als Traviata, als Abigaille in Verdis «Nabucco», als Amelia in dessen «Ballo in maschera», als Lady Macbeth in «Macbeth», als Donna Anna im «Don Giovanni» und als Turandot von Puccini; 1990 gastierte sie in Prag als Tosca zusammen mit Peter Dvorsky und Sherill Milnes; bei den Festspielen von Savonlinna trat sie als Aida, in Palma de Mallorca als Tosca wie als Aida auf. Internationale Gastspieltätigkeit mit Auftritten an der Königlichen Oper Stockholm (Tosca, 1988), am Nationaltheater Mannheim (Elisabetta, Aida, Manon Lescaut von Puccini, 1988), am Opernhaus von Graz (Tosca und Elettra in «Idomeneo», 1989), an der Staatsoper Berlin (Aida, Tosca, Manon Lescaut, Elena in Verdis «Vespri Siciliani», 1988–90), an der Komischen Oper Berlin (Donna Anna, 1989), an der Staatsoper Dresden (Donna Anna, 1989), an der Nationaloper Sofia (Leonore im «Troubadour», 1988), an der Nationaloper Helsinki (Donna Anna, Tosca, 1988), an den Staatstheatern von Saarbrücken (Aida, Salome von R. Strauss, Senta im «Fliegenden Holländer», Elsa im «Lohengrin», Leonore im «Fidelio», 1990) und Karlsruhe (Abigaille in «Nabucco», 1990). Konzerte und Liederabende in Österreich, Deutschland und Schweden.
Schallplatten: Opus (Arien von Verdi und Puccini).

Devia, Mariella, Sopran, * 1951 (?) Imperia (Ligurien); sie absolvierte ihre Ausbildung an der Accademia di Santa Cecilia Rom. 1972 debütierte sie beim Festival von Spoleto als Despina in «Così fan tutte». 1973 gewann sie den Concorso Toti Dal Monte in Treviso. 1973 sang sie mit großem Erfolg, zuerst in Treviso, dann an der Oper von Rom die Titelpartie in Donizettis «Lucia di Lammermoor», dann am Teatro Regio Turin die Gilda. Nachdem sie schnell zu einer großen europäischen Karriere gekommen war, wurde sie an die Metropolitan Oper New York berufen, an der sie 1979 als Gilda im «Rigoletto» debütierte. Sie sang dort Partien wie die Konstanze

in der «Entführung aus dem Serail» (1982), die
Nannetta in Verdis «Falstaff» und die Despina in
«Così fan tutte». Internationale Karriere mit Gast-
spielen am Opernhaus von Zürich (1985 als Gilda),
am Théâtre de la Monnaie Brüssel, an den Staats-
opern von Hamburg und München, am Deutschen
Opernhaus Berlin, vor allem an den führenden
Opernbühnen Italiens. An der Oper von Dallas
hörte man sie als Adina in Donizettis «Elisir d'
amore», an der Oper von Chicago als Page Oscar in
Verdis «Ballo in maschera», in New York in einer
konzertanten Aufführung der Oper «Lakmé» von
Delibes in der Titelpartie. Bei den Festspielen von
Aix-en-Provence erregte 1987 ihre Konstanze in
Mozarts «Entführung aus dem Serail» Aufsehen, in
Bologna 1988 ihre Nannetta im «Falstaff» und ihre
Elvira in Bellinis «I Puritani», am Teatro Fenice
Venedig, ebenfalls 1988, ihre Adèle in Rossinis «Le
Comte Ory»; 1988 in Madrid als Konstanze zu Gast.
Diese Partie sang sie auch 1988 an der Covent Gar-
den Oper London und an der Oper von Köln. Beim
Festival von Pesaro hörte man sie 1988 in Rossinis
«Signor Bruschino». 1989 Gastspiel an der Covent
Garden Oper als Königin der Nacht in der «Zauber-
flöte», beim Maggio musicale Fiorentino als Ilia in
«Idomeneo». Bekannt wurde sie auch als Konzertso-
pranistin.
Schallplatten: Fonit Cetra (vollständige Oper «Ade-
laide di Borgogna» von Rossini), Nuova Era («La
Sonnambula» von Bellini).

de Vigier, Berthe, Sopran, * 25. 2. 1890 Kairo,
† 14. 8. 1987 Solothurn (Schweiz); die Künstlerin
wuchs in der Schweiz heran, studierte am Konservatorium von Stuttgart Klavierspiel, bei Carl Fröhli-
cher in Solothurn und dann bei Emilie Herzog-Welti
und Alfredo Cairati in Zürich Gesang. Sie war auch
in Mailand Schülerin von Vittorio Vanza. Sie kam zu
einer großen Karriere als Konzertsopranistin, zunächst in den Musikzentren in der Schweiz, dann
aber auch auf internationaler Ebene. Ihre Konzerte
in Basel, Zürich, Bern, Lausanne, Genf, Luzern,
Schaffhausen und Lugano, in Berlin, Paris, Wiesbaden, in Brüssel, Budapest, Frankfurt a. M. und Mulhouse (Mühlhausen/Elsaß) brachten ihr große Erfolge. Dabei sang sie vorzugsweise Partien in Oratorien, u. a. in der Matthäuspassion, der Hohen Messe
und zahlreichen Kantaten von J. S. Bach, in der
9. Sinfonie und der Missa solemnis von Beethoven in
Oratorien von Händel und Haydn («Schöpfung»,
«Jahreszeiten»), in Werken von Bruckner, Verdi,
Mozart, Berlioz («Enfance du Christ») und Strawinsky. Sie war eine hervorragende Liedersängerin
und hatte Lieder von Komponisten wie Schubert,
Adolf Jensen, Hugo Wolf, Walter Braunfels, Claude
Debussy, H. Suter, Charles-Marie Widor und Othmar Schoeck in ihrem Repertoire, dazu Arien und
andere Vokalwerke aus der Barockzeit wie aus allen
Epochen der Musikgeschichte. Besonders eng war
sie mit dem Musikschaffen des Schweizer Komponisten Arthur Honegger verbunden. Ein großer Ho-
negger-Abend mit dem Komponisten als Begleiter
in Bern 1932 bezeichnet einen der Höhepunkte ihrer
Karriere. 1931 sang sie in Solothurn in der Urauffüh-

rung von Honeggers Oratorium «Cris du monde»,
am 12. 5. 1938 wirkte sie in Basel in der konzertanten
Uraufführung seines Werks «Jeanne d' Arc au bûcher» mit. Die Künstlerin hatte ihren Wohnsitz in
Solothurn.

De Vincenzi, Rita, Sopran, * 1888 Castiglione Tori-
nese bei Turin, † 7. 11. 1970 Trofarello; sie war
Schülerin der Pädagogin Chiarina Fino-Savio in
Turin und erwarb 1913 ihr Diplom als Sängerin und
Gesanglehrerin am Liceo Verdi di Torino. Sie spezialisierte sich auf den Konzertgesang, und zwar
einerseits auf die Interpretation alter italienischer
Musik, andererseits auf den Vortrag moderner Vokalwerke. Sie war maßgeblich an der Monteverdi-Re-
naissance beteiligt, die von Turin ihren Ausgang
nahm. 1915 sang sie am Liceo Musicale von Turin in
einer denkwürdigen Aufführung von Monteverdis
«Il Combattimento di Clorinda e Tancredi»; am
19. 5. 1916 wirkte sie im Circolo degli Artisti di
Torino in «Il Balletto delle Ingrate», einem weiteren Werk von Monteverdi, mit. Diese Aufführung
wurde in Anwesenheit von Arturo Toscanini durch
Vittorio Veneziani geleitet. Sie entfaltete eine intensive Konzerttätigkeit in den Musikzentren der italienischen Halbinsel; in Paris sang sie in einem Konzert, das unter dem Protektorat der Gattin des amerikanischen Präsidenten Coolidge stattfand. Seit
1925 unterrichtete sie am Istituto Musicale von Vicenza, schließlich wurde sie als Professorin an das
Conservatorio Giuseppe Verdi in Turin berufen.

De Vol, Luana, Sopran, * 30. 11. 1942 St. Bruno bei
San Francisco. Ihre Tante *Eva De Vol* war in den
zwanziger Jahren als Opernsängerin (u. a. in San
Francisco) tätig; bereits mit fünf Jahren begann sie
mit dem Violinspiel und sang später in Kirchen- und
College-Chören. Sie arbeitete zwischenzeitlich als
Verwaltungsdirektorin in dem 3000 Plätze umfas-
senden Paramount Theatre in Oakland (Kalifor-
nien). Nach einer ersten Ausbildung ihrer Stimme
trat sie dem Chor der San Francisco Opera bei. Ihre
Ausbildung zur Solistin fand an der United States
University in San Diego (im Opera Workshop unter
Jan Popper) statt, wo sie bereits in einer Schülerauf-
führung die Gräfin in «Nozze di Figaro» sang. Nach-
dem sie einen lokalen Wettbewerb der Metropolitan
Oper New York gewonnen hatte, setzte sie ihre
Ausbildung bei Vera Rozsa in London, bei Janet
Parlova in San Francisco und seit 1981 bei dem
großen Tenor Jess Thomas fort. Während dieser
Zeit trat sie bereits als Konzertsängerin hervor. Sie
sang dann 1983 an der Oper von San Francisco die
Titelheldin in «Ariadne auf Naxos» von R. Strauss
und 1984 an der Oper von Seattle die Leonore in
Verdis «La forza del destino». Ihr europäisches Debüt fand 1983 an der Staatsoper Stuttgart als Leonore im «Fidelio» statt. 1984 wurde sie an das Stadttheater von Aachen engagiert, dessen Mitglied sie
für zwei Spielzeiten blieb. Hier zeichnete sie sich in
einer Vielzahl von Partien aus und wurde durch
Gastspiele bald allgemein bekannt. Nach einem ersten Gastspiel am Stadttheater von Bremerhaven als
Tosca sang sie 1985 an der Deutschen Oper am

Rhein Düsseldorf-Duisburg die Senta im «Fliegenden Holländer», 1986 in Amsterdam die Leonore im
«Fidelio»; in Seattle wirkte sie 1985 in der Uraufführung von Ahrolds «The Garden of Salomon» mit,
einem Werk, das für sie komponiert worden war. An
der San Francisco Opera hörte man sie 1986 als
Leonore im «Fidelio» und als Solistin in Beethovens
9. Sinfonie. 1986 wurde sie Mitglied des Nationaltheaters Mannheim. Es kam jetzt zu einer umfangreichen Gastspieltätigkeit u. a. an der Staatsoper
Berlin (1986–87 als Titelfigur in «Euryanthe» von
Weber und als Agathe im «Freischütz»), an der
Deutschen Oper Berlin (1987 Rezia im «Oberon»
von Weber, 1988 Fidelio, 1989 Senta), an der Oper
von Frankfurt a. M. (1988 Senta und Fidelio), an der
Staatsoper Hamburg (1989 Senta und Irene in Wag-
ners «Rienzi»), am Teatro Comunale Bologna (1987
Fidelio), am Opernhaus von Zürich (1989 Ellen
Orford in «Peter Grimes» von B. Britten), in Wien
(1989 Eva in «Irrelohe» von Franz Schreker) und bei
den Festspielen von Bregenz (1989 als Senta). 1988
hörte man sie in Mannheim als Aida, bei den Fest-
spielen von Orange des gleichen Jahres in mehreren
Partien im Nibelungenring, weitere Gastspiele in
Dortmund und Gelsenkirchen. Nicht weniger große
Erfolge als Konzertsolistin (War Requiem von
B. Britten, Sinfonie Nr. 14 von Schostakowitsch).
Aus ihrem Bühnenrepertoire seien ergänzend noch
die Donna Anna im «Don Giovanni», die Elisabetta
in Verdis «Don Carlos», die Elsa im «Lohengrin, die
Marschallin im «Rosenkavalier» von R. Strauss, die
Elisabeth im «Tannhäuser», die Isolde, die Brünn-
hilde und die Amelia in «Un Ballo in maschera»
genannt.

de Vries, Joop, Tenor, * 17. 9. 1905 Amsterdam,
† 9. 3. 1984 Basel; Gesangstudium am Konservatorium im Haag bei Arnold Spoel. 1936–37 war er nach
ersten Anfängen in seiner holländischen Heimat am
Theater von Hanau engagiert. 1938–42 sang er am
Opernhaus von Düsseldorf, 1942–47 an der Staatsoper von Hamburg. 1947 folgte er einem Ruf an das
Stadttheater von Basel, dessen Mitglied er bis 1955
blieb. Gastspiele brachten ihm am Opernhaus von
Zürich, in Frankfurt a. M., Mainz und Kassel, in
Amsterdam wie im Haag, am Théâtre de la Monnaie
Brüssel, in Bern und Luzern Erfolge. In Basel sang
er in der Uraufführung der Oper «Leonore 40/45»
von R. Liebermann (28. 3. 1952), in Zürich in der
Neufassung von Hindemiths Oper «Cardillac»
(20. 6. 1952), bereits 1941 in Düsseldorf in der Ur-
aufführung von O. Gersters «Die Hexe von Passau».
Aus seinen Bühnenpartien seien der Don Ottavio im
«Don Giovanni», der Ferrando in «Così fan tutte»,
der Tamino in der «Zauberflöte», der Lyonel in
Flotows «Martha», der Graf Almaviva im «Barbier
von Sevilla», der Lindoro in Rossinis «Italiana in
Algeri», der Herzog im «Rigoletto», der Alfredo in
«La Traviata», der Titelheld in Verdis «Don Car-
los», der des Grieux in «Manon» von Massenet, der
Chapelou in «Le Postillon de Lonjumeau» von
A. Adam, der Florestan im «Fidelio», der Ernesto
im «Don Pasquale», der Hans in der «Verkauften
Braut», der Nureddin im «Barbier von Bagdad», der

Dimitrij im «Boris Godunow», der Narraboth in
«Salome» von R. Strauss neben einer Anzahl von
Operettenrollen genannt.
Schallplatten: HMV (zum Teil Operetten-Titel).

Dežman-Kavur, Bianka, Sopran, * 23. 11. 1915
Split; sie erhielt ihre Ausbildung zur Sängerin in
Split und an der Musikakademie von Zagreb durch
M. Kostrencić. 1935 kam es zu ihrem Bühnendebüt
am Theater von Split als Fiametta in der Operette
«Boccaccio» von F. von Suppé. 1935–37 blieb sie in
Split tätig und wurde dann an das Opernhaus von
Zagreb engagiert. Seit 1937 war sie dort für über
zwanzig Jahre im Engagement und hatte ihre größ-
ten Erfolge in Partien aus dem lyrischen wie dem
Soubretten-Fach: als Adina in «Elisir d'amore», als
Carolina in Cimarosas «Matrimonio segreto», als
Norina im «Don Pasquale», als Susanna in «Figaros
Hochzeit», als Papagena in der «Zauberflöte», als
Violetta in «La Traviata», als Mimi wie als Musetta
in Puccinis «La Bohème» und als Sophie in Masse-
nets «Werther». Gastspiele an der Nationaloper Bel-
grad und an weiteren Bühnen, auch als Konzertso-
pranistin wirkend.
Schallplatten: Philips («Das Märchen vom Zaren
Saltan» von Rimsky-Korssakow).

Dibdin, Charles, Sänger, Autor und Komponist,
getauft 15. 3. 1745 Southampton, † 25. 7. 1814 London; er gehörte als Knabe dem Chor der Kathedrale
von Winchester an. Mit 15 Jahren ging er nach
London und trat 1762 in Richmond erstmalig auf der
Bühne als Sänger auf. Wenig später wurde er an die
Londoner Covent Garden Oper engagiert, an der er
als Sänger, dann auch als Komponist eines Pastorale
«The Shepherd's Artifice» 1764 Aufsehen erregte.
1768 kam er als Sänger und Komponist an das Drury
Lane Theatre London. 1778 wurde er Hauskompo-
nist der Covent Garden Oper. Insgesamt hat er für
diese beiden Londoner Theater über hundert musikalische Bühnenwerke komponiert. 1782 wurde er
Mitdirektor des Royal Circus London und entfaltete
in den achtziger Jahren eine rege Tätigkeit als Theatermanager und Organisator von Operntruppen.
Eine geplante Indien-Tournee kam jedoch nicht zustande. Dagegen hatte er ganz ungewöhnliche Erfolge mit seinen «Table Entertainments», die er seit
1789 in London veranstaltete. Dabei trat er als Text-
dichter, Komponist, Sänger und Sprecher, hinter
einem Tisch agierend (daher der Name), in Erscheinung und konnte seine vielseitige Begabung ganz zur
Anwendung bringen. Zwischen 1789 und 1809 hat er
32 derartige Table Entertainments verfaßt und aufgeführt; eins der erfolgreichsten war «The Oddi-
ties», das das noch heute in England populäre Lied
«Tom Bowling» enthält. Dies gilt auch für mehrere
seiner Sea-Songs. Gegen Ende seines Lebens geriet
er in Schulden. Schließlich kam es zum Bankrott
seiner Unternehmen, und nur durch eine öffentliche
Subskription konnte er vor einer Strafverfolgung
bewahrt werden. Der rastlos tätige, auf so vielen
Gebieten wirkende Künstler hat ein überaus umfangreiches Werk hinterlassen, das 46 Singspiele
(darunter als wichtigste «Leonel and Clarissa», 1768,

«The Padlock», «The Ephesian Matron», «The Captive», «The Ladle», 1773, «The Trip to Portsmouth», «The Seraglio», 1776, «Rose and Colin», «The Milkmaid«, «Harvest Home», 1787) auf eigene, 75 auf fremde Texte, drei Libretti, zahlreiche Ballette, Lieder und Cembalostücke umfaßt. Schließlich veröffentlichte er seine Lebensbeschreibung neben vielen weiteren literarischen Arbeiten.
Lit.: H. G. Thorn: «Charles Dibdin» (Southampton, 1888). E. R. Dibdin: «Charles Dibdin» (Liverpool, 1937).

Dichtler, Leopold, Tenor, *1740 (?), †(?); der Name dieses Sängers verdient Beachtung, weil er in der langen Zeit von 1763 bis 1790 Mitglied der Fürstlich Esterházy'schen Kapelle war, die während dieser Periode unter der Leitung des großen Meisters der Klassik Joseph Haydn stand. Daraus ergab sich eine innige Verbindung mit dem Vokalschaffen dieses Komponisten. Er wirkte auf Schloß Esterház in mehreren Uraufführungen der für die dortige Bühne geschaffenen Opern von Joseph Haydn mit, so u. a. in «L'infedeltà delusa» (26. 7. 1773) und in der letzten Oper des Meisters «Armida» (26. 2. 1784). Es ist sicher, daß er auch in weiteren Uraufführungen von Bühnenwerken und religiösen Kompositionen mitgewirkt hat. Seine Gattin *Barbara (Nanni) Dichtler,* gehörte als Sopranistin ebenfalls der Kapelle des Fürsten Esterházy an und sang in der Uraufführung von «L' infedeltà delusa» die Partie der Sandrina. Erst als Fürst Anton Esterházy 1790 die Kapelle auflöste, wurde die Karriere des Künstlers beendet.

Dickson, Stephen, Bariton, *16. 2. 1951 im amerikanischen Staat Oklahoma; er begann seine Karriere 1975 an der Oper von St. Louis, wo er in «Albert Herring» von B. Britten auftrat, und sang anschließend bei mehreren kleineren und größeren amerikanischen Operngesellschaften. So erschien er 1977 bei der Santa Fé Opera in einer seiner späteren Hauptrollen, dem Guglielmo in «Così fan tutte», und kam 1979 und 1984 an dieses Haus zurück. 1978 sang er in Vienna (im amerikanischen Staat Virginia) in der Uraufführung der Oper «The Duchess of Malfi» von St. Burton, 1979 in St. Louis in der amerikanischen Erstaufführung von «Die drei Pintos» von Weber/G. Mahler und 1981, ebenfalls in St. Louis, in der amerikanischen Premiere von «Fennimore and Gerda» von F. Delius. 1980 wurde er an die New York City Centre Opera engagiert, an der er während mehrerer Jahre regelmäßig auftrat. 1980 begann er dann auch eine sehr erfolgreiche Karriere in Europa. Dort erschien er zuerst an der Oper von Nancy als Papageno, eine Rolle, die er auch 1980 und 1981 bei den Festspielen von Glyndebourne übernahm, und mit der er 1983 am Théâtre Châtelet in Paris zu großen Erfolgen kam. 1983 und 1986 hörte man ihn am Pariser Théâtre des Champs-Élysées als Guglielmo; 1984 gastierte er an der Washington Opera, 1985 und 1987 an der Oper von San Francisco, 1985 am Teatro Regio Turin, 1985 am Teatro Colón Buenos Aires (wieder als Guglielmo), 1986 am Opernhaus von Philadelphia. Bei den Fest-

spielen von Aix-en-Provence wirkte er 1985 als Harlekin in «Ariadne auf Naxos» von R. Strauss mit. Am Theater von Columbus (Ohio) sang er 1986 in der Uraufführung der Oper «Three Sisters» von Th. Pasatieri (eine Aufführung, die auf PS-Schallplatten aufgenommen wurde), an der Grand Opéra Paris in der von «La Célestine» von Maurice Ohana (13. 6. 1988 als Calyx). Von seinen weiteren Bühnenpartien seien der Marcello in «La Bohème», der Sharpless in «Madame Butterfly», der Ford in Verdis «Falstaff», der Albert im «Werther» von Massenet, der Prinz Paul in der Offenbach-Operette «La Grande-Duchesse de Gerolstein» und der Herr Reich in den «Lustigen Weibern von Windsor» von Nicolai aufgeführt. Auch als Konzertsänger in Erscheinung getreten.

Didonè, Rosanna, Sopran, *13. 2. 1955 Galliera Veneta (Provinz Padua); Gesangstudium am Conservatorio Benedetto Marcello in Venedig bei Maestro Paolo Minto Bonini, auch Schülerin von Frau Enza Ferrari. Nachdem sie bereits 1977 in einer Fernsehaufzeichnung von Verdis «Macbeth» mitgewirkt hatte, debütierte sie 1978 in Padua als Serpina in «La Serva padrona» von Pergolesi. Es folgten Auftritte am Teatro Fenice Venedig in «Idomeneo» von Mozart und 1981 als Rosette in «Manon» von Massenet, 1983 als Bianca in «La Rondine» von Puccini. 1980 sang sie am Theater von Alessandria die Despina in «Così fan tutte», 1982 in Turin die Clarice in «Il mondo della luna» von J. Haydn, am Teatro Verdi Padua 1982 die Frasquita in «Carmen», 1984 die Musetta in Puccinis «La Bohème». Oft war sie am Teatro Verdi Triest anzutreffen, darunter 1982 als Gnese in «Il Campiello» von Wolf-Ferrari, 1984 als Amor im «Orpheus» von Gluck, 1985 als Barbarina in «Nozze di Figaro», 1987 als Kaiserin Marie-Louise in «Háry János» von Z. Kodály und 1988 als Najade in «Ariadne auf Naxos» von R. Strauss. 1985 gastierte sie in Holland als Egloge in «Nerone» von Mascagni, 1987 in Bulgarien als Biancofiore in Zandonais «Francesca da Rimini»; 1982 sang sie an der Oper von Rom die Voce dal cielo in Verdis «Don Carlos», 1988 die Madame Silberklang in Mozarts «Schauspieldirektor». Von ihren Bühnenpartien sind noch die Gilda im «Rigoletto», die Susanna in «Nozze di Figaro», die Carolina in «Il matrimonio segreto» von Cimarosa, die Adina in «Elisir d'amore», die Norina im «Don Pasquale», der Page Oscar in Verdis «Ballo in maschera», die Nannetta in dessen «Falstaff» und die Lauretta in «Gianni Schicchi» zu nennen. In Mailand wie in Wien trat sie als Konzertsängerin hervor.
Schallplatten: Bongiovanni («Nerone» von Mascagni, «Francesca da Rimini» von Zandonai).

Dierich, Karl, Tenor, *31. 3. 1852 Heinrichau (Preußisch Schlesien), †1928 Kattowitz; der Künstler erhielt seine Ausbildung durch Graben-Hoffmann in Potsdam und in Dresden. Er kam 1883 zu seinem Debüt am Hoftheater von Weimar. 1884 ging er an das Stadttheater Bremen, 1885–88 war er am Opernhaus von Leipzig engagiert. 1888–91 gehörte er dem Hoftheater von Schwerin an. Hier trat er, wie auch schon zuvor, als Konzert- und Oratoriensänger in Erscheinung. Als solcher hatte man ihn u. a. bei den Mecklenburgischen Musikfesten hören können. Er gehörte in den neunziger Jahren und um die Jahrhundertwende zu den wichtigsten Konzert- und Oratorientenören und brillierte als Solist in der Matthäuspassion, in «Judas, Makkabäus» von Händel, in der «Schöpfung» und den «Jahreszeiten» von Haydn, der Missa solemnis von Beethoven, dem «Paradies und die Peri» von R. Schumann. Er gastierte immer wieder in Berlin, Hamburg, Leipzig, Frankfurt a. M., in Rotterdam, Amsterdam wie in Böhmen. Verheiratet mit der Konzert- und Oratoriensängerin *Meta Geyer* (1874–1930). Zuletzt betätigte er sich in Kattowitz in Oberschlesien als Gesanglehrer. Aus seinem Bühnenrepertoire sind Partien wie der Raoul in den «Hugenotten» von Meyerbeer, der Graf Almaviva in Rossinis «Barbier von Sevilla», der Hüon im «Oberon» von Weber und der Titelheld in Flotows «Alessandro Stradella» zu nennen.

Dietsch, James, Bariton, * 27. 3. 1950 Kansas City (Missouri); er studierte Musik und Gesang an der Missouri University in Kansas City, an der Juilliard School of Music, im American Opera Center New York und in den Jahren 1979–82 an der Wiener Musikhochschule. 1975 kam es zu seinem ersten Bühnenauftritt bei der Fargo-Moorhead Civic Opera. 1981 gab er ein sehr erfolgreiches Konzert in der New Yorker Town Hall, dem 1982 eins in der dortigen Carnegie Hall folgte. 1981 war er Gewinner des National Arts Club-Preises. Es schlossen sich Bühnen- und Konzertauftritte in Nordamerika wie in Europa an. Er sang an der San Francisco Opera und an der City Centre Opera New York, an der Opera North Leeds, an der Deutschen Oper am Rhein Düsseldorf–Duisburg, am Staatstheater Saarbrücken, am Opernhaus von Essen und war 1985–89 Mitglied des Staatstheaters Karlsruhe. In den USA war er als Gast auch an der Oper von Santa Fé, bei der Michigan Opera, der Milwaukee Opera, der Minnesota Opera und der Hawaii Opera anzutreffen. Als Konzertsolist trat er u. a. zusammen mit dem New York Philharmonic Orchestra, dem Mexico City Philharmonic Orchestra und anderen bekannten Orchestern auf. Auf der Bühne sang er vor allem die Baritonpartien in Opern von Verdi, doch hatte sein Repertoire hier wie auch im Konzertbereich einen großen Umfang.
Schallplatten: HRI («Il Corsaro» von Verdi).

di Franco, Loretta, Sopran, * 28. 10. 1942 New York; nachdem sie anfänglich als Sekretärin gearbeitet hatte, studierte sie Gesang bei Maud Webber und Walter Taussig in New York. Sie gehörte zunächst dem Chor der Metropolitan Oper an, wo sie 1962 eins der Landmädchen in «Figaros Hochzeit» als erste kleine Solopartie sang. 1965 gewann sie den ersten Preis beim Gesangwettbewerb der New Yorker Metropolitan Oper und erhielt sogleich ein Engagement als Solistin an dieses große Operninstitut. Sie debütierte noch 1965 an der Metropolitan Oper als Chloë in «Pique Dame» von Tschaikowsky. Seit-

dem blieb sie für eine Reihe von Jahren Mitglied dieses Hauses, an dem sie in kleineren, aber auch in großen Aufgaben aus dem Fachbereich des lyrischen Koloratursoprans auftrat, darunter in Partien wie der Zerline im «Don Giovanni», der Mimi wie der Musetta in Puccinis «La Bohème», der Lauretta in «Gianni Schicchi», der Titelfigur in «Lucia di Lammermoor», der Marianne Leitmetzerin im «Rosenkavalier» und dem Pagen Oscar in Verdis «Ballo in maschera». Gastspiele wie Konzertauftritte in den Musikzentren der USA kennzeichnen die Karriere der Künstlerin.
Schallplatten: Mitschnitte von Rundfunkaufnahmen aus der Metropolitan Oper auf Privatmarken.

Dijkstra, Hebe, Mezzosopran, * 1952 (?); sie absolvierte ihre Gesangausbildung in ihrer holländischen Heimat (u. a. am Konservatorium im Haag und bei Theo Baylé) und hatte dort auch ihre ersten Bühnenauftritte, u. a. 1975 bei der Operngesellschaft Forum in Enschede als Titelheld im «Orpheus» von Gluck und als Quickly in Verdis «Falstaff». Sie ging dann nach Deutschland, gastierte 1976 am Stadttheater von Bonn in «Sadko» von Rimsky-Korssakow und war 1976–79 am Landestheater Detmold, 1979–80 am Landestheater Saarbrücken engagiert. 1981–83 nahm sie ein Gast-Engagement am Stadttheater von Freiburg i. Br. wahr; 1982–85 war sie Mitglied der Vereinigten Theater Mönchengladbach–Krefeld, 1987–89 des Opernhauses von Wuppertal, seit 1989 des Theaters am Gärtnerplatz München. 1987 gastierte sie in Amsterdam, 1989 sang sie dort in «Der Kreidekreis» von Zemlinsky, 1988–89 bei den Festspielen von Bayreuth als Roßweiße in der «Walküre». Auf der Bühne gehörten die Carmen, die Fricka, die Waltraute, die Floßhilde wie die zweite Norn im Nibelungenring, die Amme in «Ariane et Barbe-Bleue» von Dukas, die Wirtin im «Boris Godunow» und die Majorin in «I Cavalieri de Ekebù» von Zandonai zu ihren Glanzrollen. Auch im Konzertsaal erfolgreich aufgetreten. Verheiratet mit dem Bassisten *Jan Alofs.*

Dilber, Sopran, * 1958 in der chinesischen Provinz Xinjing (in der die Einwohner nur einen einzigen Namen tragen). Sie erhielt ihre Ausbildung am Zentralkonservatorium von Peking. Ihr Lehrer dort war der Tenor Shen Xiang, der an Opernbühnen in Peking und Schanghai gesungen hatte und selbst durch italienische, deutsche und russische Lehrer ausgebildet, worden war. Die ungewöhnlich klein gewachsene, zierliche Künstlerin erregte 1984 beim Mirjam Helin-Concours in Helsinki mit ihrer technisch vollendet durchgebildeten, klangschönen Koloraturstimme sensationelles Aufsehen und gewann den ersten Preis. Sie kam in den folgenden Jahren in ihrer chinesischen Heimat, in Europa wie in Nordamerika zu einer vielversprechenden Karriere. Ihre größten Erfolge erzielte sie im Konzertsaal. Auf der Bühne trat sie nicht weniger erfolgreich in einigen ausgewählten Partien auf, so u. a. 1987 beim Festival von Edinburgh als Gilda im «Rigoletto» und 1989 an der Nationaloper von Helsinki als Page Oscar in Verdis «Ballo in maschera».

di Marco, Mario, s. unter *Murray,* Niall.

Dimitrijević, Vladeta, Bariton, * 25. 10. 1925 Mali Crnuć bei Pozarevca (Serbien); er wurde in Wien und Mailand zum Sänger ausgebildet, debütierte 1951 an der Nationaloper von Belgrad und blieb während seiner gesamten, jahrzehntelangen Bühnenkarriere Mitglied dieses führenden jugoslawischen Operninstituts. Er sang dort eine Vielfalt von Partien, von denen der Graf Luna in Verdis «Troubadour», der Amonasro in «Aida», der Renato im «Maskenball», der Titelheld in Verdis «Nabucco», der Gérard in «Andrea Chénier» von Giordano, der Escamillo in «Carmen», der Tomski in «Pique Dame» von Tschaikowsky, der Titelheld in «Fürst Igor» von Borodin und der Graf Almaviva in «Figaros Hochzeit» genannt seien. Gastspiele und Konzertauftritte in Jugoslawien wie im Ausland runden die Karriere des Künstlers ab.
International bekannt wurde sein Name vor allem durch Opernaufnahmen, die bei Decca erschienen; hier wirkt er in den vollständigen Opern «Iwan Susanin» («Ein Leben für den Zaren») von Glinka und «Snegourotschka» von Rimsky-Korssakow mit.

Dimitrowa, Anastasia, Sopran, * 16. 11. 1940 Pernik (Bulgarien); sie war am Staatskonservatorium Sofia zunächst Schülerin von Frau Swetana Diakowitsch, dann in Zagreb von Miroslav Fritz Lunzer. 1965 debütierte sie am Opernhaus von Skopje in Verdis «Nabucco». 1969 war sie Preisträgerin beim Gesangwettbewerb Francisco Viñas in Barcelona, auch beim Verdi-Concours in Busseto erfolgreich. Sie hatte während ihrer Karriere ihre größten Erfolge an der Nationaloper von Sofia, vor allem aber an den Opern von Belgrad und Rijeka Mitglied der Opernhäuser von Zagreb und Skopje, wo die Künstlerin ihren Wohnsitz nahm und sich pädagogisch betätigte. Sie sang auf der Bühne mit Vorliebe Partien aus dem italienischen wie dem slawischen Lirico spinto-Fach: die Aida, die Elisabetta in Verdis «Don Carlos», die Leonore im «Troubadour», die Mimi in Puccinis «La Bohème», die Butterfly, die Euridice in Glucks «Orpheus», die Marguerite im «Faust» von Gounod, die Jaroslawna im «Fürst Igor» von Borodin, die Tatjana im «Eugen Onegin» von Tschaikowsky, die Marie in Smetanas «Verkaufter Braut», die Rusalka in der gleichnamigen Oper von Dvořák und die Micaela in «Carmen». Die Sängerin, die mit dem Musikologen Branislaw Pop-Gligorow verheiratet war, ist auch als Konzertsopranistin aufgetreten. Sie darf keinesfalls mit der bulgarischen Sopranistin Ghena Dimitrowa verwechselt werden, die der gleichen Sängergeneration angehört.
Schallplatten: Balkanton, Jugoton.

di Pianduni, Oslavio, Tenor, * 1940 (?) Montevideo; sein Vater war ein italienischer Maler und Bildhauer, der aus Genua stammte, seine Mutter war aus Montevideo gebürtig. Seine Stimme wurde früh enteckt und in Montevideo durch Ernesto Amato (einen jüngeren Bruder des berühmten Pasquale Amato) und durch Charlotte Bernhardt ausgebildet. In den Jahren 1961–65 sang er bereits an der

Oper von Montevideo kleinere Rollen, dann aber auch den Rinuccio in «Gianni Schicchi» von Puccini und den Lyonel in Flotows «Martha». 1965–67 setzte er seine Ausbildung an der Musikhochschule Köln fort und war 1967–68 im Opernstudio des Kölner Opernhauses. 1968–70 gehörte er dem Theater von Klagenfurt an und nahm 1970 an einer Tournee der Salzburger Mozart-Oper teil, bei der er vor allem den Belmonte in der «Entführung aus dem Serail» sang. 1970–75 war er am Stadttheater von Bielefeld engagiert und übernahm hier eine Vielzahl von Partien: den Tamino in der «Zauberflöte», den Hans in Smetanas «Verkaufter Braut», den Alfredo in «La Traviata», den Riccardo in Verdis «Ballo in maschera», den Manrico im «Troubadour», den Titelhelden in «Hoffmanns Erzählungen», den José in «Carmen», den Pinkerton in «Madame Butterfly», den Kalaf in Puccinis «Turandot», den Barinkay im «Zigeunerbaron» von J. Strauß und den Paganini in Lehárs bekannter Operette. Es schlossen sich Verpflichtungen am Theater am Gärtnerplatz München (1975–76), an der Wiener Volksoper (1976–78) und am Theater von Kiel (1979–82) an. 1982–84 war er am Stadttheater von Bremen tätig und ging dann einer ausgedehnten Gastspielkarriere nach. So gastierte er am Opernhaus von Zürich als Emilio Memmi in «Massimilla Doni» von O. Schoeck und als Edmund in der zeitgenössischen Oper «Lear» von A. Reimann (1988). Gastspiele an den Staatstheatern von Hannover (1989 als Andrea Chénier von Giordano), Wiesbaden und Kassel, in Bonn und Wuppertal und namentlich am Tiroler Landestheater Innsbruck (u. a. als Luigi in Puccinis «Il Tabarro» und als Hermann in «Pique Dame» von Tschaikowsky) kennzeichnen die Karriere des Künstlers, der auch von vornherein als Lieder- und Konzertsänger hervortrat (erster Liederabend 1962 Montevideo). 1989 sang er an der Oper von Oslo erstmals den Titelhelden in Verdis «Othello».

di Virgilio, Nicolas, Tenor, * 1937 (?) North Tonawanda (New York); nach vorheriger Beschäftigung als Holzfäller und als Verkäufer im Bekleidungsgewerbe erfolgte sein Gesangstudium an der Eastman School of Music in Rochester (New York), im Studio der New Yorker Metropolitan Oper und bei den Pädagogen John Howell und Daniel Ferro in New York. 1961 debütierte er als Opernsänger bei der Chautauqua Opera in der Partie des Pinkerton in Puccinis «Madame Butterfly». Er hat fast an allen Opernhäusern von Bedeutung in den USA gesungen: an den Opern von Baltimore (seit 1965) und Cincinnati, von New Orleans (1967–70) und San Francisco (1966–1967), in San Antonio und San Diego, in Pittsburgh und Washington (1965), an der New York City Centre Opera (1964–71) und auch an der Metropolitan Oper New York, an der er 1970 als Pinkerton in «Madame Butterfly» debütierte und während mehrerer Spielzeiten sang, u. a. als Edgardo in «Lucia di Lammermoor». In Europa gastierte er erfolgreich am Théâtre de la Monnaie Brüssel (1968), in Amsterdam (1970) und Lyon. 1978 sang er in London das Tenor-Solo im Verdi-Requiem. Er sang vor allem Partien aus dem lyri-

schen Fachbereich, u. a. den Titelhelden in «Idomeneo» von Mozart, den Don Ottavio im «Don Giovanni», den Ferrando in «Così fan tutte», den Herzog im «Rigoletto», den Alfredo in «La Traviata»,
den Riccardo in Verdis «Ballo in maschera», den
Fenton in dessen «Falstaff», den Titelhelden im
«Faust» von Gounod, den Rodolfo in Puccinis «La
Bohème», den Cavaradossi in «Tosca», den Rinuccio in «Gianni Schicchi», den Hoffmann in «Hoffmanns Erzählungen» von Offenbach, den José in
«Carmen», den Laça in «Jenufa» von Janáček und
den Michele in «The Saint of Bleecker Street» von
Gian Carlo Menotti. Zusätzlich zu seiner Bühnenkarriere war er auch als Konzertsolist und als Gesangpädagoge (Universität von Illinois) bekannt.
Schallplatten: CBS (9. Sinfonie von Beethoven, Werke von L. Bernstein), RCA (Mozart-Requiem).

Dobš, Václav, Baß, * 8. 2. 1846 Prag, † 27. 2. 1902
Prag; er wurde in der Opernschule des Prager Pädagogen Pivoda ausgebildet und war zunächst in der
Saison 1866–67 als Chorist an einem Prager Theater
beschäftigt. 1868 kam es zu seinem Solistendebüt am
Tschechischen Theater von Plzeň (Pilsen), wo er bis
1870 blieb. In den Jahren 1870–73 war er Mitglied
des Tschechischen Nationaltheaters Prag. 1873
wechselte er an das Deutsche Theater Prag; hier
nannte er sich Wenzel Dobsch und blieb bis 1890 als
erster Bassist an diesem Haus tätig. Er trat hier in
mehreren wichtigen Premieren auf und gastierte mit
dem Ensemble dieses Theaters in Wagner-Opern in
St. Petersburg und Moskau. Von den Partien, die er
auf der Bühne sang, sind der Sarastro in der «Zauberflöte», der Eremit im «Freischütz», der Daland
im «Fliegenden Holländer», der Fasolt im «Rheingold», der Hunding in der «Walküre», der Pogner in
den «Meistersingern», der Marcel in den «Hugenotten» von Meyerbeer, der Kardinal in Halévys «La
Juive» und der Kezal in der «Verkauften Braut» von
Smetana zu erwähnen. Auch als Konzertsänger kam
er zu einer erfolgreichen Karriere.

Dobson, John, Tenor, * 1930 Derby (England); sein
Gesangstudium fand an der Guildhall School of
Music London bei Norman Walker, dann in Italien
bei Giovanni Inghilleri statt. Er debütierte als Bariton, wurde dann aber Tenor, wobei er sich zuerst im
Buffo-Fach, später mehr im heldischen Fachbereich
betätigte. Als Tenor debütierte er 1957 in Italien,
und zwar in Bergamo als Pinkerton in «Madame
Butterfly» von Puccini. Er wirkte dann seit 1958 im
Ensemble der New Opera Company London, gastierte bei den Festspielen von Glyndebourne (1959
in «Der Rosenkavalier») und wurde 1959 an die
Londoner Covent Garden Oper verpflichtet. Hier
sang er 1961 unter Otto Klemperer den Jacquino in
Beethovens «Fidelio». Seine weiteren Glanzrollen
waren der Andres in «Wozzeck» von Alban Berg,
der Paris in «King Priam» von Michael Tippett (den
er auch bei der Uraufführung der Oper am 29. 5.
1962 in Coventry kreierte), der Andrej Khovanskij
in «Khovantchina» von Mussorgsky, der David in
den «Meistersingern», vor allem aber der Loge und
der Mime im «Rheingold» von R. Wagner. Er sang

an der Covent Garden Oper auch in der Uraufführung von M. Tippetts «Ice Break» (7. 7. 1977). Er
hatte eine sehr lange Bühnen- wie Konzertkarriere.
An der Covent Garden Oper sang er 70 Partien in
1500 Vorstellungen. Er nahm mit deren Ensemble
an einem Gastspiel an der Mailänder Scala (1976)
und an einer Fernost-Tournee (1979) teil. Er ga-
stierte an der Deutschen Oper am Rhein Düsseldorf-
Duisburg, bei den Festspielen von Orange und beim
Maggio musicale Florenz.
Schallplatten: Decca (Rodrigo in Verdis «Othello»),
Philips (Bob Boles in «Peter Grimes» von Benjamin
Britten von 1978), TER («Amahl and the Night
Visitors» von Menotti), DGG («Fanciulla del West»
von Puccini), Castle-Video («Andrea Chénier» von
Giordano).

Doe, Edward, Baß, * 26. 2. 1926 Jacksonville (Florida); nachdem er als Offizier bei der amerikanischen Marine gedient hatte, entschloß er sich zur
Ausbildung seiner Stimme, die durch Arturo di Filippi in Miami, durch den großen Bassisten Virgilio
Lazzari und durch Maestro Giuseppe Bamboschek
in New York stattfand. 1949 debütierte er bei der
Miami Opera Guild als König in Verdis «Aida»,
begann aber seine eigentliche Bühnenkarriere erst
später, die ihn dann an die Opernhäuser von Philadelphia, San Francisco, Cincinnati, San Antonio,
Montreal und an zahlreiche weitere Theater führte;
sehr erfolgreich war er als Mitglied des Ensembles
der Jacksonville Opera Group. Von seinen Bühnenpartien seien der Oroveso in Bellinis «Norma», der
Graf in «Figaros Hochzeit», der Sarastro in der
«Zauberflöte», der Basilio in Rossinis «Barbier von
Sevilla», der Don Magnifico in dessen Märchenoper
«La Cenerentola», der Dulcamara in Donizettis
«Elisir d' amore», der Kezal in der «Verkauften
Braut» und der Plumkett in Flotows «Martha» ge-
nannt.

Doerrer, Elly, Sopran, * 26. 3. 1900 Myslowice bei
Katowice (Kattowitz, Oberschlesien); sie debütierte
am Theater von Sondershausen (1927–28), sang
1928–29 in Braunschweig und war seit 1929 als erste
hochdramatische Sopranistin am Stadttheater von
Rostock engagiert. Von dort ging sie für eine Spielzeit an das Nationaltheater von Mannheim und
wurde 1932 für drei Jahre Mitglied des Opernhauses
von Breslau. Hier und auch bei Gastspielen von
Berlin aus (1935–38) an führenden deutschen Theatern hatte sie in Bühnenpartien wie der Leonore in
Beethovens «Fidelio», der Isolde im «Tristan», der
Brünnhilde in den Opern des Ring-Zyklus, der Elektra in der gleichnamigen Oper von Richard Strauss
und der Aida ihre Erfolge, die sich in ähnlicher
Weise auch im Konzertsaal einstellten. 1938–40 war
sie in Saarbrücken, 1940–49 in Chemnitz engagiert,
wo sie dann als Pädagogin arbeitete.

Dohmen, Albert, Baß-Bariton, * 1956 Krefeld; er
trat schon in Kinderrollen bei Opernaufführungen
auf, studierte dann 1970–74 Oboe in Essen und
entfaltete eine umfangreiche Orchester- und Kam-
mermusiktätigkeit. 1976 gewann er den ersten Preis

beim Bundesgesangwettbewerb in Berlin, studierte aber 1976–82 Rechtswissenschaften an der Universität Köln. Parallel dazu ließ er 1977–84 seine Stimme privat durch Gladys Kuchta ausbilden. 1983 kam er in das Opernstudio der Deutschen Oper am Rhein Düsseldorf–Duisburg und gehörte diesem Haus 1984–85 als Solist an. Seit 1986 war er als erster Baß-Bariton am Staatstheater von Wiesbaden verpflichtet; gleichzeitig bestanden Gastverträge mit der Staatsoper Hamburg (1986–87) und mit der Wiener Volksoper (1987–90). Ausgedehnte internationale Gastspieltätigkeit mit Auftritten in Stockholm (1988 Assur in Rossinis «Semiramide» mit Montserrat Caballé in der Titelpartie), Göteborg, Kopenhagen und Helsinki (Baß-Solo im Verdi-Requiem). Man hörte ihn als Gast am Teatro Massimo Palermo, am Teatro Bellini Catania (1990 Kaspar im «Freischütz»), bei den Ludwigsburger Festspielen und an der Oper von Kairo («La vera costanza» von J. Haydn). Am 1. 5. 1986 wirkte er bei den Festspielen von Schwetzingen in der Uraufführung der Oper «Die Leiden des jungen Werthers» von Bose als Albert mit; ebenfalls in Schwetzingen sang er 1987 in der deutschen Erstaufführung von «La Princesse de Clève» von Jean Françaix. Rundfunksendungen (u. a. 1988 Sieben Sinfonische Gesänge von A. Zemlinsky über RAI Turin) in Deutschland, Italien und den skandinavischen Ländern wie Auftritte im Fernsehen runden die Karriere des Sängers ab, der auch als Konzert- und Oratoriensolist in einem weitreichenden Repertoire zu großen Erfolgen kam. Von seinen Bühnenpartien sind hervorzuheben: der Don Giovanni, der Graf in «Figaros Hochzeit», der Alfonso in «Così fan tutte», der Basilio im «Barbier von Sevilla», der Don Magnifico in Rossinis «La Cenerentola», der Pizarro im «Fidelio», der Philipp wie der Großinquisitor in Verdis «Don Carlos», der Procida in «I Vespri Siciliani», der Paolo wie der Fiesco in «Simon Boccanegra», der Scarpia in «Tosca», der Titelheld in «Gianni Schicchi» von Puccini, der König Heinrich wie der Heerrufer im «Lohengrin», der Biterolf wie der Wolfram im «Tannhäuser», der Wotan wie der Donner im «Rheingold», der Gunther in der «Götterdämmerung», der Amfortas im «Parsifal», der Jochanaan in «Salome», der Orest in «Elektra» von R. Strauss, der Barak in der «Frau ohne Schatten», der Mandryka in «Arabella», der Escamillo in «Carmen», der Mephisto im «Faust» von Gounod, der Sebastiano in «Tiefland», die Titelrollen im «Eugen Onegin» von Tschaikowsky und in Händels «Giulio Cesare» und der Vigilius in «Der ferne Klang» von F. Schreker.
Schallplatten: Decca (Geisterbote in «Die Frau ohne Schatten»).

Dokić, Aleksandar, Baß, * 19. 10. 1933 Belgrad; Gesangstudium an der Musikakademie von Belgrad und am Conservatorio Benedetto Marcello in Venedig. 1959 wurde er an die Belgrader Nationaloper berufen und ist deren Mitglied in einer jahrzehntelangen Karriere geblieben. Er sang hier die großen klassischen Baß-Partien wie den König Philipp in Verdis «Don Carlos», den Zaccaria im «Nabucco»,

den Bartolo wie den Basilio in Rossinis «Barbier von Sevilla», den Dulcamara in Donizettis «Elisir d' amore», den Sarastro in der «Zauberflöte» und den Sancho Panza in «Don Quichotte» von Massenet. Der auch als Konzertsolist bekannte Künstler war mit der Sopranistin *Olga Dokić* (* 22. 1. 1936 Niš) verheiratet, die seit 1966 ebenfalls an der Nationaloper von Belgrad wirkte und dort u. a. als Gilda im «Rigoletto», als Violetta in «La Traviata» und als Nedda im «Bajazzo» auftrat.
Von beiden Sängern sind Schallplattenaufnahmen auf der jugoslawischen Marke Jugoton vorhanden.

Domar, Dora, Sopran, * 16. 10. 1888 Florenz, † (?), ihre Eltern stammten aus Spanien. Sie arbeitete als Mädchen in einem Modeatelier und erhielt ersten Gesangunterricht durch die Pädagogin Rosina Liccioli in Florenz. Ihre Lehrerin machte den berühmten Tenor Alessandro Bonci auf die begabte Schülerin aufmerksam. Als ihre Eltern starben, nahm dieser sich ihrer an und sorgte für ihre weitere Ausbildung durch die Pädagogen Augusto Dell' Amore, Bettinelli und Cottone. 1907 debütierte sie am Theater von Valdarno bei Florenz in Puccinis «La Bohème». In den folgenden fünf Jahren trat sie an italienischen Provinztheatern in Partien wie dem Pagen Oscar in Verdis «Ballo in maschera», der Olga in «Fedora» von Giordano, der Musetta in «La Bohème», der Micaela in «Carmen» und in einigen Koloraturpartien auf. Dann wandte sie sich ganz der Operette, der Musical Comedy und dem Unterhaltungslied zu. Sie wurde bekannt durch eine Anzahl von Schallplatten. 1911 erschienen auf HMV einige Titel aus Puccinis «La Bohème», die später auf Victor übernommen wurden. Später kam dann eine Anzahl von Operetten- und Unterhaltungsaufnahmen auf der gleichen Marke heraus.

Domenech, Consuelo Marie, Mezzosopran, * 5. 10. 1866 Montrichard (Departement Loire-et-Cher), † (?); sie stammte aus einer spanischen Familie und wurde zunächst am Conservatoire von Paris zur Pianistin ausgebildet, wechselte dann. aber ins Gesangfach. 1890 debütierte sie an der Pariser Grand Opéra als Leonora in «La Favorita» von Donizetti und blieb dort bis 1893 tätig. 1893–94 wirkte sie an der Metropolitan Oper New York, trat dann nach ihrer Rückkehr an den großen Opernbühnen in der französischen Provinz auf. 1897–1901 war sie am Théâtre de la Monnaie Brüssel verpflichtet, wo sie in der ersten französischsprachigen Aufführung von Wagners «Rheingold» mitwirkte (1898). Sie gastierte u. a. 1905 an der Oper von Monte Carlo als Siebel im «Faust» von Gounod. Ihr ausgedehntes Bühnenrepertoire umfaßte Partien wie die Amneris, die Königin in «Hamlet» von A. Thomas, die Uta in «Sigurd» von Reyer, die Anna Bolena in «Henri VIII.» von Saint-Saëns, die Veredha in «Le Mage» von Massenet, die Ortrud im «Lohengrin», die Fricka in der «Walküre» und die Mutter in der «Herbergprinses» von Jan Blockx.

Dominguez, Guillermo, Tenor, * 1961 (?) Caracas; er begann das Gesangstudium bei José Castro in

Caracas, setzte es in Rom und Turin fort, wo er Schüler von Elio Battaglia war. Nachdem er beim Gesangwettbewerb von Treviso, dem Belvedere Concours in Wien, beim Concorso Voci Verdiane in Busseto und beim Concurso Latinoamericano de Canto Preise gewonnen hatte, debütierte er 1984 in Treviso als Rodolfo in Puccinis «La Bohème». Er sang diese Partie später in Paris, Amiens und an der Oper von München (hier unter der Regie von Giuseppe di Stefano). In der Schweiz gastierte er als Don Ottavio im «Don Giovanni» und als Ferrando in «Così fan tutte» wie in der Saison 1989–90 am Opernhaus von Zürich als Fischer in Rossinis «Wilhelm Tell». An den Opernhäusern von Monte Carlo und Caracas sang er den Edgardo in «Lucia di Lammermoor», in Innsbruck 1988 den Cavaradossi in «Tosca» und den Herzog im «Rigoletto». Die letztgenannte Partie sang er auch als Gast in Barcelona und an weiteren Theatern in Spanien. 1989 gastierte er am Nationaltheater Mannheim als Alfredo in «La Traviata»; zusammen mit der Staatskapelle Dresden sang er in einer konzertanten Aufführung der Puccini-Oper «Edgar» die Titelpartie. Er kam auch als Konzertsänger, namentlich in Oratorien und religiösen Musikwerken, zu Erfolgen.

Donarelli, Ugo, Bariton, * 1890 (?); dieser italienische Künstler hatte um 1920 eine Karriere von Bedeutung an Bühnen in der italienischen Provinz. 1920 gastierte er an der Oper von Monte Carlo als Manfredo in «L'Amore dei tre Re» von Montemezzi zusammen mit so bedeutenden Sängern wie Lucrezia Bori, Benjamino Gigli und Vanni-Marcoux. Im gleichen Jahr hörte man ihn am Teatro Colón Buenos Aires in Massenets «Manon» und in «Madame Butterfly», wobei Juanita Caracciolo und Ferdinando Ciniselli seine Partner waren. Schallplattensammlern ist sein Name durch Aufnahmen auf Edison Bell bekannt, die 1922 in London entstanden; darunter finden sich Opernarien sowie Duette aus Verdis «Othello», aus «Madame Butterfly», aus «Faust», von Gounod und aus «La Bohème» von Puccini zusammen mit Nicola Fusati, aus «Don Giovanni» und «Aida» mit Tatjana Makuschina.

Dongen, Maria van, Sopran, * 23. 3. 1928; die aus Holland stammende Sängerin trat zuerst in ihrer Heimat auf, wo sie in den fünfziger Jahren in Amsterdam als Gräfin in «Figaros Hochzeit» und als Pamina in der «Zauberflöte» zu hören war. 1959 wurde sie Mitglied des Opernhauses von Zürich (Antrittsrolle: Leonore in «La forza del destino»), an dem sie bis 1965 engagiert blieb und wo sie auch später noch gastierte. Durch Gastspiele wurde sie international bekannt. 1962 sang sie am Opernhaus von Frankfurt a. M. und in der Londoner Albert Hall in einer konzertanten Aufführung von «Figaros Hochzeit», 1963 am Teatro Comunale Bologna wie am Teatro Regio Parma die Elisabeth im «Tannhäuser», am Teatro Verdi Pisa die Elsa im «Lohengrin»; in Amsterdam gastierte sie 1963, 1966 und 1967 als Donna Elvira im «Don Giovanni», am Théâtre de la Monnaie Brüssel (1964, 1966) in verschiedenen Rollen. Von Zürich aus, wo sie ihren Wohnsitz hatte,

absolvierte sie weitere Gastspiele an den Staatsopern von München (seit 1964) und Wien (seit 1967); in Wien sang sie u. a. die Ariadne in «Ariadne auf Naxos» von R. Strauss, die Donna Anna im «Don Giovanni», die Fiordiligi in «Così fan tutte», die Gräfin in «Figaros Hochzeit», die Senta im «Fliegenden Holländer» und die Desdemona in Verdis «Othello», in München 1967 die Titelpartie in der Richard Strauss-Oper «Die Liebe der Danaë» und die Irene in «Rienzi», 1970 die Rosalinde in der «Fledermaus». 1965 trat sie am Opernhaus von Graz, 1968 an der Deutschen Oper Berlin, 1964 am Nationaltheater Mannheim wie am Teatro Liceo Barcelona (als Leonore im «Fidelio») auf. An der Piccola Scala in Mailand war sie 1964 als Donna Elvira erfolgreich, ebenfalls 1964 in Cagliari, 1968 am Teatro Verdi Triest. 1967 sang sie an der Staatsoper von Hamburg die Leonore im «Fidelio» und wiederholte diese Partie 1971 am Landestheater Innsbruck, mit dem sie vertraglich verbunden war. Bei den Festspielen von Salzburg wirkte sie 1963–64 als erste Dame in der «Zauberflöte» mit und trat 1963 in einem Mozart-Konzert auf. Allgemein galt sie auch als bedeutende Konzertsolistin.
Mit Sicherheit existieren Mitschnitte von Rundfunksendungen.

Donnelly, Malcolm, Bariton, * 8. 2. 1943 Sydney; er wurde am Sydney Conservatory und in der Opera School Sydney ausgebildet. 1966 erfolgte sein Bühnendebüt an der Australian Opera Sydney. Er sang an diesem Opernhaus und dann in England bei der Scottish Opera Glasgow, bei der Opera North Leeds, bei der English National Opera London (u. a. 1988 als Simon Boccanegra, als Tonio im «Bajazzo» und als Scarpia in «Tosca») sowie in seiner australischen Heimat bei der Victoria State Opera und der State Opera South Australia. 1975–78 gastierte er beim Festival von Edinburgh, 1977–78 beim Wexford Festival, 1979 und 1981 bei den Festspielen von Glyndebourne. 1987 sang er beim Festival von Hongkong, 1988 beim Brighton Festival (Titelheld im «Fliegenden Holländer»). Sein Bühnenrepertoire hatte seine Höhepunkte in Rollen wie dem Grafen in «Nozze di Figaro», dem Rigoletto wie dem Simon Boccanegra in den gleichnamigen Opern von Verdi, dem Pizarro im «Fidelio», in mehreren Wagner-Partien und dem Titelhelden in Verdis «Macbeth». Neben seinem Wirken auf der Bühne stand eine gleichwertige Konzertkarriere.
Schallplatten: BBC Artium («Margot la Rouge» von F. Delius), HMV («Nozze di Figaro»).

Doppler, Josepha, Sopran, * 1767 Wien, † 18. 7. 1825 Wien; sie war die Tochter des in Wien unter dem Namen «Jackerl» allgemein bekannten Schauspielers und Komikers Johann Christoph Gottlieb (* 1737). Ihre Mutter *Maria Anna Gottlieb* (1745–98) stammte aus der Sänger- und Schauspielerfamilie Theyner; ihre Schwester *Anna (Nannerl) Gottlieb* (1774–1856) wurde eine bekannte Sängerin, die in der Uraufführung von «Figaros Hochzeit» die Barbarina sang und für die Mozart die Partie der Pamina in der «Zauberflöte» schrieb. – Josepha Doppler-

Gottlieb trat, ähnlich wie ihre Schwester Nannerl, bereits in Kinderrollen auf und wirkte später als geschätzte Sängerin und Schauspielerin am Wiener Burgtheater. Ihr Debüt fand 1785 statt; 1824 beendete sie ihre Karriere.

Dornbusch, Hans, Tenor, * 1947 (?); der schwedische Künstler erhielt seine Ausbildung an der Musikakademie Stockholm und in der Opernschule der Stockholmer Oper. 1969 debütierte er an der Königlichen Oper Stockholm als Kalaf in Puccinis «Turandot» und wurde darauf 1970 als Mitglied in das Ensemble dieses Hauses aufgenommen, an dem er seither eine große Karriere zur Entwicklung brachte. Er sang dort u. a. am 18. 10. 1986 in der Uraufführung der Oper «Christina» von Hans Gefors die Partie des Papstes Alexander VII. Aus seinem umfassenden Bühnenrepertoire sind Partien wie der Titelheld in Verdis «Othello», der Manrico im «Troubadour», der Pinkerton in «Madame Butterfly», der Turiddu in «Cavalleria rusticana», der Jack O'Brien in «Aufstieg und Fall der Stadt Mahagonny» von Weill, der Andres in «Wozzeck» von A. Berg, der Steuermann wie der Erik im «Fliegenden Holländer» zu nennen. Auch Charakterpartien wie den Bürgermeister in «Albert Herring» von Benjamin Britten und die Knusperhexe in «Hänsel und Gretel» waren in seinem Repertoire anzutreffen. Er trat gastweise in Westdeutschland wie in England auf und sang als Solist im Konzertsaal mit führenden Orchestern in seiner schwedischen Heimat wie im Ausland.
Schallplatten: Caprice (Szenen aus schwedischen Opern).

Dornewass, Otto, Baß, * 27. 3. 1840 Darmstadt, † 30. 1. 1905 Wiesbaden; er war der Sohn des Solotänzers und Schauspielers Wilhelm Dornewass (1819–96), der vor allem als Grotesktänzer internationalen Ruf besaß. Er begann seine Bühnenkarriere als Eleve am Hoftheater von Darmstadt, an dem sein Vater über 40 Jahre hindurch wirkte, und sang dann 1860 am Theater von Freiburg i. Br. In schneller Folge wechselten Engagements an den Bühnen von Lübeck, Rostock, Mainz und Dessau, wobei er auch als Schauspieler eingesetzt wurde. 1865 wurde er an das Hoftheater Wiesbaden verpflichtet, wo er als Sänger, dann aber auch als Regisseur und seit 1868 als Oberregisseur für den Bereich der Oper wirkte. Zu seinen großen Bühnenpartien zählten der Figaro in «Figaros Hochzeit», der Leporello im «Don Giovanni», der Pizarro in Beethovens «Fidelio», der Landgraf im «Tannhäuser» und der König Heinrich im «Lohengrin» von R. Wagner.

Dostal, Lilly, s. unter *Claus-Dostal,* Lilly.

Doubravský, Alois, Tenor, * 19. 6. 1867 Doubravčice bei Kolín (ČSR), † 4. 9. 1924 Středokluky bei Prag; eigentlicher Name Alois Staněk. Er absolvierte seine Ausbildung in der Gesangschule Pivoda in Prag und kam im Oktober 1897 zu seinem Bühnendebüt am Theater von Brno (Brünn) in der Partie des Dalibor in der Oper gleichen Namens von

Smetana. 1898–99 war er am Stadttheater von Plzeň (Pilsen), 1899–1901 wieder in Brno, 1901–02 am Theater von Opava (Troppau) verpflichtet. Seit 1902 war er dann ein überaus beliebtes Mitglied des Theaters von Brno (Národni divadlo), an dem er im Lauf seiner langen Karriere über 1000mal auf der Bühne stand. Am 21. 1. 1904 sang er dort in der denkwürdigen Uraufführung der Oper «Jenufa» («Jejì pastorkyňa») von Leoš Janáček die Partie des Laça. Die Aufführung brachte zunächst nur einen lokalen Erfolg; der Durchbruch zum Weltruhm kam erst in den zwanziger Jahren zustande. Von den großen Bühnenpartien des Sängers sind der Hans in der «Verkauften Braut», der Titelheld in Smetanas «Dalibor», der Prinz in «Rusalka» von Dvořák, der Radames in «Aida», der Othello von Verdi, der Turiddu in «Cavalleria rusticana», der Faust von Gounod, der Eleazar in «La Juive» von Halévy und der Lohengrin zu nennen. Er gab auch Gastspiele im Ausland, u. a. in Hamburg, lehnte aber als überzeugter Tscheche ein Engagement in einem anderen Land ab. Auch als Konzertsänger hatte er eine erfolgreiche Karriere. Seit 1918 war er in Brno, dann in Prag auf pädagogischem Gebiet tätig. Sein Sohn Stanislaw Doubravský (1895–1933) war ein bekannter Komponist und wirkte lange als Dirigent am Opernhaus von Brno.
Schallplattenaufnahmen auf Zonophone.

Doubravský, Petr, Baß-Bariton,* 31. 1. 1841 Prag, † 25. 3. 1885 Prag, Gesangstudium bei August Appé in Prag. Seit 1865 war er am Provisorischen Nationaltheater Prag engagiert. Hier wirkte er am 5. 1. 1866 in der Uraufführung von Smetanas Oper «Die Brandenburger in Böhmen» («Braniboři v Čechách») in der Partie des Oldřich Rokycanský mit. 1867 sang er am gleichen Haus in der Erstaufführung von Glinkas «Ruslan und Ludmilla» die Rolle des Svetozar. Er trat dort auch als Minister im «Fidelio» auf. Ein Nachlassen seiner Stimme trug dazu bei, daß er bereits gegen Ende der sechziger Jahre nur noch in kleinen Partien und schließlich als Chorist eingesetzt werden konnte.

Doucet, Jacques, Bariton, * 2. 6. 1925 Angoulême (Department Charente); Ausbildung am Conservatoire National in Paris. 1950 fand sein Debüt statt. 1952 wurde er an die Opéra-Comique Paris berufen. Er sang dort als Antrittsrolle den Escamillo in «Carmen» und blieb bis 1972 Mitglied dieses Hauses. Er gab zahlreiche Gastspiele an den führenden französischen Opernbühnen, darunter in Marseille, Bordeaux, Toulouse, Nizza, Straßburg und Vichy, hatte aber auch eine erfolgreiche internationale Karriere. 1958 gastierte er an der Mailänder Scala, 1953 und 1971 an der Oper von Monte Carlo, 1962 am Teatro San Carlos Lissabon, 1964–66 am Théâtre de la Monnaie Brüssel, 1964 am Grand Théâtre Genf, 1968 in Turin und am Teatro Fenice Venedig. Er trat gern in zeitgenössischen Opern auf; so wirkte er am 13. 6. 1966 in Genf in der Uraufführung der Oper «La Mère coupable» von Darius Milhaud mit und sang in den französischen Erstaufführungen der Opern «Katerina Ismailowa» von Schostakowitsch (Nizza, 1966), «Bluthochzeit» von W. Fortner (Bordeaux, 1968) und «Ulisse» von Dallapiccola (Rouen, 1971). Bis 1973 dauerte seine Sängerkarriere, doch widmete er sich zunehmend Aufgaben aus dem Bereich der Bühnenregie. Von den vielen Rollen, die er auf der Bühne gestaltet hat, sind zu nennen: der Graf in «Figaros Hochzeit», der Faninal im «Rosenkavalier», der Dr. Schön in «Lulu» von A. Berg, der Valentin im «Faust» von Gounod, der Fieramosqua in «Benvenuto Cellini» und der Claudio in «Béatrice et Bénédict» von Berlioz, der Lescaut in «Manon» von Massenet, der Albert in dessen «Werther», der Golo in «Pelléas et Mélisande» von Debussy, der Inigo in Ravels «L'Heure espagnole», der Paolo in «Simon Boccanegra» von Verdi, der Sharpless in «Madame Butterfly», der Rivière in «Volo di notte» von Dallapiccola und der Gregor Mittenhofer in H. W. Henzes «Elegie für junge Liebende».

Dowd, Ronald, Tenor, * 23. 2. 1914 Sydney, † 15. 3. 1990 Sydney; er sang als Knabe in einem Kirchenchor, arbeitete dann aber zwölf Jahre hindurch als Bankangestellter und wurde 1941 als Soldat zum Kriegsdienst eingezogen. Erst nach Kriegsende konnte er die Ausbildung seiner Stimme abschließen und debütierte 1948 beim Australian National Theatre Melbourne in der Titelpartie in «Hoffmanns Erzählungen» von Offenbach. Er sang an diesem Theater dann u. a. den Florestan im «Fidelio», den Alfredo in «La Traviata», den Lohengrin und den Lenski im «Eugen Onegin». Er trat im australischen Rundfunk, in Konzerten und bei Bühnengastspielen auf, verlegte aber 1956 seine Tätigkeit nach England. Hier debütierte er 1956 bei der Sadler's Wells Opera London als Canio im «Bajazzo», sang 1958–59 nochmals vorübergehend in Australien und Neuseeland (bei einer Tournee mit der Elizabethan Opera Company) und war dann in den Jahren 1959–71 sehr erfolgreich an der Sadler's Wells Opera tätig. Er sang in den sechziger Jahren oftmals bei der Scottish Opera Company Glasgow (u. a. 1969 Énée in «Les Troyens» von Berlioz), bei der Welsh Opera Cardiff und bei der Handel Opera Society. 1967–70 war er gleichzeitig Mitglied der Staatsoper von Hamburg. In Hamburg nahm er an den Uraufführungen der Opern «Arden muß sterben» von Alexander Goehr (5. 3. 1967) und «Hamlet» von Humphrey Searle (5. 3. 1968) teil. 1963 sang er in der ersten englischen Aufführung von Weills «Aufstieg und Fall der Stadt Mahagonny» in Stratford-on-Avon die Partie des Jim Mahony. 1961, 1962, 1969–71 zu Gast an der Covent Garden Oper London, darunter 1969 in der Premiere von Searles «Hamlet». 1963 und 1966 sang er beim Festival von Aix-en-Provence die Titelpartie in «Idomeneo» von Mozart. 1962 Gastspiel an der Opéra de Wallonie Lüttich, 1972 an der Oper von Boston als Enée in «Les Troyens», 1963 beim Festival von Edinburgh. Seine großen Partien waren der Idomeneo, der Florestan, der Énée, der Peter Grimes in Benjamin Brittens gleichnamiger Oper und der Oedipus Rex von Strawinsky, dazu Rollen wie der Arrigo in Verdis «La Battaglia di Legnano», der Cavaradossi in «Tosca», der Canio,

der Samson in «Samson et Dalila» von Saint-Saëns, der Tannhäuser, der Erik im «Fliegenden Holländer», der Herodes in «Salome» von R. Strauss, der Pierre in «Krieg und Frieden» von Prokofieff und der Male Chorus in B. Brittens «The Rape of Lucretia». Erfolgreiches Wirken als Konzertsolist. Schallplatten: Parlophon, HMV («Oedipus Rex»), Rodolphe Records-Harmonia mundi («Idomeneo aus Aix-en-Provence, 1963), Australian HMV («Judith» von Goossens).

Drago, Karl, Bariton, * 2. 2. 1896 Zagreb (Agram), † 21. 11. 1978 Zagreb; er hieß eigentlich Drago Hržic und ist auch im Lauf seiner Karriere gelegentlich unter diesem Namen aufgetreten. Er studierte zunächst bei M. Vusković in Zagreb, dann wurde er Schüler von Franz Steiner in Wien. 1919 debütierte er am Nationaltheater von Zagreb als Dako in der kroatischen Oper «Povratak» von Josip Hatze. Bis 1945 blieb er ein angesehenes Mitglied dieses Opernhauses, an dem er in einem ausgedehnten Rollenrepertoire zu seinen Erfolgen kam: als Titelheld in den Verdi-Opern «Falstaff» und «Simon Boccanegra», als Rigoletto, als Graf Luna im «Troubadour», als Michele in «Il Tabarro» von Puccini, als Jeletzky in Tschaikowskys «Pique Dame» und als Escamillo in «Carmen». 1925 gastierte er an der Wiener Staatsoper, auch in Berlin ist er aufgetreten, dazu war er ein geschätzter Konzertsolist. Aufnahmen unter dem Etikett von Polydor.

Dragoni, Maria, Sopran, * 1958 Procida bei Neapel; sie absolvierte ihre Ausbildung zur Sängerin in Neapel und debütierte 1984 am Theater von Jesi als Imogine in Bellinis «Il Pirata». Ihre Karriere nahm eine ungewöhnlich schnelle Entwicklung. 1984 sang sie am Teatro San Carlo Neapel die Titelpartie in der vergessenen Oper «Il Flaminio» von Pergolesi und gastierte mit dem Ensemble dieser Aufführung 1985 bei den Festspielen von Wiesbaden. Sie gewann dann den Maria Callas-Concours und erregte 1987 in Neapel großes Aufsehen als Adalgisa in «Norma», 1988 an der Mailänder Scala als Fenena in Verdis «Nabucco». 1987 war sie zu Gast in Montpellier; 1988 sang sie am Opernhaus von Nancy wie bei den Festspielen von Ravenna die Turandot in der Oper gleichen Namens von Puccini, 1989 beim Festival von Macerata die Aida. 1988–89 gastierte sie an der Oper von Nizza, 1989 kam sie am Théâtre des Champs Elysées Paris zu einem besonderen Erfolg als Mathilde in Rossinis «Wilhelm Tell». Auf der Bühne übernahm sie vor allem die schweren Partien der italienischen Opernliteratur aus dem dramatischen Koloraturfach wie die Paolina in «Poliuto» und die Titelfigur in «Anna Bolena» von Donizetti; auch als Gioconda in «La Gioconda» von Ponchielli aufgetreten.

Dran, Thierry, Tenor, * 1954 (?) Bordeaux; er begann seine Sängerausbildung am Conservatoire von Bordeaux und war in den Jahren 1978–82 in der École d'Art Lyrique der Pariser Grand Opéra Schüler des berühmten Tenors Michel Sénéchal. Er kam bald zu großen Erfolgen an der Opéra-Comique

Paris wie bei den Festspielen von Aix-en-Provence. Beim Berlioz-Festival in Lyon sang er den Bénédict in «Béatrice et Bénédict» von Berlioz, am Théâtre des Champs-Élisées Paris den Piquillo in «La Périchole» von Offenbach, an der Oper von Rouen den Nadir in «Pêcheurs de perles» von Bizet und in «Les Indes galantes» von Rameau, an der Oper von Marseille in «I Capuleti ed I Montecchi» von Bellini, an der Opéra-Comique in «L'Heure espagnole» von Ravel, in Lyon den Fenton im «Falstaff» von Verdi, am Grand Théâtre Genf in den Offenbach-Operetten «Les Brigands» und «Barbe-Bleue». 1987–88 wirkte er beim Festival von Glyndebourne in den Bühnenwerken «L'Enfant et les sortilèges» und «L'Heure espagnole» von Ravel (als Gonzalve) mit. In der Saison 1986–87 hörte man ihn an der Grand Opéra Paris als Don Ottavio im «Don Giovanni» und als Mercure in «Orphée aux enfers» von Offenbach. Am Opernhaus von Bordeaux gastierte er als Jean in Massenets Oper «Le Jongleur de Notre-Dame», an der Opéra de Wallonie Lüttich als Ernesto im «Don Pasquale», als Herzog im «Rigoletto» und 1987 als Graf Almaviva in Rossinis «Barbier von Sevilla». Auch als Konzertsolist trat er in einem umfassenden Repertoire vor sein Publikum.
Schallplatten: HMV («Fra Diavolo» von Auber, 3. Sinfonie von Guy Ropartz, Nathaniël in «Hoffmanns Erzählungen» von Offenbach, «Padmâvati» von Roussel, Titelheld in «Fortunio» von Messager, «Les Brigands» von Offenbach).

Dreizler, Friedrich, Tenor, * 1815, † 30. 11. 1880 Stuttgart; er war ein allgemein bekannter Vertreter des lyrischen Tenorfachs innerhalb seiner künstlerischen Generation und sang erste Partien nacheinander an den Theatern von Budapest (Deutsches Opernhaus), Magdeburg, Lemberg (Lwów), Freiburg i. Br., Würzburg und Zürich. Als seine Stimme nachließ, nahm er 1863 ein Engagement als Chorsänger an der Hofoper von Stuttgart an, das er noch für eine Reihe von Jahren ausübte.

Dressel, Ina, Sopran, * 3. 2. 1937 Wien; sie erhielt ihre Ausbildung an der Wiener Musikakademie u. a. bei Ferdinand Grossmann und bei Elisabeth Rado; Liedgesang studierte sie bei Erik Werba. 1959 begann sie ihre Bühnentätigkeit an der Wiener Volksoper und blieb dort bis 1964 tätig. 1964–76 war sie Mitglied des Opernhauses von Zürich. Sie trat als Gast an der Wiener Staatsoper, an den Staatstheatern von Hannover und Wiesbaden, am Stadttheater von Basel, am Teatro Liceo Barcelona, am Théâtre Alhambra Paris und bei den Festspielen von Mörbisch am Neusiedler See auf. Dabei brachte sie zahlreiche Partien für Koloratursopran und aus dem Soubrettenfach in Opern und Operetten zum Vortrag. Gleichzeitig war sie eine geschätzte Konzert-, Oratorien- und Liedersängerin, die auch auf diesen Gebieten ein umfassendes Repertoire beherrschte. Sie trat im Konzertbereich u. a. in der Schweiz, in Italien (Florenz, Catania, Neapel, Palermo), in Österreich (Graz, Innsbruck, Wien), in Ägypten und in der Türkei auf. Nach Beendigung ihrer Kar-

riere war sie als Pädagogin am Konservatorium von Zürich tätig.
Schallplatten; Westminster («Die sieben letzten Worte unseres Erlösers am Kreuze» von J. Hayn, Gloria von Vivaldi).

Dreßen, Elvira, Mezzosopran, * 23. 4. 1957 Herzberg (Sachsen); sie war in Leipzig Schülerin der beiden bekannten Sängerinnen Maria Croonen und Hanne-Lore Kuhse. 1978 debütierte sie am Landestheater von Altenburg in Thüringen als Narziss in der Händel-Oper «Agrippina». 1979–80 war sie am Opernhaus von Leipzig in einem Anfänger-Engagement beschäftigt, 1980–83 wirkte sie am Nationaltheater Weimar. 1983 wurde sie an die Berliner Staatsoper verpflichtet. Hier wie bei Gastspielen hatte sie in zahlreichen Partien bedeutende Erfolge: als Dorabella in «Così fan tutte», als Annius in «La clemenza di Tito» von Mozart, als Frau Reich in den «Lustigen Weibern von Windsor», von Nicolai, als Hänsel in «Hänsel und Gretel» von Humperdinck und als Olga in Tschaikowskys «Eugen Onegin». Große Erfolge auch an der Staatsoper Dresden und am Opernhaus von Leipzig, wo sie regelmäßig zu Gast war. Nicht zuletzt war sie eine bekannte Konzertsängerin.

Dressler, Ernst Christoph, Sänger und Komponist, * 23. 9. 1734 Greussen im Fürstentum Schwarzburg-Sondershausen (Thüringen), † 6. 4. 1779 Kassel; er erhielt eine Ausbildung zum Violinisten und Sänger und war als Sekretär wie als Hofsänger an den Höfen von Bayreuth und Gotha tätig. Er nahm dann eine Stellung als Kapelldirektor des Prinzen zu Fürstenberg in Wetzlar an, wurde aber später als Hofopernsänger an die Wiener Hofoper verpflichtet. 1775 wurde er in die gleiche Position am Hoftheater von Kassel berufen, an dem er viele Jahre hindurch wirkte. Seine Kompositionen umfassen sowohl Instrumental- als auch Vokalmusik. Einen von ihm komponierten Marsch benutzte Beethoven als Thema für sein erstes veröffentlichtes Werk «Klaviervariationen über einen Marsch von Dressler», das 1782 entstand. Ernst Christoph Dressler gab auch einige selbst verfaßte Schriften heraus («Gedanken über die Vorstellungen der Alceste», 1774; «Theaterschule für die Deutschen, das erste Singspiel betreffend», 1777).

Drewes, Otto, Baß, * 24. 7. 1844 Rostock, † 21. 1. 1910 Schwerin; er war der Sohn eines Kantors und wurde durch den Kammersänger Wilhelm Hintze in Schwerin zum Sänger ausgebildet. Schon während dieser Ausbildung war er als Eleve am Schweriner Hoftheater tätig, dessen Mitglied er 1866–68 und nach einem Engagement am Hoftheater von Braunschweig in den Jahren 1868–1872 wieder bis zu seinem Tod war. In diese Zeit, die einen Höhepunkt in der Geschichte des Schweriner Musiktheaters darstellte, nahm er vor allem an den dortigen viel beachteten Wagner-Premieren teil. Er sang dort auch in der Uraufführung der Oper «Der Pfeifertag» von Max von Schillings (26. 2. 1899). Als nach dem verheerenden Brand von 1882 das Hoftheater von Schwerin am 3. 10. 1886 mit einer Gala-Aufführung von Glucks «Iphigenie in Aulis» wieder eingeweiht wurde, sang er den Kalchas. Weitere Höhepunkte in seinem Repertoire waren Partien wie der Sarastro in der «Zauberflöte», der Leporello im «Don Giovanni», der Bartolo in «Figaros Hochzeit», der Mephisto im «Faust» von Gounod, der Falstaff in den «Lustigen Weibern von Windsor» von Nicolai, der Baculus im «Wildschütz» von Lortzing und der Hunding in der «Walküre». Zu beachtlichen Erfolgen kam der Künstler bei Gastspielen und Konzertveranstaltungen. So gastierte er 1898 mit dem Schweriner Ensemble mit der damals viel diskutierten Oper «Ingwelde» von Max von Schillings an der Berliner Hofoper.

Drissen, Fred, Baß, * 25. 2. 1898; er war Schüler von Ernst Grenzebach in Berlin und begann seine Karriere als Konzertsänger 1920. Er sang ständig bei den großen Konzertveranstaltungen in Berlin 1925–44 und konnte eine langjährige internationale Karriere zur Entfaltung bringen. In Deutschland war er in Hamburg, Dresden, Leipzig, Köln, München, Hannover und in vielen weiteren Städten zu Gast. 1927 gab er Konzerte in Paris, 1928 an der Mailänder Scala, 1931 in Stockholm, 1938 und 1939 in Brüssel. Er bereiste als Konzertsänger Holland, Ungarn, die Schweiz, Sowjetrußland und die USA. Man schätzte ihn namentlich als Solisten in der 9. Sinfonie und in der Misssa solemnis von Beethoven, in der Matthäuspassion, in der «Schöpfung» von Haydn und im Verdi-Requiem. Zeitweilig trat er auch als Mitglied eines Quartetts auf, dem als weitere Sänger Helene Fahrni, Hildegard Hennecke und Heinz Marten angehörten. Seit 1934 wirkte er als Dozent am Staatlichen Institut für Kirchen- und Schulmusik in Berlin, seit 1935 Professor an der Berliner Musikhochschule, nach dem Zweiten Weltkrieg an der Landesakademie Detmold. Wenn er auch keine Opernkarriere gehabt hat, so ist er doch in den dreißiger Jahren mehrfach in Rundfunksendungen von Opern zu hören gewesen.
Schallplatten: Polydor (Mozart-Requiem, Matthäuspassion von J. S. Bach unter Bruno Kittel).

Druine, Edgard, Baß, * 1878 Courcelles in der Provinz Hainaut in Belgien, † 1956; er absolvierte sein Studium in Lüttich. Aus seiner Karriere sind Auftritte in Antwerpen, Lüttich, Dijon, Lyon, Toulouse, Lille und an weiteren französischen Bühnen bekannt, doch scheint er sich nirgendwo lange aufgehalten zu haben. In der Spielzeit 1919–20 sang er an der Grand Opéra Paris in den Opern «Samson et Dalila» von Saint-Saëns, «Patrie» von Paladilhe, «Faust» von Gounod und «Salammbô» von Reyer. Auch am Théâtre de la Monnaie Brüssel und an der Oper von Kairo ist er aufgetreten. Aus seinem Bühnenrepertoire verdienen Rollen wie der Titelheld in «Don Quichotte» von Massenet, der Mephisto im «Faust» von Gounod, der Phanuël in «Thaïs» von Massenet, der Basilio im «Barbier von Sevilla» von Rossini und der Hunding in der «Walküre» beson-

dere Erwähnung. Er wirkte später als Gesanglehrer in Charleroi.
Parlophon-Aufnahmen.

Druzović, Erika, Sopran, * 1. 6. 1911 Maribor (Marburg an der Drau, Slowenien); sie war an der Musikakademie von Zagreb Schülerin von M. Kostrencić. Bereits 1930 kam es zu ihrem Bühnendebüt am Opernhaus von Zagreb als Susanna in «Nozze di Figaro». Dort blieb sie Mitglied des Ensembles, unternahm jedoch ausgedehnte Gastspiel- und Konzertreisen. So war sie zu Gast in Berlin und Hamburg, in München und Wien, in Amsterdam, im Haag und in Antwerpen, in Mailand, Rom, Neapel, Venedig und Genua und am Stadttheater von Bern. Sie sang vor allem Partien aus dem Soubretten-Fach wie die Adele in der «Fledermaus», die Dula in «Ero der Schelm» von Gotovac, die Zerline im «Don Giovanni», die Titelfigur in «Manon» von Massenet, dazu viele Operetten-Partien. Sie war nach Beendigung ihrer aktiven Sängerlaufbahn als Gesanglehrerin in Sarajewo tätig.

Dubinbaum, Gail, Mezzosopran, * 1959 (?) Brooklyn (New York); sie wurde zunächst durch ihre Mutter, dann durch die Sängerin und Pädagogin Hertha Glaz in New York ausgebildet. 1981 gewann sie den Gesangwettbewerb der Metropolitan Oper New York (Western Region) und konnte darauf im Young Artists Programm dieses Hauses im Dezember 1982 in «L'Enfant et les sortilèges» von Ravel debütieren. Sie kam in den folgenden Jahren an der Metropolitan Oper zu einer beachtlichen Karriere, wo sie vor allem auch in den technisch schwierigen Partien für Koloratur-Contralto (Rosina im «Barbier von Sevilla», Isabella in «L'Italiana in Algeri» von Rossini) Aufsehen erregte und als Dorabella in «Così fan tutte» auftrat. 1986 kam sie bei einem Gastspiel an der Staatsoper von Wien, auch dort als Rosina, zu einem viel beachteten Erfolg und gastierte wieder 1987–88 an diesem Haus. Angesehene Konzertsolistin.

Dubuis, Madeleine, Sopran, * 14. 11. 1905 Sierre im Schweizer Kanton Wallis; sie war am Conservatoire von Genf Schülerin der berühmten Sopranistin Rose Féart. Sie wurde in erster Linie eine gefeierte Konzertsängerin, die bei Auftritten in den Mittelpunkten des Schweizer Musiklebens (Zürich, Basel, Bern, Genf, Lausanne, Sion, Payerne, Vevey) große Erfolge erzielte. Sie kam zu ähnlichen Erfolgen bei Konzertauftritten in Mailand und Venedig, beim Maggio musicale Florenz, im Haag, in Paris, Lyon, Montpellier, in Algier, Rabat, Casablanca, Oran und Tanger. Sie sang dabei Solopartien in Werken von J. S. Bach (Matthäus- und Johannespassion, Hohe Messe, Weihnachtsoratorium, viele Kantaten), Händel («Messias», «Judas Maccabäus», «Samson», «Israel in Ägypten»), Beethoven (9. Sinfonie, Missa solemnis), Mozart (Requiem, Messen), Pergolesi (Stabat mater), Berlioz («Enfance du Christ»), Gabriel Fauré (Requiem), Debussy («Chansons de Bilitis», «La Damoiselle élue», «Le Martyre de Saint Sébastien»), G. Mahler (2. Sinfonie), Verdi (Requiem) und A. Honegger («Roi David»). Sie war eine geschätzte Liedersängerin, wobei das zeitgenössische Liedschaffen einen besonderen Platz in ihrem Repertoire einnahm (Duparc, D. Milhaud, Poulenc, J. Nín, Ravel). Gelegentlich übernahm sie auch Bühnenrollen wie die Mélisande in «Pelléas et Mélisande», die Euridice im «Orpheus» von Gluck, die Pamina in der «Zauberflöte», die Desdemona in Verdis «Othello» und die Sainte Marguerite in «Jeanne d'Arc au Bûcher» von A. Honegger. In derartigen Aufgaben hörte man sie am Opernhaus von Zürich, an den Theatern von Genf und Basel wie an der Opéra-Comique Paris. 1945 sang sie über Radio Genf in der Uraufführung des Oratoriums «In Terra Pax» von Frank Martin.

Duda, Anatolij (Iwanowitsch), Tenor, *1949 in dem Dorf Winogradnij im Distrikt Odessa; er begann 1962 eine technische Ausbildung am Institut für das Eisenbahnwesen in Odessa, das er 1967 abschloß und wurde dann für zwei Jahre Soldat in der Sowjetrussischen Armee. Hier entdeckte man seine Begabung, und er wurde Tenor-Solist in einem Armee-Chor. Er begann dann 1971 seine Ausbildung zum Gesangssolisten am Konservatorium von Odessa bei Frau Olga Blagowidowaja und erregte Aufsehen bei einem Gesangwettbewerb in Tblissi (Tiflis) 1975. 1976 gab er erste, sehr erfolgreiche Konzerte mit dem Philharmonischen Orchester Odessa. Im gleichen Jahr wurde er an das Opernhaus von Odessa verpflichtet, an dem er zunächst kleinere Partien übernahm, dann aber in lyrischen Aufgaben zu großen Erolgen kam. So sang er in Odessa den Lenski im «Eugen Onegin», den Alfredo in «La Traviata» und den Grafen Almaviva in Rossinis «Barbier von Sevilla» neben zahlreichen weiteren Rollen aus dem lyrischen Repertoire. Er gab Konzerte in seiner russischen Heimat und unternahm eine Kanada-Tournee.
Schallplatten der staatlichen sowjetrussischen Plattenproduktion (Melodiya).

Dürmüller, Jörg, Tenor, *28.8. 1959 Bern; Gesangstudium am Konservatorium von Winterthur bei Ruth Binder (1977–82), an der Musikhochschule Hamburg bei Naan Pöld, Hans Kagel und Hertha Werner (1982–87); ergänzende Studien bei Edith Mathis, Christa Ludwig und Hermann Prey. Seit 1987 am Stadttheater von Bielefeld verpflichtet; Gastspiele an der Staatsoper Hamburg, am Theater im Revier Gelsenkirchen, bei den Festspielen von Ludwigsburg und Schwetzingen. In Schwetzingen gastierte er 1986 mit dem Ensemble der Hamburger Staatsoper in der Uraufführung der Oper «Die Leiden des jungen Werthers» von H. J. von Bose (in drei kleinen Partien). Aus seinem Bühnenrepertoire sind der Ferrando in «Così fàn tutte», der Tamino in der «Zauberflöte», der Fenton in Nicolais «Lustigen Weibern von Windsor» wie im «Falstaff» von Verdi, der Alfred in der «Fledermaus» und der Châteauneuf in «Zar und Zimmermann» von Lortzing anzuführen. Von noch größerer Bedeutung war seine Karriere als Konzert- und Oratoriensänger. In diesem Bereich trat er in den Zentren des Schweizer wie

des deutschen Musiklebens in einem vielseitigen Repertoire auf und gastierte in Paris und Brüssel, in Pesaro und bei den Festwochen Alter Musik in Mannheim. 1989 unternahm er eine sehr erfolgreiche Rußland-Tournee mit Auftritten in Moskau, Leningrad und Vilnius (Wilna); ebenso erfolgreich verlief eine Spanien-Tournee. Geschätzt wurde er auch als Liedersänger. Auftritte im Schweizer wie im westdeutschen Rundfunk und im Fernsehen.
Schallplatten: Virgin Classics (Missa solemnis in F von A. Bruckner).

Dürr, Karl-Friedrich, Baß-Bariton, *1949 Stuttgart; er studierte Germanistik und promovierte zum Dr. phil. mit der Dissertation *«Shakespeare-Vertonungen».* Bereits während dieses Studiums sang er u. a. im Chor der Ludwigsburger Festspiele und übernahm dort die Partie des Antonio in «Figaros Hochzeit». Nachdem er kurze Zeit hindurch im Schuldienst tätig gewesen war, studierte er Sologesang an der Musikhochschule Stuttgart. Sein Lehrer war an erster Stelle der bekannte Bariton Günter Reich, dazu die Pädagogen Eva Sava und Hans Jonelli. Über die Opernschule der Stuttgarter Musikhochschule kam er 1980 an die Staatsoper Stuttgart. Seine Antrittsrolle an diesem Haus war die Titelpartie in der zeitgenössischen Oper «Jakob Lenz» von Wolfgang Rihm. In den folgenden Jahren hörte man ihn an der Staatsoper Stuttgart in mehr als 40 großen Partien, so als Figaro in «Figaros Hochzeit» (1983), als Leporello wie als Masetto im «Don Giovanni», als Alfio in «Cavalleria rusticana», als Zuniga in «Carmen» und als Krishna in «Satyagraha» von Philip Glass. Weitere Höhepunkte in seinem Bühnenrepertoire waren der Kaspar im «Freischütz», der Kurwenal im «Tristan» und der Titelheld im «Wozzeck» von A. Berg (Gastspiel 1985 in Kiel). Er trat als Gast an führenden deutschen Theatern, bei den Festspielen von Ludwigsburg und Schwetzingen und 1989 im Rahmen eines Gastspiels des Stuttgarter Ensembles in Moskau und Leningrad (in «Die Soldaten» von B. A. Zimmermann) auf. Neben seiner Bühnenkarriere stand eine zweite, nicht weniger bedeutende Karriere im Konzertsaal. Er sang auf diesem Gebiet u. a. bei den Kasseler Musiktagen, in Triest, Berlin (1987) und New York (1989).

Duesing, Dale, Bariton, *1947 Milwaukee; er studierte Musik, Klavierspiel und Gesang an der Lawrence University. Er kam zu ersten Erfolgen in seiner amerikanischen Heimat an den Opern von San Francisco und Seattle. In San Francisco hörte man ihn u. a. als Titelhelden in «Billy Budd» von Benjamin Britten, als Belcore in Donizettis «Elisir d' amore» und als Guglielmo in «Così fan tutte», in Seattle als Wolfram im «Tannhäuser», als Marcello in «La Bohème» von Puccini, als Eugen Onegin in der gleichnamigen Tschaikowsky-Oper und 1985 dann auch hier als Guglielmo. Große Erfolge hatte er bei den Festspielen von Glyndebourne, u. a. 1979 als Olivier im «Capriccio» von Richard Strauss, 1984 (und 1989) als Demetrius in «A Midsummer Night's Dream» von B. Britten und als Ottone in «L' Incoronazione di Poppea» von Monteverdi, 1987 als Gu-

glielmo in «Così fan tutte», 1989 als Figaro in «Nozze di Figaro». 1977 sang er bei den Festspielen von Salzburg den Masetto im «Don Giovanni». 1979 wurde er an die Metropolitan Oper New York berufen (Antrittspartie: Harlekin in «Ariadne auf Naxos» von R. Strauss). Hier trat er in den folgenden Jahren namentlich als Figaro in «Figaros Hochzeit», als Titelheld in «Billy Budd» von B. Britten und als Pelléas in «Pelléas et Mélisande» in Erscheinung. 1983 Gastspiel am Théâtre de la Monnaie Brüssel in «Le Comte Ory» von Rossini, 1985 als Beckmesser in den «Meistersingern». Auch am Opernhaus von Köln (u. a. als Figaro), an der Oper von Santa Fé (1988 Guglielmo in «Così fan tutte»), an der Oper von Seattle (1989 als Figaro in «Figaros Hochzeit») wie an vielen weiteren großen Bühnen in aller Welt und in zahlreichen Konzertveranstaltungen aufgetreten.
Schallplatten: DGG (Masetto im «Don Giovanni»), Schwann («Kalif von Bagdad» von P. Cornelius, «Lyrische Sinfonie» von Zemlinsky), HMV (Schlemihl in «Hoffmanns Erzählungen»), Castle-Video («Incoronazione di Poppea» von Monteverdi).

Dufrane, Eva, Sopran, * 1857 in Belgien, † Juli 1905 Paris; sie erhielt ihre Ausbildung zunächst am Konservatorium von Brüssel und war dann am Conservatoire National de Paris Schülerin von Marius Salomon und von Louis-Henri Obin. 1880 begann sie ihre Bühnenkarriere sogleich an der Grand Opéra Paris mit einem sehr erfolgreichen Debüt als Rachel in «La Juive» von Halévy. Bis 1889 blieb sie an diesem Haus im Engagement, sang 1890–91 am Théâtre de la Monnaie Brüssel und kehrte 1891 wieder für sieben Jahre an die Grand Opéra zurück. Nachdem sie 1898 die Grand Opéra verlassen hatte, sang sie an den großen Bühnen in der französischen Provinz, jetzt vor allem Partien aus dem Wagner-Repertoire. Sie wirkte 1890 am Opernhaus von Rouen in der französischen Erstaufführung von Reyers «Salammbô» (nach der Brüsseler Uraufführung im Februar des gleichen Jahres) in der Titelrolle mit. Ihr Repertoire hatte immer schon einige Partien für Mezzosopran enthalten, auf die sie sich später mehr und mehr verlegte. Im einzelnen sind als Glanzrollen der Künstlerin zu nennen: die Donna Anna wie die Donna Elvira im «Don Giovanni», die Agathe im «Freischütz», die Elsa wie die Ortrud im «Lohengrin», die Fricka wie die Brünnhilde im Nibelungenring, die Valentine in Meyerbeers «Hugenotten», die Selika in «L'Africaine», die Hilda wie die Uta in «Sigurd» von Reyer, die Leonora in Donizettis «La Favorita», die Titelfigur in «Sapho» von Gounod, die Königin in «Hamlet» von A. Thomas und die Dolores in «Patrie» von Émile Paladilhe. Der Familienname der Sängerin kommt auch in der Schreibweise Dufranne vor.

Dugdale, Sandra, Sopran, * 4. 1. 1946 Pudsey (Grafschaft Yorkshire); sie erhielt ihre Ausbildung in Leeds, dann an der Guildhall School of Music London und durch die Pädagogen Vera Rozsa und Rupert Bruce Lockhart, ebenfalls in London. Sie debütierte bei den Festspielen von Glyndebourne des

Jahres 1970 als Despina in «Così fan tutte» von Mozart. Sie kam an der English National Opera London und an weiteren englischen Opernbühnen zu einer Karriere, deren Höhepunkte in Partien wie der Blondchen in der «Entführung aus dem Serail», der Olympia in «Hoffmanns Erzählungen» von Offenbach, der Sophie im «Rosenkavalier» von Richard Strauss, der Adele in der Strauß-Operette «Die Fledermaus» und in ähnlich gearteten Aufgaben (Gilbert & Sullivan-Operetten) lagen. 1983 debütierte sie an der Covent Garden Oper London in «L' Enfant et les sortilèges» von Ravel, 1985 sang sie dort die Adele in der «Fledermaus». Sie gastierte in Hongkong, bei den Festspielen von Camden, Wexford und Wien sowie in den USA. Auch als Konzertsopranistin mit Erfolg aufgetreten.
Schallplatten: Opera Rara (Arien aus italienischen Opern).

Duinen, Frits van, Baß, * 1860 Amsterdam, † 1936 Amsterdam; er war von Beruf Börsenmakler und kein Berufs- sondern ein reiner Amateursänger. Da er viel in Künstlerkreisen verkehrte und die alte Niederländische Oper unter van der Linden gegen Ende der neunziger Jahre Schwierigkeiten in der Besetzung von Baß-Partien hatte, sprang er dort mehrfach ein, so daß er schließlich mit diesem Theater verbunden blieb, ohne jedoch seine Tätigkeit an der Börse aufzugeben. 1898 sang er beim Amsterdamer Wagner-Verein in der holländischen Erstaufführung des «Siegfried» den Fafner mit so bedeutenden Künstlern wie Rosa Sucher, Alois Burgstaller, Anton van Rooy, Julius Lieban und Olive Fremstad zusammen. So kam es auch dazu, daß 1903 in Amsterdam Schallplattenaufnahmen seiner Stimme gemacht wurden, von denen zumindest vier Titel auf G & T erhalten sind. Als die alte Niederländische Oper 1903 geschlossen wurde, stellte Frits van Duinen seine Tätigkeit als Sänger bis auf gelegentliche private Auftritte ein.

Dunbar, Clark, Bariton, * 25. 7. 1938 Rochester (New York); er absolvierte sein Gesangstudium an der Eastman School of Music in Rochester bei Julius Huehn und an der State University New York bei Richard Sheil. 1961 konnte er mit Hilfe eines Fulbright Stipendiums seine Ausbildung an der Musikakademie in Wien vervollständigen, wo er Schüler von Wolfgang Steinbrück und Carlo Zattoni war. Bühnendebüt 1962 am Stadttheater von Bremen als Rodrigo in Verdis «Don Carlos». Er sang an zahlreichen Bühnen in Westdeutschland, u. a. an den Opernhäusern von Essen und Dortmund, und gehörte lange Jahre hindurch als Ensemblemitglied dem Theater im Revier Gelsenkirchen und dem Stadttheater von Lübeck an. Erfolgreiche Gastspiele am Münchner Theater am Gärtnerplatz, an der Wiener Volksoper, in Saarbrücken, Bonn und Amsterdam. Aus seinem sehr umfangreichen Repertoire seien genannt: der Titelheld in «Figaros Hochzeit», der Guglielmo in «Così fan tutte», der Papageno in der «Zauberflöte», der Belcore in «Elisir d'amore», der Enrico in «Lucia di Lammermoor», der Escamillo in «Carmen», der Graf Eber-

bach im «Wildschütz» von Lortzing, die vier Dämonen in «Hoffmanns Erzählungen» von Offenbach,
der Figaro in Rossinis «Barbier von Sevilla», der
Graf Luna im «Troubadour», der Renato in Verdis
«Ballo in maschera», der Germont-père in «La Traviata», der Don Carlo in «La forza del destino», der
Wolfram im «Tannhäuser», der Orest in «Elektra»
von R. Strauss, der Marcello in Puccinis «La Bohème», der Gérard in «Andrea Chénier» von Giordano, der Empereur de Chine in «Le Rossignol» von
Strawinsky, der Kreon in «Antignonae» von C. Orff
und der Crown in «Porgy and Bess» von Gershwin.
Der Künstler ging dazu einer intensiven Konzerttätigkeit nach und arbeitete auf gesangpädagogischem
Gebiet.

Duncan-Chambers, Lucy, Alt, * 3. 2. 1860 London,
† 15. 1. 1911 Hannover; die Sängerin war zwar in
England geboren, absolvierte aber ihre gesamte
Karriere in Deutschland. Dort kam sie nacheinander
am Hoftheater von Gera, am Stadttheater von
Mainz, am Opernhaus von Düsseldorf, am Hofthea-
ter von Coburg und schließlich am Opernhaus von
Leipzig zu großen Erfolgen. Von ihren Bühnenpar-
tien seien die Azucena im «Troubadour», die Amne-
ris in «Aida», die Lady Pamela in «Fra Diavolo» von
Auber, die Mary im «Fliegenden Holländer» und die
Erda im Nibelungenring genannt. Wie auf der
Bühne hatte sie auch im Konzertsaal eine belangrei-
che Karriere.

Dunn, Susan, Sopran, * 23. 7. 1954 Malvern (Arkansas); sie studierte Musik und Gesang am Hendrix
College Arkansas und an der Indiana University
Bloomington. 1982 kam es zu ihrem Bühnendebüt in
Peoria (Illinois) als Titelheldin in Verdis «Aida».
1983 gewann sie mehrere Gesangwettbewerbe, darunter den begehrten Richard Tucker-Award. 1985
sang sie in der New Yorker Carnegie Hall sehr
erfolgreich in einer konzertanten Aufführung des
1. Aktes der «Walküre» und leitete damit eine glänzende Karriere an den führenden Opernhäusern in
ihrer amerikanischen Heimat ein. So hörte man sie
an den Opern von Chicago (1986–88) und San Francisco, am Opernhaus von Houston/Texas und in
Washington. Dabei zeichnet sie sich als hervorragend begabte Verdi-Interpretin aus. Noch im gleichen Jahr 1986 kam sie dann auch in Italien zu
großen Erfolgen; hier sang sie am Teatro Comunale
Bologna die Elena in Verdis «Vespri Siciliani» (dort
auch 1988 die Elisabetta im «Don Carlos») und an
der Mailänder Scala die Aida. 1988 Auftritt an der
Chicago Opera als Leonore in Verdis «La forza del
destino» und als Aida, in San Diego als Leonore im
«Troubadour», ebenfalls 1988 an der Wiener Staatsoper als Amelia in Verdis «Ballo in maschera». 1989
sang sie auch an der New Yorker Metropolitan Oper
die Leonore im «Troubadour». Nicht zuletzt erwies
sie sich als Konzertsopranistin von hohem Rang.
Schallplatten: Decca (C-dur-Messe von Beethoven,
Arien von Beethoven, Verdi und R. Wagner), Telarc (Verdi-Requiem), CBS (UNO-Konzert, Genf
1986).

Dupeyron, Hector, Tenor, * 10. 11. 1861 Bordeaux,
† (?); er erhielt seine Ausbildung am Conservatoire
National Paris bei Boulanger und Obin. 1887 kam es
zu seinem Bühnendebüt am Theater von Nîmes als
Eleazar in «La Juive» von Halévy. Er blieb zwei
Jahre hindurch bis 1889 an diesem Haus tätig und
unternahm dann Gastspiele an französischen Bühnen und Tourneen mit Wanderopern, u. a. 1889
nach Athen. 1890–92 war er am Théâtre de la Monnaie Brüssel engagiert und folgte darauf einem Ruf
an die Grand Opéra Paris. Als Antrittsrolle sang er
den Matho in «Salammbô» von Reyer. Bis 1895 war
er hier in Partien wie dem Robert in «Robert le
Diable» und dem Raoul in «Les Huguénots» von
Meyerbeer, dem Faust von Gounod, dem Lohengrin, dem Siegmund in der «Walküre», dem Sigurd
in der gleichnamigen Oper von Reyer, dem Samson
in «Samson et Dalila» von Saint-Saëns, dem Othello
von Verdi und dem Tannhäuser (1895) zu hören.
1893 gastierte er an der Oper von Monte Carlo als
José in «Carmen», 1903 wirkte er dort in der Uraufführung der Oper «La Tasse» von d'Harcourt mit;
1897 war er an der Covent Garden Oper London zu
Gast. Von den Partien, die er auf der Bühne gesungen hat, sind noch der Alfredo in «La Traviata», der
Arnoldo in Rossinis «Wilhelm Tell», der Edgardo in
«Lucia di Lammermoor» und der Turiddu in «Cavalleria rusticana» zu nennen.
Seine Schallplattenaufnahmen entstanden in den ersten Jahren unseres Jahrhunderts in Paris, wo er
lebte; es handelt sich um vier Titel auf G & T von
1902 und einige Odeon-Aufnahmen von 1905.

Dupuy, Martine, Mezzosopran, * 1952 Marseille; sie
wandte sich zunächst dem Studium der Romanistik
zu, studierte dann aber am Konservatorium von
Marseille Gesang. Bereits während ihrer Ausbildung übernahm sie am Opernhaus von Marseille
kleinere Partien. Nachdem sie den Lauri Volpi-
Concours in Mailand gewonnen hatte, kam sie zu
großen Erfolgen an italienischen Bühnen. So gastierte sie an den Opernhäusern von Rom und Florenz, am Teatro San Carlo Neapel, am Teatro Fenice Venedig und beim Rossini Festival von Pesaro.
Am Teatro Liceo Barcelona sang sie die Leonora in
Donizettis «La Favorita» und die Charlotte im
«Werther» von Massenet. Auch in Madrid und an
Opernhäusern in Südamerika gastierte sie sehr erfolgreich. Dabei spezialisierte sie sich einmal auf den
Mozart-Gesang, anderseits auf die technisch schwierigen Rollen für Koloratur-Contralto in den Opern
von Rossini, Donizetti und der weiteren Meister des
italienischen Belcanto. 1986 sang sie an der Pariser
Grand Opéra die Ismene in Rossinis «Assedio di
Corinto», 1986 in Nizza den Arsace in «Semiramide»
und in Lausanne die Titelrolle in «La Cenerentola»,
beide ebenfalls von Rossini. Im gleichen Jahr bewunderte man an der Oper von Nancy wie auch an
der Grand Opéra Paris ihre Adalgisa in «Norma»
von Bellini. 1987 sang sie am Teatro Comunale
Bologna die Isabella in «L'Italiana in Algeri», eine
weitere Koloratur-Altrolle von Rossini, bei den
Festspielen in der Arena von Nîmes die Adalgisa in

«Norma», bei den Festspielen von Valle d'Ìtria 1989 die Titelpartie in «Giulio Cesare» von Händel. Auch an der Opéra-Comique Paris und an den Opernhäusern von Lyon und Marseille wurde sie gefeiert. 1988 debütierte sie an der Metropolitan Oper New York als Sesto in «La clemenza di Tito» von Mozart. Nicht zuletzt war sie als Konzertsolistin erfolgreich. Am 13. 7. 1989 wirkte sie in dem großen Gala-Konzert zur Eröffnung der neu erbauten Bastille-Oper in Paris mit.
Schallplatten: Fonit-Cetra («Adelaide di Borgogna» von Rossini), Frequenz (Rosina im «Barbier von Sevilla»).

Durdević, Bode, Baß-Bariton, * 15. 3. 1926 Šimonovci (Serbien); er war Schüler der Musikakademie von Belgrad und kam 1952 an die Nationaloper der jugoslawischen Metropole. Er blieb bis 1979 Mitglied dieses Hauses, an dem er eine bunte Vielfalt von Partien zu Gehör brachte, darunter den Titelhelden in Verdis «Nabucco», den Amonasro in «Aida», den Eugen Onegin in der Oper gleichen Namens von Tschaikowsky, den Boris Godunow, den Dosifey in «Khovantchina» von Mussorgsky, den Sarastro in der «Zauberflöte» und den Fürsten Igor von Borodin. Hohes Ansehen genoß er als Konzert- und vor allem als Oratoriensänger. Er

gastierte in seiner jugoslawischen Heimat und auch an der Staatsoper von Wien.
Schallplatten: MGM («Krieg und Frieden» von Prokofieff).

Durot, Eugène, Tenor, * (?) in Frankreich, † Dezember 1908 Mailand; obwohl er aus Frankreich stammte, spielte sich nahezu seine gesamte Karriere in Italien ab. Er sang u. a. 1883 an der Mailänder Scala das Tenor-Solo im Requiem von Verdi und den Enzo in «La Gioconda» von Ponchielli. 1887 gastierte er am Teatro Real Madrid, 1888 am Teatro Argentina Rom. Am 16. 2. 1890 sang er in der Uraufführung der Oper «Loreley» von Alfredo Catalani am Teatro Regio Turin die Partie des Walter. 1896 war er zu Gast an der Academy of Music New York und wirkte dort in der amerikanischen Erstaufführung der Oper «Andrea Chénier» von Giordano in der Titelpartie mit. Seine großen Bühnenrollen waren der Arnoldo in Rossinis «Wilhelm Tell», der Titelheld in Verdis «Ernani», der Manrico im «Troubadour», der Radames in «Aida», der Alvaro in «La forza del destino», der Othello in Verdis bekannter Oper, der Enzo in «La Gioconda», der Edgar in der gleichnamigen Puccini-Oper, der Raoul in den «Hugenotten» von Meyerbeer und der Vasco in dessen Oper «L'Africaine».

E

Earle, Roderick, Baß, * 1952 (?) Winchester (Grafschaft Hampshire); er sang im Knabenchor der Kathedrale von Winchester, dann als Choral Scholar in St. John's Cambridge und studierte am Royal College of Music London als Schüler von Otakar Kraus. Sein Bühnendebüt erfolgte bei der English National Opera London als Spinelloccio in Puccinis «Gianni Schicchi». An diesem Opernhaus trat er auch als Zuniga in «Carmen», als Angelotti in «Tosca», als König in «Aida», als Marquis de Calatrava in Verdis «La forza del destino» und als Brander in «La Damnation de Faust» von Berlioz auf. Seine Antrittsrolle an der Covent Garden Oper London war der Antonio in «Nozze di Figaro». Seitdem hörte man ihn dort in einer Vielzahl von Rollen, u. a. als Pietro in «Simon Boccanegra» von Verdi, als Monterone im «Rigoletto» (1988), als Masetto im «Don Giovanni», als Angelotti in «Tosca», als Wagner im «Faust» von Gounod, als Haly in Rossinis «Italiana in Algeri» (1988), als Abimelech in «Samson et Dalila» von Saint-Saëns und als Theseus in «A Midsummer Night's Dream» von B. Britten. 1987 wirkte er an der Covent Garden Oper in der englischen Erstaufführung der finnischen Oper «The King Goes forth to France» von A. Sallinen mit. Er nahm 1986 an der Japan-Tournee der Covent Garden Oper teil. Bei der Opera North Leeds sang er den Leporello im «Don Giovanni» und den Giorgio in Bellinis «I Puritani», bei der Welsh Opera Cardiff den Fafner und den Hunding in Aufführungen des Ring-Zyklus, bei der Scottish Opera Glasgow den Titelhelden in «Nozze di Figaro». Bei den Festspielen von Athen gastierte er als Jupiter in «Castor et Pollux» von Rameau, beim Israel Festival in Strawinskys «Renard», beim Buxton Festival in «Giasone» von Cavalli und 1986 in «Ariodante» von Händel. Neben seiner Bühnenkarriere entwickelte sich eine gleichwertige Karriere im Konzertsaal. So trat er als Solist mit der Academy of St. Martin's in the Fields und mit dem Monteverdi Choir auf, sang das Baß-Solo im «Messias» u. a. in Stuttgart, «Les Noces» von Strawinsky in Tel Aviv und mit dem Orchester des polnischen Rundfunks den Mephisto in «La Damnation de Faust» von Berlioz (zuerst in Warschau, 1987 in Italien).
Schallplatten: Opera Rara («Maria Padilla» von Donizetti, «Dinorah» von Meyerbeer, «I Lombardi» von Verdi), Castle-Video (Andrea Chénier» und weitere Aufnahmen aus der Covent Garden Oper).

Ebbecke, Michael, Bariton, * 8. 12. 1955 Wiesbaden; bereits mit sechs Jahren kam er in den Kinderchor des Staatstheaters seiner Heimatstadt Wiesbaden, verzog dann mit seiner Familie nach München und erhielt dort eine erste Ausbildung zum Sänger am Richard-Strauss-Konservatorium. Entscheidend für seine Entwicklung wurde jedoch eine siebenjährige Ausbildung durch den berühmten Bariton Josef Metternich in Köln. Er wechselte vom Tenor- bis Baritonfach und gewann 1982 einen Gesangwettbewerb in Berlin. 1982 wurde er sogleich an die Staatsoper von Stuttgart engagiert, wo er als Graf in «Figaros Hochzeit» debütierte und eine erfolgreiche

Karriere aufbauen konnte. 1983–85 gehörte er gleichzeitig dem Ensemble des Staatstheaters Karlsruhe an. 1985 gastierte er an der Grand Opéra Paris, 1988 an der Deutschen Oper Berlin als Orest in Glucks «Iphigénie en Tauride», 1984 an der Berliner Komischen Oper als Guglielmo in «Così fan tutte». Weitere Gastspiele an den Opernhäusern von Lyon und Lüttich (Wolfram im «Tannhäuser»). 1987 hörte man ihn in Stuttgart als Stolzius in der zeitgenössischen Oper «Die Soldaten» von B. A. Zimmermann (1988 Gastspiel mit dem Stuttgarter Ensemble in dieser Partie an der Opéra du Rhin Straßburg), 1989 an der Mailänder Scala als Scherasmin im «Oberon» von Weber. Von den vielen weiteren Partien, die er auf der Bühne sang, sind zu nennen: der Belcore in Donizettis «Elisir d'amore», der Giulio Cesare in Händels bekannter Oper, der Arsamenes in «Serse» von Händel, der Titelheld in Tschaikowskys «Eugen Onegin», der Silvio im «Bajazzo» und der Don Fernando in Beethovens «Fidelio». Als Konzertsänger erschien er u. a. 1987 in Amsterdam in der Johannes-Passion von J. S. Bach.

Eberius, Heinrich, Tenor, * 22. 10. 1817 Dessau, † 13. 1. 1886 Wiesbaden; er begann seine Bühnentätigkeit 1836 als Chorist am Dessauer Hoftheater, 1839 ging er als Tenorsolist an das Stadttheater von Rostock, 1840 von dort an das Hoftheater von Wiesbaden, dessen Mitglied er bis 1849 blieb. Er hatte im lyrischen Stimmfach wie auch als Charakter- und Buffotenor große Erfolge, die sich in seinem folgenden Engagement am Hoftheater von Karlsruhe 1849–67 wie auch bei Gastspielen an führenden deutschen Bühnen wiederholten. 1867 gab er seine Bühnenlaufbahn auf und wirkte dann noch lange Zeit hindurch als Gesanglehrer in Wiesbaden.

Eddy, Jennifer, Sopran, * 1934 (?) Melbourne; ihr Vater hatte als Bariton gesungen, eine Tante veranlaßte die Ausbildung ihrer Stimme. 1954 begann sie ihre Ausbildung bei dem Pädagogen Henry Portnoj und dessen Gattin in Melbourne. Bereits 1955 gewann sie einen Gesangwettbewerb in Canberra. In den folgenden vier Jahren sang sie viel im australischen Rundfunk (Australian Broadcasting Company), darunter die Sopransoli im «Messias» von Händel und in der «Schöpfung» von Haydn. 1956 sang sie bei der Australien-Tournee der Elizabethan Opera Company die Mozart-Partien der Susanna in «Nozze di Figaro», der Despina in «Così fan tutte» und der Papagena in der «Zauberflöte». 1959 verlegte sie ihre Tätigkeit nach London, wo sie an der Covent Garden Oper als Frasquita in «Carmen» debütierte. 1961 wirkte sie dort in Aufführungen von Benjamin Brittens «A Midsummer Night's Dream» als Tytania mit; sie sang an der Covent Garden Oper Partien wie die Papagena, die Lisa in «La Sonnambula» von Bellini und die Xenia im «Boris Godunow». 1963 war sie bei der Sadler's Wells Opera London als Norina im «Don Pasquale» und als Papagena, später als Blondchen in der «Entführung aus dem Serail» zu hören. 1964 gastierte sie bei der Welsh Opera Cardiff als Musetta in «La Bohème»

und bei einem Gastspiel der Covent Garden Oper in Coventry als Sophie im «Rosenkavalier» von R. Strauss. Sie setzte ihre Karriere als lyrische Koloratursopranistin in England auf der Bühne wie im Konzertsaal und am Rundfunk in den folgenden Jahren fort.
Schallplatten: HMV (Blondchen in vollständiger «Entführung aus dem Serail», 1967).

Edelmann, Peter, Bariton, * 1962 Wien; er war der Sohn des berühmten Baß-Baritons *Otto Edelmann* (* 1917), der auch seine Ausbildung an der Wiener Musikhochschule leitete. Während dieser vierjährigen Ausbildung, die durch Lied- und Opernkurse ergänzt wurde, nahm er bereits an einer Europa-Tournee mit Mozarts «Nozze di Figaro» teil, bei der er die Partie des Grafen sang. 1985 wurde er an das Stadttheater Koblenz verpflichtet, an dem er in einem umfangreichen Rollenrepertoire aufsehenerregende Erfolge hatte. Man hörte ihn dort wie bei Gastspielen als Papageno in der «Zauberflöte», als Grafen wie als Figaro in «Figaros Hochzeit», als Don Giovanni, als Guglielmo in «Così fan tutte», als Marcello in Puccinis «La Bohème», als Lord Tristan in «Martha» von Flotow, als Förster im «Schlauen Füchslein» von L. Janáček, als Herrufer im «Lohengrin», als Figaro im «Barbier von Sevilla», als Salieri in «Mozart und Salieri» von Rimsky-Korssakow, als Posa in Verdis «Don Carlos», als Grafen Eberbach im «Wildschütz» von Lortzing, als Dr. Falke in der «Fledermaus» und 1989 in der Titelpartie der Oper «Odysseus auf Ogygia» von Klaus Arp in deren Uraufführung in Koblenz. Als Gast sang er u. a. am Nationaltheater Mannheim, an den Opernhäusern von Dortmund und Wuppertal, in Trier und Krefeld. 1989 gastierte er erstmals an der Staatsoper Hamburg; 1990 wurde er an die Deutsche Oper Berlin engagiert. Große Erfolge auch bei Konzertveranstaltungen in Wien, Budapest, Salzburg und beim Wexford Festival in Irland. 1989 gab er einen glänzenden Liederabend in Wien; hinzu traten zahlreiche Konzerte und Liederabende in den Zentren des westdeutschen Musiklebens, im Rundfunk, im deutschen wie im österreichischen Fernsehen. Im Juli 1989 wurde er der Gewinner des Haupt- wie des Mozartpreises im Internationalen Belvedere-Wettbewerb in Wien und gewann dazu sechs Sonderpreise.

Eetvelt, François van, Baß-Bariton, * 23. 5. 1946 Bornem (Belgien); er studierte an den Konservatorien von Antwerpen und Brüssel und ergänzte seine Ausbildung in Italien wie in Deutschland. Er debütierte an der Königlichen Oper Antwerpen, deren Mitglied er seit 1976 war. 1976 hatte er dort einen seiner ersten großen Erfolge als Amfortas im «Parsifal». 1978 war er Gewinner des Belcanto-Wettbewerbs von Ostende. Er gastierte regelmäßig am Théâtre de la Monnaie Brüssel, wo er auch 1986 in der Uraufführung der Oper «Das Schloß» von André Laporte (nach F. Kafka) mitwirkte. Gastspiel- und Konzertauftritte auch in Prag und Bratislava (Preßburg), in Dresden und Leipzig, in Amsterdam und Helsinki, beim Flandern Festival und beim

Festival international Carvantino in Guanajuato. Im belgischen wie im englischen Fernsehen trat er in Monteverdis «Orfeo» auf. Beim Aldeburgh Festival war er in einem Konzert zu hören. Von den vielen Partien, die er auf der Bühne gesungen hat, seien angeführt: der Titelheld im «Don Giovanni», der Donner im «Rheingold», der Gunther in der «Götterdämmerung», der Wolfram im «Tannhäuser», der Kurwenal im «Tristan», der Sharpless in «Madame Butterfly», der Jochanaan in «Salome» von R. Strauss, der Apollo in Monteverdis «Orfeo» und der Tarquinius in «The Rape of Lucretia» von Benjamin Britten.

Egerton, Francis, Tenor, * 1942 (?); der sehr vielseitig begabte englische Tenor sang während fünf Spielzeiten bei der Sadler's Wells Opera Company London, bevor er 1972 an die Covent Garden Oper London verpflichtet wurde. Seitdem kam er dort wie auch bei der Scottish Opera Glasgow und bei Gastspielen an der Oper von San Francisco und in Kanada zu bedeutenden Erfolgen. Er spezialisierte sich in erster Linie auf das Buffo-Repertoire seines Stimmfachs, trat aber auch in lyrischen und dramatischen Partien auf. An der Covent Garden Oper war er in vielen, zumeist kleineren Aufgaben anzutreffen, in San Francisco erregte sein Mime im «Siegfried» Aufsehen, bei den Festspielen im Schloßtheater von Drottningholm gastierte er 1983 in «Il fanatico Burlato» von Cimarosa und 1986 als Don Curzio in «Figaros Hochzeit». Am Théâtre Châtelet Paris wirkte er in Aufführungen von Rimsky-Korssakows «Le Coq d'or», bei der Scottish Opera als italienischer Tenor in «Capriccio» von Richard Strauss mit. Gastspiele am Théâtre de la Monnaie Brüssel, am Teatro Regio Parma (1988), in Los Angeles (1988 als Hauptmann in «Wozzeck»), an den Opern von Nizza und Monte Carlo und Konzertauftritte kennzeichnen den Fortgang der Karriere des Künstlers.
Schallplatten: Kleinere Partien in vollständigen Opernaufnahmen auf DGG («La fanciulla del West» von Puccini), Philips, Decca (Don Curzio in «Figaros Hochzeit») und RCA.

Eghart, Eduard, Baß-Bariton, * 1829 (?) Olmütz (Olomouc), † 9. 2. 1882 Prag; er besuchte die Technische Hochschule in Wien. Im Revolutionsjahr 1848 beteiligte er sich als Legionär an den Studentenunruhen. Zu Beginn der fünfziger Jahre entschloß er sich zu einer Bühnenkarriere. Nach ersten Auftritten in seiner Geburtsstadt Olmütz, in Laibach (Ljubljana) und in Amsterdam kam er 1857 wieder nach Wien. Es schlossen sich Engagements in Posen (Poznań) und Bromberg (Bydgoszcz), in Lemberg (Lwów) und Graz an. Seit 1865 war er am Deutschen Landestheater in Prag tätig. Man schätzte auf der Bühne namentlich seinen Vortrag von Buffo-Typen wie dem Leporello im «Don Giovanni», dem Bartolo in Rossinis «Barbier von Sevilla», dem Falstaff in den «Lustigen Weibern von Windsor» von Nicolai oder dem Beckmesser in den «Meistersingern». Auch als Konzertsolist kam er zu einer erfolgreichen Karriere.

Eibenschütz, Toni, s. unter *Claar-Eibenschütz,* Toni.

Eichelberger, Susan, Sopran, *4. 8. 1948 Cincinnati (Ohio); sie besuchte das Cincinnati College-Conservatory of Music, wo sie Schülerin von Lucile und Robert Evans war; weitere Ausbildung an der Philadelphia Academy of Vocal Arts durch Dorothy Di Scala. Sie debütierte 1972 an der Oper von Philadelphia als Yvette in «La Rondine» von Puccini. Sie wirkte dann viele Jahre hindurch an der Oper von Tel Aviv, wo sie hauptsächlich in lyrischen Partien erfolgreich auftrat: als Mimi in Puccinis «La Bohème», als Butterfly, als Norina im «Don Pasquale» von Donizetti, als Olympia wie als Antonia in «Hoffmanns Erzählungen» von Offenbach und als Violetta in «La Traviata» von Verdi. Erfolgreiche Gastspiel- und Konzertauftritte.

Eichhöfer, David, Tenor, *22. 6. 1882 Hersfeld bei Kassel, † (?); sein Vater war Postsekretär, und auch er wollte zunächst die Beamtenlaufbahn bei der Post einschlagen. Er ließ dann jedoch seine Stimme ausbilden und debütierte 1903 als lyrischer Tenor am Stadttheater von Regensburg. Es folgten danach Engagements am Stadttheater von Osnabrück, an der Hofoper Stuttgart, am Hoftheater von Altenburg in Thüringen und am Stadttheater (Opernhaus) von Hamburg. Schließlich kam er einem Ruf an das Hoftheater von Detmold nach, an dem er eine lange, erfolgreiche Karriere hatte. Nachdem er zu Beginn seiner Karriere in der Hauptsache lyrische Partien gesungen hatte, wandte er sich in deren späterem Verlauf dem heldischen und dem Wagner-Fach zu und brachte Rollen wie den Tannhäuser, den Lohengrin, den Manrico im «Troubadour», den Canio im «Bajazzo», den Johannes im «Propheten» von Meyerbeer und den Hüon im «Oberon» von Weber zum Vortrag. Dazu beherrschte er ein umfangreiches Konzertrepertoire.

Eichhorn, Arno, Bariton, *5. 2. 1885 Lauscha (Thüringen), †19. 11. 1941 München; nach seinem Gesangstudium wirkte er im ersten Teil seiner Karriere an den Stadttheatern von Krefeld, Rostock und Dortmund. 1920 wurde er an das Landestheater Coburg verpflichtet, dem er bis 1929 angehörte. Hier wie bei Gastspielen an verschiedenen Bühnen im deutschen Sprachraum hörte man ihn in Partien wie dem Amfortas im «Parsifal», dem Wotan in den Opern des Ring-Zyklus, dem Telramund im «Lohengrin», dem Hans Sachs in den «Meistersingern», dem Rigoletto, dem Jago in Verdis «Othello» und dem Pizarro im «Fidelio». Bedeutend auch als Konzert- und Oratoriensolist.

Eichner, Adelheid, Sopran, *1762 Mannheim, †5. 4. 1787 Berlin; sie war die Tochter des Fagottvirtuosen Ernst Eichner, der der Mannheimer Hofkapelle angehörte, aber auch durch Konzertreisen bekannt wurde. Sie erhielt ihre Ausbildung durch den Vater und ist wahrscheinlich bereits in Mannheim aufgetreten. 1784 wurde sie an die Berliner Hofoper verpflichtet. Dort wie auch bei Konzerten, die sie in Berlin gab, wurde ihre vollendete Koloraturtechnik in besonderer Weise bewundert. Die allgemein erwartete große Karriere kam jedoch nicht zustande, da sie bereits im Alter von 25 Jahren verstarb.

Eilers, Franz, Baß, *26. 5. 1861 Prag, †29. 10. 1929 Krefeld; er war ein Sohn des berühmten Bassisten und Wagner-Interpreten *Albert Eilers* (1830–96), durch den er auch ausgebildet wurde. Er debütierte am Hoftheater von Coburg und sang dann nacheinander an den Theatern von Düsseldorf und Augsburg, am Hoftheater von Braunschweig, an den Bühnen von Basel und Posen (Poznań), am Hoftheater von Karlsruhe, an der Berliner Kroll-Oper, an den Stadttheatern von Mainz, Regensburg und Rostock. 1908 wurde er an das Stadttheater von Krefeld berufen, wo er bis 1924 als Oberspielleiter für das Gebiet der Oper wirkte, aber auch noch als Sänger auftrat. Bei den Bayreuther Festspielen betätigte er sich bereits in den Jahren 1892–95 als Operninspizient, wie er überhaupt neben seinem Wirken als Sänger auch im Regie- und Verwaltungsbereich große Aktivitäten entwickelte. 1925 beendete er seine Karriere. Sein älterer Bruder *Albert (Berti) Eilers jr* (*23. 8. 1859 Prag) begann wie sein Bruder 1879 seine Bühnenlaufbahn in Coburg, kam 1893 als Bariton an das Regensburger Stadttheater und 1905 an das Grenzlandtheater in Zittau in Sachsen, wo er lange als Sänger wie als Spielleiter tätig war. Seine Gattin war die Sopranistin *Eugenie Eilers-Herhold* (*9. 2. 1854 St. Petersburg, †22. 4. 1893 Hildesheim), die als Vertreterin des Soubretten- wie des jugendlich dramatischen Stimmfachs an den Stadttheatern von Magdeburg, Freiburg i. Br., Augsburg und Posen (Poznań) wirkte.

Eisenfeld, Brigitte, Sopran, *19. 9. 1945 Falkenstein im Vogtland; sie erhielt ihre Ausbildung an der Musikhochschule Berlin, wo sie Schülerin der Pädagogen H. Räker und L. Taubenreuther war. 1970 kam es zu ihrem Bühnendebüt am Opernhaus von Karl-Marx-Stadt (Chemnitz) in der Rolle der Papagena in der «Zauberflöte». Nach vierjährigem Wirken an diesem Haus wurde sie 1974 an die Berliner Staatsoper verpflichtet. Hier trat sie in einer Vielfalt von Partien aus dem lyrischen wie dem Koloratur-Repertoire auf: als Blondchen in der «Entführung aus dem Serail», als Zerline im «Don Giovanni», als Ännchen im «Freischütz», als Norina im «Don Pasquale» von Donizetti und als Rosina im «Barbier von Sevilla» von Donizetti. Gastspiele in den Zentren des deutschen Musiklebens und Konzertauftritte runden die Karriere der Künstlerin ab. Sie gastierte mit dem Ensemble der Staatsoper Berlin in Tokio, Moskau, Bologna und Luzern. 1989 sang sie bei den Festspielen von Schwetzingen die Zerbinetta in «Ariadne auf Naxos», an der Berliner Staatsoper in der Uraufführung von «Graf Mirabeau» von S. Mathus (14. 7. 1989). Dort hatte sie 1989 einen großen Erfolg als Konstanze in der «Entführung aus dem Serail».
Schallplatten: Eterna.

Eisner, Stella, Sopran, *1883 Wien, † (?); sie war in Wien Schülerin von Elisa Elizza. 1910 debütierte sie

an der Wiener Hofoper, deren Mitglied die Künstlerin bis 1911 blieb. 1911–13 war sie am Hoftheater von Karlsruhe tätig, 1914–18 am Deutschen Theater Prag, 1918–20 an der Wiener Volksoper. Sie nahm dann kein festes Engagement mehr an so sondern ging von Wien aus ihrer Gastspiel- und Konzerttätigkeit nach. So sang sie bei den Festspielen von Salzburg 1926 (alternierend mit Annie Frind) die Blondchen in der «Entführung aus dem Serail». Weitere Partien, in denen sie auftrat, waren die Marzelline im «Fidelio», die Arsinoë in den «Toten Augen» von d'Albert und der Siebel im «Faust» von Gounod. 1929 trat sie in Wien im Konzertsaal auf, 1932 gastierte sie an der dortigen Volksoper als Micaela in «Carmen». Sie war in Wien auch pädagogisch tätig und unterrichtete dort die bekannte finnische Sopranistin Lea Piltti. Sie hat, wahrscheinlich nach 1938, Österreich verlassen und emigrierte in die USA. Dort lebte sie unter dem Namen Stella Eisner-Eyn in San Francisco als Gesanglehrerin. Eine ihrer Schülerinnen war die bekannte Sopranistin Lucine Amara.
Von der Stimme der Sängerin sind mehrere Aufnahmen auf der Marke Vox vorhanden.

Ekkehard, Sigrid, Sopran, * 27. 12. 1920 Berlin; sie studierte Gesang bei Maja Nissen-Stone in Berlin (1937–38), bei Hedwig Francillo-Kaufmann (1938–1941) und nach 1945 bei Lula Mysz-Gmeiner in Schwerin. Sie sang in den Jahren 1943–46 als lyrischer Sopran am Staatstheater Schwerin und folgte 1946 einem Ruf an die Berliner Staatsoper. Bis 1961 wirkte sie an diesem Haus als jugendlich-dramatischer Sopran; gleichzeitig bestand 1954–58 ein Gastvertrag mit der Komischen Oper Berlin. Bei den Händel-Festspielen in Halle/Saale sang sie 1952 in der Oper «Alcina» von G. F. Händel. Sie trat bei Gastspielen am Staatstheater Hannover (1956), am Opernhaus von Zürich, an der Wiener Staatsoper (als Titelheldin in «Elektra» von R. Strauss), in Paris und Prag, in Köln und Warschau auf. Später lebte sie in West-Berlin. Sie sang auf der Bühne Partien wie die Donna Elvira im «Don Giovanni», die Fiordiligi in «Così fan tutte», die Agathe im «Freischütz», die Leonore im «Fidelio», die Eva in den «Meistersingern», die Sieglinde in der «Walküre», die Gutrune in der «Götterdämmerung», die Desdemona im «Othello» von Verdi, die Santuzza in «Cavalleria rusticana», die Mimi in «La Bohème», die Butterfly, die Tosca, die Turandot in der gleichnamigen Puccini-Oper, die Marina im «Boris Godunow», die Carmen, die Marie im «Wozzeck» von A. Berg und die Titelheldin in «Halka» von Moniuszko.
Schallplatten: Eterna («Turandot» von Puccini, auf Philips in Form eines Querschnitts veröffentlicht).

Elchlepp, Waltraud Isoldé, Mezzosopran, * 1952 (?) Straßburg. Sie wuchs in Karlsruhe auf und wurde im Studio der Bayerischen Staatsoper München ausgebildet, nachdem sie ursprünglich eine Lehre als Modegraphikerin absolviert und sich mit Malerei beschäftigt hatte. An der Münchner Oper trat sie bereits seit 1973 in kleineren Partien (Kate Pinkerton in «Madame Butterfly») auf. 1975–82 war sie am

Stadttheater von Bremen engagiert, 1982–88 am Staatstheater Wiesbaden. Seit 1988 Mitglied des Staatstheaters Hannover. 1985–86 wirkte sie bei den Festspielen von Bayreuth als Roßweiße in der «Walküre» mit. 1987 gastierte sie in Basel. Auch in Tokio zu Gast. Aus ihrem Rollenvorrat für die Bühne seien die Amneris in «Aida», die Alcina in «Orlando Paladino» von J. Haydn, die Liese in «Das Spielwerk und die Prinzessin» von F. Schreker, die Venus im «Tannhäuser», die Fricka und die Waltraute im Nibelungenring genannt. Auch als Konzertsängerin bekannt geworden.

Eliseo, Giacomo, Tenor, * 1888 (?), † 1944; über die Biographie des hochbegabten, aber unglücklichen Künstlers sind nur wenige Daten bekannt. Er entstammte einer jüdischen italienischen Familie und war ein Schüler des berühmten Baritons Antonio Cotogni in Rom. Seine Bühnenkarriere begann um 1910. 1912 ist er am Teatro Costanzi in Rom als Ernesto im «Don Pasquale» zusammen mit Aida Gonzaga anzutreffen. 1914 sang er am Teatro Fenice Venedig den Fenton in Verdis «Falstaff», 1913-16 am Teatro Mariani Ravenna. Am Teatro Costanzi taucht sein Name dann öfter in Partien aus dem lyrischen Tenorfach auf, so 1917 als Wilhelm Meister in «Mignon» von Thomas als Partner von Gabriella Besanzoni und Elvira de Hidalgo, 1917 als Herzog im «Rigoletto», als Elvino in Bellinis «La Sonnambula» und als Titelheld im «Werther» von Massenet. 1920 und 1925 gastierte er am Teatro Carlo Felice Genua u. a. als Lindoro in «L'Italiana in Algeri» von Rossini und als Titelheld in Mascagnis oper «Amico Fritz». Auftritte am Teatro Duno in Foggia im Jahre 1927 scheinen wohl das Ende seiner Opernkarriere zu bezeichnen. In der Saison 1931–32 sang er am Teatro Carlo Felice nochmals eine Comprimario-Rolle in «Adriana Lecouvreur» von Cilea. Der Sänger, dessen Stimme von Zeitgenossen in ihrer lyrischen Schönheit immer wieder mit der des berühmten Tito Schipa verglichen wurde, verarmte dann mehr und mehr, versuchte sich erfolglos als Operettensänger und mußte schließlich mit seiner Gattin Giulia in einem öffentlichen Asyl in Mailand leben. Der Bariton Luigi Borgonovo befreite ihn aus dieser unwürdigen Situation und überließ dem Sänger und seiner Gattin ein ihm gehörendes Haus in einem Dorf in der Nähe des Comer Sees. Neue Schwierigkeiten ergaben sich, als während des Zweiten Weltkrieges die Judenverfolgungen auch auf Italien ausgedehnt wurden und das Ehepaar sich verbergen mußte. Schließlich erlag Giacomo Eliseo einer Pneumonie.
Schallplatten seiner Stimme sind nicht vorhanden.

Ellero d'Artegna, Francesco, Baß, * 15. 12. 1948 Ravascletto (Friaul); er wurde am Konservatorium von Udine wie auch durch den Pädagogen Ettore Campogalliani ausgebildet. 1981 debütierte er bei den Festspielen in der Arena von Verona als Oberpriester in Verdis «Nabucco». Es folgten Auftritte an italienischen Theatern, die einen sehr erfolgreichen Verlauf nahmen: am Teatro Verdi Triest (seit 1983), am Teatro Comunale Modena (1984), in Ge-

nua (seit 1985), bei den Festspielen in den Thermen des Caracalla in Rom (1986 als Timur in Puccinis «Turandot»), am Teatro Regio Parma (1988), am Teatro Fenice Venedig (1988) und auch 1986 an der Mailänder Scala. Bei den Festspielen von Verona hörte man ihn 1988–89 als Ramphis in «Aida». Seine Karriere nahm internationale Dimensionen durch Gastspiele an vielen großen Bühnen an. So sang er 1982 und 1987 am Teatro Liceo Barcelona, 1986 und 1988 an der Hamburger Staatsoper, 1986 am Opernhaus von Zürich, 1987 an der Oper von Monte Carlo (als Raimondo in «Lucia di Lammermoor»), bei den Festspielen in der Arena von Nîmes (1987), an der Grand Opéra Paris (1987) an der Oper von Lyon (1988), am Teatro Real Madrid (1989 als Leporello im «Don Giovanni») und an der Oper von Chicago (1988). Sein Repertoire umfaßte vorwiegend Partien aus dem italienischen Fach: den Oroveso in Bellinis «Norma», den Conte Rodolfo in dessen «Sonnambula», den Haly in Rossinis «Italiana in Algeri», den Sparafucile im «Rigoletto», den Silva in Verdis «Ernani», den Fernando im «Troubadour», den Zaccaria in «Nabucco», den Pater Guardian in «La forza del destino», den Fiesco in «Simon Boccanegra» von Verdi, den Lunardo in «I quattro rusteghi» von Wolf-Ferrari und den Mephisto im «Faust» von Gounod. Auch als Konzertsolist kam er zu großen Erfolgen.
Schallplatten: RCA-Erato (Colline in «La Bohème»), Philips («Maria Stuarda» von Donizetti).

Elliott, Alastair Martin, Tenor, * 28. 5. 1954 London; er sang 1964–67 im Knabenchor der Londoner Westminster Abbey, 1968–72 in der King's School Canterbury. Er studierte Philosophie und Staatswissenschaften und war 1973–76 Choral Scholar an der Christ Church in Oxford. Ergänzende Musik- und Gesangstudien 1976–77 an der Guildhall School of Music London. Er debütierte in einem Barbican Concert in London und leitete damit seine Karriere als Konzertsänger ein. 1978 übernahm er die Leitung des Vokal-Ensembles Wren Singers und war zugleich dessen Baß-Solist. 1986 gründete er den Wren Consort. Er wurde in England namentlich durch Rundfunk- und Fernsehsendungen der BBC London bekannt. 1985 gab er sein erstes Konzert in Deutschland, und zwar in Wiesbaden. Er setzte seine Konzerttätigkeit in England in einem weit gespannten Repertoire fort, das zumal Vokalwerke aus der Barock-Epoche enthielt. Er trat dabei zusammen mit der London Early Music Group, mit dem Tudor Music Circle und anderen Gruppen auf. Seit 1989 wirkte er als Musikerzieher an der Ardingly School (Sussex).
Schallplattenaufnahmen, zum Teil mit den erwähnten Ensemble-Gruppen.

Elliott, Paul, Tenor, * 19. 3. 1950 Macclefield (Grafschaft Cheshire); er war 1959–62 als Chorsänger im Chor der St. Pauls-Kathedrale London beschäftigt und besuchte 1964–69 The King's School in Cambridge. 1969–72 war er Choral Scholar am Magdalen College in Oxford. Zu seinen Lehrern gehörten u. a. David Johnston und Peter Pears. 1972–75 wirkte er

als Vicar Choral an der Londoner St. Pauls-Kathedrale und gehörte großen Chören der englischen Hauptstadt an, darunter dem John Alldis Choir und dem Monteverdi Choir. Er war an der Gründung mehrerer Ensemble-Gruppen beteiligt, die sich in erster Linie die Pflege alter Musik zur Aufgabe machten; so war er 1974–84 im Hilliard Ensemble, 1976–79 in der London Early Music Group, 1972–74 im Consort of Musicke, 1974–82 bei den Baccholian Singers of London an führender Stelle tätig. 1973–82 gehörte er dem Deller Consort an, seit 1984 auch dem Newbury Consort Chicago. Mit diesen Gruppen gemeinsam, aber auch als Solist, unternahm er große Konzertreisen in Europa wie in Nordamerika. Gelegentlich trat er auch in geeigneten Partien auf der Bühne in Erscheinung. So sang er 1984 am Stadttheater von St. Gallen in szenischen Aufführungen von Händels «Acis and Galatea», 1988 den Belmonte in der «Entführung aus dem Serail» an der Indiana University Bloomington und, ebenfalls 1988, an der Oper von Chicago den Arbace in Mozarts «Idomeneo». 1986 gastierte er in San Antonio in einer Bühnenfassung des Oratoriums «Saul» von Händel in der Partie des Jonathan. Auch im pädagogischen Bereich entfaltete er eine intensive Tätigkeit; so lehrte er 1985–87 an der Indiana University in Bloomington, seit 1987 leitete er an dieser Universität ein Institut für alte Musik.
Auf Schallplatten sind sehr viele Aufnahmen, vor allem solche, in denen die genannten Ensemble-Gruppen auftreten, vorhanden. Auf Harmonia mundi sang er in «King Arthur» von H. Purcell, auf Decca das Tenorsolo in «Messias», auf RCA in der «Cäcilienode» von Purcell, auf HM in «The Indian Queen» von Purcell, auf TIS in «Music for England» von J. Haydn.

Ellmenreich, Erna, Sopran, * 1885 Stuttgart, † April 1976 Berlin; sie debütierte 1908 am Hoftheater von Stuttgart als Marguerite im «Faust» von Gounod und blieb in den Jahren 1909–24 Mitglied dieses Hauses (seit 1919 Staatsoper). 1924 unterbrach sie ihre Karriere in Stuttgart wegen eines Konfliktes mit der Leitung des Theaters und trat seither nur noch als Gast in Erscheinung. Bereits 1910 hatte sie am Opernhaus von Köln, 1912 am Hoftheater von Karlsruhe und 1916 am Opernhaus von Frankfurt a. M. gastiert. Am 25. 10. 1912 sang sie an der Stuttgarter Hofoper in der Uraufführung der Richard Strauss-Oper «Ariadne auf Naxos» die Partie der Echo. In Stuttgart wirkte sie auch in den Uraufführungen mehrerer weiterer Opern mit: «An allem ist Hütchen schuld!» von Siegfried Wagner (6. 12. 1917 als Märchenfrau), «Die Kronbraut» («Kronbruden») von Ture Rangström (21. 10. 1919), «Das Nusch-Nuschi» (als Kaiserin) und «Mörder, Hoffnung der Frauen» (als die Frau), beide von Paul Hindemith (4. 6. 1921). Von den Bühnenpartien der Sängerin, die auch zu großen Konzertauftritten kam, seien genannt: der Cherubino in «Figaros Hochzeit», die Dorabella in «Così fan tutte», der Octavian im «Rosenkavalier» von R. Strauss, die Titelfigur in dessen «Salome», die Carmen, die Butterfly, die Mignon in der gleichnamigen Oper von A. Thomas und der Silla in «Palestrina» von Hans Pfitzner.

Elschner, Walter, Tenor, *22.11. 1887 Leipzig, †22.1. 1929 New York; er erhielt seine Ausbildung zum Sänger durch die Pädagogen Reinecke und Seydel in Leipzig. 1911–12 war er zu Beginn seiner Bühnenkarriere am Stadttheater von Liegnitz tätig. 1912–15 wirkte er am Stadttheater von Elbing (Ostpreußen), 1915–17 am Opernhaus von Leipzig, 1917–20 am Hoftheater von Darmstadt und 1920–24 nochmals am Opernhaus Leipzig. 1924 folgte er einem Ruf an das Stadttheater (Opernhaus) von Hamburg, dessen Mitglied er bis zu seinem Tod blieb. Seit 1922 übernahm er auch Aufgaben aus dem Bereich der Opernregie, in Hamburg wirkte er als Oberspielleiter. 1927 Gastspiel an der Wiener Staatsoper. 1929 stellte er eine Operntruppe zusammen, mit der er eine Tournee durch die USA und durch Kanada unternahm, doch erkrankte er während der Überfahrt und starb kurz nach der Ankunft des Ensembles in New York an einer Pneumonie. Während seines Darmstädter Engagements wirkte er in mehreren Opern-Uraufführungen mit: «Sonnenflammen» von Siegfried Wagner (1918), «Gaudeamus» von Engelbert Humperdinck (1919) und «Ritter Blaubart» von E. M. von Reznicek (1920). Bei den Festspielen von Bayreuth der Jahre 1924–25 und 1927–28 erschien er als Mime im Ring-Zyklus, dazu als Vogelsang in den «Meistersingern» und als 4. Knappe im «Parsifal».
Wahrscheinlich existieren keine Schallplattenaufnahmen seiner Stimme.

Elsner, Wilhelm, Tenor, *10.11. 1869 Brünn (Brno),†26.8. 1903 Prag; er erhielt seine Ausbildung durch Hermann Pfeiffer in Brünn und debütierte 1889 am Stadttheater von Linz (Donau), an dem er bis 1891 engagiert blieb. Nach einer Spielzeit am Stadttheater von Regensburg (1891–92) kam er an das Stadttheater von Graz (1892–96); hier sang er 1893 die Titelpartie in der Uraufführung der Oper «Helfried» von Sigismund von Hausegger. 1896 wurde er an das Deutsche Theater Prag verpflichtet. Nachdem er anfänglich eher lyrische Partien gesungen hatte (Don Ottavio im «Don Giovanni», Faust von Gounod) wandte er sich in Prag mehr dem Wagner-Repertoire (Lohengrin, Walther von Stolzing, Siegmund, Loge) zu und kam vor allem als Tristan zu großen Erfolgen. Er gastierte, hauptsächlich in seinen Wagner-Rollen, an der Wiener Hofoper (1899), an den Hofopern von München (1902) und Dresden (1902) und am Opernhaus von Frankfurt a. M. (1902). Er stand bereits mit der Münchner Hofoper in Engagementsverhandlungen, als er plötzlich starb. Ebenso war er für die bevorstehende Uraufführung der Oper «Tiefland» von Eugen d'Albert in Prag für die Partie des Pedro vorgesehen. Seine Beerdigung fand in Prag unter Teilnahme einer großen Menschenmenge statt.

Elstermann, Eleonore, Sopran, *8.2. 1932 Köthen in Sachsen; sie war Schülerin der Gesangpädagogen

L. Behr-Schlegel, K. Gebel und F. R. Wark und debütierte 1951 am Stadttheater von Magdeburg als Olympia in «Hoffmanns Erzählungen» von Offenbach. Bis 1955 wirkte sie an diesem Haus und folgte dann einem Ruf als erste Koloratursopranistin an die Staatsoper von Dresden. In einer langjährigen Karriere hatte sie hier ihre großen Erfolge in Partien wie der Susanna in «Figaros Hochzeit», der Königin der Nacht in der «Zauberflöte», der Rosina im «Barbier von Sevilla» von Rossini, der Gilda im «Rigoletto», der Violetta in «La Traviata», der Musetta in Puccinis «La Bohème», der Sophie im «Rosenkavalier» und der Zerbinetta in «Ariadne auf Naxos» von R. Strauss. Gastspiele unternahm die in Dresden sehr beliebte Künstlerin zumeist mit dem Ensemble der dortigen Staatsoper zusammen, dazu hatte sie eine erfolgreiche Konzertkarriere. Seit 1980 widmete sie sich in Dresden einer ausgedehnten pädagogischen Tätigkeit.
Schallplatten: Eterna.

Elwes, John, Tenor, *1946; dieser englische Sänger wurde zuerst im Chor der Westminster-Kathedrale durch George Malcolm ausgebildet und studierte dann am Royal College of Music London. Er wurde Chorist im Chor der Westminster-Kathedrale und entfaltete bald eine intensive Tätigkeit als Konzert-, später auch (in geeigneten Partien) als Opernsänger. Sein Konzertrepertoire enthielt einerseits Vokalwerke aus der Barock-Epoche, auf der anderen Seite zeitgenössische Werke wie die Soli in Benjamin Brittens Missa brevis und «Abraham and Isaac». Auf der Bühne erschien er in Opern von Händel, Gluck, Mozart und Monteverdi, vor allem aber in Werken französischer Meister wie Rameau und Lully. So sang er am Theater von Montpellier in Monteverdis «Orfeo» unter Leitung von Philipp Herreweghe. Beim Händel-Festival sang er 1988 den Acis in «Acis and Galatea», beim Festival von Tourcoing die Titelpartie in «La clemenza di Tito» von Mozart (1988). In besonderer Weise wurde er durch seine Rundfunksendungen bei der englischen Gesellschaft BBC bekannt. Zahlreiche Schallplattenaufnahmen haben seine Interpretationen festgehalten; so sang er auf den Marken HMV (Titelpartie in «Pygmalion» von Rameau, Bach-Kantaten), Harmonia mundi (Hohe Messe von J. S. Bach, Titelrolle in «Zoroastre» von Rameau), DGG (Italienische Kantaten von Händel), Erato («Les Indes galantes» von Rameau), CBS («Alceste ou le Triomphe d'Alcide» von Lully, «Le Temple de la Gloire» von Rameau), Telefunken (Bach-Kantaten), Accent («La morte d'Orfeo» von Landi).

Emge, Alfred, Tenor, *8.11. 1846 Offenbach am Main, †6.2. 1919 Schwerin; mit 18 Jahren begann er als Chorist am Hof- und Nationaltheater Mannheim, kam dann nach weiterer Ausbildung durch M. Gross in Frankfurt a. M. in die Solistenlaufbahn und sang als erste große Partien am Opernhaus von Frankfurt a. M. den Max im «Freischütz» und den Tamino in der «Zauberflöte». Es schlossen sich Engagements am Stadttheater von Rostock, an der Berliner Kroll-Oper, an den Hoftheatern von Dessau (bis 1875) und

Braunschweig (1875–77) an. 1877 folgte er einem Ruf an das Hoftheater von Hannover, dessen Mitglied er bis zum Ende seiner Bühnenkarriere im Jahre 1896 geblieben ist. Hier sang er als Hauptrollen u. a. den Don Ottavio im «Don Giovanni», den Grafen Almaviva im «Barbier von Sevilla» von Rossini, den Florestan in Beethovens «Fidelio», den Chapelou im «Postillon de Lonjumeau» von Adam, den Georges Brown in «La Dame blanche» von Boieldieu, den Lyonel in Flotows «Martha» und den Titelhelden in dessen «Alessandro Stradella». Dazu war er bei Gastspielen und Konzerten in den Zentren des deutschen Musiklebens erfolgreich. So gastierte er an den Hofopern von Berlin und Dresden (1874) und am Opernhaus von Leipzig (1875).

Emiliani, Oreste, Tenor, * 1856 Turin, † (?); er erhielt seine Ausbildung in den Jahren 1873–75 am Liceo musicale von Turin sowie bei dem Pädagogen Maestro Gazzaniga-Malaspina. Im September 1883 erfolgte sein Bühnendébut am Theater von Mondovi in der Partie des Edgardo in «Lucia di Lammermoor» von Donizetti. 1884 hörte man ihn am Teatro Balbo Turin als Tonio in Donizettis «Fille du régiment», als Grafen Almaviva im «Barbier von Sevilla» von Rossini und wiederum als Edgardo. Im November 1884 hatte er am Teatro Carcano Mailand einen brillanten Erfolg als Corentino in Meyerbeers «Dinorah», seitdem seine besondere Glanzrolle. Anschließend sang er dort den Alfredo in Verdis «La Traviata» zusammen mit der großen Primadonna Gemma Bellincioni. 1884–85 war er am Teatro Comunale von Triest engagiert, 1885–86 am Opernhaus von Porto (Portugal). 1886 nahm er an einer großen Südamerika-Tournee teil, die ihm in Rio de Janeiro, Buenos Aires, Montevideo und anderen Städten große Erfolge brachte. 1887 sang er den José in «Carmen» unter Arturo Toscanini in Verona und am Teatro Manzoni Mailand, 1888 den Roméo in «Roméo et Juliette» von Gounod. 1889 gastierte er am Teatro Carignano Turin, wiederum unter Toscanini, in Catalanis Oper «Edmea», 1889 am Teatro San Carlos Lissabon als Enzo in «La Gioconda» von Ponchielli. 1890 Gastspiel in St. Petersburg u. a. als Corentino in «Dinorah» und als Partner von Marcella Sembrich in «Lucia di Lammermoor». 1895 war er am Teatro Nazionale von Mexico City anzutreffen. 1892–93 sang er am Teatro Regio Turin in Puccinis «Edgar» und, zusammen mit Cesira Ferrani, in der italienischen Erstaufführung von Messagers «La Basoche». 1894–95 gehörte er einer reisenden Operngesellschaft an, die in vielen italienischen Städten Puccinis «Manon Lescaut» und «La Wally» von Catalani zur Aufführung brachte. Gegen Ende seiner Sängerlaufbahn spezialisierte er sich auf die Partie des Grafen Alamaviva im «Barbier von Sevilla».

Emmerlich, Gunther, Baß, * 18. 9. 1944 Eisenberg in Thüringen; er war an der Musikhochschule von Weimar Schüler von H. Kremers und studierte weiter bei Eleonore Elstermann, bei Johannes Kemter in Dresden und bei Pavel Lisitzian (im Rahmen von Kursen des berühmten russischen Sängers und Päd-

agogen in der DDR). 1978 fand sein Debüt an der Staatsoper von Dresden in der Rolle des Bauern in «Die Kluge» von Carl Orff statt, nachdem er bereits zuvor im Studio der Dresdner Staatsoper tätig gewesen war. Seitdem Mitglied dieses traditionsreichen Operninstituts. Bei der Eröffnung der wieder aufgebauten Dresdner Semper-Oper mit einer Gala-Vorstellung des «Freischütz» sang er am 13. 2. 1985 die Partie des Kuno. Gastspiele, zum großen Teil mit dem Dresdner Ensemble, u. a. an der Wiener Volksoper und 1988 in Amsterdam als Alfonso in «Così fan tutte». Als weitere Höhepunkte aus seinem weit gespannten Bühnenrepertoire sind zu nennen: der Osmin in der «Entführung aus dem Serail», der Geronimo in «Il matrimonio segreto» von Cimarosa, der Eremit im «Freischütz», der Rocco in «Fidelio», der Dulcamara in Donizettis «Elisir d'amore», wobei er sich in diesen Aufgaben jedesmal als Darsteller von hohem Rang erwies. Der sehr vielseitige Künstler trat im Konzertsaal in einem umfangreichen Repertoire in Erscheinung, das auch Lieder, darunter auch das gehobene Unterhaltungslied und Chansons, enthielt.
Schallplatten: Denon («Freischütz», Mitschnitt der Dresdner Festaufführung von 1985), DGG (Kleine Partie in «Eugen Onegin»).

Enck, Lieselotte, Sopran, * 16. 7. 1918 Linz am Rhein; Gesangstudium an der Musikhochschule Köln und in Rom. 1939 begann sie ihre Bühnenlaufbahn am Staatstheater von Braunschweig, dem sie bis 1941 angehörte. 1941–43 war sie am Staatstheater Kassel engagiert und zugleich 1942–44 Mitglied der Staatsoper Berlin. Nach dem Zweiten Weltkrieg sang sie 1946–50 mit einem Gastspielvertrag am Opernhaus von Hannover und war 1949–51 Mitglied der Komischen Oper Berlin. 1950 gastierte sie in Hamburg in der Beggar's Opera. 1951–54 hatte sie ein Engagement am Stadttheater von Mainz und war in den Jahren 1955–59 an der Staatsoper von Dresden zu hören. Nach 1945 gab sie Gastspiele an der Wiener Staatsoper; auch an der Staatsoper München und an der Kroatischen Nationaloper Zagreb gastweise aufgetreten. Neben ihrem gesanglichen Können bewunderte man ihr mitreißendes darstellerisches Talent vor allem in ihren Hauptrollen, den Titelheldinnen in «Salome» von R. Strauss und in «Carmen» von Bizet. Sie sang auch Partien wie die Venus im «Tannhäuser», die Senta im «Fliegenden Holländer», die Martha in «Tiefland» von d'Albert und die Barbara in «Tobias Wunderlich» von J. Haas. Nach Abschluß ihrer Bühnenkarriere lebte die Künstlerin, die auch unter dem Namen Lieselotte Enck-Saden erscheint, in Osnabrück.
Schallplatten: Auf Siemens-Spezial (Telefunken-Capitol) singt sie die Salome in der Schlußszene der gleichnamigen Richard Strauss-Oper, auf BASF die Martha in «Tiefland» (Rundfunkaufnahme der Oper von 1943).

Encke, Inez, Sopran, * 1885 (?), † (?); sie erhielt ihre Ausbildung durch den Pädagogen Franz Zimmermann in Berlin. 1909–11 war sie am Stadttheater von Kiel engagiert. 1911–12 wirkte sie am Opernhaus von Breslau. Sie lebte dann in Berlin, wo sie Gastspiele und Konzerte gab. 1915 folgte sie einem Ruf an das Stadttheater von Zürich, dem sie bis 1921 angehörte. Hier trat sie in Partien aus dem lyrischen und dem Koloraturfach auf, u. a. als Gilda im «Rigoletto», als Susanna in «Figaros Hochzeit», als Titelheldin in Flotows «Martha», als Philine in «Mignon» von A. Thomas, als Marguerite in «Faust» von Gounod, als Nedda in «Bajazzo», als Traviata, als Mimi in «La Bohème», als Titelfigur in «Salome» von R. Strauss, als Béatrice in «Béatrice et Bénédict» von Berlioz und als Myrtocle in «Die toten Augen» von d'Albert. Am 11. 5. 1917 sang sie in Zürich die Titelrolle in der Uraufführung der Oper «Turandot» von Ferruccio Busoni. 1920 war sie an der Staatsoper Wien zu Gast. 1922–23 gehörte sie der Staatsoper von München an und gab danach noch Gastspiele und Konzerte. Seit 1917 war sie mit dem Tenor *Hjalmar Oerne* verheiratet, der zeitweilig am Theater von Freiburg i. Br. engagiert war; seitdem trat sie auch als Inez Oerne-Encke, zu Beginn ihrer Karriere auch als Inez von Encke, auf.

Enders, Werner, Tenor, * 11. 4. 1924 Beiersdorf in Sachsen; er studierte bei P. Schäfer in Zwickau und war dann in Berlin Schüler von Rita Meinl-Weise. 1947 begann er seine Bühnenkarriere am Theater von Zwickau mit seinem Debüt als Remendado in «Carmen». 1949–53 war er Mitglied des Landestheaters von Altenburg (Thüringen). 1953 kam er an das Stadttheater von Halle (Saale); dort zeichnete er sich bei den Händel-Festspielen als vortrefflicher Interpret dieses Barock-Meisters aus. 1957 verließ er Halle und wurde an die Komische Oper Berlin berufen. Hier wirkte er bei den großen Inszenierungen von Opern durch Walter Felsenstein an führender Stelle im Ensemble des Hauses mit und erwies sich darüber hinaus auch als begabter Interpret zeitgenössischer Werke («Der junge Lord» von H. W. Henze, «Der gute Soldat Schwejk» von Robert Kurka). Sein Fachgebiet war das des Charakter- und Buffo-Tenors, aus dem er eine Vielzahl von Partien zum Vortrag brachte. Gastspiele unternahm er in erster Linie zusammen mit dem Ensemble der Berliner Komischen Oper.
Schallplatten: Eterna (Alexander in «Poro, Re dell' Indie» von Händel, 1959), Philips (Ausschnitte aus «Orpheus in der Unterwelt» von Offenbach), Pergola (Pang in «Turandot»), DGG («Tosca»).

Engel, Maria, Sopran, * 1899 (?); sie erhielt ihre Ausbildung in der Hauptsache in München. 1924–25 war sie am Theater der Schweizer Bundeshauptstadt Bern engagiert, 1925–28 am Opernhaus (Stadttheater) von Zürich, 1928–29 am Deutschen Theater Prag. 1929–33 gehörte sie dem Opernhaus von Köln an und erlebte den Höhepunkt ihrer Laufbahn mit einem Engagement am Opernhaus von Hannover in den Jahren 1933–44. In Köln sang sie 1930 die Titelpartie in der Uraufführung der Oper «Galathea» von W. Braunfels, in Hannover wirkte sie 1937 in der Uraufführung von «Die Fasnacht von Rottweil» von W. Kempf mit. Sie sang dort auch 1943 die Titelrolle in der deutschen Erstaufführung der Oper «Mo-

rana» von J. Gotovac. 1931 gastierte sie an der Staatsoper von Dresden, 1935–36 bei den Händel-Festspielen von Göttingen, 1937 am Deutschen Opernhaus Berlin. Ihr Repertoire für die Bühne bestand in zahlreichen Partien aus dem Koloratur- wie dem lyrischen Stimmfach. Hiervon seien genannt: die Konstanze in der «Entführung aus dem Serail», die Susanna in «Figaros Hochzeit», die Königin der Nacht in der «Zauberflöte», die Titelpartien in «Euryanthe» von Weber und in Flotows «Martha», die Frau Fluth in den «Lustigen Weibern von Windsor» von Nicolai, der Komponist in «Ariadne auf Naxos» von R. Strauss, die Zdenka in dessen «Arabella», die Gilda im «Rigoletto», die Traviata, der Page Oscar in Verdis «Maskenball», die Mathilde in «Wilhelm Tell» von Rossini, die Madeleine in «Le Postillon de Lonjumeau» von Adam, die Philine in «Mignon» von A. Thomas, die Titelrolle in Rossinis «La Cenerentola», die Micaela in «Carmen», die Maliella in «Der Schmuck der Madonna» von Wolf-Ferrari, die Nachtigall in «Die Vögel» von W. Braunfels, die Antonie in «Friedemann Bach» von P. Graener und die Titelrolle in der Richard Strauss-Oper «Daphne». Nach dem Zweiten Weltkrieg scheint die Künstlerin nicht mehr aufgetreten zu sein.

Engel, Vika, Sopran/Mezzosopran, * 12. 11. 1885 Sisak (Kroatien), † 12. 10. 1943 Zagreb; sie begann ihr Gesangstudium bei L. Brückl in Zagreb und setzte es in Wien fort. 1908–10 war sie an der Komischen Oper Berlin tätig, 1910–11 am Hoftheater von Hannover, 1911–14 an der Wiener Volksoper. Dort wirkte sie am 23..11. 1911 in der Uraufführung der Oper «Der Kuhreigen» von Wilhelm Kienzl in der Rolle der Doris mit. 1913 war sie an der Wiener Hofoper zu Gast. 1914 folgte sie einem Ruf an die Oper von Zagreb (Agram) und wirkte dort bis 1927 als führende Kraft des Ensembles. Aus ihrem weitläufigen Bühnenrepertoire sind als Höhepunkte die Tosca, die Minnie in Puccinis «Fanciulla del West», die Salome in der gleichnamigen Richard Strauss-Oper, der Octavian im «Rosenkavalier», die Santuzza in «Cavalleria rusticana», die Carmen, die Amneris in «Aida», die Charlotte im «Werther» von Massenet, die Senta im «Fliegenden Holländer», die Isolde in «Tristan», die Brünnhilde im Nibelungenring und die Kundry im «Parsifal» zu nennen. Die Sängerin, die nach ihrer Heirat auch als Vika Engel-Mošinsky auftrat, war gleichzeitig eine geschätzte Konzertsolistin.

Engert, Ruthild, Mezzosopran, * 9. 10. 1946 Frankfurt a. M.; sie war zuerst als Kindergärtnerin tätig, wurde dann Kunsthändlerin und ließ gleichzeitig ihre Stimme an der Frankfurter Musikhochschule bei H. Champain und G. Aulmann ausbilden; Weiterbildung bei Josef Metternich in Köln. 1969–72 war sie am Stadttheater von Koblenz engagiert, 1972–77 am Stadttheater von Freiburg i. Br., 1977–79 am Staatstheater Hannover. Seit 1979 Mitglied der Deutschen Oper Berlin. Ein Gastspiel am Staatstheater von Oldenburg als Kundry im «Parsi-

fal» erregte erstes Aufsehen. 1980 gastierte sie an der Staatsoper von Hamburg. Bei den Festspielen von Bayreuth traf man sie in den Jahren 1983–86 in verschiedenen Partien (Knappe und Altsolo im «Parsifal», Siegrune und Schwertleite in der «Walküre»), 1989 übernahm sie dort die Venus im «Tannhäuser». Beim Festival von Spoleto hörte man sie 1986–87 als Kundry im «Parsifal». Sie trat als Gast am Teatro Regio Turin (1987 Klytämnestra in «Elektra» von R. Strauss), am Teatro Fenice Venedig (1988 Komponist in «Ariadne auf Naxos» von R. Strauss), in Genua (1988), am Teatro Real Madrid, am Teatro San Carlos Lissabon und an der Staatsoper von Dresden auf. Aus ihrem Bühnenrepertoire sind weiter der Cherubino in «Figaros Hochzeit», die Dorabella in «Così fan tutte», die Fenena in Verdis «Nabucco», die Preziosilla in dessen »Forza del destino», die Eboli im «Don Carlos», die Meg Page im «Falstaff», die Fatime im «Oberon» von Weber, die Fricka in der «Walküre», die Brangäne im «Tristan», die Waltraute in der «Götterdämmerung», der Hänsel in «Hänsel und Gretel», der Octavian im «Rosenkavalier», der Nicklaus in «Hoffmanns Erzählungen» und die Charlotte in der zeitgenössischen Oper «Die Soldaten» von B. A. Zimmermann zu nennen. Auch als Konzert- und Liedersängerin kam sie zu einer großen Karriere. Seit ihrer Heirat mit dem Musikwissenschaftler Norbert Ely trat sie auch unter dem Namen Ruthild Engert-Ely auf.
Schallplatten: Acanta («Feuersnot» von R. Strauss), Philips («Parsifal», Bayreuth 1985), DGG («Walküre» als Schwertleite, Bayreuth 1987, Filipjewna im «Eugen Onegin»), RCA (Trauerkantate von Cherubini).

Engle, Marie, Sopran, * 1860 St. Louis, † (?); sie war die Enkelin der französischen Sängerin *Marie Stoll* und wurde seit ihrem 14. Lebensjahr in New York ausgebildet. Col. James Henry Mapleson förderte sie in besonderer Weise. Im April 1886 debütierte sie während einer Tournee der New Yorker Academy of Music in San Francisco als Philine in «Mignon» von A. Thomas. 1887–88 war sie am Thalia Theatre New York engagiert und trat dann in zahlreichen Gastspielen hervor. Bereits 1887 gastierte sie an der Covent Garden Oper London, an der sie in den Jahren 1895–99 ständig als Gast anzutreffen war. Sie sang dort u. a. 1897 in der englischen Erstaufführung der Oper «Der Evangelimann» von Kienzl die Partie der Martha. 1895–99 gehörte sie auch dem Ensemble der Metropolitan Oper New York an (Antrittsrolle: Micaela in «Carmen»). Über den Ausgang der Karriere der großen Künstlerin besteht keine Klarheit; nach 1899 lassen sich keine Auftritte mehr feststellen. Von ihren Bühnenpartien sind die Susanna in «Nozze di Figaro», die Zerline im «Don Giovanni», die Marzelline im «Fidelio», die Titelheldin in Flotows «Martha», die Zerline in «Fra Diavolo» von Auber, die Marguerite im «Faust» von Gounod und die Königin Marguerite de Valois in den «Hugenotten» von Meyerbeer zu nennen.
Von ihrer Stimme wurden 1897 Bettini-Zylinder aufgenommen.

Engst, Betty, Alt, * 2. 2. 1832 Kaaden (Kadaň) in Böhmen, † 20. 7. 1855 Budapest; ihr Vater war Offizier der österreichisch-ungarischen Armee. Sie erhielt ihre Ausbildung am Konservatorium von Prag. 1849 wurde sie sogleich an die Wiener Hofoper engagiert, an der sie bis 1853 große Erfolge zu verzeichnen hatte. Sie unternahm dann eine, abermals sehr erfolgreiche, Gastspieltournee durch Deutschland, die sie u. a. an das Opernhaus von Leipzig, an die Berliner Hofoper, an die Stadttheater von Hamburg und Bremen führte. 1854 betrat sie, bereits schwer erkrankt, in Bremen letztmalig die Bühne und starb im folgenden Jahr im Alter von nur 23 Jahren. Als ihre großen Bühnenpartien werden die Fides im «Propheten» von Meyerbeer und der Romeo in Bellinis «I Capuleti ed I Montecchi» genannt.

Enström, Margot, Mezzosopran, * 1947 (?); die aus Finnland gebürtige Sängerin erhielt ihre Ausbildung an der Sibelius-Akademie in Helsinki bei Jolanda di Maria Petris, dann bei der Pädagogin Mirjam Helin. Seit 1970 war sie an der Finnischen Nationaloper Helsinki tätig, wo sie in einer Anzahl von Partien aus ihrem Stimmfach auftrat, u. a. als Filipjewna in Tschaikowskys «Eugen Onegin», als Miss Todd in Menottis «The Old Maid and the Thief» und in weiteren Rollen. Zugleich war sie eine geschätzte Konzert-, Oratorien- und Liedersängerin.
Schallplatten: Finnlevy («Juha» von Aarre Merikanto).

Epp, Friedrich, Tenor, * 1747 Neuenheim bei Heidelberg, † 1802 Mannheim; er war der Sohn eines Schullehrers und hatte seine ersten Erfolge 1777 am Hoftheater von Mannheim. Es ist anzunehmen, daß Mozart ihn bei seinen Aufenthalten in Mannheim 1777 und 1778 kennengelernt hat. Seit 1780 sang er am Mannheimer Theater, zu dieser Zeit eine der führenden deutschen Bühnen, die großen Partien seines Stimmfachs und erlangte namentlich als Mozart-Sänger einen großen Ruf. Als er 1792 in Frankfurt a. M. als Belmonte in der «Entführung aus dem Serail» auftrat, ging ihm der Ruf voraus, der beste Mozart-Tenor seiner Zeit zu sein. 1797 folgte er einem Ruf an das Hoftheater von Stuttgart. Hier setzte er seine Karriere mit den gleichen Erfolgen fort, die er zuvor in Mannheim gehabt hatte. Nicht weniger erfolgreich verliefen Bühnengastspiele und Konzertauftritte im süddeutschen Raum. 1801 kam der Künstler wieder nach Mannheim zurück, starb dort aber bereits ein Jahr später.

Erdmann, Hildegard, Sopran, * 1905 (?); sie war am Stern'schen Konservatorium in Berlin Schülerin von Susanne Holländer und ging dann von Berlin aus ihrer Tätigkeit als Konzert- und namentlich als Oratoriensängerin nach. Ihre Karriere hatte ihren Höhepunkt in den Jahren 1935–39, als sie in Berlin wie in anderen deutschen Großstädten zahlreiche erfolgreiche Auftritte absolvierte. 1935 sang sie auf HMV dann auch das Sopransolo im Deutschen Requiem von Johannes Brahms. Obwohl sie nicht auf der Opernbühne aufgetreten ist, übernahm sie während des Zweiten Weltkrieges in einer Schallplattenaufnahme eines Querschnitts durch «Hänsel und Gretel» auf Urania die Partien des Sand- und des Taumännchens. Sie ist nach ihrer Heirat auch unter dem Namen Hildegard Erdmann-Hartwig hervorgetreten, scheint aber ihre Karriere nach dem Zweiten Weltkrieg nicht mehr fortgesetzt zu haben.

Erhard, Marie, Sopran, * 1846 Wien, † 12. 7. 1906 Klosterneuburg bei Wien; sie absolvierte ihre Ausbildung in Wien und kam dann zu einer großen Karriere an der Hofoper von Dresden. Sie wurde zur Sächsischen Kammersängerin ernannt, wechselte aber später an das Deutsche Landestheater Prag, an dem sie ebenfalls sehr erfolgreich wirkte. Gastspiele und Konzertauftritte rundeten die Karriere der Künstlerin ab.

Erhartt, Antonie, Sopran, * 14. 4. 1826 Wien, † 25. 8. 1853 Budapest; als Tochter eines Schauspielerehepaars trat sie bereits seit 1832 in Kinderrollen am Wiener Theater in der Leopoldstadt auf. 1843–47 hörte man sie dort als Solistin in Opern- und Operettenpartien wie in Wiener Lokalstücken. 1847–48 war sie in einem Repertoire, das sowohl Opernrollen wie auch Aufgaben aus den Bereichen der Posse und des Vaudeville enthielt, am Landestheater von Linz (Donau) anzutreffen. 1848–53 war die Künstlerin in ähnlich vielseitiger Weise am Theater von Brünn (Brno) im Engagement. Sie folgte dann einem Ruf an das Deutsche Theater von Budapest, starb aber noch im gleichen Jahr im Alter von nur 27 Jahren.

Erickson, Kaaren, Sopran, * 9. 2. 1953 Seattle; sie erhielt ihre Ausbildung am California Institute of Arts sowie an der Music Academy of the West bei Martial Singher und Maurice Abravanel bis 1981. 1982 debütierte sie als Gilda und trat noch im gleichen Jahr an der Staatsoper München wie an der Deutschen Oper Berlin auf. Ebenso sang sie 1982 an der Mailänder Piccola Scala die Rezia im «Oberon» von Weber. Sie kam dann auch zu einer schnellen Karriere an amerikanischen Opernhäusern. Hier sang sie seit 1982 regelmäßig an der Oper ihrer Geburtsstadt Seattle, ebenso an der Oper von San Francisco und seit 1984 an der City Centre Opera New York. 1983 hörte man sie an der Oper von Houston/Texas, 1986 und 1988 in Cincinnati. In der Saison 1986–87 erreichte sie die Metropolitan Oper New York, an der sie in «Dialogues des Carmélites» von F. Poulenc debütierte und 1989–90 als Zerline im «Don Giovanni» auftrat. Dazu setzte sie ihre Karriere in Europa fort und gastierte 1984 an der Mailänder Scala wie an der Oper von Nancy. Ihr Bühnenrepertoire umfaßte Rollen wie die Pamina in der «Zauberflöte», die Susanna wie die Gräfin in «Nozze di Figaro», die Fiordiligi in «Così fan tutte», die Ännchen im «Freischütz», die Celia in «Lucio Silla» von Mozart, die Ellen Orford in Benjamin Brittens «Peter Grimes» und die Wanda in der Offenbach-Operette «La Grande-Duchesse de Gerolstein». Im Konzertsaal kam sie als Oratorien- wie als Liedersängerin zu ähnlichen Erfolgen.

Schallplatten: Delos (Lieder), Orfeo («Le Cinesi» von Gluck).

Eriksen, Jostein, Tenor, * 7. 7. 1926 Fluberg (Norwegen); sein Gesang- und Musikstudium fand am Nationalkonservatorium von Oslo und in der Opernschule des dortigen Theaters statt und wurde durch Studien in verschiedenen europäischen Musikzentren ergänzt. 1956 debütierte er in einem Konzert im Dom von Oslo. 1958 betrat er dann an der Oper von Oslo erstmals die Bühne und blieb bis 1978 an diesem Haus tätig, wo er eine Vielfalt von Partien vortrug. Während dieser Zeit trat er auch als Konzert- und Oratoriensänger in Norwegen, Schweden und Dänemark in Erscheinung und wirkte fast alljährlich beim Festival von Bergen mit. Hinzu kamen zahlreiche Rundfunk- und Fernsehauftritte in den skandinavischen Ländern. 1974–79 amtierte er als Präsident der Norwegischen Musiker-Association; er bekleidete weitere Positionen im Musikleben seiner norwegischen Heimat und wirkte auch im pädagogischen Bereich.

Erl, Friedrich, Tenor, * 1860 (?) Wien, † 2. 7. 1913 Mannheim; er begann seine Bühnenlaufbahn 1881 und sang nacheinander an den Theatern von Olmütz (Olomouc), Brünn (Brno), am Opernhaus von Zürich, am Deutschen Theater Rotterdam und am Stadttheater von Bremen. 1887 wurde er an das Hof- und Nationaltheater Mannheim verpflichtet, dem er bis 1902 als erster lyrischer Tenor angehörte um dann 1904 an das Hoftheater von Karlsruhe zu wechseln. 1911 mußte er wegen schwerer Erkrankung seinen Bühnenabschied nehmen. Aus seinem Rollenvorrat verdienen Partien wie der Don Ottavio in «Don Giovanni», der Max im «Freischütz» von Weber, der Tonio in der «Regimentstochter» von Donizetti und die Titelpartien im «Faust» von Gounod wie in «Alessandro Stradella» von Flotow Erwähnung. Er wurde auch als Konzertsolist geschätzt.

Erler-Schnaudt, Anna, Sopran, * 11. 3. 1878 Moers (Niederrhein), † 30. 4. 1963 Viersen (Niederrhein); sie war eine Schülerin des Pädagogen *Karl Erler* (1859–1926) in München, den sie später heiratete. Nachdem sie 1903–06 bei ihm in München ihre Ausbildung absolviert hatte, kam es 1906 in München zu ihrem Konzertdebüt. Sie wurde schnell bekannt und wirkte bereits am 12. 9. 1910 in der denkwürdigen Münchner Uraufführung von Gustav Mahlers 8. Sinfonie («Sinfonie der Tausend») als Solistin mit. Sie war als Gast in den Konzertsälen von Berlin, Leipzig, Köln und München anzutreffen und bereiste sehr erfolgreich Holland, Frankreich, Polen und die Tschechoslowakei, war aber auch bereits frühzeitig in München als Pädagogin tätig. Seit 1928 arbeitete sie im pädagogischen Bereich an den Folkwangschulen von Essen; zuletzt lebte sie in Viersen. Sie war die Tante und Lehrerin der bekannten Altistin *Ruth Siewert* (* 1915).
Es sind keine Schallplattenaufnahmen der bedeutenden Sängerin, die vor allem als Gustav Mahler- und Max Reger-Interpretin bekannt war, vorhanden.

Ernst, Fritz, Tenor, *31. 3. 1859 Nürnberg, † 1929 Berlin; er wurde am Konservatorium von Würzburg ausgebildet und debütierte 1882 am Hoftheater von Karlsruhe. Bereits in der folgenden Spielzeit wurde er an das Stadttheater (Opernhaus) von Hamburg verpflichtet, dem er bis 1887 angehörte. Hier sang er 1884 die Titelpartie in der Uraufführung der Oper «Savonarola» von Charles V. Stanford. 1887 wurde er an die Hofoper Berlin berufen. Hier hörte man ihn als Max im «Freischütz», als Adolar in «Euryanthe» von Weber, als Erik im «Fliegenden Holländer», als Lohengrin, als Walther von Stolzing in den «Meistersingern», als Siegmund in der «Walküre», als Manrico im «Troubadour» und als Eleazar in Halévys «La Juive». Bis 1892 blieb er Mitglied der Berliner Hofoper, sang dann 1892–95 am Stadttheater von Bremen, gastierte 1895 am Opernhaus von Leipzig und gehörte 1896–97 der Damrosch Opera Company New York an, wo er vor allem im Wagner-Fach auftrat. Er blieb dann in New York und unternahm von dort aus in den nächsten Jahren Gastspiele, kehrte aber nach der Jahrhundertwende wieder nach Deutschland zurück. (Er sollte nicht mit dem Tenor *Heinrich Ernst* verwechselt werden, der zur gleichen Zeit an der Hofoper Berlin war und ein ähnliches Repertoire sang).

Ertl, Rudolf, Bariton, * 3. 11. 1886 Dubravica (Jugoslawien), † 24. 10. 1974 München; er erhielt seine Ausbildung zum Sänger im wesentlichen an der Musikakademie von Wien und debütierte auch in der österreichischen Hauptstadt. 1916–17 und 1918–19 war er am Opernhaus von Zagreb (Agram) engagiert, 1919–26 und 1928–44 Mitglied der Nationaloper von Belgrad, an der er sehr geschätzt wurde. Er trat dort in Rollen wie dem Don Giovanni, dem Titelhelden im «Eugen Onegin» von Tschaikowsky, dem Grafen Luna im «Troubadour», dem Germontpère in «La Traviata», dem Renato in Verdis «Ballo in maschera», dem Jago im «Othello» und dem Wolfram im «Tannhäuser» hervor und war gleichzeitig als Regisseur tätig. Nach dem Zweiten Weltkrieg wirkte er auf pädagogischem Gebiet in Sarajewo und in Novi Sad (Neusatz).

Erwin, Hans, s. unter *Hey,* Hans Erwin.

Eschert, Hasso, Tenor, *30. 11. 1917 Gräfenhainichen (Bezirk Halle/Saale); Ausbildung durch Ivo Götte und an der Musikhochschule Berlin (1946–47). 1947–50 war er als Eleve im Studio der Staatsoper Berlin engagiert, deren Ensemble er 1950–52 als jugendlicher Heldentenor angehörte. 1952–53 war er am Stadttheater von Hagen (Westfalen), 1953–56 am Opernhaus von Köln, 1956–59 am Nationaltheater Mannheim, 1959–60 am Stadttheater von Augsburg engagiert. 1963–66 gehörte er als ständiger Gast dem Ensemble des Mannheimer Nationaltheaters an. Durch eine Anzahl internationaler Gastspiele wurde er bekannt; so sang er bei den Bayreuther Festspielen von 1953 den Melot im «Tristan» und gastierte im gleichen Jahr an der Oper von Lyon. 1952 wirkte er bei den Händel-Festspielen in Halle/Saale mit, 1954 zu Gast an der Oper von

Straßburg, 1956 am Teatro Fenice Venedig als Siegmund in der «Walküre», 1959 am Teatro San Carlos Lissabon. Ebenfalls 1959 erschien er gastweise an der Covent Garden Oper London als Herodes in «Salome» von Richard Strauss. Er trat an der Wiener Staatsoper (als Bacchus in «Ariadne auf Naxos» und als Tannhäuser) und in Paris mit großem Erfolg auf. Von den Partien, die Bestandteil seines Bühnenrepertoires waren, sind noch zu nennen: der Ruggiero in «Alcina» von G. F. Händel, der Florestan im «Fidelio», der Max im «Freischütz», der Froh wie der Loge im «Rheingold», der Tambourmajor in «Wozzeck» von A. Berg, der Schuiskij im «Boris Godunow», der Paris in Offenbachs «La belle Hélène», der Barinkay im «Zigeunerbaron» von Johann Strauß; hinzu traten Aufgaben aus dem Bereich des Konzert- und Oratoriengesangs.
Schallplatten: Melodram («Tristan», Mitschnitt aus Bayreuth von 1953).

Eschrig, Ralph, Tenor, *2. 4. 1959 Dresden; er erhielt bereits frühzeitig Violin-, Klavier- und Gesangunterricht und ließ dann 1979–84 seine Stimme an der Carl Maria von Weber-Musikhochschule in Dresden durch Herta Maria Collum ausbilden. 1984 begann er seine Bühnenlaufbahn an der Staatsoper von Dresden, der er bis 1987 angehörte. Hier erregte er erstes Aufsehen in der Oper «Die Nase» von Schostakowitsch. 1987 wurde er als erster lyrischer Tenor an die Berliner Staatsoper berufen. Hier kam er vor allem als Mozart-Sänger zu bedeutenden Erfolgen; er sang den Belmonte in der «Entführung aus dem Serail», den Don Ottavio im «Don Giovanni», den Ferrando in «Così fan tutte» und den Tamino in der «Zauberflöte», dazu auch den Fenton in Nicolais «Lustigen Weibern von Windsor», den Erwin in dem Singspiel «Erwin und Elmire» von Reichardt und den Châteauneuf in «Zar und Zimmermann» von Lortzing. Gleichzeitig kam es zur Ausbildung einer großen Konzertkarriere. Er wurde als Oratoriensänger (Evangelist in Werken von J. S. Bach, geistliche Musik der Klassik) wie als Lied-Interpret bekannt (Schubert, R. Schumann, «Tagebuch eines Verschollenen» von Janáček). Er trat als Solist zusammen mit dem Dresdner Kreuzchor, dem Thomanerchor Leipzig, in Rundfunk- und Fernsehsendungen in der DDR und in Finnland auf. 1984 wurde er Preisträger beim Internationalen Bach-Wettbewerb, 1987 beim Mozart-Wettbewerb in Salzburg.
Schallplatten: Eterna (Mendelssohn-Motetten, «Bastien und Bastienne» von Mozart).

Esham, Faith, Sopran, *1954 (?) Vanceburg im amerikanischen Staat Kentucky. Ihr Vater war Arzt, drei ihrer Brüder ergriffen ebenfalls diesen Beruf, und auch sie wollte Medizin studieren, um sich auf das Fach der Psychiatrie zu spezialisieren. Man entdeckte jedoch ihre schöne Stimme, und diese wurde an der Juilliard School of Music in New York durch Jennie Tourel, Beverleigh Johnson und Adele Addison ausgebildet. Während der Semesterferien sang sie im Chor der Santa Fé Opera und sprang an der Oper von San Francisco für eine erkrankte Sängerin als Lola in «Cavalleria rusticana» ein. Ihr eigentli-

ches Debüt fand jedoch 1977 an der City Centre Opera New York als Cherubino in «Nozze di Figaro» von Mozart statt. Nachdem sie anfänglich in Mezzo-sopran-Partien aufgetreten war, wandte sie sich dem Sopranfach zu. An der City Centre Opera, zu deren Ensemble sie viele Jahre hindurch gehörte, hatte sie in Partien wie der Zerline im «Don Giovanni», der Micaela in «Carmen», der Mimi in Puccinis «La Bohème», der Titelrolle in «Cendrillon» von Masse-net und der Liu in dessen «Turandot» aufsehenerre-gende Erfolge. Diese stellten sich auf internationaler Ebene auch bei den Festspielen von Glyndebourne (u. a. 1981 als Cherubino, 1987 als Micaela in «Car-men»), an der Mailänder Scala (1982 als Cheru-bino), an der Grand Opéra Paris, an der Oper von Nancy (Europa-Debüt 1980 als Nedda im «Ba-jazzo»), an den Opernhäusern von Dallas und San Francisco und an anderen führenden Bühnen ein. 1983–84 war sie als Gast an der Staatsoper von Wien zu hören, 1984 auch am Grand Théâtre Genf (als Micaela). 1986 großer Erfolg an der City Centre Opera New York als Leila in «Pêcheurs de perles» von Bizet, im gleichen Jahr Gastspiel in Lausanne als Marguerite in «Faust» von Gounod. Im Dezember 1986 erfolgte dann auch ihr Debüt an der New Yorker Metropolitan Oper als Marzelline im «Fide-lio». In Washington gastierte sie als Zerline, in Pitts-burgh als Gilda im «Rigoletto», in Las Palmas als Antonia in «Hoffmanns Erzählungen».
Schallplatten: HMV (Micaela in «Carmen», Cheru-bino in «Figaros Hochzeit»).

Esperian, Kallen, Sopran, * 8. 6. 1961 Waukegan (Illinois); sie studierte Gesang und Musik an der University of Illinois und erwarb dort ihr Diplom. Sie sang, zuerst als Mezzosopran, in einigen Vorstel-lungen in Operntheatern in den USA, u. a. in St. Louis, Memphis, beim Southern Opera Theatre und beim Illinois Opera Theatre. Als Konzertsängerin trat sie mit amerikanischen Orchestern auf. Nach-dem sich ihre Stimme zum Sopran gewandelt hatte, gewann sie 1985 den Pavarotti-Concours in Philadel-phia und wurde eingeladen, im Sommer 1985 zusam-men mit diesem berühmten Tenor bei einer China-Tournee des Teatro Comunale Genua die Partie der Mimi in Puccinis «La Bohème» zu singen. Diese wiederholte sie mit dem gleichen Partner sehr erfolg-reich im Herbst 1986 an der Deutschen Oper Berlin. Ebenfalls 1986 sprang sie an der Staatsoper von Wien kurzfristig für Katia Ricciarelli als Luisa Miller in der gleichnamigen Verdi-Oper, für Mirella Freni als Mimi in «La Bohème» ein. 1985 sang sie in St. Louis die Gräfin in «Nozze di Figaro», 1986 am Teatro Filarmonico Verona die Luisa Miller von Verdi. Bald begann die Künstlerin eine glänzende internationale Karriere. 1987 gastierte sie, wie-derum als Mimi, (später auch als Leonore im «Trou-badour»), an der Oper von Chicago und an der Bayerischen Staatsoper München, dann auch am Teatro Colón Buenos Aires. Im Mai 1987 hörte man sie an der Oper von St. Louis als Micaela in «Car-men». In der Saison 1988–89 trat sie bei der Connec-ticut Grand Opera als Nedda im «Bajazzo» auf, gastierte an der Deutschen Oper Berlin nochmals als

Mimi in «La Bohème» und nahm an einem Gala-Konzert zugunsten der Erdbeben-Opfer in Arme-nien in der New Yorker Carnegie Hall teil. 1989 debütierte sie an der Metropolitan Oper New York, abermals als Mimi, mit Placido Domingo in der Rolle des Rodolfo, im Mai des gleichen Jahres an der Mailänder Scala als Luisa Miller. Dort sang sie auch die Elena in Verdis «Vespri Siciliani». 1989 am Opernhaus von Zürich in ihrer Glanzrolle, der Mimi, zu Gast. Auch auf dem Konzertsektor entfal-tete sie eine erfolgreiche Tätigkeit.

Ethofer, Rosa, Sopran, * 24. 2. 1877 Wien, † 3. 9. 1939 Weimar; sie wurde am Konservatorium der Stadt Wien durch Irene Schlemmer-Ambros ausge-bildet. 1898 begann sie ihre Bühnenlaufbahn am Opernhaus von Leipzig, dem sie bis 1900 angehörte. 1900–02 war sie am Hoftheater von Dessau, 1902–13 am Hoftheater von Karlsruhe engagiert. Sie setzte ihre Karriere 1914–22 am Stadttheater von Nürn-berg fort und sang danach 1922–23 am Deutschen Theater Brünn (Brno) und 1923–24 am Stadttheater von Rostock. Bei den Bayreuther Festspielen des Jahres 1901 gastierte sie als Siegrune in der «Wal-küre», als erster Knappe und als Soloblume im «Par-sifal». Seit 1903 gab sie häufig Gastspiele am Hof-theater von Wiesbaden wie am Hoftheater von Mannheim, 1900 gastierte sie am Hoftheater von Weimar, 1905 an der Wiener Volksoper, 1905 auch am Hoftheater von Kassel, 1906 an den Opernhäu-sern von Köln und Frankfurt a. M., seit 1908 mehr-fach an der Stuttgarter Hofoper, 1916 nochmals am Hoftheater von Braunschweig. 1910 wirkte sie in Karlsruhe in der Uraufführung der Oper «Banadiet-rich» von Siegfried Wagner (als Ute), 1919 in Nürn-berg in der von Robert Hegers «Ein Fest auf Haders-lev» mit. Nach Beendigung ihrer aktiven Bühnen-karriere lebte sie als Pädagogin in Nürnberg, später in Weimar. Sie war verheiratet mit dem Bariton *Eduard Schüller,* der zeitweilig am Deutschen Opernhaus Berlin–Charlottenburg engagiert war und dort 1913 in der deutschen Erstaufführung von Puccinis Oper «La fanciulla del West» die Partie des Jack Rance kreierte.

Evangelides, Petros, Tenor, * 1950 Limassol auf Zy-pern; er besuchte Schulen in Famagusta und stu-dierte daneben Violinspiel. Dann ging er nach Athen, wo er Rechtswissenschaften studierte und gleichzeitig ein Studium in Musikpädagogik und Ge-sang absolvierte. Beide Studienbereiche brachte er zum Abschluß und erwarb die entsprechenden Di-plome. Er gewann den ersten Preis in einem Wettbe-werb des Konservatoriums von Athen. 1972–73 setzte er seine Ausbildung in Wien fort. 1973–74 war er als Chorsänger am Theater von Klagenfurt enga-giert, wo er aber auch bereits Solo-Partien über-nahm. 1974 wurde er in das Opernstudio des Opern-hauses Zürich aufgenommen. 1975 nahm er an einer Tournee der Aargauer Oper durch die Schweiz, Deutschland und Holland teil, bei der er den Erne-sto im «Don Pasquale» sang. 1976–82 wirkte er als Solist am Stadttheater von Bern (Schweiz). Dort

legte er im Juni 1982 auch das Lizentiat (Staatsexamen) der Rechtswissenschaften an der Berner Universität ab. 1982–84 war er Mitglied des Nationaltheaters Mannheim. 1983 Gastspiel beim Glyndebourne Festival als Pedrillo in der «Entführung aus dem Serail»; 1984 sang er über Radio France in Paris den Jacquino im «Fidelio». An der Deutschen Oper Berlin gastierte er als Pedrillo und als Monostatos in der «Zauberflöte», an der Staatsoper Stuttgart als Brighella in «Ariadne auf Naxos» von R. Strauss. 1984–85 kam es zu Bühnengastspielen in Bordeaux und Rouen, in Amsterdam, Berlin und Stuttgart. 1984–88 hörte man ihn in Glyndebourne u. a. als Valetto in Monteverdis «Incoronazione di Poppea», als Remendado in «Carmen», als Pedrillo und als Bardolph in Verdis «Falstaff». 1985 folgte er einem Ruf an die Wiener Staatsoper. Mit deren Ensemble gastierte er 1986 im Rahmen einer Japan-Tournee als Edmondo in «Manon Lescaut» von Puccini und als junger Seemann im «Tristan». 1986 debütierte er an der Mailänder Scala als Monostatos. Am Opernhaus von Graz sang er 1987 den Johannes in der Uraufführung der Oper «Der Rattenfänger» von Friedrich Cerha. Gastspiele am Opernhaus Zürich (Sänger im «Rosenkavalier»), an den Theatern von Bonn und St. Gallen, an der Staatsoper Hamburg (Debüt 1989 in «Ariadne auf Naxos») und mit dem Ensemble der Opéra du Rhin Straßburg 1988 in Vichy. Hinzu trat eine intensive Tätigkeit als Konzert- und Oratoriensolist in einem umfangreichen Repertoire.
Schallplatten: Castle-Video («L'Incoronazione di Poppea» aus Glyndebourne).

Evstatieva, Stefka, Sopran, *7. 5. 1947 Russe (Bulgarien); sie wurde am Konservatorium von Sofia durch Elena Kisselova ausgebildet. Sie begann ihre Bühnenlaufbahn 1971 am Theater ihrer Heimatstadt Russe, an dem sie bis 1979 blieb. 1974 wurde sie Preisträgerin beim Tschaikowsky Wettbewerb in Moskau und bei einem Concours in Sofia. 1979 wurde sie an die Nationaloper Sofia berufen. Noch im gleichen Jahr nahm sie an einer Tournee dieses Emsembles in Westeuropa teil, wobei sie u. a. in Lausanne auftrat. Dies führte dann zu Verpflichtungen an ausländischen Bühnen. So gastierte sie 1980 an der Wiener Staatsoper als Leonore im «Troubadour« und war dort wieder 1982 und 1988 zu Gast. 1980 sang sie am Teatro Regio Turin und in Amsterdam, 1981 an der Staatsoper München, 1979 und 1982 an der Oper von Frankfurt a. M., 1982 außerdem an der Staatsoper Hamburg und an der Deutschen Oper Berlin. 1981 hatte sie an der Covent Garden Oper London große Erfolge als Desdemona in Verdis «Othello» (bei einem Gastspiel in Manchester), dann 1983 als Elisabetta im «Don Carlos» und als Donna Elvira im «Don Giovanni». In der Arena von Verona sang sie 1983 gleichfalls die Desdemona. Das Jahr 1983 brachte Gastspiele am Teatro Liceo Barcelona, an der Grand Opéra Paris, in Avignon, an der Oper von Philadelphia (USA-Debüt als Lisa in «Pique Dame» von Tschaikowsky), an der Mailänder Scala (als Maddalena in «Andrea Chénier» von Giordano) und – immer noch 1983 – an der Metropolitan Oper New York (als Elisabetta in Verdis «Don Carlos»). Eine weltweite Gastspieltätigkeit kennzeichnete die nun folgende Karriere der Sopranistin. 1984 und 1986 sang sie an der San Francisco Opera die Aida; 1984 zu Gast am Teatro Verdi Triest, 1985 in Pittsburgh, 1984 und 1986 in Dallas, 1986 in Montreal und New Orleans, 1987 in Toronto und Boston, 1987 am Theater von Bonn, 1989 an der Deutschen Oper Berlin. 1989 sang sie in Toronto die Tosca, in Miami die Leonore in «La forza del destino», 1988 in Sofia die Elisabetta im «Don Carlos». Aus ihrem Bühnenrepertoire sind noch ergänzend zu nennen: die Medora in Verdis «Il Corsaro» (die sie in der französischen Erstaufführung der Oper 1986 in Nîmes sang), die Amelia in «Un Ballo in maschera», die Tatjana im «Eugen Onegin», die Jaroslawna in «Fürst Igor» von Borodin und die Klara in Prokofieffs «Verlobung im Kloster». Sie ist auch als Konzertsolistin aufgetreten.
Schallplatten der Marke Balkanton («Vera Scheloga» und «Das Mädchen von Pskow» von Rimsky-Korssakow, Arien-Platte, Duette mit Ivan Konsulov), Sony Classical («Fürst Igor» von Borodin).

F

Fabbricini, Tiziana, Sopran, * 1962 Asti in Piemont; ihr Vater war dort als Coiffeur tätig, ihre Mutter war gelegentlich als Amateursängerin aufgetreten. Sie begann im Alter von 17 Jahren ihr Gesamtstudium und gewann in den Jahren 1982–85 einige Gesangwettbewerbe, setzte darauf aber ihre Studien weiter fort. Sie kam zu einem sensationellen Debüt an der Mailänder Scala, als sie dort im Frühjahr 1990 die Violetta in Verdis «La Traviata» sang. Da man an der Scala immer noch unter dem Eindruck der unvergeßlichen Leistung von Maria Callas in dieser Partie stand, hatte man (nach einem Fiasko bei einer Aufführung im Jahre 1964) es nicht mehr gewagt, «La Traviata» dort zur Aufführung zu bringen. Nachdem der Dirigent Riccardo Muti die junge, ganz unbekannte Sängerin wie auch den genau so unbekannten Tenor Roberto Alagno auf die großen Partien der Verdi-Opern vorbereitet hatte, kam Tiziana Fabricini zu einem glänzenden Erfolg, der sie unmittelbar in eine große Karriere einführte.

Fabry, Ernst, Tenor, * 17. 2. 1909 Verviers (Belgien), † 24. 5. 1982 Zürich, er hieß eigentlich Ernst Brandenberger und war der Sohn des aus Zürich stammenden Sängerehepaars *Ernst Brandenberger sr.* und *Elsa Fabry*. Er studierte zunächst Jura an der Universität Zürich und promovierte dort 1935 zum Dr. jur. Er ließ dann aber seine Stimme in Berlin ausbilden und sang 1936–37 am Stadttheater von Pforzheim, 1937–38 am Landestheater von Gera (Thüringen), 1938–39 am Stadttheater Erfurt, 1940–43 am Opernhaus von Duisburg. 1943–49 gehörte er als ständiger Gast dem Opernhaus von Zürich an. Gastspiele fanden an den Staatsopern von München und Stuttgart, an den Staatstheatern von Hannover, Braunschweig und Kassel, an den Volksopern von Berlin und Wien, in Düsseldorf, Essen, Oldenburg und St. Gallen statt. Mit dem Ensemble des Duisburger Opernhauses gastierte er 1942 in Amsterdam, Den Haag und Utrecht. Sein Repertoire für die Bühne enthielt Partien wie den Titelhelden in «Idomeneo» von Mozart, den Don Ottavio im «Don Giovanni», den Florestan im «Fidelio», den Radames in «Aida», den Titelhelden in Verdis «Don Carlos», den Manrico im «Troubadour», den Alfredo in «La Traviata», den Max im «Freischütz», den Hoffmann in «Hoffmanns Erzählungen», den Erik im «Fliegenden Holländer», den Lohengrin, den Walther von Stolzing in den «Meistersingern», den Tannhäuser, den Parsifal, den Siegmund in der «Walküre», den Canio im «Bajazzo», den Turiddu in «Cavalleria rusticana», den Ägisth in «Elektra» von R. Strauss, den Kaiser in der «Frau ohne Schatten», den Pinkerton in «Madame Butterfly» und den Romeo in «Romeo und Julia» von H. Sutermeister. Im Konzertsaal kam er sowohl auf dem Gebiet des Oratorien- wie dem des Liedgesangs in Deutschland und in der Schweiz zu großen Erfolgen. 1946 gründete er in Zürich den Pelikan-Musikverlag, dem später eine Schallplattenproduktion (Pelca) angegliedert wurde.
Schallplatten: HMV (2. Priester in vollständiger «Zauberflöte», 1937/38).

Fackler, Anneliese, Sopran/Alt, * 24. 9. 1931 Warmisried (Allgäu); sie war am Konservatorium von Augsburg Schülerin von Albert Mayer, an der Musikhochschule München von Hedwig Fichtmüller. Sie eröffnete ihre Bühnenkarriere mit einem Engagement am Stadttheater von Münster (Westfalen) in den Jahren 1955–57, sang 1959–61 am Stadttheater von Aachen und war seit 1961 für 15 Jahre Mitglied des Opernhauses Zürich. Hatte sie zuerst Sopranpartien gesungen, so wechselte sie nach erneutem Studium bei Clemens Glettenberg ins Alt-Fach. Sie unternahm zahlreiche Gastspiele auf internationalem Niveau; so sang sie an den Staatsopern von München, Hamburg und Stuttgart, an der Mailänder Scala, an der Oper von Rom, am Teatro San Carlo Neapel, am Teatro Regio Parma, an der Deutschen Oper Berlin, am Nationaltheater Mannheim, an der Deutschen Oper am Rhein Düsseldorf–Duisburg, an der Oper von Köln, am Staatstheater Wiesbaden, am Stadttheater von Bern, in Paris und Marseille, in Turin, Venedig und Kairo. Hinzu trat eine ähnlich umfangreiche Karriere als Konzert- und Oratoriensängerin. Durch den Wechsel des Stimmfachs besaß ihr Bühnenrepertoire einen besonders großen Umfang, wobei sie auch Partien aus dem Bereich der Operette übernahm. Am Opernhaus von Zürich wirkte sie 1975 in der Uraufführung von G. Klebes «Ein wahrer Held» in der Rolle der Nelly mit. Sie betätigte sich später in Zürich als Pädagogin.

Fäth, Karl, Baß, * 1940 (?); er war 1963–67 am Stadttheater von Gießen engagiert, sang dann 1968–72 am Stadttheater von Koblenz, 1972–74 am Staatstheater von Braunschweig, 1974–77 am Staatstheater Saarbrücken und seit 1977 am Theater im Revier Gelsenkirchen. Durch Gastspielverträge war er den Opernhäusern von Köln (1987–88) und Frankfurt a. M. (1984–86), der Stuttgarter Staatsoper (1980–81), dem Staatstheater Karlsruhe (1979–80) und dem Stadttheater von Aachen verbunden. Seit 1980 gastierte er mehrfach bei den Festspielen von Eutin. 1982 nahm er an einer Brasilien-Tournee teil, bei der die zeitgenössische Oper «Jakob Lenz» von Wolfgang Rihm aufgeführt wurde. Von seinen Bühnenpartien sind der Don Magnifico in «La Cenerentola» von Rossini, der Osmin in der «Entführung aus dem Serail», der Beckmesser in den «Meistersingern», der Omar in «Abu Hassan», von Weber und der Oberlin in der erwähnten Oper «Jakob Lenz» von Rihm zu nennen. Auch als Konzert-, Lieder- und Balladensänger hatte er eine bedeutende Karriere.
Schallplatten: MdG (Messe solennelle von Rossini).

Faivre, Amélie, Sopran, * 1836, † 1897; sie war zu Beginn ihrer Karriere 1857–63 am Théâtre Lyrique Paris engagiert, das in dieser Zeit eine große Blütezeit durchlebte. Sie sang hier am 19. 3. 1859 in der denkwürdigen Uraufführung von Gounods «Faust» die Partie des Siebel. Gleichfalls am Théâtre Lyrique wirkte sie in drei Uraufführungen von Opern des Komponisten Louis-Aimé Maillart mit: 1858 als Paquita in «Gastibelza», später noch als Donna Car-

men in «Les Pêcheurs de Catane» und als Kaleb-
Guemare in «Lara». Am 15. 1. 1858 sang sie, gleichfalls am Théâtre Lyrique, in der Uraufführung einer
weiteren Oper von Gounod «Le Medecin malgré
lui». Sie kreierte Partien in den Uraufführungen von
heute längst nicht mehr bekannten Opern von Komponisten, deren Namen ebenso vergessen sind wie
ihre Werke (Semet, de Lajarte, Pascal, Paliard,
D. Gresnel). Im übrigen enthielt ihr Repertoire Partien aus dem Soubretten- wie aus dem Mezzosopran-
fach, darunter die Marcellina in «Figaros Hochzeit»,
die Marzelline im «Fidelio» und die Taven in Gounods «Mireille». 1864 heiratete sie den Musikkritiker der großen Pariser Zeitung «Figaro», Charles
Rety (1826–95), der zeitweilig auch als Theaterleiter
tätig war, und der unter dem Pseudonym Charles
Darcours schrieb. Eine Schwester der Sängerin, *Marie Faivre*, war ebenfalls am Théâtre Lyrique für
kleinere Rollen engagiert.

Falconi, Anna, Sopran, * 1820 (?) Frankfurt a. M.,
† Dezember 1879 Paris; zu Beginn ihrer Karriere
hatte die Künstlerin große Erfolge in Italien. Hier
trat sie u. a. 1851 an der Mailänder Scala auf, kam
dann aber nach Deutschland zurück und wurde an
das Hoftheater von Wiesbaden verpflichtet. 1853
folgte sie einem Ruf an das Hoftheater von Coburg;
hier wie bei Gastspielen und Konzerten in den Zentren des deutschen Musiklebens kam sie zu anhaltenden Erfolgen. Am Hoftheater von Gotha wirkte sie
am 2. 4. 1854 in der Uraufführung der Oper «Santa
Chiara» mit, die der Herzog von Coburg-Gotha
Ernst II. (der nicht nur ein Musikliebhaber und
Mäzen sondern auch ein begabter Komponist war)
komponiert hatte. Im Dezember 1854 sang sie in der
Coburger Erstaufführung von Wagners «Tannhäuser» die Elisabeth mit dem Tenor Julius Réer in der
Titelrolle. Ihre weiteren Glanzrollen waren die
Donna Anna im «Don Giovanni», die Leonore im
«Fidelio», die Titelheldin in Bellinis «Norma» und
die Agathe im «Freischütz». 1856 ging sie als Pädagogin nach Wien und blieb dort bis 1873 als geschätzte Gesanglehrerin tätig. Seit 1873 arbeitete sie
in Straßburg auf pädagogischem Gebiet. Man hielt
die Sängerin, die auch unter dem Namen Anna
Bockholz-Falconi aufgetreten ist, allgemein für eine
der bedeutendsten dramatischen Koloratursoprani-
stinnen ihrer Generation.

Falk, Lina, Alt, * 29. 1. 1889 Genf, † 25. 6. 1943
Genf; Ausbildung bei De La Cruz-Froehlich in Genf
und anschließend bei Georges Imbart de la Tour in
Paris. Sie debütierte 1922 im Konzertsaal, trat zu
Beginn ihrer Karriere auch gelegentlich als Opernsängerin auf, entschloß sich dann jedoch zu einer
reinen Konzertlaufbahn. Sie ging von Paris aus einer
intensiven Konzerttätigkeit nach und bereiste Holland, Belgien, Deutschland (u. a. große Erfolge 1926
in Berlin), Italien, Spanien und Algerien. Bis 1939
lebte sie in Paris, verzog dann nach Genf, wo sie als
Professorin am Konservatorium arbeitete. Sie beherrschte ein umfassendes Konzert- und Oratorien-
repertoire, in dessen Mittelpunkt Werke aus der
Barockzeit standen.

Schallplatten der Firmen Lumen und Columbia;
Aufnahmen von barocker Vokalmusik auf Anthologie Sonore.

Fanger, Ingeborg, Sopran, * 22. 7. 1921 Dresden; sie
wollte ursprünglich Ballettänzerin werden und erhielt eine dementsprechende Ausbildung in der Bal-
lettschule der Staatsoper von Dresden. 1940–41 war
sie als Tänzerin am Theater am Nollendorfplatz
Berlin engagiert. Sie ließ jedoch ihre Stimme in
Dresden und Berlin, später noch in Oldenburg und
Zürich ausbilden und war 1942–44 am Central-
Theater Dresden als Operettensängerin tätig. Bis
1950 wirkte sie am Staatstheater von Oldenburg und
dann für fast 35 Jahre am Opernhaus von Zürich
(1950–84). Sie gastierte, zum Teil mit dem Zürcher
Ensemble, beim Festival von Lausanne, in Bern, St.
Gallen, Wiesbaden, Nürnberg, Essen und Braun-
schweig. Sie sang auf dem Gebiet der Oper haupt-
sächlich Soubrettenrollen wie die Blondchen in der
«Entführung aus dem Serail», die Papagena in der
«Zauberflöte», die Helene in «Hin und zurück» von
Hindemith, die Gräfin Eberbach im «Wildschütz»
von Lortzing, die Flora in «La Traviata», die Marina
in Wolf-Ferraris «I quattro rusteghi» und die Esmeralda in Smetanas «Verkaufter Braut». In Zürich
wirkte sie in den Erstaufführungen der Opern «A
Midsummer Night's Dream» von B. Britten (1961),
«Dantons Tod» (1970) und «Der Besuch der alten
Dame» (1971) von Gottfried von Einem mit. Die
eigentliche Domäne der Künstlerin war jedoch das
Gebiet der Operette. Hier kam sie in einem sehr
umfangreichen Repertoire zu anhaltenden Erfolgen.
Schallplatten: HMV (Werke von W. Burkhard)

Farrar, Amparito, Sopran, * 1890 (?) im Staat Oregon; bei dieser Künstlerin handelt es sich um eine
amerikanische Konzertsängerin, die den gleichen
Familiennamen hatte wie die große Sopranistin Geraldine Farrar, aber mit dieser in keiner Weise verwandt war. Es lassen sich nur einige wenige Konzertauftritte in amerikanischen Städten nachweisen; so
sang sie im Mai 1919 in Lawrence (Massachusetts)
die Marguerite in einer konzertanten Aufführung
von Gounods «Faust» als Partnerin von Paul Althouse. 1918 kamen drei Columbia-Schallplatten mit
ihrer Stimme heraus, alle mit Unterhaltungsliedern
von Tosti, die einen schön gebildeten lyrischen Sopran zeigen.

Fasciolo, Nicola, Tenor, * 6. 12. 1868 Novi Ligure,
† 14. 12. 1945 Turin; er gehörte einer sehr musikalischen Familie an, studierte Klavier- und Orgelspiel,
dann auch Gesang in Turin. Infolge seines ungünsti-
gen körperlichen Aussehens konnte er keine Bühnenkarriere einschlagen sondern beschränkte sich
auf ein Auftreten im Konzertsaal. Er erregte großes
Aufsehen als Solist in den Oratorien des Priesters
und Komponisten Lorenzo Perosi, die in der Zeit um
die Jahrhundertwende in Italien wie in aller Welt
bekannt waren. Zusammen mit der Mezzosopran-
stin Chiarina Fino-Savio und dem Baß-Bariton Giu-

seppe Kaschmann galt er als führender Interpret der
Werke von Perosi. Er sang in zahlreichen Kirchen in
Norditalien, am Teatro Comunale Bologna, am Teatro Carlo Felice Genua und in Mailand in Aufführungen dieser oratorischen Werke; 1902 hatte er
einen besonderen Erfolg, als er in der Kathedrale
von Siena die Tenorpartie in Perosis «Risurrezione
di Cristo» vortrug. Im Dezember 1902 sang er in der
italienischen Erstaufführung des Oratoriums «San
Francesco» von Edgar Tinel in Mailand und in Florenz in «Maria al Golgota» von Antonio Sonzogno
zusammen mit Guerrina Fabbri. 1912 hörte man ihn
am Teatro Regio Parma in dem Oratorium «Judith»
von Arnaldo Furlotti. 1904 begeisterte er, zusammen mit der Sopranistin Irma Monti-Baldini und
Giuseppe Kaschmann, in Warschau in Perosis Oratorium «Il Giudizio Universale». 1919 unternahm er
als Solist mit der Società Polifonica Romana eine
große Konzerttournee durch die USA und durch
Kanada. In den Jahren 1900–1940 war er der offizielle Solist für zeremonielle Veranstaltungen des
italienischen Königshauses. Für mehr als 30 Jahre
trat er als Tenorsolist an der Kathedrale von Turin in
Erscheinung. Nicht zuletzt wurde er durch den Vortrag von italienischen Volks- und Kunstliedern bekannt. Kenner stellten seine Stimme in ihrer Tonfülle und Ausdrucksschönheit gleichwertig neben
die des berühmten Enrico Caruso.
Schallplatten: Zonophone (Mailand 1900, geistliche
Musik, darunter Werke von Perosi, aber auch zwei
Opernarien), Anker.

Fassino, Antonio, Tenor, *18. 5. 1874 Piobesi Tori-
nese (bei Turin), † 1913 Padua; seine Stimme erregte
erstes Aufsehen in einem Chor, wurde dann in Turin
und in Mailand ausgebildet, sodaß es 1903 zum
Debüt des Künstlers am Teatro Municipale von
Piacenza (als Eliane in «Messaline» von I. de Lara)
kam. 1904 sang er am Teatro Donizetti Bergamo und
am Teatro Finzi Alessandria (hier den Enzo in «La
Gioconda» von Ponchielli in einer Galavorstellung
vor dem italienischen König und seinem Hof), 1906
am Teatro Comunale Ferrara. 1906 unternahm er
eine große Südamerika-Tournee mit glanzvollen
Auftritten am Teatro Solis Montevideo, am Teatro
Apollo Rio de Janeiro und an weiteren Bühnen.
Hier sang er u. a. den Alfredo in «La Traviata», den
Fernando in «La Favorita» von Donizetti, den Man-
rico im «Troubadour», den Titelhelden in Verdis
«Othello», den Alvaro in «La forza del destino», den
Enzo in «La Gioconda» und den Pollione in
«Norma» von Bellini. 1907 stellte Pietro Mascagni
eine Truppe zusammen, die mit seiner neuen Oper
«Amica» Italien durchreiste. Antonio Fassino sang
dabei den Giorgio, zuerst am Teatro Carlo Felice
Genua, dann in Monte Carlo, Rom, Neapel,
Bergamo, Turin und Mailand. 1907 hörte man ihn
am Teatro Vittorio Emanuele von Turin in der Rolle
des Andrea Chénier in der Oper gleichen Namens
von Giordano. Der Künstler, der seit 1907 mit der
aus Turin stammenden Amateursängerin *Giuseppina Cinzano* verheiratet war, starb 1913 plötzlich
während eines Engagements in Padua.
Schallplatten: Columbia.

Fassnacht, Georg, Tenor, *1904 (wahrscheinlich in
der Schweiz), † 24. 4. 1966 Mannheim; er war in den
Jahren 1937–38 am Landestheater von Oldenburg
engagiert, 1938–40 am Staatstheater Kassel und
1940–53 am Nationaltheater Mannheim, an dem er
auch noch 1954 gastierte. Bereits 1936 sang er bei
den Festspielen in der Waldoper von Zoppot den
Titelhelden in Wagners «Rienzi». Gastspiele führten
ihn 1937 an das Staatstheater Hannover, 1939 an die
Wiener Volksoper, 1951 an das Stadttheater von
Bremen und an das Théâtre de la Monnaie Brüssel.
1941 gastierte er mit dem Mannheimer Ensemble an
der Grand Opéra Paris als Siegmund in der «Walküre». Sein Bühnenrepertoire war umfassend und
enthielt vor allem heldische und Wagner-Partien,
darunter den Max im «Freischütz», den Walther von
Stolzing in den «Meistersingern», den Tristan, den
Loge, den Siegmund und den Siegfried im Ring-
Zyklus, den Pedro in «Tiefland» von d'Albert, die
Titelhelden in den Pfitzner-Opern «Der arme Heinrich» und «Palestrina», den Manrico im «Troubadour», den Othello von Verdi, den Turiddu in «Cavalleria rusticana», den Canio im «Bajazzo», den
Hans in der «Verkauften Braut» von Smetana und
den Dimitrij im «Boris Godunow». Er war verheiratet mit der Sopranistin *Grete Scheibenhofer,* die
1933–34 am Stadttheater von Schneidemühl,
1934–36 am Opernhaus von Breslau, 1936–38 am
Landestheater Oldenburg, 1938–40 am Stadttheater
von Aachen und 1940–53 am Nationaltheater Mannheim wirkte (als Gast dort noch bis 1955). Sie sang
Partien wie die Elsa im «Lohengrin», die Eva in
den «Meistersingern», die Sieglinde in der «Walküre», die Titelheldin in «Ariadne auf Naxos» von
R. Strauss, die Tosca, die Butterfly und die Jenufa in
der Oper gleichen Namens von Janáček.

Faull, Ellen, Sopran, *14. 10. 1918 Pittsburgh; sie
begann das Gesangstudium in ihrer Heimatstadt
Pittsburgh und war dann am Curtis Institute of Music
New York Schülerin von Joseph Regneas. 1947 debütierte sie an der New York City Centre Opera als
Donna Anna im «Don Giovanni». Während ihrer
gesamten Karriere blieb sie eng mit diesem Opernhaus verbunden, das sie 23 Jahre hindurch aufgetreten ist. Man hörte sie hier in Partien wie der
Gräfin in «Figaros Hochzeit», der Eva in den «Meistersingern», der Titelfigur in Puccinis «Madame
Butterfly» und in vielen weiteren Rollen. Am 25. 3.
1965 wirkte sie an der City Centre Opera in der
Uraufführung der Oper «Lizzie Borden» von Jack
Beeson mit. Im übrigen ist sie an zahlreichen Büh-
nen in ihrer amerikanischen Heimat wie auch als
Konzertsopranistin mit Erfolg aufgetreten. So gab
sie Gastspiele an der Oper von San Francisco (1953),
an den Opernhäusern von Boston, Philadelphia,
Chicago, Cincinnati, Pittsburgh und Fort Worth.
Aus ihrem sehr umfangreichen Bühnenrepertoire
sind als Höhepunkte noch die Marschallin wie die
Marianne Leitmetzerin im «Rosenkavalier», die
Amelia im «Maskenball» von Verdi, die Leonore im
«Troubadour», die Marguerite im «Faust» von Gounod, die Mme Lidoine in «Dialogues des Carméli-
tes» von F. Poulenc, die Lady Billows in Benjamin

Brittens «Albert Herring», die Birdie in «Regina» von Blitzstein und die Mutter in «Carrie Nation» von Douglas Moore zu nennen. Sie war später Professorin an der Juilliard School of Music und hielt in zahlreichen amerikanischen Städten Gesangkurse ab.
Schallplatten: Columbia, RCA, Desto («Lizzie Borden» von Beeson, «Carrie Nation» von D. Moore).

Fehr, Gottfried, Baß-Bariton, * 6. 10. 1913 Basel; er studierte in Basel Klavierspiel, dann Gesang in Wien bei Frau Singer-Burian (1934–37) und ergänzte seine Ausbildung durch weitere Studien bei dem großen Wagner-Tenor Gunnar Graarud. 1938–39 begann er am Theater von Teplitz-Schönau (ČSR) seine Bühnenlaufbahn, sang 1939–41 am Opernhaus von Graz, 1941–42 am Theater des Volkes Dresden und kam seit 1943 zu einer über 25jährigen Karriere am Stadttheater der Schweizer Bundeshauptstadt Bern, dem er bis 1970 angehörte. In der Spielzeit 1953–54 war er am Staatstheater von Karlsruhe im Engagement. Hatte er zu Beginn seiner Bühnentätigkeit Partien für Spielbaß gesungen, so wurde er später ein geschätzter Helden- und Charakterbariton. Er trat als Gast an den Staatsopern von Berlin, München und Stuttgart, am Opernhaus von Zürich, an der Oper von Frankfurt a. M., bei den Festspielen von Schwetzingen und Aix-en-Provence, am Grand Théâtre Genf, in Lyon, Bordeaux, Basel und Lissabon auf. Aus dem großen Katalog seiner Bühnenrollen seien der Escamillo in «Carmen», der Don Giovanni, der Graf Almaviva in «Nozze di Figaro», der Alfonso in «Così fan tutte», der Sarastro in der «Zauberflöte», der Amonasro in «Aida», der König Philipp wie der Großinquisitor in Verdis «Don Carlos», der Titelheld in dessen «Macbeth», der Pater Guardian in «La forza del destino», der Mephisto im «Faust» von Gounod, der Kaspar im «Freischütz», der Boris Godunow von Mussorgsky, der Scarpia in «Tosca», der Galitzky in Borodins «Fürst Igor», die Titelrollen in «Herzog Blaubarts Burg» von B. Bartók, «Wozzeck» von A. Berg, «Tobias Wunderlich» von Joseph Haas und «Mathis der Maler» von P. Hindemith genannt. Hinzu kam eine gleichwertige Karriere im Konzertsaal. Später pädagogische Tätigkeit am Konservatorium von Bern. Zeitweilig verheiratet mit der Opernsängerin *Waltraud Demmer* (* 1917).
Schallplatten: IGI (Barak in «Turandot» von F. Busoni).

Fehringer, Franz, Tenor, * 7. 9. 1910 Nußloch bei Heidelberg, † 15. 5. 1988 Nußloch; Ausbildung durch Jan van Gorkom und Dr. Zimmermann in Karlsruhe. Debüt als Konzertsänger 1934 in Karlsruhe in der 9. Sinfonie von Beethoven. 1935 kam es dann zu seinem Bühnendebüt am Staatstheater von Karlsruhe in der Titelpartie der Oper «Xerxes» von Händel. Bis 1938 blieb er in Karlsruhe und war dann 1933–38 Mitglied des Wiesbadener Staatstheaters. 1938–44 gehörte er dem Nationaltheater Mannheim an, an dem er noch bis 1948 regelmäßig als Gast in Erscheinung trat. Allgemein bekannt wurde er jedoch nach dem Zweiten Weltkrieg als Rundfunksän-

ger. Er wirkte seit 1945 über die Sender Köln, Frankfurt a. M. und Hamburg wie über andere Radiostationen in Deutschland und im Ausland (Hilversum, Paris) in zahlreichen Operetten- und Opernaufführungen mit und erlangte bei seinem Publikum größte Beliebtheit. Er setzte aber auch gleichzeitig seine Karriere als Konzert- und Liedersänger fort. Seit 1960 wirkte er auf dem pädagogischen Sektor an der Musikhochschule Mainz, später an der Musikhochschule Mannheim–Heidelberg. Einer seiner Schüler war der bekannte Bassist Harald Stamm. Wenn er auch vor allem als Operettentenor brillierte, so seien aus dem Opernrepertoire des Künstlers Partien wie der Don Ottavio im «Don Giovanni», der Tonio in «La fille du régiment» von Donizetti, der Graf Almaviva im «Barbier von Sevilla» von Rossini, der Titelheld in «Hoffmanns Erzählungen» von Offenbach, der Hans in Smetanas «Verkaufter Braut» und der Narraboth in «Salome» von Richard Strauss genannt.
Nicht zuletzt wurde er durch zahlreiche Schallplattenaufnahmen bekannt. Operettenquerschnitte erschienen bei Polydor und RCA, Solo-Aufnahmen bei Polydor, auf Acanta die vollständige Operette «Schwarzwaldmädel» von L. Jessel, auf Nixa singt er in der vollständigen Aufnahme der Händel-Oper «Rodelinda» (1954) den Grimoaldo, auf Period die Titelfigur im «Oberon» von Weber.

Feichtinger, Erika, Sopran, * 14. 2. 1914 Wien; sie begann ihre Bühnenlaufbahn nach ihrer Ausbildung am Konservatorium von Wien und einem ersten Konzertauftritt 1934 in Wien 1935 mit einem Engagement an der Wiener Volksoper und sang dann in der Spielzeit 1935–36 am Deutschen Theater in Brünn (Brno). 1936–38 war sie am Stadttheater von Bern (Schweiz) engagiert und gastierte während dieser Zeit oft am Stadttheater von Zürich. Hier sang sie am 2. 6. 1937 in der Uraufführung der (fragmentarisch hinterlassenen) Oper «Lulu» von Alban Berg die Partie des Gymnasiasten. Bei den Juni-Festspielen des folgenden Jahres 1938 wirkte sie in Zürich in der Premiere von Othmar Schoecks «Penthesilea» in der Partie der Meroë mit. 1938–40 sang sie am Theater von Luzern, 1940–41 in Saarbrücken, 1941–42 am Stadttheater von Thorn (Toruń) und 1942–44 in Innsbruck. 1945–47 lebte sie zusammen mit ihrem Gatten, dem Bariton *Björn Forsell* (* 1915, Sohn des berühmten *John Forsell*) in Schweden, wo beide sich hauptsächlich als Operettensänger betätigten. Nach dem Zweiten Weltkrieg nahm sie 1948–49 am Wiener Raimund-Theater (wo sie auch als Erika Forsell auftrat) ihre Karriere wieder auf und sang dann seit 1949 an der Wiener Volksoper. Dort ist sie noch in der Spielzeit 1974–75 aufgetreten. Sie ist auch als Gast an der Staatsoper Wien zu finden. Ihr Repertoire enthielt eine Vielzahl sehr verschieden gearteter Rollen wie den Cherubino in «Figaros Hochzeit», die Agathe im «Freischütz», den Hänsel in «Hänsel und Gretel» von Humperdinck, den Siebel im «Faust» von Gounod, die Marianne Leitmetzerin im «Rosenkavalier», die Giulietta in «Hoffmanns Erzählungen». Sie galt als hervorragende Operettensängerin, wobei auf die-

sem Gebiet die Rosalinde in der «Fledermaus», die Laura im «Bettelstudenten» von Millöcker und die Hanna Glawari in der «Lustigen Witwe» von F. Lehár besondere Erwähnung verdienen. Sie lebte später in Korneuburg bei Wien.
Mitschnitte von Rundfunksendungen aus der Zeit nach dem Zweiten Weltkrieg.

Felderer, Ingeborg, Sopran, * 28. 11. 1933 Innsbruck; Ausbildung an der Wiener Musikakademie und bei Maestro Pais in Mailand. Sie begann ihre Bühnenlaufbahn mit einem Engagement am Stadttheater von Basel 1955–59. Am 15. 4. 1958 sang sie in Basel in der Uraufführung der Oper «Titus Feuerfuchs» von H. Sutermeister die Partie der Flora Baumscheer, 1957 in der deutschsprachigen Erstaufführung von Prokofieffs «L'Ange de feu» die Renata. 1959 wurde sie an das Opernhaus von Wuppertal verpflichtet, wo sie, jetzt unter dem Namen Ingeborg Moussa-Felderer, bis 1962 sang. 1962–65 war sie Mitglied des Staatstheaters Karlsruhe, zugleich 1962–67 wieder am Stadttheater von Basel im Engagement; seit 1964 trat sie wieder unter dem alten Namen Ingeborg Felderer auf. Seit 1970 lebte sie in München und gab Gastspiele an führenden Bühnen im deutschen Sprachraum. Bei den Festspielen von Bayreuth trat sie in den Jahren 1961–63 in Erscheinung, u. a. 1961–62 als Waldvogel im «Siegfried», 1961 als Woglinde, 1961 und 1963 als Helmwige im Nibelungenring. 1962 gastierte sie mit dem Ensemble des Wuppertaler Opernhauses beim Holland Festival, 1963 an der Königlichen Oper Kopenhagen, 1966 an der Oper von Frankfurt a. M., 1966 am Staatstheater Kassel, 1969 am Teatro Liceo Barcelona. Sie gastierte auch in Amsterdam und Brüssel, in Wien, Zürich und Paris, an der Oper von Miami und in New York. Dort sang sie in den Jahren 1967–70 an der Metropolitan Oper Partien wie die Tosca, die Leonore im «Troubadour» und die Santuzza in «Cavalleria rusticana». An der Wiener Staatsoper trat sie als Senta, als Woglinde und als Chrysothemis in «Elektra» von R. Strauss auf. 1969 Gastspiel am Teatro Liceo Barcelona (jetzt unter dem Namen Ina Delcampo) als Elisabetta in Donizettis «Maria Stuarda». 1963 übernahm sie in der deutschen Erstaufführung der Oper «King Priam» von Michael Tippett in Karlsruhe die Rolle der Hecuba. Weitere Höhepunkte in ihrem umfangreichen Repertoire für die Bühne waren die Senta im «Fliegenden Holländer», die Tosca, die Titelheldin in Monteverdis «Incoronazione di Poppea», die Herzogin von Parma in «Doktor Faustus» von Busoni und die Katja Kabanowa in der Oper gleichen Namens von Janáček. Sie ist auch im Konzertsaal in zahlreichen Aufgaben zu hören gewesen. Die Künstlerin, die auch unter dem Namen Ina Delcampo gesungen hat, war später Geschäftsführerin der Schallplattenfirma Melodram in Mailand.
Schallplatten der Marke Belcanto (Arien aus Opern von Verdi und Mascagni, Lieder italienischer Komponisten, Arie antiche).

Feltri-Spalla, Rosina, Alt, * 1829 Turin, † August 1872 Turin; ihr Gesangstudium wurde an der Accademia Reale Filarmonica di Torino absolviert, worauf sie zunächst in Konzertveranstaltungen auftrat. In der Saison 1857–58 kam es zu ihrem Bühnendebüt am Teatro Coccia von Novara in der Partie der Zaida in «Don Sebastiano» von Donizetti. 1859–60 war sie am Teatro Municipale Lodi als Leonora in Donizettis «La Favorita», wiederum als Zaida und als Azucena im «Troubadour» von Verdi zu hören. Zu sehr großen Erfolgen kam sie 1860–61 in einer Serie von Konzerten am Teatro Carcano Mailand, wo sie auch auf der Bühne als Fides im «Propheten» von Meyerbeer und als Azucena brillierte. Die Kritik schrieb damals über sie: «... artista vera ed appassionata, ottimi mezzi vocali». 1860–61 war sie am Teatro Carignano Turin als Azucena und als Orsini in «Lucrezia Borgia» von Donizetti anzutreffen, 1864 am Teatro Comunale von Triest als Siebel im «Faust» von Gounod. 1865 beendete sie ihre Bühnenlaufbahn und widmete sich in Turin dem Gesangunterricht.

Fenner, Käthe, Mezzosopran, * 11. 8. 1884 Braunschweig, † 15. 10. 1944 Braunschweig (als Opfer eines Bombenangriffs); sie erhielt ihre Ausbildung in Dresden und war seit 1912 bis zu ihrem Tod Mitglied des Hoftheaters ihrer Vaterstadt Braunschweig, das seit 1919 als Landestheater bezeichnet wurde. In den langen Jahren ihrer dortigen Tätigkeit wurde sie beim Publikum überaus beliebt. Sie sang in erster Linie Partien wie die Suzuki in «Madame Butterfly», die Gräfin im «Wildschütz» von Lortzing, die Magdalene in den «Meistersingern», die Hexe in «Hänsel und Gretel» von Humperdinck, die Maddalena im «Rigoletto» und die Azucena im «Troubadour» von Verdi. Auch durch Gastspiele und durch ihr Auftreten im Konzertsaal wurde die auf so tragische Weise umgekommene Künstlerin bekannt.

Fenoyer, Marguerite, Mezzosopran, * 1913 (?); die Künstlerin kam 1927 an die Opéra-Comique Paris, an der sie als Rosette in Massenets «Manon» in den dreißiger Jahren kleinere, gelegentlich auch größere Partien sang, u. a. die Mercedes in «Carmen», die Mallika im «Lakmé» von Delibes und die Gertrude in «Louise» von Charpentier. 1935 gastierte sie an der Covent Garden Oper London als Mercedes, während die berühmte Conchita Supervia als Carmen auftrat. Diese Partie hat sie auch in einer vollständigen «Carmen»-Aufnahme auf HMV (mit Lucy Perelli und José De Trévi) gesungen. Auf Odeon ist sie in der Kartenszene aus «Carmen» mit Conchita Supervia und Germaine Cernay zu hören, auf Parlophone in Solo-Aufnahmen und in einem Duett aus «Lakmé» mit Leila Ben Sedira.

Ferdinand-Prévôt, s. unter *Prévost,* Alexis.

Fernandez, Guido, Baß, * 1880 (?); dieser spanische Sänger ist in den Jahren um 1910 an italienischen Provinzbühnen zu finden. In der Spielzeit 1912–13 war er bei der Italienischen Oper in Holland tätig und trat dort u. a. in «Rigoletto», im «Troubadour», in Verdis «Ballo in maschera» und in «Tosca» auf. Er sang in dieser Saison auch in der holländischen Erstaufführung von Puccinis «La fanciulla del West» die Rolle des Sonora. Er wirkte zu Beginn der zwanziger Jahre in zwei vollständigen Opernaufnahmen unter dem Etikett von HMV mit; er sang dabei den Ramphis in «Aida» und den Angelotti in «Tosca» (mit Valentina Bartolomasi und Attilio Salvaneschi in den Hauptrollen).

Fernandez, Wilhelmina, Sopran, *5. 1. 1949 (?) Philadelphia; sie studierte 1969–73 in ihrer Heimatstadt Philadelphia und besuchte anschließend die Juilliard School of Music. 1977 begann sie ihre Bühnenkarriere an der Oper von Houston (Texas) in der Rolle der Bess in der Oper «Porgy and Bess» von Gershwin. Es kam anschließend zu einer glanzvollen Tournee mit dieser Oper durch die USA wie durch die europäischen Länder. 1979 debütierte sie an der Grand Opéra Paris als Musetta in Puccinis «La Bohème». Sie teilte seither ihre Karriere zwischen den Theatern in ihrer nordamerikanischen Heimat und den großen Bühnen in Europa auf. So sang sie an der New York City Centre Opera, an der Oper von Boston und bei der Michigan Opera Company, am Opernhaus von Toulouse (u. a. als Aida), an der Opéra du Rhin Straßburg und an der Opéra de Wallonie Lüttich (1987–88 als Marguerite im «Faust» von Gounod). 1988 war sie am Berliner Theater des Westens wieder in ihrer Glanzrolle, der Bess, sehr erfolgreich. Aus ihrem Repertoire sind noch die Gräfin in «Figaros Hochzeit», die Donna Anna im «Don Giovanni», die Carmen, die Dido in «Dido and Aeneas» von Purcell und die Titelfigur in «Luisa Miller» von Verdi hervorzuheben. Auch im Konzertsaal war sie in einem weit gespannten Repertoire erfolgreich (Sopran-Solo in Beethovens 9. Sinfonie). Weiten Kreisen wurde die Sängerin durch ihr Mitwirken in dem Musikfilm «Diva» bekannt. Hier erregte neben ihrer Stimme auch ihre aparte Schönheit Bewunderung.

Ferni, Teresina, Mezzosopran, *1852 (?) Turin, † (?); sie war eine Schwester der Altistin *Vicenzina Ferni* (1853–1926), eine Cousine der berühmten *Carolina Ferni* (1839–1926) und deren Schwester, der Violinistin Virginia Ferni-Teja. Nach ersten Erfolgen in ihrer Heimatstadt Turin kam Teresina Ferni zu einer sehr erfolgreichen, zwanzigjährigen Karriere an den führenden Opernhäusern in Spanien und Portugal, an denen sie in mehr als 50 Opernpartien aufgetreten ist. Eine ihrer großen Kreationen war die Climene in der klassischen Oper «Saffo» von Giuseppe Pacini. In dieser Partie hörte man sie auch im März 1878 an der Mailänder Scala. Zu ihren weiteren großen Bühnenpartien gehörten die Adalgisa in Bellinis «Norma», die Ulrica in Verdis «Ballo in maschera», die Azucena im «Troubadour», die Preziosilla in «La forza del destino» und die Gran Vestale in «La Vestale» von Spontini.

Ferni, Vincenzina, Alt, *1853 Turin, † Juni 1926 Turin; sie war eine Schwester der Mezzosopranistin *Teresina Ferni* und eine Cousine der bekannten Sopranistin *Carolina Ferni* (1839–1926). Sie begann ihre Karriere an kleineren Theatern in Piemont und

Ligurien und kam zu einem ersten größeren Erfolg, als sie am 25. 2. 1875 am Teatro della Pergola Florenz in der Uraufführung der Oper «Dolores» von Auteri-Manzocchi die Partie des Ildebrando kreierte. Im November 1875 hatte sie einen nicht weniger großen Erfolg als Azucena im «Troubadour» am Teatro Paganini in Genua. Am Teatro Carlo Felice Genua sang sie in der Spielzeit 1875–76 den Orsini in «Lucrezia Borgia» von Donizetti und die Maddalena im «Rigoletto» von Verdi. Eine ihrer Glanzrollen wurde die Rosina in Rossinis «Barbier von Sevilla», die sie in den Jahren 1876–82 an vielen großen italienischen Bühnen, u. a. in Genua, Turin, Triest und Florenz sang. 1884 heiratete sie den spanischen Bariton *Manuel Carbonel Villar* (1856–1928) und verlegte ihre Tätigkeit an die führenden Opernhäuser der Iberischen Halbinsel. In Sevilla und Alicante, in Oviedo und Pamplona, in Barcelona und Saragossa, am Teatro San Carlos Lissabon wie am Opernhaus von Porto huldigte man jetzt der Künstlerin. Gelegentliche Gastspiele hielten die Verbindung mit ihrer italienischen Heimat aufrecht. So wirkte sie 1886 am Opernhaus von Ancona in Aufführungen jener Oper «Dolores» von Auteri-Manzocchi mit, die sie zu Beginn ihrer Karriere kreiert hatte. Wahrscheinlich verbrachte sie ihren Ruhestand in ihrer Heimatstadt Turin. Es ist nicht immer eindeutig möglich, die Lebensläufe der vier gleichzeitig tätigen italienischen Sängerinnen namens Ferni gegeneinander abzugrenzen.

Ferranti, Virginia, Alt, *1870 Ferrara, †20. 10. 1951 Turin; sie studierte am Conservatorio di Bologna bei Maestro Busi und war auch Schülerin des großen Tenors Giuseppe Borgatti. 1892 kam es zu ihrem Bühnendebüt am Theater von Finale Emilia als Siebel im «Faust» von Gounod. Sie gastierte dann am Teatro Nicolini Florenz in «Mathilde di Shabran» von Rossini und 1893 am Teatro Petrarca von Arezzo. Nachdem sie in Brescia das Alt-Solo im Requiem von Verdi gesungen hatte, war sie 1893 am Teatro Sociale von Trient und am Teatro Grande von Brescia in der Partie des italienischen Sängers in «Manon Lescaut» von Puccini zu hören. Es folgte eine ausgedehnte Südamerika-Tournee bis zum Frühjahr 1895, in deren Verlauf sie in Brasilien, Argentinien, Chile, in Guatemala und Mexiko in einem umfassenden Opern- wie Konzertrepertoire auftrat. 1895 wirkte sie am Teatro Comunale von Bologna in einer Aufführung von Robert Schumanns «Faust» mit. Am 22. 2. 1900 nahm sie an der Uraufführung der Oper «La Cenerentola» von Wolf-Ferrari am Teatro Fenice Venedig in der Rolle der Vanerella teil. 1902 sang sie in der Uraufführung der Oper «Wanda» von Rodolfo Conti am Teatro Lirico Mailand. Sie setzte ihre erfolgreiche Laufbahn an den italienischen Bühnen wie vor allem auch in Südamerika noch bis in die Jahre nach dem Ersten Weltkrieg fort.

Ferrari, Cesira, Sopran, *1895 (?); diese italienische Sängerin hatte in den zwanziger und dreißiger Jahren unseres Jahrhunderts eine typische Comprimaria-Karriere in Italien. 1919 ist sie am Teatro

Municipale von Reggio Emilia zu finden, wo sie die Clothilde in Bellinis «Norma» singt. 1931 ist sie am Teatro Petruzzelli Bari anzutreffen. Ihr Name wurde durch zwei Schallplattenaufnahmen von vollständigen Opern auf Columbia in Sammlerkreisen bekannt: sie singt im «Barbier von Sevilla» von Rossini die Berta (mit Riccardo Stracciari als Figaro), in «Madame Butterfly» die Kate Pinkerton (mit Rosetta Pampanini in der Titelrolle). Auf Odeon-Fonotipia ist sie zusammen mit Irene Minghini-Cattaneo in der Kartenszene aus «Carmen» zu hören. Dabei wird in den Katalogen ihr Name irrtümlich als Ines-Maria Ferraris angegeben. Bei der Häufigkeit des Namens Ferrari unter italienischen Sängerinnen, die Schallplatten gesungen haben, ist die Identifizierung mit besonderer Vorsicht vorzunehmen. So darf Cesira Ferrari weder mit der wesentlich älteren Cesira Ferrani (der ersten Manon Lescaut und Mimi) noch mit Ines-Maria Ferraris, Teresina Ferraris oder mit der jüngeren Nerina Ferrari verwechselt werden.

Ferrari, Nerina, Sopran, * 1907 (?); diese Sängerin tritt seit dem Ausgang der zwanziger Jahre an italienischen Provinztheatern in Erscheinung, an denen sie im wesentlichen Partien aus dem Comprimaria-Fach sang. In der Saison 1929–30 war sie bei der Italienischen Oper in Holland engagiert; dort trat sie auch in größeren Aufgaben, u. a. als Musetta in «La Bohème» und als Nedda im «Bajazzo», in Erscheinung. 1935 war sie abermals in Holland zu hören (Frasquita in «Carmen», Kate Pinkerton in «Madame Butterfly»). Sie setzte ihre Karriere bis in die fünfziger Jahre fort; so sang sie 1948, 1949 und nochmals 1955 bei den Festspielen in der Arena von Verona. Auf HMV-Schallplatten sang sie in einer vollständigen Aufnahme der Oper «Carmen» von 1932 die Partie der Frasquita mit Gabriella Besanzoni und Piero Pauli in den Hauptrollen. Über die Gefahr einer Verwechslung mit italienischen Sängerinnen ähnlichen oder gleichen Namens s. unter *Ferrari, Cesira.*

Ferrarini, Alida, Sopran, * 9. 7. 1946 Villafranca bei Verona; ihr Vater war ein angesehener Violinist. Ihre Stimme wurde am Konservatorium von Verona und durch Sergio Ravazzin in Venedig ausgebildet, und bereits während ihres Studiums wirkte sie bei den Festspielen in der Arena von Verona im Chor mit. 1974 wurde sie Gewinnerin des Gesangwettbewerbs von Treviso. Dort stand sie als Mimi in «La Bohème» erstmals auf der Bühne. Darauf kam es 1975 in der Arena von Verona zu ihrem Debüt in der Rolle der Frasquita in «Carmen». 1976 sang sie bei den gleichen Festspielen die Xenia im «Boris Godunow» von Mussorgsky, 1980 und 1984 die Micaela in «Carmen», 1981 die Gilda im «Rigoletto», 1986 den Pagen Oscar in Verdis «Ballo in maschera», 1988 die Liu in «Turandot». Seit 1976 auch große Erfolge am Teatro Filarmonico von Verona; hier trat sie in Partien wie der Gilda, der Adina in «Elisir d'amore», der Norina im «Don Pasquale» und der Euridice im «Orpheus» von Gluck in Erscheinung. 1977–78 bei den Festspielen von Bregenz zu Gast, zuerst als Ines in «La Favorita» von Donizetti, dann

als Liu in Puccinis «Turandot» und als Nannetta im «Falstaff» von Verdi. Gastspiele an der Mailänder Scala, an der Covent Garden Oper London (u. a. 1984 als Gilda), an den Staatsopern von Wien und München, am Teatro Liceo Barcelona, an der Pariser Grand Opéra wie an der Opéra-Comique (1984, 1988) und am Opernhaus von San Francisco (Nordamerika-Debüt 1984 als Adina in «Elisir d'amore») bestätigten ihren Ruf als führende Vertreterin des italienischen Koloraturfachs. 1986 großer Erfolg in Frankfurt a. M. als Mimi in «La Bohème», 1987 bei den Puccini-Festspielen in Torre del Lago als Lauretta in «Gianni Schicchi», am Opernhaus von Köln als Gilda. 1988 an der Grand Opéra Paris als Marie in Donizettis «Regimentstochter», an der Oper von Bordeaux als Adina in «Elisir d'amore» erfolgreich.
Schallplatten: Bongiovanni.

Ferraris, Teresina, Mezzosopran, * 1882 Vercelli, † (?); sie wurde im Convitto Rosa Stampa in Vercelli erzogen, wo bereits ihre Stimme Aufsehen erregte. Dann war sie Schülerin der berühmten Teresina Brambilla-Ponchielli in Pesaro. 1901 debütierte sie an der Mailänder Scala als Astaroth in Goldmarks «Königin von Saba» und als Giannetta in «Elisir d'amore» in einer Aufführung, in der unter der Leitung von Arturo Toscanini so große Sänger wie Enrico Caruso und Regina Pinkert mitwirkten. In der gleichen Saison erschien sie dort als Marta in «Mefistofele» zusammen mit Enrico Caruso, Fedor Schaljapin und Emma Carelli. Sie sang an der Scala dann bis 1906 u. a. den Cherubino in «Nozze di Figaro», die Ännchen im «Freischütz», die Lady in «Fra Diavolo» von Auber, die Meg in Verdis «Falstaff» und am 11. 3. 1902 die Partie der Lena Armuth in der Uraufführung der Oper «Germania» von Franchetti mit wiederum Caruso, Mario Sammarco, Amelia Pinto und Jane Bathori in den Hauptrollen und mit Toscanini am Dirigentenpult. Die gleiche Partie wiederholte sie 1902 am Teatro Regio Brescia. 1902 gastierte sie am Teatro Carignano Turin in Donizettis «Linda di Chamounix». An der Scala wirkte sie auch in der Uraufführung von Franchettis «La Figlia di Jorio» mit. 1904 an der Covent Garden Oper London zu Gast. (Magdalena im «Rigoletto», Emilia im «Othello»). Sehr erfolgreich verliefen Auftritte am Teatro Liceo Barcelona wie am Teatro Real Madrid, doch scheint ihre Karriere von kurzer Dauer gewesen zu sein.
Schallplatten: Fonotipia (Mailand, 1905–07).

Ferretti, Myriam, Sopran, * 19. 3. 1916 Castelfiorentino bei Florenz; sie verzog mit ihren Eltern als Kind nach Marina di Pisa. Ihre Stimme wurde zufällig durch den berühmten Dirigenten Tullio Serafin entdeckt und an der Accademia di Santa Cecilia in Rom ausgebildet. Nachdem sie 1936 einen von der Oper von Rom durchgeführten Gesang-Concours gewonnen und ihre Ausbildung in Kursen des italienischen Rundfunks RAI vervollständigt hatte, debütierte sie 1936 im römischen Studio der RAI in einer Sendung von Giordanos Oper «Fedora» unter der Leitung des Komponisten in der Rolle der Olga. In

den Jahren 1936–40 entstanden bei der RAI eine Anzahl von Operettenaufnahmen, in denen sie mitwirkte («Die Fledermaus» von J. Strauß, «Die lustige Witwe», «Eva», «Frasquita» und «Paganini» von F. Lehár, «Dreimäderlhaus» von Schubert-Berté). 1945 debütierte sie dann auf der Bühne des Teatro San Carlo Neapel als Tosca mit Benjamino Gigli als Partner. 1947–48 hörte man sie am Teatro Massimo Palermo als Tosca, als Caterina in Alfanos «Resurrezione» und als Isabeau in der Oper gleichen Namens von Mascagni. Sie sang in Italien an vielen führenden Bühnen, u. a. am Teatro Petruzzelli Bari (1947), am Teatro Verdi Florenz, am Teatro Verdi in Pisa, in La Spezia und in Cagliari. In der Schweiz gastierte sie in Lugano und in Lausanne. Auch in Nordamerika kam sie zu Erfolgen; 1948 sang sie an der Oper von Chicago die Titelfigur in «Thaïs» von Massenet, 1949 in San Francisco die Tosca und die Mimi in Puccinis «La Bohème». Bei diesen Aufführungen waren ihre Partner der große Tenor Jussi Björling und der nicht weniger berühmte Bariton Leonard Warren. Später wandte sie sich dem Konzertgesang und speziell dem Vortrag italienischer Kanzonen zu.
Schallplatten: RAI.

Fidlerová, Miloslava, Sopran, * 28. 4. 1922 Prag; sie studierte in den Jahren 1938–43 am Konservatorium von Prag in der Hauptsache bei R. Kadeřábka. Bereits während ihrer Ausbildung trat sie am Nationaltheater Prag in kleinen Partien auf und wurde 1943 fest an dieses führende Operntheater der ČSR verpflichtet. Dort wurde sie durch den Dirigenten Vaclav Talich in ihrer Karriere gefördert. Mit dem Ensemble der Prager Nationaltheaters gastierte sie 1955 in Moskau, 1956 in Berlin. Ihr Fachbereich war das lyrische Repertoire mit Partien wie der Marie in der «Verkauften Braut», der Jítka in Smetanas «Dalibor», der Blaženka in «Das Geheimnis», der Vendulka wie der Barče in «Hubička» («Der Kuß»), der Beatrice in «Die Braut von Messina» von Fibich, der Titelfigur in Dvořáks «Rusalka», der Zerline im «Don Giovanni», der Eva in den «Meistersingern», der Marka in «Krútňava» von Suchon und der Tatjana im «Eugen Onegin». Angesehene Konzert- und Oratoriensängerin.
Schallplatten: Supraphon (Gesamtaufnahmen «Die Brandenburger in Böhmen» und «Zwei Witwen» von Smetana).

Fiebiger, Erna, Sopran, * 1880 (?), † (?); sie begann ihre Bühnenlaufbahn 1904 am Stadttheater von Halle (Saale), dem sie bis 1907 angehörte. 1907–10 sang sie am Hoftheater von Dessau und war dann Mitglied des Wiener Bürgertheaters (1911–12), der Kurfürsten-Oper Berlin (1912–13) und 1913–16 des Stadttheaters von Königsberg (Ostpreußen). 1916 wurde sie an die Hofoper (Staatsoper) Dresden verpflichtet, deren Mitglied sie bis 1925 blieb. Gastspiele führten sie u. a. mehrfach seit 1906 an die Berliner Hofoper, an das Stadttheater Bremen (1908), an die Hofoper München (1908), an das Hoftheater Hannover (1909) und an die Hofoper Wien, an der sie

1912 als Gast die Nedda im «Bajazzo» sang. 1907 war sie an der Covent Garden Oper London in «Hänsel und Gretel» und als Jungfer Anne in den «Lustigen Weibern von Windsor» von Nicolai zu Gast. Zu Beginn ihrer Karriere trat sie vor allem in Partien aus dem Soubrettenfach auf, übernahm dann bald auch mehr lyrische Rollen wie die Pamina in der «Zauberflöte», die Titelfigur in Lortzings «Undine», die Micaela in «Carmen», die Marguerite im «Faust» von Gounod, die Mignon in der gleichnamigen Oper von A. Thomas, die Elsa im «Lohengrin», die Eva in den «Meistersingern» bis hin zur Gutrune in der «Götterdämmerung», der Giulietta in «Hoffmanns Erzählungen» und der Titelheldin in «Salome» von R. Strauss. Nach ihrem Rücktritt von der Bühne lebte sie als Pädagogin in Dresden. Sie trat nach ihrer Heirat mit dem Dirigenten Arnold Peisker auch unter dem Namen Erna Fiebiger-Peisker auf.
Schallplattenaufnahmen auf HMV, um 1913 aufgenommen.

Fiedler, Hans Herbert, Baß-Bariton, * 1912 Triest; er begann an der Universität von Graz das Studium der Germanistik, wurde dann Schauspieler und war als solcher 1930–31 am Theater von Troppau (Opava), 1931–35 am Stadttheater von Würzburg, 1935–37 am Volkstheater München engagiert. 1937–40 arbeitete er als Rundfunksprecher beim Sender München, studierte jedoch während dieser Zeit Gesang in München und bei Moratti in Salzburg. 1940 debütierte er als Opernsänger beim Landestheater Salzburg in der Rolle des Papageno in der «Zauberflöte». Bis 1942 wirkte er in Salzburg, 1942–43 am Theater von Aussig (Ústí nad Labem) und 1943–53 am Stadttheater von Bremen. Nach einem Engagement am Stadttheater von Mainz 1953–55 gastierte er als Opern- wie als Konzertsänger und nahm später seinen Wohnsitz in Hamburg. 1947 zu Gast am Opernhaus von Düsseldorf, 1955 sang er bei den Festspielen von Salzburg den Kardinal von Lothringen in «Palestrina» von H. Pfitzner. Er gestaltete die Partie des Moses sowohl in der konzertanten Uraufführung von Schönbergs «Moses und Aron» am 12. 3. 1954 in Hamburg wie in der szenischen Uraufführung des Werks am 6. 6. 1957 am Opernhaus von Zürich. 1951 wirkte er in der Uraufführung der Radiooper «Ein Landarzt» von Hans Werner Henze über den Hamburger Sender mit. 1954 sang er in Köln in der deutschen Erstaufführung der Kantate «Die Zauberhirsche» von B. Bartok. Von den vielen Opernpartien, die Bestandteil seines Repertoires waren, sind zu nennen: der Graf in «Figaros Hochzeit», der Titelheld im «Eugen Onegin» von Tschaikowsky, der Posa in Verdis «Don Carlos», der Jago im «Othello», der Scarpia in «Tosca», der Beckmesser in den «Meistersingern», der Titelheld im «Boris Godunow» und der Jochanaan in der Richard Strauss-Oper «Salome».
Schallplatten: Philips (Moses in «Moses und Aron»), DGG («Gurrelieder» von Schönberg), Historia («Figaros Hochzeit» unter K. Böhm, Stuttgart 1944), Audite-FSM («Dido» von Novák).

Figarella, Dominique, Bariton, * 1880 (?) Marseille, † (?); er debütierte 1905 am Théâtre Royal Den Haag und sang während dieser Spielzeit dort u. a. den Biterolf im «Tannhäuser» als Partner von Ernest Van Dyck und Vanni-Marcoux. Er wirkte viele Jahre hindurch als erster Bariton an der Oper von Marseille, wo er sehr beliebt war und ein breites Repertoire zum Vortrag brachte. Er war zu Gast an französischen Provinzbühnen. Nach Abschluß seiner Bühnenkarriere arbeitete er in Marseille im pädagogischen Bereich.
Aus dem Beginn der zwanziger Jahre sind Aufnahmen seiner Stimme auf HMV vorhanden, darunter eine Anzahl von Liedern.

Fijala, Dragutin, Baß-Bariton, * 19. 3. 1906 Novi-Sklankamen (Jugoslawien), † 1. 1. 1975 Sarajewo; nachdem er am Konservatorium von Prag studiert hatte, begann er seine Karriere an den Opernhäusern von Olomouc (Olmütz) und Brno (Brünn). 1942–43 war er am Pfalztheater Kaiserslautern engagiert, 1943–44 an der Wiener Volksoper. 1946 wurde er an das Theater von Sarajewo verpflichtet, dem er bis 1969 als führende Persönlichkeit des Ensembles angehörte. Hier und bei Gastspielen brachte er Partien wie den Kezal in Smetanas «Verkaufter Braut», den Ramphis in Verdis «Aida», den Jago im «Othello», den König Philipp im «Don Carlos», den Sarastro in der «Zauberflöte», den Scarpia in «Tosca», den Sebastiano in «Tiefland» von E. d'Albert und den Landgrafen im «Tannhäuser» zum Vortrag. Hinzu traten Konzertauftritte in einem umfassenden Repertoire.

Filipova, Elena, Sopran, * 2. 12. 1957 Pasardjk (Bulgarien); sie studierte an der Staatlichen Musikakademie Sofia zunächst Klavier- und Oboespiel, ließ dann aber am gleichen Institut ihre Stimme ausbilden. Sie begann 1981 ihre Bühnenkarriere am Staatstheater von Karlsruhe, wo sie als erste Partie die Marie in der «Verkauften Braut» von Smetana sang. Bis 1986 blieb sie in Karlsruhe im Engagement; sie gab Gastspiele an der Staatsoper von Hamburg, am Opernhaus von Frankfurt a. M., am Stadttheater von Bern, am Opernhaus von Nürnberg, am Staatstheater Hannover (1989 als Violetta in «La Traviata»), in Wien und Luxemburg und am Teatro Liceo Barcelona. Auf der Bühne trat sie auch sehr erfolgreich als Donna Anna im «Don Giovanni», als Amelia in Verdis «Simon Boccanegra» und als Tatjana im «Eugen Onegin» von Tschaikowsky auf. Als Konzertsängerin kam sie zu ähnlichen Erfolgen bei Auftritten in Deutschland, Österreich, Frankreich, Italien und in der Schweiz, wobei sie auch hier ein umfangreiches Repertoire vortrug. Rundfunk- und Fernsehsendungen ergänzen die Karriere der Künstlerin.

Filipovic, Igor, Tenor, * 18. 4. 1951 (?) Ljubljana (Laibach, Slowenien); er studierte in Ljubljana an einer privaten Musikschule und am dortigen Konservatorium, ging dann zur Vervollständigung seiner Ausbildung nach Italien. Hier konnte er sich bei mehreren Gesangwettbewerben auszeichnen, u. a.

in Adria, beim Concours Villa Manin in Udine und beim Concorso Toti Dal Monte in Treviso. 1976 debütierte er am Theater von Maribor als Ernesto in Donizettis «Don Pasquale». Wenig später nahm er seine Tätigkeit in Wien auf (Mitglied der dortigen Kammeroper 1976–77, dann 1977–78 des Theaters von Luzern) und trat seitdem an führenden Opernbühnen in Europa, in den USA wie in Kanada in Erscheinung. Von seinem Wohnort Regensburg aus ging er seit 1978 dieser umfangreichen Gastspieltätigkeit nach, die sich auch auf den Konzertgesang erstreckte. Von den Partien, die er auf der Bühne gesungen hat, sind zu nennen: der Amenofi in «Mosè in Egitto» und der Arnoldo in «Wilhelm Tell» von Rossini, der Arturo in Bellinis «I Puritani», der Edgardo in «Lucia di Lammermoor», der Enrico in «Maria di Rudenz» und der Tonio in «La Figlia del Reggimento» von Donizetti, der Herzog im «Rigoletto», der Alfredo in «La Traviata», der Riccardo in Verdis «Ballo in maschera» (Dortmund 1990), der Rodolfo in «Luisa Miller», der Macduff in «Macbeth» und der Radames in «Aida», der Rodolfo in Puccinis «La Bohème», der Cavaradossi in «Tosca» und der Kalaf in «Turandot», der Turiddu in «Cavalleria rusticana», der Titelheld in «Andrea Chénier» von Giordano, der José in «Carmen», der Hoffmann in «Hoffmanns Erzählungen», der Hans in Smetanas «Verkaufter Braut» und der italienische Sänger in «Rosenkavalier». Er gastierte u. a. in Zagreb, in Sofia und Prag, in Venedig, Mailand, Turin, Rom und Palermo, an der Staats- wie an der Volksoper Wien, in Frankfurt a. M., Mannheim, Stuttgart, Karlsruhe, Dortmund und Graz, in Brüssel, Antwerpen, Gent und Amsterdam, in Bern und Oslo, an der City Centre Opera New York, in Chicago, Los Angeles, Quebec und Toronto. Bekannt wurde er durch Rundfunk- und Fernsehsendungen im Niederländischen und Belgischen Rundfunk, in Wien, bei der RAI Turin und Rom, in Deutschland, im Kroatischen wie im Slowenischen Radio und Fernsehen.
Schallplatten: Stax (italienische Arien).

Filippi, Pietro, Tenor, * 29. 6. 1927 Triest; er erhielt seine Ausbildung in seiner Heimatstadt Triest, wo er auch 1952 als Melot im «Tristan» von R. Wagner debütierte. 1954–55 war er am Theater von Osijek (Esseg) tätig und folgte dann einem Ruf an die Kroatische Nationaloper von Zagreb, an der er seit 1955 zu einer langjährigen Karriere kam. Er sang dort hauptsächlich Partien aus dem heldischen Fach: den Samson in «Samson et Dalila» von Saint-Saëns, den Canio im «Bajazzo», den José in «Carmen», den Cavaradossi in «Tosca», den Pinkerton in «Madame Butterfly», den Ismail in Verdis «Nabucco», den Erik im «Fliegenden Holländer», den Walther in den «Meistersingern», den Hermann in Tschaikowskys «Pique Dame» und den Dimitrij in Mussorgskys «Eugen Onegin». Bedeutender Konzertsolist.
Schallplatten: Philips (vollständige Oper «Sadko» von Rimsky-Korssakow).

Finck, Hermine, Sopran, * 1. 1. 1872 Baden–Baden, † 31. 10. 1932 Berlin; sie erhielt ihre Ausbildung am Hoch'schen Konservatorium in Frankfurt a. M. und bei den Pädagogen Gustav Borchers und Auguste Goetze in Leipzig. 1892 debütierte sie am Hoftheater von Weimar als Carmen. Am 23. 12. 1893 sang sie dort in der Uraufführung der Märchenoper «Hänsel und Gretel» von Humperdinck die Partie der Hexe, während die Aufführung durch Richard Strauss dirigiert wurde. Im Oktober 1895 heiratete sie den berühmten Komponisten und Dirigenten Eugen d'Albert (dritte Ehe des Künstlers, der noch drei weitere folgen sollten). Sie unterbrach nun ihre Bühnenkarriere und trat jetzt hauptsächlich im Konzertsaal auf, wo sie namentlich als Interpretin der Lieder ihres Gatten Eugen d'Albert international bekannt wurde. Sie unternahm auch Konzert-Tourneen mit ihm zusammen. 1898 gab sie Konzerte in London, 1905 in Toronto. Große Erfolge hatte sie auch bei Konzerten in Hamburg, Leipzig und Wien. Auf der Bühne gab sie noch einzelne Gastspiele; so sang sie 1897 am Hoftheater von Mannheim in der Uraufführung der Oper «Gernot» von E. d'Albert die Rolle der Waltrudis. Nachdem ihre Ehe mit Eugen d'Albert 1911 geschieden worden war, lebte sie in Berlin, wo sie in den Jahren 1911–12 ein Engagement an der dortigen Hofoper annahm. Bei den Bayreuther Festspielen des Jahres 1912 sang sie die Gerhilde in der «Walküre». Von ihren weiteren Bühnenpartien seien die Donna Anna im «Don Giovanni», die Leonore in «Fidelio», die Mignon in der gleichnamigen Oper von A. Thomas, die Titelheldin in «Ingwelde» von Max von Schillings und die Bedura in d'Alberts «Rubin» genannt. Sie wirkte später als Konzertsängerin und als Pädagogin in Berlin. Schallplattenaufnahmen ihrer Stimme sind nicht bekannt.

Finelli, Benvenuto, Tenor, *1. 1. 1910 London, †24. 7. 1987 London; er hieß mit seinem eigentlichen Namen Bennett Fynn und war Schüler des Pädagogen John Tobin in London. 1941 debütierte er (wobei die Vorstellung von einem Luftangriff unterbrochen wurde) in Hull unter seinem eigenen Namen als Graf Almaviva in Rossinis «Barbier von Sevilla». 1942 wurde er Mitglied der Sadler's Wells Opera, 1945 der Carl Rosa Opera Company. Hier übernahm er Partien wie den Herzog im «Rigoletto», den Pinkerton in «Madame Butterfly» und wiederum den Grafen Almaviva. Nach weiteren Studien bei dem italienischen Tenor Dino Borgioli in London, schließlich bei Romeo Berti und bei Amadeo Bassi in Italien spezialisierte er sich auf das italienische Belcanto-Repertoire und nahm den Künstlernamen Benvenuto Finelli an. Er wurde in den fünfziger Jahren in England vor allem als Rundfunksänger bekannt. 1971 mußte er aus Krankheitsgründen seine Karriere beenden und wirkte seitdem als gesuchter Gesanglehrer in London. Auf seinen Schallplattenaufnahmen (HMV) präsentiert sich eine Tenorstimme von ungewöhnlicher Tonhöhe; so singt er in der Szene «Credeasi misera» von Bellini das nur ausnahmsweise erreichte F in altissimo.

Fink, Manfred, Tenor, *15. 4. 1958 Petterweil bei Frankfurt a. M.; er sang bereits ganz jung Schlager,

die sogar auf Schallplatten aufgenommen wurden, begann dann aber eine Lehre als Musikalienhändler. Er studierte Gesang bei der Frankfurter Pädagogin Lisa Hagenau und sang anschließend 1979–81 im Chor des dortigen Opernhauses. Als erste tragende Rolle übernahm er 1981 am Stadttheater von Mainz, dessen Mitglied er 1981–83 war, den Tamino in der «Zauberflöte». An der Deutschen Oper am Rhein, deren Mitglied er 1982 wurde, folgten jetzt die großen Tenor-Partien in Mozart-Opern (Ferrando in «Così fan tutte», Belmonte in der «Entführung aus dem Serail», Don Ottavio im «Don Giovanni»); zu seinen weiteren Glanzrollen gehörten der des Grieux in Puccinis «Manon Lescaut», der Rinuccio in dessen «Gianni Schicchi», der Nemorino in «Elisir d'amore», der italienische Sänger im «Rosenkavalier», den er u. a. bei einem Gastspiel in Frankfurt a. M. vortrug, und der Edgardo in «Lucia di Lammermoor». Durch Gastverträge der Staatsoper Wien (1987–88) und der Oper von Frankfurt a. M. verbunden. Am Teatro Colón Buenos Aires gastierte er 1984–85 in Mozartrollen, 1985 am Teatro Fenice Venedig und an der Oper von Rom wie auch an der Oper von Nizza zu Gast. Beim Maggio musicale von Florenz wirkte er 1985 als David in den «Meistersingern» mit. Großer Erfolg bei einer konzertanten Aufführung von «Così fan tutte» im Rahmen der Festspiele von Lyon. Sein umfangreiches Konzertrepertoire brachte er bei Konzerten von Stuttgart bis Rom, von Buenos Aires bis Nizza zu Gehör.
Schallplatten: HMV-Harmonia mundi (Dettinger Te Deum von Händel).

Fink, Walter, Baß, *1949 Wien; er studierte am Konservatorium der Stadt Wien, vor allem bei Paula Köhler und wurde 1977 als Anfänger an die Wiener Staatsoper verpflichtet. Von dort ging er 1982 an das Stadttheater von Bremen und hatte hier bereits bei seinem Debüt als Ochs im «Rosenkavalier» einen ersten Erfolg. Gastspiele führten ihn an die Stadttheater von Münster (Westfalen), Aachen und Heidelberg, an das Theater im Revier Gelsenkirchen, an das Staatstheater Hannover, an die Staats- wie die Volksoper in Wien. Er sang bei den Festspielen von Bregenz und 1988 am Musiktheater Amsterdam (Rocco im «Fidelio»). Aus seinem Repertoire für die Opernbühne seien genannt: der König Heinrich im «Lohengrin», der Landgraf im «Tannhäuser», der Osmin in der «Entführung aus dem Serail», der Sarastro in der «Zauberflöte», der La Roche im «Capriccio» von Richard Strauss, der Orest in dessen «Elektra» und der Ramphis in «Aida». Erfolgreiche Karriere auch als Konzertsolist.

Fino-Savio, Chiarina, Mezzosopran, *17. 6. 1878 Turin, †28. 12. 1969 Turin; sie war Schülerin der Pädagogin Maddalena Martinotti-Tacconis in Turin und begann 1897 eine jahrzehntelange, überaus erfolgreiche Tätigkeit als Konzertsängerin und als Pädagogin. Dagegen war ihre Bühnenkarriere unbedeutend; 1899 sang sie am Teatro Vittorio Emanuele von Turin die Lola in «Cavalleria rusticana» von Mascagni als Partnerin der berühmten Eugenia Burzio, beschränkte sich aber im übrigen ganz auf ihre Konzerttätigkeit. Sie galt als unübertroffene Solistin in den damals viel gerühmten Oratorien von Lorenzo Perosi, namentlich in dessen «La Risurrezione di Cristo». Zusammen mit dem Tenor Nicola Fasciolo und dem Bariton Giuseppe Kaschmann hat sie viel zur Verbreitung dieser geistlichen Vokalwerke beigetragen. 1915 kreierte sie am Liceo Musicale von Turin die Uraufführung der «Vecchie Canzoni Populari» von Leone Sinigaglia, einer Zusammenstellung alter piemontesischer Lieder, die sie in vielen italienischen Städten und 1934 in London sang. Als der Prinz de Broglie 1914 Alfredo Casella mit der Durchführung von Konzerten italienischer Künstler in der Salle Gaveau in Paris beauftragte, stand sie an erster Stelle der eingeladenen Sänger. Sie setzte sich intensiv für das Schaffen zeitgenössischer Komponisten ein und brachte Werke von Alfredo Casella, Ottorino Respighi und weiterer Meister in Italien wie bei ihren Konzertauftritten in Berlin, in Ungarn und in der Schweiz zum Vortrag. 1919 sang sie in London in barocken und klassischen Vokalwerken, die vom Istituto Editoriale Italiano veröffentlicht worden waren, das unter der Leitung von Gabriele D'Annunzio stand. Ihre Konzertreisen führten auch in Portugal, in Österreich, in Rumänien, Holland und Belgien zu anhaltenden Erfolgen. 1915–16 wirkte sie in Turin in konzertanten Aufführungen von Monteverdis «Orfeo» und von «La Rappresentazione di Anima e di Corpo» von Emilio de' Cavalieri mit, die großes Aufsehen erregten und in anderen italienischen Musikzentren wiederholt wurden. Neben ihrem Wirken als Konzertsolistin war sie ständig im pädagogischen Bereich tätig. 1929–32 war sie Lehrerin am Istituto Musicale Monteverdi di Milano, 1928–36 am Konservatorium von Como, 1931–41 am Liceo Musicale «Luisa D'Annunzio» in Pesaro und seitdem am Conservatorio Giuseppe Verdi in Mailand. Sie war auch als offizielle Gesanglehrerin am italienischen Königshof angestellt.

Fischer, Adolf, Tenor, * 1. 11. 1899 Kanitz (Mähren); nach anfänglichem Jurastudium in Wien entschloß er sich zur Ausbildung der Stimme. Diese erfolgte 1918–19 bei Emil Steger in Wien, 1919–20 bei Josef Langhammer in Brno (Brünn), schließlich 1920–22 an der Wiener Musikakademie. In den Spielzeit 1922–23 kam es zu seinem Bühnendebüt an der Staatsoper von Wien. 1923–24 war er als lyrischer Tenor an der Hamburger Oper engagiert, 1924–25 als Heldentenor am Theater von Brno. 1925–26 sang er am Stadttheater Elberfeld-Barmen, 1926–28 am Opernhaus von Breslau, 1928–32 an der Münchner Staatsoper, 1932–37 am Deutschen Theater Prag. 1927–29, 1932, 1935 und 1936 trat er als Gast an der Wiener Staatsoper auf, 1930 am Opernhaus von Zürich. 1937 hörte man ihn an der Oper von Monte Carlo als Titelhelden im «Tristan», 1938 an der Grand Opéra Paris in der gleichen Rolle, 1939 an der Covent Garden Oper London als Loge im «Rheingold». Über den weiteren Fortgang seiner Karriere ließ sich nichts ermitteln. Seine großen Bühnenpartien waren der Radames in «Aida», der Othello von Verdi, der Pelléas in «Pelléas et Méli-

sande», der Erik im «Fliegenden Holländer», der Froh wie der Loge im «Rheingold», der Walther in den «Meistersingern», der Tristan, der Fremde in «Das Wunder der Heliane» von Korngold und der Stewa in Janáčeks «Jenufa».

Fischer, Josef, Baß-Bariton, * 1780 Wien, † 9. 10. 1862 Mannheim; er war der Sohn des berühmten Bassisten *Ludwig (Franz Josef) Fischer* (1745–1825), eines Freundes Mozarts und ersten Interpreten des Osmin in der «Entführung aus dem Serail». Auch die Mutter des Künstlers, *Barbara (Anna Maria) Strässer* (* 1758) war eine hoch geschätzte Bühnensängerin. Seine drei Schwestern *Josefa, Louise* und *Wilhelmine Fischer* schlugen wie er die Sängerlaufbahn ein. Josef Fischer wirkte 1810–18 an der Berliner Hofoper, wo er sehr große Erfolge hatte. Dann ging er nach Italien, trat dort an verschiedenen Operntheatern als Sänger auf und leitete schließlich als Impresario eine Opernbühne in Palermo. Er war auch als Komponist tätig und schrieb vor allem Lieder und Kanzonen. Seine großen Bühnenpartien waren der Osmin in der «Entführung aus dem Serail», der Don Giovanni und der Figaro in «Figaros Hochzeit». Er war verheiratet mit einer Gräfin von Ottweiler.

Fischer, Mikelis, Bariton/Tenor, * 6. 5. 1915; der Sänger, der aus Lettland stammte, erhielt seine Ausbildung am Konservatorium von Liepaja (Libau) und begann am dortigen Theater 1941 seine Bühnenlaufbahn. Bis 1948 blieb er in Liepaja, wo er im Baritonfach sang. 1948 wurde er, immer noch als Bariton, an die Lettische Nationaloper in Riga verpflichtet. Hier sang er zunächst Partien wie den Titelhelden im «Eugen Onegin» von Tschaikowsky, den Figaro in «Figaros Hochzeit», den Escamillo in «Carmen» und die Titelfigur in Rubinsteins «Dämon». Seit 1955 wechselte er dann jedoch in das Fach des Heldentenors. Jetzt hörte man ihn in Riga wie bei Gastspielen (u. a. am Bolschoj Theater Moskau) als Radames in «Aida», als Don Carlos in der gleichnamigen Verdi-Oper, als Cavaradossi in «Tosca», als Ramirez in Puccinis «La fanciulla del West», als José in «Carmen», als Pedro in «Tiefland» von d'Albert, als Sergej in «Katerina Ismailowa» von Schostakowitsch und als Titelhelden in «Peter Grimes» von Benjamin Britten.
Schallplatten unter dem Etikett von Melodiya.

Fischer, Sarah, Sopran, * 23. 2. 1896 Paris, † 3. 5. 1975 Montreal; sie wanderte im Alter von zwölf Jahren mit ihren Eltern nach Kanada aus, wo sie in Montreal bei Céline Marier Gesang studierte. Sie debütierte 1918 in Montreal als Micaela in «Carmen» und trat dann auch in Quebec auf. Sie ging aber zur weiteren Ausbildung nach Europa und war in London Schülerin von Cecilia Hutchinson, in Paris von Jeanne Maubourg, schließlich von Vincenzo Lombardi in Rom. Zu Beginn der zwanziger Jahre trat sie vornehmlich als Konzertsängerin auf, wurde aber 1922 an die British National Opera London engagiert, an der sie als Königin der Nacht in der «Zauberflöte» debütierte und bis 1933 blieb. Gast-

spiele führten sie an die Opéra-Comique Paris, an der man sie 1925 als Mélisande in «Pelléas et Mélisande», 1927 als Philine in «Mignon» von A. Thomas hörte. 1926 sang sie die Mélisande auch an der Oper von Monte Carlo, 1928 wirkte sie am Théâtre Odéon in Paris bei einem Mozart-Fest unter Bruno Walter mit; sie gastierte an der Oper von Algier und sang 1936 an der Covent Garden Oper London in der Uraufführung der Oper «Pickwick» von Albert Coates. Sie trat daneben auch weiterhin erfolgreich als Konzertsängerin auf, so 1929 in Berlin, kehrte aber 1940 nach Montreal zurück. Dort gab sie 1942 ein letztes Konzert und war dann ausschließlich noch als Pädagogin tätig. Sie leitete bis zu ihrem Tod eine Konzertreihe, in der sie junge kanadische Sänger vorstellte. Dadurch nahm sie einen bedeutenden Einfluß auf das Musikleben in Kanada. Von ihren Bühnenpartien waren die wichtigsten die Gräfin in «Nozze di Figaro», die Pamina in der «Zauberflöte», die Titelfigur in «Lakmé» von Delibes, die Eva in den «Meistersingern», die Marguerite im «Faust» von Gounod, die Butterfly und die Colette in «La Basoche» von Messager.
Schallplatten: Bereits 1919 nahm sie in New York acht Titel für Pathé auf, danach entstanden 1922–25 in London Aufnahmen auf HMV, vor allem Lieder.

Fischer, Wilhelm, Baß, * 16. 10. 1786 (nach anderen Quellen 1790) Oberbobritzsch bei Freiberg in Sachsen, † 4. 11. 1859 Dresden; er wurde 1810 Mitglied der Seconda'schen Gesellschaft, bei der er hauptsächlich als Schauspieler auftrat. 1817–28 und 1829–31 war er als Baß-Buffo am Opernhaus von Leipzig tätig, in der Spielzeit 1828–29 am Stadttheater von Magdeburg. Seit 1829 wirkte er zugleich auch als Opernregisseur in Leipzig. In diese Zeit fallen die Uraufführungen von zwei Opern von H. Marschner, in denen er in Leipzig auftrat: am 29. 3. 1828 sang er den Tom Blunt in «Der Vampyr», am 22. 12. 1829 den Bruder Tuck in «Der Templer und die Jüdin». 1831 wechselte er von Leipzig an die Hofoper von Dresden. Auch hier war er vor allem als Regisseur tätig und setzte sich für das Opernwerk des jungen Richard Wagner ein.

Flake, Uta-Maria, Sopran, * 2. 2. 1951; sie studierte an der Musikhochschule Hamburg und als Stipendiatin der Hamburger Staatsoper in Bloomington (USA). Weitere Ausbildung durch Tito Gobbi in Florenz und durch Mario del Monaco in Lancenigo. Bereits 1971 wirkte sie in einer Fernsehaufzeichnung der Hamburger Oper von Offenbachs «Orpheus in der Unterwelt» mit. 1973 gewann sie den ersten Preis im Bundesgesangwettbewerb, 1974 war sie Preisträgerin bei einem Concours in Montepulcinao. Ihre eigentliche Bühnenkarriere begann sie 1975 am Stadttheater von Ulm, wo sie als Leonore in Verdis «La forza del destino» debütierte. 1976–80 war sie Mitglied des Opernhauses von Dortmund. Hier sang sie 1979 die Eva in der deutschen Erstaufführung der Oper «Das verlorene Paradies» von K. Penderecki; anschließend Gastspiele in dieser Partie an der Staatsoper München, an der Oper von Warschau und (in konzertanter Ausführung) bei den Festspie-

len von Salzburg. 1980–83 war sie an der Staatsoper Stuttgart engagiert, an der sie seit 1983 als Gast auftrat. Hier sang sie ihre großen Partien: die Leonore im «Fidelio» und die Agathe im «Freischütz», die Elsa im «Lohengrin» und die Eva in den «Meistersingern», die Giulietta in «Hoffmanns Erzählungen». Erfolgreiche Gastspiele am Staatstheater von Hannover, an der Deutschen Oper am Rhein Düsseldorf–Duisburg, an der Staatsoper (als Lisa in «Pique Dame» von Tschaikowsky) wie an der Deutschen Oper Berlin (als Fidelio), an der Covent Garden Oper London (als Elsa und als Freia im «Rheingold»), am Teatro San Carlos Lissabon (Freia, Sieglinde, Gutrune und 3. Norn im Nibelungenring), am Opernhaus von Köln (Lisa in «Pique Dame»), am Teatro Verdi Triest und am Stadttheater von Basel (Sieglinde in der «Walküre»). Auch als Konzertsolistin bekannt geworden.
Schallplatten: HMV («Daphne» von R. Strauss).

Fleetwood, James, Baß, * 14. 1. 1935 Maryville (Missouri); er hatte die Absicht Berufssportler zu werden, diente in der US-Army, ließ dann aber seine Stimme ausbilden. Seine Lehrer waren E. J. Rehley in Kansas City, Julius Huehn an der Eastman School of Music Rochester (New York) sowie die New Yorker Pädagogen Alfredo Valenti und Joseph Pouhe. 1958 debütierte er bei der Kansas City Opera als Osmin in der «Entführung aus dem Serail» von Mozart. Als geschätzter Baß-Buffo erschien er in der Folgezeit an den großen amerikanischen Opernbühnen, in Baltimore, Boston, Philadelphia, Newark, in San Antonio, Kansas City und Hartford. Zu Gast bei den Festspielen von Spoleto. Höhepunkte in seinem Repertoire waren Rollen wie der Leporello im «Don Giovanni», der Titelheld in Donizettis «Don Pasquale», der Dulcamara in «Elisir d'amore», der Falstaff in den «Lustigen Weibern von Windsor» von Nicolai, der Bartolo wie der Basilio in Rossinis «Barbier von Sevilla», der Uberto in «La serva padrona» von Pergolesi und der Colline in «La Bohème» von Puccini. Im amerikanischen Fernsehen wirkte er in einer Aufführung von Tschaikowskys Oper «Pique Dame» mit. Parallel zu seiner Bühnenkarriere entwickelte sich eine gleich bedeutende Karriere im Konzertsaal.

Flerx, Josefa, Sopran, * 1791 München, † 7. 10. 1862 Wien; sowohl ihr Vater Martin Lang (1755–1819) – ursprünglich Hofmusikus in Mannheim – als auch ihre Mutter Marianne Lang-Boudet (1764–1835) waren Schauspieler, die am Münchner Hoftheater zu den führenden Kräften ihrer Generation gehörten. Sie debütierte ganz jung 1808, noch als Josefa Lang, an der Hofoper von München und blieb deren Mitglied während ihrer gesamten Karriere bis zu ihrer Pensionierung 1827. Sie wurde namentlich in Koloraturpartien, aber auch in dramatischen Rollen geschätzt und war gleichzeitig eine bekannte Konzertsopranistin. Nach ihrem Rücktritt von der Bühne lebte sie in Wien, wo sie Gesangunterricht gab. Ihre Schwester *Margarethe Bernbrunn-Lang* (* 10. 9. 1788 München, † 16. 7. 1861 Ischl) war zunächst ebenfalls Hofopernsängerin in München, verlegte sich dann aber auf das Sprechstück und wurde die Gattin des Schauspielers und Impresarios Carl Bernbrunn (1789–1854), der – zumeist unter dem Pseudonym Carl in Erscheinung tretend – als Direktor Theater in München und Wien (das nach ihm benannte Carl-Theater) leitete und wegen seines abenteuerlichen Lebenswandels genau so bekannt war wie wegen des Geschicks, mit dem er seinen Bühnen zum finanziellen Erfolg verhalf.

Fliegner, Christian, Knabensopran, * 24. 12. 1976; er wurde 1984 in den «Tölzer Knabenchor» aufgenommen und bald dessen Sopran-Solist. Es kam zur Ausbildung einer Bühnen- und Konzertkarriere auf Grund der besonderen Schönheit seiner Knabenstimme und deren Ausdrucksintensität. So sang er am Opernhaus von Frankfurt a. M. den Waldvogel im «Siegfried», an den Staatsopern von München und Hamburg den ersten Knaben in der «Zauberflöte»; er gastierte in Wien und Amsterdam und nahm an der Japan-Tournee der Wiener Staatsoper teil. An der Oper von Nizza hörte man ihn in der Rolle des Knaben Yniold in «Pelléas et Mélisande» von Debussy. Hinzu trat eine große Karriere im Konzertsaal, und hier vor allem als Interpret von Soli in Werken von J. S. Bach, Heinrich Schütz und weiterer Oratorienkomponisten.
Schallplatten: Capriccio (Amor im «Orpheus» von Gluck mit Jochen Kowalski), Disques Pierre Vernay (Yniold in «Pelléas et Mélisande»).

Flögl, Arnold, Baß, * 10. 7. 1885 Kroměříž (Kremsier, ČSR), † 20. 11. 1950 Bratislava (Preßburg); er wurde zunächst Zahntechniker, trat aber bereits nebenher als Sänger in Erscheinung und wirkte 1912 in einer Aufführung von Webers «Freischütz» mit. Der Musikkritiker A. Kolisek riet ihm darauf, nach Prag zu gehen, wo er nach einem erfolgreichen Vorsingen an das Nationaltheater der tschechischen Metropole engagiert wurde. Er ließ seine Stimme jedoch weiter durch Emil Burian ausbilden. Bis 1919 blieb er Mitglied des Prager Nationaltheaters und sang dann 1919–24 an der Kroatischen Nationaloper von Zagreb. 1924 kehrte er in seine Heimat zurück und war in den Jahren 1924–30 am Opernhaus von Brünn, dann bis zu seinem Tod am Nationaltheater von Bratislava verpflichtet. Er sang mehr als 90 Partien seines Stimmfachs, Aufgaben aus dem seriösen wie dem Buffo-Fach, darunter den Titelhelden im «Don Giovanni», den Basilio im «Barbier von Sevilla», den Mephisto im «Faust» von Gounod, den Beneš in Smetanas «Dalibor», den Kezal in der «Verkauften Braut» und den Tommaso in «Tiefland» von E. d'Albert. In die Zeit seines Wirkens in Brünn fallen die Uraufführungen von zwei Opern von Leoš Janáček, an denen er beteiligt war: am 6. 12. 1924 sang er die Partie des Försters in der Uraufführung von «Das schlaue Füchslein» («Příhody lišky bystroušky»), am 11. 11. 1925 den Premysl in «Šarka». 1935–45 war er als Pädagoge an der Musikhochschule von Bratislava tätig; er wurde auch als Opernregisseur und als Übersetzer von Opernlibretti bekannt.

Schallplatten: Polydor (u. a. Ausschnitte aus «Die verkaufte Braut» von 1927).

Florescu, Arta, Sopran, * 10. 3. 1922 Bukarest; sie begann zunächst ein Jurastudium, ließ dann aber ihre Stimme am Konservatorium von Bukarest ausbilden. 1945 kam es zu ihrem Debüt an der Nationaloper Bukarest in der Partie der Lucia di Lammermoor. Seitdem blieb sie für die gesamte Dauer ihrer Karriere Mitglied dieses Hauses, wurde aber durch Gastspiele auf internationaler Ebene bekannt. So bereiste sie 1958 und 1964 die Sowjetunion; 1963 gastierte sie am Théâtre de la Monnaie Brüssel als Marschallin im «Rosenkavalier», 1967 am Opernhaus von Rio de Janeiro als Donna Anna im «Don Giovanni», 1967 an der Oper von Toulouse. Von ihren vielen Bühnenpartien seien nur die Gräfin in «Nozze di Figaro», die Traviata, die Desdemona in Verdis «Othello», die Aida, die Mimi in «La Bohème», die Tosca, die Butterfly, die Elsa im «Lohengrin», die Eva in den «Meistersingern» und die Antonida in «Iwan Susanin» von Glinka genannt. Dazu war sie eine ausgezeichnete Konzert- und Oratoriensolistin. Sie wirkte später als hoch angesehene Pädagogin am Konservatorium Ciprian Porumbescu in der rumänischen Hauptstadt Bukarest.
Schallplattenaufnahmen auf der rumänischen Marke Electrecord und auf der russischen Melodiya.

Floresta, Gabriele, Bariton, * 27. 10. 1936 Castiglione di Sicilia; er arbeitete zunächst als Buchhalter und als Kaufmann im Baugewerbe, entschloß sich dann aber zur Ausbildung seiner Stimme. Diese erfolgte am Conservatorio Giuseppe Verdi in Mailand durch Fiorenzo Tasso, Wladimiro Badiali und Alfonso Siliotti. 1966 fand sein Bühnendebüt am Teatro Comunale von Adria als Amonasro in «Aida». statt. Er kam an den führenden italienischen Opernhäusern zu einer bedeutenden Karriere und sang u. a. am Teatro Comunale von Florenz, am Teatro San Carlo Neapel, am Teatro Massimo Palermo, am Teatro Fenice Venedig, in Genua und Triest. Nicht weniger erfolgreiche Gastspiele am Théâtre de la Monnaie Brüssel, an der Königlichen Oper Kopenhagen, am Opernhaus von Frankfurt a. M. und an weiteren Bühnen von Rang. Seine großen Partien waren der Renato in Verdis «Ballo in maschera», der Rigoletto, der Germont-père in «La Traviata», der Don Carlo in «Ernani» wie in «La forza del destino» von Verdi, der Graf Luna im «Troubadour», der Scarpia in Puccinis «Tosca», der Marcello in «La Bohème», der Lescaut in «Manon Lescaut», der Escamillo in «Carmen», der Gérard in «Andrea Chénier» von Giordano, der Riccardo in Bellinis «I Puritani», der Tonio im «Bajazzo», der Enrico in «Lucia di Lammermoor», der Belcore in «Elisir d'amore» und der Alfonso in «La Favorita» von Donizetti.

Flowers, Kate, Sopran, * 1954 (?) in der englischen Grafschaft Cheshire; sie erhielt ihre Ausbildung an der Northern School of Music und am Royal Northern College of Music. 1976 trat sie dem Ensemble der Glyndebourne Touring Opera bei und sang hier

wie auch bei den Festspielen von Glyndebourne die Despina in «Così fan tutte», die Nerina in «La fedeltà premiata» von J. Haydn, die Isotta in der «Schweigsamen Frau» von R. Strauss und die Titelrolle im «Schlauen kleinen Füchslein» von Janáček. Sie kam dann zu einer erfolgreichen Karriere an führenden englischen Opernbühnen, vor allem bei der Opera North Leeds; hier hörte man sie als Gretel in «Hänsel und Gretel» (1978), als Susanna in «Nozze di Figaro», als Zerline im «Don Giovanni», als Despina, als Ännchen im «Freischütz», als Thérèse in «Les Mamelles de Tirésias» von F. Poulenc und als Lauretta in Puccinis «Gianni Schicchi» (1990). Bei der Welsh Opera Cardiff sang sie die Micaela in «Carmen», die Marie in Smetanas «Verkaufter Braut» und die Jenufa in der gleichnamigen Oper von L. Janáček, bei der Scottish Opera Glasgow die Polly in der «Beggar's Opera» und die Gabrielle in Offenbachs Operette «La Vie Parisienne» (1987). 1987 war sie am Teatro Fenice Venedig zu Gast. Im Konzertsaal sang sie zusammen mit den führenden englischen Orchestern wie auch im Ausland, so u. a. in Istanbul.
Schallplatten: Savoy (Ausschnitte aus Operetten von Gilbert & Sullivan).

Förster, Andreas, Bariton, * 17. 9. 1949 Naumburg (Saale); er wuchs in Berlin heran, besuchte dort Schulen, absolvierte eine Banklehre und schloß an der dortigen Universität das Studium der Wirtschaftswissenschaften mit dem Diplom-Kaufmann ab. Bereits während dieser Zeit sang er (als Tenor) im Berliner Konzert-Chor. Nachdem er in Berlin bei der Pädagogin Dagmar von zur Mühlen seine Ausbildung zum Sänger (jetzt als Bariton) begonnen hatte, war er 1973–74 an der Folkwang-Musikhochschule Essen Schüler der bekannten Sopranistin Gladys Kuchta. 1974 gewann er u. a. den Bundesgesangwettbewerb in Berlin und begann im gleichen Jahr 1974 seine Bühnenkarriere am Landestheater Detmold als lyrischer Bariton (Antrittspartie Schaunard in «La Bohème»). 1975–76 war er am Pfalztheater Kaiserslautern, 1976–78 am Staatstheater Saarbrücken, 1978–88 am Opernhaus von Nürnberg engagiert. 1988 wurde er als erster Bariton, hauptsächlich für das italienische Stimmfach, an das Staatstheater Hannover berufen. Hier sang er 1989 in Aufführungen der Barock-Oper «Enrico Leone» von Agostino Steffani, die dreihundert Jahre zuvor dort als erste Oper aufgeführt worden war. Durch Gastspiele an der Staatsoper Berlin, an der Deutschen Oper am Rhein Düsseldorf-Dusiburg, an den Opernhäusern von Köln und Dortmund, an der Stuttgarter Staatsoper, am Theater am Gärtnerplatz München, an den Staatstheatern von Wiesbaden und Karlsruhe wie bei den Festspielen von Skopje wurde er bekannt. Hinzu trat eine ausgedehnte Konzerttätigkeit mit Schwerpunkten im Bereich des Oratoriums (J. S. Bach, Händel, Beethoven, Brahms, G. Mahler, B. Britten, Penderecki) und des Liedgesangs. Dabei trat er in Konzertsälen wie in Rundfunksendungen in Deutschland und in Italien hervor. Aus seinem sehr umfangreichen Repertoire für die Bühne sind zu nennen: die Titelfiguren in den Verdi-Opern «Nabucco», «Rigoletto», «Macbeth» und «Simon Boccanegra», der Germont-père in «La Traviata», der Renato in «Ballo in maschera», der Amonasro in «Aida», der Jago im «Othello», der Enrico in «Lucia di Lammermoor», der Belcore in «Elisir d'amore», der Malatesta im «Don Pasquale», der Gérard in «Andrea Chénier» von Giordano, der Tonio im «Bajazzo», der Eugen Onegin in der gleichnamigen Oper von Tschaikowsky, der Escamillo in «Carmen», der Valentin im «Faust» von Gounod, der Wolfram im «Tannhäuser», der Amfortas im «Parsifal», der Marcello in Puccinis «La Bohème», der Sharpless in «Madame Butterfly», der Don Giovanni, der Graf in «Figaros Hochzeit», der Ramiro in «L'Heure espagnole» von Ravel, der Faninal im «Rosenkavalier», der Olivier im «Capriccio» von R. Strauss, dazu auch Aufgaben in zeitgenössischen Opernwerken.

Förster, Jürgen, Tenor, * 1921 (?); nach dem Zweiten Weltkrieg sang er zunächst 1946–48 am Stadttheater von Göttingen, setzte dann aber seine Ausbildung weiter fort. 1949–50 war er am Opernhaus von Hannover, 1950–54 am Stadttheater von Bremen und 1954–56 am Operettenhaus in Hamburg engagiert. 1955 folgte er einem Ruf an die Staatsoper Hamburg, deren Mitglied er dann für die folgenden dreißig Jahre blieb. Hier wirkte er 1964 in der Uraufführung der Oper «Der goldene Bock» von E. Křenek mit; er gastierte u. a. 1962 am Teatro San Carlo Neapel und im gleichen Jahr mit dem Ensemble der Hamburger Staatsoper in London. Später war er an der Hamburger Oper auch als Statistenführer tätig. Sein Bühnenrepertoire umfaßte Partien aus dem Buffo- und dem Charakter-Fach, lyrische Rollen und Aufgaben aus dem Bereich der Operette. Zu nennen sind im einzelnen der Pedrillo in der «Entführung aus dem Serail», der Jacquino im «Fidelio», der Peter Iwanow in «Zar und Zimmermann» und der Baron im «Wildschütz» von Lortzing, der Fenton in den «Lustigen Weibern von Windsor» von Nicolai, der Alfred in der «Fledermaus» und der Andres in Alban Bergs «Wozzeck».
Schallplatten: Philips (Pedrillo in der «Entführung aus dem Serail», 1962), Columbia (Don Curzio in «Figaros Hochzeit»), HMV («Fledermaus», «Vogelhändler», Kilian im «Freischütz», Prinz in «Lulu» von A. Berg), DGG (2. Jude in «Salome» von R. Strauss).

Förster, Oskar, Baß-Bariton, * 6. 2. 1867 Mainz, † 4. 3. 1919 Hamburg; der eigentliche Name des Künstlers war Oskar Neugebauer. Er hatte zuerst am Stadttheater von Danzig, dann an der Hofoper von Dresden eine Karriere von Bedeutung. Sein Bühnenrepertoire besaß einen großen Umfang und enthielt Partien aus allen Bereichen der Oper, vor allem aus dem Wagner-Repertoire. Als Höhepunkte daraus sind der Landgraf im «Tannhäuser», der König Heinrich im «Lohengrin», der Marke im «Tristan», der Basilio im «Barbier von Sevilla» von Rossini, der Falstaff in Nicolais «Lustigen Weibern von Windsor», der Baculus im «Wildschütz» von Lortzing, der van Bett in «Zar und Zimmermann»,

der Sarastro in der «Zauberflöte» und der Don
Pedro in Meyerbeers «L'Africaine» hervorzuheben.
Auch als Konzert- und Oratoriensänger war er er-
folgreich tätig.

Folescu, George, Baß-Bariton, * 1884 Roseti-Vol-
nas (Rumänien), † 17. 11. 1939 Bukarest. Er erhielt
seine Ausbildung zum Sänger am Konservatorium
von Bukarest und war Schüler von Demeter Popovici. 1911 debütierte er am Theater von Brasov
(Kronstadt) als Alfio in «Cavalleria rusticana» und
blieb an diesem Haus bis 1913 tätig. Seit 1914 war er
Mitglied der Nationaloper von Bukarest und galt als
einer der bedeutendsten rumänischen Sänger der
Zeit zwischen den beiden Weltkriegen. Er war maßgeblich an der Entwicklung des rumänischen Opern-
wesens beteiligt, die 1919 mit der Gründung einer
neuen Nationaloper in Bukarest eine entscheidende,
fortschrittliche Wendung nahm. Auf deren Bühne
wie bei Gastspielen hörte man ihn in seinen großen
Partien: dem Don Giovanni wie dem Titelhelden in
«Figaros Hochzeit», dem Osmin in der «Entführung
aus dem Serail» wie dem Mephisto im «Faust» von
Gounod, dem Kardinal in «La Juive» von Halévy
wie dem Boris Godunow, dem Ramphis in «Aida»
wie dem Scarpia in «Tosca», dem Mefistofele in
Boitos Oper gleichen Namens wie in Partien aus dem
Bereich der rumänischen Oper (Jon in «Napasta»
von Sabin Drăgoi). Zugleich war er ein geschätzter
Konzert- und Oratoriensänger, ein beliebter Interpret des rumänischen Volkslieds und nahm später
eine Professur am Konservatorium von Bukarest
wahr.
Schallplattenaufnahmen auf Columbia.

Fonseca, Regine, Mezzosopran, * 1933 (?) in Portugal; ihr eigentlicher Name war Regina Dinis da
Fonseca. Ihre Karriere spielte sich in wesentlichen
Teilen in Westdeutschland ab. Hier war sie 1958–59
am Opernhaus von Düsseldorf, 1959–62 am Stadttheater von Bremen, 1962–64 am Landestheater
Saarbrücken, 1964–65 am Stadttheater von Mainz,
1965–67 am Stadttheater von Kiel, 1967–69 am
Staatstheater von Kassel, 1969–81 am Nationaltheater von Mannheim engagiert. 1981–82 bestand ein
Gastspielvertrag mit dem Opernhaus von Gelsenkirchen, 1983–84 mit dem Opernhaus von Dortmund.
Zeitweilig war sie auch mit den Opernhäusern von
Köln und Nürnberg vertraglich verbunden. Dazu
entfaltete sie eine ausgedehnte internationale Gastspieltätigkeit; 1966, 1971, 1972 und 1976 gastierte sie
am Teatro San Carlo Neapel, 1969 an der Staatsoper
von München, 1973 an der Oper von Monte Carlo,
1975 an der Deutschen Oper Berlin. Bei den Bayreuther Festspielen von 1976 trat sie als Kundry im
«Parsifal» auf, indem sie für eine andere Sängerin
einsprang; an der Wiener Staatsoper hörte man sie
als Komponist in «Ariadne auf Naxos» von
R. Strauss; 1978 sang sie als Gast in Rouen, 1979 in
Bordeaux, 1983 an der Deutschen Oper am Rhein
Düsseldorf–Duisburg. Ihr Bühnenrepertoire enthielt eine Vielzahl von zumeist dramatischen Partien
wie die Venus im «Tannhäuser», die Ortrud im
«Lohengrin», die Waltraute in der «Götterdämme-

rung», die Fricka im Ring-Zyklus, die Klytämnestra
in «Elektra» von R. Strauss, die Amme in dessen
«Frau ohne Schatten», die Gräfin Geschwitz in
«Lulu» von A. Berg, die Gräfin in «Die Soldaten»
von B. A. Zimmermann, die Azucena im «Troubadour», die Eboli in Verdis «Don Carlos», die Lady
Macbeth in «Macbeth», die Zenobia in «Radamisto»
von Händel und die Cläre Zachanassian in «Der
Besuch der alten Dame» von G. von Einem.

Fontana, Agostino, Tenor, * 1690 (?) Turin, † (?)
Turin; er wurde durch den berühmten Maestro Antonio Pasi zum Sänger ausgebildet und gehörte zu
den bedeutendsten italienischen Bühnensängern seiner Epoche. Der Höhepunkt seiner Karriere fiel
etwa in die Jahre 1725–50; man verglich die Beweg-
lichkeit seiner Stimme und seine Beherrschung der
Gesangstechnik gern mit der der großen Primadonna
Faustina Bordoni-Hasse. Im Herbst 1729 und in der
folgenden Karnevalssaison ist er am Teatro San
Cassiano von Venedig anzutreffen, 1733 hatte er
glänzende Erfolge am Teatro Comunale Pistoja in
der Partie des Sivardo in «La fede in Cimento» von
Nicola Porpora. 1736 gastierte er am Teatro Ducale
Parma in den Opern «Demetrio» und «Artaserse»
von Johann Adolf Hasse, 1737 am Teatro Regio
Turin in «L'Olimpiade» von F. Brivio. 1737–38 ist er
am Teatro San Cristoforo Venedig zu finden, wo er
in Opern von N. Porpora, G. Latilla, A. Giai und
J. A. Hasse auftrat. Am 4. 11. 1741 wirkte er in der
Uraufführung der Oper «Ezio» von Sarro am Teatro
San Carlo Neapel mit. Seit 1750 wird er als Mitglied
der Cappella Reale am Hof von Turin geführt.

Forbes, Rupert Oliver, Tenor, * 27. 1. 1944 London;
er erhielt seine Ausbildung an der Universität von
Cambridge; dann Gesangstudium bei Pierre Bernac
in Paris (1966–67), bei Luigi Ricci in Rom (1968–69),
später noch bei Arturo Merlini in Mailand. 1969
wurde er in das Opernstudio des Zürcher Opernhauses aufgenommen und 1970 dessen reguläres
Mitglied. Nachdem er anfänglich als Bariton aufgetreten war, wechselte er ins Tenorfach. Er blieb bis
1975 in Zürich und war seitdem am Stadttheater von
Basel engagiert. Er gab Gastspiele am Nationaltheater Mannheim, an den Staatstheatern Wiesbaden
und Kassel, an den Stadttheatern Bremen und Freiburg i. Br. und hatte auch eine internationale Karriere als Konzert- und Oratorientenor. Aus seinem
Repertoire für die Bühne seien aufgezählt: der Pedrillo in der «Entführung aus dem Serail», der
Monostatos in der «Zauberflöte», der Jacquino im
«Fidelio», der Tybalt in Gounods «Roméo et Juliette», der Wenzel in Smetanas «Verkaufter Braut»,
der Lindoro in «La fedeltà premiata» von J. Haydn,
der Goro in «Madame Butterfly», die vier komischen Partien in «Hoffmanns Erzählungen», der Mr.
Triquet im «Eugen Onegin», der Steuermann im
«Fliegenden Holländer» und der Lord Barrat in
«Der junge Lord» von H. W. Henze. Der auch als
Gesanglehrer und Chordirigent tätige Künstler war
mit der Mezzosopranistin *Elizabeth Burnett* (* 23. 4.
1947 Edinburgh) verheiratet, die 1977–78 am Theater am Gärtnerplatz München und seit 1977 als

ständiger Gast am Stadttheater von Basel engagiert war, und die auch als Konzertsängerin auftrat. Schallplatten des Sängers erschienen auf der Marke Ars Musici (u. a. Bach-Kantate).

Ford, Bruce Edwin, Tenor, * 15. 8. 1956 Lubbock (Texas); er studierte Gesang an der West Texas State University in Canyon und an der Texas Tech University Lubbock und trat in das Opernstudio der Oper von Houston (Texas) ein. Zu seinen Lehrern gehörten John Gillas und Elena Nikolaidi. Seit 1983 war er in Europa tätig; zuerst war er Mitglied des Opernhauses von Wuppertal (1983–85), dann des Nationaltheaters Mannheim (1985–87) und seit 1987 der Deutschen Oper am Rhein Düsseldorf–Duisburg. Gastspiele führte ihn an zahlreiche großen Bühnen; so gastierte er an den Staatsopern von Wien und Stuttgart, an der Oper von Frankfurt a. M., an den Staatstheatern von Hannover und Wiesbaden, an der Wiener Volksoper, am Teatro Verdi Triest, an den Opernhäusern von Bordeaux und Gent. In seiner amerikanischen Heimat hörte man ihn bei der Opera Pacific (Kalfornien) und bei der Minnesota Opera St. Paul. Er sang bei den Festspielen von Aix-en-Provence und Wexford (Irland), in Washington, Straßburg und Heidelberg. Aus seinem sehr umfangreichen Bühnenrepertoire sind der Belmonte in der «Entführung aus dem Serail», der Don Ottavio im «Don Giovanni», der Ferrando in «Così fan tutte», der Tamino in der «Zauberflöte», der Titelheld in Mozarts «Mitridate», der Graf Almaviva in Rossinis «Barbier von Sevilla», der Lindoro in dessen «Italiana in Algeri», der Argiro in «Tancredi», der Châteauneuf in «Zar und Zimmermann» von Lortzing, der Fenton in Verdis «Falstaff», der Henry in der «Schweigsamen Frau» von R. Strauss, der Titelheld in «Dardanus» von Rameau und der Alfred in der «Fledermaus» von J. Strauß zu erwähnen. Auch im Konzertsaal brachte er ein umfassendes Repertoire zum Vortrag. Er nahm u. a. als Solist an der Japan-Tournee der Wiener Philharmoniker teil, gab erfolgreiche Konzerte, darunter auch Rundfunksendungen, in Wien und Rom, in Zürich und Kopenhagen, in Neapel und London, in Amsterdam und Düsseldorf.
Schallplatten: Frequenz (Tenor-Solo im «Messias»).

Forst, Judith, Mezzosopran, * 7. 11. 1943 New Westminster (Britisch Columbia, Kanada); sie studierte bei French Tickner in Vancouver, bei Hans Heinz und bei Bliss Hebert in New York und in der Opernschule der Covent Garden Oper London bei Robert Keyes. 1967 erfolgte ihr Bühnendebüt am Opernhaus von Vancouver als Lola in «Cavalleria rusticana». 1968 gewann sie den Nationalen Gesangwettbewerb der Metropolitan Oper New York und konnte darauf in der Spielzeit 1968–69 und in den folgenden drei Jahren an diesem traditionsreichen Operninstitut auftreten (Debüt als Hänsel in «Hänsel und Gretel», weitere Partien an diesem Haus Siebel im «Faust», Lola in «Cavalleria' rusticana»). Sie hatte dort wie auch an den Opern von New Orleans, Santa Fé (1974, 1986), Miami (1988 Donna Elvira im «Don Giovanni»), San Francisco (Debüt

1974 als Suzuki), Detroit (1986), an der City Centre Opera New York (1981), in Seattle und in ihrer kanadischen Heimat in Toronto (seit 1972) und Ottawa eine erfolgreiche Bühnenkarriere, betätigte sich dazu auch als Konzertsängerin. 1987 an der Bayerischen Staatsoper München zu Gast. Von ihren Bühnengestalten sind zu nennen: der Cherubino in «Nozze di Figaro», die Preziosilla in Verdis «La forza del destino» (1987 Toronto), der Siebel im «Faust» von Gounod, die Suzuki in «Madame Butterfly», das Kind in «L'Enfant et les sortilèges» von Ravel, die Olga im «Eugen Onegin» von Tschaikowsky, die Maddalena im «Rigoletto», die Titelfigur in Rossinis «La Cenerentola», die Carmen, der Octavian im «Rosenkavalier» und der Hänsel in «Hänsel und Gretel» von Humperdinck. Die letztgenannte Rolle sang sie auch bei einer Aufführung der Märchenoper im kanadischen Fernsehen CBC.
Schallplatten: CBC (French and Italian Opera Arias, Lieder).

Fowler, John, Tenor, * 1957 (?); der junge amerikanische Sänger erregte erstes Aufsehen, als er 1981 Haupt-Preisträger beim Gesangwettbewerb der New Yorker Metropolitan Oper wurde. Daraus resultierte ein Engagement an diesem Haus, an dem er in der Spielzeit 1982–83 den Edgardo in «Lucia di Lammermoor» und den Sever in Bellinis «Norma» sang. Es schlossen sich erfolgreiche Auftritte in Europa an. So sang er 1983–85 am Opernhaus von Köln u. a. den Rodolfo in «La Bohème», 1985 an der Opéra de Wallonie Lüttich den Titelhelden in «Hoffmanns Erzählungen». 1984 hörte man ihn als Debütanten an der Wiener Staatsoper in der Partie des des Grieux in Massenets «Manon», 1985 als Leicester in «Maria Stuarda» von Donizetti und als Arturo in «I Puritani» von Bellini. 1984–85 gastierte er an der Staatsoper von Hamburg als italienischer Sänger im «Rosenkavalier», als Rodolfo in «La Bohème» und als Alfredo in «La Traviata». Bei der Welsh Opera Cardiff trat er 1986–87 als Edgardo in «Lucia di Lammermoor» und als Tonio in Donizettis «Fille du régiment» auf; in New Orleans und Houston/Texas sang er den Titelhelden im «Faust» von Gounod; an der Oper von Miami (Hoffmann in «Hoffmanns Erzählungen», 1989) war er ebenso erfolgreich wie bei der Edmonton Opera (1987 als Herzog im «Rigoletto»). 1988 war er wieder in Lüttich als Roméo in Gounods «Roméo et Juliette» zu Gast. Am italienischen Rundfunk RAI hörte man ihn in Werken von Ottorino Respighi; hinzu kam eine bedeutende Tätigkeit als Konzert- und namentlich als Oratoriensolist (Verdi-Requiem, «Elias» von Mendelssohn).

Fowles, Glenys, Sopran, * 1946 (?) Sydney; nach anfänglicher Arbeit als Sekretärin ließ sie ihre Stimme ausbilden, und zwar durch Margarita Mayer in Sydney, dann durch Kurt Adler in New York und durch Jani Strasser in London. Bühnendebüt 1969 bei der Australian Opera Sydney als Page Oscar im «Maskenball» von Verdi. 1968 gewann sie den Nationalen Concours für Nachwuchssänger der Metropolitan Oper New York. Sie kam dann zu bedeutenden Erfolgen an der New York City Centre Opera,

an der sie während einer Reihe von Spielzeiten zu hören war. In England sang sie bei der Scottish Opera Glasgow, an der English National Opera London und beim Festival von Glyndebourne. Sie sang eine Vielzahl von Partien aus dem Repertoire für Koloratur- wie für lyrischen Sopran: die Ilia in «Idomeneo» von Mozart, die Susanna in «Figaros Hochzeit», die Zerline im «Don Giovanni», die Pamina in der «Zauberflöte», die Marzelline im «Fidelio», die Norina im «Don Pasquale», die Marguerite im Gounod'schen «Faust», die Gilda im «Rigoletto», die Nannetta im «Falstaff» von Verdi, die Gretel in Humperdincks «Hänsel und Gretel», die Sophie im «Rosenkavalier» von R. Strauss, die Anne Trulove in «The Rakes's Progress» von Strawinsky, die Tytania in «A Midsummer Night's Dream» von B. Britten, die Mimi in «La Bohème» und die Lauretta in «Gianni Schicchi» von Puccini. Auch als Konzertsolistin in einem umfassenden Repertoire beschäftigt.
Schallplatten: HMV (Querschnitt «Lustige Witwe» zusammen mit Beverly Sills).

Franceschi, Ugo, Bariton, * 11. 1. 1852 Pisa, † 16. 1. 1940 Pisa; er entstammte einer Patrizierfamilie aus Pisa und debütierte dort auch 1873 in der Partie des Grafen Luna im «Troubadour». Bereits zwei Jahre später erreichte er die Mailänder Scala, an der er 1876 den Marchese di Calatrava in Verdis «La forza del destino» und den Giorgio in «Mattia Corvino» von Pinsuti sang. Er sang in den folgenden zwanzig Jahren an den großen italienischen Opernteatern Partien wie den Grafen Luna im «Troubadour», den Amonasro in «Aida», den Renato in Verdis «Ballo in maschera», den Don Carlo in «Ernani», den Pagano in «I Lombardi» von Verdi, den Germont-père in «La Traviata» und den Alfonso in «La Favorita» von Donizetti. Die Übernahme der Rolle des Rigoletto lehnte er als unvereinbar mit seiner Herkunft aus einer hoch angesehenen Familie ab. 1883 kam er am Teatro Verdi seiner Heimatstadt Pisa zu einem besonderen Erfolg, als er zusammen mit der großen Primadonna Teresina Brambilla-Ponchielli als Severo in Donizettis «Poliuto» und als Carlos in «La forza del destino» gastierte, 1880 hörte man ihn am Teatro Regio Parma als Amonasro, 1882 am Teatro Rossetti Triest als Alfonso in «La Favorita». Der Künstler, der mit der Pianistin Bianca Dogliosi verheiratet war, lebte später als Pädagoge in Pisa.

Franci, Francesca, Mezzosopran, * 1963 Rom; sie war die Tochter des bekannten Dirigenten Carlo Franci (* 1927) und die Enkelin des berühmten italienischen Baritons *Benvenuto Franci* (1891–1985). Dieser kümmerte sich noch um die erste Ausbildung seiner Enkelin, die im übrigen durch ihren Vater und durch den großen Bariton Tito Gobbi geleitet wurde. 1984 kam es zu ihrem Konzert-Debüt am Teatro Filarmonico Verona in den «Liedern eines fahrenden Gesellen» von Gustav Mahler. Kurz darauf fand ihr Bühnendebüt am Teatro San Carlo Neapel als Maddalena im «Rigoletto» in einer Vorstellung statt, die von ihrem Vater dirigiert wurde. Nach Auftritten an verschiedenen italienischen Büh-

nen erreichte sie in der Spielzeit 1988–89 die Mailänder Scala. Hier hörte man sie als Edvige in «Wilhelm Tell» von Rossini und als Fatime im «Oberon» von Weber. 1988 gastierte sie in Bologna als Suzuki in «Madame Butterfly», bei den Festspielen von Martina Franca als Armando in der Donizetti-Oper «Maria di Rohan». Bei den Rossini-Festspielen von Pesaro trat sie in dessen Oper «L'Occasione fa il ladro» als Ernestina auf.
Schallplatten: Fonit Cetra («Maria di Rohan»).

Francl, Ivan, Tenor/Bariton, * 10. 5. 1907 Ljubljana (Laibach); er war der ältere Bruder des Tenors *Rudolf Francl* (* 1920), wurde an der Musikakademie von Zagreb ausgebildet und begann seine Karriere 1933 am Slowenischen Nationaltheater von Ljubljana, indem er als Cavaradossi in «Tosca» debütierte. Bis 1942 blieb er an diesem Haus tätig und kam dann an die Kroatische Nationaloper in Zagreb. Hier wechselte er 1945 in das Baritonfach und entfaltete eine langjährige erfolgreiche Karriere. Hatte er im ersten Abschnitt seiner Karriere Partien wie den Lohengrin und den Radames in «Aida» oder den Turiddu in «Cavalleria rusticana» gesungen, so kam er als Bariton in Rollen wie dem Telramund, dem Amonasro, dem Alfio und dem Escamillo in «Carmen» zu bedeutenden Erfolgen. Diese stellten sich auch auf internationaler Ebene bei Gastspielen in Deutschland, Österreich und Italien wie auch bei Konzertauftritten ein.
Schallplatten: Philips (vollständige Oper «Sadko» von Rimsky-Korssakow).

Frank, Ernest, Bariton, * 17. 2. 1906 Kalkutta, † 15. 12. 1970 London; er entstammte einer deutsch-jüdischen Familie und absolvierte sein Gesangstudium bei Heinrich Rehkemper in München. An der Kölner Musikhochschule war er Schüler von Stadelmann. Nachdem er bereits in Konzerten aufgetreten war, wurde er an das Opernhaus von Essen verpflichtet, an dem er drei Jahre hindurch eine große Anzahl von Baritonpartien sang. Es folgten Engagements an den Stadttheatern von Bremerhaven und Stettin und am Landestheater von Oldenburg. Seit 1933 konnte er als Jude nicht mehr an deutschen Bühnen auftreten. Da er die englische Staatsbürgerschaft besaß, konnte er 1936 Deutschland verlassen und ging nach London. Hier nahm er seine Karriere wieder auf und wirkte bei den Festspielen von Glyndebourne in Partien wie dem Antonio in «Nozze di Figaro» und dem Monostatos in der «Zauberflöte» mit. Besonders bekannt wurde er durch Konzerte, die durch Walter Legge in der National Gallery London organisiert wurden. Bei Ausbruch des Zweiten Weltkrieges meldete er sich freiwillig zur Armee und tat Dienst bei den Royal Engineers. Er war der erste englische Sänger, der nach der Eroberung von Brüssel ein Konzert über die dortige Radiostation gab. Er verlegte sich nach Kriegsende auf den Vortrag von Liedern und gab zahlreiche Lied-Sendungen über den Londoner Rundfunk BBC; dort sang er auch als Partner von Janine Micheau in der Oper «Les deux journées» von Cherubini (1947). Er betätigte sich an der Covent Garden Oper London als Lehrer für das deutsche Opernrepertoire, das er in verdienstvoller Weise den jungen Sängern vermittelte.

Schallplatten: Kleine Partien in Opernaufnahmen auf HMV; wahrscheinlich sind jedoch auch Mitschnitte von Rundfunksendungen vorhanden.

Frank, Mathieu (Matthias), Baß, * 1874 (nach anderen Quellen 1869), † 25. 8. 1932 Mannheim; er war 1898–99 am Stadttheater von Mainz engagiert, 1899–1900 am Hoftheater von Wiesbaden, 1900–1901 am Stadttheater Koblenz und gehörte in den Jahren 1901–11 dem Ensemble des Deutschen Theaters Prag an. Er wirkte hier in der Uraufführung der Oper «Tiefland» von E. d'Albert (15. 11. 1903) als Moruccio mit. 1911–27 war er am Hof- und Nationaltheater Mannheim tätig. Er gastierte 1899 und 1908 an der Hofoper von Berlin, 1907 am Hoftheater von Hannover, 1908 an der Hofoper Dresden. Auf der Bühne beherrschte er ein sehr vielseitiges Repertoire, das Partien wie den Sarastro in der «Zauberflöte», den Kühleborn in Lortzings «Undine», den Rocco wie den Minister im «Fidelio», den Kaspar im «Freischütz», den Plumkett in Flotows «Martha», den Falstaff in den «Lustigen Weibern von Windsor» von Nicolai, den Oroveso in Bellinis «Norma», den Marcel in den «Hugenotten» von Meyerbeer, den Fafner wie den Hunding im Nibelungenring, den König Heinrich im «Lohengrin» und den Papst Pius in «Palestrina» von H. Pfitzner aufzuweisen hatte. Auch als Konzertsänger hatte er eine erfolgreiche Laufbahn.

Schallplatten: G & T (Prag, 1904–06).

Frank-Gerardi, Christine, s. unter *Gerardi,* Christine.

Fratnikova, Stefania, Sopran, * 1. 9. 1910 Triest; sie erhielt ihre Ausbildung zur Sängerin in Ljubljana (Laibach) und in Wien. 1938 begann sie ihre Bühnenkarriere mit einem einjährigen Engagement am Stadttheater von Klagenfurt. 1939–41 sang sie am Theater von Aussig (Ustí nad Labem, Böhmen) und wurde dann 1941 an die Staatsoper von München verpflichtet. Hier kam sie bis 1944 zu einer erfolgreichen Karriere. Bei den Festspielen von Salzburg hatte sie bereits 1937 die zweite Dame in der «Zauberflöte» gesungen. Am 16. 8. 1944 sang sie dann in Salzburg in der Generalprobe zur Uraufführung der Richard Strauss-Oper «Die Liebe der Danaë» die Partie der Europa (die eigentliche Uraufführung kam durch die Kriegsereignisse nicht mehr zustande). Über eine Karriere der Sängerin nach dem Zweiten Weltkrieg konnte nichts ermittelt werden. Ihr Name kommt auch in der Schreibweise Štefanija Fratnik vor.

Möglicherweise sind von der Stimme der Künstlerin Mitschnitte von Rundfunksendungen vorhanden.

Frauscher, Erika, Sopran, * 5. 9. 1900 Wien; sie war eine Nichte des Bassisten *Moritz Frauscher* (1859–1916) und wurde 1920–26 am Wiener Konservatorium durch Rosa Papier-Paumgartner ausgebildet. 1926 wurde sie an das Stadttheater von Basel

verpflichtet und blieb während ihrer ganzen Bühnenkarriere bis 1951 Mitglied dieses Hauses. Sie gastierte vor allem am Opernhaus von Zürich, aber auch am Grand Théâtre Genf, an den Theatern von Karlsruhe, Freiburg i. Br., Straßburg und Colmar (Elsaß). In ihrem 25jährigen Wirken in Basel trug sie dort eine Vielzahl von Partien vor, von denen nur einige hervorgehoben seien: die Dorabella in «Così fan tutte», die Gräfin in «Figaros Hochzeit», die Pamina in der «Zauberflöte», die Euridice im «Orpheus» von Gluck und die Titelfigur in dessen «Iphigénie en Tauride», die Valentine in den «Hugenotten» von Meyerbeer, die Micaela in «Carmen», die Amelia in Verdis «Ballo in maschera», die Elisabetta im «Don Carlos», die Desdemona im «Othello», die Elena in «I Vespri Siciliani», die Elsa im «Lohengrin», die Elisabeth im «Tannhäuser», die Eva in den «Meistersingern», die Sieglinde in der «Walküre», die Marie in der «Verkauften Braut», die Zdenka in «Arabella» von R. Strauss, der Octavian im «Rosenkavalier» und die Jenufa in Janáčeks gleichnamiger Oper. 1942 sang sie in Basel eine Solopartie in der Uraufführung der 7. Sinfonie von Felix Weingartner. Sie war 15 Jahre hindurch als Pädagogin an der Musikakademie Basel tätig. Seit 1928 mit dem Dirigenten und langjährigen Operndirektor von Basel Gottfried Becker (1879–1952) verheiratet.

Freudenberg, Gustav, Baß, * 21. 2. 1826 Königsberg (Ostpreußen), † 25. 12, 1906 Berlin–Pankow; er begann seine Bühnenkarriere mit einem Engagement am Stadttheater von Danzig in den Jahren 1842–48. Dann sang er 1848–58 am Opernhaus von Königsberg, 1858–59 am Opernhaus von Düsseldorf und 1859–65 am Friedrich Wilhelmstädtischen Theater Berlin. 1865–66 gehörte er dem Ensemble der Berliner Kroll-Oper an, 1866–68 wiederum dem Opernhaus seiner Geburtsstadt Königsberg und brachte schließlich seine Karriere am Opernhaus von Riga zum Abschluß. Er verbrachte seinen Lebensabend in Berlin. Von den vielen Partien, die er auf der Bühne gesungen hat, sind der Masetto im «Don Giovanni», der Matteo in «Fra Diavolo» von Auber und der Graf Adelhof im «Waffenschmied» von Lortzing zu nennen.

Freudenreich, Mijica (Mizzi), Sopran, * 28. 8. 1863 Zagreb (Agram), † 18. 1. 1944 Zagreb; sie absolvierte ihr Gesangstudium in Zagreb und begann dort auch 1881 ihre Karriere als Opernsängerin. Bis 1892 war sie an der Oper von Zagreb im Engagement, sang 1892–95 am Theater von Graz, kehrte dann aber wieder an der Opernhaus von Zagreb zurück. Bis 1911 setzte sie dort ihre Bühnenkarriere fort, nach deren Aufgabe sie als Pädagogin am Konservatorium der kroatischen Hauptstadt wirkte. Sie beherrschte im wesentlichen das Koloraturrepertoire und kreierte u. a. für Kroatien Partien wie die Sophie im «Werther» von Massenet, die Marzelline im «Fidelio» (1896) und die Olympia in «Hoffmanns Erzählungen» von Offenbach. Nach ihrer Heirat führte sie auch den Namen Mijica (Mizzi) Freudenreich-Huth. Ihr Bruder *Zvonimir (Hermann) Freudenreich* (* 1865 Zagreb, † 1906 Zagreb) hatte als

Opernsänger eine erfolgreiche Karriere am Wiener Theater an der Wien, in Innsbruck und Zagreb.

Freund, Erna, Mezzosopran, * 1892 (?); über diese Künstlerin ist nur bekannt, daß sie in den Jahren 1910–15 an der Hofoper von Dresden engagiert war. Ihr Name verdient festgehalten zu werden, weil sie am 26.1. 1911 in Dresden in der denkwürdigen Uraufführung des «Rosenkavaliers» von Richard Strauss die Partie der Annina kreierte. Sie scheint früh ihre Karriere aufgegeben zu haben, jedenfalls lassen sich nach 1915 keine weiteren Engagements oder Gastspiele finden.

Frey, Paul, Tenor, * 1942 Heidelberg bei Toronto (Kanada); der Künstler, dessen Familie aus der Schweiz stammte, arbeitete zuerst in der Speditionsfirma seines Vaters und war zugleich als Eishockeyspieler bekannt. Als er sich bei diesem Sport 1963 eine schwere Verletzung zuzog, wandte er sich dem Gesangstudium zu und wurde am Konservatorium von Toronto Schüler von Louis Quilico. Er sang dann in seiner kanadischen Heimat kleine Tenorrollen und Partien in Oratorien und hatte seinen ersten größeren Erfolg in Toronto als Titelheld im «Werther» von Massenet. 1978 kam er nach Europa und wurde an das Stadttheater von Basel verpflichtet. Nachdem er dort fünf Jahre lang Tenorpartien aus allen Bereichen der Opernliteratur je nach dem Bedarf des Repertoires gesungen hatte, spezialisierte er sich auf das deutsche heldische Fach. 1984–85 hatte er in Heidelberg als Florestan im «Fidelio» großen Erfolg; seine Glanzrolle wurde jedoch der Lohengrin in der gleichnamigen Wagner-Oper, den er 1985 am Staatstheater Karlsruhe, 1986 am Nationaltheater Mannheim, 1987 an der Oper von Lyon sang. Darauf wurde er 1987–88 bei den Festspielen von Bayreuth als Lohengrin herausgestellt. 1986 Gastspiel an der Münchner Staatsoper als Apollo in «Daphne», 1988 als Midas in «Die Liebe der Danaë» von R. Strauss. 1987 Debüt an der Metropolitan Oper New York in der Rolle des Bacchus in «Ariadne auf Naxos» von R. Strauss mit Jessye Norman als Partnerin. 1988 sang er in Karlsruhe erstmalig den Walther von Stolzing in den «Meistersingern». Im gleichen Jahr Gastspiel mit dem Ensemble der Kölner Oper in Tel Aviv (Florestan im «Fidelio») und zur australischen Zweihundertjahrfeier in Sydney (Walther von Stolzing). Ebenfalls 1988 gastierte er in Santiago de Chile als Lohengrin, 1989 an der Mailänder Scala als Hüon im «Oberon» von Weber. Weitere Höhepunkte im Repertoire des Sängers waren der Parsifal, der Titelheld in «Peter Grimes» von B. Britten, der Flamand im «Capriccio» von R. Strauss; auch als Mozartsänger (Don Ottavio im «Don Giovanni», Titelheld in «La clemenza di Tito») wie im Konzertrepertoire von Bedeutung.
Schallplatten: HMV («Frau ohne Schatten» von R. Strauss).

Frey-Knecht, Alice, Sopran, * 3.2. 1895 Zürich, † 1977 Zollikon (Schweiz); sie studierte am Konservatorium von Zürich Violinspiel bei Willem de Boer

und Gesang bei der berühmten Sopranistin Emilie Welti-Herzog. Seit 1917 trat sie als Konzert- und vor allem als Liedersängerin in Erscheinung. Seit 1919 war sie mit dem Pianisten Walter Frey verheiratet, der sie oft bei ihren Liederabenden begleitete. Sie trat in den Zentren des Schweizer Musiklebens auf und wurde als Solistin bei den Schweizer Tonkünstlerfesten weiten Kreisen bekannt. Ihre Konzertkarriere nahm jedoch internationalen Umfang mit Auftritten in Berlin, Dresden, Hamburg, Frankfurt a. M., Stuttgart, München und Köln, in Wien, Prag, Göteborg und Stockholm, in Straßburg und Paris an. Sie war eine große Bach- und Händel-Interpretin, sang ein umfassendes Oratorien-Repertoire bis hin zu Werken zeitgenössischer Komponisten (A. Honegger, O. Schoeck, W. Burkhard, H. Kaminski, F. Klose). Ähnlich verhielt es sich mit ihrem Lied-Repertoire, das von der Klassik und der Romantik bis in die Gegenwart reichte, und das auch das impressionistische französische Lied enthielt. 1938 kreierte sie in Zürich das «Wandsbecker Liederbuch» von Othmar Schoeck.

Frey-Rabine, Lia, Sopran, * 12.8. 1950 Crosby (Minnesota); sie erhielt ihre Ausbildung an der Indiana University und bei dem Pädagogen *Eugene Rabine,* den sie 1976 heiratete. Sie begann ihre Bühnenkarriere 1973 am Stadttheater von Bern, dem sie bis 1975 angehörte. 1975–77 war sie am Stadttheater von Flensburg tätig, 1977–79 am Opernhaus von Nürnberg, 1979–84 am Stadttheater von Hagen (Westfalen). Seit 1984 Mitglied des Opernhauses von Frankfurt a. M. 1985 gastierte sie am Teatro Liceo Barcelona (als Brünnhilde in der «Walküre»), 1988 an der Oper von Rom (als Salome in der gleichnamigen Oper von R. Strauss), 1989 an der Staatsoper Dresden (als Senta im «Fliegenden Holländer») und am Stadttheater von Basel (1989 als Salome). Weitere Gastspiele am Teatro San Carlo Neapel, am Teatro Regio Turin (1989 als Marie im «Wozzeck») und an der Oper von Gent. Bei den Bayreuther Festspielen von 1988 hörte man sie als 3. Norn und als Ortlinde im Nibelungenring, am Opernhaus von Nürnberg 1990 wieder als Salome. Auch als Konzertsolistin kam sie zu einer erfolgreichen Karriere.

Friberth, Karl, Tenor, * 6.6. 1736 Wullersdorf (Niederösterreich), † 6.8. 1816 Wien; er war Schüler von Giuseppe Bonno und von Florian Gassmann in Wien. Er kam 1759 in die Fürstlich Esterházysche Kapelle und wirkte in jener Epoche, die durch das Wirken des großen Meisters der Klassik Joseph Haydn gekennzeichnet wurde, in dieser Institution als Tenor. Im Gegensatz zu manchen Mitgliedern der Kapelle, die nur für kurze Zeit dort blieben, ist er während einer Reihe von Jahren in deren Veranstaltungen, die auf Schloß Esterház wie in Eisenstadt stattfanden, in Erscheinung getreten. Am 26. 7. 1773 wirkte er auf Schloß Esterház in der Uraufführung von Haydns Oper «L'infedeltà delusa» in der Partie des Filippo mit, während seine Gattin, die Sopranistin *Magdalene Friberth,* die Partie der Vespina sang. Haydn schätzte den Tenor, der auch literarisch und kompositorisch begabt war, sehr und ließ sich von ihm das Libretto zu seiner Oper «L'incontro improviso» schreiben, das eine Gewandtheit verrät, die weit über die damals übliche Qualität eines Opern-Textbuchs hinausgeht. Auch in der Uraufführung dieser Oper, am 29. 8. 1775 auf Schloß Esterház anläßlich des Besuchs des österreichischen Erzherzogs Ferdinand und dessen Gattin Maria Beatrice, wirkte er als Sänger mit. Haydn vertonte auch einige Gedichte von Karl Friberth. 1776 ging dieser nach Wien, wo er als Dirigent an der Jesuiten- und an der Minoritenkriche tätig war und mehrere von ihm komponierte kirchenmusikalische Werke, vor allem Messen, zur Aufführung brachte. Der Familienname des Künstlers kommt auch in den Schreibweisen Friebert oder Frieberth vor.

Friché, Claire, Sopran, * 2. 3. 1875 Brüssel, † 12. 2. 1968 Paris; sie absolvierte ihr Gesangstudium am Conservatoire Royal von Brüssel und debütierte 1897 bei den Concerts Populaires in Brüssel, auf der Bühne 1900 am Théâtre de la Monnaie Brüssel, an dem sie eine lange Karriere hatte und beim Opernpublikum der belgischen Metropole sehr beliebt war. Hier sang sie die Titelrollen in den Premieren der Opern «Louise» von Charpentier (1902, seitdem eine ihrer Glanzrollen), «Grisélidis» von Massenet und «Tosca» von Puccini (1903) sowie 1910 die Titelpartie in der Erstaufführung der Richard Strauss-Oper «Elektra» (in französischer Sprache), dazu viele andere Partien aus dem dramatischen Sopran-Repertoire. Seit 1902 durchlief sie auch an der Opéra-Comique von Paris eine glänzende Karriere. Hier wirkte sie in Uraufführungen zahlreicher Opern mit, von denen die wichtigsten «Le Chemineau» von Xavier Leroux (6. 11. 1907) und «Aphrodite» von Camille Erlanger (23. 3. 1906) waren. Außerdem kreierte sie dort Opernwerke von Pierre de Bréville, Gabriel Dupont und Camille Saint-Saëns. Am 13. 10. 1903 sang sie an der Opéra-Comique die Titelheldin in Puccinis «Tosca» (französische Erstaufführung der Oper). Am Théâtre de la Monnaie Brüssel hörte man sie in der Uraufführung der Oper «L'Étranger» von Vincent d'Indy (7. 1. 1903) in der Partie der Vita. An der Oper von Monte Carlo wirkte sie in der Uraufführung einer weiteren Oper von Xavier Leroux «Théodora» in der Partie der Tamyris mit (19. 3. 1907). 1916 sang sie an der Grand Opéra Paris die Minnie in Puccinis Oper «La Fanciulla del West». Auch als Konzertsängerin kam sie in Paris wie im ganzen französischen Sprachgebiet zu großen Erfolgen. Daher ist es nicht zu begreifen, daß von ihrer Stimme keine Schallplattenaufnahmen vorhanden sind. Zwar werden im französischen HMV-Katalog für 1901–02 zwei Aufnahmen einer Sängerin Friché (ohne Vornamen) erwähnt, über die jedoch nichts Sicheres bekannt ist.

Frieb, Lina, Sopran, * 26. 11. 1845 Wien, † 17. 8. 1876 Leipzig; sie war die Tochter der berühmten Schauspielerin *Minona Frieb-Blumauer* (1816–86), die zu Beginn ihrer Karriere als Sängerin in Soubrettenpartien brilliert hatte, sich aber bald dem Schauspiel zuwandte. Ihr eigentlicher Name war Karoline Frieb. Ihr Vater war der Ingenieur Emanuel Frieb. Lina Frieb trat seit 1864 zuerst am Hoftheater von Braunschweig als Soubrette hervor und kam 1866 an die Berliner Hofoper. Hier bewunderte man sie in Partien wie der Susanna in «Figaros Hochzeit», der Zerline im «Don Giovanni», der Ännchen im «Freischütz» und der Rosina im «Barbier von Sevilla» von Rossini. Sie setzte ihre Karriere am Opernhaus von Leipzig fort. 1872 heiratete sie den Kapellmeister Wilhelm Carl Mühldorfer (1836–1919), der zuerst als Chorist, dann als Interpret kleinerer Partien an verschiedenen deutschen Theatern aufgetreten war, aber seit 1855 als Dirigent und seit 1881 bis 1906 als Opernkapellmeister in Köln tätig war. Die Künstlerin starb bereits vier Jahre nach dieser Eheschließung im Alter von nur 31 Jahren.

Friede, Aline, Mezzosopran / Sopran, * 1857, † (?); sie erhielt ihre Ausbildung zur Sängerin in Berlin und trat zunächst als Mezzosopran und als Konzertsolistin auf. 1882 entschloß sie sich zu einer Bühnenkarriere, sang in der Spielzeit 1882–83 am Opernhaus von Leipzig, 1883–85 am Stadttheater von Danzig und 1885–89 am Opernhaus von Köln. 1890–91 war sie am Opernhaus von Breslau, 1891–92 am Stadttheater von Magdeburg, 1892–94 in Königsberg (Ostpreußen), 1895–96 am Stadttheater von Mainz und 1896–97 in Nürnberg engagiert. 1897 folgte sie einem Ruf an das Hoftheater von Schwerin, dessen Mitglied sie bis zur Aufgabe ihrer Bühnenkarriere 1911 (Abschied als Brünnhilde in der «Götterdämmerung») blieb, und wo sie überaus beliebt war. 1897 war sie am Hoftheater von Coburg, 1899 und 1902 am Hoftheater Mannheim, 1904 am Stadttheater von Bremen als Gast zu hören. Sie war an erster Stelle als dramatische und Wagner-Sopranistin bekannt und glänzte in Rollen wie der Brünnhilde im Nibelungenring, der Elisabeth im «Tannhäuser», der Elsa im «Lohengrin», der Isolde im «Tristan», der Leonore in Beethovens «Fidelio», der Hilde im «Armen Heinrich» von Hans Pfitzner und der Titelheldin in «Ingwelde» von Max von Schillings. Neben ihrem Wirken auf der Bühne stand gleichberechtigt eine zweite Karriere im Konzertsaal. Bereits 1887 war sie als Konzertsolistin in Hamburg, Dresden, Frankfurt a. M. und Rotterdam erfolgreich, 1888 in Berlin und Leipzig. Große Erfolge erzielte sie während ihres Wirkens in Schwerin bei den Mecklenburgischen Musikfesten. Auch nach ihrem Rücktritt von der Bühne ist sie noch als Konzert- und Oratoriensängerin in Erscheinung getreten.

Friedmann, Laura, Sopran, * 8. 4. 1862 Berlin, † (?); sie war Schülerin der berühmten Pauline Viardot-Garcia gewesen und begann ihre Bühnenkarriere am Stadttheater von Bremen. Sie war dann 1880–82 am Opernhaus von Köln engagiert und erreichte den Höhepunkt ihrer Bühnenlaufbahn mit ihrer Tätigkeit an der Dresdner Hofoper in den Jahren 1883–93. Dort sang sie erfolgreich Partien für Koloratursopran, übernahm aber auch dramatische Rollen, so daß ihr Repertoire einen großen Umfang besaß. Genannt seien daraus die Susanna in «Figaros

Hochzeit», die Donna Anna im «Don Giovanni», die Rosina im «Barbier von Sevilla» von Rossini, die Violetta in Verdis «La Traviata», die Gilda im «Rigoletto» und die Titelheldin in Flotows «Martha». Erfolgreich war sie auch bei Gastspielen und als Konzertsolistin. So erschien sie als Gast an der Wiener Hofoper (1881), an der Berliner Kroll-Oper (1880–81) und gab 1888 erfolgreiche Konzerte in Berlin.

Friedrich, Heinz, Bariton, * 26. 12. 1921 Berlin, † 29. 1. 1983 Rottach-Egern (Oberbayern); er erhielt seine Ausbildung an der Musikhochschule Berlin und war dort auch Schüler der großen Sopranistin Frida Leider. 1949 debütierte er an der Berliner Staatsoper als Papageno in der «Zauberflöte» und gehörte 1949–50 dem Opernstudio dieses Hauses an. Bis 1953 blieb er an der Staatsoper Berlin tätig und wechselte dann in der Spielzeit 1953–54 an das Pfalztheater Kaiserslautern. 1954–56 sang er am Stadttheater von Augsburg, 1956–62 am Staatstheater von Wiesbaden und 1959 bis zu seinem Tod am Theater am Gärtnerplatz München. An der Berliner Staatsoper wirkte er am 17. 3. 1951 in der Uraufführung der Oper «Das Verhör des Lukullus» von Paul Dessau mit. Er gastierte u. a. an der Staatsoper von Wien und am Teatro Colón Buenos Aires (1961 als Faninal im «Rosenkavalier»). Von seinen Bühnenrollen seien der Figaro im «Barbier von Sevilla» von Rossini, der Rigoletto, der Graf Luna im «Troubadour», der Silvio wie der Tonio im «Bajazzo», der Escamillo in «Carmen», der Sebastiano in «Tiefland» von d'Albert, der Dominik in «Arabella» von R. Strauss, der Titelheld in Weinbergers «Schwanda der Dudelsackpfeifer» und der Hortensio in «Der Widerspenstigen Zähmung» von H. Goetz genannt; hinzu kamen zahlreiche Partien in Operetten. Auch als Konzert- und Liedersänger brachte er es zu einer erfolgreichen Karriere.
Schallplatten: Eterna (Lieder), Donauland (Arien-Aufnahmen), IFM (Stephan in vollständiger Oper «Regina» von Lortzing), DGG («Ariadne auf Naxos»).

Fritsch, Sophie, s. unter *Brehm-Fritsch,* Sophie.

Frohwein, Erich, Baß, * 3. 1. 1901 Köln, † 4. 8. 1958 Bern; er war in der Spielzeit 1920–21 am Stadttheater von Lübeck als Schauspieler engagiert, entschloß sich dann aber zur Sängerkarriere und ließ seine Stimme am Konservatorium von Mannheim bei Otto Horlacher und bei dem Hamburger Pädagogen Julius Gribb ausbilden. 1926–28 sang er am Stadttheater von Heidelberg, 1928–29 an der Berliner Kammeroper. 1929–30 war er am Stadttheater von Basel engagiert und gehörte dann in der langen Zeitspanne von 1930 bis 1956 zum Ensemble des Stadttheaters von Bern. Von dort aus unternahm er Gastspiele am Opernhaus von Zürich, an den Theatern von Luzern und St. Gallen und wurde in einem umfangreichen Bühnenrepertoire bekannt. Dieses enthielt seriöse wie Buffo-Partien in Opern von Mozart (Osmin, Leporello, Alfonso in «Così fan tutte»,

Papageno), Rossini (Bartolo im «Barbier von Sevilla»), Beethoven (Rocco im «Fidelio»), Verdi (Ramphis in «Aida», Monterone im «Rigoletto», Fra Melitone in «La forza del destino»), Wagner (Alberich und Wotan im Nibelungenring, Biterolf im «Tannhäuser», Beckmesser in den «Meistersingern», Klingsor im «Parsifal»), von Flotow (Plumkett in «Martha»), C. M. von Weber (Scherasmin im «Oberon»), Lortzing (van Bett in «Zar und Zimmermann», Baculus im «Wildschütz») und R. Strauss (Ochs im «Rosenkavalier»), dazu viele weitere Aufgaben auf den Gebieten des Opern- wie des Operettengesangs. Er wirkte in Bern 1950 in der Uraufführung der Oper «Der spanische Rosenstock» von Armin Schibler mit.

Frusoni, Maurizio, Tenor, * 22. 9. 1945 Rom; nachdem er in Rom sein Gesangstudium absolviert hatte, kam es zu Beginn der siebziger Jahre zu seinen ersten Bühnenauftritten in Italien, so 1971 bei der Settimana Musicale Siena. 1973 hatte er Erfolg am Teatro Comunale Florenz und beim Maggio musicale Fiorentino (als Andrej in «Khovantchina» von Mussorgsky). Seine Karriere nahm an italienischen Bühnen wie auf internationaler Ebene eine schnelle Entwicklung. 1973 erschien er in Scheveningen, 1974 an der Piccola Scala Mailand, 1976 bei den Festspielen von Schwetzingen in «Leonora» von F. Paër. 1975 sang er, wieder beim Maggio musicale Florenz, den Lenski im «Eugen Onegin», 1978 kam es zu seinem USA-Debüt in Charleston-Spoleto. 1980 und 1982 war er bei der Welsh Opera Cardiff zu Gast, 1982 auch am Théâtre Châtelet Paris und in Belfast; am Teatro Colón Buenos Aires feierte man ihn 1983 als Radames in «Aida», 1983 und 1987 sang er an der Grand Opéra Paris, 1983 in Fort Worth, 1984 an der Oper von Chicago. Seit 1984 war er oft am Teatro Regio Turin anzutreffen, 1984 in der Arena von Verona als Radames, 1984 an der Oper von Toronto, 1985 und 1987 in Pittsburgh, 1985 bei den Festspielen von Ravenna, 1985 und 1986 in Rio de Janeiro, 1985 auch an der Oper von Zürich, 1986 an der Opéra du Rhin Straßburg und am Teatro Comunale Bologna, 1987 bei den Festspielen von Macerata und 1988 am Teatro Regio Parma wie bei den Festspielen in den römischen Thermen des Caracalla. Erfolgreiche Gastspielauftritte an den Staatsopern von Wien und Berlin und seine Berufung an die Metropolitan Oper New York stellten weitere Höhepunkte im Ablauf seiner Karriere dar. Auf der Bühne trat er als Manrico im «Troubadour» (seine größte Kreation), als Alfredo in «La Traviata», als Herzog im «Rigoletto», als Pollione in «Norma», als Licinio in «La Vestale» von Spontini, als Pinkerton in «Madame Butterfly», als Turiddu in «Cavalleria rusticana», als Cavaradossi in «Tosca», als Marcello in «La Bohème» von Leoncavallo wie als Rodolfo in Puccinis «La Bohème» auf, übernahm aber auch von italienischen Sängern seltener gesungene Rollen aus der slawischen Opernliteratur, darunter den Gregor in Janáčeks «Sache Makropolos», auch den Tom Rakewell in «The Rake's Progress» von Strawinsky.
Schallplatten: TIS (Messe von A. Catalani).

Fuldauer, Lia, Sopran, * 1892 im Haag; die holländische Künstlerin studierte im Haag und in Amsterdam und begann ihre Karriere als Koloratursopranistin in Holland. 1923–25 war sie an der Großen Volksoper Berlin verpflichtet, 1926–28 am Stadttheater von Königsberg (Ostpreußen), 1929–32 am Stadttheater von Münster (Westfalen). In den zwanziger Jahren lebte sie in Berlin und gab Gastspiele und Konzerte. Zwischendurch sang sie bei verschiedenen holländischen Operngesellschaften, darunter bei der Truppe Co-Operatie im Haag, Partien wie die Marguerite im «Faust» von Gounod, die Gilda im «Rigoletto» und den Pagen Oscar in Verdis «Ballo in maschera». Beim Gastspiel dieses Ensembles an der Grand Opéra Paris 1926 sang sie die Marzelline in Beethovens «Fidelio». Auch als Konzertsolistin kam sie zu einer erfolgreichen Karriere. Als Jüdin flüchtete sie 1939 noch vor der Besetzung Hollands durch die deutschen Truppen nach Brasilien. Nach dem Zweiten Weltkrieg kehrte sie, inzwischen erblindet, in ihre holländische Heimat zurück.
Von ihrer Stimme sind einige Polydor-Aufnahmen vorhanden, die 1925–26 in Berlin aufgenommen wurden. Bereits früher entstanden einige Aufnahmen mit Koloraturarien in holländischer Sprache auf HMV.

Fuller, Frederick, Tenor, * 1908; dieser englische Konzert- und Liedersänger war Schüler von so bedeutenden Pädagogen wie Reinhold von Warlich und Claire Croiza. Er trat erstmals mit einem Liederabend in den Londoner «National Gallery Concerts» 1940 hervor. Bis 1966 hat er in zahlreichen Liederabenden seine große Kunst der Lied-Interpretation demonstriert. Er war ein großes Sprachgenie, sprach neben dem Englischen Spanisch, Portugiesisch, Französisch und Italienisch und wurde als Übersetzer fremdsprachiger Liedtexte und Librettos bekannt. Bei seinen Liedvorträgen wurde er einerseits von einem so hervorragenden Liedbegleiter wie Gerald Moore, anderseits vom Komponisten wie Aaron Copland, Heitor Villa-Lobos und Guastavino in deren Werken begleitet. Sein Repertoire besaß einen erstaunlichen Umfang und reichte von mittelalterlicher Troubadour-Musik über Barockwerke und das klassische Lied-Repertoire bis hin zu zeitgenössischen Komponisten, die er gerne vortrug. Nach Aufgabe seiner aktiven Konzertkarriere war er als Pädagoge wie als geschätzter Musikschriftsteller tätig.
Schallplattenaufnahmen auf HMV.

Funk, Leni, Sopran, * 23. 7. 1909 Leipzig, † 9. 8. 1990 Zürich; Ausbildung durch Rose Gaertner und durch Gertrud Bartsch in Leipzig. 1931 begann sie ihre Karriere am Opernhaus von Leipzig, dessen Mitglied sie bis 1934 war. 1934 folgte sie einem Ruf an das Stadttheater (Opernhaus) von Zürich und blieb für mehr als zwanzig Jahre bis zum Ende der Spielzeit (und ihrer Bühnenkarriere) 1955–56 an diesem Haus tätig. Sie sang hier eine Vielzahl von Partien aus dem Koloraturfach, darunter die Susanna und den Cherubino in «Figaros

Hochzeit», die Zerline im «Don Giovanni», die Papagena in der «Zauberflöte», die Ännchen im «Freischütz» von Weber, die Marzelline im «Fidelio», die Marie im «Waffenschmied» wie in «Zar und Zimmermann» von Lortzing, die Olympia und die Antonia in «Hoffmanns Erzählungen», die Gilda im «Rigoletto», die Nannetta in Verdis «Falstaff», die Mimi in «La Bohème», die Butterfly, die Lauretta in «Gianni Schicchi» von Puccini, die Zdenka in «Arabella» von R. Strauss, die Annina im «Rosenkavalier», dazu viele Partien in Operetten. Sie sang in Zürich in mehreren Uraufführungen von Opern: 1935 die Nina in «Rossini in Neapel» von B. Paumgartner, 1943 die Binz in «Casanova in der Schweiz» von Paul Burkhard und am 28. 5. 1938 die Regina in «Mathis der Maler» von Paul Hindemith. Sie gastierte an der Staatsoper wie an der Volksoper Wien, in Genf und Luzern und mit dem Zürcher Ensemble in Amsterdam und bei den Festspielen von Wiesbaden. Sie verbrachte ihren Lebensabend in Zürich.
Schallplatten: Decca (Aufnahmen aus Operetten, zum Teil mit Helge Roswaenge), Remington, Elite-Spezial-Platten (hier Duette mit Max Lichtegg). Dabei darf sie nicht mit der in Wien wirkenden etwa gleichaltrigen Sopranistin Emmy Funk verwechselt werden.

Funken, Helmut, Baß, * 4. 12. 1921 Viersen (Rheinland), er studierte nach Kriegsende 1947–50 am Robert Schumann-Konservatorium Düsseldorf bei Karl Siebolt. 1950–59 war er am Pfalztheater Kaiserslautern engagiert, sang in der Spielzeit 1959–60 am Stadttheater von Trier und war 1960–64 Mitglied des Staatstheaters Wiesbaden. 1964 wurde er an das Stadttheater von Basel berufen und blieb dort fast 25 Jahre hindurch bis 1988 tätig. Er gastierte an deutschen und Schweizer Bühnen sowie am Teatro San Carlo Neapel. Sein Repertoire für die Bühne enthielt eine bunte Fülle von Partien aus allen Bereichen der Opernliteratur, kleinere wie große Aufgaben. So seien der Sarastro in der «Zauberflöte», der Figaro wie der Bartolo in «Figaros Hochzeit», der Alfonso in «Così fan tutte», der Titelheld wie der Commendatore im «Don Giovanni», der Basilio im «Barbier von Sevilla», der Dulcamara in «Elisir d'amore», der Raimondo in «Lucia di Lammermoor», der Oroveso in «Norma», der Rocco im «Fidelio», der Kaspar wie der Eremit im «Freischütz», der Ramphis in «Aida», der Pater Guardian in «La forza del destino», der Zaccaria in Verdis «Nabucco», der König Philipp im «Don Carlos», der Sparafucile wie der Monterone im «Rigoletto», der Daland im «Fliegenden Holländer», der Landgraf im «Tannhäuser», der Pogner in den «Meistersingern», der Fafner und der Hunding im Ring-Zyklus, der Titurel im «Parsifal», der Abul Hassan im «Barbier von Bagdad» von P. Cornelius, Partien in Opern von Lortzing, Flotow, Nicolai, Smetana (Kezal in der «Verkauften Braut»), Puccini (Colline in «La Bohème»), Richard Strauss und Benjamin Britten stellvertretend für viele andere Rollen genannt. Er wirkte am Stadttheater von Basel in den Uraufführungen der Opern «Bunbury» von Paul Burkhard (Spielzeit 1965–66) und «Im Paradies» von Klaus Huber

(Spielzeit 1974–75) mit. Er lebte nach Aufgabe seiner Karriere in Inzlingen bei Basel.

Furlanetto, Ferruccio, Baß, * 16. 5. 1949 Sacile bei Pordenone (Friaul); er studierte zuerst Landwirtschaft und begann erst mit 22 Jahren das Gesangstudium bei Ettore Campogalliani in Mantua. 1974 debütierte er in Triest als Colline in Puccinis «La Bohème». Am dortigen Teatro Verdi trat er dann auch 1975, 1977 und 1979 auf; 1979, 1980 und 1981 war er am Teatro Regio Turin zu hören. Bei den Festspielen von Aix-en-Provence sang er 1975 den Dr. Grenvil in «La Traviata», 1977 den Lord Cecil in «Roberto Devereux» von Donizetti. 1977 gewann er den Gesangwettbewerb von Treviso, wo er als Don Giovanni zu einem glänzenden Erfolg kam. 1976 und 1979 gastierte er am Teatro Comunale Bologna, 1977 am Teatro Fenice Venedig, 1978, 1982 und 1986 an der Oper von Rom, 1979 am Teatro Regio Parma. 1978 kam es dann zu seinem USA-Debüt an der Oper von New Orleans, an der er auch 1982 wieder auftrat. Er sang 1979 an der Oper von San Francisco, 1980 an der Oper von Boston und gab 1981 ein glanzvolles Konzert in der New Yorker Carnegie Hall. Beim Festival von Glyndebourne wirkte er 1980 in «La fedeltà premiata» von Haydn und 1981 als Basilio in Rossinis «Barbier von Sevilla» mit, bei den Festspielen in der Arena von Verona 1982 als Ramphis in «Aida», 1983 als Timur in «Turandot» von Puccini. Die letztgenannte Partie sang er 1985 auch an der Mailänder Scala, an der er 1979 in Verdis «Macbeth» debütiert hatte. 1980 wurde er an die Metropolitan Oper New York berufen (Debüt als Großinquisitor in Verdis «Don Carlos»). 1981 sang er an diesem Haus den Alvise in «La Gioconda» und den Procida in «Ì Vespri siciliani», in den folgenden Jahren bis 1990 den Sparafucile im «Rigoletto», den Fiesco in «Simon Boccanegra», den Ferrando im «Troubadour», den Basilio im «Barbier von Sevilla», den Don Giovanni und den Leporello. Weitere Gastspiele am Staatstheater von Kassel (1980), in Genua (1981), am Théâtre des Champs Élysées Paris (1984), an der dortigen Grand Opéra (1985) und an der Oper von San Diego (1985, 1988). Am 29. 6. 1985 sang er im Petersdom in Rom das Baß-Solo in der Krönungsmesse von Mozart, während Papst Johannes Paul II. eine festliche Messe zelebrierte. Bei den Osterfestspielen von Salzburg war er 1986 in der Partie des Königs Philipp in Verdis «Don Carlos», 1987 als Leporello im «Don Giovanni» erfolgreich, bei den Salzburger Sommerfestspielen 1986 als Figaro in «Nozze di Figaro», 1987–88 als Leporello, 1988 als Mustafà in Rossinis «Italiana in Algeri». 1986 gastierte er am Teatro Liceo Barcelona, 1987 an der Oper von Köln und seit 1987 mehrfach an der Staatsoper von Wien, 1989 am Grand Théâtre Genf, weiter bei den Festspielen von Pesaro (1989), Spoleto und Savonlinna. Aus seinem sehr umfangreichen Bühnenrepertoire sind noch der Titelheld im «Don Giovanni», der Alfonso in «Così fan tutte», der Graf in «Nina» von Paisiello, der Don Magnifico in Rossinis «La Cenerentola» der Fernando in dessen «La gazza ladra», der Oroe wie der Assur in «Semiramide», der Félix in «Les Martyrs» von Donizetti, der Zaccaria in Verdis «Nabucco», der Pagano in dessen «I Lombardi», der Fiesco in «Simon Boccanegra», der Alvise in «La Gioconda» von Ponchielli, der Aldobrandini in «Parisina» von Mascagni, der Mephisto im «Faust» von Gounod, der Phanuël in «Hérodiade» von Massenet und der Titelheld in «Aleko» von Rachmaninoff (den er in der italienischen Premiere des Werks sang) nachzutragen.

Schallplatten: DGG (Leporello im «Don Giovanni», Alfonso in «Così fan tutte», Krönungsmesse von Mozart), Decca (Sparafucile im «Rigoletto»), Topaz-Video (Basilio im «Barbier von Sevilla»), Philips (Kardinal in «La Juive»).

G

Gabory, Magda, Sopran, * 1923 (?); die aus Ungarn stammende Sängerin war in den Jahren 1948–50 an der Wiener Volksoper engagiert. 1952–53 sang sie am Theater am Gärtnerplatz in München, 1953–54 bestand ein Gastengagement am Stadttheater von Zürich. In der Spielzeit 1955–56 gehörte sie der Bayerischen Staatsoper München an. 1948 sang sie bei den Festspielen von Salzburg die Barbarina in «Figaros Hochzeit». 1950–51 gastierte sie an der Mailänder Scala unter Wilhelm Furtwängler als Amor im «Orpheus» von Gluck, als Walküre und als Woglinde im Nibelungenring und als Soloblume im «Parsifal». 1953 trat sie am italienischen Rundfunk RAI in der «Walküre» auf, 1955 war sie zu Gast am Teatro San Carlo Neapel. Nach ihrer Heirat im Jahre 1952 ist sie auch unter dem Namen Magda Gabory-Kondor zu hören gewesen. Auf der Bühne sang sie vor allem Partien aus dem lyrischen wie aus dem Koloratur-Repertoire: die Mimi in «La Bohème», die Nedda im «Bajazzo», die Woglinde im «Rheingold» und in der «Götterdämmerung», die Lauretta in «Gianni Schicchi» von Puccini, die Lola in «Cavalleria rusticana» und die Jungfer Anne in den «Lustigen Weibern von Windsor» von Nicolai. Dazu war sie eine hervorragende Operettensängerin, die in Rollen wie der Saffi im «Zigeunerbaron» und der Adele in der «Fledermaus» brillierte und auch als Konzertsopranistin ihre Erfolge hatte. Sie scheint ihre Karriere gegen Ausgang der fünfziger Jahre beendet zu haben.
Schallplatten: HMV («Rheingold» und «Walküre», 1953), Everest («Rheingold» und «Orpheus» von Gluck unter W. Furtwängler, Mitschnitte von Aufführungen aus der Scala).

Gähwiller, Sylvia, Sopran, * 5. 7. 1909 Zürich; sie studierte zuerst am Konservatorium von Zürich Klavierspiel, setzte diese Ausbildung in Berlin fort, ließ dann aber 1936–41 zusätzlich ihre Stimme durch die große Liedersängerin Ria Ginster in Zürich ausbilden. Bereits 1932 erwarb sie ihr Diplom als Gesanglehrerin. Sie verlegte sich auf den Oratorien- und Liedgesang, wobei sie vor allem in Werken von J. S. Bach, Händel, Haydn und Mozart auftrat, doch widmete sie sich auch dem zeitgenössischen Musikschaffen. Sie galt als große Interpretin des Zyklus «Das Marienleben» von Hindemith und nahm Werke der Schweizer Komponisten Othmar Schoeck, Willy Burkhard, Walter Lang und anderer moderner Meister in ihr Konzertrepertoire auf. Nach 1947 ist sie auch in Deutschland (Freiburg i. Br., Hamburg) oft im Konzertsaal anzutreffen gewesen. Dagegen beschränkte sich ihr Wirken auf der Opernbühne auf gelegentliche Gastspiele am Theater von St. Gallen (Konstanze in der «Entführung aus dem Serail», Gräfin in «Figaros Hochzeit», Pamina in der «Zauberflöte», Rosina im «Barbier von Sevilla», Titelheldin in Flotows «Martha»). Sie ging von Zürich, ihrem Wohnsitz aus, ihrer Konzerttätigkeit nach und unterrichtete an den Konservatorien von Zürich und Winterthur. Zu ihren Schülern gehörten die Schweizer Sängerinnen Elisabeth Steiner, Hedy Graf, Verena Gohl, Hedda Heusser, Helen Keller, Verena Schweizer, Barbara Martig-Tüller und der Baß-Bariton Niklaus Tüller.
Schallplatten: Handel Society, Classic France (vollständige Oper «Giulio Cesare» von Händel, 1953).

Gänsbacher, Josef, Gesangpädagoge, * 6. 10. 1829 Wien, † 4. 6. 1911 Wien. Er war der Sohn des Komponisten und Domkapellmeisters am Wiener Stefansdom Johann Baptist Gänsbacher (1778–1844). Er studierte an der Universität von Wien Jurisprudenz und promovierte 1850 zum Dr. jur. Er nahm jedoch gleichzeitig Gesangunterricht bei dem Pädagogen Hollup und bei Giovanni Gentiluomo. Er war zunächst in Wien als Advokat tätig, begann aber bald mit der Erteilung von Gesangunterricht und wurde einer der gesuchtesten Pädagogen seiner Epoche. Nur gelegentlich trat er als Konzertsänger in Erscheinung. Auf Vermittlung von Johannes Brahms, mit dem er befreundet war, und der ihm seine Cellosonate op. 38 widmete, wurde er 1863 als Gesangpädagoge an das Konservatorium von Wien berufen. 1871 wurde er Fachexaminator der Staatsprüfungskommission für Musiklehrer, 1876 erhielt er seine Ernennung zum Professor. Bis zu seinem Tod erteilte er Gesangunterricht; er galt als unbestrittene Autorität auf diesem Gebiet und übte großen Einfluß auf das Wiener Musikleben seiner Zeit aus. Die Zahl seiner Schülerinnen und Schüler war sehr groß. Unter ihnen befanden sich so bedeutende Sänger wie die große Primadonna Marie Wilt, Nikolaus Rothmühl, Leopold Demuth, Georg Müller, Franz Naval, Fritz Plank, Milka Ternina, Hermann Jadlowker, Juan Luria, Julius Lieban, Eugen Guszalewicz, Max Monti, Luise Reuss-Belce, Fanchette Verhunk und Demeter Popovici. Er stellte kurz vor seinem Tod fest, daß 70 von seinen Schülern eine Bühnenkarriere und 14 davon den Titel eines Kammersängers erreicht hatten. Neben seinem Wirken auf dem Gebiet der Gesangpädagogik galt er allgemein als hervorragender Musikkenner und als großer Cellist (er spielte 14 Cellosonaten auswendig); er komponierte eine Anzahl von Liedern.

Gärtner, Marie, Sopran, * 17. 10. 1877 Zdice bei Beroun (Beraun, ČSR), † nach 1959 Plzeň (Pilsen); sie erhielt zunächst eine Ausbildung als Pianistin bei K. Slavkovského und in Musiktheorie bei Viteslav Novák am Konservatorium von Prag. Sie wandte sich dann dem Gesangstudium zu, das in der Gesangschule Pivoda in Prag stattfand, und debütierte 1901 als Altistin am Theater von Ljubljana (Laibach). Sie wechselte im folgenden Jahr 1902 an das Theater von Plzeň, vervollständigte dann jedoch ihre Ausbildung durch weitere Studien bei Mathilde Marchesi, bei B. Franco und bei der Leipziger Pädagogin Marie Unger-Haupt. Dabei wurde sie zum Sopran umgeschult und sang als solcher in der Saison 1906–07 am Stadttheater von Colmar (Elsaß). Sie sang am Stadttheater von Barmen, dann am Stadttheater von Straßburg, an dem damals Hans Pfitzner als Dirigent wirkte, der sie sehr förderte. 1909 hatte sie dort einen sensationellen Erfolg als Titelheldin in der soeben in Dresden uraufgeführten Oper «Elektra» von Richard Strauss, eine Rolle, die sie an vielen großen Bühnen zum Vortrag brachte, u. a. an der Hofoper von Wien, an den Hofopern von Berlin, Dresden und München und am Opernhaus von Leipzig (alle diese Aufführungen fanden bereits 1909 statt). Bis 1916 war sie noch mehrfach in München als Gast zu hören, außerdem gastierte sie 1910 am Opernhaus von Köln, 1911 an den Hoftheatern von Hannover und Karlsruhe, 1910 am Nationaltheater Prag, am Stadttheater von Bern (Schweiz) und in Holland (Amsterdam, Rotterdam, Den Haag). Bis etwa 1919 setzte sie ihre Gastspieltätigkeit fort und ließ sich dann als Pädagogin in Plzeň nieder, gelegentlich trat sie auch als Regisseurin von Opern in Erscheinung. Ihr Bühnenrepertoire umfaßte rund 40 große Partien, darunter die Pamina in der «Zauberflöte», die Leonore im «Fidelio», die Senta im «Fliegenden Holländer», die Elisabeth wie die Venus im «Tannhäuser», die Ortrud im «Lohengrin», die Brünnhilde wie die Fricka im Nibelungenring, die Isolde im «Tristan», die Kundry im «Parsifal», die Titelfiguren in «Salome» wie in «Ariadne auf Naxos» von R. Strauss, die Marschallin im «Rosenkavalier», die Santuzza in «Cavalleria rusticana» und die Carmen.

Gafner, Claude, Bariton, * 13. 3. 1922 Lausanne; er studierte am Conservatoire von Lausanne bei Annie Weber (1942–46), dann in Basel (1944–46) und war in Paris noch Schüler von Charles Panzéra (1948–51). Seit 1948 gab er Konzerte, die Partien in Oratorien (Passionen und Hohe Messe von J. S. Bach, «Messias», «Samson», «Saul» und «Israel in Egypt» von Händel, «Schöpfung» und «Jahreszeiten» von J. Haydn, Messen und Requiem von Mozart, Missa solemnis von Beethoven, «Elias» von Mendelssohn, auch zeitgenössische Werke von A. Honegger, O. Schoeck) wie eine Vielzahl von Liedern enthielten. Gelegentlich trat er auch in einer konzertanten Aufführung des «Orpheus» von Gluck auf, hatte aber keine eigentliche Bühnenkarriere. Seine Konzertauftritte fanden in den Brennpunkten des Schweizer Musiklebens, aber auch im Ausland statt. So hörte man ihn in Frankfurt a. M., Köln, Mannheim, Hamburg, Stuttgart und Wiesbaden, in Paris, Lyon, Clermont-Ferrand und Brüssel, in London, Manchester und Rotterdam, in Barcelona, Madrid und Sevilla, in Venedig, Mailand, Rom, Palermo, Florenz und Siena. Er trat in einem Konzert an der Mailänder Scala auf und ebenso bei den Festspielen von Salzburg. Hinzu kamen zahlreiche Rundfunkauftritte. Er war 1945–60 Mitglied des Schweizer Vokalquartetts Salvati (mit Leni Neuenschwander, Hedwig Gerster, Salvatore Salvati und Theobald Nagel), 1965–75 des Vokal-Ensembles Ars Antiqua in Genf. Seit 1953 wirkte er als Gesangpädagoge am Konservatorium von Sion (Kanton Wallis).
Schallplatten: Elite-Spezial (Gellert-Lieder von Beethoven, Biblische Lieder von A. Dvořák, Werke von P. Mathey), VDE-Gallo.

Galfy, Hermine, Sopran, * 25. 10. 1856 Wien, † April 1933 Wien; sie hieß mit ihrem eigentlichen Namen Hermine Katzmayr (nach ihrer Heirat Katzmayr-Goddefroy) und studierte am Konservatorium von Wien. Sie sang zuerst 1874 in Graz, seit 1877 am Stadttheater von Düsseldorf, dann in Königsberg (Ostpreußen) und erreichte einen ersten Höhepunkt ihrer Karriere in den Jahren 1880–86 als Mitglied des Hoftheaters von Schwerin. Dort wirkte sie u. a. in der Erstaufführung der «Meistersinger» 1881 als Eva mit; darauf wurde sie in den Jahren 1882 und 1883 für die Bayreuther Festspiele verpflichtet. Sie ging von Schwerin nach Basel, sang dann an den Stadttheatern von Mainz und Bremen und gastierte u. a. an der Berliner Hofoper. Auch in ihrer österreichischen Heimat kam sie zu bedeutenden Erfolgen; der berühmte Dichter Franz Grillparzer widmete ihr ein Stammbuchblatt. Ihr Bühnenrepertoire besaß einen großen Umfang, wobei sie Partien wie die Donna Anna im «Don Giovanni», die Titelfigur in Glucks «Iphigenie in Aulis», die Leonore im «Fidelio», die Pamina in der «Zauberflöte», die Agathe im «Freischütz», die Carmen, die Senta im «Fliegenden Holländer», die Sieglinde in der «Walküre» und die Mignon in der gleichnamigen Oper von Ambroise Thomas bevorzugte. Nicht weniger erfolgreich war sie bei ihren Konzertauftritten. Um die Jahrhundertwende wirkte sie als Pädagogin am Konservatorium Klindworth-Scharwenka in Berlin.

Galin-Perinić, Jasenka, Sopran, * 12. 6. 1945 Varaždin (Warasdin, Kroatien); sie war Schülerin von Zlatko Sir und Lav Urbanič in Zagreb und studierte auch in Wien bei der Pädagogin Emmy Sittner. 1969 betrat sie in St. Gallen erstmals die Bühne als Leonore in Verdis «La forza del destino». 1969 war sie Preisträgerin beim Jugoslawischen Nationalen Gesangwettbewerb. Sie kam dann zu einer großen Karriere am Opernhaus von Zagreb, wo sie das dramatische Sopranfach vertrat, bei Gastspielen und Konzertauftritten in Belgrad und in weiteren jugoslawischen Städten. Höhepunkte in ihrem Bühnenrepertoire waren die Leonore in Beethovens «Fidelio», die Gräfin in «Figaros Hochzeit», die Donna Anna im «Don Giovanni», die Santuzza in «Cavalleria rusticana», die Dula in «Ero der Schelm» von Gotovac und die Eva in der Oper «Nicola Šubić Zrinjski» von Ivan Zajc.
Schallplatten: Jugoton.

Gall, Jeffrey, Countertenor, * 19. 9. 1950 Cleveland (Ohio); er studierte 1968–72 an der Universität von Princeton, erwarb dort den akademischen Grad eines Bachelor of Arts, dann an der Yale University (1972–75), wo er den Grad eines Master of Philosophy erreichte. Er ließ gleichzeitig seine Stimme durch den Pädagogen Blake Stern (Yale School of Music 1972–75), dann durch Arthur Burrows (1976–80) ausbilden. 1974–78 trat er in dem Vokal-Ensemble Waverley Consort auf. 1980 erfolgte sein Debüt als Countertenor-Solist beim Festival von Spoleto. Bereits 1981 hörte man ihn an der Mailänder Scala, 1982 beim Festival von Edinburgh und an der Oper von San Francisco, 1984 am Teatro Fenice Venedig und am Teatro San Carlo Neapel. Gleichfalls 1984 trat er an der Canadian Opera Toronto und bei glanzvollen Konzerten in der New Yorker Carnegie Hall hervor. 1986 gastierte er an den Opernhäusern von Chicago und Santa Fé. 1988 betrat er als erster Vertreter des Countertenor-Stimmfachs die Bühne der Metropolitan Oper New York, wo er in der Rolle des Tolomeo in «Giulio Cesare» von Händel mit großem Erfolg debütierte. Diese Partie sang er dann auch am Théâtre de la Monnaie Brüssel. Sein Repertoire für die Bühne wie den Konzertsaal umfaßte an erster Stelle Aufgaben aus dem Bereich der Barock-Musik, wurde aber durch eine besondere Vielseitigkeit gekennzeichnet.

Zahlreiche Schallplattenaufnahmen auf verschiedenen Marken, u. a. auf Columbia, Nonesuch, Harmonia mundi und Titanic, HEK («Serse» von Cavalli, Cäcilienode von Purcell).

Galli, Dorothea, Sopran, * 11. 11. 1951 Zürich; sie studierte zuerst Violoncello an der Musikhochschule von Detmold, ließ dann jedoch ihre Stimme durch Elsa Cavelti, Elisabeth Schwarzkopf und am Salzburger Mozarteum ausbilden. 1975–76 war sie im Opernstudio des Opernhauses von Zürich, 1976 Preisträgerin beim Internationalen Gesangwettbewerb von Genf. 1976–78 gehörte sie dem Opernhaus Zürich als Ensemblemitglied an, sang 1978–79 am Pfalztheater Kaiserslautern und 1979–82 am Musiktheater im Revier Gelsenkirchen. Die Sängerin, die mit dem Violinisten Rudolf Bamert verheiratet war, lebte später in Zürich und gab Gastspiele. Diese führten sie an die Deutsche Oper am Rhein Düsseldorf-Duisburg, an die Staatstheater von Karlsruhe und Mannheim, an das Opernhaus von Dortmund, an die Theater von Heidelberg, Gießen und Luzern und an die Niederländische Oper Amsterdam. Aus ihrem Repertoire für die Bühne sind als Höhepunkte die Donna Elvira im «Don Giovanni», die Fiordiligi in «Così fan tutte», der Ramiro in «La finta giardiniera» von Mozart, die Leonore im «Fidelio», die Marguerite im «Faust» von Gounod, die Mimi in «La Bohème», die Giorgetta in Puccinis «Il Tabarro», die Tatjana im «Eugen Onegin», die Marschallin im «Rosenkavalier», der Komponist in «Ariadne auf Naxos» von R. Strauss, die Arabella wie die Zdenka in dessen «Arabella», die Emilia Marty in «Die Sache Makropoulos» von Janáček und die Miss Todd in «The Old Maid and the Thief» von G. C. Menotti hervorzuheben. Auf dem Konzertpodium trat sie sowohl als Oratoriensolistin wie als Interpretin eines umfangreichen Lied-Repertoires in Erscheinung; sie wirkte in Rundfunksendungen in der Schweiz wie in Deutschland mit.

Galli, Eugenio, Bariton/Tenor, * 1862 (?) Turin, † Juni 1910 Turin; er begann seine Karriere als Bariton 1887 am Teatro Politeama Genua in der Partie des Grafen Luna im «Troubadour» und sang dann dort den Enrico in «Lucia di Lammermoor» und den Rigoletto als Partner der berühmten Emilia Corsi. Nach kurzen Auftritten in Pavia, Lodi und wieder in Genua zog er sich für ein Jahr aus seiner Karriere zurück und nahm diese, jetzt als Tenor, wieder auf, als er am 21. 11. 1888 am Teatro Carignano Turin in der Uraufführung der Oper «Nerone» von Rasori

die Titelpartie übernahm. Jetzt trat er, mit einer hervorragenden Tenorstimme wie mit einer glänzenden äußeren Erscheinung begabt, in Rollen wie dem Alvaro in Verdis «La forza del destino» (Faenza 1889, Messina und Cagliari 1890), dem Manrico im «Troubadour» (Alessandria 1890, Padua 1892, Genua 1893), dem Ernani von Verdi (Teatro Regio Parma 1895, Teatro San Carlo Neapel 1892, Ancona 1891, Venedig 1892) und dem Radames in «Aida» (Teatro Politeama Florenz 1892, Teatro Regio Parma 1895, Teatro Politeama Genua 1899) hervor. Seine große Partie fand er dann jedoch in der Titelrolle in Verdis «Othello». 1894 sang er diese erstmals am Teatro San Carlo Neapel und wiederholte sie an vielen großen italienischen Opernhäusern, u. a. in Genua und Parma. Insgesamt ist er über 400mal als Othello aufgetreten. Mit dem brasilianischen Komponisten Carlos Gomes war er freundschaftlich verbunden und hatte 1893 in dessen Oper «Condor» am Teatro Carlo Felice Genua einen besonders großen Erfolg zu verzeichnen.

Schallplatten: Zonophone (Mailand, 1901: «Esultate» aus «Othello»), G & T (Mailand, 1903. Arien aus «Othello» und «Troubadour»).

Gamba, Angelo, Tenor, * 1872 Asti (Piemont), † 28. 12. 1908 Messina; er wurde in Mailand durch den Pädagogen Baragli ausgebildet. Sein Bühnendebüt fand er am Teatro Municipale von Piacenza als Radames in Verdis «Aida» statt. Er sang an den führenden italienischen Theatern und nahm an einer großen Rußland-Tournee der Castellano-Kompanie teil, die Gastspiele in den Zentren des russischen Musiklebens veranstaltete, u. a. in St. Petersburg, Moskau, Odessa und Tiflis (Tblissi). 1905 ersetzte er an der Mailänder Scala den Tenor Emilio De Marchi als Radames in «Aida» in einer Aufführung, in der so große Sänger wie Celestina Boninsegna, Riccardo Stracciari und Mansueto Gaudio mitwirkten. 1900 wirkte er am Teatro Rossini Venedig in der Uraufführung der Oper «Le Vittime» von E. Locatello, 1906 am Teatro Vittorio Emanuele von Turin in der Uraufführung einer weiteren Oper «Velda» von L. Cassone mit. Am Abend des 28. 12. 1908 sang er am Teatro Vittorio Emanuele von Messina den Radames. Als es in dieser Nacht zu dem großen Erdbeben von Messina kam, wurde er ein Opfer dieser Katastrophe noch bevor seine Karriere ihren Höhepunkt erreicht hatte.

Gamberoni, Catherine, Sopran, * 11. 6. 1955 Butler (Pennsylvania); sie war Schülerin des Curtis Institute of Music. 1981 debütierte sie als Gerda in der nordamerikanischen Erstaufführung der Oper «Fennimore and Gerda» von Delius am Opernhaus von St. Louis. 1982 gastierte sie in Washington, 1983 mit dem Ensemble der Oper von St. Louis beim Edinburgh Festival. 1984 war sie als Gast an der Grand Opéra Paris zu hören, 1985 an der Oper von Dallas. In Seattle sang sie 1985 die Adina in «Elisir d'amore», 1986 die Despina in «Così fan tutte», 1988 die Adele in der «Fledermaus»; 1985 wirkte sie in Santa Fé in der amerikanischen Premiere der Oper «Die englische Katze» («The English Cat») von H. W. Henze mit; dort war sie auch in den Jahren 1986–87 und 1989 anzutreffen. Weitere Gastspiele führten die junge Sängerin, die auch zu erfolgreichen Konzertauftritten kam, an die Opernhäuser von Köln (1986), Chicago (1986) und Melbourne (1987). Ergänzend seien aus ihrem Bühnenrepertoire noch Rollen wie die Blondchen in der «Entführung aus dem Serail», die Susanna in «Nozze di Figaro», die Papagena in der «Zauberflöte», die Fanny in «La Cambiale di matrimonio» von Rossini und die Zerbinetta in der Richard Strauss-Oper «Ariadne auf Naxos» genannt.

Gard, Robert, Tenor, *7.3. 1927 Padstow (Cornwall); Ausbildung an der Guildhall School of Music London bei Walter Hyde, nachdem er zuerst als Verkäufer in einem Herrenbekleidungsgeschäft gearbeitet hatte; spätere Studien noch bei Dino Borgioli in London, bei Fritz Philipsborn und bei Mme Florence Wiese-Norberg in Sydney. 1958 Debüt als Herzog im «Rigoletto» bei der English Opera Group London. Er sang in England bei der Welsh Opera Cardiff, beim Festival von Aldeburgh, hatte aber seine größten Erfolge bei einer langjährigen Karriere an der Oper von Sydney. Am 28. 9. 1973 sang er dort auch bei der Eröffnung des neu erbauten Opernhauses den Anatole in der Oper «Krieg und Frieden» von Prokofieff. Diese Vorstellung wie auch Aufführungen der Opern «Louise» von Charpentier und «Manon» von Massenet wurden vom australischen Fernsehen aufgezeichnet. Aus seinem in der Hauptsache lyrisch ausgerichteten Repertoire sind noch zu nennen: der Ernesto im «Don Pasquale», der Don Ottavio im «Don Giovanni», der Ferrando in «Così fan tutte», der Tamino in der «Zauberflöte», der Stewa in «Jenufa» von Janáček, der Graf Almaviva im «Barbier von Sevilla», der Tom Rakewell in «The Rake's Progress» von Strawinsky, der Male Chorus in «The Rape of Lucretia» von Benjamin Britten und der Titelheld in dessen Oper «Albert Herring». Angesehener Konzerttenor.
Schallplatten: Philips (Gesamtaufnahme «Voss» von Richard Meale).

Gardelli, Elsa Margaretha, Mezzosopran, *7.12. 1922 Odense (Dänemark), †27.2. 1971 Kopenhagen; sie erhielt zuerst eine Ausbildung als Pianistin. Der dänische Sänger Frans Andersson hörte sie in einem privaten Kreis singen und empfahl dringend die Ausbildung ihrer Stimme. Darauf studierte sie bei Dora Sigurdsson und in der Opernschule der Königlichen Oper Kopenhagen. Sie debütierte an diesem Haus als Nancy in «Albert Herring» von B. Britten, wurde Mitglied des Ensembles und wirkte dort bis zu ihrem Tod. Ihren Durchbruch erreichte sie in Kopenhagen 1956 als Rosina im «Barbier von Sevilla», woraufhin man für sie 1958 Rossinis «La Cenerentola» in das Programm aufnahm, deren Titelrolle ihr einen glänzenden Erfolg eintrug. Sie war neben ihrem Wirken auf der Bühne immer auch als Konzert- und Liedersängerin tätig und trat häufig in Radio- und Fernsehproduktionen auf. Sie gastierte bei den Festspielen im Barocktheater auf Schloß Drottningholm und sang bei den Festspielen von Bayreuth 1961–65 den Hirtenknaben im «Tannhäuser» und 1962 eine Soloblume im «Parsifal». Ein Schwerpunkt ihres Bühnenrepertoires waren Mozartrollen wie die Donna Elvira im «Don Giovanni», der Cherubino in «Nozze di Figaro», die Dorabella in «Così fan tutte», die Giacinta in «La finta semplice», dazu die Fidalma in Cimarosas «Matrimonio segreto», die Mrs. Jessel in «The Turn of the Screw» von Benjamin Britten und die Dido in «Dido and Aeneas» von Purcell. Seit 1957 war sie für einige Jahre mit dem Dirigenten Lamberto Gardelli (*1915) verheiratet.
Schallplatten: Philips («Tannhäuser»), Qualiton (Recital), Polydor-Dänemark (Operetten-Aufnahmen).

Gardner, Jake, Bariton, *1950 (?); der amerikanische Sänger erscheint zuerst seit Anfang der siebziger Jahre an Bühnen in den USA, darunter bei der Norfolk Opera (1975–78) und an der Oper von Houston/Texas (1975 als Valentin im «Faust» von Gounod); 1976 wirkte er in der Carnegie Hall New York in einer konzertanten Aufführung der Oper «Le Cid» von Massenet mit. 1977 sang er beim Festival von Edinburgh in der Uraufführung der Oper «Mary Queen of Scots» von Thea Musgrave die Partie des James Stewart (6. 9. 1977). Eine Tournee mit dieser Produktion führte 1978 zu einem Gastspiel in Stuttgart. Er sang diese Rolle auch in der amerikanischen Erstaufführung des Werks in Norfolk (Virginia, 1978). 1979 hörte man ihn an der Oper von Boston in der amerikanischen Erstaufführung der Oper «The Ice Break» von M. Tippett. Es schlossen sich Gastspiele an den führenden Opernhäusern in den USA an, in Washington und Detroit, in San Diego und San Francisco, in New Orleans und St. Louis. Daneben erschien er auch auf europäischen Bühnen, u. a. bei der Scottish Opera Glasgow (1978), bei der Niederländischen Oper Amsterdam wie beim Holland Festival (1984, 1985) und beim Festival von Wexford (1987). Seit 1989 war er Mitglied des Opernhauses von Köln. Zu seinen Rollen gehörten der Titelheld in «Il ritorno d' Ulisse in patria» von Monteverdi, der Figaro in «Figaros Hochzeit» wie im «Barbier von Sevilla», der Guglielmo in «Così fan tutte», der Papageno in der «Zauberflöte», der Germont-père in «La Traviata», der Don Carlos in «La forza del destino», der Enrico in «Lucia di Lammermoor», der Sharpless in «Madame Butterfly», der Marcello in «La Bohème», der Escamillo in «Carmen», der Donner im «Rheingold» und der Zurga in «Pêcheurs de perles» von Bizet. Auch als Konzertsänger bekannt geworden.
Schallplatten: CBS («Le Cid» von Massenet), EMC-Novello («Mary Queen of Scots» von Thea Musgrave).

Gardow, Helrun, Mezzosopran, *8.1. 1944 Eisenach (Thüringen); sie begann ihre Ausbildung an der Musikhochschule Berlin 1963 bei Richard Sengeleitner und setzte diese in den Jahren 1969–71 an der Musikhochschule Köln fort. Sie war auch Schülerin von Josef Metternich in Köln und München und von Sara Sforni Corti in Mailand. Nachdem sie im

Sommer 1968 bereits bei Festspielen auf der Freilichtbühne Rehberge Berlin aufgetreten war, war sie 1969–76 am Theater der Stadt Bonn engagiert. 1976 wurde sie an das Opernhaus von Zürich verpflichtet, an dem sie während der folgenden zehn Jahre bis 1987 eine erfolgreiche Tätigkeit entfaltete. Hier hörte man sie u. a. als Rosina im «Barbier von Sevilla», als Minerva in Monteverdis «Ritorno d'Ulisse in patria», als Nicklausse in «Hoffmanns Erzählungen», als Suzuki in «Madame Butterfly», als Mary im «Fliegenden Holländer», als Octavian wie als Annina im «Rosenkavalier», als Olga im «Eugen Onegin» und als Cherubino in «Figaros Hochzeit». Weitere Glanzrollen der Künstlerin waren der Orpheus von Gluck, die Dorabella in «Così fan tutte», die Maddalena im «Rigoletto», die Azucena im «Troubadour», der Komponist in «Ariadne auf Naxos», die Venus im «Tannhäuser» und die Charlotte in Massenets «Werther». Sie gastierte am Opernhaus von Kopenhagen, an der Deutschen Oper am Rhein Düsseldorf–Duisburg, an der Staatsoper Hamburg, in Bern und Gelsenkirchen und mit dem Ensemble des Zürcher Opernhauses in Berlin, Dresden, Wiesbaden, München, Wien, an der Mailänder Scala, bei den Festspielen von Edinburgh, in Lausanne und Athen. Als Konzert- und Oratoriensolistin hatte sie in einem sehr umfassenden Repertoire große Erfolge auf internationalem Niveau (Konzertauftritte in Amsterdam, Köln, Frankfurt a. M., Paris, Madrid, Neapel, Seoul). Am Opernhaus von Zürich wirkte sie auch in den Uraufführungen der Opern «Ein Engel kommt nach Babylon» (1977) und «Der Kirschgarten» (4. 12. 1984), beide von Rudolf Kelterborn, mit. Seit 1987 verlegte sie ihre Tätigkeit nach Seoul (Korea); dort wirkte sie als Opern- und Konzertsängerin sowie als Direktorin der ARTCOM (Computer Visual Art & Music).
Schallplatten: Telefunken («Incoronazione di Poppea» und «Ritorno d'Ulisse in patria» von Monteverdi, «Dido and Aeneas» von Purcell, Magnificat und mehrere Kantaten von J. S. Bach), FSM-Aulos (Theresienmesse von J. Haydn, Missa brevis D-Dur von Mozart).

Garelli, Nina, Sopran, * 1880 Cremona, † 27. 8. 1958 Rom; sie kam ganz jung zum Gesangstudium, zunächst in Neapel, dann bei A. Pozzoni-Anastasi in Genua. Nachdem sie anfänglich als Konzertsängerin aufgetreten war, debütierte sie (erfolglos) am Teatro Grande von Brescia als Adina in Donizettis «Elisir d'amore» mit Alessandro Bonci und Pasquale Amato als Partnern. Zwei Monate später hatte sie dann einen großen Erfolg am Teatro Verdi von Zara und daran anschließend am Teatro Fenice Venedig und am Teatro Verdi Padua (hier als Margherita wie als Elena in Boitos «Mefistofele» in einer Doppelrolle). 1908 gastierte sie an der Oper von Monte Carlo, 1909 hörte man sie wieder am Teatro Verdi Padua als Fedora in der gleichnamigen Oper von Giordano. Es schlossen sich Auftritte in Novara und Triest sowie 1911 am Teatro Dal Verme Mailand an, wo sie in der italienischen Erstaufführung der Oper «Quo vadis» von Jean Nouguès mitwirkte. 1912 sang sie als Partnerin von Tito Schipa am Teatro Sociale

von Trient die Traviata und die Fedora. Kurz vor Ausbruch des Ersten Weltkrieges gab sie ihre Bühnenkarriere auf und lebte dann in London als Konzertsolistin. Nach ihrer Rückkehr in ihre italienische Heimat betätigte sie sich als Gesanglehrerin wie als Journalistin im Musik- und Theaterwesen. Sie erkrankte plötzlich, als sie ihre Familie in Rom besuchte und starb dort.
Schallplatten: HMV (ca. 1914, darunter ein Duett mit Tito Schipa).

Garetti, Hélène, Sopran, * 1943 (?); Gesangstudium am Conservatoire National Paris. Sie war Schülerin der großen französischen Sopranistin Régine Crespin. Sie gewann mehrere Gesangwettbewerbe in Frankreich und den Prix Butterfly in Tokio. Sie debütierte am Opernhaus von Nizza und kam 1968 an die Grand Opéra Paris, wo sie als Antrittsrolle die Marguerite im «Faust» von Gounod sang. 1969 trat sie dann erstmalig an der zweiten großen Opernbühne der französischen Metropole, der Opéra-Comique auf. Dort hörte man sie u. a. als Mimi in «La Bohème», als Butterfly und als Titelheldin in «Katja Kabanova» von L. Janáček 1968 in der französischen Erstaufführung dieser Oper. Sie nahm dann auch Partien aus dem deutschen und dem Wagner-Stimmfach in ihr Repertoire auf. So sang sie 1985 an der Oper von Rouen die Sieglinde in der «Walküre», die sie in Marseille und an weiteren französischen Bühnen wiederholte. An der Grand Opéra trat sie als Titelheldin in Glucks «Iphigénie en Tauride» und in «Médée» von Cherubini auf, 1987 sang sie dort die Chrysothemis in «Elektra» von R. Strauss, 1988 die Desdemona in Verdis «Othello». 1986 hatte sie einen ihrer größten Erfolge an der Opéra du Rhin Straßburg in der Titelpartie der Oper «Grisélidis» von Massenet. 1988 sang sie an der Opéra-Comique die Donna Elvira im «Don Giovanni». Zu ihren großen Bühnenpartien gehörten auch die Leonore im «Fidelio», die Marguerite in «La damnation de Faust» von Berlioz und die Ariadne in «Ariadne auf Naxos» von R. Strauss.

Garfias, Ernestina (Tina), Sopran, * 1933 Mexico City; sie trat bereits als Kind auf, erhielt dann aber eine seriöse Ausbildung am Nationalkonservatorium von Mexico City und in Rom. 1958 debütierte sie in Mexico City als Gilda im «Rigoletto». Seitdem trat sie regelmäßig an der mexikanischen Metropole auf. Sie gab Gastspiele am Teatro Liceo Barcelona (1960), an der Oper von Philadelphia (1963) und an italienischen Bühnen und entfaltete dazu eine bedeutende Konzertkarriere. Ihre Stimme, ein technisch hervorragend durchgebildeter Koloratursopran, fand auf der Bühne ihre Aufgaben in Partien wie der Lucia di Lammermoor, der Adina in «Elisir d'amore», der Norina im «Don Pasquale» und der Juliette in «Roméo et Juliette» von Gounod.
Schallplatten: in Mexiko aufgenommene Victor-Platten.

Gari, Giulio, Tenor, * 9. 9. 1912 Medias (Rumänien); seine Ausbildung fand am Conservatorio Giuseppe Verdi in Mailand statt. 1938 debütierte er an

der Oper von Rom als Graf Almaviva im «Barbier von Sevilla» von Rossini. Er ging später nach Nordamerika und sang dort 1945–52 an der New York City Centre Opera. 1952 wurde er an die Metropolitan Oper New York berufen, zu deren Ensemble er bis 1964 gehörte. Er wurde auch durch Gastspiele an den Opernhäusern von San Francisco, Pittsburgh und Cincinnati bekannt. Gleichzeitig konnte er in den USA eine große Karriere als Konzert- und Oratoriensänger entwickeln. Von den Partien, die er auf der Bühne vortrug, seien noch der Herzog im «Rigoletto», der Matteo in «Arabella» von Richard Strauss (den er 1955 in der amerikanischen Erstaufführung des Werks an der Metropolitan Oper sang) und der Tichon in «Katja Kabanowa» von L. Janáček erwähnt. Letztgenannte Partie kreierte er beim Empire State Music Festival in Bear Mountain 1957 für Nordamerika. Er wirkte später als Pädagoge am Musikinstitut von Flushing (New York).
Auf MGM existiert ein Querschnitt durch Verdis «Aida», in dem er den Radames singt; auf Melodram singt er die Titelpartie in Verdis «Don Carlos» in einer Aufnahme aus der Metropolitan Oper.

Garino, Gérard, Tenor, *1.6. 1949 Lançon (Pravence); er studierte Medizin, zugleich aber auch Gesang am Conservatoire von Bordeaux und bei Arrigo Pola. 1973 gewann er den Gesangwettbewerb Enrico Caruso, 1975 den ersten Preis des Konservatoriums von Bordeaux. 1977 kam es zu seinem Bühnendebüt am Opernhaus von Bordeaux in der Rolle des Grafen Almaviva im «Barbier von Sevilla» von Rossini. Er sang dann am Opernhaus von Toulouse den Ferrando in «Così fan tutte», bei den Festspielen von Aix-en-Provence den Nadir in «Pêcheurs de perles» von Bizet und gastierte in Amsterdam. An der Grand Opéra Paris hörte man ihn 1981 in Cimarosas «Il matrimonio segreto». 1981 Gastspiel an der Opéra de Wallonie Lüttich als Ernesto im «Don Pasquale», 1982 als Titelheld in «Idomeneo» von Mozart, 1987 in «Zémire et Azor» von Grétry, in Lüttich wie in Paris in der Offenbach-Operette «Robinson Crusoé». 1984 wirkte er in der Verfilmung der Oper «Carmen» (als Remendado) mit, bei der Julia Migenés und Placido Domingo die Hauptrollen übernahmen. 1984 zu Gast an der Grand Opéra Paris, bei den Festspielen von Orange und Verona. Weitere Gastspiele führten ihn an die Opernhäuser von Monte Carlo (u. a. 1989 Armand in «Thérèse» von Massenet und Tiberge in «Le portrait de Manon», ebenfalls von Massenet) und Quebec, an das Teatro Liceo Barcelona und an italienische Bühnen. 1988 trat er an den Opern von Nancy und Toulouse (wo er seit 1978 immer wieder sang, ebenso seit 1980 in Nizza) wie an der Pariser Opéra-Comique als Nicias in «Thaïs» von Massenet auf. In der gleichen Spielzeit sang er an der Grand Opéra Paris den Macduff in «Macbeth» von Verdi, in Bordeaux den Tonio in «La fille du régiment» von Donizetti und den Ismaele in Verdis «Nabucco». 1985 in Madrid, 1988 in Monte Carlo und Budapest aufgetreten. Auch als Konzertsolist wurde er in großen Aufgaben herausgestellt.
Schallplatten: Arion («L'Abandon d'Ariane» von

D. Milhaud), Hungaroton («Don Sanche» von Liszt), KRO («St. François d'Assise» von O. Messiaen), RCA-Erato (Remendado in «Carmen»).

Garner, Letitia, Sopran, *23. 1. 1943 Washington; Gesangstudium an der University of Washington bei Mary Curtis Verna, bei Leon Lishner, an der University of Michigan bei John Mc Collum und bei Anna Hamlin in New York. Sie wirkte längere Zeit hindurch am Hessischen Staatstheater Wiesbaden, wurde aber auch durch Auftritte an der Oper von Seattle, an der Nationaloper Warschau, an der Oper von Tel Aviv und durch eine weitere umfangreiche Bühnen- und Konzerttätigkeit bekannt. Ihr Rollenrepertoire für die Bühne gipfelte in Partien wie der Konstanze in der «Entführung aus dem Serail», der Königin der Nacht in der «Zauberflöte», der Titelfigur in Flotows «Martha», der Norina im «Don Pasquale», der Marie in der «Verkauften Braut» von Smetana, der Lucia di Lammermoor, der Mimi in Puccinis «La Bohème», der Suor Angelica in der Oper gleichen Namens von Puccini, der Sophie im «Rosenkavalier» von R. Strauss und der Laetitia in «The Old Maid and the Thief» von G. C. Menotti.

Garrett, Lesley, Sopran, *1957 (?) in der englischen Grafschaft Yorkshire; sie studierte an der Royal Academy of Music London, war Schülerin von Joy Mammen und gewann 1979 die Kathleen Ferrier Memorial Competition. Seit 1984 kam sie zu einer sehr erfolgreichen Karriere bei der English National Opera London. Von den vielen Partien, die sie dort sang, seien die Bella in «The Midsummer Marriage» von Tippett, die Atalanta in «Xerxes» von Händel, die Papagena in der «Zauberflöte» (1988), die Zerline im «Don Giovanni» (1987, 1989), die Titelpartie im «Schlauen Füchslein» von Janáček, die Yum-Yum in der Sullivan-Operette «The Mikado» (1986), die Eurydice in «Orpheus in der Unterwelt» von Offenbach und die Valencienne in der «Lustigen Witwe» genannt. 1988 wirkte sie an diesem Haus in der englischen Erstaufführung der Oper «The Making of the Representative for Planet 8» von Philip Glass in der Rolle der Alsi mit; in der Spielzeit 1989–90 sang sie dort den Pagen Oscar in Verdis «Ballo in maschera». 1987 gastierte sie am Grand Théâtre Genf als Servilia in «La clemenza di Tito» von Mozart, 1987 beim Maggio musicale in «The Fairy Queen» von Purcell. Bei der Opera North Leeds hörte man sie als Susanna in «Figaros Hochzeit», beim Wexford Festival in der Titelrolle der Mozart-Oper «Zaide», bei den Festspielen von Glyndebourne als Zerline im «Don Giovanni». Mit der Glyndebourne Touring Opera gastierte sie als Despina in «Così fan tutte». Im englischen Fernsehen BBC konnte man sie als Damigella in Monteverdis «Incoronazione di Poppea» erleben. Auch als Konzertsängerin aufgetreten; so gab sie in Paris ein Recital mit kabarettistischen Vokalwerken von A. Schönberg.
Schallplatten: TER («The Mikado», Operette von Gilbert & Sullivan).

Garrison, Jon, Tenor, *11. 12. 1944 Higginsville (Missouri); der Name des Sängers wurde nach sei-

nem Debüt an der Metropolitan Oper New York 1974 als Porter in «Death in Venice» von Benjamin Britten bekannt. Im weiteren Ablauf seiner Tätigkeit an diesem Haus sang er dort Rollen wie den Edmondo in «Manon Lescaut» von Puccini, den Ferrando in «Così fan tutte» und den Tamino in der «Zauberflöte». An der New York City Centre Opera brachte er als Antrittspartie 1982 den Admète in Glucks Oper «Alceste» zum Vortrag. In dieser Partie gastierte er 1986 an der Staatsoper von Stuttgart. In Nordamerika war er als Gast an den Bühnen von Houston/Texas, Santa Fé, San Diego, Washington (Alfredo in «La Traviata») und Montreal sowie 1977 bei der Virginia Opera Company zu hören. Auch als Konzertsolist kam er zu Erfolgen, namentlich als Bach- und Händel-Interpret.
Schallplatten: FSM (Darnley in «Mary Queen of Scots» von Thea Musgrave, 1977), HMV («Messias» von Händel).

Gartside, Joyce, Sopran, * 1920 (?) Charley (Lancashire. Ausbildung am Royal College of Music Manchester und bei Frank Mullings. Sie debütierte 1947 als Butterfly und gehörte dann während mehrerer Spielzeiten zum Ensemble der Sadler's Wells Opera London. Hier sang sie 1948 in der wichtigen Premiere von Verdis Oper «Simon Boccanegra» die Partie der Amelia. Dazu enthielt ihr Repertoire Partien wie die Mimi in Puccinis «La Bohème», die Butterfly, die Lauretta in «Gianni Schicchi», die Marguerite im «Faust» von Gounod, die Micaela in «Carmen», die Leonore im «Troubadour» von Verdi und die Mary in «Hugh the Drover» von Vaughan Williams. Sie ist anscheinend nicht außerhalb Englands aufgetreten. Verheiratet mit dem Bariton *Harold Blackburn* (* 1925).
Im Anschluß an die oben erwähnte Premiere der Verdi-Oper «Simon Boccanegra» (zugleich die englische Erstaufführung dieser Oper 89 Jahre nach deren Uraufführung!) sang sie in Szenen daraus auf HMV. Auf Columbia kamen Duette aus «La Bohème» und «Madame Butterfly» zusammen mit dem Tenor James Johnston zur Ausgabe.

Garulli, Alfonso, Tenor, * 1858 Bologna, † 22. 5. 1915 Bologna; er hatte eine große Karriere an den führenden italienischen Opernteatern und sang u. a. am Teatro San Carlo Neapel (1884) und am Teatro Costanzi von Rom (1888). An der Mailänder Scala hörte man ihn 1887 in der Uraufführung der Oper «Flora Mirabilis» von Spiro Samara und in der Saison 1896–97 als Samson in «Samson et Dalila» von Saint-Saëns und als Araquilla in «La Navarraise» von Massenet. 1897 wirkte er am Teatro Fenice Venedig in der Uraufführung der Oper «La Falena» von Antonio Smareglia mit. Er gastierte auch an großen Opernhäusern im Ausland, so 1885 und 1887 an der Covent Garden Oper London (als José in «Carmen» und als Nadir in «Pêcheurs de perles») und 1887 an der Kroll-Oper Berlin. Seine großen Bühnenpartien waren der Radames in «Aida», der Titelheld in «Faust» von Gounod und die gleiche Rolle in «Mefistofele» von Boito. Er war verheiratet mit der Sopranistin *Ernestina Bendazzi-*

Garulli (1864–1931), einer Tochter der großen Primadonna *Luigia Bendazzi* (1833–1901).
Schallplatten: Zonophone (Mailand, 1902), Pathé (etwa 1905; auf dieser Marke auch einige Duette mit Ernestina Bendazzi-Garulli zusammen).

Gáti, Istvan, Bariton, * 1948 (?) Budapest; er wurde an der Franz Liszt-Akademie in Budapest ausgebildet. Er war Preisträger bei Gesangwettbewerben in Wien, Treviso, Moskau, Rio de Janeiro und gewann den Mozart-Wettbewerb in Salzburg. 1972 debütierte er an der Budapester Nationaloper, an der er eine große Karriere hatte. Es kam dann zu internationalen Gastspielauftritten in Italien, Frankreich, Polen, Spanien und Holland. Nachdem er an der Wiener Staatsoper gastiert hatte, war er seit 1986 vertraglich mit diesem traditionsreichen Haus verbunden. Auch im Rahmen der Salzburger Festspiele kam er zu erfolgreichen Auftritten. Sein Bühnenrepertoire war umfangreich und hatte seine Höhepunkte in Partien wie dem Don Giovanni und dem Leporello (1988 Opéra de Wallonie Lüttich) im «Don Giovanni», dem Figaro wie dem Grafen in «Nozze di Figaro», dem Guglielmo in «Così fan tutte», dem Papageno in der «Zauberflöte», dem Scarpia in «Tosca», dem Lescaut in «Manon Lescaut» von Puccini und dem Nick Shadow in «The Rake's Progress» von Strawinsky. An der Budapester Oper sang er in Uraufführungen der Opern «Csongor und Tünde» von Attila Bozay (25. 1. 1985) und «Ecce homo» von Sándor Szokolay (29. 1. 1987). Im Konzertsaal wurde er namentlich als Solist in Oratorien und religiösen Vokalwerken von J. S. Bach, Händel, Mozart, Beethoven, J. Brahms, F. Liszt und in Werken aus der Barockzeit bekannt.
Zahlreiche Schallplattenaufnahmen auf Hungaroton vorhanden, darunter Kantaten von J. S. Bach, «Don Sanche» und «Legende von der hl. Elisabeth» von F. Liszt, «Falstaff» von A. Salieri, «Il Barbiere di Siviglia» von Paisiello, «Don Pasquale» von Donizetti, «Simon Boccanegra» von Verdi, «Hunyadi László» von F. Erkel, «Der geduldige Sokrates» von Telemann, «Balthasar» und «Jonas» von Carissimi, Deutsches Requiem von Brahms, «Lieder aus des Knaben Wunderhorn» von G. Mahler.

Gatti-Porcinai, Elisa, s. unter *Porcinai*, Elisa.

Gebhardt, Horst, Tenor, * 17. 6. 1940 Silberhausen, Kreis Worbis (Eichsfeld, Bezirk Erfurt); er studierte zunächst Pädagogik in Weimar und schloß daran ein Weiterstudium als Fachlehrer für Musikerziehung an, das in den Jahren 1963–65 in Berlin stattfand. 1965–67 wirkte er als Fachlehrer für Musik in Breitenworbis, Kreis Worbis, und nahm dann das eigentliche Gesangstudium bei Hans Kremers in Weimar (1967–72) auf. 1972 wurde er Preisträger beim Internationalen Bach-Wettbewerb in Leipzig und beim Nationalen Wettbewerb für Opernsänger der DDR in Berlin. 1972 debütierte er am Staatstheater Schwerin als Châteauneuf in «Zar und Zimmermann» von Lortzing. 1974 wurde er von dort als erster lyrischer Tenor an das Opernhaus von Leipzig berufen, an dem er bis 1980 eine sehr erfolgreiche Karriere entwickelte. Seit 1980 war er Mitglied der Staatsoper Berlin. An diesem Haus wie auch bei regelmäßigen Gastspielen an der Staatsoper Dresden und am Opernhaus von Leipzig wandte er sich seit 1985 dann auch dem jugendlich-deutschen Tenor-Fach zu und sang jetzt Partien wie den Max im «Freischütz», den Erik im «Fliegenden Holländer» (1989), den Hans in der «Verkauften Braut» von Smetana, den Lyonel in Flotows «Martha» und den Elemer in «Arabella» von R. Strauss. Im Mittelpunkt seines Bühnenrepertoires standen jedoch Mozart-Partien wie der Belmonte in der «Entführung aus dem Serail», der Don Ottavio im «Don Giovanni», der Ferrando in «Così fan tutte», der Titelheld in «La clemenza di Tito» und der Tamino in der «Zauberflöte», dazu den Lenski im «Eugen Onegin», der Fenton in Verdis «Falstaff», der Narraboth in «Salome» von R. Strauss, der Flamand in dessen «Capriccio», der Jacquino im «Fidelio», der David in den «Meistersingern», der Alfredo in «La Traviata» und der Sesto in «Giulio Cesare» von Händel. Zahlreiche Gastspiele und Konzerte in 14 verschiedenen Ländern, darunter in Frankreich, Italien, Spanien, in Dänemark, England, Jugoslawien, in Westdeutschland, in der Sowjetunion, in der ČSSR, in Polen, Bulgarien, Japan und auf Kuba. Hinzu kommen eine Vielzahl von Rundfunk- und Fernsehsendungen.

Schallplatten: Eterna («Idomeneo», «Palestrina», «Parsifal»), Eterna-HMV («Alfonso und Estrella» von Schubert).

Geest, Simon van der, Tenor, * 15. 11. 1935 Haarlem (Holland); er erhielt seine Ausbildung am Muziek-Lyceum und am Konservatorium von Amsterdam und studierte weiter am Salzburger Mozarteum bei dem großen Tenor Julius Patzak und bei Rennert. Er debütierte 1968 an der Niederländischen Oper Amsterdam in der Partie des Tamino in der «Zauberflöte» und hatte an diesem Haus wie bei Gastspielen eine langjährige, erfolgreiche Karriere. Aus seinem weit gespannten Repertoire sind der Belmonte in der «Entführung aus dem Serail», der Don Ottavio im «Don Giovanni», der Ferrando in «Così fan tutte», der Idamante in Mozarts «Idomeneo», der Graf Almaviva in den Opern «Der Barbier von Sevilla» von Rossini wie von Paisiello, der Ernesto im «Don Pasquale», der Nemorino in «Elisir d'amore», der Fenton in den «Lustigen Weibern von Windsor» von Nicolai, der Hans wie der Wenzel in Smetanas «Verkaufter Braut», der Wilhelm Meister in «Mignon» von A. Thomas, der Zar in Lortzings «Zar und Zimmermann», die Hexe in «Hänsel und Gretel» von Humperdinck, der Riccardo in «Il Trionfo dell'onore» von Scarlatti und der Fischer in «Le Rossignol» von Strawinsky hervorzuheben. Im holländischen Fernsehen wirkte er in einer Aufführung der Oper «Hoffmanns Erzählungen» in der Titelpartie mit. Von fast noch größerer Bedeutung war seine Karriere als Konzertsänger, wo er ein sehr vielseitiges Repertoire zum Vortrag brachte. Dazu wirkte er in Haarlem als Pädagoge.

Geissler, Johanna, s. unter *Klemperer,* Joanna.

Geist, Carl, Tenor, * 25. 12. 1835 Frankenberg (Sachsen), † 28. 6. 1903 Dresden; er hieß eigentlich Carl Heiliggeist, studierte in Dresden und begann seine Bühnenkarriere 1859 am Hoftheater von Dessau. Es folgten Engagements am Stadttheater von Bremen, am Opernhaus von Köngsberg (Ostpreußen), am Deutschen Theater von Prag, am Düsseldorfer Opernhaus und schließlich an den Stadttheatern von Stettin und Lübeck. In der Hauptsache brachte er Partien für lyrischen Tenor zum Vortrag: den Don Ottavio im «Don Giovanni», den Tamino in der «Zauberflöte», den Lyonel in Flotows «Martha», den Titelhelden in «Alessandro Stradella», ebenfalls von Flotow, dazu viele andere Partien. Auch als Konzertsänger und später als Gesanglehrer bekannt geworden.

Geller-Wolter, Luise, Mezzosopran, * 27. 3. 1863 Rittergut Hohenborn bei Kassel, † 27. 10. 1934 Berlin; Gesangstudium bei Nina Zottmayr in Kassel, dann bei der berühmten Mathilde Marchesi in Paris. 1884 kam es zu ihrem Bühnendebüt am Hoftheater von Kassel, 1884–86 war sie am Stadttheater von Magdeburg, 1886 an der Berliner Kroll-Oper und 1886–90 am Hoftheater von Dessau engagiert. Im Anschluß an dieses Engagement trat sie auf der Bühne nur noch bei Gastspielen auf, entfaltete aber eine um so intensivere Tätigkeit als Konzert- und Oratoriensängerin. Bei den Festspielen von Bayreuth sang sie 1897–99 die Floßhilde und die Schwertleite im Nibelungenring, 1897 auch das Alt-Solo im «Parsifal» und 1904 die Erda und die Waltraute im Ring-Zyklus. 1896 gastierte sie an der Wiener Hofoper und am Hoftheater Hannover, 1897 am Hoftheater von Mannheim, 1899 am Theater des Westens Berlin, 1900 am Opernhaus von Leipzig, 1901 an der Berliner Hofoper; sie gastierte in Amsterdam bei den Aufführungen des Wagnervereins. 1906 gab sie Konzerte in Wien, dazu große Konzertkarriere in Deutschland wie in der Schweiz. Beim Krefelder Tonkünstlerfest sang sie in der Uraufführung der 3. Sinfonie von Gustav Mahler am 9. 6. 1902 das Alt-Solo. Aus ihrem Bühnenrepertoire sind zu nennen: die Fides im «Propheten» von Meyerbeer, die Azucena im «Troubadour», die Amneris in «Aida», die Ortrud im «Lohengrin», die Madelon in «Andrea Chénier» von Giordano und die Frau Reich in den «Lustigen Weibern von Windsor» von Nicolai. Höhepunkte in ihrem Konzertrepertoire waren die Solopartien in der 9. Sinfonie von Beethoven, im «Messias» wie in «Israel in Ägypten» von Händel, im Verdi-Requiem wie in Mendelssohns «Elias». Auch als Liedinterpretin geschätzt.

Gemert, Theo van, Bariton, * 20. 10. 1940 Kerkrade (Provinz Limburg, Holland); er war zunächst als Fußballspieler tätig und kam in seiner Heimatstadt wie in der holländischen Nationalmannschaft zu großen Erfolgen, erlitt aber im Alter von 29 Jahren einen schweren Unfall, der ihm ein Fortsetzen dieser Sportkarriere unmöglich machte. Darauf ließ, er am Konservatorium von Maastricht seine Stimme durch den Pädagogen Leo Ketelaars ausbilden. Er bestand die Solistenprüfung mit der höchsten Auszeichnung. Er begann seine Bühnenkarriere am Stadttheater von Aachen, an dem er in der Spielzeit 1970–71 bereits Partien wie den Germont-père in «La Traviata» und den Jochanaan in «Salome» von R. Strauss sang. 1973 folgte er einem Ruf an das Opernhaus von Wuppertal, an dem er seitdem eine langjährige erfolgreiche Karriere entfaltete. Hatte er zu Beginn seiner Karriere mehr das lyrische Fach gesungen, so entwickelte sich seine Stimme allmählich zum Charakter- und Heldenbariton, wobei ein besonderer Schwerpunkt sich im Wagner-Repertoire auftat. So sang er den Wotan wie den Wanderer und den Gunther in den Aufführungen des Ring-Zyklus in Wuppertal. Aus seinem Bühnenrepertoire sind weiter der Creonte in «Medea» von Cherubini, der Rigoletto, der Jago in Verdis «Othello», die Titelhelden in den Verdi-Opern «Nabucco», «Simon Boccanegra» und «Macbeth», der Scarpia in «Tosca», der Graf Luna im «Troubadour», der Telramund im «Lohengrin», der Amfortas im «Parsifal» und der Orest in der Richard Strauss-Oper «Elektra» zu nennen. Gastspiele brachten dem Künstler an Bühnen in Deutschland wie im Ausland Erfolge, mehrfach war er am Teatro Liceo Barcelona zu Gast. Hinzu traten Konzertauftritte in Deutschland, in seiner niederländischen Heimat, in Frankreich und in der Schweiz sowie Rundfunksendungen (zum Teil als Mitschnitte erhalten).

Gentile, Louis, Tenor, * 2. 9. 1957 im Staat Connecticut (USA); er wurde in New York zunächst als Bariton ausgebildet, wechselte aber noch während des Studiums ins Tenor-Fach. Er gewann in seiner amerikanischen Heimat mehrere Gesangwettbewerbe, darunter 1981 den Concours «Young Talent Presentet». Dann kam er nach Europa und wurde durch Gastspiele, Rundfunk- und Fernsehauftritte bekannt. 1983–86 war er am Staatstheater von Darmstadt, 1986–88 an den Vereinigten Theatern Krefeld–Mönchengladbach engagiert. Hier hatte er einen seiner größten Erfolge als Alfredo in «La Traviata». Er gastierte in Wien und Oslo, an der Niederländischen Oper Amsterdam (1988 in «Fidelio») und an der Berliner Staatsoper (1988 in «Judith» von Siegfried Matthus). Aus seinem Repertoire sind noch der Tamino in der «Zauberflöte», der Graf Almaviva im «Barbier von Sevilla», der Boris in «Katja Kabanowa» von Janáček, der Ormindo in Cavallis «L'Ormindo», der Rodolfo in «La Bohème», der Erik im «Fliegenden Holländer» und der José in «Carmen» zu nennen.

Gentilini, Amerigo, Tenor, * 10. 1. 1910 Pisa, † 13. 10. 1988 Pisa; er sang zuerst in einem Schulchor und trat 1927 dem Domchor von Pisa bei, erlernte aber den Beruf eines Buchdruckers. Seine Stimme wurde durch die Pädagogen Barsanti und Amatucci in Pisa ausgebildet; er war auch 1939 als Pinkerton in «Madame Butterfly» debütierte.1940 kam er zu seinem ersten großen Erfolg, als er an der Oper von Rom den Fischer in Rossinis «Wilhelm Tell» und den Astrologen in der Premiere von Rimsky-Korssa-

kows «Le Coq d'or» sang. 1941 gastierte er am Teatro Bellini Catania als Elvino in Bellinis «La Sonnambula», 1941 am Teatro Fenice Venedig in Verdis «Rigoletto» und in der Oper «Madonna Imperia» von Alfano. Ebenfalls 1941 fand sein Debüt an der Mailänder Scala in einer seiner Glanzrollen, dem Arturo in «I Puritani» von Bellini, statt. Nach erfolgreichen Auftritten in den letzten Kriegsjahren in Florenz, Piacenza, Pisa und am Teatro Massimo Palermo hörte man ihn 1947 wieder an der Scala als italienischen Sänger im «Rosenkavalier» von R. Strauss. Im gleichen Jahr 1947 gastierte er am Théâtre des Champs Élysées Paris als Fernando in Donizettis «La Favorita», in Zürich als Herzog im «Rigoletto» und als Graf Almaviva in Rossinis «Barbier von Sevilla». Es schlossen sich Auftritte an italienischen Opernbühnen in Mailand, Bologna, Lucca, Trient, Bari, bei den Festspielen von Verona (1948) und zwei Operntourneen durch Sizilien (1951–52), Gastspiele in Marseille (1952), Lugano, Freiburg i. Br., in San Remo und La Valletta auf Malta an. 1953 und 1954 nahm er an großen Gastspiel-Tourneen in Westdeutschland teil, 1957 bereiste er in ähnlicher Weise nochmals Deutschland und Holland. Er wirkte in mehreren Opernsendungen des italienischen Rundfunks RAI mit. Nach dem Tod seiner Gattin gab er seine Bühnenkarriere auf. Er zog sich in seine Heimatstadt Pisa zurück, wo er noch gelegentlich zusammen mit dem Domchor auftrat.
Schallplattenaufnahmen seiner Stimme entstanden 1940 in Mailand auf Columbia.

Gentiluomo-Spazzer, Louise, Sopran, * 1818 Wien, † (?); ihr Vater war österreichischer Hauptmann. Wie ihre jüngere Schwester *Antonia Spazzer-Palm* (* 1823) wurde sie Schülerin des in Wien wirkenden berühmten italienischen Gesangpädagogen *Giovanni Gentiluomo* (* 9. 6. 1809 Wien, † 22. 3. 1886 Wien), den sie dann auch 1836 heiratete. Erst 17 Jahre alt, betrat sie 1835 erstmalig die Bühne der Wiener Hofoper, an der sie in den folgenden vier Jahren ihre ersten großen Erfolge hatte. 1839 wurde sie zusammen mit ihrer Schwester Antonia an das Hoftheater Hannover verpflichtet, dem sie als gefeierte Primadonna bis 1842 angehörte. 1842–47 nahm sie die gleiche Stellung an der Dresdner Hofoper ein, gab aber dann bereits relativ früh ihre große Karriere auf. Diese hatte ihr nicht nur an den genannten Opernhäusern, sondern auch bei Gastspielen an den führenden Theatern im deutschen Sprachgebiet wie in Italien Triumphe gebracht. Zeitgenössischen Berichten zufolge besaß sie eine groß dimensionierte dramatische Sopranstimme, deren Koloraturtechnik allgemein bewundert wurde. So waren ihre großen Bühnenpartien die Desdemona in Rossinis «Otello», die Titelheldin in dessen «Semiramide», die Norma in der gleichnamigen Oper von Bellini und die Agathe im «Freischütz» von Weber.

George, Donald, Tenor, * 13. 9. 1955 San Francisco; der Künstler verbrachte seine Jugendzeit in New Orleans und begann die Ausbildung seiner Stimme an der Louisiana State University. Er ging zu weiteren Studien nach Europa und wurde in Berlin Schüler von Margarethe von Winterfeld, in München von Josef Metternich. Er kam dann am Theater am Gärtnerplatz in München zu einer langjährigen Karriere im lyrischen Tenorfach. Gastspiele an der Opéra du Rhin Straßburg, am Théâtre de la Monnaie Brüssel, in Wien, Leipzig, Amsterdam und Rom brachten internationale Erfolge. Am 15. 12. 1986 sang er in Brüssel in der Uraufführung der Oper «Das Schloß» von André Laporte; in Madrid wirkte er in der spanischen Erstaufführung der vollständigen Oper «Lulu» von A. Berg mit. Bei der Japan-Tournee der Wiener Staatsoper sang er 1986 den Belmonte in der «Entführung aus dem Serail», eine Partie, in der er auch beim Mozart-Fest in Würzburg, in Istanbul und bei der Operngesellschaft Forum in Enschede (Holland) gastierte. 1988 sang er als Antrittsrolle an der Deutschen Oper Berlin die Titelpartie in «Candide» von Bernstein (1989 dann auch im Barbican Centre London), am Stadttheater Gießen hörte man ihn als Titus in «La clemenza di Tito» von Mozart (1988). Von seinen Bühnenpartien sind noch der Tamino in der «Zauberflöte» (Komische Oper Berlin, 1989), der Faust von Gounod, der Ferrando in «Così fan tutte», der Alfredo in «La Traviata», der Nemorino in «Elisir d' amore», der Graf Almaviva im «Barbier von Sevilla», der Fenton in den «Lustigen Weibern von Windsor» von Nicolai (Deutsche Oper Berlin 1989), der Léopold in «La Juive» von Halévy (Bielefeld, 1989), der Antonio in Prokofieffs «Verlobung im Kloster» (Wexford Festival, 1989), der Leukippos in «Daphne» von R. Strauss, der Steuermann im «Fliegenden Holländer» (Festspiele von Bregenz, 1989), aber auch schwerere Partien wie der Jason in «Médée» von Cherubini, der Hans in Smetanas «Verkaufter Braut» und der Prinz Sou-Chong in der Lehár-Operette «Das Land des Lächelns» zu nennen. Nicht weniger von Bedeutung war seine Karriere als Konzert- und namentlich als Oratoriensänger. Hier reichte sein Repertoire von J. S. Bach und Händel bis zu Carl Orff, Benjamin Britten und Ralph Vaughan-Williams.

Schallplatten: Orfeo («Alzira» von Verdi)

Gerardi, Christine, Sopran, * 1777 Brünn (Brno), † (?); sie wird bei ihrer Heirat als «Tochter des Kattunfabrikanten Christian Gerardi in Mähren» und dessen Ehefrau Sofie, geborene Monti bezeichnet. Nach anderen Berichten soll ihr Vater kaiserlicher Bediensteter gewesen sein, der mit Leopold II. aus der Toskana nach Wien kam, doch scheint die erstere Version wahrscheinlicher. Die Fürstin Liechtenstein nennt sie in ihren Briefen einmal «emigrée allemande», dann wieder «cette jeune fille d' un négociant qui a fait banqueroute». Sie kam ganz jung in Wien zu einer erfolgreichen Karriere als Opern- wie als Konzertsängerin und übernahm bei Aufführungen im Palais Schwarzenberg wie im Palais Lobkowitz Hauptrollen in «Axur» von A. Salieri, in «Alceste» von Gluck und in Händels «Acis und Galatea». Sie sang in der Uraufführung der «Schöpfung» von J. Haydn am 29. 4. 1798 im Saal des Palais Schwarzenberg in Wien die Partie des Gabriel (am

folgenden Tag, dem 30. 4. 1798 übernahm Therese Saal die Partie). Es hat den Anschein, daß Haydn von vornherein ihr diese Partie zugedacht hatte und bei der Komposition ihre stimmlichen Möglichkeiten berücksichtigte. Darüber besagt eine Kritik von 1798, dem Jahr der Uraufführung der «Schöpfung»: «In der Gesellschaft der Musikliebhaber steht Frl. Christine Gerardi unter allen Sängerinnen am ersten Platze; ein vortreffliches Organ, Biegsamkeit und Wohlklang der Stimme, eine schöne Gestalt, sprechende Züge geben jedem Wort Kraft, jedem Ton Anmut . . .» Am 20. 8. 1798 heiratete die junge Sängerin den Arzt Dr. Josef Frank, Sohn des berühmten Hofrats und Direktors des Wiener Allgemeinen Krankenhauses Peter Frank. Da letzterer unter seinen vielen Patienten auch Ludwig van Beethoven behandelte, kam Christine Frank-Gerardi mit dem großen Komponisten in Berührung, an den sie schwärmerische Verse richtete, für die dieser sich bedankte. 1804 übersiedelten Vater und Sohn Frank, letzterer mit seiner Gattin, nach Wilna, wo beide eine Professur erhielten. Dort sang Christine Frank-Gerardi 1809 u. a. das Sopransolo in der «Schöpfung» in polnischer Sprache. Die Familie Frank-Gerardi kehrte bald darauf nach Wien zurück, doch scheint die Sängerin dort nicht mehr aufgetreten zu sein.

Gerbini, Luigia, Sopran, * 1770 (?) Turin, † (?); diese Künstlerin hatte gleichzeitig eine Karriere als Sängerin wie als Violinistin. Sie war in Turin Schülerin des Komponisten und Violinvirtuosen Giulio Pugnani gewesen. Ihr Name erscheint erstmalig, als sie 1790 am Teatro Bandeau von Goertz (Gorizia) mit der Sopranistin Maria Bellavigna alternierte. Im Oktober 1790 singt sie dann bereits am Théâtre des Variétés in Paris in einem Intermezzo «Il dilettante», das Musik mehrerer Komponisten enthielt. Die Kritik bezeichnet sie dabei als «une chanteuse et violiniste du plus grand talent». Im gleichen Winter singt sie bei den Concerts Spirituels in Paris mit; mit der Truppe des Théâtre du Monsieur war sie während des ganzen Jahres 1791 am Pariser Théâtre Feydeau anzutreffen. Im Januar 1794 gibt sie dann eine «Accademia» an der Mailänder Scala, bei der sie schwierige Koloraturarien von Paisiello und Pugnani sang und zugleich drei Violinkonzerte spielte. 1794 ist sie, allerdings nur als seconda donna, am Teatro della Pergola Florenz, engagiert. Für die Jahre 1794 und 1795 lassen sich große Konzertveranstaltungen in Livorno und Rom nachweisen, in denen sie stets als Sängerin wie als Violinistin auftritt, u. a. in einem Konzert, das der römische Senator Fürst Rezzonico zu Ehren des englischen Kronprinzen veranstaltete (4. 2. 1795). Ein ähnliches Konzert gab die Künstlerin am 1. 4. 1795 im Teatro Fondo Neapel. Während dieser Zeit ist sie auch als Bühnensängerin aufgetreten, so 1796 am Teatro Avvalorati Livorno, wo sie die Primadonna Louise Villeneuve ersetzte. 1798–99 war sie am Teatro Los Canòs von Madrid zu Gast und wirkte hier in der Uraufführung der Oper «La donna fanatica» von Guglielmi mit. 1799–1800 gehörte sie dem Teatro San Carlos Lissabon an. 1806 hörte man sie an der Mailänder Scala, 1807 in Wien,

1811 in Paris. 1812 gab sie erfolgreiche Konzerte in Brüssel. Mit einem Auftreten in London im Jahre 1818 verliert sich die Lebensspur der großen Künstlerin.

Gerbino, Giuseppina, Mezzosopran, * 29. 10. 1925 Stupinigi bei Turin; Ausbildung durch Contessa Irene Morozzo Della Rocca. Bühnendebüt am Teatro Civico von Biella als Lola in «Cavalleria rusticana». Sie sang dann über Radio Turin (RAI) als Partnerin von Lina Pagliughi in der Operette «Boccaccio» von F. von Suppé und nahm 1949 an ersten Experimenten mit musikalischen Sendungen des italienischen Fernsehens teil. Sie bereiste dann mit einer Gesellschaft Südamerika, die das Vaudeville «Carosello Napoletano» aufführte. 1951 sang sie in Turin die Partie der Samaritana in «Francesca da Rimini» von Zandonai und begann nun eine Karriere in kleinen und Comprimario-Partien des Mezzosopranfachs, die ihr an den großen Bühnen Italiens während der folgenden zwanzig Jahre allseitige Anerkennung eintrugen. Sie sang insgesamt über hundert derartige Rollen an der Mailänder Scala, am Teatro Fenice Venedig, am Teatro Regio Parma, am Teatro Grande Brescia, am Teatro Municipale Reggio Emilia, am Teatro Petruzzelli Bari und an vielen anderen Opernbühnen wie auch im italienischen Rundfunk. Die Sängerin war mit dem Violinisten Adriano Crotta verheiratet und ist auch unter dem Namen Giuseppina Gerbino-Crotta aufgetreten.
Schallplatten: Kleine Partien in Opern-Gesamtaufnahmen auf Cetra, darunter die Giovanna in Verdis «Rigoletto» zusammen mit Maria Callas, Giuseppe di Stefano und Tito Gobbi.

Gerl-Reisinger, Barbara, Sopran, * 1770 Bratislava (vielleicht auch Wien?), † 25. 5. 1806 Mannheim; sie gehörte zu einer jener Schauspieler- und Sängerfamilien wie sie für das 18. Jahrhundert im deutschböhmischen Raum kennzeichnend sind. Bereits als Kind stand sie seit 1780 in Mähren und Schlesien auf der Bühne und heiratete 1789 jung den Bassisten *Franz Xaver Gerl* (1764–1827), der seit 1786 der Truppe des Impresarios Emanuel Schikaneder in Regensburg angehörte und seit 1788 deren erster Bassist im Wiener Theater auf der Wieden war. 1789 wurde auch Barbara Gerl-Reisinger Mitglied dieses Theaters, an dem sie am 30. 9. 1791 in der Uraufführung von Mozarts «Zauberflöte» die Partie der Papagena kreierte, während Franz Xaver Gerl den Sarastro sang. (Über die mit der Besetzung der «Zauberflöten»-Uraufführung verbundenen Probleme s. unter *Gerl, Judas Thaddäus*). Sie trat in Wien auch in Opern von Pietro Alessandro Guglielmi und in Singspielen auf, die ihr Gatte komponiert hatte. 1792 verließ Barbara Gerl-Reisinger die österreichische Metropole und ging zuerst an das Theater von Brünn (Brno), 1802 zusammen mit Franz Xaver Gerl an das Hoftheater von Mannheim, wo sie vier Jahre später, erst 36 Jahre alt starb. Ihr Gatte heiratete in zweiter Ehe 1808 ihre ältere, verwitwete Schwester, die Sängerin und Schauspielerin *Magdalene Dengler-Reisinger*.

Germain, John, Bariton, * 23. 10. 1930 Sydney; er wurde zunächst Schullehrer, studierte dann jedoch Gesang am New Youth Wales Conservatory bei Raymond Beatty und bei dem Pädagogenehepaar Portnoj in Melbourne. Bühnendebüt 1957 bei der Australian Opera Sydney als Schaunard in Puccinis «La Bohème». Für mehr als zwanzig Jahre blieb er Mitglied dieses bedeutendsten Opernhauses auf dem australischen Kontinent. Seine Glanzrollen waren der Escamillo in «Carmen», der Titelheld in «Figaros Hochzeit», der Rigoletto, der Germont-père in «La Traviata», der Malatesta in Donizettis «Don Pasquale», der Belcore in «Elisir d'amore», der Figaro wie der Bartolo im «Barbier von Sevilla» von Rossini, der Sharpless in «Madame Butterfly», der Jack Rance in «La fanciulla del West», der Faninal im «Rosenkavalier» von R. Strauss, der Nick Shadow in «The Rake's Progress» von Strawinsky und der König in «Die Kluge» von Carl Orff. Im Lauf seiner langen Karriere war er in Australien auch in einem vielseitigen Konzertrepertoire zu hören.

Germani-Ferni, Virginia, s. unter *Ferni,* Virginia.

Gerz, Irmgard, Alt, * 13. 10. 1900 Vallendar bei Koblenz, † 21. 9. 1971 Köln; sie erhielt ihre Ausbildung zunächst am Konservatorium von Koblenz (1919–24), dann am Hoch'schen Konservatorium in Frankfurt a. M. (1925–28) und war auch Schülerin der großen Sopranistinnen Hermine Bosetti und Anna Bahr-Mildenburg. Seit 1927 trat sie als Konzertsängerin auf. In der Spielzeit 1930–31 hatte sie am Stadttheater von Kaiserslautern ihr erstes Bühnenengagement. 1931–32 war sie am Nationaltheater von Weimar, 1932–35 an der Staatsoper von München und 1935–42 an der Staatsoper von Hamburg tätig. 1942 folgte sie einem Ruf an das Opernhaus nach Köln, an dem sie in den folgenden zwanzig Jahren bis zu ihrem Bühnenabschied 1962 sang. Bereits in Hamburg wirkte sie 1938 in der Uraufführung der Oper «Das Brandmal» von Vittorio Giannini mit; in Köln sang sie 1957 in der Uraufführung von Wolfgang Fortners «Bluthochzeit» die Partie der Schwiegermutter. Außerdem übernahm sie am Opernhaus von Köln 1948 die Titelpartie in der deutschen Erstaufführung von Benjamin Brittens «The Rape of Lucretia». 1952 war sie, ebenfalls in Köln, in der deutschen Premiere der Oper «Iwan der Schreckliche» von Bizet zu hören; 1936 sang sie in Hamburg in der deutschen Erstaufführung der Ur-Fassung des «Boris Godunow» die Partie der Amme. Weitere Bühnenpartien der auch als Konzert- und Oratoriensängerin hoch geschätzten Künstlerin waren die Carmen, die Amneris in «Aida», die Erda im Ring-Zyklus, die Herodias in «Salome» von R. Strauss, die Zulma in Rossinis «Italiana in Algeri», der Silla in «Palestrina» von H. Pfitzner, die Ulrike in «Friedemann Bach» von P. Graener und die Gundula in Siegfried Wagners «Bärenhäuter».

Geyersbach, Gertrude, Sopran, * 1884 (?), † (?); als erstes Engagement der Künstlerin läßt sich ihre Tätigkeit an der Berliner Below-Oper in der Spielzeit 1907–08 finden. 1908–09 sang sie am Stadttheater von Heidelberg, 1909–17 am Hoftheater Darmstadt und 1917–22 am Hoftheater (später Staatstheater) Wiesbaden. 1922–25 war sie Mitglied der Wiener Staatsoper, an der sie bereits 1912, 1914–15, 1921 (und nochmals 1928) als Gast aufgetreten war. 1925–28 gehörte sie dem Opernhaus von Breslau an. 1912 und 1920 war sie als Gast am Opernhaus von Frankfurt, 1926 und 1928 an der Berliner Staatsoper anzutreffen; auch als Konzert-, Oratorien- und Liedersängerin kam sie zu einer bedeutenden Karriere. Besonders bekannt wurde sie durch ihr Auftreten bei den Festspielen in der Waldoper von Zoppot. Dort sang sie 1924 die Sieglinde in der «Walküre», 1925 die Elisabeth im «Tannhäuser», 1926 und 1932 die Elsa im «Lohengrin», 1927 und 1931 die Gutrune in der «Götterdämmerung», 1931 eine der Rheintöchter im Nibelungenring. Dazu beherrschte sie eine Vielzahl von Partien aus dem lyrisch-dramatischen Repertoire: die Titelfigur in Glucks «Iphigenie in Aulis», die Donna Elvira im «Don Giovanni», die Pamina in der «Zauberflöte», die Agathe im «Freischütz», die Senta im «Fliegenden Holländer», die Desdemona im «Othello» von Verdi, die Tosca, die Salome in der gleichnamigen Richard Strauss-Oper, die Kaiserin in dessen «Frau ohne Schatten», die Els im «Schatzgräber» von Franz Schreker, die Carmen, die Marietta in der «Toten Stadt» und die Titelheldin in «Das Wunder der Heliane» von Korngold. 1926 sang sie am Opernhaus von Breslau in der Uraufführung der Oper «Das Lied der Nacht» von Hans Gál die Partie der Lionora.

Gherardi, Bianca, Sopran, * 1898 (?); die Sängerin hatte in den zwanziger Jahren unseres Jahrhunderts eine erfolgreiche Karriere an Opernhäusern in der italienischen Provinz. Bereits 1921 sang sie am Teatro della Pergola Florenz Partien wie die Amina in Bellinis «La Sonnambula», die Rosina im «Barbier von Sevilla» und die Gilda im «Rigoletto». 1924 war sie am Teatro Rossi von Pisa als Rosina zu hören, 1928 am Teatro Politeama Pisa als Lucia di Lammermoor. Sie ist auch im Ausland in Erscheinung getreten; so sang sie 1927 in Havanna in einer Operntruppe, der auch der berühmte spanische Tenor Hipolito Lazaro angehörte.
Ihr Koloratursopran ist durch eine einzige Schallplattenaufnahme überliefert; auf Columbia singt sie zusammen mit dem Bariton Benvenuto Franci ein Duett aus dem «Barbier von Sevilla» (1932).

Ghibaudo, Edvige, Alt, * 1870 (?), † (?); die Sängerin hatte in den Jahren um die Jahrhundertwende eine große Karriere an den italienischen Opernhäusern. 1900–01 sang sie an der Mailänder Scala die Brangäne im «Tristan» und die Marthe in «Mefistofele» von A. Boito. 1900 hörte man sie am Teatro Regio Parma als Azucena im «Troubadour». 1901 gastierte sie am Deutschen Theater von Prag. Am 6. 11. 1902 wirkte sie am Teatro Lirico Mailand in der Uraufführung der Oper «Adriana Lecouvrcur» von Cilca in der Partie des Principessa de Bouillon mit, während die weiteren Hauptrollen mit Angelica

Pandolfini, Enrico Caruso und Giuseppe de Luca glänzend besetzt waren. 1902 trat sie am Teatro San Carlo Neapel auf. Nach Beendigung ihrer Bühnenlaufbahn wirkte sie als Pädagogin am Conservatorio Rossini in Pesaro, wo Adelaide Saraceni zu ihren Schülern gehörte, danach an der Academia di Santa Cecilia in Rom. Dort bildete sie u. a. Cloe Elmo, Maria Pedrini und Ruggero Raimondi aus. Neben den bereits aufgeführten Partien sang sie u. a. die Ulrica in Verdis «Ballo in maschera», die Maddalena im «Rigoletto» und die Amneris in «Aida».
Schallplattenaufnahmen der Künstlerin sind nicht vorhanden.

Giani, Luigi, Bariton, * 19. 3. 1864 Turin, † 1922 Turin; er erhielt seine Ausbildung in den Jahren 1881–91, unterbrochen durch seinen Dienst bei der italienischen Armee 1885–87, am Liceo Musicale di Torino bei Maestro Delfino Thermignon. Zusätzlich zu seinem Gesangstudium lernte er das Spiel von sechs verschiedenen Musikinstrumenten bis zur Perfektion. 1892 begann er seine Bühnenkarriere in Saluzzo, konnte aber zunächst nur ein Engagement in kleinen Partien erreichen. 1894 hatte er dann seinen ersten großen Erfolg, als er am Teatro Vittorio Emanuele von Turin den Valentin im «Faust» von Gounod vortrug und dann dort auch als Amonasro in «Aida» brillierte. Er kam nun zu einer Karriere an den führenden italienischen Opernhäusern in Rollen wie dem Grafen Luna im «Troubadour», dem Don Carlos in «La forza del destino» von Verdi, dem Dogen in «I due Foscari», dem Barnaba in «La Gioconda» von Ponchielli, dem Telramund im «Lohengrin», dem Don Sallustio in «Ruy Blas» von Filippo Marchetti und dem Arbace in «Jone» von Enrico Petrella. Seine besondere Glanzrolle war der Carlo in Verdis «Ernani», den er 1900 am Teatro Dal Verme Mailand als Partner der berühmten Celestina Boninsegna und an vielen anderen Bühnen sang. Sehr große Erfolge hatte er bei Auftritten in Nord- und namentlich in Südamerika. Nachdem er 1910 seine Karriere wegen des Verlustes seiner Stimme hatte aufgeben müssen, geriet er schnell in Vergessenheit und ist krank und ganz verarmt zwölf Jahre darauf verstorben.

Giband, Félix, Baß, * 1924; Mitte der fünfziger Jahre begann er seine Bühnenlaufbahn an französischen Theatern und trat bereits 1957 an der Mailänder Scala in Charpentiers «Louise» auf. Seit 1960 wirkte er am Théâtre de la Monnaie Brüssel. Hier sang er 1961 in der französischsprachigen Erstaufführung der Oper «Das schlaue Füchslein» von Janáček die Partie des Pfarrers. Er trat oft als Gast an der Opéra de Wallonie Lüttich auf; seit Mitte der sechziger Jahre konzentrierte er seine Tätigkeit auf die großen französischen Provinzbühnen wie Lyon, Rouen, Toulouse, Avignon und Bordeaux. In den Jahren 1969–73 kam er zu einer erfolgreichen Karriere an der Grand Opéra Paris und sang während dieser Zeit auch an der dortigen Opéra-Comique. 1974 wirkte er in der Uraufführung der Oper «Goya» von T. Aubin am Opernhaus von Lille mit. Er setzte seine Tätigkeit bis zum Ende der achtziger Jahre

fort. Auf der Bühne sang er u. a. den Mephisto im «Faust» von Gounod, den Nilakantha in «Lakmé» von Delibes, den Papst in «Benvenuto Cellini» von Berlioz, den Frère Laurent in «Roméo et Juliette» von Gounod, den Bartolo in «Nozze di Figaro», den König Philipp in Verdis «Don Carlos», den Sparafucile im «Rigoletto», den Ferrando im «Troubadour», den Timur in Puccinis Oper «Turandot», den Gessler in Rossinis «Wilhelm Tell», aber auch Wagner-Partien wie den König Heinrich im «Lohengrin» und den Fasolt im «Rheingold».
Schallplatten: Philips (Opernquerschnitte).

Giesen, Karl, Baß, * 1871, †Januar 1922 Karlsruhe; er trat zuerst als Konzertbassist auf und kam 1903 am Stadttheater von Regensburg zu seinem Operndebüt. Nachdem er dort während einer Spielzeit gesungen hatte, folgten Engagements an den Stadttheatern von Trier (1904–05), Nürnberg (1905–08) und Graz (1908–09). 1909–16 war er am Opernhaus von Köln tätig und seit 1916 bis zu seinem Tod als erster Bassist am Hoftheater (Landestheater) von Karlsruhe. Gastspiele führten ihn an das Hoftheater von Coburg (1905), an das Stadttheater (Opernhaus) von Hamburg (1907), an die Berliner Kroll-Oper (1908), an die Hofopern von Berlin (1911), Wien (1911) und München. Höhepunkte in seinem ausgedehnten Bühnenrepertoire waren der Sarastro in der «Zauberflöte», der Rocco im «Fidelio», der Daland im «Fliegenden Holländer», der Landgraf im «Tannhäuser», der König Marke im «Tristan», der Hunding in der «Walküre», der Gurnemanz im «Parsifal», der Marcel in den «Hugenotten» von Meyerbeer, der Kardinal Brogni in «La Juive» von Halévy, der Mephisto im «Faust» von Gounod und der Colline in Puccinis «La Bohème». Während seiner gesamten Karriere war er als Konzert- und Oratoriensolist erfolgreich.

Gießwein, Max, Tenor, * 1864, † 10. 2. 1937 Berlin; nachdem er zu Beginn seiner Karriere als Konzertsänger aufgetreten war, begann er sein Wirken auf der Bühne 1895–97 mit einem Engagement am Stadttheater (Opernhaus) von Hamburg. 1897–99 war er am Opernhaus von Frankfurt a. M. engagiert, 1899–1901 an der Hofoper von Dresden, 1901–04 an der Hofoper von Stuttgart. 1904–06 war er Mitglied des Opernhauses von Düsseldorf, 1906–07 des Stadttheaters von Elberfeld. Danach lebte er in Berlin und ging von dort aus bis 1912 seiner Tätigkeit als Gastspielsänger nach. Bereits 1899 und 1902 hatte er am Hoftheater Karlsruhe gastiert, 1901 am Hoftheater von Mannheim, 1899 am Hoftheater Wiesbaden, 1903 an der Münchner Hofoper und seit 1898 mehrfach am Opernhaus von Leipzig. Hatte er zu Beginn seiner Bühnenkarriere vornehmlich lyrische Partien wie den Faust von Gounod, den Lyonel in Flotows «Martha» oder den Froh im «Rheingold» gesungen, so verlegte er sich später auf das heldische Stimmfach und sang u. a. den Max im «Freischütz», den Florestan im «Fidelio», den Erik im «Fliegenden Holländer», den Lohengrin, den Walther von Stolzing in den «Meistersingern», den Siegmund in der «Walküre» und den Siegfried in der «Götterdämme-

rung», schließlich auch den Manrico im «Troubadour», den Eleazar in «La Juive» von Halévy, den José in «Carmen», den Tannhäuser und Charakterrollen wie den Loge im «Rheingold» und den Herodes in «Salome» von R. Strauss.

Gill, Richard, Baß, * 30. 11. 1927 Long Branch (New Jersey); er studierte Ökonomie und Finanzwissenschaft und war Lecturer on Economics an der Harvard Universität. Er veröffentlichte fünf wissenschaftliche Bücher in seinem Fach, schrieb aber auch Kurzgeschichten und Artikel in renommierten amerikanischen Zeitschriften. Nach erfolgter Ausbildung seiner Stimme durch Herbert Mayer in Boston und New York entschloß er sich, eine zweite Karriere als Opernsänger zu beginnen. 1970 kam es zu seinem Bühnendebüt an der Oper von Boston als Lumpensammler in «Louise» von Charpentier. 1973 wurde er an die Metropolitan Oper New York engagiert. Hier wie an der City Centre Opera New York hatte er eine erfolgreiche Karriere; Gastspiele an der Oper von Houston/Texas und in anderen amerikanischen Großstädten bei einer gleichzeitigen intensiven Konzerttätigkeit. Seine Hauptpartien auf der Bühne waren der Sarastro in der «Zauberflöte», der Seneca in Monteverdis «Incoronazione di Poppea», der Creon in «Medea» von Cherubini, der Sulpice in Donizettis «La fille du régiment», der Warlaam wie der Pimen in «Boris Godunow», der Colline in Puccinis «La Bohème» und der Tiresias in «Oedipus Rex» von Strawinsky.
Mitschnitte von Opernaufführungen aus der Metropolitan Oper sind vorhanden.

Gillig, Charles, Baß, * 29. 10. 1906 Bischheim im Elsaß, † 1. 2. 1961 Zürich; er arbeitete zunächst im Typographengewerbe, dann im Schallplattenarchiv von Radio Straßburg. Erst relativ spät kam er zur Ausbildung seiner Stimme, die durch Georges Jouatte in Paris erfolgte. 1941–44 wirkte er am Stadttheater von Mülhausen (Mulhouse, Elsaß) und hatte in den Jahren 1945–49 Engagements am Opernhaus von Lyon wie am Théâtre Municipal Straßburg. 1949 folgte er einem Ruf an das Stadttheater von Basel, dessen Mitglied er bis 1952 blieb. Nachdem er in der Saison 1953–54 am Stadttheater Saarbrücken gesungen hatte, war er seit 1954 bis zu seinem Tod Mitglied des Opernhauses von Zürich. Er gastierte an den Theatern von Bern und St. Gallen. Auf der Bühne beherrschte er ein weitläufiges Repertoire, das Partien für seriösen wie für Baß-Buffo enthielt und von Mozart und Rossini bis zu Verdi, Wagner, Richard Strauss, Strawinsky und A. Honegger reichte. Am 26. 3. 1952 wirkte er am Stadttheater von Basel in der Uraufführung der Oper «Leonore 40/45» von Rolf Liebermann (als Lejeune) mit, in Zürich sang er am 6. 6. 1957 in der szenischen Uraufführung von Schönbergs «Moses und Aron»; 1950 nahm er an der deutschen Erstaufführung von Menottis «The Consul» in Basel teil. Als Konzertbassist hörte man ihn in den Schweizer Musikzentren, in Amsterdam, Brüssel, Paris, Frankfurt a. M., Stuttgart und Berlin, ebenfalls in einem umfangreichen Repertoire.

Schallplatten: IGI (Altoum in «Turandot» von F. Busoni).

Gimenez, Raúl, Tenor, * 1951 in Argentinien; er absolvierte sein Studium in Buenos Aires und debütierte dort auch am Teatro Colón 1980 als Ernesto im «Don Pasquale» von Donizetti. Nachdem er in Buenos Aires und bei Gastspielen wie Konzerten in Südamerika seine ersten Erfolge erzielt hatte, kam er 1984 nach Europa. Hier stellte er sich beim Wexford Festival in Irland als Filandro in «Le astuzie femminili» von Cimarosa vor. Man erkannte in ihm bald einen Spezialisten für das italienische Belcanto-Repertoire. In Paris wie in Venedig sang er die Titelrolle in «Otello» von Rossini, an der Oper von Rom wie am Théâtre des Champs-Élysées Paris den Elvino in Bellinis «La Sonnambula». 1987 gastierte er beim Rossini Festival von Pesaro in «L'Occasione fà il ladro» von Rossini, in Amsterdam als Nemorino in «Elisir d' amore», an der Oper von Rom als Alessandro in «Il Re pastore» von Mozart. 1988 übernahm er bei den Festspielen von Aix-en-Provence die beiden Partien des Gernando und des Carlo in der Rossini-Oper «Armida». Am Teatro Regio Turin hatte er als Ernesto im «Don Pasquale», am Opernhaus von Zürich wie in Toronto als Graf Almaviva im «Barbier von Sevilla» (1989) wichtige Erfolge. Hervorragende Beherrschung der Gesangstechnik und lyrische Tonschönheit kennzeichnen auch seine Darbietungen im Konzertsaal.
Schallplatten: Nimbus (Rossini-Arien, «Soirées musicales» von Rossini, Lieder argentinischer Komponisten).

Ginkel, Peter van, Baß-Bariton, * 10. 3. 1932 Eindhoven (Holland); er kam ganz jung nach Kanada, arbeitete zunächst im Baugewerbe, ließ dann aber seine Stimme am Quebec Conservatoire de Musique in Montreal ausbilden. Ergänzende Studien bei Kurt Herbert Adler und bei Otto Guth in San Francisco. Er debütierte beim Empire State Music Festival in Woodstock (New York) in der Rolle des Colonel Ibbetson in «Peter Ibbetson» von Deems Taylor. Seine Karriere kam einerseits in Nordamerika, andererseits in Europa, und hier vor allem an westdeutschen Bühnen, zur Entwicklung. Er sang an den führenden kanadischen Opernhäusern in Toronto, Montreal, Ottawa und Vancouver und gastierte an den Opern von Chicago (u. a. 1978 in der Uraufführung von Pendareckis «The Paradise Lost» als Satan) und San Francisco. Im deutschen Sprachraum hörte man ihn an der Staatsoper von Stuttgart, am Nationaltheater Mannheim, in Köln, Dortmund, an der Deutschen Oper am Rhein Düsseldorf-Duisburg und während längerer Zeit am Opernhaus von Nürnberg. Neben seinem Wirken im Konzertsaal sind von seinen Bühnenpartien der Figaro in «Figaros Hochzeit», der Alfonso in «Così fan tutte», der Rigoletto, der Jago in Verdis «Othello», der Kaspar im «Freischütz» von Weber, der Fliegende Holländer, der Wotan wie der Alberich im Nibelungenring, der Escamillo in «Carmen», der Plumkett in Flotows «Martha», der Gérard in «Andrea Chénier» von Giordano, der Sharpless in «Madame Butterfly»,

der Titelheld in Puccinis «Gianni Schicchi», der Jochanaan in «Salome» von R. Strauss, der Kaiser von China in «Le Rossignol» von Strawinsky, der Titelheld in Alban Bergs «Wozzeck», der Boris Godunow und der Cardillac in der Oper gleichen Namens von Hindemith zu erwähnen.
Schallplatten: CBC (Lieder von Beethoven und Hugo Wolf).

Ginrod, Friedrich, Baß-Bariton, * 1904 Mexico City, † 22. 4. 1978 Mönchengladbach; er war der Sohn deutscher Eltern und hieß eigentlich Fritz Ferdinand David. Er wuchs in Hamburg auf und erhielt seine Ausbildung durch Hans Reinmar und Rudolf Bockelmann in Hamburg, danach noch bei H. Lunzer in Wien. Er hatte sein Bühnendebüt 1929 am Stadttheater von Bremerhaven, an dem er bis 1931 blieb. Danach sang er 1932–33 am Stadttheater von Halle/Saale, 1933–34 am Staatstheater von Wiesbaden, 1934–35 am Opernhaus von Breslau, mußte Deutschland dann aber aus politischen Gründen verlassen. Nach einem erfolgreichen Gastspiel erhielt er 1935 einen Ruf an die Wiener Staatsoper, der er bis 1939 angehörte. Dann verließ er Europa und emigrierte in die USA. Hier sang er bei verschiedenen Operntruppen, u. a. 1940 an der Oper von St. Louis und war in den Jahren 1944–46 an der Metropolitan Oper New York verpflichtet. 1950 kehrte er wieder nach Deutschland zurück und setzte hier seine Karriere an den Stadttheatern von Heidelberg (1950–51) und Krefeld (1951–56) und schließlich nochmals am Landestheater von Schleswig (1961–63) fort. Bereits vor dem Zweiten Weltkrieg hatte er Gastspiele unternommen (Triest, Kairo), 1940 war er am Opernhaus von Havanna zu Gast; nach 1950 erschien er wiederholt als Gast an der Staatsoper von Wien, aber auch an italienischen Theatern (so 1956 am Teatro Comunale Florenz). Er trug vor allem das italienische und das deutsche Bühnenrepertoire seines Stimmfachs vor und sang den Grafen Luna im «Troubadour», den Germontpère in «La Traviata», den Renato in Verdis «Ballo in maschera», den Amonasro in «Aida», den Tonio im «Bajazzo», den Alfio in «Cavalleria rusticana», den Papageno in der «Zauberflöte», den Pizarro im «Fidelio», den Fliegenden Holländer, den Kurwenal im «Tristan», den Hans Sachs in den «Meistersingern» (den er auch an der Metropolitan Oper New York vortrug), den Klingsor im «Parsifal», den Salomon in «Die Königin von Saba» von Goldmark, den Jochanaan in «Salome», den Mandryka in «Arabella» von R. Strauss, den Sebastiano in «Tiefland» von E. d'Albert und den Grafen Brühl in «Friedemann Bach» von Paul Graener. Er ist später auch gelegentlich als Schauspieler aufgetreten. In den USA erschien er zuerst unter dem Namen Federico Ginrod, später als Frederick Gynrod.

Ginzer, Frances, Sopran, * 19. 9. 1955 Calgary im kanadischen Staat Alberta; sie erhielt ihre Ausbildung an der Calgary University (1976 Bachelor of Music), an der North Texas State University (1979 Master of Music) und an der Universität von Toronto, wo sie 1981 ihr Diplom erwarb. Nachdem sie

mehrere Gesangwettbewerbe gewonnen hatte, debütierte sie 1981 bei der Canadian Opera Toronto als
Clothilde in Bellinis «Norma», während Joan Sutherland die Titelpartie sang. Sie übernahm dann am
gleichen Opernhaus auch die Antonia in «Hoffmanns Erzählungen». In den Jahren 1981–83 betätigte sie sich vor allem als Konzert- und Oratoriensolistin in ihrer kanadischen Heimat. So hörte man sie
in Toronto im Verdi-Requiem, in der 9. Sinfonie von
Beethoven, im «Messias» von Händel und in der
«Schöpfung» von Haydn. 1983 kam es zu ihrem
europäischen Bühnendebüt am Staatstheater Karlsruhe, wiederum als Antonia. Sie trat bis 1987 in
Karlsruhe auf und folgte dann einem Ruf an die
Deutsche Oper am Rhein Düsseldorf–Duisburg, an
der sie seit 1987 engagiert war. Sie gab Gastspiele an
den Staatsopern von Hamburg und Stuttgart, an den
Opernhäusern von Frankfurt a. M., Köln, Bonn und
Zürich, am Staatstheater Hannover, am Theater am
Gärtnerplatz München, bei der English National
Opera London, bei der Welsh Opera Cardiff, an der
Vancouver Opera und an vielen anderen kanadi-
schen Bühnen. Von den Partien, die Bestandteil
ihres Bühnenrepertoires waren, sind zu nennen: die
Violetta in «La Traviata», die Micaela in «Carmen»,
die Konstanze in der «Entführung aus dem Serail»,
die Donna Anna im «Don Givanni», die Gräfin in
«Figaros Hochzeit», die Lucia di Lammermoor, die
Cleopatra in «Giulio Cesare» von Händel, die So-
phie im «Rosenkavalier», die Aminta in der
«Schweigsamen Frau» von R. Strauss, die Leila in
«Pêcheurs de perles» von Bizet, die Mimi in «La
Bohème», die Jenufa in der gleichnamigen Oper von
Janáček und die Rosalinde in der «Fledermaus».
Schallplatten: HMV-Electrola («Rodrigo» von Hän-
del), Decca («Adriana Lecouvreur» von Cilea).

Giordani, Carmine, Sänger und Komponist, * etwa
1685 Cerreta Sannita bei Benevento, † 1758 Neapel;
er wirkte als Sänger in Neapel, ohne daß Einzelheiten über seine Karriere bekannt wären, wurde aber
auch als Komponist geschätzt. Eine von ihm komponierte Oper «La vittoria d'amor coniugale» wurde
1712 in Neapel aufgeführt. Unter seinen sonstigen
Kompositionen findet sich eine Kantate für Solo-
Sopran und Versetti für Orgel. Der Komponist Giuseppe Giordani (1743–98), der über 30 Opern
schrieb, ist aller Wahrscheinlichkeit nach sein Sohn.
Dagegen besteht zwischen ihm und dem bekannte-
ren Opernkomponisten Tommaso Giordani, der um
1730 ebenfalls in Neapel geboren war, hauptsächlich
in England wirkte und 1806 in Dublin starb, keine
Verwandtschaft.

Giordano, Enrico, Tenor, * 2. 11. 1851 Canale Pie-
monte, † 24. 2. 1903 Turin; er stammte aus einer
armen Familie, die in seiner Kindheit nach Turin
verzog. Mit Hilfe eines Mäzens konnte seine Stimme
durch die Turiner Pädagogin Candiani zur Ausbildung kommen. Im Mai 1873 debütierte er am Teatro
Civico von Fossano (Piemont) als Manrico im
«Troubadour» von Verdi. In dieser Partie hatte er im
Frühjahr 1874 am Teatro Comunale Vicenza großen
Erfolg. Im gleichen Jahr sang er am Teatro Balbo

Turin den Carlo in «Linda di Chamounix» als Part-
ner der berühmten Primadonna Erminia Frezzolini.
1878 wirkte er am Teatro Carlo Felice Genua in der
Uraufführung der Oper «Il Conte di San Romano»
von De Giosa mit; 1879 gastierte er am Teatro
Niccolini Florenz und am Opernhaus von Malaga.
Nachdem er 1880 am Teatro Malibran Venedig als
Edgardo in «Lucia di Lammermoor» von Donizetti
und als Titelheld im «Faust» von Gounod Aufsehen
erregt hatte, sang er in der Spielzeit 1880–81 an der
Mailänder Scala den Titelhelden in «Ruy Blas» von
Marchetti und den Max im «Freischütz» von Weber.
1881 nahm er an einer großen Südamerika-Tournee
teil, die durch die Peralta Opera Company veranstaltet wurde. 1882 gastierte er am Teatro Regio Turin
als Elvino in «La Sonnambula» von Bellini und als
Edgardo in «Lucia di Lammermoor», 1886 am Teatro Comunale Bologna als José in «Carmen», 1887
am Teatro Carlo Felice Genua als Nadir in «Pêcheurs de perles» von Bizet. Er sang weiter in Cremona (1887), Alessandria (1888), Livorno (1889),
am Teatro Costanzi Rom (1890) und am Opernhaus
von Nizza (1887). 1889 gastierte er an der Mailänder
Scala als Alfonso in «Zampa» von Hérold. In der
Saison 1891–92 war er als Turiddu in «Cavalleria
rusticana» und als Faust von Gounod am Teatro Fraschini von Pavia zu finden, 1895 sang er den Turiddu
am Teatro Comunale Vicenza. In den Jahren 1892–
1895 gab er auch Gastspiele in Südamerika. Erkrankt zog sich der Künstler, der seit 1887 mit der
Opernsängerin *Anna Borgillo* verheiratet war, nach
Turin zurück.

Girardi, Piero, Tenor, * 1900 (?); dieser Sänger
übernahm in den Jahren nach 1930 eine Anzahl von
leichteren lyrischen und Comprimario-Partien an
der Mailänder Scala, darunter den Cassio in Verdis
«Othello» und den Arturo in «Lucia di Lammermoor». Sein Name verdient Erwähnung, weil er in
zwei vollständigen Opernaufnahmen auf Schallplatten mitgewirkt hat: auf HMV in Verdis «Othello» als
Cassio (zusammen mit Nicola Fusati, Maria Carbone und Apollo Granforte, 1932) und auf Columbia in Giordanos «Fedora» (in zwei kleinen Partien
mit Gilda Dalla Rizza in der Titelrolle).

Giri, Pierisa, Sopran, * 3. 6. 1908 Turin, † 4. 6. 1975
Genua; sie studierte anfänglich Klavierspiel bei
Francesco Da Venezia in Turin, dann Gesang. Sie
war bereits als Pianistin in Erscheinung getreten,
bevor sie als Sängerin in Konzertveranstaltungen
zusammen mit dem großen Tenor Tito Schipa auftrat. 1929 debütierte sie am Teatro Regio Turin in
«Le Comte Ory» von Rossini und sang bereits in den
folgenden beiden Jahren an so bedeutenden Theatern wie an der Mailänder Scala, dem Teatro San
Carlo Neapel, dem Teatro Costanzi Rom, dem Teatro Carlo Felice Genua und dem Teatro Regio
Turin. 1932 hörte man sie am Teatro Costanzi Rom
in der Partie der Euridice im «Orpheus» von Gluck
mit Gabriella Besanzoni in der Titelrolle; 1936 sang
sie in Rom in der Uraufführung von A. Bizzelis «Il
dottor Oss». Sehr erfolgreich gestalteten sich Auftritte der Künstlerin beim Maggio musicale von Flo-

renz; hier sang sie 1938 in «L'Isola disabitata» von Haydn, 1939 in «Le astuzie femminili» von Cimarosa und 1940 in «Acis and Galatea» von Händel. An der Mailänder Scala wirkte sie 1939 als Solistin in der Messa prima von Sonzogno mit. Sie beteiligte sich auch während mehrerer Jahre an Italien-Tourneen der reisenden Operngesellschaft Carro di Tespi Lirico, bei der sie als Mimi in «La Bohème», als Gilda im «Rigoletto» und als Rosina in Rossinis «Barbier von Sevilla» auftrat. 1934–35 gastierte sie an der Covent Garden Oper London als Partnerin von Conchita Superria in «La Cenerentola» und in «L'Italiana in Algeri» von Rossini.

Giuliani, Attilio, Baß, * 1890 (?); sein Name ist im Zusammenhang mit einigen Schallplattenaufnahmen von Bedeutung. So sang er 1931 in einer abgekürzten Fassung von Donizettis «Don Pasquale» die Titelrolle dieser Oper zusammen mit Ines Alfani-Tellini, Cristi Solari und Lorenzo Conati. In England wurde bei Parlophon eine Schallplatte mit zwei Arien veröffentlicht, die Leporello-Arie aus «Don Giovanni» und die Arie «Manca un foglio» aus dem «Barbier von Sevilla» (bei der es sich um eine Komposition von Pietro Romani handelt, die in der Original-Partitur Rossinis nicht vorkommt). Über die Karriere des Sängers waren keine weiteren Daten zu ermitteln; es scheint sich um einen Baß-Buffo zu handeln, der in der Hauptsache an kleineren italienischen Theatern aufgetreten ist.

Giussani, Renata, Sopran, * 21. 2. 1915 Turin; sie war in Rom Schülerin der berühmten Giuseppina Baldassare-Tedeschi und wurde auch durch den großen Tenor Benjamino Gigli beraten. 1942 gewann sie den Concorso Nazionale di Canto in Alessandria. Wegen der Kriegsverhältnisse kam sie zunächst nur zu einer Konzertkarriere. 1945 begann sie dann ihre Bühnenlaufbahn am Teatro Alfieri von Asti. Über kleinere italienische Bühnen kam sie bald an Häuser wie das Teatro Lirico Mailand, das Teatro Verdi Pisa, das Teatro San Carlo Neapel, die Opernhäuser von Rom, Nizza, Pavia und Genua. Sie sang dort viele Partien: die Traviata, die Lucia di Lammermoor, die Rosina im «Barbier von Sevilla» von Rossini, die Titelheldin in dessen «La Cenerentola», die Mimi in Puccinis «La Bohème», die Tosca, die Manon in «Manon Lescaut», die Nedda in «Bajazzo», die Suzel in «Amico Fritz» von Mascagni, die Norina im «Don Pasquale» und die Adina in «Elisir d' amore» von Donizetti. Höhepunkt in ihrem Bühnenrepertoire war jedoch unbestritten die Madame Butterfly in der gleichnamigen Puccini-Oper.

Gjungjenac-Gavella, Zlata, Sopran, * 11. 3. 1898 Čazma (Kroatien), † 26. 6. 1982 Zagreb; sie begann ihre Ausbildung am Konservatorium von Zagreb und setzte sie bei Irene Schlemmer-Ambros in Wien fort. 1918 debütierte sie an der Kroatischen Nationaloper Zagreb als Königin der Nacht in der «Zauberflöte» und wurde 1919 als Mitglied in das Ensemble dieses Hauses aufgenommen. Bis 1947 wirkte sie als erste Sopranistin an der Oper von Zagreb und kam durch Gastspiele auch zu internationalem An-

sehen. So gastierte sie 1939 an der Staatsoper und 1943 an der Volksoper von Wien, auch am Nationaltheater Prag, am Opernhaus von Brno (Brünn), in Triest, London und Berlin. Sie sang auf der Bühne wie im Konzertsaal ein sehr umfangreiches Repertoire, das in Rollen wie der Mimi in Puccinis «La Bohème», der Tosca, der Butterfly, der Violetta in «La Traviata», der Marguerite im «Faust» von Gounod, der Carmen, der Salome und der Jenufa in den gleichnamigen Opern von Richard Strauss und L. Janáček seine Höhepunkte hatte. Auf dem Gebiet des Konzertgesangs brillierte sie vor allem als Solistin in Oratorien. 1947–52 wirkte sie als Professorin an der Musikakademie von Ljubljana (Laibach), dann bis 1964, gleichfalls als Professorin, an der Akademie von Belgrad.

Glahn, Paul, Baß, * 3. 5. 1934 Münster (Westfalen); er war in Leipzig Schüler des Pädagogen F. Polster. 1956–59 war er als Chorsänger am Opernhaus von Leipzig beschäftigt. 1959 debütierte er als Solist an diesem Operninstitut in der Partie des Ossip in der Oper «Der Revisor» von Werner Egk. Er ist während seiner gesamten, langjährigen Karriere Mitglied dieses Hauses geblieben. Man schätzte ihn vor allem als Mozart-Interpreten in Partien wie dem Leporello im «Don Giovanni», dem Titelhelden in «Figaros Hochzeit» und dem Papageno in der «Zauberflöte», doch hatte sein Bühnenrepertoire einen großen Umfang. Gastspiele des Künstlers fanden meistens innerhalb des Leipziger Ensembles statt; auch als Konzertsolist konnte er in einer Vielfalt von Aufgaben Erfolge erzielen.
Schallplatten: Eterna (Brander in vollständigem «Faust» von Gounod).

Glassman, Allan, Bariton-Tenor, * 1951 (?) Brooklyn (New York); er erhielt seine Ausbildung zum Sänger am Hartt College of Music, an der Juilliard School in New York sowie bei dem Pädagogen William Metcalf. Er begann seine Laufbahn als Bariton 1975 bei der Michigan Opera und sang dann u. a. bei der Philadelphia Opera (1978), seit 1979 bei der Washington Opera und seit 1980 bei der City Centre Opera New York. Sein Bariton-Repertoire umfaßte Partien wie den Dandini in Rossinis «La Cenerentola», den Figaro im «Barbier von Sevilla», den Belcore in «Elisir d' amore», den Enrico in «Lucia di Lammermoor», den Ford im «Falstaff» von Verdi und den Schaunard in «La Bohème». Mitte der achtziger Jahre wurde dann seine Stimme in der Opernschule der New Yorker Metropolitan Oper zum Tenor umgeschult, und 1985 debütierte er als solcher an der Metropolitan Oper in der Rolle des Edmondo in «Manon Lescaut» von Puccini. Nachdem er dort anfänglich kleinere Partien (Pong in «Turandot», Tybalt in «Roméo et Juliette», Cassio im «Othello») gesungen hatte, begann er an anderen amerikanischen Bühnen mit dem Vortrag der großen Partien seines neuen Stimmfachs. Er sang jetzt den Bacchus in «Ariadne auf Naxos» von R. Strauss, den Alfredo in «La Traviata», den Osaka in «Iris» von Mascagni und den Titelhelden in «Hoffmanns Erzählungen». In den folgenden Spielzeiten hörte man ihn dann auch an der Metropolitan Oper als Alfredo, als Faust von Gounod und als Eisenstein in der «Fledermaus». 1982 wirkte er in New York in der amerikanischen Erstaufführung der Oper «Eine Florentinische Tragödie» von A. Zemlinsky mit. In der Spielzeit 1989–90 war er auch an der Oper von Frankfurt a. M. engagiert.

Glauser, Elisabeth, Alt, * 1. 6. 1943 Interlaken (Kanton Bern); sie studierte am Konservatorium von Bern bei Felix Loeffel, dann bei Arne Sunnegaardh in Stockholm und in Italien bei Carlo Zattoni. Sie begann ihre Bühnenlaufbahn mit einem Engagement am Stadttheater von Pforzheim 1971–73. 1973–75 sang sie am Stadttheater von Freiburg i. Br., 1975–82 am Opernhaus von Dortmund, 1982–88 an der Staatsoper von Stuttgart. Sie ging von ihrem Wohnsitz in Freiburg i. Br. einer ausgedehnten Gastspieltätigkeit nach. Seit 1976 trat sie mehrfach bei den Festspielen von Bayreuth auf, darunter 1976–80 als Rossweiße in der «Walküre». Bei den Festspielen von Glyndebourne des Jahres 1985 gastierte sie als Adelaide in der Richard Strauss-Oper «Arabella», 1988 an der Oper von Rom als Herodias in «Salome». Weitere Gastspiele an der Komischen Oper Berlin, an der Deutschen Oper am Rhein Düsseldorf-Duisburg, am Opernhaus von Zürich, in Bologna und Reggio Emilia, am Teatro Fenice Venedig, am Grand Théâtre Genf, in Bern und St. Gallen, am Opernhaus von Köln, am Teatro San Carlo Lissabon, am Staatstheater Hannover und bei den Festspielen von Schwetzingen. Aus ihrem Bühnenrepertoire seien die Marcellina in «Nozze di Figaro», die Maddalena im «Rigoletto», die Azucena im «Troubadour», die Quickly im «Falstaff» von Verdi, die Magdalene in den «Meistersingern», die Kundry im «Parsifal», die Fricka, die Erda, die Waltraute und die Floßhilde im Ring-Zyklus, der Octavian wie die Annina im «Rosenkavalier», die Klytämnestra in «Elektra» von R. Strauss, die Gräfin Geschwitz in «Lulu» von A. Berg und die Lucretia in B. Brittens «The Rape of Lucretia» erwähnt. Als Konzert- und Oratorienaltistin erschien sie in Werken von J. S. Bach, Händel, Mozart, Mendelssohn, Rossini, Brahms, Beethoven und Liszt bei den Festwochen von Luzern und Interlaken, in Basel, Bern, Zürich und Genf, in Lissabon, Genua, Stuttgart, Rom und Turin und in zahlreichen Rundfunksendungen. Seit 1988 Pädagogin am Konservatorium von Bern.
Schallplatten: Philips (Rossweiße in integraler Aufnahme der «Walküre» aus Bayreuth).

Glavačević, Marija (Mica), Sopran, * 2. 2. 1916 Valpova (Jugoslawien), † 14. 6. 1974 Zagreb; nach ihrer Ausbildung debütierte die Künstlerin 1949 am Theater von Osijek (Esseg) als Musetta in Puccinis «La Bohème». Bis 1952 wirkte sie an dieser Bühne und sang dann 1952–55 am Opernhaus von Rijeca (Fiume). 1955 wurde sie an die Kroatische Nationaloper in Zagreb engagiert, an der sie eine jahrelange, sehr erfolgreiche Karriere durchlief. Sie war dort in einem vielseitigen Repertoire zu hören, das Partien wie die Königin der Nacht in der «Zauberflöte», die

Donna Anna wie die Donna Elvira im «Don Giovanni», die Titelfigur in «Lucia di Lammermoor», die Gilda im «Rigoletto», die Leonore im «Troubadour», die Violetta in «La Traviata», die Dula in «Ero, der Schelm» von Gotovac, die Antonida in «Iwan Susanin» («Ein Leben für den Zaren») von Glinka und die Rosina im «Barbier von Sevilla» umfaßte. Gastspiele wie Konzertauftritte kennzeichnen den weiteren Ablauf ihrer Karriere.
Schallplatten: Decca (Antonida in vollständiger Aufnahme von Glinkas «Iwan Susanin»), Jugoton.

Glehn, Rhoda von, Sopran, * 3. 7. 1881 London, † 19. 8. 1964 Aachen; sie erhielt ihre erste Ausbildung in London, die sie u. a. bei Jean de Reszke in Paris weiterführte. 1912 erschien sie an der Covent Garden Oper London als Woglinde im Nibelungenring, verließ aber bei Beginn des Ersten Weltkriegs England (da beide Eltern Deutsche waren) und wurde an die Hofoper von Stuttgart (später Staatsoper Stuttgart) verpflichtet, deren Mitglied sie bis zur Aufgabe ihrer Karriere 1933 blieb. Sie wurde bei ihrem Abschied zum Ehrenmitglied des Hauses ernannt. In Stuttgart sang sie in der Uraufführung der Oper «Mona Lisa» von Max von Schillings (26. 9. 1915) die Partie der Ginevra, in der Uraufführung von Siegfried Wagners «An allem ist Hütchen schuld» (6. 12. 1917) die Rolle der Müllerin. Sie wirkte dort in der deutschen Erstaufführung von Othmar Schoecks «Don Ranudo» (1919) mit und sang die Elena in der Premiere der in Deutschland ganz vergessenen Verdi-Oper «Die Sizilianische Vesper» (1930). Gastspiele führten sie an die Opernhäuser von München, Berlin, Frankfurt a. M. und Zürich. Ihr Bühnenrepertoire setzte sich aus Partien wie der Königin der Nacht in der «Zauberflöte», der Fiordiligi in «Così fan tutte», der Titelheldin in Flotows «Martha», der Berthalda in «Undine» von Lortzing, der Margiana in «Der Barbier von Bagdad» von Cornelius, der Zerbinetta in «Ariadne auf Naxos» von R. Strauss, der Elsa im «Lohengrin», der Gilda im «Rigoletto», der Traviata, der Desdemona in Verdis «Othello», der Philine in «Mignon» von Thomas, der Eudoxia in «La Juive» von Halévy, der Marguerite de Valois in Meyerbeers «Hugenotten», der Olympia wie der Antonia in «Hoffmanns Erzählungen» von Offenbach zusammen. Auch als Konzertsopranistin durchlief sie eine bedeutende Karriere.

Glomme, Edmund, Bariton, * 22. 9. 1845 Groß-Walddorf, † 27. 11. 1913 Hamm in Westfalen; er widmete sich zunächst dem Studium der Philosophie, wandte sich dann aber dem Musikstudium und der Ausbildung seiner Stimme zu. Diese Ausbildung erfolgte an der Neuen Akademie der Tonkunst in Berlin. 1869 betrat er am Stadttheater von Plauen (Sachsen) erstmalig die Bühne. 1870 wurde er an das Stadttheater von Magdeburg verpflichtet und sang in schnell aufeinander folgenden Engagements an den Stadttheatern von Stralsund und Rostock, in Breslau und Posen (Poznań), am Viktoriatheater wie an der Kroll-Oper Berlin, an den Stadttheatern von Aachen und Danzig. Gastspielreisen führten den Sänger nach Holland, in die Schweiz und an russische Opernhäuser. 1881–89 war er als Sänger, hauptsächlich aber als Opernregisseur, am Hoftheater von Altenburg (Thüringen) tätig. Bis 1907 war er in Dresden noch bei Gastspielen, vor allem aber als Konzertsolist, zu hören, gleichzeitig betätigte er sich als Pädagoge. Er war neben seinem Wirken als Sänger auch ein geschätzter Rezitator und Schriftsteller; so trat er als Verfasser von Festspielen, Prologen und ähnlichen Arbeiten hervor. Seine Hauptrollen auf der Bühne waren der Figaro in «Figaros Hochzeit» wie im «Barbier von Sevilla», der Don Giovanni, der Papageno in der «Zauberflöte», der Germont-père in «La Traviata», der Rigoletto und der Wolfram im «Tannhäuser».

Gloy, Johann Christoph, Baß, * 10. 2. 1794 Lübeck, † 31. 5. 1879 Hamburg; 1808 betrat er, ganz jung, in Altona erstmals die Bühne und wurde bald ein geschätzter Baß-Buffo. Einer Tradition des deutschen Theaters folgend, trat er auch als Darsteller komischer Rollen in Schau- und Lustspielen auf. Er wirkte in der Folgezeit an Bühnen in Kiel und Flensburg und kam 1815 an das Stadttheater von Hamburg. Länger als 50 Jahre gehörte er diesem Haus an, an dem er bis zu seinem Bühnenabschied 1866 eine Fülle von Partien aller Art vortrug. Aus seinem Opernrepertoire sind der van Bett in «Zar und Zimmermann» von Lortzing, der Baculus im «Wildschütz», der Bartolo im «Barbier von Sevilla» von Rossini und der Don Pedro in «L'Africaine» von Meyerbeer zu nennen.

Gluck, Nanette (Marianna), Sopran, * 1759 Wien, † 22. 4. 1776 Wien; sie war die Tochter des Rittmeisters Claudius von Hedler und einer Schwester des berühmten Komponisten Christoph Willibald von Gluck (1714–87). Dieser nahm sie an Kindesstatt in seine Familie auf und ließ sie durch den Sänger und Pädagogen Giuseppe Millico, mit dem er befreundet war, ausbilden. Sie zeigte eine hervorragende Begabung als Sängerin, und Gluck nahm sie 1775 auf seine Reise nach Paris mit. Zuvor hatte sie bereits in Wien am österreichischen Kaiserhof und bei Konzerten in den Palais des Wiener Hochadels Aufsehen erregt. Sie wurde jedoch, erst 17 Jahre alt, das Opfer einer Pockenepidemie. Von ihrem Onkel, der sie als seine «kleine Nachtigall» besonders liebte, wurde sie tief betrauert. Herzog Karl August von Weimar schrieb dem fassungslosen großen Komponisten einen eigenhändigen Trostbrief, den Wieland ihm übermittelte.

Gnone, Francesco, Baß, * 1820 (?) Alessandria, † Dezember 1883 Florenz; er studierte zuerst Jura in der Absicht wie sein Vater Anwalt zu werden. Dann kam es jedoch zur Ausbildung seiner Stimme durch die Pädagogen Cornaglia und Abbadia in Alessandria, die durch weitere Studien in Mailand bei Mazzucato, Piacenti und del Prati ergänzt wurde. Bereits 1843 sang er bei einem Gastspiel des berühmten Tenors Giovanni Battista Rubini in Berlin den Oroveso in «Norma» von Bellini. 1844 wurde er an das Teatro Carolino Palermo verpflichtet und sang dann in Cremona, Neapel und 1845 am Teatro Carignano Turin in «Medea» von Cherubini. Im April 1846 wirkte er an der Mailänder Scala in der Uraufführung einer Oper «Il Borgomastro di Schiedam» von Rossi mit und trat als Partner der berühmten Sopranistin Eugenia Tadolini in Erscheinung. In der Karnevalssaison 1847 war er am Teatro Regio Parma als Partner von Marianna Barbieri-Nini und von Antonio Poggi anzutreffen. Die Opernhäuser von Faenza, Genua und Rom waren weitere Stationen seiner erfolgreichen Karriere. 1849 sang er wieder an der Mailänder Scala den Titelhelden in «Macbeth» und den Ezio in «Attila» von Verdi, 1860 trat er dort als Partner der berühmten Sofia Cruvelli in Rossinis «Barbier von Sevilla» auf. Nachdem er bereits zuvor an der Oper von Marseille zu Gast gewesen war, kam er nach 1861 zu bedeutenden Erfolgen bei mehreren Gastspielen an französischen Bühnen. Sein Repertoire enthielt vor allem Partien in Opern von Rossini, Donizetti und aus der frühen Schaffensperiode von Verdi. Nach Aufgabe seiner Bühnenkarriere wirkte er als Pädagoge in Florenz. Sein Sohn, *Napoleone Gnone,* wurde ein bekannter Tenor.

Gobbi, Clotilde, s. unter *Operti-Gobbi,* Clotilde.

Goffi, Giovanni, Tenor, * 4. 7. 1904 Turin; seine musikalische Begabung zeigte sich schon im Kindesalter; mit sechs Jahren trat er öffentlich als Pianist auf. Er studierte in Turin dann Gesang und debütierte, bereits sehr erfolgreich, 1924 am Teatro Malibran Venedig in der Rolle des Rodolfo in Puccinis «La Bohème». Er setzte seine Karriere an den großen italienischen Bühnen in Partien wie dem Alfredo in «La Traviata», dem Herzog im «Rigoletto», dem Pinkerton in «Madame Butterfly», dem Titelhelden im «Faust» von Gounod, dem Grafen Almaviva im «Barbier von Sevilla» von Rossini und dem Elvino in Bellinis «La Sonnambula» fort. Von besonderer Bedeutung wurden seine Beziehungen zum italienischen Rundfunk. In der ersten Übertragung einer vollständigen Oper am 6. 7. 1929 über Radio Turin sang er den Alfredo in Verdis «La Traviata»; am 3. 8. 1929 folgte eine weitere Opernsendung mit «La Bohème», in der er den Rodolfo sang. 1931 wirkte Giovanni Goffi am Teatro Carignano Turin in der Uraufführung der Oper «L'Amoroso furfante» von Giulio Gedda mit. In Turin war er oft am Teatro Regio, am Teatro Vittorio Emanuele wie am Teatro Balbo anzutreffen. Seine Karriere führte zu beachtlichen Erfolgen an den italienischen Operntheatern wie in den Konzertsälen und immer wieder in Rundfunksendungen.
Schallplatten: Cetra.

Gohl, Verena, Alt, * 6. 7. 1925 Winterthur (Schweiz); Ausbildung der Stimme durch Annelies Gamper in Winterthur und durch Melitta Hirzel in Zürich, dann durch Sylvia Gähwiller. 1945 begann sie eine internationale Karriere als Konzertsängerin. Einerseits erwies sie sich als bedeutende Solistin in Oratorien und weiteren Vokalwerken, anderseits als Liedersängerin von großer Begabung. Dabei reichte

ihr Repertoire von Werken der Barock-Epoche (J. S. Bach, Händel) über die Klassik und die Romantik bis hin zu zeitgenössischen Kompositionen (Hindemith, E. Křenek, A. Honegger, Strawinsky, H. Sutermeister, F. Martin). Konzertauftritte und Liederabende trugen ihr in den Städten ihrer Schweizer Heimat, bei den Berliner Festwochen, beim Israel Festival, in Paris, Toulouse, Besançon, in Hamburg, Stuttgart, Nürnberg und Freiburg i. Br., in Bologna, Venedig und Madrid große Erfolge ein; außerdem unternahm sie eine England-Tournee und trat in zahlreichen Rundfunksendungen auf. Auf der Bühne hat sie nur am Theater von Luzern die Dorabella in «Così fan tutte» gesungen. Verheiratet mit dem Dirigenten und Pädagogen Willi Gohl (* 1925); auch ihre Tochter *Verena-Barbara Gohl* (* 26. 8. 1959 Winterthur) kam, ähnlich wie ihre Mutter, zu einer bedeutenden Karriere als Konzert-Mezzosopranistin und trat gelegentlich auch auf der Bühne (Augsburg, Heidelberg, Luzern) in Erscheinung.
Schallplatten: Hänssler-Verlag (Bach-Kantaten), Turnabout (Messe F-dur von J. Haydn), Disco-Jecklin (Notturni von Mozart).

Goldsticker-Lißner, Carrie, Alt, * 1851, † 1914 Saarbrücken; sie stammte aus den USA, vielleicht war ihre Familie ursprünglich holländischer Abkunft. Sie begann ihre Karriere 1877–78 am Stadttheater von Nürnberg und wurde dann an das Hoftheater von Karlsruhe engagiert, dessen Mitglied sie bis 1883 blieb. Es folgte eine Spielzeit am Opernhaus von Köln (1884–85). 1885–86 sang sie an der Metropolitan Oper New York, kam dann aber wieder nach Deutschland zurück und trat jetzt 1886–89 am Stadttheater von Halle (Saale) auf. Ihre Karriere kam bis 1891 an der Deutschen Oper Rotterdam zum Abschluß. Sie gastierte an den großen deutschen Opernbühnen, u. a. am Hoftheater Mannheim (1882) an der Oper von Frankfurt a. M. (1883) und seit 1886 oft am Opernhaus von Leipzig. Von den Partien, die sie auf der Bühne sang, sind zu nennen: die Donna Elvira im «Don Giovanni», die Azucena im «Troubadour», die Ortrud im «Lohengrin», die Fricka wie die Waltraute im Nibelungenring.

Golowin, Dimitrij Danilowitsch, Bariton, * 26. 10. (7. 11.) 1894 Bjesospassnoje bei Stawropol (Nordkaukasus), † 25. 7. 1966 Anapa (Krasnodarskij Kraij, Nordkaukasus); nachdem er bereits in Kirchenchören gesungen hatte, kam es 1915 zu einem ersten Bühnenauftritt am Theater von Sewastopol, wobei er den Künstlernamen Sokolski benutzte. 1919 sang er als Gast in Stawropol die Titelpartie im «Dämon» von Rubinstein, ging dann aber nach Moskau und studierte 1921–24 am dortigen Konservatorium vor allem bei dem Pädagogen N. G. Rajski. 1923 sang er einige Partien bei der Zimin-Oper in Moskau. 1924 wurde er an das Bolschoj Theater Moskau verpflichtet, an dem er bis 1943 an führender Stelle im Ensemble des Hauses wirkte. Er sang dort wie bei Gastspielen, die ihn nach Monte Carlo, Paris und Mailand (1928) und natürlich in die Zentren des russischen Musiklebens führten, ein umfangreiches Bühnenrepertoire. Als besondere Höhepunkte sind daraus hervorzuheben: der Titelheld im «Boris Godunow» von Mussorgsky, der Escamillo in «Carmen», der Valentin im «Faust» von Gounod, die Titelrollen in Borodins «Fürst Igor» und in «Mazeppa» von Tschaikowsky, der Figaro in «Figaros Hochzeit» wie im «Barbier von Sevilla» von Rossini, der Don Giovanni, der Jago in Verdis «Othello», der Tonio im «Bajazzo», der Wolfram im «Tannhäuser», der Scarpia in «Tosca» und der Amonasro in «Aida». Im Lauf seiner langen Karriere kam der Künstler auch zu großen Erfolgen in einem reichhaltigen Konzertrepertoire.
Schallplattenaufnahmen der staatlichen sowjetrussischen Produktion (Melodiya).

Goltz, Alfred, Bariton/Tenor, * 13. 12. 1877 Emmendingen (Baden), † (?); er wurde zuerst als Bariton ausgebildet und war bis 1905 in diesem Stimmfach tätig. Er sang nacheinander am Stadttheater von Nürnberg (1899–1900), am Stadttheater von Regensburg (1900–1901), am Stadttheater von Koblenz (1901–02), am Stadttheater von Rostock (1902–03), am Stadttheater von Basel (1903–04) und am Stadttheater von Mülhausen (Mulhouse, Elsaß 1904–05). Er ließ seine Stimme dann zum Tenor umschulen und wurde nach einem erfolgreichen Gastspiel an das Opernhaus von Leipzig verpflichtet, dessen Mitglied er bis 1908 blieb. 1908–10 sang er an der Hofoper von Stuttgart, 1910–12 am Hoftheater von Coburg. Seine Karriere erreichte ihren Höhepunkt mit einem Engagement an der Deutschen Oper Berlin–Charlottenburg, der er bis zu seiner Einziehung zum Militärdienst 1917 angehörte. Nach Kriegsende sang er noch 1919–20 am Nationaltheater Weimar. 1909 wirkte er in Stuttgart in der Uraufführung der Oper «Prinzessin Brambilla» von W. Braunfels mit. Er gastierte an vielen deutschen Bühnen, so an der Hofoper Dresden, am Hoftheater Braunschweig, an den Opernhäusern von Breslau und Riga. Sein Repertoire als Tenor enthielt vornehmlich heldische Partien wie den Erik im «Fliegenden Holländer», den Lohengrin, den Siegmund in der «Walküre», den Parsifal, den Loge im «Rheingold», den Tristan, den Arnoldo in Rossinis «Wilhelm Tell», den Turiddu in «Cavalleria rusticana», den Canio im «Bajazzo», aber auch den Tamino in der «Zauberflöte» und den Faust von Gounod.
Schallplatten: Homochord (Solo-Aufnahmen aus Opern), alle als Tenor.

Gonda, Anna, Mezzosopran, * Januar 1950 Miskolc (Ungarn); mit 13 Jahren begann sie das Klavierstudium, mit 17 ihre Gesangsausbildung; in den Jahren 1969–74 Gesang- und Musikstudium an der Franz Liszt-Musikakademie in Budapest. 1974 schloß sie dieses Studium mit ihrer Diplomprüfung ab. 1974–76 wurde sie in der Opernklasse von Frau Dagmar Freiwald-Lange in Berlin weiter ausgebildet und trat zum Abschluß in einer Aufführung des «Orpheus» von Gluck in der Titelpartie dieser Oper auf. 1976–78 war sie am Stadttheater von Rostock engagiert. 1978–81 übte sie eine Lehrtätigkeit am

Konservatorium von Györ (Ungarn) aus. 1981 wurde sie durch Karl Böhm an die Wiener Staatsoper berufen, deren Mitglied sie seither blieb. Mit der Wiener Staatsoper unternahm sie zahlreiche Gastspiele, u. a. in Barcelona und im Rahmen einer Japan-Tournee (1986). Bei den Salzburger Festspielen wirkte sie am 7. 8. 1984 in der Uraufführung der Oper «Un Re in ascolto» von Luciano Berio mit. Von den Partien, die sie auf der Bühne sang, sollen die Azucena im «Troubadour», die Ulrica in Verdis «Ballo in maschera», die Amneris in «Aida», die Maddalena im «Rigoletto», die Quickly in «Falstaff» von Verdi, die Federica in «Luisa Miller», die Preziosilla in «La forza del destino», die Erda im Ring-Zyklus, die Brangäne im «Tristan», die Dalila in «Samson et Dalila» von Saint-Saëns, die Magdalena im «Evangelimann» von Kienzl, die Marina im «Boris Godunow», die Olga im «Eugen Onegin», die Herodias in «Salome» und die Klytämnestra in «Elektra» von R. Strauss wie in «Iphigenie in Aulis» von Gluck, der Orpheus, die Hexe in «Hänsel und Gretel» und die Penelope in Monteverdis «Il ritorno d' Ulisse in patria» genannt sein. Die Sängerin trat bei Konzerten und Liederabenden in Österreich, in Frankreich und in der Schweiz in Erscheinung.
Schallplatten: DGG (Zulma in Rossinis «Italiana in Algeri», Margret im «Wozzeck» von A. Berg).

Gonzaga, Otoniel, Tenor * 1945(?) auf den Philippinen; er begann seine Bühnenkarriere 1967, sang in Amerika und in Europa, dort seit 1973 am Stadttheater von Trier, dessen Mitglied er bis 1977 war. 1977–79 war er am Stadttheater von Augsburg engagiert, 1978–88 am Opernhaus von Frankfurt a. M. 1988 folgte er einem Ruf an die Oper von Köln. Durch Gastspielverträge war er der Staatsoper Stuttgart (1979–81), dem Münchner Theater am Gärtnerplatz (1980–84) und der Volksoper Wien (1985–86) verbunden. 1975 gastierte er am Teatro Liceo Barcelona, 1985 am Stadttheater von Bern, 1986 in Genua. Auf der Bühne hörte man ihn zunächst im lyrischen Fachbereich, u. a. als Ferrando in «Così fan tutte», als Grafen Almaviva im «Barbier von Sevilla», als Faust in der gleichnamigen Oper von Gounod und als Luigi in Puccinis «Il Tabarro». Später übernahm er heldische Partien darunter den Titelhelden in Verdis «Othello» (Aachen, 1990). Insgesamt ist er in 70 großen Partien aufgetreten. Auch als Konzertsolist konnte er sich immer wieder auszeichnen.

Gorochowskaja, Jewgenia, Mezzosopran, * 1946(?) Baku; sie studierte am Konservatorium von Leningrad, wo sie in erster Linie Schülerin von Tatjana Lawrowa war. 1969 kam es zu ihrem Bühnendebüt am Maly-Theater, dem kleinen Opernhaus von Leningrad, in der Partie des Lehl in «Snegourotchka» von Rimsky-Korssakow. 1976 wurde sie Mitglied des Opernhauses (Kirow-Theater) von Leningrad und kam nun zu einer bedeutenden Opern- wie Konzertkarriere in der Sowjetunion wie im Ausland. Ihre Glanzrollen waren die Ljubascha in der «Zarenbraut» von Rimsky-Korssakow, die Prinzessin Eboli in Verdis «Don Carlos» und die Azucena im «Trou-

badour». Bekannt wurde sie auch als Interpretin von Mezzosopran-Partien in zeitgenössischen sowjetrussischen Opernwerken. Nicht weniger großes Ansehen erlangte sie als Konzertsängerin in einem weitläufigen Repertoire. Im Ausland ist sie in der DDR, in Rumänien, Spanien und Frankreich, in der ČSSR, in Griechenland, in der Schweiz und in den USA zu hören gewesen.
Schallplatten: Melodiya.

Gostling, John, Baß, * um 1650 East Malling (Kent), † 17. 7. 1733 London; er gehörte dem anglikanischen Klerus an und war gleichzeitig ein allseits bekannter Bassist. 1679 wurde er Gentleman of the Chapel Royal in London. Er wirkte später in kirchenmusikalischen Positionen in London wie auch außerhalb der englischen Metropole. Man darf annehmen, daß der große englische Komponist seiner Epoche Henry Purcell vor allem die Baß-Partien in seinen Anthems im Hinblick auf die stimmlichen Möglichkeiten von John Gostling komponiert hat, der sie dann ausführte. Schon daraus lassen sich Rückschlüsse auf den großen Stimmumfang und die Beherrschung der Gesangstechnik durch den Künstler ziehen.

Gottinger, Heinrich, Bariton, * 30. 4. 1860 Niederpüring bei Straubing (Bayern), † 18. 3. 1926 München; sein Vater war Oberlehrer. Er erhielt seine Ausbildung in München u. a. durch Vinzenz Lachner und Hermann Schmid und begann seine Bühnenkarriere am Theater von Olmütz (Olomouc). Er sang dann an den Stadttheatern von Würzburg, Bremen und Aachen und wurde 1882 an das Opernhaus von Graz verpflichtet. Seit 1886 war er Direktor dieses Theaters. In den Jahren 1900–03 leitete er als Direktor die Vereinigten Stadttheater von Düsseldorf und Duisburg, wo er immer noch auf der Bühne erschien. Seine großen Partien aus dem Opernrepertoire waren der Valentin im «Faust» von Gounod, der Graf in «Figaros Hochzeit», der Zar in «Zar und Zimmermann» von Lortzing, der Figaro in Rossinis «Barbier von Sevilla», der Titelheld in dessen «Wilhelm Tell», der Wolfram im «Tannhäuser» und der Alberich in den Opern des Nibelungenrings, um nur einige zu nennen. Auch als Konzertsänger beherrschte er ein umfassendes Repertoire. Nach Beendigung seiner aktiven Sängerkarriere wirkte er als Professor am Konservatorium der Stadt Wien.

Graf, Hedy, Sopran, * 12. 10. 1926 Barcelona; sie war Schweizerin und erhielt ihre Ausbildung am Konservatorium von Zürich wie 1949–52 bei der Gesangpädagogin Regine Salomon in Zürich. Ergänzende Studien bei Roy Henderson in London (1952, 1956) und bei der bekannten Sopranistin Sylvia Gähwiller in Zürich. Seit 1955 war sie als führende Konzertsängerin in der Schweiz wie in Deutschland tätig. Sie sang ein überaus vielgestaltiges Repertoire, das Partien in Oratorien und religiösen Vokalwerken aller Art enthielt, und seine Höhepunkte in den großen Werken von J. S. Bach, Händel, Haydn, Mozart, Beethoven, Bruckner, andererseits aber auch in Aufgaben aus dem Barock-

Repertoire wie in Werken zeitgenössischer Komponisten (O. Schoeck, W. Burkhard, Frank Martin, Hindemith, Strawinsky, Schönberg) fand. Sie wirkte in einigen Uraufführungen von Werken der Gegenwart mit, so 1966 in Zürich in dem Oratorium «Jeremia» von E. Hess, 1965 in Zürich und Basel in «Cantico di frate sole di San Francesco d'Assisi» von Rudolf Moser, 1977 über Radio Zürich in «Tenebrae» von M. Schlumpf. Noch weiter gespannt war ihr Repertoire für den Vortrag von Liedern und Arien aus allen Epochen der Musikgeschichte. Ihre Konzertauftritte beschränkten sich nicht nur auf die Schweiz und Westdeutschland; sie trat auch in Antwerpen, Dresden, Jerusalem, Tel Aviv, in Scheveningen, Wien und Straßburg auf. Die Sängerin, die mit dem Bratschisten Werner Esser verheiratet war, wirkte als Gesangpädagogin an der Kantonsschule in Küsnacht (Kanton Zürich) und in Zürich. Sie hatte ihren Wohnsitz in Benken (Kanton Basel-Land).
Schallplatten: Erato (Bach-Kantaten), Cantate («Messias» von Händel, Weihnachtskantaten der Barockzeit), Pallas (Mozart-Requiem).

Graf, Kathrin, Sopran, * 15. 2. 1942 Zürich; nach ihrer Ausbildung an den Konservatorien von Genf und Winterthur (bei Sylvia Gähwiller), in Frankfurt a. M. und an der Musikhochschule Berlin (bei Elisabeth Grümmer) ging sie von ihrem Wohnort Zürich aus einer umfangreichen Konzerttätigkeit nach. Dabei reichte ihr Konzertrepertoire von oratorischen Werken der Barock-Epoche (J. S. Bach, Händel) bis zu modernen Kompositionen, deren Interpretation sie sich gerne annahm. Sie trat als Konzertsängerin in der Schweiz (Zürich, Basel, Bern, Lausanne, Genf, Winterthur, St. Gallen, Schaffhausen) in Deutschland, Belgien, Holland, Österreich, in Italien, Frankreich, Spanien und Portugal, in Kanada und Japan mit großen Erfolgen auf. Sie war vor allem auch als Liedersängerin bekannt und trat auf diesem Gebiet in einem weit gespannten Repertoire vor ihr Publikum. Sie war die Schwester des Flötisten und Dirigenten Peter-Lukas Graf (* 1929).
Schallplatten: Hänssler-Verlag (Kantaten von J. S. Bach), Pick (Liebeslieder-Walzer von J. Brahms), Claves (Nelson-Messe von J. Haydn), Pan («Media in vita» von A. Schibler).

Graham, Martha, Sopran, * 3. 4. 1949 Cherokee County (South Carolina); sie erhielt ihre Ausbildung an der North Carolina School of the Arts, dann an der Florida University, an der sie 1975 den akademischen Grad eines Master of Music erwarb, 1980 ihr Doktorat. 1976 debütierte sie an der Oper von Houston/Texas als Clara in «Porgy and Bess» von George Gershwin. Sie gewann mehrere Gesangwettbewerbe in den USA und kam zu einer großen Konzert- und Bühnenkarriere. Dabei verteilten sich ihre Auftritte auf die Musikzentren in den USA, in Kanada und in Europa. Aus ihrem Repertoire für die Opernbühne sind die Clara wie die Bess in «Porgy and Bess», die Nedda im «Bajazzo», die Butterfly, die Liu in «Turandot» von Puccini, die Giorgetta in dessen «Il Tabarro», die Fiordiligi in «Così fan tutte», die Pamina in der «Zauberflöte» und die

Leonore im «Troubadour» zu nennen. Im Konzertsaal trat die farbige Künstlerin ebenfalls in einem breit angelegten Repertoire in Erscheinung.

Grandjean, Louise, Sopran, * 1870 Paris, † Mai 1934 Paris; sie erhielt ihre Ausbildung am Conservatoire National in Paris. 1893 debütierte sie an der Opéra-Comique Paris als Isabella in «Le Pré aux clercs» von Hérold und blieb dort bis 1902 tätig. 1894 sang sie in der französischen Erstaufführung von Verdis «Falstaff» an der Opéra-Comique in Gegenwart des Komponisten die Alice Ford und wurde von Verdi für ihre Leistung sehr gelobt. 1895 wurde sie auch Mitglied der Pariser Grand Opéra, an der sie bis etwa 1911 aufgetreten ist. An der Grand-Opéra wirkte sie in der Uraufführung der Oper «Astarte» von Xavier Leroux mit (15. 2. 1901). 1902 und 1907 war sie an der Oper von Monte Carlo zu Gast und sang 1907 mit dem Ensemble dieses Hauses bei dessen Gastspiel an der Berliner Hofoper. Bei den Bayreuther Festspielen des Jahres 1904 bewunderte man ihre Venus im «Tannhäuser». In ihrem Bühnenrepertoire standen die dramatischen Partien an erster Stelle: die Donna Anna im «Don Giovanni», die Valentine in den «Hugenotten» von Meyerbeer, die Bertha in dessen «Prophet», die Chimène in «Le Cid» von Massenet und die Salomé in «Hérodiade» vom gleichen Komponisten, die Aida, die Desdemona in Verdis «Othello» und in den Opernwerken von R. Wagner die Elisabeth im «Tannhäuser», die Elsa im «Lohengrin», die Eva in den «Meistersingern» und die Isolde in «Tristan und Isolde». Nach Beendigung ihrer aktiven Sängerkarriere erhielt sie eine Professur am Conservatoire National de Paris.

Grandval, Lillie, Sopran, * 1908 (?); sie erhielt ihre Ausbildung am Conservatoire de Paris. 1932 debütierte sie an der Opèra-Comique Paris in der Rolle der Königin in «Le Pré aux Clercs» von Ferdinand Hérold. Sie hat praktisch während ihrer gesamten Karriere diesem traditionsreichen Hause angehört, wo sie bis 1953 immer wieder auftrat. Von den vielen Partien, die sie an der Opéra-Comique vorgetragen hat, sind die Philine in «Mignon» von A. Thomas, die Titelfiguren in «Mireille» von Gounod und «Louise» von Charpentier, die Leila in «Pêcheurs de perles» von Bizet und die Violetta in Verdis «La Traviata» zu erwähnen. Sie sang an der Opéra-Comique 1935 auch in der Uraufführung der Oper «L'École des maris» von Emmanuel Bondeville. Sie gastierte an Pariser Operettenbühnen und an Theatern in der französischen Provinz. Dazu trat sie als Konzertsopranistin auf.
Schallplatten: Pathé.

Grassi, Bernardino Pasquino, Tenor, * (?), † nach 1657; er war zunächst am Hof der Gonzaga in Mantua in einer Epoche tätig, die durch das Wirken des großen Komponisten Claudio Monteverdi geprägt wurde. 1616 reiste er in Begleitung des Kastraten Gualberto Magli, der in der Uraufführung von Monteverdis «Orfeo» die Titelrolle gesungen hatte, an den Hof des Kurfürsten von Brandenburg. Er trat anschließend am Hof des Erzbischofs von Köln auf und besuchte 1617 den kunstliebenden Erzbischof Marcus Sitticus in Salzburg. Er war dann Mitglied der Hofkapelle in Brüssel. Als der Tenor Francesco Campagnolo 1630 starb, wurde er an den Hof des Erzherzogs Leopold von Österreich nach Innsbruck geschickt. Hier bereitete er musikalische Beiträge zur Hochzeit des Thronfolgers Ferdinand (als Kaiser Ferdinand III.) vor, die 1631 in Wien aufgeführt wurden. Dabei gestaltete er die Partie des Orfeo in einer Kantate, die diesen Titel trug. In den Jahren 1637–57 ist er als Tenor in der Kaiserlichen Hofkapelle in Wien nachzuweisen.

Grassi-Tamagno, Bianca, s. unter *Tamagno,* Bianca.

Greverus, Bodo, Tenor, * 1904 (?) in Rußland, war jedoch deutscher Abstammung (eigentlicher Name Boris Greverus). Er war Schüler von Ernst Grenzebach in Berlin. Sein Bühnendebüt erfolgte 1929 am Nationaltheater Mannheim als Hermann in Tschaikowskys «Pique Dame». Er war dann, jeweils für eine Spielzeit, am Stadttheater von Essen (1930–31), am Deutschen Landestheater Prag (1931–32) und am Stadttheater von Graz (1932–33) engagiert und sang 1933–36 am Staatstheater von Wiesbaden. 1936–38 war er am Theater der Jugend in Berlin beschäftigt und gastierte in den folgenden Jahren. 1946–51 war er Mitglied der Städtischen Oper Berlin; er sang hier u. a. 1948 in der Uraufführung der Oper «Circe» von W. Egk. Schließlich gehörte er in den Jahren 1961–64 zum Ensemble des Berliner Theaters des Westens, an dem er in der deutschen Erstaufführung von Fr. Loewes Musical «My Fair Lady» mitwirkte. Auf der Bühne ist er in einer Vielzahl von Partien aufgetreten: als Florestan im «Fidelio», als Max im «Freischütz», als Fenton in den «Lustigen Weibern von Windsor» von Nicolai, als Lohengrin, als Parsifal, als Gabriele Adorno in Verdis «Simon Boccanegra» und als Titelheld in dessen «Don Carlos», als Radames in «Aida», als Rodolfo in «La Bohème», als Cavaradossi in «Tosca», als José in «Carmen», als Friedemann Bach in der Oper gleichen Namens von Paul Graener und als Titelheld in «Sly» von Ermanno Wolf-Ferrari. Hinzu kam eine zweite, nicht weniger erfolgreiche Karriere als Konzert-, Oratorien- und namentlich als Liedersänger.
Schallplatten: Ultraphon (Lieder), Philips (Ausschnitte aus «My Fair Lady»).

Griff, Alexander, Baß, * 12. 9. 1887 Tiflis (Tblissi), † 11. 3. 1962 Zagreb; er war der Sohn polnischer Eltern und hieß mit eigentlichem Namen Aleksander Gryf-Trzeciecki. Er erhielt seine Ausbildung am Konservatorium von Warschau, wo der große Bassist Edouard de Reszke sein Lehrer war. 1911 debütierte er in Warschau als Marcina in der Oper «Verbum nobile» von Moniuszko. 1913 ging er zu weiteren Studien nach Paris und unternahm dann ausgedehnte Gastspieltourneen, die ihm großes internationales Ansehen verschafften. So sang er in Barcelona und Madrid, in Paris und Lissabon, in Sofia und Prag, an italienischen Bühnen, in Mexico City und

vor allem in Südamerika (Buenos Aires, Rio de Janeiro, Montevideo). 1925–27 war er an der Oper von Zagreb engagiert, 1927–30 gehörte er als ständiger Gast dem Ensemble der Nationaloper Warschau an. Sein Bühnenrepertoire hatte einen großen Umfang und enthielt Partien wie den Sarastro in der «Zauberflöte», den Basilio im «Barbier von Sevilla», den Mephisto im «Faust» von Gounod, den Fiesco in Verdis «Simon Boccanegra», den Großinquisitor in dessen «Don Carlos», den König Heinrich im «Lohengrin», den Pogner in den «Meistersingern», den Fafner in den Fasolt im Nibelungenring, den Pimen im «Boris Godunow» und den Gremin im «Eugen Onegin» von Tschaikowsky. Der auch als Konzertsolist gerühmte Künstler war mit der Altistin *Marta Pospišil* (1892–1966) verheiratet.

Griffin, Elsie, Sopran, * 6. 12. 1895 Bristol, † 21. 12. 1989 London; sie wurde 1919 Mitglied der D' Oily Carte Opera Company, bei der sie vor allem in Operetten von Gilbert & Sullivan auftrat. Bis 1927 war sie bei dieser Gesellschaft im Engagement und gab danach zahlreiche Gastspiele an englischen Bühnen. Vor allem hörte man sie bei der Carl Rosa Company in Partien wie der Marguerite im «Faust» von Gounod, der Juliette in «Roméo et Juliette», der Adina in «Elisir d' amore» und der Micaela in «Carmen». Sie war verheiratet mit dem Bariton *Ivan Menzies* († 1985).
Von ihrer Stimme existieren Operetten-Aufnahmen auf HMV aus den zwanziger Jahren (Werke von Gilbert & Sullivan wie «The Mikado», «The Pirates of Penzance», «HMS Pinafore»).

Grigorescu, Elena, Sopran, * 20. 4. 1943 Comana (Rumänien); Ausbildung am Konservatorium der rumänischen Hauptstadt Bukarest durch Elena Saghin. Nach ihrem Debüt an der Nationaloper von Bukarest 1968 als Zerline im «Don Giovanni» durchlief sie an diesem bedeutendsten rumänischen Opernhaus eine erfolgreiche Karriere. Sie sang dort wie auch bei Gastspielen in der Hauptsache Partien aus dem Koloratur- wie dem lyrischen Stimmfach: die Serpina in «La serva padrona» von Pergolesi, die Despina in «Così fan tutte», die Pamina in der «Zauberflöte», die Norina im «Don Pasquale», die Marzelline in Beethovens «Fidelio», den Pagen Oscar in Verdis «Ballo in maschera» und die Lauretta in «Gianni Schicchi» von Puccini. Im rumänischen Fernsehen wirkte sie in Sendungen der Opern «Don Giovanni», «Don Pasquale» und «Un ballo in maschera» mit. Zugleich entfaltete sie eine intensive Konzerttätigkeit. Sie gastierte in Westeuropa, u. a. in Düsseldorf, Köln und Frankfurt a. M.
Electrecord-Aufnahmen. Auf Marco Polo sang sie die Grete in einer vollständigen Aufnahme von «Der ferne Klang» von F. Schreker.

Grimard, Hector, Tenor, * 1902 Marcinelle (belgische Provinz Hainaut), † 1974 Mont-sur-Marchienne (Belgien); er war Schüler von Edgard Druine in Charleroi und von Octave Dua in Brüssel. 1926 debütierte er an der Königlichen Oper von Antwerpen und blieb deren Mitglied bis 1931. Nach einer

Gastspieltournee durch Südfrankreich und Marokko war er in den Jahren 1932–35 am Théâtre de la Monnaie Brüssel engagiert. Er sang ein vielseitiges Repertoire, das Partien wie den Alfredo in «La Traviata», den José in «Carmen», den Turiddu in «Cavalleria rusticana», den Ägisth in «Elektra» von R. Strauss, den Paco in «La vida breve» von de Falla, den Jean in Massenets «Hérodiade», den Dimitrij im «Boris Godunow», den Julien in Charpentiers «Louise» und den Werther in der Oper gleichen Namens von Massenet enthielt. Seit etwa 1940 wandte er sich der Operette zu und wurde vor allem in den Tenorpartien der Operetten von F. Lehár bewundert.

Von seiner Stimme existieren private Aufnahmen (auf LP veröffentlicht bei Grand-Hornu-Images/ HMV).

Grimm, Hans-Günther, Bariton, * 1926 (?); seine Stimme erregte bereits als Knabensopran Aufsehen. Er war dann Schüler von Emil und Walter Landi, besuchte die Musikhochschule in Ost-Berlin und war 1950–52 in einem ersten Engagement an der Staatsoper Berlin beschäftigt. 1952–54 war er Mitglied des Stadttheaters Bremen, 1954–60 des Nationaltheaters Mannheim und gleichzeitig 1957–60 des Opernhauses von Frankfurt a.M. 1960–64 sang er am Opernhaus von Köln, 1964–66 am Theater am Gärtnerplatz München und 1966–70 am Opernhaus von Dortmund. In Köln wirkte er 1961 in der deutschen Erstaufführung von Luigi Nonos «Intolleranza» mit. Konzerttourneen und Gastspiele führten ihn nach Nordamerika, Frankreich und Japan sowie 1969 an das Teatro Liceo Barcelona. Aus seinem Bühnenrepertoire sind zu nennen: der Graf Robinson in Cimarosas «Il matrimonio segreto», der Figaro im «Barbier von Sevilla», der Graf wie der Figaro in «Figaros Hochzeit», der Don Giovanni, der Guglielmo in «Così fan tutte», der Papageno in der «Zauberflöte», der Malatesta im «Don Pasquale», der Carlos in Verdis «La forza del destino», der Marcello in «La Bohème», der Escamillo in «Carmen», der Wolfram im «Tannhäuser», der Harlekin in «Ariadne auf Naxos» von R. Strauss, der Lamoral in dessen «Arabella» und der Don Fernando im «Fidelio». Nicht weniger erfolgreiche Tätigkeit als Konzert- und Oratoriensänger. Seit 1973 nahm er eine Professur am Konservatorium von Maastricht in Holland wahr. Schallplatten: HMV-Electrola («Undine» von Lortzing, «Eine Nacht in Venedig» von J. Strauß und weitere Operetten-Querschnitte), Da Camera (9. Sinfonie von Beethoven), Aulos (Petite Messe solennelle von Rossini), CBS (Querschnitt «Troubadour»).

Grimm-Mittelmann, Bertha, Mezzosopran, * 1880 (?) Wiesbaden, † (?); Ausbildung durch ihren Vater Jean Grimm sowie bei Lilli Lehmann. 1904 debütierte sie am Stadttheater von Mainz, wo sie während einer Spielzeit blieb. Sie sang dann 1905–07 am Stadttheater von Halle (Saale), 1907–08 an der Hofoper Wien, 1910–11 am Stadttheater von Nürnberg, 1911–1912 am Opernhaus von Leipzig, schließlich 1912–1926 am Opernhaus von Köln. Dort verabschiedete sie sich 1926 als Amneris in «Aida» von ihrem Publi-

kum. Sie wirkte in Köln 1924 in der Uraufführung von Franz Schrekers «Irrelohe» mit und sang dort in den deutschen Erstaufführungen der Opern «Katja Kabanowa» von Janáček (1922 als Kabanicha) und «Die Liebe zu den drei Orangen» von Prokofieff (1925). Sie trat als Gast am Opernhaus von Leipzig (1908), an der Berliner Hofoper (1910 als Brangäne), an der Hofoper von Dresden (1910, 1912) und am Hoftheater von Karlsruhe (1915) auf. Zu ihren Bühnenpartien gehörten der Titelheld im «Orpheus» von Gluck, die Azucena im «Troubadour», die Ulrica in Verdis «Maskenball», der Adriano in «Rienzi», die Ortrud im «Lohengrin», die Fricka, die Erda und die Waltraute im Nibelungenring, die Klytämnestra in «Elektra» von R. Strauss, die Carmen, die Dalila in «Samson et Dalila» von Saint-Saëns, die Fides im «Propheten» von Meyerbeer und die Wirtin im «Boris Godunow». Sie trat später auch unter dem Namen Bertha Grimm-Petermann auf. Ihre Tochter *Mady Schmitz-Kamp* (1908–73) war eine erfolgreiche Konzert-Altistin.

Grischko, Michail (Stepanowitsch), Bariton, * 14. (27.) 2. 1901, † 1973 Kiew; der Künstler stammte aus der Ukraine. Er erhielt seine Ausbildung 1924–26 am Konservatorium von Odessa und übernahm seit 1924 bereits kleinere Partien am Opernhaus von Odessa. In den Jahren 1925–27 gehörte er als Solist diesem Haus an. 1927–36 sang er an der Oper von Charkow, wurde aber bereits 1934 Mitglied der Oper von Kiew (Schewtschenko Theater). Hier erreichte seine Karriere ihren Höhepunkt. In der Saison 1934–35 während der Jahre des Zweiten Weltkrieges 1941–45 wirkte er am Opernhaus (Paliaschwili Theater) von Tiflis (Tblissi). Nach dem Krieg nahm er seine erfolgreiche Karriere an der Oper von Kiew wieder auf. Er gastierte an den großen russischen Bühnen, war ein angesehener Konzertsolist und wirkte in mehreren Tonfilmen mit. Sein Bühnenrepertoire war sehr umfangreich und war in erster Linie auf das dramatische Fach ausgerichtet. So sang er den Igor in «Fürst Igor» von Borodin, den Rigoletto, den Renato in Verdis «Ballo in maschera», den Escamillo in «Carmen», den Figaro in «Figaros Hochzeit», den Scarpia in «Tosca», den Jago in Verdis «Othello», dazu Partien in einer Reihe von ukrainischen Opernwerken wie den Titelhelden in «Taras Bulba» von Nikolai Lysenko. Sehr geschätzt auch als Liedersänger (russische und ukrainische Volkslieder, Kunstlieder). Schallplattenaufnahmen der staatlichen russischen Plattenherstellung (Melodiya).

Groop, Monica, Mezzosopran, * 4. 4. 1958; die aus Finnland stammende Sängerin studierte 1977–79 Gesang, Klavierspiel und Musiktheorie am Konservatorium von Helsinki und trat während dieser Zeit in Chören der finnischen Metropole auf. 1982 erwarb sie an der Universität von Helsinki mit einer Arbeit über Probleme der Phonetik den Doktorgrad. 1979 begann sie das Gesangstudium an der Sibelius-Akademie Helsinki bei Kerttu Metsälä-Ignatius und erwarb 1985 ihr Diplom. Ergänzende Studien bei Rudolf Bautz in Belgien, Vera Rozsa in

London und Dorothy Irving in Schweden, bei Kim Borg, Mitsuko Shirai und Erik Werba. Sie wurde in Finnland wie in Schweden vor allem als Interpretin von Vokalwerken aus der Barock-Epoche bekannt. 1986 kam es zu ihrem Bühnendebüt bei den Festspielen von Savonlinna; 1987 sang sie an der Nationaloper Helsinki als Antrittsrolle die Charlotte im «Werther» von Massenet. Sie kam an diesem Haus, dessen reguläres Mitglied sie seit 1989 war, dann als Olga im «Eugen Onegin» und als Dorabella in «Così fan tutte» zu wichtigen Erfolgen. 1989 Gastspiel am Opernhaus von Essen als Olga im «Eugen Onegin» von Tschaikowsky. 1989 bereiste sie mit dem Eric Ericson-Kammerchor und dem Drottningholm Barock-Orchester Westdeutschland und trat als Solistin in der Johannespassion von J. S. Bach bei den Ansbacher Festwochen auf. Es schlossen sich Konzertauftritte in Nürnberg (Weihnachtsoratorium von Bach), Stockholm («Messias», 1990) und Berlin (Johannespassion, 1990) an. Im Konzertsaal war sie nicht zuletzt als Lied-Interpretin in einem umfangreichen Repertoire anzutreffen.

Gross, Ruth, Sopran, * 1960 Kleve (Niederrhein); sie studierte zunächst Philosophie und Schulmusik. Dabei verlegte sie sich auf das Violaspiel, strebte aber auch an der Folkwang-Musikhochschule Essen die Ausbildung zur Sängerin an. Um diese finanzieren zu können, spielte sie in verschiedenen Orchestern, u. a. im Essener Kammerorchester, Viola. Sie sang bereits in einer Hochschulaufführung die Partie der Zita in Puccinis «Gianni Schicchi» und wurde dann Schülerin der berühmten Sopranistin Edda Moser in Köln. 1987 debütierte sie am Stadttheater von Regensburg und erregte sogleich in der Partie der Leonore im «Fidelio» Aufsehen. Nachdem sie dort während einer Spielzeit gesungen hatte, war sie 1988–89 am Stadttheater von Ulm engagiert. Hier sang sie Partien wie die Lea im «Golem» von E. d' Albert, wieder die Leonore im «Fidelio», dazu Rollen in Operetten. 1989 folgte die Künstlerin einem Ruf an die Staatsoper von Stuttgart. Hier hörte man sie als Titelheldin in Glucks «Iphigenie auf Tauris» und als Arabella in der gleichnamigen Oper von Richard Strauss; mit besonderem Erfolg übernahm sie dort 1990 die Partie der Elsa im «Lohengrin». 1989 gastierte sie bei den Festspielen von Bayreuth als Ortlinde in der «Walküre», ebenfalls 1989 am Stadttheater von Basel in ihrer großen Glanzrolle, der Leonore im «Fidelio». Allgemein galt sie als vielversprechendes Talent für das dramatische Sopranfach.

Grossi, Carlo, Sänger und Komponist, * etwa 1634 Vicenza, † 14. 5. 1688 Venedig; er wirkte als Sänger und Maestro di cappella nacheinander in Reggio, Vicenza, Venedig und Mantua. Zugleich war er als Komponist tätig und schrieb vier Opern im Stil der damaligen Venezianischen Schule, darunter als bedeutendste «Artaserse» (1669). Sein weiteres umfangreiches kompositorisches Werk enthält geistliche Vokalmusik, Messen, Kantaten, Lieder, Sonaten, ist aber nur teilweise erhalten geblieben.

Grossi, Carlotta, Sopran, * 23. 12. 1849 Wien, † (?); sie war in Wien Schülerin von Mathilde Marchesi de Castrone und vervollständigte ihre Ausbildung bei Lamperti in Mailand und bei Mme Viardot-Garcia. 1868 debütierte sie an der Hofoper von Wien unter ihrem eigentlichen Namen Charlotte Großmuck, legte sich aber dann den Künstlernamen Carlotta Grossi zu. Nach einem erfolgreichen Gastspiel an der Berliner Hofoper wurde sie bereits 1869 an dieses Haus verpflichtet. Hier kam sie bis 1878 in Partien wie der Konstanze in der «Entführung aus dem Serail», der Königin der Nacht in der «Zauberflöte», der Lucia di Lammermoor von Donizetti, der Gilda im «Rigoletto», der Martha in der gleichnamigen Oper von Flotow, der Isabella in «Robert le Diable» von Meyerbeer, der Marguerite de Valois wie dem Pagen Urbain in dessen «Hugenotten», der Philine in «Mignon» von A. Thomas und der Ophélie in «Hamlet» vom gleichen Meister zu besonderen Erfolgen. 1878 gab sie ein Gastspiel an der Wiener Hofoper, das zu einem brillanten Erfolg wurde, worauf sie nochmals für eine Spielzeit an diesem Haus sang. Nach einer Heirat zog sie sich dann jedoch von der Bühne zurück. 1886 nahm sie ihre Karriere am Stadttheater von Bremen wieder auf, dem sie bis 1888 angehörte; dann wechselte sie an die Oper von Riga, an der sie 1890 endgültig ihre Laufbahn zum Abschluß brachte. Sie war auch als Gast an den großen Opernbühnen im deutschen Sprachraum zu hören, so 1875 am Deutschen Theater Prag, 1888 an der Berliner Kroll-Oper.

Grozaj, Vera, Sopran, * 21. 6. 1911 Sisak (Kroatien); Gesangstudium an der Musikakademie von Zagreb als Schülerin von M. Kostrenčić. 1934 debütierte sie am Opernhaus von Zagreb und blieb dann für viele Jahre Mitglied dieses Hauses. Gastspiele trugen ihr in Belgrad, an weiteren jugoslawischen Theatern und an der Volksoper Wien (1943) Erfolge ein, die sich auch bei ihren Konzertauftritten zeigten. Ihr Bühnenrepertoire bestand aus lyrischen wie Koloraturpartien für Sopran; so sang sie die Zerline im «Don Giovanni», die Micaela in «Carmen», die Dula in «Ero der Schelm» von Gotovac, die Marie in Smetanas «Verkaufter Braut», die Mimi in «La Bohème» von Puccini, die Liu in dessen «Turandot» und die Anne Trulove in «The Rake's Progress» von Strawinsky.

Grozdanic, Miljenko, Baß, * 26. 8. 1918 Koprivnica (Slowenien); nach seiner Ausbildung, die der Künstler hauptsächlich in Zagreb erhielt, kam es 1950 zu seinem Bühnendebüt an der Kroatischen Nationaloper von Zagreb in der Rolle des Commendatore im «Don Giovanni». Bis 1953 blieb er an diesem Haus, sang in den Jahren 1953–55 am Theater von Novi Sad (Neusatz), kam dann aber wieder an das Opernhaus von Zagreb zurück, wo er jetzt eine langjährige große Karriere hatte. Dabei standen Partien wie der Gremin in «Eugen Onegin» von Tschaikowsky, der Basilio im «Barbier von Sevilla» von Rossini, der Raimondo in «Lucia di Lammermoor» und der Titelheld in Donizettis «Don Pasquale» im Mittelpunkt seines Repertoires.

Schallplatten: Philips (integrale Oper «Sadko» von Rimsky-Korssakow).

Grünewald, Gottfried, Sänger und Komponist, * 1675 Eywau in der Lausitz, † 19. 12. 1739 Darmstadt; sein Name ist mit der Frühzeit der Oper in der Hansestadt Hamburg verbunden. 1703–04 ist er dort unter der Direktion des berühmten Komponisten Reinhard Keiser als Opernsänger anzutreffen. In Hamburg brachte er auch zwei seiner eigenen Opern zur Uraufführung: «Germanicus» und «Der ungetreue Schäfer Cardillo». 1709 wurde er als Vizekapellmeister an den Hof von Sachsen-Weissenfels berufen. 1712 übernahm er die gleiche Stellung am Hof von Hessen–Darmstadt, wo der hoch angesehene Komponist und Dirigent Christoph Graupner die Hofkapelle des kunstliebenden Herzogs Ernst Ludwig von Hessen-Darmstadt dirigierte.

Grüninger, Alfred, Tenor, * 25. 5. 1900 Lachen im Schweizer Kanton Schwyz, † 31. 8. 1954 Zürich; er arbeitete zunächst bei der Schweizerischen Rückversicherungsgesellschaft als Versicherungsbeamter, ließ dann aber seine Stimme am Konservatorium von Zürich durch Hermann Dubs und Ilona Durigo ausbilden. 1929–30 war er am Opernhaus von Zürich, 1930–31 am Stadttheater von Göttingen, 1931–32 am Stadttheater von Halle/Saale, 1932–33 am Schiller-Theater Hamburg-Altona, 1933–34 am Stadttheater Basel und 1934–35 an der Staatsoper Wien engagiert. Er lebte später in seiner Heimatstadt Zürich. Hier wie in Basel sang er als Gast Partien wie den José in «Carmen», den Hans in Smetanas «Verkaufter Braut», den Riccardo im «Maskenball», den Steuermann im «Fliegenden Holländer», den Froh im «Rheingold», den Hüon im «Oberon» von Weber, den Nureddin im «Barbier von Bagdad» von P. Cornelius, den Matteo in «Arabella» von R. Strauss und den Fischer in Othmar Schoecks «Vom Fischer un syner Fru». Große Erfolge konnte er als Konzert- und Oratoriensänger in der Schweiz wie im Ausland (Straßburg) erzielen. Er sang auch als Tenor in einem Vokal-Ensemble, dem Zürcher Vokalquartett, zusammen mit Margrit Vaterlaus, Dora Wyss und Werner Heim.

Grund, Arnošt, Tenor, * 8. 3. 1844 Prag, † 20. 12. 1918 Prag; eigentlicher Name Arnold Hauschild. Er erlernte zuerst den Beruf eines Goldschmieds, wandte sich dann dem Schauspiel zu und debütierte 1863 in Prag als Lionel in Schillers «Jungfrau von Orléans». Er nahm daneben jedoch Gesangunterricht in der Prager Gesangschule Pivoda und debütierte auf der Opernbühne 1865 am Nationaltheater Prag in dessen Provisorischem Haus (Prozatímní divadlo) als Max im «Freischütz» und als Manrico im «Troubadour». Er blieb dort während der folgenden zwei Spielzeiten im Engagement und wirkte u. a. am 5. 1. 1866 in der Uraufführung von Smetanas «Die Brandenburger in Böhmen» («Braniboři v Cechách») in der Partie des Jira mit. Seit 1867 unternahm er ausgedehnte Gastspielreisen, die ihm namentlich an deutschen und österreichischen Theatern große Erfolge eintrugen. So gastierte er an der

Berliner Kroll-Oper (1870), in Bremen, Hamburg, Breslau, Dessau und Darmstadt und in Wien. Seine großen Bühnenrollen waren der Titelheld in «Fra Diavolo» von Auber, der Robert in Meyerbeers «Robert le Diable», der Raoul in den «Hugenotten», der Eleazar in «La Juive» von Halévy, der Lohengrin und der Radames in Verdis «Aida». Auch als Konzertsänger kam er zu einer internationalen Karriere.

Gschwend, August, Baß-Bariton, * 17. 2. 1918 Herisau (Kanton Appenzell Außerrhoden); Schüler von Aldo Boninfanti in Monte Carlo (1938–40) und von Dora Wyss in Zürich (1940–42). Er sang zuerst am Stadttheater Luzern (1941–42), dann während einer Spielzeit 1942–43 in Zürich und 1943–47 wieder in Luzern. 1947–51 war er Mitglied des Stadttheaters von Basel. 1951–52 sang er an der Wiener Volksoper, 1952–54 am Staatstheater Wiesbaden und 1955–56 am Opernhaus von Frankfurt a. M. Gastspielverpflichtungen an den Staatsopern von Wien und Stuttgart, an den Staatstheatern von Karlsruhe und Darmstadt, in Amsterdam, Mannheim und Köln, in Rio de Janeiro und beim Maggio musicale Fiorentino. Er trat in einem sehr umfangreichen Bühnenrepertoire auf, aus dem der Don Giovanni, der Osmin in der «Entführung aus dem Serail», der Figaro wie der Graf in «Figaros Hochzeit», der Papageno wie der Sprecher in der «Zauberflöte», der Germont-père in «La Traviata», der Sparafucile im «Rigoletto», der Wolfram im «Tannhäuser», der Daland im «Fliegenden Holländer», der Alberich im Nibelungenring, der Escamillo in «Carmen», der Falstaff in den «Lustigen Weibern von Windsor» von Nicolai und der Sulpice in «La fille du régiment» von Donizetti zu nennen sind. Er wirkte in mehreren deutschen Erstaufführungen von Opernwerken mit, so in Wiesbaden als Titelheld in «Billy Budd» von Benjamin Britten (1952) und in Basel als Tarquinius in «The Rape of Lucretia» vom gleichen Komponisten (1947), als John Sorel in Menottis «The Consul» (1950) und als Raskolnikows zweites Ich in «Raskolnikow» von H. Sutermeister (26. 12. 1948, zwei Monate nach der Uraufführung der Oper in Stockholm). Der auch als Konzertsänger angesehene Künstler nahm seinen Wohnsitz in Basel.
Schallplatten: MMS (Papageno in vollständiger «Zauberflöte»).

Gualberto, Giovanni, Mezzosopran (Kastrat), * (?) Florenz, † (?); der Sänger, dessen vollständiger Name Giovanni Gualberto Magli lautete, wurde in Florenz in dem Kreis der Camerata, von dem die Entwicklung der Oper als Kunstform ihren Ausgang nahm, mit dieser neuen Musik, vor allem durch Giulio Caccini, bekannt gemacht und übernahm dort Partien in den ersten Opernaufführungen. Als Claudio Monteverdi seine Oper «La favola d' Orfeo» am Hof des kunstliebenden Herzogs Vincenzo Gonzaga von Mantua zur Uraufführung bringen wollte, lud man ihn auch dort ein. Wahrscheinlich sang er bereits bei einer ersten privaten Aufführung des Werks im Februar 1607 an der Accademia degli Invaghiti in Mantua die Titelpartie des Orfeo, die er dann mit Sicherheit in der offiziellen Uraufführung am 24. 2. 1607 vor einem ausgewählten Publikum, dem Fürsten Vincenzo Gonzaga und seinem Hofstaat, vortrug. Zwei Briefe des Prinzen Francesco Gonzaga an seinen Bruder, den Kardinal Ferdinando Gonzaga, berichten über das Ereignis. Am 23. 2. 1607 schreibt er: «Morgen wird man die Favola in unserer Accademia singen, da Gio. Gualberto sich so gut bewährt hat, daß er in der kurzen Zeit, die er hier ist, nicht nur seine ganze Partie auswendig gelernt hat, sondern sie auch mit soviel Anmut und Wirkung deklamiert, daß wir mit ihm sehr zufrieden sind . . .» Eine Woche später heißt es: «Die Favola wurde mit so viel Freude für alle, die sie hörten, aufgeführt, daß der Fürst, obwohl er sie auch bei den Proben viele Male gehört hatte, nicht zufrieden war, und anordnete, daß sie noch einmal aufgeführt wird; und das wird heute in Anwesenheit aller Damen der Stadt geschehen; aus diesem Grunde hat man Gio. Gualberto noch hierbehalten, da er sich sehr gut bewährt hat und alle mit seinem Gesang zufriedengestellt hat . . .» – Wahrscheinlich hat Giovanni Gualberto, nachdem er als erster Sänger in der Uraufführung einer bedeutenden Oper eine tragende Rolle kreiert aus, seine Laufbahn in Florenz fortgesetzt, ohne daß Einzelheiten über seine weitere Karriere überliefert sind. Wir wissen jedoch, daß er 1616 zusammen mit dem Tenor Bernardino Pasquino Grassi eine Reise an den Hof des Kurfürsten von Brandenburg unternahm.

Guardasoni, Domenico, Tenor, * (?) Modena (nach anderen Quellen Neapel), † 13. (oder 14.) 6. 1806 Wien; man hört erstmalig im Mai 1764 etwas von ihm, als er am Teatro San Salvatore in Venedig in der Uraufführung der Oper «Sofonisba» von Antonio Boroni mitwirkt. Er schloß sich dann der Bustelli-Operntruppe an und sang am 4. 10. 1764 in deren erster Vorstellung in Prag. 1772–73 ist er in Wien anzutreffen, 1773 mit der Bustelli-Truppe in Dresden und Leipzig. 1773–74 kam er als Mitglied der Kurz'schen Opernkompanie in Warschau zu viel beachteten Erfolgen; hier heiratete er seine Gattin *Faustina Guardasoni,* die als Sängerin wie als Tänzerin bekannt war. 1775 hatte er in Warschau einen besonderen Erfolg, als er in der Oper «La sposa fedele» von Pietro Guglielmi eine Arie in polnischer Sprache sang. 1776 gehörte er wieder der Bustelli-Truppe bei deren Auftritten in Prag, Dresden und Leipzig an. Seit 1779 stand diese Truppe unter der Leitung von Pasquale Bondini, dem er als Impresario und Arrangeur zur Seite ging. So war er maßgeblich an der Inszenierung des «Don Giovanni» von Mozart bei dessen Uraufführung am 29. 10. 1787 am Prager Ständetheater (dem heutigen Tyl-Theater) beteiligt, etwa in der Art wie dies heute Aufgabe eines Regisseurs sein würde. Als Pasquale Bondini 1788 die Direktion dieser «Italienischen Oper» in Prag aufgab, trat Domenico Guardasoni an seine Stelle. 1788 brachte er Mozarts «Don Giovanni» in Leipzig auf die Bühne, 1789 war er in Warschau tätig. Er war es, der Mozart den Auftrag zur Komposition einer Fest-Oper zu den Krönungsfeierlichkeiten Kaiser Leopolds II. zum König von Böhmen vermittelte. Dieses Werk, «La clemenza di Tito»,

wurde dann unter seiner Leitung am 6. 9. 1791 in Prag uraufgeführt. 1794 kam er mit seiner Truppe nochmals in Leipzig zu großen Erfolgen, 1801 in Prag. Obwohl das allgemeine Interesse für die italienische Oper in den ersten Jahren des 19. Jahrhunderts im deutschen Sprachraum nachließ, blieb die von ihm geleitete Truppe erfolgreich, wobei man ihm als deren Impresario nachsagte, daß er in der Auswahl der Sänger wie der Orchestermusiker große Sorgfalt walten ließe. Er selbst scheint später nicht mehr als Sänger aufgetreten zu sein.

Guasconi, Ines, Alt, * 23. 5. 1901 Alessandria; sie zeigte bereits als Kind eine auffallende musikalische Begabung, vor allem im Klavierspiel, ließ dann aber ihre Stimme durch Maestro Tamburini in Alessandria ausbilden. Weitere Studien bei dem berühmten Tenor Giovanni-Battista De Negri in Turin und bei den Mailänder Pädagogen Pais und La Rotella. Bühnendebüt am Theater von Alba (Piemont) 1920 als Berta im «Barbier von Sevilla». 1922 hatte sie ihren ersten großen Erfolg, als sie am Theater von Voghera die Leonora in Donizettis «La Favorita» sang. 1922 hörte man sie am Teatro Balbo Turin als Preziosilla in Verdis «La forza del destino», 1923 am Teatro Paganini Genua als Cieca in «La Gioconda» von Ponchielli, als Maddalena im «Rigoletto» und als Lola in «Cavalleria rusticana». In der Spielzeit 1924–25 war sie bei der Italienischen Oper in Holland engagiert, an der sie in den Opern «Mignon» von A. Thomas, «La Gioconda», «Aida», «Adriana Lecouvreur» von Cilea, in Verdis «Troubadour» wie im «Lohengrin» von Wagner auftrat. In den Jahren 1925–27 war sie am Teatro Regio Parma, am Teatro Duse Bologna, am Teatro Politeama Duca di Genova in La Spezia und in Bologna zu Gast. 1926–27 sang sie am Royal Theatre Malta die Amneris in «Aida», die Azucena im «Troubadour», die Cieca in «La Gioconda», die Carmen, die Adalgisa in Bellinis «Norma», die Maddalena im «Rigoletto» und wirkte in der Uraufführung von «Contemplazioni Francescane» von Ferrucio Botti mit. 1935 sang sie am Teatro Regio Turin die Cieca als Partnerin der großen Gina Cigna und im «Rheingold» unter Fritz Busch. Im August des gleichen Jahres nahm sie an den Aufführungen von Catalanis Oper «La Wally» in Breuil am Fuß des Matterhorns in der Rolle der Afra teil. Sie sang auch in Florenz, am Teatro Malibran Venedig, am Teatro Verdi Mailand, an vielen anderen italienischen Theatern und war eine angesehene Konzertsolistin.

Guelfi, Piero, Bariton, * 1914 Genua, † 31. 7. 1989 Genua; er erhielt seine Ausbildung zum Sänger in seiner Geburtsstadt Genua und begann dort am Teatro Carlo Felice seine Karriere. Zunächst sang er Comprimario-Partien, übernahm dann aber tragende Rollen. 1943 trat er erstmals an der Mailänder Scala auf, an der er seither oftmals zu hören war. Er wirkte hier u. a. in den Uraufführungen der Opern «Le Baccanti» von Giorgio Federico Ghedini und «L'allegra brigata» von Francesco Malipiero (1950) wie auch in der Erstaufführung von Gian Carlo Menottis «The Consul» (1951) mit. Er sang an vielen führenden Opernhäusern der italienischen Halbinsel, so am Teatro Lirico Turin (1948), am Teatro Verdi Pisa (1949) in Reggio Emilia (1953 als Amonasro in «Aida»), Como, Florenz (Teatro della Pergola 1963 in «La Celestina» von Flavio Testi) wie an zahlreichen weiteren Bühnen. 1947 gastierte er am Théâtre des Champs-Élysées Paris als Figaro im «Barbier von Sevilla» und als Alfonso in «La Favorita» von Donizetti; bei den Festspielen von Augsburg hörte man ihn 1958 als Amonasro in «Aida». Wiederholt war er in Spanien, Portugal, in Südamerika und in der Schweiz als Gast anzutreffen. Aus seinem Bühnenrepertoire seien der Germont-père in «La Traviata», der Titelheld im «Falstaff» von Verdi, der Belcore in «Elisir d'amore», der Alfio in «Cavalleria rusticana», der Tonio im «Bajazzo», der Jack Rance in Puccinis «La Fanciulla del West», der Telramund im «Lohengrin», der Beckmesser in den «Meistersingern» und der Shaklovitij im «Boris Godunow» genannt.

Günther-Braun, Walter, Tenor, * 27. 12. 1874, † 28. 10. 1947 Weimar; er war Schüler des Gesangpädagogen Törsleff in Leipzig, Eugen Wolff in Frankfurt a. M., Alfieri in Berlin und Felix von Kraus in München. Er begann seine Bühnenlaufbahn in der Spielzeit 1896–97 am Stadttheater von Cottbus und sang dann nacheinander (in erster Linie als Operettentenor) an den Theatern von Wiener Neustadt (1897–98), Salzburg (1898–99), Innsbruck (1899–1900) und am Carl-Schultze-Theater Hamburg (1900–01). Er verlegte sich dann auf die Karriere eines Opernsängers und wirkte nacheinander am Stadttheater von Mainz (1901–03), am Stadttheater von Graz (1903–06), am Opernhaus von Breslau (1906–09) und in den Jahren 1909–12 an der Münchner Hofoper. 1912–20 gehörte er dem Hoftheater Mannheim an, 1920–27 war er am Stadttheater (Opernhaus) von Dortmund engagiert. Seit 1905 trat er bei mehreren Gastspielen an der Hofoper von Dresden in Erscheinung. 1918 sang er in Mannheim in der Uraufführung der Oper «Kjartan und Gudrun» von Paul von Klenau die Partie des Haldor. Auf der Bühne war er vor allem im heldischen und im Wagner-Repertoire anzutreffen: als Erik im «Fliegenden Holländer», als Tannhäuser, als Walther in den «Meistersingern», als Tristan, als Loge wie als Siegfried im Ring-Zyklus, als Florestan im «Fidelio», als Hüon im «Oberon» von Weber, als Titelheld in H. Pfitzners «Palestrina» wie in «Fra Diavolo» von Auber, als Eleazar in «La Juive» von Halévy, als Samson in «Samson et Dalila» von Saint-Saëns, als José in «Carmen» und als Canio im «Bajazzo». Hoch angesehener Konzert- und Oratoriensänger. Er verbrachte seinen Lebensabend im Marie Seebach-Stift in Weimar.
Schallplatten: G & T (Breslau, 1908).

Guerard, Yoland, Baß, * 1923, † November 1987 Paris; er begann in seiner Heimat Kanada zunächst eine Karriere als Sprecher und Schauspieler beim Kanadischen Rundfunk und Fernsehen und trat in Filmen auf. In den vierziger Jahren wandte er sich dann jedoch dem Bühnengesang zu und übernahm

Partien in Opern, Operetten und Musicals. So alternierte er während zwei Jahren am New Yorker Broadway mit Ezio Pinza in dem überaus erfolgreichen Musical «South Pacific» (1949–51). Bei verschiedenen Operngesellschaften und Festspielveranstaltungen in seiner kanadischen Heimat hörte man ihn in Partien wie dem Mephisto im «Faust» von Gounod, dem Don Giovanni in Mozarts berühmter Oper, dem Kezal in der «Verkauften Braut» von Smetana und in weiteren Rollen. 1950 gehörte er zu den Gründern der Montreal Grand Opera. Zuletzt arbeitete er bis zu seinem Tod als Kultur-Attaché an der Kanadischen Botschaft in Paris und setzte sich für junge kanadische Künstler und deren Aufbau einer Karriere in Europa ein.
Schallplatten: Mitschnitte von Radiosendungen.

Güther, Reinhold, Tenor, * 2. 12. 1911 Berlin; nach seiner Ausbildung an der Musikhochschule Berlin (u. a. durch Paul Lohmann) in den Jahren 1932–38 sang er 1938–39 am Stadttheater von Greifswald, 1939–40 am Stadttheater von Lübeck, an dem er nach Beendigung des Zweiten Weltkriegs in den Jahren 1947–50 seine Karriere fortsetzte. 1950–52 wirkte er am Theater am Goetheplatz in Bremen und 1952–69 am Opernhaus von Zürich. Gastspiele führten ihn an die Stadttheater von Bremen, Kiel, Freiburg i. Br., an die Staatstheater von Oldenburg und Schwerin. Er sang auf der Bühne eine bunte Vielzahl von Partien aus den Bereichen der Oper wie der Operette, wobei er allgemein auch als Darsteller bewundert wurde. In Zürich wirkte er in der Spielzeit 1954–55 in der Uraufführung der Lehár-Operette «Frühling» mit, in der Spielzeit 1957–58 in der der Operette «Die Perlen der Cleopatra» von Oscar Straus. Von seinen Opernpartien sind zu nennen: der Don Ottavio im «Don Giovanni», der Tamino in der «Zauberflöte», der Florestan im «Fidelio», der Titelheld in «Fra Diavolo» von Auber wie in «Serse» von Händel, der Rodolfo in «La Bohème», der Alfredo in «La Traviata», der Radames in «Aida», der Lohengrin und der Bacchus in «Ariadne auf Naxos» von R. Strauss. 1961–77 war er als Orchesterinspektor des Tonhalle- und Theaterorchesters Zürich tätig. Er lebte in Zollikerberg bei Zürich.

Guilford, Nanette, Sopran, * 17. 8. 1905 New York; sie gehört zu jenen Künstlern, die für den Betrieb der New Yorker Metropolitan Oper ebenso kennzeichnend wie unentbehrlich waren und sind, Sängerinnen und Sänger, die über lange Jahre hinweg in kleinen Partien dort auftreten und wirkliche Stützen der Ensemblearbeit bilden. 1923 nahm Nanette Guilford ihre Tätigkeit an der Metropolitan Oper auf und blieb bis 1932 Mitglied des traditionsreichen Hauses. Ihre Antrittspartie war die Gräfin Ceprano in Verdis «Rigoletto». Sie sang dort eine bunte Vielzahl von Comprimario-Rollen wie es der jeweilige Spielplan erforderte, wurde aber auch gelegentlich in Partien wie der Musetta in Puccinis «La Bohème», der Liu in «Turandot», der Ginevra in «La cena delle beffe» von Giordano, der Magda in Respighis «La campana sommersa» und der Marguerite im «Faust» von Gounod eingesetzt. Regelmäßig erschien sie in den Sunday Night Concerts der Metropolitan Oper, in denen sie anspruchsvolle Arien und u. a. zusammen mit Bejamino Gigli und Ezio Pinza das Terzett aus «I Lombardi» von Verdi vortrug. Daß man die verdiente Künstlerin an der Metropolitan Oper nicht vergessen hatte, zeigte sich, als man sie am 16. 4. 1966 als Ehrengast zur Abschiedsvorstellung im alten Gebäude des Hauses einlud.

Guillamat, Ginette, Sopran, *13. 5. 1911 Paris; diese französische Sängerin erhielt ihre Ausbildung am Conservatoire National Paris und wurde dort mit der Fauré-Medaille ausgezeichnet. Sie studierte auch Klavierspiel und war auf diesem Gebiet Schülerin der berühmten Marguerite Long. Um 1935 begann sie eine kurze Konzertkarriere, wobei sie sich vor allem als Lied-Interpretin auszeichnete. Seit 1937 unternahm sie Gastspielreisen, die sie in die Schweiz, nach England, Belgien, Portugal und Spanien führten. Ihre Auftritte waren selten, und ihre Karriere dauerte nur einige wenige Jahre um sich dann im Dunkel zu verlieren. Ihre schön gebildete Stimme ist jedoch durch einige Columbia-Aufnahmen von 1937 überliefert, darunter Lieder von Gabriel Fauré. Auf der Bühne ist die Sängerin nicht aufgetreten.

Gustafson, Nancy, Sopran, *27. 6. 1956 Evanston (Illinois); sie erhielt ihre Ausbildung am Montana Holyoke College und an an der Northwestern University bis 1980. 1983 begann sie ihre Bühnenkarriere an der San Francisco Opera, an der sie zunächst kleinere Rollen übernahm (u. a. Helmwige und Woglinde im Nibelungenring); an diesem Haus ist sie auch später immer wieder, dann allerdings in ihren großen Partien, aufgetreten. Sie kam bald zu einer glänzenden Karriere in ihrer amerikanischen Heimat wie auch in Europa. Dort sang sie 1984 am Théâtre Châtelet in Paris die Rosalinde in der «Fledermaus», 1988 bei den Festspielen von Glyndebourne die Titelpartie in Janáčeks «Katja Kabanova» und, ebenfalls 1988, an der Covent Garden Oper London die Freia im «Rheingold». In dieser Partie gastierte sie auch 1990 an der Staatsoper von München; seit 1987 war sie durch einen Gastvertrag der Staatsoper Hamburg verbunden. Weitere Gastspiele führten sie an die Santa Fé Opera (1986), nach Hongkong (1986) und Edmonton (Kanada, 1987), an die Opern von Seattle (1987 als Marguerite im «Faust» von Gounod) und Chicago (1987), an die

Scottish Opera Glasgow wie an die Oper von Tel Aviv (1988). Für die Spielzeit 1989–90 wurde sie an die Metropolitan Oper New York verpflichtet, wo sie als Antrittsrolle die Musetta in «La Bohème» sang. Zu ihren großen Partien gehörten noch die Irene in «Tamerlano» von Händel, die Donna Elvira im «Don Giovanni», die Traviata, die Antonia wie die Giulietta in «Hoffmanns Erzählungen» und die Mimi in Puccinis «La Bohème».

Gyldenfeldt, Graciela von, Sopran, *22. 6. 1958 Buenos Aires; bereits als Kind erhielt sie Klavierunterricht und ließ dann ihre Stimme am Instituto Superior de Arte del Teatro Colón Buenos Aires ausbilden. Dort war sie Schülerin von Frau Maria Jordán de Martinez, die selbst wieder bei der berühmten argentinischen Sängerin Ina Spani studiert hatte. 1979 debütierte sie in Buenos Aires als Norina im «Don Pasquale», sang anschließend dort die Rosalinde in der «Fledermaus» und die Musetta in «La Bohème» und trat im Konzertsaal auf. 1980 wurde sie an das Stadttheater von Bern verpflichtet (Antrittsrolle: Gilda im «Rigoletto»). Hier hörte man sie in Partien wie der Zerline im «Don Giovanni», der Titelheldin in Flotows «Martha», der Pamina in der «Zauberflöte», der Echo in «Ariadne auf Naxos» von R. Strauss und der Corilla in Donizettis «Viva la mamma». 1982–86 gehörte sie dem Ensemble der Wiener Staatsoper an. 1984–86 gastierte sie bei den Salzburger Festspielen u. a. als Frasquita in «Carmen» und als Page Tebaldo in Verdis «Don Carlos» unter Herbert von Karajan. Sie bereitete sich in den beiden folgenden Jahren auf das Lirico-Spinto-Fach vor und sang als erste Partie aus diesem Fachbereich im Januar 1988 bei der Operngesellschaft Forum im holländischen Enschede die Titelrolle in Puccinis «Suor Angelica». Später gastierte sie an dieser Bühne als Mimi in «La Bohème» und als Donna Elvira im «Don Giovanni». Vertraglich war sie mit dem Theater von Kiel verbunden, wo man sie als Chrysothemis in «Elektra» von R. Strauss, als Katja Kabanova in der gleichnamigen Oper von Janáček und als Ellen Orford in «Peter Grimes» von B. Britten hören konnte. Am Teatro Comunale Florenz war sie als Elena in «Mefistofele» von Boito zu Gast. Hinzu traten Erfolge als Konzert- und Oratoriensängerin (9. Sinfonie von Beethoven, Glagolitische Messe von Janáček). Sie ist im ersten Teil ihrer Karriere auch unter dem Namen Graciela de Gyldenfeldt aufgetreten.

Gynrod, Frederick, s. unter *Ginrod,* Friedrich.

H

Haberkorn, Elfriede, Alt, * 1895 Chemnitz, † 15. 11. 1973 Bernbach im Schwarzwald; sie begann ihre Bühnenkarriere mit einem Engagement am Stadttheater ihrer Geburtsstadt Chemnitz 1918–19. Darauf wurde sie 1919 an die Dresdner Staatsoper verpflichtet. Hier blieb sie bis 1930 im Engagement und wirkte u. a. in den Uraufführungen der Richard Strauss-Opern «Intermezzo» (4. 11. 1924) und «Die ägyptische Helena» (6. 6. 1928) wie auch in der von Othmar Schoecks «Penthesilea» (8. 1. 1927) mit. 1928 sang sie an der Staatsoper Dresden in der deutschen Erstaufführung der Oper «Sly» von Ermanno Wolf-Ferrari. 1930 wechselte die Künstlerin an das Staatstheater von Karlsruhe, an dem sie bis zum Ende des zweiten Weltkriegs 1944 erfolgreich wirkte und hier u. a. bei der deutschen Premiere der Oper «Ero der Schelm» von Jakov Gotovac 1938 eine Partie übernahm. Im übrigen wurde sie in einem breit gefächerten Bühnen- wie Konzertrepertoire bekannt. Bei den Festspielen in der Waldoper von Zoppot gastierte sie 1931 und dann nochmals 1938 als eine der Nornen und als Floßhilde im Nibelungenring. Sie war verheiratet mit dem bedeutenden Bassisten *Adolf Schoepflin* (1884–1956), der mit ihr zusammen in Dresden und Karlsruhe engagiert war.

Habietinek, Hans, Baß-Bariton, * 1915 (?); er hatte zunächst ein wissenschaftliches Studium betrieben und sein Doktorat erworben, bevor er sich dem Gesang zuwandte. 1942–44 war er am Landestheater von Linz (Donau) engagiert und gehörte nach dem Ende des Zweiten Weltkrieges 1946–50 zum Ensemble der Wiener Volksoper, an der er auch später noch gastierte. 1947 und 1955 war er am Opernhaus von Graz zu Gast. Bei den Bayreuther Festspielen sang er 1956–59 den Hermann Ortel, 1961 den Hans Schwarz in den «Meistersingern». Von den Partien, die er auf der Bühne gesungen hat, sind der Monterone im «Rigoletto», der Amonasro in «Aida», der Alfio in «Cavalleria rusticana», der Onkel Bonze in «Madame Butterfly», der Alcindor in «La Bohème», der Escamillo in «Carmen», der Vater in «Hänsel und Gretel», der Moruccio in «Tiefland» von E. d' Albert, der Johannes im «Evangelimann» von W. Kienzl, der Homonay im «Zigeunerbaron» und der Kagler in «Wiener Blut» von Johann Strauß zu nennen. Verheiratet mit der Sopranistin *Gabriella Lupancea*, die ihre Ausbildung größtenteils in Wien erhalten hatte, am Landestheater Linz und 1947–55 wie ihr Gatte an der Wiener Volksoper engagiert war. Sie sang Partien wie die Mimi in «La Bohème», die Butterfly, die Nedda im «Bajazzo», die Tosca, die Santuzza in «Cavalleria rusticana», die Martha in «Tiefland» und im Bereich der Operette die Eurydike in «Orpheus in der Unterwelt» von Offenbach, die Laura im «Bettelstudenten», die Saffi im «Zigeunerbaron» und die Napolska in «Polenblut» von Nedbal.
Die Stimme von Hans Habietinek erscheint in einer Gesamtaufnahme der «Meistersinger von Nürnberg» aus Bayreuth von 1957 auf Melodram (als Hermann Ortel).

Hablawetz, August Egon, Baß, * 19. 5. 1833 Wien, † 18. 9. 1892 Wien; er wurde als Eleve bereits ganz jung am Wiener Theater in der Leopoldstadt beschäftigt und absolvierte während dieser Zeit seine weitere Ausbildung. 1857 begann er seine Solistenkarriere als erster Bassist am Landestheater von Linz (Donau). Er sang danach am Opernhaus von Lwów (Lemberg) und am Stadttheater von Basel. In den Jahren 1862–64 war er als Sänger wie als Schauspieler am Hoftheater von Dresden verpflichtet. 1870–92 wirkte er an der Wiener Hofoper, wo er eine Vielzahl von Partien aus dem seriösen wie dem Buffo-Fach übernahm. Neben seinem Auftreten auf der Bühne entfaltete er, namentlich in Wien, eine intensive Konzerttätigkeit.

Hacker, Adolf, Tenor, * 25. 3. 1832, † 31. 3. 1883 Gotha; er begann seine Bühnenkarriere 1855 am Stadttheater von Temesvar (Timișoara) und blieb dort während einer Spielzeit. Es folgten Engagements am Stadttheater von Bonn (1856–57), am Stadttheater von Freiburg i. Br. (1857–58), am Hoftheater von Altenburg in Thüringen (1858–59), am Stadttheater von Mainz (1859–60) und am Stadttheater von Posen (Poznań, 1860–61). Dann wurde er Mitglied des Hoftheaters von Dessau und wirkte dort 1861–68. Während dieser Zeit gastierte er regelmäßig an den großen deutschen Bühnen, u. a. seit 1864 an der Hofoper Berlin, seit 1865 an der Hofoper München, 1867 an der Hofoper Wien, 1868 am Hoftheater Schwerin, 1863 am Deutschen Theater Prag. In den Jahren 1868–74 war er am Opernhaus von Leipzig engagiert und wechselte dann an das Hoftheater Coburg, dem er bis zu seiner Pensionierung 1882 angehörte. Seine Hauptpartien waren der Florestan im «Fidelio», der Arnoldo in Rossinis «Wilhelm Tell», der Titelheld in «Robert le Diable» und der Raoul in den «Hugenotten» von Meyerbeer, der Johann von Leyden in dessen «Prophet», der Fra Diavolo in der Oper gleichen Namens von Auber und der Vassal in «Diana von Solange», einer Opernkomposition des Herzogs Ernst II. von Coburg-Gotha.

Hadley, Jerry, Tenor, * 16. 6. 1952 Peoria (Illinois); er studierte Dirigieren und Gesang an der Bradley University und an der University of Illinois wie auch bei Thomas Lo Monaco und debütierte noch als Student beim Lake George Opera Festival als Ferrando in «Così fan tutte». 1978 wurde er Finalist im Gesangwettbewerb des National Opera Institute und darauf an der New York City Centre Opera verpflichtet. Nach seinem Debüt an diesem Haus 1979 als Arturo in «Lucia di Lammermoor» sang er dort eine Vielzahl weiterer Partien: den Grafen Almaviva im «Barbier von Sevilla», den Alfredo in «La Traviata», den Rodolfo in «La Bohème», den Nadir in «Pêcheurs de perles» von Bizet, den Fenton in Verdis «Falstaff» wie in den «Lustigen Weibern von Windsor» von Nicolai, den Herzog im «Rigoletto», den des Grieux in Massenets «Manon» und den Tom Rakewell in «The Rake's Progress» von Strawinsky. Er gastierte in Washington (u. a. 1989 als Edgardo

in «Lucia di Lammermoor»), St. Louis, an der Tulsa
Opera, der Sarasota Opera und an kanadischen
Opernbühnen. 1981 sang er bei der Amtseinführung
des amerikanischen Präsidenten Ronald Reagan
und gastierte 1982 an der Wiener Staatsoper als
Nemorino in Donizettis «Elisir d' amore»; später
sang er dort den italienischen Sänger im «Rosenkavalier» und den Pinkerton in «Madame Butterfly»,
1988 den Tamino. 1984 wirkte er an der Münchner
Staatsoper wie bei den Festspielen von Glyndebourne als Idamante in «Idomeneo» von Mozart mit,
1984 trat er an der Londoner Covent Garden Oper
als Fenton im «Falstaff» von Verdi hervor. 1986
Gastspiel an der Staatsoper Hamburg als Rodolfo in
«La Bohème» von Puccini, 1987 als Tamino in der
«Zauberflöte». Im gleichen Jahr gastierte er an der
Oper von Rom als Rodolfo in «La Bohème» und
sang an der Metropolitan Oper New York den des
Grieux in Massenets «Manon» (Antrittsrolle, März
1987). 1988 Gastspiel an der Deutschen Oper Berlin
als Edgardo in «Lucia di Lammermoor». Konzerte
trugen dem Künstler, der bei seinen Liederabenden
von seiner Gattin, der Pianistin Cherryll Drake Had-
ley, am Flügel begleitet wurde, u. a. in Boston, Los
Angeles, in Toronto und Paris, beim Edinburgh
Festival und in der New Yorker Carnegie Hall (1984)
Erfolge ein.
Schallplatten: Decca («Anna Bolena» von Donizetti
mit Joan Sutherland), Telarc (Mozart- und Verdi-
Requiem), DGG (Rodolfo in «La Bohème» von
Puccini, Messe Es-dur von Schubert), HMV («Show
Boat» von J. Kern).

Hadžić, Bahrija, Sopran, * 4. 3. 1904 Sarajewo; sie
besuchte die Musikakademie von Belgrad und war
dort Schülerin von Ivanka Milojević. Dann setzte sie
ihre Ausbildung bei Theo Lierhammer in Wien fort.
1928–31 begann sie ihre Bühnenkarriere am Stadttheater von Bern in der Schweiz. 1931–60 war sie
Mitglied der Nationaloper von Belgrad, an der sie
eine sehr erfolgreiche Karriere hatte. 1935–38 war
sie als ständiger Gast an der Wiener Volksoper
engagiert. Während dieser Zeit gastierte sie regelmäßig an Opernhaus von Zürich. Hier sang sie dann
auch am 2. 6. 1937 in der Uraufführung des Opernfragments «Lulu» von Alban Berg die Titelpartie.
Weitere Gastspiele führten sie an die Nationaloper
Prag, an Bühnen in Deutschland und Polen. Ihr
Repertoire besaß einen großen Umfang und enthielt
als Höhepunkte Rollen wie die Aida, die Leonore im
«Troubadour», die Mimi in Puccinis «La Bohème»,
die Charlotte im «Werther» von Massenet, die Titelfigur in «Salome» von Richard Strauss, den Octavian
in dessen «Rosenkavalier» und die Jenufa in der
Oper gleichen Namens von Janáček. Ergänzt wurde
die Bühnenlaufbahn der Sängerin durch erfolgreiche
Auftritte im Konzertsaal. Sie verbrachte ihren Lebensabend in Belgrad, wo sie als Pädagogin tätig
war. Sie ist auch unter dem Namen Nuri-Hadžić
aufgetreten.

Haehnel, Hermann, Bariton, * 2. 5. 1932 Berlin; er
studierte Gesang bei F. Trommler und dann bei
Dagmar Freiwald-Lange in Berlin. 1962 erfolgte sein

Bühnendebüt am Theater von Potsdam als Ferdinand in «Die Verlobung im Kloster» von Prokofieff.
Bereits seit 1959 war er als Konzertsänger tätig,
wobei er sich in erster Linie mit dem zeitgenössischen Musikschaffen auseinandersetzte. Er wurde
als Pädagoge an die Musikhochschule in Ost-Berlin
berufen, ging aber weiter auch noch seiner Tätigkeit
im Konzertbereich nach; auf der Bühne gab er einige
Gastspiele.
Schallplatten: Eterna.

Haertel, Siegfried, Baß-Bariton, * 1927 (?) Görlitz;
er erhielt seine erste Ausbildung in seiner Geburtsstadt Görlitz und war 1946–48 am dortigen Stadttheater als Chorist tätig, übernahm aber bereits kleinere Rollen. Seit 1948 war er mit einem Solistenver-
trag an das Landestheater Brandenburg in Potsdam
verpflichtet und setzte seine Ausbildung bei Erwin
Michaels fort. Anfang der fünfziger Jahre ging er
nach West-Berlin, studierte hier weiter und trat auch
gelegentlich als Schauspieler auf. 1955–59 war er
dann am Stadttheater von Münster (Westfalen) engagiert und wechselte 1959 an das Opernhaus von
Köln. 1961 wurde er an das Staatstheater Hannover
berufen, an dem er eine über 25jährige Karriere
hatte. Von hier aus gastierte er im europäischen
Ausland, in Süd- und Nordamerika. Sein Bühnenrepertoire umfaßte rund 120 Partien, darunter den
Alfonso in «Così fan tutte», den Leporello im «Don
Giovanni», den Eremiten im «Freischütz», den van
Bett in «Zar und Zimmermann» und den Baculus im
«Wildschütz» von Lortzing, den Beckmesser in den
«Meistersingern», den Klingsor im «Parsifal», den
Musiklehrer in «Ariadne auf Naxos» von R. Strauss,
den Doktor im «Wozzeck» von A. Berg, den Moses
in «Moses und Aron» von Schönberg und den Titel-
helden in Puccinis «Gianni Schicchi». Auch als Kon-
zertsänger erfolgreich aufgetreten.
Schallplatten: RCA (Gesamtaufnahme «Sly» von E.
Wolf-Ferrari).

Hagemann, Emmy, Alt, * 1905 (?) Wuppertal; sie
war Schülerin des bekannten Pädagogen Julius von
Raatz-Brockmann in Berlin und begann ihre Karriere mit einem Engagement am Landestheater von
Braunschweig in der Spielzeit 1929–30. Es folgten
Verpflichtungen am Stadttheater von Stralsund
(1931–32), am Stadttheater von Eger (Cheb,
1932–33), am Stadttheater von Göttingen (1933–34),
bei der Deutschen Musikbühne, einer Wanderoper
(1934–35), am Stadttheater von Gießen (1935–36),
am Landestheater von Altenburg in Thüringen
(1936–37), am Theater von Rudolstadt (1937–38),
am Landestheater von Gotha (1938–39), am Stadttheater von Lübeck (1939–41), bis sie 1941 an das
Deutsche Opernhaus Berlin engagiert wurde. Sie
blieb bis 1966 Mitglied dieses Hauses (ab 1945 Städtisches Opernhaus Berlin, seit 1963 wieder Deutsches Opernhaus genannt); dort war sie seit 1956
auch als Souffleuse beschäftigt. 1941 gastierte sie mit
dem Ensemble der Deutschen Oper Berlin an der
Pariser Grand Opéra als Orlowsky in der «Fledermaus» von J. Strauß. 1952 sang sie an der Städtischen Oper Berlin in der Uraufführung der Oper

«Ein preußisches Märchen» von Boris Blacher. Ihr Bühnenrepertoire enthielt Partien wie die Marcellina in «Figaros Hochzeit», die Irmentraut im «Waffenschmied» von Lortzing, die Nancy in Flotows «Martha», die Mary im «Fliegenden Holländer», die Hexe in «Hänsel und Gretel», die Emilia in Verdis «Othello», die Herodias in «Salome» von R. Strauss, die Marthe im «Faust» von Gounod, die Mrs. Herring in «Albert Herring» von Benjamin Britten und die Agnes in der «Verkauften Braut» von Smetana.
Schallplattenaufnahmen auf HMV und Urania («Verkaufte Braut»).

Hagen, Christina, Mezzosopran, * 1957 (?) Hamburg; sie entstammte einer sehr musikalischen Familie, beide Eltern hatten Gesang studiert. Nach ihrer Ausbildung an der Musikhochschule Hamburg debütierte sie am Staatstheater von Oldenburg. Hier sang sie neben dem Standard-Repertoire u. a. Partien wie die Judith in «Ritter Blaubarts Burg» von B. Bartók und die Jokaste in «Oedipus Rex» von Strawinsky. 1983–84 war sie am Stadttheater von Osnabrück engagiert und wurde dann Mitglied der Deutschen Oper am Rhein Düsseldorf–Duisburg. Hier wie bei Gastspielen hörte man sie auf der Bühne in Partien wie der Olga im «Eugen Onegin» von Tschaikowsky, der Dorabella in «Così fan tutte», dem Siebel im «Faust» von Gounod, der Fatime im «Oberon» von Weber, dem Nicklausse in «Hoffmanns Erzählungen», dem Komponisten in «Ariadne auf Naxos» von Richard Strauss, dem Orlowsky in der »Fledermaus», der Santuzza in «Cavalleria rusticana» und der Magd in der zeitgenössischen Oper «Bluthochzeit» von W. Fortner. Bei den Bayreuther Festspielen von 1989 sang sie die Grimgerde in der «Walküre». Neben ihrem Wirken auf der Bühne trat sie auch im Konzertbereich, namentlich als begabte Liedersängerin, in Erscheinung.

Hagen, Wilhelm, Tenor, * 19. 9. 1818 Neustrelitz (Mecklenburg), † 2. 6. 1895 Aumühle bei Friedrichsruh; er war in Berlin Schüler von Eduard Mantius und begann seine Sängerkarriere 1840 als Bühnentenor in Berlin. 1841–42 war er am Stadttheater von Hamburg engagiert, in den Jahren 1842–45 sang er in Düsseldorf, Mainz und Nürnberg und gehörte 1845–52 dem Hoftheater von Kassel an. Seine Stimme wandelte sich inzwischen mehr und mehr zum Heldentenor. Als solcher führte er ein unruhiges Wanderleben von einer Bühne zur anderen; er sang u. a. am Hoftheater von Schwerin, am Stadttheater von Bremen, an den Bühnen von Detmold und Graz und schließlich 1861–64 wieder in Hamburg. Es schlossen sich Verpflichtungen in Köln, Riga, Stettin, Würzburg und zuletzt am Stadttheater von Magdeburg an. Sein großes Rollenrepertoire hatte seine Höhepunkte in Partien wie dem Don Ottavio im «Don Giovanni», dem Max im «Freischütz», dem Masaniello in «La muette de Portici» von Auber, dem Titelhelden im «Faust» von Gounod, dem Tannhäuser, dem Lohengrin und dem Manrico im «Troubadour». Angesehener Konzertsolist.

Hagner, Walter, Baß, * 1900, † Oktober 1987 Marquartstein (Oberbayern); er begann seine Bühnenlaufbahn mit einem Engagement am Stadttheater von Freiburg i. Br. in den Jahren 1921–23. 1923–26 sang er am Landestheater Darmstadt, 1926–27 am Stadttheater Mainz, 1927–31 an den Vereinigten Theatern Elberfeld-Barmen, 1931–41 am Opernhaus von Düsseldorf. 1941–44 war er am Stadttheater von Straßburg (Elsaß) engagiert und war schließlich in den Jahren 1946–54 Mitglied der Stuttgarter Staatsoper, an der er noch bis 1961 gastweise auftrat. Er gastierte auch an der Oper von Antwerpen und am Teatro Fenice Venedig. 1927 sang er in Mainz in der deutschen Erstaufführung der Oper «Das schlaue Füchslein» von L. Janáček, 1933 in Düsseldorf in der Uraufführung der Oper «Rosse» von Winfried Zillig, 1946 in Stuttgart in der deutschen Premiere von Hindemiths Werk «Mathis der Maler» (als Riedinger). Sein Bühnenrepertoire enthielt eine Vielzahl von Partien aus dem seriösen wie aus dem Buffo-Fach, u. a. den Osmin in der «Entführung aus dem Serail», den Leporello im «Don Giovanni», den van Bett in «Zar und Zimmermann» von Lortzing, den Stadinger im «Waffenschmied», den Daland im «Fliegenden Holländer», den Kothner in den «Meistersingern», den König Heinrich im «Lohengrin», den Hagen in der «Götterdämmerung», den Gurnemanz im «Parsifal», den Plumkett in Flotows «Martha», den Ochs im «Rosenkavalier», den Pater Guardian in Verdis «La forza del destino», den Alvise in «La Gioconda» von Ponchielli, den Crespel in «Hoffmanns Erzählungens und den Lothario in «Mignon» von Thomas. Auch als Konzertsänger hervorgetreten.
Schallplatten: Lyrichord («Der Mann im Mond»/«Il mondo della luna» von J. Haydn, Ausschnitte aus «Rodelinda» von Händel).

Hahn, Caroline, Alt, * 31. 5. 1814 Berlin, † 6. 11. 1885 Neustrelitz (Mecklenburg); sie hieß mit ihrem Geburtsnamen Caroline Möwes, trat aber nach ihrer Heirat mit dem Sänger und Maler *Eduard Hahn* 1835 unter diesem Namen auf. 1829 kam sie als Choristin an das Berliner Hoftheater und blieb nach ihrer Ausbildung zur Solistin während ihrer gesamten Karriere Mitglied dieses Hauses, an dem sie sehr beliebt war. Sie gab Gastspiele an den Hoftheatern von Hannover und München wie auch am Opernhaus (Stadttheater) von Hamburg. Ihr Bühnen- wie ihr Konzertrepertoire war umfangreich. Ihre großen Partien auf der Bühne waren der Titelheld in «Tancredi» von Rossini, die Azucena im «Troubadour» von Verdi, der Romeo in «I Capuleti ed I Montechi» von Bellini, die Titelheldin in dessen «Norma» und die Rosina im «Barbier von Sevilla» von Rossini.

Hale, Una, Sopran, * 1925 Adelaide (South Australia); ihr Vater war protestantischer Geistlicher. Ihre Stimme wurde zunächst am Elder Conservatory der Universität Adelaide durch Hilda Gill ausgebildet.

1946 gewann sie einen Vokal-Wettbewerb in Adelaide; im gleichen Jahr verzog ihre Familie nach London. Dort besuchte sie in den folgenden zwei Jahren das Royal College of Music und trat dann dem Ensemble der Carl Rosa Opera Company bei, wo sie bereits große Rollen, darunter die Marguerite im «Faust» von Gounod, sang. 1949 gastierte sie an der Covent Garden Oper London als Micaela in «Carmen»; 1953–61 trat sie an diesem großen Opernhaus in einem vielgestaltigen Repertoire in Erscheinung: als Mimi wie als Musetta in Puccinis «La Bohème», als Gräfin in «Nozze di Figaro», als Eva in den «Meistersingern», als Elsa im «Lohengrin», als Ellen Orford in Benjamin Brittens «Peter Grimes» und als Cressida in der zeitgenössischen Oper «Troilus and Cressida» von William Walton. Sie wirkte beim Aldeburgh Festival (das durch Benjamin Britten ins Leben gerufen worden war) und beim Gulbenkian Festival in Portugal mit, betrieb aber während dieser Zeit auch noch weitere Studien in Berlin (bei Tiana Lemnitz) und Wien. 1962 nahm sie an einer Australien-Gastspielreise mit der Elizabethan Opera Company teil, bei der sie vor allem in der Titelpartie der Richard Strauss-Oper «Ariadne auf Naxos» Aufsehen erregte. Gastierte 1961 an der Sadler's Wells Opera London, 1963 am Théâtre de la Monnaie Brüssel. Seit 1960 verheiratet mit dem Bühnendirektor des Royal Ballet London Martin Carr.
Schallplatten: HMV.

Halfvarson, Eric, Baß, * 1954 (?); nach seiner ersten Ausbildung in seiner amerikanischen Heimat war er 1977–78 im Opernstudio der Houston Opera/Texas und wurde bereits in kleineren Partien an diesem Haus eingesetzt. Es kam dann zu einer schnellen Entwicklung seiner Bühnenkarriere. 1979 sang er an der Oper von Chicago, 1980 wieder an der von Houston als Sarastro in der «Zauberflöte». 1981 wirkte er in der New Yorker Carnegie Hall in einer konzertanten Aufführung der Oper «Hamlet» von Ambroise Thomas mit. 1982 und 1983 gastierte er an der San Francisco Opera, 1983 in Baltimore, seit 1983 fast regelmäßig an der Washington Opera. 1983 wirkte er beim Festival von Spoleto in der europäischen Erstaufführung der Oper «Antony and Cleopatra» von Samuel Barber mit. Weitere Erfolge brachten Auftritte an der Canadian Opera Toronto (1984), in San Antonio (1984), an der Miami Opera (1985, 1987, 1989), an der Oper von Dallas (1986), an der Cincinnati Opera (1986 und 1987) und an der Oper von Santa Fé (1989 als Ochs im «Rosenkavalier»). 1986–87 war er am Opernhaus von Köln engagiert. 1986 wirkte er in St. Louis in der amerikanischen Erstaufführung der wieder entdeckten Rossini-Oper «Il Viaggio a Reims» mit, am 19. 1. 1988 an der Oper von Dallas in der Uraufführung der Oper «The Aspen Papers» von Dominick Argento. Sein Bühnenrepertoire enthielt vor allem Partien aus dem seriösen Stimmfach, darunter den Rocco im «Fidelio», den Hunding wie den Hagen im Nibelungenring, den Raimondo in «Lucia di Lammermoor», den Ramphis in «Aida», den Banquo in Verdis «Macbeth», den Sparafucile im «Rigoletto», den

Commendatore im «Don Giovanni», den Alvise in «La Gioconda» von Ponchielli, den Basilio im «Barbier von Sevilla», den Colline in Puccinis «La Bohème» und den Gremin im «Eugen Onegin» von Tschaikowsky. Er trat auch als Solist im Konzertsaal in Erscheinung.
Schallplatten: New World Records (Enobarbus in «Antony and Cleopatra» von S. Barber, Mitschnitt vom Spoleto Festival 1983).

Halgrimson, Amanda, Sopran, * 8. 6. 1961 Fargo (North Dakota); sie wuchs in Chicago auf, erhielt ihre Ausbildung zur Sängerin an der Northern Illinois University und erwarb dort ihr Diplom als Bachelor of Music. 1980–83 war sie an ausgedehnten USA-Tourneen der National Grand Opera beteiligt. Hier sang sie in 32 Staaten der USA mehr als 250 Vorstellungen von Opern, in denen sie u. a. Partien wie die Fiordiligi in «Così fan tutte», die Norina im «Don Pasquale» die Baronin im «Wildschütz» von Lortzing, die Flaminia wie die Clarice in «Il mondo della luna» von J. Haydn und die Rosalinde in der «Fledermaus» von J. Strauß vortrug. Seit 1984 gewann sie mehrere amerikanische Gesangwettbewerbe und damit ein Stipendium, das ihr den Besuch von Meisterklassen, die von Renata Tebaldi und Carlo Bergonzi geleitet wurden, ermöglichte. Nachdem sie auch Preisträgerin beim Concours Voci Verdiane in Busseto (1985) und im Wettbewerb der New Yorker Metropolitan Oper (1987) geworden war, kam sie zu einer erfolgreichen internationalen Bühnen- und Konzertkarriere. 1987–88 sang sie bei einer USA-Tournee der Texas Opera die Titelheldin in «Lucia di Lammermoor», dann bei der Baton Rouge Opera und bei der Des Moines Metro Opera die Königin der Nacht in der «Zauberflöte», eine ihrer großen Glanzrollen. In dieser Partie kam sie dann auch im November 1988 zu ihrem europäischen Debüt an der Niederländischen Oper Amsterdam. Sie sang die Königin der Nacht an der Volksoper (1989) wie an der Staatsoper Wien, am Opernhaus von Zürich (1989), in St. Gallen, Düsseldorf und Berlin. Auch als Konzertsopranistin durchlief sie eine bedeutende Karriere; so sang sie mit dem Houston Symphony Orchestra in konzertanten Aufführungen der Opern «Der Schauspieldirektor» von Mozart und «Prima la musica, poi le parole» von A. Salieri.

Hall, Janice, Sopran, * 28. 9. 1953 San Francisco; sie wuchs in Denver (Colorado) heran und absolvierte ihr Gesangstudium am Konservatorium von Boston bei Grace Hunter. Noch während ihres Studiums sang sie 1976 an der St. Louis Opera in Menottis «Medium». Sie gewann Preise bei Gesangwettbewerben in New York und San Francisco. 1977 begann sie ihre eigentliche Karriere in den USA, wo sie vor allem 1979–81 an der City Centre Opera New York, aber auch an anderen Opernbühnen, zu ersten Erfolgen kam. 1982 wurde sie an das Opernhaus von Köln verpflichtet, an dem sie bald eine große Karriere entfalten konnte. Sie gastierte zuerst an der Oper von Santa Fé (1982), dann an den Staatsopern von Hamburg (Europa-Debüt 1982) und Wien in der Partie der Rosina im «Barbier von Sevilla», die sie in der ursprünglichen Mezzosopran-Lage sang, am Opernhaus von Zürich (1988) als Micaela in «Carmen», bei den Festspielen von Salzburg 1985 (und in den folgenden Jahren) in Monteverdis «Il ritorno d'Ulisse in patria». 1987 hörte man sie in Santa Fé als Dalinda in der Händel-Oper «Ariodante». An der Staatsoper von München trat sie als Konstanze in der «Entführung aus dem Serail» auf (1988), weitere Gastspiele an den Opern von Washington (Amina in «La Sonnambula», Giulietta in «I Capuleti ed I Montecchi» von Bellini), San Diego (Zerline, Gilda, Micaela, Page Oscar in Verdis «Maskenball») und Houston/Texas («La Périchole» von Offenbach) und seit 1986 bei den Festspielen von Schwetzingen. Aus ihrem weit gespannten Bühnenrepertoire sind außerdem zu nennen: die Pamina in der «Zauberflöte», die Titelfigur in «Lucia di Lammermoor» von Donizetti, die Norina in dessen «Don Pasquale» wie die Adina in «Elisir d'amore», die Mimi wie die Musetta in «La Bohème» von Puccini, die Lauretta in «Gianni Schicchi», die Sofia in Rossinis «Signor Bruschino», die Elisetta in Cherubinis «Matrimonio segreto» und die Titelpartie in Janáčeks «Schlauem Füchslein», in der sie 1987 in Köln besonders erfolgreich war. 1989 sang sie bei den Festspielen von Schwetzingen die Fanny in Rossinis «Cambiale di matrimonio». Zu der Bühnenlaufbahn gesellte sich bei der Künstlerin eine beachtliche Konzertkarriere.

Hall, Vicki, Sopran, * 13. 11. 1943 Jefferson (Texas); sie studierte Musik und war als Chorleiterin an Höheren Schulen tätig, ließ aber auch ihre Stimme ausbilden. Ihre Lehrer waren Willa Stewart, dann Elda Ercole in New York, später Josef Metternich in Köln. Ihr Bühnendebüt fand 1970 an der New York City Centre Opera New York statt. Sie hatte ihre größten Erfolge in Europa; sie nahm ihren Wohnsitz in München und war an dortigen Gärtnerplatz-Theater engagiert. Erfolgreiche Auftritte dann vor allem an der Wiener Volksoper, an den Opernhäusern von Köln und Wuppertal und bei den Festspielen von Bregenz. Dabei standen im Mittelpunkt ihres ausgedehnten Bühnenrepertoires Partien wie die Blondchen in der «Entführung aus dem Serail», die Susanna in «Figaros Hochzeit», die Carolina in Cimarosas «Matrimonio segreto», die Frau Fluth in den «Lustigen Weibern von Windsor» von Nicolai, die Ännchen im «Freischütz», die Olympia in «Hoffmanns Erzählungen», die Sophie im «Rosenkavalier», die Adele in der «Fledermaus», die Gretel in «Hänsel und Gretel», die Lucy in «The Telephone» von Menotti und die Titelfigur im «Schlauen Füchslein» von Janáček. Die als vortreffliche Darstellerin bekannte Künstlerin brillierte auch in Operettenrollen; geschätzte Konzertsopranistin.

Halpern, Dino, Tenor, * 1914 (?) Wien; er begann zuerst ein Studium der Elektrotechnik und des Maschinenbaus, ließ dann aber seine Stimme in Wien ausbilden und war ab 1936 in der österreichischen Hauptstadt als Konzert- und Oratoriensänger tätig. Nach der Angliederung Österreichs an das Deutsche Reich flüchtete er nach Israel, wo er 1940–53 an der Oper von Tel-Aviv tätig war, aber auch seine Karriere als Konzertsolist fortsetzte. Er kehrte dann wieder nach Österreich zurück und war 1954–66 Mitglied des Opernhauses von Graz, an dem er auch noch später als Gast auftrat. Er absolvierte Gastspiele an der Staatsoper Wien, am Opernhaus von Zürich, an der Stuttgarter Staatsoper und am Teatro San Carlos Lissabon. Der Schwerpunkt seines Repertoires für die Bühne lag im italienischen Fachbereich, wo er u. a. den Herzog im «Rigoletto», den Alfredo in «La Traviata», den Alvaro in Verdis «La forza del destino», den Ismaele in «Nabucco», den Radames in «Aida», den Rodolfo in «La Bohème» von Puccini, den Kalaf in «Turandot» und den Turiddu in «Cavalleria rusticana» sang. In seinem Bühnenrepertoire standen aber auch Rollen wie der Tamino in der «Zauberflöte», der Don Ottavio im «Don Giovanni», der José in «Carmen», der Titelheld in «Hoffmanns Erzählungen», der Lenski im «Eugen Onegin», später auch Aufgaben aus dem Charakterfach wie der Ägisth in «Elektra» von R. Strauss, der Schuiskij im «Boris Godunow» und der Capito in «Mathis der Maler» von P. Hindemith. Er übernahm eine Professur am Landeskonservatorium von Graz; hier gehörten Sänger wie Gertraud Hopf, Claude Hector, Heinz Zednik, M. Alch, G. Fourié und E. Schütz zu seinen Schülern.

Hamann, Hans, Baß-Bariton, * 10. 8. 1929 Jatznick (Vorpommern); er besuchte zur Gesangausbildung das Konservatorium von Schwerin und war dort Schüler von Carl Stralendorf und von Rudolf Bokkelmann. Er wurde auch von Arno Schellenberg in Dresden und von Pavel Lisitzian in Moskau unterrichtet. 1955 debütierte er am Theater von Annaberg in Sachsen in der Rolle des Scarpia in «Tosca». In den Jahren 1959–63 war er am Theater von Eisenach (Thüringen), 1963–66 am Theater von Plauen (Sachsen), 1966–70 am Sächsischen Landestheater Dresden–Radebeul tätig. 1970–85 gehörte er dem Ensemble des Theaters von Rostock an und trat seit 1982 als Gast regelmäßig an der Staatsoper Berlin auf. 1985 folgte er dann einem Ruf an die Staatsoper von Dresden. Seine großen Partien auf der Bühne waren der Pizarro in Beethovens «Fidelio», der Titelheld im «Fliegenden Holländer», der Kaspar im «Freischütz», der Jago in Verdis «Othello» und der Jochanaan in «Salome» von R. Strauss. Bekannt wurde er auch durch seine Konzertauftritte.

Hamblin, Pamela, Sopran, * 14. 6. 1954 Cookeville im amerikanischen Staat Tennessee; sie absolvierte ihr Musik- und Gesangstudium an der North Texas State University und erwarb den akademischen Grad eines Master of Music. Anschließend ergänzte sie ihre Ausbildung am Salzburger Mozarteum und wurde durch den Pädagogen Schilhawsky in den Liedvortrag eingeführt. Im April 1980 debütierte sie am Staatstheater Karlsruhe als Eurydice in der Offenbach-Operette «Orpheus in der Unterwelt» und wurde für die folgende Spielzeit als Ensemblemitglied an dieses Haus verpflichtet, dem sie seitdem angehörte. In Karlsruhe wurde sie vor allem durch ihre Teilnahme an den Händel-Festspielen bekannt. Sie sang Händel-Partien wie die Florinda in «Rodrigo», die Almirena in «Rinaldo» und die Romilda in «Xerxes». Aus ihrem Bühnenrepertoire sind als Höhepunkte noch die Micaela in «Carmen», die Konstanze in der «Entführung aus dem Serail», die Susanna in «Figaros Hochzeit», die Pamina in der «Zauberflöte», die Sandrina in «La finta giardiniera», die Gilda im «Rigoletto», der Page Oscar im «Maskenball» von Verdi, die Konstanze im «Wasserträger» von Cherubini, die Elvira in Rossinis «Italiana in Algeri», die Baronin im «Wildschütz» von Lortzing, die Sophie im «Rosenkavalier», die Zdenka in «Arabella», die Aminta in der «Schweigsamen Frau» von R. Strauss, der Waldvogel im «Siegfried», die Laura in «Bettelstudenten» von Millöcker, die Gasparina in «Il Campiello» von E. Wolf-Ferrari und die Tytania in «A Midsummer Night's Dream» von B. Britten zu verzeichnen. Sie gastierte erfolgreich an den Staatsopern von Dresden und Stuttgart, am Opernhaus von Zürich, am Staatstheater Wiesbaden, am Opernhaus von Essen, am Stadttheater Heidelberg, an der Opéra du Rhin Straßburg, an der Oper von Nancy, in Madrid und Barcelona und bei den Festspielen im Theater des Herodes Atticus in Athen. Auf dem Gebiet des Konzertgesangs trat sie namentlich als Bach- und Händel-Interpretin, aber auch in oratorischen Werken vieler anderer Meister hervor.

Schallplatten: HMV-Electrola («Rodrigo» von Händel).

Hamel, Michel, Tenor, * 1. 11. 1921 Evreux (Departement Eure); er arbeitete zunächst als Bankangestellter, ließ dann aber in den Jahren 1942–46 seine Stimme am Conservatoire National Paris ausbilden. Bereits 1944 konnte er in Radiosendungen auftreten; sein Bühnendebüt fand 1946 am Opernhaus von Nancy statt. Schon im folgenden Jahr 1947 wurde er an die Opéra-Comique Paris berufen, wo er als Jean in «Le Jongleur de Notre-Dame» von Massenet debütierte. Bis in die achtziger Jahre ist der Künstler an diesem Haus immer wieder aufgetreten, wobei er sich zunehmend auf das Charakterfach konzentrierte, unterstützt von einem entsprechenden darstellerischen Talent. Das Repertoire, einschließlich der mittleren und kleineren Partien, die er im Lauf dieser Jahre gesungen hat, umfaßt rund 350 Rollen. Nur einige davon können, stellvertretend für viele andere, genannt werden: der Don Basilio in «Nozze di Figaro», der Pedrillo in der «Entführung aus dem Serail», der Cecco in «Il mondo della luna» von Haydn, der Remendado in «Carmen», die vier Charakterrollen in «Hoffmanns Erzählungen», der Torquemada in «L' Heure espagnole» von Ravel, der Fischer in «Le Rossignol» von Strawinsky, der Hirte in «Oedipus Rex» vom gleichen Meister, der Titelheld in «Albert Herring» von B. Britten und der Telegraphist in «Volo di notte» von Dallapiccola, dazu Partien in Operetten, namentlich in Werken von Offenbach. Bei den Festspielen von Aix-en-Provence war er in den Jahren 1956–72 regelmäßig anzutreffen; er gastierte am Théâtre de la Monnaie Brüssel (1964, 1965), an der Oper von Monte Carlo (1964, 1966), an der Pariser Grand Opéra (1980, 1982), an den Operntheatern in der französischen Provinz, in Madrid, Amsterdam und Lüttich, am Teatro San Carlo Neapel und am Teatro Fenice Venedig, an der Oper von Genf (1967, 1986) und in Berlin. In Genf sang er 1967 in der Uraufführung der Neufassung der Oper «Der Sturm» von Frank Martin, 1961 in Aix-en-Provence in der Uraufführung der Oper «Lavinia» von H. Barraud. Seit 1975 war er als Pädagoge am Konservatorium von Caen tätig. Sehr viele Schallplattenaufnahmen der verschiedensten Marken: Erato, Vox, RTF, Rodolphe Records («Francesca da Rimini» von Zandonai), Discoreale, HMV («Fra Diavolo» von Auber), Decca («L' Heure espagnole»), Bourg Records («La Créole» von Offenbach), INA («Le Petit Faust» von Hervé).

Hammermeister, Heinrich, Bariton, * 1799 Stettin, † 1860 New York; als Freiwilliger Jäger machte er ganz jung den Feldzug von 1815 mit und schlug dann eine Laufbahn im Regierungsdienst ein. 1823 betrat er erstmals, und zwar mit glänzendem Erfolg, die Bühne am Hoftheater von Schwerin. 1824–28 gehörte er zum Ensemble des Braunschweiger Hoftheaters und sang in den folgenden Jahren an den Bühnen von Mainz, Köln, Düsseldorf und Leipzig. 1832 folgte er einem Ruf an die Berliner Hofoper, an der er bis 1835 sehr erfolgreich wirkte, um in den Jahren 1835–40 am Stadttheater (Opernhaus) von Hamburg aufzutreten. Dann wanderte er nach Nordamerika aus und versuchte in New York zu einer Bühnenkarriere zu kommen. Dieser Versuch scheiterte jedoch völlig, so daß er mehr und mehr verarmte und schließlich elend als Straßensänger endete. In der Glanzzeit seiner Karriere, die in die Zeit von etwa 1825 bis 1840 fiel hatte er nicht nur an den erwähnten Theatern sondern bei Gastspielen und Konzerten in Paris, London, München und in anderen Zentren des internationalen Musiklebens seine Erfolge gehabt, wobei er auf der Bühne vor allem als Don Giovanni und in der Partie des Brian in Marschners Oper «Der Templer und die Jüdin» Aufsehen erregte. Letztere hatte er in der Uraufführung dieser Oper am 22. 12. 1829 in Leipzig gesungen.

Hammes, Lieselotte, Sopran, * 1933 (?) Siegburg (Rheinland); sie erhielt ihre Ausbildung an der Musikhochschule Köln, zuerst als Pianistin, dann als Sängerin. 1957 erfolgte ihr Bühnendebüt am Opernhaus von Köln als Amor im «Orpheus» von Gluck. Sie wurde durch Gastspiele auf internationaler Ebene bekannt. So war sie zu Gast an den Staatsopern von Stuttgart und Hamburg, an der Deutschen Oper Berlin, am Teatro Verdi Triest (1962), am Teatro San Carlo Neapel (1962) und an der Oper von Rom (1968), an der Mailänder Scala (1968) und am Teatro Fenice Venedig, am Teatro San Carlos Lissabon (1964 und 1967) und an der Grand Opéra Paris (1971). Einen ihrer größten Erfolge hatte sie 1965 bei den Festspielen von Glyndebourne als Sophie im «Rosenkavalier». Nach ihrer Heirat gab sie 1968 ihr festes Engagement an der Kölner Oper auf und trat dort noch bis Mitte der siebziger Jahre gastweise auf. Seit 1973 war sie pädagogisch tätig, zuerst in Bonn, dann an der Musikschule in Siegburg und

schließlich an der Musikhochschule Köln, an der sie seit 1985 eine Professur wahrnahm. Neben einem entsprechenden, vielseitigen Konzertrepertoire sang sie auf der Bühne rund 70 Partien, darunter die Susanna in «Figaros Hochzeit», die Pamina wie die Papagena in der «Zauberflöte», die Marzelline im «Fidelio», die Woglinde wie den Waldvogel im Nibelungenring, die Najade in «Ariadne auf Naxos» von R. Strauss, die Mimi in «La Bohème», die Titelheldin in Puccinis «Manon Lescaut», die Nedda im «Bajazzo», die Marie in der «Verkauften Braut» und die Anne Trulove in «The Rake's Progress» von Strawinsky.
Schallplatten: Auf Melodram wie auf Foyer Mitschnitt der Glyndebourner «Rosenkavalier»-Aufführung von 1965 (mit Montserrat Caballé als Marschallin).

Hampson, Thomas, Bariton, * 25. 6. 1955 Indianapolis (Indiana); Gesangstudium an der University of South California Los Angeles; er wurde als Preisträger bei mehreren internationalen Gesangwettbewerben bekannt, so beim Concours von s'Hertogenbosch und bei den Metropolitan Opera Auditions New York wie als Gewinner der Lotte Lehmann-Medaille der Music Academy of The West in Santa Barbara (Kalifornien). 1980 begann er seine Bühnenkarriere in Europa an der Deutschen Oper am Rhein Düsseldorf–Duisburg; hier sang er in den folgenden drei Spielzeiten Partien wie den Guglielmo in «Così fan tutte», den Figaro im «Barbier von Sevilla» von Rossini, den Belcore in «Elisir d'amore» und den Harlekin in «Ariadne auf Naxos» von R. Strauss. Er gastierte in dieser Zeit am Staatstheater von Darmstadt (als Titelheld im «Prinzen von Homburg» von H. W. Henze), an den Opernhäusern von Köln und Bonn und an der Hamburger Staatsoper, mit deren Ensemble er auch in Bogotà (Kolumbien) zu Gast war. 1981–82 hatte er in St. Louis große Erfolge als Guglielmo in «Così fan tutte», seit der Saison 1984–85 war er als ständiger Gast dem Opernhaus von Zürich verbunden, wo er 1987 als Don Giovanni Aufsehen erregte. 1985 sang er bei den Festspielen von Aix-en-Provence, 1988 bei den Salzburger Festspielen den Grafen in «Figaros Hochzeit». In der gleichen Partie erfolgte 1986 sein Debüt an der Metropolitan Oper New York, an der er 1988 als Marcello in Puccinis «La Bohème» zusammen mit Luciano Pavarotti auftrat. 1987 hörte man ihn an der Oper von Los Angeles und bei den Festspielen von Ravinia. Seit 1986 Mitglied der Staatsoper von Wien, Gastspiele auch am Grand Théâtre von Genf, an der Oper von Lyon, an der Staatsoper von München und an der Oper von Rom (1988 als Marcello in «La Bohème). 1988 sang er am Theater an der Wien in «Fierrabras» von F. Schubert. Große Erfolge konnte er auch als Konzert- und vor allem als Oratoriensolist erzielen. So sang er u. a. zusammen mit Dietrich Fischer-Dieskau und dem Radio Sinfonie-Orchester Berlin in der «Jakobsleiter» von A. Schönberg. Er gab Konzerte in der Londoner Wigmore Hall, in San Francisco, Brüssel, Amsterdam und Wien und unternahm eine große Nordamerika-Tournee. Im englischen Fernse-

hen BBC wirkte er in einer Sendung von Mozarts «Così fan tutte» mit.
Schallplatten: Telefunken (Bach-Kantaten, «Prima la musica» von A. Salieri, Titelheld im «Don Giovanni» und «Der Schauspieldirektor» von Mozart, Lieder aus «Des Knaben Wunderhorn» von G. Mahler), RCA-Erato («Elias» und «Paulus» von Mendelssohn), Harmonia mundi (Marienvesper von Monteverdi), DGG («La Bohème», «Così fan tutte»).

Hanák, Bohuš, Baß-Bariton, * 8. 1. 1925 Banovce (ČSR); er erhielt seine Ausbildung an der Musikhochschule von Bratislava (Preßburg) und begann am dortigen Nationaltheater auch seine Bühnenkarriere. Mit dem Ensemble dieses Hauses gastierte er am Nationaltheater Prag, an der Nationaloper Sofia und bei den Maifestspielen von Wiesbaden. 1958–60 war er am Landestheater von Linz (Donau) engagiert; seit 1968 wirkte er bis 1988 (zuletzt als Gast) am Stadttheater von Basel. Er gastierte an der Komischen Oper Berlin, am Bolschoj Theater Moskau, an der Oper von Leningrad, an den Staatsopern von Dresden und München, am Teatro San Carlo Neapel, am Grand Théâtre Genf, an den Theatern von Bern, Innsbruck und Heidelberg und am Théâtre des Champs Élysées Paris. Von den vielen Partien, die Bestandteil seines Bühnenrepertoires waren, sind zu nennen: der Figaro in «Nozze di Figaro», der Don Giovanni, der Haly in Rossinis «Italiana in Algeri», der Figaro in dessen «Barbier von Sevilla», der Pizarro im «Fidelio», der Rigoletto, der Renato in Verdis «Ballo in maschera», der Amonasro in «Aida», der Graf Luna im «Troubadour», die Titelpartien in «Macbeth» wie in «Simon Boccanegra» und in «Nabucco», der Wolfram im «Tannhäuser», der Telramund im «Lohengrin», der Fliegende Holländer, der Alberich im Nibelungenring, der Escamillo in «Carmen», der Fürst Igor in Borodins gleichnamiger Oper, der Titelheld im «Eugen Onegin» und der Tomsky in «Pique Dame» von Tschaikowsky, der Sharpless in «Madame Butterfly», der Scarpia in «Tosca», der Titelheld in «Cardillac» von Hindemith, der Mandryka in «Arabella» von R. Strauss und der Boris in «Katerina Ismailowa» von Schostakowitsch, dazu Partien in Operetten.
Supraphon-Aufnahmen.

Handl, Herma, Sopran, * 1912 (?); sie begann 1934 ihre Bühnenkarriere am Opernhaus von Graz, wo sie als Königin der Nacht in der «Zauberflöte» debütierte und bis 1937 engagiert blieb. Dort wirkte sie u. a. 1935 in der österreichischen Premiere der Richard Strauss-Oper «Die schweigsame Frau» in der Rolle der Aminta mit. Nach dem Zweiten Weltkrieg gastierte sie 1947 bei den Salzburger Festspielen als Fiakermilli in «Arabella» von R. Strauss und 1948 an der Staatsoper Wien. In den Jahren 1948–52 war sie wieder am Opernhaus von Graz im Engagement; dort verabschiedete sie sich 1952 als Violetta in Verdis «La Traviata» von der Bühne. Später wirkte sie lange Jahre als Professorin an der Musikhochschule Graz. Von den vielen Partien, die sie auf der Bühne gesungen hat, und die im wesentlichen aus

dem Koloraturfach stammten, sind zu nennen: die Blondchen wie die Konstanze in der «Entführung aus dem Serail», die Zerline im «Don Giovanni», die Gilda im «Rigoletto», die Musetta in Puccinis «La Bohème», der Page Oscar im «Maskenball» von Verdi, die Olympia in «Hoffmanns Erzählungen», die Liu in «Turandot» von Puccini, der Waldvogel im «Siegfried» und die Zerbinetta in «Ariadne auf Naxos» von R. Strauss, dazu Operetten-Partien wie die Adele in der «Fledermaus» und die Arsena im «Zigeunerbaron» von Johann Strauß. Erfolgreich auch als Konzert- und Liedersängerin.
Schallplatten: HMV (Lieder von Hugo Wolf), Fonit Cetra («Arabella» aus Salzburg, 1947).

Handler, Irma, Sopran, * 1910 (?); sie begann ihre Karriere in der Spielzeit 1932–33 am Stadttheater von Aussig (Ústí nad Labem), sang 1933–34 am Deutschen Theater Prag, 1934–36 am Stadttheater von Basel und 1936–38 am Stadttheater (Opernhaus) von Nürnberg. In den Jahren 1938–50 gehörte sie der Staatsoper Hamburg als Ensemblemitglied an. Sie beschloß ihre Bühnenkarriere mit einem Engagement am Mannheimer Nationaltheater in den Jahren 1951–63. 1935 gastierte sie an der Wiener Staatsoper. Bei den Salzburger Festspielen hörte man sie 1943 als Fiakermilli in «Arabella», 1944 als Xanthe in der Uraufführung der Oper «Die Liebe der Danaë» von Richard Strauss (öffentliche Generalprobe; die eigentliche Uraufführung wurde erst 1952 nachgeholt). Ihr Bühnenrepertoire besaß einen großen Umfang und enthielt Partien wie die Konstanze in der «Entführung aus dem Serail», die Zerline im «Don Giovanni», die Königin der Nacht in der «Zauberflöte», die Elisabetta in Verdis «Don Carlos», die Desdemona in dessen «Othello», die Marguerite im «Faust» von Gounod, die Micaela in «Carmen», die Felice in «I quattro rusteghi» von E. Wolf Ferrari, die Eva in den «Meistersingern», die Sophie im «Rosenkavalier», die Zerbinetta in «Ariadne auf Naxos» und die Isabella in «Columbus» von Werner Egk. Nach Aufgabe ihrer Bühnenkarriere lebte sie als Pädagogin in Mannheim.
Ihre Stimme erscheint auf einer privaten Gedächtnisplatte des Mannheimer Nationaltheaters.

Hannula, Tero, Bariton, * 1951 (?) Vehmaa (Finnland); er war zuerst fünf Jahre lang als Schullehrer tätig, ließ dann aber seine Stimme ausbilden. Er war in Finnland Schüler von P. Salomaa, K. Kerkola und Matti Lehtinen, studierte in Rom bei Luigi Ricci und war Absolvent der Musikhochschule in Wien. 1976 fand sein Bühnendebüt am Pfalztheater von Kaiserslautern statt, und zwar als Escamillo in «Carmen» und als Posa in Verdis «Don Carlos». Im folgenden Jahr 1977 wechselte er an das Nationaltheater Mannheim, an dem er in den folgenden fünf Jahren ein Repertoire von rund 40 Partien zum Vortrag brachte. Darunter fanden sich der Wolfram im «Tannhäuser», der Figaro im «Barbier von Sevilla» von Rossini, der Enrico in «Lucia di Lammermoor», der Graf Luna im «Troubadour», der Graf Almaviva in «Figaros Hochzeit», der Titelheld im «Eugen Onegin» von Tschaikowsky, der Marcello in Pucci-

nis «La Bohème» und der Zar in «Zar und Zimmermanns von Lortzing. Gastspiele führten den Künstler an die Staatsopern von Stuttgart und Hamburg, an die Staatstheater von Hannover und Karlsruhe, an das Stadttheater Aachen und zu den Festspielen von Ludwigsburg, bei denen er 1980–81 den Grafen Almaviva zum Vortrag brachte. Internationale Gastspielerfolge an der Staatsoper Wien, am Bolschoj Theater Moskau und an der Oper von Leningrad. 1981–89 bewunderte man bei den Opernfestspielen von Savolinna in seiner finnischen Heimat seinen Papageno in der «Zauberflöte»; am 7. 7. 1984 wirkte er dort in der Uraufführung der Oper «Der König begibt sich nach Frankreich» von Aulis Sallinen mit. Seit 1982 gehörte er als führendes Ensemblemitglied der Stuttgarter Staatsoper an, wo er am 24. 3. 1984 in der Uraufführung der Oper «Echnathon» von Philipp Glass mitwirkte. 1982 sang er in der Eröffnungsvorstellung der Bayerischen Kammeroper München und gastierte mit deren Ensemble in Norwegen und Belgien (Lüttich). An der Oper von Helsinki war er als Rigoletto in der Verdi-Oper gleichen Namens zu Gast, am Deutschen Opernhaus Berlin als Thoas in Glucks «Iphigenie in Aulis». Parallel zu diesen Bühnenerfolgen verlief eine nicht weniger bedeutende Karriere im Konzertsaal.
Schallplatten: CBS («Echnathon»).

Hansa, Ethel, Sopran, * 1888 (?) Philadelphia, † (?); sie kam nach Paris und studierte dort bei der berühmten Mathilde Marchesi, dann in Berlin bei Albert Loesch. Ihre Bühnenkarriere hat sich hauptsächlich in Deutschland abgespielt. 1911–12 sang sie am Stadttheater von Wuppertal–Elberfeld, 1912–13 an der Kurfürstenoper Berlin. 1916 erscheint sie im Ensemble der Berliner Hofoper und blieb an diesem Haus (der späteren Staatsoper) bis 1926 tätig. Sie sang dort vornehmlich Partien aus dem Koloraturfach, darunter die Susanna in «Figaros Hochzeit», die Königin Marguerite de Valois in «Hugenotten» von Meyerbeer, die Zerbinetta in «Ariadne auf Naxos» von Richard Strauss, den Waldvogel im «Siegfried» und die Columbina in «Arlecchino» von Ferruccio Busoni. Sie gastierte, zum Teil mit dem Ensemble der Berliner Oper, in Holland und Skandinavien und kam auch im Konzertsaal zu einer erfolgreichen Karriere. Sie blieb nach ihrem Abschied von der Bühne als Pädagogin in Berlin, wo sie 1941 noch lebte.

Hansen, Ib, Baß-Bariton, * 22. 12. 1928 Kopenhagen; zuerst private Gesangausbildung bei Kristian Riis, dann in der Opernschule der Königlichen Oper Kopenhagen. 1958 debütierte er an diesem Haus in Smetanas «Verkaufter Braut» und hatte dort noch im gleichen Jahr in der Titelrolle von Puccinis «Gianni Schicchi» einen glänzenden Erfolg. Er blieb für mehr als zwanzig Jahre Mitglied der Oper von Kopenhagen. Zunächst sang er dort Partien aus dem italienischen Fach wie den Rigoletto, den Renato in Verdis «Maskenball», den Germont-père in «La Traviata», den Grafen Luna im «Trobadour», den Posa im «Don Carlos», den Jago im «Othello», den Marcello in «La Bohème» und den Scarpia in

«Tosca». Dann nahm er auch deutsche Partien in sein Bühnenrepertoire auf: den Wolfram im «Tannhäuser», den Amfortas im «Parsifal», den Jochanaan in «Salome» von R. Strauss und den Dr. Schön in «Lulu» von A. Berg. Schließlich hörte man ihn in Aufgaben aus dem Baß-Fach wie dem Mephisto im «Faust» von Gounod und dem Boris Godunow. Insgesamt soll er mehr als hundert Partien gesungen haben. Er gastierte in den skandinavischen Ländern und in Berlin, hatte eine große Karriere als Konzert- und Liedersänger und wirkte später oft in Sendungen des dänischen Fernsehens mit. 1974 erfolgte seine Ernennung zum Hofsänger.
Schallplatten: Unicorn («Maskarade» von C. Nielsen), Vox, Philips, Polydor (Operetten).

Hansford, Brian, Bariton, * 1934; der Sänger, der aus Australien stammte, wollte ursprünglich Buchhalter werden, ließ aber zugleich seine Stimme ausbilden. 1954 gewann er beim Dandenong Festival einen Wettbewerb im Liedgesang; weitere Wettbewerbe in Melbourne und im australischen Rundfunk ABC, die er 1955 als Preisträger beendete, ermöglichten ihm eine Ausbildung in Westdeutschland. Er wurde in München Schüler des berühmten Baß-Baritons Hans Hotter und studierte Lied-Interpretation bei dem nicht weniger berühmten Bariton Gerhard Hüsch. 1959 kam er bei dem Schubert-Haydn-Wettbewerb in Wien und beim Internationalen Concours in München zu erneuten Erfolgen. 1959 wurde er an die Bayerische Staatsoper München verpflichtet, an der zunächst kleinere Partien, dann aber Rollen wie den Germont-père in «La Traviata» und den Sharpless in «Madame Butterfly» sang. 1961 kam er wieder in seine australische Heimat, trat dort in Opernsendungen des Rundfunks ABC und im Fernsehen auf und wurde ein gesuchter Oratoriensolist, besonders aber als Liedersänger («Schöne Müllerin», «Winterreise» von Schubert) bekannt. Verheiratet mit der Mezzosopranistin *Dorothy O'Donohoo,* mit der er zusammen gern Duette vortrug.
Schallplatten: HMV.

Hanson-Hvoslef, Agnes, s. unter *Hvoslef,* Agnes.

Hanusová-Svobodová, Leopolda, s. unter *Svobodová,* Leopolda.

Hara, Nobuko, Sopran, * 1893 Aomori (Japan); sie erhielt ihre Ausbildung zur Sängerin an der Tokyo School of Music und debütierte 1916 in Tokio, wo sie dann vor allem am Teikokulan Theater auftrat. Nachdem die japanische Sopranistin Tamaki Miura als «authentische Butterfly» auf ihren Tourneen in aller Welt zu großen Erfolgen kam, folgten mehrere japanische Künstlerinnen diesem Beispiel, darunter auch Nobuko Hara. So bereiste sie 1920 die USA und unternahm 1925 eine Europa-Tournee (bei der sie u. a. in Basel gastierte), die sie später wiederholte. 1928 sang sie an der Mailänder Scala in der Uraufführung der Oper «Thien-Hoa» von Bianchini. 1930 Gastspiel an der Oper von Monte Carlo als Butterfly. Nach Abschluß ihrer Karriere leitete sie in Tokio ein Opernstudio. Sie hatte sich in ihrem

Bühnenrepertoire ganz auf die Partie der Butterfly und auf die Titelrolle in Mascagnis «Iris» spezialisiert, ist aber auch als Tosca und als Aida aufgetreten. Im Konzertsaal trug sie gern japanische Lieder vor.
Schallplatten: Fonotipia-Odeon (Ausschnitte aus «Madame Butterfly», japanische Lieder).

Harbich, Adolf, Bariton, * 15. 4. 1887 Laibach (Ljubljana), † (?); er erhielt seine Ausbildung in Wien und debütierte 1920 am Theater von Graz, dessen Mitglied er bis 1923 war. 1923–37 sang er am Staatstheater von Wiesbaden, 1937–39 am Staatstheater von Kassel. 1941–42 war er als Gast am Theater von Aussig (Ustí nad Labem) zu hören. In Kassel sang er 1939 in der Uraufführung der Oper «Elisabeth von England» von P. von Klenau die Rolle des Cecil; bereits 1931 hatte er in Wiesbaden die Titelrolle in der deutschen Erstaufführung von Tschaikowskys «Mazeppa» übernommen. Er gab Gastspiele an der Berliner Staatsoper, am Teatro Liceo Barcelona und an weiteren großen Bühnen. 1936 sang er an der Oper von Monte Carlo den Wanderer und den Gunther im Nibelungenring, 1939 an der Mailänder Scala den Wanderer. (Bei diesen beiden Gastspielen wird er in manchen Publikationen mit Eduard Habich verwechselt, doch handelt es sich eindeutig um Adolf Harbich). In seinem sehr umfangreichen Repertoire standen die Wagner-Partien an erster Stelle: der Hans Sachs in den «Meistersingern», den er über 350mal gesungen hat, der Wotan im Nibelungenring, der Fliegende Holländer, der Telramund im «Lohengrin» und der Kurwenal im «Tristan». Zu seinen großen Partien gehörten auch der Jochanaan in «Salome», der Dietrich in «Der arme Heinrich» von H. Pfitzner, der Borromeo in dessen «Palestrina», der Orest in «Elektra», der Sebastiano in «Tiefland» von d'Albert, der Rigoletto, den Amonasro in «Aida», der Titelheld in «Simon Boccanegra» von Verdi, der Jago im «Othello», der Macbeth in der gleichnamigen Verdi-Oper, der Scarpia in «Tosca» und der Escamillo in «Carmen». Seit 1940 nahm er einen Lehrauftrag an der Musikhochschule Prag wahr, 1943 wurde er zum Professor ernannt. Nach dem Zweiten Weltkrieg lebte er in Wiesbaden, wo er in den siebziger Jahren verstorben sein soll.
Schallplatten: Polydor (Solo-Aufnahmen).

Hardy, Janet, Sopran, * 1946 (?) Atlanta im amerikanischen Staat Georgia; sie wurde Musiktherapeutin und arbeitete als solche in einem Hospital in Louisiana. Sie entschloß sich dann jedoch zur Karriere einer Sängerin und studierte zuerst in New Orleans, dann bei der Pädagogin Dominique Modesti in Paris. Ihre Ausbildung wurde durch ergänzende Studien bei den großen Sopranistinnen Gladys Kuchta in Düsseldorf und Hilde Zadek in Wien vervollständigt. 1972 wurde sie an das Theater von Gelsenkirchen engagiert. Hier wie in den folgenden Engagement am Staatstheater von Kassel kam sie zu ihren ersten Erfolgen, die sich in einem langjährigen Wirken während der achtziger Jahre am Stadttheater von Augsburg fortsetzten. Sie wurde durch Gastspiele international bekannt. So sang sie 1984 am Teatro Verdi Triest wie am Opernhaus von Leipzig die Senta im «Fliegenden Holländer», am Theater von Bern (Schweiz) die Leonore im «Fidelio». An der Oper von Frankfurt wie an der Königlichen Oper Kopenhagen hörte man sie in der Titelpartie der Richard Strauss-Oper «Elektra», in der Saison 1987–88 an der Oper von Toulon als Isolde im «Tristan», 1988–89 an der Opéra de Wallonie Lüttich als Turandot von Puccini, 1989 in Augsburg als Mona Lisa in der gleichnamigen Oper von Max von Schillings.

Hargan, Alison, Sopran, * 1950 in der englischen Grafschaft Yorkshire; sie studierte Klavierspiel und Gesang am Royal Northern College of Music. Sie debütierte dann an der Welsh Opera Cardiff in der Partie der Pamina in der «Zauberflöte». Im Konzertsaal wurde sie in London durch ihren Vortrag von Richard Strauss- und Gustav Mahler-Werken bekannt («Vier letzte Lieder», Auferstehungs-Sinfonie); dort sang sie auch das Sopransolo im Verdi-Requiem. Mit dem Royal Philharmonic Orchestra hörte man sie im Requiem von Gabriel Fauré und in «A Child of our Time» von M. Tippett, mit dem Boston Symphony Orchestra sang sie in Benjamin Brittens «War Requiem» und in der 8. Sinfonie («Sinfonie der Tausend») von G. Mahler in Venedig. Sie trat zusammen mit so bedeutenden Orchestern wie den Wiener Philharmonikern, den Münchner Philharmonikern, dem Los Angeles Philharmonic Orchestra und den großen englischen Klangkörpern auf. Dabei setzte sie auch ihre Bühnenkarriere in geeigneten Partien fort.
Schallplatten: Capriccio (9. Sinfonie von Beethoven).

Harper, Thomas, Tenor, * 1951 (?) im amerikanischen Staat Oklahoma; an der Universität von Los Angeles studierte er zunächst Saxophon und Klarinette. Im Universitätschor wurde seine Stimme entdeckt, worauf er ins Gesangsfach wechselte. Er setzte seine Ausbildung mit einem langjährigen Studium in Kansas City fort und ging dann nach Europa. Hier wurde er Chorist am Theater von Luzern und trat gelegentlich in lyrischen Tenor-Partien auf, setzte aber seine Studien zugleich in Paris wie in Italien fort. 1982 wurde er an das Landestheater von Coburg engagiert, dem er bis 1985 angehörte. Dort wie bei den folgenden Engagement am Pfalztheater von Kaiserslautern (1985–87) sang er hauptsächlich Partien aus dem Buffo- und dem Charakterfach. 1987 wurde er an das Stadttheater von Hagen (Westfalen) verpflichtet. Hier (wie überhaupt im Ablauf seiner Karriere) sang er eine Vielzahl von sehr verschieden gearteten Partien, darunter den Herzog im «Rigoletto», den Radames in «Aida», den Grafen Almaviva im «Barbier von Sevilla», den Don Ottavio im «Don Giovanni», den Alwa in «Lulu» von A. Berg, den Daniel in der zeitgenössischen Oper «Belshazar» von Volker David Kirchner, den Wenzel in Smetanas «Verkaufter Braut» und die Knusperhexe in «Hänsel und Gretel». Aufsehen erregte er in der Spielzeit 1988–89 am Theater von Hagen als

Fritz in «Der ferne Klang» von Franz Schreker. Eine Gesamtaufnahme dieser Aufführung wurde auf Marco Polo-Schallplatten veröffentlicht.

Harrhy, Eiddwen, Sopran, * 14. 4. 1949 Trowbridge (Wales); während ihres Gesangstudiums am Royal Manchester College of Music trat sie bereits 1970 dort als Despina in «Così fan tutte» auf. Ergänzende Studien in London und Paris. 1974 erfolgte dann ihr professionelles Bühnendebüt bei der Handel Opera London in «Alcina» von G. F. Händel und an der Covent Garden Oper London im Nibelungenring. 1977 sang sie im Londoner Coliseum Theatre die Adèle in Rossinis «Le Comte Ory» sowie bei der Kent Opera die Pamina in der «Zauberflöte» und in Glucks «Iphigénie en Tauride». 1979 lernte man sie bei den Festspielen von Glyndebourne in der Rolle der Diana in «La fedeltà premiata» von Haydn kennen. Sie sang, in erster Linie an den führenden englischen Bühnen, Partien wie die Donna Anna im «Don Giovanni», die Butterfly (1984 Coliseum Theatre London), die Dido in «Les Troyens» von Berlioz und die Marie im «Wozzeck» von Alban Berg, die sie 1986 bei der Welsh Opera Cardiff, 1987 an der Opéra du Rhin Straßburg übernahm. In Nancy gastierte sie 1989 als Octavian im «Rosenkavalier». Sie galt als große Interpretin barocker Opern- wie Konzertwerke. So sang sie 1989 bei den Londoner Promenade Concerts im Gloria von Vivaldi und im Magnificat von J. S. Bach.
Schallplatten: RCA («Ercole amante» von Cavalli), Opera Rara (Emma in «Ugo, Conte di Parigi»; «L'Assedio di Calais» von Donizetti, Arien aus italienischen Opern), HMV («Alcina» von Händel), DGG («The Fairy Queen» von Purcell), HRE («Adelaide di Borgogna» von Rossini).

Harries, Kathryn, Sopran, * 1953 (?); die englische Sängerin studierte Klavierspiel und Gesang an der Royal Academy of Music London; ihre Gesanglehrerinnen waren Constance Shacklock und Flora Nielsen. Sie begann dann eine Konzertkarriere und präsentierte im englischen Fernsehen BBC eine Serie «Music Time» mit mehr als 60 Folgen. 1977 gab sie ein sehr erfolgreiches Konzert in der Royal Festival Hall London. Ihr Repertoire für den Konzertbereich war sehr umfangreich und enthielt Kompositionen von Monteverdi bis hin zu zeitgenössischen Meistern. 1982 begann sie ihre Bühnenkarriere, als sie bei der Welsh Opera Cardiff als Leonore im «Fidelio» debütierte. Seitdem sang sie bei dieser Gesellschaft die Sieglinde wie die Gutrune im Nibelungenring, die Adalgisa in «Norma» und den Komponisten in «Ariadne auf Naxos» von R. Strauss. Bei der English National Opera London trat sie als Eva in den «Meistersingern», als Female Chorus in «The Rape of Lucretia» von Benjamin Britten (1988), als Irene in «Rienzi» von R. Wagner und als Donna Anna in der englischen Erstaufführung von Dargomyshskis «Der steinerne Gast» (1987) auf. Bei der Scottish Opera Glasgow erschien sie als Senta im «Fliegenden Holländer» (1987) und in der Uraufführung der Oper «Hedda Gabler» von Edward Harper (1985), an der Opera North Leeds als Donna Elvira

im «Don Giovanni» und als Hanna Glawari in Le-
hárs «Lustiger Witwe», beim Buxton Festival als
Sylvie in «La Colombe» von Gounod. 1986 debü-
tierte sie mit großem Erfolg an der Metropolitan
Oper New York als Kundry im «Parsifal» und sang
dort in der Spielzeit 1988–89 die Gutrune in der
«Götterdämmerung». 1986 gastierte sie an der Oper
von Nizza, 1988 am Théâtre des Champs-Élysées
Paris als Sieglinde in der «Walküre», 1987 in Lyon
als Didon in «Les Troyens» von Berlioz; an der
Grand Opéra Paris erschien sie als Senta, am Teatro
Colón Buenos Aires 1988 als Leonore im «Fidelio».
An der Covent Garden Oper London wirkte sie 1989
in der englischen Erstaufführung der Oper «Un Re
in ascolto» von Luciano Berio mit. Sie setzte neben
ihrem Wirken auf der Bühne ihre nicht minder erfolgreiche Karriere im Konzertsaal fort.

Harris, Hilda, Sopran/Mezzosopran, * 1930 War-
renton (North Carolina); sie studierte an der North
Carolina State University und schloß ihre Ausbildung in New York ab. Nachdem sie zunächst am
New Yorker Broadway in Musicals aufgetreten war,
ging sie nach Europa. Sie debütierte am Stadttheater
von St. Gallen (Schweiz) 1971 als Carmen. 1973 sang
sie als erste Opernpartie in ihrer amerikanischen
Heimat an der New York City Centre Opera den
Nicklausse in «Hoffmanns Erzählungen» von Offenbach. Im gleichen Jahr sang die farbige Sängerin mit
dem Ensemble der Metropolitan Oper New York in
einer Aufführung der Oper «Four Saints in Three
Acts» von Virgil Thomson die Partie der St. Theresa
II. 1977 trat sie dann auch im Hauptgebäude der
Metropolitan Oper in zwei kleineren Partien in
Alban Bergs «Lulu» auf und sang dort in den folgen-
den Spielzeiten Partien wie das Kind in «L'Enfant et
les sortilèges» von Ravel, den Cherubino in «Figaros
Hochzeit», den Hänsel in «Hänsel und Gretel» von
Humperdinck und den Stephano in «Roméo et Ju-
liette» von Gounod. Auch als Konzertsolistin aufge-
treten.
Schallplatten: Mitschnitte von Radioübertragungen.

Harrod, James, Tenor, * 1888 (?), † (?); unter diesem, seinem eigentlichen Namen, begann der amerikanische Sänger eine Karriere als Opernsänger. Er
ist in seiner amerikanischen Heimat im wesentlichen
bei kleineren wandernden Opernbühnen aufgetreten und machte in den zwanziger Jahren Schallplattenaufnahmen aus Opern auf Columbia (hier u. a.
ein Duett aus «Pêcheurs de perles» von Bizet mit
Graham Marr) und auf Edison. Dann spezialisierte
er sich, dem großen Vorbild von John Mc Cormack
folgend, auf irische Volkslieder, die er unter dem
Künstlernamen Colin O'More sang. Aufnahmen
dieser Lieder wurden auf Vocalion hergestellt (wo
sich auch noch einige Opernszenen finden); die aus-
drucksschöne leichte Tenorstimme erwies sich für
diese Art von Vokalmusik als sehr geeignet.

Hart, Charles, Tenor, * um 1895 (?); über eine eigentliche Bühnenkarriere dieses amerikanischen
Sängers ist kaum etwas bekannt. Ganz überraschend
sang er in der Saison 1923–24 an der Oper von

Chicago in zwei Vorstellungen die wichtige Partie
des Königssohns in Humperdincks «Königskindern»
zusammen mit Claire Dux, Alexander Kipnis, Alfredo Gandolfi und Rita Doria. Dabei war er jedoch
nicht erfolgreich und scheint den Rest seiner Karriere als Sänger von Unterhaltungsliedern und
Rundfunksendungen verbracht zu haben. Ein derartiges Repertoire haben auch seine zahlreichen Edison-Schallplatten aufzuweisen, unter denen sich
einige seltene Titel aus Opern (in Englisch) finden
lassen. Die ältesten Aufnahmen auf dieser Marke
erschienen 1913, dann 1923 Lieder und die erwähnten Opern-Arien auf Edison-Diamond und nochmals 1927 geistliche Lieder, 1917 Lieder auf Okeh-
Discs.

Harth-Zur Nieden, Ida, Alt, * 1887, † 26. 5. 1981
Bayrisch-Zell; sie war nach ihrer Ausbildung zunächst 1916–18 als Volontärin an der Berliner Hof-
oper engagiert. 1923–25 wirkte sie als Solistin an der
Großen Volksoper Berlin, 1925–30 am Staatstheater
von Wiesbaden. Ihre eigentliche Bedeutung lag jedoch auf dem Gebiet des Konzert- und namentlich
des Oratoriengesanges. Von Berlin aus, wo sie ihren
Wohnsitz hatte, unternahm sie sehr erfolgreiche
Konzertreisen; dabei zeichnete sie sich als große
Bach-Interpretin wie als Solistin in Beethovens
9. Sinfonie, im «Lied von der Erde» von Gustav
Mahler und in vielen weiteren Vokalwerken aus.
Ihre Konzertauftritte setzte die Künstlerin bis etwa
1933 fort. Sie widmete sich auch dem zeitgenössischen Musikschaffen und sang u. a. in der Uraufführung der Oper «Die Mutter» von Alois Hába am
17. 5. 1931 in München die Partie der Schwägerin.
Sie war verheiratet mit dem bekannten Tierbild-
hauer Philipp Harth (1887–1968) und verwaltete
dessen Nachlaß später in einem Museum in Bayrisch-Zell.
Schallplatten: Akustische Odeon- und Parlophon-
Aufnahmen, elektrische Aufnahmen bei Telefunken, darunter auch Soloplatten; auf Odeon sang sie
in einer Aufnahme der Kurz-Operette «Der Bettelstudent» von Millöcker.

Hartig, Franz Christian, Tenor, * 1750 Heldenberg
in der Wetterau, † 1819 München; er studierte zunächst Rechtswissenschaften, ließ dann aber seine
Stimme durch den berühmten Tenor Anton Raaff in
München ausbilden. Er trat als lyrischer wie als
Buffo-Tenor der Marchand'schen Gesellschaft bei,
die ihren Sitz in Mainz hatte und von dort aus an
zahlreichen Bühnen in ganz Deutschland gastierte.
1776 wurde er als erster Tenor für das italienische
wie das deutsche Fach an das Hoftheater von München berufen, an dem er bis 1789 sehr erfolgreich
wirkte. Später betätigte er sich in München als Pädagoge.

Hartman, Vernon, Bariton, * 12. 7. 1952 Dallas;
seine Ausbildung erfolgte an der West Texas State
University und an der Academy of Vocal Arts in
Philadelphia. In Philadelphia debütierte er auch
1977 als Masetto im «Don Giovanni» und wurde
noch im gleichen Jahr an die City Centre Opera New

York verpflichtet, an der er bis zu Beginn der achtziger Jahre regelmäßig auftrat. Daneben erschien er auch an zahlreichen anderen amerikanischen Opernbühnen, u. a. in Cincinnati, San Antonio und Seattle. 1983 folgte er einem Ruf an die Metropolitan Oper New York, an der er als Antrittsrolle den Figaro im «Barbier von Sevilla» sang. Er trat auch in den folgenden Spielzeiten an diesem Institut auf, und zwar als Graf in «Nozze di Figaro», als Guglielmo in «Così fan tutte» und als Schaunard in Puccinis «La Bohème». 1977 und 1978 hörte man ihn bei den Festspielen von Spoleto als Guglielmo in «Così fan tutte». Aus seinem Bühnenrepertoire seien noch der Rigoletto, der Malatesta im «Don Pasquale», der Silvio im «Bajazzo», der Marcello in «La Bohème», der Ping in «Turandot» von Puccini, der Frank in der «Toten Stadt» von Korngold, der Falke in der «Fledermaus» und der Danilo in der «Lustigen Witwe» von F. Lehár genannt.

Hartung, Gretel, Sopran, * 1924 (?) Oesede bei Osnabrück; sie wurde an der Musikhochschule von Braunschweig ausgebildet. 1947 debütierte sie am Bachlenz-Theater in Heidelberg als Julia in der Operette «Der Vetter aus Dingsda» von E. Künnecke. In der folgenden Spielzeit 1948–49 war sie am Stadttheater von Heidelberg engagiert und sang darauf nacheinander am Stadttheater von Ulm (1949–50), am Landestheater von Detmold (1950–53), am Stadttheater von Bremen (1953–56) und am Opernhaus von Nürnberg (1956–62). Ihre eigentliche künstlerische Heimat wurde jedoch das Theater am Gärtnerplatz in München, an das sie 1960 verpflichtet wurde, und an dem sie zu einer dreißigjährigen großen Karriere kam. Sie gastierte u. a. an der Staatsoper von Stuttgart, an der Opéra du Rhin Straßburg (1961) und war durch einen Gastvertrag während längerer Zeit der Deutschen Oper am Rhein Düsseldorf–Duisburg verbunden. Von den vielen Partien, die sie auf der Bühne vortrug, seien aus dem Bereich der Oper die Marzelline im «Fidelio», die Marie in «Zar und Zimmermann» wie im «Waffenschmied» von Lortzing, die Baronin in dessen «Wildschütz», die Gräfin im «Capriccio» von R. Strauss, die Lola in «Cavalleria rusticana», die Anne Trulove in «The Rake's Progress» von Strawinsky und die Titelfigur in «Die Kluge» von Carl Orff genannt. Fast noch größer war ihr Ruhm auf dem Gebiet des Operette, wo sie zahlreiche Partien (Rosalinde in der «Fledermaus», Titelrollen in «Gräfin Mariza» von Kálmán, «Clivia» von N. Dostal, «Gräfin Dubarry» von Millöcker) sang, die sie auch vom Darstellerischen her glänzend beherrschte. Im späteren Verlauf ihrer Karriere übernahm sie auch Charakterpartien wie die Alisa in «Lucia di Lammermoor», die Mutter in «Hänsel und Gretel» und die Gräfin de Coigny in «Andrea Chénier» von Giordano. Geschätzte Konzertsängerin.
Schallplatten: Auf Acanta erschien eine vollständige Aufnahme der Operette «Gräfin Mariza» mit ihr in der Titelrolle.

Hartwig, Hildegard, Mezzosopran, * 1952 (?); sie studierte zunächst in München und war dann

1974–76 im Opernstudio der Kölner Oper, wobei sie auch bereits am dortigen Opernhaus in kleineren Partien auftrat. 1976–81 war sie am Stadttheater von Bonn verpflichtet, 1980–86 an der Deutschen Oper am Rhein Düsseldorf–Duisburg. Dort wirkte sie 1985 in Duisburg in der Uraufführung der Oper «Die Wiedertäufer» von Alexander Goehr mit, 1986 bei den Festspielen von Schwetzingen in der Uraufführung von «Die Leiden des jungen Werthers» von Hans-Jürgen von Bose (in der Partie der Lotte). Seit 1982 war sie Mitglied der Staatsoper von Hamburg. 1989 Gastspiel an der Königlichen Oper Kopenhagen als Judith in «Ritter Blaubarts Burg» von B. Bartók. Von ihren Bühnenrollen sind die Dorabella in «Così fan tutte», die Magdalene in den «Meistersingern», der Octavian im «Rosenkavalier», die Lola in «Cavalleria rusticana», die Gräfin Geschwitz in «Lulu» von A. Berg und die Meroë in «Penthesilea» von Othmar Schoeck zu nennen. Große Karriere auch als Konzert- und Oratoriensängerin. Verheiratet mit dem bekannten Gesangpädagogen Dietger Jacob
Schallplatten: HMV-Electrola (Querschnitt «Dreimäderlhaus» von Berté, bereits 1973 erschienen), Erato (Alt-Solo in der 9. Sinfonie von Beethoven unter G. Wand).

Hassman, Szolem (Šulem), Tenor, * 1879 Krakau, † 25. 4. 1921 Osijek (Esseg); der Künstler, der aus Polen stammte und eigentlich Stanislaw Jastrzebski hieß, wurde in Mailand und Berlin zum Sänger ausgebildet. 1903 debütierte er am Theater von Lwów (Lemberg) in einer Operette von Ziehrer und blieb bis 1905 an diesem Haus im Engagement. 1905–08 sang er am Opernhaus von Ljubljana (Laibach), 1908–19 an der Oper von Zagreb. Hier kreierte er mehrere Partien in Erstaufführungen von Opern, darunter den Tristan, den Schuiskij im «Boris Godunow» von Mussorgsky und den Herodes in «Salome» von R. Strauss. 1913 gastierte er sehr erfolgreich am Theater seiner Geburtsstadt Krakau, 1917 am Opernhaus von Warschau. 1919 nahm er ein Engagement am Theater von Osijek (Esseg) an, wo er bis zu seinem Tod blieb. Er sang ein umfangreiches Repertoire für Tenor, das vor allem heldische Partien enthielt; zu nennen sind im einzelnen sein Jontek in «Halka» von Moniuszko, sein Manrico im «Troubadour», sein José in «Carmen», sein Pedro in «Tiefland» von d'Albert und sein Prinz in «Rusalka» von A. Dvořák.

Hattasch, Anna Franziska, Sopran, * 1726, † 1780 Gotha; sie war eine Schwester des Violinisten, Dirigenten und Komponisten Friedrich Ludwig Benda (1752–92), hieß also eigentlich Anna Franziska Benda. Nach ihrer Heirat mit dem Kammermusiker Dismas Hattasch, einem Bruder des Schauspielers und Singspielkomponisten Heinrich Christoph Hattasch, trat sie jedoch unter diesem Namen auf. Sie erregte allgemeine Bewunderung, sowohl auf der Bühne wie im Konzertsaal, durch ihre Fertigkeit im Vortrag schwierigster Koloraturen. Zeitgenössische Berichte bezeichnen sie als eine der größten Sängerinnen ihrer Generation. Sie ging von ihrem Wohnsitz Gotha aus ihrer Karriere nach, die sie vor allem in die mitteldeutschen Musikzentren führte.

Haub, Elise, Sopran, * 1815 (?) Mannheim, † 25. 9. 1837 Wiesbaden; sie erhielt ihre Ausbildung zur Sängerin in Wien und begann 1835 ihre Karriere. Sie trat in Mainz, Darmstadt, Köln, Aachen, Basel mit größtem Erfolg sowohl auf der Bühne wie im Konzertsaal in Erscheinung. Gastspiele in Wien, Linz (Donau) und Nürnberg wiesen auf eine sich entfaltende glänzende Karriere hin, wobei auf der Opernbühne Partien wie die Agathe im «Freischütz» und die Giulia in Spontinis «La Vestale» im Vordergrund ihres Repertoires standen. Die Sängerin starb jedoch ganz jung, noch bevor sie den Höhepunkt ihrer Künstlerlaufbahn hatte erreichen können.

Haubold, Ingrid, Sopran, * 1943 (?) Berlin; sie verbrachte ihre Kindheit in Oberbayern und durchlief zunächst das Studium der Kirchenmusik an der Akademie von Detmold. Dann wechselte sie an die Musikhochschule München und ließ dort ihre Stimme durch die berühmte Sopranistin Annelies Kupper ausbilden. Sie wurde in das Studio der Bayerischen Staatsoper München aufgenommen und sang in der Spielzeit 1965–66 am Münchner Theater am Gärtnerplatz. 1970 begann sie dann ihre eigentliche Karriere mit einem Engagement am Landestheater von Detmold, dem sie bis 1972 angehörte. Seit 1972 wirkte sie am Stadttheater von Bielefeld. Eine schwere Erkrankung zwang sie jedoch 1978 zu einer einjährigen Pause. Erst 1979 konnte sie ihre Karriere am Stadttheater von Lübeck wieder aufnehmen. Sie schloß jetzt Gastspielverträge u. a. mit dem Staatstheater Hannover (seit 1981) und dem Staatstheater von Karlsruhe (1981–84) ab. Seit Mitte der achtziger Jahre kam es zur Ausbildung einer großen Karriere auf internationalem Niveau. So gastierte sie 1986 in Madrid (Isolde im «Tristan»), 1988 am Teatro Regio Turin, 1989 bei den Festspielen von Luzern. Man hörte sie als Gast an der Wiener Staatsoper, an der Deutschen Oper Berlin (1988 als Isolde), am Teatro Massimo Palermo, am Teatro Comunale Bologna, an der Oper von Antwerpen und in San Sebastian (Spanien). Für die Spielzeit 1990–91 an die Metropolitan Oper New York verpflichtet. Sie sang ein Bühnenrepertoire von einem erstaunlichen Umfang, das Partien wie die Pamina in der «Zauberflöte», die Senta im «Fliegenden Holländer», die Elisabeth im «Tannhäuser», die Elsa im «Lohengrin», die Eva in den «Meistersingern», die Freia, die Sieglinde, die Gutrune wie die Brünnhilde in den Opern des Ring-Zyklus, die Isolde im «Tristan», die Irene in Wagners «Rienzi», die Ada in dessen Jugendoper «Die Feen», die Leonore im «Fidelio», die Chrysothemis in «Elektra» von R. Strauss, die Titelfigur in dessen «Ariadne auf Naxos» (Festspiele von Schwetzingen, 1989), die Marschallin im «Rosenkavalier», die Marie in der «Verkauften Braut» von Smetana, die Titelrollen in den Janáček-Opern «Jenufa» und «Katja Kabanowa» enthielt. Eine nicht weniger erfolgreiche Karriere hatte sie als Interpretin moderner Vokalmusik wie als Konzert- und Oratoriensängerin. Verheiratet

mit dem aus Finnland stammenden Bassisten *Heikki Toivannen,* der 1975–76 .am Opernhaus von Wuppertal, 1976–78 in Bielefeld, 1978–82 am Staatstheater Karlsruhe engagiert war und seitdem, wie seine Gattin, einer intensiven Gastspieltätigkeit nachging.

Von dieser existieren bislang Schallplattenaufnahmen bei Aulos (Haydn-Messe) und Philips.

Hauck, Alfred, Tenor, * 5. 10. 1856 Prag, † 1935 Frankfurt a. M. Eigentlicher Name Alfred Hock. Er studierte in Prag und begann seine Bühnenlaufbahn 1877 am Theater von Bratislava (Preßburg) als Marasquin in der Operette «Giroflé-Girofla» von Charles Lecocq. 1878–79 war er am Theater von Elbing, 1879–80 in Teplitz-Schönau (Teplice), 1880–82 in Olmütz (Olomouc), 1882–83 und 1885–86 am Residenztheater Hannover und zwischendurch 1884–85 am Wilhelm-Theater in Köln engagiert. 1886 wurde er an das Opernhaus von Frankfurt a. M. berufen, dem er bis 1916 als Spiel- und Charaktertenor angehörte. Er spezialisierte sich gleichzeitig auf das Gebiet der Operette. 1899 gastierte er am Hoftheater von Wiesbaden, 1906 am Hoftheater von Kassel; auch in Bremen und Budapest gastweise aufgetreten. Als Abschiedsrolle sang er 1916 in Frankfurt, wo er sehr beliebt war, den Basil in der Lehár-Operette «Der Graf von Luxemburg». Er wirkte dort auch in der Uraufführung der Märchenoper «Dornröschen» von Humperdinck (12. 11. 1902 als Kellermeister) mit und sang im Bereich der Oper Partien wie den Wenzel in Smetanas «Verkaufter Braut», den Johann in «Die Opernprobe» von Lortzing, den Remendado in «Carmen» und sogar die Baritonpartie des Papageno in der «Zauberflöte». Später betrieb er ein Zigarrengeschäft in der Frankfurter Innenstadt.

Schallplatten: Vier Aufnahmen auf G & T (Frankfurt, 1904, fast ausschließlich Operettenszenen).

Hauptmann, Cornelius, Baß * 1951 Stuttgart; Gesangstudium an .der Musikhochschule Stuttgart; zu seinen Lehrern gehörte auch die große Sopranistin Elisabeth Schwarzkopf. Er begann seine Bühnenkarriere 1981 mit einem Anfänger-Engagement an der Staatsoper von Stuttgart. Hier sang er kleinere Partien, aber auch bereits den Masetto im «Don Giovanni». 1985–87 gehörte er dem Ensemble des Stadttheaters von Heidelberg an, wo man ihn als König Philipp im «Don Carlos» von Verdi und als Osmin in der «Entführung aus dem Serail» hörte. 1987 folgte er einem Ruf an das Staatstheater von Karlsruhe. Dort trat er sehr erfolgreich in Partien wie dem Sparafucile im «Rigoletto», dem Plutone in Monteverdis «Orfeo», dem Osmin in der «Entführung aus dem Serail», dem Masetto im «Don Giovanni», dem Sarastro in der «Zauberflöte» und dem Figaro in «Figaros Hochzeit» auf. Gastspiele auf internationalem Niveau kamen u. a. in Paris (Nachtwächter in den «Meistersingern», 1989 Minister in «Fidelio») und Reykjavik (Landgraf im «Tannhäuser») zustande. Gastspiele auch an der Oper von Frankfurt a. M., bei den Festspielen von Aix-en-Provence und Schwetzingen, wo er 1983 in der Uraufführung von H. W. Henzes «Die englische Katze» mitwirkte. Dazu große Erfolge im Konzertsaal, vor allem in der Matthäuspassion von J. S. Bach, in der er auch 1988 beim Europäischen Musikfest in Stuttgart unter John Gardiner sang. Das Baß-Solo im Mozart-Requiem sang er allein 1988 viermal unter der Leitung von Leonard Bernstein. Dazu zeigte er eine große Begabung für den Liedgesang.

Schallplatten: Philips (c-moll-Messe von Mozart), CBS (vollständige Oper «Echnathon», englischer Originaltitel «Akhnaten», von Philip Glass), DGG (Matthäuspassion), Bayer Records (Loewe-Balladen).

Haus, Doris, Sopran, * 13. 5. 1807 Mainz, † 11. 1. 1870 Stuttgart; sie begann ihre Bühnenkarriere als Sängerin 1825 in ihrer Heimatstadt Mainz und sang dann während mehrerer Jahre in Frankfurt a. M. 1830 folgte sie einem Ruf an das Hoftheater von Stuttgart, dem sie bis 1846, als sie ihre Bühnenlaufbahn aufgab, als Mitglied angehörte. Hier wie bei Gastspielen an süddeutschen Theatern trat sie in Partien wie dem Romeo in Bellinis «I Capuleti ed I Montecchi», der Konstanze in der «Entführung aus dem Serail», der Susanna in «Figaros Hochzeit», der Leonore im «Fidelio» und der Desdemona in «Otello» von Rossini hervor. Dazu war sie als Konzertsängerin wie als Gesangpädagogin tätig.

Hauser, Sebastian, Tenor, * 22. 12. 1908 Kirchbichl (Tirol), † 9. 7. 1986 Wien; er studierte an der Wiener Musikakademie und war in Berlin Schüler von Marcella Röseler. In der Spielzeit 1940–41 debütierte er am Staatstheater von Braunschweig. 1941–43 sang er am Stadttheater von Duisburg, 1943–44 am Deutschen Theater Prag (wohin man das Duisburger Ensemble evakuiert hatte). 1945–47 war er am Landestheater Salzburg engagiert, 1947–49 am Opernhaus von Graz, 1949–50 am Stadttheater von Heidelberg. 1950 wurde er als erster lyrischer Tenor an die Städtische Oper Berlin verpflichtet, der er bis 1956 angehörte. Danach gab er noch Gastspiele und trat vor allem an der Wiener Staatsoper als Gast in Erscheinung. Sein Bühnenrepertoire gipfelte in Partien wie dem Tamino in der «Zauberflöte», dem Erik im «Fliegenden Holländer», dem Narraboth in «Salome» von R. Strauss, dem Bacchus in dessen «Ariadne auf Naxos», dem Ernesto im «Don Pasquale», dem Alfredo in «La Traviata», dem Radames in «Aida», dem Turiddu in «Cavalleria rusticana», dem Pinkerton in «Madame Butterfly», dem Kalaf in Puccinis «Turandot», dem Faust von Gounod, den Titelhelden in «Fra Diavolo» von Auber und in «Hoffmanns Erzählungen» von Offenbach, dem Vasco in Meyerbeers «Africaine», dem Hans in der «Verkauften Braut» von Smetana, dem Dimitrij im «Boris Godunow», dem Alfred in der «Fledermaus» und dem Barinkay im «Zigeunerbaron» von Johann Strauß. Auch als Konzertsolist in einem umfangreichen Repertoire erfolgreich.

Schallplatten: Telefunken, Odeon (Solo-Aufnahmen), Urania-BASF (vollständige Aufnahmen «Verkaufte Braut» und «Zigeunerbaron»).

Hauß, Karl, Tenor, * 4. 9. 1892 Straßburg, † 27. 9. 1982 Hannover; er begann nach dem Ersten Weltkrieg seine Bühnenkarriere mit einem Engagement am Theater von Saarbrücken (1919–21) und sang dann 1921–25 am Stadttheater von Duisburg. Nach einer Spielzeit am Stadttheater von Nürnberg 1925–26 folgte er einem Ruf an das Staatstheater Hannover, dessen Mitglied er von 1926 bis 1952 und noch bis 1953 als Gast war. Er wurde zum Ehrenmitglied des Hauses ernannt. In Hannover wurde er zu einem der beliebtesten Sänger seiner Generation, kam aber auch bei Gastspielen zu glänzenden Erfolgen. So sang er 1926–27 gastweise an der Berliner Staatsoper, seit 1927 vielfach an der Staatsoper Dresden, seit 1928 am Opernhaus von Köln. 1929–31 und nochmals 1934 hörte man ihn an der Wiener Staatsoper. 1931 wirkte er bei den von Max Reinhard inszenierten Aufführungen von «Hoffmanns Erzählungen» am Berliner Schauspielhaus mit, die damals großes Aufsehen erregten. Bei den Festspielen von Salzburg sang er 1930 den Ernesto im «Don Pasquale» von Donizetti und den italienischen Sänger im «Rosenkavalier». 1943 wirkte er in Hannover in der deutschen Erstaufführung der Oper «Morana» von J. Gotovac mit. Sein Bühnenrepertoire besaß einen großen Umfang und enthielt Partien wie den Florestan im «Fidelio», den Tamino in der «Zauberflöte», den Adolar in Webers «Euryanthe», den Nureddin in «Der Barbier von Bagdad» von Cornelius, den Arnoldo in Rossinis «Wilhelm Tell», den Herzog im «Rigoletto», den Alfredo in «La Traviata», den Gabriele Adorno in Verdis «Simon Boccangra», den Titelhelden in dessen «Don Carlos», den Maurizio in «Adriana Lecouvreur» von Cilea, den Romeo in «Giulietta e Romeo» von Zandonai, den Dick Johnson in Puccinis «Fanciulla del West», den Kalaf in «Turandot», den Raoul in den «Hugenotten» von Meyerbeer, den José in «Carmen», den Hans in Smetanas «Verkaufter Braut», den Titelhelden in «Fra Diavolo» von Auber und den Babinsky in «Schwanda der Dudelsackpfeifer» von Weinberger. Im Konzertsaal brachte er ein Repertoire von ähnlicher Vielseitigkeit zum Vortrag. Elektrisch aufgenommene Polydor-Schallplatten.

Hawliczek, Frieda, Alt, * 25. 12. 1859 Salzburg, † 30. 7. 1937 Swinemünde (Pommern); sie hatte als Opernsängerin eine erfolgreiche Bühnenkarriere zunächst in Berlin, Stettin und Mainz und war dann für neun Jahre am Hoftheater von Altenburg in Thüringen verpflichtet. Später wirkte sie am Stadttheater von Basel, trat mehrere Jahre in Holland auf und unternahm ausgedehnte Gastspielreisen. Diese führten sie durch mehrere europäische Länder und auch nach Nordamerika. 1917 gab die Künstlerin ihre Bühnenkarriere auf, die ihr, wie auch ihr Wirken im Konzertsaal, bedeutende Erfolge gebracht hatte.

Hayes, Lulu, Sopran, * 1895 (?); der Name dieser, wohl aus England stammenden Sängerin, ist Schallplattensammlern dadurch geläufig, daß sie zusammen mit dem berühmten Bariton Mattia Battistini auf einer HMV-Platte von 1921 ein Duett aus Verdis

«Rigoletto» singt. Da sich mit ihrer Person zunächst keine Karriere in Verbindung bringen ließ, war man der Überzeugung, es handle sich bei ihrem Namen um ein Pseudonym, um so mehr, als ihr Familienname Hayes identisch mit dem Aufnahmeort der Schallplatte (Hayes bei London) war. Es sind dann aber doch Spuren ihrer Bühnentätigkeit nachgewiesen worden, und zwar sowohl in Italien wie auch in Südamerika. 1922 ist sie am Teatro Costanzi in Rom als Lauretta in Puccinis «Gianni Schicchi» (mit Angelo Minghetti und Taurino Parvis zusammen), 1926 am gleichen Haus als Mimi in «La Bohème» aufgetreten. Sie ist an mehreren kleineren Theatern in Italien während der zwanziger Jahre in lyrischen Opernpartien zu hören gewesen und sang 1926 auch am Teatro Coliseo von Buenos Aires.

Haymon, Cynthia, Sopran * 1962 (?) Jacksonville (Florida); die farbige Sängerin erhielt ihre Ausbildung an der Northwestern University. 1985 fand ihr professionelles Debüt an der Oper von Santa Fé als Diana in der Offenbach-Operette «Orpheus in der Unterwelt» statt. Sie sang dort dann auch in «Die Liebe der Danaë» von Richard Strauss und wirkte an der Virginia Opera in der Uraufführung von «Harriet, The Woman called Moses» von Thea Musgrave (1985) mit. In den Jahren 1986–87 erregte sie beim Glyndebourne Festival als Bess in «Porgy and Bess» von Gershwin großes Aufsehen. An der Covent Garden Oper London hörte man sie als Liu in «Turandot» von Puccini, eine Rolle, die sie auch bei der Fernost-Tournee dieses Hauses 1986–87 wie als Gast an den Staatsopern von Hamburg und München sang. 1988 gastierte sie am Théâtre de la Monnaie Brüssel als Amor im «Orpheus» von Gluck, 1989 bei den Festspielen von Glyndebourne als Eurydice in der gleichen Oper, 1989 an der Oper von Seattle als Susanna in «Figaros Hochzeit». Weitere Gastspiele als Liu in Baltimore und Boston, als Micaela in «Carmen» in Cleveland und Seattle sowie zusammen mit dem Israel Philharmonic Orchestra in Tel Aviv, als Mimi in Puccinis «La Bohème» in Baltimore. Aus ihrem Konzertrepertoire sind Solopartien im Stabat mater von Rossini, im Deutschen Requiem von J. Brahms, in der Lulu-Suite von A. Berg und im «Elias» von Mendelssohn (Carnegie Hall New York) hervorzuheben.
Schallplatten: HMV (Titelheldin in «Porgy and Bess»), Philips (5. Magd in «Elektra» von R. Strauss).

Hector, Claude, Tenor, * 1925 (?) Tourcoing (Departement Nord): er erhielt seine erste Ausbildung am Konservatorium von Tourcoing bei M. Wibaut. 1945 ging er dann nach Paris, wo er am Conservatoire National Schüler von Mme Monsy-Franz und von Gabriel Dubois war. Er debütierte 1949 am Théâtre de la Monnaie Brüssel, an dem er bis 1954 engagiert blieb, und wo er u. a. 1952 den Tom Rakewell in der französischsprachigen Erstaufführung von Strawinskys «The Rake's Progress» sang. Seit 1952 bestand ein Gastvertrag des Künstlers mit der Opéra-Comique Paris, 1954–55 sang er auch an der Pariser Grand Opéra, an der er als Antrittspartie den Faust von Gounod vortrug. Er entschloß sich

dann, sich mehr dem deutschen Repertoire zu widmen, führte seine Studien in dieser Richtung weiter und war in der Spielzeit 1959–60 Mitglied des Opernhauses von Essen. 1960–63 war er am Theater der Schweizer Bundeshauptstadt Bern, 1963–68 am Opernhaus von Graz engagiert. In Graz wirkte er in den österreichischen Premieren der Opern «Il Prigioniero» («Der Gefangene») von Dallapiccola (1963), «L' Ange de Feu» («Der feurige Engel»), von Prokofieff (1963) und «Doktor Faustus» von Busoni (1965 als Mephisto) mit. 1968 verabschiedete er sich vom Grazer Publikum als Siegmund in der «Walküre». Seitdem trat er als Gast an verschiedenen Bühnen in Erscheinung. Sein breit angelegtes Bühnenrepertoire umfaßte Partien wie den Radames in «Aida», den Othello von Verdi, den Turiddu in «Cavalleria rusticana», den Canio im «Bajazzo», den Pinkerton in «Madame Butterfly», den José in «Carmen», den Samson in «Samson et Dalila» von Saint-Saëns, den Orest in «Iphigénie en Tauride» von Gluck, den Florestan im «Fidelio», den Erik im «Fliegenden Holländer», den Walther von Stolzing in den «Meistersingern», den Lohengrin, den Tristan, den Loge und den Siegmund im Ring-Zyklus, den Parsifal, den Bacchus in «Ariadne auf Naxos» von R. Strauss, den Kaiser in der «Frau ohne Schatten», den Herodes in «Salome», den Ägisth in «Elektra», den Alwa in «Lulu» von A. Berg, den Alfred in der «Fledermaus» und den Schuiskij im «Boris Godunow». Er lebte später in Dortmund, wo seine Gattin, die bekannte Sopranistin *Elisabeth Lachmann* (* 1940), seit 1968 am dortigen Opernhaus wirkte.

Hegar, Peter, Baß-Bariton, * 23. 7. 1882 Basel, † 2. 11. 1946 Basel; er war der Sohn des Cellisten, Sängers und Gesangpädagogen *Emil Hegar* (1843–1921) und ein Neffe des Dirigenten und Komponisten Friedrich Hegar (1841–1927). Er war nacheinander an den Theatern von Mainz (1906–07), Luzern (1908–09), St. Gallen (1910–11) und Osnabrück (1911–13) engagiert, bevor er 1914 an das Stadttheater seiner Heimatstadt Basel verpflichtet wurde, an dem er bis 1922 auftrat. Hier sang er viele Partien aus allen Bereichen der Oper, Werke von Mozart, Rossini, Donizetti und Verdi, von Meyerbeer, Gounod, Saint-Saëns, Auber und Bizet, von Verdi, Puccini und R. Wagner, nicht zuletzt aber auch in zahlreichen Operetten-Aufführungen. Dazu war er ein angesehener Interpret für die Bereiche des Oratoriums und der religiösen Vokalmusik.

Heilmann, Uwe, Tenor, * 7. 9. 1960 Darmstadt; er lebte acht Jahre bei seiner Großmutter in ärmlichen Verhältnissen und kam nach deren Tod durch Vermittlung seines Elementarschullehrers, der seine schöne Stimme erkannte, in das Internat der Laubacher Knabenkantorei in der Nähe von Gießen. Er schwankte eine Zeitlang, ob er nicht die Karriere eines Profi-Fußballers einschlagen sollte, gab aber schon in Laubach Liederabende und wurde an der Musikhochschule Detmold Schüler von Helmut Kretschmar. Er sang bereits mit 21 Jahren aushilfsweise am Landestheater von Detmold Partien wie

den Tamino in der «Zauberflöte», den Don Ottavio im «Don Giovanni», den italienischen Sänger im «Rosenkavalier» und den Simon im «Bettelstudenten» von Millöcker. Der Dirigent Wolfgang Gönnenwein verpflichtete ihn für die Stuttgarter Staatsoper, an der er 1985 als Anfänger debütierte (erster Edler im «Lohengrin», Rodrigo in Verdis «Othello»). Im November 1985 sprang er dann für Rüdiger Wohlers als Tamino ein und hatte beim Stuttgarter Publikum einen sensationellen Erfolg. Er wurde nun vor allen Dingen als Mozart-Interpret bekannt. In Stuttgart hörte man ihn als Belmonte in der «Entführung aus dem Serail», als Don Ottavio, als Cassio im «Othello» von Verdi und in der schwereren Rolle des Max im «Freischütz»; in München gastierte er als Don Ottavio, an der Staatsoper Wien als Tamino (1989), an der Deutschen Oper Berlin als Pylades in Glucks «Iphigenie auf Tauris». Er wirkte bei den Festspielen von Salzburg (1989) und Ludwigsburg (1988–89 als Max im «Freischütz») mit. Im Konzertsaal erwies er sich als hervorragender Liedersänger, vor allem als Interpret der Lieder von Schubert und Hugo Wolf. Verheiratet mit der ebenfalls in Stuttgart engagierten japanischen Sopranistin *Tomoko Nakamura.*
Schallplatten: Mozart-Messen auf Philips.

Heimall, Linda, Mezzosopran/Sopran, *21. 1. 1941 East Orange (New Jersey); nach anfänglicher Tätigkeit als Buchhalterin erfolgte die Ausbildung ihrer Stimme bei Alfredo Silipigni, Alice Zeppili und Randolph Mickelson in New York, später noch bei Franz Schuch-Tovini in Wien. Ihr Debüt auf der Bühne fand 1963 bei der Italian Lyric Opera Company in Brooklyn (New York) als Musetta in Puccinis «La Bohème» statt. Später war sie lange Jahre hindurch am Opernhaus von Graz engagiert. Sie wirkte in ihrer amerikanischen Heimat an der New York City Centre Opera, an den Theatern von Hartford und Newark und unternahm weitere Gastspiel- und Konzertauftritte in Nordamerika wie in Europa. Sie sang sowohl Partien für Mezzosopran (darunter die schwierigen Koloraturpartien aus dem Bereich der Belcanto-Oper) als auch dramatische Sopranpartien. So besaß ihr Bühnenrepertoire einen besonders großen Umfang und enthielt Rollen wie die Carmen, die Kontschakowna in Borodins «Fürst Igor», die Rosina im «Barbier von Sevilla» von Rossini, den Pippo in dessen «La gazza ladra», den Hänsel in «Hänsel und Gretel», den Cherubino in «Nozze di Figaro», aber auch die Zerline und die Donna Elvira im «Don Giovanni», die Titelfigur in Bellinis «Norma», die Fedora in der gleichnamigen Oper von Giordano, die Leonore im «Troubadour», die Nedda im «Bajazzo», die Mimi wie die Musetta in Puccinis «La Bohème», die Butterfly und die Micaela in «Carmen». Sie wirkte in mehreren Opernsendungen des österreichischen Fernsehens wie des Rundfunks mit.

Heine-Vāgnere, Žermēna, Sopran, *23. 6. 1923; die Sängerin war aus Lettland gebürtig. Sie erhielt ihre Ausbildung in Riga und kam 1950 zu ihrem Debüt am Opernhaus der lettischen Hauptstadt. Sie galt bald als führendes Ensemblemitglied des Hauses und zeichnete sich in Partien wie der Desdemona in Verdis «Othello», der Santuzza in «Cavalleria rusticana», der Tosca, der Tatjana im «Eugen Onegin» und der Fevronia in der «Legende von der unsichtbaren Stadt Kitesh» von Rimsky-Korssakow aus. Dazu hörte man sie in Riga in zahlreichen Rollen aus dem Bereich der lettischen Oper, von denen nur die Titelrolle in «Baņjuta» von Alfreds Kalniņš genannt sei. 1956 wurde sie zur Volkskünstlerin der Lettischen Sowjetrepublik ernannt. Gastspiele trugen der Künstlerin vor allem an Bühnen in der Sowjetunion, darunter auch am Bolschoj Theater Moskau, Erfolge ein. Dazu genoß sie hohes Ansehen als Konzert- und Liedersängerin.
Schallplattenaufnahmen auf Melodiya.

Heinemann, Alexander, Bariton, *26. 5. 1873 Berlin, †16. 10. 1919 Berlin; er begann eine Ausbildung als Instrumentalmusiker, studierte vor allem Klavier- und Violinspiel, wandte sich aber in den Jahren um die Jahrhundertwende dem Gesang zu. Er war für kurze Zeit Schüler des Berliner Pädagogen Adolf Schulze, bildete sich jedoch weitgehend autodidaktisch zum Sänger aus. Er widmete sich ausschließlich dem Konzertgesang und galt bald als einer der bedeutendsten Lied-Interpreten seiner Generation. Seine Liederabende brachten ihm, zunächst seit 1895 in Berlin wie in den übrigen deutschen Musikzentren, dann in ganz Europa, große Erfolge ein. 1906–10 hörte man ihn alljährlich in Wien; er trat als Liedersänger in Holland (u. a. 1905 in Scheveningen) wie in den skandinavischen Ländern in Erscheinung. Er unternahm 1911–13 mehrere Nordamerika-Tourneen, bei denen er sein Lied-Repertoire zum Vortrag brachte. Seine Interpretation der Balladen von Karl Loewe galt als klassisch, wobei er auch diese Balladen «dramatisch» (also in darstellerischer Form) zu gestalten versuchte. Im übrigen enthielten seine Programme das deutsche Kunstlied aus allen Epochen der Musikgeschichte (Historisch aufgebaute Liederabende). Er war auch als angesehener Gesangpädagoge tätig und leitete während mehrerer Jahre eine Vokalklasse am Stern'schen Konservatorium in Berlin. Einer seiner Schüler war der berühmte Bariton Joseph Schwarz.
Die Stimme des großen Liedersängers ist durch eine Anzahl schöner Schallplattenaufnahmen überliefert; die ältesten kamen auf G & T und HMV heraus, dann folgten amerikanische Columbia-Platten und Edison Amberola-Zylinder. Auch auf den Marken Polydor und Anker vertreten.

Helbling, Maria, Alt, *30. 11. 1906 Winterthur (Schweiz), †2. 9. 1978 Bern; die Künstlerin wurde 1930–32 durch die Pädagogin Anna Triebel in Zürich ausgebildet und war dann 1932–35 am Konservatorium von Zürich Schülerin von Ilona Durigo, 1935–37 an der Musikhochschule Köln von Maria Philippi. Wie ihre beiden zuletzt genannten Lehrerinnen wurde sie eine hervorragende Konzert- und Oratoriensängerin und kam bei Konzertauftritten in ihrer Schweizer Heimat (Zürich, Basel, Bern, Genf, Lausanne, Luzern) zu großen Erfolgen. Ihre Kar-

riere führte sie auf internationaler Ebene nach Paris und Mailand, nach Deutschland, Belgien, Österreich, Lettland, Schweden, nach Spanien und in die Tschechoslowakei. Dabei trug sie Partien in den großen Passionen, im Weihnachtsoratorium vor J. S. Bach und in vielen seiner Kantaten, in Oratorien wie im «Messias» von Händel, in der 9. Sinfonie wie in der Missa solemnis von Beethoven, im Requiem und in Messen von Mozart, in der Alt-Rhapsodie von J. Brahms, in «Les Béatitudes» von César Franck, im Verdi-Requiem, in Werken von Bruckner und Gustav Mahler vor, wobei damit nur ein Ausschnitt aus ihrem Repertoire vermittelt ist. Sie sang auch in zeitgenössischen Kompositionen wie «Golgotha» von Frank Martin oder «Le Laudi» von H. Suter und wirkte 1946 in Bern in der Uraufführung des Oratoriums «Leiden Hiobs» von H. Studer mit. Sie sang auch in konzertanten Aufführungen einiger Opernwerke («L' Incoronazione di Poppea» von Monteverdi, «Giulio Cesare» von Händel), trat aber nicht auf der Bühne auf. Dagegen war sie eine begabte Lied-Interpretin (Liederzyklen von Schubert, «Kindertotenlieder» von G. Mahler, Lieder von Othmar Schoeck).
Schallplatten: Handel Society (Cornelia in «Giulio Cesare»).

Hellmann, Claudia, Alt, * 1932 (?) Berlin; sie studierte bei der Pädagogin Frau Garski in Berlin und war zunächst als Konzertsängerin tätig. 1958 entschloß sie sich zu einer Bühnenkarriere, die sie mit einem Engagement am Stadttheater von Münster in Westfalen (1958–60) einleitete. 1960–66 war sie Mitglied der Staatsoper Stuttgart. Nachdem sie in den Jahren 1966–75 am Opernhaus von Nürnberg gewirkt hatte, kam sie 1975 wieder an die Stuttgarter Staatsoper zurück, deren Mitglied sie jetzt nochmals bis 1983 blieb. Bei den Salzburger Festspielen sang sie in den Jahren 1957, 1961–65 und 1967 als Konzertsolistin, 1965 übernahm sie dort die Partie der Dryade in «Ariadne auf Naxos» von Richard Strauss. 1958–61 war sie alljährlich bei den Festspielen von Bayreuth anzutreffen; hier sang sie u. a. 1958–60 die Wellgunde im Nibelungenring, 1958–61 den ersten Knappen und ein Blumenmädchen im «Parsifal». 1963 gastierte sie an der Mailänder Scala als Floßhilde im Ring-Zyklus, im gleichen Jahr trat sie mit dem Ensemble der Stuttgarter Oper bei den Festspielen von Edinburgh auf. 1963 und 1967 hörte man sie am Théâtre de la Monnaie Brüssel. Seit 1960 gastierte sie mehrfach an der Hamburger Staatsoper, u. a. als Flora in «La Traviata» und als Marcellina in «Figaros Hochzeit». Von ihren Bühnenpartien seien genannt: die Gräfin im «Wildschütz» von Lortzing, die Mary im «Fliegenden Holländer», die Magdalene in den «Meistersingern», die Mutter in «Hänsel und Gretel», die Annina im «Rosenkavalier», die Fidalma in Cimarosas «Matrimonio segreto», die Quickly in Verdis «Falstaff», die Emilia in dessen «Othello», die Frau von Hufnagel in «Der junge Lord» von H. W. Henze und die Ludmilla in der «Verkauften Braut». Neben ihrer Bühnentätigkeit stand eine zweite, gleich bedeutende Tätigkeit als Konzert- und Oratorienaltistin.

Schallplatten: DGG (Ismene in «Antigonae» von C. Orff, Querschnitte «Der Troubadour» und «La Traviata», Messe f-moll von A. Bruckner), Decca (Walküre in vollständiger «Walküre»), Erato (Osteroratorium von J. S. Bach) Christophorus-Verlag (Bach-Kantaten), Colosseum.

Hellmuth, Josepha, Sopran/Mezzosopran, * (?) München, † etwa 1798 Mainz; der Geburtsname der Sängerin, die aus München stammte, war Josepha Heist. Sie erscheint zuerst als Sängerin und Schauspielerin bei der Marchand'schen Truppe, dann bei der Seyler'schen Theatergesellschaft, zuerst in Mainz, dann in Weimar und Gotha. Sie heiratete den Hofschauspieler und Operndirektor Friedrich Hellmuth (1744–85), der seit 1770 in Weimar und seit 1774 in Gotha wirkte. Als er als Hofmusikus an den Kurfürstlichen Hof von Mainz berufen wurde, wurde seine Gattin zugleich als Kammersängerin und als Primadonna an das neu errichtete Mainzer Hoftheater engagiert, das sich zu einer der führenden deutschen Bühnen dieser Epoche entwickelte. 1785 unternahm Josepha Hellmuth zusammen mit ihrem Gatten eine große Tournee durch die deutschen Musikzentren; dabei hatte die Sängerin vor allem in Dresden glänzende Erfolge. Ähnliche Gastspiel- und Konzertreisen begründeten ihren Ruhm im gesamten deutschen Sprachgebiet. In den letzten Jahren des 18. Jahrhunderts muß sie in Mainz verstorben sein.

Helm, Paul, Tenor, * 1893, † 19. 6. 1962 Wien; er begann seine Karriere mit einem Engagement am Deutschen Theater Brünn (Brno) 1921–23. Er sang dann nacheinander am Landestheater von Oldenburg (1923–24), am Stadttheater Saarbrücken (1924–25), am Stadttheater Kiel (1925–27) und am Deutschen Theater Prag (1927–32). In den Jahren 1932–33 war er am Opernhaus von Essen, 1933–34 am Opernhaus von Frankfurt a. M., 1934–38 am Opernhaus von Düsseldorf, 1941–44 am Landestheater Saarbrücken engagiert. Er wirkte in mehreren Opern-Uraufführungen mit: 1925 in Kiel in «Menandra» von H. Kaun, 1937 in Düsseldorf in «Magnus Fahlander» von Fr. von Borries (Titelrolle), 1938 ebenfalls in Düsseldorf in «Simplicius Simplicissimus» von L. Maurick (Titelrolle). Er trat als Gast an den großen deutschen Theatern, in Stockholm, Amsterdam, Rotterdam, den Haag und Antwerpen, zum Teil mit dem Ensemble des Frankfurter Opernhauses, auf. So sang er mit diesem 1934 mit großem Erfolg in Amsterdam den Titelhelden in Wagners «Rienzi». Überhaupt standen das heldische und das Wagner-Repertoire im Vordergrund seiner künstlerischen Arbeit. Zu seinen großen Partien zählten der Florestan im «Fidelio», der Hüon im «Oberon» von Weber, der Max im «Freischütz», der Lohengrin, der Walther von Stolzing in den «Meistersingern», der Siegmund wie der Siegfried im Ring-Zyklus, der Tristan, der Parsifal, der Palestrina in der gleichnamigen Oper von H. Pfitzner, der Kaiser in der «Frau ohne Schatten» von R. Strauss und der Pedro in «Tiefland» von d'Albert. Hinzu kamen auch Rollen aus dem italienischen

Fachbereich: der Pinkerton in «Madame Butterfly», der Riccardo in Verdis «Maskenball», der Othello und der Canio im «Bajazzo». Später betätigte er sich auch als Bühnenregisseur. Verheiratet mit der Operettensoubrette *Erika Helm* (* 1914).

Helms, Joachim, Tenor, * 24. 6. 1943 Rostock; er absolvierte sein Gesangstudium an der Franz Liszt-Musikhochschule in Weimar als Schüler von Fritz Steffens. Später studierte er in Dresden bei dem bekannten Tenor Johannes Kemter. 1974 debütierte er am Stadttheater von Erfurt als Ernesto im «Don Pasquale». Er blieb zehn Jahre hindurch an diesem Haus tätig und sang dort Partien wie den Ferrando in «Così fan tutte», den Tamino in der «Zauberflöte», den Herzog im «Rigoletto», den Nemorino in «Elisir d'amore», den Titelhelden in Verdis «Don Carlos», den Max im «Freischütz», den Sergej in «Katerina Ismailowa» von Schostakowitsch und den Tony in «West Side Story» von L. Bernstein. 1984 wurde er an die Staatsoper von Dresden berufen, wo seine Karriere ihren Höhepunkt erreichte. Hier kam er vor allem als Rodolfo in Puccinis «La Bohème», als Don Ottavio im «Don Giovanni» und als Alfredo in «La Traviata» zu Erfolgen. Gastspiele und Konzerte führten ihn in die Musikzentren der DDR, in die Sowjetunion, nach Polen, Bulgarien, Österreich und in die Schweiz. 1989 Gastspiel am Opernhaus von Leipzig als Ernesto im «Don Pasquale». Neben seinem Wirken auf der Bühne stand eine zweite, nicht weniger bedeutende Karriere im Konzertsaal, und hier vor allem als Solist in Oratorien. Er wirkte dazu in zahlreichen Rundfunk- und Fernsehsendungen mit.

Hemm, Manfred, Bariton, * 1961 Mödling (Niederösterreich); sein Gesangstudium, das am Konservatorium der Stadt Wien stattfand absolvierte er bei Dominique Weber, David Lutz, Waldemar Kmentt und Robert Werner. Danach debütierte er 1984 am Stadttheater von Klagenfurt als Titelheld in «Figaros Hochzeit» von Mozart. Nach Meisterkursen bei Hans Hotter und Robert Holl gewann er 1984 den Ferdinand Grossmann-Wettbewerb in Wien. 1984–1986 war er am Stadttheater von Augsburg engagiert und folgte 1986 für die nächsten zwei Jahre einem Ruf an das Opernhaus von Graz. Hier wie zuvor in Augsburg kam er in Partien wie dem Papageno in der «Zauberflöte», dem Leporello im «Don Giovanni», dem Figaro, dem Kommissar im «Rosenkavalier» und dem Polyphem in «Acis and Galatea» von Händel zu aufsehenerregenden Erfolgen. Seit 1988 Mitglied der Staatsoper von Wien, an der er vor allem als Mozart-Interpret bekannt wurde. 1987–88 wirkte er bei den Festspielen von Bayreuth mit; Gastspiele führten den jungen Künstler an die Opernhäuser von Bern, Basel und Zürich (1989 in seiner Glanzvolle, dem Figaro) wie an das Teatro Fenice Venedig. Einen besonderen Erfolg erzielte er bei den Festspielen von Salzburg 1988, wiederum als Figaro in «Figaros Hochzeit» und 1989 beim Festival von Orange als Papageno, 1990 gastierte er als Figaro an der Deutschen Oper Berlin. Als Konzertsänger durchlief er eine internationale Karriere, die

durch Rundfunk- und Fernsehauftritte wie durch zahlreiche Liederabende ergänzt wurde.

Henderson, Mary, Sopran, * 17. 12. 1912 Longueuil bei Montreal; Ausbildung bei Henri Pontbriand und bei der berühmten Pauline Donalda in Montreal, später noch bei C. Alves und bei Paul Althouse in New York. 1942 debütierte sie in Montreal in einem Liederabend und hatte im gleichen Jahr ihr Bühnendebüt bei P. Donaldas Opera Guild of Montreal. Im Herbst 1942 kam sie zu einem Engagement bei der New Opera Company New York, bei der sie die Lisa in «Pique Dame» von Tschaikowsky und die Parasha in «Mavra» von Strawinsky sang. 1943–35 nahm sie an den Gastspiel-Tourneen der San Carlo Opera Company in den USA und in Kanada teil. Hier hörte man sie als Mimi in «La Bohème», als Marguerite im «Faust» von Gounod, als Aida, als Micaela in «Carmen», als Nedda im «Bajazzo», als Traviata und als Butterfly. 1946 wurde sie an die Metropolitan Oper New York berufen (Antrittsrolle: Micaela in «Carmen»). Sie blieb dort bis 1948 und betätigte sich dann überwiegend als Konzert- und Radiosängerin, nahm aber auch noch an Gastspielen von Tournee-Opern teil, wobei sie jetzt auch im Wagner-Repertoire auftrat. Seit 1950 war sie pädagogisch an der Manhattan School of Music tätig, seit 1963 an der Miami University. Verheiratet mit dem Dirigenten Emerson Buckley (1916–89).
Schallplatten: Allegro Royal (Recital, 1952).

Hendriks, Marijke, Mezzosopran, * 18. 4. 1956 Schinveld (Provinz Limburg, Holland); sie begann 1975 ihr Musik- und Gesangstudium an der Musikhochschule Maastricht und schloß es 1979 mit ihrem Diplom ab. 1979–81 war sie im Opernstudio des Kölner Opernhauses engagiert und wurde dann 1981 als Solistin in das Ensemble des Hauses übernommen. Sie sang dort bis 1985 Partien wie die Nancy in Flotows «Martha», den Cherubino in «Figaros Hochzeit», den Hänsel in «Hänsel und Gretel», die Meg Page in Verdis «Falstaff» und die Olga im «Eugen Onegin» von Tschaikowsky. Seit 1985 war sie der Kölner Oper durch regelmäßige Gastspiele verbunden. 1982 übernahm sie beim Festival von Edinburgh die Partie der Marchesa Bianca di Bianci in «The Voice of Ariadne» von Thea Musgrave; 1985 Gastspiel am Grand Théâtre Genf als Cherubino, 1986 bei den Festspielen von Salzburg als zweite Dame in der «Zauberflöte», im gleichen Jahr beim Barock Festival von Innsbruck als Orontea in der gleichnamigen Oper von Cesti. 1987 sang sie an den Opernhäusern von Bordeaux und Lyon den Ramiro in «La finta giardiniera» von Mozart und gab sehr erfolgreiche Konzerte in der Londoner Queen Elizabeth Hall wie in Amsterdam. Dort übernahm sie, ebenfalls 1987, in einer konzertanten Aufführung der Oper «Tancredi» von Rossini die Rolle der Isaura. Sie wirkte bei den Festspielen von Orange mit, gastierte in Barcelona und mit dem Ensemble der Kölner Oper 1984 in Tel Aviv. 1988 hörte man sie an den Opern von Antwerpen und Gent als Dulcinée in «Don Quichotte» von Massenet; es folgten 1989 Gastspiele in Rom, Köln und Maastricht

(«La belle Hélène» von Offenbach). Rundfunkaufnahmen im holländischen wie im deutschen Rundfunk, Fernsehaufzeichnungen von Opern im österreichischen und Schweizer Fernsehen ließen den Namen der Künstlerin international bekannt werden.
Schallplatten: «La Tentation de Saint Antoine» von W. Egk (mit dem Märkl-Quartett).

Henn, Brigitte, Sopran, *21. 10. 1939 Freudenthal (ČSR); sie erhielt ihre Ausbildung zuerst in Frankfurt a. M. durch Emmy Greif, dann an der dortigen Musikhochschule durch Gertrude Pitzinger, in Wiesbaden durch Helena Braun; schließlich war sie in Basel Schülerin des Sängers und Gesangpädagogen *Raymond Henn*, den sie heiratete. 1968–75 war sie am Stadttheater von Basel engagiert, sang dann 1976-80 als ständiger Gast an der Deutschen Oper Berlin und war seit 1982 durch einen Gastvertrag wieder dem Stadttheater Basel verbunden. Weitere Gastspiele an den Staatsopern von München und Stuttgart, an der Deutschen Oper am Rhein Düsseldorf-Duisburg, an den Opernhäusern von Frankfurt a. M. und Zürich und am Staatstheater Hannover. Höhepunkte in ihrem Repertoire für die Bühne waren die Gräfin in «Figaros Hochzeit», die Donna Elvira im «Don Giovanni», die Fiordiligi in «Così fan tutte», die Marzelline im «Fidelio», die Agathe im «Freischütz», die Euridice im «Orpheus» von Gluck, die Marie in Smetanas «Verkaufter Braut», die Senta im «Fliegenden Holländer», die Elsa im «Lohengrin», die Elisabetta in Verdis «Don Carlos», die Amelia in dessen «Simon Boccanegra», die Alice Ford im «Falstaff», die Valencienne in der «Lustigen Witwe» und die Kurfürstin im «Vogelhändler» von Zeller. Auch als Konzertsängerin kam sie zu einer erfolgreichen Laufbahn.

Hennecke, Hildegard, Mezzosopran, *1905 (?); sie war an der Musikhochschule von Köln Schülerin der großen Konzertsängerin Maria Philippi und studierte auch bei Oscar Rees. Seit 1928 trat sie als Konzertsängerin in Erscheinung und hatte ihre ersten Erfolge 1929 in Köln. 1930 gastierte sie in Wiesbaden, 1931 und 1936 in Wien, 1932 in Luzern, 1934 in Hamburg, 1935 in München und Hannover. Bei den Händel-Festen von Göttingen lernte man sie 1936–37 als hochbegabte Interpretin dieses Meisters kennen. Seit 1936 trat sie regelmäßig in Berlin und in Leipzig als Konzertsolistin auf, 1937 war sie zu Gast in Brüssel und Lüttich. Ihr Konzertrepertoire war sehr umfassend und enthielt zahlreiche Aufgaben aus dem Bereich des Oratoriums, der geistlichen Vokalmusik wie des Liedgesangs. So wie sie als Händel-Interpretin geschätzt war, hatte sie auch in den Werken von J. S. Bach große Erfolge. Zusammen mit Helene Fahrni, Heinz Marten und Fred Drissen ist sie auch in einem Vokalquartett bekannt geworden. Auf der Bühne ist sie nicht aufgetreten; lediglich sang sie 1933 in Mönchengladbach in einer konzertanten Aufführung der Oper «Der Barbier von Bagdad» von Cornelius die Rolle der Bostana.
Schallplatten: Polydor-DGG (Barock-Arien).

Henschel, Jane, Alt, *1954 (?) Los Angeles; sie begann ihre musikalische Ausbildung im Alter von 16 Jahren an der University of Southern California, wo sie Schülerin von Ruth Michaelis und Nina Hinson war. Sie gewann mehrere internationale Gesangwettbewerbe und sang zu Beginn ihrer Karriere in ihrer amerikanischen Heimat in Konzerten und Oratorien. In diese Zeit fiel auch eine Konzerttournee durch Westdeutschland und Spanien. 1978 wurde sie an das Stadttheater Aachen verpflichtet, dem sie bis 1981 angehörte. 1981–83 war sie Mitglied des Opernhauses von Wuppertal, seit 1983 des Opernhauses von Dortmund. Hier sang sie die großen dramatischen Partien ihres Stimmfachs: die Amneris in «Aida», die Eboli in Verdis «Don Carlos», die Azucena im «Troubadour», die Ulrica im «Maskenball», die Brangäne im «Tristan», die Ortrud im «Lohengrin», die Herodias in «Salome» von R. Strauss und die Carmen. Seit 1987 gastierte sie regelmäßig an der Deutschen Oper am Rhein Düsseldorf–Duisburg, 1987–88 am Staatstheater Hannover. 1988 hörte man sie am Opernhaus von Bordeaux als Erda im Nibelungenring, 1989 bei den Festspielen von Schwetzingen und Ludwigsburg als Marcellina in «Figaros Hochzeit». Weitere Gastspiele führten sie an das Opernhaus von Zürich, an das Grand Théâtre Genf, an die Staatsopern von München und Stuttgart und an die Deutsche Oper Berlin. Nicht weniger von Bedeutung war ihre Karriere als Konzert- und Oratoriensängerin, wobei sie auch hier in einem umfassenden Repertoire zu ihren Erfolgen kam.
Schallplatten: Denon (8. Sinfonie von Gustav Mahler).

Herbert, William, Tenor, *6. 12. 1920 Melbourne; sein Vater stammte aus Wales, er hatte acht Geschwister. Er war in Melbourne Schüler des Pädagogen. A. E. Floyd und trat 1988 zuerst als Solist im «Messias» von Händel mit dem Victorian Symphony Orchestra, dann im gleichen Oratorium mit der Melbourne Philharmonic Society, auf. Er gab weitere Konzerte in den australischen Großstädten und im dortigen Rundfunk ABC, ging aber 1947 nach England. Hier entwickelte er eine große Karriere im Bereich des Konzert- und namentlich des Oratoriengesangs. Seine ersten Erfolge in England hatte er bei den Promenade Concerts in der Londoner Albert Hall und im englischen Rundfunk BBC. Bei seinen Auftritten in Oratorien («The Dream of Gerontius» von E. Elgar, «Die Schöpfung» von Haydn, 9. Sinfonie von Beethoven, Werke von Händel, J. S. Bach und Monteverdi, von Mozart und Mendelssohn) trat er oft zusammen mit der berühmten englischen Altistin Kathleen Ferrier auf. Als seine große Partie galt der Evangelist in der Matthäuspassion. Er sang beim Three Choirs Festival und beim Festival von Edinburgh, bei den Musikfesten von Cambridge, Canterbury, Leeds und Norwich und 1951 während des Festival of Britain im Eröffnungskonzert in der Royal Festival Hall London. Er gastierte in Konzertsälen in Holland, Belgien, Dänemark, in Spanien und in der Schweiz; hier sang er 1958 in einem weltweit ausgestrahlten Radiokonzert am Sitz der UN in

Genf. 1950, 1955 und 1959 bereiste er Australien und Neuseeland in glanzvollen Konzert-Tourneen. 1963 folgte er einem Ruf als Professor an die University of Western Australia in Perth, trat aber auch noch während seiner Lehrtätigkeit im Konzertsaal auf.
Schallplatten: Nixa («Messias» von Händel), Decca (Kantaten von J. S. Bach), London («Semele» von Händel, 1955), L'Oiseau Lyre, Concert Hall/Westminster.

Herbert-Förster, Therese, Sopran, * 1861 Wien, † 24. 2. 1927 New York; sie erhielt ihre Ausbildung in Wien und begann ihre Bühnenlaufbahn mit einem Engagement am Stadttheater von Königsberg (Ostpreußen) in der Saison 1883–84. 1884–85 war sie an der Dresdner Hofoper engagiert und ging dann an das Hoftheater Stuttgart. Dort lernte sie den Komponisten Victor Herbert (1859–1924) kennen, der als Cellist im Orchester des Hoftheaters wirkte. Beide heirateten 1886. Als die Künstlerin 1886 für zwei Spielzeiten an die Metropolitan Oper New York verpflichtet wurde, bestand sie darauf, daß ihr Gatte gleichzeitig in das Orchester dieses Opernhauses aufgenommen wurde. In den Jahren 1886–88 sang sie an der Metropolitan Oper Partien wie die Aida (in der Premiere des Werks an der Metropolitan Oper), die Irene im «Rienzi» von R. Wagner, die Elisabeth im «Tannhäuser», die Elsa im «Lohengrin», die Agathe im «Freischütz» und die Titelpartie in der «Königin von Saba» von Goldmark. Für die Saison 1887–88 hatte sie ein gleichzeitiges Engagement am New Yorker Thalia-Theater, an dem damals auch Opernaufführungen stattfanden. Sie gastierte während dieser Zeit aber auch noch in Europa, so 1887 an der Hofoper von Wien, am Hoftheater von Mannheim und am Opernhaus von Frankfurt a. M. Nach 1888 zog sie sich ganz von der Bühne zurück, um ihren Gatten zu unterstützen, der als Solist und vor allem als Operettenkomponist bekannt wurde, und der nach der Jahrhundertwende mit einer Reihe von Operetten in den USA wie in aller Welt große Erfolge erzielen konnte.

Herbold, Eugenie, s. unter *Eilers, Franz.*

Herden, Karl, s. unter *Zavrel, Karel.*

Herford, Thomas, Bariton, * 24. 2. 1947 Edinburgh; er erhielt seine Ausbildung am King's College Cambridge (1965–68), wo er zugleich Anglistik studierte und den akademischen Grad eines Master of Arts erwarb. Dann studierte er weiter 1971–76 am Royal Northern College of Music und beendete diese Ausbildung mit der Diplomprüfung. 1977–78 sang er im Chor der Glyndebourner Festspiele, wo er dann auch den Förster in Janáčeks «Schlauem Füchslein» übernahm. Er trat in der Folgezeit bei den führenden englischen Operngesellschaften auf, darunter der Covent Garden Oper London, der Scottish Opera Glasgow, der Handel Opera Society, der Chelsea Opera Group und sang beim English Bach Festival. Beim Maggio musicale Florenz hörte man ihn in der Titelpartie von Monteverdis «Orfeo»;

beim Glyndebourne Festival wirkte er 1987–88 in der zeitgenössischen Oper «The Electrification of the Soviet Union» von Nigel Osborne (auch in der Uraufführung am 5.10. 1987) mit, die in Berlin wiederholt wurde. Er sang Partien in Opern von Rameau, Benjamin Britten, Janáček und Maxwell Davies («The Lighthouse»). In London wie in Lissabon (1989) gastierte er als Frederick in Debussys «The Fall of the House of Usher». Noch mehr von Bedeutung war jedoch seine Karriere als Konzertsänger, wobei er auch hier ein weit gespanntes Repertoire zum Vortrag brachte. Er sang als Solist zusammen mit bekannten Orchestern in England, im übrigen Europa und in den USA. In London hörte man ihn im «Gloria» von W. Walton, in John Jouberts «The Instant Moment» (1987 zum 60. Geburtstag des Komponisten), in modernen Kompositionen von John Hopkins und Nigel Osborne. Er unternahm mehrere Nordamerika-Tourneen mit Konzerten in New York, Washington, Los Angeles und New Orleans. 1986 sang er in der Carnegie Hall New York in «Belshazzar's Feast» von William Walton. Mit dem Ensemble Songmakers' Almanac sang er in der Londoner Wigmore Hall und beim Bath Festival, ebenso mit dem Nash Ensemble (mit dem er lange Zeit verbunden war). Er trat in London mit Schubert-Liederabenden vor sein Publikum, gab Konzerte in Köln und Berlin, war aber auch ein großer Interpret des klassischen Konzert-Repertoires von Bach bis Debussy.
Von seiner Stimme sind zahlreiche Schallplattenaufnahmen vorhanden; diese erschienen auf den Marken Decca und Hyperion («Five Mystical Songs» und «Five Tudor Portraits» von Vaughan Williams, «Dixit Dominus» von Händel), CBS (Messe c-moll von Mozart), New World Records (Recital of American Songs), Erato («Castor et Pollux» von Rameau, Auszüge aus dem «Messias») und Nimbus («The Instant Moment» von J. Joubert).

Herlinger, Rose, Sopran, * 8. 2. 1893 Tabor (ČSR), † 19. 2. 1978 Montreal; eigentlicher Name Ružena Herlingerová. Sie erhielt ihre erste Ausbildung in ihrem Geburtsort Tabor, ging dann zu weiterem Studium nach Wien, schließlich nach Berlin. Nach ersten Auftritten zu Beginn der zwanziger Jahre in Wien kam sie in Kontakt zu dem Kreis um Arnold Schönberg und wandte sich nun in besonderer Weise der Präsentation moderner Musik zu. So veranlaßte sie Alban Berg zur Komposition der Kantate «Der Wein», die sie in der Uraufführung des Werks am 4. 6. 1930 in Königsberg (Ostpreußen) vortrug. Sie gastierte regelmäßig in Wien, wo sie bei einem Liederabend mit französischen Lied-Kompositionen von Maurice Ravel am Klavier begleitet wurde. 1924 und 1927 trat sie in Paris, 1925–28 in Berlin, 1928 in London, 1933 in Venedig, 1933 in Amsterdam, Genf und New York auf. Neben zeitgenössischen Werken brachte sie auch Lieder des klassischen Repertoires zum Vortrag, besonders Lieder von Schubert und Brahms. Während des Zweiten Weltkrieges lebte sie in London und gab Konzerte vor alliierten Soldaten. 1945 kehrte sie in die Tschechoslowakei zurück; sie wurde dort Musikreferentin am Rundfunk und Leiterin des Radiochores in Prag. 1949 verließ sie jedoch die ČSSR und emigrierte nach Kanada. Hier entfaltete sie vor allem als Pädagogin eine umfangreiche Tätigkeit und unterrichtete 1957–62 am College of Music Montreal, 1963–71 an der Mc Gill University. Zu ihren Schülern gehörten so bedeutende Sänger wie Huguette Turangeau, Joseph Rouleau, André Turp und Claude Corbeil. Schallplattenaufnahmen bei Ultraphon.

Herman, Silvia, Sopran, * 1955 (?) Wien; sie besuchte die Musikhochschule Wien, an der sie Violine, Klavierspiel wie auch Gesang studierte. 1976 wurde sie Preisträgerin beim Internationalen Gesangwettbewerb von Athen und schloß im gleichen Jahr ihr Studium ab. Im Liedgesang wurde sie durch den berühmten Tenor Anton Dermota ausgebildet. In den Jahren 1976–79 gehörte sie dem Opernstudio der Wiener Staatsoper an. 1979 wurde sie in das Ensemble dieses Hauses übernommen, dem sie bis 1982 als Mitglied angehörte. 1983–85 war sie durch einen Gastvertrag mit der Staatsoper Hamburg verbunden. Gastspiele an der Staatsoper von Stuttgart, am Grand Théâtre Genf, am Teatro Liceo Barcelona, in Madrid und an der Oper von Köln (1989–90) trugen der Künstlerin internationale Erfolge ein. 1978–79 und 1981 wirkte sie bei den Festspielen von Salzburg mit. Bei den Bayreuther Festspielen sang sie 1978 eine Soloblume im «Parsifal», 1985–86 die Wellgunde im Nibelungenring, 1988 die Waltraute in der «Walküre». Neben ihrem Wirken auf der Bühne kam sie zu einer ebenso erfolgreichen Karriere im Konzertsaal, vor allem als Oratoriensolistin, aber auch als Lied-Interpretin. 1982, 1987 und 1988 wirkte sie bei den Bruckner-Festen in Linz (Donau) mit.
Schallplatten: HMV-Electrola (vollständige Opernaufnahmen «Rheingold» und «Walküre» unter Bernhard Haitink), Erato («Das Paradies und die Peri» von R. Schumann).

Herms, Adalbert, Tenor, * 1855, † 5. 9. 1949 Braunschweig; er begann seine Bühnenlaufbahn im Jahre 1880 und wurde, nachdem er an verschiedenen deutschen Bühnen engagiert gewesen war, in der Spielzeit 1886–87 Mitglied des Hoftheaters von Braunschweig. Hier fand er seine eigentliche künstlerische Heimstätte und ist bis zur Aufgabe seiner Theaterkarriere dort geblieben. Hatte er zunächst mehr lyrische Tenorpartien gesungen, so wandte er sich im späteren Ablauf seiner langjährigen Karriere auch dem jugendlichen Helden- und dem Charakterfach zu. Bis 1903 blieb er in Braunschweig im Engagement, trat aber noch viele Jahre hindurch dort als Gast in Erscheinung und entfaltete eine intensive Tätigkeit als Konzertsänger, namentlich im Bereich des Oratoriums. Von seinen vielen Bühnenpartien sind zu nennen: der Steuermann im «Fliegenden Holländer», der Châteauneuf in «Zar und Zimmermann» von Lortzing, der Maurice in «Der Templer und die Jüdin» von Marschner, der Heribert im «Rattenfänger von Hameln» von Neßler, der Fiorillo im «Barbier von Sevilla» von Rossini und der Alfredo in «La Traviata». Er starb hochbetagt in

seinem geliebten Braunschweig, wo er auch als Gesanglehrer gewirkt hatte.

Hert, Tamara, Sopran, * 5. 12. 1940 Basel; sie besuchte das Konservatorium von Basel und ließ ihre Stimme durch Margarethe Haeser in Zürich und am Salzburger Mozarteum bei Rita Schmitz-Gohr ausbilden. Stationen ihrer Bühnenkarriere waren das Städtebundtheater Hof (1970–71), das Stadttheater von Lübeck (1971–73), das Stadttheater von Basel (wo sie ihren Wohnsitz hatte, 1974–75 und seit 1982) sowie das Staatstheater von Kassel (1978–79). Sie gastierte an der Deutschen Oper am Rhein Düsseldorf–Duisburg, an der Wiener Staatsoper wie an der dortigen Volksoper, an der Oper von Frankfurt a. M., am Staatstheater Darmstadt, am Grand Théâtre Genf, in Bonn, Bern, St. Gallen und Zürich. 1979 sang sie in der Eröffnungsvorstellung des neu erbauten Theaters von Winterthur die Königin der Nacht in der «Zauberflöte». Ihr Bühnenrepertoire setzte sich aus einer Vielzahl von Partien aus dem Koloratur- wie dem lyrischen Repertoire zusammen. Fast noch mehr von Bedeutung war ihre Tätigkeit im Konzertbereich. Sie sang Partien in Oratorien und geistlichen Vokalwerken aus allen Epochen der Musikgeschichte und war eine begabte Lied-Interpretin. Als Konzertsolistin hörte man sie in den Mittelpunkten des Musiklebens in der Schweiz und in Deutschland, in Amsterdam und Brüssel, in Bordeaux, Nizza, Monte Carlo und Paris, in Straßburg wie beim Festival von Wroclaw (Breslau).
Schallplatten: Arion (Stabat mater von Boccherini), Erato (Blumenmädchen und 1. Knappe im «Parsifal»).

Herwig, Alfons, Bariton, * 1918 (?); Ausbildung an der Stuttgarter Musikhochschule und bei Richard Bitterauf. 1950 erfolgte sein Debüt am Stadttheater von Pforzheim, dem er in den folgenden zwei Jahren angehörte. 1952–53 wirkte er am Stadttheater von Regensburg, 1953–55 an den Städtischen Bühnen Wuppertal, dann 1955–58 an der Städtischen Oper Berlin, schließlich 1958–61 und noch bis etwa 1970 als Gast an der Staatsoper Stuttgart. An der Berliner Oper sang er in den deutschen Erstaufführungen der Opern «The Saint of Bleecker Street» von G. C. Menotti (1955) und «Volo di notte» von Dallapiccola (1956). In den Jahren 1953 und 1955–57 nahm er an den Bayreuther Festspielen teil; dort sang er u. a. 1955 den Reinmar von Zweter im «Tannhäuser», 1956–57 den Donner im «Rheingold» und 1956 den Nachtwächter in den «Meistersingern». 1955 und 1961 gastierte er an der Oper von Monte Carlo, 1958 an der Grand Opéra Paris als Gunther in der «Götterdämmerung», 1962 am Teatro Liceo Barcelona und am Stadttheater von Basel. 1963 war er in Graz, 1964 am Théâtre de la Monnaie in Brüssel, am Opernhaus von Zürich und in Dublin als Gast anzutreffen, 1967 am Teatro Comunale Bologna. Mehrfach gastierte er an der Wiener Staatsoper; auch bei den Festspielen von Vichy trat er in Erscheinung. Er war in erster Linie ein Vertreter des heldischen Stimmfachs in Partien wie dem Pizarro im «Fidelio», dem Grafen in «Figaros Hochzeit», dem Telramund

im «Lohengrin», dem Hans Sachs in den «Meistersingern», dem Kurwenal im «Tristan», dem Wotan
im Nibelungenring und dem Titelhelden in Verdis
«Macbeth». Auch als Konzertsänger in einem umfassenden Repertoire aufgetreten.
Schallplatten: HMV, Cetra Opera Live (Donner in
«Rheingold», Bayreuth 1957).

Herze, Henny, Sopran, * 4. 11. 1909 Wiesbaden;
nach ihrer Ausbildung debütierte sie 1932 am Stadttheater von Würzburg, an dem sie bis 1936 im
Stimmfach der Opernsoubrette ihre ersten Erfolge
hatte. 1936–38 wirkte sie am Staatstheater von Wiesbaden als Soubrette, trat aber auch in Operettenpartien und als Schauspielerin in Erscheinung. 1938
leistete sie einem Ruf an die Wiener Volksoper
Folge, an der sie eine langjährige Karriere hatte.
Auch hier übernahm sie Soubrettenrollen aus der
Oper wie vor allem aus der Operette, bei denen sie
auch ihr großes darstellerisches Talent präsentieren
konnte. Sie war verheiratet mit dem Baß-Bariton
Alois Pernerstorfer (1912–78), der ebenfalls an den
beiden großen Opernhäusern von Wien, der Staatsoper und der Volksoper, wie bei internationalen
Gastspielen eine große Karriere hatte.
Es ist möglich, daß von der Stimme der Sängerin
Mitschnitte von Rundfunksendungen vorhanden
sind.

Heß, Ludwig, Tenor, * 23. 3. 1877 Marburg a. d.
Lahn, † 6. 2. 1944 Berlin; er war Sohn eines Marbur-
ger Universitätsprofessors und entschloß sich zum
Musik- und Gesangstudium an der Musikhochschule
Berlin. Seine Ausbildung zum Sänger wurde bei dem
Pädagogen Melchiorre Vidal in Mailand vervollständigt. Er kam dann als Konzert- und Oratoriensänger
zu hohem internationalem Ansehen. Von Berlin
aus, wo er seinen Wohnsitz hatte, unternahm er
erfolgreiche Konzertreisen in die Zentren des europäischen Musiklebens, wobei er ein sehr umfangreiches Programm zum Vortrag brachte, das in den
Werken von J. S. Bach gipfelte. Er erhielt den Titel
eines Kammersängers und wurde Professor an der
Berliner Akademie für Kirchenmusik. Er war auch
als Komponist tätig, schrieb Lieder, Instrumental-
und Vokalmusik und einige Opern («Die Nacht von
Naxos», 1910; «Abu und Nu», 1917; «Was ihr wollt»,
1921; «Heißes Blut», 1921; «Das Hausgespenst»,
1924; «Kain»).

Hesse, Walter, Tenor, * 7. 1. 1921 Döllensradung
bei Landsberg a. d. Warthe (Westpreußen); er
wuchs in Südafrika auf und bildete sich weitgehend
autodidaktisch zum Sänger. Er begann seine Bühnenkarriere in der Spielzeit 1949–50 mit einem Engagement als Baß-Bariton am Landestheater von
Innsbruck. Seine Stimme wechselte dann jedoch ins
Tenorfach, und 1950–55 war er als Tenor am Theater
am Gärtnerplatz in München im Engagement.
1955–57 sang er am Stadttheater von Münster (Westfalen), 1957–63 am Opernhaus von Zürich. Nach
einem Zwischenspiel am Städtebundtheater Hof
(1965–67) war er dann seit 1969 bis zur Aufgabe
seiner Karriere 1985 wieder Mitglied des Opernhau-

ses Zürich. Hier wirkte er in der Uraufführung der
Oper «Ein Engel kommt nach Babylon» von Rudolf
Kelterborn mit (5. 6. 1977). Gastspiele an den Thea-
tern von Bern, Basel und St. Gallen, an der Deutschen Oper am Rhein Düsseldorf-Duisburg, an den
Opernhäusern von Essen und Köln, am Stadttheater
Bremen, in Salzburg und Wien. Höhepunkte aus
seinem vielseitigen Bühnenrepertoire waren der Radames in Verdis «Aida», der Titelheld in dessen
«Don Carlos», der Herzog im «Rigoletto», der Manrico im «Troubadour», der Alvaro in «La forza del
destino», der Erik im «Fliegenden Holländer», der
Parsifal, der Max im «Freischütz», der Edgardo in
«Lucia di Lammermoor», der Florestan im «Fidelio», der José in «Carmen», der Titelheld in «Hoffmanns Erzählungen», der Rodolfo in «La Bohème»,
der Pinkerton in «Madame Butterfly», der Cavaradossi in «Tosca», der Kalaf in «Turandot», der Prinz
in «Rusalka» von Dvořák, die Titelfiguren in «Raskolnikow» und «Romeo und Julia» von Sutermeister, der Bacchus in «Ariadne auf Naxos» von
R. Strauss, der Ägisth in dessen «Elektra», der italienische Sänger im «Rosenkavalier», dazu Partien
in Operetten von J. Strauß, Offenbach, Millöcker
und Franz Lehár.

Heusser, Hedda, Sopran, * 21. 9. 1921 Triest; Schülerin am Konservatorium von Zürich von Ria Ginster, von Sylvia Gähwiller und Alice Frey-Knecht,
von Giannina Arangi-Lombardi in Mailand, von
Maria Ivogün in München und Thea Linhard-Böhm
in Wien. Sie begann ihre Karriere 1941 am Stadttheater von Luzern, dem sie bis 1943 als Mitglied
angehörte. In den Jahren 1943–47 sang sie am Theater von St. Gallen, 1947–50 am Theater der Schweizerischen Bundeshauptstadt Bern und war dann in
der Spielzeit 1950–51 an der Wiener Staatsoper verpflichtet. 1952–53 gehörte sie zum Ensemble des
Opernhauses von Frankfurt a. M. Danach nahm sie
kein festes Engagement mehr an, gastierte vielmehr
und trat oft im Rundfunk auf. In den Jahren 1953–58
war sie in einer Anzahl von Operettensendungen des
Westdeutschen Rundfunks Köln zu hören. Bei den
Festspielen von Salzburg sang sie 1950 die Papagena
in der «Zauberflöte», 1951 war sie an der Wiener
Volksoper, 1953 in Amsterdam (als Gilda im «Rigoletto») zu Gast. Auch Gastspiele an den Opernhäusern von Zürich und Genf, in Hamburg, Berlin und
Düsseldorf. Sie sang auf der Bühne eine Vielfalt von
Rollen aus dem lyrischen wie aus dem Koloratur-
Repertoire: die Blondchen in der «Entführung aus
dem Serail» und die Königin der Nacht in der «Zauberflöte», die Rosina im «Barbier von Sevilla» und
die Olympia in «Hoffmanns Erzählungen», die
Nedda im «Bajazzo» und die Musetta in «La Bohème», die Gilda im «Rigoletto» und die Adele in
der «Fledermaus», dazu zahlreiche Operetten-Partien. Auch als Konzertsolistin ist sie bekannt geworden. Ihre Tochter, *Barbara Fuchs,* wurde eine erfolgreiche Sopranistin.
Schallplatten: MMS (vollständige Operette «Die
Fledermaus», dazu einige Opern-Querschnitte),
Nixa (Zerline in kompletter «Don Giovanni»-Auf-
nahme), RCA (Operetten-Querschnitte aus Sen-

dungen des WDR Köln), Vox («Orfeo ed Euridice» von J. Haydn).

Hey, Hans Erwin, Baß-Bariton, * 30. 7. 1877 München, † 6. 5. 1943 Wien; er war ein Sohn des berühmten Gesangpädagogen und Begründers des eigentlichen Wagner-Stils *Julius Hey* (1832–1909). Er war Schüler seines Vaters und besuchte die Akademie der Tonkunst in München. Dann begann er eine Karriere als Opernsänger, die zu Engagements am Theater von Trier (1902–03), am Opernhaus von Riga (1903–04), am Deutschen Theater Prag (1904–1905), an der Dresdner Hofoper (1905–08) und am Hoftheater von Wiesbaden (1908–12) führte. Er gastierte an der Covent Garden Oper London (1907 als Beckmesser, 1914 als Klingsor), an den Hofopern von München und Karlsruhe und nahm an einer USA-Tournee einer deutschen Operntruppe (1929–1930) teil. 1914–15 war er in Berlin tätig, war 1915–1917 zum Militärdienst eingezogen und sang 1917–1919 an der Deutschen Oper Berlin. 1911 heiratete er in Wiesbaden die dort wirkende dänische Sopranistin *Birgit Engell* (1882–1973), von der er sich 1926 wieder trennte. Mit ihr zusammen verlegte er 1919 seinen Aufenthalt nach Kopenhagen (und sang jetzt nur noch unter dem Namen Hans Hey). Bis 1925 blieb er in Dänemark, wo er 1928 und 1931 nochmals Konzerte gab. 1925–26 war er an der Kammeroper Wien, 1932–38 am Deutschen Theater Prag engagiert. Aus politischen Gründen ging er als Pädagoge an das Konservatorium von Ankara, kehrte aber später wieder nach Deutschland zurück. Wie sein Vater war auch er ein geschätzter Gesanglehrer; er gab nach dem Tod von Julius Hey einige von diesem nachgelassene Schriften heraus. Er stellte wichtige grundsätzliche pädagogische Erkenntnisse seines Vaters in einem Lehrbuch zusammen, das unter dem Namen *«Der kleine Hey»* (1912) große Verbreitung fand. Sein Bühnen- wie sein Konzertrepertoire war sehr umfangreich; von seinen Bühnenpartien sind zu nennen: der Beckmesser in den «Meistersingern», der Lord Kookburn in «Fra Diavolo» von Auber, der Schaunard in Puccinis «La Bohème», der Figaro im «Barbier von Sevilla», der Masetto im «Don Giovanni», der Baculus im «Wildschütz» von Lortzing, der Valentin im «Faust» von Gounod, der Alberich im Nibelungenring und der Holzfäller in den «Königskindern» von E. Humperdinck. Auch seine Schwester *Ottilie Hey* (* 28. 6. 1878 München) war eine bekannte Sängerin.

Hielscher, Ulrich, Baß, * 29. 4. 1943 Schwarzengrund (Schlesien); 1951 übersiedelte seine Familie nach Cottbus (DDR) und flüchtete von dort 1954 nach Düsseldorf. Hier absolvierte er ein sehr gründliches Musik- und Gesangstudium am Robert Schumann-Konservatorium bei Philipp Göpelt. Ergänzende Ausbildung bei den Gesangpädagogen Paul Lohmann in Wiesbaden und Francesco Carino in Düsseldorf. 1967 fand er sein erstes Engagement am Opernhaus von Essen. Seit 1974 Mitglied des Opernhauses der Stadt Köln; gleichzeitig an der Staatsoper Hamburg und am Staatstheater Hannover engagiert; durch Gastverträge den Opernhäusern von

Wuppertal und Frankfurt a. M., den Theatern von Kiel und Freiburg i. Br. verbunden. Gastspiele führten ihn an die Deutsche Oper am Rhein Düsseldorf–Duisburg, an die Staatsoper von Stuttgart, an die Wiener Staatsoper, an die Theater von Nürnberg, Bielefeld, Gelsenkirchen und Lübeck, an die Opern von Antwerpen und Gent (1984–85). Er gastierte als Opern- wie als Konzertsänger in Holland, Belgien, Frankreich, in der Schweiz und in Bogotà (Kolumbien). Aus seinem umfangreichen, über 60 Partien enthaltenden Bühnenrepertoire sind der Titelheld in «Figaros Hochzeit», der Osmin in der «Entführung aus dem Serail», der Leporello im «Don Giovanni», der Alfonso in «Così fan tutte», der Sarastro wie der Sprecher in der «Zauberflöte», der Rocco im «Fidelio», der Kaspar im «Freischütz», der Pater Guardian in Verdis «La forza del destino», der Titelheld in dessen «Falstaff», der Mephisto im «Faust» von Gounod, der Kezal in der «Verkauften Braut», der Don Pasquale in der gleichnamigen Oper von Donizetti, der van Bett in «Zar und Zimmermann» von Lortzing, der Baculus in dessen «Wildschütz», der Plumkett in Flotows «Martha», der Daland im «Fliegenden Holländer», der Hagen in der «Götterdämmerung», der Gurnemanz im «Parsifal», der Ochs im «Rosenkavalier», der Hauptmann in A. Bergs «Wozzeck», der Ollendorf in Millöckers «Bettelstudent» und der Zsupan im «Zigeunerbaron» von J. Strauß zu erwähnen. Im Konzertsaal erwies er sich als großer Oratoriensolist in Werken von J. S. Bach, Beethoven, Händel, Mozart, Haydn, Mendelssohn, J. Brahms und Bruckner, dazu als hervorragender Interpret von Liedern und Balladen in einem breit gefächerten Repertoire.
Schallplatten: Motette (Missa da Gloria von Puccini).

Hill, Jennifer, Sopran, * 20. 6. 1944 London; sie wurde in der National School of Opera und im Opera Centre in London ausgebildet. Sie debütierte 1964 bei der English National Opera London in der englischen Erstaufführung von Janáčeks «Die Sache Makropoulos» in der Partie der Kristina. In London und bei einer Tournee in Sowjetrußland sang sie dann zusammen mit dem English Opera Group die Lucia in «The Rape of Lucretia» von Benjamin Britten. In London wie bei der Weltausstellung in Montreal gastierte sie 1967 als Tytania in Brittens «A Midsummer Night's Dream». Beim Aldeburgh Festival hörte man sie am 8. 6. 1968 in der Uraufführung der Oper «Punch and Judy» von Harrison Birtwistle in der Rolle der Pretty Polly, die sie dann auch beim Edinburgh Festival übernahm. Sie gastierte an den führenden englischen Opernbühnen in Partien wie der Lucia di Lammermoor von Donizetti, der Amina in «La Sonnambula» von Bellini, der Gilda im «Rigoletto», der Violetta in «La Traviata», der Susanna in «Nozze di Figaro», der Königin der Nacht in der «Zauberflöte» und der Olympia in «Hoffmanns Erzählungen». Beim Brighton Festival wirkte sie in der Uraufführung eines weiteren Bühnenwerks von Birtwistle, «Down by the Greenwood Side» (8. 5. 1969), mit. In der Royal Festival Hall London trat sie als Konzertsolistin im Magnificat von Goffredo Pe-

trassi auf; sie sang in der St. Pauls Kathedrale London das Sopransolo in der h-moll-Messe von J. S. Bach unter Carlo Maria Giulini zur Eröffnung des City of London Festivals. Zahlreiche Auftritte in Radio- und Fernsehsendungen kennzeichnen den Fortgang der Karriere der Künstlerin, die sich auch im pädagogischen Bereich betätigte.
Schallplatten: Decca («The Rape of Lucretia», Szenen aus «Faust» von R. Schumann, Johannespassion von J. S. Bach unter Benjamin Britten).

Hill Smith, Marilyn, Sopran, * 1953 (?); die englische Künstlerin studierte an der Guildhall School of Music London und konnte 1975 als «Outstanding Young Musician» die USA, Kanada, Australien und Neuseeland bereisen, wobei sie am Opernhaus von Sydney und in der Hollywood Bowl auftrat. 1978 debütierte sie bei der English National Opera Company London, an der sie bis 1984 in Partien wie der Adele in der «Fledermaus», der Susanna in «Nozze di Figaro», der Olympia in «Hoffmanns Erzählungen», der Ciboletta in «Eine Nacht in Venedig» von J. Strauß, der Despina in «Così fan tutte», der Zerbinetta in «Ariadne auf Naxos», der Fiakermilli in «Arabella» von R. Strauss, der Blondchen in der «Entführung aus dem Serail» und der Papagena in der «Zauberflöte» zu hören war. 1981 sang sie erstmals an der Covent Garden Oper London. Sie trat an vielen anderen Bühnen in Erscheinung, so am Sadler's Wells Theatre, wo sie hauptsächlich Operetten sang, bei der Welsh Opera Cardiff (Musetta in «La Bohème», Konstanze in der «Entführung aus dem Serail»), bei der Scottish Opera Glasgow (Cunegonde in «Candide» von Bernstein), an der National Opera Dublin (Adele in der «Fledermaus»), in Toronto (Yum-Yum in «The Mikado» von Gilbert & Sullivan), in Luxemburg, Coburg, Köln, Versailles, Granada, Siena und Athen. Beim Camden Festival gastierte sie als Clotilde in Pacinis «Maria Tudor», in Belfast als Marzelline im «Fidelio», beim English Bach Festival als Agilea in «Teseo» von Händel, als Euridice im «Orpheus» von Gluck und als Belinda in «Dido and Aeneas» von Purcell. Zahlreiche Auftritte im englischen Rundfunk und im Fernsehen.
Viele Schallplattenaufnahmen, insbesondere auf der Marke Opera Rara. (Arien aus italienischen Opern), auf RCA («Ercole amante» von F. Cavalli) und auf Chandos.

Hindermann, Aenne, Sopran, * 1872, † 17. 11. 1955 Menden (Sauerland); sie begann ihre Bühnenlaufbahn 1895 am Stadttheater von Aachen, dem sie bis 1898 angehörte. 1898–1901 war sie am Stadttheater von Magdeburg tätig und wirkte in den Jahren 1901–12 am Stadttheater (Opernhaus) von Hamburg. In den Jahren 1899 bis 1912 gastierte sie regelmäßig an der Berliner Hofoper, 1900 an der Hofoper von Dresden, 1904 am Hoftheater Schwerin und 1900 am Opernhaus von Leipzig. In Amsterdam trat sie bei einem Gastspiel als Konstanze in der «Entführung aus dem Serail» auf. Ihr Repertoire enthielt vor allem Partien aus dem Koloratur-Fach wie die Königin der Nacht in der «Zauberflöte», die Rosina im «Barbier von Sevilla», die Marie in der «Regi-

mentstochter», die Gilda im «Rigoletto», die Traviata, den Pagen Oscar in Verdis «Maskenball», die Königin Marguerite wie den Pagen Urbain in Meyerbeers «Hugenotten», die Philine in «Mignon» von A. Thomas, die Rose Friquet im «Glöckchen des Eremiten» von Maillart, die Elvira in «La Muette de Portici» von Auber und die Frau Fluth in den «Lustigen Weibern von Windsor» von Nicolai; sie übernahm jedoch auch schwerere Partien wie die Chrysothemis in «Elektra» von Richard Strauss. In zweiter Ehe war sie seit 1904 zeitweilig mit dem berühmten Schauspieler Paul Wegener (1874–1948) verheiratet, der später durch sein Wirken beim Film allgemein bekannt wurde.
Die Künstlerin machte während ihrer Hamburger Zeit zwei Serien von Schallplattenaufnahmen, eine für G & T (1904), eine zweite für Odeon (1907).

Hinsch-Gröndahl, Natalie, Mezzosopran/Sopran, * 1913 (?); sie sang 1936–39 am Stadttheater von Bremen, 1939–41 am Stadttheater von Freiburg i. Br. und 1941–42 am Stadttheater von Karlsbad (Karlovy Vary). 1942–44 war sie am Deutschen Theater in Oslo engagiert; 1947–49 gehörte sie dem Stadttheater von Zittau, 1949–50 dem Landestheater von Gera (Thüringen) an. 1951 folgte sie einer Berufung an das Nationaltheater Mannheim, dessen Mitglied sie bis 1956 blieb. 1955–59 bestand ein Gastspiel-Engagement der Künstlerin am Opernhaus von Köln; hier sang sie am 8. 6. 1957 in der Uraufführung der Oper «Bluthochzeit» von Wolfgang Fortner die Partie der Mutter, im gleichen Jahr wirkte sie in Köln in der deutschen Erstaufführung von Poulencs «Dialogues des Carmélites» als Mère Marie mit. 1959–61 trat sie am Stadttheater von Oberhausen, 1962–66 als Gast am Staatstheater Wiesbaden, 1966–68 am Stadttheater von Basel auf. Bei den Bayreuther Festspielen von 1953 hörte man sie als Gutrune in der «Götterdämmerung». Die als große Darstellerin gerühmte Sängerin wurde in erster Linie im dramatischen Stimmfach bekannt: als Carmen, als Lady Macbeth in Verdis «Macbeth», als Brangäne im «Tristan», als Santuzza in «Cavalleria rusticana», als Küsterin in Janáčeks «Jenufa» und als Octavian im «Rosenkavalier». Verheiratet mit dem Schauspieler Friedrich Gröndahl.
Schallplatten: Cetra (Mitschnitt der «Götterdämmerung» aus Bayreuth, 1953), Telefunken (Szenen aus «Bluthochzeit» von Fortner), Privataufnahmen aus dem Nationaltheater Mannheim («Carmen» mit Heinz Sauerbaum als Partner).

Hintermeier, Margareta, Mezzosopran, * 11. 9. 1954 St. Pölten (Niederösterreich); sie studierte am Konservatorium der Stadt Wien bei Traute Skladal und erhielt bereits 1972 ein erstes Engagement am Theater an der Wien (Kinderoper). 1976 trat sie in das Opernstudio der Wiener Staatsoper ein, wo sie mit der berühmten Sopranistin Hilde Konetzni zusammen arbeitete. 1982 erhielt sie als beste Nachwuchssängerin den Förderungspreis der «Freunde der Wiener Staatsoper». Seit 1982 Mitglied dieses traditionsreichen Opernhauses. Hier kam sie in Partien wie der Dorabella in «Così fan tutte», dem Cheru-

bino in «Figaros Hochzeit», der Hexe in «Rusalka» von Dvořák, dem Octavian im «Rosenkavalier», dem Komponisten in «Ariadne auf Naxos» von R. Strauss und der Federica in Verdis «Luisa Miller» zu Erfolgen. Bei der Japan-Tournee der Wiener Staatsoper hörte man sie als Cherubino. Sie gastierte am Grand Théâtre Genf, am Teatro San Carlos Lissabon (Orlowsky in der «Fledermaus»), in Lüttich (Solo im Verdi-Requiem, Idamante in «Idomeneo» von Mozart) und in Luxemburg. An der Staatsoper Dresden sang die den Octavian; 1979 und 1981–83 wirkte sie bei den Festspielen von Salzburg (u. a. als Idamante) mit. Im Konzertsaal trat sie als Solistin in oratorischen Werken wie als begabte Lied-Interpretin hervor. So sang sie 1989 bei den Wiener Festwochen das Alt-Solo in Beethovens 9. Sinfonie und beim Wiener Richard Wagner-Kongreß die Wesendonck-Lieder. Sie wirkte bei der Schubertiade in Hohenems, beim Carinthischen Sommer, beim Festival von Flandern mit und gab Konzerte in Istanbul, Nizza und Bologna. Bekannt wurde die Künstlerin auch durch eine Reihe von Rundfunk- und Fernsehsendungen.
Schallplatten: HMV-Electrola («Die Walküre»), Amadeo (Arien, «Vom Tode» von Schiske), CBS (Arien-Aufnahmen), Denon (9. Sinfonie von Beethoven).

Hirata, Kyoko, Sopran, * 1943 (?); eigentlicher Name Kyoko Oda. Gesangausbildung an der Tokyo Arts University und bei dem Pädagogen Sonobe, ebenfalls in Tokio. Fortsetzung des Studiums an der Moskauer Musikakademie, bei Alexander Kolo in Wien und an der Musikhochschule Köln bei Ellen Bosenius. Preisgewinnerin bei Gesangwettbewerben in Zwickau (Robert Schumann-Preis, 1965), Prag (1966) und Sofia (1970). 1967 debütierte sie auf der Opernbühne des Moskauer Konservatoriums als Tatjana im «Eugen Onegin» von Tschaikowsky. Sie kam dann zu wichtigen Erfolgen bei Auftritten am Bolschoj Theater Moskau, an der Oper von Leningrad, an der Staatsoper Berlin und am Staatstheater von Saarbrücken. Mitglied der Niki Kai-Oper Tokio, wo sie auch als Konzertsängerin und als Pädagogin an der Musikschule hervortrat. Auf der Bühne sang sie vorzugsweise das dramatische Fach mit Partien wie der Gräfin in «Nozze di Figaro», der Leonore im «Fidelio», der Agathe im «Freischütz», der Leonore in Verdis «La forza del destino», der Senta im «Fliegenden Holländer», der Sieglinde in der «Walküre», der Titelheldin in Puccinis «Madame Butterfly» und der Ariadne in der Richard Strauss-Oper «Ariadne auf Naxos».
Schallplatten: Nippon-Victor.

Hirst, Grayson, Tenor, * 27. 12. 1939 Ojai (Kalifornien); er durchlief eine sehr gründliche Ausbildung an der Music Academy of the West Santa Barbara bei Martial Singher, an der Juilliard School of Music New York bei Jennie Tourel, Christopher West und Tito Capobianco, bei Jan Popper in Los Angeles und bei Elemer Nagy in Aspen. 1969 Bühnendebüt in Washington als Ormindo in der gleichnamigen Barock-Oper von Cavalli. Es kam zur Ausbildung einer

großen Karriere an den führenden amerikanischen Opernheatern: in Boston und Cincinnati, in Pittsburgh und San Antonio, in San Francisco und Philadelphia, in Hartford und Houston/Texas, in San Diego und Washington, und an der City Centre Opera in New York, wo er seinen Wohnsitz nahm und als Konzertsänger wie als Gesanglehrer wirkte. Sein Repertoire für die Bühne besaß einen sehr großen Umfang; daraus seien genannt: der Belmonte in der «Entführung aus dem Serail», der Tamino in der «Zauberflöte», der Ferrando in «Così fan tutte», der Graf Almaviva in Rossinis «Barbier von Sevilla», der Ernesto im «Don Pasquale», der Nemorino in «Elisir d'amore», der Paolino in Cimarosas «Matrimonio segreto», der Lyonel in Flotows «Martha», der Hoffmann in «Hoffmanns Erzählungen» von Offenbach, der Alfredo in «La Traviata», der José in «Carmen», der des Grieux in «Manon» von Massenet, der Pelléas in «Pelléas et Mélisande» von Debussy, der Rodolfo in «La Bohème», der Titelheld im «Faust» von Gounod, der Roméo in dessen «Roméo et Juliette», der Iopas in «Les Troyens» von Berlioz, der Roderick in «A long Christmas Dinner» von Hindemith und der Curley in «Of Mice and Men» von Carlisle Floyd. Bemerkenswert ist, daß der Künstler in einer Anzahl von Uraufführungen zeitgenössischer amerikanischer Opern mitwirkte, von denen nur «Padina» von Pasatieri (1966, Juilliard Opera Theatre, New York), «The Scarlet Mill» von Zador (1968, Brooklyn College Opera), «Beatrix Cenci» von Ginastera (1971, Washington), «Lord Byron» von Thomson (1972, American Opera Center New York), «Bertha» von Ned Rorem (1968, Alice Tully Hall, Lincoln Center New York) und «Fables» von Aitken (1975, Library Hall des amerikanischen Kongresses Washington) erwähnt sein sollen.

Hirst, Linda, Mezzosopran, * 1950 in der englischen Grafschaft Yorkshire; sie studierte Flötenspiel und Gesang an der Guildhall School of Music London. Sie trat dann dem Ensemble der Swingle Singers bei und erschien oft in Konzerten zusammen mit Cathy Berberian. Sie trat in London in Konzertveranstaltungen auf, in denen zeitgenössische Komponisten wie Luciano Berio, Györgi Ligeti und Hans Werner Henze ihre eigenen Kompositionen dirigierten. Sie kreierte u. a. 1984 «The Duration of Exile» von Dominic Muldowney, ebenfalls 1984 «Alba» von Nigel Osborne, «Canciones» von Simon Holt und «The Consolations of Scholarship» von Judith Weir. Sie trat in Paris und Florenz wie auch im englischen Fernsehen in Schönbergs «Pierrot lunaire» auf. Beim Glyndebourne Festival sang sie 1985 in der Oper «Where the Wild Things Are» von Oliver Knussen, 1987 in der Uraufführung von «The Electrification of the Soviet Union» von Nigel Osborne. Sie gastierte bei den Festspielen von Bath und Almeida, an der Oper von Frankfurt a. M. (in Hans Werner Henzes «Elegie für junge Liebende») und unternahm Tourneen mit dem Ensemble London Sinfonietta. Sie widmete sich nicht nur dem zeitgenössischen Musikschaffen, sondern war auch eine hoch angesehene Interpretin von alter und von Bar-

ock-Musik (Ottavia in Monteverdis «Incoronazione di Poppea»).
Schallplatten: Virgin («Songs Cathy Sang», «L' Incoronazione di Poppea»).

Hirsti, Marianne, Sopran, * 1959 (?) Oslo; ihre Ausbildung zur Sängerin erfolgte in Oslo und in Lübeck. 1980–81 war sie als Gast am Landestheater Kiel engagiert und kam dann, zunächst als Anfängerin, an die Staatsoper Hamburg, deren Mitglied sie bis 1985 war. 1985–87 trat sie am Opernhaus von Köln auf, seit 1987 an der Staatsoper von Stuttgart; auch dem Opernhaus Essen war sie durch einen Gastvertrag verbunden. Sie gab erfolgreiche Gastspiele an führenden Bühnen, so sang sie u. a. bei den Festspielen von Ludwigsburg die Susanna in «Figaros Hochzeit»; in Ludwigshafen hörte man sie als als Meroë in «Die großmüthige Tomyris» von Reinhard Keiser, als Costanza in «Griselda» von Bononcini und als Blondchen in der «Entführung aus dem Serail», am Opernhaus Köln hatte sie einen ihrer großen Erfolge als Marie in «Zar und Zimmermann» von Lortzing. Auf der Bühne sang sie eine Vielzahl von Partien aus dem Koloratur- und dem Soubrettenfach, neben den bereits genannten die Despina in «Così fan tutte», die Marzelline im «Fidelio», die Gretel in «Hänsel und Gretel», die Sophie im «Werther» von Massenet und die Tytania in «A Midsummer Night's Dream» von Benjamin Britten. Auch im Konzertsaal kam sie zu einer erfolgreichen Karriere, und zwar sowohl für den Bereich des Oratoriums und der religiösen Vokalmusik wie für den Lied-Vortrag. 1988 gab sie in der Londoner Wigmore Hall einen erfolgreichen Liederabend mit dem Pianisten Rudolf Jansen als Begleiter.
Schallplatten: Nimbus (Missa solemnis von Beethoven), Electrola («Die großmüthige Tomyris» von R. Keiser), Schwann («Der Geburtstag der Infantin» von A. Zemlinsky), Aurora (Lieder von Grieg), CDN (Lieder von Johansen).

Hirzel, Franziska, Sopran, * 28. 11. 1952 Zürich; ihre Ausbildung erfolgte 1972–75 an der Musikakademie von Basel bei Jörg Brena, bei Tiny Westendorp in Fribourg, bei Erna Westenberger in Frankfurt a. M. und im Opernstudio des Opernhauses Zürich (1979–80), außerdem in Meisterkursen bei Paul Lohmann. 1980 begann sie ihre Bühnenlaufbahn am Staatstheater von Darmstadt, dessen Mitglied sie blieb. Hier sang sie u. a. 1983 in der Uraufführung der Oper «Die Fastnachtsbeichte» von G. Klebe die Partie der Bettine Panezza. Im übrigen enthielt ihr Repertoire für die Bühne eine Vielfalt von Rollen, darunter die Blondchen in der «Entführung aus dem Serail», die Donna Elvira im «Don Giovanni», die Fiordiligi in «Così fan tutte», die Pamina in der «Zauberflöte», die Micaela in «Carmen», die Titelfigur in Flotows «Martha», die Euridice im «Orpheus» von Gluck, die Gilda im «Rigoletto», die Musetta in «La Bohème», die Gretel in «Hänsel und Gretel», Partien in Operetten und in zeitgenössischen Opern. Hinzu kam eine bedeutende Konzertkarriere, einerseits als Solistin in Oratorien und geistlichen Vokalwerken von J. S. Bach,

Beethoven, Händel, Mozart, Haydn, Rossini, Mendelssohn und A. Schönberg, anderseits als begabte Lied-Interpretin. Ihre Konzertauftritte fanden in den deutschen Musikzentren, in der Schweiz und in Spanien statt. Auch in Rundfunksendungen hervorgetreten.
Schallplatten: Jubilate (Lieder von R. Gund).

Höhn, Carola, Sopran, * 3. 3. 1961 Erfurt; ihr Gesangstudium fand in den Jahren 1977–84 an der Franz Liszt-Musikhochschule in Weimar statt, wo Christiane Petersen ihre Lehrerin war. 1984 begann sie ihre Bühnenlaufbahn am Landestheater von Eisenach (Thüringen), dessen Mitglied sie bis 1987 blieb. 1987–88 war sie am Landestheater von Altenburg (Thüringen) verpflichtet und folgte dann einem Ruf an die Staatsoper Berlin. Als erste Partie sang sie dort die Antonia in «Hoffmanns Erzählungen». Sie kam in Berlin in einer Anzahl von Partien aus dem lyrischen wie dem Koloraturfach zu bedeutenden Erfolgen: als Fiordiligi in «Così fan tutte» und als Gretel in «Hänsel und Gretel», als Pamina in der «Zauberflöte» und als Marie in «Zar und Zimmermann» von Lortzing, als Sophie im «Rosenkavalier» und als Solistin in Carl Orffs «Carmina Burana». Am 14. 7. 1989 sang sie an der Berliner Staatsoper in der Uraufführung der Oper «Graf Mirabeau» von Siegfried Matthus die Partie der Königin Marie-Antoinette. Gastspiele, Konzerte, Rundfunk- und Fernsehauftritte begleiteten die Karriere der Künstlerin.

Hofer, Richard, Tenor, * 19. 7. 1866 Bílá Třemešná bei Königinhof (Dvur Králové, heutige ČSR), † 21. 5. 1921 Prag; er erhielt seine Ausbildung zum Sänger durch die Pädagogen Jan Lukes und Engelbert Pirk in Prag. 1890 begann er seine Bühnenkarriere mit einem Engagement am Theater von Olmütz (Olomouc), an dem er zwei Jahre lang blieb. 1892–94 war er am Stadttheater von Posen (Poznań) im Engagement, 1894–1900 an der Oper von Zagreb. Nachdem er in der Spielzeit 1900–01 am Opernhaus von Düsseldorf gesungen hatte, kam er 1901–07 zu einer erfolgreichen Bühnentätigkeit am Deutschen Theater Prag. 1908 eröffnete er in Prag eine Opernschule. Neben seinem Wirken im Bereich der Oper galt er als ausgezeichneter Konzert- und Oratoriensänger. Auf der Bühne trat er vor allem in Partien aus dem heldischen und dem Wagner-Repertoire in Erscheinung, u. a. als Lohengrin, als Tristan, als Florestan im «Fidelio» und als Dalibor in der gleichnamigen Oper von Smetana.

Hoffmann-Pauels, Charlotte, Sopran, * 25. 8. 1913 Köln; sie arbeitete zuerst als Sekretärin in einem Kölner Anwaltsbüro, ließ dann aber ihre Stimme bei E. Hankamer-Lindenberg in Köln ausbilden. Sie sang zunächst im Opernchor in Köln (1935–36), wurde 1937 als Solistin übernommen und debütierte als Inez im «Troubadour». Anfänglich in kleineren Rollen beschäftigt, übernahm sie bald Partien aus dem lyrischen Stimmfach wie die Micaela in «Carmen», die Freia im «Rheingold», die Pamina in der «Zauberflöte» und die Titelfigur in «Die Kluge» von Carl Orff. Im weiteren Verlauf ihrer Karriere kamen

Partien sowohl aus dem deutschen wie dem italienischen Fach hinzu: die Agathe im «Freischütz», die Leonore im «Fidelio», die Eva in den «Meistersingern», der Komponist in «Ariadne auf Naxos», der Octavian im «Rosenkavalier», die Aida, die Leonore im «Troubadour», die Desdemona in Verdis «Othello», die Tosca und die Butterfly. Sie blieb bis zum Ende ihrer Karriere 1978 Mitglied der Kölner Oper und wurde bei ihrem Ausscheiden zu deren Ehrenmitglied ernannt. 1949 sang sie hier die Titelrolle in der szenischen Uraufführung von K. A. Hartmanns Oper «Simplicius Simplicissimus», 1950 in der Uraufführung von E. Křeneks «Tarquin» die Partie der Corinna. 1948 übernahm sie in der deutschen Erstaufführung von B. Brittens «The Rape of Lucretia» die Partie des Female Chorus. Gastspiele führten sie in die Schweiz, nach Österreich, Holland, Italien (Oper von Rom, Teatro Verdi Triest), an das Teatro San Carlos Lissabon und an das Théâtre de la Monnaie Brüssel. Verheiratet mit dem Komponisten und Dirigenten Heinz Pauels (1908–85).

Hofmann, Anna, Alt, *22.11. 1864 Bodenbach in Böhmen, †(?); sie erhielt ihre Ausbildung zur Sängerin in der Prager Gesangschule Pivoda, hatte 1884 ihr Bühnendebüt am Theater von Troppau (Opava) und war dann 1885–96 am Deutschen Theater in Prag engagiert. Ihre Tätigkeit an diesem Haus fiel in die Zeit, als dort der berühmte Impresario Angelo Neumann als Direktor wirkte, der sie namentlich in großen Wagner-Partien herausstellte. 1896 verließ sie Prag und wurde Mitglied des Hoftheaters von Weimar, wo sie bis 1900 auftrat. 1900–1903 war sie am Hoftheater von Hannover, 1903–06 am Opernhaus von Köln als erste Altistin tätig. Ihre Karriere fand ihren Abschluß mit Engagements am Stadttheater von Essen (1905–07)) und am Stadttheater von Mainz (1907–14), wo sie 1914 ihre Bühnenlaufbahn beendete. Als Gast erschien sie am Berliner Hofoper (1897), an den Hoftheatern von Mannheim (1904) und Wiesbaden (1909), am Stadttheater von Hamburg (1903) und am Opernhaus von Leipzig (1900). 1910 gastierte sie erfolgreich an der Covent Garden Oper London. Später lebte sie als Gesangpädagogin in Wiesbaden, in den dreißiger Jahren in Kolín (ČSR). Von ihren Bühnenpartien sind die Mary im «Fliegenden Holländer», die Ortrud im «Lohengrin», der Adriano in Wagners «Rienzi», Fricka, Erda, Waltraute und Flosshilde im Nibelungenring, die Brangäne in «Tristan», die Gertrud in «Hans Heiling» von H. Marschner, die Klytämnestra in «Elektra» von R. Strauss, die Fides im «Propheten» von Meyerbeer, die Ulrica in Verdis «Maskenball», die Amneris in «Aida» und die Hexe in «Hänsel und Gretel» von Humperdinck zu nennen.
Von ihrer Stimme sind keine Schallplattenaufnahmen vorhanden.

Hofmann, Hans, Baß, *20.11. 1908 Wachenheim bei Worms; er war an der Musikhochschule von Mannheim Schüler der Pädagogin Emma Wolf-Dengel. 1936–37 begann er seine Bühnenkarriere am Stadttheater von Guben. 1937–39 war er am Stadt-

theater von Osnabrück im Engagement, 1939–44 an der Volksoper Berlin. Nach dem Zweiten Weltkrieg setzte er 1945–50 seine Bühnenlaufbahn an der Städtischen Oper Berlin fort und folgte dann einer Verpflichtung an das Staatstheater Karlsruhe. Bis 1977 blieb er ein geschätztes Mitglied dieses Hauses, zu dessen Ehrenmitglied er 1973 ernannt wurde. Er gastierte an der Staatsoper Hamburg, beim Maggio musicale von Florenz (1955), in Rio de Janeiro und Montevideo (1954), an der Oper von Rom, am Teatro Fenice Venedig, am Teatro San Carlos Lissabon, in Triest, Amsterdam und an führenden deutschen Bühnen, zumeist in Partien für seriösen, tiefen Baß. Zu erwähnen sind davon der Rocco im «Fidelio», der Sarastro in der «Zauberflöte», der Landgraf im «Tannhäuser», der König Heinrich im «Lohengrin», der Hunding in der «Walküre», der Banquo in Verdis «Macbeth», der Kardinal Brogni in «La Juive» von Halévy und der Kezal in Smetanas «Verkaufter Braut». Auch als Konzertsolist aufgetreten.
Schallplatten: MMS (Komtur im «Don Giovanni»).

Hofmann, Hubert, Baß-Bariton, *3.10. 1933 Wien, †26.12. 1988 Hüttenberg im Allgäu; er war ein Schüler des berühmten Bassisten Ludwig Hofmann, dessen Namen er annahm. 1957 Debüt am Landestheater Salzburg als Monterone in Verdis «Rigoletto». Bis 1959 in Salzburg, 1959–61 am Stadttheater Bielefeld und 1961–63 am Stadttheater Mainz engagiert. 1962–66 war er Mitglied der Städtischen Oper (Deutsches Opernhaus) Berlin und gleichzeitig 1963–66 des Opernhauses von Graz. 1967–72 sang er an der Staatsoper von Hamburg und am Opernhaus Zürich, 1972–82 an der Staatsoper von Stuttgart. 1964 gastierte er bei den Festspielen von Bayreuth als Wanderer im «Siegfried» und als Biterolf im «Tannhäuser». Weitere Gastspiele, vor allem in seinen Glanzrollen, dem Wotan im Nibelungenring und dem Hans Sachs in den «Meistersingern», an der Staatsoper von Wien, 1967 an der Königlichen Oper Kopenhagen, 1968 an der Oper von San Francisco, 1969 und 1971 an der Covent Garden Oper London, 1970 und 1973 am Teatro Fenice Venedig, 1971–72 an der Grand Opéra Paris, 1971–72 auch an der Oper von Chicago, 1977 an der Oper von Rom. 1963 wirkte er in Graz in der österreichischen Premiere der Oper «Der feurige Engel» von Prokofieff in der Partie des Rupprecht mit; bei dem Gastspiel der Hamburger Staatsoper anläßlich der Weltausstellung von Montreal 1967 kreierte er für Kanada den Titelhelden in «Mathis der Maler» von Hindemith. Aus seinem Bühnenrepertoire sind noch der Amfortas im «Parsifal», der Titelheld im «Fliegenden Holländer», der Pater Guardian in «La forza del destino» von Verdi, der Amonasro in «Aida», der Pizarro im «Fidelio», der Kaspar im «Freischütz», der Orest in «Elektra» von R. Strauss und der Fürst Igor in der gleichnamigen Oper von Borodin erwähnenswert. 1982 gab er seine Karriere wegen Erkrankung auf.
Schallplatten: HMV-Electrola (Monterone in «Rigoletto» in einer deutschsprachigen Aufnahme der Oper).

Hofmann, Manfred, Baß, * 10. 10. 1940 Kahl am Main; Gesangausbildung an der Musikhochschule Frankfurt a. M. durch Martin Gründler. Er leitete seine Bühnenkarriere mit einem Engagement am Staatstheater Saarbrücken in der Spielzeit 1970–71 ein, sang 1972–74 am Stadttheater von Luzern, 1974–77 am Stadttheater von Mainz, 1977–80 am Stadttheater von St. Gallen, 1980–84 am Stadttheater von Bern und war seit 1985 Mitglied des Opernhauses von Graz. Hier wirkte er am 26. 9. 1987 in der Uraufführung der Oper «Der Rattenfänger» von F. Cerha unter Leitung des Komponisten mit. Er gastierte u. a. an den Opernhäusern von Zürich und Genf und an weiteren großen Bühnen. Auf der Bühne hörte man ihn als Bartolo in «Figaros Hochzeit», als Alfonso in «Così fan tutte», als Sarastro in «Zar und Zimmermann», als Rocco im «Fidelio», als Raimondo in «Lucia di Lammermoor», als Dulcamara in «Elisir d' amore», als Bartolo im «Barbier von Sevilla» von Rossini, als Alidoro in «La Cenerentola», als Geronimo in «Il Turco in Italia», als Abul Hassan im «Barbier von Bagdad» von P. Cornelius, als Graf Waldner in «Arabella» von R. Strauss, als Großinquisitor in Verdis «Don Carlos», als Pietro in «Simon Boccanegra», als Landgrafen im «Tannhäuser», als Zsupán im «Zigeunerbaron» von J. Strauß und in vielen anderen Partien aus dem seriösen wie dem Buffo-Fach.

Hofmann, Rosmarie, Sopran, * 1. 7. 1937 Luzern; sie studierte am Konservatorium von Verviers in Belgien, dann in Luzern bei Lucia Corridori. 1957 begann sie ihre Karriere als Konzert- und vor allem als Oratoriensängerin, in der sie es bald zu großen Erfolgen auf internationalem Niveau brachte. Sie trat in der Schweiz (Zürich, Bern, Basel, Genf, Luzern, Lausanne, Internationales Bach Festival Schaffhausen), in Innsbruck, Mannheim, Frankfurt a. M., beim Holland Festival wie beim Festival von Flandern, in Stuttgart und Bielefeld, in Nancy und Nantes, in Kopenhagen und Århus, in Kassel, Köln, Karlsruhe, Nürnberg und München, in Madrid und Toledo, in Brüssel und Gent, bei den Festspielen von Schwetzingen auf und unternahm eine sehr erfolgreiche Mexico-Tournee. Aus ihrem sehr umfangreichen Repertoire seien auszugsweise die Passionen, die Hohe Messe h-moll, das Weihnachtsoratorium und viele Kantaten von J. S. Bach, der «Messias» und zahlreiche weitere Oratorien von Händel, «Schöpfung», «Jahreszeiten» und Messen von J. Haydn, das Requiem und religiöse Vokalwerke von Mozart, die Soli in der 9. Sinfonie und in der Missa solemnis von Beethoven, «Elias» und «Paulus» von Mendelssohn, die Requiemmessen von Verdi und Gabriel Fauré, oratorische Werke von A. Bruckner, A. Dvořák, von Debussy («La Damoiselle élue»), Rossini (Messe solennelle, Stabat mater), Z. Kodály, W. Burkhard («Gesicht Jesajas») und H. Suter («Le Laudi») genannt. Als Lied-Interpretin beherrschte sie ein Repertoire von ähnlicher Spannweite. Eine Bühnenkarriere hatte sie nicht, sang aber gelegentlich die Euridice im «Orpheus» von Gluck. Nicht zuletzt wurde sie durch Radiosendungen in der Schweiz wie in Deutschland bekannt.

Zahlreiche Schallplattenaufnahmen auf Harmonia mundi («Phyllis und Thirsis» von Ph. E. Bach, «Canzonette amorose» von L. Rossi), auf Electrola (Kantaten von J. S. Bach), Mondiodisc (Stabat mater von Dvořák), Turicaphon (Messen von J. Haydn, Weihnachtskantate von Michael Haydn), Fono (Te Deum von R. Flury), Jecklin Disco (Lieder von W. Wehrli).

Hoiseth, Kolbjörn, Tenor, * 29. 12. 1932 Borsa (Norwegen); er war zuerst Schüler des Pädagogen Eigil Nordsjö in Oslo und setzte seine Studien dann bei Ragnar Hultén und bei dem berühmten Wagner-Tenor Set Svanholm in Stockholm fort. 1959 debütierte er an der Königlichen Oper Stockholm als Siegmund in der «Walküre». An diesem Opernhaus sang er in der Folgezeit seine großen Wagner-Partien, den Siegfried im Nibelungenring, den Tristan, den Tannhäuser, den Walther von Stolzing in den «Meistersingern», den Erik im «Fliegenden Holländer» und den Loge im «Rheingold». 1963 sang er an der Covent Garden Oper London als Antrittsrolle den Lohengrin. Er trat als Gast an der Deutschen Oper Berlin, an der Deutschen Oper am Rhein Düsseldorf–Duisburg, an den Opernhäusern von Bordeaux und Lyon und bei den Festspielen im barocken Schloßtheater von Drottningholm auf. 1974 gastierte er mit dem Stockholmer Ensemble beim Festival von Edinburgh als Laça in Janáčeks «Jenufa». 1975 folgte er einem Ruf an die Metropolitan Oper New York. Hier hörte man ihn als Froh, als Loge und als Siegmund in Aufführungen des Ring-Zyklus. Aus seinem weitreichenden Bühnenrepertoire sind noch zu nennen: der Florestan im «Fidelio», der Don Carlos in der gleichnamigen Verdi-Oper, der Radames in «Aida», der Titelheld in Verdis «Othello», der Herodes in «Salome» und der Ägisth in «Elektra» von R. Strauss, der José in «Carmen» und der Gregor in «Die Sache Makropoulos» von Janáček. Auch als Konzert- und Oratoriensänger aufgetreten.
Schallplatten: Teldec («Drömmen om Thérèse» von L. Wehrle), Columbia/Philips (Gesamtaufnahme «Aniara» von Blomdahl).

Holl, Emma, Sopran, * 1890 (?); die Künstlerin war zunächst in der Spielzeit 1913–14 am Stadttheater von Heilbronn engagiert und wurde 1915 an das Opernhaus von Frankfurt a. M. berufen. Hier kam sie in einer zwanzigjährigen Karriere zu großen Erfolgen und wurde eine der beliebtesten Sängerinnen des Hauses. Sie sang dort Partien wie die Leonore im «Fidelio», die Venus und die Elisabeth im «Tannhäuser», den Octavian im «Rosenkavalier», die Titelfigur in «Jenufa» von Janáček, die Martha in «Tiefland» von d'Albert, die Brünnhilde im Nibelungenring, die Salome und später die Herodias in «Salome» von R. Strauss. Am 21. 10. 1919 wirkte sie in Frankfurt in der Uraufführung der Oper «Fennimore und Gerda» von Frederick Delius als Fennimore mit, am 21. 1. 1920 kreierte sie dort in der Uraufführung von Franz Schrekers «Der Schatzgräber» die Partie der Els und am 26. 3. 1926 die Titelrolle in «Sancta Susanna» von Paul Hindemith. 1915 sang sie in der Frankfurter Premiere der Oper «Mona

Lisa» von Max von Schillings die Titelpartie, 1927
die Myrtocle in «Die toten Augen» von E. d'Albert.
Sie gab u. a. Gastspiele 1921 an der Oper von Köln,
1928 an der Berliner Staatsoper. 1935 nahm sie als
Santuzza in «Cavalleria rusticana» von ihrem Frank-
furter Publikum Abschied. 1943 lebte sie noch als
Pädagogin in Frankfurt.
Schallplatten der Sängerin sind nicht bekannt.

Holland, Charles, Tenor, * 1910, † 7. 11. 1987 Amsterdam; der Sänger entstammte einer Negerfamilie
der amerikanischen Südstaaten und wurde in den
dreißiger Jahren in den USA als Radiosänger bekannt. Er sang dabei sowohl populäre als auch seriöse Vokalwerke. Er war an der Uraufführung der
Oper «Four Saints in Three Acts» von Virgil Thomson (20. 5. 1933 in Ann Arbour) beteiligt, konnte
aber wegen der rassisch bedingten Vorurteile gegen
farbige Sänger in Nordamerika nicht zu einer bedeutenden Karriere kommen. So verlegte er seine Tätigkeit nach Europa, wo er sich seit 1949 ständig auf-
hielt. Er sang in London den Titelhelden in Verdis
«Othello» und trat als erster farbiger Sänger 1954 an
der Opéra-Comique in Paris auf. 1959 gastierte er in
Amsterdam, 1962 in Oslo, 1972 in Rotterdam. Auf
der Bühne sang er auch den Monostatos in der
«Zauberflöte» den Nadir in «Pêcheurs de perles»,
den Alvaro in «La forza del destino und den Radames in «Aida». Erst seit 1949 hatte er in den USA bei
Konzerten große Erfolge. 1977 absolvierte er dann
eine glanzvolle Konzert-Tournee zusammen mit
Dennis Russel durch die Vereinigten Staaten. Dabei
inspirierte sein Vortrag der Arie «O Souverain» aus
Massenets Oper «Le Cid» die Komponistin Laurie
Anderson zur Komposition ihres Hit-Songs «O Su-
perman». Mit dieser Tournee kam die Karriere des
Sängers in etwa zum Abschluß, der seinen Lebens-
abend in England und in Holland verbrachte.
Schallplatten: HMV, Pathé (Recital), RCA («Four
Saints in Three Acts» von V. Thomson.

Holm, Grete, Sopran, * 1882 (?) Brünn (Brno),
† (?); sie erhielt ihre erste Ausbildung in Brünn,
dann bei der berühmten Rosa Papier-Paumgartner
in Wien. Sie debütierte 1905 am Deutschen Theater
Brünn als Marie in der «Regimentstochter» und
blieb dort bis 1907 tätig. Sie lernte in Brünn den
jungen Dirigenten Robert Stolz (1880–1975) kennen, der sie weiter ausbildete, und der sie dann
heiratete. Er nahm sie mit nach Wien, wo er bald
zum gefeierten Operettenkomponisten wurde.
Nachdem Grete Holm-Stolz ursprünglich Opernpartien gesungen hatte, konzentrierte sie jetzt ihre
künstlerische Arbeit verstärkt auf das Gebiet der
Operette. Sie wurde eine der großen Operetten-
Diven der österreichischen Metropole, die ihre
Triumphe an verschiedenen Wiener Operettentheatern hatte. So sang sie u. a. am Raimund-Theater
(1908–09), am Theater an der Wien (1909–11), am
Johann Strauß-Theater (1912–13) und am Wiener
Bürgertheater (1916–20). Zwischen diesen Engage-
ments und in den zwanziger Jahren unternahm sie
zahlreiche Gastspiele und trat dabei auch an den
Opernhäusern von Prag und Köln auf. Sie wirkte in

einer Anzahl von Operetten-Uraufführungen mit:
«Der tapfere Soldat» von Oscar Straus (Theater an
der Wien 1908), «Herbstmanöver» von E. Kálmán
(Theater an der Wien 1909), «Die schöne Risette»
von Leo Fall (Theater an der Wien 1910), «Zigeunerliebe» von F. Lehár (Carl-Theater Wien 1910 in
der Partie der Zorika, die zu einem ihrer größten
Erfolge wurde), «Der Zigeunerprimas» von E. Kálmán (Johann Strauß-Theater 1912) «Der fidele
Geiger» von E. Eysler (Bürgertheater 1919). Aus
ihrem Opernrepertoire seien die Papagena in der
«Zauberflöte», die Ännchen im «Freischütz» und
die Philine in «Mignon» von A. Thomas, von ihren
Operettenpartien die Christel im «Vogelhändler»
von C. Zeller, die Adele in der «Fledermaus», die
Titelrolle in der «Försterchristel» von G. Jarno wie
in der «Dollarprinzessin» von Leo Fall genannt. Die
Ehe mit Robert Stolz wurde später wieder getrennt.
Die gefeierte Sängerin setzte ihre Tätigkeit bis zum
Beginn der dreißiger Jahre mit anhaltenden Erfol-
gen fort.
Sie hinterließ sehr viele Schallplattenaufnahmen bei
G & T, HMV (u. a. mit Robert Stolz als Begleiter am
Klavier), bei Odeon, Pathé (Wien 1907–10, darunter
auch Opernduette mit Maria Jeritza und Rudolf
Hofbauer).

Holodkow, Pawel, Bariton, * 28. 6. 1888 Rjasan
(Rußland), † 15. 5. 1967 Belgrad; er war am Konservatorium von St. Petersburg Schüler von Joakim
Tartakow. 1913 gab er ein erstes Konzert in der
Moskauer Philharmonie. 1919–21 war er an der
Oper von Odessa engagiert, wanderte dann aber
nach Jugoslawien aus, wo er 1921–51 eine dreißigjährige Karriere an der Nationaloper von Belgrad
hatte. 1925–28 war er zugleich auch durch ein Gast-
spielengagement dem Slowenischen Nationaltheater
in Ljubljana (Laibach) verbunden. 1923–24 kam er
bei einer Europa-Tournee zu internationalem Ansehen. Sein Bühnenrepertoire war umfangreich und
gipfelte in Rollen wie dem Rigoletto, dem Germont-
père in «La Traviata», dem Valentin im «Faust» von
Gounod, dem Escamillo in «Carmen», dem Scarpia
in «Tosca», dem Jochanaan in der Richard Strauss-
Oper «Salome», den Titelpartien in «Eugen Onegin» von Tschaikowsky und «Fürst Igor» von Borodin. Gleichzeitige erfolgreiche Tätigkeit im Konzertsaal.

Holst, Grace, Sopran, * 1895 (?); diese amerikanische Sopranistin hatte eine kurze Karriere in den
zwanziger Jahren unseres Jahrhunderts. In der
Spielzeit 1922–23 war sie an der Oper von Chicago
engagiert. Hier sang sie erfolgreich die Sieglinde in
der «Walküre» (mit Cyrena van Gordon, Maria
Claessens, Forrest Lamont und George Baklanoff)
und die Elena in «Mefistofele» von Boito (als Partnerin von Fedor Schaljapin, Edith Mason und Angelo Minghetti). 1927 muß sie sich in England aufgehalten haben, da sie zu dieser Zeit dort auf Columbia
Schallplattenaufnahmen gemacht hat, darunter ein
Duett aus «Thaïs» von Massenet mit Cesare Formichi, Lieder von Alnaes (in norwegischer Sprache!)
und De Curtis unter Sir Hamilton Harty. Angesichts

der Schönheit ihrer dramatischen Sopranstimme, die auf diesen Platten zum Ausdruck kommt, ist es kaum zu verstehen, daß sie nicht zu einer großen Karriere gekommen ist.

Holtenau, Rudolf, Bariton, * 1937 Salzburg; er absolvierte sein Gesangstudium in Linz (Donau) und bei Fritz Worff in Wien und war an der Wiener Musikakademie Schüler von Hans Duhan und Alfred Jerger. In den Jahren 1959–61 trat er als Konzertsänger auf. Seine Bühnenkarriere leitete er mit einem ersten Engagement am Stadttheater von Klagenfurt in der Spielzeit 1961–62 ein. 1962–65 gehörte er dem Stadttheater von Regensburg, 1965–67 dem Stadttheater von Bielefeld und 1967–75 dem Opernhaus von Essen an; durch einen entsprechenden Vertrag war er in den Jahren 1972–73 dem Opernhaus von Köln verbunden. 1975–77 war der Künstler Mitglied der Wiener Staatsoper, 1977–79 des Opernhauses von Graz. Auch nach 1975 gastierte er regelmäßig an der Staatsoper Wien wie er denn überhaupt einer ausgedehnten Gastspieltätigkeit nachging. So sang er 1973 an der Königlichen Oper Stockholm und an der Oper von Lyon, 1974 am Théâtre de la Monnaie Brüssel, 1974 und 1977 an der Oper von Rom, 1975 und 1976 am Teatro Liceo Barcelona, 1976 und 1977 an der Oper von Monte Carlo, 1976 an der Oper von Dallas, 1977 und 1981 am Teatro San Carlos Lissabon, 1977–80 am Opernhaus von Marseille, 1978 am Teatro Comunale Bologna, 1982 und 1985 an der Oper von Kapstadt. 1978 und 1979 war er an den Aufführungen des Nibelungenrings in Seattle beteiligt; er gastierte weiter an der Hamburger Staatsoper, an der Deutschen Oper Berlin, am Opernhaus von Frankfurt a. M., am Teatro Fenice Venedig, am Teatro San Carlo Neapel, am Teatro Colón Buenos Aires, in Amsterdam und Lyon, in Madrid, San Francisco und Rio de Janeiro, am Opernhaus von Zürich und an der Staatsoper Stuttgart. An erster Stelle standen in seinem Bühnenrepertoire heldische und Wagner-Partien wie der Pizarro im «Fidelio», der Kaspar im «Freischütz», der Fliegende Holländer, der Kurwenal im «Tristan», der Hans Sachs in den «Meistersingern», der Wotan im Nibelungenring, der Gunther in der «Götterdämmerung», der Amfortas im «Parsifal», der Jochanaan in «Salome» von R. Strauss, der Mandryka in «Arabella», der Amonasro in «Aida» und der Rodrigo in «Lulu» von A. Berg. Sehr geschätzt wurde er als Konzert- und namentlich als Lieder- und Balladensänger.
Schallplatten: Preiser (drei Langspielplatten mit Balladen von Carl Loewe).

Holzapfel, Adalbert, Tenor, * 28. 11. 1873 Aidenbach in Niederbayern, † 25. 7. 1915 Landshut; er erhielt seine Ausbildung zum Sänger in München und begann seine Karriere 1898 am Opernhaus (Stadttheater) von Breslau, wo er bis 1902 blieb. Er wechselte 1902 an das Stadttheater von Graz, trat aber in Breslau noch weiter als Gast auf. 1905–09 war er am Opernhaus von Brünn (Brno) tätig und wurde dann von Hans Gregor an die Komische Oper Berlin verpflichtet, der er bis 1911 angehörte. Wäh-

rend dieser Jahre war er durch Gastspiele an führenden deutschen Theatern bekannt geworden. So sang er bei den Münchner Wagner-Festspielen und in den Jahren 1905–08 an der Wiener Hofoper. Dort hörte man ihn als Faust von Gounod, als Lohengrin wie als Walther von Stolzing in den «Meistersingern». Er galt als ein vielversprechendes Talent unter den Tenören seiner Generation, doch machten sich zunehmend Zeichen einer schweren Erkrankung bei ihm bemerkbar. 1911–13 war er nochmals am Stadttheater von Danzig im Engagement, mußte dann aber seine Karriere aufgeben und starb zwei Jahre später. Ergänzend sind aus seinem Bühnenrepertoire noch der Erik im «Fliegenden Holländer», der Tannhäuser, der Froh im «Rheingold», der Pedro in «Tiefland» von d' Albert, der Manrico im «Troubadour», der Turiddu in «Cavalleria rusticana», der Radames in «Aida», der Pinkerton in «Madame Butterfly», der Alfred in der «Fledermaus» und der Jonel in der Lehár-Operette «Zigeunerliebe» zu nennen.

Honisch, Fritz, Baß-Bariton, * 1896 (?); er wurde zunächst Schauspieler und trat am Theater von Olmütz (Olomouc) auf, ließ aber in den Sommermonaten in Wien seine Stimme ausbilden. 1920–21 und 1924 war er am Stadttheater von Ustí nad Labem (Aussig), zwischendurch 1923–24 am Theater von Most (Brüx, ČSR) als Chorist engagiert. 1926–28 gehörte er als Solist dem Theater von Gablonz (Jablonec nad Nisou, ČSR) an. In den Spielzeiten 1929–30 und 1933–34 war er am Theater von Reichenberg (Liberec, ČSR) im Engagement. Den Höhepunkt erreichte seine Bühnenkarriere, als er 1934–35 und nochmals 1937–38 Mitglied des Stadttheaters von Zürich war. Am 2. 6. 1937 gestaltete er in der dortigen Uraufführung von A. Bergs «Lulu» die Rolle des Schigolch. Bei den Juni-Festspielen sang er in Zürich am 28. 5. 1938 in der Uraufführung der Oper «Mathis der Maler» von Paul Hindemith die Rolle des Lorenz von Pommersfelden. In der gleichen Saison wirkte er dort in den Premieren der Opern «Luisa Miller» von G. Verdi (als Wurm) und «Die Wirtin von Pinsk» von R. Mohaupt mit und sang Partien wie den Alberich in den Opern des Nibelungenrings, den Teufel in «Schwanda, der Dudelsackpfeifer» von J. Weinberger, den Fra Melitone in «La forza del destino» und den Arlecchino in «Le donne curiose» von E. Wolf-Ferrari. 1939 gastierte er nochmals in Zürich als Zsupan im «Zigeunerbaron» von J. Strauß. 1938–39 und 1940–41 sang er an der Berliner Volksoper (im Theater des Westens), 1941–43 am Deutschen Theater in Oslo. Nach dem Zweiten Weltkrieg scheint er nicht mehr aufgetreten zu sein, doch wird er noch 1948 erwähnt. Er ist auch als Spielleiter im Rahmen seiner Engagements aufgetreten; gelegentlich kommt er unter dem Namen Fritz Honisch-Altenberg vor.

Hood, Ann, Mezzosopran, * 21. 5. 1940 Middleton bei Manchester; Schülerin der Pädagogen Audrey Langford und Eduardo Asquez, dann an der Royal Academy of Music London u. a. von Eva Turner. Sie debütierte bereits 1961 an der Covent Garden Oper

London als zweiter Knabe in der «Zauberflöte».
Dort wie vor allem bei der English National Opera
London kam sie zu einer beachtlichen Karriere, gab
aber auch Gastspiele und Konzerte in den Musikzentren ihrer englischen Heimat. Ihre Hauptrollen
auf der Bühne waren die Dorabella in «Così fan
tutte», die Poppea in Monteverdis «Incoronazione di
Poppea», die Giulietta in «Hoffmanns Erzählungen»
von Offenbach, der Orlowsky in der «Fledermaus»
von J. Strauß, die Helene in «Krieg und Frieden»
von Prokofieff und die Jocaste in Strawinskys «Oedipus Rex».

Hopf, Gertraud, Sopran, * 1925 (?) Wien; Ausbildung bei Frau Firbas und bei der berühmten Anna
Bahr-Mildenburg in Wien. 1948 war sie Preisträgerin beim Concours von Scheveningen. 1949 debütierte sie am Stadttheater von Graz als Aida. Hier
blieb sie zunächst bis 1951, sang 1951–54 als ständiger Gast am Landestheater Salzburg und war dann
wieder 1957–70 in Graz engagiert. Bei den Bayreuther Festspielen sang sie 1960–64 die Gerhilde,
1965–69 die Waltraute in der «Walküre», 1962 die
dritte Norn in der «Götterdämmerung». An der
Wiener Staatsoper gastierte sie als Elsa im «Lohengrin» und als Eva in den «Meistersingern», an der
Mailänder Scala 1963 als Siegrune in der «Walküre».
Weitere Gastspiele am Théâtre de la Monnaie Brüssel (1964, 1966), an der Grand Opéra Paris (1967)
und am Opernhaus von Zürich. In Graz war sie 1963
die Renata im «Feurigen Engel» von Prokofieff in
der österreichischen Premiere des Werks. Sie sang
im übrigen ein breites Repertoire von lyrischen bis
hochdramatischen Partien, wobei der Schwerpunkt
wohl im deutschen Repertoire lag: die Gräfin in
«Figaros Hochzeit» und die Donna Elvira im «Don
Giovanni», die Leonore im «Fidelio» und die
Agathe im «Freischütz», die Senta im «Fliegenden
Holländer» und die Elisabeth im «Tannhäuser», die
Sieglinde wie die Brünnhilde im Nibelungenring, die
Isolde im «Tristan» und die Kundry im «Parsifal»,
die Chrysothemis in «Elektra» und die Marschallin
im «Rosenkavalier» von R. Strauss, die Arabella wie
die Färberin in «Die Frau ohne Schatten», die Titel-
heldin in «Mona Lisa» von M. von Schillings, die
Marie im «Wozzeck» von A. Berg und die Ursula in
«Mathis der Maler» von Hindemith, die Leonore in
«La forza del destino» und die Tosca, die Jenufa von
Janáček und die Magda Sorel in Menottis «The
Consul». Dazu ist sie als Konzertsängerin hervorgetreten.
Schallplatten: Desto, Nixa (Ilia in Geamtaufnahme
von Mozarts «Idomeneo» von 1949).

Hopp, Manfred, Tenor, * 15. 3. 1936 Berlin; er war
an der Musikhochschule Berlin Schüler von Frau
Dagmar Freiwald-Lange. 1961 debütierte er an der
Komischen Oper Berlin als Lysander in «A Midsum-
mer Night's Dream» von Benjamin Britten und blieb
seither Mitglied dieses Operninstituts mit einer Un-
terbrechung, als er in der Spielzeit 1967–68 an der
Staatsoper von Dresden verpflichtet war. An der
Komischen Oper Berlin sang er Partien wie den
Tamino in der «Zauberflöte», den Fuchs im

«Schlauen Füchslein» von Janáček, den Almaviva
im «Barbier von Sevilla» von Paisiello und weitere
Rollen in den denkwürdigen Inszenierungen von
Opern durch Walter Felsenstein, dazu den Ferrando
in «Così fan tutte», den Belmonte in der «Entführung aus dem Serail» und den Anatol in «Vanessa»
von Samuel Barber. Gastspiele, zumeist mit dem
Ensemble der Berliner Komischen Oper, führten
ihn an wichtige Bühnen in der DDR wie im Ausland.
Er war neben seinem Wirken als Sänger auch ein
bekannter Autor von Kinderbüchern.
Schallplatten: Eterna.

Hossfeld, Christiane, Sopran, * 2. 3. 1961 Schwerin;
sie war die Tochter der bekannten Sopranistin *Irmgard Boas* (* 1928), die später als Professorin an der
Hanns Eisler-Musikhochschule Berlin wirkte. Sie
leitete in den Jahren 1977–83 dort auch die Ausbildung ihrer Tochter. 1983 begann Christiane Hossfeld ihre Karriere am Theater von Halberstadt, an
dem sie bis 1986 im Engagement blieb. Seit 1986
Mitglied der Staatsoper von Dresden, wo sie als
Antrittspartie sehr erfolgreich die Zerbinetta in
«Ariadne auf Naxos» von Richard Strauss sang.
Durch einen Gastspielvertrag war sie dann auch der
Staatsoper Berlin verbunden. Gastspiele und Kon-
zerte in Deutschland wie im Ausland bezeichneten
den Fortgang ihrer Karriere. 1989 sang sie bei den
Bayreuther Festspielen ein Blumenmädchen im
«Parsifal». Am 25. 5. 1989 wirkte sie an der Dresd-
ner Oper in der Uraufführung der Oper «Der gol-
dene Topf» von Eckehard Mayer in der Rolle der
Serpentina mit. Von ihren Bühnenpartien verdienen
noch die Gilda im «Rigoletto», die Nannetta in
Verdis «Falstaff», die Liu in «Turandot» und die
Madame Herz im «Schauspieldirektor» von Mozart
Erwähnung. Auch durch Rundfunk- und Fernseh-
auftritte wurde der Name der jungen Sängerin be-
kannt.
Schallplatten: Eterna.

Howarth, Judith, Sopran, * 1960 Ipswich (Suffolk,
England); Gesangstudium an der Royal Scottish
Academy of Music. Bereits während ihres Studiums
sang sie in Schüleraufführungen von Opern die
Donna Elvira im «Don Giovanni», die Gräfin in
«Nozze di Figaro», die Pamina in der «Zauberflöte»,
die Mimi in Puccinis «La Bohème» und die Fiordiligi
in «Così fan tutte». 1984 debütierte sie mit Mozart-
Arien in einem Konzert zusammen mit dem English
Chamber Orchestra. 1985 folgte ihr Bühnendebüt an
der Covent Garden Oper London in «Der Zwerg»
(«Der Geburtstag der Infantin») von A. Zemlinsky.
In den folgenden Spielzeiten sang sie an diesem
Haus Partien wie die Giannetta in «Elisir d'amore»,
die Papagena in der «Zauberflöte», den Siebel im
«Faust» von Gounod, die Najade in «Ariadne auf
Naxos» von R. Strauss, die Ännchen im «Frei-
schütz» (1989), den Pagen Oscar in Verdis «Ballo in
maschera», die Barbarina in «Nozze di Figaro», die
Iris in «Semele» von Händel, die Elvira in «L'Ita-
liana in Algeri» von Rossini und (in konzertanter
Form) die Azema in Rossinis «Semiramide». 1985
wurde sie mit dem Kathleen Ferrier-Preis ausge-

zeichnet. Erfolgreiche Gastspiel- und Konzertauftritte bezeichnen den Rahmen für die weitere Karriere der jungen Sängerin.

Hoyem, Robert, Tenor, *23. 9. 1930 Lewistown (Montana); nachdem er zuerst bei der US Air Force als Offizier gedient hatte, betätigte er sich als Lehrer. Er ließ dann seine Stimme an der Montana University bei John Lester, an der Manhattan School of Music New York bei Herta Glaz, schließlich bei Max Lorenz in München und bei Margarethe Düren-Herrmann in Köln ausbilden. 1960 wurde er Preisträger bei internationalen Gesangwettbewerben in Wien und München; 1961 debütierte er am Stadttheater von Heidelberg als Ferrando in «Così fan tutte». Seine Sängerkarriere spielte sich seitdem vorzugsweise an westdeutschen Bühnen ab: an der Deutschen Oper Berlin, an der Staatsoper Hamburg, an den Bühnen von Essen, Karlsruhe, Frankfurt a. M. und Wuppertal, am Theater am Gärtnerplatz München, vor allem an der Deutschen Oper am Rhein Düsseldorf–Duisburg. Erfolgreiche Auftritte am Opernhaus von Zürich und bei den Festspielen von Glyndebourne. Sein Bühnenrepertoire hatte seine Höhepunkte in Aufgaben aus dem lyrischen Fachbereich; so hörte man ihn als Belmonte in der «Entführung aus dem Serail», als Don Ottavio im «Don Giovanni», als Titelhelden in den Mozart-Opern «Idomeneo» und «La clemenza di Tito», als Tamino in der «Zauberflöte», als Faust von Gounod, als Châteauneuf in «Zar und Zimmermann» von Lortzing, als Titelhelden in «Hoffmanns Erzählungen», als Lenski im «Eugen Onegin» von Tschaikowsky, als Lyonel in Flotows «Martha», als Fuchs in Janáčeks «Schlauem Füchslein», als Kavalier in «Cardillac» von Hindemith, als Titelhelden in «Albert Herring» von B. Britten, als Camille in «Dantons Tod» von G. von Einem und als des Grieux in «Boulevard Solitude» von H. W. Henze. Er betätigte sich auch als Opernregisseur und inszenierte Opernwerke u. a. an den Stadttheatern von Heidelberg und Bremerhaven. Dazu als Konzerttenor wie als Gesangpädagoge wirkend.

Hrdlicková, Hana, Sopran, *18. 12. 1893 Liberec (Reichenberg); sie studierte zuerst am Konservatorium von Prag Klavierspiel, ließ dann jedoch ihre Stimme ausbilden. Dabei war sie u. a. Schülerin von Konrad Wallerstein, Gabriela Horvátová und Kristina Morfová. 1920 wurde sie an das Opernhaus von Brno (Brünn) verpflichtet, dem sie bis 1925 als Koloratursoubrette wie als lyrischer Sopran angehörte. Sie hat dort Partien wie die Esmeralda in Smetanas «Verkaufter Braut», die Barče in «Hubička» («Der Kuß»), die Blaženka in «Tajemství», («Das Geheimnis»), die Jítka in «Dalibor», die Susanna in «Figaros Hochzeit», den Amor im «Orpheus» von Gluck, die Musetta in Puccinis «La Bohème», die Butterfly und viele andere gesungen. 1921 wirkte sie in Brno in der Premiere von Debussys Oper «Pelléas et Mélisande» als Knabe Yniold mit. Von musikhistorischer Bedeutung ist jedoch ihr Auftreten in zwei Uraufführungen von Opernwerken des großen Komponisten Leoš Janáček in Brno: am 23. 11. 1921 sang sie die

Varvara in «Katja Kavanowa» und am 6. 11. 1923 die Füchsin in «Das schlaue Füchslein» («Příhody Lišky Bistroušky»). Die Sängerin, die sich auch bei Gastspielen und Konzerten in der ČSR bekannt machte, war nach ihrer Heirat mit dem Opernsänger *Karel Zavřel* (1891–1963) pädagogisch tätig, u. a. am Konservatorium von Bratislava. Ein Sohn des Sängerehepaares, *Miloš Zavřel* (*1927) wurde gleichfalls ein erfolgreicher Tenor.

Hruba-Freiberger, Věnceslava, Sopran, *28. 9. 1945 Dublovice (ČSR); sie war in Prag Schülerin der Gesanglehrerinnen V. Passerová und L. Michelová. 1968–70 war sie als Choristin am Nationaltheater von Prag tätig, übernahm dort aber bereits 1969 eine Solo-Partie in «Oberon» von Wranitzky. 1970 wurde sie Solistin in das Ensemble der Oper von Plzeň (Pilsen) berufen und hatte dort bis 1972 beachtliche Erfolge im Koloraturfach. 1972 wurde sie Mitglied des Opernhauses von Leipzig, an dem sie zu einer langjährigen Karriere kam und in Partien wie der Gilda im «Rigoletto», der Konstanze in der «Entführung aus dem Serail», der Königin der Nacht in der «Zauberflöte», der Titelfigur in «Lucia di Lammermoor» von Donizetti und der Ludmilla in «Ruslan und Ludmilla» von Glinka ihre größten Erfolge hatte. Zu Gast an den Opern von Nizza (1984) und Prag (1989 als Lucia di Lammermoor). Innerhalb des Ensembles der Leipziger Oper gastierte sie an den Opernhäusern von Genf und Lyon und bei den Festspielen von Aix-en-Provence (1982 Königin der Nacht). Auch als Konzertsopranistin war sie erfolgreich tätig.
Schallplatten: Eterna (Bach-Kantaten).

Hruschka, Georg, s. unter *Westenberger,* Erna.

Hruschka, Wilhelm, Bariton, *21. 5. 1912 Wien; Ausbildung an der Wiener Staatsakademie durch die berühmten Sänger Hans Duhan und Fritz Krauss. Er debütierte 1937 am Stadttheater von Allenstein (Ostpreußen) als Amonasro in Verdis «Aida». Im Lauf seiner langen Karriere hat er an den Bühnen von Darmstadt, Dortmund, Essen, an den Staatsopern von Hamburg und Stuttgart, am Nationaltheater Mannheim und an den Staatstheatern von Karlsruhe und Wiesbaden gesungen, dazu Gastspiele an der Dresdner Staatsoper und an der Königlichen Oper Kopenhagen. Seine Sängerlaufbahn kam an den Bühnen der Landeshauptstadt Kiel zum Ausklang. Sein Rollenrepertoire für die Bühne war sehr umfangreich; man hörte ihn als Figaro in «Figaros Hochzeit», als Titelhelden im «Don Giovanni», als Papageno in der «Zauberflöte», als Pizarro im «Fidelio», als Escamillo in «Carmen», als Titelhelden im «Falstaff» von Verdi, als Amonasro in «Aida», als Rigoletto, als Germont-père in «La Traviata», als Grafen Luna im «Troubadour», als Kaspar im «Freischütz», als Hans Sachs in den «Meistersingern», als Fliegenden Holländer, als Wotan in den Opern des Nibelungenrings, als Amfortas im «Parsifal», als Ochs im «Rosenkavalier» von R. Strauss, als Jochanaan in «Salome», als Marcello in Puccinis «La Bohème», als Scarpia in «Tosca», als Eugen Onegin in der gleichnamigen Oper von Tschaikowsky, als Tio Lucas im «Corregidor» von Hugo Wolf, als Nick Shadow in «The Rake's Progress», als John Sorel in Menottis «Konsul», als Titelhelden in «Wozzeck» von A. Berg, als Danton in «Dantons Tod» und als Alfred Ill im «Besuch der alten Dame» von Gottfried von Einem, ohne daß damit der Katalog seiner Rollen erschöpft wäre. Dazu war er ein geschätzter Konzertsolist und wirkte in Kiel als Gesangpädagoge.

Hržic, Drago, s. unter *Drago, Karl.*

Hubbard, Bruce, Bariton, * 1952 (?) Indianapolis; seine Ausbildung erfolgte an der Indiana University durch Eileen Farrel und Roger Havranek. Er wurde dann Volontär an der Santa Fé Opera, begann seine Karriere jedoch 1976 am New Yorker Broadway in dem Musical «1600 Pennsylvania Avenue» von Bernstein. In New York trat der junge farbige Sänger auch zusammen mit Eartha Kitt in «Timbuktu» und als Joe in dem Musical «Show Boat» von J. Kern (1983) auf. Letztere Partie sang er auch an der Oper von Houston/Texas, an der er dann in «Porgy and Bess» von Gershwin zu besonderen Erfolgen kam. Er sang abwechselnd den Porgy und den Jake in diesen Aufführungen in Houston wie bei einer großen USA-Tournee. 1986–87 gastierte er als Jake beim Glyndebourne Festival, 1987 sang er den Porgy bei konzertanten Aufführungen der Oper in London unter André Previn. Er sang den Porgy weiter bei seinem Europa-Debüt in Barcelona und 1988 bei einer Rußland-Gastspielreise mit der Nationaloper von Helsinki. 1984 wurde er an die Metropolitan Oper New York verpflichtet; hier debütierte er in der Saison 1984–85 als Jake in «Porgy and Bess» und sang in der folgenden Spielzeit dort in «Carmen». Sein Italien-Debüt erfolgte in der Titelrolle von «Jonny spielt auf» von E. Křenek. Hatte er auf der Bühne Partien in Opern von Verdi, Mozart, Offenbach, Bizet und Janáček gesungen, so sang er im Konzertsaal u. a. das Baß-Solo in der 9. Sinfonie von Beethoven beim Aldeburgh Festival und trat in Liederabenden vor sein Publikum, auch in Duetten zusammen mit der Sopranistin Cynthia Haymon. Schallplatten: HMV (Jake in «Porgy and Bess», Joe in «Show Boat»).

Huber, Kurt, Tenor, * 4. 5. 1937 Zürich; nach seinem Gesangstudium bei Andreas Juon und an der Wiener Musikakademie, wo er Schüler von Anton Dermota war, begann er 1968 eine erfolgreiche Sängerkarriere für den Konzertbereich, namentlich für den Oratorien- wie den Liedgesang. Er trat in Zürich, Basel, Bern, Luzern und Genf auf, sang als Gast in Amsterdam, Lille, Paris und Brüssel, in Frankfurt a. M., Hamburg, Stuttgart, Hannover und Köln, in Kopenhagen, Oslo und Århus, in Berlin und Dresden, in Gent, Graz, Prag wie im Haag, in London, Bologna, Venedig, Rom, Madrid, Lissabon, Florenz, Mexico City und Buenos Aires. Er wirkte bei den Festspielen von Schwetzingen und bei den Internationalen Bach-Festwochen in Schaffhausen mit. Dabei trug er Solopartien in oratorischen Werken

von J. S. Bach (Evangelist in den großen Passionen, Hohe Messe, Weihnachtsoratorium, Kantaten), Händel («Messias», «Judas Maccabäus», «Israel in Egypt», «Samson», «Saul», «Josuah»), Haydn («Schöpfung», «Jahreszeiten»), Mozart (Requiem, Messen), Beethoven (9. Sinfonie, Missa solemnis), Liszt («Christus»), Mendelssohn («Elias», «Paulus»), Bruckner (Messen), Dvořák (Requiem, Stabat mater), Verdi (Requiem), G. Mahler, F. Schmidt («Buch mit sieben Siegeln»), W. Burkhard («Gesicht Jesajas»), H. Suter («Le Laudi») und viele andere vor. Genau so umfassend war sein Lieder-Repertoire. Er lebte in Winterthur.

Von seiner Stimme sind viele Schallplattenaufnahmen vorhanden, darunter auf FSM/Turnabout Bach-Kantaten, Magnificat von Monteverdi und von H. Schütz, «Jephte» und «Judicium Salomonis» von Carissimi, auf Cantate «Gesicht Jesajas» von W. Burkhard, auf Mondiodisc das Stabat mater von A. Dvořák, auf HMV-Electrola Lieder von Senfl, auf CTS Weltliche Vokalmusik des 16. Jahrhunderts.

Hübsch, Johann Baptist, Baß, * 1764 Gramnitz (Mähren), † 1815 Rom; er begann seine Bühnenlaufbahn 1782 am Kurfürstlichen Hoftheater von Mainz. Eins seiner häufigen Gastspiele führte ihn 1793 nach Frankfurt a. M., wo man ihn in der Partie des Sarastro in der «Zauberflöte» hörte (wahrscheinlich in der Frankfurter Erstaufführung der Mozart-Oper am 16. 8. 1793). Der Sänger unternahm ausgedehnte Gastspiel- und Konzertreisen, die ihm vor allem in der russischen Haupt- und Residenzstadt St. Petersburg große Erfolge eintrugen. Eine dieser Gastspielreisen führte ihn 1812 an das Hoftheater von Weimar, das damals unter der Leitung von Johann Wolfgang von Goethe stand; auch in Wien und München ist er zu Gast gewesen. Er starb 1815 während einer seiner Kunstreisen in Rom. In der zeitgenössischen Literatur («Taschenbuch für das Theater», 1796; «Annalen des Theaters», Berlin 1791 wie in dem von Friedrich Justin Bertuch in Weimar herausgegebenen «Journal des Luxus und der Moden») wird er mehrfach als führender Sänger seiner Epoche erwähnt. – Zwei seiner Söhne beschritten die Theaterlaufbahn: Anton Hübsch (1801–50) wirkte als Schauspieler in Coburg und Gotha, dann in Königsberg; er war verheiratet mit der Sopranistin *Wilhelmine Hübsch-Wieland* (* 1803 Altenburg in Thüringen, † 13. 4. 1872 Breslau), die als Soubrette vor allem in Bremen wirkte. Ein zweiter Sohn, *Ludwig Hübsch* († 1842 Siegburg) war als Sänger und Schauspieler tätig.

Huffstodt, Karen, Sopran, * 31. 12. 1954; die amerikanische Sängerin sang zu Beginn ihrer Karriere 1979 am Chicago Opera Theatre die Fiordiligi in «Così fan tutte» und trat dort 1983 auch als Titelheldin in Flotows «Martha» auf. Nach diesen (wohl mehr semi-professionellen) Auftritten wurde sie weiteren Kreisen bekannt, als sie 1983 an der New York City Centre Opera als Magda in «La Rondine» von Puccini debütierte. Im folgenden Jahr hörte man sie an den Opern von Fort Worth und Santa Fé; sie kam 1984 nach Deutschland und wurde an das Opernhaus von Köln verpflichtet. Seit 1985 bestand ein Gastvertrag mit der Staatsoper Hamburg, seit 1987 auch mit der Staatsoper Wien und mit dem Opernhaus Zürich, an dem sie u. a. in ihrer Glanzrolle als Donna Anna im «Don Giovanni» erfolgreich auftrat. Sie unternahm Gastspiele, vor allem an französischen Bühnen, wobei sie sich in erster Linie als Mozart-Sängerin auszeichnete (Donna Anna, Konstanze in der «Entführung aus dem Serail», Fiordiligi). So sang sie 1985 am Théâtre des Champs Élysées Paris und 1986 beim Pariser Mozart Festival; 1988 sang sie an der Opéra-Comique Paris und in Toulouse die Titelpartie in «Thaïs» von Massenet; 1986 und 1988 gastierte sie in Nancy, 1990 am Opernhaus von Lyon als Salome in der gleichnamigen Oper von Richard Strauss. 1989 hörte man sie in Amsterdam in einer konzertanten Aufführung von Händels «Alcina», 1987 an der Oper von Sydney. Gleichzeitig setzte sie ihre Karriere in Nordamerika fort; hier gastierte sie 1985 in Washington, 1986 in Houston/Texas, 1987 in Los Angeles (Musetta, in «La Bohème»), 1988 in Miami (Donna Anna), 1989 an der Philadelphia Opera, 1987 in Winnipeg (Kanada). Am 23. 11. 1986 sang sie in Washington in der Uraufführung der Oper «Goya» von G. C. Menotti die Partie der Königin Maria-Luisa. Von ihren Bühnenpartien sind noch die Titelfigur in «Agrippina» von Händel, die Amelia in Verdis «I Masnadieri», die Fürstin in «Rusalka» von Dvořák, die Rosalinde in der «Fledermaus» und die Ensoleidad in «Chérubin» von Massenet (Santa Fé, 1989) zu nennen. Auch im Konzertbereich kam sie zu einer erfolgreichen Karriere.

Humblet, Ans, Sopran, * 17. 9. 1957 Maastricht; sie studierte zunächst Klavierspiel, wandte sich dann aber dem Gesangstudium zu, war Schülerin von Elisabeth Ksoll und in Amsterdam von Dixie Neil. Sie erwarb Diplome in den Fächern Sologesang und Oper. 1983 begann sie ihre Bühnenkarriere an der Niederländischen Oper Amsterdam, an der sie ihre ersten Erfolge hatte. 1986 gewann sie einen Gesangwettbewerb in Gent. 1986 wechselte sie an das Opernhaus von Wuppertal, zu dessen Ensemble sie vier Jahre lang bis 1990 gehörte, und wo sie eine Vielzahl von Partien aus dem Koloratur- wie aus dem lyrischen Fachbereich sang. Hier wie bei Gastspielen trat sie in mehr als 40 verschiedenen Rollen auf, darunter als Königin der Nacht in der «Zauberflöte», als Blondchen in der «Entführung aus dem Serail», als Marie in «Zar und Zimmermann» von Lortzing, als Woglinde, Waldvogel und Helmwige im Nibelungenring, als Despina in «Così fan tutte», als Musetta in «La Bohème» und als Kunigunde in der Oper «Candide» von L. Bernstein, die sie in der deutschen Premiere des Werks in Wuppertal sang. 1990 hörte man sie bei der Operngesellschaft Forum in Enschede (Holland) als Ninetta in Mozarts «La finta giardiniera». An der Deutschen Oper am Rhein wie am Stadttheater Aachen gastierte sie als Königin der Nacht, am Theater von Mönchengladbach als Frasquita in «Carmen». Neben ihrem Wirken auf der Bühne war sie eine gefragte Konzertsän-

gerin und sang auf diesem Gebiet u. a. Solopartien in der 9. Sinfonie von Beethoven, im Deutschen Requiem von Brahms, in «Paulus» von Mendelssohn, im Te Deum von Bruckner, in C. Orffs «Carmina Burana» und in zahlreichen Messen von Haydn und Mozart. Erwähnenswert sind Rundfunk- und Fernsehauftritte in Holland, Deutschland und Belgien. Seit 1990 ging sie von Maastricht aus einer internationalen Gastspielkarriere nach.

Huml, Jiří, Baß, * 6. 8. 1875 Prag, † 23. 10. 1948 Prag; er sang bereits im Kinderchor des Prager Nationaltheaters und erhielt seine Ausbildung zum Solisten in der Opernschule Zöllinger in Prag und durch Augustin Vykočil, ebenfalls in Prag. Nach abschließenden Studien in Italien debütierte er 1896 am Theater von Brno (Brünn), dem er bis 1898 angehörte. 1898–1900 war er am Stadttheater von Olomouc (Olmütz), 1900–07 am Theater von Plzeň (Pilsen) engagiert. 1907 wurde er an die Hofoper von Dresden verpflichtet. Dort blieb er bis 1910; in Deutschland wie in Österreich trat er unter dem (germanisierten) Namen Georg Hummel auf. 1910 kam er dann als erster Bassist an das Nationaltheater Prag, wo er bereits 1906 gastiert hatte. Hier blieb er bis 1940 im Engagement und verabschiedete sich dann als Wassermann in Dvořáks «Rusalka» von seinem Publikum, ist aber auch später noch gelegentlich auf der Bühne wie im Konzertsaal erschienen. 1910 sang er bei der tschechischen Erstaufführung der Richard Strauss-Oper «Elektra» den Orest. 1905 gastierte er an der Münchner Hofoper, 1924 in Madrid und Barcelona. Seine große Rolle war der Kezal in der «Verkauften Braut» von Smetana, den er im Verlauf seiner Karriere über 650mal gesungen hat. Weitere Höhepunkte in seinem Bühnenrepertoire waren der Chrodos in «Libussa» von Smetana, der Marbuel in «Čert a Káča» («Die Teufels-Käthe») von Dvořák, der Mephisto im «Faust» von Gounod, der Kaspar im «Freischütz», der Leporello im «Don Giovanni», der Osmin in der «Entführung aus dem Serail», der van Bett in «Zar und Zimmermann» von Lortzing, der König Philipp in Verdis «Don Carlos», der Pogner in den «Meistersingern», der König Marke im «Tristan», der Vater in «Louise» von Charpentier und der Timur in «Turandot» von Puccini. Auch im Bereich des Konzertgesangs kam er in einem umfangreichen Repertoire zu hohem Ansehen.
Schallplatten: Odeon (tschechische und deutsche Aufnahmen, die letzteren 1908 in Dresden entstanden), Parlophon, Ultraphon, Supraphon.

Hummel, Georg, s. unter Huml, Jiří.

Hunt, Alexandra, Sopran, * 1946 (?); die amerikanische Sängerin erhielt ihre Ausbildung am Vassar College und an der Juilliard School of Music; sie betrieb wissenschaftliche Studien an der Pariser Sorbonne und debütierte für die Bühne 1971 an der Mailänder Scala als Marie in der deutschsprachigen Erstaufführung von Alban Bergs «Wozzeck» an diesem Haus. 1977 hatte sie an der Metropolitan Oper New York großen Erfolg in der Titelrolle der Oper

«Lulu» von A. Berg. Beim Janáček Festival in Brno (Brünn) sang die Künstlerin die Katja Kabanowa in der gleichnamigen Oper von L. Janáček in tschechischer Sprache. An der City Centra Opera New York bewunderte man ihre Jenufa in Janáčeks bekannter Oper; mit dem Philadelphia Orchestra zusammen sang sie das Sopransolo in der Lukas-Passion von Krzysztof Penderecki. Sie gastierte u. a. an der Providence Opera und an der Nationaloper Bukarest als Amelia in Verdis «Ballo in maschera», an der Staatsoper Hamburg (Marie im «Wozzeck»), an der Florentine Opera und der Kentucky Opera (Lady Macbeth in «Macbeth» von Verdi). An Opernhäusern in Bulgarien, Rumänien und in der ČSSR bewunderte man ihre Gestaltung der Tosca. Von ihren vielen Konzertauftritten seien Aufführungen der 4. Sinfonie von Gustav Mahler in Bogotà sowie der 9. Sinfonie von Beethoven in Omaha und des Moines erwähnt. Sie war auch schriftstellerisch tätig und fertigte neue Übersetzungen der Libretti der Mozart-Opern «Don Giovanni» und «Così fan tutte» ins Englische an.
Schallplatten: Orion Records (Lieder von John Alden Carpenter, Charles T. Griffith und Edward Mac Dowell).

Hunziker, Bernhard, Tenor, *27. 8. 1957 Thun (Kanton Bern); er besuchte zunächst das Lehrerseminar in Bern, ließ dann jedoch seine Stimme durch Paul Lohmann in Wiesbaden und am Konservatorium von Zürich wie an der Musikhochschule München ausbilden, wobei er zugleich ein intensives allgemein musikalisches wie musikwissenschaftliches Studium betrieb. Zu seinen Lehrern gehörten auch Ernst Häfliger, Heather Harper, Irwin Gage, Peter Pears in Aldeburgh und Jakob Kobelt in Zürich. 1987–88 war er im Opernstudio des Opernhauses Zürich engagiert und trat dort in einigen Opernpartien auf. Bekannt wurde er jedoch durch sein Wirken als Konzertsänger. Im Konzertsaal trat er vor allem als Solist in Oratorien und in religiösen Vokalwerken hervor und beherrschte auf diesem Gebiet ein Repertoire, das von J. S. Bach und Händel über die Meister der Klassik und der Romantik bis zu modernen Kompositionen reichte. Dazu war er ein begabter Liedersänger, der auch in diesem Bereich ein umfassendes Repertoire sang. Er trat in Rundfunksendungen in der Schweiz, in Österreich, bei der RAI Turin und in Israel auf. Seine Konzerte trugen ihm in Zürich (wo er seit 1985 am Konservatorium lehrte), Basel, Bern, Luzern, bei den Internationalen Bach-Festwochen in Schaffhausen, in Wiesbaden, Frankfurt a. M., Stuttgart, Hamburg, Bonn und München, in Paris, Lyon, beim Aldeburgh Festival in England und beim Israel Festival (Jerusalem, Haifa, Tel Aviv) Erfolge ein.
Schallplatten: FSM (Musikalische Exequien von Heinrich Schütz).

Hurshell, Edmund, Baß-Bariton, *1920 (?); er erhielt seine Ausbildung in seiner amerikanischen Heimat und begann seine Karriere in den USA. Er kam dann zu weiteren Studien nach Deutschland und war dort 1952–53 an der Städtischen Oper Berlin enga-

giert, 1953–55 am Stadttheater von Kiel. Nach einem erfolgreichen Gastspiel wurde er 1955 an die Staatsoper von Wien verpflichtet, deren Mitlied er bis 1960 blieb. Hier sang er neben Partien aus dem italienischen Fach (Amonasro in «Aida», Scarpia in «Tosca», Alfio in «Cavalleria rusticana») das deutsche Repertoire mit Rollen wie dem Pizarro im «Fidelio», dem Kurwenal im «Tristan», dem Hans Sachs in den «Meistersingern», dem Orest in «Elektra» und dem Mandryka in «Arabella» von R. Strauss. Nach 1960 trat er nur noch als Gast auf; so sang er 1961 am Théâtre de la Monnaie Brüssel die vier Dämonen in «Hoffmanns Erzählungen», am Teatro Fenice Venedig 1961 den Jochanaan in «Salome» von R. Strauss, am Teatro Comunale Bologna 1963 den Wolfram in «Tannhäuser», in Amsterdam 1963 den Wotan in der «Walküre», am Teatro Liceo Barcelona 1964 die Titelpartie in «Giulio Cesare» von Händel, am Teatro Colón Buenos Aires 1965 den Fliegenden Holländer und an der Oper von Lille 1965 den Wanderer im «Siegfried». Weitere Gastspiele am Staatstheater Hannover (1961), am Opernhaus von Nürnberg (1963), am Stadttheater von Basel (1964), in Rom, Genua, Tel-Aviv, Athen und Philadelphia. In der Spielzeit 1966–67 debütierte er an der Metropolitan Oper New York als Kurwenal im «Tristan». 1967–69 war er dem Opernhaus von Graz durch einen Gastvertrag verbunden. Aus seinem Bühnenrepertoire sind noch der Geisterbote in der «Frau ohne Schatten» von R. Strauss, der Kaspar im «Freischütz», der Großinquisitor im «Don Carlos», der Titelheld im «Falstaff» von Verdi und der Pommersfelden in «Mathis der Maler» von Hindemith nachzutragen. Seine Gattin, die Sopranistin *Patricia Cullen,* war u. a. am Stadttheater von Kiel und am Opernhaus von Köln engagiert und sang Partien wie die Donna Anna im «Don Giovanni», die Margiana im «Barbier von Bagdad» von P. Cornelius und die Titelfigur in «Salome» von R. Strauss.
Von der Stimme des Sängers existieren Schallplatten bei Morgan (Roucher in «Andrea Chénier» von Giordano, Mitschnitt einer Aufführung der Wiener Staatsoper von 1960), Vox («Cantata Profana» von B. Bartók).

Hurteau, Jean-Pierre, Baß, *5. 12. 1924 Montreal; er wurde zuerst durch Sarah Fischer in Montreal ausgebildet und war dann Schüler von Albert Cornellier und 1950–52 von Martial Singher. 1949 debütierte er in Montreal als Konzertsänger. Als Opernsänger trat er bereits 1950 beim Festival de Montreal als Frère Laurent in «Roméo et Juliette» von Gounod auf, hatte aber sein eigentliches Debüt 1952 bei der Minute-Opera in der Rolle des Vaters in «Le pauvre matelot» von D. Milhaud. 1955 kam er zu weiteren Studien nach Europa und war dort u. a. in Rom Schüler von R. Marigliano-Mori. Nachdem er an französischen Bühnen aufgetreten war, darunter 1957 am Opernhaus von Toulouse, kam es 1958 zu einer Bindung an die beiden großen Opernhäuser der französischen Metropole, die Grand Opéra wie die Opéra-Comique Paris, die bis 1970 bestand. Hier trat er als Commendatore im «Don Giovanni», als Alfonso in «Così fan tutte», als Figaro in «Nozze di

Figaro», als Mephisto im «Faust» von Gounod, als La Roche im «Capriccio» von R. Strauss und in zahlreichen weiteren Partien auf. Er gastierte an den führenden französischen Operntheatern, in Bordeaux, Marseille und Lyon. 1975 und 1976 war er an der Oper von Monte Carlo, 1974 an der Oper von Rom, 1976 in Toronto und bei den Festspielen im Griechischen Theater von Epidauros zu hören; er wirkte auch bei den Festspielen von Orange mit. 1970 kam er wieder in seine kanadische Heimat zurück, wo er noch zu Beginn der achtziger Jahre auf der Bühne wie im Konzertsaal auftrat.
Schallplattenaufnahmen der Marke HMV.

Huszka, Rose, Sopran, * 1911 (?); die Künstlerin erhielt ihre Ausbildung in Budapest und debütierte 1934 an der Budapester Oper in der Titelpartie der Oper «Die Königin von Saba» von Goldmark. Nachdem sie bis 1935 dort aufgetreten war, wurde sie an die Bayerische Staatsoper München verpflichtet, deren Mitglied sie 1935–37 war. 1937–39 sang sie am Nationaltheater Mannheim. Mit einem Engagement an der Oper von Frankfurt a. M. (nach einem Gastspiel als Brünnhilde in der «Walküre» 1938) in den Jahren 1939–44 erreichte ihre Karriere den Höhepunkt. Dort sang sie Partien wie die Leonore im «Fidelio», die Senta im «Fliegenden Holländer», die Ortrud im «Lohengrin», die Brünnhilde in den Opern des Ring-Zyklus, die Kundry im «Parsifal», die Marschallin im «Rosenkavalier», die Martha in «Tiefland» von d'Albert , die Amelia in Verdis «Ballo in maschera» und die Eboli im «Don Carlos». In der Uraufführung der Oper «Odysseus» von Hermann Reutter sang sie in Frankfurt die Rolle der Penelope (7. 10. 1942). Sie gastierte 1939 an der Wiener Volksoper und, zusammen mit dem Frankfurter Ensemble, 1940 in Sofia und Belgrad. Nach dem Zweiten Weltkrieg unternahm sie von Frankfurt aus noch einzelne Gastspiele, so u. a. 1947 an der Städtischen Oper Berlin.

Huttary-Poláková, Karla, Sopran, * 9. 5. 1843 Ceský Dub (ČSR), † 17. 4. 1906 Prag; sie wurde durch den Dirigenten Slánski in Prag ausgebildet. Sie eröffnete ihre Bühnenkarriere mit einem Engagement am Stadttheater von Rostock (1863–64), wurde dann für eine Spielzeit an das Hoftheater von Wiesbaden engagiert, sang 1864–65 am Opernhaus von Köln und 1865–66 an der Hofoper Berlin. 1866–69 war sie Mitglied des Deutschen Theaters in Prag und schloß dann für die Jahre 1872–79 einen Gastvertrag mit dem Prager Nationaltheater ab, das damals seine Vorstellungen im Provisorischen Haus, dem Prozatímní Divadlo, gab. Zu ihren großen Bühnenpartien gehörten die Zerline im «Don Giovanni», der Cherubino in «Figaros Hochzeit», die Anna in «Hans Heiling» von Marschner, die Agathe im «Freischütz», die Marguerite im »Faust» von Gounod, der Jemmy in «Wilhelm Tell» von Rossini und der Page Oscar in Verdis «Maskenball». Neben ihrem Wirken auf der Bühne entfaltete sie eine sehr erfolgreiche Tätigkeit als Konzert- und Liedersängerin und betätigte sich später intensiv im pädagogischen Bereich.

Huylbrock, Marcel, Tenor, * 3. 8. 1931 Braine l'Alleud (s'Herenbrakel, Belgien); er war Absolvent des Conservatoire National Paris. 1953 debütierte er am Opernhaus von Casablanca als José in «Carmen». Im folgenden Jahr 1954 wurde er an die Grand Opéra Paris verpflichtet, seit Ende der fünfziger Jahre war er auch Mitglied der Opéra-Comique Paris. Bis etwa 1970 ist er an diesen beiden großen Opernhäusern der französischen Metropole erfolgreich aufgetreten. Seit 1962 gastierte er oft an der Opéra du Rhin Straßburg, 1964 am Opernhaus von Marseille, 1966 in Toulouse, 1966 und 1968 an der Oper von Bordeaux. 1965 wirkte er am Opernhaus von Rouen in der Uraufführung der Oper «La Princesse de Clèves» von Jean Françaix in der Rolle des de Nemours mit. Von den Partien, die er auf der Bühne gesungen hat, verdienen sein Roméo in «Roméo et Juliette» von Gounod, sein Mylio in «Le Roi d'Ys» von Lalo, sein Énée in «Les Troyens» von Berlioz, sein Titelheld in Verdis «Don Carlos», sein Hermann in «Pique Dame» von Tschaikowsky, sein Cavaradossi in «Tosca» und sein Peter Grimes in der Oper gleichen Namens von Benjamin Britten Erwähnung. Neben seinem Wirken auf der Bühne war er ein angesehener Konzertsänger.
Schallplatten: Decca (Arien-Aufnahmen), Charlin Disques («Les Béatitudes» von César Franck).

Hvorostovsky, Dimitrij, Bariton, * 1962 Krasnojark (Ost-Sibirien); er besuchte zuerst ein Lehrerseminar in seiner Geburtsstadt Krasnojarsk, begann dann das Klavierstudium an einer Jugendmusikschule und ließ seit 1982 seine Stimme durch die Pädagogin Jekaterina Jofel an der Musikhochschule von Krasnojarsk ausbilden. 1986 wurde er als Solist an das Opernhaus von Krasnojarsk verpflichtet. 1987 gewann er einen internationalen Gesangwettbewerb der UdSSR und einen Concours in Toulouse. Im Sommer 1989 wurde er mit sensationellem Erfolg Gewinner des von der BBC London veranstalteten und im Fernsehen ausgestrahlten Wettbewerbs «Cardiff Singer of the World». Darauf kam es zu seinem glanzvollen Konzertauftritt in der Londoner Wigmore Hall, der sich in ähnlicher Weise bei seinem USA-Debüt im März 1990 in der Alice Tully Hall in New York (und anschließend in Washington) wiederholte. Es schloß sich eine internationale Bühnen- und Konzertkarriere an; so sang er 1989 an der Oper von Nizza in Tschaikowskys «Pique Dame». Zu seinen großen Bühnenpartien zählten der Titelheld im «Eugen Onegin», der Posa in Verdis «Don Carlos», der Alfio in «Cavalleria rusticana», der Riccardo in «I Puritani» von Bellini und der Andrej Bolkonsky in «Krieg und Frieden» von Prokofieff. Im Konzertsaal als Interpret des russischen Volks- und Kunstliedes hervorgetreten.
Schallplatten: Philips (Tschaikowsky- und Verdi-Arien).

Hvoslef, Agnes, Sopran, * 4. 4. 1883 Oslo, † 1970 Oslo; sie war Schülerin der beiden großen Wagner-Sopranistinnen Ellen Gulbranson und Amalie Materna, auch von Nina Grieg-Hagerup. 1905 debütierte sie als Konzertsängerin in ihrer norwegischen Heimat. 1906 Bühnendebüt am Nationaltheater von Oslo. Bereits 1906 wirkte sie bei den Bayreuther Festspielen im «Parsifal» mit. 1913–14 war sie am Hoftheater von Dessau engagiert. Hier wie bei Gastspielen in Berlin, Wien und Kopenhagen sang sie vor allem Wagner-Partien wie die Elisabeth im «Tannhäuser», die Ortrud im «Lohengrin» und die Brünnhilde in der «Walküre». Mit Beginn des Ersten Weltkrieges gab sie das Engagement in Dessau auf. Sie sang nach dem Ersten Weltkrieg an der Oper (Nationaltheater) von Oslo ein vielgestaltiges Repertoire, darunter Partien wie die Aida, die Carmen und die Marguerite im «Faust» von Gounod. Bei den Bayreuther Festspielen von 1914 und 1924 gastierte sie als Fricka wie als Gutrune im Nibelungenring. Gleichzeitig setzte sie ihre Karriere im Konzertsaal fort. Die Sängerin die auch unter den Namen Agnes Hanson-Hvoslef sang, wirkte später als Pädagogin in Oslo.

Schallplatten: Pathé (darunter der Walkürenruf aus «Die Walküre»; norwegische Serie).

I

Ichihara, Taro, Tenor, *2.1. 1950 Yamagata (Japan), er erhielt seine erste Ausbildung in Japan, ging dann zum weiteren Studium an die Juilliard Music School New York sowie nach Italien. 1980 kam es zu seinem Bühnendebüt in Tokio als Titelheld im «Faust» von Gounod. Er kam dann nach Europa und begann hier seine erfolgreiche Karriere 1982 am Teatro San Carlos Lissabon als Kalaf in Puccinis «Turandot»; auch 1983 und 1984 gastierte er an diesem Opernhaus. An der Grand Opéra Paris hörte man ihn 1983 als Macduff in Verdis «Macbeth», 1985 als Riccardo in «Un Ballo in maschera», 1987 als Titelhelden im «Don Carlos», 1988 als Herzog im «Rigoletto» von Verdi. Bei den Salzburger Festspielen der Jahre 1984–85 sang er den Malcolm in Verdis «Macbeth». Weitere Erfolge brachten Gastauftritte an den Opern von Lyon und Nizza (1985), am Teatro Regio Turin (1986), am Teatro San Carlo Neapel (1986, 1988) an der Oper von Santiago de Chile (1986–87),am Teatro Colón Buenos Aires (Tenor-Solo im Verdi-Requiem 1987), bei den Festspielen von Macerata (1987) und Orange (1989 Ismaele in Verdis «Nabucco»), am Teatro Regio Parma (1989 als Riccardo), in Genua (1988), Toronto (1989 Riccardo in «Ballo in maschera») und Tokio (1988). In der Spielzeit 1986–87 debütierte er an der Metropolitan Oper New York als italienischer Sänger im «Rosenkavalier» und sang dort auch in den folgenden Jahren, so 1989 als Herzog im «Rigoletto». An der Mailänder Scala war er 1989 als Gabriele Adorno in «Simon Boccanegra» von Verdi zu Gast. Als seine große Glanzrolle galt der Riccardo (König Gustaf) in Verdis «Ballo in maschera», daneben, außer den bereits erwähnten Rollen, der Rodolfo in «Luisa Miller» von Verdi, der Alfredo in «La Traviata», der Enzo in «La Gioconda» von Ponchielli und der Edgardo in Donizettis «Lucia di Lammermoor».

Ihle, Andrea, Sopran, *17.4. 1953 Dresden; sie absolvierte ihr Gesangstudium an der Musikhochschule von Dresden, wo sie vor allem Schülerin von Klara Elfriede Intrau war. 1976 erfolgte ihr Debüt an der Dresdner Staatsoper in der Partie der Giannetta in «Elisir d'amore» von Donizetti. Seitdem war sie Mitglied dieses Opernhauses und wurde vor allem als Interpretin von Partien aus dem Fach der Koloratursoubrette wie aus dem Repertoire für lyrischen Sopran bekannt. Am 13.2. 1985 sang sie in der Eröffnungsvorstellung der wieder aufgebauten Dresdner Semper-Oper die Ännchen im «Freischütz» von Weber, bei der folgenden Aufführung des «Rosenkavaliers» von R. Strauss die Marianne Leitmetzerin. Aus ihrem reichhaltigen Rollenvorrat sind zu erwähnen: die Despina in «Così fan tutte», die Papagena in der «Zauberflöte», die Eurydike im «Orpheus» von Gluck, die Gretel in «Hänsel und Gretel» von Humperdinck, die Marie im «Waffenschmied» von Lortzing, die Carolina in Cimarosas «Matrimonio segreto», die Sophie im «Rosenkavalier», die Titelfigur in der «Regimentstochter» von Donizetti und die Prinzessin in der zeitgenössischen Oper «Der Schuhu und die fliegende Prinzessin» von Udo Zimmermann.

Die Künstlerin gastierte, größtenteils zusammen mit dem Ensemble der Dresdner Oper, und erlangte besonderes Ansehen als Solistin in Oratorien und religiösen Vokalwerken.
Schallplatten: Denon («Freischütz» und «Rosenkavalier», Dresden 1985), Christophorus-Verlag (Religiöse Musik), Philips (Weihnachtsoratorium von J. S. Bach), Capriccio (Missa brevis von Carl Friedrich Fasch).

Illiard, Ellice (Elise), Sopran, *1906 (?) Köln; eigentlicher Name Elisabeth Piper. Die Sängerin war nacheinander engagiert am Landestheater Gotha (Thüringen, 1928–30), am Stadttheater von Dortmund (1930–31), am Nationaltheater Mannheim (1931–33) und in der Spielzeit 1933–34 an der Staatsoper Dresden. Hier sang sie am 1.7. 1933 in der Uraufführung der Richard Strauss-Oper «Arabella» die Partie der Fiakermilli. Die gleiche Partie wiederholte sie 1934 bei der Premiere der Oper in Amsterdam. Sie setzte ihre Karriere an der Volksoper Wien 1934–35 fort und widmete sich dann zunehmend der Operette wie dem Tonfilm. So folgten Engagements am Berliner Metropoltheater (1934–35), am Theater am Nollendorfplatz Berlin (1935–36), am Berliner Theater des Volkes (1937–38), am Raimundtheater Wien (1938–39) und am Admiralspalast Berlin (1941–42). 1933 gastierte sie am Stadttheater von Basel, 1934 an der Covent Garden Oper London als eine der Rheintöchter im «Rheingold». Als Opernsängerin trat sie in Partien wie der Konstanze in der «Entführung aus dem Serail», als Donna Elvira im «Don Giovanni», als Gilda im «Rigoletto», als Violetta in «La Traviata», als Norina im «Don Pasquale», und als Butterfly und als Titelheldin in Rossinis «La Cenerentola» auf; auf dem Gebiet der Operette hörte man sie in Werken wie «Der Bettelstudent» von Millöcker, «Die lustige Witwe» und «Der Graf von Luxemburg» von F. Lehár, «Viktoria und ihr Husar» von Paul Abraham und in vielen anderen Operetten. Die Sängerin war seit 1935 verheiratet mit dem Dirigenten und Komponisten Will Meisel (1897–1967). Seitdem wandte sie sich zunehmend der Unterhaltungsmusik zu, in der ihr Gatte in dieser Epoche eine führende Rolle spielte.
Schallplatten: Columbia (Duett aus «Die lockende Flamme» von Künnecke mit Charles Kullmann), Telefunken (Duette mit Herbert-Ernst Groh aus Operetten von Lehár und Künnecke).

Irwin, Robert, Tenor, *20.9. 1905 Dublin, †1983; er sang als Amateur bei verschiedenen Musikfesten in Irland und gewann bei einem dortigen Gesangswettbewerb 1930 eine Goldmedaille. Nachdem er Konzerte in Dublin und Sendungen im irischen Rundfunk gegeben hatte, konnte er mit Hilfe des berühmten irischen Tenors John Mc Cormack 1937 in die USA reisen und faßte dann den Entschluß zu einer professionellen Sängerkarriere. Er studierte in London bei George Reeves und trat dort in Konzerten und namentlich in Liederabenden vor das Publikum der englischen Metropole. Während der Jahre

des Zweiten Weltkriegs hörte man ihn oftmals in den von Myra Hess veranstalteten «National Gallery Concerts» in London. Er sang auch Soli in Oratorien und geistlichen Vokalwerken, blieb aber in erster Linie ein bekannter Lied-Interpret. Er nahm immer wieder an Sendungen des englischen Rundfunks BBC teil. Nach Beendigung seiner aktiven Sängerlaufbahn wanderte er nach Kanada aus und erhielt eine Professur (Supervisor of Vocal Studies) an der University of Manitoba. Verheiratet mit der Pianistin Vera Stewart.
Schallplatten: HMV.

Isnardon, Lucy, Sopran, * 1880 (?), † (?); ihr eigentlicher Name war Lucy Foureau. Sie wurde am Conservatoire National de Paris durch Jacques Isnardon ausgebildet. Im Februar 1904 debütierte sie am Théâtre de la Monnaie Brüssel als Eva in den «Meistersingern» und hatte dort in der Saison 1904–05 ihre ersten Erfolge. Nach Auftritten in der französischen Provinz sang sie 1908, noch unter dem Namen Lucy Foureau, an der Grand Opéra Paris als Antrittsrolle die Venus im «Tannhäuser». Bis 1923 ist sie an diesem großen Opernhaus aufgetreten, wobei sie sich im dramatischen und im Wagner-Stimmfach auszeichnete. Man hörte sie dort in Partien wie der Marguerite in «La damnation de Faust» von Berlioz, der Titelfigur in «Monna Vanna» von Février, der Santuzza in «Cavalleria rusticana», der Nedda im «Bajazzo», der Cassandre in «Les Troyens» von Berlioz, der Rosario in «Goyescas» von Granados (Erstaufführung an der Grand Opéra, 1919), der Eva in den «Meistersingern», der Venus, der Sieglinde wie der Gutrune im Ring-Zyklus. Als ihre besondere Glanzrolle galt die Titelheldin in der Richard Strauss-Oper «Salome», die sie 1922 in aufsehenerregender Weise an der Grand Opéra gestaltete, und in der sie bereits 1907 am Petit Théâtre

Paris in der französischen Erstaufführung des Werks große Triumphe gefeiert hatte.

Ivaldi, Jean-Marc, Bariton, * 6. 5. 1953 Toulon; eigentlicher Name Jean-Marc Ventre; er studierte am Conservatoire National Paris und wurde dort 1982 mit einem ersten Preis ausgezeichnet. Er setzte seine Ausbildung in der Opernschule der Pariser Grand Opéra fort und kam nach seinem Debüt an der Grand Opéra Paris (1983 als Yamadori in «Madame Butterfly») dann in der französischen Provinz bis 1985 zu seinen ersten Erfolgen. 1986 gewann er den Concours International Francesco Viñas in Barcelona. Bereits 1983 war er an der Opéra de Wallonie Lüttich als Figaro im «Barbier von Sevilla» anzutreffen; er sang als Gast in Bordeaux und Toulouse, in Nancy, Metz und Dijon, in Tours, Angers, Saint-Étienne, Caen und Avignon. In Paris kam er als de Brétigny in «Manon» von Massenet und als Ramiro in «L'Heure espagnole» von Ravel zu viel beachteten Erfolgen; er sang dort wie in Saint-Étienne eine Solo-Partie in Carl Orffs «Carmina Burana». In Nancy wie in Toulouse hörte man ihn in der Partie des Joseph in «L'Enfance du Christ» von Berlioz. Er war zu Gast an der Oper von Philadelphia (1986 als Morales in «Carmen»), in Barcelona und bei den Festspielen von Heidenheim (1989 als Escamillo in «Carmen»). Im französischen Rundfunk sang er den Alfonso in «La Favorita» von Donizetti. Aus seinem Bühnenrepertoire seien weiter der Belcore in Donizettis «Elisir d'amore», der Albert in Massenets «Werther», der Ourrias in «Mireille» von Gounod, der Manuel in «La Vida breve» von de Falla, der Paquiro in «Goyescas» von Granados, der Germont-père in «La Traviata», der Jarno in «Mignon» von A. Thomas und der Frédéric in «Lakmé» von Delibes genannt.
Schallplatten: Erato (Alfonso in «La Favorita»).

J

Jacchia, Jole, Mezzosopran, * 15. 2. 1910 Lugano; sie absolvierte ihr Gesangstudium am Liceo G. Martini in Bologna, 1930 gewann sie einen Concours für junge Sänger, der vom Teatro Reale in Rom veranstaltet wurde. 1931 debütierte sie in Sizilien, sang an mehreren italienischen Provinzbühnen und 1934 am Teatro Regio Turin als Afra in «La Wally» von Catalani. Im gleichen Jahr wirkte sie bei den Festspielen in der Arena von Verona als Madelon in «Andrea Chénier» von Giordano mit. 1935 sang sie als erste Partie an der Mailänder Scala den Fedor im «Boris Godunow» von Mussorgsky, dann die Mercedes in «Carmen», die Marta in «Mefistofele» von Boito und die Emilia in Verdis «Othello». Sie war am Teatro Carlo Felice Genua (1936), am Teatro Donizetti von Bergamo, am Teatro Lauro Rossi Macerata, am Teatro della Fortuna von Fano und an anderen italienischen Theatern anzutreffen. 1938 sang sie erstmals eine Oper im italienischen Rundfunk EIAR («Liola» von Mulè zusammen mit Iris Adami-Corradetti, Cesarina Valobra, Elvira Casazza, Augusto Ferrauto und Carmelo Maugeri). Nach erfolgreichen Auftritten am Teatro Massimo Palermo wie am Teatro Fenice Venedig mußte sie 1938 als Jüdin ihre Bühnenkarriere aufgeben und trat nur noch in einigen Konzerten zusammen mit dem Tenor Vasco Campagnano auf. 1946 betrat sie dann wieder die Bühne, und zwar sang sie an der Mailänder Scala die Lola in «Cavalleria rusticana»; 1948 hörte man sie dort als Anna in Alfanos «Risurrezione». Bei den Festspielen im Mailänder Castello Sforza sang sie 1947 die Amneris in «Aida». 1950–51 nahm sie an Rundfunksendungen von Opern über den italienischen Rundfunk (RAI) teil: sie sang die Madelon in «Andrea Chénier», die Hexe in «La campana sommersa» von Respighi und die Sofia wie die Korablewa in «Risurrezione». Wenig später gab sie ihre Karriere auf und widmete sich ganz ihrer Familie.
Mitschnitte von Opernsendungen des italienischen Rundfunks müssen vorhanden sein.

Jachnow, Hildegard, Mezzosopran, * 1909 (?); sie begann ihre Kariere als Chorsängerin am Opernhaus (Stadttheater) von Zürich und war 1930–35 in dieser Position dort engagiert. Sie betrieb jedoch die Ausbildung ihrer Stimme und wurde 1936 als Solistin an das Stadttheater von Gießen verpflichtet, dem sie bis 1938 angehörte. 1938–39 sang sie am Stadttheater von Wuppertal, 1939–41 am Staatstheater Karlsruhe, 1941–42 am Stadttheater Chemnitz und 1942–44 am Deutschen Theater im Haag (Holland). Nach dem Zweiten Weltkrieg war sie bis 1949 am Stadttheater von Bremen tätig und wurde dann von Walter Felsenstein an die Komische Oper Berlin berufen, deren Mitglied sie bis 1956 blieb. Bei den Bayreuther Festspielen sang sie 1942 die Mary im «Fliegenden Holländer», die 2. Norn, die Erda und die Schwertleite im Nibelungenring. Sie trat als Gast an den größeren deutschen Bühnen und 1938 sehr erfolgreich als Carmen an der Wiener Volksoper auf. Ihr Repertoire für die Bühne enthielt Partien wie den Titelhelden im «Orpheus» von Gluck, die

Marcellina in «Figaros Hochzeit», die Frau Reich in den «Lustigen Weibern von Windsor» von Nicolai, die Azucena im «Troubadour», die Zita in Puccinis «Gianni Schicchi» und die Czipra im «Zigeunerbaron» von J. Strauß. 1941 sang sie in Chemnitz in der deutschen Erstaufführung der Oper «Aladin» von K. Atterberg.

Jackson, Ronald, Bariton, * 1919 (?) Bathurst im australischen Staat New South Wales; er entstammte einer sehr musikalischen Familie und sang als Kind in einem Kirchenchor der Church of England. Er studierte Naturwissenschaften, wandte sich dann jedoch dem kaufmännischen Fach zu und wurde im Zweiten Weltkrieg als Soldat eingezogen. Während des Krieges sang er vor australischen und amerikanischen Soldaten und trat bereits im australischen Rundfunk ABC auf. Nach Kriegsende ließ er seine Stimme am Konservatorium von Sydney ausbilden. Er gewann 1948 und 1949 Gesangwettbewerbe in Australien und ging dann zur Vervollständigung seiner Ausbildung nach London. Während zwei Jahren bereiste er dann England und Irland mit der Carl Rosa Opera Company. Mit Hilfe eines Richard Tauber-Stipendiums brachte er seine Ausbildung in Wien zum Abschluß. Er nahm an einer Süd-Rhodesien-Tournee mit einem Ensemble teil, das aus Künstlern der Covent Garden Oper London unter dem Dirigenten Sir John Barbirolli bestand. 1954 gastierte er an der Covent Garden Oper (als Marcello in «La Bohème») wie auch bei der Welsh Opera Cardiff. 1956–58 war er am Stadttheater von Kiel engagiert und gab von dort aus Gastspiele an der Hamburger Staatsoper wie an den Theatern von Bremen und Lübeck. Es folgte ein Engagement am Opernhaus von Wuppertal mit Gastspielauftritten an den Opernhäusern von Köln, Essen und Düsseldorf. 1960 kehrte er wieder in seine australische Heimat zurück und sang tragende Baritonpartien bei der Elizabethan Opera Company. Er übernahm ähnliche Partien im australischen Fernsehen, trat in Sydney und Melbourne im Konzertsaal auf und wirkte in dem amerikanischen Musical «The Most Happy Fella» mit. 1963 nahm er an einer weiteren Tournee der Elizabethan Opera teil; seit 1962 war er Direktor der Opernschule am Queensland Conservatory in Brisbane.

Jacobs-Baumeister, Anna, Alt, * 11. 8. 1884, † 11. 9. 1944 Darmstadt; sie absolvierte ihr Gesangstudium in Magdeburg, wo sie auch ihre Karriere begann, die sich zunächst auf das Konzertfach beschränkte. 1908 kam es zu ihrem Bühnendebüt am Stadttheater von Magdeburg, dem sie bis 1912 angehörte. Seit 1912 war sie Mitglied des Hof-(späteren Landes-)Theaters von Darmstadt. Hier sang sie in einer langjährigen Karriere Partien wie die Azucena im «Troubadour», die Ulrica im «Maskenball», die Fatime im «Oberon» von Weber, die Suzuki in «Madame Butterfly», die Fricka, die Waltraute und die Floßhilde im Nibelungenring. 1914 wirkte sie bei den Bayreuther Festspielen als Roßweiße in der «Walküre», als Knappe wie als Soloblume im «Parsifal» mit. In

Darmstadt sang sie in den Uraufführungen der Opern «Sonnenflammen» von Siegfried Wagner (1918) als Eustachia und «Gaudeamus» von E. Humperdinck (1919). Die in Darmstadt sehr beliebte Künstlerin kam auf tragische Weise bei einem Bombenangriff auf Darmstadt im Zweiten Weltkrieg ums Leben.

James, Eirian, Mezzosopran, * 1952 Cardigan (Wales); sie erhielt ihre Ausbildung am Royal College of Music London durch Ruth Packer. 1977 debütierte sie bei der Kent Opera als Olga im «Eugen Onegin» von Tschaikowsky. Sie sang anschließend dort Partien wie den Cherubino in «Nozze di Figaro», die Rosina im «Barbier von Sevilla» von Rossini, die Meg Page in Verdis «Falstaff» und die Polly Peachum in der Bettleroper. Man hörte sie in den folgenden Jahren bei der English National Opera Company London, bei der North Opera Leeds und beim Buxton Festival. Am Opernhaus von Lyon gastierte sie als Fatime im «Oberon» von Weber und als Page Isolier in «Le Comte Ory» von Rossini, am Grand Théâtre Genf als Olga im «Eugen Onegin» und als Hänsel in «Hänsel und Gretel» von Humperdinck. 1987 sang sie als Antrittsrolle an der Covent Garden Oper London die Annina im «Rosenkavalier» von R. Strauss, dann die Javotte in Massenets «Manon» und den Smeton in «Anna Bolena» von Donizetti. Weitere Gastspiele an der Oper von Houston/Texas, an der Staatsoper von Wien (1989 als Cherubino) und bei den Festspielen von Aix-en-Provence (u. a. 1988 als Dorabella). Aus ihrem Bühnenrepertoire sind noch die Dorabella in «Così fan tutte», die Nancy in Flotows «Martha», der Siebel im «Faust» von Gounod, die Maddalena im «Rigoletto» und die Valencienne in der «Lustigen Witwe» von Lehár zu nennen. Erfolgreiches Wirken dazu im Konzertsaal.

James, Lewis, s. in «Addenda und Corrigenda».

Janeva-Ivelić, Veneta, Sopran, * 1951 (?) in Bulgarien; ihre Familie war griechischer Herkunft. Sie erhielt ihre Ausbildung am Konservatorium von Sofia und begann ihre Bühnenkarriere 1973 sogleich an der Nationaloper von Sofia. Nachdem sie Preisträgerin bei internationalen Gesangwettbewerben in Rio de Janeiro und Sofia geworden war, nahm sie 1980 ein Engagement als erste dramatische Sopranistin für das italienische Fach an der Nationaloper von Zagreb an. Hier wie bei regelmäßigen Gastspielauftritten am Opernhaus von Ljubljana (Laibach) kam sie zu großen Erfolgen, die sich in ähnlicher Weise bei Gastspielen einstellten. 1985 gastierte sie mit dem Ensemble von Zagreb in Salzburg in der Titelrolle von Bellinis «Norma», die sie dann auch an der Berliner Staatsoper und in Luxemburg sang. Am Staatstheater von Karlsruhe hörte man sie als Francesca da Rimini in der gleichnamigen Oper von Zandonai, in Hannover wie an der Grand Opéra Paris als Abigail in Verdis «Nabucco». Auch bei Gastspielen an italienischen Bühnen erfolgreich. Aus ihrem Bühnenrepertoire sind noch zu nennen: die Maddalena in «Andrea Chénier» von Giordano, die Leonore im «Troubadour» wie in «La forza del destino» von Verdi, die Violetta in «La Traviata», die Desdemona im «Othello» und die Lady Macbeth in Verdis «Macbeth», die Elvira in «I Puritani» von Bellini und die Titelfigur in Puccinis «Madame Butterfly».
Mitschnitte von Rundfunksendungen.

Jaňić, Nicola, Tenor, * 15. 2. 1913 Srpska Crnja (Jugoslawien); er gehörte seit 1946 in einem über dreißig Jahre dauernden Engagement der Nationaloper Belgrad an, wo er sich erst 1978 von seinem Publikum verabschiedete. In Belgrad wie bei Gastspielen brachte er ein vielseitiges Repertoire zum Vortrag, aus dem Partien wie der Herzog im «Rigoletto», der Alfredo in «La Traviata», der Graf Almaviva in Rossinis «Barbier von Sevilla», der Beppe im «Bajazzo» und der Wenzel in Smetanas «Verkaufter Braut» genannt seien.
Schallplatten: Decca (vollständige Oper «Pique Dame» von Tschaikowsky), Jugoton.

Janko, Vekoslav, Bariton, * 17. 5. 1899 Ruše bei Maribor (Marburg an der Drau), † 30. 9. 1973 Ljubljana (Laibach); er studierte Gesang in Maribor und betrat am dortigen Theater 1919 erstmals die Bühne. Bis 1922 blieb er in Maribor, sang dann 1922–23 am Kroatischen Nationaltheater Zagreb und unternahm 1923–24 zahlreiche Gastspiele an Bühnen in Jugoslawien. 1924–25 war er wieder in Maribor engagiert und fand dann 1925 seine eigentliche künstlerische Heimat am Slowenischen Nationaltheater in Ljubljana, dem er bis 1960 als hochgeschätztes Mitglied angehörte. Zwischenzeitlich hatte er weitere Studien bei der Wiener Pädagogin Elisabeth Rado betrieben. 1956 gastierte er mit dem Ensemble der Oper von Ljubljana beim Holland Festival. Seine großen Rollen auf der Bühne waren u. a. der Figaro in «Figaros Hochzeit» wie im «Barbier von Sevilla», der Germont-père in «La Traviata», der Amonasro in «Aida», der Scarpia in «Tosca», der Fürst Igor in der Oper gleichen Namens von Borodin und der Jonny in «Jonny spielt auf» von Křenek.
Schallplatten: Philips (vollständige Opern «Die verkaufte Braut» von Smetana, «L'Amour des trois Oranges» von Prokofieff; hier erscheint sein Familienname in der Schreibweise Yanko).

Janković, Eleonora, Mezzosopran, * 18. 2. 1941 Triest; sie wurde am Konservatorium von Triest durch F. Ferrari und in Mailand durch die berühmte Sopranistin Maria Carbone ausgebildet. Sie war zuerst Mitglied der Oper von Zagreb. 1973 debütierte sie für Italien am Teatro Verdi Triest in der Oper «Nozze istriane» von Smareglia. Sie konnte schnell in Italien eine bedeutende Karriere aufbauen und sang u. a. an der Mailänder Scala (seit 1974 in mehreren Spielzeiten), an der Oper von Rom, am Teatro Regio Turin, am Teatro Fenice Venedig, am Teatro Comunale Bologna (seit 1975), am Teatro Comunale Florenz (seit 1976), am Teatro San Carlo Neapel und an weiteren Bühnen von Rang. In den Jahren 1975–76, 1978, 1983 und 1987 gastierte sie bei den Festspielen in der Arena von Verona. 1988 sang sie beim Maggio musicale von Florenz (wo sie erst-

mals 1983 auftrat) die Frugola in Puccinis «Il Tabarro», am Teatro Verdi Triest die Gräfin in «Pique Dame» von Tschaikowsky, am Teatro Bellini Catania 1989 die Enrichetta in «I Puritani» von Bellini. Man hörte sie bei Gastspielauftritten an den Staatsopern von München und Stuttgart, am Opernhaus von Köln, am Théâtre de la Monnaie Brüssel und in Amsterdam, in Rio de Janeiro (1982) und am Teatro Colón Buenos Aires (1983). Aus ihrem Bühnenrepertoire sind hervorzuheben: die Azucena im «Troubadour», die Ulrica in Verdis «Ballo in maschera», die Amneris in «Aida», die Leonora in «La Favorita» von Donizetti, die Carmen, die Charlotte in «Werther» von Massenet, die Marina im «Boris Godunow» von Mussorgsky und die Mother Goose in «The Rake's Progress» von Strawinsky. Sie wirkte 1975 an Teatro Lirico Mailand in der Uraufführung von L. Nonos «Al gran sole carico d'amore» mit. Neben ihre Bühnenkarriere trat eine zweite erfolgreiche Karriere im Konzertbereich.
Schallplatten: Mitschnitte von Radiosendungen.

Janković, Sofija, Sopran, * 1. 12. 1921 Belgrad; sie absolvierte ihr Gesangstudium an der Musikakademie von Belgrad bei J. Stamović-Nikolić und bei N. Cvejić. 1948 begann sie ihre Bühnenkarriere an der Nationaloper Belgrad und ist ständig deren Mitglied geblieben. Sie sang dort wie bei Gastspielen an anderen Bühnen in Jugoslawien Partien aus dem Koloratur- wie dem lyrischen Repertoire, darunter die Konstanze in der «Entführung aus dem Serail», die Susanna in «Nozze di Figaro», die Titelfigur in «Snegourotchka» von Rimsky-Korssakow, die Gilda im «Rigoletto», die Violetta in «La Traviata» und die Marie in der «Verkauften Braut» von Smetana. Gleichzeitig kam sie zu einer erfolgreichen Konzertkarriere.
Schallplattensammlern ist der Name der Künstlerin bekannt, weil sie auf Decca in drei Aufnahmen von vollständigen Opern mitwirkt («Boris Godunow» von Mussorgsky, «Pique Dame» von Tschaikowsky und in der Titelrolle der Märchenoper «Snegourotchka»).

Janković, Stanoje, Bariton, * 7. 5. 1905 Sremski Karlovci (Serbien); er wurde an der Belgrader Musikakademie ausgebildet und war in Wien Schüler von M. Rado. 1926–39 wirkte er an der Nationaloper Belgrad und folgte dann einem Ruf an die Staatsoper von Wien, zu deren Ensemble er bis 1941 gehörte. 1943 gastierte er nochmals an diesem Opernhaus wie auch an der Wiener Volksoper; weitere Gastspiele führten ihn an die Opernhäuser von Amsterdam, Tel Aviv und Warschau. 1941–66 war er wieder an der Belgrader Nationaloper tätig, zu deren führenden Sängerpersönlichkeiten er zählte. Aus seinem Bühnenrepertoire sind als Höhepunkte zu nennen: der Figaro im «Barbier von Sevilla» von Rossini, den er im Verlauf seiner Karriere über 200mal gesungen hat, der Don Giovanni, der Rigoletto, der Graf Luna im «Troubadour», der Renato in Verdis «Ballo in maschera», der Germont-père in «La Traviata» und der Titelheld in Tschaikowskys «Eugen One-

gin». Große Erfolge hatte der Künstler auch als Konzertsänger.
Schallplattenaufnahmen auf den Marken HMV und Jugoton.

Jarboro, Caterina, Sopran, * 1903 Wilmington (South Carolina), † Herbst 1986 Wilmington; die farbige Sängerin begann ihre Ausbildung in ihrem Geburtsort Wilmington und setzte sie in Frankreich und in Italien fort. 1930 debütierte sie am Teatro Puccini in Mailand als Titelheldin in Verdis «Aida». Sie kam in Italien, in Frankreich und Belgien zu sensationellen Erfolgen auf Grund der Tatsache, daß sie als Negerin in Partien wie der Aida oder der Selika in Meyerbeers «L'Africaine» für Europa ein ungewohntes «authentisches» Bild abgab. Auch als Amelia in Verdis «Ballo in maschera» ist sie aufgetreten. Die Presse bezeichnete sie als Nichte des Kaisers Haile Selassie von Äthiopien und als Prinzessin und trug damit zu dem Sensationserfolg der Künstlerin wesentlich bei. 1936 gab sie ein Gastspiel als Aida an der Oper von Monte Carlo. 1936 und 1937 sang sie am Théâtre de la Monnaie in Brüssel die Titelpartie in der «Königin von Saba» von Goldmark, wobei es sich um die ersten Aufführungen des Werks in französischer Sprache handelte. Sie bereiste Spanien, Portugal, die Tschechoslowakei und die Sowjetunion. 1934 gastierte sie in Chicago. In den USA konnte sie die Vorurteile, die gegen eine farbige Sängerin auf der Opernbühne bestanden, nicht überwinden und mußte sich auf eine Tätigkeit im Konzertsaal beschränken. So gab sie 1944 Konzerte in der Town Hall wie in der Carnegie Hall New York. Sie verbrachte ihren Lebensabend in ihrem Heimatort Wilmington.

Jaskewitz, Josef Franz, Baß-Bariton, * 5. 1. 1805 Wien, † 8. 3. 1888 Wiesbaden; er begann seine Bühnenkarriere als Bariton am Wiener Theater an der Wien und sang dann nacheinander an den Opernhäusern von Agram (Zagreb), Budapest (Deutsches Opernhaus), Graz und Mainz. 1835 kam er an das Hoftheater von Wiesbaden, dessen Mitglied er bis zur Beendigung seiner Karriere 1878 geblieben ist. Nur in der Spielzeit 1839–40 war er am Opernhaus von Frankfurt a. M. engagiert, kam dann aber wieder nach Wiesbaden zurück, wo er auch als Opernregisseur tätig war. Gegen Ende seiner langen Karriere übernahm er hauptsächlich Partien für Baß-Buffo, während er zuvor als Titelheld in «Zampa» von Hérold, als Bartolo im «Barbier von Sevilla» wie in «Figaros Hochzeit» und als Scherasmin im «Oberon» von Weber hervortrat. Im übrigen war sein Bühnen- wie sein Konzertrepertoire von großem Umfang.

Jaunsem, Irma (Petrowna), Sopran/Mezzosopran, * September 1897 St. Petersburg; sie studierte in Leningrad, debütierte auch dort in Konzerten und wurde in der Frühzeit der musikalischen Sendungen des jungen sowjetrussischen Rundfunks in den zwanziger Jahren bald in ganz Rußland bekannt. 1920 fanden ihre ersten Sendungen statt, die sogleich großes Aufsehen erregten. Bereits 1925 unternahm

sie Tourneen in Deutschland, China und Japan. Einen Höhepunkt in ihrer glanzvollen Karriere bedeutete 1935 ein Treffen, das der große russische Dichter Maxim Gorki in seiner Moskauer Wohnung zwischen ihr und dem französischen Dichter Romain Rolland arrangierte. Im Sinne der Völkerverständigung unternahm sie jetzt ausgedehnte Kunstreisen durch Sibirien, Mittelasien, in den Fernen Osten und zum Altai-Gebiet. Überall bewunderte man ihre Gesangkunst in einem wahrhaft riesigen Repertoire, das sie in 60 verschiedenen in der Sowjetunion gesprochenen und ausländischen Sprachen zum Vortrag brachte. Im Zweiten Weltkrieg gab sie Konzerte vor kämpfenden russischen Soldaten an der Leningrad-Front. Erst 1958 beendete sie ihre Karriere im Konzertsaal und arbeitete jetzt als hoch angesehene Gesanglehrerin in Leningrad. Zu ihren Schülern gehörten Sängerinnen wie Olga Woronjetz, A. Streltschenko, Sch. Bitschewskaja und M. Faradshiewa. Mancherlei Ehrungen wurden der in Rußland überaus beliebten Sängerin zuteil: sie wurde zur Volkskünstlerin der UdSSR ernannt; zu ihrem 90. Geburtstag wurde in Leningrad ein Gala-Konzertabend veranstaltet.
Zahlreiche Schallplatten der Marke Melodiya mit Liedern, aber auch mit Opernarien.

Jauqier, Charles, Tenor, * 12. 2. 1920 Chapelle im Schweizer Kanton Fribourg; er begann seine Ausbildung 1945–50 am Konservatorium von Neuchâtel (bei Ernest Bauer), setzte sie bei Fernando Carpi in Genf fort (1950–52) und war dann noch am Konservatorium von Lausanne Schüler von Paul Sandoz (1952–54). Seit 1949 trat er als Konzertsänger auf, in erster Linie als Solist in Oratorien und religiösen Vokalwerken. Er sang die großen Partien in den Passionen wie in der Hohen Messe, in Kantaten wie im Weihnachtsoratorium von J. S. Bach, in Werken von Händel, Haydn, Mozart, Monteverdi, Beethoven (9. Sinfonie), Mendelssohn («Elias», «Paulus»), César Franck, Berlioz («Enfance du Christ»), A. Dvořák (Requiem, Stabat mater), von Benjamin Britten, Carl Orff, H. Suter und Frank Martin. Er gab seine Konzerte in Zürich, Bern, Genf, Lausanne, Montreux, Luzern und Basel, in London, Wien, Stuttgart und Berlin, beim Festival du Marais in Paris und bei den Salzburger Festspielen, in Venedig, Palermo und beim Festival de Strasbourg.
Schallplatten: Electromusic Records («Liturgie d'été» und «Psalmus Friburgensis» von P. Kaelin), Decca (Krönungsmesse von Mozart), Amadeus (Missa Romana von Pergolesi).

Jean, Christian, Tenor, * 1948 Paris; er studierte am Conservatoire National de Paris Gesang und Gitarrespiel. Er gewann einen ersten Preis beim Internationalen Gesangwettbewerb von Genf und war zuerst als Konzertsänger tätig, seit 1978 an der Grand Opéra Paris engagiert. Hier sang er zahlreiche Partien, vor allem aus dem lyrischen Stimmfach: den Tamino in der «Zauberflöte», den Titelhelden in «La clemenza di Tito» von Mozart, den Fenton in Verdis «Falstaff», den italienischen Sänger im «Rosenkavalier», den Vincent in «Mireille» von Gou-

nod, den Pylade in «Iphigénie en Tauride» von Gluck, den des Grieux in Massenets «Manon» und den Ernesto im «Don Pasquale» von Donizetti. Erfolge brachten ihm auch seine Auftritte bei den Festspielen von Aix-en-Provence und Avignon, vor allem aber seine Konzerte, in denen er in einem umfassenden Repertoire auftrat.
Schallplatten: RCA («Louise» von Charpentier), HMV («La jolie fille de Perth» von Bizet).

Jeffes, Peter, Tenor, * 1948 London; seine Ausbildung erfolgte am Royal College of Music London wie auch durch dem bekannten Bariton Paolo Silveri in Rom. Er trat bei den großen englischen Operngesellschaften auf und hatte in Partien wie dem Tamino in der «Zauberflöte», dem Roméo in «Roméo et Juliette» von Gounod, dem Titelhelden in Hoffmanns Erzählungen», dem Nerone in Monteverdis «Incoronazione di Poppea», dem Tom Rakewell in Strawinskys «The Rake's Progress» und dem Lysander in «A Midsummer Night's Dream» von Benjamin Britten aufsehenerregende Erfolge. An der Covent Garden Oper London sang er in der Barock-Oper «Castor et Pollux» von Rameau, bei der Opera North Leeds in der englischen Erstaufführung der Richard Strauss-Oper «Daphne» (1987) und 1988–89 in «L'Amour des trois oranges» von Prokofieff. In dieser Oper hörte man ihn 1989 auch in Edinburgh. In Italien debütierte er in einer Rundfunkaufführung der Oper «Agnese di Hohenstaufen» von Spontini; im Schweizer Fernsehen erschien er 1986 in einer Übertragung von «L'Incoronazione di Poppea» aus der Grange sublime in Mézières bei Lausanne als Nero. Ebenfalls 1986 war er bei den Festspielen von Wiesbaden in «The Midsummer Marriage» von M. Tippett zu Gast. 1987 sang er beim Festival von Peralta-Barcelona die Partie des Mozart in «Mozart und Salieri» von Rimsky-Korssakow und kam 1988 wieder dorthin, jetzt mit dem English Bach Festival-Ensemble, zurück. Weiter nahm er an den Festspielen von Aix-en-Provence, Orange und Athen teil, gastierte in Monte Carlo und trat auch in den USA auf. Am 22. 2. 1985 wirkte er an der Grand Opéra Paris in der Uraufführung der Oper «Docteur Faustus» von Konrad Boehmer mit. 1988–89 sang er in Paris in der Offenbach-Operette «La belle Hélène» und im Te Deum von Gossec, mit dem English Bach Festival in Viterbo in «Alceste» von Gluck. In St. Étienne und Angers gastierte er als Nemorino in Donizettis «Elisir d'amore». Dazu war er ständig im Konzertsaal tätig.
Schallplatten: RCA-Erato (Castor in «Castor et Pollux» von Rameau, 1983; «Le Roi malgré lui» von E. Chabrier), Arion-TIS (Ruggiero in «Tancredi» von Rossini, 1978), Arabesque (Szenen aus Rossini-Opern mit Rockwell Blake), Novello (Englische Lieder).

Jeffreys, Celia, Sopran, * 20. 1. 1948 Southampton; sie studierte am Royal College of Music London bei Gordon Clinton und bei Meriel St. Clair, dann auch noch bei dem Londoner Gesanglehrer Georges Cunelli. Ihr Bühnendebüt fand 1970 bei der Welsh Opera Cardiff als Adele in der «Fledermaus» von

Johann Strauß statt. Nach anfänglichen Erfolgen in England kam sie nach Westdeutschland und wurde hier Mitglied des Staatstheaters von Kassel, später auch des Staatstheaters Darmstadt. Bis 1984 war sie dann am Theater am Gärtnerplatz in München engagiert. Seitdem Mitglied des Stadttheaters von Bern (Schweiz). Gastspiele an deutschen und englischen Bühnen und Auftritte im Konzertsaal runden die Karriere der Sopranistin ab. Aus ihrem Bühnenrepertoire sind zu nennen: die Ilia in «Idomeneo» von Mozart, die Susanna in «Figaros Hochzeit», die Zerline in «Don Giovanni», die Carolina in «Il matrimonio segreto» von Cimarosa, die Ännchen im «Freischütz» von Weber wie in den «Lustigen Weibern von Windsor» von Nicolai, die Luigia in «Viva la mamma» von Donizetti, die Olympia in «Hoffmanns Erzählungen», die Musetta in Puccinis «La Bohème» und die Adele in der «Fledermaus» von J. Strauß.

Jelačić, Anka, Mezzosopran, * 27. 1. 1909 Gornji Svjat Ivan (Jugoslawien), † 9. 1. 1968 Zagreb; sie wurde durch M. Vusković in Zagreb ausgebildet und hatte ihr Debüt 1933 am Opernhaus von Zagreb als Ivanca in der kroatischen Oper «Adel i Mara» von Hatze. Noch im gleichen Jahr wurde sie an die Nationaloper Belgrad verpflichtet, deren Mitglied sie 1933–37 war. 1937–41 gehörte sie dem Ensemble der Kroatischen Nationaloper Zagreb an, 1941–44 war sie an der Wiener Volksoper tätig. Bei den Salzburger Festspielen sang sie am 16. 8. 1944 in der Generalprobe zur Uraufführung der Richard Strauss-Oper «Die Liebe der Danaë» die Partie der Leda (die Uraufführung selbst wurde wegen der Kriegsereignisse abgesagt). Seit 1945 war sie wieder an führender Stelle an der Oper von Zagreb im Engagement. Gastspiele an Bühnen in Italien, Deutschland und in der ČSSR sowie internationale Konzerterfolge begleiteten ihr Wirken in der kroatischen Metropole. Aus ihrem umfangreichen Rollenkatalog sind die Azucena im «Troubadour», die Ulrica in Verdis «Ballo in maschera», die Amneris in «Aida», die Carmen, die Gräfin in «Pique Dame» ·von Tschaikowsky, die Dalila in «Samson et Dalila» von Saint-Saëns, die Hexe in «Hänsel und Gretel» von Humperdinck und die Herodias in «Salome» von R. Strauss zu nennen. Auf der Bühne bewunderte man immer wieder das darstellerische Talent der Sängerin.
Schallplatten: Jugoton.

Jellouschegg, Adolf, Baß-Bariton, * 31. 1. 1874 Leoben (Steiermark), † 14. 10. 1939 Beuthen (Bytom, Oberschlesien); er war Schüler des Salzburger Mozarteums, spielte zunächst Viola, wandte sich dann aber der Ausbildung seiner Stimme zu. 1899 wurde er an das Hoftheater von Braunschweig verpflichtet und blieb während seiner ganzen Karriere Mitglied dieses Hauses, des späteren Staatstheaters Braunschweig. Bis zu seinem Bühnenabschied im Jahre 1935 sang er in Braunschweig ein sehr umfangreiches Repertoire, das als Höhepunkte Partien wie den Kaspar im «Freischütz», den Daland im «Fliegenden Holländer», den Titelhelden in der Operette «Der

Mikado» von Gilbert & Sullivan, den Sarastro in der «Zauberflöte» wie den Figaro in «Figaros Hochzeit» enthielt. Abgesehen von einigen Gastspielen und seinem Wirken im Konzertsaal war er einer jener verdienten Künstler, die ihre Karriere fast ausschließlich einem Theater widmen, mit dessen Publikum sie sich in besonderer Weise verbunden fühlen. Seinem Wunsch entsprechend wurde er auf dem Braunschweiger Domfriedhof beigesetzt.
Schallplatten: Odeon (Lieder).

Jenkins, Neil, Tenor, * 9. 4. 1945 St. Leonard-on-Sea (Sussex); er war 1963–66 Choral Scholar am King's College in Cambridge, 1966–68 studierte er am Royal College of Music London; er erwarb den akademischen Grad eines Master of Music. 1967 debütierte er in einem Konzert in den Purcell Rooms in London. 1968–69 betätigte er sich als Solist beim Israel Chamber Orchestra, 1967–76 gehörte er dem bekannten Vokal-Ensemble des Deller Consort an. 1971 und 1973 unternahm er USA-Tourneen als Solist der Londoner Bach Society. Er sang beim Three Choirs Festival, beim Aldeburgh Festival, beim Festival du Marais Paris, in Florenz wie in Israel und bereiste als Konzertsänger Australien und Neuseeland, Island, Frankreich, Dänemark und Holland. Er kam aber zugleich auch zu einer erfolgreichen Bühnenkarriere. Bei der Scottish Opera Glasgow hörte man ihn als Nadir in «Pêcheurs de perles» von Bizet, als Pinkerton in «Madame Butterfly» und als Tamino in der «Zauberflöte», an der Welsh Opera Cardiff als Grafen Almaviva im «Barbier von Sevilla», bei der Opera North Leeds in Janáčeks «Schlauem Füchslein» und als Lenski im «Eugen Onegin». Bei den Festspielen von Glyndebourne wirkte er in Aufführungen der Opern «Where the Wild Things Are» und «Higgelty, Piggelty, Pop!» von Oliver Knussen mit. Bei den Festspielen von Edinburgh und an der Oper von Frankfurt a. M. gastierte er in «The English Cat» («Die englische Katze»), von H. W. Henze. In der Saison 1988–89 trat er bei der Kent Opera in «Le Comte Ory» von Rossini und in Monteverdis «Il ritorno d'Ulisse in patria» auf, in Genf in «Nozze di Figaro». Nicht zuletzt genoß er als Konzert- und namentlich als Oratoriensänger großes Ansehen.
Schallplatten: Chandos (Cäcilienode von Purcell, Matthäuspassion, «Acis and Galatea» von Händel), Harmonia mundi («The Fairy Queen» von Purcell), Philips (Don Curzio in «Nozze di Figaro»), HMV («Hugh the Drover» von R. Vaughan Williams), Edition Schwann, Decca («La Gioconda» von Ponchielli).

Jenkins, Terry, Tenor, * 9. 10. 1941 Hertford (England); seine Ausbildung zum Sänger fand 1964–66 an der Guildhall School of Music London, 1967–68 im London Opera Centre statt. Bereits in der Spielzeit 1966–67 debütierte er bei der Opera for All London als Nemorino in «Elisir d'amore». In den Jahren 1969–71 trat er im Ensemble der Glyndebourne Touring Opera in Partien wie dem Malcolm in Verdis «Macbeth», dem Mr. Triquet in Tschaikowskys «Eugen Onegin», dem Schmidt in Massenets «Wert-

her» und dem Scaramuccio in «Ariadne auf Naxos» von R. Strauss auf. Bei den Glyndebourner Festspielen 1971–72 wirkte er in Aufführungen von «Ariadne auf Naxos» und von «Pique Dame» von Tschaikowsky mit. 1972–74 sang er bei der Sadler's Wells Opera London, seit 1974 immer wieder bei der English National Opera London. Hier hörte man ihn u. a. als Pedrillo in der «Entführung aus dem Serail», als Loge im «Rheingold», als Goro in «Madame Butterfly», als Wanja in «Katja Kabanowa» von Janáček, als Titelhelden in der Offenbach-Operette «Orphée aux Enfers» und als Fenney in «The Mines of Sulphur» von R. R. Bennett. 1984 nahm er an der USA-Tournee der English National Opera teil. 1976–77 und 1981 zu Gast an der Covent Garden Oper London, 1976 und 1979–80 bei der New Opera Company. 1980–81 gastierte er am Opernhaus von Belfast in Gilbert & Sullivan-Operetten, 1975 mit der English National Opera bei den Wiener Festwochen, 1983 beim English Bach Festival, 1983 an der Oper von Seattle, 1986 in Boston. Während er auf der Bühne hauptsächlich in Charakterpartien erschien, war er im Konzertsaal als Solist in Oratorien geschätzt.
Schallplatten: HMV («Sir John in Love» von Vaughan Williams, Borsa in «Rigoletto»).

Jenkins, Timothy, Tenor, * 21. 11. 1951 Oklahoma City (Oklahoma); er erhielt seine Ausbildung zum Sänger an der Texas State University und debütierte 1974 bei der Fort Worth Opera als Douphol in «La Traviata» von Verdi. 1979 wurde er an die Metropolitan Oper New York berufen, an der er seitdem zu einer erfolgreichen Karriere kam. Er debütierte dort als Schmidt in «Aufstieg und Fall der Stadt Mahagonny» von Weill. In den folgenden Jahren ist er an der Metropolitan Oper in einer Anzahl von Partien aufgetreten, darunter als Titelheld im «Parsifal» (1983), als Laça in «Jenufa» von Janáček, als Gran Sacerdote in «Idomeneo» von Mozart, als Macduff in Verdis «Macbeth», als Siegmund in der «Walküre», als Froh im «Rheingold» (1987) und als Titelheld in Strawinskys «Oedipus Rex». Erfolgreiche Gastspiel- und Konzertauftritte verhalfen dem jungen Künstler zu internationalem Ansehen. 1985 sang er bei den Bayreuther Festspielen den Froh.
Schallplatten: Decca (Gran Sacerdote in «Idomeneo»).

Jenne, Gertrud, Sopran, * 1908 (?); sie fand ein erstes Engagement als Anfängerin am Mannheimer Nationaltheater in den Jahren 1931–34. Sie ging dann für eine Spielzeit (1937–38) an das Opernhaus von Düsseldorf und war 1938–43 am Stadttheater von Münster (Westfalen) engagiert. 1939 gastierte sie mit dem Ensemble dieses Hauses in Holland als Octavian im «Rosenkavalier». 1943–44 wurde sie an das Deutsche Opernhaus in Den Haag verpflichtet, doch wurde die begonnene Saison durch die Kriegsereignisse unterbrochen. Nach dem Zweiten Weltkrieg nahm sie 1945 wieder ein Engagement am Nationaltheater Mannheim an, dessen Mitglied sie bis 1951 blieb, und an dem sie auch noch später gastierte. Sie lebte in Mannheim, seit dem Beginn

der siebziger Jahre jedoch in Gauting bei München. Die Künstlerin sang ein reichhaltiges Bühnenrepertoire, dessen Höhepunkte Rollen wie die Gräfin in «Figaros Hochzeit» die Donna Elvira im «Don Giovanni», die Pamina in der «Zauberflöte», die Titelfigur in Lortzings «Undine», die Micaela in «Carmen», die Mimi in Puccinis «La Bohème», die Antonia in «Hoffmanns Erzählungen» und die Marguerite im «Faust» von Gounod bildeten. Auch als Konzertsolistin trat sie erfolgreich in Erscheinung.
Schallplatten: Period-Nixa (Arminda in «La finta giardiniera» von Mozart).

Jeral, Pavel, Tenor, * 15. 7. 1890 Mladá Boleslav (ČSR), † 1944 (?) Terezín (Theresienstadt); er studierte am Konservatorium von Prag und war u. a. Schüler von Konrad Wallerstein. 1919 wurde er durch den Dirigenten František Neumann an das von diesem geleitete Opernhaus von Brno (Brünn) verpflichtet, dem er bis 1923 als Mitglied angehörte, und wo er später noch als Gast aufgetreten ist. In der Spielzeit 1923–24 war er am Landestheater von Saarbrücken engagiert. 1925–41 wirkte er als Kantor an der Synagoge von Brno, betätigte sich jedoch gleichzeitig vor allem als Konzertsänger. Nach der deutschen Besetzung der Tschechoslowakei wurde er als Jude verfolgt, schließlich inhaftiert und in das Ghetto Theresienstadt verschleppt, wo er dann umgekommen ist. Auf der Bühne schätzte man ihn namentlich im tschechischen Repertoire in Opern von Smetana, Dvořák und Janáček. Am 23. 11. 1921 sang er in der Uraufführung von Janáčeks «Katja Kabanowa» an der Oper von Brno die Partie des Tichon Kabanow.

Jevtović, Gordana, Sopran, * 9. 6. 1947 Belgrad; sie war an der Musikakademie von Belgrad Schülerin von Nikola Cvejić. 1969 wurde sie sogleich an die Nationaloper von Belgrad verpflichtet und ist seitdem Mitglied dieses Opernhauses geblieben. Gastspiele trugen ihr an den Nationalopern von Prag und Sofia, in Budapest und London, am Teatro Liceo Barcelona, am Teatro Regio Turin und an der Berliner Staatsoper bedeutende Erfolge ein; hinzu traten gleichwertige Erfolge in einer internationalen Konzertlaufbahn. Sie brillierte im Koloratürfach in Bühnenpartien wie der Gilda im «Rigoletto», dem Pagen Oscar in Verdis «Maskenball», der Adina in «Elisir d'amore», der Norina im «Don Pasquale», der Rosina im «Barbier von Sevilla», der Mimi in «La Bohème» und der Papagena in der «Zauberflöte».
Schallplatten: Jugoton.

Jo, Sumi, Sopran, * 1961 (?) Seoul (Süd-Korea); sie erhielt ihre erste Ausbildung in Seoul, ging dann nach Italien, wo sie ihr Gesangstudium an der Accademia di Santa Cecilia in Rom in den Jahren 1983–86 fortsetzte. Im Oktober 1986 debütierte sie am Teatro Verdi von Triest als Gilda in «Rigoletto». 1987 gastierte sie an den Opernhäusern von Lyon und Nizza, 1988 in Marseille (als Gilda). Es kam zur schnellen Ausbildung einer internationalen Karriere, vor allem, nachdem der große Dirigent Herbert von Karajan ihre Stimme (wohl als letzte in seiner jahrzehntelangen Tätigkeit) entdeckt hatte und ihr 1988 bei den Salzburger Festspielen die Partie der Barbarina in «Figaros Hochzeit» übertrug. 1989 sang sie in Salzburg den Pagen Oscar in Verdis «Ballo in maschera». Gastspiele an den Staatsopern von München (seit 1988) und Wien (seit 1989), in Paris (1988) und in weiteren Zentren des internationalen Musiklebens kennzeichneten die Karriere der jungen Koloratursopranistin. An der Mailänder Scala wirkte sie 1988 in Aufführungen der vergessenen Oper «Fetonte» von Niccolò Jommelli mit.

Schallplatten: Capriccio (Arien), Philips (Adèle in «Le Comte Ory» von Rossini) DGG (Oscar in Verdis «Ballo in maschera»), Erato (Königin der Nacht in der «Zauberflöte»).

Joachim, Harald, Tenor, * 31. 10. 1923 Cossebaude (Bezirk Dresden); er studierte Gesang bei Brockhaus in Weimar, Regie bei E. Fischer in Berlin. 1955 debütierte er an der Staatsoper von Dresden als Missail im «Boris Godunow». Er blieb bis 1962 Mitglied dieses Hauses und ging dann an das Theater von Eisenach (Thüringen). Hier setzte er seine Karriere als Sänger fort, verlegte sich aber mehr und mehr auf die Regie. 1962–66 wirkte er als Regisseur am Theater von Eisenach, seit 1974 war er dort als Intendant, seit 1979 als Operndirektor tätig. Auch als Konzertsänger in Erscheinung getreten.

Joachim, Marie, Sopran, * 31. 1. 1868 Hannover, † (wahrscheinlich) Oktober 1918 Hamburg; sie war die Tochter des berühmten Violinisten und Dirigenten Joseph Joachim (1831–1907) und der nicht weniger bekannten Sängerin *Amalie Weiss-Joachim* (1839–99). Sie begann ihre Bühnenkarriere 1890 am Stadttheater von Elberfeld, an dem sie drei Jahre blieb. 1894–96 war sie am Hoftheater Dessau, 1896–97 am Hoftheater Weimar, 1897–1900 am Hoftheater Kassel 1900–01 am Opernhaus von Frankfurt a. M., 1902–03 an der Hofoper München engagiert. Sie sang hauptsächlich Partien aus dem jugendlich dramatischen Fach: die Donna Anna im «Don Giovannis, die Leonore im «Fidelio», die Eglantine in «Euryanthe» von Weber, die Elsa im «Lohengrin», die Sieglinde in der «Walküre», die Venus im «Tannhäuser» und die Santuzza in «Cavalleria rusticana». Nachdem sie ihre Bühnenkarriere aufgegeben hatte, arbeitete sie als Sekretärin des berühmten Konzertsängers und Pädagogen Raimund von Zur Mühlen. Auch ihr Bruder *Hermann Joachim* († 1917) war als Opern- und Konzertsänger tätig.

Joanna, Clara, Sopran, * 1875 (?), † (?); diese italienische Sopranistin ist hauptsächlich in der ersten Dekade unseres Jahrhunderts an Opernbühnen in der italienischen Provinz aufgetreten. 1905 gehörte sie zu dem Ensemble, das in Paris die denkwürdige Sonzogno-Saison gab. In der Schlußveranstaltung, einem Spectacle coupé, sang sie in einem Akt der Oper «Siberia» von Giordano. Von weiteren Auftritten auf internationaler Ebene war nichts zu ermitteln.

Die Künstlerin ist Schallplattensammlern durch ihre Aufnahmen auf italienischen Columbia-Platten aus den ersten Jahren unseres Jahrhunderts bekannt. 1907 wurde eine Serie von G & T-Aufnahmen publiziert, darunter Duette mit dem Tenor Gennaro De Tura und das Miserere aus Verdis «Troubadour» mit Antonio Paoli und Francesco Cigada. In all diesen Aufnahmen präsentiert sich eine schöne, technisch vortrefflich gebildete Stimme, die wohl in besonderer Weise den Anforderungen des damals aktuellen Verismo entsprach.

Jobin, André, Tenor, * 20. 1. 1933 Quebec (Kanada); Sohn des berühmten kanadischen Tenors *Raoul Jobin* (1906–74) und der Sopranistin *Thérèse Drouin*. Er erhielt zunächst eine Ausbildung als Schauspieler in Paris und war als solcher seit 1952 bei der Compagnie von J. L. Barrault – M. Renaud tätig. Daneben wurde seine Stimme durch seinen Vater wie durch die berühmte französische Sopranistin Janine Micheau geschult. 1958 kam es zu seinem Debüt als Sänger, als er am Pariser Théâtre de l'Étoile in dem Musical «Nouvelle-Orléans» von S. Bechet auftrat. Seit 1962 sang er in klassischen Operetten und wandte sich dann seit 1963 dem Operngesang zu. Seine große Partie wurde nun der Pelléas in «Pelléas et Mélisande» von Debussy. Den Pelléas sang er auch 1976 bei den Festspielen von Glyndebourne. Er gastierte an der Opéra-Comique Paris, am Théâtre de la Monnaie Brüssel, an der Deutschen Oper Berlin, an der Oper von San Francisco (1965), in Madrid und bei einer Australien-Tournee (1968). Seit 1968 standen seine Operetten-Auftritte wieder im Vordergrund seiner Karriere; so sang er am Pariser Théâtre du Châtelet in Operetten von Fr. Lopez und 1971–74 am Londoner Adelphi Theatre in einer Serienaufführung des Musicals «Showboat». Seine großen Operetten-Rollen waren der Danilo in der «Lustigen Witwe», der Sou-Chong im «Land des Lächelns» von F. Lehár und der Eisenstein in der «Fledermaus» von Johann Strauß. Zwischendurch ist der Künstler jedoch immer wieder auch als Opernsänger zu hören gewesen, so 1970 an der City Centre Oper New York, 1987 am Opernhaus von Köln als Titelheld im «Werther» von Massenet und 1982–87 in Lüttich als Rodrigo in dessen Oper «Le Cid», als Jean in «Hérodiade» und als des Grieux, ebenfalls von Massenet, wie als Julien in «Louise» von Charpentier.

Schallplattenaufnahmen bei Columbia, Decca, Philips.

Johansson, Eva, Sopran, * 25. 2. 1958 Kopenhagen; sie absolvierte ihr Gesangstudium in der dänischen Hauptstadt Kopenhagen und begann an der dortigen Königlichen Oper 1985 ihre Bühnenkarriere. Sie wurde bekannt durch ihr Auftreten bei den Festspielen von Bayreuth, bei denen sie 1988–89 die Freia und die Gerhilde im «Rheingold» bzw. in der «Walküre» sang. Sie schloß 1988 Gastverträge mit der Deutschen Oper Berlin und der Deutschen Oper am Rhein Düsseldorf–Duisburg ab und gastierte sehr erfolgreich an der Grand Opéra Paris als Marie im «Wozzeck» von Alban Berg. 1986 sang sie in Kopen-

hagen in der dänischen Erstaufführung der Richard Strauss-Oper «Elektra» (77 Jahre nach der Uraufführung) die Partie der Chrysothemis. 1989 gastierte sie mit dem Ensemble der Deutschen Oper Berlin in Washington, wobei sie im «Ring des Nibelungen» die Partien der 3. Norn und der Gutrune übernahm. Ebenfalls 1989 an der Staatsoper Wien als Fiordiligi in «Così fan tutte» zu Gast. Als weitere Höhepunkte in ihrem Bühnenrepertoire seien die Pamina in der «Zauberflöte», die Donna Anna im «Don Giovanni» und die Mikal in der dänischen Oper «Saul og David» von C. Nielsen hervorgehoben. Auch als Konzertsängerin bekannt geworden.
Schallplatten: HMV (Freia im «Rheingold»).

Johansson, Sigrid, Sopran/Mezzosopran, * 1897 (?); die aus Schweden stammende Künstlerin studierte drei Jahre hindurch an der Königlichen Musikhochschule Stockholm, dann in Italien und schließlich nochmals 1930–31 bei Ernst Grenzebach in Berlin. 1921–22 war sie am Landestheater Detmold, 1922–25 am Staatstheater Wiesbaden engagiert. In den Jahren 1925–27 gehörte sie der Staatsoper Berlin an; hier sang sie am 14. 12. 1925 in der denkwürdigen Uraufführung der Oper «Wozzeck» von Alban Berg die Partie der Marie. 1932–33 wirkte sie als erste Sopranistin am Opernhaus von Düsseldorf, 1933–34 am Deutschen Opernhaus Berlin verpflichtet. Auch als Konzert- und Liedersängerin trat sie in Erscheinung: so kreierte sie am 1. 11. 1926 im Berliner Hôtel Adlon den Zyklus «Krämerspiegel» von Richard Strauss. Auf der Bühne sang sie in erster Linie das dramatische Fach mit Partien wie der Ortud im «Lohengrin», der Carmen, der Amneris in «Aida», der Herodias in «Salome» von R. Strauss und der Giulietta in «Hoffmanns Erzählungen» von Offenbach. Nachdem sie geheiratet hatte, trat sie als Sigrid von Richthofen auf, gab aber bald ihre Sängerlaufbahn auf und beschränkte sich später auf gelegentliche Auftritte als Schauspielerin. Als solche war sie noch 1962–63 bei den Düsseldorfer Kammerspielen anzutreffen. Sie wirkte auch in den sechziger Jahren in einigen Experimentalfilmen von J. M. Straub mit. Ihren Wohnsitz hatte sie in Hamburg, wo sie 1974 noch lebte. Ihr Familienname kommt auch in der Schreibweise Johanson vor.
Schallplatten von der Stimme der wichtigen Sängerin sind nicht vorhanden.

Johnson, Douglas, Tenor, * 1959 (?); seine Stimme wurde in seiner amerikanischen Heimat während eines Sommerkurses in Santa Barbara in Kalifornia entdeckt. Mit Hilfe eines Stipendiums erfolgte deren Ausbildung an der Universität von Los Angeles. Hier nahm er bereits an Opernaufführungen im Rahmen des Universitätsbetriebs teil; so sang er kleinere Partien in Poulencs «Dialogues des Carmélites», in «La clemenza di Tito» von Mozart und in «La fille du régiment» von Donizetti. Seine eigentliche Bühnenlaufbahn begann er jedoch 1984 in Europa. Hier sang er am Stadttheater von Aachen, dessen Mitglied er 1984–87 war, Partien wie den Don Ottavio im «Don Giovanni», den Titelhelden in

«Xerxes» von Händel, den Jacquino im «Fidelio», den Grafen Almaviva im «Barbier von Sevilla», den Rinuccio in Puccinis «Gianni Schicchi», den Steuermann im «Fliegenden Holländer» und erregte vor allem als Belmonte in der «Entführung aus dem Serail» Aufsehen. 1987–89 war er am Staatstheater Hannover, seit 1989 am Opernhaus von Frankfurt a. M. verpflichtet. Es kam bald zu Gastspielen an führenden Opernhäusern: an der Staatsoper von Hamburg hörte man ihn als Châteauneuf in Lortzings «Zar und Zimmermann», am Deutschen Opernhaus Berlin als Fenton in den «Lustigen Weibern von Windsor» von Nicolai, an der Wiener Staatsoper als Tamino in der «Zauberflöte», am Opernhaus von Köln als Nemorino in «Elisir d'amore» (1988). 1987 wirkte er bei den Festspielen von Salzburg in Schönbergs «Moses und Aron» mit, 1989 sang er in Ludwigshafen den Gualterio in Vivaldis «Griselda».
Schallplatten: Philips («L'Oca del Cairo» von Mozart).

Johnson, Gertrude, Sopran, * 1897 (?) Melbourne; sie erhielt ihre Ausbildung während der Jahre des Ersten Weltkrieges am Albert Street Conservatory in Melbourne bei Ann Williams und bei der weltberühmten Nellie Melba, die während dieser Zeit dort als Pädagogin wirkte. Diese nahm sich der Schülerin in besonderer Weise an und vermittelte ihr 1917 ein erstes Engagement bei der Gonzalez Opera Company, mit der sie eine Tournee in Australien und Neuseeland unternahm (Debüt als Gilda im «Rigoletto», dann als Traviata und als Nedda im «Bajazzo» aufgetreten). In den folgenden Jahren kam es zu weiteren Gastspiel- und Konzertauftritten in ihrer australischen Heimat. 1921 reiste sie nach England und wurde durch den Bariton Robert Radford dem Dirigenten Percy Pitt vorgestellt, der sie 1922 als Koloratrice für die British National Opera Company engagierte. Hier sang sie Partien wie die Konstanze in Mozarts «Entführung aus dem Serail», die Marguerite im «Faust» von Gounod, die Micaela in «Carmen» und die Prinzessin in «The Perfect Fool» von Gustav Holst. Sie wirkte in einer der ersten Radiosendungen einer Oper im englischen Rundfunk BBC als Königin der Nacht in der «Zauberflöte» mit. Im Dezember 1926 sang sie in einer Wohltätigkeitsvorstellung, die Nellie Melba zugunsten der Sadler's Wells Opera im Londoner Old Vic Theatre gab, die Musetta als deren Partnerin in «La Bohème». 1935 kam sie wieder nach Australien zurück, gab dort, wie zuvor in England, Gastspiele und Konzerte und setzte sich für die Errichtung einer nationalen Oper ein. 1939 konnte sie eine erste bescheidene Saison zustandebringen. Schließlich entstand unter ihrer Direktion das Australian National Theatre in Melbourne, das große Gastspielreisen durch den australischen Kontinent unternahm. Sänger wie Marie Collier, Ronald Dowd, Robert Allman und Leonard Delany begannen in diesem Ensemble ihre Karriere. 1954 wohnte Königin Elizabeth II. von England einer Aufführung von «Hoffmanns Erzählungen» in Melbourne bei. Die um das australische Musikleben verdiente Künstle-

rin wirkte in Melbourne auch im pädagogischen Bereich.
Schallplatten: Columbia.

Johnson, Mary Jane, Sopran, * 22. 3. 1950 Pampa (Texas); sie begann an der West Texas University zunächst ein Technikstudium, wechselte dann aber in das Gesangfach und war zuerst als Gesanglehrerin tätig. Sie entschloß sich zur Solistenkarriere, setzte ihre Ausbildung weiter fort und gewann 1981 einen ersten Preis beim Concours Pavarotti in Philadelphia. Sie begann ihre Sängerkarriere 1981 an der New York Lyric Opera als Agathe im «Freischütz» und kam über Stationen wie die Philadelphia Opera (1982 als Musetta in «La Bohème») und die Santa Fé Opera (1982 als Rosalinde, an der sie auch später oft zu Gast war, an die Oper von San Francisco, an der sie 1983 als Antrittsrolle die Freia im «Rheingold» übernahm. Hier trat sie fast regelmäßig auch in den folgenden Jahren mit glänzenden Erfolgen auf, u. a. als Aida und als Marguerite im «Faust» von Gounod sowie als Jenifer in der amerikanischen Erstaufführung der Oper «The Midsummer Marriage» von M. Tippett. 1989 sang sie in San Francisco die Kaiserin in «Die Frau ohne Schatten» von R. Strauß. Seit 1984 trat sie erfolgreich in Washington, seit 1986 an der Oper von Boston wie auch in Cincinnati auf. 1986 begann sie dann auch eine große Bühnenkarriere in Europa; dort sang sie zuerst bei der Opera North Leeds und bei den Puccini-Festspielen in Torre del Lago, dann auch in Amsterdam, am Teatro Comunale Bologna (1988), an der Oper von Genf und bei den Festspielen in den Thermen des Caracalla in Rom, wo man sie als Minnie in «La Fanciulla del West» von Puccini, eine ihrer größten Kreationen, hörte. 1990 gastierte sie an der Oper von Santiago de Chile in der Titelpartie der Richard Strauss-Oper «Salome». Aus ihrem Bühnenrepertoire sind noch die Gräfin in «Nozze di Figaro», die Leonore in «Fidelio», die Adina in «Elisir d'amore», die Leonore im «Troubadour», die Alice in Verdis «Falstaff», die Elena in «Mefistofele» von A. Boito, die Tosca, die Giulietta in «Hoffmanns Erzählungen», die Herzogin von Parma in «Dr. Faustus» von Busoni, die Mrs. Jessel in «The Turn of the Screw», die Titelfigur in «Katerina Ismailowa» von Schostakowitsch und die Hanna Glawari in Lehárs «Lustiger Witwe» zu nennen. Auch im Konzertsaal erfolgreich aufgetreten.

Johnson, Nancy, Sopran, * 1955 (?); Ausbildung an der California State University Hayward, wo sie den akademischen Grad eines Master of Music erwarb. 1979 Preisträgerin beim Gesangwettbewerb Francisco Viñas in Barcelona. Sie ging dann nach Deutschland und fand dort ihr erstes Bühnenengagement 1980–81 am Landestheater von Detmold. 1981–82 war sie am Staatstheater Wiesbaden, 1982–87 am Nationaltheater Mannheim engagiert und folgte 1987 einem Ruf an die Staatsoper von Stuttgart. Sie schloß zudem Gastverträge mit der Deutschen Oper am Rhein Düsseldorf-Duisburg und mit der Wiener Staatsoper ab. Seit 1984 war sie immer wieder als Gast an der Oper von San Fran-

cisco anzutreffen; 1985 sang sie an der Oper von Chicago die Eva in den «Meistersingern», 1987 gastierte sie an der Oper von Rom, 1985 bei den Festspielen von Schwetzingen. 1988 beeindruckte sie bei den Ludwigsburger Festspielen in der Partie der Agathe im «Freischütz». Ihre besonderen Glanzrollen waren die Kaiserin in der Richard Strauss-Oper «Die Frau ohne Schatten» und die Titelfigur in «Manon Lescaut» von Puccini. Auch als Konzertsopranistin hervorgetreten.

Johnson, Robert, Tenor, * 10. 12. 1940 Moline (Illinois); nach anfänglicher Tätigkeit in Industrieunternehmen ließ er seine Stimme an der Northwestern University in Evanston (Illinois) durch Norman Gulbrandsen und durch die New Yorker Pädagogen Edward J. Dwyer und Richard Fredricks ausbilden. Er debütierte 1971 an der New York City Centre Opera in der Rolle des Grafen Almaviva im «Barbier von Sevilla» von Rossini. An diesem Opernhaus hatte er in der Folgezeit eine erfolgreiche Karriere, ebenso an den Opern von Chicago, Baltimore, New Orleans, Houston/Texas und Washington. Sein Repertoire hatte seine Höhepunkte im lyrischen Fachbereich, in Partien wie dem Tamino in der «Zauberflöte», dem Ferrando in «Così fan tutte», dem Belmonte in der «Entführung aus dem Serail», dem Ernesto im «Don Pasquale», dem Beppo in «Rita» von Donizetti, dem Alfredo in «La Traviata», dem Fenton in Verdis «Falstaff», dem Titelhelden in «Hoffmanns Erzählungen» von Offenbach, dem des Grieux in «Manon» von Massenet, dem Rodolfo in «La Bohème», dem Sali in «A Village Romeo and Juliet» von Delius und dem Tom Rakewell in «The Rake's Progress» von Strawinsky. Von seinem Wohnsitz New York aus ging er einer intensiven Konzert- und Gastspieltätigkeit nach.

Jonelli, Hans, Tenor, * 19. 6. 1912 Basel; Ausbildung durch Salvatore Salvati in Basel, dann bei Enrico Pessina in Mailand. Er war 1940–42 am Stadttheater von Bern, 1943 am Städtebundtheater Biel-Solothurn und 1943–55 am Stadttheater von Basel engagiert. Er gab Gastspiele am Opernhaus von Zürich, am Grand Théâtre Genf, am Theater von St. Gallen und mit dem Stadttheater Heidelberg bei den Festspielen von Schwetzingen. In Basel sang er in der Spielzeit 1945–46 in der deutschen Erstaufführung von Benjamin Brittens «Peter Grimes» den Rector Adams, am 26. 3. 1952 wirkte er dort in der Uraufführung von Rolf Liebermanns «Leonore 40/45» mit. Von den vielen Partien, die er auf der Bühne vortrug, waren die wichtigsten der Pedrillo in der «Entführung aus dem Serail», der Monostatos in der «Zauberflöte», der Jacquino im «Fidelio», der Ernesto im «Don Pasquale», der Tonio in Donizettis «La Fille du régiment», der Baron Kronthal im Wildschütz» von Lortzing, der Georg in dessen «Waffenschmied», der Wenzel in der «Verkauften Braut», der Goro in «Madame Butterfly», der Valzacchi im «Rosenkavalier», der David in den «Meistersingern» und der Sellem in Strawinskys «The Rake's Progress». Auch als Operetten- wie als Konzertsänger mit Erfolg tätig.

Jones, Isola, Mezzosopran, * 27. 12. 1949 Chicago; die junge, farbige Sängerin debütierte nach ihrer Ausbildung an der Northwestern University und in New York direkt an der Metropolitan Oper New York, und zwar im Oktober 1977 als Olga im «Eugen Onegin» von Tschaikowsky. Sie blieb Mitglied dieses traditionsreichen Opernhauses für die folgenden zehn Jahre und kam dort in einer Vielfalt von Partien zu bedeutenden Erfolgen; so sang sie die Preziosilla in Verdis «La forza del destino» (1984), die Maddalena im «Rigoletto», die Lola in «Cavalleria rusticana», die Margret in Alban Bergs «Wozzeck», die Carmen (ihre größte Kreation) und die Rolle der Strawberry Woman in «Porgy and Bess» von G. Gershwin. 1988 gastierte sie sehr erfolgreich in Cincinnati als Carmen. 1985 unternahm sie zusammen mit der Truppe «Ambassadors of Opera» eine Südostasien-Tournee, bei der sie als Carmen und als Amneris auftrat. 1989 sang sie beim Festival von Spoleto die Giulietta in «Hoffmanns Erzählungen». Eine große Karriere konnte sie auch als Konzertsolistin entwickeln; so sang sie in zahlreichen Aufführungen zusammen mit den Sinfonieorchestern von Chicago, Cleveland und Boston und 1982 in New York in einem Gala-Konzert zusammen mit dem großen Tenor Placido Domingo. Hinzu kamen weitere Gastspiele und Rundfunkauftritte.
Schallplatten: Decca («Porgy and Bess», Mary im «Fliegenden Holländer»), RCA (Lola in «Cavalleria rusticana», «Les Noces» von Strawinsky).

Jordan, Irene, Sopran, * 25. 4. 1919 Birmingham (Alabama, USA); sie studierte am Judson College in Judson (Alabama), später bei Clythie Mundy in New York. Sie debütierte als Mezzosopran 1946 an der Metropolitan Oper New York in der Rolle der Mallika in «Lakmé» von Delibes. Sie wechselte dann nach erneutem Studium in das Sopranfach und war in den Jahren 1949–52 als Sopran an der Metropolitan Oper tätig. 1954 gastierte sie an der Oper von Chicago als Donna Elvira im «Don Giovanni» und als Micaela in «Carmen». 1957 trat sie an der New York City Centre Opera auf und sang überraschend an der Metropolitan Oper die Königin der Nacht in der «Zauberflöte». Ihre großen Bühnenpartien als Sopran waren die Aida, die Santuzza in «Cavalleria rusticana», die Butterfly und die Vitellia in «La clemenza di Tito» von Mozart. Neben ihrem Wirken auf der Bühne stand eine zweite Karriere im Konzertsaal. Sie trat als Solistin zusammen mit den führenden amerikanischen Orchestern auf.
Schallplatten: CBS («Pulcinella» von Strawinsky unter Leitung des Komponisten, Lieder von Arnold Schönberg).

Joselson, Rachel, Mezzosopran/Sopran, * 16. 9. 1955 Englewood (New Jersey); sie absolvierte das Musik- und Gesangstudium an der Florida State University und an der Indiana University in den Jahren 1973–77 und 1977–80 und schloß es mit dem akademischen Grad eines Master of Music ab. 1980–82 studierte sie weiter in Treviso bei dem berühmten italienischen Tenor Mario del Monaco. Sie begann ihre Bühnenkarriere als Mezzosopranistin

1982 am Staatstheater von Darmstadt, dessen Mitglied sie bis 1984 blieb. 1984 folgte sie einem Ruf an die Staatsoper von Hamburg. Hatte sie ursprünglich Partien wie die Nancy in Flotows «Martha», den Idamante in Mozarts «Idomeneo», den Cherubino in «Figaros Hochzeit», die Dorabella in «Così fan tutte», die Titelpartie in Glucks «Orpheus», den Hänsel in «Hänsel und Gretel» und den Siebel im «Faust» von Gounod gesungen, so wechselte sie in Hamburg ins Sopranfach. Jetzt hörte man sie u. a. als Mimi in «La Bohème» von Puccini, als Micaela in «Carmen», als Marie in Smetanas «Verkaufter Braut», als Eva in den «Meistersingern», als Elisabetta in Verdis «Don Carlos», als Lisa in «Pique Dame» von Tschaikowsky und als Mireille in der gleichnamigen Oper von Gounod. 1989 ging sie an das Opernhaus von Essen, wo sie bereits zuvor gastiert hatte. Weitere Gastspiele der Künstlerin fanden am Theater im Revier Gelsenkirchen, am Deutschen Opernhaus Berlin, am Théâtre de la Monnaie Brüssel, am Teatro Liceo Barcelona, an den Theatern von Bonn und St. Gallen, in Pesaro und Bilbao sowie in Atlanta City statt. Auch als Konzertsolistin war sie in Werken von Händel, Mozart, Rossini, Gustav Mahler, Mendelssohn J. Brahms, Gabriel Fauré und Francis Poulenc erfolgreich.

Jovanović, Karola, Sopran, * 1879, † Januar 1958 Wien; die wohl aus Jugoslawien stammende Sängerin war 1904–05 am Stadttheater von Olmütz (Olomouc) engagiert, sang 1905–06 am Opernhaus von Frankfurt a. M. und 1906–11 am Opernhaus von Graz. 1911 folgte sie einem Ruf an die Hofoper, die nachmalige Staatsoper, von Wien, an der sie bis 1932 blieb. Dort sang sie am 4. 10. 1916 in der Uraufführung der zweiten Fassung der Richard Strauss-Oper «Ariadne auf Naxos» die Partie der Echo. 1906 und 1907 gastierte sie an der Hofoper von München, 1908 und 1911 an der Hofoper Berlin. Bereits vor ihrem Engagement an der Wiener Oper hatte sie dort in den Jahren 1909 und 1911 Gastspiele gegeben. Bei den Salzburger Festspielen hörte man sie 1922 als Barbarina in «Figaros Hochzeit», 1926 als Echo in «Ariadne auf Naxos», 1929–31 als Marianne Leitmetzerin im «Rosenkavalier». Weitere große Partien im Repertoire der in Wien sehr beliebten Sängerin waren die Marie im «Waffenschmied» von Lortzing, die Marzelline im «Fidelio», die Anna in den «Lustigen Weibern von Windsor» von Nicolai, die Gretel in «Hänsel und Gretel» von Humperdinck und die Titelfigur in «Madame Butterfly» von Puccini. Auch als Konzertsängerin hatte sie eine erfolgreiche Karriere.
Von der Stimme der Sängerin sind keine Schallplatten vorhanden.

Jovanović, Lazar, Tenor, * 11. 4. 1911 Zemun (Jugoslawien), † 26. 3. 1962 Sulmona (in den italienischen Abruzzen an den Folgen einer Embolie); er war Schüler des Stanković-Konservatoriums Belgrad, weitere Ausbildung durch A. Ruč, ebenfalls in Belgrad, wo er auch 1942 an der Nationaloper debütierte. Seitdem blieb er an diesem Institut an führender Stelle im Ensemble tätig. Er absolvierte Gastspiele in Jugoslawien wie auch in Italien. So sang er 1951 u. a. an der Oper von Rom die Titelpartie in Verdis «Othello». Sein Repertoire enthielt an erster Stelle heldische Tenorpartien aus dem Bereich der italienischen Oper; im einzelnen seien der Turiddu in «Cavalleria rusticana», der Canio im «Bajazzo», der Radames in Verdis «Aida», der Titelheld in «Andrea Chénier» von Giordano, der Pollione in «Norma» von Bellini, der Cavaradossi in «Tosca», der José in «Carmen», der Lenski im «Eugen Onegin» und der Hermann in «Pique Dame» von Tschaikowsky genannt.

Jovanović, Milorad, Baß-Bariton, * 12. 5. 1897 Velika Plana (Serbien), † 20. 5. 1966 London; er studierte Gesang am Konservatorium von Lyon sowie in Paris. 1921–27 war er an der Nationaloper von Belgrad engagiert. 1927 kam er an das Théâtre de la Monnaie Brüssel, wo er bis 1930 blieb. In Belgien trat er unter dem Namen Mile Yovanovitch auf; in Brüssel wirkte er in der Uraufführung der Oper «Der Spieler» von Prokofieff in der Partie des Generals mit (29. 4. 1929); am gleichen Haus sang er am 28. 12. 1930 den Tiresias in der Uraufführung der Oper «Antigone» von A. Honegger. 1931–41 war er dann wieder an führender Stelle im Ensemble der Belgrader Oper tätig, 1933–41 zugleich Professor an der Musikakademie von Belgrad. 1931 gastierte er an der Oper von Monte Carlo als Gurnemanz im «Parsifal». Sein vielgestaltiges Bühnenrepertoire umfaßte Rollen wie den Mephisto im «Faust» von Gounod, den Leporello im «Don Giovanni», den Titelhelden im «Don Quichotte» von Massenet, den König Arkel in Debussys «Pelléas et Mélisande», den Kezal in der «Verkauften Braut» von Smetana, den Phanuël in dessen «Hérodiade», den König Marke im «Tristan», den Wotan im «Rheingold» und den Hagen in der «Götterdämmerung». Auch als Konzertsänger bekannt geworden.

Jovanović, Vladimir, Baß, * 11. 3. 1941 Belgrad; er war an der Musikakademie Belgrad in erster Linie Schüler von Nikola Cvejić. 1973 begann er seine Karriere an der Nationaloper von Belgrad. Hier wurde er in einem breit gefächerten Repertoire bekannt, das vor allem auch Wagner-Partien enthielt. Gastspiele an Bühnen in der Sowjetunion, in Spanien, Ungarn und Ägypten und erfolgreiche Konzertauftritte bezeichnen den weiteren Ablauf seiner Karriere.
Schallplattenaufnahmen bei Jugoton.

Juhani, Matti, Tenor, * 26. 2. 1937 Helsinki; eigentlicher Name Matti Piiponen. Er erhielt zuerst eine Ausbildung als Bratschist an der Sibelius-Akademie in Helsinki und betätigte sich als solcher. 1961–63 leitete er das Kammerorchester der Sibelius-Akademie, nahm aber gleichzeitig seine Gesangausbildung auf. Nach ersten Auftritten als Sänger in Helsinki kam er nach Deutschland und wurde 1964 Mitglied der Deutschen Oper am Rhein Düsseldorf–Duisburg, an der er bis 1974 wirkte. Seit 1973 betätigte er sich wieder in Helsinki als Dirigent, nahm aber dazu

eine Lehrtätigkeit an der Sibelius-Akademie im Gesangfach wahr. In den Jahren 1974–81 erschien er regelmäßig an der Niederländischen Oper Amsterdam, 1977–84 war er auch Mitglied der Oper von Frankfurt a. M. Er konzentrierte sich in seinem Bühnenrepertoire auf lyrische Rollen und auf Charakterpartien; so sang er u. a. den Pedrillo in der «Entführung aus dem Serail», den Steuermann im «Fliegenden Holländer», den David in den «Meistersingern», die vier Charakterrollen in «Hoffmanns Erzählungen», den Herodes in «Salome» von R. Strauss, den Maler in «Lulu» von A. Berg und den Fuchs im «Schlauen Füchslein» von Janáček. Er gastierte an der Staatsoper von Wien, am Théâtre de la Monnaie Brüssel (1968, 1970), bei den Festspielen von Savonlinna (1975) und an der Oper von Marseille (1980). Dazu war er ein geschätzter Konzert- und Oratoriensänger, der in zahlreichen europäischen Ländern im Konzertsaal auftrat und in Helsinki in der finnischen Erstaufführung der «Gurrelieder» von A. Schönberg (1983) mitwirkte.
Schallplatten: Da Camera (Finnische Lieder, Evangelist in der Matthäuspassion von J. S. Bach).

Jung, Rudolf, Tenor, * 27. 7. 1882 Winterthur, † 15. 12. 1958 Lausanne; er war am Hoch'schen Konservatorium in Frankfurt a. M. Schüler von Leimer und begann seine Karriere zuerst als Bariton, wechselte aber bald ins Heldentenor-Fach. 1911–13 war er am Hoftheater von Mannheim engagiert, 1913–15 am Stadttheater von Freiburg i. Br., 1915–20 am Theater der Schweizer Bundeshauptstadt Bern. 1920–21 sang er an der Wiener Staatsoper, 1922–23 am Opernhaus von Stuttgart, 1925–27 am Landestheater von Dessau. Bis 1930 gab er noch Gastspiele, die ihn an die Stadttheater von Basel und Zürich wie an die Staatsoper Wien führten. Zu seinen großen Bühnenpartien zählten der Florestan im «Fidelio», der Don Ottavio im «Don Giovanni», der Tamino in der «Zauberflöte», der Radames in «Aida», der Othello von Verdi, der José in «Carmen», der Samson in «Samson et Dalila» von Saint-Saëns, der Herodes in «Salome» von R. Strauss, der Elis in «Der Schatzgräber» von F. Schreker und vor allem die Wagner-Heroen vom Titelhelden im «Rienzi» bis zum Loge, zum Siegmund und Siegfried im Nibelungenring und dem Parsifal. Dazu war er ein angesehener Konzertsänger und vor allem ein großer Lied-Interpret. In besonderer Weise widmete er sich dem Liedschaffen des Schweizer Komponisten Othmar Schoeck; in den Jahren 1908–10 brachte er zahlreiche Lieder dieses Komponisten, der ihn am Flügel begleitete, zur Uraufführung. Er sang auch am 16. 4. 1919 am Stadttheater Zürich in der Uraufführung der Oper «Don Ranudo» von Schoeck die Partie des Gonzalo de las Minas. Nach Beendigung seiner Karriere arbeitete er auf seinem Anwesen im Schweizer Kanton Waadt als Obstkultur- und Pelztierzüchter.

Juon, Julia, Mezzosopran, * 28. 11. 1943 St. Gallen (Schweiz); Tochter des Dirigenten und Organisten Andreas Juon. Sie studierte am Konservatorium von Zürich Klavierspiel bei Hans Andreae, dann Ausbildung der Stimme durch Leni Haefely in Zürich. 1975 begann sie ihre Bühnenlaufbahn mit einem Engagement am Theater von St. Gallen, das bis 1980 dauerte. 1980–83 war sie am Staatstheater von Karlsruhe verpflichtet, seit der Spielzeit 1983–84 Mitglied des Staatstheaters von Kassel. Sie gastierte an der Hamburger Staatsoper (u. a. 1989 als Amme in «Die Frau ohne Schatten») und am Opernhaus von Zürich, an der Oper von Frankfurt a. M. und am Staatstheater von Wiesbaden, in Gelsenkirchen, Graz und Mainz. Mit dem Ensemble von Karlsruhe war sie in Heidelberg und Stuttgart zu Gast. Mit dem Staatstheater Kassel gastierte sie 1988 bei der Eröffnung des wieder erbauten Theaters von Rotterdam in einer Aufführung des Nibelungenrings, wobei sie die Partien der Fricka und der Waltraute übernahm. Ihr Bühnenrepertoire, das einen sehr großen Umfang hatte, enthielt Rollen wie die Carmen, die Geneviève in Debussys «Pelléas et Mélisande», die Titelheldin in «Agrippina» von Händel, die Leonora in «La Favorita» von Donizetti, die Ulrica in Verdis «Maskenball», die Eboli im «Don Carlos», die Azucena im «Troubadour», die Maddalena im «Rigoletto», die Amneris in «Aida», die Kundry im «Parsifal», die Venus im «Tannhäuser», die Brangäne im «Tristan», die Judith in «Herzog Blaubarts Burg» von B. Bartók, die Oberpriesterin in «Penthesilea» von Othmar Schoeck und die Sainte Cathérine in «Jeanne d'Arc au bûcher» von A. Honegger. Sie kam gleichzeitig zu einer großen Karriere im Konzertsaal; auch hier erwies sie sich als vielseitige Oratorien- und Lied-Interpretin und gab Konzerte in Deutschland wie in der Schweiz, bei den Bregenzer Festspielen und in Wien.

K

Kabelácová, Marie, Sopran, *11.8. 1883 Wien, †(?); der Name der Sängerin verdient deshalb Erwähnung, weil sie am 21.1. 1904 in der Uraufführung der Oper «Jenufa» von Leoš Janáček am Opernhaus von Brno (Brünn) die Titelpartie der Jenufa sang. Sie war nur während dieser einen Saison 1903–04 in Brno im Engagement. Kurz nach der ersten Aufführung der Oper erkrankte sie und wurde durch die Sopranistin Ružena Kasparová ersetzt. Weitere Nachrichten über Marie Kabelácová waren bislang nicht zu erhalten.

Kaczér, Margit, Sopran, *1874 Budapest, †1951 Budapest; sie erhielt ihre Ausbildung an der Landesmusikakademie Budapest. Bereits während dieser Ausbildung kam es zu ihrem Debüt 1889 am Schloßtheater von Totis. 1891 erfolgte dann ihr eigentliches Debüt an der Königlichen Oper Budapest, deren Mitglied sie bis 1910 blieb. Sie sang an diesem Opernhaus eine Vielzahl von Partien, darunter die Titelheldin in «Manon» von Massenet, die vier weiblichen Rollen in «Hoffmanns Erzählungen», die Donna Elvira im «Don Giovanni», die Tatjana im «Eugen Onegin», die Santuzza in «Cavalleria rusticana», die Venus im «Tannhäuser» und die Gutrune in der «Götterdämmerung». Dazu war sie eine geschätzte Konzert- und Oratoriensängerin.

Kaczmar, Włodzimir, Baß-Bariton, *18.3. 1893 Lwów (Lemberg), †1.12. 1964 Krakau; er begann seine Ausbildung bei der Gesanglehrerin Sofia Kozlowska in Lwów und vollendete diese in Mailand. 1922 debütierte er am Opernhaus von Lwów als Titelheld im «Eugen Onegin» von Tschaikowsky. Er sang dann in Italien, wo er unter dem Namen Vladimiro Kasmar auftrat, und kam zu großen Erfolgen u. a. 1923 am Teatro Costanzi in Rom (als Ramphis in «Aida») und in der Saison 1924–25 an der Mailänder Scala, dazu in Parma, Triest, Florenz, Venedig und Bologna. Er gastierte in Deutschland und in der Schweiz, in Jugoslawien und in der ČSSR, an der Oper von Sofia und an der Volksoper von Wien. 1934 und 1937 war er bei Gastspielen in Paris anzutreffen. Als Gast war er auch 1927–29 am Opernhaus von Lwów und 1927–31 an der Nationaloper Warschau engagiert. 1947 sang er als Abschiedspartie am Theater von Poznań (Posen) den Mephisto im «Faust» von Gounod. Neben seinem Wirken auf der Bühne hatte er eine erfolgreiche Karriere als Konzert- und Oratoriensolist wie auch als Rundfunksänger. 1936–41 und wieder 1944–46 wirkte er als Professor am Konservatorium von Lwów, seit 1946 am Konservatorium von Krakau. Auf der Bühne sang er ein sehr vielgestaltiges Repertoire: den Wotan in der «Walküre» und den Kothner in den «Meistersingern», den Kardinal in Halévys «La Juive» und den Dr. Mirakel in «Hoffmanns Erzählungen», den Silva in Verdis «Ernani» und den Alvise in «La Gioconda» von Ponchielli, den Boris Godunow und den Mephisto im «Faust» von Gounod, den Stolnik in «Halka» und den Zbigniew in der Oper «Straszny dwór» («Das Gespensterschloß») von Moniuszko.

Die Stimme des Sängers ist durch Aufnahmen auf Columbia erhalten.

Kähler, Lia, Mezzosopran, *1953 (?); die Großeltern der Sängerin waren aus Deutschland in die USA eingewandert. Als Kind spielte sie bereits Orgel in einer Kirche, konnte aber erst auf Umwegen die Ausbildung ihrer Stimme erreichen. Sie absolvierte Studien in Los Angeles, New York und Mailand, wirkte dann als Pädagogin, bevor sie sich zur Bühnenkarriere entschloß. 1981 kam sie nach Europa, fand jedoch kein geeignetes Engagement und kehrte wieder in die USA zurück. 1982 kam es endlich zu ihrem Debüt beim Holland Festival. 1983–85 war sie am Landestheater von Detmold tätig. Hier erregte sie gleich in ihrer Antrittsrolle, der Eboli im «Don Carlos» von Verdi, Aufsehen, dann als Brangäne im «Tristan». 1985–89 gehörte sie dem Ensemble des Theaters in Revier Gelsenkirchen an. Als Laura in «La Gioconda» von Ponchielli, als Ottavia in Monteverdis «L'Incoronazione di Poppea», als Hexe und Mutter (in Form einer Doppelrolle) in «Hänsel und Gretel» hatte sie dort ihre Erfolge; 1989 wirkte sie in Gelsenkirchen in der Uraufführung der Oper «Deinen Kopf, Holofernes» von Volker Blumenthaler mit. Weitere Bühnenpartien: die Ortrud im «Lohengrin», die Maddalena im «Rigoletto», die Marina im «Boris Godunow», die Dalila in «Samson et Dalila» von Saint-Saëns und die Türkenbaba in «The Rake's Progress» von Strawinsky. Auch als Oratorien- und Liedersängerin in Erscheinung getreten.

Kaftal, Margot, Sopran, *1873 Warschau, †1952 in Italien; sie erhielt ihre Gesangausbildung in Warschau und war in Wien Schülerin der großen Primadonna Pauline Lucca. 1894 debütierte sie am Stadttheater von Bremen als Agathe im «Freischütz» und war dort bis 1896 im Engagement. 1896–97 sang sie am Stadttheater von Stettin und lebte dann gastierend in Berlin. Nach der Jahrhundertwende nahm sie das Studium bei der großen Mathilde Marchesi de Castrone in Paris nochmals auf. Zu Beginn ihrer Karriere sang sie Soubrettenrollen und Partien aus dem lyrischen Stimmfach: die Manon von Massenet, den Pagen Oscar in Verdis «Ballo in maschera», die Nedda im «Bajazzo», die Musetta in «La Bohème», die Hanna im «Gespensterschloß» von Moniuszko und die Butterfly. Später nahm sie dramatische Sopranpartien wie die Aida, die Amelia in «Ballo in maschera», die Tosca, die Isolde im «Tristan», die Brünnhilde im Nibelungenring und die Kundry im «Parsifal» in ihr Repertoire auf. Seit der Jahrhundertwende gab sie sehr erfolgreiche Gastspiele am Opernhaus von Zürich (1900), in Berlin (1902) und Wien (1903), an der Nationaloper Warschau (1901–10 fast alljährlich), an der Oper von Lwów (Lemberg, 1905), am Opernhaus von Kiew (1906), danach vor allem an italienischen Bühnen. 1907 gastierte sie am Teatro Costanzi Rom, 1908–09, 1921 und 1922 in Genua, 1909 in Parma, 1912 in Triest. 1910 sang sie an der Mailänder Scala die Brünnhilde in der «Walküre», 1914 die Kundry im «Parsifal». 1907–08 und 1913 war sie am Teatro

Liceo Barcelona, 1909 an der Oper von Odessa, 1905 und 1921 am Teatro San Carlo Neapel zu hören. Während der Jahre des Ersten Weltkrieges trat sie überwiegend an der Oper von Warschau auf, an der sie auch zwischen 1922 und 1928, dem Jahr ihres Bühnenabschieds, immer wieder in Erscheinung trat. Sie lebte später in Italien.
Schallplatten: Pathé (Opernarien und Lieder, Warschau 1906).

Kahmann, Sieglinde, Sopran, * 28. 11. 1937 Dresden; Gesangstudium an der Musikhochschule von Stuttgart; sie debütierte an der dortigen Staatsoper 1959 als Ännchen in den «Lustigen Weibern von Windsor» von Nicolai. Sie kam zu einer erfolgreichen Karriere und war für lange Zeit Mitglied des Staatstheaters am Gärtnerplatz München und des Opernhauses von Graz. Weitere Auftritte an den Staatsopern von Wien, München, Hamburg und Stuttgart, an den Staatstheatern von Kassel und Karlsruhe, an den Opernhäusern von Essen, Leipzig und Zürich. Auf internationaler Ebene trugen Gastspiele am Teatro San Carlos Lissabon, an der Opéra du Rhin Straßburg, an der Nationaloper Bukarest, bei den Festspielen von Salzburg und Edinburgh der Künstlerin Erfolge ein. Sie sang ein weitläufiges Bühnenrepertoire, das seine Höhepunkte im Koloratur- wie im lyrischen Fach hatte: die Gräfin wie den Cherubino in «Figaros Hochzeit», die Donna Elvira im «Don Giovanni», die Pamina in der «Zauberflöte», die Marzelline im «Fidelio», die Ännchen im «Freischütz», die Gretchen wie die Baronin im «Wildschütz» von Lortzing, die Marie in «Zar und Zimmermann» wie im «Waffenschmied» vom gleichen Komponisten, die Titelheldin in Flotows «Martha», die Ännchen in den «Lustigen Weibern von Windsor» von Nicolai, die Musetta in Puccinis «La Bohème», die Lauretta in dessen «Gianni Schicchi», die Micaela in «Carmen», die Lisa in Tschaikowsky «Pique Dame», die Marie in der «Verkauften Braut» von Smetana, die Rosalinde wie die Adele in der «Fledermaus» von J. Strauß. Von München aus, wo sie wohnte, ging sie einer Konzerttätigkeit nach, die ihr auch auf diesem Gebiet bedeutende Erfolge brachte. Verheiratet mit dem Tenor *Sigurdur Björnsson*.
Mit Sicherheit existieren Mitschnitte von Rundfunksendungen.

Kahn, Elise, Mezzosopran, * 10. 10. 1931 Paris; nach ihrem Gesangstudium am Conservatoire National de Paris debütierte sie 1956 an der Pariser Grand Opéra als Grimgerde in der «Walküre». Sie blieb bis 1965 an diesem Opernhaus im Engagement und sang in dieser Zeit auch an der Opéra-Comique Paris. Nachdem sie anfänglich in kleineren Partie aufgetreten war, übertrug man ihr seit 1959 die großen Rollen ihres Stimmfachs wie die Maddalena im «Rigoletto», die Ulrica in Verdis «Ballo in maschera», die Mary im «Fliegenden Holländer», die Carmen, die Anna in «Les Troyens» von Berlioz, die Amme im «Boris Godunow» und die Suzuki in «Madame Butterfly». 1965 mußte die Künstlerin, auf dem Hö-

hepunkt ihrer Karriere angekommen, diese aus Krankheitsgründen aufgeben.
Schallplatten: Vogue (Querschnitt «Madame Butterfly»), Philips (Ausschnitte aus «Carmen», «Rigoletto», «Ballo in maschera», «Troubadour»).

Kaiser, Josephine, Sopran, * 1795, † 8. 5. 1829 Lwów (Lemberg); die Künstlerin sang zu Beginn ihrer Karriere 1810–12 am Kärntnertortheater in Wien. 1813 wechselte sie von dort an das Theater in der Josefstadt in Wien, an dem sie in den folgenden zehn Jahren in einer Vielzahl von Partien, vor allem aus dem Koloraturfach, auftrat. Schließlich ging sie an das Opernhaus von Lemberg, wo sie gleichfalls bedeutende Erfolge hatte, doch starb sie bereits im Alter von 34 Jahren. Sie darf nicht mit der rund zwanzig Jahre jüngeren Sängerin *Josepha Kaiser* (Kayser) verwechselt werden, die nach 1840 in Wien und später in Budapest sang und die ihren Vornamen auch als Josephine schrieb und nach ihrer Heirat unter dem Namen Kaiser-Ernst aufgetreten ist.

Kaisin, Franz, Tenor, * 1892 Fleurus (Provinz Hainaut, Belgien), † 1987 Toulon; er war am Conservatoire Royal von Brüssel Schüler des bekannten Pädagogen Désiré Demest. Er begann seine Karriere an Theatern in der französischen Provinz und sang in Grenoble, Pau, dann auch in Bordeaux. 1922–25 war er an der Oper von Lyon engagiert und wurde dann für die Jahre 1925–27 Mitglied der Pariser Opéra-Comique. 1927–31 erreichte seine Karriere an der Grand Opéra Paris ihren Höhepunkt. Es schlossen sich Gastspiele und Konzertreisen an, die ihm in London, in Spanien, in Nordafrika und in Südamerika große Erfolge eintrugen. Seit 1940 lebte er in Toulouse und arbeitete dort auf dem pädagogischen Sektor, gab aber noch bis zum Ende des Zweiten Weltkrieges Konzerte. Sein Bühnenrepertoire enthielt die großen Rollen seines Stimmfachs, darunter den Titelhelden im «Faust» von Gounod, den Roméo in «Roméo et Juliette», den José in «Carmen», die Titelpartien in «Werther» von Massenet und in «Hoffmanns Erzählungen» von Offenbach, den Julien in «Louise» von Charpentier, den Herzog in Verdis «Rigoletto», den Walther von Stolzing in den «Meistersingern» und den Dimitrij im «Boris Godunow».
Schallplatten: Polydor-Aufnahmen, darunter Duette mit José Beckmans, Pathé-Platten (Paris, 1927).

Kalaš, Karel, Baß, * 9. 10. 1910 Wien, er war zunächst in Wien im Buchdrucker-Gewerbe beschäftigt, studierte jedoch privat Gesang bei Ferdinand Pagin. Zu Beginn der dreißiger Jahre ging er in die ČSR, um dort ein Engagement als Bühnensänger zu finden. Dies gelang ihm dann auch 1934 am Slowakischen Nationaltheater in Bratislava, dem er bis 1939 angehörte. Der bekannte Dirigent Vaclav Talich holte ihn 1939 an das Nationaltheater von Prag, dessen Mitglied er bis zu seinem Abschied von der Bühne 1963 geliebenist. 1965 wurde ihm der Titel eines Volkskünstlers der ČSSR verliehen, nachdem er auf der Bühne wie im Konzertsaal eine dreißigjährige erfolgreiche Karriere absolviert hatte. Mit dem

Prager Nationaltheater trat er als Gast in Moskau (1955), Berlin (1956) und Brüssel (1958) auf. Von seinen zahlreichen Bühnenpartien sind der Beneš in «Dalibor» von Smetana, der Kezal in der «Verkauften Braut», der Mumlal in «Zwei Witwen», der Wassermann in «Rusalka» von Dvořák, der Vilém in «Der Jakobiner», der Shylock in «Jessica» von Foerster, der Janek in «Veronica» von Kubelik, der König Philipp in Verdis «Don Carlos», der Gremin im «Eugen Onegin» von Tschaikowsky, der König in «L'Amour des trois oranges» von Prokofieff und der Dosifey in Mussorgskys «Khovantchina» zu nennen.
Von seiner Stimme sind sehr viele Schallplatten auf den Marken Ultraphon, Esta, Bruno und Urania vorhanden. Auf Supraphon ist er in Gesamtaufnahmen von Smetanas «Verkaufter Braut» (als Kezal, seine besondere Glanzrolle), von dessen Opern «Dalibor», «Das Geheimnis» («Tajemství»), «Der Kuß» («Hubička») sowie in «Wanda» von Dvořák zu hören.

Kalin, Mira, Mezzosopran, * 31. 1. 1925 Temesvar (Timisoara, Transsylvanien), † 22. 3. 1975 Belgrad; sie erhielt ihre Ausbildung zur Sängerin an der Wiener Musikakademie, in der Hauptsache als Schülerin von Anny Konetzni. 1947 erfolgte ihr Bühnendebüt an der Nationaloper Belgrad unter ihrem eigentlichen Namen Mira Kalinović; bis 1950 blieb sie an diesem Haus tätig und folgte dann einem Ruf an die Staatsoper von Wien, deren Mitglied sie in den Jahren 1951–57 war. In Wien nahm sie den Namen Mira Kalin an. Sie sang auf der Bühne mit großem Erfolg Partien wie die Maddalena im «Rigoletto», die Preziosilla in Verdis «La forza del destino», die Amneris in «Aida», die 3. Dame in der «Zauberflöte», die Marina in Mussorgskys «Boris Godunow», den Nicklaus in «Hoffmanns Erzählungen» von Offenbach und die Mary im «Fliegenden Holländer». 1957 ging sie wieder nach Belgrad zurück, doch war ihre Karriere auf der Bühne wie im Konzertsaal früh beendet.
Schallplatten: HMV (Wirtin im «Boris Godunow»), Vox («Julius Caesar» von Händel).

Kalinina, Galina, Sopran, * 1952 (?); die russische Sängerin gewann nach ihrer Ausbildung 1975 den ersten Preis beim Internationalen Gesangwettbewerb von Genf und eine Goldmedaille beim Concours von Bratislava (Preßburg); 1977 war sie erste Preisträgerin beim Tschaikowsky-Wettbewerb in Moskau. 1977 wurde sie Mitglied des Bolschoj Theaters Moskau. Hier kam sie in Partien wie der Donna Anna im «Don Giovanni», der Leonore in Verdis «Troubadour», der Amelia in «Un Ballo in maschera», der Elisabetta im «Don Carlos, der Desdemona im «Othello», der Tatjana in Tschaikowskys «Eugen Onegin», der Lisa in «Pique Dame» und der Titelfigur in «Madame Butterfly» zu großen Erfolgen. Seit 1982 war sie als Gast in Westeuropa zu hören. Sie gastierte in den skandinavischen Ländern, in England, Belgien und Italien. 1988 sang sie an der Staatsoper von Stuttgart die Tosca, in der Spielzeit 1988–89 am Opernhaus von Frankfurt

a. M. die gleiche Partie. In Wiesbaden hörte man sie 1987 als Tosca wie als Jaroslawna in «Fürst Igor» von Borodin. 1989 wirkte sie in Rom in einer konzertanten Aufführung von Rachmaninoffs «Aleko» in der Partie der Zemfira mit. 1987 war sie am Teatro Colón Buenos Aires als Tatjana zu Gast, 1987 an der Oper von Oslo als Butterfly; 1988 erlebte man sie am Teatro Filarmonico Verona in der Rolle der Jaroslawna. Neben ihrer erfolgreichen Bühnenkarriere entwickelte sie eine nicht weniger erfolgreiche Tätigkeit im Konzertsaal.
Schallplatten: HEK («Das Märchen von der unsichtbaren Stadt Kitesh» von Rimsky-Korssakow).

Kallensee, Olga, Sopran, * 1876 Berlin, † (?); sie entstammte einer adligen Offiziersfamilie, die sich anfänglich gegen eine Sängerlaufbahn der Tochter sträubte. Erst nachdem die berühmte Sängerin Emilie Herzog die stimmlichen Fähigkeiten positiv beurteilt hatte, stimmte man einer Ausbildung bei dieser Sängerin zu. Sie debütierte, noch unter ihrem wirklichen Namen Olga von Sturen, am Theater von Colmar, wo sie 1898–99 sang. 1899–1901 war sie am Opernhaus von Breslau, 1901–02 am Stadttheater von Barmen, 1902–03 am Stadttheater von Kiel und dann bis 1908 am Hoftheater von Kassel engagiert. Nach einer Spielzeit am Stadttheater von Magdeburg sang sie von 1912 bis zum Ende des Ersten Weltkrieges am Hoftheater von Darmstadt. In den Jahren 1921–24 war sie nochmals am Theater von Königsberg (Ostpreußen) tätig. Sie absolvierte zahlreiche Gastspiele an den großen deutschen Theatern, u. a. 1908–20 am Opernhaus von Frankfurt a. M., 1908 an der Hofoper von Stuttgart, 1910 am Hoftheater Braunschweig, 1910 an der Hofoper Berlin, 1911 am Opernhaus von Leipzig und 1916 an der Münchner Hofoper. Sie trat als Gast in der Schweiz und 1911 an der Covent Garden Oper London auf. Zu ihren Bühnenpartien gehörten die Susanna in «Figaros Hochzeit», die Königin der Nacht in der «Zauberflöte», die Gabriele im «Nachtlager von Granada» von C. Kreutzer, die Titelfigur in Flotows «Martha», die Agnes im «Armen Heinrich» von Hans Pfitzner, die Rosina im «Barbier von Sevilla», die Gilda im «Rigoletto», die Violetta in «La Traviata», die Marie in der «Regimentstochter» von Donizetti, der Page Urbain in den «Hugenotten» von Meyerbeer, die drei weiblichen Partien in «Hoffmanns Erzählungen» und die Philine in «Mignon» von A. Thomas. Immer wieder wurde ihr graziös-eindrucksvolles Bühnenspiel gerühmt. Sie lebte dann als Pädagogin in Berlin; 1940 war sie dort noch tätig. Sie war verheiratet mit dem Tenor *Paul Kallensee* (* 1864, † 1931 Berlin), der sich später *Paul Struensee* nannte und zum Teil mit seiner Gattin zusammen an den gleichen Bühnen engagiert war, darunter in Colmar, Straßburg, Kiel, Koblenz, Essen, Magdeburg und schließlich in Königsberg.

Kallensee, Paul, s. unter *Kallensee, Olga.*

Kallisch, Cornelia, Mezzosopran, * 1956 Marbach am Neckar; sie zeigte früh eine besonders musikalische Begabung, spielte Klavier, Orgel, Geige und

wurde nach ihrem Studium an der Musikhochschule Stuttgart Musiklehrerin. Weitere Ausbildung der Stimme durch Margot Gerdes in München. Zuerst trat sie als Liedersängerin auf und veröffentlichte bereits 1978 eine Schallplatte, bei der die Pianistin Siglind Bruhn sie in Liedern von Mussorgsky und Ravel begleitete. 1979 gewann sie den 1. Preis für Liedgesang und wurde Mitglied des Opernstudios der Münchener Staatsoper. Sie absolvierte nochmals eine sehr gründliche Ausbildung bei dem berühmten Bariton Josef Metternich in Köln und wurde durch Elisabeth Schwarzkopf gefördert. 1984 begann sie dann ihre Bühnenkarriere am Stadttheater von Heidelberg. 1986 wechselte sie von dort an das Theater im Revier Gelsenkirchen. Sie gastierte am Opernhaus von Wuppertal und an anderen führenden deutschen Opernteatern und setzte ihre bedeutende Konzertkarriere fort. Aus ihrem Bühnenrepertoire seien der Titelheld im «Orpheus» von Gluck, der Octavian im «Rosenkavalier» von R. Strauss, der Komponist in dessen «Ariadne auf Naxos», der Nerone in «L'Incoronazione di Poppea» von Monteverdi, der Sesto in «La clemenza di Tito» von Mozart (Festspiele Ludwigsburg 1983–84), und die Dorabella in «Così fan tutte» hervorgehoben. In erster Linie war sie jedoch als Konzert-, Oratorien- und Liedersängerin bekannt und gastierte als solche in Wien, Berlin, Köln, Stuttgart und Frankfurt a. M., in Frankreich und Italien.
Schallplatten: LM (Lieder von Mussorgsky und Ravel), Thorofon, Christophorus-Verlag («König David» von Honegger), Motette (Weihnachtsoratorium von J. S. Bach).

Kalliwoda, Therese, s. unter *Brunetti, Therese.*

Kaluza, Stefania, Mezzosopran, * 1951 Katowice (Kattowitz) sie studierte Musik und Gesang in Wroclaw (Breslau) und schloß diese Ausbildung mit dem Diplom als Magister ab. Bereits während ihres Studiums trat sie in kleineren Partien an den Opernhäusern von Wroclaw, Warschau und Poznań (Posen) wie auch im polnischen Fernsehen auf. 1972 gewann sie' den Concours Jan Kiepura in Polen und war Preisträgerin beim internationalen Wettbewerb von s'Hertogenbosch. Sie studierte weiter bis 1975 in Wien, u. a. bei Anton Dermota und Hans Hotter. Sie unterbrach dann jedoch ihre Bühnenkarriere aus familiären Gründen und trat nur noch als Konzertsängerin in Erscheinung. Erst als sie 1983 den großen internationalen Belvedere-Wettbewerb in Wien gewonnen hatte, entschloß sie sich, wieder die Bühne zu betreten und nahm 1984 ein Engagement am Landestheater von Salzburg an. Durch Gastspiele wurde ihr Name international bekannt. So gastierte sie an der Wiener Staatsoper und bei den Festspielen von Bregenz. Am Théâtre de la Monnaie Brüssel trat sie in Janáčeks «Schlauem Füchslein» auf, am Opernhaus von Zürich in der Spielzeit 1988–89 als Marcellina in «Figaros Hochzeit». Dort sang sie 1989–90 dann auch die Marta wie die Pantalis in «Mefistofele» von Boito und die Pamela in «Fra Diavolo» von Auber. Beim Festival von Versailles sang sie 1989 die Bersi in «Andrea Chénier» als

Partnerin von Placido Domingo und Katia Ricciarelli. Seit 1989 Mitglied der Deutschen Oper am Rhein Düsseldorf–Duisburg, an der sie als Amneris in «Aida» einen ersten großen Erfolg hatte. Aus ihrem Bühnenrepertoire sind noch die Dorabella in «Così fan tutte», die Frau Reich in den «Lustigen Weibern von Windsor» von Nicolai, die Ulrica in Verdis «Ballo in maschera» und die Rosina im «Barbier von Sevilla» zu nennen. Sie gastierte, auch als begabte Konzertsolistin, in Polen, Italien, in Ungarn und in Rußland.

Kamp, Harry van der, Baß, * 1947 Kampen (Holland), er war ein Schüler des großen Countertenors Alfred Deller, des nicht weniger berühmten Liedersängers Pierre Bernac und der holländischen Pädagogen Max van Egmond und Herman Woltman. Er begann eine internationale Konzertkarriere, die ihm überall in Europa große Erfolge eintrug. Er sang unter Dirigenten wie Nikolaus Harnoncourt, Gustav Leonhardt und Ton Koopman Solopartien in Oratorien und religiösen Vokalwerken. Er wirkte bei einer Anzahl von Festspielveranstaltungen mit, so bei den Berliner Festwochen, beim Carinthischen Sommer, beim Festival von Flandern, beim Holland Festival und beim Festival von Spoleto. Im August 1989 sang er in London in einer Konzertserie «Towards Bach». Er war der Gründer und Leiter des holländischen Vokalensembles «Gesualdo Consort» in Amsterdam, Mitglied und künstlerischer Berater des Niederländischen Kammerchors. Auf der Bühne trat er in geeigneten Partien in Opern von Monteverdi, Händel, Mozart, Pergolesi und Rossini auf; auf diesem Gebiet hatte er in Mailand und in Venedig, aber auch an vielen weiteren europäischen Bühnen Erfolge. Er betätigte sich als Pädagoge an der Akademie für Frühe Musik in Bremen und in Antwerpen.
Seine Stimme ist durch viele Schallplatten festgehalten, darunter auf Telefunken «Thamos, König von Ägypten» von Mozart; weitere Aufnahmen bei MDG (h-moll-Messe von J. S. Bach, Madrigale von Bach), RCA («Zauberflöte»), HEK (Matthäuspassion von Thiele, geistliche Musik von Buxtehude und Samuel Scheidt), dazu zahlreiche Rundfunkaufnahmen.

Kampe, Karl, Baß, * 21. 11. 1896 Wuppertal-Barmen, † 1986 Bremen; er erhielt seine Ausbildung am Konservatorium von Barmen und debütierte in seiner Heimatstadt bei den Vereinigten Theatern Barmen-Elberfeld. Seine Bühnenkarriere führte über die Theater von Remscheid, Weimar und Gotha 1943 an das Stadttheater von Bremen. Über 30 Jahre lang gehörte er dem Ensemble dieses Hauses an. In dieser langen Zeit hatte er dort seine Erfolge in einer Vielzahl von seriösen wie komischen Partien, von denen nur der Basilio im «Barbier von Sevilla», der Rocco im «Fidelio», der Pater Guardian in Verdis «La forza del destino», der Ramphis in «Aida» und der Baculus im «Wildschütz» von Lortzing genannt seien. Auch bei Gastspielen und im Konzertsaal kam der verdiente Künstler zu beachtlichen Erfolgen.

Kandutsch, Wolfgang, Baß, *23.11. 1945 Leoben (Steiermark), †23.8. 1989 Udine (Italien, nach einem plötzlichen Herzversagen); er besuchte zunächst die Lehrerbildungsanstalt in Wiener Neustadt, entschloß sich dann aber zur Ausbildung seiner Stimme. Zuerst war er Schüler von Ferdinand Großmann in Wien, dann von Josef Greindl und Ruthilde Bösch; Liedstudium bei Anton Dermota, Hans Hotter und Eric Werba, Schauspielunterricht bei Christl Mardayn und Peter J. Jost. Schließlich erwarb er sein Diplom an der Musikhochschule Wien, wo er durch Josef Witt weitergebildet wurde. Bereits während seines Studiums wurde er an die Wiener Kammeroper engagiert. Nachdem er während der Spielzeit 1972–73 an einigen kleineren Bühnen aufgetreten war, wurde er 1973 an die Wiener Volksoper verpflichtet und blieb deren Mitglied bis zu seinem plötzlichen Tod. Er trat an diesem Haus in einem weitläufigen Rollenrepertoire, das vor allem komische, Comprimario- und Charakter-Partien in Opern und Operetten umfaßte, auf. Gastspiele führten ihn, mit dem Ensemble der Volksoper an Theater in Österreich wie im Ausland. Dazu trat er in Rundfunksendungen und Konzerten hervor und wurde namentlich als Liedersänger bekannt. Dabei bemühte er sich in besonderer Weise um die Komponisten (G. Mahler, A. Berg, A. Schönberg, E. Křenek) und Schriftsteller des legendären Wiener «Café Central».
Schallplatten: Preiser (Pedro in «Das Nachtlager von Granada» von C. Kreutzer), Denon («Wiener Blut»).

Kang, Philip, Baß, *10.4. 1948 Seoul (Korea); er studierte Gesang an der Universität von Seoul und erwarb hier 1971 sein Diplom. Nach seinem Wehrdienst ergänzte er seine Ausbildung 1974–76 an der Musikhochschule Berlin. 1978 war er Gewinner des nationalen Gesangwettbewerbs von Korea, 1979 des Concours Mario del Monaco und 1982 des Concours Toti Dal Monte in Treviso. 1976 übernahm er in seinem ersten Engagement an der Deutschen Oper Berlin kleinere Partien. Er sang dann an den Opernhäusern von Kiel, Wuppertal und Nürnberg und wurde 1986 als erster Baß an das Nationaltheater von Mannheim berufen. Er kam dort zu großen Erfolgen in Partien wie dem Sarastro in der «Zauberflöte», dem Rocco im «Fidelio», dem Kaspar wie dem Eremiten im «Freischütz», dem Sparafucile im «Rigoletto», dem Pater Guardian in Verdis «La forza del destino», dem König Philipp im «Don Carlos», dem Ramphis in «Aida», dem Ferrando im «Troubadour», vor allem aber in Wagner-Rollen (Daland im «Fliegenden Holländer», König Heinrich im «Lohengrin», Pogner in den «Meistersingern», Marke im «Tristan», Gurnemanz im «Parsifal», Hunding in der «Walküre», Hagen in der »Götterdämmerung», Fafner im Ring-Zyklus). 1982 gastierte er an den Theatern von Treviso, Ravenna, Bergamo und Rovigo als König Philipp im «Don Carlos» von Verdi, 1983 an der Oper von Toulouse als Conte Rodolfo in Bellinis «La Sonnambula»; 1985 und 1987 an der Oper von Bordeaux und an der Opéra du Rhin Straßburg zu Gast. 1984–85 hörte

man ihn bei den Festspielen von Bilbao und Oviedo in verschiedenen Partien aus dem italienischen Repertoire, 1984 am Teatro San Carlos Lissabon in der Titelpartie von Verdis «Attila». Internationale Anerkennung als einer der führenden Bassi profondi seiner Generation brachten ihm Gastspiele am Opernhaus von Zürich, am Théâtre des Champs Élysées Paris (1987 als Sarastro), am Théâtre de la Monnaie Brüssel (als Pimen im «Boris Godunow»), an den Opern von Frankfurt a. M. (als Rocco) und Köln (1987 als Basilio im «Barbier von Sevilla»). Hinzu kam eine bedeutende Karriere in den Konzertsälen in Europa (Rom, Brüssel, Madrid, Paris) wie in Nordamerika (Philadelphia, New York). Bei den Bayreuther Festspielen 1987–89 erregte sein Fafner, 1988–89 sein Hagen, 1989 sein Hunding im Nibelungenring Aufsehen.

Kapellmann, Franz-Josef , Bariton, *23.9. 1945 Burscheid bei Köln; er war Mitglied in mehreren großen Chören in seiner Heimat, ließ dann jedoch seine Stimme bei Dietger Jacob in Köln ausbilden. Sein erstes Bühnenengagement fand er in den Jahren 1973–75 am Deutschen Opernhaus Berlin. 1975 wechselte er an das Opernhaus von Dortmund, zu dessen Ensemble er bis 1985 gehörte, und an dem er auch weiterhin als ständiger Gast auftrat. Zahlreiche Gastspiele an deutschen wie an ausländischen Bühnen bestätigten seinen Ruf als großer Interpret des italienischen wie auch des deutschen, namentlich des Wagner-Fachs. Sein Bühnenrepertoire umfaßte mehr als 50 Partien, darunter den Renato in Verdis «Maskenball» (Dortmund, 1989–90), den Grafen Luna im «Troubadour», den Posa in Verdis «Don Carlos» (Karlsruhe, Dortmund), den Germont-père in «La Traviata» (Operngesellschaft Forum Enschede in Holland), den Jago im «Othello» (Klagenfurt), den Amonasro in «Aida», den Titelhelden im «Rigoletto» (seine besondere Glanzrolle, die er in Wiesbaden, Dortmund, Hagen/Westfalen, an der Deutschen Oper am Rhein Düsseldorf–Duisburg und in Enschede sang), den Marcel in Puccinis «La Bohème» (Wiesbaden, Dortmund), den Scarpia in «Tosca», den Titelhelden in «Gianni Schicchi» von Puccini (Dortmund, Karlsruhe), den Wolfram im «Tannhäuser», den Heerrufer im «Lohengrin» (Teatro Liceo Barcelona), den Beckmesser in den «Meistersingern», den Kurwenal im «Tristan» und den Alberich im «Rheingold» (Dortmund 1990) wie in der «Götterdämmerung» (Paris, Augsburg, Lübeck), den Faninal im «Rosenkavalier», den Guglielmo in «Così fan tutte», den Papageno in der «Zauberflöte», den Riccardo in Bellinis «I Puritani», den Figaro im «Barbier von Sevilla», den Homonay im «Zigeunerbaron» und den Toby in «Der rote Strich» von Aulis Sallinen. Weitere Gastspiele führten ihn an das Opernhaus von Essen, an die Staatstheater von Hannover und Kassel, an das Mannheimer Nationaltheater und zu den Festspielen von Eutin, nach Paris, Hamburg, an das Teatro Comunale Bologna, die Theater von Augsburg und Lübeck. Bei den Festspielen von Granada hörte man ihn als Minister im «Fidelio», in Essen, Regensburg und Krefeld als Escamillo in «Carmen», in Saarbrük-

ken als Figaro in «Figaros Hochzeit», in Gelsenkirchen als Kühleborn in Lortzings «Undine». Nicht weniger große Erfolge hatte der Künstler im Konzertsaal, so 1989 in einem Gala-Konzert in der Alten Oper in Frankfurt a. M. zusammen mit dem großen Tenor José Carreras. Er wirkte in Rundfunksendungen in Deutschland wie in Frankreich («Götterdämmerung» über Radio France) mit.
Schallplatten: Eterna («L'Allegro, il Penseroso ed il Moderato» von Händel), Mitschnitte von Radiosendungen.

Kapferer, Hildegard, Sopran, * 1917 (?); die Künstlerin hatte eine kurze Karriere, die mit einem Engagement am Staatstheater von Schwerin in den Jahren 1940–43 begann und sich 1943–44 an der Bayerischen Staatsoper München fortsetzte. Ihren Höhepunkt erreichte diese Karriere, als sie bei den Festspielen von Salzburg 1943 die Königin der Nacht in der «Zauberflöte» sang. Auftritte aus der Zeit nach dem Zweiten Weltkrieg sind nicht bekannt, ebenso scheint die begabte Koloratursopranistin keine Schallplattenaufnahmen hinterlassen zu haben.

Karatow, Alexander Danilowitsch, Tenor, * 14. 11. 1882, † 16. 7. 1956 Eriwan; er studierte zuerst in seiner armenischen Heimat, dann seit 1911 am Konservatorium von Moskau, wo er Schüler von U. Mazetti war. Im ersten Teil seiner Karriere sang er an den Opernhäusern von Tiflis (Tblissi) und Baku, auch einige Zeit am Moskauer Bolschoj Theater, dann an den Opern von Charkow und Kiew. 1933 wurde er an die Oper von Eriwan in seiner Heimat Armenien berufen und blieb deren erster Tenor bis zur Aufgabe seiner Karriere 1947. Er sang dort eine Vielzahl von Partien, wobei das lyrische Repertoire von ihm bevorzugt wurde: den Lenski im «Eugen Onegin» und den Grafen Almaviva im «Barbier von Sevilla», den Herzog im «Rigoletto» und den Alfredo in «La Traviata», den José in «Carmen» und den Pinkerton in «Madame Butterfly». Dazu hörte man ihn in den Tenorpartien aus dem Bereich der armenischen Oper, von denen hier nur der Amur in «Almast» von Alexander Spendiarian genannt sei. 1942–54 nahm Alexander Karatow einen Lehrauftrag am Konservatorium von Eriwan wahr. Seit 1954 war er Volkskünstler der Armenischen Sowjetrepublik. Neben seinem Wirken auf der Bühne hatte er eine erfolgreiche Karriere als Konzert- wie als Liedersänger, wobei er auch hier als Interpret armenischer Vokalwerke besonders hervortrat.
Schallplatten: Melodiya.

Karlovac, Elza, Alt, * 14. 2. 1910 Split (Dalmatien), † 22. 6. 1961 Ljubljana (Laibach); sie erhielt ihre Ausbildung in ihrer Heimatstadt Split und kam am dortigen Theater 1933 zu ihrem Bühnendebüt. 1933–38 gehörte sie zum Ensemble des Opernhauses von Zagreb, seit 1939 bis zu ihrem Tod wirkte sie am Slowenischen Nationaltheater von Ljubljana und wurde zugleich als Konzert- und Oratoriensängerin bekannt. Von den zahlreichen Rollen, die sie auf der Bühne vortrug, sind die Azucena im «Troubadour», die Carmen, die Charlotte in Massenets «Werther»,

die Marina im «Boris Godunow», die Marfa in Mussorgskys «Khovantchina» und die Küsterin in «Jenufa» von Janácek zu nennen.
Schallplatten: Philips (vollständige Oper «Die verkaufte Braut» von Smetana).

Kartewelischwili, Guljnara (Petrowna), Sopran, * 1922 Tblissi (Tiflis); sie studierte zunächst Klavierspiel und wurde dann im Gesangfach Schülerin des Pädagogen E. G. Xalatowij in Tblissi. Die berühmte Pädagogin Xenia Dorliak hörte sie in Tblissi und unterrichtete seit 1945 am Konservatorium von Moskau. Nach ihrem Tod setzte sie diese Ausbildung bei deren Tochter Nina Dorliak fort. Der Erneuerer der georgischen Gesangkunst Alexander Jowitsch Inaschwili (Sandro Inajew) stellte sie dann als seine Assistentin am Konservatorium von Tblissi an. Sie ergänzte ihre Ausbildung durch Gesangkurse an der Accademia di Santa Cecilia in Rom, wo sie Schülerin von Giorgio Favaretto und von Mercedes Llopart war. Sie verlegte sich im wesentlichen auf eine Tätigkeit im pädagogischen Bereich und unterrichtete seit 1968 am Konservatorium von Tblissi, wo man sie zur Professorin ernannte. Dazu war sie als Konzertsängerin in ihrer georgischen Heimat wie in ganz Rußland angesehen. Zwei ihrer Schülerinnen, Zisana Tatischwili und Maja Tomatse, kamen auf internationaler Ebene zu einer bedeutenden Karriere.
Aufnahmen ihrer Stimme sind auf Melodiya vorhanden.

Kaschel, Horst-Dieter, Baß, * 20. 5. 1932 Sandberg (Schlesien); er studierte beim Gesangs- und Tanzensemble des FDGB in Weimar und konnte 1956 am Landestheater von Meiningen als Osmin in der «Entführung aus dem Serail» von Mozart debütieren. Bis 1958 gehörte er dieser Bühne an und war dann 1958–62 am Stadttheater von Magdeburg engagiert. 1962 wurde er an die Komische Oper Berlin berufen; hier sang er ein umfangreiches Rollenrepertoire, das sowohl seriöse wie Buffo-Partien aus allen Bereichen der Opernliteratur enthielt. Er gastierte zusammen mit dem Ensemble der Komischen Oper Berlin und wurde auch als Konzertbassist bekannt.
Schallplatten: Eterna (u. a. Querschnitt «Fra Diavolo» von Auber).

Kasmar, Vladimiro, s. unter *Kaczmar,* Wlłodzimir.

Kassel, Giselbert Wolfgang, Tenor, * 1931 (?); er begann seine Bühnenlaufbahn 1954 am Stadttheater von Flensburg, wo er bis 1957 blieb. Er sang dann nacheinander am Stadttheater von Mainz (1957–58), am Opernhaus von Wuppertal (1958–60), am Stadttheater von Krefeld (1960–66), am Stadttheater von Würzburg (1966–67) und war in den Jahren 1967–74 am Stadttheater von Bielefeld engagiert. 1974–80 gehörte er zum Ensemble des Opernhauses von Nürnberg und war in den Jahren 1973–76 durch einen Gastvertrag der Bayerischen Staatsoper München verbunden. Nachdem er anfänglich eher lyrische Rollen und Partien aus dem italienischen Fach

gesungen hatte, verlegte er sich gegen Ende der sechziger Jahre verstärkt auf Wagnerpartien und gastierte in diesen dann auch an zahlreichen deutschen Theatern wie im Ausland. So sang er an der Oper von Toulouse (1973, 1979), an der Covent Garden Oper London (1973 als Tannhäuser), an den Opernhäusern von Rouen (1975 Siegmund in der «Walküre») und Oslo (1977). Seine großen Rollen auf der Bühne waren der Tannhäuser, der Lohengrin, der Walther von Stolzing in den «Meistersingern», der Siegmund wie der Siegfried im Ring-Zyklus, der Florestan im «Fidelio», der Max im «Freischütz», der Herodes in «Salome» und der Bacchus in «Ariadne auf Naxos» von Richard Strauss. Nicht zuletzt war er ein geschätzter Konzert- und Oratoriensolist.
Schallplatten: Garnet (Geistliche Musik von Mozart und Schubert).

Kasza, Katalin, Sopran, * 1940 Budapest; sie studierte an der Franz Liszt-Musikakademie Budapest und schloß ihre Ausbildung 1967 mit dem Diplom ab. Noch im gleichen Jahr debütierte sie an der Nationaloper der ungarischen Hauptstadt als Abigail in Verdis «Nabucco». 1968 war sie Preisträgerin beim Gesangwettbewerb von Sofia. Sie wurde dann bekannt durch ihre Interpretation der Judith in «Herzog Blaubarts Burg» von Béla Bartók. In dieser Partie gastierte sie überaus erfolgreich beim Festival von Edinburgh, am Bolschoj Theater Moskau, am Théâtre de la Monnaie Brüssel, in Florenz, Wien, Prag, Rom, Paris, Salzburg und Köln, beim Festival von Istanbul und an Bühnen in ihrer ungarischen Heimat. 1974–76 gastierte sie an der Covent Garden Oper London als Brünnhilde in den Opern des Ring-Zyklus; diese Partie sang sie als Gast am Grand Théâtre Genf und an mehreren Opernhäusern in Westdeutschland. 1980 kam es dann auch zu ihrem USA-Debüt, als sie beim Bartók Festival in Los Angeles ihre Glanzrolle, die Judith, vortrug. Sie sang dort auch in Detroit und New York. Sie setzte ihre Gastspiele in dieser Rolle fort, so beim Holland Festival und bei zahlreichen weiteren Gelegenheiten.
Schallplatten: Hungaroton (Judith in «Herzog Blaubarts Burg» von B. Bartók).

Katzböck, Rudolf, Bariton, * 4. 11. 1936 Linz (Donau); er studierte an der Wiener Musikakademie bei Josef Witt und war auch Schüler von Wolfgang Steinbrück und Christl Mardayn in Wien, nachdem er zuvor den Beruf eines Lehrers ausgeübt hatte. Bühnendebüt 1969 am Opernhaus von Dortmund als Graf Eberbach im «Wildschütz» von Lortzing. Er kam dann zu einer langjährigen Karriere bis 1987 an der Wiener Volksoper und war auch am Opernhaus von Graz engagiert. Aus seinem Repertoire verdienen Partien wie der Figaro in «Figaros Hochzeit», der Guglielmo in «Così fan tutte», der Papageno in der «Zauberflöte», der Malatesta im «Don Pasquale», der Zar in «Zar und Zimmermann» von Lortzing, der Rodrigo in Verdis «Don Carlos», der Wolfram im «Tannhäuser» und der Titelheld im «Barbier von Sevilla» von Rossini Erwähnung. 1974

wirkte er an der Wiener Volksoper in der Uraufführung der Oper «Kleider machen Leute» von Marcel Rubin mit. Bedeutende Konzertkarriere.

Kaufman, Elise, Sopran, * 1957 (?) im amerikanischen Staat Iowa; sie erhielt ihre Ausbildung an Universitäten in Iowa und Maryland und nahm zunächst an Gastspieltourneen mit Wanderopern in den USA teil. 1981 folgte sie ihrer Schwester, der Sopranistin *Julie Kaufmann* (die ihren Familiennamen dem deutschen Sprachgebrauch anglich und mit Doppel-N schrieb), nach Europa. Dort trat sie zunächst als Gast an den Staatstheatern von Braunschweig und Hannover und am Stadttheater von Basel auf. Seit 1982 war sie Mitglied des Opernhauses (Theater im Revier) Gelsenkirchen. Hier und bei Gastspielen an den Staatsopern von Hamburg und Stuttgart, am Stadttheater von Aachen und an der Königlichen Oper Kopenhagen sang sie Partien wie die Blondchen in der «Entführung aus dem Serail», die Bastienne in «Bastien et Bastienne» von Mozart, die Rosina in «Barbier von Sevilla», die Gilda in «Rigoletto», die Sophie im «Rosenkavalier», die Musetta in «La Bohème», die Morgana in «Alcina» von Händel und weitere Rollen aus dem Koloratur- wie dem Soubrettenfach, darunter auch zeitgenössische Werke («The Knot Garden» von M. Tippett). Auch als Konzertsängerin kam sie zu einer erfolgreichen Karriere.

Kaufmann, Anna, Sopran, * etwa 1845, † (?); über die Biographie dieser Sängerin ist nur wenig bekannt. Sie wurde 1869 als Nachfolgerin der großen Mathilde Mallinger an die Hofoper von München berufen und blieb dort bis 1872 im Engagement. In diese Jahre fallen die Uraufführungen von zwei Opern von Richard Wagner, an denen sie teilnahm: am 22. 9. 1869 sang sie in der Uraufführung von «Rheingold» die Partie der Woglinde, am 26. 6. 1870 in der Uraufführung der «Walküre» die der Fricka. Weitere Lebensdaten der Sängerin waren bis jetzt nicht zu erhalten.

Kavrakos, Dimitri, Baß, * 26. 2. 1946 Athen; er erhielt seine Ausbildung am Konservatorium von Athen. 1970 debütierte er an der Nationaloper Athen als Zaccaria in Verdis «Nabucco». Bis 1980 blieb er Mitglied dieses Operninstituts. Nachdem er in der New Yorker Carnegie Hall in der Oper «Cecilia» von Refice aufgetreten war, erhielt er 1979 einen Ruf an die Metropolitan Oper New York (Antrittsrolle: Großinquisitor in Verdis «Don Carlos»). In den folgenden Jahren hörte man ihn dort als Silva in «Ernani» von Verdi, als Ferrando in «Il Trovatore» und als Walter in Verdis «Luisa Miller». In Europa trat er regelmäßig an der Oper von Genf und in Amsterdam auf. 1981 gastierte er an der Oper von Lüttich als Gremin im «Eugen Onegin», die gleiche Partie sang er 1984 in Lyon und bei der Welsh Opera Cardiff. Weitere Gastspiele an der Grand Opéra Paris (u. a. 1987 in Bellinis «I Puritani»), an der Mailänder Scala, bei den Festspielen von Aix-en-Provence, Spoleto, Florenz (1989 als Giorgio in «I Puritani») und Avignon. Bei den Festspielen von

Glyndebourne gastierte er 1982 als Commendatore im «Don Giovanni». 1988 war er am Opernhaus von Köln als Ramphis in «Aida» zu Gast. In Nordamerika bewunderte man ihn an den Opern von Chicago (u. a. 1988 als Pater Guardian in Verdis «La forza del destino» und als Conte Rodolfo in «La Sonnambula» von Bellini), Dallas (Procida in Verdis «Vespri Siciliani») und San Francisco (Alvise in «La Gioconda» von Ponchielli). An der Oper von Houston/Texas sang er 1987 den Oroveso in «Norma», eine seiner Glanzrollen. 1984 trat er erstmals an der Covent Garden Oper London auf, und zwar als Pimen im «Boris Godunow»; in den folgenden Jahren gastierte er dort als Bartolo in «Nozze di Figaro», als Douglas in Rossinis «La donna del lago», als Oroveso und als Enrico in «Anna Bolena» (1988 zusammen mit Joan Sutherland).
Sein machtvoller, dunkel timbrierter Baß erscheint auf HMV-Platten («Don Giovanni», Petite Messe solennelle von Rossini).

Kazarnovskaya, Ljubov, Sopran, * 1956 Moskau; sie studierte in den Jahren 1973–76 Gesang an der Gnesin-Musikhochschule Moskau, dann 1976–81 am Moskauer Konservatorium bei Irina Archipowa und anschließend bei der Pädagogin Elena Shumilowa. 1981 begann sie ihre Bühnenkarriere, als sie am Moskauer Stanislawskij-Theater als Tatjana im «Eugen Onegin» debütierte. In den folgenden Jahren sang sie an diesem Opernhaus wie am Bolschoj Theater Moskau u. a. Partien wie die Nedda im «Bajazzo», die Mimi in «La Bohème» und die Lida in Verdis «La Battaglia di Legnano». 1984 gewann sie Gesangwettbewerbe in Helsinki und Bratislava (Preßburg) und nahm an einer Italien-Tournee des Maly-Theaters Leningrad teil. 1986 debütierte sie an der Oper von Leningrad (Kirow-Theater) als Leonore in «La forza del destino» von Verdi und sang an diesem Haus 1986–89 die Leonore im «Troubadour», die Marina im «Boris Godunow», die Violetta in «La Traviata», die Marguerite im «Faust» von Gounod, die Donna Anna im «Don Giovanni», die Titelpartie in Tschaikowskys «Jolanthe» und die Tatjana im «Eugen Onegin». 1987 gastierte sie in der letztgenannten Partie, zusammen mit dem Ensemble der Oper von Leningrad, mit sensationellem Erfolg an der Covent Garden Oper London. Zu einem ähnlichen Erfolg kam es, als sie auf Einladung des großen Dirigenten Herbert von Karajan 1989 bei den Festspielen von Salzburg das Sopran-Solo im Verdi-Requiem vortrug. Ebenfalls 1989 gastierte sie am Opernhaus von Zürich als Amelia in Verdis «Ballo in maschera» und sang abermals das Sopran-Solo im Requiem von Verdi bei einem Gastspiel der Mailänder Scala in Moskau. In der Saison 1989–90 hörte man sie am Opernhaus von Köln als Manon Lescaut in der gleichnamigen Puccini-Oper wie als Amelia in Verdis «Simon Boccanegra» und an der Covent Garden Oper London (Desdemona in «Othello» von Verdi). Im Konzertsaal war sie einerseits als Oratoriensolistin, anderseits als hoch begabte Liedersängerin (Brahms, Tschaikowsky, Rachmaninoff, Dvořák, Hugo Wolf, M. de Falla) erfolgreich.

Keating, Roderic, Tenor, * 14. 12. 1941 Maidenhead (Berkshire, England); nachdem er zuerst als Lehrer, dann als Rundfunksprecher gearbeitet hatte, studierte er Gesang an der Royal Academy of Music London bei Eric Greene, dann an der Yale University New Haven (Connecticut) bei Benjamin de Loache und an der Texas University Austin bei Willa Stewart. Er debütierte 1970 an der Oper von Houston/Texas als Nathanael in «Hoffmanns Erzählungen» von Offenbach. 1971–73 sang er beim Festival wie bei der Touring Opera Glyndebourne, 1971 Gastspiel am Theater an der Wien in «My Fair Lady». Seine Karriere spielte sich dann vor allem in Westdeutschland ab. Hier war er zunächst in Lübeck (1972–74), am Staatstheater von Saarbrücken (1974–80), dann bis 1985 am Opernhaus von Wuppertal, am Stadttheater von Bonn (1986–89), an der Staatsoper Stuttgart (seit 1989), auch als Gast an der Hamburger Staatsoper tätig. Er wirkte bei den Festspielen von Glyndebourne mit und gab erfolgreiche Gastspiele und Konzerte in Europa wie in Nordamerika. Aus seinem Repertoire, das Partien des lyrischen wie des Charakter-Fachs enthielt, sind zu nennen: der Idamante in Mozarts «Idomeneo», der Don Ottavio im «Don Giovanni», der Tamino in der «Zauberflöte», der Graf Almaviva im «Barbier von Sevilla» von Rossini, der Baron Kronthal im «Wildschütz» von Lortzing, der Eisenstein in der «Fledermaus» von J. Strauß, der David in den «Meistersingern», der Loge im «Rheingold» (Wuppertal, 1988) und der Fatty in «Aufstieg und Fall der Stadt Mahagonny» von Weill. Er gastierte an der Grand Opéra Paris (1981), an den Opern von Köln (1985), Warschau (1983), Tblissi (Tiflis 1975), an der Covent Garden Oper London (1988), bei den Festspielen von Salzburg (1986), in Interlaken (1975) und Wiesbaden (1977). Große Konzertkarriere mit Auftritten in Italien, Frankreich, Spanien, Belgien, Holland und Deutschland.

Keenon, Edgar, Bariton, * 1920 Cincinnati, † 18. 7. 1986 Louisville (Kentucky); er war zuerst als Lokomotivführer bei einem amerikanischen Eisenbahnunternehmen beschäftigt, studierte dann Gesang am Cincinnati College of Music bei Louis John Johnen und später noch bei Hubert Giesen in Stuttgart. Nachdem er 1956 in Cincinnati als Morales in «Carmen» debütiert hatte, kam er nach Westdeutschland. Hier sang er zuerst am Stadttheater von Bremen und am Landestheater Detmold (1961–65) und wurde dann für viele Jahre seit 1965 Mitglied des Staatstheaters von Kassel. Er gab Gastspiele an den Staatsopern von München und Stuttgart, an der Deutschen Oper am Rhein Düsseldorf–Duisburg, in Essen, Wuppertal, Dortmund, Karlsruhe, Wiesbaden und Saarbrücken, am Théâtre de la Monnaie Brüssel, an der Königlichen Oper Stockholm, in Lüttich und Johannesburg. Aus seinem reichhaltigen Bühnenrepertoire sind zu nennen: der Kaspar im «Freischütz» von Weber, der Pizarro im «Fidelio», der Rigoletto, der Amonasro in «Aida», der Titelheld in Verdis «Falstaff», der Golo in «Pelléas et Mélisande», der Wotan im Nibelungenring, der Hans Sachs in den «Meistersingern», der Amfortas im «Parsifal», der Jochanaan in «Salome» von R. Strauss, die Titelrollen in Gianni Schicchi» von Puccini und in Alban Bergs «Wozzeck». Außerdem sang er Partien in zeitgenössischen Bühnenwerken von Paul Dessau, Bernd-Alois Zimmermann, Sir William Walton und Gottfried von Einem und hatte eine bedeutende Karriere als Konzertsänger.

Keil, Adolf, Baß, * 4. 1. 1909 Regensburg, † 30. 8. 1974 München; er erhielt seine Ausbildung in Regensburg und München und wirkte im ersten Abschnitt seiner Karriere als Chorist, und zwar 1933–36 in Regensburg, 1936–38 am Staatstheater Kassel und 1936–51 an der Bayerischen Staatsoper München. Dort wurde er 1951 als Solist in das Ensemble des Hauses übernommen und sang bis 1970 in verdienstvoller Weise eine Vielzahl von kleineren und Comprimario-Partien. Beim Maggio musicale Florenz von 1953 sang er den Hermann Ortel in den «Meistersingern». In dieser Partie ist er auch in einer Gesamtaufnahme der Oper auf der Marke Eurodisc zu hören. Auf Urania singt er eine kleine Rolle im «Lohengrin», auf Melodram im «Rosenkavalier» von R. Strauss.

Keller, Helen, Sopran, * 5. 3. 1945 Horgen (Kanton Zürich); Gesangstudium 1968–74 am Konservatorium von Zürich bei Sylvia Gähwiller, 1974–80 bei Agnes Giebel in Köln, 1978–81 bei Suzanne Spira in Zürich; Teilnahme an Meisterkursen bei Ernst Häfliger, Jennie Tourel und Viorica Ursuleac. Seit 1971 trat sie als Konzertsopranistin hervor. Sie wurde in erster Linie als Oratoriensolistin gefeiert, in den großen Werken von J. S. Bach und Händel, in der «Schöpfung» und den «Jahreszeiten» von Haydn, in Messen von Mozart, Beethoven und Bruckner, im Stabat mater von Rossini, in «Enfance du Christ» von Berlioz, im «Elias» wie im «Paulus» von Mendelssohn, in Werken von Monteverdi, Pergolesi und Vivaldi, von Schubert, R. Schumann und Brahms, in Honeggers «Roi David» und in B. Brittens «Ceremony of Carols». Sie hatte ihre Konzertauftritte in den Schweizer und westdeutschen Musikzentren, in Amsterdam, Antwerpen, Paris, Helsinki, Mailand, beim Bachfest in Ansbach und beim Händelfest in Karlsruhe. Zusammen mit ihrem Gatten, dem Tenor *Peter Keller* (* 1943), unternahm sie eine USA-Tournee, mit den Deutschen Bachsolisten bereiste sie Japan. Auch auf der Bühne ist sie in einigen ausgewählten Partien erschienen. So sang sie in Bern (Salome in «San Giovanni Battista» von A. Stradella), am Theater von St. Gallen und am Opernhaus von Zürich («Viva la mamma» von Donizetti) und gastierte mit dem Ensemble des Opernhauses von Zürich in Helsinki. Sie wirkte in ihrem Wohnort Zürich als geschätzte Gesanglehrerin.
Schallplatten: Philips (Sopransolo in Ausschnitten aus dem Messias von Händel), Jecklin Disco (Messe G-Dur von Schubert), Ex Libris («San Giovanni Battista» von A. Stradella).

Keller, Peter, Tenor, * 16. 1. 1943 Basadingen (Kanton Thurgau, Schweiz); Gesangstudium am Konservatorium von Zürich bei Sylvia Gähwiller (1961–68),

dann bei Ernst Häfliger in Berlin (1968–71) und bei Agnes Giebel in Köln (1967–75). In der Spielzeit 1972–73 begann er seine Bühnenkarriere am Opernhaus von Zürich, dessen Mitglied er seither geblieben ist (zuerst als ständiger Gast, seit 1978 als Ensemblemitglied). Gastspiele auf internationaler Ebene führten ihn an die Staatsopern von Stuttgart, München und Hamburg, an die Deutsche Oper am Rhein Düsseldorf–Duisburg (Edgar in «Lear» von A. Reimann), an das Opernhaus von Köln, an die Mailänder Scala, nach Helsinki und zu den Festspielen von Schwetzingen. Mit dem Ensemble des Zürcher Opernhauses war er bei den Berliner wie den Wiener Festwochen, beim Festival von Edinburgh, beim Festival von Athen und bei den Wiesbadener Festspielen zu Gast. Auf der Bühne trat er vor allem in Buffo- und Charakterrollen auf: als Pedrillo in der «Entführung aus dem Serail», als Monostatos in der «Zauberflöte», als Jacquino im «Fidelio», als Steuermann im «Fliegenden Holländer», als David in den «Meistersingern», als Peter Iwanow in Lortzings «Zar und Zimmermann», als Valzacchi im «Rosenkavalier» und als Tanzmeister in «Ariadne auf Naxos» von R. Strauss. Er wirkte in den Zürcher Aufführungen von Monteverdi-Opern in mehreren Partien mit. Fast noch umfangreicher war sein Repertoire für den Konzertsaal; als Oratoriensolist wie als Liedersänger konnte er allseitiges Ansehen erwerben. Er trat als Konzertsänger u. a. in der Schweiz, in Westdeutschland und Frankreich, in Holland und in Israel auf, dazu in Rundfunksendungen verschiedener Art. Verheiratet mit der Sopranistin *Helen Keller* (* 1945).
Schallplatten: Telefunken (Monostatos in der «Zauberflöte«, «Ritorno d'Ulisse in patria», «Incoronazione di Poppea» und «Orfeo» von Monteverdi), Jecklin Disco (Messe G-Dur von Schubert), Accord («Tagebuch eines Verschollenen» von L. Janáček, Vokalquartette von Haydn) Gallo-MXT («Israel in Egypt» von Händel), Pan («Christus» von Mendelssohn).

Keller, Verena, Mezzosopran, * 8. 9. 1942 Schwerin; sie war die Tochter des bekannten Schweizer Bassisten *Jakob Keller* (* 1911) und wurde an den Musikhochschulen von Wien (bei Adolf Vogel und Hans Hotter) und Berlin (bei Sengeleitner) ausgebildet. Zusätzliche Ausbildung für den Liedgesang durch Erik Werba und Maestro Favaretto. Sie war 1963–66 am Staatstheater Hannover engagiert, sang 1979–80 am Theater der Stadt Bonn, 1983–86 am Stadttheater Mainz und ging dann von ihrem Wohnort Waldacker bei Frankfurt a. M. aus ihrer Gastspieltätigkeit nach. So gastierte sie an der Hamburger Staatsoper, an den Stadttheatern von Aachen, Heidelberg, Mainz und Trier, am Opernhaus von Köln, am Grand Théâtre Genf, am Teatro San Carlo Neapel, bei den Festspielen von Herrenhausen und bei den Händelfestspielen von Göttingen. Auf der Bühne sang sie u. a. den Ramiro in Mozarts «La finta giardiniera», die Carmen, die Santuzza in «Cavalleria rusticana», die Ortrud im «Lohengrin», die Mary im «Fliegenden Holländer», die Brangäne im «Tristan», die Kundry im «Parsifal», die Venus im

«Tannhäuser», die Fricka im «Rheingold», die Amneris in «Aida», die Azucena im «Troubadour», die Ulrica in Verdis «Ballo in maschera», die Annina im «Rosenkavalier», die Klytämnestra in «Elektra» von R. Strauss, die Herodias in «Salome», die Hexe in «Hänsel und Gretel», die Küsterin in Janáčeks «Jenufa» und die Kabanicha in «Katja Kabanowa». Von fast noch größerer Bedeutung war ihre Konzertkarriere, wobei sie auch im Konzertsaal ein Repertoire meisterte, das von Barock-Werken (J. S. Bach, Händel) bis zu zeitgenössischen Kompositionen reichte; nicht zuletzt war sie eine vielseitige, große Lied-Interpretin. Sie absolvierte eine ganz internationale Konzertkarriere mit Auftritten in Basel und Lugano, in Frankfurt a. M., Hamburg, Stuttgart, Berlin, Bremen, Dortmund, Aachen, Hannover, Karlsruhe, Kassel, Köln, Düsseldorf, Nürnberg, München und Wiesbaden, in Paris, Rom, Ferrara und Marseille, in Los Angeles und Vancouver. Sie unternahm eine Tournee durch die USA und Kanada. Auch in Rundfunksendungen deutscher und Schweizer Sender war sie zu hören.
Schallplatten: FSM (Messe D-dur von A. Dvořák).

Kelm, Linda, Sopran, * 11. 12. 1944 Salt Lake City (Utah); ihr Vater war Dirigent einer Musikkapelle. Ohne eigentlich die Absicht zu haben, Sängerin zu werden, studierte sie am Westminster College in Seattle, war dann aber als Verkäuferin in einem Hutgeschäft und als Sprechstundenhilfe eines Arztes dort beschäftigt. Sie ging schließlich nach New York, wo sie an einer Privatschule unterrichtete. Auf Empfehlung der berühmten Opernsängerin Irene Dalis wurde sie an der Aspen School of Music Schülerin von Jennie Tourel und in New York von Judith Natalucci. 1977 kam es zu ihrem Bühnendebüt an der Oper von Seattle als Helmwige und als dritte Norn im Nibelungenring. 1979 sang sie erstmals die Titelfigur in Puccinis «Turandot» (in englischer Sprache) in Wilmington (Delaware). 1981 hatte sie in dieser Partie einen sensationellen Erfolg in Seattle und gastierte nun als Turandot u. a. in Houston/Texas, in Salt Lake City, an der City Centre Opera New York (seit 1983) in Chicago, Portland (1986) San Francisco, Hamburg und (konzertant) 1983 in Amsterdam. In St. Louis erlebte man sie als Salome in der gleichnamigen Richard Strauss-Oper, in der New Yorker Carnegie Hall in der Rolle der Fürstin in «Rusalka» von Dvořák. Auch als Leonore im «Fidelio» aufgetreten. Ihren großen Durchbruch hatte sie 1982 als Turandot an der San Francisco Opera. 1983 kam sie dann nach Europa und sang in Perugia in der Oper «Demofoonte» von Cherubini die Dirce. Besondere Erfolge hatte sie seit 1985 als Brünnhilde in den Aufführungen des Ring-Zyklus an der Oper von Seattle. Erfolgreiche Gastspiele seit 1985 an der Hamburger Staatsoper und an der Deutschen Oper Berlin. Mit beiden Häusern schloß sie Gastverträge ab.
Schallplatten: DGG (Helmwige in der «Walküre»).

Kelston, Lucy, Sopran, * 1922 New York; sie erhielt ihre Ausbildung am New York College of Music (u. a. Schülerin von Giuseppe de Luca und Samuel

Margolis) und hatte bereits in ihrer amerikanischen Heimat gesungen (1947 Debüt als Butterfly), als sie den von Arturo Toscanini in Zusammenarbeit mit der Mailänder Scala veranstalteten Gesangwettbewerb Vocal Contest of America gewann. Darauf debütierte sie im gleichen Jahr 1949 an der Scala als Leonore in Verdis «La forza del destino» mit Mario Filippeschi, Giulietta Simionato und Cesare Siepi als Partnern. Ebenfalls 1949 sang sie erstmals im italienischen Rundfunk RAI, und zwar die Lady Macbeth in einer Sendung der Oper «Macbeth» von Verdi. 1950 hörte man sie in Rom als Solistin im Verdi-Requiem, und man wählte sie im folgenden Jahr für die gleiche Partie aus, als man in Rom den 50. Todestag des großen Komponisten beging. Aus diesem Anlaß sang sie dann auch bei der RAI in einer Sendung von Verdis Oper «Luisa Miller» die Titelpartie; diese Sendung wurde auf Cetra-Schallplatten übernommen. 1951 gab sie ein sehr erfolgreiches Konzert in London, 1958 gastierte sie am Teatro Massimo Palermo, 1955 alternierte sie beim Maggio musicale Fiorentino mit Anita Cerquetti in der Titelrolle der Oper «Norma» von Bellini. 1956 sang sie bei einer Südafrika-Tournee in Durban und Pretoria die Turandot in der Puccini-Oper gleichen Namens. 1951–52 war sie an der Covent Garden Oper London zu Gast; sie sang am Teatro Colón Buenos Aires, am Teatro Liceo Barcelona, am Teatro San Carlos Lissabon, an der Niederländischen Oper Amsterdam (1953 in «Macbeth» von Verdi), am Teatro San Carlo Neapel, am Teatro Fenice Venedig (1961) am Teatro Bellini Catania und am Teatro Regio Parma (1955). Noch 1970 war sie am Teatro Petruzzelli von Bari in «Il Giuramento» von Mercadante anzutreffen. Dazu ausgedehnte Konzerttätigkeit in internationalen Musikzentren wie New York, London, Wien, Paris, Amsterdam, Budapest und Bratislava. Nach ihrer Heirat mit dem italienischen Dirigenten Franco Ferraris (* 1922) ist die Künstlerin in Italien auch unter dem Namen Lucia Kelston-Ferraris aufgetreten.
Es ist anzunehmen, daß neben der erwähnten Aufnahme von «Luisa Miller» weitere Mitschnitte von Radiosendungen existieren.

Kemmer, Mariette, Sopran, * 1948 (?); sie studierte am Konservatorium von Luxemburg Violoncello und Gesang und ergänzte ihre Ausbildung durch weitere Studien an der Musikhochschule Düsseldorf. 1971 debütierte sie am Theater von Luxemburg als Lucy in «The Telephone» von Gian Carlo Menotti. 1974 wurde sie an das Théâtre de la Monnaie Brüssel verpflichtet und hatte seitdem in der belgischen Metropole eine große Karriere. Hier sang sie viele Rollen, darunter die Pamina in der «Zauberflöte», die Mélisande in «Pelléas et Mélisande» von Debussy, die Gräfin in «Figaros Hochzeit», die Micaela in «Carmen» und die Sophie im «Rosenkavalier». Gastspiele ließen ihren Namen international bekannt werden; sie gastierte an der Opéra de Wallonie Lüttich, an den Theatern von Gent und Antwerpen, in Montpellier und Nancy (Donna Elvira im «Don Giovanni»), in Tours und Rennes, an den Staatsopern von Wien und München (Gräfin in «Figaros Hochzeit», 1988), an der Opéra du Rhin Straßburg, an den Opernhäusern von Basel (drei Sopranpartien in «Hoffmanns Erzählungen» von Offenbach, 1987), Bern und Genf und bei den Festspielen von Aix en-Provence, wo sie als Ilia im «Idomeneo» von Mozart brillierte. 1988 sang sie bei den Bregenzer Festspielen die Antonia in «Hoffmanns Erzählungen», 1989 an der Oper von Nancy die Gräfin in «Figaros Hochzeit». Zu nicht weniger großen Erfolgen kam sie im Konzertsaal, und hier vor allem als Oratoriensolistin. So trat sie in Konzerten in Paris wie in Lüttich, in Brüssel wie in Antwerpen und in Nürnberg hervor.

Schallplatten: Colosseum (Sopransolo im Requiem von Mozart).

Kemp, Brian, Bariton, * 29. 6. 1940 Aberdeen (Schottland), er wurde 1965–67 im London Opera Centre ausgebildet, war aber auch Schüler von E. Herbet-Caesari, von Tito Gobbi und Lorenzo Malfatti. Sein Bühnendebüt erfolgte 1967 am Théâtre de la Monnaie Brüssel als Graf in «Figaros Hochzeit». 1967–72 gehörte er dann dem Ensemble der Scottish National Opera Glasgow an, an der er seine ersten Erfolge in einem umfassenden Repertoire hatte. In den folgenden Jahren gab er Gastspiele und wirkte u. a. an der Covent Garden Oper London in der Uraufführung von Hans Werner Henzes Bühnenwerk «We Come to the River» mit (1976). 1984-88 war er als erster Bariton am Stadttheater von Aachen engagiert. Erfolgreiche Gastspielauftritte an der Niederländischen Oper Amsterdam, an der English National Opera London, am Teatro Verdi Triest, an der Scottish Opera, in Brüssel, bei den Festspielen von Wexford (Irland) und Edinburgh. Aus seinem Bühnenrepertoire sind hervorzuheben: der Posa in Verdis «Don Carlos», der Don Carlo in «La forza del destino», zahlreiche weitere Partien aus dem Bereich der italienischen, der deutschen und der französischen Oper, darunter auch zeitgenössische Werke. Auch als Konzert- und Oratoriensänger erfolgreich.

Kenney, Margeritha, Mezzosopran, * 1918 Santa Fé (Argentinien); sie debütierte 1945 in ihrer argentinischen Heimat und ging dann gegen Ende der vierziger Jahre nach Europa. Hier war sie 1950–55 an der Staatsoper von Wien engagiert und sang anschließend 1956–64 an der Deutschen Oper am Rhein Düsseldorf–Duisburg. Ausgedehnte Gastspielreisen führten sie an die großen Theater in aller Welt. So sang sie 1950 an der Mailänder Scala die Siegrune in der «Walküre» und die Wellgunde in der «Götterdämmerung», 1956 die Herodias in der Richard Strauss-Oper «Salome». 1951–52 hörte man sie bei Salzburger Festspielen als zweite Dame in der «Zauberflöte». Weitere Gastspiele am Théâtre de la Monnaie Brüssel (1952), beim Maggio musicale Florenz (1953 als Venus im «Tannhäuser»), bei den Festspielen von Perugia (1954 als Kundry im «Parsifal»), am Teatro San Carlo Neapel (1954), am Teatro Comunale Florenz (1954), am Opernhaus von Frankfurt a. M. (1955), am Teatro San Carlos Lissabon (1954), am Teatro Liceo Barcelona (1964), an

der Oper von Lille (1964) und am Opernhaus von Graz (1964). Seit 1964 nahm sie kein festes Engagement mehr an, sondern beschränkte sich auf Gastspiele. Noch 1976 konnte man sie am Teatro Colón Buenos Aires als Klytämnestra in «Elektra» von R. Strauss hören. Auf der Bühne beherrschte sie ein Repertoire von großer Vielseitigkeit, das neben den bereits erwähnten Partien die Fricka im Nibelungenring, die Brangäne im «Tristan», die Leonore im «Fidelio», die Giulietta in «Hoffmanns Erzählungen», die Azucena im «Troubadour», die Amneris in «Aida», die Eboli in Verdis «Don Carlos», die Santuzza in «Cavalleria rusticana», die Principessa in Puccinis «Suor Angelica», die Marina im «Boris Godunow» und die Gräfin Helfenstein in «Mathis der Maler» von P. Hindemith enthielt. Hinzu kam eine ebenso internationale Karriere als Konzertsolistin.

Schallplatten: Decca (Herodias in «Salome»), SPA («Tiefland»), Amadeo («Les Noces» von Strawinsky), Bruno Walter Edition («Walküre», Mailänder Scala 1950), Everest (Wellgunde in der «Götterdämmerung», Scala 1950), Fonit Cetra («Zauberflöte», Salzburg 1951), Nixa.

Kern, Leonhard, Bariton, * 13. 11. 1892 Berlin, † (?); er erhielt seine Ausbildung am Konservatorium von Karlsruhe, dann bei George Fergusson in Berlin und bei August Iffert in Dresden. Da er im Ersten Weltkrieg als Soldat eingezogen wurde, konnte er seine Karriere erst 1920 am Stadttheater von Meißen beginnen. Nach Engagements am Stadttheater von Oppeln (1921–22) und Landestheater von Gotha (1922–24) wurde er 1924 an die Berliner Staatsoper berufen, deren Mitglied er bis 1935 blieb. Hier wirkte er u. a. in der Uraufführung von Alban Bergs «Wozzeck» am 14. 12. 1925 in einer kleinen Rolle mit. 1927 trat er dort in der Uraufführung von Kurt Weills «Royal Palace» auf. 1929 sang er an der Berliner Kroll-Oper in der deutschen Erstaufführung von Darius Milhauds «Le pauvre Matelot» («Der arme Matrose»). Er gastierte an der Dresdner Staatsoper, bei den Wagner-Festspielen in Amsterdam und an der Nationaloper von Budapest (1934). Er sang vor allem mittlere und Comprimario-Rollen wie den Nourabad in den «Perlenfischern» von Bizet, den Morales in «Carmen», den Melot im «Tristan», den Harlekin in «Ariadne auf Naxos» von R. Strauss, den Titelhelden in Giordanos «Il Re», wurde aber auch in größeren Partien eingesetzt.

Schallplatten: Polydor (in mehreren Kurzopern).

Kerner, Max, Baß-Bariton, * 17. 2. 1900 Kiel, † 17. 11. 1985 Braunschweig; er war der Sohn eines Kaufmanns, studierte in Kiel und in Dresden und trat erstmals 1923 am Stadttheater von Kiel auf. Er sang dann am Stadttheater von Bielefeld und am Landestheater von Gera (Thüringen), schließlich in den Jahren 1931–33 an der Staatsoper Berlin. Nach einem kurzen Engagement in Graz war er an den Opernhäusern von Essen und Nürnberg engagiert. 1944 wurde er als Soldat eingezogen und geriet in russische Kriegsgefangenschaft, in der er vier Jahre blieb. Erst 1951 konnte er seine Karriere wieder aufnehmen; in den Jahren 1951–66 wirkte er als beliebter Sänger am Staatstheater von Braunschweig. Sein reichhaltiges Bühnenrepertoire gipfelte in Partien wie dem Figaro in «Figaros Hochzeit», dem Leporello im «Don Giovanni», dem Ochs auf Lerchenau im «Rosenkavalier», dem Beckmesser in den «Meistersingern», dem Bartolo im «Barbier von Sevilla» und dem Baculus im «Wildschütz» von Lortzing. Auch als Konzertsänger war er angesehen, vor allem als Interpret der Balladen von Carl Loewe.

Ketelsen, Hans-Joachim, Bariton, * 17. 2. 1945 Altenburg in Thüringen; er wurde in Dresden durch die bekannten Sänger und Pädagogen Arno Schellenberg und Johannes Kemter ausgebildet. 1973 debütierte er am Theater von Freiberg (Sachsen) als Graf Eberbach im «Wildschütz» von Lortzing. Er blieb bis 1976 an diesem Haus tätig und war dann 1976–82 am Stadttheater von Karl-Marx-Stadt (Chemnitz) engagiert. 1982 wurde er an die Staatsoper von Dresden berufen. Hier wirkte er am 13. 2. 1985 bei der Eröffnungsvorstellung der wieder aufgebauten Semper-Oper mit Webers «Freischütz» in der Partie des Fürsten Ottokar mit. Er sang dort in der Uraufführung von Eckehard Mayers «Der goldene Topf» den Lindhorst (25. 5. 1989). Höhepunkte in seinem Bühnenrepertoire bildeten Rollen wie der Figaro in «Figaros Hochzeit», der Papageno in der «Zauberflöte», der Guglielmo in «Così fan tutte», der Titelheld in «Don Giovanni», der Amfortas im «Parsifal» (Dresden 1988), der Gil in «Der Günstling» von Wagner-Régeny und der Peer Gynt in der gleichnamigen Oper von Werner Egk. Gastspiele wie Konzertreisen führten ihn in die Musikzentren der DDR, aber auch nach Spanien und Japan.
Schallplatten: Denon («Freischütz», Mitschnitt der Dresdner Aufführung von 1985).

Kettner, Anna, Mezzosopran, * 12. 1. 1869 Prag, † (?); ihre Ausbildung zur Sängerin erfolgte in der Gesangschule Pivoda in Prag. 1894 debütierte sie als Gast auf der Bühne des Prager Nationaltheaters und wurde darauf an dieses Haus engagiert, dem sie bis 1901 als Mitglied angehörte, wo sie aber auch später noch oft gastierte. Sie sang dort 1897 die Vlasta in der Uraufführung der Oper «Šárka» von Zdeněk Fibich und wirkte 1898 am gleichen Theater in der Uraufführung von «Pšohlavici» («Die Hundsköpfe») von Karel Kovařovic mit, 1899 in der von J. B. Foersters «Eva» (als Suschen). 1901 heiratete sie den Bassisten *Karel Vaverka* (1871–1945) und trat seitdem zuerst nur noch gastierend auf, nahm dann aber mit ihrem Gatten zusammen Engagements in Deutschland an. So sang sie 1903–05 am Stadttheater von Nürnberg, 1905–07 am Opernhaus von Düsseldorf, 1907–09 am Stadttheater von Bremen und 1909–12 am Stadttheater von Elberfeld. Sie kehrte dann in ihre Heimat zurück, wurde als Gast an das Theater von Plzeň (Pilsen) verpflichtet, wo sie auch ihren Lebensabend verbrachte. Sie gastierte u. a. 1904 an der Hofoper von Wien, auch an den Hofopern von Dresden und München. Als ihre große

Partie galt allgemein die Carmen, die sie im Lauf ihrer Karriere mehr als 300mal gesungen haben soll, daneben auch die Ortrud im «Lohengrin». Aus ihrem Repertoire sind noch die Amneris in «Aida», die Dalila in «Samson et Dalila» von Saint-Saëns, die Titelpartie in Smetanas «Libussa», die Kaschka in «Čert a Káča» von A. Dvořák, die Loretta in «Asrael» von Franchetti und die Nancy in Flotows «Martha» zu erwähnen.

Kharitonow, Leonid (Michailowitsch), Baß, * 1930 (?) in dem Dorf Golumetj im Gebiet von Irkutsk (Sibirien); sein Vater war Lehrer an einer sibirischen Dorfschule, starb jedoch früh, worauf der Künstler und seine Geschwister durch einen Bruder der Mutter, einen Bärentreiber und Bauern, erzogen wurden. Nach einer schweren Jugend versuchte er zusammen mit seinem jüngeren Bruder Aljoscha zu einem Gesangstudium zu kommen. Beide stellten sich im Philharmonischen Institut Irkutsk vor, aber nur Leonid wurde zum Studium zugelassen und ging 1953 nach Moskau. Er kam dann in den Armeechor der Roten Armee («Alexandrow-Chor») und wurde bald dessen Baß-Solist. Nachdem er dort drei Jahre lang sehr erfolgreich gewirkt hatte, wurde er durch Tschegodajew in Moskau weiter ausgebildet. Gastspiele, vor allem aber Konzertreisen, führten ihn zunächst in Rußland, dann in aller Welt von Erfolg zu Erfolg. Er bereiste Belgien, Frankreich, England und Italien, Kanada und seit 1977 mehrfach die USA; die internationale Kritik verglich seine Stimme und die überzeugende Ausdruckskraft seines Vortrags immer wieder mit dem unvergeßlichen Fedor Schaljapin. Neben russischen Liedern und Romanzen stand in seinen Programmen klassische Vokalwerke aller Stilrichtungen. Zeitgenössische russische Komponisten wie Andrej Nowikow, Serafim Tulikow und Boris Alexander komponierten Lieder und oratorische Werke für ihn. Seine besondere Vorliebe galt jedoch dem Volkslied seiner sibirischen Heimat.
Schallplatten: Melodiya.

Kiberg, Tina, Sopran, * 30. 12. 1958 Kopenhagen; sie studierte am Musikkonservatorium und an der Opernakademie ihrer Heimatstadt Kopenhagen und war Schülerin von Kirsten Hermansen und Eva Brinck. Meisterkurse bei so bedeutenden Sängern wie Nicolai Gedda, Thomas Hemsley, Judith Beckmann, Sena Jurinac und Birgit Nilsson vervollständigten ihre Ausbildung. 1984 war sie Preisträgerin beim Benson & Hedges-Concours in London und gab anschließend Liederabende in England, Deutschland und Italien. Seit 1983 war sie Mitglied des Königlichen Opernhauses Kopenhagen, wo sie als Leonora in «Maskarade» von Carl Nielsen debütierte. Es kam zur Entwicklung einer großen internationalen Karriere, nachdem sie 1984 in Kopenhagen als Elsa im «Lohengrin» großes Aufsehen erregt hatte. So gastierte sie 1988 am Grand Théâtre Genf wie in Paris als Agathe im «Freischütz», im gleichen Jahr in Frankfurt a. M. als Gräfin in «Figaros Hochzeit». An der Oper von Kopenhagen wurde sie als

Marschallin im «Rosenkavalier» gefeiert (1988) in Aarhus als Mimi in «La Bohème» (1988). 1989 gastierte sie auch in Genf als Gräfin in «Figaros Hochzeit» und hatte in Kopenhagen als Dido in «Dido and Aeneas» von Purcell große Erfolge. 1990 sang sie an der Wiener Staatsoper die Elsa im «Lohengrin» als Partnerin von Placido Domingo. Zu den Höhepunkten im Bühnenrepertoire der Künstlerin gehörten auch die Donna Elvira im «Don Giovanni», die Desdemona in Verdis «Othello», die Pamina in der «Zauberflöte» und die Tatjana im «Eugen Onegin» von Tschaikowsky. Ebenso bedeutend waren ihre Konzertauftritte. Sie sang u. a. in Kopenhagen im «Buch mit sieben Siegeln» von Franz Schmidt, in Lausanne in der Messe C-dur von Beethoven (1988), in Wien in der Nelson-Messe von Haydn (1990), in Berlin im «Elias» von Mendelssohn (1990), im Rahmen einer Tournee mit der Missa solemnis von Beethoven unter Antal Dorati u. a. in Berlin, Moskau, Dresden und London.
Schallplatten: Kontrapunkt («Lulu» von Frederik Kuhlau).

Kielisch, Melody, Sopran, *2.9. 1960 Milwaukee (Wisconsin); ihr Vater stammte aus Deutschland. Sie studierte zuerst am Judson College in Elgin (Illinois, Abschluß als Bachelor of Arts), dann an der Milwaukee University bei Marculescu (Abschluß als Master of Music), schließlich an der Musikhochschule Heidelberg bei Naan Pöld. Ergänzende Studien bei den Pädagogen Arturo Merlini, Mailand, Ruthilde Boesch, Wien, und Anita Salta in Essen. Bereits während des Studiums erhielt die junge Sängerin einen Stückvertrag an der Staatsoper von Hamburg. Nach einem ersten Engagement am Stadttheater von Passau folgte sie 1984 einem Ruf an das Opernhaus von Essen. Hier hatte sie in zahlreichen Partien aus dem Koloraturfach, vor allem aber auch in Operetten, große Erfolge; genannt seien aus ihrem Repertoire die Gilda im «Rigoletto», die Blondchen in der «Entführung aus dem Serail», die Susanna in «Figaros Hochzeit», die Lucieta in «I quattro rusteghi» von Wolf-Ferrari, die Olympia in «Hoffmanns Erzählungen», die Adele in der «Fledermaus» von J. Strauß, die Arsena im «Zigeunerbaron», die Hanna Glawari wie die Valencienne in Lehárs «Lustiger Witwe», die Bärbele im «Schwarzwaldmädel» von L. Jessel, die Musetta in Puccinis «La Bohème», die Titelrolle in «Rita» von Donizetti und die Ännchen im «Freischütz». Neben der Schönheit ihrer Stimme schätzte man allgemein ihr temperamentvolles Bühnenspiel. Gastspiele führten die Sängerin an die Theater von Ludwigshafen, Coburg, Oberhausen, Wuppertal, Kiel und an das Nationaltheater Mannheim. Nicht weniger von Bedeutung als Konzertsängerin (Johannespassion von J. S. Bach, Messias von Händel, «Schöpfung» von Haydn, Werke von Mozart und Schubert); sie gab Konzerte u. a. in Zürich, in Edinburgh, Sunderland (England), in Grenoble und in Finnland. In ihrer amerikanischen Heimat gastierte sie als Konzertsängerin in Milwaukee und Chicago. Verheiratet mit dem Tenor *Giorgio Aristo* (*1950), der am Staatstheater Hannover engagiert war.

Kiemer, Hans, Baß-Bariton, *9.2. 1932 Peiß bei München; er kam erst relativ spät zum Gesangstudium, das in München stattfand. Nach einem ersten Engagement 1968–70 am Tiroler Landestheater in Innsbruck, kam er 1970 an das Stadttheater von Augsburg, an dem er als Antrittsrolle den Hans Sachs in den «Meistersingern» übernahm. Bis 1976 blieb er in Augsburg. Nach einem Engagement am Staatstheater von Wiesbaden (1976–79) kam der Künstler seit 1979 zu einem langjährigen Wirken am Staatstheater von Karlsruhe. Hier wie bei internationalen Gastspielen erwies er sich als bedeutender Interpret des Wagner-Repertoires in Partien wie dem Fliegenden Holländer, dem Hans Sachs, dem Kurwenal im «Tristan», dem Wotan in den Opern des Ring-Zyklus und dem Amfortas im «Parsifal». Erfolgreiche Gastspiele in Amsterdam, Barcelona (1985) Belgrad, am Théâtre de la Monnaie Brüssel (1981 als Wanderer im «Siegfried»), am Opernhaus von Bordeaux (Jochanaan in «Salome» von R. Strauss), am Teatro San Carlos Lissabon (Kurwenal), am Teatro Verdi Triest (Pizarro im «Fidelio»), an der Königlichen Oper Stockholm, in Rom und Frankfurt a. M. (1978), in Kopenhagen und Warschau (1989 Wanderer im «Siegfried») in Hannover und an der Deutschen Oper am Rhein Düsseldorf–Duisburg. Seit 1983 wiederholt Gastspiele an der Staatsoper von Wien. Der Künstler beherrschte ein Bühnenrepertoire von über 40 großen Partien, neben den bereits erwähnten u. a. den Falstaff in der gleichnamigen Verdi-Oper, den Mandryka wie den Waldner in «Arabella» von R. Strauss, den Ochs im «Rosenkavalier», den Alfonso in «Così fan tutte», den Pizarro im «Fidelio», den Amonasro in «Aida», den Jochanaan in «Salome» von R. Strauss, den Barak in der «Frau ohne Schatten», den Scarpia in «Tosca» und den Borromeo in Hans Pfitzners «Palestrina». Er sang in Karlsruhe in der Uraufführung von «Der Meister und Margarita» von Rainer Kunad (9. 3. 1986). Auch als Konzert- und Liedersänger (Loewe-Balladen) hervorgetreten.
Schallplatten: Amadeo.

Kiess, August, Bariton, *1874, †4.5. 1935 Möhringen bei Stuttgart; er erhielt seine Ausbildung zum Sänger in Stuttgart und hatte dort 1896–97 sein erstes Engagement an der Hofoper. Nachdem er 1897–98 mit einer Wanderoper gereist war, sang er 1899–1900 am Stadttheater Ulm, 1900–03 am Hoftheater von Darmstadt und 1903–08 an der Hofoper von Dresden. 1908–09 war er an der Hamburger Oper (Stadttheater) im Engagement, 1909–10 wiederum an der Hofoper Dresden, 1910–13 am Stadttheater von Aachen und 1913–20 am Opernhaus von Düsseldorf. Bis 1925 war er noch bei Gastspielen anzutreffen. 1904–09 gastierte er Jahr für Jahr an der Berliner Hofoper, 1905 am Deutschen Theater Prag, 1907 an der Hofoper von München, 1908 am Opernhaus von Leipzig, 1909 an der Stuttgarter Hofoper, 1910 am Stadttheater von Bremen. Sehr erfolgreich war er bei Gastspielen an der Covent Garden Oper London in den Jahren 1907, 1911–14. Hier sang er u. a. 1907 den Kurwenal im «Tristan» und den Klingsor in der Erstaufführung des «Parsifal» 1914.

1912–13 kam er zu ähnlichen Erfolgen an der Oper von Boston. Nach Aufgabe seiner Bühnenkarriere dirigierte er während 13 Jahren den Stuttgarter Chor «Liederkranz». Aus seinem reichhaltigen Bühnenrepertoire sind zu nennen: der Rigoletto, der Wolfram im «Tannhäuser», der Titelheld im «Fliegenden Holländer», der Kurwenal im «Tristan», der Telramund im «Lohengrin», der Wotan im «Rheingold», der Amonasro in «Aida», der Escamillo in «Carmen», der Werner Kirchhoffer in «Der Trompeter von Säckingen» von Nessler und der Dietrich im «Armen Heinrich» von Hans Pfitzner. Auch im Konzertsaal mit Erfolg aufgetreten.
Schallplatten: Einige Aufnahmen auf G & T (Dresden, 1905–06).

Kiltschewsky, Witalij (Ignatjewitsch), Tenor, * 11.(23.)10. 1899; er wurde Mitglied des Chors der Roten Armee und sang mit diesem Ensemble auf großen Tourneen in der Sowjetunion. Seine Ausbildung zum Solisten erfolgte seit 1932 am Konservatorium von Leningrad; hier war er Schüler des bekannten Baritons Pavel Lisitzian und von L. M. Lawrowski. 1936 wurde er an das Kleine Akademische Theater (Maly-Theater) von Leningrad verpflichtet, an dem er in zahlreichen zeitgenössischen, aber auch in herkömmlichen Opernwerken auftrat. 1944 wurde er Mitglied des Opernhauses (Kirow-Theater) von Leningrad. 1947 folgte er einem Ruf an das Bolschoj Theater Moskau, an dem er bis zur Beendigung seiner Bühnenkarriere 1955 zu großen Erfolgen kam. Diese stellten sich auch bei Gastspielen an Theatern in der ČSSR, in Bulgarien und in Ostdeutschland ein. Er war im wesentlichen auf das lyrische Repertoire spezialisiert und brillierte als Lenski im «Eugen Onegin» von Tschaikowsky, als Vaudémont in «Jolanthe», als König Karl in der «Jungfrau von Orléans», ebenfalls von Tschaikowsky, als Levko in «Die Mainacht» von Rimsky-Korssakow, als Alfredo in «La Traviata», als Herzog im «Rigoletto» von Verdi, als Titelheld im «Faust» und als Roméo in «Roméo et Juliette» von Gounod. Nicht weniger von Bedeutung als Konzert- und zumal als Liedersänger. 1945 ernannte man ihn zum Volkskünstler der UdSSR.
Schallplatten: Melodiya, u. a. Romanzen von Rachmaninoff.

Kimball, Agnes, Sopran, * 1880 (?), † 1922 (?); über diese Sopranistin ist nur wenig bekannt. Sie gehört zu jenen amerikanischen Sängern, deren Karriere sich fast ausschließlich in den Schallplattenstudios ihrer Zeit abgespielt hat. Sie ist auf sehr vielen Victor-Platten aus den Jahren 1910–20 zu hören; diese enthalten größtenteils populäre Unterhaltungsmusik und Ballads wie sie einem breiten Publikumsgeschmack dieser Epoche entsprachen, doch finden sich darunter einige Opernausschnitte, die Arie «Hear ye Israel» aus dem «Elias» von Mendelssohn und «Far off I hear a lover's flute» von Cadman, die eine schön geführte, technisch hervorragend gebildete Sopranstimme aufzeigen. Sie ist auch auf Edison Amberola-Zylindern anzutreffen. Hier sang sie als Sopranistin des Croxton-Quartetts (mit der

Altistin Nevada van der Veer, dem Tenor Reed Miller und dem Bassisten Frank Croxton), darunter das «Rigoletto»-Quartett in englischer Sprache. Auf Edison-Platten kam u. a. das Miserere aus dem «Troubadour» zusammen mit Charles Harrison heraus, auch Aufnahmen auf der Marke Rex (einem Pathé-ähnlichen System). Die zu ihrer Zeit in den USA sehr beliebte Künstlerin ist weder auf der Bühne noch im Konzertsaal nachzuweisen; lediglich wird von einer Tournee mit Victor Herbert und dessen Orchester berichtet. Sie ist bereits zu Beginn der zwanziger Jahre verstorben.

Kingdon, Elizabeth, Sopran, * 1933 (?); nach einem Engagement am Stadttheater von Bielefeld 1958–63 wurde sie an das Opernhaus von Nürnberg berufen, an dem sie seit 1963 in einer Karriere, die länger als 25 Jahre dauerte, sehr beliebt wurde. Bereits in Bielefeld sang sie 1962 in der deutschen Premiere der Oper «Griselda» von A. Scarlatti; in Nürnberg übernahm sie 1980 in der Uraufführung der nachgelassenen Oper «Der Traumgörge» von A. Zemlinsky die Partie der Wirtin. 1964 gastierte sie am Opernhaus von Köln, 1970 an der Oper von Oslo, 1982 am Opernhaus von Graz, 1988 in London. Von den vielen Partien, die sie auf der Bühne sang, sind zu nennen: die Donna Anna im «Don Giovanni», die Fiordiligi in «Così fan tutte», die Leonore im «Troubadour» wie in «La forza del destino» von Verdi, die Aida, die Elisabetta im «Don Carlos», die Giulietta in «Hoffmanns Erzählungen», die Myrtocle in «Die toten Augen» von E. d'Albert, die Elisabeth im «Tannhäuser», auch Rollen in zeitgenössischen Werken wie die Frau Hasentreffer in «Der junge Lord» von H. W. Henze. In einem späteren Abschnitt ihrer Karriere übernahm sie auch Partien für Mezzosopran; dazu war sie als Konzertsolistin erfolgreich tätig.
Schallplattenm: MMS (Donna Anna in vollständigem «Don Giovanni» von 1958, Titelheldin in «Aida»-Querschnitt).

Kirkop, Oreste, Tenor, * 26. 11. 1923 Hamrun auf der Insel Malta; er studierte auf Malta bei den Pädagogen Nicolo Baldacchino und Giuseppina Ravaglia, dann bei Emilio Ghirardini in Mailand. Er debütierte 1945 am Royal Theatre Malta als Turiddu in «Cavalleria rusticana». Es folgten Gastspiele mit reisenden Operntruppen in Italien. 1950 trat er der Carl Rosa Opera Company in England bei, seit 1952 sang er an der Sadler's Wells Opera London Partien wie den Turiddu, den Cavaradossi in «Tosca» und den Rodolfo in Verdis «Luisa Miller». Im englischen Fernsehen BBC trat er als Canio im «Bajazzo» auf. 1954 sang er als Antrittspartie an der Londoner Covent Garden Oper den Herzog im «Rigoletto», 1958–59 hörte man ihn dort als Pinkerton in «Madame Butterfly» und als Rodolfo in «La Bohème». Nachdem er einen Vertrag mit der amerikanischen Filmgesellschaft Paramount abgeschlossen hatte, wirkte er in dem Tonfilm «The Vagabond King» (1956) mit. In Nordamerika trat er u. a. in Las Vegas und in der Hollywood Bowl in Konzerten auf und wirkte in frühen Fernsehsendungen von Opern

(«Madame Butterfly», «La Traviata», «Rigoletto») mit. 1960 gab er seine Karriere auf.

Kisselburgh, Alexander, Bariton, * 1887 (?); über diesen amerikanischen Sänger ist nur wenig bekannt. Er gehört zu einer Gruppe von Künstlern, die in Nordamerika eine an sich wenig belangreiche Karriere als Kirchen-, Konzert- und Oratoriensolisten absolvierten, die aber einem weiten Publikum durch ihre zahlreichen Schallplattenaufnahmen bekannt wurden. Dieser Sängertyp kam nach 1910 auf und war vor allem in den zwanziger Jahren oft anzutreffen. Alexander Kisselburgh ist durch eine Anzahl von elektrischen Columbia-Aufnahmen vertreten, darunter sogar Lieder von Robert Schumann und Hugo Wolf (in deutscher Sprache), Liedkompositionen von Gretchaninoff, Rachmaninoff und populäre Ballad-Music. Auf diesen Aufnahmen begegnet uns eine dunkel timbrierte, ausdrucksvolle Baritonstimme, ergänzt durch ein besonderes Stilempfinden.

Kitchen, Linda, Sopran, * 1960 Morecambe in der englischen Grafschaft Lancashire; Gesangstudium am Royal Northern College of Music bei Nicholas Powell, dann 1983 im National Opera Studio London und bei dem Pädagogen David Keren. Bei den Festspielen von Glyndebourne sang sie 1983 die Blondchen in der «Entführung aus dem Serail», 1984 den Amor in «L'Incoronazone di Poppea» von Monteverdi. Sie trat dann an der Covent Garden Oper London als Flora in «The Knot Garden» von Tippett und als Iris in «Semele» von Händel (1988) mit großem Erfolg auf, am Coliseum Theatre London gastierte sie als Barbarina in «Nozze di Figaro». Sie galt als hervorragende Mozart-Interpretin in Partien wie der Susanna in «Nozze di Figaro», der Zerline im «Don Giovanni» und der Papagena in der «Zauberflöte». Im Konzertsaal trat sie mit ähnlichen Erfolgen in einem umfangreichen Repertoire in Erscheinung. Daraus seien nur Soli im Stabat mater von Rossini, im Mozart-Requiem, im Gloria von F. Poulenc und in Schönbergs «Pierrot lunaire» erwähnt.
Schallplatten: Video-Castle («L'Incoronazone di Poppea» aus Glyndebourne).

Kitsopoulos, Antonia, Alt, * 1931 (?) Athen; sie war am Nationalkonservatorium von Athen Schülerin von Elvira de Hidalgo, der Lehrerin der großen Sopranistin Maria Callas. 1954 debütierte sie an der Nationaloper Athen als Lola in «Cavalleria rusticana». Sie ging dann in die USA, wo sie an den Opern von Dallas, Newark, Memphis, dann an der New York City Centre Opera zu einer großen Bühnenkarriere kam. Man hörte sie dort in Partien wie der Adalgisa in Bellinis «Norma», der Azucena im «Troubadour», der Cieca in Ponchiellis «La Gioconda», der Suzuki in «Madame Butterfly», der Frugola in Puccinis «Il Tabarro», dem Hänsel in «Hänsel und Gretel» von Humperdinck, dem Prinzen Orlowsky in der «Fledermaus» und der Leocadia in «Aufstieg und Fall der Stadt Mahagonny» von Weill. Die Künstlerin trat auf dem Gebiet des Konzertgesangs ebenfalls in einem umfangreichen

Repertoire auf; sie wirkte als Pädagogin an der Fairleigh Dickinson University in Madison (New Jersey).

Kittl, Zdeněk, s. unter *Polenský*, Zdeněk.

Klán-Panznerová, Marie, Alt, * 1865 Prag, † 28. 2. 1956 Prag; sie begann bereits mit 14 Jahren ihre Ausbildung zur Sängerin in der Opernschule Lukas in Prag. Sie erhielt zu Beginn ihrer Karriere ein Engagement an das Theater von Reichenberg (Liberec), das sie aber nicht antrat, sondern im Oktober 1884 am Tschechischen Nationaltheater von Prag als Agathe im «Freischütz» debütierte. Nach einem weiteren Gastspiel als Mignon in der Oper gleichen Namens von A. Thomas wurde sie an dieses Haus verpflichtet und blieb dessen Mitglied bis 1910. Sie gastierte, zusammen mit der Prager Tschechischen Oper, 1892 anläßlich der Weltausstellung in Wien in der denkwürdigen Aufführung von Smetanas «Verkaufter Braut», die für diese Oper den Durchbruch zum Welterfolg brachte, in der Partie der Hata (Agnes). Diese Rolle hat sich im Lauf ihrer Karriere mehr als 250mal vorgetragen. Sie sang an der Nationaloper Prag in einigen wichtigen Uraufführungen von Opernwerken, so am 23. 11. 1899 die Kaschka in der «Teufelskäthe» (Čert a Káča) von A. Dvořák, am 12. 2. 1896 die Zoë in «Hedy» von Fibich, am 1. 1. 1899 die Mešjanovka in «Eva» von J. B. Foerster und am 24. 4. 1898 in «Die Hundsköpfe» («Psohlavci») von Karel Kovařovic. Von ihren Bühnenpartien sind noch zu nennen: der Cherubino in «Figaros Hochzeit», die Ortrud im «Lohengrin», die Titelheldin in Goldmarks «Königin von Saba», die Carmen, die Olga im «Eugen Onegin» von Tschaikowsky, die Krasava wie die Radmila in «Libussa» von Smetana, die Marinka in «Der Kuß» («Hubička») und die Roza in «Das Geheimnis» («Tajemství»), ebenfalls von Smetana. Die auch als Konzert- und Oratoriensängerin hoch geschätzte Künstlerin wirkte später in Prag auf pädagogischem Gebiet. Ihr Name kommt auch in tschechischer Form als Marie Klanová-Panznerová vor.
Schallplatten: G & T-Aufnahmen aus Prag von 1903, darunter Szenen aus der «Verkauften Braut». Auch Gramophone-Platten.

Klaus, Erich, Tenor, * 1917 (?); er hatte sein erstes Engagement am Stadttheater von Elbing in Ostpreußen 1940–41. 1941–44 war er am Stadttheater von Bielefeld, 1945–52 am Landestheater von Linz (Donau) und 1952–53 am Stadttheater von Heidelberg verpflichtet. 1953 ging er an das Opernhaus von Graz, dessen Mitglied er seither für mehr als zwanzig Jahre blieb. Neben einigen mehr lyrischen Partien (Jacquino im «Fidelio», Steuermann im «Fliegenden Holländer») sang er dort vor allem Buffo- und Charakterrollen: den Monostatos in der «Zauberflöte» und den Pedrillo in der «Entführung aus dem Serail», den Basilio in «Figaros Hochzeit», den Peter Iwanow in Lortzings «Zar und Zimmermann», den David in den «Meistersingern» und den Wenzel in der «Verkauften Braut», den Hauptmann im «Wozzeck» von A. Berg und den Junker Spärlich in

Nicolais «Lustigen Weibern von Windsors», die Hexe in «Hänsel und Gretel» und den Pong in «Turandot» von Puccini, den Veit in «Undine» von Lortzing und den Budoja in «Palestrina» von Hans Pfitzner. Seine große Glanzrolle war der Mime im Nibelungenring, den er 1962–63 bei den Festspielen von Bayreuth sang; dort hörte man ihn 1968–69 auch als Ulrich Eisslinger in den «Meistersingern». Er gab Gastspiele an der Wiener Staatsoper, an den Opern von Rom (1962) und Genua (1966). Am Teatro Liceo Barcelona (1964) wie in Mexico City (1966) wirkte er in den dortigen Erstaufführungen von A. Bergs «Wozzeck» mit.
Schallplatten: Remington (Kilian im «Freischütz»), Mitschnitte von den Bayreuther Festspielen der Jahre 1962–63.

Klebe-Wedekind, Agnes, Sopran, * 1880 (?), † 31. 7. 1968 Büsum (Schleswig-Holstein); sie begann ihre Bühnenlaufbahn am Stadttheater von Trier (1904–06), ging dann an das Stadttheater Stettin (1906–08) und war in den Jahren 1909–12 am Opernhaus von Breslau engagiert. Anschließend war sie 1912–15 am Opernhaus von Düsseldorf und 1916–23 am Opernhaus (Stadttheater) von Hamburg tätig. Sie trat als Gast an zahlreichen führenden deutschen Bühnen auf und trug dabei ein umfangreiches Rollenrepertoire vor: die Gräfin in «Figaros Hochzeit», die Donna Anna im «Don Giovanni», die Konstanze in der «Entführung aus dem Serail», die Pamina in der «Zauberflöte», die Agathe im «Freischütz», die Senta im «Fliegenden Holländer», die Elisabeth im «Tannhäuser», die Elsa im «Lohengrin», die Sieglinde in der «Walküre», die Martha in «Tiefland» von E. d'Albert, die Titelheldinnen in den Richard Strauss-Opern «Salome» und «Elektra», den Octavian im «Rosenkavalier», die Elisabetta im «Don Carlos» von Verdi, die Alice Ford im «Falstaff», die Maliella in «Der Schmuck der Madonna» von Wolf-Ferrari, die Eudoxia in «La Juive» von Halévy, die Carmen, die Titelfigur in «Mignon» von A. Thomas und die Rosine in «Oberst Chabert» von Waltershausen. Die Sängerin, die auch unter dem Namen Agnes Klebe-Wendt aufgetreten ist, beherrschte ein Konzertrepertoire von ähnlich großem Umfang.

Klemperer, Johanna, Sopran, * 25. 8. 1888 Hannover, † 3. 11. 1956 München; sie hieß eigentlich Johanna Meyer, nannte sich aber nach ihren Pflegeeltern Johanna Geissler und trat bereits mit 14 Jahren in den Chor des Hoftheaters Hannover ein (1902). Sie wurde durch Feodor von Milde ausgebildet. Später sang sie als Choristin an den Hoftheatern von Dessau (1905–06) und Wiesbaden (1906–11) und seit 1912 als Solistin am Stadttheater von Mainz. 1916 wurde sie an das Opernhaus von Köln verpflichtet, wo sie in Partien wie der Königin der Nacht in der «Zauberflöte», der Carmen und der Zerbinetta in «Ariadne auf Naxos» von R. Strauss ihre großen Erfolge hatte. Nachdem eine Freundschaft mit dem berühmten Bariton *Friedrich Schorr* (1888–1953) zerbrochen war, heiratete sie am 14. 6. 1919 den damals in Köln wirkenden, später interna-

tional hoch angesehenen Dirigenten Otto Klemperer (1885–1973), der sie während seiner Tätigkeit an der Oper von Köln 1916–24 dort in großen Aufgaben herausstellte. So sang sie unter seiner Leitung am 4. 12. 1920 in der Uraufführung von Korngolds Oper «Die tote Stadt» die Partie der Marietta (am gleichen Abend fand eine zweite Uraufführung an der Oper von Hamburg statt). Am 28. 5. 1922 wirkte sie in Köln in der Uraufführung der Oper «Der Zwerg» von A. Zemlinsky mit. 1921 sang sie an der Berliner Staatsoper in «Die Vögel» von Walter Braunfels. Sie gastierte u. a. in Wiesbaden (1926), Frankfurt a. M. (1915), Karlsruhe (1915) und Würzburg und trug dabei Partien wie die Marzelline im «Fidelio», die Gräfin, die Susanna wie auch den Cherubino in «Figaros Hochzeit» und die Donna Elvira im «Don Giovanni» vor. Am 17. 7. 1927 sang sie in Baden-Baden in der Uraufführung der einaktigen Oper «Hin und zurück» von Hindemith. Als Otto Klemperer 1927 als Dirigent an die Berliner Kroll-Oper ging, trat auch Johanna Klemperer diesem Ensemble bei, sang dort aber nur die Adele in der «Fledermaus» ohne besonderen Erfolg (unter dem Namen Hanne Klee). 1928 gab sie ein Konzert in Leningrad. Nach einer Stimmkrise ist sie dann kaum noch aufgetreten. 1933 verließ sie zusammen mit Otto Klemperer aus politischen Gründen Deutschland; später lebte die Künstlerin in der Schweiz.
Lit.: Lotte Klemperer; «Die Personalakten der Johanna Geissler» (Hamburg, 1983).
Von der Stimme der Sängerin sind, ganz unverständlicherweise, keine Schallplatten vorhanden.

Kloose, Hans-Otto, Bariton, * 1926 Osnabrück; er begann zuerst ein Studium der Hochfrequenztechnik, wurde aber im Zweiten Weltkrieg als Soldat eingezogen und entschied sich nach Kriegsende für die Sängerlaufbahn. Nachdem er zunächst im Chor des Osnabrücker Stadttheaters gesungen hatte, war er 1951–52 als Solist am Landestheater Detmold engagiert. 1953–54 gehörte er dem Nationaltheater Mannheim an, 1954–56 dem Stadttheater Gelsenkirchen, 1956–58 dem Stadttheater Lübeck und 1958–59 dem Opernhaus Wuppertal. Nach einer Spielzeit 1959–60 am Opernhaus von Köln, folgte er 1960 einem Ruf an die Staatsoper von Hamburg, an der er eine große dreißigjährige Karriere entfaltete. Er trat in Hamburg in mehr als 1745 Vorstellungen und in rund hundert Partien aus allen Bereichen des Repertoires auf und erlangte beim Hamburger Publikum größte Beliebtheit. 1966 sang er in Hamburg in der Uraufführung der Oper «Zwischenfälle bei einer Notlandung» von Boris Blacher. Er gab Gastspiele an der Staatsoper von Wien, in Dublin (1964), am Teatro Liceo Barcelona (1972), in Frankreich und Italien. Mit dem Ensemble der Hamburger Oper gastierte er 1967 in den USA und in Kanada sowie in Kopenhagen. Aus der Fülle von Partien, die Bestandteil seines Bühnenrepertoires waren, sind der Graf in «Figaros Hochzeit» (seine Glanzrolle), weiter der Titelheld im «Don Giovanni», der Ottokar im «Freischütz», der Graf Eberbach im «Wildschütz» von Lortzing, der Wolfram im «Tannhäuser», der Fluth in den «Lustigen Weibern von Wind-

sor» von Nicolai, der Faninal im «Rosenkavalier», der Lamoral in «Arabella» von R. Strauss, der Malatesta im «Don Pasquale», der Graf Luna im «Troubadour», der Posa in Verdis «Don Carlos», der Sharpless in «Madame Butterfly», der Escamillo in «Carmen» und der Titelheld im «Eugen Onegin» von Tschaikowsky hervorzuheben. Zu seinen Erfolgen auf der Bühne gesellten sich nicht weniger große Erfolge als Konzert-, Oratorien- und Liedersänger.
Schallplatten: Opera-Ariola (Germont-père in Querschnitt durch «La Traviata» mit Stina Britta Melander), Philips (Lieder).

Knapp, Peter, Bariton, * 4. 8. 1947 St. Albans (England); er studierte zuerst an der St. Albans School, dann an St. John's College Cambridge und begann seine Bühnenkarriere bei der Glyndebourne Touring Opera. Er wurde bekannt durch eine Anzahl von Partien, die er bei der Kent Opera sang: den Titelhelden in «Orfeo» von Monteverdi (auch in einer Sendung des englischen Fernsehens BBC gezeigt), den Don Giovanni, den Eugen Onegin von Tschaikowsky und den Germont-père in «La Traviata». Bei der English National Opera London hörte man ihn als Don Giovanni und in «Nozze di Figaro». Erfolgreiche Gastspiele führten ihn an die Opernhäuser von Frankfurt a. M. und Zürich, an die Nationaloper Sofia, nach Venedig und Florenz. Er unternahm eine große Australien-Tournee. Häufige Auftritte im englischen Rundfunk und am Fernsehen. 1978 übernahm er die Direktion einer eigenen Operntruppe mit der er Gastspiele veranstaltete und u. a. im Haus des Sadler's Wells Opera London gastierte. Er war auch schriftstellerisch tätig und nahm Übersetzungen von Operntextbüchern ins Englische vor («Nozze di Figaro», «Così fan tutte», «La Périchole» und «Orphée aux Enfers» von Offenbach, «La Bohème», «Barbier von Sevilla»).
Schallplatten: Argo («El retablo de Maese Pedro» von de Falla), Decca (Kleine Partie im «Troubadour»).

Kneisel, Rosine Eleonore Elisabeth, Sopran, * 1767 Stettin, † 25. 1. 1801 Berlin; sie begann ihre Bühnenkarriere ganz jung 1782 in Berlin, wo sie bis 1787 blieb und bereits sehr große Erfolge hatte. Dann trat sie mit ähnlichem Erfolg am Hoftheater von Hannover, in Frankfurt a. M. und in Mainz auf. Sie unternahm während dieser Zeit auch eine Gastspiel- und Konzertreise nach England. 1793 kam sie wieder in die preußische Hauptstadt Berlin zurück und wurde jetzt als Primadonna an die dortige Hofoper engagiert. 1794 heiratete sie den Berliner Hofkapellmeister *Vincenzo Righini* (* 22. 1. 1756 Bologna, † 19. 8. 1812 Bologna), der als Sänger angefangen hatte, dann ein hoch angesehener Opernkomponist und -dirigent geworden war und schließlich ein hervorragender Gesangpädagoge wurde. Unter seiner Leitung sang Mme Righini-Kneisel bis 1798 an der Berliner Hofoper. Als es im Zusammenhang mit dem Tod des preußischen Königs Friedrich Wilhelms II. zur Schließung des Hauses kam, folgte Mme Righini-Kneisel einem Ruf an das Hamburger

Stadttheater, wo sie in den Jahren 1798–1800 ebenfalls mit großem Erfolg tätig war. Sie starb auf dem Höhepunkt ihrer Karriere 1801, nur 34 Jahre alt, in Berlin.

Knodt, Erich, Baß, * 1946 (?); nach seiner Ausbildung durch Christo Bajew in Koblenz fand er sein erstes Bühnenengagement 1970 am Stadttheater von Koblenz in der Nähe seines Heimatortes. Er wurde dann Preisträger in mehreren Gesangwettbewerben, so 1970 in Sofia und Berlin, 1971 in s'Hertogenbosch und später in Rio de Janeiro. Bis 1972 blieb er in Koblenz und war dann 1972–76 am Opernhaus von Wuppertal, 1976–87 als erster seriöser Bassist am Nationaltheater Mannheim im Engagement. Es kam von dort aus zur schnellen Entwicklung einer großen internationalen Karriere. So war er zu Gast an den Staatsopern von Hamburg und Stuttgart, an der Deutschen Oper am Rhein Düsseldorf–Duisburg, am Théâtre de la Monnaie Brüssel (1989), an der Grand Opéra Paris (1986), am Theater von Bern (1986), am Teatro Comunale Bologna (1987), am Teatro Liceo Barcelona (1979, 1986, 1988), an der Opéra du Rhin Straßburg, in Madrid und Lissabon. Bei Aufführungen des Nibelungenrings an der Oper von San Francisco kam er als Fafner zu großen Erfolgen. Er gastierte an der Oper von Vancouver (1978) und bei den Festspielen von Bregenz (1985 Sarastro in der «Zauberflöte»). Auch bei den Festspielen von Aix-en-Provence hörte man ihn 1989 als Sarastro, ebenfalls 1989 in Bordeaux als Ramphis in «Aida». Sein Bühnenrepertoire war ungewöhnlich vielseitig und hatte seine Höhepunkte in Partien wie dem Sarastro, dem Komtur im «Don Giovanni», dem Rocco im «Fidelio», dem König Philipp in Verdis «Don Carlos», dem Titelhelden im «Boris Godunow», dem Basilio im «Barbier von Sevilla», dem Banquo in «Macbeth» von Verdi, dem König Marke im «Tristan» (1985 Lissabon), dem König Heinrich im «Lohengrin» (Teatro Liceo Barcelona 1986), dem Pogner in den «Meistersingern», dem Hunding in der «Walküre» (1989 Lissabon), dem Hagen in der «Götterdämmerung» und dem Gremin im «Eugen Onegin» von Tschaikowsky. Auch als Konzertbassist kam er zu einer Karriere auf internationalem Niveau. Verheiratet mit der Opernsängerin *Antonie Knodt,* die in Wuppertal und Mannheim wirkte.

Knoll, Rudolf, Baß-Bariton, * 1927 (?); er war nacheinander engagiert am Stadttheater von Regensburg (1951–56), am Staatstheater Oldenburg (1956–57), am Stadttheater Aachen (1957–60) und am Opernhaus (Stadttheater) von Zürich (1960–63). Er schloß dann Gastspielverträge mit großen Bühnen des deutschen Sprachgebiets ab, u. a. mit der Staatsoper Wien (1961–63), dem Staatstheater Wiesbaden (1964–67) und der Staatsoper Stuttgart (1967–69). Bereits in den fünfziger Jahren gastierte er an der Niederländischen Oper Amsterdam, u. a. als Papageno in der «Zauberflöte». Bei den Salzburger Festspielen von 1959 wirkte er in der Uraufführung der Oper «Julietta» von Heimo Erbse mit; 1967 sang er am Staatstheater Karlsruhe in der Uraufführung von

Rudolf Kelterborns «Kaiser Jovian» die Titelrolle. 1962 und 1968 gastierte er in Turin, in der Spielzeit 1968–69 an der Metropolitan Oper New York, an der er als Antrittsrolle den Biterolf im «Tannhäuser» sang. 1969 an der Oper von Los Angeles zu Gast. Er war später Professor am Salzburger Mozarteum und betätigte sich auf dem Gebiet der Opernregie. Als Höhepunkte in seinem Bühnenrepertoire seien der Alberich im Nibelungenring, der Gunther in der «Götterdämmerung», der Pizarro im «Fidelio», der Beckmesser in den «Meistersingern», der Pfarrer im «Bärenhäuter» von Siegfried Wagner, der Faninal im «Rosenkavalier», der Renato in Verdis «Maskenball», der Jago in dessen «Othello», der Dr. Schön in «Lulu» von A. Berg und der Marquis in «Dialogues des Carmélites» von F. Poulenc hervorgehoben. Konzert- und Oratoriensänger von Rang.
Schallplatten: Intercord-Saphir (Carmina Burana von Carl Orff), Sonopress («Winterreise» von Schubert, Opernquerschnitte), Westminster (Gunther in der «Götterdämmerung»).

Koch, Elsa, s. unter *Kosta,* Helga.

Koerner, Julia, Sopran, * 27. 7. 1883, † (?); sie hatte u. a. in Mailand bei Vidal und bei Giuseppe Borgatti studiert, bevor sie 1907 ihre Karriere am Stadttheater von Würzburg begann. Dort blieb sie bis 1909 im Engagement und war danach Mitglied des Deutschen Theaters Prag (1910–15). In der Spielzeit 1916–17 sang sie am Hoftheater von Karlsruhe, dann wieder 1920–21 am Stadttheater von Elberfeld und 1921–29 an Opernhaus von Düsseldorf. Sie sang in den Jahren 1911–12 bei den Festspielen von Bayreuth die Gutrune und die Ortlinde im Nibelungenring. 1922 gastierte sie an der Oper von Köln, 1926 und 1928 am Opernhaus von Antwerpen und trat noch zu Beginn der dreißiger Jahre als Gast an deutschen und ausländischen Bühnen hervor, wobei sie gleichzeitig auch eine angesehene Stellung als Konzert- und Oratoriensängerin einnahm. In Düsseldorf übernahm sie die Titelpartie in der deutschen Erstaufführung der Oper «Sakuntala» von Franco Alfano. Von den Partien, die sie auf der Bühne sang, galten die Titelpartie in Glucks «Alceste», die Gräfin in «Figaros Hochzeit», die Leonore im «Fidelio», die Rezia im «Oberon» von Weber, die Senta im «Fliegenden Holländer», die Ortrud im «Lohengrin», die Brünnhilde im Ring-Zyklus, die Isolde im «Tristan», die Titelfiguren in den Richard Strauss-Opern «Salome» und «Elektra», die Marschallin im «Rosenkavalier», die Königin von Saba in der gleichnamigen Oper von Goldmark, die Minneleide in «Die Rose vom Liebesgarten» von Hans Pfitzner, die Tosca wie die Turandot in den bekannten Opern von Puccini, die Rachel in Halévys «La Juive» und die Küsterin in «Jenufa» von Janáček als ihre besten Leistungen. Sie war verheiratet mit dem Bariton *Alfons Schützendorf* (1882–1946) und ist auch unter dem Namen Julia Schützendorf-Koerner aufgetreten. Nach ihrem Rücktritt von der Bühne arbeitete sie im pädagogischen Bereich in Düsseldorf, seit 1942 am Konservatorium von Nürnberg.

Koeth, Franz, Tenor, * 17. 4. 1905 Ludwigshafen; er debütierte nach seinem Gesangstudium 1929 am Stadttheater von Koblenz als Pinkerton in «Madame Butterfly». Er sang dann nacheinander an den Theatern von Basel, Prag (Deutsches Theater), Aachen und Freiburg i. Br. und folgte 1937 einem Ruf als erster lyrischer Tenor an das Staatstheater von Kassel. Hier zeichnete er sich in Mozart-Partien, in Rollen wie dem Rodolfo in Puccinis «La Bohème», dem Hans in der «Verkauften Braut» von Smetana, dem Alfredo in Verdis «La Traviata» und in vielen anderen Aufgaben aus. Sein Wirken in Kassel wurde 1944 durch seine Einziehung als Soldat unterbrochen. 1945–49 war er in russischer Kriegsgefangenschaft und nahm dann 1949 seine Karriere wieder am Hessischen Landestheater Darmstadt auf, wo er jetzt bis zum Ende seiner Sängerlaufbahn 1970 tätig blieb. Zuletzt übernahm er auch Sprechrollen auf der Schauspielbühne. Gastspiele wie Konzerte brachten ihm zusätzliche Erfolge ein.

Koettrick, Jessika, Alt, * 1897 (?) Brocken (Harz); sie studierte bei Juan Luria in Berlin und bei Greif in Wien. 1919–20 war sie (als Opernsängerin) am Schauspielhaus von Saarbrücken engagiert und sang dann 1920–21 am Opernhaus von Hannover, 1921–22 am Opernhaus von Frankfurt a. M. 1922–23 nahm sie an der USA-Tournee der German Opera Company teil. 1923–24 gastierte sie (u. a. 1923 an der Staatsoper Wien) und war dann 1924–27 Mitglied der Berliner Staatsoper, an der sie am 14. 12. 1925 in der Uraufführung von Alban Bergs «Wozzeck» mitwirkte. 1927–28 gab sie wieder Gastspiele, war dann am Nationaltheater Mannheim (1928–30) und schließlich an der Staatsoper Dresden im Engagement, an der sie in den Jahren 1930–41 wirkte. In Dresden sang sie am 1. 7. 1933 in der Uraufführung der Richard Strauss-Oper «Arabella» die Rolle der Kartenaufschlägerin. 1938 wirkte sie am gleichen Haus in der Uraufführung der Oper «Die Wirtin von Pinsk» von P. Mohaupt in der Partie der Hortense mit. Bei den Festspielen von Bayreuth sang sie 1930 die Floßhilde, die dritte Norn und die Schwertleite im Nibelungenring. Von ihren weiteren Bühnenpartien sind zu nennen: die Nancy in Flotows «Martha», die Mary im «Fliegenden Holländer», die Lady Pamela in «Fra Diavolo» von Auber, die Magdalene im «Evangelimann» von Kienzl, der Prinz Orlowsky in der «Fledermaus», die Berta im «Barbier von Sevilla» und die Anna im «Bärenhäuter» von Siegfried Wagner. Sie war verheiratet mit dem Dirigenten und Komponisten Gottlieb Hellmesberger († 1940 Dresden).

Kolacio, Aleksander, Bariton, * 24. 9. 1912 Sušak (Kroatien), † 17. 7. 1955 Comodoro Rivadavia (Argentinien); ausgebildet an der Musikakademie von Zagreb bei M. Reizer, weitere Studien bei Aristodemo Anceschi in Mailand. 1935 kam es am Opernhaus von Ljubljana (Laibach) zu seinem Bühnendebüt in der Partie des Valentin im «Faust» von Gounod. Bis 1938 war er an diesem Theater engagiert und war dann 1938–41 Mitglied der Belgrader Nationaloper. Seitdem gastierte er an vielen Bühnen, darunter in Wien, Prag und Zürich, vor allem aber in Südamerika, und hier in erster Linie in Buenos Aires. Als seine großen Bühnenpartien galten der Amonasro in «Aida», der Graf Luna im «Troubadour», der Figaro im «Barbier von Sevilla» von Rossini, der Enrico in «Lucia di Lammermoor», der Titelheld in Tschaikowskys «Eugen Onegin», der Jeletzky in «Pique Dame», der Silvio im «Bajazzo» und der Schaunard in «La Bohème» von Puccini. Als Konzert- und Oratoriensänger stand er gleichfalls in hohem Ansehen.

Kondratjuk, Nikolai (Kondratjewitsch), Bariton, *5.5. 1931 Starokonstantinowka in der Ukraine; er wurde am Konservatorium von Kiew durch A. Grodsinski ausgebildet. 1959 erfolgte sein Bühnendebüt am Opernhaus von Kiew. 1963–64 studierte er nochmals im Opernstudio der Mailänder Scala. Seitdem hatte er eine große Karriere an der Oper von Kiew wie als ständiger Gast am Bolschoj Theater Moskau. Gastspiele an den führenden Operntheatern in den europäischen Ländern wie auch in Übersee ließen seinen Namen international bekannt werden; hinzu trat eine erfolgreiche Karriere als Konzertsänger in den Musikzentren der Sowjetunion wie des Auslandes. Seit 1968 wirkte er als Pädagoge am Konservatorium von Kiew, 1979 wurde er zum Professor ernannt, zugleich wurde er Rektor dieses Lehrinstituts. Auf der Bühne wie im Konzertsaal brachte er ein weitläufiges Repertoire zum Vortrag, das sowohl Aufgaben aus dem Bereich der russischen wie der internationalen Musik enthielt.
Schallplatten: Melodiya.

Koret, Arthur Salomon, Tenor und Kantor, *20. 2. 1916 Hartford (Connecticut), er besuchte das Trinity College in Hartford 1936–38 und wurde später durch den Pädagogen und Kantor Adolph Katchko in den jüdischen Kultgesang eingewiesen (1948–49). Ausbildung der Stimme auch durch Oscar Seagle, Wyllys Watermann und Edward Gehrmann. Er wurde neben seinem Wirken als Kantor durch Konzerte international bekannt. So sang er in einer der ersten Fernsehübertragungen einer Oper in den USA 1945 den Canio im «Bajazzo», beschränkte sich sonst aber auf eine Karriere im Konzertsaal. Hier trat er als Solist zusammen mit den großen amerikanischen Orchestern auf, darunter dem Cleveland Symphony Orchestra, dem Hartford wie dem NBC Symphony Orchestra, dem New Haven Orchestra und war immer wieder über amerikanische Rundfunk- und Fernsehsender zu hören. 1948–86 versah er den Dienst als Kantor an der Emanuel Synagoge seines Geburtsortes West Hartford (Connecticut). 1969 trat er zusammen mit dem Dichter Elie Wiesel im Fernsehen NBC in einer Sendung für die unterdrückten Juden in der Sowjetunion auf. Große Erfolge bei seinen Konzert-Tourneen in den USA wie in Israel. Er veröffentlichte eine Vielzahl von literarischen Beiträgen zur jüdischen Liturgie und Kultmusik und gab Liturgie-Kurse an der Universität von Hartford. 1967–69 amtierte er als Präsident des «Cantors Assembly of America».

Schallplattenaufnahmen bei RCA und bei anderen Firmen mit jüdischen religiösen Vokalwerken, darunter der Mitschnitt eines Gala-Konzerts zum 60. Geburtstag des verdienten Sängers aus dem Madison Square Garden New York.

Korošec, Mira, Sopra, *1882 Sisak (Kroatien), †4. 6. 1963 Split; sie war am Konservatorium von Zagreb (Agram) Schülerin von M. Kiseljac und wurde auch durch J. Gänsbacher in Wien ausgebildet. 1906 debütierte sie am Stadttheater von Aussig (Ustì nad Labem) als Santuzza in «Cavalleria rusticana». 1908 wurde sie von dort an das Nationaltheater Prag berufen, dessen Ensemble sie zwei Jahre lang angehörte. 1910–14 war sie Mitglied des Opernhauses von Zagreb, 1914–16 des Opernhauses (Stadttheaters) Hamburg. Bereits 1911 hatte sie an der Wiener Hofoper gastiert; seit 1916 gab sie Gastspiele vor allem an Theatern in Jugoslawien. Dabei brachte sie ein Rollenrepertoire zum Vortrag, das Partien wie die Aida, die Tatjana im «Eugen Onegin» und die Lisa in «Pique Dame» von Tschaikowsky, des Senta im «Fliegenden Holländer», die Elisabeth im «Tannhäuser», die Brangäne im «Tristan», die Brünnhilde im Nibelungenring, die Marschallin im «Rosenkavalier» und die Martha in «Tiefland» von E. d'Albert enthielt. Erfolgreiche Konzertkarriere.

Koshitz, Pawel, Alexejewitsch, Tenor, *14. (26.) 12. 1863, †1. (14.) 3. 1904 Moskau. Er studierte in Moskau und Italien. Dort sang er in den Jahren 1886–89 an mehreren großen Operntheatern. 1890–92 hielt er sich in Nordamerika auf und gastierte auch an südamerikanischen Bühnen. Dann kam er nach Rußland zurück und trat in Tiflis (Tblissi), Baku und Kiew auf. 1893 ging er nach Moskau; er hatte nun eine langjährige Karriere am Bolschoj Theater Moskau, wo er das heldische und auch das Wagner-Fach vertrat. Man hörte ihn dort in Partien wie dem Canio im «Bajazzo», dem Vasco in Meyerbeers «Africaine», dem Titelhelden in dessen «Robert le Diable», dem Prinzen Sinodal im «Dämon» von Rubinstein und dem Lenski in Tschaikowskys «Eugen Onegin». 1892 sang er den Siegfried in der gleichnamigen Wagner-Oper in deren erster Aufführung in russischer Sprache am Bolschoj Theater Moskau. Gegen Ausgang des Jahrhunderts nahm die Qualität seiner Stimme ab, und er wurde nur noch in kleineren Rollen eingesetzt. Als das Bolschoj Theater seinen Vertrag für die Spielzeit 1902–03 nicht mehr erneuerte, schied er, enttäuscht und verzweifelt, freiwillig aus dem Leben. Seine Tochter *Nina Koshetz* (1894–1965) wurde eine international bekannte Sängerin.

Kosta, Helga, Sopran, *1. 12. 1920 Hamburg; sie war die Tochter eines Sängerehepaars. Ihre Mutter *Elsa Koch* (*1894 Moskau, †20. 6. 1953 Basel) hatte bereits in Moskau Gesang studiert, wurde dann im Ersten Weltkrieg mit ihrer Familie in Sibirien als Deutsche interniert, schließlich nach Deutschland entlassen, wo sie ihre Ausbildung bei Selma Nicklass-Kempner in Berlin beendete. Sie kam sogleich

an die Berliner Hopfoper (Debüt als Konstanze in der «Entführung aus dem Serail» und als Rosina im «Barbier von Sevilla»), sang 1918–22 in Dessau, unternahm 1922–23 eine Südamerika-Tournee und war dann am Großen Schauspielhaus Berlin (1923–24 als Operettensängerin), in Königsberg, Danzig und 1927–31 am Stadttheater von Basel engagiert, wo sie wie bei Gastspielen und Konzerten als Koloratrice in Erscheinung trat. Sie war verheiratet mit dem Tenor *Gustav Stabinsky* (* 1893, † 1977 Thun), der hauptsächlich als Operettentenor und als Tenorbuffo hervortrat und am Berliner Metropol-Theater wie auch 1927–31 in Basel engagiert war, wo er noch lange Jahre als Gast sang. – Helga Kosta wurde durch ihre Großtante Emma Koch, eine Schülerin von Franz Liszt, im Klavierspiel ausgebildet, entschloß sich dann aber zur Sängerlaufbahn und wurde Schülerin ihrer Eltern, vor allem ihrer Mutter. 1938 begann sie ihre Karriere mit Rundfunkauftritten in der Schweiz und gab, noch als Helga Stabinsky, erste Lieder- und Arienabende. 1943 nahm sie den Künstlernamen Kosta an (aus den Anfangssilben der Namen ihrer Eltern gebildet); 1945 heiratete sie den Dirigenten, Geiger und Komponisten C. V. Menz, von dem sie sich später wieder trennte. 1948 debütierte sie am Städtebundtheater Biel-Solothurn in ihrer Glanzrolle, der Königin der Nacht in der «Zauberflöte». 1950–60 war sie Mitglied des Theaters der Schweizer Bundeshauptstadt Bern. Hier sang sie mit großem Erfolg Partien wie die Konstanze in der «Entführung aus dem Serail», die Susanna wie den Cherubino in «Nozze di Figaro», die Zerline in «Don Giovanni», die Gilda im «Rigoletto», die Mimi in «La Bohème», die Sophie im «Rosenkavalier», den Ighino in «Palestrina» von Hans Pfitzner, die Lakmé von Delibes und die Gretel in «Hänsel und Gretel». Gastspiele am Opernhaus von Zürich, in St. Gallen, an den Operhäusern von Köln und Bonn (1956 als Königin der Nacht), zahlreiche Konzert- und Rundfunkauftritte im Schweizer wie im deutschen Rundfunk kennzeichnen die weitere Laufbahn der Künstlerin. 1969 mußte sie krankheitshalber ihre Karriere aufgeben. Sie betätigte sich im pädagogischen Bereich und lebte später in Thun in der Schweiz.
Lit.: M. Schimmrich: «Helga Kosta» (Münster, 1989).
Schallplatten: Decca (Cedric-Dumont) mit Volks- und Operettenliedern, dazu zahlreiche Radio-Mitschnitte; von ihren Eltern sind einige Titel auf Electrola (Duette aus Operetten) aufgenommen worden.

Kostas, Rudolf, Bariton, * 1950 (?) Wien; er erhielt seine Ausbildung zum Sänger in Wien, wo er vor allem Schüler des berühmten Tenors Waldemar Kmentt war. 1975–76 war er an der Wiener Kammeroper, 1976–82 an der Staatsoper von Wien engagiert. In den Jahren 1982–84 wirkte er dann als erster Bariton am Landestheater von Linz (Donau), 1984–88 am Stadttheater von Freiburg i. Br. Er gastierte u. a. bei den Festspielen von Salzburg, in München, Tel Aviv und an führenden deutschen Theatern. Von den zahlreichen Partien, die sein

Bühnenrepertoire bildeten, sind an erster Stelle der Amfortas im «Parsifal», der Wolfram im «Tannhäuser», der Don Giovanni, der Figaro in «Figaros Hochzeit» wie im «Barbier von Sevilla», der Rigoletto, der Graf Luna im «Troubadour», der Jago in Verdis «Othello» und der Wozzeck in der gleichnamigen Oper von A. Berg zu nennen.
«Schallplatten: Moro (Wolfram in vollständiger «Tannhäuser»-Aufnahme).

Kotscherga, Anatolij, Baß, * 1946 (?) in einem Dorf in der Nähe von Winniza (Ukraine); er sollte zunächst das Polytechnische Institut in Winniza besuchen, kam dann jedoch zur Ausbildung seiner Stimme am Konservatorium von Kiew. Er wurde sogleich nach Abschluß seiner Studien an das Opernhaus (Schewtschenko-Theater) von Kiew verpflichtet, an dem er eine über zwanzigjährige, erfolgreiche Karriere hatte. Er gewann den internationalen Tschaikowsky-Concours für Opernsänger in Moskau und unternahm dann glanzvolle Gastspiel- und Konzertreisen, die ihm internationales Ansehen eintrugen. In Paris gastierte er in Mussorgskys Oper «Khovantchina» als Dosifey zusammen mit der berühmten Altistin Irina Archipowa, dann auch als Pimen in «Boris Godunow» vom gleichen Komponisten. 1988–89 Gastspiel an der Wiener Staatsoper in «Khovantchina» von Mussorgsky (als Schaklowitij) und als Großinquisitor in Verdis «Don Carlos». Während der Saison 1975–76 gab er Gastspiele an italienischen Opernbühnen; als Konzertsänger begeisterte er das Publikum in Toronto, Montreal und Vancouver. Dazu trat er an den führenden russischen Opernhäusern in Erscheinung, darunter auch am Bolschoj Theater Moskau. Bei seinen Liederabenden wurde er meistens durch die Pianistin Swetlana Tschernoscheij-Gluck begleitet. Aus seinem reichhaltigen Bühnenrepertoire verdienen der Leporello im «Don Giovanni», der Mephisto im «Faust» von Gounod, der Basilio im «Barbier von Sevilla» von Rossini, der Dosifey in «Khovantchina», der Pimen im «Boris Godunow» Erwähnung, dazu beherrschte er natürlich eine Vielzahl von weiteren Partien aus dem russischen Repertoire.
Schallplatten: Melodiya, Capriccio (vollständige Oper «Boris Godunow»).

Kovacz, Desider, Bariton, * 26. 5. 1900 Budapest, † 16. 4. 1970 Basel; Ausbildung an der Musikakademie Budapest bei Teresz Krammer, dann in Rom bei Titta Ruffo und Alfredo Martino. Er debütierte 1920 am Theater von Szatmár, sang 1921–22 am Theater von Nagyvárad (Großwardein), 1922–24 an der Nationaloper Budapest und 1924–28 an der Städtischen Oper Budapest. 1928–29 war er am Opernhaus von Breslau, 1929–32 wieder an der Städtischen Oper Budapest im Engagement. 1932–33 sang er an der Wiener Volksoper, trat aber 1933–34 nochmals für eine Spielzeit an der Städtischen Oper Budapest auf. 1934–35 war er am Stadttheater von Basel verpflichtet und kam nach einer Saison an der Wiener Volksoper (1935–36) wieder 1936 nach Basel zurück. Jetzt blieb er bis 1950 am Stadttheater von

Basel tätig. Nachdem er 1950–52 am Opernhaus von Graz gesungen hatte, mußte er wegen eines Herzleidens seine Bühnenkarriere aufgeben und ließ sich in Basel als Pädagoge nieder. Er wirkte 1928 am Opernhaus von Breslau in der ersten deutschsprachigen Aufführung von Weinbergers «Schwanda der Dudelsackpfeifer» mit, sang 1937 in Basel in der Uraufführung der Oper «Tartuffe» von H. Haug und gastierte 1945 in Zürich in der deutschsprachigen Erstaufführung von Gershwins «Porgy and Bess» in der Rolle des Porgy. Er gab Gastspiele an der Wiener Staatsoper (1927, 1932, 1934 und mehrfach nach 1945), in Kairo und Alexandria (1933), in Genf, Zürich und New York. Sein Repertoire für die Bühne besaß einen großen Umfang und hatte seine Höhepunkte in Partien wie dem Rigoletto, dem Renato in Verdis «Maskenball», dem Amonasro in «Aida», dem Jago im «Othello», dem Scarpia in «Tosca», dem Tonio im «Bajazzo», dem Wolfram im «Tannhäuser», dem Telramund im «Lohengrin», dem Jochanaan in «Salome», dem Mandryka in «Arabella» von R. Strauss, dem Sebastiano in «Tiefland» von d'Albert, dem Escamillo in «Carmen», den Titelhelden in «Figaros Hochzeit», im «Don Giovanni» wie im «Boris Godunow» und dem Mephisto im «Faust» von Gounod.
Schallplatten: Radiola (ungarische und deutsche Aufnahmen), Kristall, Polydor (zwischen 1930 und 1936 in Berlin aufgenommen).

Kovář, Oldřich, Tenor, * 21. 2. 1907 Prag; er war zunächst als Drucker tätig, nahm daneben aber Gesangunterricht bei dem Prager Pädagogen Egon Fuchs. Er vervollständigte seine Ausbildung in Wien als Schüler von Schönwald und Alfred Piccaver sowie von Hans Duhan für den Bereich der Darstellung. 1930 begann er seine Karriere, die ihn zuerst an verschiedene Operettentheater in Prag führte, bis er 1938 als Tenor-Buffo an das Nationaltheater Prag engagiert wurde. Für fast dreißig Jahre blieb er bis zu seinem Bühnenabschied an diesem Haus tätig. Er trat als Gast an der Wiener Staatsoper und an Theatern in der ČSR auf und gastierte mit dem Ensemble des Nationaltheaters Prag 1963 bei den Festspielen von Wiesbaden. Seine große Glanzrolle war der Wenzel (Vašek) in Smetanas «Verkaufter Braut», den er während seiner Karriere mehr als 400mal sang. Aus seinem Repertoire verdienen der Skřivánek in «Das Geheimnis» von Smetana, der Vítek in dessen «Dalibor», der Michálek in «Die Teufelswand», ebenfalls von Smetana, der Benda in «Der Jakobiner» von Dvořák und der Peter Iwanow in «Zar und Zimmermann» Erwähnung.
Schallplattenaufnahmen auf den Marken Ultraphon, Artia und Bruno. Auf Supraphon singt er in zwei Gesamtaufnahmen der «Verkauften Braut» den Wenzel sowie den Skřivánek in «Das Geheimnis».

Kowalewa, Parascha Iwanowna, Sopran, * 20. 7. 1768 Moskau, † 23. 2. 1803 Moskau; obwohl ihre Familie ursprünglich dem polnischen Kleinadel angehört hatte, war ihr Vater ein leibeigener Schmied, der der Familie der Grafen Scheremetjewo gehörte.

Das begabte Kind wurde seit 1775 von der Fürstin Maria Michailowa Dolgorukij, einer verwitweten Nichte des Feldmarschalls Scheremetjewo, erzogen und erhielt dort ihren Musikunterricht. Mit elf Jahren trat sie 1779 in einer komischen Oper «Ispittanie drushbij» («Prüfung der Freundschaft») erstmalig öffentlich auf. Der Erfolg war so groß, daß die Zarin Katharina II., die Große, der leibeigenen Künstlerin einen wertvollen Brillantring schenkte. Nachdem sie in Moskau wie in St. Petersburg zu glänzenden Erfolgen gekommen war, wurde sie 1798 von der Leibeigenschaft befreit. 1801 heiratete sie darauf den Grafen Nikolai Scheremetjewo. Obwohl dieser wegen der unstandesgemäßen Heirat in den Kreisen des russischen Hochadels gemieden wurde, war die Ehe sehr glücklich. Leider erkrankte die junge Sängerin jedoch und starb kurz nach der Geburt ihres Sohnes Dimitrij. Der untröstliche Gatte ließ zu ihrem Gedächtnis durch den berühmten Petersburger Architekten Giacomo Quarenghi in Moskau das «Schloß der Barmherzigkeit» (Dworez Myloserdija) errichten.

Kowalski, Jochen, Countertenor, * 1954 Wachow in der Mark Brandenburg; er war fünf Jahre lang im Requisitenfundus der Berliner Staatsoper beschäftigt, wo man auf seine schöne Stimme aufmerksam wurde. Er besuchte dann die Volksmusikschule und schließlich seit 1977 sechs Jahre hindurch die Musikhochschule Berlin, wo er Schüler von Heinz Reeh war. Die Gesangpädagogin Marianne Fischer-Kupfer entdeckte die phänomenale Tonhöhe seiner Stimme und bildete ihn zum Countertenor aus, einer Kunst des Singens, die in England während der Barockzeit blühte und nach dem Zweiten Weltkrieg von dort her neu belebt worden war. 1982 erregte er bei den Händel-Festspielen von Halle (Saale) in dem Pasticcio «Il Mucio Scevola» erstes Aufsehen. 1983 sang er an der Komischen Oper Berlin (deren Mitglied er blieb) als erste eigentliche Opernpartie den Fedor im «Boris Godunow» von Mussorgsky. Es schlossen sich Gastspiele an führenden europäischen Opernhäusern an; man hörte seine seltene Kunst des Singens u. a. an den Staatsopern von München und Hamburg (durch Gastspielvertrag verbunden), an der Deutschen Oper am Rhein Düsseldorf–Duisburg (1989), an der Wiener Volksoper («Giustino» von Händel), an der Grand Opéra Paris (Ptolemäus in «Giulio Cesare» von Händel, 1987), an der Staatsoper Wien (Orlowsky in der «Fledermaus», 1987) und an der Niederländischen Oper Amsterdam. 1988 erregte seine Gestaltung des Titelhelden im «Orpheus» von Gluck an der Berliner Komischen Oper Aufsehen. 1989 gastierte er in dieser Partie in London. In den USA trat er in Minneapolis auf. Von seinen Bühnenpartien sind noch der Daniel in «Belshazzar» von Händel (in szenischen Aufführungen dieses Oratoriums) und der Annio in «La clemenza di Tito» von Mozart neben einem umfangreichen Konzertrepertoire zu nennen.
Schallplatten: Capriccio (Barock-Arien preußischer Meister; Händel- und Mozart-Arien; Titelrolle im «Orpheus» von Gluck; «Symphoniae Sacrae» von Heinrich Schütz).

Kraiger, Gretel, Sopran, * 1906 Klagenfurt, † 14. 9. 1953 Hannover; sie absolvierte ihre Gesangsausbildung in Wien. 1929 begann sie ihre Bühnenlaufbahn am Deutschen Theater in Brünn (Brno), sang dort bis 1931 und in der Spielzeit 1931–32 am Stadttheater von Magdeburg. 1932–33 war sie am Opernhaus von Königsberg (Ostpreußen) und 1933–34 nochmals am Theater von Magdeburg im Engagement. 1934 folgte sie einem Ruf an das Opernhaus von Hannover, dessen Mitglied sie bis zu ihrem Tod geblieben ist. Hier sang sie 1943 in der Uraufführung der Oper «Der Kuckuck von Theben» von E. Wolf-Ferrari sowie in den deutschen Erstaufführungen von «Morana» von J. Gotovac (1943) und «Albert Herring» von Benjamin Britten (1950 als Lady Billows). Bei den Bayreuther Festspielen des Jahres 1934 wirkte sie als Helmwige in der «Walküre» mit. Aus ihren Bühnenrollen sind zu nennen: die Leonore im «Fidelio», die Venus im «Tannhäuser», die Ortrud im «Lohengrin», die Isolde im «Tristan», die Brünnhilde im Nibelungenring, die Kundry im «Parsifal», die Marschallin im «Rosenkavalier», die Amelia in Verdis «Maskenball», die Eboli in dessen «Don Carlos», die Adriana und die Principessa in «Adriana Lecouvreur» von Cilea. Konzert- und Oratoriensängerin von Rang.

Krall, Heidi, Sopran, * 1922 (?) Toledo (Ohio); sie stammte von Schweizer Eltern. Ausbildung am Cleveland Institute of Music. 1946 debütierte sie beim Tanglewood Festival als Giorgietta in Puccinis «Il Tabarro». Sie war dann bei der Chautauqua Opera Company engagiert. 1953 wurde sie an die Metropolitan Oper New York verpflichtet, der sie in den folgenden zwölf Spielzeiten angehörte, und an der sie als Frasquita in «Carmen» debütierte. Sie sang dort hauptsächlich kleinere Partien: die erste Dame in der «Zauberflöte», die Ortlinde in der «Walküre», die Gräfin Ceprano im «Rigoletto», die Priesterin in «Aida», die Flora in «La Traviata», übernahm aber auch größere Aufgaben wie die Musetta in «La Bohème» (ihre Glanzrolle), die Marguerite im «Faust» von Gounod und die Freia im «Rheingold». In der Spielzeit 1957–58 war sie an der Städtischen Oper Berlin engagiert. 1963 trat sie an der Oper von Philadelphia auf. Gastspiele und Konzertauftritte in den Zentren des amerikanischen Musiklebens. Schallplatten: RCA (Querschnitt «Zauberflöte»), Melodram (Walküre in der «Walküre», Metropolitan Oper 1957).

Krampen, Elke, Sopran, * 31. 5. 1948 Wuppertal; sie erhielt ihre Ausbildung an der Folkwang Hochschule in Essen vor allem durch Hilde Wesselmann. Bühnendebüt 1969 an der Staatsoper Stuttgart als erster Knabe in der «Zauberflöte». Sie hatte in der Folge an den Opernhäusern von Köln, Kassel und Nürnberg, an den Staatsopern von München und Stuttgart, am Staatstheater Karlsruhe eine belangreiche Karriere und gehörte als Mitglied dem Ensemble des Nationaltheaters Mannheim an. Auf der Bühne sang sie mit Vorliebe Partien aus dem Soubrettenfach: die Despina in «Così fan tutte», die Susanna in «Figaros Hochzeit», die Elvira in Rossi-

nis «Italiana in Algeri», die Ännchen im «Freischütz» von Weber, die Gretchen im «Wildschütz» von Lortzing, die Helena in «A Midsummer Night's Dream» von Benjamin Britten und die Gretel in «Hänsel und Gretel» von Humperdinck. Geschätzte Konzert- und Oratoriensolistin.

Kratz, Anna, Sopran, * 30. 10. 1837 Klingenberg (Bayern), † 23. 11. 1918 Wien; sie war die Tochter des Schauspielers und Theaterdirektors Franz Arnold Kratz. Als Kind von neun Jahren stand sie bereits in Bonn auf der Bühne. 1850 begann sie eine Karriere als Operettensoubrette in Amsterdam und Rotterdam, ging dann aber 1851 zur Oper über. Sie sang Partien aus dem Koloratur- und Soubrettenfach zuerst in Bern und Basel (seit 1851), dann am Thalia-Theater Hamburg und seit 1857 in Riga. Es folgten Engagements am Friedrich-Wilhelmstädtischen Theater Berlin und seit 1860 am Wiener Carl-Theater. 1861 folgte sie einem Ruf an das Wiener Burgtheater, wo sie jetzt zu einer großen Karriere als Schauspielerin kam und zuletzt im Fachgebiet der Komischen Alten auftrat. Sie war verheiratet mit einem Herrn von Drathschmidt-Bruckheim.

Kraze, Heinrich, Bariton, * 14. 5. 1844 Lissa (preußische Provinz Posen), † 25. 7. 1917 Mannheim; er begann seine Bühnenkarriere 1869 am Opernhaus von Breslau und war dann nacheinander am Stadttheater von Bremen, am Opernhaus von Leipzig, an den Hoftheatern von Kassel und Darmstadt und seit 1885 am Hof- und Nationaltheater von Mannheim engagiert. Er kam durch Gastspiele an deutschen Bühnen wie durch sein Wirken im Konzertsaal zu hohem Ansehen. Von seinen Bühnenpartien seien die Titelrollen in «Hans Heiling» von Marschner und in «Wilhelm Tell» von Rossini, der Kühleborn in Lortzings «Undine», der Escamillo in «Carmen», der Hans Sachs in den «Meistersingern» und der Fliegende Holländer hervorgehoben. Er war verheiratet mit der Sopranistin *Aglaë Lenke-Kraze* († 17. 7. 1917 Mannheim), die im dramatischen Fach Bedeutendes leistete. Sein Sohn *Eni Kraze* (* 18. 6. 1874) wirkte lange Jahre als lyrischer Tenor am Hoftheater von Schwerin.

Kreuder, Peter, Tenor, * 26. 3. 1870 Köln, † 5. 11. 1930 Hamburg; er war ursprünglich als Buchhalter in einem Kölner Kaufhaus tätig, trat aber bereits als Solist bei Veranstaltungen von Gesangvereinen auf. Er wandte sich dann dem Gesangstudium zu, das am Konservatorium von Köln und bei Ernst Grenzebach in Berlin erfolgte. Während dieser Zeit sang er zusammen mit dem Rost'schen Solistenquartett. 1904 debütierte er am Stadttheater von Aachen, wo er während einer Spielzeit blieb. 1905 wurde er an die Berliner Komische Oper verpflichtet und sang in deren Eröffnungsvorstellung 1905 den Spalanzani in «Hoffmanns Erzählungen». Bis 1911 blieb er an diesem Haus tätig, das damals aufsehenerregende Inszenierungen von Opern veranstaltete. 1911–12 war er am Stadttheater von Mühlhausen im Elsaß engagiert, 1912 wurde er Mitglied des Opernhauses (Stadttheaters) von Hamburg, dem er bis zu seinem

Tod angehörte. 1925 sang er dort in der deutschen Erstaufführung von Ravels «L Heure espagnole» die Rolle des Torquemada, 1928 wirkte er in der deutschen Erstaufführung von «Debora e Jaele» von Pizzetti mit, am 7. 10. 1927 in der Uraufführung der Oper «Das Wunder der Heliane» von Korngold. Seit 1920 war er an der Hamburger Oper auch als Regisseur tätig. 1930 brach er während einer «Rheingold»-Aufführung, in der er den Mime sang, auf der Bühne der Hamburger Oper nach einem Herzschlag tot zusammen. Gastspiele führten ihn 1903 an das Stadttheater von Bremen, 1911 an das Opernhaus von Breslau; 1930 sang er in Paris in der «Fledermaus» von J. Strauß. Sein Repertoire enthielt an erster Stelle Partien aus dem Charakter- und Buffo-Fach: den Wenzel in Smetanas «Verkaufter Braut», den Monostatos in der «Zauberflöte», den Valzacchi im «Rosenkavalier» und den Mime in den Opern des Ring-Zyklus. Er sang aber manchmal auch Rollen für Baß-Bariton wie den Beckmesser in den «Meistersingern», den Laërtes in «Mignon» von A. Thomas und den Bartolo im «Barbier von Sevilla». Sein gleichnamiger Sohn Peter Kreuder (1905–81) wurde als Komponist von Operetten-, Film- und Unterhaltungsmusik bekannt.

Schallplatten: Seine Stimme ist durch Aufnahmen zusammen mit dem Rost'schen Solistenquartett auf der Marke Zonophone erhalten, die aus den Jahren 1905–08 stammen. Solo-Aufnahmen auf Pathé (Berlin, 1909).

Kreutzer, Cäcilie, Sopran, * 1820 Wien, † (?); sie war die Tochter des Komponisten Conradin Kreutzer (1780–1849) aus dessen erster Ehe mit der Schweizerin Anna Huber. Ihr Vater, von dessen Opern «Das Nachtlager in Granada» nach der Uraufführung am Theater in der Josefstadt in Wien (1834) sehr bekannt wurde, kümmerte sich um die Ausbildung seiner begabten Tochter, die 1839 an der Wiener Hofoper debütierte. 1840 unternahm sie in Begleitung ihres Vaters eine Gastspielreise durch Deutschland und trat am Hoftheater von Braunschweig und am Opernhaus von Köln auf. 1841 folgte sie einem Ruf an das Opernhaus von Leipzig. 1842 war sie an den Theatern von Mainz und Wiesbaden anzutreffen, wo sie mehrfach in Vorstellungen auftrat, die ihr Vater dirigierte. 1844 gastierte sie mit dem Mainzer Ensemble in Gent. Als sie 1845 den wohlhabenden Fabrikanten Winkler aus Rochlitz bei Leipzig geheiratet hatte, gab sie ihre Bühnenkarriere auf und verzog nach Rochlitz. Nach dem Tod ihrer Mutter hatte ihr Vater Conradin Kreutzer 1825 in zweiter Ehe Anna von Ostheim geheiratet. Aus dieser Ehe stammte eine einzige Tochter, *Marie Kreutzer* (* 4. 10. 1828 Wien, † ?), die ebenfalls eine talentierte Sängerin war. Sie fand 1846 ihr erstes Engagement in Frankfurt a. d. Oder, wohin ihre Eltern sie begleiteten. 1848 ging sie als erste dramatische Sopranistin an das Opernhaus von Riga, wiederum mit ihren Eltern zusammen. Sie kam dort bald zu großen Erfolgen; im Februar dirigierte ihr Vater ein Konzert, das sie an der Oper von Riga gab. Ihre weitere Karriere gestaltete sich unglücklich. Noch 1849 verlor Marie Kreutzer ihre Stimme, am

14. 12. 1849 starb ihr Vater. Ihre Halbschwester Cäcilie nahm die mittellose Künstlerin und ihre Mutter bei sich in Rochlitz auf.

Kreutzer, Marie, s. unter *Kreutzer,* Cäcilie.

Kriese-Caporale, Gladys, Mezzosopran, * 11. 1. 1931 Winnipeg; ihre Gesangausbildung fand statt bei Doris Mills Lewis in Winnipeg (1947–52). Seit 1949 trat sie öffentlich auf, zunächst vor allem als Konzertsängerin. Sie ergänzte ihre Ausbildung durch Studien bei Sidney Dietch in New York und wurde nach einigen Opernauftritten in den USA an die Metropolitan Oper New York berufen, an der sie 1961 als Stimme der Mutter in «Hoffmanns Erzählungen» debütierte. Bis 1966 war sie dort, zumeist in kleineren Partien, zu hören, aber auch als Mary im «Fliegenden Holländer», als erste Norn im Nibelungenring und als Magdalene in den «Meistersingern». Während dieser Zeit sang sie auch an der New York City Centre Opera (1961–62, u. a. in der Uraufführung der Oper «Der Golem» von Ellstein), bei der San Carlo Opera Company und an weiteren Theatern. Sie kam dann nach Europa und war 1966–72 Mitglied der Deutschen Oper Berlin. Durch Gastverträge bestanden Bindungen an die Staatstheater von Hannover und Karlsruhe. Sie gastierte an der Wiener Staatsoper (1970 als Eboli in Verdis «Don Carlos»), am Opernhaus von Leipzig (1970), an der Staatsoper Hamburg (1972), in Turin (1972), Stuttgart und an der Oper von Chicago (1974). Seit 1978 lebte sie in Italien. Sie war vor allem als Wagner- und Verdi-Interpretin bekannt; von ihren Partien sind die Erda, die Waltraute und die Fricka im Ring-Zyklus, die Brangäne im «Tristan», die Azucena im «Troubadour», die Ulrica im «Maskenball», die Amneris in «Aida», die Gräfin in «Pique Dame» von Tschaikowsky, die Klytämnestra in «Elektra» von R. Strauss, die Herodias in «Salome», die Annina im «Rosenkavalier», die Marcellina in «Figaros Hochzeit» und die Mutter in «The Consul» von G. C. Menotti zu nennen. Sie trat zuerst unter dem Namen Gladys Kriese auf, dann nach einer Heirat seit etwa 1967 als Gladys Kriese-Caporale, schließlich (unter Italianisierung des Vornamens) als Claudia Caporale.

Kriwtschenja, Alexej (Filippowitsch), Baß, * 30. 7. (12. 8.) 1912; er war am Konservatorium von Odessa Schüler von W. Zeljamin. 1934 begann er seine Bühnenkarriere am Opernhaus von Dnjepropetrowsk, an dem er in den folgenden zehn Jahren engagiert war. Während der Jahre des Zweiten Weltkrieges sang er 1941–44 am Theater von Krasnojarsk. 1945–49 war er Mitglied des neu gegründeten Opernhauses von Nowosibirsk. 1949 folgte er schließlich einem Ruf an das Bolschoj Theater Moskau, wo die Karriere des Künstlers zu ihrem Höhepunkt kam. 1956 wurde er Volkskünstler der UdSSR. Sein Bühnenrepertoire war reichhaltig und enthielt als Höhepunkte Partien wie die Titelhelden in «Iwan Susanin» («Das Leben für den Zaren») von Glinka, den Farlaf in dessen «Ruslan und Ludmilla», den Iwan Khowansky in «Khovantchina» von Mus-

sorgsky, den Titelhelden im «Boris Godunow», den
Tomsky in «Pique Dame» von Tschaikowski, den
Gremin in dessen «Eugen Onegin», den Pestel in
«Die Dekabristen» von Schaporin, den Mephisto im
«Faust» von Gounod, den Basilio in Rossinis «Barbier von Sevilla» und den Sparafucile im «Rigoletto».
Der auch im Konzertsaal im Lauf seiner Karriere
erfolgreiche Künstler hat Schallplatten der staatlichen sowjetrussischen Produktion (Melodiya) hinterlassen, darunter auch vollständige Opern («Ruslan und Ludmilla» von Glinka, «Khovantchina»,
«Rusalka» von Dargomyshski).

Križaj, Josip, Baß, * 5. 3. 1887 Vevče (Distrikt
Ljubljana, Laibach), † 30. 7. 1958 Zagreb; er erhielt
seine Sängerausbildung in Ljubljana und in München. 1907 debütierte er am Theater von Ljubljana
und war 1907–13 Mitglied dieses Hauses. 1913–40
wurde er in einer langjährigen Karriere an der Oper
von Zagreb zu einem der beliebtesten Künstler dieses Ensembles. Er sang hier einige Partien in den
Erstaufführungen von Opernwerken für Jugoslawien: den Titelhelden im «Boris Godunow» von
Mussorgsky und den Dosifey in dessen «Khovantchina» (1926), den Ochs im «Rosenkavalier», den
König Philipp in Verdis «Don Carlos», den König
Marke im «Tristan» und den Wotan im «Rhein-
gold». Am 12. 11. 1935 sang er in Zagreb in der
Uraufführung der kroatischen Oper «Ero der
Schelm» von Jakov Gotovac die Rolle des Marko.
Der Katalog seiner Bühnenpartien umfaßte Aufga-
ben wie den Rocco in «Fidelio», den Kezal in der
«Verkauften Braut», den Figaro in «Nozze di Fi-
garo», den Hans Sachs in den «Meistersingern», den
Wanderer im «Siegfried» und den Gurnemanz im
«Parsifal». Der auch als Konzertbassist erfolgreiche
Sänger war verheiratet mit der Sopranistin *Paula
Trauttner* (* 1888 Ruma, Kroatien, † 5. 9. 1976 Za-
greb), die 1910–27 am Opernhaus von Zagreb engagiert war und dort in Partien wie der Susanna in
«Nozze di Figaro», der Mimi in Puccinis «La Bohème», der Butterfly, der Mignon in der gleichnamigen Oper von A. Thomas, der Nuri in «Tiefland»
von d' Albert und der Titelfigur in «Snegourotchka»
von Rimsky-Korssakow zu hören war.

Krnetić, Zvonimir, Tenor, * 6. 11. 1930 Belgrad; er
war an der Belgrader Musikakademie Schüler von
J. Stamatović-Nikolić und studierte am Konservatorium von Venedig bei P. Bonini sowie in Belgrad bei
Zdenka Zikova. 1958 begann er seine Bühnenlaufbahn an der Nationaloper Belgrad und blieb während deren gesamtem Ablauf Mitglied dieses führenden jugoslawischen Operninstituts. Gastspiele und
Konzertreisen – namentlich als Liedersänger – führten ihn in viele europäische Länder; seit 1972 wirkte
er im pädagogischen Bereich als Professor an der
Musikakademie von Belgrad. Sein Bühnenrepertoire besaß einen großen Umfang und hatte seine
Höhepunkte in Rollen wie dem Hans in Smetanas
«Verkaufter Braut», der Titelpartie im «Faust» von
Gounod, dem Hoffmann in «Hoffmanns Erzählungen» von Offenbach und dem Don Carlos in der

gleichnamigen Verdi-Oper, dem Herzog im «Rigoletto», dem Nemorino in «Elisir d' amore», dem
Lenski in Tschaikowskys «Eugen Onegin», dem Rodolfo in Puccinis «La Bohème», dem Canio im «Bajazzo», dem Oedipus Rex in der Oper gleichen Namens von Strawinsky und dem Míca in «Ero der
Schelm» von Gotovac.
Schallplatten: Jugoton (vollständige Oper «Ero, der
Schelm»).

Kroll-Lange, Erna, Sopran, * 1894, † 26. 7. 1943
Hamburg; die Künstlerin war 1925–26 am Stadttheater von Ulm engagiert und kam dann als Rundfunksängerin beim Hamburger Sender Norag, später
beim Reichssender Hamburg, zu einer glänzenden
Karriere. Sie wurde als «Hamburger Nachtigall»
überaus beliebt, vor allem als Interpretin von Koloraturarien und -kanzonen. 1926–29 war sie zusätzlich
beim Hamburger Operettentheater anzutreffen. Die
Sängerin, von deren Stimme Polydor-Schallplatten
vorhanden sind, kam bei einem Luftangriff auf
Hamburg im Juli 1943 ums Leben.

Kronen, Franz, Baß-Bariton, * 5. 2. 1875 Korschen-
broich bei Mönchengladbach; † 6. 9. 1953 Hannover; seine Bühnenkarriere begann mit einem Engagement am Stadttheater von Straßburg 1900. Von
dort ging er 1902 an das Stadttheater von Augsburg
und sang dann 1903–05 am Stadttheater von Rostock
und 1905–08 am Stadttheater von Nürnberg. 1908
wurde er an das Hoftheater (Opernhaus) von Hannover verpflichtet, dessen Mitglied er bis 1928 geblieben ist. Gastspiele führten ihn an die Hofopern
von Berlin (1910) und München (häufig zwischen
1906 und 1912), an die Opernhäuser von Frankfurt
a. M. (1906) und Leipzig (1908–14), an das Hoftheater Mannheim (1901), an die Covent Garden Oper
London (1912 als Donner und Gunther im Ring-
Zyklus) und nach Rotterdam (1910 Sebastiano in
«Tiefland» von E. d'Albert). Weitere Auftritte in
Belgien, Österreich und in der Schweiz. Noch 1929
gastierte er am Opernhaus von Köln. Er trat auf der
Bühne vor allem in Partien aus dem heldischen
Fachbereich auf: als Hans Sachs in den «Meistersingern», als Graf in «Figaros Hochzeit», als Sebastiano
in «Tiefland» von d' Albert, als Jago in Verdis
«Othello», als Graf Luna im «Troubadour», als To-
nio im «Bajazzo», als Titelheld in Mussorgskys «Boris Godunow», als Scarpia in «Tosca» und als Faninal
im «Rosenkavalier», den er in der Premiere dieser
Oper in Hannover sang. Nach Abschluß seiner erfolgreichen Bühnen- und Konzertlaufbahn wirkte er
in Hannover als Gesanglehrer.
Schallplatten: HMV.

Kruse, Tone, Alt, * 1959 (?) Oslo; sie erhielt ihre
Ausbildung an der Musikhochschule der norwegischen Hauptstadt Oslo und begann ihre Bühnenkarriere 1982 an der Oper von Oslo. 1983–85 war sie
Mitglied dieses Hauses und wurde dann 1985 an die
Oper von Köln verpflichtet. Hier sang sie eine Vielzahl von Partien, darunter den Titelhelden im «Orpheus» von Gluck, die Erda wie die Floßhilde im
Nibelungenring, die Magdalene in den «Meistersin-

gern», die Annina im «Rosenkavalier», die Margareth im «Wozzeck» von A. Berg, die Zulma in «L'Italiana in Algeri» von Rossini, die Suzuki in «Madame Butterfly», die Bersi in «Andrea Chénier» von Giordano und die Mother Goose in «The Rake's Progress» von Strawinsky. Gastspiele und Konzertauftritte begleiteten die Karriere der Sängerin am Kölner Opernhaus.
Schallplatten: BIS («Die Jungfrau im Turm» von Sibelius, «Der heilige Berg» von Sinding).

Kube, Rio, Tenor, * 1887 Berlin, † April 1987 Berlin; nachdem der Künstler zuerst als Konzert- und Oratoriensänger aufgetreten war, begann er 1912 seine Bühnenkarriere an der Berliner Volksoper, an der er als Manrico im «Troubadour» von Verdi debütierte. Noch im gleichen Jahr 1912 wirkte er bei den Bayreuther Festspielen mit. Er war nacheinander an den Opernbühnen von Essen, Hagen und Münster (Westfalen) engagiert und gastierte erfolgreich in Berlin, Breslau, Dresden, Köln, Düsseldorf und Kassel. 1924 sang er als erster Sänger in Münster in der «Westdeutschen Funkstunde» und leitete damit eine große Karriere als Rundfunk- wie als Schallplattensänger ein. Dabei brachte er ein sehr umfangreiches Repertoire zum Vortrag, das von der Oper über die Operette und das Oratorium bis zum gehobenen Unterhaltungslied reichte. Er nahm später in Berlin seinen Wohnsitz, wo er hundertjährig 1987 gestorben ist.
Seine vielen Schallplatten, die die bunte Zusammensetzung seines Repertoires widerspiegeln, erschienen auf Polydor, Odeon, Telefunken und kleineren Marken.

Kubla, Richard, Tenor, * 11. 2. 1890 Ostrava (Mährisch-Ostrau), † 9. 7. 1964 Prag; er lernte als Kind Violinspiel und trat schon als Siebenjähriger als Solist auf. Sein Onkel, der einen Kirchenchor leitete, riet ihm jedoch, seine Stimme ausbilden zu lassen. Er wurde Schüler von Bohumil Pták in Prag, doch kam es bald zu Spannungen zwischen ihm und seinem Lehrer, so daß er zu dem Theaterleiter Václav Štech überwechselte, der ihm nach kurzer Zeit einen Bühnenauftritt empfahl, was ihm jedoch als verfrüht erschien. Er ging daher zur weiteren Ausbildung an die Wiener Musikakademie, und dort kam es dann 1914 an der Wiener Volksoper zu seinem Debüt als Rodolfo in «La Bohème». Bis 1920 blieb er Mitglied der Volksoper Wien, sang 1920–24 am Deutschen Theater Prag und wirkte dann als ständiger Gast bis 1945 an der Tschechischen Nationaloper Prag, an der er auch bereits zuvor gastiert hatte. In den Spielzeiten 1932–33 und 1936–38 war er nochmals an der Wiener Volksoper im Engagement. Gastspiele führten ihn an die Staatsoper Wien (1919, 1935, 1937), an die Opern von München, Hamburg, Budapest und Belgrad, nach Triest, Kairo und in die USA, wo er in New York wie in Chicago aufgetreten ist. Er beherrschte ein Bühnenrepertoire von rund 130 Partien, darunter viele Wagner-Rollen (Erik, Lohengrin, Stolzing, Parsifal, Siegmund), weiter den Hans in der «Verkauften Braut», den Titelhelden in «Dalibor» von Smetana, den Prinzen in «Ru-

salka» und die Titelfigur in «Dimitrij» von Dvořák, den Radames in «Aida», den Cavaradossi in «Tosca», den Herzog im «Rigoletto» und den Turiddu in «Cavalleria rusticana», dazu einige Operettenpartien.
Schallplatten: Ultraphon, Esta, HMV.

Kučić, Milivoj, Bariton, * 18. 5. 1905 Zagreb (Agram); er absolvierte die Musikakademie seiner Geburtsstadt Zagreb und debütierte 1928 in Zagreb als Papageno in der «Zauberflöte». 1933–69 war er Mitglied der Kroatischen Nationaloper Zagreb. In einer über 35jährigen Karriere wurde er beim Opernpublikum durch eine Vielzahl von Rollen beliebt, von denen hier nur der Graf Almaviva in «Figaros Hochzeit», der Silvio im «Bajazzo», der Titelheld in Puccinis «Gianni Schicchi» und der Sima in der kroatischen Oper «Ero der Schelm» von J. Gotovac genannt sein sollen. Zusätzlich zu seiner Bühnenkarriere entwickelte er eine nicht weniger bedeutende Karriere als Konzert- wie als Liedersänger. Er betätigte sich später in Zagreb als Gesangpädagoge.

Küttenbaum, Annette, Mezzosopran, * 14. 5. 1958; sie war bereits als Konzertsängerin in Erscheinung getreten, bevor sie 1981 am Stadttheater von Basel in der Oper «L'Ivrogne corrigé» von Gluck debütierte. 1982–83 war sie am Opernhaus von Zürich engagiert. Sie wurde 1983 an das Staatstheater Hannover verpflichtet, an dem sie seitdem eine erfolgreiche Karriere hatte. Zugleich bestand ein Gastspielvertrag mit dem Staatstheater von Braunschweig. Bei den Bayreuther Festspielen der Jahre 1988–89 übernahm sie die Partien der Wellgunde im Nibelungenring und eines Blumenmädchens im «Parsifal». 1989 trat sie mit großem Erfolg als Konzertsängerin in Wien auf. Aus ihrem Bühnenrepertoire ist als ein besonderer Höhepunkt der Cherubino in «Figaros Hochzeit» zu nennen.
Schallplatten: Edition Schwann («Massimilla Doni» von Othmar Schoeck).

Kumsiaschwili, Niko (Nikojan), Tenor, * 1892, † 20. 9. 1942 Tblissi (Tiflis); der in Georgien beheimatete Sänger studierte zuerst in Tblissi, dann in Moskau bei E. K. Rajdnow. 1924 wurde er als erster Tenor an das Opernhaus von Tblissi (Paliaschwili Theater) berufen und blieb bis zu seinem Tod ein führendes Mitglied dieses Hauses. Er trat hier in Partien wie dem Hermann in «Pique Dame» von Tschaikowsky, dem Radames in «Aida», dem Titelhelden in Verdis «Othello», dem Raoul in den «Hugenotten» von Meyerbeer und dem Canio im «Bajazzo» auf, beherrschte dabei ein sehr vielseitiges Rollenrepertoire. Darin standen Partien aus dem Bereich der georgischen Oper (Malchas in «Danci», Reti in «Latawra» von Zakharia Paliaschwili) mit im Vordergrund. Zu seiner Bühnenkarriere trat eine zweite Laufbahn als Konzert- und Liedersänger, auch hier wiederum mit Schwerpunkten in der Vokalmusik seiner Heimat Georgien.
Schallplattenaufnahmen der staatlichen sowjetrussischen Plattenproduktion.

Kunde, Gregory, Tenor, * 1955 (?) Kankakee (Illinois), er erhielt seine Ausbildung an der Illinois State University und vervollständigte sie in der Opera School der Chicago Lyric Opera, an der er seit 1979 zu einer ständigen Karriere kam. Bald trat er auch an anderen führenden amerikanischen Opernheatern in Erscheinung, vor allem seit 1983 an der Washington Opera, seit 1987 an der Oper von Seattle, seit 1986 an der Oper von Dallas, an der Oper von Cincinnati und an kanadischen Opernhäusern. 1987 debütierte er an der Metropolitan Oper New York als des Grieux in «Manon» von Massenet. Er konnte dann auch in Europa zu erfolgreichen Bühnenauftritten kommen, so u. a. an der Oper von Nizza und 1989 am Théâtre des Champs Elysées Paris. Sein Repertoire lag eher im lyrischen Bereich, enthielt aber auch schwerere dramatische Aufgaben; im einzelnen sind der Belmonte in der «Entführung aus dem Serail», der Tamino in der «Zauberflöte», der Ernesto im «Don Pasquale», der Cassio in Verdis «Othello», der Alfredo in «La Traviata», der Riccardo in «Un Ballo in maschera», der Tonio in Donizettis «La Fille du régiment», der Prunier in Puccinis «La Rondine», der Tybalt in «Roméo et Juliette» von Gounod, der Nadir in «Pêcheurs de perles» und der Rosillon in der «Lustigen Witwe» von Franz Lehár zu nennen.

Kunz, Albert, Tenor, * 20. 5. 1916 Zürich; Ausbildung durch Dora Wyss und Elisabeth Bosshart in Zürich und durch Armin Weltner in Luzern. 1942–44 war er als Chorist am Stadttheater von Luzern tätig und wirkte dann in der langen Zeit von 1944 bis 1971 am Theater der Schweizer Bundeshauptstadt Bern. Von dort führten ihn Gastspiele an das Opernhaus von Zürich, an das Grand Théâtre Genf, an die Oper von Frankfurt a. M., an das Staatstheater Wiesbaden, an das Théâtre de la Monnaie Brüssel, an die Opéra de Wallonie Lüttich und an das Opernhaus von Bordeaux. Auf der Bühne bewältigte er ein Repertoire von ungewöhnlichem Ausmaß, das lyrische wie Charakter- und Buffopartien aus allen Bereichen der Oper, dazu eine Vielzahl von Operettenrollen, enthielt. 1950 wirkte er am Theater von Bern in der Uraufführung von Armin Schiblers «Der spanische Rosenstock» mit; er sang dort in den Premieren der Opern «Khovantchina» von Mussorgsky (1945–46), «Mazeppa» von Tschaikowsky (1959–60) und «Der junge Lord» von H. W. Henze (1967).
Schallplatten: MMS (Alfred in Querschnitt «Fledermaus», Barinkay in vollständigem «Zigeunerbaron» von J. Strauß.)

Kunz, Ursula, Alt, * 1952 (?) Paderborn; nachdem sie zunächst Violinspiel studiert hatte, ging sie zur Ausbildung ihrer Stimme über, die durch Helmut Kretschmar an der Musikhochschule Detmold erfolgte. Sie war auch Schülerin von Elisabeth Schwarzkopf und Julia Hamari. Sie wurde Preisträgerin bei zahlreichen Gesangwettbewerben, so 1986 beim Mendelssohn-Concours in Berlin, 1988 beim Internationalen Wettbewerb von s'Hertogenbosch und beim Wettbewerb der ARD in München. Bereits 1985 hatte sie bei den Festspielen von Weikersheim in «Serse» von Händel mitgewirkt, 1988 hatte sie bei den gleichen Festspielen einen glänzenden Erfolg als Carmen. 1986–88 war sie Mitglied des Staatstheaters von Karlsruhe. Gastspiele führten die Sängerin an die Staatsoper von Hamburg, an das Grand Théâtre Genf, an das Stadttheater von St. Gallen und an weitere Bühnen. Aus ihrem Bühnenrepertoire verdienen der Octavian im «Rosenkavalier» von R. Strauss, der Sesto in «La clemenza di Tito», die Dorabella in «Così fan tutte», die Olga im «Eugen Onegin» und der Hänsel in «Hänsel und Gretel» Erwähnung. Fast noch bedeutender als auf der Bühne entwickelte sich die Karriere der Künstlerin im Konzertbereich; hier trat sie auf den Gebieten des Oratorien- wie des Liedgesangs in Erscheinung.
Schallplatten: Bayer-Records (Alt-Solo im Mozart-Requiem), HMV-Electrola (Fernando in «Rodrigo» von Händel, eine der Walküren in «Die Walküre»).

Kurganow, Alexander Matwejewitsch, Tenor, * 5. (17.) 1. 1881, † 2. 1. 1964 Alma-Ata (Kasachstan); er war am Moskauer Philharmonischen Institut Schüler von A. Kniller (1908–10) und trat in den Jahren 1910–13 an Operettenbühnen in Moskau auf. Er wandte sich dann jedoch der Opernkarriere zu und sang zuerst an den Opernhäusern von Baku und Tblissi (Tiflis), nach dem Ersten Weltkrieg auch bis 1925 in Moskau und Leningrad. 1925 ging er nach Italien und studierte in Mailand nochmals bei dem Pädagogen A. Masini. Es kam dann zu Gastspielen in Florenz und Neapel; er sang in Paris, zum Teil mit dem Ensemble der Opéra Russe, in New York und in Philadelphia. Nach Rußland zurückgekehrt, war er in den Jahren 1934–41 an den Opernhäusern von Swerdlowsk (Lunatscharsky Theater) und Kuibyschew tätig. 1941 wurde er an das Nationaltheater von Alma-Ata (seit 1945 Abaja-Theater) verpflichtet. Er war maßgeblich an der Entwicklung des Musik- wie des Opernlebens in der Hauptstadt von Kasachstan beteiligt und blieb bis zu seinem Bühnenabschied 1950 Mitglied des Hauses. 1949–58 wirkte er als Professor am Konservatorium von Alma-Ata. Das Bühnenrepertoire des Sängers besaß einen ansehnlichen Umfang und enthielt an erster Stelle Partien wie den Hermann in Tschaikowskys «Pique Dame», den Raoul in den «Hugenotten» von Meyerbeer, den Titelhelden im «Faust» von Gounod, den Alfredo in Verdis «La Traviata», den Herzog im «Rigoletto» und den José in «Carmen». Er wirkte auch in Aufführungen von Opern und anderen Vokalwerken von Komponisten aus Kasachstan mit (Jewgenij Brusilowski, Mukan Tulebajew). Bedeutender Konzert- und Liedersänger.
Schallplattenaufnahmen bei Melodiya.

Kurth, Jürgen, Bariton, * 27. 9. 1951 Leisnig (Sachsen); er studierte an der Musikhochschule von Leipzig bei den Pädagogen Rudolf Riemer und Hanne-Lore Kuhse. 1978 debütierte er am Thüringischen Landestheater von Gera als Dr. Cajus in den «Lustigen Weibern von Windsor» von Nicolai. 1980 ging er von Gera an das Opernhaus von Leipzig. Hier kam er in einem umfangreichen Repertoire zu bedeutenden Erfolgen; von den Partien, die er sang, seien der Wolfram im «Tannhäuser», der Guglielmo in «Così fan tutte», der Fluth im «Falstaff» von Verdi, der Zar in «Zar und Zimmermann» von Lortzing und der Enrico in «Lucia di Lammermoor» von Donizetti genannt. Gastspiele, zumeist mit dem Leipziger Ensemble, trugen dem Künstler an Opernhäusern in Spanien und Italien wie auch in Japan Erfolge ein. Nicht zuletzt konnte er auch im Konzertsaal eine Karriere von Belang entwickeln.

Kurz, Johann Nepomuk, Tenor, * 1767 Prag, † 25. 6. 1795 München; er wurde 1789 als erster Tenor an das Hoftheater von München verpflichtet und blieb bis zu seinem Tod 1795 in dieser Stellung. In der bayerischen Metropole wirkte er in Aufführungen der damals modernen Opern von Mozart mit und sang u. a. den Tamino in der Münchner Erstaufführung der «Zauberflöte» (13. 7. 1793). Sehr erfolgreich war er auch als Romeo in dem Singspiel «Romeo und Julie» wie von Georg Benda. Dazu brachte er auf der Bühne wie auch im Konzertsaal ein weitläufiges, dem damaligen Geschmack entsprechendes Repertoire zum Vortrag. Leider starb der Künstler bereits im Alter von 28 Jahren, auf dem Höhepunkt seiner Karriere angekommen.

Kußmitsch, Karoline, Alt, * 12. 7. 1873 Mährisch-Kromau (ČSSR), † (?); sie war die Tochter eines Oberingenieurs und wurde durch August Stoll in Wien zur Sängerin ausgebildet. Weitere Studien bei Selma Nicklass-Kempner und bei Philip Forstén. 1895 debütierte sie am Opernhaus von Brno (Brünn), an dem sie in den folgenden drei Spielzeiten ihre ersten Erfolge hatte. Darauf wurde sie 1898 an die Wiener Hofoper verpflichtet, an der sie bis 1902 im Engagement war. Hier trat sie in Partien wie der Azucena im «Troubadour», der Fides im «Propheten» von Meyerbeer, der Erda wie der Wellgunde im «Ring des Nibelungen», der Marcellina in «Figaros Hochzeit» und dem Prinzen Orlowsky in der «Fledermaus» von Johann Strauß auf. Auch bei Gastspielen und Konzerten kam sie zu Erfolgen.

Kutz, Karina, Sopran, * 13. 9. 1910 Deutsch-Eylau (Ostpreußen), † 22. 11. 1985 Berlin; sie begann ihre Karriere 1934 am Stadttheater von Krefeld, wo sie in der Rolle der Elisabeth im «Tannhäuser» ihr Bühnendebüt absolvierte. Nach zweijähriger Tätigkeit an diesem Haus war sie 1936–37 am Theater von Cottbus im Engagement. 1937 folgte sie einem Ruf an die Berliner Städtische Oper (Deutsches Opernhaus Berlin) und blieb dort als erste dramatische Sopranistin bis 1953 tätig. Sie kam hier in Partien wie der Carmen, der Leonore im «Fidelio», der Aida, der Agathe im «Freischütz», der Titelfigur in der Richard-Strauss-Oper «Salome» und der Ortrud im «Lohengrin» zu bedeutenden Erfolgen. Gastspiele führten die Künstlerin an die Staatsopern von Dresden und München, nach Prag, Warschau und Krakau. Zu ihrer Bühnentätigkeit gesellte sich eine zweite, ebenso bedeutende Karriere als Konzertsopranistin.

Kwartin, Zavel, Tenor/Bariton, * 1874 Nowoarchangelsky (Ukraine), † 1952 Newark (New Jersey); er studierte den jüdischen Kultgesang zunächst in Rußland, dann in Wien, wo er sich auch in den Operngesang einführen ließ. Er wurde zuerst als Hazzan an der Synagoge von Jelisawetgrad, dann an der Kaiserin Elisabeth-Synagoge in Wien angestellt, an der er fünf Jahre lang blieb. In den Jahren 1908–18 wirkte er an der Tabak Temple Synagoge von Budapest. 1919 wanderte er nach Nordamerika aus. Hier absolvierte er 1920 eine sehr erfolgreiche Konzerttournee durch die USA, bei der er auch weltliche Konzert- und Opernmusik zum Vortrag brachte. 1920 ging er als Kantor an die Emanu-El Synagoge im New Yorker Stadtteil Brooklyn und nahm dann eine gleiche Stellung an der Synagoge von Newark (New Jersey) an. 1926–1937 unternahm er mehrere Konzerttourneen durch Palästina, die ihm bei der dortigen jüdischen Bevölkerung große Anerkennung einbrachten, auch in Nordamerika setzte er seine Konzerttätigkeit fort. Er war selbst Komponist jüdischer religiöser Musik und veröffentlichte zwei Sammlungen derartiger Werke, «Zemirot Zevulun» und «Tefillot Zevulun» (1937). 1952 erschienen seine Lebenserinnerungen unter dem Titel *«Mayn Lebn»* (in jiddischer Sprache, New York).
Zahlreiche Schallplattenaufnahmen, vor allem unter dem Etikett von RCA-Victor, alle mit jüdischer Kultmusik.

Kwon, Hellen, Sopran, * 11. 1. 1961 Seoul (Süd-Korea); eigentlicher Name Heseon Hellen Kwon. Die Künstlerin erhielt ihre Ausbildung durch Dietger Jacob an der Musikhochschule Köln und gewann 1984 den Internationalen Gesangwettbewerb von Novara wie den Wettbewerb des Kölner Musikhauses Tonger. 1984 erfolgte ihr Bühnendebüt am Staatstheater von Wiesbaden in der Partie der Königin der Nacht in der «Zauberflöte». In der gleichen Rolle hatte sie viel beachtete Anfangserfolge an der Oper von Köln und in Saarbrücken. 1985 gab sie Gastspiele am Nationaltheater Mannheim, am Stadttheater von Bremen, am Münchner Theater am Gärtnerplatz und an der Staatsoper von Hamburg; im gleichen Jahr unternahm sie Konzerttourneen in den USA, in Frankreich, Italien, Belgien und Holland und trat dabei u. a. in der Matthäuspassion und in der h-moll-Messe von J. S. Bach auf. 1986 Gastspiel an der Grand Opéra Paris (als Königin der Nacht), am Opernhaus von Zürich und an der Staatsoper München. Am Grand Théâtre Genf wirkte sie 1987 in der Uraufführung der Oper «La Forêt» von R. Lieberman in der Rolle des Alexis de Lechebot mit. 1985–87 war sie am Stadttheater von Hagen (Westfalen) engagiert, seit 1987 Mitglied des Ensembles der Staatsoper von Hamburg. 1988 wirkte sie bei den Bayreuther Festspielen als Blumenmädchen im «Parsifal» mit. 1989 sang sie bei den Festspielen von Aix-en-Provence, 1990 in Glyndebourne die Königin der Nacht. Aus ihrem Koloraturrepertoire sind als Höhepunkte Partien wie die Sophie im «Rosenkavalier», die Zerbinetta in «Ariadne auf Naxos», von R. Strauss, die Blondchen in der «Entführung aus dem Serail», die Susanna in «Figaros Hochzeit», die Königin der Nacht, die Rosina im «Barbier von Sevilla» von Rossini, die Norina im «Don Pasquale» und die Musetta in Puccinis «La Bohème» zu nennen. Rundfunk- und Fernsehsendungen in Westdeutschland wie im Ausland geben der vielversprechenden Karriere der jungen Sängerin ein zusätzliches Gepräge.

Kyhle, Magnus, Tenor, *26. 1. 1959 Stockholm; er begann sehr früh mit seiner musikalischen Ausbildung, war dann Toningenieur bei Radio Stockholm, ließ aber seine Stimme an der Königlichen Musikakademie der schwedischen Metropole ausbilden und besuchte später die Opernschule der Stockholmer Oper. 1983 debütierte er in Vadstena in einer Opera buffa von Dittersdorf und kam dann bald

auch an der Königlichen Oper Stockholm (1989 als Don Ottavio im «Don Giovanni»), bei der Norlandsoperan und bei den Festspielen im barocken Theater auf Schloß Drottningholm (1989 als Monostatos in der «Zauberflöte») zu viel beachteten Erfolgen. 1989 wurde er Mitglied des Staatstheaters von Darmstadt und hatte hier als Pelléas in «Pelléas et Mélisande» einen ersten Erfolg; er sang dort den Tamino in der «Zauberflöte», den Paris in Offenbachs «La belle Hélène» sowie kleinere Partien in «Arabella» von R. Strauß und in A. Bergs «Wozzeck». Im Frühjahr 1990 trat er wieder an der Stockholmer Oper in Erscheinung. Auch im Konzertsaal hatte er in Werken von J. S. Bach, Händel, Haydn und Mozart wichtige Erfolge, wobei er oft mit den großen skandinavischen Orchestern zusammen auftrat.

L

Lachmann, Elisabeth, Sopran, *20. 4. 1940 Wien; der Vater der Sängerin war Schauspieler am Wiener Burgtheater, die Mutter Sängerin an der Volksoper Wien. Mit sechs Jahren erhielt sie Klavierunterricht, 1944–51 gehörte sie dem Kinderballett der Wiener Staatsoper an. Seit 1956 war sie Schülerin der bekannten Sopranistin Esther Réthy, seit 1957 Musik- und Gesangstudium an der Wiener Musikakademie bei Elsa Schwientek-Würtenberger und bei Christian Moeller. 1961 begann sie ihre Bühnenkarriere am Stadttheater der Schweizer Bundeshauptstadt Bern (Debütrollen: Cagliari in «Wiener Blut» von J. Strauß und Despina in «Così fan tutte»). 1962–64 war sie als erster lyrischer Sopran am Staatstheater Karlsruhe engagiert; hier sang sie Partien wie die Micaela in «Carmen», die Marie in Smetanas «Verkaufter Braut», den Cherubino in «Figaros Hochzeit» und die Regina in «Mathis der Maler» von Hindemith. 1964–68 gehörte sie dem Opernhaus von Graz an, wo sie als Susanna in «Figaros Hochzeit», als Pamina in der «Zauberflöte», als Frau Fluth in den «Lustigen Weibern von Windsor», als Rosalinde in der «Fledermaus» und als Zdenka in «Arabella» von R. Strauss auftrat. 1968 folgte sie einem Ruf an das Opernhaus von Dortmund, an dem sie eine über zwanzigjährige große Karriere hatte. Hatte sie dort zunächst lyrische Partien wie die Marzelline in «Fidelio» (ihre Antrittsrolle), die Mimi in «La Bohème», die Pamina und die Sophie im «Rosenkavalier» gesungen, so übernahm sie seit etwa 1972 jugendlich-dramatische Rollen (Butterfly, Nedda im «Bajazzo», Sieglinde in der «Walküre», Desdemona im «Othello» von Verdi), dann dramatische Partien wie die Donna Anna im «Don Giovanni», die Leonore im «Troubadour», die Martha in «Tiefland» von d'Albert, die Aida, die Elisabeth im «Tannhäuser», die Ariadne in «Ariadne auf Naxos» von R. Strauß und ihre wohl größte Kreation, die Marschallin im «Rosenkavalier». Seit 1985 sang sie auch Rollen wie die Senta im «Fliegenden Holländer», die Venus im «Tannhäuser», die Tosca, die Amelia in Verdis «Maskenball», die Abigail in dessen «Nabucco» und die Brünnhilde im Nibelungenring. Insgesamt ist die Künstlerin in 120 großen Sopranpartien zu hören gewesen. Zahlreiche Gastspiele an der Staatsoper Wien, an den Staatsopern von Hamburg und Stuttgart, an den Staatstheatern von Braunschweig, Hannover und Kassel, an den Opernhäusern von Köln und Frankfurt a. M., in Bremen, Nürnberg, Zürich und Antwerpen. Opern- und Konzerttourneen (Oratorien- und Liedgesang) führten die Künstlerin nach Belgien, Holland, Frankreich, Österreich, in die Schweiz, bis nach Asien (Seoul, Singapur, Taiwan), Afrika (Nairobi, Abidjan) und Südamerika (Santiago de Chile, Lima, Guatemala). Seit 1984 Dozentin an der Musikhochschule Detmold (Institut Dortmund). Verheiratet mit dem Tenor *Claude Hector.*

Lackner, Herbert, Baß, * 1940 (?); er erhielt seine Ausbildung in Wien und war in den Jahren 1964–77 Mitglied der Wiener Staatsoper. Hier sang er anfänglich Partien wie den Figaro in «Figaros Hoch-zeit», den Leporello im «Don Giovanni», den Sparafucile im «Rigoletto» oder den Colline in «La Bohème», verlegte sich dann aber auf kleinere und Charakter-Rollen (Masetto im «Don Giovanni», Antonio in «Figaros Hochzeit», 2. Geharnischter in der «Zauberflöte», Doktor in «La Traviata», Marchese in Verdis «La forza del destino», Mönch im «Don Carlos», Pistol im «Falstaff», Zuniga in «Carmen», Micha in der «Verkauften Braut», Hans Schwarz in den «Meistersingern»). Derartige Rollen übernahm er auch bei den Festspielen von Salzburg 1964–65 in Verdis «Macbeth» und in «Ariadne auf Naxos» von R. Strauss, 1969 in Rossinis «Barbier von Sevilla». 1967 und 1973 gastierte er. am Theater von Graz, 1965 nahm er an der Brasilien-Tournee der Wiener Staatsoper teil. Auch als Konzertsänger aufgetreten.
Schallplatten: Ariola, Decca (Polizeikommissar im «Rosenkavalier», kleine Partie in der «Zauberflöte», 2. Ritter im «Parsifal»), CBS (nochmals Polizeikommissar im «Rosenkavalier»).

Lafayette, Leonora, Sopran, * 6. 7. 1926 Baton Rouge (Louisiana); die farbige Sängerin erhielt ihre Ausbildung in Nashville und an der Juilliard Music School New York, vor allem aber durch die berühmte Sopranistin Dusolina Giannini. 1951 debütierte sie am Stadttheater von Basel als Aida. Von Basel aus unternahm sie in den fünfziger Jahren ausgedehnte Gastspielreisen, die sie an die großen westdeutschen Bühnen führten, darunter an die Staatsoper von München, an die Staatstheater von Wiesbaden und Hannover, an die Opernhäuser von Düsseldorf und Dortmund. 1958 war sie an der Staatsoper von Wien und am Theater von Graz zu Gast. 1953–54 hörte man sie an der Covent Garden Oper London als Aida wie als Butterfly. Sie gastierte in Amsterdam und im Haag, in Glasgow, Belgrad und Zagreb. Sie setzte diese internationale Tätigkeit bis etwa 1973 fort. Ihre große Glanzrolle war die Titelheldin in Verdis «Aida»; weitere Höhepunkte in ihrem Bühnenrepertoire waren die Dido in «Dido and Aeneas» von Purcell, die Gräfin in «Figaros Hochzeit», die Selika in «L' Africaine» von Meyerbeer, die Leila in «Pêcheurs de perles» von Bizet, die Nedda im «Bajazzo» und die Mimi in Puccinis «La Bohème». Sie trat auch mit großem Erfolg als Konzert- und Oratoriensolistin auf; so sang sie 1966 in New York das Sopran-Solo in «A Mass of Life» von Delius.
Schallplatten: Pye-Nixa (Duette aus Puccini-Opern mit Richard Lewis).

Lagrange, Michèle, Sopran, *29. 5. 1947 Conches (Departement Saône-et Loire), sie absolvierte ihre Ausbildung am Conservatoire National de Paris und war 1974–77 im Opernstudio der Grand Opéra Paris. Ihre eigentliche Karriere begann sie 1978 am Opernhaus von Lyon, an dem sie seither regelmäßig auftrat. Sie kam dann auch bald zu einer erfolgreichen Karriere an den übrigen großen französischen Operntheatern; 1984 sang sie an der Grand Opéra Paris in «Jérusalem» («I Lombardi alla prima Cro-

ciata») von Verdi, 1986 trat sie an der Opéra-Comique Paris auf. Man hörte sie als Gast an den Opern von Toulouse und Marseille sowie 1982 beim Festival von Aix-en-Provence. Im gleichen Jahr 1982 gastierte sie am Teatro Colón Buenos Aires (u. a. in «Benvenuto Cellini» von Berlioz). 1985 sang sie an der Grand Opéra die Alice in «Robert le Diable» von Meyerbeer, 1987 an der Opéra-Comique die Donna Anna, 1989 beim Festival von Aix-en-Provence in Prokofieffs «L'Amour des trois oranges». Zu ihren Hauptrollen gehörten die Elvira in «I Puritani» von Bellini, die Donna Anna im «Don Giovanni», die Elisabetta in Verdis «Don Carlos», die Marguerite im «Faust» von Gounod und die Musetta in «La Bohème». Auch als Konzertsängerin, namentlich als Solistin in Oratorien, aufgetreten.
Schallplatten: TIS (Religiöse Vokalmusik von Saint-Saëns), HEK (Salve Regina und Stabat mater von F. Poulenc), HMV («Guercoeur» von Albéric Magnard).

Laisné, Jeanne, Sopran, * 21. 3. 1870 Paris, † (?); sie war am Conservatoire National von Paris Schülerin der Pädagogen Boulanger und Taskin und debütierte 1893 an der Opéra-Comique Paris als Sophie im «Werther» von Massenet. Sie blieb viele Jahre hindurch an diesem Haus tätig und wirkte dort in mehreren wichtigen Uraufführungen mit: am 23. 11. 1893 in «L'Attaque du moulin» von Bruneau, 1894 in «Le Portrait de Manon» von Massenet, 1895 in «L'Amour à la Bastille» von Hirschmann. Sie sang vor allem Partien aus dem Soubretten- und aus dem lyrischen Stimmfach wie den Amor in «Orpheus» von Gluck, die Marzelline im «Fidelio», die Anna in «La Dame blanche» von Boieldieu, die Jeannette in «Les Noces de Jeannette» von Massé, die Isabelle in «Le Pré-aux-Clercs» von Hérold, die Virginie in «Paul et Virginie» vom gleichen Komponisten, die Baucis in «Philémon et Baucis» von Gounod, die Henriette in Halévys «L' Éclair», die Jeanne in «La Vivandière» von Godard, die Micaela in «Carmen», die Philine in «Mignon» von A. Thomas, die Nannetta im «Falstaff» von Verdi und die Mimi in Puccinis «La Bohème». Die Künstlerin trat als Gast an französischen Opernhäusern auf, doch blieb die Pariser Opéra-Comique ihre eigentliche künstlerische Heimat.

Lakes, Gary, Tenor, * 26. 9. 1950 Dallas (Texas); er begann seine Ausbildung an der Methodist University bei Thomas Hayward und war darauf im Opernstudio der Seattle Opera Schüler von William Eddy. Sein eigentliches Debüt erfolgte 1981 an der Oper von Seattle als Froh im «Rheingold» von R. Wagner. 1983 hatte er in Mexico City großen Erfolg, als er an dortigen Opernhaus den Florestan im «Fidelio» vortrug, 1984 gastierte er bei der Charlotte Opera als Samson in «Samson et Dalila» von Saint-Saëns. 1985 Gastspiel an der Grand Opéra Paris als Siegmund in der «Walküre», 1987 an der Oper von Lyon als Énée in «Les Troyens» von Hector Berlioz. 1986 wurde er an die Metropolitan Oper New York engagiert. Hier sang er als Antrittsrolle den Gran Sacerdote in «Idomeneo» von Mozart und in der folgenden Spielzeit

1987–88 den Walther von Stolzing in den «Meistersingern» und den José in «Carmen», später auch den Erik im «Fliegenden Holländer», den Tannhäuser und den Siegmund. 1988 großer Erfolg an der Oper von New Orleans als Samson, 1989 beim Festival von Orange als Florestan, ebenfalls 1989 in New Orleans als Radames in «Aida». Die Karriere des Sängers nahm bei Gastspielen wie im Konzertsaal einen erfolgreichen internationalen Verlauf.
Schallplatten: DGG (Bacchus in «Ariadne auf Naxos» von R. Strauss, Siegmund in «Die Walküre»), HMV («Guercoeur» von Albéric Magnard mit Hildegard Behrens als Partnerin).

Lambert, Michel, Sänger und Instrumentalsolist, * etwa 1610 Champigny-sur-Veude (bei Chinon, Departement Indre-et-Loire), † 29. 6. 1696 Paris; er wurde in Paris als hervorragender Lauten- und Theorbenspieler bekannt, war aber zugleich ein hoch angesehener Sänger und Gesanglehrer. 1661 wurde er zum Kammermusikmeister König Ludwigs XIV. ernannt, 1663 übernahm er die Leitung der Choristen in der Chapelle Royale. Er komponierte selbst und gab mehrere Sammlungen von Airs gedruckt heraus. Einige davon sind uns überliefert, u. a. «Les airs de Monsieur L. ..., gravés par Richter» (erschienen vor 1660 Paris) und ein Kompendium von ein- bis vierstimmigen Airs mit Basso continuo, die 1689 und nochmals 1698 als Neudruck publiziert wurden. Der große französisch-italienische Komponist Jean-Baptiste Lully (1632–87) heiratete die Tochter des Künstlers Madeleine Lambert. Fünf seiner Airs wurde in die Sammlung «Chants de France et d' Italie» aufgenommen, die 1910 durch H. Expert in Paris zur Ausgabe kam.

Lampropoulos, Athena, Sopran, * 1939 (?) Klamath Falls (Oregon) als Kind griechischer Eltern; sie erhielt ihre Ausbildung in Italien durch die bekannten Pädagogen Luigi Ricci und Ettore Campogalliani. Preisträgerin bei Gesangwettbewerben in Reggio Emilia und in Vercelli. 1962 Bühnendebüt am Teatro Municipale von Reggio Emilia als Titelfigur in Puccinis «Suor Angelica». Sie sang in Italien an den Opernhäusern von Parma und Palermo, hatte aber ihre hauptsächliche Karriere an Theatern in Nordamerika. Dort erschien sie an den Opern von Seattle, New Orleans, Memphis, Philadelphia, Portland, Newark, in Houston/Texas und Kansas City und hatte große Erfolge an der New York City Centre Opera. Sie sang als Gast an den Opernhäusern von Nizza und Tel Aviv. Dabei hatte sie ihre größten Erfolge im dramatischen Fach: als Margherita in Boitos «Mefistofele», als Donna Anna im «Don Giovanni», als Titelheldin in «La Gioconda» von Ponchielli, als Santuzza in «Cavalleria rusticana», als Tosca, als Minnie in Puccinis «Fanciulla del West», als Giorgetta in dessen «Il Tabarro», als Titelfigur in «Turandot», ebenfalls von Puccini, als Aida, als Amelia in Verdis «Ballo in maschera», als Lady Macbeth in «Macbeth», als Leonore im «Troubadour», als Desdemona in «Othello» von Verdi und als Maddalena in «Andrea Chénier» von Giordano.

Landauer, Gustav, Baß-Bariton, * 1866, † 8. 4. 1944 Nürnberg; er debütierte 1892 am Theater von Wesel (Niederrhein), sang 1893–95 am Stadttheater von Colmar (Elsaß) und 1895–97 am Stadttheater von Koblenz. 1897–1901 war er am Stadttheater von Basel, 1901–05 am Stadttheater von Graz und seit 1905 am Stadttheater von Nürnberg engagiert, dessen Mitglied er bis zu seinem Bühnenabschied im Jahre 1927 geblieben ist. In Nürnberg wirkte er auch als Regisseur und als stellvertretender Opendirektor. Er gastierte an zahlreichen Bühnen des deutschen Sprachgebiets, so 1899 am Stadttheater von Zürich, 1901 an der Wiener Hofoper (als Beckmesser in den «Meistersingern»), seit 1907 mehrfach an der Hofoper von Stuttgart, 1907 an der Hofoper von München und am Deutschen Theater Prag, 1912 am Opernhaus von Düsseldorf, 1912 am Opernhaus von Köln. Man schätzte ihn vor allem als Interpreten von Buffo-Partien wie dem Baculus im «Wildschütz» von Lortzing, dem van Bett in «Zar und Zimmermann», dem Bartolo in «Figaros Hochzeit» wie im «Barbier von Sevilla», dem Lord in «Fra Diavolo» von Auber, dem Beckmesser (seine Glanzrolle) und dem Alberich im Nibelungenring, aber auch als Alfonso in «Così fan tutte», als Monterone im «Rigoletto», als Johannes im «Evangelimann» von Kienzl und als Moruccio in «Tiefland» von E. d'Albert. Später wirkte er in Nürnberg als gesuchter Gesangpädagoge; zu seinen Schülern gehörte der berühmte Bariton Karl Schmitt-Walter.

Landi, Stefano, Alto, * um 1590 Rom, † 28. 10. 1639 Rom; er wirkte zuerst als Kirchenkapellmeister in Padua, ging dann 1619 nach Rom, wo er zunächst als Solist und Kapellmeister an Santa Maria dei Monti (1624) und dann seit 1629 in der Päpstlichen Kapelle tätig war. Seine Stimme wird als Alto bezeichnet, was wohl einem hohen Tenor entspricht. Von Bedeutung ist vor allem seine kompositorische Tätigkeit. Er war einer der Schöpfer der Kantate und eigentlich der erste Vertreter der römischen Oper. 1619 führte man in Venedig sein Bühnen-Pastorale «La morte d' Orfeo» auf, 1632 in Rom sein geistliches Musikdrama «Il Santo Alessio», ein Werk, dessen Bedeutung für die Weiterentwicklung der Oper erst in unserem Jahrhundert erkannt worden ist. Dazu komponierte er zahlreiche Vokalwerke, u. a. fünf Bücher Madrigale mit Basso continuo (Venedig 1619), sechs Bücher Arien (Venedig, 1620–38), vierstimmige Psalmen (Rom 1624) und a cappella-Messen.
Lit.: S. A. Carfagno: «The Life and Dramatic Music of Stefano Landi» (Dissertation, Los Angeles 1960).

Landwehr, Rosl, Sopran, * 1898 (?); sie begann ihre Bühnenkarriere in der Spielzeit 1922–23 am Staatstheater von Karlsruhe und sang danach am Stadttheater von Kaiserslautern (1923–24) und am Stadttheater von Mainz (1924–27), wo sie in der deutschen Erstaufführung von Janáčeks Oper «Das schlaue Füchslein» 1927 mitwirkte. 1927–30 war sie am Landestheater von Darmstadt im Engagement und gehörte 1930–32 zum Ensemble des Opernhauses von Düsseldorf. Hier heiratete sie (in erster Ehe)

den Dirigenten Jascha Horenstein (1898–1973) und emigrierte mit diesem zusammen 1940 in die USA. Hier war sie unter dem Namen Rose Landver als Pädagogin am Hunter College New York tätig. Während ihres Wirkens an deutschen Bühnen absolvierte sie erfolgreiche Gastspiele an der Städtischen Oper Berlin (1931), am Stadttheater von Basel (1933) und an der Covent Garden Oper London (Aufführungen des Nibelungenrings in den Jahren 1924 und 1925). Zu ihren Bühnenpartien gehörten die Donna Elvira im «Don Giovanni», die Senta im «Fliegenden Holländer», die Elisabeth im «Tannhäuser», die Elsa im «Lohengrin», die Katharina in «Der Widerspenstigen Zähmung» von H. Goetz, die Leonore im «Troubadour», die Aida, die Carmen, die Giulietta in «Hoffmanns Erzählungen», die Santuzza in «Cavalleria rusticana», die Minnie in Puccinis «La Fanciulla del West», die Christine im «Intermezzo» von Richard Strauss und die Marie in der zeitgenössischen Oper «Die Soldaten» von Manfred Gurlitt.

Lanfranchi, Amalia, Alt, * 1825 (?) Turin, † (?); nach ihrem Gesangstudium, das in Turin stattgefunden hatte, debütierte sie in der Spielzeit 1859–60 am Theater von Cremona sehr erfolgreich als Maddalena im «Rigoletto» von Verdi und sang dort anschließend die Azucena im «Troubadour». Im folgenden Jahr 1861 hatte sie bei einer Rußland-Tournee sehr große Erfolge in einem ausgedehnten Bühnen- und Konzertrepertoire bei Auftritten in den damaligen Zentren des russischen Musiklebens. 1861 sang sie am Teatro d' Angennes Turin in einem Konzert zusammen mit dem Violinisten Miska Hauser. In der Spielzeit 1861–62 brillierte sie am Teatro Comunale Bologna in Mercadantes «Il Giuramento», in «Lucrezia Borgia» und «La Favorita» von Donizetti und in «Saffo» von Giuseppe Pacini. Sie setzte ihre Karriere in den folgenden Jahren an italienischen Opernbühnen wie im Konzertsaal fort, doch scheint diese trotz großer Erfolge nur von kurzer Dauer gewesen zu sein.

Lang, Carlos (Carl), Tenor, * 24. 6. 1860 Waiblingen (Württemberg), † 16. 7. 1925 Stuttgart; sein Vater war Bauinspektor, er selbst wurde Bankkaufmann und -direktor. Er folgte jedoch seiner Neigung zum Bühnengesang, ließ seine Stimme durch Dr. Gunz in Frankfurt a. M. ausbilden und debütierte 1891 am Hoftheater von Karlsruhe als Max im «Freischütz» von Weber. Bis 1893 blieb er in Karlsruhe, sang 1893–94 am Stadttheater von Breslau und folgte 1894 einem Ruf an das Hoftheater von Schwerin, das damals ein sehr hohes künstlerisches Niveau behauptete. Bis zur Aufgabe seiner Bühnenkarriere 1914 blieb er in Schwerin. Hier sang er am 26. 2. 1899 in der Uraufführung der Oper «Der Pfeifertag» von Max von Schillings die Partie des Velten. 1904 wirkte er in Schwerin in der Uraufführung der Oper «Die vernarrte Prinzess» von Oskar von Chelius mit. 1903 gastierte er an der Berliner Hofoper, 1903 und 1907 am Stadttheater (Opernhaus) von Hamburg, 1911 am Hoftheater von Coburg. Er vertrat in erster Linie das heldische und das Wagner-Repertoire für Tenor

und sang Partien wie den Tannhäuser, den Lohengrin, den Walther in den «Meistersingern», den Erik im «Fliegenden Holländer», den Siegmund in der «Walküre», den Hüon im «Oberon» von Weber, den Canio im «Bajazzo», den Bran in «Ingwelde» von M. von Schillings und den Pedro in «Tiefland» von d'Albert. Sehr erfolgreich war sein Wirken als Konzert- und vor allem als Liedersänger. Bei den mecklenburgischen Musikfesten von 1895, 1903 und 1909 stand er im Mittelpunkt großer Konzertaufführungen; auf dem Gebiet des Liedgesangs setzte er sich für das noch weitgehend unbekannte Liedschaffen von Hugo Wolf ein. Er wurde später Professor an der Musikhochschule von Stuttgart.
Schallplattenaufnahmen auf G & T (Schwerin, 1904–05).

Lang, Frieder, Tenor, * 28. 4. 1950 Affalter (Erzgebirge, Thüringen). 1960–68 sang er als Knabe im Dresdner Kreuzchor. 1968 kam er nach Westdeutschland und durchlief an der Musikhochschule Köln eine umfassende Ausbildung für Chor- und Orchesterleitung, Schulmusik, Orgel und Gesang (bei Margit Kobeck). Zugleich studierte er an der Universität Köln 1969–75 Germanistik und Musikwissenschaft. Ergänzende Gesangstudien bei Paul Lohmann in Thun (Schweiz) und bei Hans Hotter in München. 1977 gewann er einen Gesangwettbewerb für Operngesang in Bonn und leitete damit seine Karriere ein. Als Opernsänger gastierte er an der Staatsoper Hamburg, am Opernhaus von Köln, beim Holland Festival, in Bern, Klagenfurt, Heidelberg und Tel-Aviv. Seine eigentliche internationale Karriere kam jedoch im Bereich des Konzertgesangs zustande. Er trat in diesem Bereich in den Zentren des Schweizer wie des deutschen Musiklebens auf, u. a. in Basel, Bern, Zürich, Genf, in Köln, Düsseldorf, Frankfurt a. M., Hamburg, Stuttgart, Wiesbaden, in Dresden, Leipzig und Berlin. Man hörte ihn bei den Luzerner Festwochen, beim Bach- und Händelfest München, bei den Lüneburger Bach-Wochen, beim Festival von Wroclaw (Breslau) und bei den Salzburger Festspielen. Weitere Konzertauftritte in Aix-en-Provence, Marseille, Paris, Toulouse, in Antwerpen und Gent, in Turin und Rom, in Wien, Rio de Janeiro und Buenos Aires. Sowohl als Oratoriensolist wie als Lied-Interpret beherrschte er ein geradezu unerschöpfliches, dabei überaus vielseitiges Repertoire. Er nahm in Richterswil im Schweizer Kanton Zürich seinen Wohnsitz.
Schallplatten: CBS (Matthäuspassion von J. S. Bach), DGG (Werke von Heinrich Schütz und H. W. Henze), Schwann («Jephte» von Carissimi / Henze; Sinfonie Nr. 2 («Lobgesang») von Mendelssohn, Messe D-dur von O. Nicolai, Oratorium «Christi Himmelfahrt» von Lortzing), RBM («Doktor und Apotheker» von Dittersdorf).

Lang, Philipp, Bariton, * 1838 Nagykanizsa (Ungarn), † 25. 5. 1900 Budapest; sein eigentlicher Name war Fülöp Lang. Er erhielt seine Ausbildung durch die Pädagogen Rossi und Richard Lewy in Wien. Sein Debüt fand an der Oper von Lemberg

(Lwów) als Enrico in «Lucia di Lammermoor» statt. Er ging dann nach Deutschland und war 1865–66 am Stadttheater von Bremen, 1866–67 am Stadttheater von Nürnberg, 1867–68 an der Hofoper von München engagiert Am 21. 6. 1868 sang er in München in der Uraufführung der «Meistersinger» von R. Wagner den Nachtwächter. 1868–69 brachte er nochmals eine Spielzeit am Theater von Nürnberg zu und ging darauf wieder in seine ungarische Heimat zurück. 1869–92 wirkte er dann als erster Vertreter seines Stimmfachs an der Budapester Nationaloper (Hofoper). Hier sang er Partien in ungarischen Erstaufführungen von bedeutenden Opernwerken, so 1871 den Wolfram im «Tannhäuser», 1875 den Amonasro in «Aida», 1875 den Carlos in Verdis «La forza del destino». Weitere Höhepunkte in seinem Bühnenrepertoire stellten der Rigoletto, der Nelusco in Meyerbeers «Africaine» und der Don Carlo in Verdis «Ernani» dar. Er gab Gastspiele in Berlin, Wien, Graz, Hamburg, Hannover und Rotterdam. Dazu war er ein allseitig geschätzter Konzert- und Oratoriensänger.

Lang, Rosemarie, Mezzosopran, * 21. 5. 1947 Grünstädtel bei Schwarzenberg (Erzgebirge); sie studierte in Leipzig Gesang und war dort Schülerin von Elisabeth Breul, Eva Schubert-Hoffmann und später von Helga Forner. Nachdem sie zunächst am Landestheater von Altenburg (Thüringen) gesungen hatte, kam sie an das Opernhaus von Leipzig, an dem sie eine langjährige Karriere durchlief. Gastspiele führten sie an die Staatsopern von Dresden und Berlin (hier u. a. 1987 als Klytämnestra in «Iphigenie in Aulis» von Gluck, 1988 als Brangäne in «Tristan») und an weitere Bühnen in Ostdeutschland. Dazu hatte sie eine vielseitige, erfolgreiche Konzertkarriere. Aus ihrem Bühnenrepertoire sind als Höhepunkte Rollen wie die Dorabella in «Così fan tutte», der Cherubino in «Figaros Hochzeit», der Sesto in «La clemenza di Tito» von Mozart, der Romeo in «I Capuleti ed I Montecchi» von Bellini, die Rosina im «Barbier von Sevilla» von Rossini und der Octavian im «Rosenkavalier» zu nennen. Sie sang an der Staatsoper Berlin am 14. 7. 1989 in der Uraufführung der Oper «Graf Mirabeau» von S. Mathus.
Schallplatten: Philips (Alt-Solo in «Paulus» von Mendelssohn), DGG (Larina in «Eugen Onegin»).

Langan, Kevin James, Baß, * 1. 4. 1955 New York City; er studierte 1973–75 am New England Conservatory Gesang und setzte seine Ausbildung in den Jahren 1975–80 an der Indiana University fort, wo er Schüler von Margaret Harshaw war. Er brachte seine Ausbildung mit den akademischen Graden des Bachelor of Music und des Master of Music zum Abschluß. 1979 debütierte er bei der New Jersey State Opera in Verdis «Don Carlos». 1980 wurde er Preisträger beim Gesangwettbewerb der Metropolitan Oper New York. 1980 sang er am Opernhaus von St. Louis den Sarastro in der «Zauberflöte». 1980 hatte er einen ersten großen Erfolg an der Oper von San Francisco, an der er seitdem oft in großen Baß-Partien auftrat. Er sang an der City Centre

Opera New York, an der Oper von Houston/Texas (seit 1985), in Philadelphia (1982), Detroit, Miami, an der Oper von Dallas und bei der Canadian Opera Toronto (1986). In Europa erschien er als Gast am Grand Théâtre Genf (1988) und an der Oper von Lyon (1982). Seine Karriere hatte jedoch ihre Höhepunkte in seiner amerikanischen Heimat. Hier gastierte er auch an den Opernhäusern von St. Louis, Pittsburgh, Santa Fé (seit 1984), San Diego (seit 1986), in Seattle (1988), Los Angeles (1987), Washington und Tulsa, in Vancouver und Winnipeg. Zu großen Erfolgen kam er an der Oper von Chicago und schließlich wurde er an die Metropolitan Oper New York berufen. Dabei brachte er auf der Bühne ein umfangreiches Rollenrepertoire zum Vortrag: den Seneca in Monteverdis «Incoronazione di Poppea», den Komtur im «Don Giovanni», den Daland im «Fliegenden Holländer», den Ramphis in «Aida», den Sparafucile im «Rigoletto», den Großinquisitor in Verdis «Don Carlos», den Gremin im «Eugen Onegin», den Pimen im «Boris Godunow», aber auch Buffo-Partien wie den Bartolo in «Nozze di Figaro», den Leporello, den Pistol in Verdis «Falstaff» und den Kammersänger im «Intermezzo» von Richard Strauss. Auch sein jüngerer Bruder *David Langan* trat als Bassist auf.

Lanier, Nicholas, Sänger, Flötist und Komponist, getauft 10.9. 1588 London, begraben 24.2. 1666 London; wahrscheinlich stammte seine Familie aus Frankreich und lautete die Schreibweise des Familiennamens ursprünglich Lanière. Er war Schüler seines Vaters John Lanier (Lanyer), der als Sackbut-Spieler (einem Vorläufer der Tuba) bekannt war. 1613 komponierte er gemeinsam mit John Coperario und anderen Meistern eine Masque, die bei der Hochzeit des Earl of Somerset aufgeführt wurde. 1617 verfaßte er eine Masque zu Ben Johnsons «Lovers made Men», sang bei deren Aufführung die Hauptrolle und malte die Bühnendekorationen (wie er überhaupt als Maler bekannt war). Der vielseitig begabte Künstler wurde 1625 damit beauftragt Gemälde für die Königliche Gemäldesammlung anzukaufen. 1626 wurde er Master of the King's Music, trat aber auch immer noch als Sänger auf. Nach dem Sturz König Karls I. verließ er 1647 England und hielt sich während der Jahre des Commonwealth in den Niederlanden auf. Mit der Restauration und der Thronbesteigung Karls II. kam er 1660 wieder nach London zurück und wurde erneut in sein Amt als Master of the King's Music eingesetzt. Wie er waren mehrere seiner Familienmitglieder am englischen Hof als Musiker beschäftigt. Nicholas Lanier war ein bedeutender Komponist innerhalb seiner Generation. Er komponierte mehrere Masques (darunter neben den bereits genannten Werken «The Vision of Delight», 1617), eine Kantate «Hero and Leander», Lieder, von denen die New Year's Songs weit verbreitet waren, Vokal-Dialoge und sonstige Vokalmusik.

Lanteri, Paul, Bariton, * 1.12. 1880 Antibes, † 13.4. 1961 Salon de Provence; Gesangstudium am Conservatoire von Toulouse. Er debütierte in einem Kon-

zert im Casino von Cannes und trat dann an Theatern in Südfrankreich auf. 1922 wurde er an die Opéra-Comique, 1923 an die Grand Opéra Paris engagiert. Am letztgenannten Haus debütierte er als Rigoletto und sang in den folgenden fünf Jahren dort Partien wie den Grafen Luna im «Troubadour», den Germont-père in «La Traviata», den Amonasro in «Aida», den Telramund im «Lohengrin», den Hérode im «Hérodiade» von Massenet, den Athanaël in dessen «Thaïs», den Tonio im «Bajazzo» und den Grand-Prêtre in «Samson et Dalila» von Saint-Saëns. Bereits 1922 war er zu Gast an der Oper von Monte Carlo und sang dort den Albert in Massenets «Werther», den Telramund und den Valentin im «Faust» von Gounod. 1923 gastierte er wiederum an diesem Theater, jetzt als Telramund und als Kurwenal im «Tristan». Er wirkte an der Oper von Monte Carlo auch in zwei Uraufführungen von Opernwerken mit, 1922 in «Les Noces Tragiques» von Catargi und 1923 in «Schyrine» von Graefe.
Schallplatten: Solo-Aufnahmen auf der Marke Pathé (1928–32).

Lanzillotti, Leonore, Mezzosopran, * 24. 6. 1939 (?) New York; sie arbeitete zuerst für eine große Versicherungsgesellschaft, studierte dann aber Gesang bei der berühmten Karin Branzell, bei Marienka Michna und bei Carlo Moresco in New York. Ihr Bühnendebüt fand bei der Hawaii Opera Honolulu als Prinz Orlowsky in der «Fledermaus» von J. Strauß statt. Sie kam in den USA an den Opern von San Antonio, Philadelphia, Newark, Hartford und an der City Centre Opera New York zu einer Karriere von Belang. Höhepunkte in ihrem Opernrepertoire waren Partien wie die Carmen, die Amneris in «Aida», die Azucena im «Troubadour», die Ulrica in Verdis «Ballo in maschera», die Gräfin wie die Madelon in «Andrea Chénier» von Giordano, die Suzuki in «Madame Butterfly», der Siebel im «Faust» von Gounod, der Beppe in Mascagnis «Amico Fritz» und die Lola in «Cavalleria rusticana». Auch als Konzertsängerin aufgetreten.

Lara, Christian, Tenor, * 15. 8. 1946 Mérignac; er absolvierte sein Gesangstudium zunächst am Conservatoire von Bordeaux, wo er Schüler von André Dran war. 1976–79 war er am Opernhaus von Lille engagiert, nahm aber dann nochmals das Studium in der Opernschule der Pariser Opéra bei Michel Sénéchal auf. 1979 war er Gewinner des Gesangwettbewerbs Voix d' Or. 1982 sang er dann am Teatro Fenice Venedig den Juan in «Don Quichotte» von Massenet. Jetzt kam es zu einer schnellen Entwicklung seiner Bühnenkarriere. An der Oper von Nantes sang er den Rodolfo in «La Bohème» von Puccini, in Avignon den Cavaradossi in «Tosca», an den Opernhäusern von Gent und Antwerpen den Titelhelden im «Faust» von Gounod, die gleiche Partie und den Turiddu in «Cavalleria rusticana» an der Opéra du Rhin Straßburg. 1987 gastierte er am Theater des Westens Berlin als Prinz Sou-Chong in der Lehár-Operette «Das Land des Lächelns», 1989 am Opernhaus von Köln als Faust von Gounod. Als Konzertsänger kam er u. a. in Paris zu einem großen

Erfolg als Solist im «Lobgesang» (2. Sinfonie) von F. Mendelssohn-Bartholdy.

Laroze, André, Tenor, * 23. 1. 1912 Dijon; er erlernte zuerst den Beruf eines Metzgers, nahm dann aber die Gesangausbildung am Konservatorium von Dijon auf, die er 1938 zum Abschluß brachte. Der Ausbruch des Zweiten Weltkrieges verhinderte jedoch den Beginn seiner Bühnenkarriere. 1945–46 begann er diese Karriere dann als Operettensänger in seiner Heimatstadt Dijon. 1946 wurde er an die Oper von Marseille engagiert, 1948 kam er an das Opernhaus von Lüttich und wurde nach verschiedenen Gastauftritten in der französischen Provinz 1951 an die Opéra-Comique Paris verpflichtet, deren Mitglied er bis 1959 blieb (Antrittsrolle: Nadir in «Pêcheurs de perles» von Bizet). In den Jahren 1952–55 war er gleichzeitig an der Grand Opéra Paris engagiert. 1949 gastierte er an der Oper von Monte Carlo als Vincent in «Mireille» von Gounod und als Nicias in «Thaïs» von Massenet, 1952 als Mylio in «Le Roi d'Ys» von Lalo, 1953 als Roméo in «Roméo et Juliette» von Gounod. 1950 sang er als Gast am Théâtre de la Monnaie Brüssel. Seine Hauptpartien waren der José in «Carmen», der Gérald in «Lakmé» von Delibes, der des Grieux in «Manon» von Massenet, der Titelheld im «Faust» von Gounod, der Julien in «Louise» von Charpentier, der Herzog im «Rigoletto», der Pinkerton in «Madame Butterfly», der Rodolfo in «La Bohème» und der Cavaradossi in «Tosca». Nach einer Operation mußte er relativ früh seine Karriere aufgeben; er leitete später ein renommiertes Restaurant.
Schallplatten: Philips (Julien in vollständiger Aufnahme von «Louise»), Pleïade.

La Scola, Vincenzo, Tenor, * 1959 Palermo; Schüler des berühmten Tenors Carlo Bergonzi. Er stand 1983 erstmals in der Partie des Ernesto im «Don Pasquale» von Donizetti auf der Bühne. Seine Karriere entwickelte sich in den folgenden Jahren schnell. 1984 und 1987 sang er sehr erfolgreich in Genua, ebenfalls 1984 an der Opéra de Wallonie Lüttich; 1985 gastierte er an den Opernhäusern von Köln und Kiel wie am Théâtre de la Monnaie Brüssel. 1987–88 kam er an die Opéra-Comique Paris als Rinuccio in Puccinis «Gianni Schicchi» wie als Tonio in Donizettis «Fille du régiment» zu aufsehenerregenden Erfolgen. 1987 war er am Teatro Fenice Venedig und bei den Puccini-Festspielen von Torre del Lago (hier wieder als Rinuccio) zu Gast, 1988 am Teatro Regio Turin. Im gleichen Jahr erreichte er die Mailänder Scala, an der er als Nemorino in «Elisir d' amore» debütierte. Aus seinem lyrischen Repertoire sind weiter zu nennen: der Elvino in Bellinis «La Sonnambula» (1989 Teatro Fenice Venedig), der Orombello in «Beatrice di Tenda» vom gleichen Meister, der Edgardo in «Lucia di Lammermoor», der Titelheld in Mascagnis «Amico Fritz», der Herzog im «Rigoletto» und der Florindo in «Le Maschere» von Mascagni. Erfolgreiche Tätigkeit auch auf dem Gebiet des Konzert- und des Oratoriengesangs.
Schallplatten: Erato (Petite Messe solennelle von

Rossini), Rizzoli Records («Beatrice di Tenda»), Polyphon (Recital), HMV (Herzog im «Rigoletto»).

Lašek, Hanuš, Tenor, * 9. 5. 1860 Plasy (ČSR), † 21. 3. 1937 Prag; erste Ausbildung bei J. Pecha und Stolze in Prag. Dann ging er nach Wien, wo er bei Fuchs, bei Gustav Walter und bei Felice Mancio weiter studierte und schließlich nach London, wo er nochmals Schüler von Velutti war. Er debütierte 1886 am Nationaltheater Prag als Max im «Freischütz», wechselte aber in der folgenden Spielzeit 1887–88 an das Theater von Troppau (Opava). Nach einem erfolgreichen Gastspiel an der Wiener Hofoper wurde er 1888 an dieses Opernhaus berufen, dem er bis 1891 als Mitglied angehörte. Für eine Spielzeit sang er 1891–92 am Stadttheater von Bremen und ging 1892 wieder an das Nationaltheater von Prag zurück, an dem er jetzt bis 1897 auftrat. In diese Zeit fiel das denkwürdige Gastspiel des Prager Ensembles bei der Wiener Weltausstellung von 1892, bei dem er den Hans in den Aufführungen von Smetanas «Verkaufter Braut» sang, die den Weltruhm dieser tschechischen Oper begründeten. 1897–1898 war er an der Hofoper von Dresden engagiert, gab dann nur noch Gastspiele und unternahm 1900–1901 eine große Konzerttournee durch Deutschland und Österreich. Seit 1902 wirkte er als Pädagoge am Konservatorium von Prag, ging aber 1904 als Professor an das Konservatorium von Aberdeen, kam später wieder nach Prag zurück und ging am Prager Konservatorium 1910–15 seiner Lehrtätigkeit nach. Aus seinem Bühnenrepertoire sind noch der Tamino in der «Zauberflöte», die Titelpartien in «Alessandro Stradella» von Flotow und in «Benvenuto Cellini» von Berlioz, der Lyonel in Flotows «Martha» wie zahlreiche Rollen aus dem Umkreis der tschechischen Oper zu erwähnen. Der auch im Konzertsaal in einem weitreichenden Repertoire gefeierte Künstler trat im deutschsprachigen Gebiet unter dem Namen Hans Laschek auf.

Lassalle, Robert, s. unter *Lassalle,* Jean (in «Addenda und Corrigenda»).

Laszlo-Doria, Mimi, Sopran, * 1823, † 15. 12. 1906 Ujpest (Ungarn); ihr eigentlicher Name war Mimi de Caux, unter dem sie zunächst auch auftrat, doch führte sie im weiteren Verlauf ihrer Karriere stets den Namen Mimi Laszlo-Doria. Sie war französischer Abstammung, wuchs aber in Ungarn auf und begann ihre Ausbildung sehr früh. So konnte sie bereits mit 17 Jahren am Theater von Kolozvar (Klausenburg) debütieren. 1842 wurde sie an das Ungarische Nationaltheater in Budapest berufen, an dem sie während einiger Jahre auftrat. Sie unternahm in der Folgezeit Gastspielreisen, die ihr an führenden Bühnen in Italien und Deutschland große Erfolge eintrugen. Erst 1855 nahm sie wieder ein festes Engagement am Hoftheater von Darmstadt an, dem sie bis 1858 angehörte. Es folgten Verpflichtungen am Stadttheater von Breslau (1858–60), am Hoftheater von Coburg (1860–61), am Deutschen Opernhaus Rotterdam (1861–62), am Opernhaus von Köln (1862–64), am Stadttheater von Mainz (1865–66), am Stadttheater von Bremen (1866–67) und schließlich ein Gast-Engagement am Hoftheater von Darmstadt (1867–68). Dabei unternahm sie weiter ausgedehnte Gastspieltourneen, die sie u. a. nach London, an die Hofopern von Wien (1855) und Berlin (1863 und 1864), an das Stadttheater Hamburg (1861) und an das Opernhaus von Frankfurt a. M. (1857) führten. Zu ihren großen Partien zählten die Königin der Nacht in der «Zauberflöte», die Donna Anna im «Don Giovanni», die Titelrollen in «Norma» und «Lucia di Lammermoor», die Lucrezia Borgia in der gleichnamigen Oper von Donizetti und die Mária Gara in der ungarischen Oper «Hunyadi László», die sie 1856 in der ersten Aufführung dieser Oper von F. Erkel außerhalb Ungarns in Wien sang (unter der Leitung von Franz von Suppé). Sie war in erster Ehe mit dem Schauspieler Jozsef Laszlo (1808–78) verheiratet, in zweiter mit dem (deutschen) Schauspieler Paul Zademack (1837–1893), der lange Zeit in Frankfurt a. M. engagiert war. Deshalb trat sie gelegentlich auch unter dem Namen Mimi Zademack-Doria auf.

Lattaro, Alfredo, Tenor, * 28. 10. 1899 Rom, † 30. 8. 1987 Rom; er erhielt seine Ausbildung in Rom, wo er auch 1929 als Radames in Verdis «Aida» debütierte. Er sang an den großen italienischen Opernbühnen, darunter auch an der Mailänder Scala, am Teatro Fenice Venedig und an der Oper von Rom. Dabei spezialisierte er sich auf das heldische und auf das Wagner-Fach; Höhepunkte in seinem Bühnenrepertoire waren der Titelheld in Verdis «Othello», der Canio im «Bajazzo», der Turiddu in «Cavalleria rusticana», der Siegmund und der Siegfried im «Ring des Nibelungen». Nach Beendigung seiner Karriere war er in Rom als Pädagoge tätig. Einer seiner Schüler war der bekannte Tenor Franco Bonisolli.

Lau, Cida, Sopran, * 18. 9. 1895 New York; sie entstammte einer jüdischen Kantorenfamilie, ihr Vater Baruch Schorr war aus Polen nach Nordamerika ausgewandert und bekleidete das Amt eines Oberkantors in New York. Der eigentliche Name der Künstlerin war Cida Schorr; sie erhielt ihre Ausbildung zur Sängerin in Lwów (Lemberg) bei G. Rawner, studierte aber auch in Berlin. Seit etwa 1920 begann sie eine Konzertkarriere, die ihr in den Zentren des deutschen Musiklebens große Erfolge brachte. So gab sie 1923 in München, 1924 und 1928 in Berlin, 1924 in Frankfurt a. M. Konzerte. Sie gastierte auch sehr erfolgreich in Konzerten in Wien, Dresden und London. 1930 kam es zu ihrem Debüt auf der Bühne, als sie am Stadttheater von Chemnitz die Sophie im «Rosenkavalier» sang. Ihr Koloratursopran wurde vor allem in Koloraturkanzonen und -walzern bewundert, zugleich war sie eine ausgezeichnete Liedersängerin und brachte mehrere Lieder von Hans Pfitzner zur Uraufführung. 1933 mußte sie als Jüdin Deutschland verlassen; damit scheint ihre Karriere beendet gewesen zu sein.
Schallplatten: HMV (Koloraturwalzer von Johann Strauß, um 1930 aufgenommen).

Laurence, Elizabeth, Mezzosopran, * 1956 (?) Harrogate (Grafschaft Yorkshire); sie studierte Klarinette, Piano und Gesang am Trinity College of Music London. Seit 1980 widmete sie sich ausschließlich dem Gesang und war bis 1982 Mitglied des Ensembles «Groupe Vocal de France». 1982 sang sie beim Webern Festival in Wien in «Le Marteau sans Maître» von Pierre Boulez unter Leitung des Komponisten, 1987 in London die Partie der Waldtaube in den «Gurreliedern» von A. Schönberg und in «Pierrot lunaire» vom gleichen Meister bei einer Tournee mit dem Ensemble Inter-Contemporain durch Deutschland und Italien. Nachdem sie in einer Fernsehsendung von Ravels «L'Heure espagnole» in der Partie der Concepcion Aufsehen erregt hatte, begann sie eine erfolgreiche Bühnenkarriere. 1986 sang sie in Madrid die Jocaste in «Oedipus Rex» von Strawinsky, in Paris die Erda im «Siegfried» und den Cherubino in «Nozze di Figaro». Bei den Festspielen von Glyndebourne gastierte sie 1988 als Anna in der Oper «The Electrification of the Soviet Union» von Nigel Osborne, eine Partie, die sie auch in der Uraufführung durch die Glyndebourne Touring Opera gesungen hatte (5. 10. 1987). 1988 sang sie in der gleichen Oper im Rahmen des Berlin Festival, in Paris in konzertanten Aufführungen von «Rheingold» (als Fricka), in Turin in der 3. Sinfonie von G. Mahler. Am 20. 5. 1989 gastierte sie an der Grand Opéra Paris in der Uraufführung der Oper «Der Meister und Margarita» von York Höller. Auch als Konzertsängerin setzte sie ihre erfolgreiche Laufbahn fort, wobei sie sowohl Solopartien in Werken des 19. Jahrhunderts wie in modernen Kompositionen übernahm.
Schallplatten: Erato (Conception in «L'Heure espagnole»). CBS (Werke von Boulez).

Laurens, Guillemette, Mezzosopran, * 1950 Fontainebleau bei Paris; sie absolvierte ihre Studien am Conservatoire von Toulouse und im Opernstudio der Grand Opéra Paris. Sie debütierte als Anne Trulove in «The Rake's Progress» von Strawinsky bei Aufführungen dieser Oper in der Pariser Salle Favart. Sie kam schnell in Europa wie in Nordamerika zu einer bedeutenden Bühnen- und Konzertkarriere. An der Grand Opéra Paris sang sie die Cybèle in «Atys» von Lully zusammen mit dem Ensemble Arts Florissants; sie übernahm auf der Bühne Partien in Werken wie «Giulio Cesare» von Händel, «La clemenza di Tito» von Mozart und «I Puritani» von Bellini. Im Mittelpunkt ihrer künstlerischen Tätigkeit stand jedoch der Vortrag italienischer und französischer Barockmusik und deutscher Lieder bis hin zu Schönbergs «Pierrot lunaire». Mit dem Ensemble Capriccio Stravagante bereiste sie die USA (1989), mit dem Ensemble Sequentia unternahm sie den Versuch, das mittelalterliche liturgische Drama zu rekonstruieren. 1987 wirkte sie beim Festival von Aix-en-Provence in «Iphigénie en Aulide» von Gluck mit; 1989 gab sie in London eine Serie von Bach-Konzerten.
Schallplatten auf den Marken Harmonia mundi, Erato und DGG, darunter Vespern von Monteverdi, «Atys» von Lully, «Il Ballo delle ingrate» von

Monteverdi, h-moll-Messe von Johann Sebastian Bach.

Laurent, Francine, Sopran, * 1954 (?); die belgische Künstlerin begann zunächst ein Studium der Rhetorik und der französischen Literaturwissenschaft, wurde dann aber am Pariser Conservatoire National Schülerin von Xavier Depraz, Irène Joachim und Christian Lardé. Sie vervollständigte die Ausbildung ihrer Stimme bei der berühmten Sopranistin Régine Crespin und wurde Preisträgerin beim Gesangwettbewerb Francisco Viñas in Barcelona und 1979 in Rio de Janeiro. Sie kam zu einer großen Karriere an der Opéra de Wallonie Lüttich, wo man sie in einem breit gefächerten Repertoire hörte. Hier zeichnete sie sich als Mozartsängerin in Partien wie der Donna Elvira im «Don Giovanni», der Vitellia in «La clemenza di Tito», der Arminda in «La finta giardiniera» und der ersten Dame in der «Zauberflöte» aus. Hinzu kamen weitere Rollen: die Mimi in Puccinis «La Bohème», die Butterfly, die Desdemona in Verdis «Othello», die Marguerite im «Faust» von Gounod und die Mme Lidoine in «Les dialogues des Carmélites» von F. Poulenc. Gastspiele und Konzertauftritte in Frankreich wie in Belgien ergänzen die Bühnenkarriere der Sängerin. Sie ist auch unter dem Namen Francine Laurent-Gérimont aufgetreten.
Schallplatten: Harmonia mundi (Lieder von Debussy), Schwann («Andromède» von Guillaume Lekeu).

Laurisin, Lajos, Tenor, * 1897, † 1971 Budapest; er erhielt seine Ausbildung in Budapest und war von 1926 bis 1944 Mitglied der Budapester Nationaloper. An diesem Haus sang er ein vielgestaltiges Repertoire, das Partien wie den Herzog im «Rigoletto», den Canio im «Bajazzo», den Cavaradossi in «Tosca», den Kalaf in «Turandot» von Puccini, den David in den «Meistersingern» und den Mime im «Ring des Nibelungen» umfaßte. Daneben war er ein sehr geschätzter Operettensänger.
Schallplattenaufnahmen der Marke Grammophone.

Lawrence, Helen, Sopran, * 22. 7. 1942 London; Absolventin der Royal Academy of Music London. Sie trat im Lauf ihrer Karriere an den großen englischen Operntheatern auf, vor allem an der Covent Garden Oper London, an der English National Opera London, bei der Handel Opera Society und bei der Chelsea Opera. In den USA gastierte sie bei der Phoenix Opera, in Westdeutschland bei den Festspielen von Ludwigsburg. Mit der Covent Garden Oper nahm sie 1979 an deren Fernost-Tournee teil. Dabei sang sie auf der Bühne u. a. die Donna Anna im «Don Giovanni», die Konstanze in der «Entführung aus dem Serail», die Fiordiligi in «Così fan tutte», die Titelheldin in Cherubinis «Medea», die Lady Macbeth in «Macbeth» von Verdi, die Amelia in «Un Ballo in maschera», die Abigaille in «Nabucco», die Leonore im «Troubadour», die Traviata, die Tosca, die Santuzza in «Cavalleria rusticana» und die Lucrezia Borgia in der Donizetti-Oper gleichen Namens. Sie kam auch zu einer Konzert-

karriere auf internationalem Niveau; sie sang in der Londoner Wigmore Hall, in Italien, Holland und 1984 mit dem Vokalensemble «Songmakers Almanac» beim Jerusalem Festival. Sehr oft wirkte sie in Radiosendungen mit; so sang sie im englischen Rundfunk BBC die Titelrolle in «Fedora» von Giordano und in der Premiere der Oper «Beatrice Cenci» von Berthold Goldschmidt. 1983 stellte sie eine eigene Operntruppe (New Shakespeare's Company) zusammen, mit der sie Freiluft-Aufführungen im Regent's Park in London veranstaltete.
Schallplatten: Decca (Gesamtaufnahme «Macbeth», 1970).

Lawtjan, Araksija, Sopran, * 1955 im südlichen Kaukasus-Gebiet in der Armenischen Sowjetrepublik. Ihr musikalisches Talent zeigte sich früh; sie studierte zuerst Klavierspiel, doch erregte ihre Stimme schon im Alter von elf Jahren Aufsehen. Sie erhielt ihre Ausbildung am Konservatorium von Eriwan. 1984 gewann sie den Internationalen Concours Giovanni Battista Viotti in Vercelli. Sie begann dann ihre Bühnenlaufbahn am Opernhaus von Eriwan und brillierte in Partien wie der Titelrolle in «Jolanthe» von Tschaikowsky, der Madame Silberklang im «Schauspieldirektor» von Mozart und der Violetta in Verdis «La Traviata». In der letztgenannten Partie hatte sie 1985 einen ersten großen Erfolg am Moskauer Bolschoj Theater. Im Konzertsaal erschien sie 1986 in Moskau (2. Sinfonie von Gustav Mahler) und Leningrad (Salve Regina von Schubert); 1987 unternahm sie eine Spanien- und eine Rußland-Tournee, wobei sie das Sopransolo in der Krönungsmesse von Mozart vortrug. Weitere Gastspiele und Konzerte 1988 in der ČSSR, in Nordamerika und in Westdeutschland.

Lawton, Jeffrey, Tenor, * 1955 (?) Oldham in der englischen Grafschaft Lancashire; seine Stimme erhielt ihre Ausbildung durch den Pädagogen Patrick Mc Guigan. Er kam zu einer großen Karriere, vor allem bei der Welsh Opera Cardiff. Hier sang er u. a. den Tichon in «Katja Kabanowa» von Janáček, mehrere Partien in der «Griechischen Passion» von Martinů, den Florestan im «Fidelio», den Hüon im «Oberon» von Weber, den Énée in «Les Troyens» von Berlioz, den Laça in «Jenufa» von Janáček, den José in «Carmen» und 1987 mit sensationellem Erfolg den Titelhelden in Verdis «Othello» (zum hundertjährigen Jubiläum der Uraufführung der Oper; auch im englischen Fernsehen übertragen). Als Siegfried im Nibelungenring wurde er zuerst bei der Welsh Opera, dann auch 1986 an der Covent Garden Oper London bewundert. Eine weitere große Partie in seinem Repertoire war der Kaiser in der «Frau ohne Schatten» von Richard Strauss. Bei der Opera North Leeds hörte man ihn als Florestan und als Erik im Fliegenden Holländer», am Opernhaus von Nancy als Othello, ebenso 1987 am Théâtre de la Monnaie Brüssel und in Paris. 1989 gastierte er an der Oper von Köln als Siegfried in der «Götterdämmerung» und in Brüssel als Luka in Janáčeks «Aus einem Totenhaus». Bereits 1988 war er in Köln als Siegmund zu Gast. Auch im Konzertsaal kam er zu

einer internationalen Karriere. So sang er zusammen mit dem Liverpool Philharmonic Orchestra das Tenorsolo in Beethovens 9. Sinfonie, mit dem BBC Symphony Orchestra beim Brighton Festival und in Paris Gustav Mahlers «Lied von der Erde», in Turin ein Solo in der 8. Sinfonie («Sinfonie der Tausend»), ebenfalls von G. Mahler.
Schallplatten: Supraphon (zwei Partien in «Griechische Passion» von B. Martinù).

Lebeda, Antonín, Tenor, * 12. 5. 1873 Prag, † 15. 4. 1946 Prag; Ausbildung durch die Pädagogin Frau Paršová-Zikešová, durch Konrad Wallerstein und F. Gerbice in Prag. Es kam zu seinem Debüt 1905 am Opernhaus von Brno (Brünn), wo er bis 1908 blieb. 1908 wurde er an das Nationaltheater von Prag verpflichtet, dem er bis 1928 angehörte. Hier hatte er in Partien aus dem lyrischen wie dem Buffo-Fach große Erfolge; 1916 sang er dort den Stewa in der Aufführung von Janáčeks «Jenufa», mit der der Welterfolg des Werks eingeleitet wurde. Am 23. 4. 1920 wirkte er in Prag in der Uraufführung einer weiteren Oper von Leos Janáček, «Die Ausflüge des Herrn Brouček» («Výlety pana Broučka») mit. Gastspielreisen führten den Künstler nach Rumänien, Ungarn und Polen. Nach Beendigung seiner Bühnenkarriere wirkte er als Pädagoge an der Opernschule in Prag. Von den vielen Rollen, die er auf der Bühne gesungen hat, sind zu erwähnen: der Titelheld in «Dalibor» von Smetana, der Wenzel in dessen «Verkaufter Braut», der Ctira in «Šárka» von Zdeněk Fibich und der José in «Carmen». Darüber hinaus beherrschte er ein weitläufiges Bühnen- und Konzertrepertoire.
Schallplattenaufnahmen bei Ultraphon.

Leber, Annemarie, Sopran, * 1917 (?) Mainz; sie erhielt ihre Gesangsausbildung in Frankfurt a. M. und debütierte 1941 am Stadttheater von Straßburg, dem sie bis 1943 angehörte. 1943–59 war sie am Stadttheater von Freiburg i. Br. engagiert, 1959–61 am Staatstheater von Kassel, 1961–63 am Opernhaus (Staatstheater) Hannover. 1963–70 gehörte sie dem Ensemble des Staatstheaters von Wiesbaden an; an diesem Haus gastierte sie noch bis 1977. In Wiesbaden sang sie 1963 in der deutschen Erstaufführung der Oper «The Crucible» des amerikanischen Komponisten Robert Ward. Gastspiele führten sie an die Opernhäuser von Graz (1964), Köln (1967), Nürnberg (1966) und Nancy (1966), an die Wiener Staatsoper sowie 1969 und 1970 nach Turin. Seit 1966 gastierte sie häufig an der Bayerischen Staatsoper München. Seit 1972 arbeitete sie als Pädagogin an der Musikhochschule von Mainz. Sie galt vor allem als große Interpretin der Sopranpartien in den Opern von Richard Strauss: der Chrysothemis in «Elektra», der Marschallin im «Rosenkavalier», der Kaiserin in der «Frau ohne Schatten» (ihre besondere Glanzrolle), den Titelfiguren in «Ariadne auf Naxos», «Arabella», «Daphne» und «Die Liebe der Danaë». In diesen Partien kam sie auch zu ihren Gastspielerfolgen. Weitere Höhepunkte in ihrem Repertoire waren die Donna Anna im «Don Giovanni», die Agathe im «Freischütz», die Senta im

«Fliegenden Holländer», die Sieglinde in der «Walküre», die Gutrune in der «Götterdämmerung», die Freia im «Rheingold», die Martha in «Tiefland» von d'Albert, die Aida, die Desdemona in Verdis «Othello» und die Elisabetta in dessen «Don Carlos». Die auch als Konzertsängerin angesehene Künstlerin war mit dem Dirigenten Heinrich Kehm verheiratet, der lange am Stadttheater von Freiburg i. Br. wirkte.

Lebherz, Louis, Baß, * 14. 4. 1948 Bethesda (Maryland); er erhielt seine Ausbildung zum Sänger am Chapman College sowie an der Indiana University bei James Low und bei Armen Boyajian. Er debütierte 1974 an der Memphis Opera als Pater Guardian in Verdis «La forza del destino». Danach gastierte er an vielen amerikanischen Opernbühnen und trat in den achtziger Jahren auch in Südamerika auf, so u. a. 1981 in Caracas. In Europa gab er erfolgreiche Gastspiele am Opernhaus von Frankfurt a. M. (1981), am Grand Théâtre Genf (1988) und war 1984–85 am Staatstheater Karlsruhe, 1985–86 am Theater der Schweizer Bundeshauptstadt Bern engagiert. Sein Repertoire für die Bühne enthielt vor allem Partien für seriösen Baß, darunter den Sarastro in der «Zauberflöte», den Rocco im «Fidelio», den Marke im «Tristan», den Fasolt im «Rheingold», den Baldassare in «La Favorita» von Donizetti, die Sparafucile im «Rigoletto» den Zaccaria in Verdis «Nabucco», den Fiesco in «Simon Boccangera», den Colline in «La Bohème», den Basilio im «Barbier von Sevilla» und den Don Diego in Meyerbeers «Africaine». Auch als Konzertsänger in Erscheinung getreten.
Schallplatten: CBS («Aroldo» von Verdi), Bongiovanni («Jone» von Petrella).

Le Bris, Michèle, Sopran, * 1939; Ausbildung am Conservatoire National de Paris. 1961 debütierte sie an der Grand Opéra Paris als Marguerite im «Faust» von Gounod. Da sie in den folgenden Spielzeiten an diesem Haus nur in kleineren Partien eingesetzt wurde, verließ sie 1963 die Grand Opéra und kam jetzt zu großen Erfolgen an den Opernhäusern von Bordeaux, Marseille, Straßburg, Nantes, Vichy, Toulouse und Rouen. 1970–72 war sie erneut an der Grand Opéra engagiert und in den Spielzeiten 1969–70 und 1979–80 an der Opéra-Comique Paris. 1965 sang sie an der Opéra du Rhin Straßburg in der französischen Erstaufführung von Mozarts «La finta giardiniera». 1972 gastierte sie in Tokio als Amelia in Verdis «Ballo in maschera», 1973 sang sie in London in einer konzertanten Aufführung von Halévys «La Juive» die Partie der Rachel. Die gleiche Partie sang sie dann 1974 auf der Bühne des Teatro Liceo Barcelona als Partnerin von Richard Tucker, 1976 hörte man sie dort als Thaïs in der Oper gleichen Namens von Massenet. Sie setzte ihre Karriere bis in die beginnenden achtziger Jahre fort und trat auch sehr erfolgreich in Operetten auf. Auch als Konzertsolistin wurde sie geschätzt; auf diesem Gebiet kreierte sie 1968 in Rouen die «Suite Pastorale» von G. Landré. Von ihren Bühnenpartien sind zu nennen: die Mathilde in Rossinis «Wilhelm Tell», die

Leonore im «Troubadour», die Amelia in «Un Ballo in maschera», die Desdemona in Verdis «Othello», die Titelfiguren in «Manon Lescaut» und in «Tosca» von Puccini, die Mimi wie die Musetta in «La Bohème», die Minnie in «La Fanciulla del West» (eine ihrer größten Kreationen), die Salomé in Massenets «Hérodiade», die Titelrolle in «Sapho» von Massenet, die Elsa im «Lohengrin», die Regina in «Mathis der Maler» von Hindemith, die Gräfin in «Nozze di Figaro», die Donna Anna im «Don Giovanni», die Lisa in «Pique Dame» von Tschaikowsky und die Jenufa in Janáčeks gleichnamiger Oper.
Schallplatten: Véga (Querschnitt «Madame Butterfly»), Philips (Querschnitte «Troubadour» und «Un Ballo in maschera»), Le Chant du monde (Gesamtaufnahme «Czardasfürstin» von E. Kálmán).

Leech, Richard, Tenor, * 1956 Binghamton (New York); zunächst glaubte er, eine Baritonstimme zu haben, wechselte dann aber ins Tenorfach. Im Alter von 21 Jahren übernahm er bei einer Schüleraufführung die Partie des Hoffmann in «Hoffmanns Erzählungen»; der junge amerikanische Tenor wurde bekannt, als er 1980 den Enrico Caruso-Concours für Tenöre in Mailand gewann. Er begann seine Konzert- und Bühnenkarriere zuerst in seiner nordamerikanischen Heimat. Dort trat er an den Opern von Cincinnati, Baltimore, Pittsburgh, Houston/Texas, am Chicago Opera Theatre und an weiteren Bühnen erfolgreich auf. Zu einem sensationellen Erfolg gestaltete sich sein Debüt an europäischen Operntheatern, als er 1987 am Deutschen Opernhaus Berlin den Raoul in den «Hugenotten» von Meyerbeer sang. Im gleichen Jahr kam er zu einem weiteren Erfolg an der Oper von Chicago als Rodolfo in «La Bohème» von Puccini. Aus seinem Opernrepertoire sind noch als Höhepunkte der Titelheld im «Faust» von Gounod (San Diego, 1988), der Pinkerton in «Madame Butterfly» (Washington 1987, Florenz 1989), der Edgardo in «Lucia di Lammermoor» und der Nemorino in «Elisir d'amore» von Donizetti (Deutsche Oper Berlin, 1988–89), der Herzog im «Rigoletto» (New York City Centre Opera 1988) und der Hoffmann in «Hoffmanns Erzählungen» von Offenbach zu nennen. 1989 sang er an der Metropolitan Oper New York den Rodolfo. Gleichzeitig war er ein hoch begabter Konzertsänger, der mit den führenden Orchestern in Nordamerika wie in Europa auftrat, u. a. als Solist in der 9. Sinfonie von Beethoven.
Schallplatten: Erato (Raoul in Gesamtaufnahme «Die Hugenotten»).

Lefort, Suzanne, Mezzosopran, * 10. 11. 1919 Liévin (Departement Pas-de-Calais), † 20. 3. 1977 Paris; sie studierte, noch ganz jung, am Konservatorium von Lille, wechselte dann an das Conservatoire National de Paris, nachdem sie zuvor in der französischen Metropole privat Unterricht genommen hatte. Bei dem Abschluß-Wettbewerb des Conservatoire erhielt sie dort 1941 alle drei Preise. Darauf wurde sie sogleich an die Grand Opéra Paris verpflichtet, an der sie als Antrittsrolle die Dalila in «Samson et Dalila» von Saint-Saëns sang. Ihre Stimme hatte

einen enormen Tonumfang, der weit bis in den Sopranbereich ging und der es ihr erlaubte, ein breit gefächertes Bühnenrepertoire vorzutragen; sie sang die Maddalena im «Rigoletto» und die Amneris in «Aida», die Erda im Nibelungenring und den Silla in «Palestrina» von Hans Pfitzner, die Margared in «Le Roi d' Ys» von Lalo, die Albine in «Thaïs» von Massenet, die Amme im «Boris Godunow» und die Aase in «Peer Gynt» von Werner Egk. Sie gab Gastspiele in Belgien und in der Schweiz und kam auch zu einer beachtlichen Konzertkarriere. 1953 mußte sie die Bühne verlassen, als sich zunehmend bei ihr Depressionen bemerkbar machten. 1957 versuchte sie nochmals ihre Karriere aufzunehmen, gab diesen Versuch aber bald wieder auf. Sie betätigte sich anschließend noch während einiger Jahre als Pädagogin. Sie war verheiratet mit dem bekannten Dirigenten Georges Prêtre (* 1924).

Lega, Luigi, Tenor, * 7. 4. 1940 Bordighera; Gesangstudium bei Salvatore Salvati in Rom und Basel sowie bei Leni Neuenschwander in Mannheim. Erstes Bühnenauftreten 1961 am Stadttheater von Oberhausen als Pinkerton in Puccinis «Madame Butterfly». Er kam zu einer erfolgreichen Karriere in Westdeutschland, wo er an den Staatsopern von München, Hamburg und Stuttgart, am Nationaltheater Mannheim, an der Deutschen Oper Berlin, an den Staatstheatern von Karlsruhe, Kassel und Wiesbaden, an der Deutschen Oper am Rhein Düsseldorf–Duisburg, in Köln, Frankfurt a. M., Hannover und seit 1964 vor allem am Opernhaus von Wuppertal (wo er seinen Wohnsitz hatte) auftrat. Internationale Erfolge bei Gastspielen an der Wiener Staatsoper, an der Niederländischen Oper Amsterdam, am Teatro Massimo Palermo, am Teatro Liceo Barcelona, in Graz, Rio de Janeiro und Triest. Sein Repertoire war umfangreich und enthielt sowohl heldische wie lyrische Partien. Davon seien genannt: der Radames in «Aida», der Herzog im «Rigoletto», der Manrico im «Troubadour», der Alfredo in «La Traviata», der Alvaro in Verdis «Forza del destino», der Riccardo in «Un ballo in maschera», der Titelheld in Verdis «Don Carlos», der Jacopo Foscari in «I due Foscari», der José in «Carmen», der Florestan im «Fidelio», der Edgardo in «Lucia di Lammermoor», der Titelheld in Giordanos «Andrea Chénier», der Canio im «Bajazzo», der Turiddu in «Cavalleria rusticana», der Rodolfo in Puccinis «La Bohème», der Cavaradossi in «Tosca», der des Grieux in «Manon Lescaut» von Puccini, der italienische Sänger im «Rosenkavalier» von R. Strauss und der Herodes in «Salome». Geschätzter Konzertsänger. In Wuppertal wirkte er auch als Gesanglehrer.
Schallplatten: Holländische Privataufnahme eines Konzerts in Amsterdam mit Magda Olivero.

Leggate, Robin, Tenor, * 18. 4. 1946 West Kirby (England); er studierte zuerst Ingenieurwissenschaften und Ökonomie und erwarb in diesen Fächern den akademischen Grad eines Master of Arts. Dann ließ er jedoch seine Stimme am Royal Nothern College of Music ausbilden. 1975 war er Preisträger

beim Richard Tauber-Concours in London. Er wurde vor allem durch seine Auftritte an der Covent Garden Oper London bekannt, wo er eine Vielzahl von Partien aus allen Bereichen der Opernliteratur sang, große und kleine Aufgaben wie das Repertoire des Hauses es erforderte. Er gastierte in England auf der Bühne wie im Konzertsaal und wirkte in Radio- und Fernsehsendungen mit.
Schallplatten: Philips («Armida» von J. Haydn, «Troubadour»), Decca («Mefistofele» von A. Boito, «Light of Life» von E. Elgar) Opera Rara (Arien aus italienischen Opern).

Legrand, Alfred, Tenor, * 1895 (?), † (?), er absolvierte sein Gesangstudium am Conservatoire National Paris. Seit 1919 war er an der Pariser Opéra-Comique engagiert, an der er als Titelheld in «Marouf» von Henri Rabaud debütierte und bis 1944 auftrat. Er sang an der Opéra-Comique am 16. 12. 1927 in der Uraufführung der Oper «Le pauvre Matelot» von Darius Milhaud die Titelrolle. Zu seinen Hauptrollen gehörten der Jean in «Le Jongleur de Notre-Dame» von Massenet, der Toinet in «Le Chemineau» von Xavier Leroux, der Cavaradossi in «Tosca» und der Pinkerton in «Madame Butterfly». Seine große Glanzrolle war der Pelléas in «Pelléas et Mélisande» von Debussy, den er auch in den Jahren 1925 und 1926 an der Mailänder Scala sang. Weitere Gastspiele führten ihn an die Covent Garden Oper London (1926 als Nicias in «Thaïs» von Massenet) und an das Opernhaus von Antwerpen (1930). Er war auch ein geschätzter Konzertsolist.

Legros, Adrien, Baß-Bariton, * 9. 3. 1903 Aix-en-Provence; er war der Sohn des bekannten Bassisten *Hippolyte Legros,* der in den Jahren 1921–23 an der Grand Opéra Paris Partien wie den Sparafucile im «Rigoletto», den Ramphis in «Aida», den Marcel in den «Hugenotten» von Meyerbeer und den Hunding in der «Walküre» sang. Er erhielt seine Ausbildung in Aix-en-Provence und Paris, kam jedoch erst 1941 zu seinem Bühnendebüt. Nach Auftritten an französischen Provinztheatern erreichte er 1946 die Pariser Opéra-Comique (Antrittsrolle: Escamillo in «Carmen»), zu deren Ensemble er für viele Jahre gehörte. Neben seinem Engagement an diesem Haus sang er als Gast an den führenden französischen Bühnen in Marseille, Toulouse, Nizza, Bordeaux, Rouen, Vichy, Nantes und Lyon. Seine Karriere dauerte bis Anfang der siebziger Jahre und umschloß auch Gastauftritte in Belgien und Nordafrika, in Spanien, in der Schweiz und an der Oper von Monte Carlo (1965). Regelmäßig trat er bis 1978 auf und verabschiedete sich erst 1981 endgültig von der Bühne nach einer Karriere, die sich aus mehr als 5000 Bühnenauftritten zusammensetzte und darüber hinaus auch große Erfolge im Konzertsaal gebracht hatte. Das Schwergewicht seines Repertoires lag im französischen Bereich der Oper; so sang er den Ramon in «Mireille» von Gounod, den Mephisto im «Faust», den Lothario in «Mignon» von A. Thomas, den Dapertutto wie den Doktor Mirakel in «Hoffmanns Erzählungen», den Nilakantha in «Lakmé» von Delibes, den Grafen in «Manon» von Massenet,

den Albert in «Werther», den Prior in «Le Jongleur de Notre-Dame», den Vater in «Louise» von Charpentier und den König in «Le Roi d' Ys» von Lalo. Weitere Bühnenpartien des Künstlers waren der Basilio im «Barbier von Sevilla» von Rossini, der Ramphis in «Aida», der Colline in «La Bohème» und der Scarpia in «Tosca».
Schallplatten: Véga (Gesamtaufnahme «La Dame blanche» von Boieldieu, Querschnitte «Lakmé», «Tosca» und weitere Opern-Querschnitte), Philips (Ausschnitte aus «Manon» von Massenet), HMV (Gesamtaufnahme «Sapho» von Massenet), Decca, Pleïade, Pacific.

Lehane, Maureen, Mezzosopran, * 1943 (?) London; sie war Schülerin der Guildhall School of Music London und setzte ihre Ausbildung bei Hermann Weissenborn in Berlin und bei den englischen Pädagogen John und Aida Dickens fort. Sie debütierte 1967 bei den Festspielen von Glyndebourne in der Barock-Oper «L' Ormindo» von Cavalli und kam zu einer großen Karriere in England wie im Ausland. 1966 heiratete sie den Komponisten Peter Wishart (1921–84), für dessen Werk sie sich in besonderer Weise einsetzte. Sie sang zahlreiche Opernpartien, darunter für die Handel Opera Society Werke wie «Arianna» und «Faramondo» in England wie in den USA. Sie trat bei Konzerten in der Carnegie Hall New York, in England, Polen, Schweden und Deutschland mit großen Erfolgen auf. Sie sang bei den Festspielen von Aldeburgh, beim Strawinsky Festival, beim Three Choirs Festival, in Köln und bei den Göttinger Händel-Festspielen; sie unternahm eine Australien-Tournee, eine zweimonatige USA-Tournee und eine dreimonatige Konzertreise durch den Mittleren und Fernen Osten. 1971 gastierte sie im holländischen wie im belgischen Fernsehen, besuchte 1979–80 Berlin, Lissabon und Rom, 1981 Warschau. 1974 sang sie an der Sadler's Wells Opera London die Titelrolle in «Ariodante» von Händel, 1976 an der Niederländischen Oper Amsterdam die Dido in «Dido and Aeneas» von H. Purcell. 1974 sang sie in London die Titelpartie in der Oper «Clytemnestra» von ihrem Gatten Peter Wishart, 1982 in «Adriano in Siria» von Johann Christoph Bach, 1984 an der Reading University in Peter Wisharts «The Lady of the Inn». 1986 begründete sie ein alljährlich stattfindendes Festival, das dem Andenken ihres inzwischen verstorbenen Gatten Peter Wishart und dessen Werk gewidmet sein sollte. Sie setzte ihre Karriere, vor allem in Rundfunk- und Fernsehsendungen, fort und betätigte sich auch im musikpädagogischen Bereich. Bereits 1972–73 gab sie in Holland Kurse zur Einführung in die Händel-Interpretation, die sie in ähnlicher Form in England veranstaltete.
Schallplatten: Sehr viele Aufnahmen auf verschiedenen Marken, darunter Decca («Belshazzar» von Händel, «Elektra»), HMV (Theresien-Messe von J. Haydn), BASF (Bach-Kantaten, religiöse Vokalwerke von J. Haydn, Mozart, Magnificat von J. Chr. Bach), Westminster (Arsamene in «Serse» von Händel), auch Lieder von H. Purcell in der Bearbeitung durch Peter Wishart.

Lehmann, Ernst Georg, Baß, *1882, †6.9. 1935 Berlin; der aus dem Rheinland stammende Sänger begann seine Bühnenlaufbahn mit einem Engagement am Stadttheater von Dortmund 1907–09. Danach sang er 1909–10 am Theater von Nürnberg, 1910–12 am Stadttheater von Mühlhausen (Mulhouse, Elsaß) und wurde 1912 an das neu eröffnete Deutsche Opernhaus Berlin verpflichtet, dessen Mitglied er bis 1922 war. In den Jahren 1924–27 und 1929–31 trat er im Ensemble der Berliner Staatsoper auf. 1913 sang er in der deutschen Erstaufführung von Puccinis «La Fanciulla del West» («Das Mädchen aus dem goldenen Westen») an der Deutschen Oper Berlin die Rolle des Ashby. Bei den Festspielen von Bayreuth hörte man ihn 1911–12 als Titurel im «Parsifal» und als Hans Foltz in den «Meistersingern», 1911 auch als Hunding in der «Walküre». Er trat als Gast am Stadttheater von Zürich wie auch an der Hofoper Dresden auf. Einige seiner großen Bühnenpartien seien mit dem Daland im «Fliegenden Holländer», dem König Heinrich im «Lohengrin», dem Pogner in den «Meistersingern», dem Fasolt im «Rheingold», dem Landgrafen im «Tannhäuser», dem Onkel Bonze in Puccinis «Madame Butterfly», dem Falke in der «Fledermaus» und dem Sarastro in der «Zauberflöte» genannt. Nicht weniger von Bedeutung war seine Karriere im Konzertsaal, wo er sich namentlich als Oratoriensolist und als Liedersänger auszeichnete.

Lehmann, Liza, Sopran, *11.7. 1862 London, †19.9. 1918 Pinner (Middlesex); sie hieß mit ihrem eigentlichen Namen Nina Mary Frederica Lehmann. Ihr Vater war der deutsche Maler Rudolf Lehmann, ihre Mutter die Komponistin und Musikpädagogin Amelia Chambers, die unter dem Pseudonym A. L. durch ihre Arrangements von Liedern bekannt wurde. Liza Lehmann strebte den Beruf einer Sängerin an, studierte zuerst bei ihrer Mutter, dann Gesang bei Alberto Randegger in London und war auch Schülerin der großen Jenny Lind. Komposition studierte sie dann in Rom bei Raunkilde, in Wiesbaden bei Freudenberg und bei Hamish Mac Cunn in London. Da sie einsah, daß ihre Stimme trotz ihres großen Tonumfanges und ihrer enormen Tonhöhe nicht für den Bühnengesang geeignet war, entschloß sie sich zu einer reinen Konzertkarriere. Sie debütierte 1885 in einem der Monday Popular Concerts in London und gehörte in den folgenden nun Jahren zu den angesehensten englischen Konzertsopranistinnen ihrer Generation. Als sie den Maler und Komponisten Herbert Bedford geheiratet hatte, beendete sie diese Laufbahn mit einem Abschiedskonzert in der St. Jame's Hall in London 1894. Bereits zuvor war sie mit Kompositionen, vor allem mit Liedern, hervorgetreten. Jetzt wandte sie sich ganz der Komposition zu. 1896 kam ihr Liederzyklus «In a Persian Garden» für Solostimmen und Piano in London zur Uraufführung, dem später ein zweiter «In Memoriam» (nach Versen von Tennyson) folgte. Sie komponierte auch Bühnenwerke, darunter als bekanntestes die Oper «The Vicar of Wakefield» (Uraufführung 12.11. 1907 London). 1910 unternahm sie eine USA-Tournee, der später eine zweite folgte.

1911–12 war sie Präsidentin der Society of Women Musicians. Sie erhielt eine Professur an der Londoner Guildhall School of Music. Zu ihren Schülern gehörte die Sopranistin Dora Labbette. Sie war auch schriftstellerisch tätig und beschäftigte sich dabei mit vielseitigen musikalischen Problemen.

Leidland, Hilde, Sopran, *1958 (?) Lillestrøm (Norwegen); sie begann ihr Gesangstudium in Oslo und setzte es mit einem Stipendium der norwegischen Regierung in Stockholm und Rom fort. 1982 kam es zu ihrem Bühnendebüt an der Königlichen Oper Stockholm. Dort sang sie Partien wie die Susanna in «Figaros Hochzeit», die Papagena in der «Zauberflöte» und die Gilda im «Rigoletto» (1988); sie wirkte in Stockholm in Aufführungen von Monteverdis Oper «L'Incoronazione di Poppea» und in «Albert Herring» von Benjamin Britten mit. 1984 gastierte sie am Staatstheater von Hannover als Blondchen in der «Entführung aus dem Serail»; Gastspiele auch an der Hamburger Staatsoper, in Oslo und an weiteren Bühnen von Bedeutung. Bei den Festspielen von Bayreuth sang sie 1985–86 und 1988–89 den Waldvogel im «Siegfried» und eins der Blumenmädchen im «Parsifal», 1988–89 auch die Woglinde im Ring-Zyklus. Neben ihrem Wirken auf der Bühne kam die Sängerin auch zu entsprechenden Erfolgen als Konzertsopranistin.
Schallplatten: Philips («Parsifal», Aufnahme von den Bayreuther Festspielen von 1985).

Leiferkus, Sergej, Bariton, *4.4. 1946 Leningrad; er absolvierte sein Gesangstudium am Konservatorium von Leningrad, wo er Schüler von Barsow und Schaposchnikow war. 1976 gewann er den Internationalen Gesangwettbewerb in Paris und kam darauf 1977 an das Opernhaus von Leningrad, nachdem er dort schon seit 1972 am Maly Theater aufgetreten war. Als erste Partie sang er 1977 am Opernhaus von Leningrad den Prinzen Andrej in Prokofieffs «Krieg und Frieden». In Westeuropa wurde er zunächst durch seine Gastspielauftritte beim Wexford Festival in Irland bekannt; dort sang er den Marquis in «Grisélidis» von Massenet, den Titelhelden in «Hans Heiling» von Marschner (1984), den Boniface in Massenets «Le jongleur de Notre Dame» (1985) und den Spielmann in «Königskinder» von Humperdinck (1986). 1985 großer Erfolg bei der Scottish Opera Glasgow als Don Giovanni. Seitdem sang er dort u. a. den Escamillo in «Carmen» und den Eugen Onegin von Tschaikowsky (1988). In der letztgenannten Partie wie auch als Tomsky in «Pique Dame» feierte man ihn 1987 bei einem Gastspiel der Leningrader Oper im Haus der Covent Garden Oper London, an der er auch 1989 als Gast den Grafen Luna im «Troubadour» vortrug. Er gastierte bei der English National Opera Company London (1987) und an der Opera North Leeds (Scarpia in «Tosca», Zurga in «Pêcheurs de perles» von Bizet, 1988). 1987 Gastspiel mit der Oper von Leningrad bei den Festspielen von Wiesbaden. 1989 gastierte er an der Oper von San Francisco als Telramund. Neben seinem Wirken auf der Opernbühne wurde er als Konzertsänger bekannt. So sang er 1983 in Berlin und

1987 in Boston das Bariton-Solo in der 13. Sinfonie von Schostakowitsch und war 1989 in England als Konzertsolist erfolgreich. Von seinen Bühnenpartien seien noch der Figaro im «Barbier von Sevilla» von Rossini, der Robert in «Jolanthe» von Tschaikowsky, der Germont-père in «La Traviata» (den er 1985 in Paris sang), der Titelheld in «Fürst Igor» von Borodin und der Telramund im «Lohengrin» genannt.

Lenchner, Paula, Sopran, * 1920 (?) Wien; sie erhielt ihre Ausbildung zur Sängerin teils in den USA, teils in Italien und war anfänglich als Konzertsängerin tätig. 1947 wurde sie an die Metropolitan Oper New York engagiert. Hier blieb sie bis 1953 und sang kleinere Partien aus allen Bereichen der Opernliteratur. 1953 kam sie nach Westdeutschland und war 1953–55 am Stadttheater von Bremen verpflichtet, 1955–56 am Stadttheater von Mainz. Bei den Bayreuther Festspielen der Jahre 1955–57 hörte man sie als Wellgunde und als Gerhilde im Nibelungenring und als 1. Knappe im «Parsifal». Seit 1957 lebte sie wieder in New York, war aber in den Jahren 1957–61 durch einen Gastspielvertrag mit der Staatsoper von Stuttgart verbunden. Nach ihrer Heirat ist sie auch unter dem Namen Paula Lenchner-Schmidt aufgetreten.

Schallplatten: RCA (Szene aus «Carmen» mit Risë Stevens in der Titelpartie und der Künstlerin in der Rolle der Frasquita), CIR, Cetra Opera Live («Rheingold», «Walküre», «Götterdämmerung», Mitschnitte von den Bayreuther Festspielen 1957), Melodram («Parsifal», Bayreuth 1958).

Lenke-Kraze, Aglaë, s. unter *Kraze,* Heinrich.

Lenz, Maria, Sopran, * 1903 (?); sie debütierte 1927 am Deutschen Theater von Brünn (Brno), blieb dort für eine Saison und sang dann nacheinander am Opernhaus Düsseldorf (1928–29), am Stadttheater Saarbrücken (1929–30) und in den Jahren 1930–32 am Stadttheater von Essen. Dann folgte sie einem Ruf an das Opernhaus von Leipzig und blieb dessen Mitglied bis zu ihrem Rücktritt von der Bühne; noch 1956 ist sie an diesem Haus aufgetreten und wurde schließlich zu dessen Ehrenmitglied ernannt. Sie sang in Leipzig die Titelrolle in der Uraufführung der Oper «Die pfiffige Magd» von Julius Weismann (11. 2. 1939) und in der von «Das kalte Herz» von N. Schulze (1943). 1935 wirkte sie bei den Händel-Festspielen von Göttingen mit. Höhepunkte in dem reichhaltigen Bühnenrepertoire der Künstlerin waren die Pamina in der «Zauberflöte», die Marzelline im «Fidelio», die Agathe im «Freischütz», die Anna in «Hans Heiling» von Heinrich Marschner, die Margiana im «Barbier von Bagdad» von P. Cornelius, die Elsa im «Lohengrin», die Eva in den «Meistersingern», die Mimi in Puccinis «La Bohème» und die Liu in «Turandot» vom gleichen Meister.

Schallplatten: Melodram («Meistersinger»-Quintett auf einer Arienplatte des Tenors August Seider).

Leonhardt, Albert, Bariton, * 24. 4. 1858 Schwerin, † 27. 5. 1927 Schwerin; er übte zunächst den Beruf eines Buch- und Musikalienhändlers aus und wurde dann Schüler des berühmten Wagner-Baritons Karl Hill in Schwerin. 1878 begann er seine Bühnenlaufbahn am Hoftheater von Kassel. Dann war er als Baß-Buffo am Hoftheater von Altenburg (Thüringen) und am Stadttheater von Trier engagiert. 1880–81 am Stadttheater von Kiel. 1881–82 wirkte er am Hoftheater von Neustrelitz in Mecklenburg, 1882–84 am Opernhaus von Riga, 1884–85 am Stadttheater von Augsburg. Seit 1885 war er Mitglied des Hoftheaters von Dessau. Von dort aus unternahm er erfolgreiche Gastspiele an führenden deutschen Bühnen und sang u. a. an der Berliner Hofoper, am Hoftheater Kassel (1901) am Opernhaus von Leipzig (1897–1908) und an der Covent Garden Oper London (1907 als Beckmesser) wie auch an der Berliner Kroll-Oper. 1919 gab er seine Bühnenkarriere auf, in der Partien wie der Wolfram im «Tannhäuser», der Alberich im Nibelungenring, der Baculus im «Wildschütz» von Lortzing, der Bartolo im «Barbier von Sevilla» von Rossini und der Herr Fluth in Nicolais «Lustigen Weibern von Windsor» die Höhepunkte markierten. Hohes Ansehen genoß er neben seinem Wirken auf der Bühne als Konzert- und namentlich als Oratoriensolist. Seine Tochter *Lucie Leonhardt* (* 1890 Dessau) war als Konzertsängerin tätig.

Lerner, Mimi, Mezzosopran, * 1954 (?) in Polen; sie kam frühzeitig in die USA und studierte dort Musik und Gesang am Queens College, an der City University New York und an der Carnegie-Mellon University. 1979 erfolgte ihr Bühnendebüt an der City Centre Opera New York als Sesto in «La clemenza di Tito» von Mozart. Sie hatte in den folgenden Jahren an der City Centre Opera bedeutende Erfolge und gastierte dann an zahlreichen amerikanischen Opernbühnen. So hörte man sie an den Opern von San Diego und Cincinnati, in Pittsburgh und Washington und an der Oper von New Orleans, wo sie u. a. 1989 die Amneris in «Aida» übernahm. Sie erschien dann auch in Europa und sang 1984 beim Glyndebourne Festival die Marcellina in «Nozze di Figaro», 1985 an der Mailänder Scala in einer konzertanten Aufführung von «Alcina» von Händel, 1986 am Théâtre Châtelet Paris (Isabella in Rossinis «Italiana in Algeri»), 1987 in Amsterdam (Eboli in Verdis «Don Carlos»), am Théâtre de la Monnaie Brüssel und an weiteren Theatern. Aus ihrem Bühnenrepertoire seien noch die Rosina im «Barbier von Sevilla», der Smeton in «Anna Bolena» von Donizetti, die Adalgisa in «Norma», die Titelfigur in Rossinis «La Cenerentola», die Suzuki in «Madame Butterfly» und der Siebel im «Faust» von Gounod genannt.

Le Roux, François, Bariton, * 1955 Paris; er begann sein Gesangstudium 1974 im Opernstudio der Pariser Grand Opéra als Schüler von François Loup. Seine Ausbildung wurde durch die berühmten Sängerinnen Vera Rozsa und Elisabeth Grümmer vervollständigt. Nachdem er internationale Gesangwettbewerbe in Barcelona und in Rio de Janeiro gewonnen hatte, war er 1980–85 an der Oper von

Lyon engagiert. 1985 hatte er an der Grand Opéra Paris als Titelheld in Debussys «Pelléas et Mélisande» einen aufsehenerregenden Erfolg. 1986 sang er diese Glanzrolle aus seinem Repertoire an der Mailänder Scala, am Teatro Liceo Barcelona und bei den Festspielen von Edinburgh, 1988 an der Staatsoper von Wien. 1987 gastierte er beim Glyndebourne Festival als Ramiro in «L'Heure espagnole» von Ravel, an der Hamburger Staatsoper als Marcello in «La Bohème» von Puccini und am Opernhaus von Frankfurt a. M. als Orest in Glucks «Iphigénie en Tauride». Im Dezember 1987 sang er an der Grand Opéra Paris den Titelhelden im «Don Giovanni» in einer Gala-Aufführung zum 200. Jahrestag der Prager Uraufführung dieser Mozart-Oper. 1987 hatte er sehr große Erfolge bei einem Konzert in der Salle Pleyel in Paris. 1988 debütierte er an der Covent Garden Oper London als Albert in Massenets «Werther», sang dort auch den des Grieux in dessen Oper «Manon» und den Papageno in der «Zauberflöte». Bei der Scottish Opera Glasgow gastierte er 1989 als Don Giovanni. Weitere Gastspiele und Konzerte trugen ihm in den europäischen wie den nordamerikanischen Musikzentren Erfolge ein. Von seinen Bühnenpartien verdienen neben dem Pelléas der Graf in «Figaros Hochzeit», der Guglielmo in «Così fan tutte», der Papageno in der «Zauberflöte», der Figaro in Rossinis «Barbier von Sevilla», der Harlekin in «Ariadne auf Naxos» von R. Strauss, der Barbier in dessen «Schweigsamer Frau» und der Don Giovanni Erwähnung. An der Oper von Nancy sang er in der Uraufführung der Oper «La Noche trista» von Jean Prodromides (24. 11. 1989). Hervorragender Oratorien- und vor allem Liedersänger. Schallplatten: RCA-Erato (Morales in «Carmen» mit Julia Migenes und Placido Domingo, Sound-Track eines Films; «Orfeo» von Monteverdi, «Pénélope» von G. Fauré, «Tancrède» von Campra, Lieder von Duparc), HMV (L'Étoile» von E. Chabrier, «Les Brigands» von Offenbach).

Leuer, Hubert, Tenor, * 12. 10. 1880 Köln, † 8. 3. 1969 Wien; er erhielt seine Ausbildung zum Sänger am Konservatorium seiner Heimatstadt Köln. Seine Stimme wurde durch den berühmten Direktor der Wiener Hofoper Gustav Mahler entdeckt, der ihn 1904 an dieses Haus verpflichtete. Nach seinem dortigen Debüt als David in den «Meistersingern» blieb er bis 1920 Mitglied der Hof- und späteren Staatsoper Wien, an der er noch bis 1932 immer wieder als Gast in Erscheinung trat. 1926–27 war er an der Wiener Volksoper, 1927–30 am Opernhaus von Leipzig engagiert. Häufige Gastspiele am Opernhaus von Brünn (Brno, 1908–32), 1915 auch am Deutschen Theater Prag. Nachdem er zuerst in lyrischen Partien aufgetreten war, ging er in das heldische Stimmfach über und wurde als Titelheld in Verdis «Othello» als Herodes in «Salome» wie als Menelas in der «Ägyptischen Helena» von R. Strauss, als Cavaradossi in «Tosca», vor allem aber als Wagner-Interpret (Titelfiguren in «Tristan», «Rienzi», «Parsifal», Siegfried im Nibelungenring) bekannt. Ausgedehnte Gastspiele brachten dem Künstler an der Nationaloper Budapest, in Berlin, Barcelona und

Graz wie an vielen anderen Bühnen Erfolge. Seine Gattin war die bekannte Koloratursopranistin *Berta Kiurina* (1882–1933), die ebenfalls zu den führenden Sängerpersönlichkeiten der Wiener Oper zählte. Ein Sohn aus dieser Ehe, Hubert Leuer-Kiurina, war als Schauspieler in Deutschland und Österreich tätig.
Die Stimme von Hubert Leuer ist durch zwei Pathé-Schallplattenaufnahmen überliefert (Duette mit Berta Kiurina).

Lewandowski, Manfred, Bariton, * 1. 9. 1895 Hamburg, † 1970 Philadelphia; er stammte aus einer jüdischen Kantorenfamilie und wurde zunächst durch seinen Vater ausgebildet. Er trat bereits früh als Synagogensänger auf. 1921–23 war er Oberkantor in Königsberg (Ostpreußen), 1923–28 am Friedenstempel in Berlin–Halensee und 1928–38 Oberkantor an der Synagoge Lindenstraße Berlin. Im Sommer 1938 emigrierte er nach Frankreich und von dort 1939 nach Nordamerika. Er wirkte hier 1939–40 als Kantor an einer New Yorker Synagoge, 1940–48 in Philadelphia, ist aber noch bis 1965 in Synagogen aufgetreten. Neben dieser Tätigkeit im Bereich des jüdischen Kultgesangs erschien er in den Jahren 1924–33 regelmäßig als Radiosänger an Rundfunkstationen in Deutschland. Dabei brachte er auch Opernarien und Lieder zum Vortrag. Während dieser Zeit entstanden auch viele Schallplattenaufnahmen auf Electrola, Odeon und Homochord, darunter Opernszenen (u. a. auch Duette mit Hans Heinz Bollmann), Lieder und jüdische kantoriale Gesänge. In den USA wurden 1940 nochmals derartige Kultgesänge auf Vox aufgenommen. Er war auch kompositorisch tätig, vor allem auf dem Gebiet des Synagogengesangs.

Lheureux, Arthur, Tenor, * 1882 Frameries (Provinz Hainaut, Belgien), † 1950 Bonsecours bei Leuze (Belgien); er begann das Gesangstudium am Konservatorium von Mons und war dann in Brüssel Schüler von Désiré Demest. 1909 begann er seine Bühnenlaufbahn am Théâtre de la Monnaie Brüssel, wo er zunächst in kleinen Partien eingesetzt wurde. 1916 wurde er an die Opéra-Comique Paris verpflichtet, zu deren Ensemble er bis 1925 gehörte. An diesem Opernhaus sang er u. a. den Julien in «Louise» von Charpentier, den des Grieux in «Manon» von Massenet, den José in «Carmen», den Turiddu in «Cavalleria rusticana» und den Canio im «Bajazzo». Bekannt wurde er auch durch sein Auftreten als Solist in zahlreichen Konzerten in Frankreich wie in seiner belgischen Heimat. In der langen Zeit von 1926 bis 1948 war er als Professor und Gesanglehrer am Konservatorium von Mons beschäftigt.
Schallplatten: Parlophon.

Liang, Ning, Mezzosopran, * 1958 Peking; sie begann 1974 ihr Gesangstudium an der Musikschule von Gwangdong und war 1980–83 am Zentralkonservatorium von Peking Schülerin des Tenors Shen Xiang. Im Mai 1983 debütierte sie in einer Schüler-Aufführung dieses Konservatoriums in Peking als

Cherubino in «Nozze di Figaro». 1983 gewann sie einen Gesangwettbewerb in London und gab anschließend ein Konzert in der dortigen Wigmore Hall. 1984 erregte sie großes Aufsehen, als sie den Mirjam Helin-Concours in Helsinki gewann, ebenso 1985 in Philadelphia als erste Preisträgerin beim Pavarotti-Wettbewerb und 1989 bei einem Wettbewerb der Metropolitan Oper New York. Nachdem sie bereits in ihrer chinesischen Heimat (Peking, Schanghai) als Carmen und als Rosina im «Barbier von Sevilla» aufgetreten war, sang sie 1987 beim Aspen Festival die Koloraturalt-Partie der Angelina in Rossinis «La Cenerentola». In der Saison 1987–88 gastierte sie an der Oper von Philadelphia als Dorabella in «Così fan tutte». 1988 stand sie im Mittelpunkt eines Gastspiels der Oper von Peking in Helsinki als Carmen. Sie ergänzte ihre Ausbildung durch Studien an der Juillard School in New York (1986–89) und kam zu sensationellen Erfolgen bei der Trap Opera Company of Virginia (1989 als Cherubino wie als Angelina), in London (1989 als Carmen) und in Konzertveranstaltungen, u. a. in Lissabon (Solo in Beethovens 9. Sinfonie) und New York (konzertante Aufführung von Bellinis «Il Pirata»). 1989 wurde sie an die Staatsoper von Hamburg berufen und sang hier die Rosina im «Barbier von Sevilla», den Cherubino und den Hänsel in «Hänsel und Gretel»; 1990 an der Mailänder Scala als Suzuki in «Madame Butterfly» zu Gast.
Schallplatten: China Record Company (vollständige Opern «Carmen» und «Figaros Hochzeit»), Hong Kong Recording LTD (Arien von Mozart und Gounod).

Liberati, Antimo, Altist und Komponist, * 3. 4. 1617 Foligno in Umbrien, † 24. 2. 1692 Rom; er muß um 1650 nach Rom gekommen sein und wurde dort Schüler von Gregorio Allegri und von Orazio Benevoli, zwei führenden italienischen Komponisten ihrer Zeit für das Gebiet der Kirchenmusik. 1661 wurde er Solo-Altist (in etwa einem sehr hohen Tenor entsprechend) der Päpstlichen Kapelle und später deren Maestro di Cappella (für 1674–75 nachweisbar). Gleichzeitig war er als hoch geschätzter Organist an zwei römischen Kirchen beschäftigt. In einem Brief teilt er wichtige Einzelheiten über die Biographie des großen Meisters Palestrina mit. Seine Traktate, die sich teilweise mit der Cappella Pontificia befassen (*Ragguaglio dello stato del coro de' cantori nella cappella pontificia* von 1663, *Epitome della musica* von 1666, *Lettera scritta . . . in risposta ad una del Sig. Ovidio Persapegi* von 1685) zeigen, wie groß der Einfluß Palestrinas noch in der 2. Hälfte des 17. Jahrhunderts auf die Kirchenmusik in Rom war.

Licha, Robert, Tenor, * 28. 2. 1921; der Künstler wurde durch eine 38jährige Tätigkeit am Opernhaus von Nürnberg bekannt, dessen Mitglied er 1948 wurde (Debüt in der Operette «Dreimäderlhaus» von Berté-Schubert). Bis zu seinem Abschied von der Bühne 1986 als Zsupan im «Zigeunerbaron» hat er in Nürnberg 120 Partien aus allen Bereichen der Opernliteratur vorgetragen. Er galt als vorzüglicher

Interpret von Buffo-Rollen und war als David in den «Meistersingern» wie als Mime im Nibelungenring, auch als Operettensänger geschätzt. Als Gast ist er in Paris und Wien, in Brüssel (1963, 1967), Genf und Bordeaux wie auch an führenden deutschen Bühnen aufgetreten. Bei den Salzburger Festspielen wirkte er 1969 als Wirt im «Rosenkavalier» mit. 1970–75 sang er bei den Festspielen von Bayreuth den Balthasar Zorn in den «Meistersingern»; von diesen Aufführungen wurde 1974 eine vollständige Aufnahme auf der Marke Philips gemacht, in der er in dieser Rolle erscheint.

Liebesberg, Else, Sopran, * 3. 10. 1918 Wien; sie wurde am Konservatorium von Wien ausgebildet und gewann 1946 beim Gesangwettbewerb von Genf einen ersten Preis. Im gleichen Jahr 1946 debütierte sie an der Staatsoper von Wien als Page Oscar in Verdis «Maskenball». Nach einigen Jahren wechselte sie dann an die Wiener Volksoper, wo sie bis zu ihrem Abschied von der Bühne 1973 engagiert blieb. Sie trat dort in Koloratur- und Soubrettenpartien in Operetten wie in der Oper auf; so sang sie den Cherubino wie die Susanna in «Figaros Hochzeit», die Papagena in der «Zauberflöte», die Marzelline im «Fidelio», die Ännchen im «Freischütz», die Marie in «Zar und Zimmermann» wie im «Waffenschmied» von Lortzing, die Gretchen im «Wildschütz», die Wellgunde im Nibelungenring, die Gretel in «Hänsel und Gretel», die Nuri in «Tiefland» von E. d' Albert, die Zerline in «Fra Diavolo» von Auber, die Rosina im «Barbier von Sevilla», die Adele in der «Fledermaus», die Arsena im «Zigeunerbaron», die Pepi in «Wiener Blut» von J. Strauß, die Bronislawa im «Bettelstudenten» von Millöcker, die Christel im «Vogelhändler» von Zeller und eine Anzahl weiterer Rollen. Daneben trat sie auch mit großem Erfolg als Konzertsängerin hervor und gastierte als solche in den Musikzentren Europas. Sie ist auch unter den Namen Bauer-Liebesberg bzw. Liebesberg-Hannes aufgetreten.
Schallplatten: Zahlreiche Operetten-Querschnitte auf Philips.

Liebing, Werner, Tenor, *1917 (?); er begann seine Karriere 1940–41 am Theater von Karlsbad (Karlovy Vary), sang 1941–43 an der Volksoper Dresden und dann bis zur Schließung der deutschen Theater im letzten Kriegsjahr 1943–44 an der Volksoper Berlin. Nach dem Zweiten Weltkrieg nahm er seine Karriere wieder an der Städtischen Oper Berlin auf, der er bis 1950 angehörte. Bereits seit 1947 war er als Gast an der Staatsoper Dresden tätig gewesen und wechselte 1950 nun ganz nach Dresden. Bis Mitte der sechziger Jahre blieb er an der Dresdner Staatsoper tätig; zugleich hatte er einen Gastvertrag mit der Staatsoper Berlin. Er gastierte u. a. auch in Österreich. Seine Bühnenpartien waren vor allem im lyrischen Stimmfach beheimatet; so sang er den Don Ottavio im «Don Giovanni» und den Grafen Almaviva im «Barbier von Sevilla», den Ritter Hugo in «Undine» und den Châteauneuf in «Zar und Zimmermann» von Lortzing, den Walther von der Vogelweide im «Tannhäuser» und den Gonzalve in

«L' Heure espagnole» von Ravel, den Narraboth in «Salome» und den Apollo in «Daphne» von Richard Strauss. Hinzu kam eine erfolgreiche Karriere als Konzertsänger.
Schallplatten: Urania («Rosenkavalier» in der Partie des italienischen Sängers), Eterna/Ducretet-Thompson («Belsazar» von Händel).

Liebold, Angela, Mezzosopran, * 15. 8. 1958 Dresden; Gesangstudium in den Jahren 1976–82 an der Carl-Maria von Weber-Musikhochschule Dresden bei Christian Elßner. Die Künstlerin trat dann in das Opernstudio der Staatsoper von Dresden ein und wurde 1985 als erste Mezzosopranistin in das reguläre Ensemble des Hauses übernommen. Sie wurde Preisträgerin bei mehreren internationalen Gesangwettbewerben, so 1983 beim Walther Gruner-Liedwettbewerb in London, 1985 beim Maria Callas-Concours in Athen, 1989 beim Robert Schumann-Wettbewerb in Zwickau; 1984 gewann sie den Bach-Wettbewerb in Leipzig. An der Staatsoper Dresden hörte man sie u. a. als Hänsel in «Hänsel und Gretel», als Flora in «La Traviata», als Mercedes in «Carmen», als Olga im «Eugen Onegin» von Tschaikowsky und während der Gala-Aufführungen zur Einweihung der wieder neu erbauten Semper-Oper in der Titelpartie der Uraufführung von «Weise von Liebe und Tod des Cornets Christoph Rilke» von Siegfried Matthus (16. 2. 1985). Weitere Schwerpunkte ihrer künstlerischen Tätigkeit waren der Konzert- und vor allen Dingen der Liedgesang; so gab sie Konzerte bzw. Liederabende in der Sowjetunion, in Ungarn, Frankreich und in Westdeutschland. Ihr besonderes Interesse galt dazu der pädagogischen Arbeit; seit 1983 wirkte sie als Gesangpädagogin an der Musikhochschule Dresden.

Lie-Hansen, Bjørn, Baß-Bariton, * 26. 3. 1937 Oslo; nach einer anfänglichen Karriere als Schauspieler widmete er sich dem Gesangstudium als Schüler von Oskar Raaum in Oslo, von Joel Berglund in Stockholm, von Clemens Glettenberg in München und von Clemens Kaiser-Breme in Essen. Bühnendebüt 1962 an der Norwegischen Oper Oslo als Masetto im «Don Giovanni». Er blieb für lange Jahre Mitglied dieses Hauses, an dem er in Partien wie dem Leporello im «Don Giovanni», dem Alfonso in «Così fan tutte», dem Bartolo im «Barbier von Sevilla» von Rossini, dem Don Magnifico in «La Cenerentola», dem Rocco im «Fidelio» und dem Escamillo in «Carmen» seine Erfolge hatte. Im Norwegischen Fernsehen wirkte er in Aufführungen der Opern «Der Barbier von Sevilla» von Paisiello in der Partie des Figaro und in «Albert Herring» von Benjamin Britten als Budd mit. Geschätzter Konzertsolist und Gesangpädagoge in Oslo.

Lievermann, August, s. unter *Livermann,* August.

Liková, Eva, Sopran, * 21. 12. 1919 Dvůr Králové (Königinhof, ČSR); die Sängerin, deren eigentlicher Name Eva Prchliková war, erhielt ihre Ausbildung am Konservatorium von Prag und durch die Pädagogin Frau Nektar de Flondor. 1943 kam es zu ihrem

Bühnendebüt am Opernhaus von Brno (Brünn) in der Partie der Marie in der «Verkauften Braut» von Smetana. Bis 1945 blieb sie in Brno und war dann bis 1947 in Prag tätig. Sie ging 1947 nach Nordamerika, wo sie zunächst als Konzertsängerin auftrat. In den fünfziger Jahren hatte sie große Erfolge bei Auftritten an der New York City Centre Opera. Als Mitglied dieses Hauses wie bei Gastspielen an den großen amerikanischen Opernbühnen (Philadelphia, Boston, Pittsburgh, New Orleans) sang sie bis 1967 Partien wie die Micaela in «Carmen», die Gilda im «Rigoletto», die Violetta in «La Traviata», die Musetta in Puccinis «La Bohème» und die Liu in dessen «Turandot». Sie gab auch Gastspiele und Konzerte in Mexiko, Spanien, Kanada und Deutschland und kam als Gast an der Wiener Staatsoper zu ähnlichen Erfolgen.

Lindberg, Paula, Alt, * 21. 12. 1897 Frankenthal/ (Pfalz); sie erhielt ihre Ausbildung hauptsächlich bei Julius von Raatz-Brockmann in Berlin und wurde in den zwanziger Jahren eine der bekanntesten deutschen Konzertaltistinnen. Dabei zeichnete sie sich als Solistin in Beethovens 9. Sinfonie, in der Matthäuspassion von J. S. Bach, im Messias von Händel, im «Lied von der Erde» von Gustav Mahler wie überhaupt in einem weitreichenden Konzertrepertoire aus. Sie trat auch oft mit Werken aus der Barock-Epoche vor ihr Publikum. Von Berlin aus ging sie einer ausgedehnten Konzerttätigkeit nach. Dagegen ist sie auf der Opernbühne nur in einer einzigen Partie, und zwar als Erda im Nibelungenring, zu hören gewesen, die sie u. a. 1929 am Grand Théâtre Genf sang. Sie hatte ihren Wohnsitz während dieser Zeit in Berlin. Als Jüdin hatte sie es im Deutschland der Jahre nach 1933 sehr schwer. Noch 1937 trat sie in Konzerten des Jüdischen Kulturbundes in Berlin auf, konnte dann aber Deutschland verlassen und nach Holland flüchten. Nach der Besetzung dieses Landes 1940 durch die deutschen Truppen wurde sie verhaftet und in ein Konzentrationslager verschleppt, konnte jedoch diese furchtbare Zeit überstehen und nach Holland zurückkehren. Sie wurde nach Kriegsende eine hoch angesehene Pädagogin und wirkte als solche noch in den sechziger Jahren in Amsterdam. Sie ist auch (nach ihrer Heirat) unter dem Namen Paula Lindberg-Salomon aufgetreten.
Schallplattenaufnahmen auf Parlophon; obwohl sie eigentlich keine Opernsängerin war, singt sie auf dieser Marke in einem Querschnitt durch die Oper «Martha» von Flotow die Partie der Nancy.

Lindlar, Franz, Baß-Bariton, * 12. 2. 1888 Koblenz, † 24. 1. 1931 Köln; er war der Sohn des Musikdirektors Franz Lindlar sr. in Köln und der ältere Bruder des bekannten Baritons *Josef Lindlar* (1890–1953). Er erhielt seine Ausbildung am Konservatorium von Köln, debütierte am dortigen Opernhaus und ist während seiner ganzen Karriere Mitglied dieses Operninstituts geblieben. Er sang dort ein umfangreiches Repertoire, das große wie kleine Aufgaben seines Stimmfachs enthielt. Als Höhepunkte in diesem Repertoire galten der Figaro in «Figaros Hoch-

zeit», der Don Fernando im «Fidelio» von Beethoven, der Matteo in «Fra Diavolo» von Auber, der Monterone in Verdis «Rigoletto» und der Barak in der «Frau ohne Schatten» von Richard Strauss. Die Laufbahn des Künstlers, der auch als Konzertsolist in Erscheinung trat, kam zu einem tragischen Ende, als er während einer Vorstellung von Puccinis «Turandot» 1931 plötzlich auf der Bühne der Kölner Oper tot zusammenbrach. Verheiratet mit der Sopranistin *Regina Lindlar*.
Schallplatten: Orchestrola, Audiphon (Opernarien).

Lindsey, Claudia, Sopran, * 1942 (?); sie studierte zuerst Soziologie, ließ dann aber ihre Stimme durch Anna Hamlin und Otto Guth in New York ausbilden. Sie gewann ein Marian Anderson-Stipendium für junge, begabte farbige Sänger und einen von der Metropolitan Oper New York ausgeschriebenen Concours. 1965 kam es zu ihrem Bühnendebüt an der New York City Centre Opera in der Rolle der Clara in «Porgy and Bess» von Gershwin. Sie kam an der City Centre Opera, an den Opernhäusern von San Francisco und Washington, in Newark und an weiteren amerikanischen Theatern zu einer belangreichen Karriere, dazu trat sie als Konzert- und Liedersängerin in Erscheinung. Aus ihrem Bühnenrepertoire sind zu nennen: die Titelfigur in Verdis «Aida», die Palmyra in «Koanga» von Delius, die Gräfin in «Figaros Hochzeit», die Fiordiligi in «Così fan tutte», die Marie in Smetanas «Verkaufter Braut», die Mimi in «La Bohème» von Puccini, der Female Chorus in «The Rape of Lucretia» von Benjamin Britten und die Saint Teresa I in «Four Saints in Three Acts» von V. Thomson.
Schallplatten: HMV-Angel (u. a. vollständige Oper «Koanga»).

Lindström, Margret, Mezzosopran, * 20.2. 1898; Gesangstudium in den Jahren 1918–23 in Heidelberg. 1925 fand sie ihr erstes Engagement am Stadttheater von Plauen (Sachsen). 1927 kam sie an das Opernhaus von Leipzig, 1928 an das Landestheater von Sondershausen in Thüringen. 1931 wurde sie an das Stadttheater von Osnabrück verpflichtet. 1935–38 war sie Mitglied des Staatstheaters von Kassel. Hier wie bei Gastspielen und Konzerten trat sie in einem vielseitige Repertoire vor ihr Publikum.

Li-Paz, Michael, Baß, * 11. 9. 1938 Tel Aviv; er studierte im Opernstudio von Haifa bei den Pädagogen Metzger und Theo Bloch und debütierte 1970 in Israel als Basilio in Rossinis «Barbier von Sevilla». Mit Hilfe von Stipendien konnte er seine weitere Ausbildung in den USA vornehmen, wo er an der Juilliard School New York durch die berühmten Bassisten Alexander Kipnis und Giorgio Tozzi unterrichtet wurde. Am Curtis Institute of Music Philadelphia war er Schüler von Max Rudolf. In Nordamerika kam er dann zu einer erfolgreichen Bühnenkarriere an der Oper von Philadelphia, an der City Centre Opera New York und an anderen Opernhäusern; dazu unternahm er von seinem Wohnsitz Philadelphia aus Konzertreisen. Aus seinem Rollenreper-

toire für die Opernbühne verdienen Partien wie der Leporello im «Don Giovanni», der Alfonso in «Così fan tutte», der Osmin in der «Entführung aus dem Serail», der Sarastro in der «Zauberflöte», der Bartolo wie der Basilio im «Barbier von Sevilla», der Kezal in Smetanas «Verkaufter Braut», der Titelheld in Donizettis «Don Pasquale», der Ochs im «Rosenkavalier» von R. Strauss und der Ramphis in Verdis «Aida» Erwähnung. Neben seinem gesanglichen Können bewunderte man sein gewandtes Bühnenspiel, namentlich in Aufgaben für Baß-Buffo.

Lipmann, Max, Tenor, * 18. 7. 1881 Stolzenau a. d. Weser, † (?); er debütierte 1905 am Stadttheater von Heilbronn als Max im «Freischütz», begann dann aber zunächst eine Tätigkeit als Konzert- und Oratoriensänger. Er nahm seine Bühnenkarriere erst wieder 1909 mit einem Engagement am Stadttheater von Aachen auf, das bis 1911 bestand. Anschließend gab er Gastspiele und trat u. a. 1912 an der Mailänder Scala als David in den «Meistersingern» und in der Spielzeit 1912–13 bei der Boston Opera Company in den USA auf. In den Jahren 1913–23 war er Mitglied des Hof- und Nationaltheaters Mannheim: 1923–24 nahm er an der Nordamerika-Tournee einer deutschen Operntruppe, der German Opera Company, teil. Nach 1924 trat er wieder hauptsächlich im Konzertsaal in Erscheinung, wo er seine großen Erfolge als Evangelist in der Matthäuspassion von J. S. Bach und in der «Schöpfung» von Haydn hatte. Bis 1932 gab er jedoch auch noch von seinem Wohnsitz Mannheim aus Bühnengastspiele. Sein Repertoire für die Bühne enthielt Partien wie den Belmonte in der «Entführung aus dem Serail», den Tamino in der «Zauberflöte», den Max im «Freischütz», den Pedro in «Tiefland» von d' Albert, den Manrico im «Troubadour», den Turiddu in «Cavalleria rusticana», den des Grieux in «Manon Lescaut» von Puccini und den Rodolfo in «La Bohème». Über die Karriere wie die weitere Entwicklung der Biographie des Künstlers nach 1933 sind keine Nachrichten vorhanden (er war jüdischer Herkunft und hat Deutschland nach 1933 verlassen).
Schallplatten: HMV, Vox (auf dieser Marke Solo-Aufnahmen).

Lipouščak-Rajić, Zlata, Sopran, * 1898 Karlovac (Karlstadt, Kroatien), † 16. 7. 1971 Zagreb; sie studierte bei M. Kostrenčić in Zagreb und in Wien. 1924 debütierte sie an der Oper von Zagreb als Olympia in «Hoffmanns Erzählungen» und blieb bis zur Aufgabe ihrer Bühnenkarriere 1941 Mitglied dieses Hauses. Hier trat sie in einer Vielzahl von Partien aus dem Koloraturfach auf: als Königin der Nacht in der «Zauberflöte», als Gilda in «Rigoletto», als Violetta in «La Traviata», als Page Oscar in Verdis «Ballo in maschera» und als Titelfigur in «Rusalka» von Dvořák. Erfolgreich auch als Konzert- und Oratoriensängerin.

Lippe-Hoffmann, Johanna, Mezzosopran, * 1886 (?) Karlsruhe; nach ihrem Studium debütierte sie 1907 als Floßhilde im «Rheingold» am Hoftheater von Karlsruhe und wurde dann 1910 an die Bayerische

Hofoper München berufen. Hier wirkte sie bis 1913; in den Jahren 1913–23 war sie Mitglied des Hof- und Nationaltheaters von Mannheim. Nachdem sie 1923 den Schauspieler Wenzel Hoffmann geheiratet hatte, gastierte sie von Berlin aus. Lediglich in der Spielzeit 1929–30 war sie nochmals am Stadttheater von Münster (Westfalen) engagiert. Auf der Bühne sang sie Partien wie die Carmen, die Azucena im «Troubadour», die Amneris in «Aida», die Erda und die Waltraute im Nibelungenring, den Orpheus von Gluck, den Sesto in «La clemenza di Tito» von Mozart, den Brangäne im «Tristan» und die Annina im «Rosenkavalier» von R. Strauss als Höhepunkte eines umfangreichen Repertoires.

Lipša, Stanco, s. unter *Lipša-Tofović*, Ana.

Lipša-Tofović, Ana, Mezzosopran, * 23. 8. 1926 Sisak (Kroatien); sie war an der Musikakademie von Zagreb Schülerin von M. Reizer und trat zunächst als Rundfunksängerin bei Radio Zagreb auf. 1947 debütierte sie dann auf der Bühne des Theaters von Skopje als Olga im «Eugen Onegin» von Tschaikowsky. Sie gehörte später zu den führenden Kräften der Kroatischen Nationaloper Zagreb und gastierte viel im Ausland, u. a. beim Holland Festival und in Frankreich. Ihre großen Bühnenpartien waren der Titelheld im «Orpheus» von Gluck, die Azucena im «Troubadour», die Eboli in Verdis «Don Carlos», die Charlotte im «Werther» von Massenet, die Dalila in «Samson et Dalila» von Saint-Saëns, die Adalgisa in «Norma» von Bellini und die Mme Flora in «The Medium» von Menotti. Von noch größerer Bedeutung war jedoch ihre Karriere als Konzert- und vor allem als Oratoriensolistin. Ihr älterer Bruder *Stanko Lipša* (* 13. 11. 1912 Bakor) war nach seiner Ausbildung in Zagreb seit 1933 an der Oper von Zagreb als Bariton engagiert, sang später am Theater von Rijeca (Fiume) und seit 1952 am Opernhaus von Skopje.
Die Sängerin wirkt in einer vollständigen Aufnahme von Rimsky-Korssakows Oper «Sadko» bei Philips in der Partie der Ljubawa mit (1959).

Listner, Auguste, Sopran, * 1877 Wien, † 6. 6. 1901 Düsseldorf; sie besuchte das Konservatorium der Stadt Wien. Sie wurde als erste Sopranistin an das Opernhaus von Düsseldorf verpflichtet, an dem sie zu viel beachteten Erfolgen kam, die sich auch bei Gastspielen und im Konzertsaal einstellten. Ihre großen Bühnenpartien waren die Agathe im «Freischütz», die Leonore im «Troubadour» von Verdi, die Elsa im «Lohengrin», die Santuzza in «Cavalleria rusticana», wobei sie sich auch als große Darstellerin erwies. Leider verstarb die Künstlerin ganz jung, noch bevor ihre Karriere den Höhepunkt erreicht hatte.

Litwinenko-Volgemut, Maria Iwanowna, Sopran, * 25. 1.(6. 2.) 1895 Kiew, † 1966 Kiew; sie zeigte früh eine ausgesprochene musikalische Begabung, sang Soli bei Kirchenkonzerten und Amateurveranstaltungen und ließ dann seit 1908 ihre Stimme am Konservatorium von Kiew bei Frau M. Aleksejewa-

Junewitsch ausbilden. 1912 debütierte sie am Ukrainischen Theater von M. Sadovsky in der Titelpartie der Oper «Natalka Poltavka» von Lysenko. 1914 wurde sie an das Musikdramatische Theater St. Petersburg (Petrograd) verpflichtet, wo sie namentlich in Tschaikowsky-Partien erfolgreich war, aber auch allgemein in einem weitläufigen Repertoire zu hören war, das von der Micaela in «Carmen» bis zur Kundry im «Parsifal» reichte. 1916 kehrte sie nach Kiew zurück, wo sie aber, durch die Kriegsverhältnisse bedingt, hauptsächlich im Konzertsaal auftrat. 1919 war sie an der Gründung des Ukrainischen Nationaltheaters in Kiew beteiligt, in dessen Eröffnungsvorstellung sie sang. Die Bürgerkriegssituation veranlaßten jedoch bald ihre Flucht nach Winniza (Ukraine), wo sie 1920–22 am dortigen Theater sang und sich um den Aufbau eines Opernensembles bemühte. In der Spielzeit 1922–23 sang sie wieder in Kiew, wo sie jetzt große Erfolge im Wagner-Repertoire hatte (Elisabeth im «Tannhäuser», Elsa im «Lohengrin», Sieglinde in der «Walküre»). 1923–35 war sie die eigentliche Primadonna des Opernhauses von Charkow, der damaligen Hauptstadt der Ukraine. Hier hatte sie einen ihrer größten Erfolge in der Titelpartie der Oper «Halka» von Moniuszko mit Iwan Koslowski als Partner. Von 1935 bis 1951 nahm sie dann eine ähnliche Stellung an der Oper von Kiew ein. Hier kam sie in der Partie der Odarka in der Oper «Die Saporosher Kosaken jenseits der Donau» von Gulak-Artemowsky zu einem triumphalen Erfolg und brillierte in Partien wie der Aida, der Giulietta in «Hoffmanns Erzählungen» und der Nastya in «Taras Bulba» von Lysenko. Sie gab Gastspiele an den großen Opernhäusern der Sowjetunion und setzte sich bei Konzertreisen, die sie auch ins Ausland führten, für das Musikschaffen ukrainischer Komponisten wie für das ukrainische Volkslied ein. Sie wirkte als hoch angesehene Pädagogin am Konservatorium von Kiew.
Schallplatten der staatlichen sowjetrussischen Plattenherstellung (Melodiya), darunter eine Gesamtaufnahme der Oper «Natalka Poltavka» von Mykola Lysenko.

Livermann, August, Baß-Bariton, * 1. 3. 1857 Leyden (Westfalen), † (?); vielleicht ist er in jungen Jahren nach Nordamerika ausgewandert, jedenfalls studierte er zuerst Gesang in Chicago, dann am Raff'schen Konservatorium in Frankfurt a. M. Erst 1888 debütierte er an der Hofoper von München, ging aber nach zwei Jahren an das Hoftheater von Mannheim, dessen Mitglied er 1890–92 war. 1892–94 gehörte er dem Ensemble des Opernhauses von Düsseldorf an und gab seitdem nur noch Gastspiele. In der Saison 1895–96 war er an der New Yorker Metropolitan Oper engagiert. 1889 hatte er bei den Festspielen von Bayreuth den Klingsor im «Parsifal» gesungen, wie er denn überhaupt als großer Wagner-Interpret bekannt war. In den Jahren 1898–1902 gastierte er regelmäßig am Hoftheater von Wiesbaden, 1899 auch am Stadttheater von Zürich. Nach einem letzten Auftritt in Wiesbaden 1902 als Telramund im «Lohengrin» ließen sich keine weiteren Daten aus dem Leben des Künstlers mehr ermitteln.

Seine Hauptrollen auf der Bühne waren der Titelheld im «Fliegenden Holländer», der Wotan und der Alberich im Nibelungenring, der Hagen in der «Götterdämmerung», der König Marke im «Tristan», der Kaspar im «Freischütz», der Pizarro im «Fidelio», der Nevers in den «Hugenotten» von Meyerbeer, der Nelusco in «L'Africaine», der Mephisto im «Faust» von Gounod und der Plumkett in Flotows «Martha». Auch als Konzertsolist aufgetreten. Sein Familienname kommt gelegentlich in der Schreibweise Lievermann vor.

Ljubičić-Gregorić, Ljubica, Sopran, * 23. 4. 1909 Budrovci (Jugoslawien); sie absolvierte ihre Gesangausbildung in Berlin und Lausanne und am Konservatorium der Stadt Wien. 1934–38 war sie an der Nationaloper von Belgrad engagiert, 1938–39 am Deutschen Theater von Prag. Nachdem sie in den Jahren 1940–46 am Stadttheater von Basel gesungen hatte, kehrte sie 1946 an die Belgrader Oper zurück, zu deren angesehensten Mitgliedern sie bis zu ihrem Rücktritt von der Bühne 1964 gehörte. Sie war als Gast u. a. an den Opern von Warschau und Kairo zu hören und stand als Konzertsängerin in hohem Ansehen. Auf der Bühne sang sie bevorzugt lyrisch-dramatische Partien wie die Aida, die Amelia im «Maskenball» von Verdi, die Madeleine in «Andrea Chénier» von Giordano, die Tosca, die Senta im «Fliegenden Holländer», die Elisabeth wie die Venus im «Tannhäuser», die Marschallin im «Rosenkavalier», die Jaroslawna in Borodins «Fürst Igor», die Titelrolle in «Katerina Ismailowa» von Prokofieff und die Magda Sorel in «The Consul» von Gian Carlo Menotti.

Llopart, Mercedes, Sopran, * 1895 Barcelona, † 2. 9. 1970 Mailand; sie absolvierte ihre Gesangausbildung in ihrer Heimatstadt Barcelona, wo sie auch 1915 debütierte. Sie ging dann jedoch nach Italien und trat zunächst an kleineren Theatern in Erscheinung. 1920 gab sie ein Gastspiel an der Oper von Kairo. In den Jahren 1920–25 hatte sie große Erfolge am Teatro Costanzi Rom. 1922 wirkte sie bei den Festspielen in der Arena von Verona als Elsa im «Lohengrin» mit, 1923 sang sie am Teatro Massimo von Palermo die Tosca, 1925 am Teatro Carlo Felice Genua die Ginevra in «La cena delle beffe» von Giordano. Der große Dirigent Arturo Toscanini förderte sie in ihrer Karriere und berief sie an die Mailänder Scala. Dort sang sie 1924–25 die Sieglinde in der «Walküre», 1926–27 die Alice Ford in Verdis «Falstaff» und die Marschallin im «Rosenkavalier», 1927–28 die Dolly in der Uraufführung der Oper «Sly» von E. Wolf-Ferrari (29. 12. 1927), die Gräfin in «Nozze di Figaro», dazu nochmals die Alice Ford und die Marschallin, 1929 die Magda in der italienischen Erstaufführung der Oper «La campana sommersa» von Ottorino Respighi (nach der Uraufführung von 1928 in Hamburg), die Ginevra in «La cena delle beffe» und die «Catarina» in «Madame Sans-Gêne» von Giordano. 1926 Gastspiel an der Londoner Covent Garden Oper als Alice Ford. 1926 war sie in San Remo, 1929 an der Oper von Monte Carlo als Tosca zu hören. Seit 1945 wirkte sie in Mailand als

hoch geschätzte Gesangpädagogin. Zu ihren Schülern gehörten so große Sängerpersönlichkeiten wie Fiorenza Cossotto, Renata Scotto, Anna Moffo, Elena Souliotis, Guljnara Kartewilischwili, Serafina di Leo und Alfredo Kraus.
Schallplattenaufnahmen auf HMV.

Lloveras, Juan, Tenor, * 1941 Villanueva y Galtria bei Barcelona; er arbeitete zuerst als Buchhalter. Seine Stimme wurde zufällig während des Militärdienstes entdeckt und anschließend durch die Pädagogen Manuel Cots und Enriqueta Gareta in Barcelona ausgebildet. Noch bevor diese ganz abgeschlossen war, übernahm er kleine Rollen am Teatro Liceo Barcelona. Er ging dann durch Vermittlung des später weltberühmten Tenors Placido Domingo an die Oper von Tel Aviv, als dieser 1965 seine Tätigkeit an diesem Haus beendete. Bis 1968 blieb er dort im Engagement und kam darauf nach Westdeutschland. Hier war er 1970–71 an den Vereinigten Theatern von Krefeld und Mönchengladbach engagiert, 1971–74 am Opernhaus von Essen, seit 1973 an der Staatsoper Hamburg. Seit 1977 bestand gleichzeitig ein Gastspielvertrag mit dem Opernhaus von Köln, in den Jahren 1977–83 auch mit der Deutschen Oper Berlin. Während dieser Zeit kam es zu zahlreichen Gastspielen in aller Welt. So sang er am Staatstheater von Hannover (1974) und an der Deutschen Oper am Rhein Düsseldorf–Duisburg (1978), an der Staatsoper Stuttgart (1983) und an der Oper von Frankfurt a. M. (1978), an den Opernhäusern von Lille (1979) und Lyon (1979), an der Grand Opéra Paris (1975) und am Teatro Liceo Barcelona (1976), an den Opern von San Francisco (1975) und Houston/Texas (1982), in Amsterdam (1976) und an der Covent Garden Oper London (1981). Er gastierte an der Staatsoper von Wien und debütierte an der Metropolitan Oper New York in der Partie des Manrico im «Troubadour». Aus seinem umfassenden Repertoire für die Bühne sind zu erwähnen: der Edgardo in «Lucia di Lammermoor», der Enzo in «La Gioconda» von Ponchielli, der Riccardo in Verdis «Ballo in maschera», der Titelheld in dessen «Don Carlos», der Macduff in «Macbeth», der Andrea Chénier in der gleichnamigen Oper von Giordano, der Titelheld im «Faust» von Gounod und im «Werther» von Massenet, der italienische Sänger im «Rosenkavalier», der Henry in der «Schweigsamen Frau» von R. Strauss, der Narraboth in «Salome», der Laça in «Jenufa» von Janáček, der Stefan im «Gespensterschloß» von Moniuszko und der Andrej Khovantski in Mussorgskys «Khovantchina». Erfolgreiches Wirken auch im Konzertbereich.

Lobkowitz. Joseph Franz Fürst von, Baß, * 7. 12. 1772 Prag, † 15. 12. 1816 Wittingau (Třeboň, ČSR); er entstammte einer der ersten Adelsfamilien der österreichisch-ungarischen Monarchie und erreichte, nachdem er die Offizierslaufbahn eingeschlagen hatte, den Rang eines Generalmajors. Er war jedoch ein leidenschaftlicher Theaterfreund und nahm 1807 selbst das Theater an der Wien in Wien in Pacht. 1807–11 gehörte er der Theater-Unternehmungsgesellschaft in Wien an und war schließlich

1812–13 Direktor des Hoftheaters von Wien. Dabei trat er auch selbst als Bassist auf der Bühne wie bei Konzerten in Erscheinung und nahm auf das Theater- wie das Musikleben seiner Epoche in der österreichischen Metropole großen Einfluß. Seine Gattin Karoline, eine geborene Fürstin von Schwarzenberg, betätigte sich als Pianistin wie als Malerin.

Löffler-Scheyer, Luise, Sopran, * 11. 3. 1894; sie begann ihre Bühnenkarriere am Hoftheater von Stuttgart, sang dann 1920–21 am Stadttheater Augsburg, 1921–23 am Stadttheater Dortmund und war in den Jahren 1923–30 als erste dramatische Sopranistin am Stadttheater von Nürnberg verpflichtet. 1925–33 gastierte sie fast alljährlich an der Staatsoper von München, wobei sie sich vor allem als große Wagner-Interpretin auszeichnete. 1933–34 war sie nochmals am Stadttheater Krefeld im Engagement. Weitere Höhepunkte hatte ihr umfassendes Bühnenrepertoire in Rollen wie der Gräfin in «Figaros Hochzeit», der Aida, der Tosca, der Leonore im «Fidelio», der Martha in «Tiefland» von d'Albert, der Titelpartie in der «Ägyptischen Helena» von R. Strauss und der Färbersfrau in dessen «Frau ohne Schatten». Gastspiele und Konzertauftritte runden die langjährige Karriere der Künstlerin ab.

Löw-Szöky, Elisabeth, * 1931 (?); nach ihrer Ausbildung durch Stoja von Milinković in Graz fand sie 1954–58 ihr erstes Bühnenengagement am Stadttheater von Augsburg. 1958 wurde sie an die Staatsoper von Stuttgart berufen und blieb bis 1981 eins der führenden Mitglieder dieses Operninstituts. Sie entfaltete eine ausgedehnte Gastspieltätigkeit. Seit 1964 gastierte sie oft am Stadttheater der Schweizer Bundeshauptstadt Bern, seit 1966 ebenso am Opernhaus von Frankfurt a. M. Weitere Gastspiele führten sie an die Staatsoper von München (1967), an das Staatstheater Karlsruhe (1968), an die Deutsche Oper Berlin (1980), an die Königliche Oper Stockholm (1968), an das Teatro San Carlos Lissabon (1966), an die Oper von Philadelphia (1968) und zu den Münchener Festspielen (1967). Mit dem Ensemble der Stuttgarter Oper war sie bei den Festspielen von Edinburgh (1966) und Athen (1971) zu Gast. Aus ihrem umfangreichen Bühnenrepertoire ragte die Elsa im «Lohengrin» als besondere Glanzrolle heraus; dazu sang sie Partien wie die Gräfin in «Figaros Hochzeit», die Donna Elvira im «Don Giovanni», die Agathe im «Freischütz», die Rezia im «Oberon» von Weber, die Irene in R. Wagners «Rienzi», die Senta im «Fliegenden Holländer», die Elisabeth im «Tannhäuser», die Eva in den «Meistersingern», die Titelheldin in «Arabella» von R. Strauss, die Ninabella in «Die Zaubergeige» von W. Egk, die Leonore im «Troubadour» wie in der «Macht des Schicksals» von Verdi, die Elisabetta in dessen «Don Carlos», die Desdemona im «Othello», die Giulietta in «Hoffmanns Erzählungen» und die Saffi in der J. Strauß-Operette «Der Zigeunerbaron». Auch als Konzertsängerin bekannt geworden.

Löwe, Dorothea Friederike Amalie, s. unter *Löwe, Friedrich Karl August.*

Löwe, Friedrich Karl August, Tenor, * 1767 Schwedt an der Oder, † 28. 10. 1839 Bromberg a. d. Warthe; seine Familie war durch mehrere Generationen hindurch eng mit dem deutschen Theater verbunden. Sein Vater, Johann Karl Löwe (* 1730 Dresden, † 1807 Lübeck), wie seine Mutter, Katharina Magdalena Löwe-Ling (1745–1807), waren bekannte Schauspieler. Er begann seine Bühnenlaufbahn in Braunschweig als Tenor, wurde aber bald auch als Komponist von Singspielen und komischen Opernszenen bekannt. So sang er in der Braunschweiger Uraufführung seines Singspiels «Die Insel der Versöhnung» selbst die Hauptrolle. Er trat zeitweilig in Bremen auf, kam dann aber wieder nach Braunschweig zurück, wo er jetzt als Theaterdirektor fungierte. Später war er als solcher und zugleich auch als Sänger in Eschwege und Arolsen tätig, ging dann aber nach Lübeck. Er nahm auf das Musik- und das Theaterleben dieser Hansestadt großen Einfluß; 1799 eröffnete er in Lübeck das erste fest installierte Theater, dessen Leitung er bis 1810 und dann nochmals 1814–15 wahrnahm. Darauf gab er seine Bühnenkarriere auf und zog zu seinem Bruder nach Bromberg; hier erlangte er als Ratsherr und Stadtkämmerer hohes Ansehen. Aus seiner Ehe mit der Schauspielerin Therese Mayer (* 1762), die aus Bozen stammte, gingen mehrere Kinder hervor, die in der folgenden Generation als Schauspieler berühmt wurden, nämlich Julie Sophie Löwe († 1852), Ferdinand Löwe (1787–1832) und vor allem Ludwig Löwe (1794–1871). Eine Schwester des Künstlers, *Dorothea Friederike Amalie Löwe* (* 1779 Schwedt, † nach 1820) war Opernsängerin und trat in dramatischen Partien zuerst bei der Tilly'schen reisenden Gesellschaft, dann in Hamburg, Lübeck und Bremen in Erscheinung.

Lohalm, Heinrich, Tenor, * 1881 Hamburg, † 12. 3. 1933 Stuttgart; er war zuerst Chorist am Carl Schultze-Theater Hamburg (1901–09) und ging dann, immer noch als Chorsänger, an das Theater des Westens in Berlin. Nachdem er dort seine Ausbildung zum Solisten betrieben hatte, kam er als solcher zu seinem ersten Engagement am Theater von Colmar im Elsaß, wo er 1912–14 tätig war. 1914–18 sang er am Stadttheater von Würzburg, 1918–21 am Opernhaus von Düsseldorf und wirkte dann schließlich von 1921 bis zu seinem Tod am Staatstheater Stuttgart. Hier sang er am 4. 6. 1921 in der Uraufführung von P. Hindemiths Oper «Das Nusch-Nuschi». Er war hauptsächlich im Buffo- und Charakterfach tätig und sang Partien wie den Mime im Nibelungenring, den David in den «Meistersingern», den Wenzel in der «Verkauften Braut», den Pedrillo in der «Entführung aus dem Serail», den Monostatos in der «Zauberflöte», den Peter Iwanow in «Zar und Zimmermann» von Lortzing, den Goro in «Madame Butterfly» und den Valzacchi im «Rosenkavalier». Er widmete sich in Stuttgart auch der Opernregie.
Schallplattenaufnahmen bei Beka.

Loomis, James, Baß, * 27. 6. 1925 Conneaut (Ohio); er studierte 1946–47 bei John O. Samuel in Philadel-

phia, 1947–51 am Curtis Institute of Music Philadelphia bei Eufemia Giannini-Gregory und 1952–53 an der Accademia di Santa Cecilia Rom bei Rachele Maragliano-Mori. 1955–56 war er am Staatstheater von Oldenburg engagiert, 1956–57 am Opernhaus von Wuppertal. Seither entfaltete er von Lugano aus, wo er seinen Wohnsitz hatte, eine intensive Konzert- und Bühnen-Gastspieltätigkeit von internationalem Zuschnitt. Am 20. 8. 1958 wirkte er in der Weltausstellungshalle in Brüssel in der Uraufführung der Oper «Maria Golovin» von Gian Carlo Menotti mit. Er trat vor allem an den großen italienischen Opernbühnen auf, an der Oper von Rom, am Teatro Fenice Venedig, am Teatro Filarmonico Verona, am Teatro Comunale Bologna, am Teatro Sociale Mantua, in Turin, Genua, Spoleto und Siena. In seinem Bühnenrepertoire fanden sich Partien wie der Caronte in Monteverdis «Orfeo», der Minister im «Fidelio», der Eremit im «Freischütz», der Blansac in «La scala di seta» von Rossini, der Daland im «Fliegenden Holländer», der Dottore Bombasto in «Arlecchino» von Busoni, der Doktor im «Wozzeck» von A. Berg, der König in «L'Amour des trois oranges» von Prokofieff und der Riedinger in «Mathis der Maler» von Hindemith. Noch bedeutender entwickelte sich seine Konzertkarriere, in der er auf dem Gebiet des Oratoriums in Werken von J. S. Bach, Händel, Beethoven, Monteverdi, Mozart, Rossini, Mendelssohn, Verdi, Carl Orff, Igor Strawinsky und Frank Martin auftrat. Er gab Konzerte in Lugano, Genf, Lausanne und Zürich, an der Mailänder Scala, in Neapel, Venedig, Turin, Florenz, Lucca, Mantua und Rom, in Wien und Paris. Auch als Liedersänger zeichnete er sich immer wieder aus. Zahlreiche Radio-Auftritte in Italien wie in der Schweiz, wo man ihn seit 1952 ständig bei Radio Lugano wie bei anderen Sendern, hören konnte.
Schallplatten: Decca («Oedipus Rex» von Strawinsky), Erato (Petite Messe solennelle von Rossini), Accord («Péchés de ma vieillesse» von Rossini), Eurodisc-Cycnus (Werke von Monteverdi, Caldara und Vivaldi).

Loosli, Arthur, Baß-Bariton, * 23.2. 1926 La Chaux-d'Abel (Kanton Bern, Schweiz); er studierte 1946–50 Malerei und Kunstgeschichte in Bern, Paris und Florenz und wurde als Radierer und Zeichner weithin bekannt, nicht zuletzt durch internationale Ausstellungen in europäischen Großstädten wie in den USA. Er arbeitete lange Jahre als Kunstpädagoge am Gymnasium von Thun, ließ aber seit 1952 seine Stimme durch Felix Loeffel am Konservatorium von Bern ausbilden. Es schlossen sich weitere Studien bei Mariano Stabile in Venedig (1958) und bei Arne Sunnegaard in Stockholm (1958–59) an. 1959 gewann er den Internationalen Vokalisten-Wettbewerb in s'Hertogenbosch. Er begann 1958 eine große internationale Konzertkarriere, bei der er sich einerseits als Oratoriensolist von hohem Rang, andererseits als begabter Lied-Interpret erwies. Er sang in den Musikmetropolen in der Schweiz, in Rom, Bergamo, Bari, Brescia, in Genua, Lucca, Mantua, Parma, Padua und Ravenna, in Amsterdam, Brüssel, Besançon, in Stuttgart, Mannheim,

Nürnberg, in Stockholm und beim Festival von Wroclaw (Breslau). Er beherrschte ein breit gefächertes Repertoire, das mit den Werken der Barock-Epoche (J. S. Bach, G. F. Händel) begann und bis zu Werken zeitgenössischer Komponisten (Othmar Schoeck, Willy Burkhard, A. Honegger, Frank Martin, Benjamin Britten, M. Tippett) reichte. Auf der Bühne ist er nicht aufgetreten, übernahm aber Partien in konzertanten Opernaufführungen.
Schallplatten: HMV (Johannes-Passion von J. S. Bach als Christus, Lieder von O. Schoeck), Akzent («Winterreise» und «Schwanengesang» von F. Schubert mit eigenhändigen Zeichnungen des Künstlers im beigegebenen Textbuch). Swiss Pan (Messe von Zelenka, Böhmische Pastorellen).

Lootens, Lena, Sopran, * 14. 4. 1959 Gent (Belgien); sie wurde an den Konservatorien von Brüssel und Gent ausgebildet und ergänzte diese Ausbildung bei der Pädagogin Vera Rozsa in London, bei Margreet Honig und bei der bekannten Sopranistin Cristina Deutekom in Amsterdam. Sie begann eine erfolgreiche Konzertkarriere und sang zusammen mit führenden Orchestern in Belgien, in Holland, Deutschland, England und Polen; man hörte sie über Rundfunksender in den gleichen Ländern und konnte sie bei mehreren Fernsehauftritten sehen. Dabei brachte sie, vor allem im Bereich des Oratoriums und der religiösen Vokalmusik, ein umfassendes Repertoire zu Gehör. 1982 sang sie, zusammen mit der Capella Coloniensis, in dem Oratorium «Die Israeliten in der Wüste» von Johann Christoph Bach. Auch auf der Bühne kam sie zu Erfolgen. Sie sang an den Opernhäusern von Antwerpen und Gent und hatte 1989 große Erfolge in Montpellier als Drusilla in Monteverdis Oper «L' Incoronazione di Poppea».
Schallplattenaufnahmen mit Konzert-Arien und Gesamtaufnahme «L' Infedeltà delusa» von J. Haydn. Auf Harmonia mundi singt sie in «Flavio» von Händel und in dem Oratorium «Die Israeliten in der Wüste» von Ph. E. Bach.

Lopardo, Frank, Tenor, * 1959 (?) New York; seine Familie war italienischer Abkunft. Er erhielt seine Ausbildung in New York und erregte erstes Aufsehen, als er 1984 in St. Louis den Tamino in der «Zauberflöte» sang. 1985 gastierte er an der Oper von Dallas und am Teatro San Carlo Neapel und sang bei den Festspielen von Aix-en-Provence den Don Ottavio im «Don Giovanni». In dieser Partie debütierte er im folgenden Jahr 1986 auch an der Mailänder Scala. 1986–87 hörte man ihn am Opernhaus von Amsterdam (u. a. in der Eröffnungsvorstellung des neu erbauten Muziektheaters als Fenton in Verdis «Falstaff», 24. 9. 1986) und an der Oper von Monte Carlo (1987). Bei den Festspielen von Glyndebourne von 1987 sang er den Ferrando in «Così fan tutte», 1989 an der Oper von Chicago den Elvino in «La Sonnambula» von Bellini. Seit 1987 trat er als Gast an der Staatsoper von Wien in Erscheinung, u. a. 1988 als Cavaliere Belfiore in Rossinis «Viaggio a Reims». 1988 sang er am Grand Théâtre Genf, 1989 an der Covent Garden Oper

London als Lindoro in Rossinis «Italiana in Algeri». Sein rein lyrisches Bühnenrepertoire hatte seine Höhepunkte in den Opernwerken von Mozart und in den schwierigen italienischen Belcanto-Rollen; zu nennen sind davon: der Ferrando in «Così fan tutte», der Don Ottavio im «Don Giovanni», der Tamino in der «Zauberflöte», der Lindoro in Rossinis «Italiana in Algeri», der Graf Almaviva im «Barbier von Sevilla», der Edoardo in «La Cambiale di matrimonio», ebenfalls von Rossini, der Ernesto im «Don Pasquale» von Donizetti und der Fenton im «Falstaff» von Verdi. Bedeutende Leistungen auch im Konzertbereich.
Schallplatten: HMV (Tenor-Solo im Mozart-Requiem), DGG (Lindoro in «L'Italiana in Algeri»).

Lorent, Mathieu, Bariton, * 13. 4. 1857 Köln, † September 1923 Hamburg; er war der Sohn eines Dekorationsmalers und erhielt seine Ausbildung zum Sänger am Konservatorium seiner Heimatstadt Köln bei Paul Hoppe. 1882 debütierte er am dortigen Opernhaus (als Minister im «Fidelio»), an dem er bis 1887 blieb und sich in der Hauptsache auf das Buffofach spezialisierte. 1887 folgte er einem Ruf an das Opernhaus (Stadttheater) von Hamburg, dessen Mitglied er bis 1908 geblieben ist. Während dieser Zeit unternahm er eine Anzahl von Gastspielen. Bereits 1884 war er als Gast an der Londoner Covent Garden Oper anzutreffen, an der er auch 1892 als Alberich im Nibelungenring gastierte. Von seinen Hauptrollen sind zu nennen: der Titelheld in «Figaros Hochzeit», der Leporello im «Don Giovanni», der Papageno in der «Zauberflöte», der Mephisto wie der Valentin im «Faust» von Gounod, der Kaspar im «Freischütz», der Heerrufer im «Lohengrin» und der Alberich im Ring-Zyklus. 1904 wirkte er in Hamburg in der Uraufführung von Siegfried Wagners «Der Kobold» mit, 1902 in der deutschen Erstaufführung von «Le Jongleur de Notre-Dame» von Massenet. Der auch im Konzertsaal erfolgreiche Künstler wirkte später in Hamburg im pädagogischen Bereich.

Lorentz-Höllischer, Marie, Sopran, * 1888 (?), † (?); die Sängerin debütierte 1912 am Hoftheater Karlsruhe, wo sie bis 1914 im Engagement blieb. Danach war sie Mitglied der Stadttheater von Kiel (1915–17) und Breslau (1917–20), sang 1920–21 am Staatstheater Wiesbaden, 1921–22 an der Staatsoper Wien, 1923–24 an der Staatsoper Berlin und 1924–25 an der Deutschen Oper Berlin. Sie trat in der Folgezeit nur noch gastierend auf und hatte ihre größten Erfolge in eher dramatischen Sopranpartien wie der Donna Anna im «Don Giovanni», der Leonore im «Fidelio», der Venus im «Tannhäuser», der Isolde im «Tristan», der Brünnhilde im Nibelungenring, aber auch der Gräfin in «Figaros Hochzeit» der Agathe im «Freischütz» und der Elisabeth im «Tannhäuser». Sie war verheiratet mit dem Dirigenten Alfred Lorentz (1872–1931), der lange Jahre in Karlsruhe tätig war.

Lorenzi, Ermanno, Tenor, * 1933 (?); er begann seine Karriere in der zweiten Hälfte der fünfziger Jahre in seiner Heimat Italien und war dann seit 1960 Mitglied der Staatsoper Wien. Hier sang er bis 1966 Partien wie den Herzog im «Rigoletto», den Alfredo in «La Traviata», den Turiddu in «Cavalleria rusticana», den Ernesto im «Don Pasquale», den Beppe im «Bajazzo», aber auch eine Anzahl kleinerer Rollen. Während dieser Zeit trat er auch als Gast an den führenden italienischen Opernhäusern in Erscheinung; am Teatro Fenice Venedig, am Teatro Comunale Florenz, am Teatro Comunale Bologna, am Teatro San Carlo Neapel, an der Oper von Genua, am Teatro Bellini Catania, am Teatro Regio Turin und namentlich auch an der Mailänder Scala. An all diesen Häusern war er regelmäßig, bis in die siebziger Jahre hinein, anzutreffen, vor allem am Teatro Verdi Triest, wo er bis 1982 gastierte. Bei den Festspielen von Salzburg sang er 1964 den italienischen Sänger im «Rosenkavalier» und den Macduff in Verdis «Macbeth». 1966 gastierte er am Teatro San Carlos Lissabon als Belmonte in der «Entführung aus dem Serail» sowie an der Oper von Chicago. 1967 sang er als Antrittsrolle an der Metropolitan Oper New York den Cassio in Verdis «Othello»; im gleichen Jahr trat er auch in Madrid auf, 1969 in Rio de Janeiro. 1970 und 1982 wirkte er bei den Festspielen in der Arena von Verona mit. Er erschien außerdem als Gast am Opernhaus von Zürich (1974) und bei den Festspielen von Bregenz (1981–82). In den siebziger Jahren wandte er sich mehr und mehr mittleren und Comprimario-Partien zu und sang jetzt u. a. den Edmondo in «Manon Lescaut» von Puccini, den Goro in «Madame Butterfly», den Rodrigo in Verdis «Othello», den Normanno in «Lucia di Lammermoor», den Gaston in «La Traviata», den Narren im «Boris Godunow» und den Schreiber in «Khovantchina» von Mussorgsky. Auch als Konzertsänger aufgetreten.
Schallplatten: Cetra, Orfeo («Macbeth» von Verdi), Longanne (Pinkerton in «Madame Butterfly», Mitschnitt aus der Wiener Staatsoper von 1960).

Lorenzini, Caterina, * um 1750 Gorgonzola, † 18. 2. 1831 Turin; sie hatte in den Jahren 1774 bis etwa 1800 eine glanzvolle Karriere als Primadonna an den ersten italienischen Theatern wie bei ihren Auftritten in Konzerten. In besonderer Weise war sie mit dem Teatro Regio Turin verbunden, an dem sie immer wieder gefeiert wurde. Sie sang hier u. a. in den Uraufführungen der Opern «Calipso» von B. Ottani (1777), «Fatima» vom gleichen Komponisten (1779), «Briseide» von F. Bianchi (1784), «Amajonne» von Ottani (1784), «Giulio Sabino» von A. Tarchi (1790), «Annibale in Torino» von Niccolò Antonio Zingarelli (1791), «Atalanta» von G. Giordani (1791) und «La clemenza di Tito» von B. Ottani (1798). Nach Beendigung ihrer Karriere ließ sie sich in Turin als Gesanglehrerin nieder. Sie betätigte sich ausgiebig in sozialen Hilfswerken und hinterließ in ihrem Testament mehr als 33 000 Lire für das Ospedale Maggiore in Mailand.

Lorrain, Eugène, Bariton, * 21. 4. 1856 Limonest (Rhône),˙ † (?); Ausbildung am Conservatoire National Paris bei Henri Portier und Obin. 1878 wurde er beim Abschluß seines Studiums mit zwei ersten Preisen ausgezeichnet. 1879 debütierte er an der Grand Opéra Paris als St. Bris in den «Hugenotten» von Meyerbeer. Bis 1884 blieb er Mitglied dieses Hauses, an dem er in der Uraufführung der Oper «Henri VIII.» von Saint-Saëns (5.5. 1883) in der Partie des Herzogs von Norfolk mitwirkte. In den Jahren 1884–90 gastierte er viel in Italien, u. a. 1888 am Teatro San Carlo Neapel. 1890–93 war er nochmals an der Pariser Opéra-Comique tätig. Hier sang er in den Uraufführungen der Opern «Le Rêve» von Alfred Bruneau (1891) und «Kassya» von Delibes (1893). Er trat als Gast am Théâtre de la Monnaie Brüssel (1891), an der Covent Garden Oper London (1891, u. a. als Escamillo in «Carmen»), am Opernhaus von Budapest (1893) und an weiteren Bühnen auf. An der Mailänder Scala gastierte er in der Saison 1894–95 in sechs verschiedenen Opern, darunter in «Sigurd» von Reyer und in Massenets «Werther». In der Saison 1898–99 trat er an der Scala in den «Hugenotten» von Meyerbeer auf. Aus seinem Bühnenrepertoire sind zu nennen: der Mephisto im «Faust» von Gounod, der Lothario in «Mignon» von A. Thomas, der Guido in «Francesca da Rimini» vom gleichen Komponisten, der Oberthal im «Propheten» von Meyerbeer, der Gessler in Rossinis «Wilhelm Tell», der Kaspar im «Freischütz», der des Grieux-père in «Manon» von Massenet und der Graf Alba in «Patrie» von Paladilhe. Nach Abschluß seiner Karriere war er als Professor am Conservatoire de Paris tätig.

Losch, Liselotte, Sopran, * 1917 (?); sie studierte bei Lorenz Hofer in Berlin und begann ihre Bühnenkarriere mit einem vierjährigen Engagement am Stadttheater von Ulm in den Jahren 1939–42, sang 1942–44 an der Volksoper Berlin und 1945–48 am Städtischen Opernhaus Berlin. 1948–61 war sie an der Staatsoper Berlin(Ost) tätig, an der sie eine Vielzahl von Partien sang. Aus ihrem Bühnenrepertoire seien genannt: die Ottavia in Monteverdis «Incoronazione di Poppea», die Donna Elvira im «Don Giovanni», die Leonore im «Troubadour», die Amelia in «Simon Boccanegra» von Verdi, die Titelpartien in den Opern «Martha» von Flotow und «Halka» von Moniuszko, die Prinzessin Elvira in «La Muette de Portici» von Auber, die Concepcion in «L'Heure espagnole» von Ravel und die Lady Billows in «Albert Herring» von Benjamin Britten. Sie war verheiratet mit dem berühmten Bariton *Josef Metternich* (* 1915).
Schallplattenaufnahmen bei HMV («Zauberflöte»), Opera (Nedda im «Bajazzo» mit Sándor Konya als Partner), RCA (hier auch Operettenmusik).

Loup, François, Baß, * 4. 3. 1940 Estavayer-le-Lac (Kanton Fribourg, Schweiz); er studierte am Konservatorium von Fribourg Klavier- und Orgelspiel sowie Komposition und ließ seine Stimme durch die Pädagogin Juliette Bise ausbilden. Während einiger Zeit war er Mitglied des Ensemble Vocal de Lausanne, das unter der Leitung von Michel Corboz stand. Es kam bald zur Ausbildung einer internationalen Bühnen- und Konzertkarriere. Er sang am

Grand Théâtre Genf und in Lausanne, in Lille, Toulouse, Angers, Tours, Nantes, beim Berlioz-Festival in Lyon, an der Pariser Opéra-Comique, bei den Festspielen von Aix-en-Provence, Glyndebourne und Spoleto, am Teatro Massimo Palermo, am Nationaltheater Prag, an der Opéra du Rhin Straßburg, am Teatro Liceo Barcelona, an der Oper von Monte Carlo, bei den Internationalen Festwochen von Luzern und am Opernhaus von Köln. Große Erfolge hatte er auch an nordamerikanischen Bühnen, so in Houston/Texas, Pittsburgh, Los Angeles, Dallas, Seattle und Washington. Von den vielen Partien, die Bestandteil seines Bühnenrepertoires waren, seien genannt: der Melisso in «Alcina» von Händel, der Osmin in der «Entführung aus dem Serail», der Bartolo in «Nozze di Figaro» (Glyndebourne 1989), der Leporello wie der Masetto im «Don Giovanni», der Alfonso in «Così fan tutte», der Sarastro in der «Zauberflöte», der Bartolo wie der Basilio in Rossinis «Barbier von Sevilla», der Don Magnifico in «La Cenerentola», der Mustafà in «L'Italiana in Algeri», der Bruschino padre in «Signor Bruschino», der Blansac in «La scala di seta», die Titelfigur in Donizettis «Viva la mamma», der Dulcamara in «Elisir d'amore», der Don Pasquale, der Oroveso in «Norma» von Bellini, der Conte Rodolfo in «La Sonnambula», der Rocco im «Fidelio», der Ramphis in «Aida», der Pimen im «Boris Godunow», der Mesner in Puccinis «Tosca», der Titelheld in dessen «Gianni Schicchi», der Arkel in «Pelléas et Mélisande», der Inigo in «L'Heure espagnole» von Ravel, Partien in Opern von Menotti, Strawinsky, Xavier Leroux, H. Rabaud, A. Goehr und Frank Martin. 1974 sang er in Tours in der Uraufführung der Oper «Chant du Cygne» von A. Clostre. Fast noch bedeutender war sein Wirken im Konzertsaal. Er galt als großer Bach-Interpret und kam in Oratorien und religiösen Musikwerken von Monteverdi, Händel, Mozart, César Franck, Berlioz, Strawinsky, J. Ibert, A. Honegger und F. Martin zu großen Erfolgen. 1971 sang er in Lausanne in der Uraufführung des Oratoriums «De Profundis» von J. Perrin. Er lebte, zusammen mit seiner Gattin, der italo-amerikanischen Sopranistin *Mary Beth Parrotta*, in Lignières (Departement Cher, Frankreich).
Sehr viele Schallplatten der Marken Erato («Pelléas et Mélisande», 1981; «Roi Arthus» von Chausson, «Orfeo» von Monteverdi unter Michel Corboz; «L'Heure espagnole», Madrigale von Monteverdi, «Les Béatitudes» von C. Franck), Accord (Werke von Palestrina, Bancieri und Vecchi), CBS («Alceste» von Lully, 1974; «Grand Duchesse de Gerolstein» von Offenbach), Adès («Canuts» von J. Kosma), Rodolphe Records («Gemma di Vergy» von Donizetti).

Loventz, Amélie, Sopran, * 23. 7. 1871 Paris, † (?); sie erhielt ihre Ausbildung am Konservatorium von Brüssel. 1889 debütierte sie am Opernhaus von Marseille als Königin der Nacht in der «Zauberflöte». Im folgenden Jahr 1890 kam sie an die Grand Opéra Paris und sang dort als Antrittsrolle die Königin Marguerite de Valois in den «Hugenotten» von Meyerbeer. Sie blieb für eine Anzahl von Jahren (mindestens bis 1897) Mitglied dieses Hauses und trat dort in Partien wie der Mathilde in Rossinis «Wilhelm Tell», der Gilda im «Rigoletto», der Isabella in «Robert le Diable» von Meyerbeer, der Eudoxia in Halévys «La Juive», der Marguerite im «Faust» von Gounod, der Juliette in «Roméo et Juliette» vom gleichen Komponisten und der Raphaela in «Patrie» von Paladilhe auf. Sie gastierte 1895 an der Oper von Monte Carlo in der Uraufführung der nachgelassenen Oper «La Jacquerie» von Edouard Lalo und sang am gleichen Haus 1901 die Desdemona in Verdis «Othello» mit Francesco Tamagno in der Titelrolle. 1903 war sie als Gast am Théâtre de la Monnaie Brüssel zu hören.

Luba, Pia von, Sopran, * 1893, † 15. 4. 1937 Wien; sie begann ihre Tätigkeit auf der Bühne 1915 am Stadttheater von Freiburg i. Br. Seit 1916 gehörte sie für viele Jahre bis 1931, von einigen Gastspielen abgesehen, zum Ensemble des Hoftheaters, des nachmaligen Staatstheaters Schwerin. Vom dortigen Publikum wurde sie in Partien aus dem Fachbereich des Koloratur- wie des lyrischen Soprans geschätzt: als Zerline in «Fra Diavolo» von Auber wie im «Don Giovanni» von Mozart, als Serpetta in «La finta giardiniera» von Mozart, als Susanna in «Figaros Hochzeit», als Marzelline im «Fidelio», als Gretchen im «Wildschütz» wie als Titelfigur in «Undine» von Lortzing und als Ganymed in der Operette «Die schöne Galathee» von F. von Suppé. Auch als Konzertsolistin aufgetreten. 1924 sang sie bei den Bayreuther Festspielen eine Soloblume im «Parsifal». Nach 1931 gab sie noch Gastspiele an verschiedenen Bühnen.

Lucacewska, Giannina, s. unter *Lukaszewska,* Janina.

Lucazeau, Jacqueline, Sopran, * 14. 3. 1917 Paris; sie war die Tochter des bekannten Tenors *Joseph-Paul Lucazeau* (1879–1962). Sie wurde am Conservatoire National de Paris ausgebildet und gewann bei den Abschlußprüfungen alle drei zu vergebenden Preise. Sie debütierte 1944 an der Grand Opéra Paris in einer kleinen Partie in A. Honeggers «Antigone» und blieb Mitglied dieses Operninstituts bis 1961, als sie wegen einer Erkrankung ihre Karriere für einige Zeit unterbrechen mußte. 1970 verabschiedete sie sich endgültig von der Bühne. Später arbeitete sie im pädagogischen Bereich als Professorin am Konservatorium von Grenoble. Gastspiele führten sie im Verlauf ihrer Karriere an die großen französischen Operntheater wie Bordeaux, Marseille, Lyon, Toulouse, Straßburg, Nantes sowie an die Oper von Monte Carlo (1951 als Donna Anna im «Don Giovanni»). Sie trat als Gast auch in Turin, Genf, Brüssel, Antwerpen, Gent und Basel auf. Ihr Repertoire enthielt vorwiegend Partien aus dem Bereich der französisch-italienischen Oper: die Marguerite im «Faust» von Gounod, die Aida, die Elisabetta in Verdis «Don Carlos», die Santuzza in «Cavalleria rusticana», die Tosca, die Giulietta in «Hoffmanns Erzählungen», sie sang aber auch die Brünn-

hilde in der «Walküre» und die Marschallin im «Rosenkavalier». Sie war verheiratet mit dem Tenor *Serge Rallier* (* 17. 6. 1916 Paris, † 1986), der seit 1945 an der Opéra-Comique und seit 1949 an der Grand Opéra Paris sang und in erster Linie in Comprimario-Partien auftrat (Spalanzani in «Hoffmanns Erzählungen», Remendado in «Carmen», Gonzalve in «L' Heure espagnole» von Ravel, Parpignol in «La Bohème», Yamadori in «Madame Butterfly», Brighella in «Ariadne auf Naxos»). Derartige Partien hat er auch in mehreren Gesamtaufnahmen von Opern gesungen («Carmen» auf Decca; «La Bohème» und «Le Roi d' Ys» von Lalo auf HMV).

Lucca, Carl, Tenor, * 2. 11. 1819 Wien, † 31. 8. 1892 Wien; dieser Künstler verdient hier Erwähnung, weil er zu jenen oft übersehenen Interpreten von Comprimario-Partien gehört, die für den Betrieb eines Opernhauses ganz unentbehrlich sind. In den Jahren 1865–83 hat er an der Wiener Hofoper eine bunte Vielfalt dieser kleinen Rollen übernommen, darunter auch Baritonpartien. Gelegentlich sprang er in großen Aufgaben ein, kehrte dann wieder zu seinen Comprimario-Rollen zurück, von denen der Lorenzo in «La Muette de Portici» von Auber, der Gregorio in «Roméo et Juliette» von Gounod, der Giuseppe in «La Traviata», der de Cossé in Meyerbeers «Hugenotten», der Niklas in «Hans Heiling» von Marschner und der Basilio wie der Curzio in «Figaros Hochzeit» von Mozart stellvertretend für ein weitläufiges Repertoire genannt seien.

Ludwig, Anton, Bariton/Tenor, * 11. 7. 1888 Wien, † 6. 12. 1957 Giessen; er war der Sohn eines österreichisch-ungarischen Ministerialinspektors und erhielt seine Ausbildung am Konservatorium der Stadt Wien. 1907 begann er seine Bühnenkarriere als Bariton an der Wiener Volksoper. 1908–09 war er am Landestheater von Linz a. d. Donau engagiert und wirkte dann in der Spielzeit 1909–10 an der Metropolitan Oper New York. 1910–12 gehörte er dem Ensemble des Stadttheaters von Elberfeld an; nachdem seine Stimme sich zum Tenor gewandelt hatte, sang er als solcher 1913–15 am Opernhaus (Stadttheater) von Zürich, 1915–16 am Opernhaus von Breslau und schließlich 1917–19 an der Münchner Hofoper. 1919–20 wirkte er als Intendant am Landestheater von Coburg, 1920–22 als Generalintendant und Oberregisseur am Stadttheater von Aachen, dem er auch weiterhin als Gast-Regisseur eng verbunden blieb. 1945 wurde er Intendant des Stadttheaters von Giessen. Seine großen Bühnenpartien im Baritonfach waren der Escamillo in «Carmen», der Wolfram im «Tannhäuser», der Moruccio in «Tiefland» von d'Albert, dazu Mozart-Partien und Aufgaben aus dem Bariton- wie dem Tenorrepertoire aus allen Bereichen der Opernliteratur. In zweiter Ehe war er verheiratet mit der Altistin *Eugenie Besalla* (* 13. 5. 1899 Berlin). Die Tochter der beiden Sänger, *Christa Ludwig* (* 16. 3. 1928 Berlin), wurde eine weltberühmte Mezzosopranistin und dramatische Sopranistin.

Ludwik, Karl, Baß, * 9. 6. 1893 Kněževes (ČSR), † 18. 6. 1960 Lnáře u Blatné (ČSSR); der Künstler, dessen eigentlicher Name Karel Ludvik war, studierte bei Adolf Robinson in Wien und an der Wiener Musikakademie. 1919 fand sein Debüt am Stadttheater von Aussig (Ústí nad Labem) statt. Von dort kam er 1921 an das Deutsche Theater Prag, dessen Mitglied er bis 1925 blieb. 1925–31 sang er am Opernhaus von Düsseldorf, 1932–34 an der Schiller-Oper in Hamburg. Er kehrte dann in seine tschechische Heimat zurück, wo er 1934–36 am Theater von Olomouc (Olmütz), 1936–38 in Plzeň (Pilsen) und 1938–39 in Ostrava (Mährisch-Ostrau) engagiert war. Während der Jahre des Zweiten Weltkrieges trat er noch gastierend auf. Gastspiele führten ihn im Ablauf seiner Karriere u. a. an die Staatsoper Berlin, an das Staatstheater Wiesbaden und an das Opernhaus von Köln. Sein Bühnenrepertoire enthielt mehr als 75 große Partien, darunter den Sarastro in der «Zauberflöte», den Daland im «Fliegenden Holländer», den Pogner in den «Meistersingern», den Hagen in der «Götterdämmerung», den van Bett in «Zar und Zimmermann» von Lortzing, den Quasimodo in «Notre-Dame» von F. Schmidt, der Goldhändler in «Cardillac» von Hindemith, den Mephisto im «Faust» von Gounod, den Gremin im «Eugen Onegin» von Tschaikowsky und den Kezal in der «Verkauften Braut» von Smetana.

Lukaszewska, Janina, Mezzosopran, * 1865 (?) in Polen, † (?); sie begann die Ausbildung ihrer Stimme in Warschau und ging dann zu weiteren Studien nach Bologna. Wahrscheinlich begann sie ihre Bühnenlaufbahn 1888 am Teatro Carlo Felice Genua. In der Saison 1889 sang sie bereits an der Mailänder Scala kleinere Partien, aber auch die Emilia in Verdis «Othello» und war in der Spielzeit 1895–96 nochmals an der Scala engagiert, wo sie jetzt u. a. die Waltraute in der «Walküre» sang. Daneben gastierte sie an den führenden italienischen Opernhäusern wie am Teatro Comunale Florenz, am Teatro San Carlo Neapel (1896) und am Teatro Verdi Triest (1902). Sie trat in Barcelona, am Opernhaus von Lemberg (Lwów, 1890–91) in Buenos Aires und an der Covent Garden Oper London auf, an der sie 1906 als Suzuki in Puccinis «Madame Butterfly» zu Gast war. 1895 nahm sie an einer Tournee des Teatro Lirico Mailand unter der Leitung des Komponisten Pietro Mascagni durch Deutschland teil. Seit 1900 lebte sie in Mailand; in Italien trat sie unter dem Namen Giannina Lucacewska auf. Zu ihren wichtigsten Rollen gehörten die Leonora in «La Favorita» von Donizetti, die Maddalena im «Rigoletto», die Azucena im «Troubadour», die Amneris in «Aida», die Bersi in «Andrea Chénier» von Giordano, die Titelpartie in Mascagnis «Silvano», die Fides im «Propheten» von Meyerbeer und die Mignon in der gleichnamigen Oper von A. Thomas.
Schallplatten: Fonotipia (Quartett aus «Rigoletto» mir Regina Pinkert, Alessandro Bonci und Antonio Magini-Coletti), Odeon (Solo-Aufnahmen, Mailand 1906–07).

Lund, Tamara, Sopran, * 1942 (?); die aus Finnland stammende Künstlerin begann zunächst eine Karriere als Schauspielerin und trat als solche in Hel-

sinki auf. Seit 1967 war sie Mitglied des Nationaltheaters von Helsinki, an dem sie vor allem in Operettenpartien Erfolge hatte. 1968 sang sie dann an diesem Haus mit sensationellem Erfolg die Titelrolle in der skandinavischen Erstaufführung von Alban Bergs «Lulu». Bis 1973 blieb sie in Finnland tätig und verlegte nun ihr Wirken nach Deutschland. Seit 1973 war sie dort Mitglied des Theaters am Gärtnerplatz München, zu dessen führenden Kräften sie gehörte. Durch Gastverträge war sie mit der Komischen Oper Berlin (1977–80), mit dem Berliner Theater des Westens Berlin (1981–83) und dem Theater an der Wien (1981–83) verbunden. 1979–83 bestand eine gleichartige Verpflichtung am Opernhaus von Zürich. 1973 wirkte sie in Helsinki in der Uraufführung der Oper «Apollo und Marsyas» von E. Rautavaara in der Partie der Daphne mit. Aus ihrem Opernrepertoire sind die Carmen, die Musetta in Puccinis «La Bohème», die Titelrolle im «Schlauen Füchslein» von Janáček, die Sonja in «Schuld und Sühne» von E. Petrovicz, die Jenny in «Aufstieg und Fall der Stadt Mahagonny» von Weill und die Juno im «Sturm» von Sibelius hervorzuheben. Letztgenannte Partie übernahm sie 1986 bei den Festspielen von Savonlinna in ihrer finnischen Heimat. Sehr erfolgreich war ihre Tätigkeit auf dem Gebiet der Operette, auf dem sie ein weitläufiges Repertoire, auch vom Darstellerischen her gesehen, bravourös bewältigte. Hier gehörte die Titelpartie in der «Czardasfürstin» von E. Kálmán zu ihren Glanzrollen.
Schallplatten: ORF (Ausschnitte aus «Jonny spielt auf» von E. Křenek, 1974). Dazu Mitschnitte von Rundfunksendungen (Operetten).

Lundberg, Gunnar, Bariton, * 12. 7. 1958 Stockholm; bereits im Alter von zehn Jahren begann er seine musikalische Ausbildung; er besuchte dann jedoch das Königliche Institut für Technologie und wurde Physik-Ingenieur. 1983 begann er seine eigentliche Ausbildung zum Sänger in der Opernschule der Königlichen Oper Stockholm, wo Lilian Gentele seine Lehrerin war. 1984 trat er erstmals in Vadstena auf. Im Frühjahr 1988 übernahm er an der Königlichen Oper Stockholm in der zuvor dort uraufgeführten Oper «Christina» von Hans Gefors die beiden Partien des Oxenstierna und des Azzolino und gastierte damit, ebenfalls 1988, bei den Festspielen von Wiesbaden. Im Herbst 1988 wurde er reguläres Mitglied der Stockholmer Oper. Hier sang er 1989 den Heerrufer im «Lohengrin» und den Escamillo in «Carmen», bei den Opernfestspielen von Waxholm den Grafen in «Nozze di Figaro». In Stockholm hörte man ihn in der Saison 1989–90 dann auch als Figaro in der gleichen Oper und als Valentin im «Faust» von Gounod. Der junge Sänger hatte neben seinen Bühnenauftritten auch eine erfolgreiche Karriere als Konzert- und Oratoriensolist.

Lupancea, Gabriella, s. unter *Habietinek*, Hans.

Luperi, Mario, Baß, * 1955 auf der Insel Sardinien; er studierte zuerst in Cagliari, dann in Verona und schließlich an der Accademia Chigiana von Siena. 1979 debütierte er bei den Festspielen von Perugia in

Spontinis Oper «Olimpia» und sang beim gleichen Festival eine von der Eurovision ausgestrahlte Aufführung des Requiems von Cherubini. 1981 hörte man ihn am Teatro Massimo Palermo als Publio in «La clemenza di Tito» von Mozart und beim Maggio musicale von Florenz als Thoas in «Iphigénie en Tauride» von Gluck. 1982 begann er eine glänzende Karriere an der Mailänder Scala; hier sang er u. a. den Kaiser in Strawinskys «Le Rossignol», den Simone in «Gianni Schicchi» von Puccini und den Pluto in «Orfeo» von Monteverdi, 1987 den Zaccaria in Verdis «Nabucco». 1984 gastierte er beim Festival von Macerata als Colline in «La Bohème», bei den Salzburger Osterfestspielen von 1986 als Großinquisitor in Verdis «Don Carlos», 1986 wieder in Macerata als Timur in «Turandot» von Puccini. 1986 war er an der Münchner Staatsoper als Colline und als Ramphis in «Aida» zu Gast. Die letztgenannte Rolle sang er auch 1987 bei den «Aida»-Aufführungen vor den Tempeln von Luxor. Er gastierte 1986–87 weiter bei den Festspielen von Avignon, in Toulouse, in Brüssel (als Pistol in Verdis «Falstaff»), in Aix-en-Provence und am Teatro San Carlo Neapel (als Oroe in «Semiramide» von Rossini und als Oroveso in Bellinis «Norma»). Bei den Festspielen in der Arena von Verona 1987 bewunderte man wiederum seinen Basso profondo in der Partie des Ramphis. 1988 erfolgte sein Nordamerika-Debüt an der Oper von Pittsburgh als Timur. Auch im Konzertsaal erfolgreich aufgetreten.

Lurgenstein, Bruno, Baß, *9. 12. 1854 Naumburg (Saale), †18. 4. 1905 Berlin; nach dem Besuch des Gymnasiums studierte er Pädagogik und wurde Lehrer, widmete sich aber dann dem Musik- und Gesangstudium und fand 1884–85 sein erstes Engagement als Opernsänger am Stadttheater von Zürich. Er vervollständigte die Ausbildung seiner Stimme, sang darauf am Stadttheater von Koblenz (1885–86) und 1886–90 als erster Bassist an der Hofoper von Dresden. Es schlossen sich Verpflichtungen an der Berliner Kroll-Oper, am Opernhaus von Düsseldorf (1891–92) und Gastspiele an großen deutschen Operntheatern an. Auch an der Metropolitan Oper New York ist er während der Saison 1890–91 zu hören gewesen. Zuletzt lebte er als Konzertsolist und als geschätzter Gesanglehrer in Berlin, wo er noch 1894 ein Konzert gab. Auf der Bühne hatte er seine größten Erfolge in Partien wie dem Eremiten im «Freischütz» von Weber, dem Sarastro in der «Zauberflöte», dem Fasolt im «Rheingold», dem Heerrufer im «Lohengrin» und in weiteren Wagner-Rollen.

Lussmann, Adolph, Tenor, *1882 (?) Köln, †(?); er debütierte 1903 am Stadttheater von Straßburg, dessen Mitglied er bis 1906 war. Er sang dann 1906–08 an der Volksoper Wien, 1908–09 am Hoftheater Mannheim, 1909–10 am Centraltheater Dresden, 1910–11 am Theater an der Wien und 1913–15 an der Volksoper in Wien. 1915–20 war er an der Hof- bzw. Staatsoper Dresden im Engagement, 1921–22 wiederum an der Wiener Volksoper, 1924–25 am Deutschen Opernhaus Berlin, 1925–26 an der Oper von Köln, 1926–32 am Opernhaus Hannover, schließlich 1932–33 nochmals als Gast am Stadttheater Augsburg. Während der zwanziger Jahre gastierte er oft an der Staatsoper Dresden; weitere Gastspiele führten ihn an das Stadttheater Nürnberg (1908), an das Hoftheater Karlsruhe (1909), an das Deutsche Theater Prag (1916, 1917), an die Staatsopern von Berlin (1919, 1925) und Wien (1922), an die Berliner Städtische Oper (1931) und an das Stadttheater von Danzig (1933). 1925 sang er an der Covent Garden Oper London den Walther von Stolzing in den «Meistersingern». Er wirkte in Hannover in den Uraufführungen der Opern «Herrn Dürers Bild» (1927) von Mraczek und «Der Freikorporal» von Vollerthun (1931) mit. Zu Beginn seiner Karriere hatte er vorwiegend lyrische Partien gesungen, darunter den Lyonel in Flotows «Martha», den Châteauneuf in «Zar und Zimmermann» von Lortzing, den Grafen Almaviva im «Barbier von Sevilla» und den Fenton in Verdis «Falstaff». Dann wandte er sich mehr der Operette zu, sang aber ab 1913 dramatische Rollen und zuletzt vor allem Aufgaben aus dem Wagner-Repertoire. Aus dieser Periode seiner Karriere sind zu nennen: der Titelheld im «Faust» von Gounod, der Turiddu in «Cavalleria rusticana», der Primus Thaller im «Kuhreigen» von Kienzl, dann der Florestan im «Fidelio», der Lohengrin, der Siegmund wie der Siegfried im Nibelungenring, der Tristan, der Parsifal, der Kaiser in der «Frau ohne Schatten» von R. Strauss, der Titelheld in H. Pfitzners «Palestrina», der Othello von Verdi und der Canio im «Bajazzo». Gleichzeitig war er ein geschätzter Konzert- und Oratoriensänger. Er trat noch bis Mitte der dreißiger Jahre als Sänger in Erscheinung und war 1934–35 als Regisseur am Volkstheater Lichtburg in Berlin tätig. Sein Familienname kommt auch als Lußmann vor.
Schallplatten: HMV (Operettenaufnahmen, etwa 1910), Odeon (hauptsächlich Wagner-Aufnahmen aus den zwanziger Jahren).

Lutterotti, Mathilde von, Alt, *8. 3. 1850 Linz (Donau), †(?); sie war in Wien Schülerin der berühmten Pädagogen Gänsbacher und von Friedrich Wagner. 1872 debütierte sie am Hoftheater von Hannover als Fides im «Propheten» von Meyerbeer. Bis 1874 blieb sie in Hannover und folgte dann einem Ruf an das Hoftheater von Stuttgart. Sie blieb Mitglied dieses Hauses bis zu ihrer Pensionierung, die 1894 erfolgte. Sie sang dort ein breit gefächertes Repertoire, das vom Spielalt bis hin zu dramatischen Partien reichte. Im einzelnen sind daraus zu nennen: die Nancy in Flotows «Martha», die Frau Reich in den «Lustigen Weibern von Windsor» von Nicolai, die Königin der Erdgeister in «Hans Heiling» von Marschner, die Ortrud im «Lohengrin», die Azucena im «Troubadour», die Amneris in «Aida», die Edvige in Rossinis «Wilhelm Tell», dazu viele weitere Opernpartien. Sie trat als Gast an führenden deutschen Bühnen auf und kam auch als Konzertsolistin zu einer erfolgreichen Karriere.

Lynn, Judith, Sopran, *1942 (?) Chicago; sie war Schülerin des Tenors *Filippo De Stefano* in New

York, den sie später heiratete. Weitere Studien betrieb sie bei Mario Chamlee und dessen Gattin Ruth Chamlee-Miller in Los Angeles, dann noch bei der berühmten Koloratrice Lina Pagliughi und bei Giuseppe Pais in Mailand. 1965 debütierte sie am Teatro della Pergola Florenz als Titelheldin in «Lucia di Lammermoor» von Donizetti. Sie folgte dann einem Ruf an die Israel National Opera Tel-Aviv, an der sie eine jahrelange Karriere als erste Koloratursopranistin hatte. Sie gastierte sehr erfolgreich u. a. an der New York City Centre Opera und am Opernhaus von Philadelphia. Sie nahm später ihren Wohnsitz in New York. Von ihren Bühnenpartien seien erwähnt: die Königin der Nacht in der «Zauberflöte», die Rosina im «Barbier von Sevilla» von Rossini, die Gilda im «Rigoletto», die Lakmé in der gleichnamigen Oper von Delibes, die Micaela in «Carmen» und die Musetta in Puccinis «La Bohème». Neben ihrem Auftreten im Konzertsaal arbeitete sie auch im pädagogischen Bereich.

M

Macann, Rodney, Bariton, * 1950 Neuseeland; er war bereits an der New Zealand Opera aufgetreten, kam dann aber nach London, um dort Theologie und Gesang zu studieren. Er debütierte 1977 an der Welsh Opera Cardiff als Sprecher in der «Zauberflöte». Bei der Opera North Leeds trat er als Don Alfonso in «Così fan tutte», als Sharpless in «Madame Butterfly», als Jochanaan in «Salome», in Rossinis «La Cenerentola» und in «Samson et Dalila» von Saint-Saëns auf. Bei der English National Opera London war er als Titelheld in «Mazeppa» von Tschaikowsky, als Ariodate in «Serse» von Händel, als Don Alfonso und als Klingsor im «Parsifal», als Scarpia in «Tosca» und als Escamillo in «Carmen» zu hören, an der Covent Garden Oper London als Gérard in «Andrea Chénier» von Giordano, als Titelfigur in «King Priam» von Tippett, als Scarpia und in den vier dämonischen Rollen in «Hoffmanns Erzählungen». Gastspiele führten ihn nach Frankreich, Norwegen und Italien; gern trat er als Arthur in der zeitgenössischen Oper «The Lighthouse» von Maxwell Davies auf. Beim Festival von Adelaide sang er den Rupprecht in «The Fiery Angel» von Prokofieff. Hinzu kam eine entsprechende Karriere im Konzertsaal; hier schätzte man ihn namentlich als Interpreten der Christus-Partie in den Bach-Passionen.
Schallplatten: Decca (Kleine Partie in «La Gioconda»).

Mace, Hartwell, Bariton, * 1951 (?) im amerikanischen Staat South-Carolina; der aus farbiger Familie stammende Sänger besuchte zunächst das Virginia State College, dann die Manhattan School of Music New York, schließlich die Musikhochschule von Frankfurt a. M. Seine ersten Auftritte kamen als Konzertsänger, vor allem als Oratoriensolist, im Rundfunk wie im Fernsehen in den USA zustande. Einen großen Erfolg auf der Bühne hatte er 1977 in Houston/Texas in der Rolle des Jim in «Porgy and Bess» von G. Gershwin. In dieser Partie trat er in Chicago und Washington, in St. Louis und Kansas City, in New York und Miami, in Paris, Zürich, Palermo, Genua und Genf auf und sang sie in einer vollständigen Aufnahme der Oper auf RCA (1977). Seine weiteren Bühnenrollen waren der Amonasro in «Aida», der Rigoletto, der Tonio im «Bajazzo», der Kaspar im «Freischütz», der Pizarro im «Fidelio» und der Fra Melitone in Verdis «La forza del destino». In der New Yorker Carnegie Hall gab er eins seiner erfolgreichsten Konzerte zusammen mit dem New World Symphony-Orchestra.

Mackay, Penelope, Sopran, * 6. 4. 1943 Bradford (Yorkshire); sie absolvierte ihre Ausbildung zur Sängerin an der Guildhall School of Music London. 1970 erfolgte ihr Bühnendebüt beim Festival von Glyndebourne, wo sie bis 1972 auftrat. 1973–75 war sie bei der English Opera Group tätig, 1976–80 sang sie beim English Music Theatre, seit 1980 bei der English National Opera Company London. Seit 1983 gastierte sie an führenden Opertheatern in England, in Europa (Opéra de Wallonie Lüttich)

wie in den USA. Am 16. 6. 1973 wirkte sie bei den Festspielen von Aldeburgh in der Uraufführung von Benjamin Brittens «Death in Venice» mit. Sie sang die Titelrolle in der englischen Premiere von H. W. Henzes «La Cubana» (1978), die Anita in der englischen Erstaufführung von «Jonny spielt auf» von E. Křenek (1984), die Amanda in der von «Le Grand Macabre» von Ligeti (1982). 1982 gastierte sie am Opernhaus von Graz in der Barock-Oper «Angelica, Vincitrice di Alcina» von Johann Joseph Fux (zur Wiedereröffnung des Hauses), 1985 sang sie in der seit Menschengedenken nicht mehr aufgeführten Händel-Oper «Rodrigo» die Titelpartie, bereits 1971 in der Uraufführung der Oper «Time Off» von Elisabeth Luytens. Auch im Konzertbereich hatte sie eine bedeutende Karriere.
Schallplatten: Decca («Death in Venice» von B. Britten als Girl Player).

Mackie, Neil, Tenor, * 1946; der englische Sänger hatte im wesentlichen eine Konzertkarriere, wobei er sich vor allem dem Oratorium und der Barock-Musik widmete. Sein Debüt fand in London mit dem English Chamber Orchestra unter Raymond Leppard statt. Er sang dann in den Zentren des europäischen Musiklebens, u. a. beim Festival von Flandern und bei den Festspielen von Savonlinna, mit dem Concertgebouw-Orchester Amsterdam, in den skandinavischen Ländern und über den Rundfunk RAI in Rom. Mit dem Ensemble «La Petite Bande» bereiste er Holland und Belgien. Er trat dann in Beziehungen zu dem Werk des Komponisten Peter Maxwell Davies und wirkte in den Uraufführungen von dessen Opern mit: am 18. 6. 1977 in Kirkwall auf den Orkney-Inseln in «The Marterdom of St. Magnus» (in der Titelpartie), am 3. 9. 1980 beim Aldeburgh Festival in «The Lighthouse» und 1983 in der Kantate «Into the Labyrinth». Er trat im Rahmen der Festspiele von Aldeburgh und Cheltenham auf, sang als Solist zusammen mit den großen englischen Orchestern und gastierte 1988 beim Ojai Festival in den USA mit «Into the Labyrinth». 1988–89 unternahm er mit dem Scottish Chamber Orchestra eine große Nordamerika-Tournee und gastierte als Solist mit dem Orchestre National de Paris.
Schallplatten: Decca (Requiem und Messen von Mozart, «Schöpfung» von J. Haydn), («Serenade for Tenor, Horn and Strings» von B. Britten, Lieder vom gleichen Komponisten). Accent Records (Vokalmusik alter Meister).

Maconaghie, Ronald, Bariton, * 18. 11. 1931 Auckland (Neuseeland); er war zunächst Schüler des neuseeländischen Pädagogen James Leighton und kam dann zur weiteren Ausbildung nach London. Hier besuchte er die Opera School London als Schüler von Joan Cross, Roy Henderson und Dawson Freer. 1956 erfolgte sein Bühnendebüt bei der Sadler's Wells Opera London in der Rolle des Schaunard in Puccinis «La Bohème». In London sang er auch bei der English National Opera, ging dann aber an die Australian Opera Sydney, an der er eine langjährige, erfolgreiche Karriere durchlief. Von seinen Bühnenpartien sind zu nennen: der Guglielmo wie der Alfonso in «Così fan tutte», der Figaro in «Figaros Hochzeit», der Leporello im «Don Giovanni», der Papageno in der «Zauberflöte», der Malatesta in Donizettis «Don Pasquale», der Belcore in «Elisir d'amore», der Marcello in Puccinis «La Bohème», der Sharpless in «Madame Butterfly», der Titelheld in Rossinis «Barbier von Sevilla», der Fra Melitone in «La forza del destino» von Verdi, der Titelheld in dessen «Falstaff» und der Wolfram im «Tannhäuser». Der auch im Konzertfach erfolgreiche Sänger war in Sydney als Gesanglehrer tätig.

MacWherter, Rod, Tenor, * 24. 6. 1936 Philadelphia; seine Ausbildung zum Sänger fand an der New York University und an der Academy of Vocal Arts in Philadelphia statt. 1967 debütierte er an der Oper von San Francisco als Froh im «Rheingold». Bereits in der Spielzeit 1968–69 wurde er an die Metropolitan Oper New York verpflichtet. Er sang dann an den Opern von Chicago und San Francisco, in New Orleans und Pittsburgh und im kanadischen Vancouver. In Westdeutschland hörte man ihn an der Deutschen Oper am Rhein Düsseldorf–Duisburg, in Saarbrücken und Dortmund. Im Mittelpunkt seines Bühnenrepertoires standen Partien für Heldentenor: der Radames in «Aida», der Ismaele in Verdis «Nabucco», der Titelheld in dessen «Othello», der Erik im «Fliegenden Holländer», der Siegmund in der «Walküre», der Kalaf in Puccinis «Turandot», der Max im «Freischütz» von Weber und der Bacchus in der Richard Strauss-Oper «Ariadne auf Naxos». Außerhalb der Bühne im Konzertsaal in einem umfassenden Repertoire zu hören. Verheiratet mit der Sopranistin *Eunice Mobley*.

Mader-Todorova, Marina, Sopran, * 20. 8. 1949 Silistra an der Donau (Bulgarien); ihr Vater war Zahnarzt; ihre Familie, die sehr musikalisch war, förderte das begabte Kind, das zunächst Violine studierte und diese Ausbildung am Musikgymnasium von Varna mit einem Diplom abschloß. Dann entschloß sie sich zum Gesangstudium und war an der Musikakademie von Sofia Schülerin von Georgi Slatev-Tscherkin, dem Lehrer der berühmten Sopranistin Ljuba Welitsch. Weitere Ausbildung durch den bulgarischen Opernregisseur Dragan Kardschiev und durch den Komponisten Ljubomir Pipkov, bei dem sie zwei Jahre hindurch Oratorien- und Liedvortrag studierte. Schließlich studierte sie in Wien bei Maria Brand, Professorin an der dortigen Musikakademie, und debütierte dann am Opernhaus von Varna als Kalinka-Malinka in der Märchenoper «Der goldene Apfel» von Paraschkev Hadschiev. In der Spielzeit 1976–77 gastierte sie an den Theatern von Mainz und Bremen als Desdemona in Verdis «Othello» und als Micaela in «Carmen» und trat als Solistin im Verdi-Requiem auf. Durch Heirat wurde sie österreichische Staatsbürgerin. Sie war 1977–80 am Musiktheater im Revier Gelsenkirchen engagiert. Als erste Partie sang sie dort die Elisabetta in Verdis «Don Carlos», später als Titelheldin in «Ariadne auf Naxos» von R. Strauss und als Tosca erfolgreich. 1980–83 wirkte sie als erste jugendliche dramatische

Sopranistin am Opernhaus von Dortmund. Durch Gastverträge war sie mit den Staatsopern von Hamburg (1980–81) und Stuttgart (1981–83), der Oper von Frankfurt a. M., der Deutschen Oper am Rhein Düsseldorf–Duisburg (1984–86), den Theatern von Basel (1983–84) und Graz (1984–89) verbunden. An der Staatsoper von Wien gastierte sie als Leonore im «Troubadour»; in Düsseldorf 1984 mit großem Erfolg als Eva in den «Meistersingern», 1985–86 als Amelia in Verdis «Maskenball», auch als Leonore im «Troubadour», als Agathe und als Ariadne auf Naxos aufgetreten. Weitere Gastspiele an der Deutschen Oper Berlin (1980–83), an der Nationaloper Budapest, an den Staatstheatern von Wiesbaden, Hannover und Saarbrücken, am Nationaltheater Mannheim, am Teatro Massimo Palermo, an den Opernhäusern von Zürich, Gent, Kopenhagen und an der Opéra de Wallonie Lüttich. Aus ihrem Bühnenrepertoire sind noch die Titelheldin in Puccinis «Madame Butterfly», die Elisabeth im «Tannhäuser», die Elsa im «Lohengrin», die Gräfin in «Figaros Hochzeit», die Fiordiligi in «Così fan tutte», die Agathe im «Freischütz», die Titelfigur in «Arabella» von R. Strauss (Graz, 1985) und die Mimi in «La Bohème» hervorzuheben. Die auch als Oratoriensolistin gefeierte Künstlerin wirkte in Rundfunkaufnahmen in Wien, Zürich und in Frankfurt a. M. mit.

Madjarowa, Violetta, Mezzosopran, * 8. 4. 1946 Russe (Bulgarien); sie erhielt ihre Ausbildung im wesentlichen durch Z. Diakowitsch in Sofia. 1971 erfolgte ihr Bühnendebüt am Stadttheater von Halle (Saale) in der Rolle der 3. Dame in der «Zauberflöte», nachdem sie bereits in ihrer bulgarischen Heimat als Konzertsängerin aufgetreten war. Bis 1982 blieb sie in Halle, wo sie vor allem als Mozart- und Verdi-Interpretin hervortrat und bei den alljährlichen Händel-Festspielen in den Barock-Opern dieses Meisters ihre Erfolge hatte. Seit 1982 Mitglied der Komischen Oper Berlin. Sie wurde durch Gastspiele an den Opernhäusern von Dresden und Leipzig, an der Nationaloper von Sofia wie an Opernhäusern in der ČSSR ebenso bekannt wie durch ihre Auftritte als Konzertsolistin.
Schallplatten: Balkanton.

Määttänen-Falck, Raija, Mezzosopran, * 1938 (?); diese finnische Sängerin begann ihre Bühnenkarriere 1960 an der Oper von Helsinki, an der sie zahlreiche Partien aus ihrem Stimmfach zum Vortrag brachte. Zuvor hatte sie in Finnland bei Ture Ara und bei Matti Lehtinen sowie in Deutschland bei Clemens Glettenberg und in Italien bei Gino Lauri-Cittadini und Luigi Ricci studiert. Neben ihrem Wirken an der Nationaloper von Helsinki wurde sie durch zahlreiche Auftritte bei den Festspielen von Savonlinna und im Finnischen Rundfunk bekannt. Seit 1965 gab sie auch Konzerte, in denen sie vor allem in Oratorien und in Werken aus dem Bereich der religiösen Vokalmusik erfolgreich war.
Schallplatten: Finnlevy («Juha» von Merikanto), BIS (Opernszenen aus Savonlinna).

Mädler, Arndt, Baß-Bariton, * 27. 12. 1951 Riesa in Sachsen; er erhielt seine Ausbildung zum Sänger in Dresden und in Berlin als Schüler der Sänger und Pädagogen Günther Leib und Johannes Kemter. 1979 kam es zu seinem Bühnendebüt am Stadttheater von Cottbus als Guglielmo in «Così fan tutte» von Mozart. Er blieb bis 1982 in Cottbus und folgte dann einem Ruf an das Opernhaus von Leipzig. Hier wie bei Gastspielen an führenden Opernbühnen, darunter am Nationaltheater von Prag, zeichnete er sich in einem Repertoire von großem Umfang aus, aus dem nur der Falstaff in Nicolais «Lustigen Weibern von Windsor» und der Leporello im «Don Giovanni» genannt sein sollen. Auch als Konzertsänger kam er zu einer erfolgreichen Karriere.

Maerker, Edit, Sopran, * 12. 12. 1896 Magdeburg; sie erhielt ihre Ausbildung bei Frau Hermine Rabl-Kristen in Magdeburg sowie bei Jacques Stückgold in Berlin. 1921 debütierte sie am Stadttheater von Königsberg (Ostpreußen) als Agathe im «Freischütz» und wurde 1922 an das Staatstheater Wiesbaden verpflichtet, dem sie bis 1929 angehörte. Sie ging für eine Spielzeit an das Nationaltheater Mannheim (1929–30) und sang schließlich 1930–34 am Stadttheater von Freiburg i. Br. Obwohl sie Jüdin war, überlebte sie die Verfolgungszeit des Nationalsozialismus und sang nach Kriegsende nochmals 1947–51 an der Komischen Oper Berlin. Zugleich wirkte sie als Pädagogin im Opernstudio dieses Hauses; gelegentlich führte sie dort auch Regie. Sie sang 1928 in Wiesbaden in der deutschen Erstaufführung des Monodramas «Erwartung» von Schönberg, ebenso hörte man sie in Wiesbaden in der deutschen Erstaufführung der «3-Minuten-Opern» von D. Milhaud. 1932 wirkte sie in Freiburg in der Uraufführung der Oper «Caponsacchi» («Tragödie von Arezzo») des holländischen Komponisten R. Hageman als Pompilia mit. Im gleichen Jahr trat sie dort in der Premiere von Luzzattos Oper «Judith» in der Titelpartie auf. Sie gastierte an der Staatsoper wie an der Städtischen Oper Berlin, an den Staatsopern von Dresden und Stuttgart, an den Opernhäusern von Frankfurt a. M. und Köln, am Stadttheater von Basel (1932) und am Teatro Liceo Barcelona (1929). Zu ihrem Bühnenrepertoire gehörten die Gräfin in «Figaros Hochzeit», die Venus im «Tannhäuser», die Martha in «Tiefland» von d'Albert, die Salome und die Elektra in den Opern von Richard Strauss, die Myrtocle in «Die toten Augen» von d'Albert, die Amelia in Verdis «Maskenball», die Aida, die Tosca, die Santuzza in «Cavalleria rusticana», die Carmen und die Titelfigur in «Jenufa» von Janáček. Auch als Konzertsängerin hatte sie eine bedeutende Karriere.

Magli, Gualberto Giovanni, s. unter *Gualberto,* Giovanni.

Mahieu, Marcelle, Sopran/Mezzosopran, * 1898, † 1959 Paris; sie debütierte 1926 an der Grand Opéra Paris als Waltraute in der «Walküre» und blieb für mehr als zehn Jahre Mitglied dieses großen Operninstituts. Sie sang dort eine Vielzahl von kleineren, dann aber bald größeren Partien wie die Ortrud im «Lohengrin», die Venus im «Tannhäuser», die Brünnhilde in der «Walküre», die Kundry im «Parsifal» und die Herodias in «Salome» von R. Strauss. 1928 gastierte sie an der Oper von Monte Carlo als Eva in den «Meistersingern». Ihre Stimme ist durch einige Schallplattenaufnahmen überliefert; auf HMV singt sie die Waltraute in einer Szene aus der «Walküre» zusammen mit Marjorie Lawrence, auf der Marke Pathé einen Ausschnitt aus «Don Quichotte» von Massenet mit André Balbon in der Titelpartie.

Maiewsky, Maurice, Tenor, * 11. 1. 1938 Paris; der Sänger, dessen eigentlicher Name Maurice Machabanski war, erhielt seine Ausbildung seit 1957 am Conservatoire National de Paris. Diese wurde durch seinen Einzug zur Armee im Algerien-Krieg unterbrochen. So debütierte er erst 1962 am Opernhaus von Reims als Dimitrij im «Boris Godunow». Im folgenden Jahr 1963 wurde er an die Grand Opéra Paris verpflichtet. Da man ihm dort überwiegend nur kleinere Rollen zuwies, gab er dieses Engagement 1966 auf und trat mit großem Erfolg an den Theatern in der französischen Provinz auf, war aber 1969–71 nochmals an der Grand Opéra Paris engagiert. Bei den Festspielen von Glyndebourne gastierte er 1971 als Hermann in «Pique Dame» von Tschaikowsky, 1972 als Bacchus in «Ariadne auf Naxos» von R. Strauss. 1974 war er am Théâtre de la Monnaie in Brüssel, 1975 am Grand Théâtre Genf, 1977 an der Scottish Opera Glasgow, 1981 in Dublin zu Gast. An der Wiener Staatsoper war er als José in «Carmen» zu hören, er gastierte in Palermo, Madrid, im Haag, in Montreal, Santa Fé und Montevideo, am Bolschoj Theater Moskau und in Teheran. 1974 sang er am Opernhaus von Rouen in der Uraufführung der Oper «Antoine et Cléopâtre» von E. Bondeville. Er führte seine Karriere, vor allem in der französischen Provinz, bis in die frühen achtziger Jahre fort. Sein Bühnenrepertoire setzte sich aus Partien wie dem Pollione in «Norma», dem Radames in «Aida», dem Titelhelden in «Don Carlos» von Verdi, dem Turiddu in «Cavalleria rusticana», dem Canio im «Bajazzo», dem Othello von Verdi, dem Andrea Chénier in der Oper gleichen Namens von Giordano, dem Florestan im «Fidelio», dem Samson in «Samson et Dalila» von Saint-Saëns und dem Tambourmajor im «Wozzeck» von A. Berg zusammen.
Schallplatten: MRF (Masaniello in «La Muette de Portici» von Auber).

Maina, Vincenzo, Tenor, * 26. 7. 1858 Poirino bei Asti (Piemont), † 1924 Reconatidor (Georgien); er erhielt seine Ausbildung am Istituto Musicale di Asti und vervollständigte sie bei Galliera in Mailand. 1882 debütierte er am Theater von Asti in der Partie des Sir Benno Robertson in Bellinis «I Puritani». 1883 sang er am Teatro Civico von Sassari den Alvaro in «La forza del destino» und in den Opern «La Sonnambula» von Bellini und «Salvator Rosa» von C. Gomes. 1884 trat er in Brescia und in der Saison 1883–84 am Teatro Vittorio Emanuele von

Messina auf, wo er den Faust von Gounod, den Fernando in Donizettis «La Favorita» und wiederum den Alvaro sang. Es folgten Engagements in Verona und Vicenza, am Teatro Carignano Turin (u. a. Alfredo in «La Traviata» und Herzog im «Rigoletto», 1887), in Varese und Monza, am Teatro Regio Parma (1891), am Teatro Politeama Genua (1895) und am Teatro San Carlo Neapel, wo er den berühmten Fernando De Lucia als José in «Carmen» ersetzte. 1893 sang er an der Mailänder Scala den Erik im «Fliegenden Holländer» von R. Wagner (auch 1896 den José in «Carmen»), im gleichen Jahr am Teatro Sociale Rovigo seinen Lohengrin. 1894 gastierte er am Teatro San Carlos Lissabon u. a. in der portugiesischen Erstaufführung von Puccinis «Manon Lescaut» in der Partie des des Grieux. 1903 heiratete er während eines Gastspiels an der Oper von Odessa die russische Sopranistin *Rosa Fornenko*. Er blieb in Rußland und unternahm dort mehrere Gastspiel- und Konzertreisen. Während der russischen Revolution verlor er sein gesamtes Vermögen und konnte schließlich eine Stellung als Pädagoge am Konservatorium von Tiflis (Tblissi) in Georgien bekommen. Dort ist er ganz plötzlich an einem Herzversagen gestorben.

Major, Malvina, Sopran, *28. 1. 1943 Hamilton (Neuseeland); sie studierte Klavierspiel, Gesang und Musiktheorie in einer Klosterschule und wurde dann Schülerin der Pädagogin Sister Mary Leo an der St. Mary's Music School in Auckland auf Neuseeland (1960–65). 1965–67 setzte sie ihre Ausbildung am Royal College of Music und im London Opera Centre wie bei Ruth Packer in London fort. Bereits 1963 war sie in ihrer Heimat auf der Bühne erschienen; sie sang dann im London Opera Centre 1967 als erste Partie die Pamina in der «Zauberflöte». Ihre Karriere nahm nun einen schnellen Fortgang. 1968 sang sie beim Camden Festival die Matilda in Donizettis «Elisabetta Regina d' Inghilterra», 1968–69 bei den Festspielen von Salzburg die Rosina im «Barbier von Sevilla» unter Claudio Abbado. 1969 gab sie in Antwerpen ein Gala-Konzert in Anwesenheit des belgischen Königspaares. In Brüssel hörte man sie am Théâtre de la Monnaie als Butterfly, als Gilda im «Rigoletto», als Hanna Glawari in Lehárs «Lustiger Witwe», als Tosca, als Konstanze in der «Entführung aus dem Serail» und als Arminda in Mozarts «La finta giardiniera». 1987 gastierte sie beim Brighton Festival als Donna Anna im «Don Giovanni» und sang die gleiche Partie auch 1987 an der Oper von Sydney. In New York wie in Australien kam sie als Lucia di Lammermoor, als Mimi in «La Bohème», als Marguerite im «Faust» von Gounod und als Rosalinde in der «Fledermaus» zu viel beachteten Erfolgen. Hinzu traten Auftritte im Konzertsaal in einem breiten Repertoire.
Schallplatten: HMV (Caterina in Mascagnis «Amico Fritz», 4.Sinfonie von G. Mahler), Ricercar («La finta giardiniera» von Mozart).

Makris, Cynthia, Sopran, *1956 (?) Sterling im amerikanischen Staat Colorado; sie absolvierte ihre Ausbildung in den Fächern Geschichte und Gesang an der University of Colorado und am Adams State College. Bereits während dieses Studiums trat sie als Butterfly, als Alice Ford in Verdis «Falstaff», als Donna Elvira im «Don Giovanni» und als Tosca auf. Nachdem sie bei Gesangwettbewerben der San Francisco Opera und der Metropolitan Oper New York Aufsehen erregt hatte, kam sie nach Europa und sang dort als erste Partie am Opernhaus von Graz die Violetta in «La Traviata». 1980–82 war sie Mitglied des Stadttheaters von Freiburg i. Br. Hier hörte man sie als Konstanze in der «Entführung aus dem Serail», als Pamina in der «Zauberflöte», abermals als Violetta und als Saffi im «Zigeunerbaron». 1982 kam sie an das Stadttheater von Bielefeld. Hier fügte sie eine Anzahl neuer Partien in ihr Repertoire ein: die Donna Anna im «Don Giovanni», die Agathe im «Freischütz», die Marie in der «Verkauften Braut» von Smetana, die Titelfiguren in «Lucia di Lammermoor» von Donizetti und «Manon Lescaut» von Puccini. Sie gastierte sehr erfolgreich am Staatstheater Hannover als Lulu in der dreiaktigen Fassung der Oper von A. Berg. Am Opernhaus von Dortmund sang sie die Titelheldin in der Richard Strauss-Oper «Salome», die sie an der Staatsoper Berlin, in Tokio und 1990 an der Deutschen Oper Berlin wiederholte. In Bielefeld übernahm sie in den selten aufgeführten Opern «Maschinist Hopkins» von Max Brand, «La Bohème» von Leoncavallo, «Irrelohe» von Franz Schreker und «Luisa Miller» von Verdi tragende Rollen. 1986 folgte die Künstlerin einem Ruf an das Opernhaus von Dortmund. Hier wurde sie namentlich als Verdi-Interpretin in Partien wie der Desdemona im «Othello», der Leonore im «Troubadour», der Amelia im «Maskenball» wie auch als Arabella in der Oper gleichen Namens von R. Strauss bekannt. An der Deutschen Oper am Rhein Düsseldorf–Duisburg gastierte sie als Marietta in der «Toten Stadt» von Korngold, am Staatstheater Karlsruhe als Marie im «Wozzeck» von A. Berg. Sie brachte darüber hinaus auf der Bühne wie im Konzertsaal ein breit gefächertes Repertoire zum Vortrag. Von ihren Bühnengestalten seien noch die Gräfin in «Nozze di Figaro», die Kaiserin in der «Frau ohne Schatten» von R. Strauss, die Eva in den «Meistersingern», die Freia im «Rheingold» und die vier Frauengestalten in «Hoffmanns Erzählungen» nachgetragen.
Schallplatten: Mitschnitte von Rundfunksendungen.

Maksimović, Velizar, Baß, *2. 8. 1933 Badovinci bei Šabac (Serbien); Ausbildung an der Musikakademie von Belgrad als Schüler von Nicola Cvejić. 1963 debütierte er an der Nationaloper Belgrad, an der er seitdem zu einer über zwanzigjährigen Karriere kam. Erfolge auch bei Gastspielen und Konzerten in Jugoslawien wie im Ausland. Von seinen Bühnenpartien seien der Graf Luna im «Troubadour», der Germont-père in «La Traviata», der Amonasro in «Aida», der Valentin im «Faust» von Gounod, der Jeletzky in «Pique Dame» von Tschaikowsky und der Scarpia in «Tosca» genannt. Neben seinem Wirken auf der Bühne war er ein geschätzter Konzert- und Oratoriensolist.

Malagnini, Mario, Tenor, * 1959 Salò am Gardasee; er wollte ursprünglich Technischer Zeichner werden, spielte aber seit seinem 12. Lebensjahr Trompete und besuchte das Konservatorium von Brescia, wo er Trompete und Posaune studierte. Während seiner Militärdienstzeit kam es zur Entdeckung seiner Stimme, die 1980–84 am Conservatorio Giuseppe Verdi Mailand, hauptsächlich durch Piermirando Ferraro, ausgebildet wurde. Nachdem er 1983 einen durch den großen Bariton Tito Gobbi ausgeschriebenen Concours gewonnen hatte, studierte er bei diesem wie bei dem berühmten Tenor Giuseppe di Stefano. 1984 gewann er einen Gesangwettbewerb in Enna, den Concorso Enrico Caruso und den Belvedere-Wettbewerb in Wien. In Deutschland debütierte er 1985 am Opernhaus von Frankfurt a. M. als Radames in «Aida», für Italien in Mailand in Verdis «Il Corsaro». Am Opernhaus von Essen erschien er 1985 als Cavaradossi in Tosca, 1986 an der Mailänder Scala als Alfredo in «La Traviata» mit Katia Ricciarelli, 1987 am gleichen Haus als Ismaele in Verdis «Nabucco». Bei den Festspielen in der Arena von Verona hörte man ihn als Foresto in «Attila» von Verdi, als Pinkerton in «Madame Butterfly» (1987), als Riccardo in Verdis «Un Ballo in maschera» und als Radames in «Aida» (1988–89). 1987 gastierte er bei den Festspielen von Glyndebourne als José in «Carmen» und sang in der New Yorker Carnegie Hall in einer konzertanten Aufführung von Verdis «La battaglia di Legnano» die Partie des Arrigo. 1988 trat er in Florenz als Pinkerton in «Madame Butterfly» und als Gabriele Adorno in «Simon Boccanegra» auf, 1988 in Nîmes und 1989 an der Oper von Monte Carlo als Pollione in Bellinis «Norma». Weitere Gastspiele führten ihn an die Staatsopern von Wien und Berlin, an die Opern von Houston/Texas, Bonn und Budapest und während der Olympischen Spiele von 1988 nach Seoul.
Schallplatten: Opera Rara («Emilia di Liverpool» von Donizetti).

Malagrida, Luisa, Sopran, * 1920 (?) Adria; Ausbildung in Ferrara und an der Accademia di Santa Cecilia Rom. 1945 debütierte sie am Teatro Verdi Ferrara als Suzel in Mascagnis «Amico Fritz». Nach Auftritten an Opernhäusern in der italienischen Provinz ging sie 1948 für zwei Jahre nach Südafrika, kam dann aber wieder nach Italien zurück, wo sie jetzt eine sehr erfolgreiche Karriere entwickeln konnte. Sie sang an allen großen italienischen Bühnen, so seit 1954 am Teatro San Carlo Neapel und am Opernhaus von Genua, seit 1955 am Teatro Verdi Triest; auch am Teatro Fenice Venedig, am Teatro Massimo Palermo und in Turin aufgetreten. 1956 erreichte sie die Mailänder Scala. 1958 sang sie am Teatro Sociale Como die Maddalena in Giordanos «Andrea Chénier», 1963 am Teatro Goldoni Livorno die Titelfigur in Mascagnis «Iris». Ebenfalls 1963 wirkte sie im italienischen Rundfunk RAI Rom in der Oper «Il testamento di Euridice» von Adriano Lualdi mit. Am 4. 12. 1954 sang sie am Teatro San Carlo Neapel in der Uraufführung der Oper «La Figlia di Jorio» von I. Pizzetti die Partie der Ornella. Die Künstlerin gastierte 1964 an der Oper von

Monte Carlo, 1964 in Belfast und Dublin, am Teatro San Carlos Lissabon und 1974 am Opernhaus von Graz. In der Saison 1963–64 war sie an der Metropolitan Oper New York verpflichtet (Antrittsrolle: Leonore im «Troubadour»). Von den Partien, die Bestandteil ihres Bühnenrepertoires waren, seien die Aida, die Traviata, die Titelheldin in Verdis «Luisa Miller», die Tosca, die Butterfly, die Mimi in «La Bohème», die Giorgetta in Puccinis «Il Tabarro», die Nedda im «Bajazzo», die Leah in «Il Dibuk» von L. Rocca, die Mila wie die Ornella in «La Figlia di Jorio» von Pizzetti, die Agathe im «Freischütz», die Micaela in «Carmen», die Maddalena in «Andrea Chénier» und die Iris in der gleichnamigen Mascagni-Oper genannt. 1975 verabschiedete sie sich am Teatro San Carlo Neapel als Santuzza in «Cavalleria rusticana» von der Bühne.
Schallplatten: Cetra (Nedda in vollständiger «Bajazzo»-Aufnahme), MRE (Giocasta in «Edipo Re» von Leoncavallo, Teatro San Carlo Neapel, 1970), Monarch (Recital).

Malden, Hermann, Tenor, * 2. 9. 1872 Halle an der Saale, † (?); er wurde in seiner Heimatstadt Halle durch den Tenor Bruno Heydrich ausgebildet. 1900 begann er seine Karriere am Stadttheater von Dortmund. Er sang dann nacheinander dort, am Theater von Rudolstadt in Thüringen, am Stadttheater von Kaiserslautern, am Landestheater von Altenburg (Thüringen) und als Gast an weiteren deutschen Opernbühnen. Seine Stimme war ein lyrischer Tenor, doch meisterte er auch mehr heldisch geartete Partien und sang u. a. den Tamino in der «Zauberflöte», den Lyonel in Flotows «Martha», den Titelhelden in dessen «Alessandro Stradella», den José in «Carmen» und den Max im «Freischütz». Auch als Konzertsolist kam er zu einer Karriere von Bedeutung.

Malmberg, Urban, Bariton, * 29. 3. 1962 Stockholm; seit 1973 gehörte er dem Knabenchor der Königlichen Oper Stockholm an. In der berühmten Verfilmung von Mozarts «Zauberflöte» durch Ingmar Bergman 1974 übernahm er die Partie des 1. Knaben (Schallplattenaufnahme auf HMV-BBC REK). Seine Ausbildung zum Sänger erfolgte in Stockholm zunächst durch die Pädagogen Helge Brilioth, Hugo Hasslo und Erik Saedén. 1980–82 war er Mitglied des Stockholmer Opernchors und trat auch bereits in kleineren Solo-Partien auf. Seine ersten großen Rollen fand er bei Aufführungen zeitgenössischer Opernwerke von Peter Maxwell Davies und Janáke Hillerud; 1982–83 schloß er seine Solistenausbildung an der Opernschule in Stockholm ab. Darauf wurde er 1983 an die Staatsoper von Hamburg verpflichtet. Hier hörte man ihn in Partien wie dem Malatesta im «Don Pasquale» von Donizetti, dem Masetto im «Don Giovanni», dem Papageno in der «Zauberflöte», dem Schaunard in Puccinis «La Bohème», dem Harlekin in «Ariadne auf Naxos» von R. Strauss, dem Nachtwächter in den «Meistersingern» und in den modernen Opernwerken «Intoleranza» von Luigi Nono und «Die Gespenstersonate» von Aribert Reimann. Gastspiele und Kon-

zertauftritte brachten dem jungen Künstler Erfolge am Stadttheater von Bremen, an der Deutschen Oper am Rhein Düsseldorf–Duisburg, bei den Festspielen von Las Palmas, in Stockholm, London, am Bolschoj Theater Moskau, in San Francisco und Tokio. Dabei gehörten auf der Bühne noch der Guglielmo in «Così fan tutte», der Belcore in «Elisir d'amore» von Donizetti, der Marcello in «La Bohème» und der Lescaut in «Manon Lescaut» von Puccini, im Konzertsaal der Christus in der Matthäus- wie der Johannespassion von J. S. Bach und die Soli in Beethovens 9. Sinfonie wie im Deutschen Requiem von Johannes Brahms zu seinen bedeutendsten Leistungen.
Schallplatten: DGG (Harlekin in «Ariadne auf Naxos», Hermann in «Hoffmanns Erzählungen», «Peer Gynt» von Grieg), Decca.

Malvani, Ottavia, Sopran, * 1820 Turin, † 2. 8. 1863 Turin; sie stammte aus einer Turiner Arztfamilie. Ihre Stimme wurde durch den berühmten Tenor Domenico Donzelli entdeckt und auf dessen Empfehlung durch die nicht weniger berühmte Teresa Bertinotti am Konservatorium von Bologna ausgebildet. In der Karnevalssaison 1839–40 debütierte sie am Teatro Comunale Modena in «Marino Faliero» von Donizetti und in Bellinis «I Puritani». Sie sang dann in Piacenza die Titelpartie in «Beatrice di Tenda» von Bellini, gastierte in Parma, Venedig und Padua sowie 1841 am Teatro Carignano Turin. 1841–42 hatte sie in Triest große Erfolge in «La Vestale» von Spontini und in «Assedio di Corinto» von Rossini. 1842 wirkte sie als Solistin in einer Aufführung des Stabat mater von Rossini in Wien mit, die von Donizetti dirigiert wurde. 1842–43 hörte man sie am Teatro Regio Turin in der Uraufführung von Mercadantes Oper «Il Reggente», dazu an den Theatern von Brescia und Venedig. Am Teatro Apollo Rom sang sie 1845 in der Uraufführung einer Oper von Vaccai «Virginia». Als ihr Vater starb, gab sie ihre erfolgversprechende Bühnenkarriere auf. Sie heiratete dann den Politiker und späteren Minister Conte Luigi Ferraris (1813–1900).

Manager, Richetta, Sopran, * 1952 (?); die farbige amerikanische Sängerin erhielt ihre Ausbildung an der Washburn University bei Gordon Gaines, an der University of Kansas in Lawrence (Kansas) bei Norman Paige, an der Northwestern University in Evanston (Illinois) bei Norman Gulbrandsen und an der University of Colorado in Bulwer (Colorado) bei Berton Coffin. 1975 erwarb sie ihr Diplom, bereits 1974 trat sie zusammen mit dem Topeka Symphony Orchestra auf. 1977–78 war sie Preisträgerin bei mehreren Gesangwettbewerben in den USA. 1979 und 1982 war sie zu Gast in Graz, 1981 und 1982 trat sie in Chicago auf, 1981 beim Mondial Festival in Nancy. 1982 wurde sie an das Theater im Revier Gelsenkirchen verpflichtet, dessen Mitglied sie blieb. Hier und bei Gastspielen kam sie in Partien wie der Gräfin in «Figaros Hochzeit», der Donna Anna im «Don Giovanni», der Agathe im «Freischütz», der Eurydike im «Orpheus» von Gluck, der Titelheldin in Händels «Alcina», der Cleopatra in

dessen «Giulio Cesare», der Violetta in «La Traviata», der Amelia in Verdis «Ballo in maschera», der Elena in «I Vespri Siciliani», der Drusilla in Monteverdis «Incoronazione di Poppea», der Rosalinde in der «Fledermaus» von J. Strauß, der Giulietta in «Hoffmanns Erzählungen», der Mimi in Puccinis «La Bohème», der Herzogin in «Doktor Faust» von Busoni, der Marie in Smetanas «Verkaufter Braut», der Denise in «The Knot Garden» von M. Tippett (deutsche Erstaufführung 1987 Gelsenkirchen) und der Mariza in «Gräfin Mariza» von Kálmán zu großen Erfolgen. Sie wirkte in der Uraufführung der Oper «New Year» von M. Tippett mit (27. 10. 1989 Houston/Texas). Sie war zu Gast am Opernhaus von Köln (1983), an der Deutschen Oper am Rhein Düsseldorf (1987), an den Stadttheatern von Hagen (1984) und Münster/Westfalen (1987, 1989), in Nürnberg, Bochum und Antwerpen (1988) und kam zu einer nicht weniger bedeutenden Karriere als Konzertsängerin. Im Konzertsaal reichte ihr Repertoire von den Meistern der Barock-Epoche (J. S. Bach, Händel) bis hin zu modernen Werken (Hindemith, Villa Lobos).

Manca di Nissa, Bernadette, Mezzosopran, * 1958 (?); sie gewann 1981 den ersten Preis im Rossini-Stimmen-Wettbewerb und hatte 1982 in Pesaro als Isabella in Rossinis «Italiana in Algeri» einen aufsehenerregenden Erfolg. Es kam nun zur schnellen Entwicklung ihrer Karriere in Italien. 1983 sang sie am Teatro Fenice Venedig die Isaura in «Tancredi» von Rossini, 1985 hörte man sie am Teatro Regio Turin und an der Oper von Rom. Ebenfalls 1983 sang sie als Antrittsrolle an der Mailänder Scala den Bradamante in «Alcina» von Händel, 1988 die Libya in der vergessenen Oper «Fetonte» von Niccolò Jommelli. Seit 1987 hatte sie große Erfolge bei Gastspielen an französischen Bühnen. So sang sie 1987 an der Oper von Lyon und an der Opéra-Comique Paris (Principessa in «Suor Angelica» von Puccini). Beim Rossini-Festival in Pesaro trat sie 1989 als Pippo in «La gazza ladra» auf, an der Mailänder Scala 1989 als Titelheld in «Orpheus» von Gluck. Aus dem Repertoire der hoch begabten jungen Sängerin sind noch als Bühnenpartien der Otho in «Agrippina» und der Tolomeo in «Giulio Cesare» von Händel, die Giovanna in «Anna Bolena» von Donizetti und die Meg in Verdis «Falstaff» zu nennen. Sie trat auch als Konzert-, und vor allem als Oratoriensängerin, in einem umfangreichen Repertoire vor ihr Publikum.
Schallplatten: CBS («Tancredi»), Decca («Anna Bolena»).

Mancio, Felice, Tenor, * 19. 12. 1840 Turin, † 4. 2. 1897 Wien; nachdem er zuerst bei der italienischen Armee als Offizier gedient hatte, wurde er Schüler des berühmten Komponisten Saverio Mercadante und der großen Sängerinnen Wilhelmine Hassel-Barth und Agnes Schubert-Strauss. 1870 debütierte er am Theater von Como in der Oper «La Contessa d'Amalfi» von Petrella. Anschließend sang er dort sehr erfolgreich den Edgardo in «Lucia di Lammermoor» von Donizetti. Nachdem er an einer Reihe von italienischen Bühnen zu bedeutenden Erfolgen gekommen war, unternahm er ausgedehnte Konzertreisen, die ihn durch Italien, Österreich, Deutschland und England führten. 1886 hielt er sich längere Zeit am Hof des Herzogs Ernst II. von Coburg–Gotha auf, der selbst als Opernkomponist tätig war. In Hannover wurde er Lehrer der Prinzessin Mary, Herzogin von Cumberland. 1887 gab er am Hof von Weimar eine Serie von Konzerten mit klassischen italienischen Vokalwerken. 1895 ging er nach Wien und wurde Professor am Wiener Konservatorium. Dort hat er so bedeutende Sänger wie Maria De Sempsey, Fanchette Verhunk, Minnie Cortese und Max Traun ausgebildet.

Mang, Karl, Baß, * 7. 4. 1876, † 22. 7. 1964 Schriesheim an der Bergstraße; er durchlief zunächst eine Ausbildung als Elementarschullehrer und war als solcher tätig, erhielt aber daneben Gesangunterricht bei Bernhard Günzburger in München. 1899 debütierte er an der Hofoper München als Sarastro in der «Zauberflöte». Hier sang er 1899 in der Uraufführung der Oper «Der Bärenhäuter» und 1901 in der von «Herzog Wildfang», beide von Siegfried Wagner. Bis 1904 blieb er in München, war 1904–11 am Stadttheater von Bremen und 1911–13 an der Berliner Hofoper im Engagement. 1913 wurde er an das Hof- und Nationaltheater Mannheim verpflichtet, an dem er bis 1936 wirkte und zum Ehrenmitglied des Hauses ernannt wurde. In Mannheim sang er 1925 die Titelpartie in der deutschen Erstaufführung von Borodins «Fürst Igor». Er gab Gastspiele am Hoftheater von Hannover (1906), an der Wiener Hofoper (1906, 1908) und am Opernhaus (Stadttheater) von Hamburg (1906, 1907). An der Covent Garden Oper London gastierte er 1908 als Hunding und als Hagen im Nibelungenring. Seine großen Bühnenpartien waren der Daland im «Fliegenden Holländer», der König Heinrich im «Lohengrin», der Pogner in den «Meistersingern», der Marke im «Tristan», der Marcel in den «Hugenotten» von Meyerbeer, der Kardinal in Halévys «La Juive», der Ochs im «Rosenkavalier» und der Doktor im «Wozzeck» von A. Berg.
Zwei Zonophone-Aufnahmen aus der Zeit um 1910 sind von seiner Stimme vorhanden.

Mann, Friedrich, Bariton, * 7. 1. 1846 Bremen, † 15. 11. 1914 Bremen; er begann seine Karriere am Opernhaus von Breslau und sang dann nacheinander an den Opernhäusern von Bratislava (Preßburg) und Olmütz (Olomouc), an den Hoftheatern von Wiesbaden und Darmstadt, am Opernhaus von Düsseldorf und am Stadttheater von Magdeburg. Nach Abschluß seiner aktiven Bühnenlaufbahn zog er sich in seine Geburtsstadt Bremen zurück, wo er noch als Gesanglehrer wirkte. Auf der Bühne ist er in einer Vielzahl von Partien zu hören gewesen, darunter als Nelusco in Meyerbeers «Africaine», als Jäger im «Nachtlager von Granada» von Kreutzer, als Kurwenal im «Tristan», in Opern von Mozart, C. M. von Weber, Lortzing und Wagner. Erfolgreiche Karriere auch im Konzertfach.

Manski, Inge, Sopran/Mezzosopran, * 1921 (?); sie war die Tochter der Sängerin *Dorothea Manski* (1891–1967) und des schwedischen Musikkritikers und Komponisten Walter Brandon. Sie wuchs in New York auf, wo ihre Mutter seit 1927 für 14 Jahre Mitglied der Metropolitan Oper war. So berühmte Sänger und Kollegen ihrer Mutter wie Lauritz Melchior, Kerstin Thorborg und Friedrich Schorr rieten dringend zur Ausbildung ihrer Stimme. Sie sang zunächst am New Yorker Broadway in Musicals wie «One Touch of Venus» oder «Lady in the Dark», debütierte aber 1947 als Opernsängerin an der Oper von Chicago in der Partie der Lola in «Cavalleria rusticana». 1947 wurde sie an die Metropolitan Oper New York verpflichtet, wo sie als Ines in Verdis «Troubadour» (zusammen mit Stella Roman, Cloe Elmo, Kurt Baum und Leonard Warren) debütierte. Sie blieb bis 1950 dort tätig und sang, ähnlich wie ihre Mutter, insgesamt 22 Partien, zumeist aus dem Comprimario-Fach und sowohl als Sopran wie als Mezzosopran, darunter auch größere Rollen wie die Lauretta in «Gianni Schicchi» als Partnerin von Giuseppe di Stefano und den Siebel im «Faust» von Gounod, ebenfalls mit Giuseppe di Stefano und Italo Tajo. Von dieser letztgenannten Aufführung existiert eine Schallplattenaufnahme auf der Marke Fonit-Cetra.

Mantgem, Jan van, Tenor, * 26. 2. 1903 Amsterdam; er hatte keine eigentliche Gesangsausbildung erhalten, sondern betrat, mehr oder weniger als Autodidakt, 1942 die Bühne der Niederländischen Oper Amsterdam. Hier kam er wie auch beim Holland Festival, bei dem er in den Jahren 1950–51, 1953–54 und 1956 auftrat, zu einer bedeutenden Bühnenkarriere. Dabei sang er Partien wie den Jacquino im «Fidelio», den Max im «Freischütz», den Erik im «Fliegenden Holländer», den Walther von der Vogelweide im «Tannhäuser», den Titelhelden in Verdis «Don Carlos», den Rodrigo in dessen «Othello», den Cavaradossi in «Tosca», den Stewa in «Jenufa» von Janáček, den Boles in «Peter Grimes» von B. Britten, den Alfred wie den Barinkay in den Johann Strauß-Operetten «Die Fledermaus» bzw. «Der Zigeunerbaron». In den Jahren 1948 bis 1953 war er mit der berühmten holländischen Sopranistin *Gré Brouwenstijn* (* 1915) verheiratet.
Schallplatten: Philips («Aus einem Totenhaus» von Janáček).

Maray, Albina, Sopran, * 1832 Wien, † (?); ihr Vater war der österreichische Freiherr Anton Wodriansky-Wildenfeld, ihre Mutter *Fanny Maray* hatte als Opernsängerin in Italien eine erfolgreiche Karriere gehabt. Mit zwei Jahren kam die Künstlerin nach Italien; sie wurde frühzeitig durch ihre Mutter ausgebildet. Nachdem die Familie 1847 nach Florenz verzogen war, erfolgte in dieser Stadt 1848 ein erstes Auftreten der jungen Sängerin in einem Wohltätigkeitskonzert in Anwesenheit des großen Komponisten Gioacchino Rossini. 1848 kam es dann auch zu ihrem Bühnendebüt am Teatro San Carlo Neapel. Dieses verlief so erfolgreich, daß ihr sogleich mehrere Gast-Engagements angeboten wurden. Sie wählte die Oper von St. Petersburg aus, an der sie 1850 die Norina im «Don Pasquale», die Mathilde in Rossinis «Wilhelm Tell», die Alice in «Robert le Diable», die Marguerite de Valois in «Les Huguenots» von Meyerbeer und die Titelpartie in «La Regina di Golconda» von Donizetti sang. 1851 trat sie am Wiener Theater am Kärntnertor in «La Sonnambula» von Bellini, in «Don Pasquale» und besonders erfolgreich als Rosina im «Barbier von Sevilla» vor das Publikum. 1851–55 war sie alljährlich an der Kaiserlichen Hofoper von St. Petersburg anzutreffen. Es folgten Gastspiele in Wien und London sowie eine Schottland-Tournee. Es hat den Anschein, daß ihre Karriere früh beendet war.

Marazzoli, Marco, Sänger und Komponist, * etwa 1605 Parma, † 26. 1. 1662 Rom; der Künstler, der als Sänger wie als Harfenvirtuose bekannt war, wirkte in den Jahren 1637–40 in der Cappella Pontificia, der Päpstlichen Kapelle, in Rom. Er trat dann als Kammermusiker in den Dienst der in Rom residierenden ehemaligen Königin Christine von Schweden ein. 1643 ließ Kardinal Mazarin ihn an den französischen Hof nach Paris kommen, wo er als Sänger wie als Instrumentalmusiker gefeiert wurde. 1645 kam er wieder nach Rom zurück und stand seither im Dienst von Papst Urban VIII. Er komponierte zwei der frühesten Buffo-Opern auf Texte von Giulio Rospigliosi (1600–1669), der später unter dem Namen Clemens IX. Papst werden sollte, und zwar «Chi soffre, speri» (zusammen mit Virgilio Mazzocchi, Rom 1639) und «Dal male il bene» (zusammen mit Antonio Maria Abbatini, Rom 1653). Er war auch der Komponist einer allegorischen Oper zu Ehren der Königin Christine «La vita humana overo Il trionfo della pietà», die in der römischen Karnevalssaison 1656 (in Anwesenheit der Königin) im Palazzo Barbieri ihre prunkvolle Uraufführung mit dem Bologneser Kastraten Bonaventura in der Hauptrolle erlebte. Der Familienname des Künstlers erscheint auch in der Schreibweise Marazzuoli.

Marchi, Spartaco, Bariton, * 21. 12. 1891 Pisa, † 26. 10. 1976 Viareggio; während er 1919 als Soldat bei der italienischen Luftwaffe in Rom diente, nahm er erfolgreich an einem Gesangwettbewerb teil, den die Accademia di Santa Cecilia Rom veranstaltete. Da seine Familie inzwischen nach Florenz verzogen war, nahm er das Gesangstudium dort bei Maestro Vito Frazzi auf. 1922 kam es zu seinem Debüt am Teatro della Pergola Florenz als Jago in Verdis «Othello». 1926 gastierte er erstmals an der Mailänder Scala als Fafner im «Siegfried» von R. Wagner. Bis 1946 ist er an diesem Opernhaus aufgetreten, u. a. als Snare in «Sly» von E. Wolf-Ferrari, als Mikhéli in Cherubinis «Les deux journées», als Lescaut in «Manon Lescaut» von Puccini, als Faninal im «Rosenkavalier» von R. Strauss, als Sharpless in «Madame Butterfly» und in Wolf-Ferraris Oper «Il Campiello». Er trat als Gast in Dänemark, in Frankreich und in der Schweiz (1940 Grand Théâtre Genf) auf, in Amsterdam war er als Amonasro und in einem Gala-Konzert (1935) erfolgreich, an der Oper von Antwerpen sang er den Scarpia in «Tosca» in

Gegenwart des belgischen Königs (1939). In Italien ist er an allen Theatern von Rang erschienen: am Teatro Fenice Venedig (1938–40, 1942, 1947) wie am Teatro Petruzzelli Bari (1936, 1951–52), in Mantua und Udine, in Florenz und in Pisa, in Genua, Trient und Triest. 1951 gab er nochmals ein Gastspiel am Théâtre des Champs-Élysées Paris als Graf Robinson in Cimarosas «Il matrimonio segreto». Neben seiner Begabung als Sänger betätigte er sich als Bildhauer wie als Maler. Nach Aufgabe seiner Bühnenkarriere widmete er sich in Mailand ganz der Beschäftigung mit diesen Künsten.

Marchini, Elisa, Sopran, * 1896 (?); der Name der italienischen Sängerin taucht zuerst auf, als sie bei den Verdi-Jahrhundertfeiern 1913 am Teatro Regio Parma mit Maggie Teyte in der Partie des Pagen Oscar in «Un ballo in maschera» alternierte. 1916 sang sie an der Oper von Monte Carlo die Musetta in «La Bohème», 1919 die Lisetta» in «La Rondine». Bereits 1917 kreierte sie am Teatro Donizetti von Bergamo die Partie der Lisetta in der dortigen Premiere von Puccinis «La Rondine» zusammen mit Linda Cannetti, Alessandro Dolci und Francesco Dominici. 1924 gastierte sie am Teatro Colón Buenos Aires als Musetta in «La Bohème» und als Amor im «Orpheus» von Gluck (mit Gabriella Besanzoni und Maria Zamboni als Partnern). Die Musetta hatte sie auch im Jahr zuvor am Teatro Carlo Felice Genua gesungen. 1925 war sie am Teatro Costanzi Rom als Lucieta in Wolf-Ferraris «I quattro rusteghi», 1926 als Elisetta in «Il matrimonio segreto» von Cimarosa zu Gast. Schallplatten: 1912 kamen auf HMV Ensembleszenen aus «Carmen» und aus «La Bohème» von Puccini heraus, in denen sie mitwirkt; eine Ensemble-Aufnahme auch auf Fonotipia. Solo-Aufnahmen ihrer Stimme scheinen nicht zu existieren.

Marchisio, Giovanni, Baß, * 1828 Turin, † 31. 1. 1903 Turin; er begann seine Karriere 1848 und setzte sie bis 1890 mit glänzenden Erfolgen an italienischen wie an ausländischen Opernbühnen fort. Er beherrschte über hundert erste Partien in Opern und ist in den Musikzentren in aller Welt, sogar in Indien, in Japan und auf den Philippinen als Gast hervorgetreten. Gastspiele am Théâtre-Italien Paris, an der Covent Garden London, am Teatro Real Madrid, am Teatro Liceo Barcelona, an der Berliner Hofoper und an den großen italienischen Theatern wiesen ihm eine führende Stellung unter den Bassisten seiner Generation zu. Er wirkte auch in mehreren Uraufführungen von Opern seiner Zeit mit; so sang er in «Il Califfo» von Deschamps (1871 am Teatro della Pergola Florenz), «Tripilla» von Luzzi (1874 am Teatro Coccia Novara), «Zilia» von Gaspare Villare (1. 12. 1877 Théâtre-Italien Paris) und in «Don Fabiano de Corbelli» von Camerata (10. 6. 1874 Teatro Balbo Turin). 1890 gab er seine Bühnenkarriere auf und verbrachte die weiteren 13 Jahre seines Lebens ganz zurückgezogen in Turin.

Marck-Lüders, Luise, Mezzosopran, * 1878 (?), † (?); die Künstlerin war 1901–05, noch unter dem

Namen Louise Marck, am Opernhaus von Königsberg (Ostpreußen) engagiert. 1905–07 und 1909–10 lebte sie gastierend in Frankfurt a. M., war aber zwischendurch 1907–09 und 1910–12 am Stadttheater von Kiel im Engagement. In Kiel ist sie auch als Luise Marck-Buers aufgetreten. 1912 folgte sie einem Ruf an die Städtische Oper Berlin–Charlottenburg, an der ihre Karriere den Höhepunkt erreichte. Fast zwanzig Jahre hindurch bis 1931 war sie ein angesehenes Mitglied dieses Hauses. Sie sang dort Rollen wie die Fricka im Nibelungenring, die Magdalene in den «Meistersingern», die Mary im «Fliegenden Holländer», die Azucena in Verdis «Troubadour», die Quickly in dessen «Falstaff», die Fides im «Propheten» von Meyerbeer, die Frau Marthe im «Faust» von Gounod, die Mutter in «Hänsel und Gretel» von Humperdinck und die Juno in der Offenbach-Operette «Orpheus in der Unterwelt». Auch im Konzertsaal absolvierte sie eine erfolgreiche Karriere.
Schallplatten: Odeon-Parlophon («Meistersinger»-Quintett).

Marcks, Fritz, Tenor, * 1890 (?); er absolvierte seine Gesangausbildung in Berlin und begann seine Bühnenkarriere 1914 am Theater von Potsdam, an dem er (unterbrochen durch einen zeitweiligen Kriegseinsatz) bis 1917 blieb. 1917–19 sang er am Stadttheater von Stettin, 1919–22 am Stadttheater von Kiel und 1923–26 am Opernhaus von Breslau. Es folgten Verpflichtungen am Landestheater Oldenburg (1926–27), am Stadttheater Heidelberg (1928–1930) und am Stadttheater Göttingen (1932–33). Nachdem er zwischendurch nur gastierend und als Konzertsänger tätig gewesen war, war er 1935–44 an der Berliner Staatsoper engagiert. Hier wirkte er in den Uraufführungen der Opern «Peer Gynt» von W. Egk (24. 11. 1938) und «Schneider Wibbel» von M. Lothar (12. 5. 1938) mit; er trat vor allem an der Staatsoper Berlin in Comprimario- und Charakterrollen auf (nachdem er zu Beginn seiner Karriere lyrische Partien gesungen hatte). Nach dem Zweiten Weltkrieg war er noch bis 1949 an der Städtischen Oper Berlin tätig, an der er 1947 in der Berliner Premiere von Benjamin Brittens «Peter Grimes» den Pastor Adams sang. Bei den Festspielen von Bayreuth wirkte er 1933–34 als Augustin Moser in den «Meistersingern» und als erster Gralsritter im «Parsifal» mit. Er war in erster Ehe mit der Operettensoubrette *Hedwig Kramer* († 1920), in zweiter mit der Schauspielerin Gertrud Held verheiratet. In den fünfziger Jahren wirkte er als Pädagoge am Konservatorium Klindworth-Scharwenka in Berlin.
Von seiner Stimme sind akustische HMV-Aufnahmen vorhanden.

Marcy, Jeanne, Sopran, * 20. 3. 1865 Aalst (Alost, Belgien), † (?); Ausbildung am Konservatorium von Brüssel bei Warnots und Gevaert. 1889 debütierte sie am Théâtre de la Monnaie Brüssel als Inez in Meyerbeers «Africaine». Nach einer Spielzeit in Brüssel ging sie für die Jahre 1890–92 an die Oper von Marseille und folgte dann 1892 einem Ruf an die Grand Opéra Paris. Hier debütierte sie als Marguerite im «Faust» von Gounod und blieb bis in die Jahre nach der Jahrhundertwende dort engagiert. In der Saison 1897–98 war sie Mitglied der Opéra-Comique Paris, an der sie auch später noch gastierte. 1897 gastierte sie an der Oper von Monte Carlo als Donna Anna im «Don Giovanni», 1904 nochmals am Théâtre de la Monnaie Brüssel. Auf der Bühne sang sie ein vielgestaltiges Repertoire: die Isabella in «Robert le Diable» von Meyerbeer, die Valentine in den «Hugenotten», die Selika in «L' Africaine», die Eudoxia in «La Juive» von Halévy, die Juliette in «Roméo et Juliette» von Gounod, die Infantin in «Le Cid» von Massenet, die Gwendoline in der gleichnamigen Oper von E. Chabrier und die Sieglinde in der «Walküre».

Mardayn, Christl, Sopran, * 8. 12. 1896 Wien, † 24. 7. 1971 Wien. Sie trat bereits als musikalisches Wunderkind auf und kam nach ihrer Ausbildung zuerst an die Wiener Volksoper, an der sie in Partien aus dem Fachbereich der Soubrette Aufsehen erregte. Im Laufe ihrer Karriere wurde sie am Wiener Theater an der Wien, am dortigen Raimund- und Volkstheater, am Künstlertheater in Berlin und auf ausgedehnten Gastspielreisen bewundert. Dabei entwickelte sie in einem überaus vielseitigen Repertoire ihre Aktivitäten sowohl auf der Opern-, der Operetten- wie der Sprechbühne, womit sie im Grunde einer alten Wiener Tradition folgte. Von ihren Opernpartien sind an erster Stelle die Blondchen in der «Entführung aus dem Serail», der Hirtenknabe im «Tannhäuser» von R. Wagner, die Musetta in Puccinis «La Bohème», anderseits die Adele in der «Fledermaus» und die Wirtin in der Benatzky-Operette «Im weißen Rössl» als Höhepunkte in einem Operettenrepertoire von sehr großer Spannweite hervorzuheben. In diesen Partien wie in einer Vielfalt von Sprechrollen wurde ihr Auftreten durch ihre charmante Person wie durch ihre virtuose Kunst der Darstellung auf eine besondere Stufe gehoben. Diese Vorzüge führten auch zu einer großen Karriere der Künstlerin beim Tonfilm. Gegen Ende ihrer Karriere trat sie an den Bühnen der österreichischen Metropole (Theater in der Josefstadt, Volksoper, Renaissance-Theater, Deutsches Volkstheater) hauptsächlich wieder in Operetten vor ihr Publikum. Sie sang in den Uraufführungen der Operetten «Die Bajadere» von E. Kálmán (Carl-Theater Wien 1921 als Odette Darimonde) und «Tanz ins Glück» von Robert Stolz (Raimund-Theater Wien als Lizzi 1920). In erster Ehe war sie mit dem Schauspieler Hermann Thimig (* 1900), den sie in Hannover kennengelernt hatte, verheiratet, in zweiter mit dem Kaufmann Paul Mühlbacher. Sie wirkte später als Pädagogin am Konservatorium der Stadt Wien und erhielt schließlich eine Professur an der Wiener Musikakademie.
Schallplattenaufnahmen auf Polydor, Odeon, einige auch noch auf Philips, zumeist Ausschnitte aus Operetten, Unterhaltungslieder und Tonfilmaufnahmen.

Maria Theresia, Kaiserin von Österreich, Sopran, * 6. 6. 1772 Neapel, † 13. 4. 1807 Wien; sie war die

Tochter Ferdinands I., Königs von Neapel und beider Sizilien, und der österreichischen Erzherzogin Karoline Maria (1752–1814), einer Tochter der großen Kaiserin Maria Theresia. Am 17. 9. 1790 heiratete sie ihren Vetter, den späteren Kaiser Franz I. von Österreich (1768–1835). Wie ihre Mutter war sie sehr musikliebend und wurde in Wien zur großen Gönnerin von Joseph Haydn, unterstützte aber auch viele andere Komponisten dieser Epoche, die für das Wiener Musikleben einen besonderen Höhepunkt bedeutete. Es ist nicht ganz sicher, ob Haydn der von ihm verehrten Kaiserin seine 1799 komponierte Theresienmesse gewidmet hat. Nach dem enormen Erfolg, den die großen Oratorien «Die Schöpfung» und «Die Jahreszeiten» von Haydn hatten, übernahm die Kaiserin selbst die Sopransoli in den Werken und trug sie in Hofkonzerten in Wien am 24. und 25. 5. 1801 meisterhaft vor. Den Bruder des großen Meisters, Michael Haydn, lud sie zweimal an den Wiener Hof ein. Beethoven widmete ihr sein Septett op. 80. Im übrigen war die Ehe der vielseitig begabten, temperamentvollen jungen Frau mit Franz I. sehr glücklich; aus ihr gingen in 17 Jahren 13 Kinder hervor. Nach der Geburt ihrer letzten Tochter, der Erzherzogin Anna Amalia (* 6. 4. 1807 und nach wenigen Tagen verstorben), starb die bereits zuvor erkrankte Kaiserin an einer tuberkulösen Rippenfellentzündung, allgemein von der Bevölkerung betrauert.

Mariano, Luis, Tenor, * 12. 8. 1920 Irun (Spanien), † 15. 7. 1970 Paris; eigentlicher Name Luis Mariano Eusebio Gonzalès. Er studierte am Konservatorium von Bordeaux, dann am Conservatoire National de Paris. 1943 debütierte er im Palais Chaillot Paris als Partner der berühmten Vina Bovy in der Partie des Ernesto im «Don Pasquale» und erschien in dieser Rolle auch an der Oper von Marseille. Auf Anraten von Vina Bovy wandte er sich dann ganz der Operette zu und kam auf diesem Gebiet nach dem Zweiten Weltkrieg in Paris zu ungewöhnlichen Erfolgen. Man bewunderte ihn vor allem in den Operetten «La Belle de Cadix» und «Le Chanteur de Mexico» von Lopez. Für diesen Komponisten wurde er als Interpret so bekannt wie etwa in den zwanziger Jahren Richard Tauber in den Operetten von F. Lehár. Er wirkte in mehr als 25 Musikfilmen mit und gastierte sehr erfolgreich an französischen Provinzbühnen, in Belgien und Kanada. Neben seinen Erfolgen auf der Bühne, am Rundfunk und auf seinen Schallplatten bildete sein bewegtes Privatleben ein aufregendes Thema für die entsprechende Presse der damaligen Zeit.
Schallplatten: Zuerst erschien ein Duett aus «Don Pasquale», zusammen mit Vina Bovy, auf Pathé. Dann kamen zahlreiche Operettenquerschnitte auf verschiedenen Marken heraus, Recital-Platten und Unterhaltungslieder, bis hin zu Schlagern. Diese Aufnahmen fanden nicht nur in Frankreich und Spanien, sondern in aller Welt Verbreitung.

Marinacci, Gloria, Sopran, * 12. 6. 1938 Tacoma (Washington); die Sängerin, die eigentlich Gloria Cutsforth hieß, war in den USA Schülerin von Eve-

lene Calbreath, Gibner King und Ivan Rasmussen, in Rom von Luigi Ricci. Sie debütierte 1969 bei der Portland Opera als Musetta in Puccinis «La Bohème». An dieser Bühne wie an den Opernhäusern von Chicago, Philadelphia, Seattle, Omaha, Hawaii und Vancouver kam sie zu einer erfolgreichen Karriere als Koloratursopranistin und hatte nicht weniger große Erfolge als Konzertsolistin. Aus ihrem vielgestaltigen Bühnenrepertoire sind als Höhepunkte die Norina im «Don Pasquale», die Lucia di Lammermoor, die Gilda im «Rigoletto» von Verdi, die Violetta in «La Traviata», die Mimi wie die Musetta in «La Bohème», die Lauretta in Puccinis «Gianni Schicchi», die Liu in «Turandot», die Manon in Massenets bekannter Oper, die Nedda im «Bajazzo», die Serpina in «La serva padrona» von Pergolesi, die Marguerite im «Faust» von Gounod, die Rosina im «Barbier von Sevilla» von Rossini, die Lucy in «The Telephone» von Menotti, die Berta in «The Black Widow» von Pasatieri, die Frau in «La Voix humaine» von Poulenc und die Abigail in «The Crucible» von Ward hervorzuheben. Auch im pädagogischen Bereich tätig.

Marion, Paolo, Tenor, * 1895 Zagreb (Agram), † 1962 Buenos Aires; sein eigentlicher Name lautete Pavao Vlahović Marion; er erhielt seine Ausbildung an der Musikakademie von Zagreb. 1913 debütierte er am Theater von Novi Sad (Neusatz, Wojwodina) und betrieb dann seine weiteren Studien in Wien. Seit 1918 trat er als Gast an vielen führenden Bühnen in aller Welt in Erscheinung. 1918 gastierte er in Budapest, 1919 in Berlin, 1921 in München. In den Jahren 1927–28 und 1934 war er als Gast sehr erfolgreich an der Wiener Staatsoper, 1932 an der Opéra-Comique Paris als Cavaradossi in «Tosca». 1933–34 war er für eine Spielzeit Mitglied der Kroatischen Nationaloper Zagreb, 1938 an der Nationaloper von Belgrad zu Gast. Auch an italienischen Bühnen trat er auf; an der Mailänder Scala sang er am 31. 1. 1931 in der Uraufführung der Oper «La Notte di Zoraima» von Montemezzi die Partie des Muscar. 1939 gab er in Berlin mehrere Konzerte. Nicht zuletzt wurde er bei Bühnen- wie Konzertauftritten in Südamerika gefeiert. Aus seinem Repertoire für die Bühne sind zu nennen: der Manrico im «Troubadour», der Radames in «Aida», der José in «Carmen», der Enzo in «La Gioconda» von Ponchielli, der Titelheld in «Andrea Chénier» von Giordano, der Lohengrin, der Parsifal und der Titelheld in der Oper «Porin» von Vatroslav Lisinski.
Schallplattenaufnahmen auf Columbia.

Markan, Marianne, Mezzosopran, * 10. 10. 1867 Wien, † (?); sie war die Tochter eines Bergwerksbesitzers und wurde durch die berühmte Marianne Brandt in Wien zur Sängerin ausgebildet. 1887 begann sie ihre Bühnenkarriere mit einem Engagement am Stadttheater von Stettin. 1889 ging die Künstlerin an das Stadttheater von Bremen und wurde 1890 an das Hoftheater von Dessau verpflichtet. Hier wie bei Gastspielen und Konzerten hatte sie in einer Vielzahl von Aufgaben wichtige Erfolge. Auf der Bühne trat sie u. a. als Fides im «Propheten» von Meyerbeer, als Azucena im «Troubadour», als Amneris in «Aida», als Nancy in Flotows «Martha», als Titelheld im »Orpheus» von Gluck, als Adriano in «Rienzi» von R. Wagner, als Ortrud im «Lohengrin» und als Mercedes in «Carmen» von Bizet hervor. Bis zum Jahre 1900 gehörte sie dem Dessauer Hoftheater an.

Markhoff, Franz, Baß, * 18. 6. 1880 Wien, † 18. 1. 1964 Wien; nachdem er seine Ausbildung in Wien erhalten hatte, trat er zuerst als Konzertsänger in Erscheinung. Seine eigentliche Bühnenkarriere begann mit seiner Berufung an die Wiener Hofoper 1911. Bis zum Ende der Spielzeit 1936 ist er Mitglied dieses Hauses, der späteren Wiener Staatsoper, geblieben. Sehr bekannt wurde er durch sein Auftreten im Rahmen der Salzburger Festspiele, bei denen er 1922 und 1925–30 mitwirkte. Er sang in Salzburg den Komtur im «Don Giovanni», den Bartolo in «Figaros Hochzeit», den Sprecher in der «Zauberflöte» und den Don Fernando im «Fidelio». Dazu nahm er als Solist an zahlreichen Konzerten in Salzburg, vor allem an den dortigen Dom-Konzerten, teil. Er unternahm auch Gastspiele und sang 1924 an der Covent Garden Oper London den Hunding in der «Walküre», 1928 mit dem Ensemble der Wiener Staatsoper an der Pariser Grand Opéra den Komtur im «Don Giovanni», den Bartolo in «Figaros Hochzeit», den Hunding in der «Walküre» und den Don Fernando im «Fidelio«. Zwei weitere große Partien des Künstlers waren der Sarastro in der «Zauberflöte» und der Gurnemanz im «Parsifal». 1918 wirkte er an der Wiener Hofoper in der ersten deutschsprachigen Aufführung von Janáčeks «Jenufa» mit. Nach Abschluß seiner Bühnenkarriere war er in Wien im pädagogischen Bereich tätig.
Schallplattenaufnahmen des Künstlers sind nicht bekannt.

Markus, Urs, Bariton, * 29. 9. 1941 Villmergen (Kanton Aargau, Schweiz); eigentlicher Name Urs Bürgisser. Er wurde am Konservatorium von Zürich wie im Opernstudio des Zürcher Opernhauses zunächst zum Bassisten ausgebildet und wirkte als solcher 1969–70 am Städtebundtheater Biel-Solothurn. Noch nochmaligen Studien bei Wladimiro Badiali und bei Angelo Lo Forese in Mailand (1978–81) sowie bei Tiny Westendorp in Fribourg wechselte er ins Baritonfach und war 1983–86 am Stadttheater von Trier engagiert. 1986–88 sang er am Staatstheater Braunschweig und seit 1988 am Nationaltheater Mannheim. Er gastierte am Grand Théâtre Genf, an den Theatern von Nancy und Metz und kam zu einer internationalen Konzertkarriere mit Auftritten in Berlin, Basel, Bern, Zürich, Lausanne, Genf, in Venedig und Kopenhagen. Aus seinem Bühnenrepertoire sind der Graf in «Figaros Hochzeit», der Alfonso in «Così fan tutte», der Pizarro im «Fidelio», der Agamemnon in Glucks «Iphigénie en Aulide», der Amonasro in «Aida», der Jago in Verdis «Othello», der Fliegende Holländer, der Telramund im «Lohengrin», der Hans Sachs in den «Meistersingern», der Escamillo in «Carmen», der Sebastiano in «Tiefland» von d'Albert

und der Titelheld in «Enoch Arden» von O. Gerster zu nennen.
Schallplatten: A. Lanz-Verlag (Messe C-dur von Beethoven).

Marletta, Luigi, Tenor, * 16. 12. 1895 Cellamonte bei Alessandria; er war zuerst Schüler von Maestro Vallaro in Casale Monferrato und studierte dann am Mailänder Konservatorium bei Vincenzo Pintorno. 1923 kam er zu einem großen Erfolg, als er am Teatro Carcano von Mailand den Manrico im «Troubadour» von Verdi sang. Während vieler Jahre trat er dann an den großen Opernbühnen der italienischen Halbinsel in Erscheinung: am Teatro Regio Turin, am Teatro Fenice Venedig, am Teatro San Carlo Neapel, am Teatro Carlo Felice Genua und am Teatro Massimo Palermo. Sehr große Erfolge erzielte er bei Gastspielen in Südamerika, namentlich in Rio de Janeiro und Buenos Aires. Er gastierte auch am Théâtre de la Monnaie Brüssel, am Royal Opera House Malta und nahm an den Gastspielreisen der Wanderoper Carro di Tespi Lirico durch Italien teil. Dirigenten wie Arturo Toscanini und Tullio Serafin schätzten sein Können hoch ein. Seine großen Bühnenpartien fanden sich im heldischen Tenorfach (Radames in «Aida», Manrico im «Troubadour», Alvaro in «La forza del destino», Arnoldo in Rossinis «Wilhelm Tell», Vasco in Meyerbeers «Africaine»). Seit 1927 war er mit der Altistin *Camilla Rota* (1899–1977) verheiratet.

Marone, Albino, Baß, * 14. 8. 1891 Turin, † 5. 9. 1962 Alfiano Natta bei Alessandria; wurde 1911 Chorist am Teatro Regio Turin und dann durch Pia Rocca und durch Maestro Boglione zum Solisten ausgebildet. Einen ersten großen Erfolg hatte er, als er unter dem berühmten Dirigenten Tullio Serafin den Pogner in den «Meistersingern» sang. Er sang dann, ebenfalls mit großem Erfolg, während mehrerer Spielzeiten an der Mailänder Scala und wurde durch Toscanini in großen Aufgaben herausgestellt; so sang er 1926 den Großinquisitor in Verdis «Don Carlos». Er nahm 1929 an den Scala-Gastspielen in Wien und Berlin teil, die zu einem großen Triumph für Toscanini wie für das Ensemble wurden. Albino Marone sang dabei in «Aida» wie im «Rigoletto» von Verdi. 1931 gastierte er am Teatro Massimo Palermo als Oroveso in «Norma» (mit Gina Cigna in der Titelrolle), als Pimen im «Boris Godunow» und als Marke in «Tristan». Er bereiste auch Frankreich, die Schweiz, Ungarn, Ägypten, Spanien, Portugal, Griechenland, Nord- und Südamerika. In der zweiten Hälfte seiner Karriere trat er viel am Italienischen Rundfunk EIAR Rom und Turin auf; fast alljährlich war er in Südamerika anzutreffen, wo man ihn besonders schätzte. Die Ereignisse des Zweiten Weltkrieges veranlaßten ihn, in seiner italienischen Heimat zu bleiben, wo er sich in Turin als Hunding in der «Walküre» von seinem Publikum verabschiedete. Auch als Konzertbassist kam er zu hohem Ansehen; so nahm er 1925 an einem Gala-Konzert vor den Delegierten des Genfer Völkerbunds teil und wurde von dem italienischen Minister Scialoia mit einer Goldmedaille ausgezeichnet.

Schallplatten: Zwei Ensembleszenen aus «Wilhelm Tell» und aus «Un ballo in maschera» auf Odeon (um 1930); vollständige Aufnahmen von Monteverdis «Orfeo» auf HMV (etwa 1938, als Caronte und Plutone).

Marowski, Hermann, Baß, * 1886, † 3. 3. 1953 Hamburg; er war zunächst als Operettensänger am Berliner Metropoltheater engagiert (1910–11) und kam für die Spielzeit 1912–13 an das Opernhaus von Frankfurt a. M. Er begann dann eine weitere Ausbildung, wurde aber als Soldat im Ersten Weltkrieg eingezogen. 1916 konnte er am Opernhaus (Stadttheater) von Hamburg seine unterbrochene Karriere wieder aufnehmen und blieb nun bis zur Beendigung seiner Bühnenlaufbahn 1938 Mitglied dieses Hauses. In Hamburg wirkte er am 7. 10. 1927 in der Uraufführung der Oper «Das Wunder der Heliane» von E. W. Korngold mit, 1931 sang er dort in der deutschen Erstaufführung von Pizzettis «Fra Gherardo». 1924 gastierte er an der Londoner Covent Garden Oper als Marke im «Tristan» und als Hunding in der «Walküre», 1928 war er am Teatro Liceo Barcelona als Gast anzutreffen. Zu großen Erfolgen kam er bei den Festspielen in der Waldoper von Zoppot, wo er 1928 den Gurnemanz im «Parsifal», 1929 den Pogner in den «Meistersingern» und 1930 den Eremiten im «Freischütz» sang. Von den zahlreichen weiteren Partien, die Bestandteil seines Bühnenrepertoires waren, seien noch der Landgraf im «Tannhäuser», der Marcel in den «Hugenotten» von Meyerbeer und der Oberpriester in «L'Africaine» vom gleichen Komponisten genannt. In Hamburg wie bei Gastspielen auch als Konzertsolist erfolgreich.

Marquez, Marta, Sopran, * 1955 (?) San Juan auf Puerto Rico; sie studierte Gesang und Musikwissenschaften an der Juilliard School of Music in New York und erwarb das Abschlußdiplom dieses Instituts mit den akademischen Graden eines Bachelor und eines Master of Music. Während ihres Studiums in New York nahm sie an regelmäßigen Meisterkursen bei dem berühmten Bariton Tito Gobbi in Florenz teil. Als erste Partie sang sie am American Opera Centre im New Yorker Lincoln Centre den Pagen Oscar in Verdis «Ballo in maschera». 1979 wurde sie an das Staatstheater Saarbrücken verpflichtet und stellte sich dessen Publikum in der Rolle der Konstanze in Mozarts «Entführung aus dem Serail» vor. Sie heiratete den Regisseur dieser Produktion Michael Temme, der später vor allem am Opernhaus von Essen wirkte. In Saarbrücken hörte man die Künstlerin bis 1984 in Partien wie der Frau Fluth in den «Lustigen Weibern von Windsor» von Nicolai, der Mimi in «La Bohème», der Zdenka in «Arabella» von R. Strauss, der Susanna in «Figaros Hochzeit» und der Titelheldin in «La Traviata». 1984 wurde sie Mitglied der Deutschen Oper am Rhein Düsseldorf-Duisburg. Sie gastierte oftmals an den Staatsopern von München und Hamburg, an den Opernhäusern von Frankfurt a. M., Essen und Köln, am Stadttheater Aachen und an weiteren Bühnen. 1982 sang sie beim Festival von Spoleto die

Partie der Sylvie in der vergessenen Oper «La Colombe» von Gounod. Regelmäßig war sie beim Pablo Casals Festival in ihrer Heimat Puerto Rico anzutreffen. 1987 nahm sie an einem längeren Gastspiel der Deutschen Oper am Rhein in Moskau teil. Ihr Bühnenrepertoire umfaßte rund 30 Partien und war fachlich von der italienischen Soubrette bis hin zum leichten lyrischen Sopran (Nedda im «Bajazzo», Musetta und Mimi in «La Bohème») angesiedelt. Dazu trat sie als Konzertsängerin in einem vielseitigen Repertoire auf.

Martens, Johannes, Tenor, * 11. 5. 1844 Bad Oldesloe (Holstein), † 12. 5. 1892 Dresden–Blasewitz; er begann seine Bühnenlaufbahn 1874 am Hoftheater von Wiesbaden. 1874–75 war er am Stadttheater von Mainz, 1875–77 am Hoftheater Mannheim engagiert. Es schlossen sich Verpflichtungen am Deutschen Theater Prag (1877–78), am Stadttheater Zürich (1878–80), im ostpreußischen Königsberg (bis 1881), am Hoftheater Stuttgart (1881–82) und am Deutschen Opernhaus Rotterdam (1882–84) an. Sein rastloses Wanderleben von einer Bühne zur anderen führte ihn 1884–85 nochmals an das Stadttheater von Mainz, 1885–86 an das Stadttheater Bremen, 1886–87 an das Opernhaus Düsseldorf; 1887–88 bestand ein Gast-Engagement am Theater von Olmütz (Olomouc). 1875 gastierte er, auf dem Höhepunkt seiner Karriere stehend, an der Dresdner Hofoper, am Opernhaus von Leipzig und am Stadttheater von Hamburg. Höhepunkte in seinem weitreichenden Bühnenrepertoire waren Partien wie der Manrico im «Troubadour», der Herzog im «Rigoletto» und der Titelheld im «Lohengrin». Er starb, verarmt und vereinsamt, nachdem seine Karriere, wohl durch Überanstrengung der Stimme, ein vorzeitiges Ende genommen hatte.

Martig-Tüller, Barbara, Sopran, * 8. 2. 1940 Bern (Schweiz); sie war die Tochter des Tenors *Erwin Tüller* (1904–71) und die Schwester des Baß-Baritons *Nikolaus Tüller* (* 1942). Sie war am Konservatorium von Bern Schülerin von Helene Fahrni und von Felix Loeffel (1959–68) und wurde auch durch Franziska Martienssen-Lohmann und Paul Lohmann, durch Ernst Häfliger und Sylvia Gähwiller (1969–71) in Zürich und schließlich in Bern durch Dennis Hall unterrichtet. Sie ging von ihrem Wohnort Bern aus ihrer Karriere nach. Dabei war sie in erster Linie als Konzertsolistin tätig. Seit 1966 trat sie als Oratorien- und Liedersängerin in einem weitreichenden Repertoire vor ihr Publikum. Sie sang in den Passionen von J. S. Bach, in dessen h-moll-Messe und in zahlreichen seiner Kantaten, in Werken von G. F. Händel, Haydn, Mozart, Beethoven, Mendelssohn, Verdi, Rossini, von A. Honegger, A. Berg, W. Burkhard, O. Schoeck, Debussy, Ravel, Satie, von Jan Dismas Zelenka, von Schubert und Richard Strauss. Sie gab Konzerte beim Bachfest in Mainz, bei den Händelfesten in Halle/Saale und Leipzig, in Turin, Rotterdam, Bristol, Autun, in Hilversum, Paris und Straßburg, vor allem aber in den Musikmetropolen in der Schweiz und in Deutschland. 1980 sang sie in Zürich das Sopransolo in «Nocturnes» von G. Holzer in der Uraufführung des Werks. Auch auf der Bühne ist sie aufgetreten. Sie gastierte an den Theatern von Basel, Bern, Luzern und Metz in Partien wie der Titelheldin in Flotows «Martha», der Donna Elvira im «Don Giovanni», der Elettra in Mozarts «Idomeneo», der Pamina in der «Zauberflöte», der Blanche in «Dialogues des Carmélites» von Poulenc, der Agathe im «Freischütz», der Amelia in Verdis «Simon Boccanegra» und der Mutter in «Die schwarze Spinne» von H. Sutermeister. Seit 1986 wirkte sie in Bern im pädagogischen Bereich.

Schallplatten: Accord («Apollo e Dafne» von Händel, Vokalwerke von J. Haydn), Carus-Verlag (Missa Dei Patris von J. D. Zelenka), Calig-Verlag (Harmonie-Messe von J. Haydn), Jecklin-Disco (Spiegel-Kantate von K. Cornell).

Martin, Andrea, Bariton, * 9. 3. 1949 Klagenfurt; der aus österreichisch-italienischer Familie stammende Künstler studierte zunächst an der Wiener Universität Rechtswissenschaften und promovierte zum Dr. jur. Dann widmete er sich der Ausbildung der Stimme, die an der Wiener Musikhochschule und an der Accademia di Santa Cecilia Rom stattfand. Ergänzende Studien bei Anton Dermota in Wien (für den Liedgesang), bei Hans Hotter, bei Ettore Campogalliani, Mario del Monaco und Giuseppe Taddei sowie im Opernstudio der Wiener Staatsoper. Er trat zu Beginn seiner Bühnenkarriere als Gast an der Wiener Kammeroper, an den Theatern von Klagenfurt, Salzburg und Graz, dann auch am Stadttheater von Hagen (Westfalen) und an der Staatsoper von München auf. 1979 erfolgte sein Italien-Debüt am Teatro Comunale Treviso als Malatesta in Donizettis «Don Pasquale». 1980 gewann er Preise bei mehreren internationalen Gesangwettbewerben: in Sofia, Toulouse, Reggio Emilia und beim Maria Callas-Wettbewerb des italienischen Rundfunks RAI. In Italien kam er an den führenden Bühnen des Landes zu einer großen Karriere; er gastierte an der Oper von Rom und am Teatro Massimo Palermo, am Teatro Comunale Bologna und dem Teatro Fenice Venedig, am Teatro San Carlo Neapel, in Verona, Lecce und Bari. Er wirkte bei den Festspielen von Wiesbaden («Maria de Rudenz» von Donizetti mit dem Ensemble des Teatro Fenice Venedig) und Spoleto, beim Festival von Ravenna (Michonnet in «Adriana Lecouvreur» von Cilea als Partner von Renata Scotto) und bei den Wiener Festwochen mit; er trat als Gast am Teatro Liceo Barcelona, am Teatro San Carlos Lissabon, am Théâtre des Champs-Elysées Paris, an der Staatsoper Dresden (Graf Luna im «Troubadour») und an der Opéra de Wallonie Lüttich auf. Sein Bühnenrepertoire enthielt vor allem die Partien seines Stimmfachs aus dem Bereich der italienischen Belcanto-Oper (zahlreiche, darunter selten gehörte Opernwerke von Donizetti), aus Opern von Mozart und Verdi. Im Konzertsaal erwies er sich als hervorragender Oratoriensolist (u. a. auch als Bach- und Händel-Interpret) und als Liedersänger von Rang. Konzert-Tourneen führten ihn nach Japan, Korea, in die USA und nach Brasilien.

Schallplatten: Nuova Era («Imelda de Lambertazzi» und «Alina» von Donizetti, «Axur» von A. Salieri, «Così fan tutte»).

Martin, Frederic, Baß-Bariton, * 1869, † 1945; dieser amerikanische Sänger war in der Zeit um die Jahrhundertwende ein bekannter Oratoriensolist, der u. a. mit dem Boston Festival Orchestra zusammen und bei Oratorienaufführungen in Pittsburgh, Chicago und in anderen Zentren des nordamerikanischen Musiklebens auftrat. Er ist deshalb von Bedeutung, weil 1915 auf Edison einige schöne Schallplattenaufnahmen seiner Stimme herausgebracht wurden, die von Sammlern geschätzt werden. Darunter finden sich neben Arien aus dem «Elias» von Mendelssohn auch einige Opernszenen. Noch vor diesen Aufnahmen kamen zwei Titel auf Columbia zur Veröffentlichung. Auf Genett-Discs kamen 1918 Arien und Lieder heraus.

Martin, Kathleen, Sopran, * 28. 2. 1948 im amerikanischen Staat Texas; Ausbildung zur Musiklehrerin und Sängerin an der University of South California in Los Angeles, dann an der California State University in Long Beech. Sie war Schülerin der Pädagogin Josephine Lott. Nachdem sie zwei Gesangwettbewerbe gewonnen hatte, entschloß sie sich zur Bühnenkarriere, die sie in San Francisco mit der Butterfly als Debütrolle begann. 1974 kam sie nach Westdeutschland und war 1974–80 am Stadttheater von Lübeck engagiert. Hier sang sie Partien wie die Fiordiligi in «Così fan tutte», die Donna Elvira im «Don Giovanni», die Nedda im «Bajazzo», die Mimi in «La Bohème» von Puccini, die Desdemona in Verdis «Othello», die Leonore im «Troubadour», die Elsa im «Lohengrin», die Tatjana in Tschaikowskys «Eugen Onegin», die Titelheldin in «Katja Kabanowa» von Janáček und die Saffi in der Strauß-Operette «Der Zigeunerbaron». 1980–83 war sie am Opernhaus von Frankfurt a. M. tätig und ging seitdem einer ausgedehnten Gastspieltätigkeit nach; als ständiger Gast war sie am Münchner Theater am Gärtnerplatz anzutreffen. Am 1. 2. 1985 wirkte sie an der Oper von Toulouse, an der sie mehrfach gastierte, in der Uraufführung der Oper «Montségur» von Marcel Landowski mit und gastierte in dieser Oper auch 1987 an der Grand Opéra Paris.

Martin, Marvys, Sopran, * 1956 (?) Miami (Florida); sie erhielt ihre Ausbildung an der University of Miami und an der Manhattan School of Music New York. Im Januar 1983 kam es zu ihrem Debüt an der Metropolitan Oper New York als Prinzessin in «L'Enfant et les sortilèges» von Maurice Ravel. In den folgenden Spielzeiten sang sie dort Partien wie die Xenia im «Boris Godunow» von Mussorgsky, die Echo in «Ariadne auf Naxos» von Richard Strauss, die Clara in «Porgy and Bess» von G. Gershwin und (unsichtbar) die Voce celeste in Verdis «Don Carlos». Bereits vor ihrem Metropolitan-Debüt war sie in Europa aufgetreten, wo sie 1983 sowohl bei den Festspielen von Schwetzingen wie auch beim Festival von Aix-en-Provence die Ismene in «Mitridate» von Mozart vortrug. Auch als Konzertsopranistin erfolgreich.

Martini, Marguerite, Sopran, * 13. 7. 1865 Marseille, † (?); sie erhielt ihre Ausbildung in ihrer Heimatstadt Marseille und debütierte 1885 am Opernhaus (Théâtre Capitole) Toulouse als Inez in «L' Africaine» von Meyerbeer. 1886–88 wirkte sie am Théâtre de la Monnaie Brüssel und unternahm dann Gastspiele an den führenden französischen Opernhäusern, darunter in Bordeaux, Nizza, Marseille, Lyon und Rouen. 1893 sang sie an der Grand Opéra Paris die Sieglinde in der «Walküre», 1894 die Brunehilde in «Sigurd» von Reyer. Sie gastierte sehr erfolgreich 1888 als Leonore im «Troubadour» und 1891 als Marguerite im «Faust» an der Covent Garden Oper London; an der Oper von Monte Carlo hörte man sie 1896 als Isolde im «Tristan». Einer ihrer letzten Auftritte fand 1899 am Théâtre Renaissance Paris als Rezia im «Oberon» von Weber statt. Um 1900 zog sie sich von der Bühne zurück und lebte wieder in Marseille. Am Théâtre de la Monnaie hatte sie 1887 in der französischsprachigen Erstaufführung der Oper «La Gioconda» von Ponchielli die Laura gesungen, im gleichen Jahr in der von R. Wagners «Walküre» die Sieglinde. Zu ihren Glanzrollen gehörten auch die Elsa im «Lohengrin» und die Marguerite de Valois in den «Hugenotten» von Meyerbeer.

Martinpelto, Hillevi, Sopran, * 9. 1. 1958 Älvdalen in der schwedischen Landschaft Dalarna; sie studierte vier Jahre an der Königlichen Musikakademie Stockholm und war dann 1984–87 in der Königlichen Opernschule Stockholm Schülerin von Lilian Gentele. 1982 kam es zu ihrem Bühnendebüt in Stockholm in der Oper «A Midsummer Night's Dream» von M. Tippett. Diese Aufführung wurde 1982–84 bei den Festspielen von Vadstena wiederholt. 1985 gastierte sie an der Folkoperan Stockholm als Aida und sang bei den Festspielen von Drottningholm die Zerline im «Don Giovanni». Im Herbst 1987 kam es zu einem sehr erfolgreichen Debüt der jungen Sängerin an der Königlichen Oper Stockholm in der Titelpartie von Puccinis «Madame Butterfly». 1986 hörte man sie bei der Norrlandsoperan in Ivar Hallströms «Den Bergtagna» (mit der das Ensemble 1988 eine England-Tournee unternahm), 1988 als Tatjana im «Eugen Onegin». 1988 war sie an der Oper von Oslo als Donna Anna im «Don Giovanni» zu Gast, an der Norrlandsoperan als Marguerite im «Faust» von Gounod. Die Donna Anna sang sie dann auch an der Oper von Stockholm und bei einem Gastspiel dieses Hauses am Bolschoj Theater Moskau 1989. 1989 trat sie bei den Festspielen von Drottningholm als Iphigénie in Glucks «Iphigénie en Aulide» auf, am Théâtre de la Monnaie Brüssel 1990 als Fiordiligi in «Così fan tutte». Sie gastierte weiter bei den Festspielen von Edinburgh, Brighton und York, gab Konzerte in Schweden wie in Deutschland und trat in Rundfunk- und Fernsehsendungen auf.
Schallplatten: Musica Sveciae («Svenska Messan» von Roman, «Trauerkantate für Gustav III.» von Kraus).

Martinsen, Tom, Tenor, * 1957; der norwegische Sänger sang bereits mit acht Jahren in einem Kinderchor. Er studierte in Oslo und Stockholm und nahm an Fortbildungskursen bei so bedeutenden Sängern wie Nicolai Gedda und Tito Gobbi teil. Während einer vierjährigen Tätigkeit an der Königlichen Oper Stockholm hatte er seine ersten Erfolge im lyrischen Stimmfach. Dann verlegte er seine Tätigkeit nach Österreich und Deutschland, sang bei den Laxenburger Kulturtagen und war 1985–88 am Stadttheater von Koblenz engagiert. 1988 ging er an das Theater im Revier Gelsenkirchen. Er trat als Gast u. a. am Theater am Gärtnerplatz München, am Staatstheater von Wiesbaden, am Opernhaus von Wuppertal und in Wien in Erscheinung. Von seinen Bühnenpartien sind der Tamino in der «Zauberflöte», der Ferrando in «Così fan tutte», der Baron im «Wildschütz» von Lortzing, der Graf Almaviva im «Barbier von Sevilla» wie der Lindoro in «La Cenerentola» von Rossini, der Fenton in Verdis «Falstaff», der Nemorino in «Elisir d'amore», der Titelheld in «Hoffmanns Erzählungen», der Rodolfo in Puccinis «La Bohème» und der Fritz in «Amico Fritz» von Mascagni zu nennen. Er übernahm auch Rollen in zeitgenössischen Opern wie «Drömmen om Thérèse» von Werle, «Die beiden Fiedler» von Davis und «Siddharta» von Per Norgaard. Er ist zu Beginn seiner Karriere auch unter dem Namen Tom Borge Martinsen aufgetreten.

Marucco, Pietro, Bariton, * 1848 Turin, † 17. 1. 1908 Turin; er war in seiner Heimatstadt Turin Schüler der Pädagogin Maestra Candiani. 1870 erfolgte sein Bühnendebüt am Teatro Vittorio Emanuele Turin als Nabucco in der gleichnamigen Verdi-Oper. Er sang dann an verschiedenen italienischen Bühnen, u. a. am Teatro Brunetti Bologna (1872), am Teatro Politeama Rom (1872), am Teatro Nazionale Genua, am Teatro Cavour Savona (1872–73) und am Teatro Carcano Mailand (1873). Seit etwa 1880 widmete er sich hauptsächlich der Interpretation komischer Partien und hatte in diesen Rollen eine 25jährige, sehr erfolgreiche Karriere an den führenden italienischen Theatern. Er unternahm ausgedehnte Konzert- und Gastspielreisen, die ihm in den entferntesten Ländern große Ehrungen brachten. So sang er 1875, 1877, 1880 und 1882 in Indien, auf der Insel Java, in der Türkei, in Ägypten und in Japan. Sein Bühnenrepertoire enthielt mehr als hundert Rollen aus allen Bereichen der Opernliteratur. 1905 gab er seine Karriere auf. Er war verheiratet mit der aus Turin gebürtigen Mezzosopranistin *Rosina Marucco,* die teilweise ihren Gatten auf dessen großen Kunstreisen begleitete, aber auch allein am Teatro Fenice Venedig, am Teatro Ristori Verona, am Teatro Riccardi Bergamo, an der Oper von Kairo und an vielen weiteren Bühnen gastierte, und die eine sehr erfolgreiche Südamerika-Tournee absolvierte. Ihre großen Rollen waren die Azucena im «Troubadour», die Maddalena im «Rigoletto», die Ulrica in Verdis «Ballo in maschera», die Lola in «Cavalleria rusticana» und der Siebel im «Faust» von Gounod.

Marussin, Juri (Michailowitsch), Tenor, * 8. 12. 1946 Kisel (Ural); er erhielt seine Ausbildung am Konservatorium von Leningrad durch J. G. Olchowski und kam dann in den Jahren 1977–78 in der Opernschule der Mailänder Scala zum Abschluß seiner Gesangstudien. 1972 erfolgte sein Bühnendebüt am Maly Theater von Leningrad in der Partie des Wodemon in «Jolanthe» von Tschaikowsky. Seit 1981 war er Mitglied des Opernhauses von Leningrad (Kirow-Theater) und kam bald zu einer großen Karriere. Er sang dort wie bei Gastspielen am Moskauer Bolschoj Theater und an weiteren führenden Opernhäusern ein breit angelegtes Repertoire. Daraus sind im einzelnen als Höhepunkte zu nennen: der Cavaradossi in «Tosca», der Alfredo in «La Traviata», der Titelheld in Verdis «Don Carlos», der Lenski in «Eugen Onegin» von Tschaikowsky, der Hermann in «Pique Dame», der Fürst in «Rusalka» von Dargomyshski, die Titelpartien in den Opern «Faust» von Gounod und «Werther» von Massenet. Gastspiele und Konzerte trugen dem Künstler in den Musikzentren der Sowjetunion, in Ungarn, Bulgarien, Rumänien, Jugoslawien, in der DDR, in Finnland, Schweden, Österreich, England, in der ČSSR und in der Schweiz Erfolge ein. 1987 nahm er an den Gastspielen der Leningrader Oper in Westeuropa, u. a. bei den Festspielen von Wiesbaden und an der Covent Garden Oper London, teil.
Schallplattenaufnahmen der staatlichen sowjetrussischen Plattenherstellung (Melodiya).

Maschdrakova, Rumiana, Sopran, * 8. 5. 1941 Vidin (Bulgarien); sie war an der Musikhochschule von Sofia Schülerin von G. Tscherkin, in Wien von Maria Brand. 1966 wurde sie Preisträgerin beim Concours von Karlovy Vary (Karlsbad); 1967 debütierte sei am Opernhaus von Leipzig in der Rolle der Leonore im «Troubadour» von Verdi. Sie kam dann zu einer bedeutenden Karriere an der Nationaloper von Sofia. Aus ihrem Repertoire für die Bühne verdienen ihre Santuzza in «Cavalleria rusticana», ihre Amelia im «Maskenball» von Verdi, ihre Alice Ford in dessen «Falstaff», ihre Leonore in «Troubadour», ihre Senta im «Fliegenden Holländer», ihre Tosca, ihre Salome in der bekannten Richard Strauss-Oper und ihre Antonia in «Hoffmanns Erzählungen» Erwähnung. Gastspiele an bulgarischen Bühnen, in Leipzig wie an den Vereinigten Bühnen Krefeld–Mönchengladbach. Verheiratet mit dem Dirigenten Dimitar Rustscheff.
Schallplatten: Balkanton.

Masquelin, Martine, Sopran, * 1958 Paris; sie erhielt ihre Ausbildung am Conservatoire National Paris und wurde dort 1983 erste Preisträgerin für «Chant Lyrique». 1982 debütierte sie am Opernhaus von Montpellier als Lakmé in der gleichnamigen Oper von Delibes. Die gleiche Partie übernahm sie 1983 an der Deutschen Oper am Rhein Düsseldorf–Duisburg, wo sie dann auch die Sophie im «Rosenkavalier» und die Rosina im «Barbier von Sevilla» sang. Sie trat an französischen Bühnen in Partien wie der Juliette in «Roméo et Juliette» von Gounod, der Titelrolle in «Thaïs» von Massenet und der Violetta

in «La Traviata» (u. a. beim Sommerfestival von Sain-Céré) auf. An der Opéra de Wallonie Lüttich gastierte sie 1988–89 als Juliette und als Edwige in der Offenbach-Operette «Robinson Crusoe». Auch als Konzertsängerin kam sie zu wichtigen Erfolgen; so sang sie in Paris im Requiem von Renaud Gagneux zusammen mit Alain Vanzo die Solopartien.
Schallplatten: Arion («L'Abandon d'Ariane» von D. Milhaud), CBS («Incoronazione di Poppea» von Monteverdi, 1985).

Matteuzzi, William, Tenor, * 1959 (?) Bologna; er studierte Gesang unter Anleitung des Tenors Paride Venturi. Nachdem er mehrere Gesangwettbewerbe gewonnen hatte, darunter den Caruso-Wettbewerb in Mailand, kam er an den großen italienischen Opernhäusern zu einer erfolgreichen Karriere, wobei er sich vor allem auf das klassische Belcanto–Repertoire verlegte. Sein Debüt erfolgte in Mailand als des Grieux in «Manon» von Massenet. In Italien sang er u. a. am Teatro Comunale Bologna (1987 Ramiro in Rossinis «La Cenerentola», Flamand in «Capriccio» von R. Strauss), am Teatro Donizetti Bergamo (1987 Nemorino in «Elisir d'amore»), am Teatro Petruzzelli Bari, am Teatro Fenice Venedig (u. a. 1988 als Titelheld in Rossinis «Le Comte Ory»), in Reggio Emilia, bei den Festspielen von Pesaro (1988 in «La scala di seta» von Rossini) und Spoleto. 1987 gastierte er am Opernhaus von Zürich, 1988 an der Staatsoper Wien. An der Mailänder Scala sang er 1987 den Evander in der klassischen Oper «Alceste» von Gluck, bei den Salzburger Festspielen 1988 den Ramiro in «La Cenerentola», an der Oper von Monte Carlo 1989 den Lindoro in «L'Italiana in Algeri». Im italienischen Fernsehen erschien er in Aufnahmen der Opern «Don Pasquale» und «Der Barbier von Sevilla». Den Grafen Almaviva in der letztgenannten Oper sang er auch bei seinem Debüt an der Metropolitan Oper New York 1988. An der San Francisco Opera gastierte er 1989 als Medoro in «Orlando furioso» von Vivaldi. Neben seinem Wirken auf der Bühne wurde er auch als Konzertsänger bekannt.
Schallplatten: Fonit Cetra («Viva la mamma» von Donizetti), RCA («Francesca da Rimini» von Zandonai), Philips (Borsa in «Rigoletto»), TIS («Saffo» von Pacini), Decca (Edmondo in «Manon Lescaut» von Puccini, Graf Almaviva im «Barbier von Sevilla»), Erato («Zelmira von Rossini), Nuova Eva (Tonio in «La Fille du régiment»).

Mattila, Karita, Sopran, * 5. 9. 1960 Somero (Finnland); sie war an der Sibelius-Akademie von Helsinki Schülerin von Liisa Linko-Malmio. Sie absolvierte weiterbildende Gesangkurse bei so bedeutenden Sängern wie Kim Borg, Erik Saedén, bei dem Pianisten Ralf Gothóni und war in London auch Schülerin von Vera Rozsa. 1981 gewann sie den Lappeenranta Gesangconcours, 1983 den Wettbewerb des englischen Rundfunks BBC «Singer of the World Competition» in Cardiff. 1983 kam es zu ihrem Bühnendebüt an der Nationaloper Helsinki als Gräfin in «Nozze di Figaro», seitdem eine ihrer

Glanzrollen, die sie dann auch in Brüssel und 1987 an der Covent Garden Oper London sang, an der sie 1986 als Pamina in der «Zauberflöte» debütiert hatte. Sie wurde schnell auf internationalem Niveau bekannt. In Straßburg und München (1987) war sie als Fiordiligi in «Così fan tutte» zu Gast, in Paris sang sie wieder die Pamina in der «Zauberflöte», am Theater an der Wien 1988 in der Oper «Fierrabras» von Schubert, im gleichen Jahr am Opernhaus von Houston/Texas als Fiordiligi; an der Hamburger Staatsoper als Tatjana im «Eugen Onegin» von Tschaikowsky, 1989 an der Oper von San Francisco als Ilia in «Idomeneo» zu hören. An der Covent Garden Oper kam sie auch in der Partie der Amelia in «Simon Boccanegra» von Verdi zu bedeutenden Erfolgen. Gastierte an den Opern von Washington und Chicago, an der Scottish Opera Glasgow und in Brüssel (als Eva in den «Meistersingern»). 1990 Debüt an der Metropolitan Oper New York als Donna Elvira im «Don Giovanni». In ihrer finnischen Heimat wirkte sie in Radio- und Fernsehsendungen mit und gab hier wie in Schweden, Dänemark, England, Italien, in Kanada und in der Sowjetunion Konzerte. Zusammen mit dem Philharmonischen Orchester Helsinki nahm sie an einer großen Tournee durch die USA teil.
Schallplatten: DGG (Messe Es-dur von Schubert), Philips (Recital, «Così fan tutte», Te Deum von Bruckner), Supraphon, Finlandia (Lieder von Hindemith und Merikanto).

Matwejew, Alexander Matwejewitsch, Tenor, *25.8.(6.9.) 1876, †3.12. 1961; der eigentliche Name des Sängers war Alexander Wassiljew. Er hatte seine ersten Erfolge am Opernhaus von Tiflis (Tblissi), wo er 1902 debütierte. Später sang er im Ensemble der Zimin-Privatoper Moskau, die zu Beginn unseres Jahrhunderts in Moskau aufsehenerregende Vorstellungen gab. Schließlich folgte er einem Ruf an die Kaiserliche Hofoper St. Petersburg, an der er bis 1918 eine erfolgreiche Karriere absolvierte. Er sang dort vor allem Partien aus dem heldischen und dem Wagner-Fach, darunter den Siegfried im Nibelungenring und die Titelhelden in «Tristan und Isolde», den José in «Carmen», den Sadko in der Oper gleichen Namens von Rimsky-Korssakow, den Levko in dessen «Mainacht» und den Hermann in «Pique Dame» von Tschaikowsky. Neben seinem Wirken auf der Bühne kam eine zweite erfolgreiche Karriere des Künstlers im Konzertsaal zustande.
Schallplatten: Pathé (Opernarien, St. Petersburg 1912).

Maurel, Barbara, Alt, *1889 in Elsaß-Lothringen, †(?); sie kam im Alter von fünf Jahren in die USA, studierte dort und hat ihre ganze Karriere in Nordamerika absolviert. Ob ein Verwandtschaftsverhältnis zu dem berühmten französischen Bariton Victor Maurel besteht, ist nicht geklärt. Sie wollte ursprünglich Pianistin werden, begann diese Ausbildung in Amerika und kam zu deren Vervollständigung nach Paris. Nachdem man dort ihre Stimme entdeckt hatte, ließ sie diese durch Jean de Reszke

und durch andere Lehrer ausbilden. Man hatte sie für die Saison 1914–15 an die Covent Garden Oper London engagiert, als der Erste Weltkrieg ausbrach, worauf sie in ihre amerikanische Heimat zurückkehrte. Dort sang sie für eine Spielzeit bei der Oper von Boston (1917–18), gab dann aber ihre Bühnenkarriere auf und widmete sich ausschließlich dem Konzertgesang. In den folgenden zwölf Jahren kam sie bei ihren Konzertauftritten in den Musikzentren der USA zu großen Erfolgen.
Schallplatten ihrer Stimme erschienen unter dem Etikett von Columbia, doch handelt es sich dabei fast nur um volkstümliche Ballad-Musik. Interessant sind mehrere Duette mit der großen Primadonna Rosa Ponselle. In ihrer einzigen Opernaufnahme singt sie die Maddalena im «Rigoletto»-Quartett, wobei die Sänger nur als «Artists of the Boston Opera» bezeichnet werden.

Maurer, Georg, Baß, *24.2. 1830 Obritz, †5.4. 1908 Weimar; er kam nach seiner Ausbildung zuerst an die Wiener Hofoper zu einer beachtlichen Karriere und sang dann am Theater von Linz (Donau), am Deutschen Theater Amsterdam, in Straßburg und gastierte an verschiedenen deutschen Bühnen. Dabei sang er eine Vielzahl größerer wie auch kleinerer Baß-Partien wie das Repretoire es gerade erforderte. Seine Gattin, *Marie Maurer-Minghetti* (*18.9. 1841 Wien, †15.2. 1904 Brünn) wirkte als Schauspielerin und als Sängerin von Opern- und Operettenpartien u.a. in Wien, in Marburg und in Essen.

Maurer, Serge, Tenor, *20.6. 1934 La Neuveville im Schweizer Kanton Bern; Ausbildung am Conservatoire von Genf bei Fernando Carpi, am Conservatoire von Lyon bei Dumoulin und bei Eva Liebenberg in Hilversum (Holland). 1957 begann er seine Karriere als Konzertsänger, wandte sich dann aber auch dem Operngesang zu. 1962–67 war er Mitglied des Staatstheaters von Karlsruhe, doch wurde er hauptsächlich durch seine Gastspiele bekannt, die ihn u.a. an das Opernhaus von Zürich, an die Theater von Bern, Basel und Lausanne, an die Oper von Lyon (und mit deren Ensemble an das Grand Théâtre Genf), an die Stuttgarter Staatsoper, an die Theater von Hannover, Freiburg i.Br., Heidelberg und Duisburg und das Theater am Gärtnerplatz München führten. Er sang dort vorwiegend Partien aus dem lyrischen Stimmfach in Opern von Mozart, Rossini, Cimarosa, Puccini, R. Strauss, Verdi und Wagner. Im Konzertsaal trat der Künstler in einem noch vielseitigeren Repertoire in Erscheinung, das sich sowohl auf den Oratoriengesang wie auf den Liedvortrag erstreckte und seine Höhepunkte in Vokalwerken von J. S. Bach, Händel, Beethoven, Haydn, Mozart, von A. Schönberg, Strawinsky und Frank Martin erreichte. Er gab Konzerte in der Schweiz wie in Deutschland, in Mailand, Rom, Palermo, Monte Carlo und Paris, beim Holland Festival, im Haag und Groningen, in Straßburg, Avignon und Antwerpen, in Gdansk (Danzig) und Warschau.
Schallplatten: Erato (Petite Messe solennelle von

Rossini), VDE-Gallo (Operetten von Offenbach), CT («Die schwarze Spinne» von H. Sutermeister).

Maus, Peter, Tenor, * 1949 (?); sein Bühnendebüt fand bei einer Aufführung von Wagners früher Oper «Das Liebesverbot» durch ein Ensemble junger Sänger bei den Bayreuther Festspielen von 1972 statt. 1974 wurde er an die Deutsche Oper Berlin verpflichtet, deren Mitglied er blieb. Hier übernahm er vor allem Partien für Buffo- und Charaktertenor wie den Wenzel in der «Verkauften Braut», den Junker Spärlich in Nicolais «Die lustigen Weiber von Windsor», den Peter Iwanow in «Zar und Zimmermann», den Pong in Puccinis «Turandot», den Paul in der Offenbach-Operette «La Grand Duchesse de Gerolstein», den Grafen in «Die Soldaten» von B. A. Zimmermann, den Fatty in «Aufstieg und Fall der Stadt Mahagonny» von Weill, den Aljeya in Janáčeks «Aus einem Totenhaus», dazu auch kleinere Partien. 1981 wirkte er an der Deutschen Oper Berlin in der Uraufführung der Oper «Aus Deutschland» von M. Kagel mit. Bei den Bayreuther Festspielen sang er 1985 eine kleine Partie im «Parsifal», 1986–89 ähnliche Partien in den «Meistersingern». Dazu erzielte er Erfolge als Konzert- und vor allem als Oratoriensänger.
Zahlreiche Schallplatten auf verschiedenen Marken: Mixtur («Das Liebesverbot», Lieder von Richard Wagner), DGG («Meistersinger»), Philips («Parsifal», Bayreuth 1985), FSM-Vox (Messen von F. Schubert), Schwann (Messe von Donizetti, «Der Corregidor» von Hugo Wolf).

Mayer, Franz, Baß-Bariton, * 1951 (?) St. Pölten (Niederösterreich); seine Ausbildung erfolgte am Bruckner-Konservatorium in Linz (Donau) und später bei Karl Heinz Jarius in Frankfurt a. M. 1974 begann er seine Bühnenlaufbahn am Landestheater von Linz (Donau), dessen Mitglied er bis 1977 blieb. 1975 wurde er Preisträger beim Internationalen Gesangwettbewerb in Genf. 1977 folgte er einem Ruf an das Opernhaus von Frankfurt a. M., an dem er seither zu einer langjährigen, erfolgreichen Karriere kam. Gastspiele brachten ihm ähnliche Erfolge an den Staatsopern von Hamburg und Stuttgart, an der Deutschen Oper am Rhein Düsseldorf–Duisburg, am Opernhaus von Köln, in Amsterdam, Salzburg, Zürich und Lissabon. Dabei sang er Partien wie den Leporello und den Masetto im «Don Giovanni», den Papageno in der «Zauberflöte», den Figaro in «Figaros Hochzeit» wie im «Barbier von Sevilla», den Geronimo in Rossinis «Il Turco in Italia», den Paolo in «Simon Boccanegra» von Verdi, den Fra Melitone in «La forza del destino», den Minister im «Fidelio», den Heerrufer im «Lohengrin», den Sakristan in «Tosca», den Simon in «Il quattro rusteghi» von Wolf-Ferrari, den Narbal in «Les Troyens» von Berlioz und den Demetrius in «A Midsummer Night's Dream» von Benjamin Britten. Fast noch bedeutender gestaltete sich seine Karriere als Konzert- und Oratoriensänger mit Auftritten in Wien, Hamburg, Köln, München, Stuttgart, Nürnberg, Madrid, Buenos Aires (Teatro Colón), São Paulo, Montevideo, Tokio, beim Schleswig-Holstein Festival und natür-

lich in Frankfurt a. M. Dabei enthielt sein Repertoire für den Konzertsaal eine Vielzahl von Aufgaben aus allen Bereichen der Vokalmusik, Werke von J. S. Bach, Händel, Haydn, Mozart, Beethoven, Rossini, Mendelssohn, Brahms, Bruckner, Gustav Mahler und Puccini.
Schallplatten: Obligat (c-moll-Messe von Mozart).

Mayerhofer, Fanny, Sopran, * 6. 4. 1878 München, † (?); sie war die Tochter eines Münchner Bürstenfabrikanten. Als sie ihre Schwester, die in London als Operettensängerin engagiert war, 1897 dort besuchte, kam es ohne vorherige Ausbildung am Londoner Prince-of Wales-Theatre zu ihrem Bühnendebüt als Christel im «Vogelhändler» von Zeller. Sie kam nach München zurück und ließ jetzt ihre Stimme ausbilden. Sie ging darauf als Schauspielerin zum Tegernseer Bauerntheater, nahm dann ein Engagement am Thaliatheater Berlin an und folgte einem Ruf an das Germania-Theater in New York. 1901 wurde sie an das Wiener Raimund Theater verpflichtet, an dem sie in Operetten wie in Volksstücken Aufsehen erregte. Sie sang dann am Carl-Theater von Wien hauptsächlich in Operettenaufführungen, trat aber auch immer wieder in Opernpartien vor ihr Publikum. So hörte man sie als Carmen, als Cherubino in «Figaros Hochzeit», als Marguerite im «Faust» von Gounod, vor allem aber in den Operetten des klassischen Zeitalters der Wiener Operette und in Wiener Volksstücken. Dabei war ihr glänzendes darstellerisches Talent Gegenstand der allgemeinen Bewunderung.
Schallplatten: Eine HMV-Aufnahme (ca. 1909).

Maynor, Kevin, Baß, * 24. 7. 1954 Mont Vernon (New York); er studierte 1970–72 an der Manhattan School of Music, 1972–76 an der Bradley University, 1976–77 an der Northwestern University und erwarb den akademischen Grad eines Master of Music. 1979–80 konnte er an der Musikakademie von Moskau seine Ausbildung fortsetzen und wurde als erster westlicher Sänger als Eleve in das Opernstudio des dortigen Bolschoj Theaters aufgenommen. Er brachte seine Studien 1980–83 an der Indiana University Bloomington zum Abschluß. 1983 debütierte er in der New Yorker Carnegie Hall in einer konzertanten Aufführung der Richard Strauss-Oper «Die Liebe der Danaë». 1985 sang er in der Avery Fisher Hall in New York den Rocco im «Fidelio» und im gleichen Jahr an der City Centre Opera New York in der zeitgenössischen Oper «Akhnaten» («Echnathon») von Philip Glass. Es schlossen sich Auftritte an den großen Operntheatern in Nordamerika an, an der Oper von Chicago und in Santa Fé, bei der Virginia Opera, der Nashville Opera, der Long Beach Opera und der Mobile Opera. Gleichzeitig kam es zur Ausbildung einer entsprechenden Konzertkarriere.

Mazarin, Mariette, Sopran, * 1874, † 22. 2. 1952; sie erhielt ihre Ausbildung zur Sängerin am Conservatoire National de Paris und hatte ihr Bühnendebüt 1899 unter dem Namen Mme Charles Richard an der Grand Opéra Paris in der Titelpartie von Verdis

«Aida». 1905 sang sie am Opernhaus von Lyon in der Uraufführung der Oper «Les Girondins» von Fernand le Borne. Sie kam zu einer großen Karriere als lyrisch-dramatische Sopranistin an den beiden großen Opernhäusern der französischen Metropole Paris (1901 Titelheldin in «Louise» an der Opéra-Comique), sang aber auch am Théâtre de la Monnaie Brüssel (wo sie 1906–09 engagiert war), an der Oper von Nizza und an Bühnen in der französischen Provinz. Sie folgte dann einem Ruf an das von Oscar Hammerstein in New York begründete Manhattan Opera House, wo sie 1909–10 ebenfalls sehr erfolgreich tätig war. Man bewunderte hier ihre Carmen; am 1. 10. 1910 sang sie am Manhattan Opera House mit großem Erfolg die Titelfigur in der amerikanischen Erstaufführung der Richard Strauss-Oper «Elektra» (in französischer Sprache). Sie war verheiratet mit dem französischen Bassisten *Léon Rothier* (1874–1951), der jedoch nach der Trennung dieser Ehe die Altistin *Maria Duchène* (* 1884) in zweiter Ehe heiratete. Mariette Mazarin setzte nach der Schließung des Manhattan Opera House 1910 ihre Karriere wieder in Frankreich fort und hatte dort u. a. 1911 einen besonderen Erfolg, als sie an der Grand Opéra die Elisabeth im «Tannhäuser» sang. 1911 kreierte sie an der Oper von Nizza die Martha in der französischen Erstaufführung von E. d'Alberts «Tiefland.» Glanzrollen der Sängerin, die auch als hervorragend begabte Darstellerin bewundert wurde, waren die Titelfigur in «Alceste» von Gluck, die Carmen, die Brünnhilde in den Opern des Nibelungenrings, die Carmen, die Tosca, die Salome in der gleichnamigen Oper von R. Strauss, die Santuzza in «Cavalleria rusticana», die Louise wie die Thaïs in den Opern dieses Namens von Charpentier bzw. Massenet. Es verdient noch Anmerkung, daß wahrscheinlich von ihrer Stimme die erste Rundfunkübertragung einer Opernaufführung gemacht worden ist, und zwar von einer Arie aus «Carmen» bei einer Aufführung dieser Oper 1910 am Manhattan Opera House New York.
Es ist ganz unverständlich, daß von dieser bedeutenden Künstlerin keinerlei Schallplattenaufnahmen vorhanden sind.

Mazzanti, Gaetano, Tenor, * 1880 (?); es handelt sich um einen italienischen Sänger, der in den ersten beiden Dekaden unseres Jahrhunderts als Comprimario-Tenor an italienischen Bühnen auftrat. In der Saison 1906–07 ist er am Teatro Nacional von Havanna in derartigen Rollen in Werken wie «Andrea Chénier» von Giordano, «Lucia di Lammermoor» und «La Traviata» anzutreffen. Um 1920 sang er zwei von diesen Partien auch auf HMV-Schallplatten: den Spoletta in «Tosca» und den Boten in «Aida» in kompletten Aufnahmen dieser Opern.

Mazziotti, Nino, Tenor, * 1910 (?); dieser italienische Künstler sang Comprimario-Partien an verschiedenen italienischen Opernhäusern, vor allem an der Oper von Rom. 1940 ist er am Teatro Fenice Venedig in Aufführungen von Busonis «Arlecchino» anzutreffen. Im gleichen Jahr sang er am italienischen Rundfunk EIAR Rom in der Oper «Giocondo

e il suo Re» von L. Jachino. Schallplattensammlern ist er dadurch bekannt, daß er in der vollständigen Aufnahme von Puccinis «Tosca» auf HMV zusammen mit Maria Caniglia und Benjamino Gigli den Spoletta singt.

Mazzola, Denia, Sopran, * 1956 (?) Bergamo; obwohl sie aus armen Verhältnissen stammte, konnte sie zu einem Architekturstudium kommen, ließ aber dann ihre Stimme ausbilden. Ihre hauptsächliche Lehrerin war die Pädagogin Corinna Malatrasi. Sie gewann den Benjamino Gigli-Gesangwettbewerb in dem Geburtsort des großen Sängers Rieti und betrat am Theater von Rieti erstmals als Gilda im «Rigoletto» die Bühne. Es folgte ein glänzendes Gastspiel am Teatro Grande Brescia als Amina in «La Sonnambula» von Bellini. Sie sang die Partien der Lucia di Lammermoor und der Adina in Donizettis «Elisir d'amore» beim Maggio musicale Fiorentino und dann auch an der Mailänder Scala, wo man sie auch 1987 als Sole in Aufführungen der vergessenen Oper «Fetonte» von Jommelli hörte. Beachtliche Erfolge kamen bei Auslandsgastspielen der jungen Sängerin zustande: 1984 gastierte sie am Landestheater Salzburg als Gilda, später auch als Lucia di Lammermoor, 1985 am Stadttheater St. Gallen als Violetta in Verdis «La Traviata», 1985–87 am Opernhaus von Zürich u. a. als Elvira in «I Puritani» von Bellini. In der Spielzeit 1987–88 hörte man sie am Opernhaus von Köln, 1988–89 am Teatro San Carlo Neapel als Lucia di Lammermoor. Auch in Nordamerika hatte sie Erfolge bei Gastspielen; so sang sie an der Oper von Houston/Texas die Alice Ford in Verdis «Falstaff», bei der New York State Opera die Lucia di Lammermoor und in San Francisco in Donizettis «Maria Stuarda». Weitere Gastspiele, u. a. in Rio de Janeiro (1989 als Norina im «Don Pasquale»), in Monte Carlo, Genf, Oslo und Reykjavik, und Konzerte ließen den Namen der Sängerin weltweit bekannt werden.

Mazzola, Rudolf, Baß, * 1941 Basel; er ergriff zunächst den Beruf seines Lehrers für schwer erziehbare Jugendliche, studierte dann jedoch am Konservatorium von Basel Musik und Gesang, u. a. bei Paul Sandoz. Nachdem er das internationale Opernstudio in Zürich besucht hatte, war er zuerst am Theater St. Gallen (1969–71), wo er als erste Bühnenpartie den Komtur im «Don Giovanni» sang, und dann 1971–75 am Stadttheater von Basel verpflichtet. 1975 wurde er an die Wiener Volksoper (Debüt als Argan in «Der eingebildete Kranke» von Wolpert) und von dort 1977 an die Staatsoper von Wien (Debüt als Osmin) berufen, deren Mitglied er seither blieb. Er spezialisierte sich vor allem auf das Charakter- und Buffo-Fach, sang aber auch Partien wie den Sarastro in der «Zauberflöte», den Gremin im «Eugen Onegin», den Pimen im «Boris Godunow», den Pater Guardian in «Lá forza del destino» und den Großinquisitor in Verdis «Don Carlos». Bei den Bregenzer Festspielen von 1980 hörte man ihn als Osmin in der «Entführung aus dem Serail», 1984 als Sakristan in «Tosca»; bei den Salzburger Festspielen wirkte er in

der Uraufführung der Oper «Baal» von Friedrich Cerha mit (7. 8. 1981). Weitere Gastspiele am Opernhaus von Frankfurt a. M. (1983 als Osmin), an den Staatsopern von München und Hamburg, am Teatro Liceo Barcelona (1984 als Doktor im «Wozzeck» von A. Berg) und an der Opéra de Wallonie Lüttich (1988 als Basilio in Rossinis «Barbier von Sevilla»). An der Grand Opéra Paris war er 1983 als Truffaldino in der Richard Strauss-Oper «Ariadne auf Naxos» zu Gast. Gastierte auch an der Budapester Nationaloper, am Teatro Regio Turin und am Opernhaus von Zürich. Neben seinem Wirken auf der Bühne galt er als hervorragender Konzert- und Oratorienbassist.
Schallplatten: Amadeo («Baal» von F. Cerha, Mitschnitt der Salzburger Uraufführung).

Mazzoleni, Francesco (Franz), Tenor, * 28. 9. 1830 Sebenico (Dalmatien), † (?); er gehörte einer alten lombardischen Familie an, sein Vater wirkte als Advokat in Zara. Er studierte zuerst in Ragusa (Dubrovnik), dann Rechtswissenschaften an der Wiener Universität. Seine Stimme soll entdeckt worden sein, als er mit anderen Studenten ein Ständchen sang und dabei von den berühmten, damals in Wien engagierten Sängern Achille De Bassini und Giovanni Basadonna gehört wurde. Er wurde darauf in Mailand Schüler von Achille De Bassini und debütierte 1851 am Theater von Reggio Calabria als Pollione in «Norma» von Bellini und als Foresto in Verdis «Attila». 1852 sang er am Teatro Grande von Triest und am Teatro Fenice Venedig Partien wie den Herzog im «Rigoletto» und den Arvino in Verdis «I Lombardi». 1854 gastierte er wieder in Triest und wurde dann an die Grand Opéra Paris engagiert. Intrigen, die dort gegen ihn unternommen wurden, veranlaßten ihn zum Bruch des Kontrakts, worauf er nach Südamerika ging. Er gastierte vor allem in Rio de Janeiro, kam aber nach einem Jahr wieder nach Italien zurück. Hier sang er jetzt an der Mailänder Scala, in Venedig, Bari und am Teatro San Carlo Neapel (Gabriele Adorno in der Premiere von Verdis «Simon Boccanegra»), er gastierte während dieser Zeit auch in Spanien und Portugal. An den Theatern von Modena, Ferrara, Palermo, am Teatro Apollo Rom, in Ancona und in weiteren italienischen Städten kam er zu großen Erfolgen, vor allem in den damals viel aufgeführten Verdi-Opern der mittleren Schaffensperiode dieses Meisters. Eine triumphale Konzerttournee in seiner dalmatinischen Heimat und Gastspiele in Triest waren weitere Höhepunkte in seiner Karriere. Der Dirigent und Impresario Max Maretzek veranlaßte ihn dann, nach Nordamerika zu kommen. Dort sang er unter dessen Leitung an der Oper von Havanna, dann an der Academy of Music New York. Hier wirkte er auch am 1. 12. 1865 in der amerikanischen Erstaufführung von Meyerbeers «Africaine» in der Rolle des Vasco mit. Von den vielen Partien, die sein Repertoire bildeten, seien noch der Manrico im «Troubadour», der Riccardo in Verdis «Ballo in maschera», der Arrigo in dessen «Vespri Siciliani», der Gennaro in «Lucrezia Borgia» von Donizetti, der Fernando in «La Favorita», der Essex in «Roberto Devereux»

von Donizetti und der Titelheld im «Faust» von Gounod genannt.

McCauley, Barry, Tenor, * 2. 6. 1950 Altoon (Pennsylvania); seine Ausbildung erfolgte an der Eastern Kentucky University und an der Arizona State University. 1977 debütierte er bei der San Francisco Spring Opera als José in «Carmen» und erschien noch im gleichen Jahr an der San Francisco Opera, an der er seitdem oft gastierte, als Faust von Gounod. Es kam zu einer schnellen Karriere an den großen amerikanischen Bühnen; er sang seit 1979 an den Opern von San Diego, Houston/Texas und Fort Worth. In Europa gastierte er vor allem in Frankreich, wo er 1979 als Edgardo in «Lucia di Lammermoor» an den Opernhäusern von Bordeaux und Marseille auftrat. Seit 1980 war er Mitglied der City Centre Opera New York und sang im gleichen Jahr bei den Festspielen von Aix-en-Provence den Don Ottavio im «Don Giovanni». Er teilte nun seine Bühnenauftritte zwischen den großen Opernhäusern in Europa und Nordamerika. 1982, 1985 und 1988 gastierte er an der Grand Opéra Paris, 1983 an der Teatro Comunale Florenz (Wilhelm Meister in «Mignon» von A. Thomas), 1983 am Grand Théâtre Genf, 1984 an der Staatsoper Wien (Don Ottavio), 1984 und 1986 am Théâtre de la Monnaie Brüssel (Idamante in «Idomeneo» und Belfiore in «La finta giardiniera» von Mozart), 1985, 1987 (als José mit Maria Ewing als Carmen) und 1988 (Boris in «Katja Kabanowa» von Janáček) bei den Festspielen von Glyndebourne, 1985 an der Covent Garden Oper London (José in «Carmen», seine Glanzrolle), 1989 beim Festival von Spoleto (Titelheld in «Hoffmanns Erzählungen»), 1985 an der Oper von New Orleans, 1986 an der Washington Opera, 1987 an der Oper von Miami. Seit 1983 trat er an der Oper von Chicago auf; seit 1985 Mitglied der Metropolitan Oper New York, wo er als Antrittsrolle den Jacquino in «Fidelio» sang, 1988 an der Oper von Seattle als Alfredo in «La Traviata» zu Gast. Aus seinem Bühnenrepertoire sind noch der Belmonte in der «Entführung aus dem Serail», der Admète in Glucks «Alceste», der Nemorino in «Elisir d' amore», Roberto Dudley in «Maria Stuarda» von Donizetti, der Herzog im «Rigoletto», der Fenton im «Falstaff» von Verdi, der Rodolfo in «La Bohème», der Pinkerton in «Madame Butterfly», der Ruggero in «La Rondine» von Puccini, der Nadir in «Pêcheurs de perles» von Bizet, der Gérald in «Lakmé» von Delibes, der Lenski im «Eugen Onegin», der Froh im «Rheingold», der Alfred in der «Fledermaus», der Camille in der «Lustigen Witwe» und der Fritz in der «Großherzogin von Gerolstein» von Offenbach nachzutragen.

McCray, James, Tenor, * 21. 2. 1939 Warren im amerikanischen Staat Ohio; er war ein Schüler des Gesangpädagogen Raymond Buckingham. Er begann seine Karriere in Kanada, wo er beim Stratford Festival in Weills «Aufstieg und Fall der Stadt Mahagonny» auftrat. Es kam zur Ausbildung einer erfolgreichen Karriere in Nordamerika; dort sang er als Gast an den Opernhäusern von Seattle, Kansas City,

Miami und San Francisco und an der City Centre Opera New York. Seine Gastspieltätigkeit führte ihn an die Israel Opera Tel Aviv, an die Opéra de Wallonie (1987 als Othello von Verdi), an die Opernhäuser von Wuppertal (1989 als Tristan), Bremen (1989) und an viele weitere europäische Bühnen. Hatte er zunächst das italienische heldische Fach bevorzugt, so fügte er später auch Wagner-Heroen in sein Bühnenrepertoire ein. Aus diesem seien genannt: der Radames in «Aida», der Ismaele in Verdis «Nabucco», der Manrico im «Troubadour», der Enzo in «La Gioconda» von Ponchielli, der José in «Carmen», der Samson in «Samson et Dalila» von Saint-Saëns, der Cavaradossi in «Tosca», der Dick Johnson in «La Fanciulla del West», der Kalaf in «Turandot» von Puccini, der Tristan, der Siegmund wie der Siegfried im Nibelungenring. Auch als Konzertsolist aufgetreten.

McKay, Marjory, Sopran, * 23. 6. 1951 Edinburgh; sie studierte an der Trinity Academy Edinburgh (1966–69), am Royal Manchester College of Music (1969–74) und am Royal Northern College of Music (1974–75). 1980 kam es zu ihrem Bühnendebüt bei der Scottish Opera Glasgow als Esmeralda in Smetanas «Verkaufter Braut». Sie trat an diesem Operninstitut auch als Bellezza in der Barock-Oper «L' Egisto» von Francesco Cavalli, als Feklusha in «Katja Kabanowa» von Janáček und als Violetta in «La Traviata» auf, eine Partie, die sie auch bei der Welsh Opera Cardiff übernahm. Sie gab in Schottland wie in England erfolgreiche Konzerte, wurde dann aber 1985 an die Australian Opera Sydney verpflichtet, an der sie als Gerhilde in der «Walküre» debütierte. 1986 sang sie dort die Xenia im «Boris Godunow». 1987 hörte man sie bei der Western Australian Opera als Butterfly. Sie sang die Titelpartie in der Uraufführung der Oper «Dorothea» von Alan Holley (deren Inhalt die Lebensgeschichte der australischen Dichterin Dorothea Mackellar bildete). Auch in Australien kam sie im Konzertsaal zu bedeutenden Erfolgen und war im pädagogischen Bereich tätig.

McKinney, Thomas, Bariton, * 5. 5. 1946 Lufkin (Texas); nachdem er zunächst als Musiklehrer, dann als Kaufmann und schließlich als Zeitungsreporter gearbeitet hatte, kam es zum Gesangstudium bei Jay Froman in Houston (Texas), bei William Schahn in Lufkin, bei Seth Riggs in Hollywood und bei Keith Davis in New York. 1971 gewann er einen von der New Yorker Metropolitan Oper ausgeschriebenen Gesangwettbewerb und damit ein staatliches Studienstipendium. 1971 debütierte er an der Oper von Houston (Texas) als Tschelkalow im «Boris Godunow». Er konnte dann in den USA an den Opern von Houston und Cincinnati, von San Diego und San Francisco erfolgreich auftreten und war auch in Europa – hier u. a. an der Wiener Volksoper und am Théâtre de la Monnaie Brüssel – zu Gast. Von seinen Bühnenpartien sind an erster Stelle der Pelléas in «Pelléas et Mélisande» von Debussy, der Guglielmo in «Così fan tutte», der Titelheld im «Don Giovanni», der Graf in «Figaros Hochzeit», der Papageno in der «Zauberflöte», der Figaro in Rossinis «Barbier von Sevilla», der Eugen Onegin in der gleichnamigen Tschaikowsky-Oper, der Titelheld in «Hamlet» von A. Thomas, der Belcore in Donizettis «Elisir d'amore», der Hérode in Massenets «Hérodiade», der Athanaël in dessen «Thaïs» (den er beim Wexford Festival sang), der Rodrigo in Verdis «Don Carlos», der Ford in dessen «Falstaff» und der Mr Peachum in der Beggar's Opera zu nennen. 1972 wirkte er an der Oper von San Diego in der Uraufführung der Oper «Medea» von Henderson mit. Der in New York lebende Künstler hatte gleichzeitig eine erfolgreiche Konzertkarriere.
Mitschnitte von Rundfunk- und Fernsehaufnahmen (u. a. «Thaïs» vom Wexford Festival).

Mc Quehae, Allan, Tenor, * 1890 (?) in Irland; seine Karriere scheint sich ausschließlich in Nordamerika abgespielt zu haben. Dort trat er um 1920 als Konzert- und Oratorientenor in Erscheinung und sang mit dem New York Symphony Orchestra und mit den Philharmonischen Orchestern von Cleveland, Minneapolis, Cincinnati und Cleveland zusammen. Mit dem Aufkommen des Rundfunks wandte er sich diesem neuen Medium zu und wurde einer der ersten amerikanischen Radio-Tenöre, die für die zwanziger und dreißiger Jahre kennzeichnend sind. In den Radiosendungen wie auch auf seinen Schallplatten brachte er zumeist populäre Lieder, Ballads und Volkslieder zum Vortrag, deutlich in Nachahmung seines großen irischen Landsmanns John Mc Cormack. Diese Schallplattenaufnahmen erschienen zuerst unter dem Etikett von Edison (um 1920), dann zahlreiche Titel, akustisch wie elektrisch aufgenommen, bei Brunswick.

Meder, Georg, Tenor, * 2. 7. 1855 München, † September 1892 Murnau (Oberbayern); er studierte in seiner Geburtsstadt München und war nacheinander am Opernhaus von Breslau, am Stadttheater von Linz (Donau), am Gärtnerplatztheater von München, am Opernhaus von Preßburg (Bratislava) und an den Theatern von St. Gallen und Klagenfurt engagiert. Sein Bühnenrepertoire enthielt vor allem lyrische Tenorpartien wie den Don Ottavio im «Don Giovanni», den Tamino in der «Zauberflöte», den Titelhelden im «Faust» von Gounod, den Lyonel in Flotows «Martha», doch sang er auch Wagner-Helden wie den Lohengrin. Nicht zuletzt schätzte man ihn auf dem Gebiet des Operettengesangs. Der Künstler starb auf dem Höhepunkt seiner Karriere im Alter von nur 38 Jahren.

Medwedew, Michail, Tenor, * 1852, † 1925; er war der Sohn eines Rabbiners und hieß eigentlich Meyer Jefemowitsch Bernstein. Seine Stimme wurde in einem Synagogenchor entdeckt und am Moskauer Konservatorium ausgebildet. Als das Konservatorium von Moskau im dortigen Maly Theater am 29. 3. 1879 mit Nicolai Rubinstein als Dirigenten Tschaikowskys «Eugen Onegin» zur Uraufführung brachte, sang er den Lenski (die professionelle Uraufführung fand erst 1881 am Bolschoj Theater Moskau statt). 1881 kam Michail Medwedew an das

Opernhaus von Kiew, an dem er zehn Jahre hindurch wirkte. 1891–92 gehörte er dem Ensemble des Moskauer Bolschoj Theaters an und folgte dann einem Ruf an die Hofoper (Mariensky Theater) von St. Petersburg. 1898–1900 war er auf einer ausgedehnten Nordamerika-Tournee sehr erfolgreich. Seine Karriere kam mit Auftritten an den Opernbühnen von Moskau, Kiew und Saratow in den Jahren nach der Jahrhundertwende zum Ausklang. Zeitgenössische Berichte heben die Durchschlagskraft seiner Tenorstimme und sein darstellerisches Talent hervor.
Wahrscheinlich 1899 sind vier Aufnahmen seiner Stimme mit Liedern, offensichtlich folkloristischer Art, auf Berliner Records entstanden. Diese verdienen deshalb Interesse, weil sie allgemein zu den frühesten russischen Aufnahmen gehören und uns, wenn auch in technisch unzureichender Weise, die Stimme des ersten Lenski erhalten haben.

Meens, Hein, Tenor, * 1952 (?); der holländische Sänger studierte am Konservatorium von Maastricht Klavierspiel und Sologesang. Bereits 1974 nahm er am Gesangwettbewerb von s'Hertogenbosch teil, 1977 schloß er seine Ausbildung in Maastricht mit dem Prix d'Excellence für Gesang ab. Er kam dann bei der Niederländischen Oper Amsterdam wie bei der Gesellschaft Forum in Enschede zu bedeutenden Erfolgen, wobei er Partien wie den Don Ottavio im «Don Giovanni», den Lenski im «Eugen Onegin» von Tschaikowsky, den Belmonte in der «Entführung aus dem Serail», den Titelhelden in «Albert Herring» von B. Britten, den Jacquino im «Fidelio» und den Don Ramiro in «L'Heure espagnole» von Ravel vortrug. Er wirkte in der Uraufführung der Oper «Ithaka» von Otto Ketting mit (23. 9. 1986 zur Eröffnung des Muziektheaters Amsterdam). Er gastierte an der Königlichen Oper Antwerpen, beim Holland Festival und beim Festival van Vlaanderen, beim Musikfestival von Bratislava und beim Upper Galilee Chamber Festival in Israel. Dabei zeichnete er sich als Oratorien- und Konzertsänger, namentlich als Bach-Interpret, aus. Zugleich wirkte er als Dozent für Sologesang am Sweelinck-Konservatorium Amsterdam.
Schallplatten: DGG (Geistliche Vokalmusik, darunter Werke von J. S. Bach), Capriccio (Werke von Chr. F. Bach), Globe («Schöne Müllerin»), Harmonia mundi («Die Israeliten in der Wüste» von Ph. E. Bach).

Meent, Jo van der, Alt, * 16. 7. 1902 Haarlem; sie war Schülerin der großen holländischen Sängerin und Pädagogin Cornélie van Zanten und von Eduard Lichtenstein in Amsterdam. Sie begann ihre Karriere als Konzertsängerin, war aber seit 1941 bei der Niederländischen Oper Amsterdam zu hören, wo sie noch 1957 aufgetreten ist. 1960 nahm sie aus ihrer Karriere Abschied und widmete sich seither der Pädagogik. 1952 sang sie in Amsterdam in der Uraufführung der Oper «Halewijn» des holländischen Komponisten Willem Pijper; in den Jahren 1952–57 gastierte sie beim Holland Festival auf der Bühne wie im Konzertsaal. Ihr Rollenrepertoire für die

Oper enthielt Partien wie die Azucena im «Troubadour», die Küsterin in Janáčeks «Jenufa», die Larina im «Eugen Onegin» von Tschaikowsky, die Großmutter in «La Vida breve» von de Falla, die Mother Goose in «The Rake's Progress» von Strawinsky und die Czipra im «Zigeunerbaron» von J. Strauß. Im Konzertsaal erwies sie sich als bedeutende Oratoriensolistin.
Schallplatten: Philips («Aus einem Totenhaus» von L. Janáček).

Meffert, August, Tenor, * 22. 8. 1820, † 13. 4. 1888 Augsburg; er stammte aus einer Lehrerfamilie im Hessischen und arbeitete zunächst in einem Handelshaus. Der Chef des Hauses hörte zufällig seine schöne Tenorstimme und schickte ihn auf seine Kosten nach Paris, wo er seine Studien absolvierte. Er begann seine Bühnenkarriere in Ulm und sang dann in Innsbruck und in Graz. Am Theater von Posen (Poznań) erregte er 1853 in der dortigen Erstaufführung von Wagners «Tannhäuser» in der Titelpartie Aufsehen. Wagner selbst zollte seiner Kreation besondere Anerkennung. 1855–70 war er als erster Tenor am Hoftheater von Weimar verpflichtet. Hier wirkte er u. a. am 21. 5. 1865 in der Uraufführung der Oper «Der Cid» von Peter von Cornelius mit. Anschließend an dieses Engagement sang er in Rotterdam und in Mainz und wurde dann Direktor des Stadttheaters von Trier. 1886 gab er seine Bühnenkarriere auf und zog sich nach Augsburg zurück. Aus seinem Bühnenrepertoire seien noch Partien wie der Titelheld im «Propheten» von Meyerbeer, der Eleazar in «La Juive» von Halévy, der Raoul in Meyerbeers «Hugenotten», der Dickson in «La Dame blanche» von Boieldieu, der Georg im «Waffenschmied» von Lortzing sowie Wagner-Helden genannt. Sein Sohn *Moritz Meffert* war ein bekannter Bühnentenor, der u. a. in Riga (1888–89) und Zürich (1891–92) aufgetreten ist. Er hatte seine Karriere 1885–86 am Theater von Dortmund begonnen, führte ein unruhiges Wanderleben von einem deutschen Theater zum anderen und war in der Spielzeit 1888–99 an der Metropolitan Oper New York engagiert.

Meinhardt, Helene, Sopran, * 17. 2. 1851 Braunschweig, † 16. 3. 1922 Berlin–Lichterfelde; sie war die Tochter des Theaterdirektors Hermann Meinhardt († 26. 1. 1875 Liegnitz), der mit seiner Operngesellschaft Gastspiele im Berliner Wintergarten gegeben hatte und zuletzt die Stadttheater von Glogau und Liegnitz in Schlesien leitete. Helene Meinhardt hatte vor allem als Operettensängerin am Friedrich-Wilhelmstädtischen Theater Berlin, am Theater an der Wien in Wien, in St. Petersburg und Hannover eine große Karriere, trat aber auch immer wieder in Opernpartien vor ihr Publikum. Höhepunkte ihres Repertoires im Bereich der Oper waren Rollen wie die Zerline im «Don Giovanni», der Cherubino in «Figaros Hochzeit», die Rosina in Rossinis «Barbier von Sevilla», der Romeo in «I Capuleti ed I Montecchi» von Bellini, die Ännchen im «Freischütz» und die Rose Friquet in «Les dragons de Villars» von Maillart. Als Operettensängerin hatte sie ihre Erfolge in Partien der klassischen Operetten von Jacques Offenbach, Millöcker, Johann Strauß und Franz von Suppé. Sie brachte ihre Karriere am Walhalla-Theater in Berlin zum Abschluß, wo sie auch ihren Ruhestand verbrachte.

Mekler, Mani, Sopran, * 1954 (?) Haifa (Israel); ihre Familie war sehr musikliebend. Sie studierte in Israel, hauptsächlich aber war sie Schülerin des berühmten Baritons Tito Gobbi in Rom. Ihr Bühnendebüt kam 1976 an der Königlichen Oper Stockholm in der Partie der Leonore im «Troubadour» zustande; anschließend sang sie dort die Fiordiligi in «Così fan tutte». Sie blieb der Stockholmer Oper auch in den folgenden Jahren verbunden und sang hier die drei Partien in Puccinis «Trittico» (Giorgetta, Suor Angelica, Lauretta), die Mimi in «La Bohème» und die Senta im «Fliegenden Holländer». 1977 gastierte sie bei der Welsh Opera Cardiff wiederum als Leonore im «Troubadour». Sie war dann zunächst als Gast, 1979–86 als Ensemblemitglied an der Deutschen Oper am Rhein Düsseldorf–Duisburg tätig. 1979–80 sang sie beim Wexford Festival die Martha in «Tiefland» von d'Albert und die Giulia in «La Vestale» von Spontini. Sie gab erfolgreiche Gastspiele an den Staatsopern von Hamburg und Stuttgart, an den Opernhäusern von Monte Carlo, Frankfurt a. M., Bordeaux, bei den Festspielen von Glyndebourne und im Barocktheater von Drottningholm. 1985 trat sie am Opernhaus von Rouen als Titelgestalt in der Richard Strauss-Oper «Salome» auf, bei der Opera North Leeds als Butterfly. Weitere Höhepunkte in ihrem Repertoire waren die Elisabetta in Verdis «Don Carlos», die Tosca, die Manon Lescaut in der gleichnamigen Puccini-Oper, die Santuzza in «Cavalleria rusticana», die Ariadne in «Ariadne auf Naxos» von R. Strauss, die Titelfiguren in Janáčeks «Jenufa» und in «Katerina Ismailowa» von Schostakowitsch. 1988 gastierte sie in Zürich in der zeitgenössischen Oper «Lear» von A. Reimann, 1989 an der Staatsoper Stuttgart als Chrysothemis in «Elektra». Auch als Konzertsolistin tätig.
Schallplatten: FSM (Lieder alter Meister, Duette mit Krisztina Laki).

Melius, Luella, Sopran, * 21. 8. 1892 Appleton (Wisconsin); ihr eigentlicher Name war Mrs. W. Fulton Melhuish. Sie begann schon als Kind ihre Ausbildung in Chicago und wurde dann in Paris Schülerin von Jean de Reszke. Sie debütierte an der Wiener Volksoper unter Felix von Weingartner zu Beginn der zwanziger Jahre und gab Gastvorstellungen an der Grand Opéra Paris, in Madrid, Neapel und Berlin. In der Saison 1925–26 war sie an der Oper von Chicago als Gilda im «Rigoletto» und als Rosina im «Barbier von Sevilla» zu hören, 1926 gastierte sie an der Oper von San Francisco als Lucia di Lammermoor und als Gilda. Bereits frühzeitig kam sie zu einer großen Karriere zunächst am englischen Rundfunk BBC, dann auch am amerikanischen Radio. Hier wirkte sie in zahlreichen Opernsendungen der zwanziger Jahre mit. 1926–27 gastierte sie an der Opéra-Comique Paris und an einigen deutschen

Bühnen. 1932 gründete sie in New York eine School of Vocal Art, ein Konservatorium von hohem Niveau, an dem unter ihrer Leitung so bedeutende Sänger wie Marguerite Sylva, Adamo Didur, Carolina Lazzari und Eva Gauthier unterrichteten.
Schallplatten: Erste akustische Aufnahme der Sängerin erschienen in England bei HMV (1925 die beiden Arien der Königin der Nacht aus der «Zauberflöte» in Italienisch); später wurden in den USA frühe elektrische Victor-Platten veröffentlicht. Alle zeigen einen technisch souverän geführten Koloratursopran.

Mellerio, Laura, Sopran, * (?), † (?); der Name dieser Sängerin ist nur dadurch von Bedeutung, daß er auf mehreren Schallplatten erscheint, und zwar ausschließlich in Ensembleszenen mit anderen Künstlern. Dabei stellt sich natürlich die Frage nach ihrer Biographie. Sie ist, soweit ersichtlich, an keinem größeren italienischen Opernhaus aufgetreten, doch scheint es sich anderseits nicht um einen fiktiven Namen zu handeln. Bei den Schallplatten handelt es sich um eine Szene aus Puccinis «La Bohème» auf HMV mit Gennaro De Tura und Ernesto Badini und um Duette aus «Rigoletto», gleichfalls mit Ernesto Badini, um eine Serie von Liedern von Tosti und Denza (1910), ein Terzett aus «La Bohème» (1909) und Arien aus «La Wally» von Catalani und «Amico Fritz» von Mascogni (1910–11). Auf Favorite sind Duette aus «Crispino e la Comare» von F. und L. Ricci (wieder mit E. Badini) und eine Ensembleszene aus Verdis «Ballo in maschera» mit Matroiani und Badini vorhanden.

Melzer, Carl, Tenor, * 23. 7. 1880 Innsbruck, † 25. 4. 1955 Zürich; er bereitete sich auf den Beruf eines Technikers vor, ließ aber seine Stimme durch den Münchner Pädagogen Fritz Feinhals ausbilden. 1904 debütierte er am Stadttheater von Halle (Saale), war dann am Stadttheater Lübeck engagiert und sang nacheinander in Kiel, Stettin, Königsberg (Ostpreußen), in Linz an der Donau und in Wien, wobei er neben seinem Opernrepertoire große Erfolge als Operettensänger hatte. 1921 folgte er einem Ruf nach Zürich, wo er für viele Jahre bis 1941 am dortigen Opernhaus (Stadttheater) wirkte. Im Bereich der Oper sang er vor allem lyrische Partien wie den Don Ottavio im «Don Giovanni», den Tamino in der «Zauberflöte», den Titelhelden in «Fra Diavolo» von Auber, den Lyonel in Flotows «Martha» und den Fenton im «Falstaff» von Verdi. Am 2. 6. 1937 wirkte er in Zürich in der Uraufführung des Opernfragments «Lulu» von Alban Berg mit. Auch als Konzertsänger stand er in hohem Ansehen.
Schallplatten: Columbia (Lieder).

Menni, Giuseppe, Baß, * 1885 (?), † (?); über die Karriere dieses Sängers ist nur wenig bekannt. Er sang in den Jahren 1916–19 kleinere Baß-Partien am Teatro Colón Buenos Aires und war dann in den zwanziger und dreißiger Jahren unseres Jahrhunderts als Comprimario an der Mailänder Scala beschäftigt. Hier trat er seit 1923 in einer Vielzahl kleiner und kleinster Partien aus allen Bereichen der Opernliteratur (oft auch unter Toscanini) vor das Publikum wie etwa als alter Zigeuner im «Troubadour», als Graf Ceprano im «Rigoletto», als Seemann im «Tristan», als Zuane in «La Gioconda», als Hans Schwarz in den «Meistersingern» oder als Bauer im «Bajazzo». Er wirkte an der Scala in den Uraufführungen der Opern «Nerone» von A. Boito (1924) und «La cena delle beffe» von Giordano (1924) mit. An kleineren italienischen Provinztheatern findet man ihn gelegentlich auch in größeren Rollen (König in «Aida», Doktor in «La Traviata», Angelotti in «Tosca»). 1929 bereiste er mit der Gesellschaft von Max Sauter Deutschland und Österreich.

Auf Schallplatten begegnet er in derartigen Comprimario-Partien auf HMV in vollständigen Aufnahmen der Opern «Rigoletto» und «Der Bajazzo», auf Columbia und auf Fonotipia in einigen Ensembleszenen aus Opern.

Mentzer, Susanne, Mezzosopran, *21. 1. 1957 Philadelphia; sie erhielt ihre Ausbildung an der Juilliard School of Music New York bei Norman Newton und setzte diese in den Opernstudios der Texas Opera und der Oper von Houston fort. 1981 kam es zu ihrem Debüt an der Oper von Houston/Texas als Albina in Rossinis «La donna del lago». 1982 sang sie an der Oper von Dallas in «Gianni Schicchi» und im «Rheingold». Man hörte sie dann in Washington als Cherubino in «Nozze di Figaro», in Chicago als Rosina im «Barbier von Sevilla» und als Valencienne in Lehárs «Lustiger Witwe», an den Opernhäusern von Philadelphia und San Francisco, in San Diego und an der New York City Centre Opera. In Houston sang sie den Pagen Isolier in Rossinis «Le Comte Ory», den Komponisten in «Ariadne auf Naxos» von R. Strauss und die Giovanna Seymour als Partnerin von Joan Sutherland in Donizettis «Anna Bolena». 1983 kam es zu ihrem Europa-Debüt an der Oper von Köln als Cherubino; später hatte sie dort bis 1985 in einem Gastspiel-Engagement als Titelfigur in «Cendrillon» von Massenet einen glänzenden Erfolg. An der Mailänder Scala gastierte u. a. sie als Zerline im «Don Giovanni», beim Festival von Pesaro als Isolier (1986) in Zürich (Mitglied des Opernhauses seit 1985) in «Sesto» von Händel. Den Cherubino, eine ihrer großen Kreationen, sang sie an der Staatsoper Wien, an der Hamburger Staatsoper, am Théâtre des Champs Elysées Paris (1984) an der Oper von Houston und 1988 als Debütrolle an der Metropolitan Oper New York. 1985 trat sie an der Grand Opéra und an der Opéra-Comique Paris auf, 1987 an der San Francisco Opera. 1985 gastierte sie erstmals an der Covent Garden Oper London als Rosina im «Barbier von Sevilla» und sang dort 1988, wieder zusammen mit Joan Sutherland, die Giovanna Seymour in «Anna Bolena». 1988 Gastspiel an der Oper von Monte Carlo als Adalgisa in «Norma», am Théâtre des Champs Élysées Paris als Octavian.

Schallplatten: Decca («Anna Bolena» mit Joan Sutherland), DGG («Cavalleria rusticana»), Philips «Idomeneo»).

Mére, Ottilia, Sopran, *11. 3. 1912 Budapest, †25. 12. 1987 Wabern bei Bern; sie wurde am Konservatorium von Budapest durch die Pädagogin Emilia Posszert und für den Operngesang durch den Sänger *Jozsef Horváth* (den sie dann heiratete) ausgebildet; Klavierspiel studierte sie dort bei *Géza Hegyi.* 1953–66 war sie am Opernhaus von Szeged tätig, ging dann in die Schweiz, wo sie zuerst als ständiger Gast, dann als Ensemblemitglied in den Jahren 1966–78 am Stadttheater der Bundeshauptstadt Bern eine erfolgreiche Bühnenkarriere hatte. Sie gastierte an der Nationaloper Budapest, am Théâtre de la Monnaie Brüssel, an den Opernhäusern von Antwerpen, Gent und Lüttich, in Zürich, St. Gallen und Graz und, mit dem Stadttheater Bern, am Grand Théâtre Genf. Auf der Bühne sang sie vor allem Partien aus dem Koloraturfach: die Konstanze wie die Blondchen in der «Entführung aus dem Serail», die Elettra in Mozarts «Idomeneo», die Königin der Nacht in der «Zauberflöte», die Frau Fluth in Nicolais «Lustigen Weibern von Windsor», die Titelheldinnen in den Donizetti-Opern «Lucia di Lammermoor» und «Anna Bolena», die Lakmé in der gleichnamigen Oper von Delibes, die Violetta in «La Traviata», die Nedda im «Bajazzo», die Musetta in «La Bohème», die Lauretta in Puccinis «Gianni Schicchi», Partien in Operetten von Offenbach, Johann Strauß, Millöcker, F. von Suppé, Lehár und E. Kálmán. Sie trat auch in Konzert- und Liedersängerin hervor.

Schallplatten: JJ-Productions (Lieder von F. Liszt).

Merkel, Willy, Bariton/Tenor, *17. 8. 1870 Niederrabenstein bei Chemnitz, †11. 4. 1915 Berlin; er war der jüngere Bruder des ebenfalls sehr bekannten Tenors *Richard Merkel* (1864–1915). Gesangstudium bei Julius Stockhausen in Frankfurt a. M. Er begann seine Karriere am Stadttheater von Augsburg, an dem er in der Partie des Grafen Luna im «Troubadour» von Verdi debütierte. Er sang anschließend in Hamburg, Mannheim, Düsseldorf und Freiburg i. Br., wechselte dann aber in das Fach des Heldentenors, das er am Stadttheater von Aachen sang. 1901 wirkte er bei den Festspielen von Bayreuth in kleineren Partien mit. 1905 wurde er an der Komische Oper Berlin verpflichtet. Hier hatte er einen seiner größten Erfolge als Pedro in «Tiefland» von d'Albert mit der berühmten Maria Labia als Partnerin in Aufführungen, die dieser Oper zum Durchbruch verhalfen. Am 21. 2. 1907 wirkte er an der Komischen Oper Berlin in der Uraufführung der Oper «Romeo und Julia auf dem Dorfe» von Frederick Delius in der Rolle des Sali mit (mit Lola Artôt de Padilla als Vrenchen). Bis 1911 gehörte er dem Ensemble dieses Hauses an. Er gastierte an den Opernhäusern von Frankfurt a. M. und Leipzig, an den Hoftheatern von Dresden und Weimar und an der Städtischen Oper Berlin-Charlottenburg. Als Bariton sang er u. a. den Wolfram im «Tannhäuser», den Herrn Fluth in den «Lustigen Weibern von Windsor» und den Werner Kirchhofer im «Trompeter von Säckingen» von Neßler, als Tenor den Manrico im «Troubadour», den Radames in «Aida», den Canio im «Bajazzo», den Cavadossi in «Tosca», den

Loge im «Rheingold», den Siegmund in der «Walküre», den José in «Carmen», den Eleazar in «La Juive» und den Titelhelden in «Fra Diavolo». Er war auch kompositorisch tätig. Seit 1913 verfiel er zunehmend in Depressionen und mußte schließlich in einer Heilanstalt untergebracht werden.
Schallplatten: Pathé (zwei Szenen aus «Tiefland», 1910).

Merlak, Danilo, Baß, *5.9. 1921 Triest, †18.1. 1979 Ljubljana (Laibach); er erhielt seine Ausbildung zum Sänger bei E. de Filippi in Triest und bei E. Belucci in Bologna. 1942 debütierte er am Teatro Verdi Triest als Commendatore im «Don Giovanni». 1947–48 war er am Theater von Split (Spalato), 1948–52 in Maribor (Marburg a. d. Drau) engagiert. 1952 wurde er an die Slowenische Nationaloper in Ljubljana (Laibach) verpflichtet, deren Mitglied er bis zu seinem Tod geblieben ist. Hier und bei Gastspielen (u. a. mit dem Ensemble von Ljubljana 1956 beim Holland Festival und an der Grand Opéra Paris) hörte man ihn in Partien wie dem Kezal in der «Verkauften Braut» von Smetana, dem Wassermann in «Rusalka» von Dvořák, dem Gremin in Tschaikowskys «Eugen Onegin», dem Mephisto im «Faust» von Gounod, dem König Philipp in Verdis «Don Carlos» und dem Zaccaria in dessen Oper «Nabucco».
Schallplatten: Philips («Die Liebe zu den drei Orangen» von Prokofieff in der Partie des Leander, Aufnahme von 1957).

Merritt, Chris, Tenor, *27.9. 1952 im amerikanischen Staat Oklahoma; um sein Gesangstudium finanzieren zu können, arbeitete er in New York u. a. als Autoverkäufer. Nachdem er bei einem Concours der Metropolitan Oper New York Aufsehen erregt hatte, nahm er an Meisterkursen am American Institute of Studies in Graz teil. 1978–81 war er am Landestheater von Salzburg engagiert, 1981–84 am Stadttheater von Augsburg. Hier sang er eine Vielzahl von Bühnenpartien, darunter den Nemorino in Donizettis «Elisir d'amore», den Grafen Almaviva im «Barbier von Sevilla» von Rossini und den Eginhard in «Fierrabras» von Schubert. Bald zeichnete er sich, vor allem in Italien, als großer Interpret des klassischen italienischen Belcanto in den Opernwerken von Rossini, Bellini und Donizetti aus; seine Stimme wurde einerseits wegen der Vollendung ihrer Gesangstechnik, andererseits wegen ihrer phänomenalen Tonhöhe bewundert. Gastspiele brachten dem Künstler höchstes internationales Ansehen. 1983 sang er an der Grand Opéra Paris in «Mosè» von Rossini, 1986 als Rodrigo in «La Donna del Lago». Bei den Rossini-Festspielen von Pesaro sang er 1986 den Contareno in «Bianca e Falliero», 1987 den Pirro in «Ermione» und mit besonderem Erfolg 1988 den Titelhelden in Rossinis «Otello». 1986 wirkte er an der Mailänder Scala wie an der Wiener Staatsoper in Aufführungen der wiederentdeckten Rossini-Oper «Il Viaggio a Reims» mit. In Wien hörte man ihn auch als Léopold in «La Juive» von Halévy, in New York in einer konzertanten Aufführung der «Hugenotten» von Meyerbeer. An der

Oper von San Francisco gastierte er in Rossinis «Maometto II.», einer Oper, die er 1985 ebenfalls beim Rossini Festival in Pesaro vorgetragen hatte. An der Covent Garden Oper London bewunderte man seinen Giacomo in «La Donna del Lago» von Rossini und seinen Idreno in einer konzertanten Aufführung von «Semiramide», am Teatro Comunale Bologna 1988 seinen Arturo in Bellinis «I Puritani». 1986 sang er beim Maggio musicale von Florenz die Titelpartie in «Benvenuto Cellini» von Berlioz, in Amsterdam den Énée in «Les Troyens» von Berlioz, 1988 am Theater von Cagliari wie an der Mailänder Scala, 1990 an der Covent Garden Oper London die schwierige Rolle des Arnoldo in «Wilhelm Tell» von Rossini. Große Erfolge auch im Bereich des Konzertgesangs (Verdi-Requiem, «Schöpfung» von Haydn, 9. Sinfonie von Beethoven, Stabat mater und Messe solennelle von Rossini).
Schallplatten: RCA-Erato («Ermione», «Zelmira» und Stabat mater von Rossini), Schwann (Requiem von Michael Haydn), Fonit Cetra (Arturo in «I Puritani» von Bellini), Opera Rara («Elisabetta di Liverpool» von Donizetti, Arien aus italienischen Opern), Arabesque (Arien), Bongiovanni (Arien-Platte), Nuova Era («Elisir d'amore»).

Merritt, Myra, Sopran, *1958 (?) Washington; Gesangstudium am Peabody Conservatory sowie bei Martial Singher in Santa Barbara (Kalifornien). 1982 debütierte die junge farbige Sängerin an der Oper von Houston/Texas als Clara in «Porgy and Bess» von G. Gershwin. Im gleichen Jahr kam es auch bereits zu ihrem Debüt an der Metropolitan Oper New York als Hirtenknabe im «Tannhäuser». An diesem Opernhaus hörte man sie in den folgenden Spielzeiten als Elvira in Rossinis «Italiana in Algeri», als Musetta in «La Bohème» von Puccini, als Antonia in «Hoffmanns Erzählungen» und wiederum als Clara in «Porgy and Bess». Dazu erfolgreiche Gastspiel- und Konzertauftritte.
Schallplatten: RCA («Porgy and Bess»).

Mertens, Livia (Livine), Mezzosopran, *1901 Antwerpen, †28.10. 1968 Brüssel; sie wurde durch M. Declery ausgebildet und debütierte als Konzertsängerin 1921 in Antwerpen. 1923 wurde sie an das Théâtre de la Monnaie Brüssel engagiert, an dem sie als erste Rolle den Frédéric in «Mignon» von A. Thomas sang. Länger als zwanzig Jahre, bis 1945, blieb sie an führender Stelle an diesem großen belgischen Opernhaus tätig. Sie wirkte hier in mehreren französischsprachigen Erstaufführungen von Opern mit, so 1924 als Jaroslawna in «Fürst Igor» von Borodin, 1930 als Komponist in «Ariadne auf Naxos» von R. Strauss, 1932 in «Les Précieuses Ridicules» von Lattuada, 1933 in «La farsa amorosa» von Zandonai, 1938 als Felice in «I quattro rusteghi von E. Wolf-Ferrari. Sie sang auch am Théâtre de la Monnaie in der Uraufführung von Milhauds Oper «Les Malheurs d'Orphée» (7.5. 1926). Die Sängerin gastierte erfolgreich in Belgien wie auch im Ausland (allerdings nicht an den beiden großen Pariser Opernhäusern). Ihre Glanzrolle war die Titelfigur in

«Mignon» von Ambroise Thomas, die sie über 140mal gesungen hat, dann der Octavian im «Rosenkavalier», die Charlotte in «Werther» von Massenet, die Marguerite in «La Dame blanche» von Boieldieu und die Titelheldin in «Djamileh» von Bizet. Dazu sang sie auch mit großem Erfolg Operettenpartien wie die Titelrolle in Offenbachs «Großherzogin von Gerolstein», die Sonja im «Zarewitsch» von Lehár und den Orlowsky in der «Fledermaus». Sie war verheiratet mit dem Dirigenten Maurice Bastin (* 1884), der in Marseille und Brüssel wirkte. Während des Zweiten Weltkrieges schloß sie sich einer Widerstandsgruppe gegen die deutsche Besatzung an und wurde während mehrerer Monate im Gefängnis inhaftiert.
Schallplatten: Zwei elektrische Columbia-Platten.

Merz-Tunner, Amalie, Sopran, * 11. 1. 1895 Koflach in der Steiermark, † 16. 12. 1983 Recklinghausen; der eigentliche Name der Sängerin war Marianne Baum. Sie erhielt ihre Ausbildung in Wien durch Mathias Schön und durch Emil Schipper sowie bei Hugo Proksch in München. 1919 fand ihr Debüt als Konzertsängerin statt. Ihre gesamte Karriere wurde durch ihre Konzertauftritte gekennzeichnet, nur gelegentlich ist sie auf der Bühne zu hören gewesen, so 1925–26 am Theater von Dortmund, wo sie die Elisabeth im «Tannhäuser», die Antonia in «Hoffmanns Erzählungen» und die Marguerite in «La damnation de Faust» von Berlioz sang. Im übrigen brachte sie jedoch eine glänzende internationale Konzertkarriere zustande. Seit 1920 trat sie ständig in Köln, seit 1921 auch in Berlin und Hamburg in Erscheinung; in Leipzig bewunderte man ihre Bach-Interpretation bei den berühmten Gewandhauskonzerten, sie sang in Frankfurt a. M. und in München, in Dresden und in Stuttgart. 1920 und 1932 hörte man sie in Zürich, 1930 in Basel, 1928 und 1933 in Wien. 1926 unternahm sie eine Schweden-Tournee, 1939 bereiste sie Italien. Seit 1926 war sie am Konservatorium von Dortmund im pädagogischen Bereich tätig, 1948 wurde sie als Dozentin an die Musikhochschule von Köln berufen.
Es ist nicht zu verstehen, daß von ihrer Stimme keine Schallplattenaufnahmen existieren.

Mestrallet, Ernest, Baß-Bariton, * 27. 9. 1893 Saint Julien bei Genf, † 22. 9. 1957 Genf; er erlernte zuerst den Beruf eines Bäckers und Konditors, ließ dann jedoch seine Stimme am Conservatoire von Genf durch Leo Ketten und M. Jacquin ausbilden. 1921 begann er seine Bühnenkarriere am Grand Théâtre Genf. 1922–29 und 1936–39 trat er an der Oper von Lyon auf. 1930–34 und 1939 an der Oper von Monte Carlo; 1923 und 1926–31 war er als Gast in Aix-les-Bains anzutreffen. 1928–33 nahm er alljährlich an Gastspiel-Tourneen der Charmat-Compagnie durch Frankreich teil, 1939 an einer ähnlichen Tournee mit der Villabella-Compagnie. 1952 und 1953 war er Mitglied der Marisa Morel-Compagnie, mit der er Italien bereiste. Weitere Gastspiele führten ihn an Bühnen in der französischen Schweiz und in Frankreich, er sang an der Covent Garden Oper London, im Haag, in Turin, Genua, Triest, in Rabat und

Casablanca und mit dem Ensemble der Oper von Lyon am Teatro Fenice Venedig. Sein Rollenrepertoire besaß einen nahezu unerschöpflichen Umfang, wobei der Schwerpunkt auf den Partien aus dem französischen und italienischen Repertoire lag, doch sang er auch die großen Wagner-Rollen seines Stimmfachs. Seit 1932 war er wieder Mitglied des Grand Théâtre Genf, dem er bis 1937 als reguläres Mitglied und dann noch bis 1956 als ständiger Gast angehörte. Hier sang er auch 1943 in der Uraufführung der Oper «Le Malade imaginaire» von J. Dupérier. Verheiratet mit der Pianistin Madeleine Dalphin (1888–1958).

Mészöly, Katalin, Alt, * 1950 (?); die ungarische Sängerin wurde in Budapest durch Jenö Sipos ausgebildet und war in Salzburg Schülerin von Paula Lindberg. 1975 gewann sie den Franz Liszt-Wettbewerb. Nachdem sie bereits als Choristin und in kleineren Partien an der Nationaloper Budapest aufgetreten war, wurde sie 1976 als erste Altistin an dieses Opernhaus verpflichtet. Hier kam sie zu großen Erfolgen, namentlich als Carmen (eine Partie, die sie allein in Budapest 129mal sang), aber auch als Azucena im «Troubadour», als Amneris in «Aida», als Ulrica in Verdis «Ballo in maschera», als Preziosilla in «La forza del destino», als Marfa in «Khovantchina» von Mussorgski und als Judith in «Herzog Blaubarts Burg» von Béla Bartók. Letztgenannte Partie sang sie 1981 sehr erfolgreich an der Mailänder Scala. Etwa seit dieser Zeit unternahm sie Gastspielauftritte im Ausland; so sang sie in Westdeutschland, in Frankreich, in Spanien, Mexiko und Ägypten. Gleichzeitig setzte sie ihre Bühnen- wie ihre Konzertkarriere in ihrer ungarischen Heimat fort.
Schallplatten: Hungaroton (Marie-Luise in «Háry János» von Z. Kodály).

Mevi, Aldo, Baß, * 28. 6. 1910 Rom, † 24. 8. 1946 Turin; als er neun Jahre alt war, verzogen seine Eltern nach Turin. Dort studierte er 1932–35 bei der Pädagogin Nilde Bertozzi-Stinchi. Im April 1936 trat er erstmals in einem Konzert am Conservatorio Giuseppe Verdi in Turin öffentlich auf. Anschließend sang er an kleineren Theatern in Piemont und Ligurien. 1937 wurde er als erster Bassist für eine Operngesellschaft engagiert, die eine große Südamerika-Tournee unternahm. 1939 sang er am Turiner Rundfunk (EIAR) in einer Opernsendung von Verdis «Othello» die Partie des Lodovico. Pietro Mascagni wählte ihn für die Rolle des Antonio in seiner Oper «Lodoletta» aus, als diese 1939 am Teatro Carlo Felice Genua zur Aufführung kam. Durch den Ausbruch des Zweiten Weltkrieges kam es nicht mehr zu der allgemein erwarteten weltweiten Karriere; sein Wirken beschränkte sich in den Kriegsjahren auf die italienischen Opernhäuser, an denen man ihn in einem Repertoire von 45 großen Partien hören konnte. Nach langer Krankheit starb der Künstler im Alter von nur 36 Jahren.

Mewes, Karsten, Bariton, * 18. 3. 1959 Pirna (Sachsen); er sang während seines Schulbesuchs in Berlin

in Kinder- und Jugendchören und begann 1979 das Gesangstudium an der Hanns Eisler-Musikhochschule Berlin bei Friedrich Eckardt. Dort legte er auch 1985 seine Diplomprüfung ab. Er wurde Preisträger bei Gesangwettbewerben in Gera (1985), Zwickau (Robert Schumann-Wettbewerb, 1985), Verona (1986), Hamburg (1986) und Rio de Janeiro (1987). 1985–88 hatte er ein Absolventen-Engagement am Theater von Potsdam und war durch einen Gastvertrag der Komischen Oper Berlin verbunden. Seit 1985 wirkte er als Gast an der Staatsoper Berlin und wurde 1988 deren reguläres Mitglied. Als Gast trat er regelmäßig an der Komischen Oper Berlin wie an der Staatsoper Dresden in Erscheinung. Dabei sang er auf der Bühne u. a. den Grafen wie den Figaro in «Figaros Hochzeit», den Titelhelden wie den Masetto im «Don Giovanni», den Guglielmo in «Così fan tutte», den Papageno in der «Zauberflöte», den Herrn Fluth in den «Lustigen Weibern von Windsor» von Nicolai, den Zaren in «Zar und Zimmermann» von Lortzing, den Escamillo in «Carmen», den Silvio im «Bajazzo» und den Hans Scholl in der zeitgenössischen Oper «Die weiße Rose» von Udo Zimmermann. Er wirkte in der Uraufführung der Oper «Graf Mirabeau» von Siegfried Matthus (14.7. 1989) an der Berliner Staatsoper mit. Auf dem Gebiet des Oratoriengesangs standen an erster Stelle Werke von J.S. Bach, darunter die großen Passionen des Meisters, von Händel, Brahms (Deutsches Requiem) und G. Fauré in seinem Repertoire. Liederabende und Liedertourneen brachten dem Künstler in Westdeutschland, in Finnland und Norwegen, in der ČSR, Polen und Frankreich Erfolge; auch in Rundfunk- und Fernsehsendungen aufgetreten.
Schallplattenaufnahmen bei Eterna.

Meyer, Auguste, Sopran, * 1861, † 10. 2. 1929 Oberammergau; die Künstlerin war als erste dramatische Sopranistin 1883–86 am Hoftheater von Mannheim, dann am Hoftheater von Kassel (1891–92) und am Stadttheater von Posen (1896–97) tätig. Dazwischen lebte sie gastierend in Berlin, scheint aber ihre Karriere bereits um die Jahrhundertwende aufgegeben zu haben. 1896 sang sie bei den Bayreuther Festspielen die Ortlinde in der «Walküre». Sie galt vor allem als begabte Interpretin der entsprechenden Partien in Wagner-Opern, beherrschte jedoch auf der Bühne wie im Konzertsaal ein umfangreiches Repertoire. Nach Beendigung ihrer Bühnenkarriere nahm sie in Berlin eine Tätigkeit als Gesanglehrerin auf.

Meyer-Wolff, Frido, Baß-Bariton, * 22. 4. 1934 Potsdam; er betätigte sich in verschiedenen Berufen, war u. a. Schauspieler, Radioansager und ließ seine Stimme am Städtischen Konservatorium Berlin, dann durch Wolf Völker in Berlin, durch Jean Cocteau in Paris und durch Hildegarde Scharff in Hamburg ausbilden. 1954 und 1956 war er Preisträger beim Llangollen International Musical Eisteddfod (Wales). 1955 Bühnendebüt am Stadttheater von Stralsund als Figaro in «Figaros Hochzeit». Er sang seit 1961 in Westdeutschland während einer Spielzeit am Stadttheater von Trier, dann als Gast an der

Hamburger Staatsoper, am Staatstheater Kassel, vor allem aber am Landestheater Kiel und an der Deutschen Oper Berlin. Sehr große Erfolge hatte er bei Gastspielen im französischsprachigen Raum: er war zu Gast an den Opernhäusern von Marseille (seit 1961) Nizza (1986) und Nancy, am Théâtre de la Monnaie Brüssel (1965) und an der Oper von Monte Carlo. Hier trat er seit seinem Debüt als Minister im «Fidelio» 1967 immer wieder auf. An der Opéra-Comique Paris wirkte er am 2. 4. 1963 in der Uraufführung der Oper «The Last Savage» («Le dernier sauvage») von Gian Carlo Menotti in der Partie des Maharaja mit. Weitere Gastspiele an der Königlichen Oper Kopenhagen, an der Oper von Rom, am Teatro Colón Buenos Aires (1981, 1982), in Lausanne (1987), bei den Festspielen von Aix-en-Provence (1963) und Spoleto (1963 als Ochs im «Rosenkavalier»). An der Deutschen Oper Berlin hatte er eine langjährige Karriere, die noch 1987 andauerte. Auf der Bühne ist er in einem weit gespannten Repertoire erschienen, das seriöse wie Buffo-Partien aus allen Bereichen der Opernliteratur umfaßte, Rollen in Opern von Mozart, Verdi, Wagner, Lortzing, Donizetti, Puccini, Richard Strauss, Carl Orff, Weber, Rossini, Smetana, Mussorgsky, dazu vieles aus dem Umkreis der französischen Oper aller Epochen. Er übernahm dabei auch mittlere und kleinere Partien. Als Konzertsänger ebenso geschätzt wie als Gesangpädagoge.
Schallplatten: Mitschnitte von Rundfunksendungen unter privaten Etiketten.

Meyerson, Janice, Mezzosopran, * 1950 (?) Omaha (Nebraska); ihr Gesang- und Musikstudium fand an den Universitäten von Washington und St. Louis (bis 1972 statt), dann am New England Conservatory Boston, wo sie 1975 den akademischen Grad eines Master of Music erwarb. 1976–77 vervollständigte sie ihre Ausbildung im Berkshire Music Centre in Tanglewood (Massachusetts). Ihre Karriere nahm schnell internationale Dimensionen an; am Teatro Colón Buenos Aires wie an der Oper von Frankfurt a. M. gastierte sie als Amneris in «Aida», an der City Centre Opera New York als Santuzza in «Cavalleria rusticana», als Judith in «Herzog Blaubarts Burg» von Béla Bartók zusammen mit den New Yorker Philharmonikern und im Palacio de Bellas Artes in Mexico City. Zu ihren großen Partien gehörten auch die Carmen (Théâtre de la Monnaie Brüssel) und die Brangäne im «Tristan». Sie sang an der Oper von Dallas, in Philadelphia, Montreal, in Washington und Houston/Texas, bei den Festspielen von Spoleto, Tanglewood und Aspen. Im Konzertsaal sang sie in der New Yorker Carnegie Hall das Solo in der Sinfonie Nr. 3 von Gustav Mahler; sie trat als Solistin mit dem American Symphony Orchestra, den Sinfonie-Orchestern von Boston, Milwaukee, Minnesota, New Orleans, dem Philadelphia Symphony Orchestra (unter Leonard Bernstein) und mit anderen führenden amerikanischen und europäischen Klangkörpern auf.

Meyrer, Johann, Baß, * 1749 Weimar, † 1810 Mitau (Kurland); er begann 1769 seine Bühnenkarriere, die seit 1776 ihren Höhepunkt am Theater von Riga erreichte. Hier trat er als Baß-Buffo, aber auch in komischen Sprechrollen in Erscheinung. 1783 trat er in die Direktion des Theaters von Riga ein, die er seit 1788 allein innehatte. Er scheint sich auch am Herzoglich Kurländischen Hof in Mitau aufgehalten zu haben, wo seit 1806 zahlreiche Singspiele und musikalische Bühnenszenen aufgeführt wurden. Seine Gattin, die Schauspielerin *Rosina Meyrer* (*1761 Frankfurt an der Oder, † nach 1817), eine Tochter des Schauspielers Anton Gantner, war seit 1772 in Riga engagiert und trat dort gelegentlich auch als Sängerin auf; seit 1778 waren die beiden Bühnenkünstler verheiratet.

Mezetova, Anita, Sopran, *13.6. 1913 Triest, †23.3. 1980 Belgrad; sie wurde zuerst am Konservatorium von Ljubljana (Laibach) ausgebildet und war dann in Wien Schülerin von M. Rado. 1934–65 war sie als erste Sopranistin an der Belgrader Nationaloper engagiert und kam in der jugoslawischen Hauptstadt zu großer Beliebtheit. Als Gast und als Konzertsolistin war sie in Österreich und Deutschland, in der ČSSR, in Polen und in der Sowjetunion zu hören. Seit 1948 nahm sie eine Professur an der Musikakademie von Belgrad wahr. Auf der Bühne sang sie Rollen aus dem lyrischen wie aus dem Koloraturfach: die Susanna in «Figaros Hochzeit», die Mimi in «La Bohème» von Puccini, die Butterfly, die Micaela in «Carmen», die Titelheldin in «Manon» von Massenet, die Dula in «Ero, der Schelm» von Gotovac und die Marie in Smetanas «Verkaufter Braut».
Schallplatten: Decca (vollständige Oper «Khovantchina» von Mussorgsky).

Mica, František Václav, Tenor und Komponist, *5.9. 1694 Třebič (Trebitsch in Mähren), †15.2. 1744 Jaroměřice; er erhielt wahrscheinlich seine Ausbildung in Wien und trat 1714 in den Dienst des Grafen Questenberg ein, in dessen Residenz Jaroměřice er als Sänger wirkte und 1722 zum Kapellmeister ernannt wurde. Er blieb in dieser Stellung bis zu seinem Tod und wurde als Komponist bekannt. So schrieb er fünf Opern, mehrere Kantaten und Passionsmusiken. Zwei Sinfonien, die ihm zugeschrieben worden sind, sind jedoch in Wirklichkeit Kompositionen seines Neffen Jan Adan František Mica (1746–1811).

Michael, Audrey, Sopran, *11.11. 1949 Genf; sie war die Tochter des Dirigenten Jean-Marie Auberson, die Schwester des Chansonniers Pascal Auberson. Sie studierte in Mailand bei Arturo Merlini und bei Giorgina del Vigo. Dann war sie an der Musikhochschule Hamburg Schülerin von Judith Beckmann und Laurent Anders. 1976–81 war sie Mitglied der Staatsoper von Hamburg, 1981–86 der Deutschen Oper am Rhein Düsseldorf–Duisburg. Sie ging dann von ihrem Wohnsitz Genf aus einer ausgedehnten Gastspiel- und Konzerttätigkeit nach. Sie trat als Gast beim Festival von Aix-en-Provence, bei den Osterfestspielen von Salzburg, am Grand Thé-âtre Genf, in Essen, Mannheim, Bordeaux, Lausanne und Monte Carlo auf. Zu ihren Bühnenpartien gehörten der Amor im «Orpheus» von Gluck, die Ilia in «Idomeneo» von Mozart, die Susanna wie die Gräfin in «Figaros Hochzeit», die Pamina wie die Papagena in der «Zauberflöte», die Elvira in Rossinis «Italiana in Algeri», die Adina in «Elisir d'amore», die Lauretta in «Gianni Schicchi» von Puccini, die Zdenka in «Arabella» von R. Strauss, die Elisabeth Zimmer in H. W. Henzes «Elegie für junge Liebende» und die Mélisande in «Pelléas et Mélisande» von Debussy. Fast noch bedeutender war ihr Wirken im Konzertsaal. Sie gab Konzerte in Genf, Lausanne, Basel, Zürich, Luzern und im Rahmen des Septembre Musical Montreux, in Berlin, Hamburg, Bremen, Köln und Stuttgart, in Paris, Straßburg, Rouen und Toulouse, in Lissabon und Buenos Aires. Dabei erwies sie sich als vortreffliche Solistin in Oratorien und geistlichen Vokalwerken von J. S. Bach und Händel bis zu Frank Martin und W. Burkhard und als nicht weniger begabte Liedersängerin. An der Hamburger Staatsoper wirkte sie in den Uraufführungen der Opern «Kommen und gehen» von H. Holliger (1978), «William Ratcliff» von J.-P. Ostendorf (1982) und «Jakob Lenz» von Wolfgang Rihm (1979) mit. In einem Film «Orfeo» nach der gleichnamigen Oper von Monteverdi, den ihr Gatte, der Filmregisseur Claude Goretta, drehte, übernahm sie die Rolle der Euridice.
Schallplatten: Erato («Orfeo» von Monteverdi, «L'Enfant et les sortilèges» von Ravel, Messen von Beethoven und Schubert), DGG («Rigoletto», «Luisa Miller» von Verdi, Blumenmädchen im «Parsifal»), CBS («Il Ballo delle Ingrate» und Marienvesper von Monteverdi), FSM (Magnificat von W. Burkhard), Calig-Verlag (Requiem von R. Schumann), Erato-Ariola (Religiöse Musik von Mendelssohn).

Michaelis-Nimbs, Eugenie, Sopran/Mezzosopran, *1833, †11.5. 1903 Darmstadt; sie hieß ursprünglich Eugenie Fischer und sang zuerst am Stadttheater von Breslau, dann am Hoftheater von Hannover und schließlich 1861–67 am Hoftheater von Mannheim. Von dort ging sie an das Stadttheater von Königsberg (Ostpreußen) und war dann lange Zeit bis zu ihrem Rücktritt von der Bühne am Hoftheater von Darmstadt engagiert. Sie gastierte u. a. an den Theatern von Leipzig (1868) und Zürich (1869). Sie brillierte vor allem in den dramatischen Partien der damals gespielten Opern und galt neben ihrem gesanglichen Können als eine hoch begabte Darstellerin. Aus ihrem Repertoire seien die Elisabeth im «Tannhäuser», die Azucena im «Troubadour» und die Fides im «Propheten» von Meyerbeer genannt. 1863 sang sie in Mannheim die Titelrolle in der Uraufführung der Oper «Loreley» von Max Bruch. Sie war in erster Ehe verheiratet mit dem Theaterdirektor Joseph Nimbs (1805–56), der 1841–44 und 1847–51 das Theater von Breslau leitete. Nach dessen Tod heiratete sie den Schauspieler Otto Michaelis, der am Carl-Theater in Wien, dann, wie seine Gattin, an den Hoftheatern von Hannover und Mannheim und zuletzt in Darmstadt wirkte.

Michalowska, Krystyna, Mezzosopran, * 13. 7. 1946 Wilna (Vilnius); sie wurde an der Musikhochschule von Gdańsk (Danzig) ausgebildet. Sie debütierte 1970 am Theater von Bydgoszcz (Bromberg) als Azucena im «Troubadour». Es folgten Engagements an den Operntheatern von Szczecin (Stettin), Poznań (Posen) und am Baltischen Opernhaus Gdańsk (Danzig). Es kam zu erfolgreichen Gastspielen an Opernbühnen in Ost-Deutschland, in Bulgarien, Rumänien, in der Sowjetunion und in der ČSSR. Nachdem sie mit dem Ensemble der Baltischen Oper Gdańsk am Stadttheater von Bremen (als Leonora in Donizettis «La Favorita») gastiert hatte, schlossen sich weitere Gastspiele in Westeuropa an; so sang sie u. a. beim Mai Musical von Bordeaux. 1980 wurde sie Mitglied des Stadttheaters von Bielefeld, dem sie seither angehörte. Ihr Wirken an diesem Haus fiel in eine künstlerische Blütezeit dieses Theaters. Von ihren zahlreichen Opernpartien seien die Carmen, die Azucena, die Eboli in Verdis «Don Carlos», die Lady Macbeth in dessen «Macbeth», die Maddalena im «Rigoletto», die Ulrica im «Maskenball», die Preziosilla in «La forza del destino», die Marchesa del Poggio in «Un Giorno di Regno» von Verdi, die Fides in Meyerbeers «Le Prophète», die Rosina im «Barbier von Sevilla», die Kontschakowna in «Fürst Igor» von Borodin, die Olga, die Larina wie die Filipjewna im «Eugen Onegin», die Hexe in «Rusalka» von Dvořák, die Laura in «La Gioconda» von Ponchielli, die Dalila in «Samson et Dalila» von Saint-Saëns, die Sara in «Roberto Devereux» von Donizetti und die Amme in der «Frau ohne Schatten» von R. Strauss genannt. Die Künstlerin brachte eine erfolgreiche Karriere als Konzert- und Liedersängerin zur Entwicklung. Sie wirkte in zahlreichen Sendungen des polnischen Rundfunks mit, von denen Mitschnitte vorhanden sind.

Michelini, Saffo, Sopran, * 1886 (?); diese italienische Koloratursopranistin hatte in den Jahren um 1910 eine beachtliche Karriere an italienischen Theatern, wenn sie auch weder an der Mailänder Scala noch in Rom auftrat. 1909 findet man sie am Teatro Donizetti Bergamo als Rosina im «Barbier von Sevilla», 1911 als Amina in «La Sonnambula» von Bellini als Partnerin des Tenors Narciso del Ry. 1910 und 1911 gastierte sie am Teatro San Carlo Neapel, ebenfalls als Rosina, mit dem berühmten Bariton Titta Ruffo in der Rolle des Figaro. Einerseits scheint sich ihre Karriere nur auf Italien erstreckt zu haben, anderseits ist diese wohl nur von relativ kurzer Dauer gewesen.
1911 entstanden einige Aufnahmen ihrer Stimme auf Favorit, darunter die Wahnsinnsszene aus «Lucia di Lammermoor».

Michot, Pierre-Jules, Tenor, * 1832, † 1896; er wurde in einem Pariser Café-Concert entdeckt, wo er populäre Lieder sang. Seine Stimme wurde darauf durch den Pädagogen A. Guillot de Sainbris in Paris ausgebildet. 1856 debütierte er am Théâtre Lyrique Paris in der Titelrolle der Oper «Richard Coeur-de-Lion» von Grétry. Bis 1859 blieb er an diesem Haus engagiert und wechselte dann an die Grand Opéra

Paris, deren Mitglied er in den Jahren 1859–65 war. 1865 kehrte er jedoch wieder an das Théâtre Lyrique zurück. Hier sang er jetzt am 27. 4. 1867 in der Uraufführung von Gounods Oper «Roméo et Juliette» den Roméo mit Marie Miolan-Carvalho in der Rolle der Juliette. Mit dem Ende der Saison 1867 beendete er auch seine Tätigkeit am Théâtre Lyrique. Weitere Nachrichten über einen Fortgang seiner Karriere waren nicht zu erhalten. Von den Partien, die er auf der Bühne sang, sind zu nennen: der Max im «Freischütz» von Weber, der Hüon in dessen «Oberon», der Adolar in «Euryanthe», der Belmonte in «Entführung aus dem Serail», der Tamino in der «Zauberflöte», der Don Ottavio im «Don Giovanni», der Titelheld im «Faust» von Gounod, der Vincent in dessen «Mireille» und der Raoul in den «Hugenotten» von Meyerbeer.

Migai, Sergej Iwanowitsch, Bariton, * 18.(30.) 5. 1888, † 8. 12. 1959; er wurde am Konservatorium von Odessa durch den Pädagogen A. Rajder ausgebildet. Wenn der große italienische Bariton Mattia Battistini auf seinen fast alljährlichen Gastspielreisen in Rußland Odessa besuchte, soll er 1911–13 dem angehenden Sänger einige Unterrichtsstunden erteilt haben. 1912–24 war er Mitglied des Bolschoj Theaters Moskau, 1924–27 sang er am Stanislawski-Theater (seit 1926 Nemirowitsch-Dantschenko-Theater) in Moskau, wo damals aufsehenerregende Opernaufführungen in einem zeitgemäßen, modernen Stil zustandekamen. In den Jahren 1927–41 war er wieder am Bolschoj Theater wie auch an der Oper von Leningrad zu hören. Gastspiele führten den Künstler an die großen Operntheater der Sowjetunion; so gastierte er bereits 1927 am Opernhaus von Tblissi (Tiflis) als Escamillo in «Carmen». Neben seinem Wirken auf der Bühne stand eine zweite, nicht weniger erfolgreiche Tätigkeit im Konzertbereich. Vor allem war er ein beliebter Radiosänger. In den Jahren 1941–49 stand die Tätigkeit im sowjetrussischen Rundfunk ganz im Vordergrund seiner künstlerischen Arbeit. 1948–57 war er als Pädagoge am Konservatorium von Moskau tätig, seit 1952 als Professor. Von den vielen Partien, die er auf der Bühne gesungen hat, sind als Hauptrollen zu nennen: der Titelheld im «Don Giovanni», der Rigoletto, der Miller in Verdis «Luisa Miller», der Germont-père in «La Traviata», der Amonasro in «Aida», der Robert in «Jolanthe» von Tschaikowsky, die Titelfiguren in «Eugen Onegin» und in «Der Dämon» von Rubinstein, der Mizgir in «Snegourotchka» von Rimsky-Korssakow und der Scarpia in «Tosca».
Schallplattenaufnahmen auf Melodiya, darunter auch Platten mit Liedern und die vollständige Oper «Die Weihnachtsnacht» von Rimsky-Korssakow.

Migliara, Francesco, Baß, * 1820 Turin, † 2. 3. 1881 Turin; er erhielt seine Ausbildung zum Sänger in seiner Geburtsstadt Turin und begann seine Karriere an dortigen Teatro Regio. An diesem Opernhaus sang er in der Saison 1850–51 den Banquo in Verdis «Macbeth» und den Pagano in «I Lombardi», 1851–52 den Selva in «La muette de Portici» von

Stammbaum der Familie Migliara

Francesco Migliara (1820–81)

| Firmino Migliara (1849–1918) | Costanza Migliara (1851–1911) ⊗ Camillo Bernardi | Eldrado Migliara (1852–1927) | Francesco Migliara jr. (1858–84) | Enrico Migliara (1863–1915) |

Carlo Migliara
(* 1881)

Auber und in der Uraufführung einer Oper «Camoëns» von G. Sanelli. Er wandte sich dann mehr dem Buffo-Fach zu und erschien in den Jahren 1855–80 in diesem Fach an den Bühnen in seiner Heimat Piemont wie in Ligurien. Er wirkte sehr erfolgreich als Gesanglehrer in Turin, wurde zum Virtuoso di Camera e di Cappella von König Vittorio Emanuele II. von Italien ernannt und wurde der Stammvater einer ganzen Dynastie von Sängern: Sein ältester Sohn *Firmino Migliara* (* 1849 Turin, † 21. 4. 1918 Turin) war Schüler seines Vaters und des Pädagogen Maestro Fassò in Turin. Er debütierte 1870 am Theater von Cuneo und entwickelte eine 40jährige Karriere in 110 Opernpartien an den großen italienischen Bühnen, an europäischen Theatern, in Nord- und Südamerika und sogar in Indien. Er war vor allem als Baß-Buffo bekannt. Er sang in der italienischen Erstaufführung von Gounods «Le Tribut de Zamora» (1882 Teatro Regio Turin) und in der italienischen Premiere der Sullivan-Operette «Il Mikado» (1898 Teatro della Pergola Florenz) wie in der Uraufführung der Oper «Giordano Bruno» von A. Bartolucci (1884, Teatro Dal Verme Mailand). – Dessen Schwester *Costanza Migliara* (* 1851 Turin, † Februar 1911 Crema), ebenfalls Schülerin ihres Vaters, sang an den großen italienischen Opernhäusern zahlreiche Partien aus dem Mezzosopranfach und heiratete später ihren Impresario Camillo Bernardi, mit dem sie sich in dessen Heimatstadt Crema zurückzog. – *Enrico Migliara* (* 1863 Turin, † 6. 1. 1915 Turin), wie seine Geschwister durch den Vater ausgebildet, kam zu einer ansehnlichen Karriere im Baritonfach. – *Francesco Migliara jr* (* 28. 1. 1858 Turin, † 5. 7. 1884 Turin) begann nach seiner Ausbildung 1879 seine Karriere als Bassist in einer Comprimario-Rolle am Teatro Regio Turin, sang dann größere Partien, starb jedoch sehr jung. – Auch *Eldrado Migliara* (* 1852 Turin, † 1927 Turin) wurde ein angesehener Bassist, der vor allem am Teatro Regio Turin auftrat und lange als Pädagoge in Turin wirkte. Dessen Sohn, Carlo Migliara (* 1881 Turin) war 40 Jahre hindurch als Inspektor am Liceo Musicale und am Conservatorio Giuseppe Verdi in Turin tätig.

Miglietti, Adrienne, Sopran, * 22. 7. 1918 Genf; sie war in Genf Schülerin von Violette Andréossi und von Anna-Maria Guglielmetti (1939–44), dann von Salvatore Salvati in Basel und von Maestro Fornarini in Mailand. 1948 begann sie ihre Bühnenkarriere, die ihr bis 1970 bei Gastspielen an führenden Theatern große Erfolge eintrug. Sie sang vor allem am Grand Théâtre Genf und in Lausanne, trat als Gast am Opernhaus von Zürich und am Stadttheater von Basel auf, an der Grand Opéra Paris, an den Opernhäusern von Lyon, Marseille, Nizza, Bordeaux, Toulouse, Rouen, Straßburg und Lille, in Algier und Tunis, an der Opéra de Wallonie Lüttich, am Opernhaus von Köln und am Stadttheater von Bonn. Sie sang zahlreiche Partien aus dem Koloratur-Fach, darunter die Königin der Nacht in der «Zauberflöte», die Zerline im «Don Giovanni», die Lucia di Lammermoor, die Rosina im «Barbier von Sevilla», den Amor im «Orpheus» von Gluck, die Gilda im «Rigoletto», die Traviata, die Olympia in «Hoffmanns Erzählungen», die Philine in «Mignon» von A. Thomas, die Lakmé von Delibes, die Leila in «Pêcheurs de perles» von Bizet, den Waldvogel im «Siegfried» und die Sophie im «Rosenkavalier». Die Künstlerin, die in Genf wohnte, hatte gleichzeitig eine erfolgreiche Karriere als Konzertsolistin.
Schallplatten: Decca («L'Enfant et les sortilèges» von Ravel), Bourg Records (Page Isolier in Rossinis «La Comte Ory»).

Milanese, Luigi, Tenor, * 12. 5. 1878 Novi Ligure, † 21. 7. 1937 Turin; er begann seine Laufbahn als Chorist in seiner Heimatstadt Novi Ligure und wurde dann als Comprimario an den Theatern von Chiavari, Savona, Genua, Verona und an vielen anderen Bühnen sehr geschätzt. In den Jahren 1922–33 gehörte er zum Ensemble des Teatro Regio Turin; er gastierte, zum Teil als Mitglied von Operntruppen, an Bühnen in Italien wie in ganz Europa und bereiste Nord- und Südamerika. Er sang ein nahezu unerschöpfliches Rollenrepertoire, dessen Höhepunkte der Goro in «Madame Butterfly», der Spoletta in «Tosca», der Incredibile in «Andrea Chénier» von Giordano, der Ruiz in Verdis «Troubadour», der Arturo in «Lucia di Lammermoor» von Donizetti, der Wagner in «Mefistofele» von Boito, der Trinca wie der Gabriele in «La cena delle beffe» von Giordano waren. Der Künstler, dessen verdienstvolle Tätigkeit immer wieder gewürdigt wurde, war an mehreren Uraufführungen zeitgenössischer Opernwerke beteiligt.

Milena, Emilie, Sopran, * 6. 5. 1868 Karlstadt (Karlovac) in Kroatien, † (?); sie war die Tochter des ungarischen Oberfinanzgerichtspräsidenten Simon Hrzić-Topuska und wurde in Wien und Paris zur Sängerin ausgebildet. Sie begann ihre Bühnenlaufbahn 1889 am Hoftheater von Mannheim und setzte diese dann am Hoftheater von Darmstadt fort. Sie erregte in jugendlich-dramatischen Partien Aufsehen und wurde auch wegen ihrer aparten Bühnenerscheinung und ihrer Darstellungskunst bewundert. Sie sang Partien wie die Pamina in der «Zauberflöte», die Agathe im «Freischütz», die Titelfigur in «Mignon» von A. Thomas, die Elsa im «Lohengrin» und die Santuzza in «Cavalleria rusticana». Ihre vielversprechende Karriere war jedoch nur kurz. 1892 nahm sie von der Bühne Abschied. Sie heiratete den Prinzen Heinrich von Hessen, wobei sie als Freifrau von Dornberg in den Adelsstand erhoben wurde. Nach dessen Tod 1900 wurde sie 1906 die Gattin des Freiherrn Maximilian von Bassus. 1940 lebte sie noch auf ihrem Schloß in der Oberpfalz bzw. ihrer Wohnung in München.

Milenz, Robert, Tenor, * 11. 2. 1856 Danzig, † 6. 5. 1908 Münster (Westfalen); er ergriff zuerst einen kaufmännischen Beruf, wurde dann jedoch durch Edmund Glomme in Dresden zum Sänger ausgebildet. Er führte ein bewegtes Wanderleben von einer deutschen Bühne zur anderen und hatte nacheinander folgende Engagements: 1877–78 Stadttheater Halle (Saale), 1879–80 Stadttheater Graudenz, 1880–81 Stadttheater Kolberg, 1881–82 Stadttheater Reval, 1882–85 Stadttheater Nürnberg, 1885–87 Opernhaus Riga, 1887–89 Stadttheater Königsberg (Ostpreußen), 1889–92 Stadttheater Stettin, 1892–1895 Stadttheater Chemnitz, 1895–97 Stadttheater Regensburg, schließlich 1898–99 Stadttheater Kiel. Er gastierte auch am Opernhaus von Leipzig und an anderen deutschen Bühnen. Dabei sang er in erster Linie Partien aus dem heldischen und dem Wagner-Repertoire, darunter den Raoul in den «Hugenotten» von Meyerbeer, den Titelhelden in dessen «Prophet», den Florestan im «Fidelio», den Walther in den «Meistersingern» und den Siegfried im Nibelungenring. Auch als Konzertsolist tätig.

Milić, Blaženka, Sopran, * 4. 2. 1939 Mostar (Herzegowina); sie debütierte nach ihrer Ausbildung 1969 an der Kroatischen Nationaloper von Zagreb und blieb seitdem für mehr als zwanzig Jahre Mitglied des Ensembles. Mit diesem unternahm sie auch Gastspiele und war im übrigen eine gesuchte Konzertsolistin. Aus ihrem umfangreichen Bühnenrepertoire seien die Tosca, die Mimi in Puccinis «La Bohème», die Butterfly, die Gräfin in «Figaros Hochzeit», die Madalena in «Andrea Chénier» von Giordano, die Zorka in «Porin» von Lisinski und die Eva in «Zrinskij» von Ivan Zajc genannt. Schallplatten: Jugoton.

Miller, Julius, Tenor, * 1772 (nach anderen Quellen 1774) Dresden, † 7. 4. 1851 Berlin-Charlottenburg; sein Bühnendebüt fand 1799 in Amsterdam als Tamino in der «Zauberflöte» statt. Seit 1800 war er als erster Tenor in Flensburg und Schleswig engagiert, wo er seine erste Oper «Der Familienbrief» 1802 erfolgreich zur Aufführung brachte. Im weiteren Verlauf seines Lebens stehen dann die Karriere eines Bühnenkomponisten und eines Bühnensängers nebeneinander, wobei einmal die eine, einmal die andre Tätigkeit überwiegt. 1803 gastierte er als

Tenor in Hamburg und ging dann nach Breslau, wo er mit Carl Maria von Weber Freundschaft schloß. Nach der Publikation einer zweiten Oper «Die Verwandlung» und einer Anzahl von Gastspielen kam er 1808 nach Wien und sang dann in Dessau und Leipzig. In Leipzig kam seine Oper «Der Kosakenoffizier» zur Aufführung. 1810 kam er zur Seconda'schen Gesellschaft und wurde 1813 von dem Theaterschriftsteller August von Kotzebue an das Stadttheater von Königsberg berufen. Letzterer schrieb die Textbücher für seine Operetten «Die Alpenhütte» und «Hermann und Thusnelda». 1816 gab Julius Miller ein Gastspiel in Berlin, sang darauf in Frankfurt a. M., 1818 in Darmstadt und in den Jahren 1819–22 in Amsterdam. Während dieser Zeit reiste er jedoch mehrfach nach Deutschland, um Aufführungen seiner Oper «Merope» in die Wege zu leiten. 1823 übernahm er die Leitung der Deutschen Oper Amsterdam als Regisseur, später lebte er abwechselnd in Kassel und Hannover als Gesanglehrer. Er unternahm nochmals große Gastspielreisen durch Belgien, Rußland und Norddeutschland und ließ sich 1831 in Berlin nieder. 1846 ging er nach Dresden; hier kam seine letzte Oper «Perücke und Musik» oder «Die Tabakskantate» zur Uraufführung. 1847 übersiedelte er nach Leipzig, wohnte aber später wieder in Berlin. Seine großen Bühnenpartien waren der Titelheld in Mozarts «La clemenza di Tito», der Belmonte in der «Entführung aus dem Serail», der Don Ottavio im «Don Giovanni», der Titelheld in «Fernand Cortez» von Spontini und der Pylades in Glucks «Iphigenie auf Tauris».

Miller, Kevin, Tenor, * 1929 Adelaide; er studierte zunächst am Elder Conservatory der Universität von Adelaide bei Clement Q. Williams. Zunächst glaubte er, eine Baritonstimme zu besitzen, wurde aber seit 1949 zum Tenor umgeschult. 1951 begann er seine Bühnenlaufbahn bei der Australian National Theatre Company in Melbourne, wo er bereits Partien in Opern von Mozart, Rossini und Vaughan Williams sang, zugleich aber auch noch als kaufmännischer Angestellter arbeitete. Nach Adelaide zurückgekehrt, eröffnete er dort ein Kolonialwarengeschäft, blieb aber durch Auftritte im australischen Rundfunk seiner Tätigkeit als Sänger verbunden. 1951 konnte er mit einem Stipendium seine Ausbildung in London ergänzen und war dort 1951–55 Schüler von Dino Borgioli wie er auch Studien an der Accademia di Santa Cecilia Rom unternahm. In England kam er dann zu ersten großen Erfolgen bei den Festspielen von Glyndebourne; hier sang er 1955 den Fenton in Verdis «Falstaff», 1956 den Pedrillo in der «Entführung aus dem Serail» und den Monostatos in der «Zauberflöte» von Mozart und 1957 den Scaramuccio in «Ariadne auf Naxos» von Richard Strauss. 1955 beteiligte er sich an einer Australien-Tournee der Elizabethan Opera Company. 1957–58 gastierte er bei der Welsh Opera Cardiff, in Dublin, bei der Touring Opera (1958) und bei der Carl Rosa Opera Company. 1959 wurde er Mitglied der Londoner Sadler's Wells Opera. Hier sang er vor allem Partien aus dem Bereich des Buffo- und Charakterfachs: den Ramiro in Rossinis

«La Cenerentola», den Wanja in «Katja Kabanova» von Janáček, den Ottokar im «Zigeunerbaron» von J. Strauß, den Incroyable in «Andrea Chénier» und den Titelhelden in der Offenbach-Operette «Orpheus in der Unterwelt». In der letztgenannten Rolle gastierte er mit dem Sadler's Wells-Ensemble 1962 bei einer Australien-Tournee, 1962, ebenfalls mit diesem Ensemble, in Westdeutschland als Sellem in «The Rake's Progress» von Strawinsky.
Schallplatten: CBS (Sellem in vollständiger Aufnahme der Oper «The Rake's Progress» unter der Leitung des Komponisten von 1964), HMV (Querschnitt «Orpheus in der Unterwelt»).

Millgramm, Wolfgang, Tenor, * 16. 4. 1954 Ostseebad Kühlungsborn in Mecklenburg; er absolvierte sein Gesangstudium an der Musikhochschule Berlin, an der Günther Leib und Kurt Rehm seine Lehrer waren. 1984 debütierte er an der Staatsoper Berlin als Alfred in der «Fledermaus» von J. Strauß. Seitdem hatte er an diesem Opernhaus eine erfolgreiche Karriere. Gastspiele brachten ihm ähnliche Erfolge in Rumänien und Japan, in Spanien und in der Schweiz, in der Sowjetunion wie in Jugoslawien. Sein Bühnenrepertoire enthielt eine Vielzahl von Partien aus dem lyrischen Fachbereich: den Alfredo in «La Traviata», den Tamino in der «Zauberflöte», den Fenton in den «Lustigen Weibern von Windsor» von Nicolai, den Lenski im «Eugen Onegin» von Tschaikowsky, den Narraboth in «Salome» von R. Strauss (Staatsoper Berlin 1990), den italienischen Sänger im «Rosenkavalier» vom gleichen Meister, den Wladimir in «Fürst Igor» von Borodin (Staatsoper Berlin 1989), Partien in «Tiefland» von E. d' Albert, im «Tannhäuser» und in «Euryanthe» von Weber. 1989 sang er bei den Festspielen von Bregenz den Steuermann im «Fliegenden Holländer». Auch als Konzertsänger trat er mit Erfolg in Erscheinung.
Schallplatten: Philips («Ariadne auf Naxos» von R. Strauss).

Mills, Erie, Sopran, * 22. 6. 1953 Granite City (Illinois); sie war am College of Wooster Schülerin des Pädagogen Karl Trump, dann Gesang- und Musikstudium an der University of Illinois bei Grace Wilson, schließlich noch ergänzende Studien bei Elena Nikolaidi. 1978 debütierte sie in St. Louis in der amerikanischen Erstaufführung der Oper «L'Arbore di Diana» von Martín y Soler. 1979 hörte man sie an der Oper von Chicago als Ninetta in «Die Liebe zu den drei Orangen» von Prokofieff. Sie kam dann zu einer erfolgreichen Karriere an der New York City Centre Opera. Hier debütierte sie als Cunegonde in der Oper «Candide» von Bernstein und sang u. a. die Anne Trulove in Strawinskys «The Rake's Progress», die Rosina im «Barbier von Sevilla» (1988) und die Marie in Donizettis «La fille du régiment». 1984 erschien sie an der Mailänder Scala als Giunia in «Lucio Silla» von Mozart. Gastspiele an der Staatsoper von Wien (1987 als Zerbinetta in «Ariadne auf Naxos»), an den Opernhäusern von Houston, Washington, Cleveland, Santa Fé, Cincinnati und San Francisco führten zu weiteren Erfolgen.

1988 sang sie bei der Florentine Opera Milwaukee die Titelheldin in «The Ballad of Baby Doe» von Douglas Moore. Im gleichen Jahr debütierte sie an der New Yorker Metropolitan Oper als Blondchen in Mozarts «Entführung aus dem Serail». An der City Centre Opera sang sie in der Spielzeit 1988–89 sehr erfolgreich die Lucia di Lammermoor. 1989 hatte sie in New York große Erfolge als Konzertsängerin, an der Oper von New Orleans als Marie in «La Fille du régiment».
Schallplatten: New World Records («Candide» von L. Bernstein), RCA.

Mineva, Stefka, Mezzosopran, * 1950 (?) Stara Zagora (Bulgarien); sie war die Tochter des in Bulgarien sehr bekannten Tenors der Oper von Stara Zagora *Minjo Minev,* erhielt schon als Kind Ballett- und Musikunterricht und wurde durch den Pädagogen Ilja Jossifoff an der Musikhochschule Sofia ausgebildet. 1972 debütierte sie am Opernhaus von Stara Zagora als Berta in Rossinis «Barbier von Sevilla» und sang dort in den folgenden zwei Jahren Partien wie die Suzuki in «Madame Butterfly», die Olga im «Eugen Onegin» von Tschaikowsky, die Amneris in «Aida» und die Carmen. 1976 und 1977 wurde sie bei Gesangwettbewerben in Sofia und in Ostende ausgezeichnet und folgte 1977 einem Ruf an die Nationaloper von Sofia, wo sie 1979 einen besonderen Erfolg als Marfa in Mussorgskys «Khovantchina» hatte. Gastspiele und Konzerte in den internationalen Musikzentren, u. a. in Wien, Paris, Genf, Turin, San Francisco, Zürich, Barcelona und Genf brachten nicht weniger große Erfolge; sie trat als Gast am Bolschoj Theater Moskau, an den Nationalopern von Budapest, Bukarest und Belgrad in Erscheinung; in der Spielzeit 1986–88 erregte sie als Marfa in «Khovantchina» an der Metropolitan Oper New York Aufsehen. Diese Partie, ihre besondere Glanzrolle, sang sie auch in einer Rundfunkaufnahme des Werks durch den italienischen Rundfunk RAI. In Messina übernahm sie das Alt-Solo im Verdi-Requiem. 1987 gastierte sie beim Festival von Perugia als Kontschakowna in Borodins «Fürst Igor», an der Oper von Rom als Ljubascha in der «Zarenbraut» von Rimsky-Korssakow, 1989 in Florenz als Kabanicha in «Katja Kabanowa» von Janáček. Höhepunkte ihres Bühnenrepertoires waren neben den bereits genannten Partien die Marina im «Boris Godunow», die Eboli in Verdis «Don Carlos», die Adalgisa in Bellinis «Norma» und die Leonora in «La Favorita» von Donizetti.
Auf der bulgarischen Schallplattenmarke Balkanton erschien eine Arienplatte der Sängerin, außerdem die vollständigen Opern «Vera Scheloga» von Rimsky-Korssakow und «Krieg und Frieden» von Prokofieff, die Petite Messe solennelle von Rossini sowie mehrere bulgarische Opern. Auf Capriccio singt sie die Suzuki in «Madame Butterfly».

Minich, Peter, Tenor, * 1928 St. Pölten; er begann zunächst ein Ingenieurstudium, ließ aber auch seine Stimme ausbilden. Schließlich wandte er sich ganz dem Gesang zu und studierte am Horak-Konservatorium in Wien. Während dieser Zeit trat er bereits

an kleineren Wiener Theatern als Schauspieler auf. 1951 debütierte er am Stadttheater von St. Pölten im «Bettelstudenten» von Millöcker und war 1951–55 am Theater von St. Gallen engagiert. 1955–60 war er Mitglied des Opernhauses von Graz und kam dann an die Wiener Volksoper, an der er schon zuvor gastiert hatte. Hier erreichte seine Karriere ihren Höhepunkt. Mit dem Ensemble der Wiener Volksoper war er in der UdSSR und 1982–83 in Japan zu Gast. Weitere Gastspiele führten ihn an die Staatsoper von Wien, an die Deutsche Oper am Rhein Düsseldorf–Duisburg und das Theater am Gärtnerplatz in München. 1962–63 stellte er bei den Salzburger Festspielen den Bassa Selim in der «Entführung aus dem Serail» dar. Er beherrschte ein breites Repertoire, das seine Höhepunkte vor allem im Bereich der Operette hatte; er sang den Eisenstein wie den Alfred in der «Fledermaus», den Baron in Offenbachs «Pariser Leben», den Symon im «Bettelstudenten», den Paquilo in «La Périchole» von Offenbach und den René im «Grafen von Luxemburg» von Lehár. Auch im Musical kam er zu glänzenden Erfolgen, ebenso in Film- und Fernsehaufnahmen, in Rundfunksendungen und bei Auftritten auf der Sprechbühne. Eine weitere große Partie des vielseitig begabten Künstlers war der Jim Mahoney in «Aufstieg und Fall der Stadt Mahagonny» von Weill. Verheiratet mit der Operettensängerin *Eleonore Bauer* (* 1927 Linz a. d. Donau).
Zahlreiche Schallplattenaufnahmen, vor allem Operettenquerschnitte, bei Philips und Telefunken-Decca, Gesamtaufnahme «Die lustige Witwe» auf Nippon Columbia (als Danilo).

Minor, Minna, s. unter *Alken-Minor,* Minna.

Minten, Reiner, Tenor, * 1901, † 18. 9. 1958 Hannover; er eröffnete seine Karriere mit einem Engagement am Opernhaus von Düsseldorf in der Spielzeit 1921–22. 1922–23 sang er am Stadttheater von Bielefeld, 1923–24 am Stadttheater von Mönchengladbach, 1924–25 am Staatstheater von Oldenburg, 1925–27 am Stadttheater von Münster (Westfalen) und 1927–30 am Stadttheater von Dortmund. Er setzte seine Karriere am Opernhaus von Leipzig (1930–33) und am Staatstheater von Schwerin (1933–37) fort und wurde schließlich 1937 an das Staatstheater Hannover berufen. Hier wirkte er bis 1950 als beliebter Sänger. 1929 war er zu Gast in Amsterdam, 1930 an der Staatsoper von Dresden, 1932 am Opernhaus von Köln, 1935 am Staatstheater Kassel, 1936 am Stadttheater Bremen, 1938 am Stadttheater Graz. In Hannover wirkte er 1937 in der Uraufführung der Oper «Die Fasnacht von Rottweil» von W. Kempff (als Rainer), 1942 in der von «Das königliche Opfer» von Georg Vollerthun (als Zar Alexander) mit. Seine großen Bühnenpartien waren der des Grieux in «Manon Lescaut» von Puccini, der Canio in «Bajazzo», der Alvaro in Verdis «La forza del destino», der Radames in «Aida», der Eleazar in «La Juive» von Halévy, der Samson in «Samson et Delila» von Saint-Saëns, der Hüon im «Oberon» von Weber, der Titelheld in Wagners «Rienzi», der Erik im «Fliegenden Holländer», der

Tristan, der Siegmund wie der Siegfried im Nibelungenring, der Herodes in «Salome» von R. Strauss und der Othello von Verdi. Auch als Konzert- und Liedersänger kam er zu einer großen Karriere. Er erwarb sich um das Opernhaus von Hannover große Verdienste, indem er dieses in den schwierigen Nachkriegsjahren 1945–51 als Intendant leitete und wesentlich zu dessen Wiederherstellung beitrug; seit 1945 war er auch Direktor der Opernschule, die dort eingerichtet wurde.
Schallplatten: Auf der Marke Parlophon kam die Schlußszene aus «Siegfried» mit Margarete Bäumer heraus (um 1930).

Miranda, Beatrice, Sopran, * 1884 Melbourne, † 1964 Buffalo (New York); ihre Eltern waren die Opernsängerin *Annetta Hirst* und der Tenor *David Miranda,* ihre Schwester *Lalla Miranda* (1876–1948) wurde eine bekannte Opern- und Konzertsopranistin. Sie debütierte 1903 in ihrer Geburtsstadt Melbourne und kam in Australien zu ersten Erfolgen als Konzert- und Oratoriensolistin, trat aber auch in Opernpartien auf, u. a. 1904–06 bei der Turner Opera Company, einer Wanderbühne, in Australien. Sie verlegte sie ihre Tätigkeit nach London, trat dort zuerst in Konzerten auf, wurde aber 1909 Mitglied der Carl Rosa Opera Company, bei der sie Partien aus dem dramatischen Fach (Nedda im «Bajazzo», Aida, aber auch Gilda im «Rigoletto») zum Vortrag brachte. Man schätzte sie auch als Wagner-Interpretin (Brünnhilde, Sieglinde, Isolde, Elisabeth, Elsa) und als Tosca. Seit 1922 sang sie bei der British National Opera Company London (Antrittspartie: Aida bei einer Aufführung in Bradford). Sie ließ sich 1924, zusammen mit ihrem Gatten, dem Sänger *Hebden Foster,* in Edinburgh als Gesanglehrerin nieder. Sie trat auch noch bei Konzertveranstaltungen und bei Gastspielen in Opernpartien in Erscheinung. Gemeinsam mit Hebden Foster bemühte sie sich in den Jahren vor dem Zweiten Weltkrieg um Opernaufführungen der Edinburgh Grand Opera Company, nach Kriegsende um die Errichtung der Scottish National Opera. Beatrice Miranda starb während eines Besuchs bei ihrer Tochter in den USA.
Schallplatten-Aufnahmen ihrer Stimme sind auf HMV vorhanden, darunter das Miserere aus Verdis «Troubadour» zusammen mit dem Tenor Hughes Macklin und Ausschnitte aus der «Walküre».

Miricioiu, Nelly, Sopran, * 31. 3. 1952 Adjud (Rumänien); ihre sehr musikalische Mutter hatte ihr den Vornamen Nelly in Erinnerung an die große australische Sopranistin Nelly Melba gegeben. In der Tat zeigte das Kind früh eine erstaunliche Begabung, sang bereits mit fünf Jahren im rumänischen Rundfunk, wurde im Klavierspiel unterrichtet und begann schon mit 14 Jahren ihre ersten Gesangstudien, die sie dann am Nationalkonservatorium von Bukarest abschloß. Sie debütierte mit 18 Jahren in der rumänischen Metropole Bukarest als Königin der Nacht in der «Zauberflöte», verließ aber bald Rumänien und ließ sich in London nieder. Es gelang ihr von dort aus eine große internationale Karriere aufzubauen. In

London hörte man sie in Partien wie der Lucia di
Lammermoor, der Tosca, der Marguerite im
«Faust» von Gounod, der Titelfigur in «Manon Lescaut» von Puccini, vor allem aber als Violetta in
Verdis «La Traviata», ihrer eigentlichen Glanzrolle,
in der sie dann in aller Welt aufgetreten ist. Sie war
zu Gast an der Oper von Frankfurt a. M. (1983–86),
an der Pariser Grand Opéra (in «Hoffmanns Erzählungen» als Olympia, Giulietta und Antonia, dann
auch als Violetta) und in Amsterdam (konzertante
Aufführung von Massenets «Thaïs»). An der Mailänder Scala wie an der Wiener Staatsoper (1988)
erregte sie als Lucia di Lammermoor Aufsehen, an
der Oper von Rom als Mimi in Puccinis «La Bohème», am Theatro Bellini von Catania als Giulietta
in «I Capuleti ed I Montecchi» von Bellini, bei den
Festspielen in der Arena von Verona als Traviata
(1987). An der Oper von San Francisco hörte man
die inzwischen international hoch angesehene Sängerin als Mimi, als Tosca und als Violetta, am Deutschen Opernhaus Berlin als Tosca (1987) und als
Marguerite (1988), an der Oper von Sydney als
Manon Lescaut. 1989 erlebte man sie bei den Aufführungen von Borodins «Fürst Igor» in der Münchner Olympia-Halle in der Partie der Jaroslawna.
Neben der Schönheit ihrer Sopranstimme, deren
Aufgaben im Lirico spinto- wie im Koloraturfach zu
finden waren, wurde auf der Bühne ihr eminentes
darstellerisches Talent bewundert.
Schallplatten: Mitschnitte von Rundfunkaufnahmen
auf Privatmarken. Auf Etcetera Aufnahme eines
Konzerts in der Londoner Wigmore Hall mit Arien
und Liedern.

Mirus, Eduard, Bariton, * 12. 5. 1856 Ljubljana
(Laibach), † 14. 12. 1914 Wien; er begann seine Bühnenlaufbahn 1885 am Stadttheater von Mainz, wo er
als Graf Liebenau im «Waffenschmied» von Lortzing debütierte. 1888 folgte er einem Ruf an das
Wiener Carl-Theater. Hier trat er in zahlreichen
Opern- und Operettenpartien auf, setzte gleichzeitig
seine Ausbildung fort und studierte u. a. Musikwissenschaft bei Eduard Hanslick. 1890 kam er als
erster Bariton an das Stadttheater von Budweis
(Česke Budějovice), dem er bis 1895 angehörte. Er
ließ sich dann jedoch in Wien als geschätzter Gesanglehrer nieder und trat nur noch als Konzertsänger in Erscheinung.

Misske, Gerhard, Baß-Bariton, * 1910 Kolberg
(Pommern), † Februar 1989 Wiesbaden; er erhielt
seine Ausbildung zum Sänger an der Musikhochschule Berlin. 1936 debütierte er am Stadttheater
von Augsburg als Wolfram im «Tannhäuser». Von
dort ging er für die Jahre 1937–39 an das Stadttheater
von Bremen, wo er in der deutschen Erstaufführung
der Oper «Antonius und Cleopatra» von Malipiero
sang (1939). Von 1939 bis zum Ende des Zweiten
Weltkrieges war er Mitglied des Landestheaters
Dessau. Dann sang er wieder 1947–49 am Stadttheater von Augsburg, 1949–54 am Landestheater Saarbrücken und war schließlich von 1954 bis zu seinem
Abschied von der Bühne 1974 am Staatstheater
Wiesbaden tätig. Hier gehörte er zu den am meisten

beschäftigten Ensemblemitgliedern und wirkte u. a.
in der deutschen Erstaufführung der Oper «The
Crucible» von R. Ward 1963 in der Partie des Put-
nam mit. Zu seinem umfangreichen Repertoire ge-
hörten Partien wie der Pizarro im «Fidelio», der
Telramund im «Lohengrin», der Kurwenal im «Tri-
stan», der Beckmesser in den «Meistersingern», der
Alberich im Nibelungenring, der Amfortas im «Par-
sifal», der Jochanaan in «Salome», der Sebastiano in
«Tiefland» von E. d' Albert, der Nabucco in der
gleichnamigen Verdi-Oper, der Vater Miller in
«Luisa Miller», der Rigoletto, der Posa im «Don
Carlos», der Scarpia in «Tosca», die Titelrollen in
«Mazeppa» von Tschaikowsky und in «Mathis der
Maler» von Hindemith. Er war verheiratet mit der
Opernsängerin *Berni Riegg,* die ihre Karriere 1935
am Volkstheater München begann und dann an den
Theatern von Augsburg, Münster (Westfalen), Des-
sau und Saarbrücken bis zu ihrem Bühnenabschied
1955 engagiert war.
Die Stimme von Gerhard Misske begegnet uns auf
MMS-(Beckmesser in den «Meistersingern») und
Melodram-Aufnahmen («Lustige Weiber von Wind-
sor»).

Missorta, Palmira, Sopran, * 1846 Vigévano bei
Mailand, † (?) Novara; sie studierte am Conservatorio Giuseppe Verdi in Mailand und erwarb das Diplom als Opernsängerin wie als Gesanglehrerin. Sie
hatte vor allem am Teatro Regio von Turin eine
erfolgreiche Laufbahn; hier sang sie u. a. in der
Uraufführung der Oper «Francesca da Rimini» von
Cagnoni (1878) und hatte im gleichen Jahr einen
besonders großen Erfolg als Amelia in Verdis «Ballo
in maschera». Den Höhepunkt erreichte ihre Karriere jedoch bei ihren zahlreichen Auftritten an südamerikanischen Opertheatern. In den dreißig Jahren von 1870 bis 1900 war sie mehr in Südamerika als
in ihrer italienischen Heimat anzutreffen. Als große
Primadonna feierte man sie namentlich in Brasilien;
sie sang in Rio de Janeiro, São Paulo, in Bahia und
in den weiteren brasilianischen Großstädten die
Hauptpartien in den Opern des einheimischen Komponisten Carlos Gomes, dazu Rollen in Opernwerken von Verdi, Rossini, Meyerbeer, Bizet und Marchetti. In Italien ist sie am Teatro Fenice Venedig,
am Teatro Pagliano Florenz, am Teatro Comunale
Piacenza, am Teatro Coccia Novara, in Asti, Alessandria und in Mailand aufgetreten. Sie war verheiratet mit dem Tenor *Temistocle Parasini* (* 1843,
† März 1920 Novara), der an Opernbühnen in Italien
wie in Südamerika zu einer beachtlichen Karriere
kam und seit 1881 als Solist an der Kathedrale von
Novara angestellt war, wo er auch Gesangunterricht
erteilte.

Mitchell, Geoffrey, Countertenor, * 6. 6. 1936 Up-
minster (Grafschaft Essex); er studierte bei Alfred
Deller und bei Lucy Menen und wurde vor allem
durch Alfred Deller in die Kunst des Countertenor-
Singens eingewiesen. 1957–60 war er als Lay-Clerk
an der Kathedrale von Ely tätig, 1960–61 an der
Westminster Abbey, 1961–66 als Vicar-Choral an
der St. Pauls-Kathedrale London. Er gründete 1966

den Surrey University Choir, den er als Dirigent leitete, seit 1966 war er auch der Manager des John Alldis Choir. 1976–77 leitete er das Vokal-Ensemble «Cantores in Ecclesia», seit 1977 war er Choral-Manager der BBC London, 1970–86 dirigierte er die New London Singers, seit 1976 den Geoffrey Mitchell Choir. Seit 1974 nahm er eine Professur an der Royal Academy of Music London wahr, seit 1975 unterrichtete er am King's College und am St. John's College in Cambridge. Trotz dieser intensiven Tätigkeit als Dirigent, Chorleiter und Pädagoge trat er immer wieder als Countertenor in Erscheinung und unternahm ausgedehnte Konzertreisen. Nicht zuletzt machten ihn seine Rundfunkauftritte und seine zahlreichen Schallplattenaufnahmen bekannt. Auf diesen singt er zumeist Soli zusammen mit den von ihm geleiteten Chören, dabei vor allem Werke aus der Barock-Epoche.

Mitić, Nikola, Baß-Bariton, * 27. 11. 1938 Niš (Serbien); er erhielt seine Ausbildung zum Sänger durch M. Stojadinović und M. Miklavčić in Belgrad und war dann noch Schüler von V. Badiali in Mailand. 1965 debütierte er an der Nationaloper von Belgrad und ist seitdem Mitglied dieses führenden jugoslawischen Opernhauses geblieben. Durch Gastspiele wurde sein Name international bekannt. 1968 gastierte er mit dem Ensemble der Belgrader Oper in Kopenhagen, 1970 am Teatro Liceo Barcelona. Mehrfach trat er als Gast an der Wiener Staatsoper in Erscheinung, außerdem 1970 am Opernhaus von Philadelphia, 1971 an der Deutschen Oper am Rhein Düsseldorf–Duisburg, 1973 beim Festival von Perugia, 1975 an der Oper von Rom und 1976 am Opernhaus von Dublin. Dabei hörte man ihn in Partien wie dem Rigoletto, dem Figaro in «Figaros Hochzeit», dem Titelhelden im «Eugen Onegin» wie in «Mazeppa» von Tschaikowsky, dem Enrico in «Lucia di Lammermoor» von Donizetti, dem Riccardo in Bellinis «I Puritani» und dem Posa in der Verdi-Oper «Don Carlos».

Mitrović, Ančica, Mezzosopran-Sopran, * 10. 12. 1894 Rijeka (Fiume); sie studierte in ihrer Geburtsstadt Rijeka und debütierte 1913 als Operettensoubrette am Theater von Osijek (Esseg). Sie sang danach am Theater von Varazdin, dann an den Opernhäusern von Ljubljana (Laibach) und Maribor (Marburg a. d. Drau). Ende der zwanziger Jahre ging sie nach Deutschland, wo sie 1928–30 am Opernhaus von Leipzig und 1930–32 am Landestheater von Darmstadt engagiert war. Darauf kehrte sie wieder nach Jugoslawien zurück und war seit 1932 ein hoch geschätztes Mitglied der Kroatischen Nationaloper Zagreb. Hatte sie zunächst hauptsächlich Operettenpartien gesungen, so wandte sie sich ab 1926 der Oper zu und nahm eine Vielzahl von dramatischen Sopran- und Mezzosopran-Aufgaben in ihr Repertoire auf: die Carmen und die Kundry im «Parsifal», die Brünnhilde im «Siegfried», die Venus im «Tannhäuser» und die Ortrud im «Lohengrin», die Marina im «Boris Godunow» und die Adalgisa in «Norma», die Santuzza in «Cavalleria rusticana» und die Titelfigur in der Richard Strauss-Oper «Sa-

lome», die Marie im «Wozzeck» von Alban Berg und die Katerina Ismailowa in der gleichnamigen Oper von Schostakowitsch. Die Künstlerin, deren große Darstellungskunst auf der Bühne immer wieder bewundert wurde, war mit dem Dirigenten und Komponisten Andro Mitrović (1879–1940) verheiratet.

Modesti, Alessandro, Bariton, * 14. 2. 1858 Rom, † 14. 2. 1940 Novara; er war Schüler des Mailänder Pädagogen G. Cima und debütierte 1886 am Teatro Reynach in Parma als Doge in «I due Foscari» von Verdi. Er hatte bei seinem Debüt und anschließend als Titelheld in Verdis «Nabucco» großen Erfolg. Es folgten Auftritte in Crema, Vicenza und am Teatro Pagliano Florenz (1897 als Graf Luna im «Troubadour»). Über das Teatro Politeama Treviso und das Teatro Manzoni Mailand kam er in der Saison 1891–92 an das Teatro Regio Parma, wo er mit großem Erfolg den Escamillo in «Carmen» und den Alfonso in Donizettis «La Favorita» sang. 1892 hörte man ihn am Teatro Costanzi Rom wieder als Escamillo und als Carlos in «La forza del destino» von Verdi sowie in der Uraufführung einer Oper «Swarten» von A. Gnaga als Partner des großen Tenors Francesco Tamagno (15. 11. 1892). Sehr große Erfolge erzielte er bei Gastspielen an führenden Bühnen in Nord- wie in Südamerika. 1893 bereiste er mit der Compagnia Ughetto Mexiko und kam zu einem brillanten Erfolg in der Premiere von Verdis (im gleichen Jahr an der Mailänder Scala uraufgeführten Oper) «Falstaff». Der Ford in dieser Oper wurde jetzt eine seiner besonderen Glanzrollen, die er 1894–95 u. a. am Teatro Carlo Felice Genua, am Teatro Comunale Bologna, am Teatro Sociale Trient, am Teatro Nuovo Pisa und am Teatro Malibran Venedig sang. Seit 1900 war er mit der Mezzosopranistin *Carolina Zauner* (1872–1952) verheiratet. Mit ihr zusammen begründete er 1910 in New York ein Gesangstudio, das zu hohem Ansehen kam. Später kehrte das Künstlerehepaar wieder nach Italien zurück und setzte seine pädagogische Tätigkeit in Novara fort.

Mödlinger, Ludwig, Baß-Bariton, * 15. 8. 1843 Judenburg (Steiermark), † 29. 12. 1912 Dresden; er war ein Bruder des berühmten Bassisten *Josef Mödlinger* (1848–1927) und des Sängers und Schauspielers *Anton Mödlinger* (* 1854, † 1921 Graz). Nachdem er anfänglich als Schauspieler und Sänger, vor allem auch in Operetten, aufgetreten war, wandte er sich der Oper zu und war 1884–86 am Stadttheater von Augsburg engagiert. 1886–88 war er Mitglied des Stadttheaters von Basel, und in der Spielzeit 1888–89 wirkte er an der Metropolitan Oper New York. 1889 nahm er dort an den amerikanischen Erstaufführungen der Wagner-Opern «Rheingold» und «Tannhäuser» teil. 1890–93 war er am Stadttheater von Straßburg, 1893–95 in Königsberg (Ostpreußen) tätig, 1895–96 am Hoftheater von Altenburg in Thüringen. 1896 folgte er einem Ruf an die Hofoper von Dresden, an der er bis 1910 als Sänger und dann auch als Regisseur zu einer bedeutenden Karriere kam. Im Mittelpunkt seines Bühnenrepertoires standen seine Wagner-Heroen.

Es sind keine Schallplattenaufnahmen des Künstlers bekannt.

Möhler, Hubert, Tenor, *1923 (?) Augsburg; er studierte an der Musikhochschule seiner Vaterstadt Augsburg und war in den Jahren 1946–52 als Chorsänger am dortigen Stadttheater beschäftigt. Während dieser Zeit führte er seine Ausbildung weiter und debütierte als Solist 1952 am Stadttheater von Gelsenkirchen, dessen Mitglied er bis 1957 war. In den Jahren 1957–61 sang er am Stadttheater von Oberhausen, 1961–64 wieder am Stadttheater von Augsburg. Er folgte dann einem Ruf an das Opernhaus von Köln und war seit 1964 für mehr als 25 Jahre dort im Engagement. Er konzentrierte seine künstlerische Arbeit vor allem auf Partien aus dem Buffo- wie dem Charakterfach und sang u. a. den Pedrillo in der «Entführung aus dem Serail», den Monostatos in der «Zauberflöte», den Basilio in «Figaros Hochzeit», den Mime im Nibelungenring, den Steuermann im «Fliegenden Holländer», den David in den «Meistersingern», die Hexe in «Hänsel und Gretel», den Valzacchi im «Rosenkavalier», den Hauptmann im «Wozzeck», den Goro in «Madame Butterfly», den Nick in Puccinis «La Fanciulla del West», die vier Charakterrollen in «Hoffmanns Erzählungen» und den Adam in «Die Teufel von Loudun» von Penderecki. Er gastierte an deutschen und ausländischen Bühnen und trat erfolgreich als Konzertsänger, vor allem in Oratorien und geistlichen Vokalwerken, auf.
Schallplatten: Opera (Querschnitt «Othello» von Verdi), HMV (Mozart-Messen), RCA («Die Banditen» von Offenbach).

Möller, Niels, Tenor, *4. 9. 1922 Gørlev (Dänemark); bis 1942 absolvierte er eine Handelslehre, studierte dann 1942–46 bei Anders Brems in Kopenhagen und anschließend bei Annemarie Martensen Gesang. Seit 1947 besuchte er auch die Königliche Opernschule Kopenhagen. 1953 debütierte er – als Bariton – in Kopenhagen in der Partie des Figaro in Rossinis «Barbier von Sevilla». Nachdem sich zeigte, daß er eigentlich eine Tenorstimme besaß und nach nochmaliger Umschulung durch Annemarie Martensen debütierte er als Tenor 1959 an der Königlichen Oper Kopenhagen, deren Mitglied er während seiner gesamten Karriere 1953–75 war, als Bacchus in «Ariadne auf Naxos» von R. Strauss. 1962 sang er bei den Festspielen von Bayreuth einen Gralsritter im «Parsifal», 1962 und 1964 den Melot im «Tristan», 1965 den Erik im «Fliegenden Holländer». Weitere erfolgreiche Gastspiele am Théâtre de la Monnaie Brüssel (1964–67), an der Staatsoper von Wien (1966), in Oslo (1966) und Amsterdam (1967 und 1968 als Herodes), am Grand Théâtre Genf (1967), am Teatro Fenice Venedig (1969 und 1971), am Teatro Liceo Barcelona (1968), am Teatro San Carlos Lissabon (1972) und an der Oper von Bordeaux (1968). Hatte er als Bariton Partien wie den Renato in Verdis «Ballo in maschera», den Dandini in Rossinis «La Cenerentola» und den Tarquinius in «The Rape of Lucretia» von B. Britten gesungen, so übernahm er als Tenor Rollen wie den Florestan im

«Fidelio», den Tannhäuser, den José in «Carmen», den Ägisth in «Elektra» von R. Strauss, den Schuiskij im «Boris Godunow», den Tambourmajor in «Wozzeck» von A. Berg und den Zeus in «Il ritorno d'Ulisse in patria» von Monteverdi. 1970 sang er in Kopenhagen in der Uraufführung der Oper «Macbeth» von H. Koppel die Titelpartie. Sehr erfolgreich war er als Konzert- und Oratoriensänger in einem umfangreichen Repertoire. 1975 nahm er als Herodes in «Salome» von R. Strauss in Kopenhagen seinen Bühnenabschied und war dann in den Jahren 1978–83 Direktor der Kopenhagener Oper. Auch seine Gattin hatte unter dem Namen *Helmi Ewald* eine erfolgreiche Bühnen- und Konzertkarriere.
Schallplatten: CBS, Metronome, HMV («Gurrelieder» von Schönberg), Philips («Parsifal» aus Bayreuth von 1962), Danacorn («Saul og David» von C. Nielsen).

Moers, Andreas, Tenor, *27. 9. 1868 Köln, †21. 2. 1930 Düsseldorf; er war der Sohn eines Kölner Bierbrauereibesitzers und absolvierte sein Gesangstudium am Konservatorium von Köln, wo er 1891 als Manrico im «Troubadour» debütierte. 1891–92 war er am Stadttheater von Dortmund engagiert, 1892–93 an der Kroll-Oper Berlin, 1893–97 am Opernhaus von Düsseldorf, wo er bereits als erster Heldentenor wirkte. 1897–1905 gehörte er zum Ensemble des Opernhauses von Leipzig. 1906–07 war er nochmals als Gast am Hoftheater Coburg tätig, nahm dann aber kein festes Engagement mehr an, sondern ging von seinem Wohnsitz Düsseldorf aus einer ausgedehnten Gastspieltätigkeit nach und arbeitete hier gleichzeitig im pädagogischen Fach. Später war er dort Professor am Konservatorium. Während seiner Leipziger Zeit, dem Höhepunkt seiner Karriere, sang er in der Uraufführung der Oper «Orestes» von Felix von Weingartner 1905 die Titelrolle; bereits 1897 sang er dort in der deutschen Erstaufführung der Oper «Dubrowsky» von Napravnik die Partie des Wladimir. In den Jahren 1898–1905 gastierte er regelmäßig an der Hofoper von Dresden, 1900 und 1901 an der Hofoper Berlin, 1905 an der Hofoper München, 1907 nochmals am Opernhaus von Leipzig, 1911 am Opernhaus von Köln. Auf Auslandstourneen konnte man ihn in Holland, Belgien, Schweden, Rußland und in der Schweiz hören. 1919 gab er seine Bühnenlaufbahn endgültig auf. In seinem umfassenden Bühnenrepertoire standen heldische und Wagner-Partien an erster Stelle. So sang er den Tamino in der «Zauberflöte», den Florestan im «Fidelio», den Max im «Freischütz», den Hüon im «Oberon», den Ivanhoe in Marschners «Templer und die Jüdin», den Faust von Gounod, den Titelhelden im «Propheten» von Meyerbeer, den Raoul in den «Hugenotten», den Hoffmann in «Hoffmanns Erzählungen», den Canio im «Bajazzo» und den Hans Kraft im «Bärenhäuter» von Siegfried Wagner, dazu seine Wagner Heroen (Erik, Lohengrin, Siegmund, Siegfried, Tannhäuser, Walther von Stolzing). Er trat sehr häufig als Konzertsänger in Erscheinung. Er starb nach einer Operation 1930.

Mohr, Thomas, Bariton, * 17. 10. 1961 Neumünster (Holstein); er begann 1980 das Gesangstudium an der Musikhochschule von Lübeck bei Karl Heinz Pinhammer, das er 1985 mit der Diplomprüfung abschloß. Während seines Studiums war er Stipendiat der Oscar und Vera Ritter-Stiftung Hamburg. 1984 gewann er Gesangwettbewerbe in Berlin und s'Hertogenbosch, 1985 den Internationalen Liedwettbewerb «Das deutsche Lied» in London. 1984 debütierte er am Theater von Lübeck als Silvio im «Bajazzo»«. Nachdem er 1984–85 als Gast in Lübeck und Detmold aufgetreten war, wurde er an das Stadttheater von Bremen engagiert, dessen Mitglied er 1985–87 war. 1987 folgte er einem Ruf an das Nationaltheater Mannheim. Durch Gastverträge war er der Oper von Köln, dem Theater von Bremen und der Hamburger Staatsoper verbunden. Er trat als Gast bei den Festspielen von Ludwigsburg und beim Schleswig Holstein Festival (1987) in Erscheinung. Nicht weniger von Bedeutung war seine Laufbahn als Konzert- und vor allem als Liedersänger, die ihm in Deutschland wie im europäischen Ausland große Erfolge eintrug; er sang unter namhaften Dirigenten und mit führenden Orchestern. Aus seinem Bühnenrepertoire sind Partien wie der Graf in «Figaros Hochzeit», der Papageno in der «Zauberflöte», der Figaro in Rossinis «Barbier von Sevilla», der Herr Fluth in den «Lustigen Weibern von Windsor» von Nicolai, der Zar in Lortzings «Zar und Zimmermann», der Graf in dessen «Wildschütz», der Wolfram im «Tannhäuser», der Harlekin in «Ariadne auf Naxos» von R. Strauss und der Titelheld in «Billy Budd» von Benjamin Britten hervorzuheben.
Mitschnitte von Rundfunkaufnahmen; Decca («Lohengrin», Werke von Brecht/Weill).

Moleda, Krzysztof Józef, Tenor, * 6. 4. 1955 Poznań (Posen); er wurde an der Musikhochschule Lodz als Schüler von A. Dankowska ausgebildet. 1975 kam es in Lodz zu seinem Bühnendebüt als Wenzel in der «Verkauften Braut» von Smetana. 1978–80 war er bei der Warschauer Kammeroper verpflichtet, 1980–82 sang er am Opernhaus von Szczecin (Stettin) und wurde dann an die Staatsoper von Dresden berufen. Hier kam er zu großen Erfolgen, vor allem in Partien aus dem lyrischen italienischen Fach und aus dem Bereich der Belcanto-Oper, aber auch in Opernwerken von Mozart, Verdi, Puccini und anderer Meister. Gastspiele trugen dem Künstler an Bühnen in Westdeutschland, in Italien und Frankreich bedeutende Erfolge ein, dazu war er ein hoch geschätzter Konzertsolist.
Schallplatten: Eterna («Il Signor Bruschino» von Rossini).

Moll, Olga, Sopran, * 1912 (?) Moskau als Tochter deutscher Eltern; sie begann ihre Bühnenkarriere mit einem Engagement 1936–37 am Stadttheater von Kiel, sang 1937–38 am Stadttheater M. Gladbach-Rheydt, 1938–41 am Stadttheater von Magdeburg. 1941 wurde sie an die Staatsoper von Stuttgart berufen, an der sie bis 1963 eine erfolgreiche Karriere als erste Koloratursopranistin hatte, wobei sie später

auch eine Anzahl lyrischer Rollen in ihr Repertoire aufnahm. Sie gastierte an deutschen Bühnen, beim Maggio musicale Florenz und 1954 an der Grand Opéra Paris. Aus ihrem Repertoire für die Bühne verdienen die Königin der Nacht in der «Zauberflöte», die Susanna in «Figaros Hochzeit», die Norina im «Don Pasquale», die Philine in «Mignon» von A. Thomas, die Musetta in «La Bohème», die Sophie im «Rosenkavalier», die Zerbinetta in «Ariadne auf Naxos» und die Fiakermilli in «Arabella» von R. Strauss Erwähnung. Die auch im Konzertsaal geschätzte Künstlerin lebte später in Berlin.
Schallplatten: Melodram (Szene Sophie–Marschallin aus dem «Rosenkavalier» mit Marianne Schech).

Molnar-Talajić, Liljana, Sopran, * 30. 12. 1938 Brosanski Brod (Jugoslawien); sie erhielt ihre Ausbildung zur Sängerin an der Musikakademie von Sarajewo; sie war dort Schülerin der Pädagogen Bruna Špiler und Zl. Gjungenac. Sie kam zu ihrem Debüt 1959 am Opernhaus von Sarajewo als Gräfin in «Nozze di Figaro». Bis 1975 war sie Mitglied dieses Theaters und folgte dann einem Ruf an die Kroatische Nationaloper von Zagreb. Seit 1980 war sie gleichzeitig als Professorin am Konservatorium von Zagreb tätig. Sie kam bald zu einer großen internationalen Karriere. Seit 1969 gastierte sie häufig an der Staatsoper von Wien; 1969 auch beim Maggio musicale Fiorentino, 1970 am Opernhaus von Philadelphia, 1969 an der Oper von San Francisco zu Gast. 1971 hörte man sie am Teatro San Carlo Neapel und bei der Niederländischen Oper Amsterdam. Besonders erfolgreich war sie bei den Festspielen in der Arena von Verona. Hier sang sie 1972, 1974–75, 1977–78 und 1983, vor allem die Aida (ihre große Glanzrolle) und die Leonore in Verdis «La forza del destino». Nachdem sie 1975 (und wiederum 1977) an der Covent Garden Oper London und 1975 in Turin aufgetreten war, wurde sie 1976 an die Metropolitan Oper New York berufen, an der sie als Antrittspartie abermals die Aida sang. Sie setzte ihre Gastspieltätigkeit mit Auftritten am Teatro Liceo Barcelona (1977), an der Oper von Nizza (1978), an der Deutschen Oper Berlin (1978), an der Mailänder Scala, an den Opern von Rom und Marseille fort. Neben der Aida galt sie als hervorragende Interpretin von Partien wie der Leonore im «Troubadour», der Amelia in Verdis «Ballo in maschera», der Desdemona im «Othello» und der Titelheldin in Bellinis «Norma», aber auch als bedeutende Konzert- und Oratoriensolistin.
Schallplatten: Eterna (Sopransolo im Verdi-Requiem), Jugoton.

Molza, Signora, Sängerin, * 1542 Modena, † 8. 8. 1617 Rom; sie wurde als Sängerin wie als Poetin von ihren Zeitgenossen allgemein gepriesen. Sie war eine Nichte des ebenfalls in dieser Epoche berühmten Dichters Francesco Maria Molza. Sie übte ihre Kunst in der Residenz der Herzöge d' Este Ferrara aus, wo sie einen Kreis von Sängerinnen um sich gesammelt hatte, die sich wohl allgemein mit schöngeistigen Dingen, vor allem auch mit der Poesie und deren Vortrag, befaßten. Von 1583 bis zum Oktober 1589 war sie in Ferrara tätig und genoß dort allseitige Bewunderung. Wegen ihrer Beziehungen zu dem Maestro di cappella am Hof der Gonzaga in Mantua Giaches de Wert (1535–96), der wegen seiner flandrischen Herkunft und wegen familiärer Skandale seiner Gattin damals stark angefeindet wurde, mußte sie Ferrara verlassen. Sie lebte zuletzt in Rom.

Lit.: A. Solerti: «Ferrara e la corte Estense» (1891); A. Newcomb: «The ‹Musica secreta› of Ferrara in the 1580's» (Dissertation, Princeton University, 1969).

Momberg, Carl, Bariton, * 20. 2. 1901, † 15. 3. 1988 Braunschweig; zunächst Techniker von Beruf, dann Gesangstudium bei Willi Sonnen. Er wirkte zu Beginn seiner Karriere 1926 nacheinander an den Stadttheatern von Görlitz und Halle/Saale sowie am Nationaltheater von Weimar. 1933 wurde er an das Landestheater, das nachmalige Staatstheater, von Braunschweig verpflichtet. Er blieb diesem Haus und seinem Publikum, das ihn sehr schätzte, für den Rest seiner Karriere treu und trat dort in den folgenden 25 Jahren in einem sehr umfangreichen Repertoire auf. Darin waren an erster Stelle Partien wie der Figaro in «Figaros Hochzeit», der Rigoletto, der Germont-père in Verdis «La Traviata», der Wolfram im «Tannhäuser», der Kühleborn in Lortzings «Undine», der Figaro im «Barbier von Sevilla», der Spielmann in den «Königskindern» von Humperdinck, der Malatesta im «Don Pasquale» von Donizetti, der Jago in Verdis «Othello» und der Zar in «Zar und Zimmermann» von Lortzing zu finden. Seit 1952 führte er in Braunschweig auch Regie; er wirkte dort in der Eröffnungsvorstellung des wieder aufgebauten Theaters am 25. 12. 1948 als Titelheld im «Don Giovanni» mit. Gastspiele wie Konzertauftritte, u. a. bei den Händel-Konzerten in Halle als Liedersänger, brachten dem Künstler auch in den Zentren des deutschen Musiklebens Erfolge, doch konnte er sich nicht entschließen (u. a. trotz eines Angebots der Staatsoper München) Braunschweig zu verlassen, wo er zuletzt noch als Gesanglehrer tätig war.

Mongini-Stecchi, Carolina, Sopran, * 1839 (?), † April 1886 Novara; die Künstlerin hatte in den Jahren seit etwa 1860 eine große internationale Karriere im Koloraturfach. 1861 sang sie am Theater von Varese in «Le Comte Ory» von Rossini und in Verdis «Luisa Miller», 1866–67 am Teatro Regio Turin die Königin Marguerite in den «Hugenotten» von Meyerbeer. Am Teatro Comunale Triest gastierte sie 1870 sehr erfolgreich als Philine in «Mignon» von Ambroise Thomas. Diese Partie hat sie auch an der Oper von Warschau, in London und Liverpool gesungen. 1871 bewunderte man sie an der Wiener Hofoper, 1872 in Triest wiederum als Königin Marguerite in den «Hugenotten». 1873 brillierte sie während einer Ägypten-Tournee an den Opern von Kairo und Alexandria, wo man ihre Lucia di Lammermoor in der gleichnamigen Oper von Donizetti mit großem Beifall bedachte. Nach

Beendigung ihrer Bühnenkarriere lebte die Sängerin, die seit 1860 mit dem Tenor *Pietro Stecchi* verheiratet war, in Novara.

Monjauze, Jules-Sébastien, Tenor, * 1825 (nach anderen Quellen 1824), † September 1877 Meulan bei Paris; Ausbildung am Conservatoire de Paris bei Ponchard. Er trat zuerst als Schauspieler auf, u. a. am Französischen Theater in St. Petersburg und am Théâtre Odéon Paris. Dann ging er als Sänger an das Théâtre Lyrique Paris, wo er 1855 als Maurice in der Uraufführung der Oper «Jaguarita, l'Indienne» von Halévy debütierte. Während seines Engagements an diesem Theater sang er dort auch in den Uraufführungen von «La Fanchonette» von Clapisson (1856) sowie «La Reine Topaze» von Victor Massé (1856 als Rafael), wobei letztere Oper es zu einem großen Erfolg brachte. Nachdem er 1857–58 an verschiedenen Bühnen gastiert hatte, sang er 1858–59 am Théâtre de la Monnaie Brüssel und war seit 1860 für fast zehn Jahre Mitglied der Opéra-Comique Paris. Auch hier trat er in mehreren Uraufführungen von Opern auf, so in «La Statue» von E. Reyer (1861 als Selim) und in «La Chatte merveilleuse» von A. Grisar (1862), die ein Serienerfolg wurde. Am 4. 11. 1863 sang er am Théâtre Lyrique Paris in der Uraufführung von «Les Troyens à Carthage» von Berlioz die Partie des Énée. 1869 war er der erste französische Rienzi in der Erstaufführung dieser Wagner-Oper in Paris. Nach dem Deutsch-Französischen Krieg nahm er 1871 sein Engagement an der Opéra-Comique wieder auf, wo er noch bis 1873 blieb. Er ging dann nach Belgien und sang an den Opernhäusern von Brüssel und Lüttich. Ein Versuch, wieder an eins der großen Pariser Opernhäuser zu kommen, zerschlug sich, und er mußte sich auf einige Gastspiele an Bühnen in der französischen Provinz beschränken. Eine Erkrankung zwang ihn schließlich zur Aufgabe der Karriere. Mit seiner Tenorstimme, die als metallisch-strahlend gerühmt wird, sang er vor allem Partien wie den Herzog in «Rigoletto», den Alfredo in «La Traviata», den Lyonel in Flotows «Martha», den Macduff in Verdis «Macbeth», den Titelhelden in «Fra Diavolo» von Auber und den Stéphan in «Le Val d'Andorre» von Halévy. Er war auch ein angesehener Konzertsänger.

Montague, Diana, Mezzosopran/Sopran, * 1954 Winchester (Grafschaft Hampshire, England); sie war an der Manchester Royal School of Music Schülerin von Ronald Stear, Frederic Cox und Rupert Bruce-Lockhard. 1977 kam es zu ihrem Bühnendebüt bei der Glyndebourne Touring Opera als Zerline im «Don Giovanni». Bereits 1978 kam sie an die Covent Garden Oper London, an der sie seitdem eine sehr erfolgreiche Karriere hatte. Sie gastierte mit deren Ensemble u. a. in Korea und Japan. 1985 sang sie beim Festival von Edinburgh die Mélisande in «Pelléas et Mélisande», 1986 und 1988 bei den Salzburger Festspielen den Cherubino in «Figaros Hochzeit». Bereits 1983 hörte man sie bei den Bayreuther Festspielen als Wellgunde und als Siegrune in den Opern des Ring-Zyklus. In England trat sie

bei der Scottish Opera Glasgow als Cherubino und als Orlowsky in der «Fledermaus», bei der English National Opera London als Cherubino, als Emilia in Verdis «Othello» und als Proserpina in Monteverdis «Orfeo» auf. In Nordamerika hatte sie ihre ersten Erfolge im Konzertsaal; nachdem sie in Cincinnati in Mozarts c-moll-Messe gesungen hatte, war sie 1984 in Chicago als Solistin in der Missa solemnis von Beethoven zu hören. 1987 sang sie als Antrittsrolle an der Metropolitan Oper New York den Sesto in «La clemenza di Tito» von Mozart. 1988 trat sie dort als Dorabella in «Così fan tutte», 1989 als Nicklausse in «Hoffmanns Erzählungen» auf. 1987 Gastspiel an der Oper von Frankfurt a. M., 1989 an der Oper von San Francisco als Dorabella, 1989 hatte sie einen ihrer größten Erfolge als Titelheld im «Orpheus» von Gluck bei den Festspielen von Glyndebourne. Während ihrer gesamten Karriere war sie im Konzertsaal ebenso erfolgreich wie auf der Bühne, wobei sie auch hier ein sehr umfangreiches Repertoire beherrschte.
Schallplatten: Philips (Titelrolle in «Iphigénie en Tauride» von Gluck, c-moll-Messe von Mozart, «Le Comte Ory» von Rossini), Decca (Clotilde in «Norma»), DGG («Orfeo» von Monteverdi), DGA (Lateinische Motetten von Händel), Opera Rara (Arien aus italienischen Opern).

Montal, André, Tenor, * 18. 11. 1940 Baltimore; er absolvierte sehr gründliche Studien an der University of Rochester, an der Eastman School of Music in New York, an der Music Academy of the West in Santa Barbara (Kalifornien) und am Curtis Institute Philadelphia; zu seinen Lehrern gehörten u. a. Martial Singher, Herbert Graf, Luigi Ricci und Otto Guth. Nachdem er bei mehreren Gesangwettbewerben Erfolge erzielt hatte, debütierte er 1964 bei der American Opera Society New York als Tebaldo in «I Capuleti ed I Montecchi» von Bellini. Seine Karriere spielte sich an den führenden Opernhäusern in Nordamerika ab: er sang an den Opern von Boston und Chicago, von Philadelphia und San Francisco, bei der Kentucky Opera und an der Oper von Vancouver und wurde 1974 an die Metropolitan Oper New York verpflichtet. Auch an der Australian Opera Sydney als Gast aufgetreten. Dazu Tätigkeit als Konzertsolist wie als Gesangpädagoge in Washington. Aus einem Bühnenrepertoire, das vor allem lyrische Partien enthielt, seien aufgezählt: der Ernesto in Donizettis «Don Pasquale», der Nemorino in «Elisir d' amore», der Tonio in «La fille du régiment», der Edgardo in «Lucia di Lammermoor», der Oronte in «Alcina» von Händel, der Titelheld in Gounods «Roméo et Juliette», der Graf Almaviva im «Barbier von Sevilla» von Rossini, der Lindoro in «L'Italiana in Algeri», der Idreno in Rossinis «Semiramide», der Ferrando in «Così fan tutte» von Mozart, der Belmonte in der «Entführung aus dem Serail», der Don Ottavio im «Don Giovanni», der Mephistopheles in «L'Ange de Feu» von Prokofieff, der Pinkerton in «Madame Butterfly», der Herzog im «Rigoletto», der Alfredo in «La Traviata» von Verdi und der italienische Sänger im «Rosenkavalier» von R. Strauss.

Montanelli, Giuseppe, Bariton, * 1885 (?), † (?); der Name dieses italienischen Baritons ist dadurch Schallplattensammlern geläufig, daß er auf HMV in einer frühen kompletten Aufnahme von Leoncavallos «Bajazzo» von 1917 die Partie des Tonio singt, während in den weiteren Hauptrollen Luigi Bolis, Anita Conti und Ernesto Badini auftreten. 1914 ist er am Teatro Massimo Palermo als Amonasro in «Aida», als Nevers in den «Hugenotten» von Meyerbeer und als Telramund im «Lohengrin» anzutreffen. 1916 gastierte er an der Mailänder Scala in der Partie des Königs in Mascagnis «Isabeau» als Partner von Gilda Dalla Rizza und Edward Johnson. 1923 taucht er nochmals am Teatro Civico von Schio auf. In der erwähnten «Bajazzo»-Aufnahme, die seine einzige Schallplattenaufnahme zu sein scheint, präsentiert sich eine kraftvolle, dunkel timbrierte Baritonstimme.

Montefusco, Licinio, Bariton, * 30. 10. 1936 Rho bei Mailand; er wurde durch Rhea Toniolo in Mailand ausgebildet. Sein Debüt erfolgte 1961 am Teatro Nuovo Mailand als Zurga in «Pêcheurs de perles» von Bizet. Nach Auftritten an kleineren italienischen Theatern erreichte er einen entscheidenden Erfolg 1963 beim Maggio musicale Florenz als Renato in Verdis «Ballo in maschera». Jetzt kam es zu Auftritten an allen großen Bühnen in Italien, am Teatro Verdi Triest, am Teatro Comunale Bologna, am Teatro San Carlo Neapel, am Teatro Comunale Florenz, am Teatro Fenice Venedig, in Genua, vor allem aber am Teatro Regio Turin, wo er länger als 25 Jahre immer wieder in Erscheinung trat. 1970 debütierte er an der Mailänder Scala als Montfort in Verdis «I Vespri Siciliani». Seit 1964 mehrfach zu Gast an der Staatsoper Wien und am Teatro San Carlos Lissabon, seit 1966 auch an der Deutschen Oper Berlin. 1965 kam es zu seinem USA-Debüt an der Oper von Philadelphia, an der er 1967 und 1969 wieder erschien. 1967–68 gastierte er an der Oper von Monte Carlo, 1972 und 1974 am Théâtre de la Monnaie Brüssel, 1973 an der Opéra du Rhin Straßburg, 1979 an der Oper von Marseille, seit 1982 mehrfach in Dublin. 1972 hörte man ihn bei den Festspielen von Verona als Amonasro in «Aida», 1975 war er an der Grand Opéra Paris zu Gast, sang in Madrid und Genf. Das Schwergewicht seines Repertoires für die Bühne lag in den großen Verdi-Partien (Germont-père, Graf Luna, Rigoletto, Renato, Macbeth, Amonasro, Posa im «Don Carlos», Francesco in «I due Foscari», Carlos in «La forza del destino», Ford in «Falstaff»). Weitere Glanzrollen des Künstlers waren der Enrico in «Lucia di Lammermoor», der Alfonso in «La Favorita» von Donizetti, der Lusignano in dessen «Caterina Cornaro», der Sharpless in «Madame Butterfly», der Marcello in «La Bohème», der Gérard in «Andrea Chénier» von Giordano und der Valentin im «Faust» von Gounod.
Schallplatten: MMS (Titelheld in vollständiger «Rigoletto»-Aufnahme).

Monteverdi, Claudia, s. unter *Cattaneo*, Claudia.

Monteverdi, Francesco Baldassare, s. unter *Cattaneo,* Claudia.

Montfort, Jeanne, Alt, * 29. 7. 1887 Mons (Belgien), † 1964 Paris; sie hieß eigentlich Jeanne van Montfort, debütierte nach ihrer Ausbildung in Mons und Brüssel sogleich am Théâtre de la Monnaie Brüssel und wirkte dort erfolgreich in den Jahren 1909–12. Bereits hier wurde ihre Gestaltung von Partien wie der Mutter in Charpentiers «Louise» und der Geneviève in «Pelléas et Mélisande» von Debussy bewundert. Sie war dann an verschiedenen französischen Opernhäusern tätig und sang vor allem in Straßburg und Rouen, bevor sie 1921 einem Ruf an die Grand Opéra Paris folgte. Bis 1948 gehörte sie zu den großen Sängerinnen dieses Instituts; man hörte sie hier wie bei ihren Gastspielen als Dalila in «Samson et Dalila» von Saint-Saëns, als Amneris in «Aida», als Klytämnestra in «Elektra» von R. Strauss, als Titelhelden im «Orpheus» von Gluck, als Amme im «Boris Godunow» von Mussorgsky, als Mrs. Quickly im «Falstaff» von Verdi, als Erda wie als Fricka in den Opern des Ring-Zyklus und in der Titelrolle der Oper «Padmâvati» von Albert Roussel. 1930 gastierte sie an der Covent Garden Oper London als Geneviève in «Pelléas et Mélisande» mit Maggie Teyte und als Gertrude in «Roméo et Juliette» von Gounod mit Edith Mason als Partnerinnen. 1924 Gastspiel an der Oper von Monte Carlo, 1936 an der Opéra-Comique Paris. An der Grand Opéra wirkte sie in mehreren Uraufführungen von Opern mit: 1931 in «L'Illustre Fregona» von Raoul Laparra, 1933 in «Vercingétorix» von Canteloube, 1936 in «Oedipe» von Georg Enescu (als Sphinx). Neben ihrem Wirken auf der Bühne war sie gleichzeitig eine geschätzte Konzertaltistin.
Schallplattenaufnahmen der Marke Polydor (1930), u. a. Kurzfassung von Gounods «Faust» als Marthe. Diese Partie singt sie auch in einer vollständigen Aufnahme der Oper auf HMV (Grammophone). Auf dieser Marke auch als eine der Walküren (Rossweiße) im Walkürenritt mit Marjorie Lawrence zu hören.

Montgomery, Kathryn, Sopran, * 23. 9. 1952 Canton (Ohio); sie studierte Musik und Gesang an der Indiana University Bloomington und war dort Schülerin von V. Scammon und von Volker F. Meissner, den sie dann heiratete. 1972 kam sie in Bloomington zu ihrem Debüt in der Partie der Elvira in Verdis «Ernani». In den folgenden sieben Jahren trat sie an verschiedenen Opernhäusern in Nordamerika, zum Teil auch als Mitglied reisender Operngesellschaften, auf. 1978 sang sie in Norfolk (Virginia) die Frasquita in «Carmen», 1979 wirkte sie dort in der Uraufführung der Oper «A Christmas Carol» von Thea Musgrave mit. 1980 erfolgte ihr Bühnendebüt für Europa am Opernhaus von Köln als Leonore im «Fidelio». Sie kam jetzt bei regelmäßigen Gastspielen an den Opernhäusern von Köln und Zürich (1980–82), am Nationaltheater von Mannheim (1981–85) und an der Staatsoper Berlin zu großen Erfolgen. Ihr umfangreiches Bühnenrepertoire gipfelte in Rollen wie der Donna Anna im «Don Gio-

vanni», der Tosca, der Titelfigur in Puccinis «Turandot», der Senta im «Fliegenden Holländer», der Elsa im «Lohengrin», der Sieglinde in der «Walküre», der Salome in der Oper gleichen Namens von Richard Strauss, der Chrysothemis in «Elektra», der Kaiserin in der «Frau ohne Schatten» und der Marie im «Wozzeck» von Alban Berg. Gastspiele an zahlreichen westeuropäischen Bühnen und in Japan leiteten zum Debüt der Sängerin an der Metropolitan Oper New York 1985 als Chrysothemis über. 1980 gastierte sie an der Oper von Brüssel, 1980 auch am Teatro Fenice Venedig, 1981 an der San Francisco Opera und beim Festival von Edinburgh, an der Staatsoper Wien, in Pretoria (1984 als Salome), Athen (1984), am Teatro Liceo Barcelona (1986) und an der Staatsoper Dresden (1986). Nach einer vorübergehenden Pause nahm sie ihre Karriere wieder auf und war seit 1988 der Deutschen Oper Berlin verbunden. Auch als Konzertsopranistin wurde sie allgemein bekannt. Sie ist auch unter dem Namen Kathryn Montgomery-Meissner aufgetreten.
Schallplatten: FSM («A Christmas Carol» von Thea Musgrave), HMV (Musik zu «Rosamunde» von Schubert).

Monti, Gaetano, Baß, * 1841 Pisa, † 25. 11. 1916 Brescia; er war das Kind ganz armer Eltern und verkaufte als Knabe Obst auf den Straßen von Pisa. Hier wurde seine Stimme durch die schottische Musiklehrerin Antonietta Dewis entdeckt, die ihm ein Gesangstudium bei dem Direktor des Domchors von Pisa Maestro Simi vermittelte. Nach ersten Auftritten in Konzerten in Pisa und an anderen Orten in der Toskana debütierte er 1873 am Teatro Verdi von Triest als Titelheld in der Verdi-Oper «Attila». Er sang im gleichen Jahr in Triest den König Philipp in Verdis «Don Carlos» und den Raimbaud in «Robert le Diable» von Meyerbeer. Hier wie bei einem Gastspiel am Teatro Grande Brescia (wieder als König Philipp im «Don Carlos») war er so erfolgreich, daß er zu einer schnellen internationalen Karriere kam. 1875 sang er an der Wiener Hofoper den St. Bris in Meyerbeers «Hugenotten» und den Titelhelden in Rossinis «Mosè in Egitto», noch im gleichen Jahr in London die Titelfigur in «Mefistofele» von Boito zusammen mit der großen Primadonna Adelina Patti und dem Tenor Angelo Masini. Es folgten große Auftritte am Teatro Fenice Venedig (1875–77), am Teatro Carlo Felice Genua (1883–84, u. a. als Zaccaria in Verdis «Nabucco», als Giorgio in «I Puritani» von Bellini und als Mefistofele), am Teatro Regio Parma (seit 1886), am Teatro Verdi von Pisa, in Florenz und Livorno. 1882 gastierte er an der New Yorker Academy of Music als Walter Fürst in Rossinis «Wilhelm Tell», 1887 an der Budapester Oper als Mefistofele; 1895 und 1896 hörte man ihn abermals an der Mailänder Scala als Tom in «Guglielmo Ratcliff» von Mascagni (Uraufführung der Oper am 16. 2. 1896), als Zuniga in «Carmen» und in der Oper «Henri VIII.» von Saint-Saëns. 1900 ist er nochmals am Teatro Regio Parma in Rossinis «Wilhelm Tell» anzutreffen.

Monti, Teresa, Sopran, * 1777 (?) Alessandria della Paglia, † (?); der Name der Sängerin taucht erstmals

1793 am Teatro San Pietro Triest auf, als sie in der Oper «La Frascatana» von Paisiello als seconda Donna mitwirkte. Sie wurde dann eine große Primadonna der venezianischen Opernhäuser des ausgehenden 18. Jahrhunderts. 1795 sang sie am Teatro Fenice Venedig in «Tamira e Aristo» von einem nicht näher bekannten Komponisten. Im Herbst 1795 und in der Karnevalssaison 1796 hörte man sie am Teatro San Samuele Venedig als Olivetta in «Il matrimonio per concorso» von Della Maria, als Lindora in «I vecchi burlati» von G. Marinelli und als Barbarina in «La finta principessa» von Cherubini. 1798 findet man sie am Teatro Sant' Angelo Venedig in der Buffo-Oper «Chi vuole non puole» von Della Maria und in der Karnevalssaison 1800, jetzt am Teatro San Moisè Venedig, als Ortensia in «Il credulo» von Cimarosa und in anderen Opern. In den Jahren 1796–98 war sie auch am Theater von Zara als Gast anzutreffen; hier hörte man sie u. a. in «Una cosa rara» von Martín y Soler, in «I finti eredi» und «Fra i due littiganti il terzo gode» von Sarti, in «La lanterna di Diogene» von Guglielmi, in «Un pazzo ne fa cento» von S. Mayr, in «La donna di genio volubile» und «Il principe spazzocamino» von Portogallo sowie in «L'imbroglio delle tre spose» von Anfossi. Über den Fortgang ihrer Karriere ist nichts bekannt. Sie darf nicht mit den (wesentlich älteren) Primadonnen Anna Maria und Laura Monti und deren Nichte Marianna Monti verwechselt werden, die hauptsächlich in Neapel wirkten.

Montmart, Berthe, Sopran, * 11. 5. 1921 Vaux-sous-Chevremont (Provinz Lüttich, Belgien); sie erhielt ihre Ausbildung am Conservatoire National Paris. 1949 debütierte sie am Theater von Reims als Santuzza in «Cavalleria rusticana». Nach Auftritten an französischen Provinzbühnen wurde sie 1951 an die Grand Opéra Paris berufen. Als Antrittsrolle sang sie hier die Gerhilde in der «Walküre». Sie wurde dann auch Mitglied des zweiten großen Pariser Opernhauses, der Opéra-Comique. Hier debütierte sie als Gräfin in «Figaros Hochzeit» und ist sie dann bis 1972 regelmäßig aufgetreten. Gegen Ende ihrer Karriere fügte sie auch einige Mezzosopran-Partien in ihr ohnehin sehr umfassendes Bühnenrepertoire ein. Noch bis etwa 1980 war sie bei gelegentlichen Auftritten zu hören. Sie gastierte an den Opernhäusern von Bordeaux, Marseille, Toulouse, Nizza und Lyon; sie sang beim Holland Festival des Jahres 1963, gastierte 1971 am Teatro Liceo Barcelona, 1978 an der Oper von Monte Carlo, auch am Teatro San Carlos Lissabon, an den Opernhäusern von Lüttich und Genf. Von den vielen Rollen, die sie auf der Bühne gesungen hat, sind zu nennen: die Marguerite im «Faust» von Gounod, die Béatrice in «Béatrice et Bénédict» von Berlioz, die Charlotte im «Werther» von Massenet, die Titelfigur in «Louise» von Charpentier, die Rozenn in «Le Roi d' Ys» von Laolo, die Donna Anna im «Don Giovanni», die Senta im «Fliegenden Holländer», die Elisabeth im «Tannhäuser», die Elsa im «Lohengrin», die Fricka im Ring-Zyklus, die Marschallin im «Rosenkavalier», die Titelfigur in «Ariadne auf Naxos» von R. Strauss, die Gräfin in dessen «Capriccio», die

Herodias in «Salome», die Frau in der «Erwartung» von Schönberg, die Begbick in «Aufstieg und Fall der Stadt Mahagonny» von Kurt Weill, die Cläre Zachanassian im «Besuch der alten Dame» von G. von Einem, die Lady Billows in «Albert Herring» von B. Britten, die Leonore im «Troubadour», die Aida, die Desdemona in Verdis «Othello», die Butterfly und die Marina im «Boris Godunow». Die auch als Konzertsolistin bedeutende Künstlerin wirkte nach Abschluß ihrer aktiven Karriere als Professorin am Konservatorium von Toulouse.
Schallplatten: Philips (Titelfigur in vollständiger Oper «Louise»), HMV, Decca, Urania (Titelfigur in «Thaïs» von Massenet).

Moor, Julia, Sopran, * 9. 9. 1909 Budapest; sie studierte in den Jahren 1925–26 in Budapest, fand aber 1934 ihr erstes Engagement in der Schweiz am Opernhaus von Zürich, dem sie bis 1950 angehörte, und wo sie auch später noch als Gast auftrat. In Zürich war sie Schülerin des Pädagogen Luis Essek-Eggers. Sie sang in ihrer langen Karriere am Opernhaus von Zürich die großen Partien des Koloratur-Repertoires, an erster Stelle die Königin der Nacht in der «Zauberflöte», dann die Norina im «Don Pasquale», die Marguerite im «Faust» von Gounod, die Fiordiligi in «Così fan tutte», die Konstanze in der «Entführung aus dem Serail», die Susanna in «Figaros Hochzeit», die Zerline im «Don Giovanni», die Philine in «Mignon» von A. Thomas, die Leonore im «Troubadour», die Traviata, die Gilda im «Rigoletto», die Elisabetta in Verdis «Don Carlos», den Pagen Oscar im «Maskenball», die Musetta in «La Bohème», die Lauretta in «Gianni Schicchi» von Puccini, die Zerbinetta in «Ariadne auf Naxos» von R. Strauss, die Nedda im «Bajazzo», die Frau Fluth in den «Lustigen Weibern von Windsor» von Nicolai, die Rosina im «Barbier von Sevilla», die Marie in Smetanas «Verkaufter Braut», die Laura im «Bettelstudenten» von Millöcker und die Fiametta in «Boccaccio» von F. von Suppé. Für Zürich kreierte sie 1935 die Rautendelein in der Premiere von «La campana sommersa» von O. Respighi. Am 27. 3. 1936 wirkte sie dort in der Uraufführung von B. Paumgartners «Rossini in Neapel» in der Partie der Angela mit. 1936, 1938 und 1940 gab sie Gastspiele an der Staatsoper Wien. 1936 sang sie bei den Festspielen von Glyndebourne die Königin der Nacht und die Konstanze in der »Entführung aus dem Serail«, 1949 an der Grand Opéra Paris die Sophie im «Rosenkavalier», 1955 die Woglinde und die Helmwige im Nibelungenring. An der Mailänder Scala sang sie 1951 den Waldvogel im «Siegfried» und eine Soloblume im «Parsifal». Weitere Gastspiele an den Staatsopern von München und Hamburg, an der Oper von Rom, in Amsterdam und im Haag, an der Oper von Rom, in Lyon, Toulouse und Marseille, in Genf und Luzern, in Bern und Karlsruhe, vor allem aber am Stadttheater von Basel. Im späteren Verlauf ihrer Karriere nahm sie sogar dramatische Partien wie die Venus im «Tannhäuser» in ihr Bühnenrepertoire auf. Die Sängerin, die mit dem Cellisten Walter Essek verheiratet war, trat auch im Konzertsaal auf. Sie lebte später in Zürich.

Schallplatten: Decca, Elite Special, Murray Hill (Waldvogel im «Siegfried», Scala 1951), Fonit Cetra (Finale der «Götterdämmerung», Radioaufnahme der RAI, 1952).

Moran, Carl, Tenor, * 7. 8. 1845 Temesvar (Timisoara), † 27. 6. 1940 Oldenburg; er hieß eigentlich Coloman Moran, absolvierte zunächst das Pharmaziestudium und arbeitete als Apotheker. Dann ließ er seine Stimme ausbilden und begann 1874 seine Bühnenkarriere am Hoftheater von Altenburg (Thüringen), wo er 1876–77 nochmals sang. Über die Stadttheater von Rostock (1874–75) und Posen (Poznań, 1877–78) kam er an das Opernhaus von Frankfurt a. M., an dem er 1878–80 sehr große Erfolge erzielte. Hier heiratete er 1879 die berühmte Sopranistin *Fanny Moran-Olden* (1856–1905), die zu dieser Zeit gleichfalls in Frankfurt engagiert war. Diese Ehe wurde 1896 wieder getrennt, und 1897 heiratete Fanny Moran-Olden den großen Wagner-Bariton *Theodor Bertram* (1869–1907). Carl Moran sang anschließend an sein Frankfurter Engagement am Stadttheater von Mainz (1880–81), am Hoftheater von Karlsruhe (1881–82), dann 1882–83 nochmals in Frankfurt und in Dessau (1883–88) und hatte eine langjährige Karriere als Gastsänger in den europäischen Ländern wie auch in Nordamerika. Er trat als Gast u. a. an der Berliner Kroll-Oper, am Hoftheater Wiesbaden, an den Opernhäusern von Köln und Leipzig auf und war in der Saison 1888–89 an der Metropolitan Oper New York engagiert. Er sang auf der Bühne vor allem das heldische und das Wagner-Repertoire, das in Partien wie dem Tannhäuser, dem Walther von Stolzing in den «Meistersingern», dem Florestan im «Fidelio», dem Titelhelden in «Fra Diavolo» von Auber, dem Eleazar in «La Juive» von Halévy, dem Raoul in den «Hugenotten» von Meyerbeer und dem Joseph in der biblischen Oper gleichen Namens von Méhul seine Höhepunkte hatte. Neben seinem Wirken auf der Bühne war er nicht weniger erfolgreich als Konzert- und Oratoriensänger.

Morelato, Gaetano, Bariton, * 25. 9. 1879 Vicenza, † 31. 3. 1948 Turin; er sang bereits im Kinderchor des Theaters seiner Heimatstadt Vicenza, wurde später durch Antonio Mozzi zum Solisten ausgebildet und debütierte 1912 am Theater von Conegliano Veneto als Silvio im «Bajazzo». Er sang dann am Teatro Politeama Livorno und 1915 am Teatro Carcano von Mailand. Aus den ersten Jahren seiner Bühnentätigkeit rührte eine Freundschaft mit dem später berühmten Tenor Aureliano Pertile her, der in dieser Zeit oft mit ihm zusammen, zumeist in kleineren Rollen, auftrat. Der Komponist Pietro Mascagni übertrug ihm 1916 am Teatro Politeama Genua die Rollen des Niccolò d' Este in seiner Oper «Parisina» und des Raimondo in seiner «Isabeau». 1918 gastierte er am Teatro Coccia Novara, 1919 in Parma als Scarpia in «Tosca», als Germont-père in «La Traviata», als Figaro im «Barbier von Sevilla» von Rossini und als Gellner in «La Wally» von Catalani. Bei den Festspielen in der Arena von Verona sang er 1919 in «Il figliuol prodigo» von Ponchielli und 1920 den Amonasro in «Aida». 1921 war er am Teatro

Ponchielli Cremona, am Teatro Politeama Livorno, dann auch am Teatro Petruzzelli Bari, am Teatro Politeama La Spezia, in der Saison 1921–22 am Teatro Sociale Brescia (Graf Luna im «Troubadour», Tonio im «Bajazzo», Amonasro und in der Uraufführung von Gazzottis «Lo zingaro cieco») zu finden. In Turin, wo er seit 1905 seinen Wohnsitz hatte, ist er an allen Theatern dieser Stadt aufgetreten, u. a. 1923 am Teatro Regio als Scarpia und als Gérard in «Andrea Chénier» von Giordano. 1929 war er am Teatro della Pergola als Rigoletto zu Gast. Sein Familienname kommt auch in der Schreibweise Morellato vor.

Morella, Francesco, Tenor, * (?), † (?); dieser italienische Sänger war in den Jahren 1788–90 am Wiener Theater in der Hofburg engagiert. Als man dort (nach der Prager Uraufführung vom 29. 10. 1787) Mozarts «Don Giovanni» am 7. 5. 1788 zur Erstaufführung brachte, zeigte es sich, daß er nicht in der Lage war, die technisch überaus schwierige Arie des Don Ottavio «Il mio tesoro intanto» zu singen. Daher komponierte Mozart für ihn eine neue Arie, die viel einfachere lyrische «Dalla sua pace», die er dann vortrug. (Heute werden beide Arien gesungen). Später wirkte Francesco Morella wieder in Italien, wo er u. a. an der Mailänder Scala nachzuweisen ist.

Morelle, Maureen, Mezzosopran, * 16. 8. 1934 Aldershot (Grafschaft Hantshire); ihr eigentlicher Name war Maureen Nina Fullam; sie war am Royal College of Music Schülerin von Andrew Field und Audrey Langford. 1961 gewann sie den Clara Butt-Preis, 1963 den Queen's Prize for Women Singers, 1960 den Concours von Liverpool. 1964 fand ihr Bühnendebüt bei der Welsh Opera Cardiff als Rosina im «Barbier von Sevilla» statt. Sie kam während ihrer Karriere zu Erfolgen an der Covent Garden Opera wie bei der English National Opera London, bei den Festspielveranstaltungen von Glyndebourne, Edinburgh und Aldeburgh. In Aldeburgh sang sie 1968 in der Uraufführung der Oper «Punch and Judy» von Harrison Birtwistle die Rolle der Judy. Ihr Bühnenrepertoire hatte seine Höhepunkte in Partien wie der Dorabella in «Così fan tutte», dem Cherubino in «Figaros Hochzeit», dem Hänsel in «Hänsel und Gretel» von Humperdinck, dem Pagen Isolier in «Le Comte Ory» von Rossini, dem Pippo in dessen «La gazza ladra», dem Prinzen Orlowsky in der «Fledermaus», der Geneviève in Debussys «Pelléas et Mélisande» und der Hermione in «A Midsummer Night's Dream» von Benjamin Britten. Die Sängerin, die mit dem technischen Direktor der Covent Garden Oper Michael Thomson verheiratet war, kam auch im Konzertsaal zu beachtlichen Erfolgen.

Morelli, Adriana, Sopran, * 1955 (?); sie entstammte einer italo-amerikanischen Familie, studierte Klavierspiel und Gesang am Conservatorio Francesco Cilea in Reggio Calabria und betrat 1978 in Spoleto im Rahmen des Wettbewerbs «Voci Nuove» als Musetta in Puccinis «La Bohème» erstmalig die Bühne. 1979 gastierte sie in Bergamo als

Sophie im «Werther» von Massenet; 1981 gewann sie den Puccini-Concours in Lucca und trat am dortigen Opernhaus anschließend als Lauretta in «Gianni Schicchi» auf. Es kam nun zur Ausbildung einer großen internationalen Karriere, wobei man allgemein auch die darstellerische Begabung der Künstlerin bewunderte. Sie sang die Butterfly und die Mimi in «La Bohème» beim Festival von Spoleto und am Opernhaus von Lille, die Elisabetta im «Don Carlos» von Verdi in Dijon und Amsterdam, die Amelia in «Un Ballo in maschera» und die Butterfly (1989) am Teatro Verdi von Triest, die Margherita in Boitos «Mefistofele» und die Tosca (1987–88) in Genua, die Giorgetta in Puccinis «Il Tabarro» 1988 beim Maggio musicale Florenz, die Maria Stuarda in der gleichnamigen Donizetti-Oper 1990 in Piacenza; an der Mailänder Scala debütierte sie als Nedda im «Bajazzo». Auch in Südamerika kam sie auf der Bühne wie im Konzertsaal zu einer erfolgreichen Laufbahn.

Morfová, Kristina, Sopran, * 6. 5. 1889 Stara Zagora (Bulgarien), † 1. 6. 1936 bei einem Autounfall in der Nähe von Karlovo (Bulgarien). Sie wuchs in Sofia auf, wo sie bereits in jungen Jahren als Solistin bei Amateurkonzerten mitwirkte. Nach ersten Studien in Sofia kam sie nach Prag und wurde in der Musikschule Pivoda ausgebildet. Sie debütierte 1910 am Tschechischen Theater Brno (Brünn) als Marie in der «Verkauften Braut». 1911 ging sie zu weiteren Studien nach Paris und kehrte dann wieder nach Sofia zurück. Hier sang sie 1912 die Marie in der «Verkauften Braut» in der bulgarischen Erstaufführung der Oper. Sie arbeitete zugleich in der bulgarischen Hauptstadt im pädagogischen Bereich und unternahm eine Reihe von Gastspielreisen auf dem Balkan und 1913 nach Rußland. Sie ging dann nach Prag, wirkte dort erfolgreich als Konzertsolistin und Pädagogin und debütierte am Prager Nationaltheater 1916 als Königin der Nacht in der «Zauberflöte». 1920–24 war sie reguläres Mitglied dieses Hauses. Gegen Ende der zwanziger Jahre kam sie wieder nach Sofia. Sie wurde dort Professorin am Konservatorium, trat aber regelmäßig auch an der Nationaloper von Sofia auf. Ihr Repertoire reichte von der Titelfigur in «Lakmé» von Delibes und der Traviata bis zur Donna Anna im «Don Giovanni», der Leonore im «Fidelio», der Santuzza in «Cavalleria rusticana», der Titelfigur in Smetanas «Libussa» und der Milada in dessen Oper «Dalibor».
Schallplatten: Columbia.

Morgan, Corinne, Alt, * 1865 (?), † (?); diese amerikanische Sängerin war die Hausaltistin der Victor-Schallplattenkompanie in der ersten Dekade unseres Jahrhunderts, und in dieser Position die Vorgängerin von Elsie Baker. Sie ist auf sehr vielen Aufnahmen zu hören, zumeist mit volkstümlicher und Ballad-Musik, wenn auch einige Aufnahmen aus dem Konzert- und Opernbereich darunter anzutreffen sind. Sie scheint keinerlei Karriere außerhalb der Schallplattenstudios gemacht zu haben. Die vielen Schallplatten, deren Etiketten ihren Namen tragen, sind wohl dadurch zu erklären, daß ihre Stimme, der

damaligen Aufnahmetechnik entsprechend, sich besonders für die Schallplatte eignete.

Morgan, Morris, Bariton, * 26. 9. 1940 Neuruppin bei Berlin; Ausbildung zum Sänger 1955–61 in Düsseldorf durch Franziska Martienssen-Lohmann und Francesco Carrino, dann bei Clemens Glettenberg in Köln und 1969–71 nochmals durch Rudolf Scharf in Wiesbaden. 1964–65 war er im Opernstudio des Opernhauses von Köln tätig und nahm an diesem Haus an der Uraufführung der Oper «Die Soldaten» von Bernd Alois Zimmermann teil (15. 2. 1965). 1965–68 wirkte er am Theater von Kiel und sang hier in der Uraufführung von Aribert Reimanns «Traumspiel» (20. 6. 1965). 1968–71 gehörte er dem Staatstheater Wiesbaden, 1971–79 dem Stadttheater von Bern (Schweiz) an. 1979–81 war er am Stadttheater von Freiburg i. Br. engagiert und seit 1981 durch Gastverträge den Theatern von Bern und St. Gallen verbunden. Er gastierte an der Deutschen Oper am Rhein Düsseldorf–Duisburg, am Nationaltheater Mannheim, an der Staatsoper Stuttgart, an den Opernhäusern von Hannover, Bremen, Saarbrücken, Lübeck und Klagenfurt und trat mit dem Ensemble des Berner Hauses bei den Festwochen von Interlaken auf. Sein Bühnenrepertoire setzte sich aus einer Vielfalt von Partien aus dem lyrischen wie dem Charakter-Fach zusammen, außerdem trat er gerne in Operettenpartien auf. Im Konzertsaal hatte er als Solist in Oratorien (Bach-Werke) wie auch als Liedersänger Erfolge.
Schallplatten: Wergo («Die Soldaten» von B. A. Zimmermann), Orfeo («Kleider machen Leute» von J. Suder), VDE-Gallo («Israel in Egypt» von Händel, «Carmina Burana» von C. Orff).

Morino, Giuseppe, Tenor, * 1959 (?); der aus Umbrien stammende Sänger debütierte 1986 bei den Festspielen von Martina Franca als Idreno in der Rossini-Oper «Semiramide» und sang im folgenden Jahr 1987 dort den Gualtiero in «Il Pirata» von Bellini. Im gleichen Jahr 1987 trat er an der Mailänder Scala als Admet in «Alceste» von Gluck und als Tebaldo in Bellinis «I Capuleti ed I Montecchi» auf und sang bei den Rossini-Festspielen in Pesaro den Pylades in «Ermione» von Rossini, am Teatro Regio Turin den Grafen Almaviva im «Barbier von Sevilla» (1987). An der Wiener Staatsoper gastierte er sehr erfolgreich in der Partie des Herzogs im «Rigoletto» (1987), am Teatro San Carlo Neapel als Edgardo in «Lucia di Lammermoor» (1989), am Teatro Donizetti Bergamo als Titelheld in «Gianni di Parigi» von Donizetti. Weitere Gastspiele kennzeichneten die sich anbahnende internationale Karriere des Künstlers.
Schallplatten: Nuova Era («La Favorita», «Maria di Rohan» und «Gianni di Parigi» von Donizetti; Arien-Platte).

Morris, Jeff, Tenor, * 12. 10. 1927 Lima (Ohio); zunächst studierte er Politik an der De Pauw University und erwarb den Grad eines Bachelor of Arts, dann ließ er seine Stimme durch C. E. Jarvis, Cesare Sturan und schließlich durch Alberto Volonnino in

Rom ausbilden, nachdem er 1958 ein Stipendium bei einem Wettbewerb der Metropolitan Oper gewonnen hatte. 1963 gewann er den Concours American Opera Auditions. Er debütierte am Teatro della Pergola Florenz als Graf Almaviva im «Barbier von Sevilla» von Rossini. Große Abschnitte seiner Bühnenkarriere spielten sich in der Folgezeit im deutschen Sprachgebiet ab. 1965–67 war er als erster Tenor für den lyrischen Fachbereich am Staatstheater von Oldenburg, 1967–70 nach einem Wechsel ins jugendliche Heldentenorfach am Staatstheater Saarbrücken, 1970–75 am Stadttheater von Basel engagiert. Gleichzeitig trat er in Gastspielen und Konzerten auf. 1975 folgte er einem Ruf als Professor und Leiter des Opera Workshop an die Dalhousie University in Halifax (Nova Scotia, Kanada).

Morris, Suzy, Sopran, * 1911, † 19. 3. 1988 Pittsfield (Massachusetts); sie wurde bekannt, nachdem sie 1947 an der New York City Centre Opera als Ariadne in der Richard Strauss-Oper «Ariadne auf Naxos» debütierte und sang in den folgenden drei Spielzeiten dann an diesem Haus. Gastspiele und Konzertauftritte in den Großstädten der USA bezeichneten den weiteren Verlauf ihrer Karriere. Ihr Bühnenrepertoire enthielt Partien wie die Amneris in «Aida», die Santuzza in «Cavalleria rusticana», die Tosca und die Giulietta in «Hoffmanns Erzählungen». Sie war verheiratet mit dem bekannten abstrakten Maler George L. K. Morris; ihr eigentlicher Name war Estelle Frelinghuysen, unter dem sie auch zu Beginn ihrer Karriere aufgetreten ist.

Morrison, Ray, Baß, * 19. 10. 1942 Asheville im amerikanischen Staat North Carolina; er durchlief eine gründliche Ausbildung am Mars Hill College, an der Indiana University (seit 1967), an der University of Cincinnati und am Mannes College of Music und legte sein Examen als Master of Music ab. Seine Gesanglehrer waren u. a. Margaret Harshaw, Andrew White und Armen Boyajian. Sein Bühnendebüt erfolgte bei der Santa Fé Opera. Er kam in den amerikanischen Musikzentren dann bald zu einer erfolgreichen Karriere mit Bühnenauftritten an der Metropolitan Oper New York und an der City Centre Opera New York, an der Oper von Washington und an der New Jersey Opera, an der Connecticut Grand Opera und in zahlreichen Partien an der Oper von Santa Fé. Im Konzertsaal erschien er in einem vielseitigen Repertoire als Solist mit den großen Orchestern in den USA. Auch über die amerikanischen Radio- und Fernsehstationen aufgetreten. Schallplattenaufnahmen auf den Marken Columbia, CBS, New World Records.

Morrow, Janet, Sopran, * 21. 6. 1953 Chicago; sie studierte an der University of Redlands, seit 1976 an der Southern Illinois University und seit 1978 an der University of Idaho. Sie erwarb die akademischen Grade eines Bachelor wie eines Master of Music und legte 1985 an der University of Minnesota ihr Doktorat ab. Bereits 1975 war sie bei einem Regional-Wettbewerb der New Yorker Metropolitan Oper erfolgreich. Sie begann ihre Bühnenlaufbahn in

Westdeutschland; hier debütierte sie 1981 am Stadttheater von Regensburg, dem sie bis 1983 als Ensemblemitglied angehörte. In der Saison 1983–84 sang sie am Landestheater von Linz (Donau). Sie ging dann in die USA zurück, wo sie Gastspiele, vor allem aber Konzerte gab, seit 1985 einen Lehrauftrag an der Colorado State University wahrnahm und sich im pädagogischen Bereich betätigte. Verheiratet mit dem Pianisten und Komponisten David A. King.

Mosca, Silvia, Sopran, * 1959 (?); sie studierte vier Jahre lang in Neapel bei Maestro Virginio Profeta und gewann dann den Concours Mattia Battistini. Die junge italienische Sängerin kam nach ihrem Bühnendebüt am Teatro Sociale Mantua (in der Partie der Leonore im «Troubadour» von Verdi) ungewöhnlich schnell zu einer großen internationalen Karriere. Nachdém sie an italienischen Theatern, vor allem am Opernhaus von Mantua, sehr erfolgreich aufgetreten war, debütierte sie bereits 1988 an der Metropolitan Oper New York als Luisa Miller in der gleichnamigen Oper von Verdi. 1988 gastierte sie an der Opéra de Wallonie Lüttich als Leonore im «Troubadour», eine Partie, die sie auch 1989 an der Oper von Miami vortrug. 1989 hörte man sie am Teatro Colón Buenos Aires wie bei den Festspielen im finnischen Savonlinna als Aida. An der Oper von Rom kam sie, ebenfalls 1989, zu großen Erfolgen in der Partie der Elvira in Verdis «Ernani», wie sie denn allgemein als große Verdi-Interpretin galt.

Moscow, Moritz, Tenor, * 18. 11. 1853 Konstantinopel, † (?); er wurde am Konservatorium der Stadt Wien zum Sänger ausgebildet. 1873 debütierte er als Helden- und Spieltenor am Stadttheater von Stralsund, dem er zwei Jahre lang angehörte. Er kam über die Stadttheater von Bozen (1876) und St. Gallen (1877) an das Stadttheater von Aachen, wo er 1878–80 auftrat. Es folgten Engagements an den Bühnen von Lübeck (1881), Basel, am Hoftheater von Dessau (1881–87), am Stadttheater von Zürich und 1888–89 am Theater von Metz. 1889 ging er an das Hoftheater von Coburg und war schließlich wieder bis 1900 am Stadttheater von Aachen tätig. Das Repertoire des Künstlers besaß einen großen Umfang und enthielt Rollen wie den Belmonte in der «Entführung aus dem Serail», den Tamino in der «Zauberflöte», den Don Ottavio im «Don Giovanni», den Achilles in Glucks «Iphigenie in Aulis», den Pylades in «Iphigenie auf Tauris», ebenfalls von Gluck, den Lohengrin, den Tannhäuser und den Siegmund in der «Walküre». Auch im Konzertsaal brachte er ein vielseitiges Repertoire zum Vortrag.

Moscucci, Orietta, Sopran, * 1925 (?); die Karriere der italienischen Künstlerin hatte ihren Höhepunkt in den fünfziger und den sechziger Jahren unseres Jahrhunderts. 1954 gab sie ein Mozart-Konzert im Rahmen der Salzburger Festspiele. Im gleichen Jahr sang sie beim Festival von Aix-en-Provence die Donna Anna im «Don Giovanni» und gastierte erfolgreich am Teatro Regio von Parma. 1955 war sie am Teatro San Carlo Neapel zu hören, ebenfalls 1955 sowie 1963 an der Oper von Rom. Bei den Festspielen von Glyndebourne des Jahres 1957 trat sie als Alice Ford im «Falstaff» von Verdi auf. Weitere Gastspiele führten sie an die Wiener Staatsoper, an das Teatro Comunale Florenz (1962), an das Teatro Massimo Palermo (1963), an die Oper von Kairo (1963) und an das Teatro Liceo Barcelona (1967). Auf der Bühne sang sie ein umfassendes Repertoire mit Partien wie der Butterfly, der Mimi in «La Bohème», der Desdemona in Verdis «Othello», der Violetta in «La Traviata» und der Ännchen im «Freischütz». Sie war verheiratet mit dem italienischen Dirigenten Lorenzo Gavani († 1983).

Schallplatten: HMV (Margherita in vollständiger Oper «Mefistofele» von Boito, Voce celeste in Verdis «Don Carlos» von 1954), Melodram («Hulda» von César Franck).

Mosel, Max, Baß, * 14. 7. 1864 Braunschweig, † 15. 2. 1914 Karlsruhe; er trat in die Verwaltungslaufbahn ein, wurde Standesbeamter, ließ aber dann seine Stimme durch den Opernsänger Otto Wolters in Braunschweig ausbilden. Nach ergänzenden Studien bei Alberto Selva in Venedig debütierte er 1890 am Opernhaus (Stadttheater) von Hamburg. 1890–91 sang er am Stadttheater von Regensburg und folgte 1891 einem Ruf an das Opernhaus von Köln. Hier hatte er bis 1894 vor allem im Wagner-Fach viel beachtete Erfolge. 1894 wirkte er bei den Bayreuther Festspielen als König Heinrich im «Lohengrin» mit. Es folgte ein längeres Engagement am Stadttheater von Bremen (1894–98), schließlich 1898 eine Verpflichtung an das Hoftheater von Mannheim. Seine Karriere wurde bereits 1899 vorzeitig durch eine fortschreitende Ertaubung beendet. Zu seinen großen Bühnenpartien zählten der Landgraf im «Tannhäuser», der König Heinrich im «Lohengrin», der Fafner, der Hunding und der Hagen im Nibelungenring, der Osmin in der «Entführung aus dem Serail», der Sarastro in der «Zauberflöte» und der Eremit im «Freischütz» von Weber. Der Künstler war mit der Altistin *Marie Tomschik* (1871–1930) verheiratet, die an den führenden deutschen Opernhäusern eine bedeutende Karriere hatte. Mit ihr zusammen lebte er in Karlsruhe, wo sie am Hoftheater tätig war.

Moser, Carl, Bariton, * 9. 2. 1825 Brixen (Südtirol), † 26. 4. 1883 Marienbad (Mariánské Lázně); er war der Sohn eines böhmischen Kammachers und begann 1849 seine Tätigkeit beim Theater als Chorist am Landestheater von Innsbruck. 1851 wurde er als Solist an das Theater von Temesvar (Timisoara) verpflichtet. Hier erregte er als Graf Luna im «Troubadour» von Verdi Aufsehen und wurde darauf an das Theater an der Wien in der österreichischen Metropole berufen. Der Komponist C. E. Conradin komponierte für ihn die Oper «Der Drachenstein», in der der Künstler so erfolgreich auftrat, daß das Werk zahlreiche Aufführungen erlebte. Carl Moser betätigte sich zunehmend als Bühnenregisseur, wurde 1862 Direktor des Innsbrucker Theaters,

übernahm 1863 die Direktion der Theater von Iglau (Jihlava) und Budweis (České Budějovice). 1868 wurde er dann zusätzlich Direktor des Theaters von Marienbad (Mariánské Lázně), das er mit einer Vorstellung der Offenbach-Operette «Die Zaubergeige» eröffnete, in der er den alten Geiger Mathieu sang. Bis zu seinem Tod ist er in dieser Stellung verblieben. Seine Witwe, *Ottilie Moser* (1837–1908), die ihn in seiner Tätigkeit ständig unterstützt hatte, setzte die Direktion der von ihm geleiteten Bühnen bis 1889 fort.

Moser, Ottilie, Sopran, * 8. 7. 1837 Barmen (Rheinland), † 20. 2. 1908 Linz (Donau); ihr Vater war Musikdirektor in Mainz. Nach der Ausbildung ihrer Stimme debütierte sie 1858 am Opernhaus von Köln und sang dann am Stadttheater von Mainz, am Hoftheater von Stuttgart und am Opernhaus von Düsseldorf. Nachdem sie den Bariton *Carl Moser* (1825–83) geheiratet hatte, ging sie mit ihm an das Theater von Innsbruck, das er 1863–64 als Direktor leitete. Zusammen mit ihrem Gatten übernahm sie dann 1864 die Direktion der Theater von Iglau (Jihlava) und Budweis (České Budějovice) und 1868 noch dazu die des Kur- und Stadttheaters von Marienbad (Mariánské Lázně). Die von dem umsichtigen Künstlerehepaar geleiteten Häuser nahmen eine günstige Entwicklung; nachdem ihr Gatte 1883 verstorben war, blieb Ottilie Moser noch bis 1889 Direktorin dieser Bühnen. Dann zog sie sich nach Linz (Donau) zurück. Eine Tochter des Ehepaars, Gusti Wittels (* 1871), wurde als Schauspielerin am Wiener Burgtheater bekannt.

Moses, Geoffrey, Baß, * 24. 9. 1952 Abercynon (Wales); er wurde zuerst am Emmanuel College in Cambridge, dann an der Londoner Guildhall School of Music ausgebildet, an der er Schüler von Otakar Kraus und Peter Harrison war. 1977 debütierte er auf der Bühne der Welsh Opera Cardiff als Basilio im «Barbier von Sevilla» von Rossini. Er sang in der Folge dort Partien wie den Seneca in Monteverdis «Incoronazione di Poppea», den Sarastro in der «Zauberflöte» und den Pater Guardian in Verdis «La forza del destino». 1981 trat er erstmals an der Covent Garden Oper London in «Hoffmanns Erzählungen» auf und sang später dort auch in Verdis «Othello». Er erschien auch bei den Festspielen von Glyndebourne (1984). Am Théâtre de la Monnaie Brüssel gastierte er in «Hoffmanns Erzählungen» und als Fiesco in «Simon Boccanegra» von Verdi. Großen Erfolg hatte er an der Welsh Opera im «Falstaff» von Verdi. Seine Karriere trug ihm auch im Konzertsaal allgemeine Anerkennung ein; in Frankfurt a. M. sang er in «La damnation de Faust» von Berlioz (in einer konzertanten Aufführung), mit dem Scottish National Orchestra in Beethovens 9. Sinfonie.

Schallplatten: Supraphon («Griechische Passion» von Martinů), Phonogram (Graf Ceprano in vollständigem «Rigoletto»).

Mosley, Robert, Bariton, * 22. 6. 1935 Coulder (Pennsylvania); der junge farbige Künstler war zunächst als Fernsehdarsteller, als Solist in New Yorker Kirchen und als Operettensänger tätig. Er studierte dann Gesang bei W. Bretz in Westchester (Pennsylvania), bei Giuseppe Danise und Pasquale Rescigno in New York und erhielt den Marian Anderson-Preis für begabte farbige Sänger; er war Preisträger beim National Concours der Metropolitan Oper New York. 1966 debütierte er auf der Bühne der New York City Centre Opera als Valentin im «Faust» von Gounod. Seitdem kam er an diesem Operninstitut wie an den Opern von Boston, San Francisco, Seattle, Santa Fé, Fort Worth, Memphis und bei der Opera South Jackson zu bedeutenden Erfolgen. Von seinen Bühnenpartien sind zu nennen: der Porgy in «Porgy and Bess» von Gershwin, der Jago im «Otello» von Rossini wie in Verdis «Othello», der Titelheld im «Fliegenden Holländer», der Scarpia in «Tosca», der Amonasro in «Aida», der Rigoletto, der Germont-père in «La Traviata», der Ford in Verdis «Falstaff» und der Trinity Moses in «Aufstieg und Fall der Stadt Mahagonny» von Weill. Geschätzter Konzertsänger; auch im pädagogischen Bereich tätig.

Mottino, Francesco, Bariton, * 1833 Courgné (Piemont), † März 1919 Mailand; er lernte bereits ganz jung fließend Englisch und Französisch sprechen und betätigte sich frühzeitig als Schriftsteller. So brachte er in seiner Heimatstadt 1855 ein Drama «Guglielmo Shakespeare» zur Aufführung, ließ aber gleichzeitig seine Stimme in Mailand ausbilden. Bereits in der Spielzeit 1855–56 sang er am Teatro Comunale von Zara kleinere Baritonpartien. Den Höhepunkt erreichte seine Karriere jedoch seit 1873 in England, nachdem er zuvor an italienischen Bühnen wie bei Gastspielen in Frankreich, Belgien, in der Schweiz, in Griechenland, in der Türkei und in Ägypten beachtliche Erfolge erzielt hatte. In England sang er an der Covent Garden Oper London wie am dortigen Her Majesty's Theatre. Am letztgenannten Haus wirkte er am 17. 1. 1877 in der Uraufführung der Oper «Biron» von Lauro Rossi mit. 1878 sang er dort sehr erfolgreich den Titelhelden in Rossinis «Wilhelm Tell» und den Grafen Luna im «Troubadour». Bei Konzerten wie bei Bühnenauftritten in der englischen Metropole, zumal bei Konzerten im Crystal Palace London, erschien er oft als Partner der großen Primadonna Adelina Patti. Als einer der wenigen italienischen Sänger, die perfekt die englische Sprache beherrschten, wählte der Impresario Carl Rosa ihn als ersten Bariton für die von ihm begründete Carl Rosa Opera Company aus, die seit 1875 in London und anderen englischen Städten Opern in Englisch aufführte. Francesco Mottino trat immer wieder innerhalb dieses Ensembles auf. Nach Beendigung seiner Bühnenkarriere wandte er sich erneut seiner schriftstellerischen Tätigkeit zu; 1880 gründete er die literarische Zeitschrift «L'Utopista», die bis 1887 bestand. Seine Gattin war die Sopranistin *Adele Cesarini,* die ihn auf den Stationen seiner Künstlerkarriere begleitete.

Mottl-Preger, Sonja, Sopran, * 4. 7. 1923 Zagreb; die Sängerin, deren eigentlicher Name Sonja Šago-

vac lautete, war in Zagreb Schülerin von Maria Kostrencić. 1943 stand sie am Kroatischen Nationaltheater Zagreb erstmals in der Lehár-Operette «Das Land des Lächelns» auf der Bühne. Bis 1945 blieb sie dort im Engagement und sang darauf 1945–48 am Theater von Ojisek (Esseg), 1948–51 am Opernhaus von Split und 1951–55 abermals am Opernhaus von Zagreb. 1955 wurde sie an die Wiener Volksoper berufen. An diesem Haus wirkte sie bis 1987 und war beim Publikum ungewöhnlich beliebt. 1983 wurde sie zum Ehrenmitglied der Wiener Volksoper ernannt, an der sie vor allem als Operettensängerin (u. a. als Hanna Glawari in der «Lustigen Witwe», als Laura im «Bettelstudenten» von Millöcker und als Christel im «Vogelhändler» von Zeller) gefeiert wurde. Aus ihrem Opernrepertoire sind die Gilda im «Rigoletto», die Page Oscar in Verdis «Ballo in maschera», die Micaela in «Carmen» und die Musetta in Puccinis «La Bohème» hervorzuheben. Gastspiele, zum Teil mit dem Ensemble der Wiener Volksoper, und Konzertauftritte runden die Karriere der Künstlerin ab. Schallplatten: Operettenquerschnitte auf der Marke Donauland.

Moulson, John, Tenor, * 25. 7. 1928 Kansas City (Missouri); er erhielt seine Ausbildung in Atlanta City durch R. Chalmers, nachdem er zuvor als Fernsehingenieur tätig gewesen war. Er kam dann nach Europa und debütierte 1961 an der Komischen Oper Berlin als Cavaradossi in Puccinis «Tosca». Seitdem ist er für mehr als zwanzig Jahre Mitglied dieses Hauses geblieben, wo er an den berühmten Opernaufführungen unter Walter Felsenstein teilnahm. Von den Rollen, die er hier zum Vortrag brachte, sind der Alfredo in «La Traviata», der Titelheld in «Hoffmanns Erzählungen» von Offenbach, der Steuermann im «Fliegenden Holländer», der Laça in «Jenufa» von Janáček und der Titelheld in «Il ritorno d' Ulisse in patria» von Monteverdi zu nennen. 1969–72 gastierte er mehrfach an der Königlichen Oper Kopenhagen, u. a. als Lenski in Tschaikowskys «Eugen Onegin», als Gabriele Adorno in Verdis «Simon Boccanegra» und in der Titelpartie von Strawinskys «Oedipus Rex». 1988 wirkte er an der Oper von Boston in der Premiere der Oper «Tote Seelen» von Rodion Schtschedrin mit. Gastspiele und Konzerte führten den Sänger in die Musikzentren in Westdeutschland, England, Italien, Polen, in die Sowjetunion wie in die USA.

Moussa-Felderer, Ingeborg, s. unter *Felderer,* Ingeborg.

Mühe, Carl, Baß, * 26. 2. 1836 Braunschweig, † 6. 4. 1896 Magdeburg; er begann seine Bühnenlaufbahn 1869–70 am Victoria-Theater von Magdeburg und hatte dann folgende Engagements: 1872–73 Hoftheater Schwerin, 1873–74 Deutsche Oper Rotterdam, 1874–75 Stadttheater Würzburg, 1875–76 Stadttheater Basel, 1877–78 Stadttheater Magdeburg, 1878–79 Stadttheater Bremen, 1879–83 Stadttheater Danzig, 1883–84 Stadttheater Augsburg, 1884–86 nochmals Magdeburg, 1886–87 Stadttheater Stettin, 1890–91 Metz. Er war auch an der Komischen Oper Wien (1876–77) zu hören und gastierte an der New Yorker Metropolitan Oper (1888–89). Dabei brachte er auf der Bühne ein umfangreiches Repertoire zum Vortrag, das seine Höhepunkte in Partien wie dem Sarastro in der «Zauberflöte», dem Raimondo in «Lucia di Lammermoor» von Donizetti, dem Oroveso in «Norma» von Bellini, dem Eremiten im «Freischütz», dem Giacomo in «Fra Diavolo» von Auber, dem Zacharias im «Propheten» von Meyerbeer und dem Oberpriester in dessen «Africaine» hatte; dazu sang er Baß-Partien in Wagner-Opern und hatte eine beachtliche Karriere als Konzert- und Oratoriensolist. Nach seinem unruhigen Wanderleben von einer Bühne zur anderen lebte er in Magdeburg.

Mühlbauer, Esther, Sopran, * 29. 8. 1913 München; sie studierte am Trapp'schen Konservatorium in München und leitete ihre Bühnenkarriere 1939 mit einem Engagement als Opern- und Operettensängerin am Stadttheater von Hanau ein. 1941–44 war sie am Theater von Mühlhausen (Mulhouse, Elsaß) verpflichtet und ging dann an die Dresdner Staatsoper, wurde jedoch bald darauf als Krankenpflegerin in einem Lazarett in Wasserburg am Inn eingesetzt. Nach dem Zweiten Weltkrieg nahm sie 1945 an der Staatsoper von München ihre Karriere wieder auf. Sie gab zahlreiche Gastspiele und ist u. a. am Teatro San Carlos Lissabon, am Opernhaus von Zürich, am Staatstheater von Wiesbaden und am Stadttheater von Lübeck aufgetreten. 1951 wurde sie Mitglied des Stadttheaters von Würzburg. Aus ihrem Bühnenrepertoire sind die Leonore im «Fidelio», die Titelfigur in Puccinis «Madame Butterfly», die Desdemona in Verdis «Othello», die Agathe im «Freischütz» hervorzuheben, doch gestaltete sie auch eine ausgesprochene Charakterpartie wie die Hexe in «Hänsel und Gretel» von Humperdinck. Erfolgreiche Konzertsängerin. Sie wirkte später als Pädagogin in München und war u. a. die Lehrerin der bekannten Sopranistin Sabine Hass.

Mühlmann, Adolf, Baß-Bariton, * 1865 Kischinew (Bessarabien), † 27. 4. 1938 Chicago; er sollte ursprünglich zum Rabbiner ausgebildet werden, erhielt dann aber drei Jahre lang durch einen jüdischen Kantor Gesangunterricht und sang darauf als Chorsänger in der Synagoge von Odessa. 1887 ging er nach Wien und ergänzte seine Ausbildung bei dem Pädagogen Scheu. 1890 debütierte er am Deutschen Theater Rotterdam, blieb dort für eine Saison und sang 1891–92 am Opernhaus von Düsseldorf. 1892–98 kam er am Theater von Breslau zu bedeutenden Erfolgen und wurde 1898 an die Metropolitan Oper New York berufen. In den folgenden zwölf Jahren ist er dort in einer Vielzahl von Partien aufgetreten. Dazu entfaltete er eine intensive Gastspieltätigkeit. 1899–1903 hörte man ihn Jahr für Jahr an der Covent Garden Oper London, 1902 an der Hofoper von Wien; auch an der Hofoper von St. Petersburg als Gast aufgetreten. In Nordamerika sang er an den Opernhäusern von Boston, Chicago, Pittsburgh und Philadelphia. Nach Beendigung sei-

ner Bühnenkarriere ließ er sich in Chicago als Pädagoge und Musikkritiker nieder. Aus seinem Rollenvorrat sind der Pizarro im «Fidelio», der Telramund im «Lohengrin», der Wolfram im «Tannhäuser», der Kothner in den «Meistersingern», der Gunther in der «Götterdämmerung», der Titelheld in «Hans Heiling» von Marschner und der Peter in Humperdincks «Hänsel und Gretel» zu nennen. Neben seinem Wirken auf der Bühne war er ein geschätzter Konzert- und Liedersänger.

Schallplatten: 1904 entstanden in Breslau sechs Aufnahmen (alle bis auf eine Lieder) auf G & T; bereits 1903 hatte Mapleson seine Stimme auf seinen Zylindern während Aufführungen an der Metropolitan Oper New York aufgenommen.

Mülkens, Maria, Alt, * 9. 1. 1887 Herzogenrath bei Aachen, † 12. 8. 1974 Männedorf (Kanton Zürich); sie begann ihre Bühnenkarriere mit einem Engagement am Stadttheater von Trier 1912–14. Es folgten Verpflichtungen am Stadttheater Stettin (1914–17), am Stadttheater von Augsburg (1917–19), am Opernhaus von Stuttgart (1919–20) und für die Jahre 1920–33 am Stadttheater (Opernhaus) von Zürich. Von dort aus gastierte sie an den Theatern von Basel und St. Gallen. In Zürich sang sie u. a. in der Uraufführung der Oper «Venus» von Othmar Schoeck (1922) die Partie der Madame de Lauriens und wirkte in den Schweizer Erstaufführungen der Opern «Fürst Igor» von Borodin (als Kontschakowna), «Die tote Stadt» von Korngold (als Brigitta, 1922), «Schirin und Gertraude» von P. Graener (als Schirin, 1926), «Andrea Chénier» von Giordano (als Contessa di Coigny), «Marouf» von H. Rabaud (als Princesse, 1924), «Pique Dame» von Tschaikowsky (als alte Gräfin, 1930), «I quattro rusteghi» von E. Wolf-Ferrari (als Margarita, 1924) und «Judith» von A. Honegger (als Titelheldin, 1927) mit. Sie sang 1928 in Zürich die Penthesilea in der Erstaufführung (nach der Dresdner Uraufführung) der gleichnamigen Oper von O. Schoeck. Ihre Bühnenpartien enthielten Aufgaben wie den Orpheus von Gluck, die Carmen, die Amneris in «Aida», die Azucena im «Troubadour», die Maddalena im «Rigoletto», die Eboli im «Don Carlos» von Verdi, die Ulrica in dessen «Maskenball», die Dalila in «Samson et Dalila» von Saint-Saëns, die Gräfin im «Wildschütz» von Lortzing, die Mary im «Fliegenden Holländer», die Ortrud im «Lohengrin», die Magdalene in den «Meistersingern», die Brangäne im «Tristan», die Fricka, die Waltraute und die Erda im Nibelungenring, die Kundry im «Parsifal», den Octavian im «Rosenkavalier», die Herodias in «Salome» und die Klytämnestra in «Elektra» von R. Strauss, die Magdalena im «Evangelimann» von Kienzl und die Czipra im «Zigeunerbaron» von Johann Strauß.

Müller, Auguste, von, Mezzosopran, * 23. 2. 1848 Darmstadt, † 2. 4. 1912 Darmstadt; die Sängerin war zuerst am Stadttheater von Stettin engagiert (1875–76). In der Spielzeit 1876–77 sang sie am Opernhaus von Riga und folgte dann einem Ruf an das Hoftheater von Weimar, dem sie 1877–81 angehörte. Hier sang sie in der denkwürdigen Uraufführrung der biblischen Oper «Samson et Dalila» von Saint-Saëns am 2. 12. 1877 unter der Leitung von Franz Liszt die Partie der Dalila. Nachdem sie 1881 Weimar verlassen hatte, war sie 1881–82 am Stadttheater von Bremen, 1882–83 am Stadttheater von Magdeburg, 1883–84 am Hoftheater von Altenburg (Thüringen), 1884–85 am Hoftheater von Sondershausen (Thüringen) und 1885–86 am Stadttheater von Lübeck verpflichtet. Sie lebte dann privat in Bremen, später in ihrer Heimatstadt Darmstadt, doch finden sich nur wenige Nachrichten über die Künstlerin, die immerhin doch mit der Dalila eine der großen Partien des Opernrepertoires kreiert hatte.

Müller, Peter, Tenor, * 26. 4. 1863 Koblenz, † 7. 3. 1914 Stuttgart; er war nach kurzer Ausbildung als Chorist an den Theatern von Koblenz und Zürich tätig und kam 1885 in gleicher Eigenschaft an die Hofoper von Stuttgart. Die Intendanz des Hauses ließ ihn weiter ausbilden, so daß er schließlich hier 1890 als erste Solopartie den Lyonel in Flotows «Martha» sang. Gastspiele führten ihn seit 1897 an das Opernhaus von Frankfurt a. M., seit 1900 an das Stadttheater von Zürich, weiter an das Opernhaus von Leipzig (1897), an die Hoftheater von Wiesbaden (1901) und Karlsruhe (1909) und an die Hofoper München (1904). Hatte er zunächst in der Hauptsache lyrische Tenorpartien gesungen, so fügte er später einige schwerere Partien in sein Repertoire ein (Erik im «Fliegenden Holländer», Pedro in «Tiefland» von d'Albert). Im einzelnen sind zu nennen: der George Brown in «La Dame blanche» von Boieldieu, der Wilhelm Meister in «Mignon» von A. Thomas, der Chapelou im «Postillon de Lonjumeau» von A. Adam, der Léopold in «La Juive» von Halévy, der Titelheld in «Hoffmanns Erzählungen», der Alfonso in «La Muette de Portici» von Auber, der Tonio in der «Regimentstochter» von Donizetti, der Graf Almaviva im «Barbier von Sevilla», der Arnoldo in Rossinis «Wilhelm Tell», der Pinkerton in «Madame Butterfly» und der Turiddu in «Cavalleria rusticana». Er trat auch gerne in Operetten auf und wurde als Konzertsänger geschätzt. Er wurde durch einen ganz plötzlichen Tod aus seiner Karriere herausgerissen.
Schallplatten: HMV (Stuttgart, 1908), Parlophon, Pathé (Berlin, 1912, darunter Duette mit M. Junker-Burchardt).

Müller, Therese, Sopran, * 27. 9. 1833 Oravitja (Rumänien), † 11. 8. 1903 Brandenburg an der Havel; sie trat im Alter von nur 16 Jahren erstmals als Marie in Donizettis «Regimentstochter» auf der Bühne auf und war dann in Salzburg, Linz (Donau) und Budapest engagiert, wo sie sich als vielseitige Künstlerin auf den Gebieten der Oper, der Posse, des Vaudeville wie des Lustspiels auszeichnete. Sie wurde durch Johann Nestroy an das von diesem geleitete Wiener Carl-Theater verpflichtet. Beim Wiener Publikum wurde sie sehr beliebt. Später wirkte sie am Landestheater von Prag, am Opernhaus von Riga, an den Theatern von Köln, Breslau, Freiburg i. Br., Zürich und Posen (Poznań). 1869 kam sie wieder an

das Opernhaus in Riga, dem sie bis 1873 angehörte. Dann gab sie ihre Bühnenkarriere auf und ließ sich in Riga als Gesanglehrerin nieder. 1893 verlegte sie diese Tätigkeit nach Brandenburg an der Havel. Ihr Bühnenrepertoire war natürlich sehr umfangreich und gipfelte in Partien wie die Rose Friquet im «Glöckchen des Eremiten» von Maillart, der Titelfigur in der «Schönen Galathee» von F. von Suppé, der Philine in «Mignon» von A. Thomas, doch sang sie auch so groß angelegte Partien wie die Elsa im «Lohengrin» und die Agathe im «Freischütz».

Müller, Willy, Tenor, * 1927 (?); er begann seine Bühnenlaufbahn 1952 am Staatstheater Karlsruhe, an dem er zwei Jahre blieb. 1954–56 sang er am Stadttheater Bremen und wurde dann 1956 an das Opernhaus von Frankfurt a. M. verpflichtet. Er blieb dessen Mitglied für länger als die folgenden drei Jahrzehnte und übernahm eine Fülle von Partien aus dem Buffo- und dem Charakterfach, darunter den David in den «Meistersingern», den Pedrillo in der «Entführung aus dem Serail», den Monostatos in der «Zauberflöte», den Jacquino im «Fidelio», den Peter Iwanow in «Zar und Zimmermann» von Lortzing, den Bardolph in Verdis «Falstaff», den Schreiber in «Khovantchina» von Mussorgsky, den Hauptmann im «Wozzeck» von A. Berg, den Pappacoda in der Johann Strauß-Operette «Eine Nacht in Venedig», um nur einige zu nennen. Der als hervorragender Schauspieler bekannte Künstler gastierte u. a. in Straßburg (1962), am Opernhaus von Graz (1965) und mit dem Frankfurter Ensemble in London (1963).
Schallplatten: Opera (Querschnitt «Fidelio»), MMS («Hoffmanns Erzählungen»).

Müller-Lorenz, Wolfgang, Bariton/Tenor, * 24. 11. 1946 Köln; zuerst studierte er Maschinenbau, dann Gesang und Darstellung in seiner Heimatstadt Köln und begann seine Karriere als lyrischer Bariton 1972 am Stadttheater von Mainz. In den folgenden acht Jahren sang er Baritonrollen wie den Papageno in der «Zauberflöte», den Sharpless in «Madame Butterfly», den Figaro im «Barbier von Sevilla» oder den Titelhelden in «Der Jakobiner» von Dvořák nacheinander am Theater am Gärtnerplatz München, an den Opernhäusern von Nürnberg, Karlsruhe, Frankfurt a. M. und Mannheim. 1980 ging er an das Opernhaus von Graz und vollzog auf Anraten des berühmten Tenors Hans Hopf den Übergang ins Stimmfach des Heldentenors. In Graz hörte man ihn dann als Lohengrin, als Cavaradossi in «Tosca», als Kalaf in Puccinis «Turandot», 1989 als Loge, Siegmund und Siegfried in einem und dem gleichen Ring-Zyklus, eine Leistung die allgemeine Beachtung fand, ebenso seine Gestaltung des Titelhelden in Verdis «Othello» und des Dimitrij im «Boris Godunow». Bereits zuvor hatte er in Marseille mit dem Parsifal, in Wiesbaden mit dem Siegmund seine ersten großen Wagnerpartien gesungen. An der Wiener Staatsoper war er als Marquis in «Lulu» von A. Berg, als Erik im «Fliegenden Holländer» und als Hermann in «Pique Dame» von Tschaikowsky zu Gast. 1989 nahm er an einem Gastspiel der Deutschen Oper Berlin in Washington teil. Im gleichen Jahr gastierte er am Opernhaus von Zürich als Fra Diavolo in der gleichnamigen Oper von Auber. Auch auf dem Gebiet der Operette kam er zu einer erfolgreichen Karriere (Barinkay im «Zigeunerbaron» von J. Strauß). Nicht zu vergessen sind seine Konzertauftritte, bei denen er auch gern Werke zeitgenössischer Komponisten zum Vortrag brachte.

Müller-Molinari, Helga, Mezzosopran, * 28. 3. 1948 Pfaffenhofen (Bayern); sie war zunächst in München Schülerin der berühmten Felicie Hüni-Mihaczek, dann in Wuppertal von Frau Becker-Brill. 1972–73 war sie am Staatstheater Saarbrücken engagiert. Sie ging zur Vervollständigung ihrer Ausbildung nach Italien und studierte dort bei Maria Teresa Pediconi und bei der großen Mezzosopranistin Giulietta Simonato in Rom. Sie begann dann eine ganz italienische Karriere und debütierte bereits 1975 an der Mailänder Scala in «L'Enfant et les sortilèges» von Ravel. Seitdem hatte sie an diesem führenden Opernhaus große Erfolge. 1979 wirkte sie dort am Kleinen Haus (Piccola Scala) in der Barock-Oper «Tito Manlio» von A. Vivaldi mit. Sie gastierte an den großen Bühnen Italiens, an den Opernhäusern von Nancy und Dublin und sang bei den Festspielen von Salzburg (u. a. 1983 Annina im «Rosenkavalier»). Sie spezialisierte sich auf die technisch schwierigen Partien für Koloratur-Contralto in den Opern von Rossini, die sie bei den Festspielen von Pesaro und bei vielen anderen Gelegenheiten vortrug. Daneben beherrschte sie jedoch ein umfangreiches Bühnen- und Konzertrepertoire, das weitere Höhepunkte in Aufgaben aus dem Mozart'schen Vokalschaffen und in Werken aus der Barock-Epoche hatte. Zu ihren Glanzrollen auf der Bühne zählte auch der Octavian im «Rosenkavalier», den sie u. a. 1986 am Teatro Regio Turin wie an der Mailänder Scala sang. 1984 am Teatro Liceo Barcelona als Cherubino in «Figaros Hochzeit» zu Gast, 1988 am Teatro Regio Turin als Carmen, 1989 Gastspiel an der Oper von Monte Carlo in «Le Portrait de Manon» von Massenet.
Schallplatten: DGG (Annina im «Rosenkavalier», Dryade in «Ariadne auf Naxos», Mozart-Requiem, Te Deum von Bruckner), Harmonia mundi («Oroveso» von P. A. Cesti, Arien von Monteverdi, darunter das berühmte Lamento d' Arianna), HMV («Partenope» von Händel), Fonit Cetra («L' Arcadia in Brenta» von Galuppi, «Aureliano in Palmira» und «La gazza ladra» von Rossini).

Münch, Leni, Mezzosopran, * 18. 4. 1916 Zürich; Tochter des Bildhauers Otto Münch und der Konzertsängerin *Maria Münch,* später Leiterin der Kunstschule Zürich. Sie studierte bei Alice Frey-Knecht in Zürich, dann bei Albina Jäger in Wien und erhielt auch Unterricht durch Emmy Krüger. 1942 begann sie ihre Bühnentätigkeit am Opernhaus (Stadttheater) Zürich und sang dann 1945-52 am Stadttheater Luzern (wo sie gelegentlich auch Schauspielrollen übernahm), 1952–58 am Landestheater Innsbruck. Sie gastierte im Ablauf ihrer Karriere an der Volksoper Wien, am Landestheater

Salzburg, am Opernhaus von Graz, an der Mailänder Scala und am Opernhaus von Zürich. Während ihres Luzerner Engagements sang sie u. a. die Irmentraud im «Waffenschmied» von Lortzing, die Fidalma in Cimarosas «Matrimonio segreto», die Bostana im «Barbier von Bagdad» von P. Cornelius, die Madelon wie die Contessa in «Andrea Chénier» von Giordano, die Marcellina in «Figaros Hochzeit», die Nancy in Flotows «Martha», den Nicklausse in «Hoffmanns Erzählungen», die Suzuki in «Madame Butterfly», die Czipra im «Zigeunerbaron» von J. Strauß, die Amneris in «Aida», die Ulrica in Verdis «Maskenball», die Azucena im «Troubadour», die Maddalena im «Rigoletto», die Eboli im «Don Carlos», die Preziosilla in «La forza del destino» und die Annina im «Rosenkavalier». Im Konzertsaal trat sie in Oratorien (Händel, Alt-Rhapsodie von J. Brahms) und als Liedersängerin hervor. Sie nahm an Rundfunksendungen in Österreich wie in der Schweiz teil.

Mugnone-Paolicchi, Maria Leopoldina, s. unter *Paolicchi,* Maria Leopoldina.

Mundt, Richard, Baß, * 8. 9. 1936 Chicago; nach ersten Beschäftigungen im kaufmännischen wie im Hotelfach studierte er Gesang bei Alfredo Gandolfi in New York und kam dann nach Europa, wo er an der Wiener Musikakademie Schüler von Hitz war. (Erste Studien hatte er bei seiner Mutter, der Sängerin *Agnate Mundt* in Woodstock, New York, absolviert). 1962 debütierte er am Landestheater von Saarbrücken als Commendatore im «Don Giovanni». In Europa sang er sehr erfolgreich an den Theatern von Darmstadt, Kiel und Dortmund, am Opernhaus von Graz, an der Opéra de Wallonie Lüttich und beim Festival von Spoleto. In seiner amerikanischen Heimat, wo er seinen Wohnsitz in New York nahm, kam er an der City Centre Opera New York, an den Opernhäusern von Chicago, Cincinnati, Portland und San Francisco zu einer erstrangigen Karriere. Abgesehen von einem reichhaltigen Konzertrepertoire hatte er auf der Bühne in Partien wie dem Osmin in der «Entführung aus dem Serail», dem Don Giovanni, dem Figaro in «Figaros Hochzeit», dem Sarastro in der «Zauberflöte», dem Rocco im «Fidelio», dem Basilio in Rossinis «Barbier von Sevilla», dem Kezal in der «Verkauften Braut» von Smetana, dem Arkel in Debussys «Pelléas und Mélisande», dem Ramphis in Verdis «Aida», dem König Philipp im «Don Carlos», dem Pater Guardian in «La forza del destino», namentlich aber im Wagner-Repertoire (Daland, König Heinrich, Pogner, Hunding, Landgraf, Marke, Fasolt), seine Erfolge.

Munkittrick, Mark, Baß, * 1952 (?) Boston; er studierte am Fresno State College (Kalifornien) und erwarb den akademischen Grad eines Magisters. Sein Bühnendebüt erfolgte 1976 an der Königlichen Oper von Teheran. Nach New York zurückgekehrt, vervollkommnete er die Ausbildung seiner Stimme und sang 1976–77 mit dem Opera-Orchestra of New York in der dortigen Carnegie Hall Konzertversio-

nen von Donizettis «Gemma di Vergy» (mit Montserrat Caballé) und Puccinis «Edgar» (mit Renato Scotto und Carlo Bergonzi), die auch auf Schallplatten aufgenommen wurden. Darauf sang er 1977 an der New York City Centre Opera den Daland im «Fliegenden Holländer» und den Pogner in den «Meistersingern» und gastierte in mehreren amerikanischen Großstädten (Baltimore, Washington, Los Angeles, Atlanta) u. a. als Leporello im «Don Giovanni», als Alfonso in «Così fan tutte», als Raimondo in «Lucia di Lammermoor» und als Seneca in «L' Incoronazione di Poppea» von Monteverdi. Dann ging er nach Europa und war 1978–87 Ensemblemitglied des Staatstheaters Karlsruhe, dem er auch weiterhin als Gast verbunden blieb. Von den Partien, die er in Karlsruhe gesungen hat, sind der Mephisto im «Faust» von Gounod, der Rocco im «Fidelio», der Basilio im «Barbier von Sevilla», der Kezal in Smetanas «Verkaufter Braut», der Banquo in Verdis «Macbeth», der König Philipp im «Don Carlos», der Ramphis in «Aida», der Landgraf im «Tannhäuser», der König Heinrich im «Lohengrin» und der Fafner im Nibelungenring zu erwähnen. In Madrid gastierte er 1984 in der Koloraturpartie des Titelhelden in «Giulio Cesare» von Händel mit Montserrat Caballé in der Rolle der Cleopatra. Er sang als Gast bei der Opera North Leeds (Rocco im «Fidelio»), an der Staatsoper Dresden (Sir Morosus in «Die schweigsame Frau» von R. Strauss, 1989), am Teatro Liceo Barcelona, am Teatro Colón Buenos Aires, in Paris, Luxemburg und an der Nationaloper Warschau (1990), an den Staatsopern von Hamburg und München, am Nationaltheater Mannheim, an der Deutschen Oper am Rhein Düsseldorf-Duisburg, am Staatstheater Hannover, in Nürnberg, Mainz und Kiel. Seit 1985 war er Mitglied der Staatsoper Stuttgart, wo man ihn u. a. als Rocco, als Vater Wesener in «Die Soldaten» von B. A. Zimmermann (mit anschließendem Gastspiel 1989 in dieser Partie am Bolschoj Theater Moskau und an der Oper von Leningrad), als Arthur in «Der Leuchtturm» von Maxwell Davies, als Kaspar im «Freischütz», als Landgrafen, als Sir Morosus, als Kezal und als Enrico VIII. in «Anna Bolena» von Donizetti hören konnte. Sein Bühnenrepertoire enthielt eine Vielzahl weiterer Partien aus allen Bereichen der Oper bis hin zu modernen Werken. Ein ebenso vielseitiges Repertoire brachte er im Konzertsaal zum Vortrag, Werke von J. S. Bach, Beethoven, J. Haydn, Mozart, Mendelssohn, Rossini, Verdi, A. Dvořák, César Franck, J. Brahms und Gustav Mahler. So sang er in einem Konzert im Vatikan (das vom italienischen Rundfunk und Fernsehen übertragen wurde) in Rom vor Papst Johannes Paul II. das Baß-Solo in der Missa solemnis von Beethoven.
Schallplatten: Columbia («Gemma di Vergy», «Edgar»), Hänssler-Verlag (Bach-Kantaten).

Muñoz, Daniel, Tenor, * 1952 Buenos Aires; er studierte zunächst in der Opernschule des Teatro Colón Buenos Aires und war dann Schüler des bekannten argentinischen Tenors Carlos Guichandut. Nachdem er verschiedene Gesangwettbewerbe gewonnen hatte, debütierte er 1979 am Teatro Colón

Buenos Aires und hatte sogleich große Erfolge zu verzeichnen. 1980 wurde er an das Teatro de la Zarzuela Madrid verpflichtet; 1981–82 ergänzte er seine Ausbildung durch weitere Studien bei Fernando Bandera in Mailand. Seit 1982 kam er zu einer sehr erfolgreichen Karriere an den führenden Opertheatern in Spanien, in Portugal und in Südamerika. 1983 gastierte er an der Oper von Nancy als Cavaradossi in «Tosca», 1986 an der Opéra de Wallonie Lüttich als Pinkerton in «Madame Butterfly». 1988 gastierte er auch am Stadttheater von Bern (Schweiz). Aus dem Repertoire des begabten Künstlers sind noch der José in «Carmen», der Faust von Gounod, der Titelheld in «Werther» von Massenet, der Don Carlos in der Verdi-Oper gleichen Namens, der Kalaf in Puccinis «Turandot» und der des Grieux in «Manon Lescaut», ebenfalls von Puccini, zu nennen. Auch als Konzertsänger erfolgreich aufgetreten.

Murgu, Corneliu, Tenor, * 1948 Timisoara (Temesvar); er begann seine Ausbildung zum Sänger in Rumänien und ging dann zu weiteren Studien nach Italien, die er am Konservatorium von Florenz und bei Marcello del Monaco absolvierte. 1977 wurde er zweiter Preisträger beim Gesangwettbewerb von Vercelli, 1978 gewann er den Concours von Treviso. Es kam in der Folgezeit zu einer großen internationalen Karriere des Sängers mit Auftritten an der Staatsoper von Wien (wo er gleich einen Vierjahresvertrag erhielt), am Deutschen Opernhaus Berlin, an den Staatsopern von München, Stuttgart und Hamburg, an den Opernhäusern von Köln, Frankfurt a. M. und Zürich, am Staatstheater von Wiesbaden, am Opernhaus von Graz, an der Deutschen Oper am Rhein Düsseldorf–Duisburg und am Theater von Linz (Donau). 1982 sang er erstmals in Italien, und zwar an der Oper von Rom und eröffnete noch im gleichen Herbst die Saison am Teatro San Carlo Neapel als Riccardo in Verdis «Ballo in maschera». 1983 gastierte er am Opernhaus von Philadelphia; am Theater von Bonn sang er die Titelpartie in «Andrea Chénier» von Giordano. 1987 gastierte er in Pittsburgh, 1989 an der Deutschen Oper Berlin und in Rouen als Kalaf in Puccinis «Turandot», an der Oper von Lyon als Pollione in Bellinis «Norma», am Teatro Liceo Barcelona als Turiddu in «Cavalleria rusticana» und als José in «Carmen», in Wien auch als Pinkerton in «Madame Butterfly» und als Turiddu (1989). Auch als Konzertsolist bekannt geworden.

Murphy, Suzanne, Sopran, * 1953 (?); die aus Irland stammende Sängerin begann 1973 ihr Gesangstudium am College of Music in Dublin bei Veronica Dunne. 1976 wurde sie an die Welsh Opera Cardiff engagiert, an der sie als Antrittspartie die Konstanze in der «Entführung aus dem Serail» sang. In einer über 15jährigen Karriere hat sie bei dieser Operngesellschaft Partien wie die Amelia in «I Masnadieri» von Verdi, die Leonore im «Troubadour», die Elisabetta im «Don Carlos», die Elvira in «Ernani», die Traviata, die Amelia in «Ballo in maschera», die Musetta in «La Bohème» von Puccini, die Hanna

Glawari in der «Lustigen Witwe» von F. Lehár und mit besonderem Erfolg die Titelfiguren in «Norma» und «Lucia di Lammermoor» gesungen. In England trat sie auch bei der English National Opera London (Konstanze, Donna Anna im «Don Giovanni»), bei der Opera North Leeds (Donna Anna, vier Sopranpartien in «Hoffmanns Erzählungen») und bei der Scottish Opera Glasgow (Konstanze) auf. 1987 gastierte sie mit großem Erfolg an der Wiener Staatsoper als Elettra in «Idomeneo» von Mozart und war 1988–89 abermals dort zu Gast. In München wirkte sie 1985 in einer konzertanten Aufführung von Bellinis «Norma» in der Titelrolle mit und sang an der dortigen Staatsoper 1988 die Amelia in Verdis «Ballo in maschera». Weitere Gastspiele führten sie an die Oper von Lyon (Rezia im «Oberon» von Weber), an die New York City Centre Opera (Norma), an die Opernhäuser von Vancouver (Amelia in «Ballo in maschera», Elvira in «I Puritani» von Bellini, Lucia di Lammermoor) und Pittsburgh (Fiordiligi in «Così fan tutte», Ophélie in «Hamlet» von A. Thomas, Hanna Glawari); bei den Festspielen von Aix-en-Provence trat sie als Donna Anna im «Don Giovanni» auf. In der Saison 1988–89 sang sie an der Welsh Opera die Alice Ford in Verdis «Falstaff» und gastierte mit dieser Inszenierung 1989 in New York und Mailand. Am Opernhaus von Köln war sie 1989 als Elettra zu Gast; im Januar 1989 nahm sie an der Wiener Staatsoper an einem Wohltätigkeitskonzert für die Erdbeben-Opfer in Armenien teil, wie sie denn überhaupt in England wie auf internationaler Ebene als Konzertsolistin zu einer bedeutenden Karriere kam.

Murray, Niall, Bariton, * 22. 4. 1948 Dublin; er sang bereits im Alter von vier Jahren kleine Lieder in der Öffentlichkeit und stellte mit sechs Jahren am Opernhaus von Dublin das Kind der Butterfly dar. Er erhielt seine Ausbildung zum Sänger an der Royal Irish Academy of Music in Dublin und sang dann zuerst in Irland in Musicals (Debüt 1970 in Dublin in «Oklahoma») und in Fernsehsendungen. Der Direktor der English National Opera London, Lord Harewood, engagierte ihn dann für sein Haus, wo er 1976 in der Oper «Bomarzo» von Ginastera und als Silvio im «Bajazzo» debütierte und bis 1981 u. a. Partien wie den Papageno in der «Zauberflöte» und den Lescaut in Puccinis «Manon Lescaut» sang. 1981 folgte er einem Ruf an das Nationaltheater Mannheim, an dem er bis 1988 eine sehr erfolgreiche Karriere hatte. Er erwies sich vor allem als großer Verdi-Interpret in Rollen wie dem Rigoletto, dem Grafen Luna im «Troubadour», dem Renato im «Maskenball», dem Posa im «Don Carlos», dem Amonasro in «Aida», dem Vater Miller in «Luisa Miller» und dem Jago im «Othello». Weitere Höhepunkte in seinem Bühnenrepertoire waren der Figaro in «Figaros Hochzeit» wie im «Barbier von Sevilla», der Escamillo in «Carmen», der Marcello in Puccinis «La Bohème», der Sharpless in «Madame Butterfly», der Tonio im «Bajazzo» und der Wolfram im «Tannhäuser». 1987 großer Erfolg in Mannheim als Titelheld in Rossinis «Wilhelm Tell». Seit 1989 Mitglied des Opernhauses von Zürich. 1988–89

sang er an der Hamburger Staatsoper, seitdem unter dem Namen Mario di Marco. Erfolgreiche Tätigkeit bei Gastspielen und Konzerten. Dazu trat er in zahlreichen Musicals, auch in kabarettistischen Programmen auf.
Schallplatten: Irische Lieder, Mitschnitte von Opernsendungen («Lustige Witwe»).

Murray, William, Bariton,* 13. 3. 1935 Schenectady (New York); nachdem er zuerst als Musiklehrer tätig gewesen war, studierte er das Gesangfach bei der berühmten schwedischen Mezzosopranistin Karin Branzell in New York, dann mit Hilfe eines Fulbright-Stipendiums bei Luigi Ricci und S. Bertelli in Rom, schließlich noch bei Frau Herta Kalcher in Stuttgart. 1960 debütierte er am Landestheater von Detmold als Scarpia in «Tosca». Seine größten Erfolge hatte er an westdeutschen Bühnen zu verzeichnen. Hier war er zwanzig Jahre hindurch Mitglied der Deutschen Oper Berlin, gastierte viel an der Münchner Staatsoper und war außerdem an den Staatsopern von Hamburg und Stuttgart, an der Deutschen Oper am Rhein, in Dortmund, Hannover, Frankfurt a. M., Köln, Mannheim und Bonn zu hören. Gastspiele an der Wiener Staatsoper, an der Mailänder Scala, am Théâtre de la Monnaie Brüssel, am Grand Théâtre Genf, am Teatro Liceo Barcelona, an der Niederländischen Oper Amsterdam und in seiner amerikanischen Heimat an der New York City Centre Opera kennzeichnen den internationalen Umfang seiner Karriere. Auf der Bühne sang er ein Repertoire, das von Gluck, Mozart und Cimarosa über Donizetti, Rossini, Verdi, Puccini, Gounod, die Meister der französischen wie der russischen Oper bis hin zu zeitgenössischen Werken reichte. So sang er 1972 an der Münchner Staatsoper in der Uraufführung der Oper «Sim Tjong» des koreanischen Komponisten Isang Yun, 1973 mit dem Ensemble der Deutschen Oper Berlin in Brüssel in der Uraufführung von «Love's Labour's Lost» von Nicolai Nabokov. Am 4. 10. 1987 wirkte er an der Deutschen Oper Berlin in der Uraufführung von Wolfgang Rihms «Oedipus» mit. Auch als Konzertsolist genoß er hohes Ansehen.

Musacchio, Martina, Sopran, * 11. 2. 1956 Aosta; sie absolvierte ihr Studium am Conservatoire de Genève bei Ursula Buckel, am Conservatorio Luigi Cherubini Florenz bei Andreina Desderi, an der Musikhochschule München bei Hanno Blaschke und war 1980–81 im Opernstudio von Zürich, 1981–82 als Mitglied des dortigen Opernhauses tätig. 1982–85 war sie am Stadttheater von Luzern im Engagement und ging seitdem von ihrem Wohnsitz Genf aus einer umfangreichen Gastspieltätigkeit nach. So gab sie Gastspiele an der Deutschen Oper am Rhein Düsseldorf-Duisburg, am Staatstheater Darmstadt, am Teatro Fenice Venedig, am Teatro Sociale Mantua, am Teatro Verdi Busseto, bei der Opéra de Chambre Genf, in Lausanne und bei den Festspielen von Ravenna. Ihr Bühnenrepertoire umfaßte eine Vielzahl von Partien: die Susanna in «Figaros Hochzeit», die Zerline im «Don Giovanni», die Despina in «Così fan tutte», die Pamina wie die Papagena in der

«Zauberflöte», die Marzelline im «Fidelio», die Norina im «Don Pasquale», die Adina wie die Giannetta in «Elisir d' amore», die Titelheldin in Flotows
«Martha», die Micaela in «Carmen», die Gretel in
«Hänsel und Gretel», die Angélique in der gleichnamigen Oper von Ibert, die Euridice im «Orpheus»
von Gluck, die Titelfigur in «Die Kluge» von Carl
Orff und die Ismene in «Antigone» von A. Honegger. Als Konzertsängerin kam sie bei Auftritten in
der Schweiz und in Deutschland (Hamburg, Mainz,
München, Stuttgart), in Paris, Venedig, Bilbao,
Burgos und Madrid zu großen Erfolgen. Dabei
reichte ihr Konzert- wie ihr Rundfunkrepertoire von
Vokalwerken der Barock-Epoche (J. S. Bach, Händel, Vivaldi) bis zu zeitgenössischen Kompositionen
und zu Liedern aus allen Bereichen der Musikgeschichte.

Musilová, Milada, Sopran, * 14. 2. 1912 Blanska u.
Boskovic (ČSR); während ihrer Ausbildung an einer
Handelsschule nahm sie bereits erste Gesangstu-
den, wandte sich dann aber ganz dem Gesangstudium zu, das 1929–35 am Konservatorium von Brno
(Brünn) absolviert wurde. Ihre hauptsächliche Lehrerin war dort Maša Fleischerová; sie setzte ihre
Ausbildung in Prag fort. 1936 erfolgte ihr Bühnendebüt am Theater von Ostrava (Mährisch Ostrau) als
Marie in der «Verkauften Braut». Bis 1945 blieb sie
an diesem Haus im Engagement und wechselte nach
Kriegsende an das Theater des 5. Mai in Prag, dem
sie 1945–47 angehörte. Seit 1947 war sie führender
lyrischer Sopran der Prager Nationaloper. Hier
hörte man sie als Marzelline im «Fidelio», als Micaela in «Carmen», als Butterfly, als Zerline im «Don
Giovanni», als Gilda im «Rigoletto», als Traviata,
als Jítka in «Dalibor» von Smetana, als Karolina in
dessen «Zwei Witwen» und in vielen weiteren Partien. Dazu war sie als Konzertsolistin bekannt. Gast-

spielreisen unternahm sie in die Sowjetunion, nach
Polen und Ostdeutschland.
Schallplatten: Supraphon (u. a. Marie in vollständi-
ger «Verkaufter Braut»), Urania, Colosseum.

Muzzarelli, Adele, s. unter *Beckmann-Muzzarelli,*
Adele.

Myers, Pamela, Sopran, * 1953 (?) Baltimore; sie
debütierte 1977 als Gräfin in «Nozze di Figaro» bei
der San Francisco Western Opera und gastierte dann
an verschiedenen amerikanischen Opernhäusern; so
sang sie 1978 bei der Santa Fé Opera die Titelrolle in
der amerikanischen Erstaufführung der Oper «The
Duchess of Malfi» von St. Oliver. Nach weiteren
Auftritten an der St. Louis Opera und in Detroit ging
sie 1979 an die City Centre Opera New York, der sie
während mehrerer Jahre verbunden blieb. Seit 1980
kam sie dann auch zu einer erfolgreichen Karriere in
Europa. 1980–81 hörte man sie bei der Scottish
Opera Glasgow als Titelheldin in «Lucia di Lammermoor»; 1981 sang sie an der Oper von Nancy, ebenfalls 1981 kreierte sie die Titelpartie in der europäischen Erstaufführung der Oper «La Loca» von Menotti am Stadttheater von Gießen. 1981 und 1984
war sie zu Gast an der Oper von San Diego, 1983 in
Amsterdam als Konstanze in der «Entführung aus
dem Serail», 1984 beim Festival der Frühen Musik in
Innsbruck in «Rodrigo» von Händel. 1988 sang sie
an der Oper von Marseille die Desdemona in Verdis
«Othello» und gastierte in Kanada. Das Schwergewicht ihrer Bühnenpartien lag im Koloratur- wie im
lyrischen Bereich (Ännchen im «Freischütz», Zerline im «Don Giovanni», Zerbinetta in «Ariadne auf
Naxos», Micaela in «Carmen», Luisa Miller von
Verdi, Traviata, Liu in «Turandot»), doch sang sie
auch dramatische Partien wie die Lady Macbeth in
«Macbeth» von Verdi. Angesehene Konzertsolistin.

Naaf, Dagmar, Alt, * 1935 (?); sie absolvierte ihr Gesangstudium Mitte der fünfziger Jahre in München. 1958–63 war sie dann am Stadttheater von Freiburg i. Br. engagiert. 1963–66 Mitglied der Bayerischen Staatsoper München; gleichzeitig Gastvertrag mit dem Staatstheater Wiesbaden (1963–66). Ähnliche Gastverträge bestanden in den Jahren 1966–67 mit dem Opernhaus von Nürnberg und 1966–70 mit dem Staatstheater Hannover. 1967–69 gehörte sie als reguläres Mitglied dem Opernhaus Köln an. 1970–72 bestand eine Gastspiel-Verpflichtung am Opernhaus von Graz, 1974–76 nochmals an der Staatsoper München. 1963 wirkte sie in Wiesbaden in der deutschen Erstaufführung der Oper «The Crucible» des amerikanischen Komponisten Robert Ward mit. Sie gab Gastspiele am Stadttheater von Bern (1961), am Théâtre de la Monnaie Brüssel (1963, 1969), am Stadttheater von Bremen (1962), an den Opernhäusern von Marseille (1961) und Rio de Janeiro (1965), in Amsterdam (1965 als Octavian im «Rosenkavalier»), am Teatro Liceo Barcelona (1967) und an der Staatsoper von Wien (1972). Ihr Bühnenrepertoire war umfangreich und enthielt als Höhepunkte die Ottavia in Monteverdis «Incoronazione di Poppea», die Cornelia in «Giulio Cesare» von Händel, den Paride in «Paride ed Elena» von Gluck, die Dorabella in «Così fan tutte», die Brangäne im «Tristan», die Adelaide in «Arabella» von R. Strauss, den Komponisten in «Ariadne auf Naxos», den Octavian im «Rosenkavalier» (ihre Glanzrolle), die Clairon im «Capriccio», die Cläre Zachanassian in «Der Besuch der alten Dame» von G. von Einem, die Azucena im «Troubadour», die Preziosilla in Verdis «La forza del destino», die Amneris in «Aida» und die Eboli im «Don Carlos». Angesehene Konzertsängerin, vor allem im Bereich des Oratoriums und der religiösen Musik. Schallplatten: DGG, Telefunken, Christophorus-Verlag (Schubert-Messe).

Nachod, Hans, Tenor, * 1883 Prag, † 1966 London; der Sänger entstammte einer jüdischen Kantorenfamilie und war ein Vetter des berühmten Komponisten Arnold Schönberg (1874–1951). 1907 begann er seine Bühnenkarriere an der Volksoper von Wien, an der er bis 1910 blieb. 1910–12 war er am Stadttheater Mainz, 1912–13 am Stadttheater Kiel tätig. 1915–23 wirkte er am Deutschen Landestheater Prag, 1924–25 am Stadttheater von Stettin. Gastspiele des Künstlers fanden u. a. 1909 am Stadttheater von Graz, 1911 am Hoftheater von Wiesbaden und, ebenfalls 1911, an der Hofoper von München statt, 1921 in Amsterdam und im Haag. Bekannt wurde er als Konzertsänger und hier vor allem auch als Interpret zeitgenössischer Vokalwerke. So sang er am 23.2. 1913 in der Wiener Uraufführung der «Gurrelieder» von Arnold Schönberg die Partie des Waldemar und wiederholte diese bei der deutschen Erstaufführung des Werks 1914 in Leipzig. Er lebte später als Pädagoge und Professor für Gesangkunde in London, wo er noch um 1950 unterrichtete. Aus seinem Rollenkatalog für die Bühne seien der José in «Carmen», der Erik im «Fliegenden Holländer», der

Walther von Stolzing in den «Meistersingern» und der Titelheld in «Alessandro Stradella» von Flotow erwähnt.
Schallplatten: Auf der Marke HMV ist ein Duett mit J. Ritzinger aus der Operette «Baron Trenck» von Alboni vorhanden.

Nadler, Sheila, Alt, * 1946 (?) New York; sie erhielt ihre Ausbildung an der Manhattan School of Music und wurde 1968 in das Opernstudio der New Yorker Metropolitan Oper aufgenommen, setzte aber während dieser Zeit ihre Ausbildung an der Juilliard School New York fort, wo sie u. a. Schülerin der großen Maria Callas war. Seit 1970 kam sie zu einer sehr erfolgreichen Karriere an amerikanischen Opernhäusern. So sang sie an der Oper von San Francisco, an der City Centre Opera New York (1970) und seit 1972 oft an der Oper von Baltimore. Hier wirkte sie 1975 in der Uraufführung der Oper «Inez de Castro» von Th. Pasatieri mit. Weitere Engagements an den Opernhäusern von Pittsburgh, Houston/Texas und New Orleans führten 1976 zu ihrer Berufung an die Metropolitan Oper New York, an der sie seither häufig auftrat. Sie begann dann auch eine erfolgreiche Karriere an den europäischen Bühnen und sang vor allem die Fricka und die Waltraute im Nibelungenring (so in Marseille, Lyon und Brüssel). 1982 gastierte sie an der Mailänder Scala als Anna in «Les Troyens» von Berlioz. Weitere Partien in ihrem Bühnenrepertoire waren die Erda im Ring-Zyklus, die Hexe in «Hänsel und Gretel», die Herodias in «Salome» von R. Strauss, die Jocasta in «Oedipus Rex» von Strawinsky, die Azucena im «Troubadour», die Ulrica in Verdis «Ballo in maschera», die Quickly im «Falstaff», die Cieca in «La Gioconda» von Ponchielli, die Cornelia in «Giulio Cesare» von Händel und die Titelrolle in der Offenbach-Operette «Die Großherzogin von Gerolstein».

Nagher, Carolina, Mezzosopran, * um 1785 (?), † (?); diese Künstlerin wirkte zwar nur als seconda Donna, vor allem in Venedig, in den Jahren um 1810–20. Ihr Name verdient jedoch Erwähnung, weil sie am Teatro San Moisè von Venedig in drei Uraufführungen der frühen Opern von Rossini mitgewirkt hat: am 9.5. 1812 sang sie dort die Lucilla in «La scala di seta», am 24.11. 1812 die Ernestina in «L' Occasione fa il ladro» und Ende Januar 1813 die Marianna in «Il Signor Bruschino».

Nagy, Izabella, Sopran, * 17.7. 1896 Györ (Ungarn), † 31.1. 1960 Budapest; sie erhielt ihre Ausbildung in der ungarischen Hauptstadt Budapest, wo sie auch 1921 als Konzertsängerin zu ihrem Debüt kam. 1922 wurde sie an die Budapester Nationaloper berufen. Zwar blieb sie nur bis 1924 als offizielles Mitglied in deren Ensemble, doch hat sie bis 1934 immer wieder dort gastiert. In erster Linie wurde sie jedoch als Konzert- und vor allem als Liedersängerin bekannt. Sie setzte sich namentlich für das Liedschaffen von Béla Bartók und Zoltán Kodály ein, war aber auch eine große Interpretin des deutschen Liedes (Schubert, Brahms, Schumann, Hugo Wolf)

und der Lieder von Edvard Grieg. Sie wurde wegen ihres authentischen Vortrags des ungarischen Volksliedes gern als «die neue Blaha» (nach einer im 19. Jahrhundert tätigen bekannten ungarischen Volksliedsängerin) bezeichnet. Von musikhistorischem Interesse ist ihre Mitwirkung in den Uraufführungen von Bühnenwerken des großen ungarischen Komponisten Kodály: am 16. 10. 1926 sang sie in Budapest in der Uraufführung von seiner Oper «Háry Janos» die Partie der Örzse Szerepében, am 24. 4. 1932, gleichfalls in Budapest, in «Die Spinnstube» («Székely Fonó»). Sie gab Gastspiele und Konzerte in den Zentren des ungarischen Musiklebens, in Amsterdam, Rom und Berlin.
Schallplattenaufnahmen auf Qualiton-Hungaroton (zum Teil erst nach 1945 aufgenommen, darunter, bereits aus der LP-Epoche, ungarische Volkslieder zusammen mit Alexander Sved). Unter älteren Aufnahmen, die auf dieser Marke herauskamen, findet sich auch das Lied der Örzse aus «Háry Janos».

Nansen, Georges, Tenor, * 1880 (?), † (?); sein eigentlicher Name war Georges Noël; in den Jahren 1907–14 sang er kleinere und Comprimario-Partien an der Grand Opéra Paris (Debüt in «La Catalane» von F. Le Borne). Dann wurde seine Karriere durch den Ersten Weltkrieg unterbrochen. Er nahm an diesem als Frontsoldat teil und wurde mit einer Tapferkeitsmedaille ausgezeichnet. Nach Kriegsende kam er wieder an die Grand Opéra zurück, blieb dort bis etwa 1920 und sang danach an mehreren Bühnen in der französischen Provinz. An der Grand Opéra sang er in den Uraufführungen der Opern «Monna Vanna» von H. Février (1909 als Vedio), «Bacchus» von J. Massenet (1909 als Fourna) und «La Légende de Saint Christophe» (1920) von V. d'Indy. Er sang dort u. a. den Melot im «Tristan» den Froh wie den Mime im «Rheingold», den Tybalt in «Roméo et Juliette» von Gounod, den Jonas in «Le Prophète» von Meyerbeer und den Shababarim in «Salammbô» von Reyer.
Schallplatten: Auf Pathé singt er in einer kompletten Aufnahme von Verdis «Troubadour» die Partie des Ruiz (zusammen mit Jane Morlet, Ketty Lapeyrette, Charles Fontaine und Jean Noté von 1912). Auf der gleichen Marke erschienen Opernchöre in einem Satz für ein Männerquartett, in dem er zusammen mit Henri Dangès, Hypolite Belhomme und anderen Künstlern als zweiter Tenor singt. Auf den Etiketten der Pathé-Platten erscheint er als «Louis Nansen».

Natzler, Leopold, Bariton, * 17. 6. 1860 Wien, † 3. 1. 1926 Wien; er war der Sohn eines Wiener Herrenschneiders, sein Bruder *Siegmund Natzler* (1865–1913) wie seine Schwester *Regine Natzler* (* 1866) kamen wie er zu großen Karrieren als Operettensänger und Schauspieler im «Goldenen Zeitalter» der Wiener Operette. Leopold Natzler wurde zuerst Bankbeamter und debütierte ohne eine eigentliche Ausbildung 1879 am Wiener Thaliatheater. Er war darauf am Theater von Marburg a. d. Drau (Maribor) verpflichtet und 1881–83 am Friedrich-Wilhelmstädtischen Theater Berlin tätig. 1884–86 war er in Graz, 1886–88 in Brünn (Brno)

und dann 1888–91 am Theater an der Wien in Wien im Engagement. 1891–93 wirkte er dort am Josefstädter Theater, 1893–1901 am Raimundtheater. Anschließend gab er Gastspiele an verschiedenen österreichischen und deutschen Bühnen, so daß seine Karriere sehr lange dauerte. Auf der Bühne bewunderte man vor allem seine Gestaltung komischer Operettenpartien, wobei der Benozzo in «Gasparone» von F. von Suppé, der Valentin im «Verschwender» von Raimund und der Zsupan im «Zigeunerbaron» von J. Strauß als seine Glanzrollen galten. Seine Couplets und Wiener Lieder, die er zum Teil als Einlagen in Operetten- und Possenaufführungen sang, waren in Wien wie überall, wo er auftrat, sehr beliebt. In erster Ehe war er mit der Koloratursopranistin *Toni Rudolf,* in zweiter mit der Schauspielerin Lilli Meißner verheiratet. Seine jüngere Schwester *Regine Natzler* (* 24. 11. 1866 Wien) begann 1887 ihre Karriere am Josefstädtischen Theater in Wien, sang dort 1890–96 am Carl-Theater und nahm in den neunziger Jahren des 19. Jahrhunderts an den Rußland-Tourneen von Wiener Operettenensembles teil. Sie sang zumeist Soubrettenpartien aus dem zweiten Fach und galt allgemein als hervorragende Schauspielerin.

Natzler, Siegmund, Bariton, * 8. 9. 1865 Wien, † 12. 8. 1913 Wien; Bruder des Baritons *Leopold Natzler* (1860–1926), der eine ähnliche Karriere wie er absolvierte, und der Sopranistin *Regine Natzler* (* 1866), alle drei Kinder eines Wiener Herrenschneiders. Zuerst war er Buchhalter und Korrespondent in einem Großhandelshaus in Wien, entschloß sich dann aber genau wie sein älterer Bruder zur Karriere eines Operettensängers und Schauspielers. 1883 erfolgte sein Bühnendebüt am Greytheater in Wien. 1884 ging er an das Theater von Znaim (Znojmo), dann nach Laibach (Ljubljana), Troppau (Opava), Augsburg und Graz; schließlich 1889–93 am Theater von Brünn (Brno) engagiert. 1894–90 war er am Carl-Theater in Wien tätig, seither bis zu seinem Abschied von der Bühne am dortigen Theater an der Wien. Hier sang er 1905 in der Uraufführung von Lehárs «Lustiger Witwe» die Partie des Mirko Zeta. Sein Repertoire enthielt in bunter Fülle zahlreiche Aufgaben aus den Bereichen der Operette, des Schauspiels, der Posse und der komischen Darstellung. Auf dem Gebiet der Operette hörte man ihn in Werken von Offenbach, Johann Strauß (Josef in «Wiener Blut»), Millöcker, Franz von Suppé und in zeitgenössischen, zum Teil bald vergessenen Werken. Er war auch Mitdirektor des bekannten Wiener Kabaretts «Die Hölle».

Nava, Ettore, Bariton, * 1900 Florenz, † 13. 12. 1976 Florenz; er debütierte 1930 am Teatro Carlo Felice von Genua als Heerrufer im «Lohengrin». In der Spielzeit 1933–34 wurde er an die Mailänder Scala engagiert, an der er als Antrittsrolle den König Raimondo in Mascagnis Oper «Isabeau» sang. Bis 1941 war er ständig an der Scala zu hören und sang dort u. a. den Amonasro in «Aida», seine besondere Glanzrolle, den Escamillo in «Carmen», den Barnaba in «La Gioconda» von Ponchielli, den Telra-

mund im «Lohengrin» (1940) und den Capitan Spavento in «Le Maschere» von Mascagni. 1941 kreierte er an der Scala in der Uraufführung der Oper «Gli Orazi» von Ennio Porrino die Rolle des Atto Curiazio; 1937 gastierte er mit dem Ensemble der Mailänder Scala in München und Berlin. Auch an zahlreichen anderen großen Bühnen der italienischen Halbinsel ist er aufgetreten; bei den Festspielen in der Arena von Verona sang er 1933 den Heerrufer im «Lohengrin», 1936, 1946 und 1958 den Amonasro, 1963 trat er dort nochmals in der Partie des Heerrufers auf.
Leider sind keine Schallplattenaufnahmen aus der Zeit vorhanden, in der seine Karriere ihren Höhepunkt erreicht hatte; es existiert lediglich auf Saga-Rondolette ein Querschnitt aus «Aida» vom Beginn der fünfziger Jahre.

Naylor, Ruth, Sopran, * 8. 8. 1908 Adelaide (South Australia), † 16. 10. 1976 in der englischen Grafschaft Norfolk; sie studierte anfänglich in Adelaide, dann seit 1929 mit Hilfe eines Stipendiums am Royal College of Music London bei Clive Carey. Ergänzende Fortbildungskurse absolvierte sie in Berlin, München und Salzburg. Seit 1933 war sie bei der Sadler's Wells Opera London zu hören. 1934 sang sie an der Covent Garden Oper London die Musetta in Puccinis «La Bohème» in einer Vorstellung, in der dort die amerikanische Sopranistin Grace Moore als Mimi debütierte. Nachdem sie dort auch als Rosina im «Barbier von Sevilla» erfolgreich aufgetreten war, sang sie in den folgenden Jahren an der Sadler's Wells (1933–40) wie an der Covent Garden Opera (1934–35, 1937–38) zahlreiche Partien aus dem lyrischen wie aus dem Koloraturfach: die Susanna in «Nozze di Figaro», die Desdemona in Verdis «Othello», die Sophie im «Rosenkavalier» und die Adele in der «Fledermaus» (Covent Garden Oper, 1938). Letztere Rolle sang sie dann in einer Vielzahl von Vorstellungen am Londoner Palace Theatre. Dazu übernahm sie Solopartien in Oratorien und anderen Vokalwerken («The Apostles» von E. Elgar, «Sea Symphony» von Vaughan Williams) und galt als bedeutende Bach- und Händel-Interpretin. Ihre Konzerte in der Queen's Hall wie in der Albert Hall London, in Paris und Brüssel ließen ihren Namen allgemein bekannt werden. Vor Beginn des Zweiten Weltkrieges zog sie sich auf ihren Landsitz in der Grafschaft Norfolk zurück, wo sie sich der Züchtung von Edelrosen widmete. Sie trat nur noch gelegentlich auf, so 1943 bei der Dublin Opera Society als Juliette in «Roméo et Juliette» von Gounod. 1948 nahm sie als Musetta in «La Bohème» am Londoner Cambridge Theatre endgültig von der Bühne Abschied.
Schallplattenaufnahmen auf Parlophon.

Neef, Günter, Tenor, * 25. 2. 1932 Oberreichenau im Vogtland; er erhielt seine Ausbildung zum Sänger hauptsächlich durch L. Schlauf in Dresden und debütierte 1961 auf der Bühne des Stadttheaters von Frankfurt a. d. Oder als Jacquino im «Fidelio». 1962–64 war er am Theater von Döbeln (Sachsen) engagiert, 1964–69 am Opernhaus von Karl-Marx-

Stadt (Chemnitz). 1969 kam es zu seiner Verpflichtung an die Dresdner Staatsoper, wo er für viele Jahre das Fach des Buffo- und Charaktertenors vertrat. Er nahm an Gastspielreisen des Dresdner Ensembles teil und trat auch auf dem Konzertpodium in Erscheinung.
Schallplatten: Eterna («Der Schuhu und die fliegende Prinzessin» von U. Zimmermann).

Negri, Anna, Mezzosopran, * um 1710, † (?); diese Sängerin, die auch unter dem Namen Antonia Negri vorkommt, sang zwischen 1728 und 1742 viel an Operntheatern in Venedig. Es sind auch Auftritte in Parma und Modena überliefert. Sie war mit dem Tenor *Pellegrino Tomj* verheiratet. Im übrigen sind die Lebensverhältnisse und die Karriere der als «La Mestrina» gefeierten Sängerin nicht geklärt. So wird berichtet, sie sei eine Schwester der berühmten aus Bologna stammenden Sängerinnen *Maria Caterina Negri* († 1744) und *Maria Rosa Negri* († 1760) gewesen und wie letztere habe sie am Hoftheater von Dresden gesungen. Sie sei 1740 in Dresden in Pension gegangen und dann in Italien in ein Kloster eingetreten. Da sich in Dresden jedoch keine Auftritte der Künstlerin belegen lassen, muß es sich wohl um eine Verwechslung mit Maria Rosa Negri oder auch mit einer anderen Sängerin handeln.

Negri, Maria Caterina, Alt, * 1705 (?) Bologna, † 1744 Bologna; sie wurde in Bologna durch Maestro Pasi ausgebildet, der selbst ein Schüler des berühmten Kastraten Francesco Antonio Pistocchi gewesen war. Ihr Debüt fand wahrscheinlich 1720 in Modena statt. 1724–27 sang sie in Prag am Privattheater des Grafen Franz Sporck (František Špork), Vizekönigs von Böhmen. Dort trat sie u. a. als Alcina in der Oper «Orlando furioso» von A. Guerra auf. 1727–28 hielt sie sich in Venedig auf und sang dort in drei Opern von Vivaldi, 1733 in Neapel in Pergolesis «Lo frate 'nnamorato» (in neapolitanischem Dialekt). 1733 folgte sie einer Einladung von Georg Friedrich Händel nach London, wo sie Mitglied von dessen Operntruppe wurde. Am 30. 10. 1733 sang sie erstmals in London in einem Pasticcio. Sie wirkte in den Uraufführungen einer Reihe von Händel-Opern mit; so sang sie am King's Theatre die Casilda in «Arianna» (26. 1. 1734) und am Covent Garden Theatre den Polinesso in «Ariodante» (8. 1. 1735), den Bradamante in «Alcina» (16. 4. 1735), die Irena in «Atalanta» (23. 5. 1736), den Tullio in «Arminio» (12. 1. 1737), den Amanzio in «Giustino» (27. 2. 1737) und den Arsace in «Berenice» (18. 5. 1737). Insgesamt sang sie in London in elf Opern und Oratorien («Deborah», «Esther», vielleicht auch in «Il trionfo del tempo») von Händel. Dabei fällt auf, daß sie auf der Bühne gerne Travestie-Partien übernahm. Im Dezember 1735 ist sie in Dublin anzutreffen. 1737 verließ sie die englische Metropole. Sie war 1737–38 in Florenz, 1740 und nochmals 1741 in Lissabon und 1743 in Parma und Bologna zu hören. Bei ihren letzten Auftritten in Bologna nannte sie sich Caterina Bassi-Negri. Ihre Schwester *Maria Rosa Negri* (* 1760) war ebenfalls Sängerin, trat in England mit ihr zusammen auf, erreichte aber wohl nicht in ihrer Karriere den Ruhm, den Maria Caterina erwarb.

Negri, Maria Rosa, Mezzosopran, * 1712 (?), † 4. 8. 1760 Dresden; sie war eine Schwester der Primadonna *Maria Caterina Negri* († 1744), die in Italien wie in Prag und vor allem in London unter Georg Friedrich Händel eine große Karriere hatte. Sie war wohl wie diese in Bologna geboren und dort auch ausgebildet worden. 1730 wurde sie an das Dresdner Hoftheater engagiert und blieb bis 1756 dort tätig. 1733 begleitete sie ihre Schwester Maria Caterina Negri nach London und ist dort 1734 und dann bis 1736 in Opern und Oratorien von Händel aufgetreten. Sie sang die Euterpe in «Parnasso in festo» und wahrscheinlich auch die Dalinda in der Uraufführung von Händels «Ariodante» am 8. 1. 1735 im Covent Garden Theatre. Sie muß wohl nicht in allen Punkten den Anforderungen, die Händel in seinen Partien stellte, genügt haben, da er mehrmals für sie die stimmtechnischen Schwierigkeiten erleichterte. In Dresden hatte sie vor allem in den Uraufführungen der Opernwerke des gefeierten Komponisten Johann Adolf Hasse (oder in deren Neu-Bearbeitungen) große Erfolge so 1734 in «Caio Fabrizio», 1738 in «La clemenza di Tito», 1745 in «Arminio» und 1747 in «La Spartana generosa». 1743 trat sie, wieder zusammen mit ihrer berühmten Schwester, in Parma auf. Dabei führte sie den Namen Rosa Negri-Risack, was vielleicht dahingehend zu verstehen ist, daß sie in Dresden einen Deutschen geheiratet hatte. Auch nach ihrer Pensionierung im Jahre 1756 blieb sie in der sächsischen Hauptstadt.

Negroni, Luisa, Sopran, * 1850 (?) Turin, † (?) Turin; sie entstammte einer sehr vornehmen Familie aus Turin, studierte dort auch Gesang und debütierte, unmittelbar an der Mailänder Scala, 1877 in der Titelpartie der Oper «La Contessa di Mons» von Lauro Rossi. 1877 sang sie auch am Teatro Apollo Rom und in der Spielzeit 1877–78 am Teatro Carlo Felice Genua als Ines in «L'Africaine» von Meyerbeer, in Verdis «Ballo in maschera» und in der Oper «Isabella Spinola» von Cornaglia. 1878–79 war sie am Teatro San Carlo Neapel engagiert, wo sie als Selika in «L' Africaine» und als Bertha im «Propheten» von Meyerbeer Aufsehen erregte. 1879–80 gehörte sie dem Ensemble des Teatro Vittorio Emanuele Messina an. 1881–82 war sie am Teatro Fenice Venedig wiederum als Selika und in der Uraufführung einer Oper «Margherita» von C. Pinsuti (8. 3. 1882) anzutreffen. 1883 gastierte sie am Teatro Bellini Neapel, 1886 am Teatro Rossetti Triest (in zwei weiteren Uraufführungen, «Gli Elvezi» von Caccia und «Spartaco» von Vaneria). Neben der Selika gehörte die Titelfigur in Verdis «Luisa Miller» zu ihren Glanzrollen, die sie u. a. 1887 am Teatro Pagliano Florenz, in Pisa und 1890 in Verdis Geburtsort Busseto sang. Am. 1. 5. 1888 wirkte sie am Teatro Dal Verme Mailand in der Uraufführung der Oper «Carmosina» von dem brasilianischen Komponisten Carlos Gomes mit. Sie setzte in den folgenden Jahren ihre Karriere an italienischen Bühnen fort und sang am Teatro Regio Parma (1890), in Pistoja

(1891), Como (1891) und Cuneo (1892). Dann zog sie sich nach Turin zurück. Sie war auch als Komponistin tätig und schrieb u. a. eine «Mattinata» zu Versen von Victor Hugo.

Neiendorff, Emmy, Alt, * 18. 3. 1888 Berlin, † 1962 Hechendorf am Pilsensee (Bayern); sie erhielt ihre Ausbildung am Stern'schen Konservatorium Berlin und war Schülerin von Mathilde Mallinger, P. Bruns und Nikolaus Rothmühl. 1914 debütierte sie am Opernhaus von Breslau als Soloblume in «Parsifal»; in der folgenden Spielzeit ging sie an das Stadttheater von Straßburg, wo sie 1915–18 engagiert war. 1919–20 gehörte sie dem Stadttheater von Freiburg i. Br. an und wurde 1920 Mitglied des Landestheaters Dessau, an dem sie bis 1938 aufgetreten ist. Sie wurde durch eine umfangreiche Gastspieltätigkeit international bekannt. So gastierte sie mehrfach an den Staatsopern von Berlin, Hamburg (1929), Stuttgart (1928) und München (1931, 1935), an den Opernhäusern von Riga und Reval (Tallinn, 1931), in Prag (1931) und nahm 1930 am Wagner-Festival am Théâtre des Champs Elysées in Paris unter dem Dirigenten Franz von Hoesslin teil, wobei man besonders ihre Fricka im Nibelungenring bewunderte. 1938–39 unternahm sie eine Konzert-Tournee durch die USA wie sie denn überhaupt eine hoch geschätzte Konzert- und Oratoriensängerin war. Seit 1925 war sie in zahlreichen Konzertveranstaltungen in Berlin zu hören, 1928 gab sie Konzerte in Leipzig, 1930 in Wien. Als Liedersängerin wurde sie oft durch den Komponisten Hans Pfitzner am Flügel begleitet, dessen Lieder sie meisterhaft vortrug. Auf der Bühne gehörten Partien wie die Ortrud im «Lohengrin», die Brangäne im «Tristan», die Kundry im «Parsifal», der Adriano in «Rienzi», die Eboli in Verdis «Don Carlos», die Amneris in «Aida», die Küsterin in Janáčeks «Jenufa» und die Adelaide in «Arabella» von Richard Strauss zu ihren besten Leistungen. 1925 sang sie in der deutschen Erstaufführung der Oper «Dido and Aeneas» von Purcell in Dessau die Titelpartie. Nach Beendigung ihrer Bühnenkarriere leitete sie in Dessau eine eigene Opernschule.
Schallplatten: Pathé (Paris, 1929), Vox.

Nejceva, Liljana, Mezzosopran, * 5. 7. 1945 Silistra (Bulgarien); Ausbildung am Nationalkonservatorium von Sofia mit anschließendem Debüt am Opernhaus von Leipzig 1969 als Kontschakowna in «Fürst Igor» von Borodin. Dort blieb sie bis 1973 tätig und folgte dann einem Ruf an die Bayerische Staatsoper München, an der sie 1973–78 wirkte. Seit 1980 Mitglied des Nationaltheaters Mannheim. Sie trat als Gast an der Nationaloper von Sofia, an der Wiener Volksoper, an der Komischen Oper Berlin und an vielen anderen Bühnen auf. Höhepunkte in ihrem Bühnenrepertoire waren u. a. der Cherubino in «Figaros Hochzeit», die Marina im «Boris Godunow» (1987 Marseille, Gent und Antwerpen), die Kontschakowna in «Fürst Igor, die Ulrica im «Maskenball» von Verdi, die Preziosilla in «La forza del destino», die Fidalma in Cimarosas «Matrimonio segreto», die Lady Pamela in «Fra Diavolo» von

Auber, die Suzuki in «Madame Butterfly» und die Judith in «Herzog Blaubarts Burg» von Béla Bartók. Als eine ihrer größten Kreationen galt die Azucena im «Troubadour», in der sie an der Staatsoper München, an der Opéra de Wallonie Lüttich (1988) und an anderen Bühnen Aufsehen erregte. Weitere Gastspiele führten die Sängerin an die Opernhäuser von Marseille und Bordeaux, an die Oper von Rom und nach Lausanne. Sie unternahm Tourneen in Kuba und Japan und kam auch im Konzertbereich zu einer Karriere von internationaler Bedeutung. Verheiratet mit dem Opernsänger *Michail Milanov*; sie ist auch unter dem Namen Liliana Neytcheva-Milanova aufgetreten.
Schallplatten: Balkanton.

Nera, Corry, Alt, *28. 4. 1896 Amsterdam, † (?); eigentlicher Name Cornelia Nagtegaal. Sie war die Tochter einer Schauspielerin und trat bereits mit sieben Jahren erstmals öffentlich auf. Sie kam schon im Kindesalter nach Deutschland; ihre Stimme wurde zuerst durch Elise Goike-Fossum, dann seit 1910 durch Raimund von Zur Mühlen und durch Cairati in Berlin ausgebildet. Nach dem Ersten Weltkrieg begann sie von Berlin aus eine umfassende Konzerttätigkeit, die sie in den Musikzentren in ganz Europa zu großen Erfolgen führte. 1921 gab sie Konzerte in Köln, 1922 in Leipzig, 1923 unternahm sie eine große Italien-Tournee. 1926 sang sie in Amsterdam zusammen mit dem Concertgebouw Orchester unter Willem Mengelberg, 1928 in Florenz. Auf der Bühne ist sie kaum in Erscheinung getreten, doch sang sie 1930 am Stadttheater von Basel die Partie der Nele in «Tyl» von Mark Lothar (1902–85). Mit dem Werk dieses Komponisten, der sie oft bei ihren Liederabenden am Klavier begleitete, war sie eng verbunden; seit 1934 war sie mit ihm verheiratet. Sie brachte im übrigen bei ihren Konzertauftritten ein sehr umfassendes Repertoire zu Gehör. Sie muß vor 1980 verstorben sein.
Schallplattenaufnahmen ihrer Stimme scheinen nicht vorhanden zu sein.

Neri, Gino, Tenor, *2. 9. 1891 Pisa, †25. 2. 1961 Mailand; seine Stimme wurde während seiner Militärdienstzeit in Mailand durch den Mäzen Luzzatti entdeckt und dort auch ausgebildet. 1921 debütierte er am Teatro Sociale von Crema (bei Mailand) als Edgardo in «Lucia di Lammermoor» von Donizetti. In den folgenden Jahren konnte er eine bedeutende Karriere an den führenden Theatern Italiens entwickeln. Er sang in Novi Ligure, Monza, Cremona, Parma, am Teatro Dal Verme Mailand (1922 als Canio im «Bajazzo» und als Turiddu in «Cavalleria rusticana») am Teatro Carcano Mailand (1922 als Cavaradossi in «Tosca»), am Teatro Verdi von Pisa (1922–23, 1926), in Ferrara und Livorno, am Teatro Petruzzelli Bari (1925, 1929), in Piacenza und Bologna, in Vercelli und an vielen weiteren Bühnen. 1925 war er zu Gast am Grand Théâtre Genf (als Pinkerton in «Madame Butterfly» und als Turiddu), 1926–27 sang er am Theater von Lausanne den Pinkerton und den Rodolfo in «La Bohème». 1928–29 erreichte er einen besonderen Höhepunkt seiner

Karriere, als er am Teatro Municipal von São Paulo in Brasilien in einer Vielzahl von Partien glänzende Erfolge hatte; ähnliche Erfolge stellten sich bei Auftritten am Teatro San Pedro von Porto Alegre ein wie auch bei Konzerten, die er in Süd- und Mittelamerika gab. 1932 sang er am Teatro Fenice Venedig in der Uraufführung der Oper «Le astuzie di Colombina» von G. Zuffellato. 1933 gab er ein längeres Gastspiel in Tokio, bei dem er den Titelhelden im «Faust» von Gounod, den Herzog im «Rigoletto» und den Alfredo in «La Traviata» zum Vortrag brachte. 1944 gab er seine Karriere auf und wohnte seither in Mailand.

Neroni, Luciano, Baß, *11. 2. 1909 Ripatransone, †23. 10. 1951 Ripatransone; seine Ausbildung erfolgte in Mailand bei den Pädagogen Gambardella und Nino Giacopetti. 1931 debütierte er am Teatro Ventidio Basso von Ascoli Piceno in einem Konzert, das Benjamino Gigli gab. Er setzte sein Studium weiter fort und machte sein Operndebüt 1933 am Teatro Persiani in Recanati als Basilio im «Barbier von Sevilla». Er sang danach am Teatro Petruzzelli Bari und am Theater von Ancona und erschien in der Spielzeit 1934–35 an mehreren kleineren italienischen Bühnen. 1935 gastierte er an der Nationaloper Bukarest als Ramphis in «Aida» und als Oroveso in «Norma». 1936 sang er am Teatro Adriano Rom den Sparafucile im «Rigoletto» und den Commendatore im «Don Giovanni». Er wurde dann von der italienischen Radiogesellschaft EIAR für mehrere Opernaufnahmen verpflichtet; diese Rundfunkauftritte setzte er bis zu seinem Tod fort. Nach Gastspielen am Teatro Regio Parma (1938 als Conte Rodolfo in «La Sonnambula» und als Colline in «La Bohème») und am Teatro Coccia Novara erreichte er 1940 die Mailänder Scala (Antrittsrolle: Marchese di Calatrava in «La forza del destino»), an der er in der folgenden Spielzeit 1941–42 dann auch den Landgrafen im «Tannhäuser» und den Timur in Puccinis «Turandot» sang. 1942 hörte man ihn am Teatro Reale Rom in Rossinis «La gazza ladra» (zuvor bereits 1941 in Pesaro). Nach dem Zweiten Weltkrieg entwickelte sich seine Karriere schnell mit Auftritten am Teatro San Carlo Neapel, am Teatro Massimo Palermo, am Teatro Bellini Catania (wo er auch den Wotan in der «Walküre» sang), am Teatro Comunale Florenz, am Teatro Comunale Bologna, am Teatro Vittorio Emanuele Turin und an weiteren italienischen Opernhäusern. Hier sang er neben den bereits erwähnten Partien auch den Zaccaria in Verdis «Nabucco», den Monterone im «Rigoletto», den Giorgio in «I Puritani» von Bellini, den Raimondo in «Lucia di Lammermoor», den Laertes in «Mignon» von A. Thomas und den Timur in «Turandot». 1950 gab er ein Konzert in Lissabon; er war bereits an die Metropolitan Oper New York engagiert, als er ganz plötzlich an einem Herzschlag verstarb.
Schallplattenaufnahmen auf Cetra, darunter einige Solo-Titel, vollständige Opern «Nabucco» (als Zaccaria mit Maria Callas als Partnerin), «Turandot», «Lucia di Lammermoor», bei denen es sich um Rundfunkaufnahmen aus den dreißiger Jahren handelt; «Die Jahreszeiten» von J. Haydn.

Nes, Jard van, Mezzosopran, * 15. 6. 1948; nach ihrer Ausbildung debütierte die holländische Sängerin 1983 mit dem Concertgebouw Orchester Amsterdam zusammen als Solistin in der Sinfonie Nr. 2 von Gustav Mahler unter Bernard Haitink. Der Erfolg war geradezu überwältigend, so daß sie sogleich für Aufführungen der Matthäuspassion von J. S. Bach unter Nikolaus Harnoncourt verpflichtet wurde. Damit begann für sie eine große internationale Konzertkarriere. Sie sang regelmäßig mit dem Concertgebouw Orchester (u. a. in der 8. Sinfonie von G. Mahler) und gab 1987–88 ihr Nordamerika-Debüt mit dem Minnesota Orchestra unter Edo de Waart. Danach sang sie in glanzvollen Konzerten in St. Louis und in New York. In Paris hörte man sie mit dem Orchestre de Paris, in London mit dem English Chamber Orchestra; sie sang in Montreal, Oslo und bei den Festspielen von Ludwigsburg (1989). Gleichzeitig kam es auch zur Ausbildung einer erfolgreichen Bühnenkarriere. Als erste Partie sang sie 1983 an der Niederländischen Oper Amsterdam den Bertarido in «Rodelinda» von Händel. Beim Holland Festival von 1984 wirkte sie in den Hindemith-Opern «Sancta Susanna» und «Mörder, Hoffnung der Frauen», 1985 in der Titelpartie der Oper «Naïma» von Loevendie mit. 1987 sang sie beim Holland Festival in «Il ritorno d'Ulisse in patria» von Monteverdi. 1986 hörte man sie an der Niederländischen Oper als Magdalene in den «Meistersingern», 1987 hatte sie dort einen ihrer größten Erfolge als Brangäne im «Tristan».
Die Stimme der Sängerin ist durch eine Anzahl von Schallplatten dokumentiert; sie sang auf den Marken Ottavo (Rückert-Lieder von G. Mahler, Lieder von Brahms, Kantaten von J. S. Bach), CBS (Mozart-Requiem), Decca (Altrhapsodie von J. Brahms (Sinfonie Nr. 2 von G. Mahler, Lieder von A. Zemlinsky, Volkslieder von L. Berio), Erato («Messias» von Händel), DGG (9. Sinfonie von Beethoven), Philips (ebenfalls 9. Sinfonie), Telefunken («Theodora» von Händel), Edition Schwann («Lied der Waldtaube» von A. Schönberg), Denon («Lied von der Erde» von G. Mahler), Fidelio (Bach-Kantaten), Etcetera («Two Songs» von Loevendie).

Nett, Willi, Bariton, * 1934 (?); er begann seine Sängerlaufbahn 1958 am Stadttheater Krefeld, dem er bis 1960 angehörte. Dann wechselte er an das Stadttheater Lübeck (1960–64), wo er 1962 in der deutschen Erstaufführung der Oper «Der Schwur» von A. Tansman mitwirkte. 1964–77 war er Mitglied des Opernhauses von Wuppertal; hier sang er 1973 in der Uraufführung der Oper «Yvonne, Prinzessin von Burgund» von Boris Blacher die Partie des Königs und wirkte in den deutschen Erstaufführungen der Opern «Marysa» von E. F. Burian (1964), «Drömmen om Thérèse» («Träume von Therese», 1971) von L. J. Werle, «Bluthochzeit» von S. Szokolay (1965 als Leonardo) und in der Premiere der Oper «Levins Mühle» von Udo Zimmermann (1975 in der Titelrolle) mit. Er trat überhaupt gern in Opernwerken des 20. Jahrhunderts auf und sang Partien wie den Ill im «Besuch der alten Dame» von G. von Einem, den Titelhelden im «Wozzeck», den

Grandier in «Die Teufel von Loudun» von Penderecki, die Titelpartie in «Christophe Colombe» von D. Milhaud, den Prinzen in «Auferstehung» von J. Cikker, den Dr. Schön in «Lulu» von A. Berg, die Titelrollen in «Der gute Soldat Schwejk» von R. Kurka und in «Don Perlimplin» von W. Fortner. Seit 1977 war er durch Gastverträge mit den Theatern von Darmstadt, Hagen (Westfalen) und Bremen verbunden; am letztgenannten Haus war er dann in den Jahren 1979–88 fest engagiert. Er gastierte an vielen großen Bühnen, u. a. an der Staatsoper Berlin (1972), an der Komischen Oper Berlin (1979–80), an der Wiener Staatsoper (seit 1982, vor allem als Mandryka in «Arabella» von R. Strauss), an der Niederländischen Oper Amsterdam (1983 ebenfalls als Mandryka) und an der Staatsoper von Stuttgart. Aus seinem Repertoire sind noch der Don Giovanni, der Minister wie der Pizarro im «Fidelio» der Ottokar im «Freischütz», der Graf in «Figaros Hochzeit», der Wolfram im «Tannhäuser», der Graf Eberbach im «Wildschütz» von Lortzing, der Petrucchio in «Der Widerspenstigen Zähmung» von H. Goetz, der Valentin im «Faust» von Gounod, Sharpless in «Madame Butterfly» und der Jochanaan in «Salome» zu nennen.
Schallplatten: DGG («Cardillac» von Hindemith).

Neubauer, Margit, Mezzosopran, * 1951 (?); nach ihrer Ausbildung, die in Wien stattfand, war sie in den Jahren 1975–77 am Landestheater von Linz (Donau) engagiert. Hier wirkte sie am 2. 9. 1976 in der Uraufführung der Oper «Der Aufstand» von Helmut Eder mit. 1977 folgte sie einem Ruf an das Opernhaus von Frankfurt a. M., dessen Mitglied sie seither geblieben ist. Durch Gastspielverträge war sie mit einigen großen Opernhäusern des deutschen Sprachgebiets verbunden: 1978–79 mit dem Opernhaus von Zürich, 1980–83 mit der Hamburger Staatsoper und 1982–86 mit der Deutschen Oper Berlin. In den Jahren 1981–86 war sie bei den Festspielen von Bayreuth anzutreffen; hier sang sie die Siegrune in der «Walküre», eine Soloblume und das Alt-Solo im «Parsifal». 1985 nahm sie an der USA-Tournee der Deutschen Oper Berlin teil. Sie sang auf der Bühne Partien wie den Cherubino in «Figaros Hochzeit», die Floßhilde im Nibelungenring, die Emilia in Verdis «Othello», die Brigitte in der «Toten Stadt» von Korngold, die Annina im «Rosenkavalier» und die Titelrolle in «Fräulein Julie» von A. Bibalo. Neben ihrem Wirken auf der Bühne stand eine zweite Karriere als Konzert- und Oratoriensängerin, wobei sie sich besonders dem Bach-Gesang wie überhaupt der Barock-Musik widmete.
Schallplatten: Philips (Soloblume im «Parsifal», Bayreuth 1985), FSM (h-moll-Messe von J. S. Bach, Utrechter Te Deum von Händel), Musica Viva (Bach-Kantaten).

Neuenschwander, Leni, Sopran, * 9. 7. 1909 Bern; sie studierte an der Universität Lausanne Literatur und Kunstgeschichte und betrieb am dortigen Institute de Ribaupierre ein sehr intensives Musikstudium (Klavier- und Ensemblemusik bei Mathilde und Émile de Ribaupierre, Orgel bei A. Demierre,

Komposition bei A. Fornerod und E. Simoncini, gleichzeitig Gesang bei Berthe Schlegel). Sie war dann noch in Mailand Schülerin von Salvatore Salvati, in Amsterdam von der berühmten holländischen Oratoriensängerin Aaltje Noordewier-Reddingius; sie studierte bei Margarethe von Winterfeld in Berlin, bei Claire Croiza in Paris und bei Émile Jaques-Dalcroze in Lausanne. 1939 war sie Preisträgerin beim Internationalen Concours von Genf. Sie war Mitbegründerin des Salvati-Vokalquartetts, in dem sie 1938–56 zusammen mit Paula Koelliker, Salvatore Salvati, Karl Theo Wagner (mit späteren Änderungen in den Einzelstimmen) und 1960–74 in neuer Formation mit Hanny Wehrey, Theobald Nagel und Vernon Sell sang und hohes internationales Ansehen erlangte. Sie kam zu einer großen Karriere als Konzert- und Oratoriensängerin in einem sehr umfangreichen Repertoire, das einerseits barocke Werke, anderseits zeitgenössische Kompositionen umfaßte. Sie war dazu eine große Interpretin des deutschen wie des französischen Liedes. Sie gab erfolgreiche Konzerte in der Schweiz wie in Deutschland (Berlin, München, Hamburg, Köln, Hannover, Mannheim, Heidelberg); sie trat in Konzerten an der Mailänder Scala wie am Teatro Fenice Venedig auf, sang in Amsterdam und im Haag, in Brüssel und London, in Stockholm und Kopenhagen, bei den Festspielen von Salzburg, in Wien, Turin, Florenz, Rom und Neapel. Sie sang in Rundfunksendungen in der Schweiz und in Deutschland, in Paris und bei der BBC London. 1951–78 wirkte sie als Dozentin, dann als Professorin an der Musikhochschule Mannheim-Heidelberg, wo sie auch ihren Wohnsitz nahm. 1951 gründete sie die «Musica Helvetica» (Vereinigung zur Förderung Schweizerischer Tonkünstler), sie war die Initiatorin und Leiterin der Internationalen Wettbewerbe für Komponistinnen in Mannheim (1961). 1975 wurde sie mit der Schillerplakette der Stadt Mannheim ausgezeichnet, seit 1979 war sie Ehrenmitglied der Musikhochschule Mannheim-Heidelberg. Sie ist im Laufe ihrer Karriere auch an den Theatern von Luzern und Mannheim in einigen Bühnenpartien aufgetreten (Susanna und Cherubino in «Nozze di Figaro», Donna Elvira im «Don Giovanni», erste Dame in der «Zauberflöte», Gilda im «Rigoletto», Micaela in «Carmen»).

Schallplatten: HMV (Lieder Schweizer Komponisten).

Neugebauer, Hans, Baß, * 17. 11. 1916 Karlsruhe; er war der Sohn des Tenors *Helmut Neugebauer* (1891–1966), hatte zunächst die Absicht Bühnenbildner zu werden und widmete sich diesem Studium 1936–39 an der Kunstakademie in Mannheim, studierte gleichzeitig auch Klavier- und Violinspiel und Musikwissenschaft. Nach dem Zweiten Weltkrieg entschloß er sich jedoch zur Sängerkarriere und ließ seine Stimme durch Josef Degler in Hamburg ausbilden. 1946 debütierte er am Staatstheater von Karlsruhe in der Partie des van Bett in Lortzings «Zar und Zimmermann». Bis 1951 blieb er an diesem Hause tätig und wurde namentlich durch seine Gestaltung von Partien aus dem Buffo-Fach bekannt. 1948

wirkte er bei den Festspielen von Schwetzingen mit. 1951 wurde er an das Opernhaus von Frankfurt a. M. verpflichtet, wo er bis 1956 als Sänger (u. a. in Partien wie dem Figaro in «Figaros Hochzeit» und dem König in «Aida») zu großen Erfolgen kam. Seit 1955 begann er mit der Übernahme von Aufgaben im Bereich der Opernregie. Nachdem er 1956–59 als Hausregisseur an der Frankfurter Oper tätig hatte, war er 1959–62 als leitender Regisseur am Stadttheater von Heidelberg tätig. 1962–64 wirkte er als Produktionsleiter am Staatstheater von Kassel und übernahm dann eine Position als Oberspielleiter und Leiter des Opernstudios am Opernhaus von Köln. Hier war er es, der die schwierige Inszenierung der Uraufführung der zeitgenössischen Oper «Die Soldaten» von Bernd-Alois Zimmermann (15. 2. 1965) übernahm. Im gleichen Jahr 1965 führte er bei den Festspielen von Glyndebourne Regie im «Rosenkavalier» von R. Strauss. Als Gastregisseur trat er an der Deutschen Oper am Rhein Düsseldorf–Duisburg, an den Staatstheatern von Kassel und Wiesbaden, am Nationaltheater Mannheim, am Opernhaus von Nürnberg und, auf internationaler Ebene, am Stadttheater von Basel, am Opernhaus von Triest und an der Oper von Chicago in Erscheinung.

Es ist anzunehmen, daß Mitschnitte von Opernsendungen aus der Zeit, in der der Künstler als Sänger tätig war, vorhanden sind.

Neuhaus, Julie, Mezzosopran, * 15. 10. 1863 Berlin, † 18. 12. 1937 Chemnitz; sie begann ihre Karriere als Bühnensängerin mit einem Engagement am Stadttheater von Aachen (1886–87) und sang nacheinander an den Theatern von Leipzig (1887–88), Lübeck (1888–89), Danzig (1889–93), Magdeburg (1893–94), Chemnitz (1894–98), Königsberg (1898–99), Elberfeld (1899–1902), Mainz (1902–03) und wiederum Chemnitz (1903–07). Sie wirkte 1907–10 am Hof- und Nationaltheater von Mannheim und kam dann an das Stadttheater von Chemnitz. Dort wurde sie während eines jahrzehntelangen Wirkens (bis 1931) zum besonderen Liebling des Opernpublikums. Das Repertoire der Sängerin, die auch als Konzertsolistin aufgetreten ist, war sehr umfangreich und enthielt neben großen Aufgaben (Glanzrolle: Azucena im «Troubadour») auch kleine und Comprimario-Rollen ganz den Erfordernissen des Spielplans; in Elberfeld sang sie 1901 die Rotelse in der Uraufführung von Hans Pfitzners «Die Rose vom Liebesgarten», 1902 in der deutschen Erstaufführung von Charpentiers «Louise».

Neytcheva-Milanova, Liliana, s. u. *Nejeva,* Liljana.

Nicolesco, Mariana, Sopran, * 28. 11. 1948 Gaujani (Rumänien); sie hieß mit ihrem eigentlichen Namen Mariana Niculescu, studierte zuerst Violinspiel, dann Gesang an der Musikakademie von Sofia und vor allem an der Accademia di Santa Cecilia Rom bei Jolanda Magnoni. Sie begann als Mezzosopranistin, wechselte aber bald in das Sopranfach. Sie gewann den Rossini-Concours des italienischen Rundfunks RAI und wurde in ihrer Karriere sehr

durch den Dirigenten Thomas Schippers gefördert, unter dem sie als Mimi in «La Bohème» debütierte. 1973 sang sie am Teatro Verdi Triest, 1975 am Teatro Fenice Venedig, 1976 am Teatro Comunale Florenz und 1977 an der Oper von Rom. Nach ihren ersten Erfolgen in Italien ging sie nach Nordamerika und trat dort an der City Centre Opera New York (1977–78, 1979), an den Opern von Chicago (1979), Toronto (1980) und New Orleans (1980) auf. 1978 debütierte sie an der Metropolitan Oper New York als Traviata; dort sang sie auch die Gilda und die Nedda im «Bajazzo». 1978 gastierte sie am Teatro Liceo Barcelona, 1981 in Pretoria in Südafrika, 1980 in Rio de Janeiro, 1982 und 1984 an der Oper von Houston/Texas, 1982 an der Opéra du Rhin Straßburg und, ebenfalls 1982, am Théâtre des Champs Elysées Paris. An der Mailänder Scala wirkte sie 1982 in der Uraufführung der Oper «La vera storia» von Luciano Berio mit und kam an diesem Opernhaus in den folgenden Jahren (1984–86, 1988) zu großen Erfolgen, vor allem in der vergessenen Oper «Fetonte» von Niccolò Jommelli. Sie setzte ihre internationale Karriere mit Auftritten an der Opéra-Comique (1984) wie an der Grand Opéra Paris (1985), an der Oper von Rom (1984), an den Staatsopern von Wien und München (1986) und an der Deutschen Oper Berlin fort. Glanzrollen in ihrem umfassenden Opernrepertoire waren die Climene in «Fetonte» von Jommelli, die Euridice in der Barock-Oper «Orfeo» von Luigi Rossi, die Donna Elvira im «Don Giovanni» (zusammen mit Verdis Traviata eine ihrer größten Kreationen), die Vitellia in «La clemenza di Tito» von Mozart, die Marzelline im «Fidelio», die Titelrolle in «Beatrice di Tenda» von Bellini, die Gilda im «Rigoletto», die Luisa Miller in der Oper gleichen Namens von Verdi, die Desdemona im «Othello», die Nedda im «Bajazzo», die Magda in Puccinis «La Rondine», die Liu in «Turandot», ebenfalls von Puccini, die Marguerite im «Faust» von Gounod, die Titelheldinnen in den Donizetti-Opern «Anna Bolena» und «Maria Stuarda». Glänzende internationale Konzertkarriere. 1988 hörte man sie in Konzerten an der Mailänder Scala und beim Rossini-Festival in Pesaro. Verheiratet mit dem rumänischen Kunsthistoriker Radu Varia.
Schallplatten: CBS («La Rondine»), HMV (Marcellina in «Nozze di Figaro»), Nuova Era («Maria di Rohan» von Donizetti), Rizzoli Records («Beatrice di Tenda», Kantaten von M. Ravel).

Niehoff, Beatrice, Sopran, * 1954 (?) Linz (Donau); sie verbrachte ihre Jugendzeit in Mannheim und wurde durch ihre sehr musikalische Mutter in ihrem Werdegang beeinflußt, erlernte aber zunächst in Heidelberg den Beruf einer medizinisch-technischen Assistentin. Gleichzeitig studierte sie dort Oboespiel und begann mit der Ausbildung ihrer Stimme bei dem Pädagogen Albrecht Meyerolbersleben, dem sie nach Freiburg i. Br. folgte. 1977 debütierte sie am Staatstheater von Karlsruhe als Echo in «Ariadne auf Naxos» von Richard Strauss. Sie hatte dort in Partien wie der Titelheldin in «Rusalka» von Dvořák, der Agathe im «Freischütz», der Margue-

rite im «Faust» von Gounod, der Fiametta in der Operette «Boccaccio» von F. von Suppé und der Frau in «La Voix humaine» von Poulenc ihre ersten Erfolge, gastierte bei den Festspielen von Schwetzingen und nahm dann ein Engagement am Staatstheater von Darmstadt an. Hier erregte sie als Konstanze in der «Entführung aus dem Serail» und als Tatjana in Tschaikowskys «Eugen Onegin» Aufsehen. Seit 1983 am Opernhaus von Frankfurt a. M., seit 1984 am Opernhaus von Zürich tätig. Bei der Eröffnung des restaurierten Hauses der Zürcher Oper sang sie 1984 die Eva in den «Meistersingern», 1985 hörte man sie dort als Regina in «Mathis der Maler» von Hindemith, 1986 als Jenufa in der Oper gleichen Namens von Janáček, 1987 als Titelheldin in «Massimilla Doni» von Othmar Schoeck. Seit 1984 als ständiger Gast auch dem Staatstheater Hannover verbunden; 1986 Gastspiele an der Wiener Staatsoper und an der Deutschen Oper am Rhein Düsseldorf–Duisburg (Elsa im «Lohengrin», «Bluthochzeit» von W. Fortner), seit 1983 auch an der Staatsoper Hamburg aufgetreten. Am 25. 9. 1988 sang sie in der Eröffnungsvorstellung des neu erbauten Opernhauses von Essen die Eva in den «Meistersingern», an der Deutschen Oper am Rhein 1989 die Cleopatra in «Giulio Cesare» von Händel. Nicht allein auf der Bühne, sondern auch im Konzertsaal in einem umfassenden Repertoire erfolgreich.

Niemelä, Hannu, Bariton, * 17. 4. 1954 Lohtaja (Finnland); er durchlief an der Sibelius-Akademie in Helsinki bis 1983 eine Ausbildung als Kantor-Organist wie als Gesanglehrer und erwarb das Gesangdiplom. 1984–85 war er im Studio des Opernhauses Zürich beschäftigt (Debüt 1985 als Marullo im «Rigoletto»). 1985–89 Mitglied des Staatstheaters Karlsruhe, seit 1989 des Theaters von Mainz. Weiterführende Studien bei Kim Borg, bei Hans Hotter und seit 1986 bei Karl-Heinz Jarius in Frankfurt a. M. Es kam bald zu einer internationalen Gastspielkarriere, sowohl für den Bereich der Bühne wie auch den des Konzertgesangs. Er war zu Gast bei den Festspielen von Savonlinna und Schwetzingen, an den Theatern von Bern und Basel, in Mannheim und Freiburg i. Br., in Dresden, Prag, Leningrad, Straßburg und Nancy. Aus seinem Repertoire für die Bühne sind der Don Giovanni von Mozart, der Graf in «Figaros Hochzeit», der Papageno in der «Zauberflöte», der Orest in «Iphigenie auf Tauris» von Gluck, der Paolo in «Simon Boccanegra» von Verdi, der Escamillo in «Carmen», der Albert in Massenets «Werther», der Wozzeck in der Oper gleichen Namens von A. Berg, der Demetrius in «A Midsummer Night's Dream» von B. Britten und Partien in Opern des finnischen Komponisten Aulis Sallinen zu nennen. In Karlsruhe sang er in der Uraufführung von «Der Meister und Margarita» von Rainer Kunad (9. 3. 1986). Nicht weniger von Bedeutung war sein Wirken als Konzert-, Lieder- und Oratoriensänger.
Schallplatten: SLEY (Geistliche Musik).

Nietan, Hans, Tenor, * 7. 3. 1882 Sigmaringen, † Dezember 1950 Dessau; er war ein Schüler des

berühmten Tenors Georg Anthes in Dresden. 1905 kam er an das Hoftheater (das spätere Landestheater) von Dessau und ist fast während seiner ganzen Karriere Mitglied dieses Theaters geblieben. Seit 1918 war er dort auch als Regisseur tätig, schließlich als Oberspielleiter. 1929–32 leitete er als Direktor das Komödienhaus in Leipzig. Von Dessau aus unternahm er zahlreiche Gastspiele, die ihm internationales Ansehen einbrachten; so gastierte er in den Jahren 1906–08 an der Covent Garden Oper London, 1906 an der Hofoper München, 1909–10 an der Berliner Hofoper, 1910 am Opernhaus Leipzig, 1911 an der Hofoper Dresden, 1912 an der Oper von Budapest, 1915 an der Stuttgarter Hofoper, 1918 an der Oper von Bukarest. 1909 absolvierte er eine Südamerika-Tournee. Während seines langen Engagements in Dessau sang er dort in den Uraufführungen der Opern «Der heilige Berg» von Sinding (1914) und «Sganarelle» von W. Gross (1925). Er beherrschte ein umfangreiches Bühnenrepertoire, Partien wie den Tamino in der «Zauberflöte», den Titelhelden im «Faust» von Gounod, den Wilhelm Meister in «Mignon» von A. Thomas, den Herzog im «Rigoletto», den Erik im «Fliegenden Holländer», den Pedro in «Tiefland» von E. d'Albert, den Rodolfo in Puccinis «La Bohème» und den Eisenstein in der «Fledermaus».
Schallplattenaufnahmen unter dem Etikett von HMV (Solostücke und Duette, um 1910 entstanden).

Nigrini, Valesca, Alt, * 1880 (?) Prag; sie erhielt ihre Ausbildung in Prag und debütierte dort auch am Deutschen Theater 1903. Dieser Auftritt führte zu ihrem Engagement an das Haus, dessen Mitglied sie bis 1912 geblieben ist. Dann wechselte sie an das Opernhaus von Leipzig und kam dort bis zum Ende des Ersten Weltkrieges zu einer erfolgreichen Karriere. Gastspiele führten die Sängerin an die großen deutschen Bühnen wie auch ins Ausland; so sang sie 1913 in den Aufführungen des Nibelungenrings am Théâtre de la Monnaie Brüssel. Ihr umfangreiches Bühnenrepertoire enthielt als Höhepunkte die Erda und die Waltraute im Ring-Zyklus, die Magdalene in den «Meistersingern», die Herodias in «Salome» von R. Strauss, die Dalila in «Samson et Dalila» von Saint-Saëns, die Geneviève in «Pelléas et Mélisande» von Debussy, die Frau in «Das höllisch Gold» von Julius Bittner und die Agrippina in «Akté» von Manen. Nachdem sie in den zwanziger Jahren den Leiter des Deutschen Theaters Prag geheiratet hatte, zog sie sich von der Bühne zurück, trat aber noch als Konzertsängerin auf und wirkte im pädagogischen Bereich in Prag.

Niklaus, Josef, Baß, * 1887 (?), † (?); er begann seine Bühnenkarriere in der Spielzeit 1910–11 am Stadttheater von Straßburg, sang dann am Stadttheater Mülhausen (Mulhouse, Elsaß, 1911–12) und 1912–14 am Stadttheater von Barmen. Nach einer Spielzeit am Stadttheater von Chemnitz (1914–15) wurde er zum Kriegsdienst eingezogen und konnte seine Karriere erst wieder 1919 am Stadttheater von Mainz aufnehmen, dessen Mitglied er bis 1922 blieb.

Nach einem erfolgreichen Gastspiel wurde er an das Opernhaus von Köln verpflichtet, an dem er vor allem in seinen großen Wagnerpartien sehr erfolgreich war (Daland, Hunding, Pogner, Marke, Gurnemanz). Hier wirkte er bis 1930 und sang u. a. in der Uraufführung der Oper «Irrelohe» von Franz Schreker (1924 als Förster) und in der deutschen Erstaufführung von Prokofieffs «Liebe zu den drei Orangen» (1925 als Celio). 1930–40 war er am Staatstheater von Kassel engagiert. Hier sang er in den Uraufführungen von «Tobias Wunderlich» von J. Haas (1937 als Bürgermeister) und «Elisabeth von England» von P. von Klenau (1939 als Bacon) wie in der deutschen Erstaufführung der Oper «Arzt wider Willen» von S. Allegra (1939). Neben seiner profunden Baßstimme wurde seine eindringliche Kunst der Darstellung immer wieder bewundert. Gastspiele führten den Künstler an die großen deutschen Theater (Staatsoper Berlin) und in die Schweiz. Aus seinem Repertoire für die Bühne sind zu erwähnen: der Osmin in der «Entführung aus dem Serail», der Komtur im «Don Giovanni», der Rocco im «Fidelio», der Kaspar im «Freischütz», der Landgraf im «Tannhäuser», der Fafner wie der Hagen im Ring-Zyklus, der Ochs im «Rosenkavalier», der Adahm in «Die ersten Menschen» von Rudi Stephan, der Kardinal Brogni in «La Juive» von Halévy, der Ramphis in «Aida», der König Philipp in Verdis «Don Carlos», der Colline in «La Bohème», der Timur in Puccinis «Turandot» und der Mephisto im «Faust» von Gounod.

Nikolić, Miomir, Baß, * 10. 3. 1944 Niš (Jugoslawien); er studierte bei den Belgrader Gesangpädagogen Branko Pivnicki und Anita Mezetova, dann bei Octav Enigarescu in Bukarest. 1973 wurde er Preisträger beim Jugoslawischen Concours für junge Musiker in Zagreb und debütierte im gleichen Jahr an der Nationaloper von Belgrad als Celio in Prokofieffs «Liebe zu den drei Orangen». Er folgte dann einem Ruf an die Deutsche Oper Berlin, an der er eine rund 15jährige Karriere durchlief und in einer Vielzahl von Partien zu beachtlichen Erfolgen kam. So sang er den Oroveso in Bellinis «Norma», den Titelhelden im «Don Pasquale» von Donizetti, den Colline in Puccinis «La Bohème», den Pimen in Mussorgskys «Boris Godunow», den Conte Robinson in «Il matrimonio segreto» von Cimarosa, dazu viele andere, auch kleinere Rollen. Gastspiele, vor allem an der Oper von Belgrad und an Bühnen in Jugoslawien und Deutschland. Zugleich war er ein geschätzter Konzert- und Oratorienbassist.
Schallplatten: DGG (Hans Foltz in den «Meistersingern»).

Nikolov, Nikola, Tenor, * 1925 Sofia; er studierte in der bulgarischen Hauptstadt Sofia bei Subcho Suchev und debütierte 1947 am Opernhaus von Varna als Pinkerton in «Madame Butterfly». Bis 1953 sang er in Varna, wurde dann in Moskau weiter ausgebildet und kam seit 1955 an der Nationaloper von Sofia zu bedeutenden Erfolgen, vor allem im italienischen Stimmfach. In den Jahren 1954 und 1959 gab er Gastspiele am Bolschoj Theater Moskau, an den

Opernhäusern von Leningrad, Riga und Kiew. 1958 trat er beim Festival von Spoleto auf und sang noch im gleichen Jahr an der Mailänder Scala den Hans in der «Verkauften Braut» von Smetana. Nach großen Erfolgen beim Wexford Festival (1959) und an der Staatsoper von Wien (1960) gastierte er seit 1960 häufig an der Covent Garden Oper London (Debüt als Radames in «Aida»). 1961 hörte man ihn als Gast am Opernhaus von Leipzig und an der Staatsoper Berlin, 1962 an der Staatsoper von Hamburg, 1963 am Teatro San Carlo Neapel (Vasco in «L'Africaine»), 1964 am Teatro Liceo Barcelona und am Grand Théâtre Genf, 1965 an der Oper von Frankfurt a. M. (als Radames). Bereits 1960 kam es zu einer Verpflichtung an die Metropolitan Oper New York (Antrittsrolle: José in «Carmen»). Weitere Gastspiele führten den Sänger an die Nationalopern von Belgrad und Zagreb (1960), an die Staatsoper München (1968), an das Opernhaus von Gent (1968), an die Nationalopern von Budapest und Bukarest. Mitte der siebziger Jahre beendete er seine Karriere, nachdem er zwanzig Jahre lang Mitglied der Oper von Sofia gewesen war. Aus seinem Bühnenrepertoire seien genannt: der Manrico im «Troubadour», der Radames in «Aida», der Titelheld in Verdis «Don Carlos», der Turiddu in «Cavalleria rusticana», der Cavaradossi in «Tosca», der Kalaf in «Turandot», der José in «Carmen» und der Vasco in «L'Africaine» von Meyerbeer. Auch als Konzertsolist erfolgreich aufgetreten.
Schallplattenaufnahmen der bulgarischen (Balkanton; u. a. in «Aida» und «Carmen») wie der sowjetrussischen (Melodiya) Produktion. Auf Harmonia mundi als Radames in «Aida», auf Decca im «Boris Godunow», auf EJS als Vasco in Meyerbeers «Africaine» zu hören.

Nillius, Heinrich, Bariton, * 11. 5. 1908, † 18. 6. 1971 Düsseldorf; seine Bühnenkarriere wurde mit einem Engagement am Staatstheater Karlsruhe in den Jahren 1933–36 eingeleitet. 1936–41 sang er am Staatstheater Wiesbaden und war dann bis zur Schließung der deutschen Theater im letzten Jahr des Zweiten Weltkrieges am Stadttheater von Krefeld engagiert. 1945–52 wirkte er am Opernhaus von Düsseldorf und trat danach noch bis Mitte der fünfziger Jahre als Gast auf. So sang er 1953 beim Maggio musicale Florenz den Kothner in den «Meistersingern» und gastierte dort wie am Teatro Fenice Venedig auch 1954. Zu seinen großen Bühnenpartien gehörten der Don Giovanni, der Guglielmo in «Così fan tutte», der Minister im «Fidelio», der Zar in «Zar und Zimmermann» und der Kühleborn in «Undine» von Lortzing, der Amfortas im «Parsifal», der Faninal im «Rosenkavalier», der Sebastiano in «Tiefland» von d'Albert, der Wozzeck, der Rigoletto, der Renato in Verdis «Ballo in maschera», der Germont-père in «La Traviata», der Don Carlos in «La forza del destino», der Titelheld im «Falstaff» von Verdi, der Tonio im «Bajazzo», der Alfio in «Cavalleria rusticana», der Marcello in «La Bohème», der Valentin im «Faust» von Gounod und der Escamillo in «Carmen». Er wirkte auch in Rundfunksendungen mit; so sang er 1949 über den Kölner Sender den Amfor-

tas in einer «Parsifal»-Aufführung, in der Martha Mödl ihre erste Kundry vortrug. Auch als Konzert- und Oratoriensänger bekannt geworden.

Nilsson, Raymond, Tenor, * 26. 5. 1920 Mosman bei Sydney (Australien); seine Mutter war Sängerin gewesen und hatte ihre Ausbildung in London erhalten. Er studierte zuerst an einem englischen College, dann an der Universität von Sydney, wo er den akademischen Grad eines Bachelor of Arts erwarb. Nachdem er im Zweiten Weltkrieg als Soldat gedient hatte, gehörte er dem Lehrkörper der Sydney Church of England Grammar School an und war zugleich Tenorsolist an der St. Andrews-Kathedrale in Sydney. Weitere Ausbildung am New South Wales State Conservatory durch Harold Williams und Mme Mattay, schließlich Erwerb des Grades eines Licentitate of the Royal College of Music. 1947 gab er ein Abschiedskonzert in Sydney und ging nach England. Hier sang er zuerst bei der Carl Rosa Opera Company, dann bei der English Opera Group und bei der Sadler's Wells Opera. 1952 kam er in das Ensemble der Covent Garden Oper London. Hier hörte man ihn als José in «Carmen», als Alfredo in Verdis «La Traviata» und als Pandarus in «Troilus and Cressida» von William Walton. Er gab Gastspiele und Konzerte in den USA, in Holland und in Westdeutschland. Hier kam er namentlich am Staatstheater von Wiesbaden zu bedeutenden Erfolgen. Zu seinen weiteren großen Bühnenrollen gehörten der Turiddu in «Cavalleria rusticana», der Rodolfo in «La Bohème», der Narraboth in «Salome» von R. Strauss, der Luigi in Puccinis «Il Tabarro» und der Michele in «The Saint of Bleecker Street» von Menotti. Im Konzertsaal hörte man ihn in der Royal Festival Hall wie in der Albert Hall in London, im englischen Rundfunk BBC in vielen interessanten Produktionen, u. a. in den «Gurreliedern» von A. Schönberg, in «Mathis der Maler» von Hindemith, in «Oedipus Rex» von Strawinsky und im «Psalmus Hungaricus» von Zoltán Kodály. 1958 durchreiste er Australien als Mitglied der Elizabethan Opera Compagny, bei der er als José in «Carmen» und als Rodolfo in «La Bohème» auftrat, dazu sang er im australischen Rundfunk ABC das Solo in der Glagolithischen Messe von Janáček. Bei der Sadler's Wells Oper hatte er einen seiner größten Erfolge als Camille in der Lehár-Operette «Die lustige Witwe», die dieses Ensemble dann auch 1960 bei einer Australien-Tournee zur Aufführung brachte.
Schallplatten: Decca (Bob Boles in «Peter Grimes» von B. Britten, 1952), Everest (Psalmus Hungaricus von Z. Kodály).

Nishida, Hiroko, Sopran, * 17. 1. 1952 Oita (Japan); sie studierte an der Universität von Tokio bei Okazaki und Isoghai (1971–78) und, ebenfalls in Tokio, bei Junko Eghashida. 1978–81 war sie am Theater der Stadt Bonn engagiert. Sie ging später von ihrem Wohnsitz in St. Gallen (Schweiz) ihrer Gastspieltätigkeit nach und sang u. a. am Opernhaus von Zürich (Butterfly), am Stadttheater von Bern (Mimi in «La Bohème») am Theater von St. Gallen (Micaela in

«Carmen», Leonore in «La forza del destino» von Verdi), an der Deutschen Oper Berlin, an der Bayerischen Staatsoper München, an den Opernhäusern von Köln, Frankfurt a. M., an der Staatsoper Stuttgart, am Nationaltheater Mannheim, an der Deutschen Oper am Rhein Düsseldorf-Duisburg, am Staatstheater Saarbrücken, an der Oper von San Diego, in Amsterdam und bei der Operngesellschaft Forum im holländischen Enschede. Aus ihrem Repertoire sind noch die Arminda in «La finta giardiniera» von Mozart, die Pamina in der «Zauberflöte», die Titelheldin in Puccinis «Manon Lescaut», die Lauretta in «Gianni Schicchi», die Elisabetta in Verdis «Don Carlos», die Nedda im «Bajazzo», die Kunigunde in «Hans Sachs» von Lortzing und die Marina in «I quattro rusteghi» von Wolf-Ferrari nachzutragen. Im Konzertsaal hörte man sie in oratorischen Werken von J. S. Bach, Händel, J. Haydn, Mozart, Beethoven, Schubert, A. Bruckner, G. Mahler und Gabriel Fauré.

Niska, Maralin, Sopran, *16. 11. 1930 San Pedro (Kalifornien); ihr Geburtsname war Maralin Fae Dice. Sie wurde zunächst Elementarschullehrerin, studierte dann aber Gesang bei Louise Mansfield in San Pedro, bei Ernest St. John Metz, Jan Popper und Walter Ducloux in Los Angeles. 1959 debütierte sie in Los Angeles als Manon in der gleichnamigen Oper von Massenet. Sie kam zu großen Erfolgen an den großen Operntheatern in Nordamerika: in Houston/Texas, Boston, Cincinnati, San Diego (1965 als Mimi in «La Bohème»), Philadelphia, San Antonio, Santa Fé, Fort Worth, Washington wie an der Hawaii Opera, vor allem aber an der City Centre Opera New York (Debüt als Gräfin in «Nozze di Figaro», 1967). Hier sang sie auch am 7. 7. 1973 in der New Yorker Bühnen-Erstaufführung von Cherubinis klassischer Oper «Medea» (176 Jahre nach deren Uraufführung!) die Titelpartie. In der Spielzeit 1969–70 wurde sie an die New Yorker Metropolitan Oper engagiert, an der sie als Antrittsrolle die Violetta in «La Traviata» sang. Bis 1977 sang sie dort Partien wie die Elena in Verdis «Vespri Siciliani», die Musetta in «La Bohème», die Tosca und die Salome von R. Strauss. In Europa war sie an der Niederländischen Oper Amsterdam zu Gast. Aus ihrem vielgestaltigen Bühnenrepertoire sind zu nennen: die Donna Anna wie die Donna Elvira im «Don Giovanni», die Elettra in Mozarts «Idomeneo», die Gräfin in «Nozze di Figaro», die Marguerite im «Faust» von Gounod, die Nedda im «Bajazzo», die Giulietta in «Hoffmanns Erzählungen» von Offenbach, die Violetta in «La Traviata», die Elena in der «Sizilianischen Vesper» von Verdi, die Mimi in Puccinis «La Bohème», die Tosca, die Butterfly, die Salome in der Oper gleichen Namens von Richard Strauss, die Jaroslawna in «Fürst Igor» von Borodin, der Female Chorus in Benjamin Brittens «The Rape of Lucretia», die Marie in «Wozzeck» von A. Berg und die Titelfigur in «Susannah» von Carlisle Floyd. Neben ihrer Tätigkeit im Konzertsaal war sie auch in Los Angeles als geschätzte Pädagogin bekannt. Schallplatten: Mitschnitte von Rundfunksendungen auf amerikanischen Privatmarken.

Noack, Christa, Sopran, *15. 9. 1937 Schipkau (Sachsen); sie war an der Musikhochschule von Leipzig Schülerin der bekannten Sopranistin Margarethe Bäumer. 1960 debütierte sie am Theater von Brandenburg als Gräfin in der Johann Strauß-Operette «Wiener Blut». Bis 1962 blieb sie dort tätig und wurde dann 1962 an die Komische Oper Berlin verpflichtet. Hier vertrat sie das jugendlich-dramatische Fach in Partien wie der Lisa in «Eugen Onegin» von Tschaikowsky, der Leonore im «Troubadour» von Verdi, der Desdemona in dessen «Othello», der Marie in der «Verkauften Braut» von Smetana und im übrigen in einem umfangreichen Rollenrepertoire. Die Künstlerin, die mit dem Dirigenten C. von Kamptz verheiratet war, konnte auch als Konzertsopranistin zu einer belangreichen Karriere kommen.

Noble, John, Bariton, *2. 1. 1931 Southampton (England); er studierte 1950–54 an der Universität von Cambridge Mathematik und übte dann eine entsprechende Tätigkeit als Beruf aus. Er ließ jedoch zugleich seine Stimme durch die Pädagogen Clive Carey und Boriska Gereb in London ausbilden. Nachdem er, noch als Amateur, in Aufführungen der Oper «The Pilgrim's Progress» von Vaughan Williams in Cambridge mit großem Erfolg aufgetreten war, wandte er sich ganz der Sängerlaufbahn zu. Er kam, sowohl für den Bereich der Oper wie auch den des Konzertgesangs (Oratorium), zu einer erfolgreichen Karriere in England wie in der ganzen Welt. Tourneen führten ihn in die USA wie in die Sowjetunion. Er betätigte sich vor allem auch als Gesangpädagoge, erhielt eine Professur am Trinity College of Music in London und gab Gastvorlesungen an der Surrey University Guilford. Sein Name erscheint auf einer Reihe von Schallplattenaufnahmen: auf Decca («Albert Herring» von Benjamin Britten, «Hippolyte et Aricie» von Rameau, «Wilhelm Tell» von Rossini, Werke von J. S. Bach, Händel, F. Delius und Vaughan Williams), TIS («Les Huguénots» von Meyerbeer), Edition Schwann (Vokalwerke von Scarlatti), CBS («Louise» von Charpentier), HMV («Macbeth» und «Don Carlos» von Verdi, Kantaten von Vaughan Williams).

Noble, Timothy, Bariton, *1957 (?) Indianapolis; zu Beginn seiner Bühnenkarriere sang er 1981 einige kleinere Partien an der Oper von San Francisco (Morales in «Carmen», Ping in «Turandot», 1. Handwerksbursche im «Wozzeck»). 1982 sang er dann auch den Ping an der Oper von Houston/Texas und trat seither regelmäßig an diesem Haus auf, in späteren Jahren u. a. als Leporello im «Don Giovanni» und als Falstaff in der Oper gleichen Namens von Verdi. 1982 erschien er beim Colorado Spring Festival als Rigoletto. Es kam dann zur schnellen Entwicklung seiner Karriere. So sang er 1983 in Forth Worth den Sharpless in «Madame Butterfly» und, ebenfalls 1983, den Germont-père an der Opéra-Comique Paris. Auch an der Grand Opéra Paris trat er erfolgreich auf; 1985 zu Gast an den Opern von Dallas und Santa Fé (hier als Prospero in der Uraufführung der Oper «The Tempest» von J. Eaton, 1985). 1986 gastierte er bei der Eröffnung des neu erbauten Muziektheaters Amsterdam als Falstaff und sang im gleichen Jahr bei den Festspielen von Glyndebourne den Titelhelden in «Simon Boccanegra» von Verdi. Dort hörte man ihn 1988 in der Partie des Germont-père in «La Traviata». Weitere Gastspiele an den Opern von San Francisco (1987 als Tomsky in «Pique Dame» von Tschaikowsky), an der Staatsoper Wien, an der Oper von Frankfurt a. M., in Nancy (1989 als Amonasro in «Aida») und am Teatro Fenice Venedig (1988 in Verdis Oper «Stiffelio»). 1988 wurde er dann an die Metropolitan Oper New York berufen und debütierte dort als Shaklovity in «Khovantchina» von Mussorgsky. Weitere Höhepunkte in seinem umfassenden Bühnenrepertoire: der Masetto im «Don Giovanni», der Ottokar im «Freischütz», der Macbeth in der Verdi-Oper gleichen Namens, der Schaunard in «La Bohème», der Abbate in «Arlecchino» von Busoni und der Titelheld in der zeitgenössischen Oper «Lear» von A. Reimann. Der Künstler, dessen darstellerische Begabung sehr geschätzt wurde, ist in den USA auch in Musicals aufgetreten und war zugleich als Konzertsolist tätig.

Noel, Rita, Mezzosopran, * 21. 11. 1943 Lancaster (South Carolina); sie studierte Violin- und Violaspiel an der Eastman School of Music in Rochester (New York), war als Lehrerin für diese Instrumente tätig und wirkte als Instrumentalistin im Wiener Kammerorchester wie bei den Berliner Sinfonikern. Zugleich ließ sie jedoch ihre Stimme ausbilden und war Schülerin des Pädagogen Albert May (am Queens College in Charlotte, South Carolina), von Cornelius Reid in New York und von Eugenie Ludwig-Besalla in Wien. Ihr Bühnendebüt erfolgte 1966 bei der Metropolitan National Opera Company, einer Wanderbühne, als Flora in «La Traviata». Sie verlegte später ihre Tätigkeit nach München, wo sie am Theater am Gärtnerplatz große Erfolge hatte, und gastierte u. a. in Bielefeld, an der Niederländischen Oper Amsterdam und in Miami. Aus ihrem Bühnenrepertoire sind zu erwähnen: der Cherubino in «Nozze di Figaro», der Sesto in «La clemenza di Tito» von Mozart, die Cornelia in «Giulio Cesare» von Händel, die Carmen, die Frau Reich in den «Lustigen Weibern von Windsor» von Nicolai, die Rosina im «Barbier von Sevilla» von Rossini, der Octavian im «Rosenkavalier», der Nicklaus in «Hoffmanns Erzählungen», die Azucena im «Troubadour» und die Santuzza in «Cavalleria rusticana». Neben ihrem Wirken auf der Opernbühne war sie eine angesehene Konzertsolistin.

Nolli, Josip, Baß-Bariton, * 13. 11. 1841 Ljubljana (Laibach), † 11. 1. 1902 Ljubljana; seine Ausbildung fand in Wien und dann durch A. Gioramini in Mailand statt. 1865–75 betätigte er sich in Ljubljana als Konzertsänger, mehr aber noch als Organisator von Opern- und Konzertaufführungen. Seine eigentliche Bühnenkarriere nahm erst 1877 ihren Anfang, als er an den Opernhäusern von Zagreb und Prag auftrat. In der Folgezeit entfaltete er eine ausgedehnte Gastspieltätigkeit. In Italien war er in Bologna, Rom,

Mailand, Florenz, Neapel, Turin, Bologna, Genua und Palermo zu Gast. Man hörte ihn an den Hofopern von St. Petersburg und Moskau, an den Opernhäusern von Odessa, Kiew und Lwów (Lemberg) und an der Budapester Oper. In Spanien gastierte er sowohl in Barcelona als auch in Madrid. Seit 1890 war er wieder als Impresario in Ljubljana anzutreffen. Seine wichtigsten Bühnenpartien waren der Rigoletto, der Graf Luna im «Troubadour», der Amonasro in «Aida», der Germont-père in «La Traviata», der Escamillo in «Carmen», der Mephisto im «Faust» von Gounod und der Figaro im «Barbier von Sevilla» von Rossini. Im Konzertsaal sang er ein weitläufiges Repertoire.

Norden, Betsy, Sopran, * 17. 10. 1945 Cincinnati (Ohio); sie absolvierte das Gesangstudium im wesentlichen an der Boston University und trat zunächst in Musicals auf. 1969 wurde sie Mitglied des Chors der Metropolitan Oper New York. Als erste kleine Solopartie sang sie dort im Januar 1972 eins der Bauernmädchen in «Figaros Hochzeit». Allmählich wurden ihr nun größere Partien übertragen; so sang sie an der Metropolitan Oper die Papagena in der «Zauberflöte», die Elvira in «L'Italiana in Algeri» von Rossini, die Constance in «Dialogues des Carmélites» von Poulenc und den Pagen Oscar in Verdis «Ballo in maschera». Die Künstlerin, die auch als begabte Darstellerin Aufsehen erregte, gastierte u. a. an der Oper von Philadelphia (1980–81 in «Das schlaue Füchslein» von Janáček) und an der Oper von San Francisco (Debüt in der Saison 1982–83 als Constance in «Dialogues des Carmélites»). Erfolgreiche Konzertauftritte in den Zentren des amerikanischen Musiklebens.

Nordin, Lena, Sopran, * 28. 2. 1956; die schwedische Sängerin erhielt ihre Ausbildung am Konservatorium von Malmö, dann an der Königlichen Musikkademie Stockholm und absolvierte ergänzende Studien in Salzburg, Florenz und Siena. Seit 1982 trat sie, zuerst als Konzertsopranistin, in Erscheinung. 1984 sang sie beim Schwedischen Barock-Festival in der schwedischen Erstaufführung der Oper «Hippolyte et Aricie» von Rameau die Titelpartie, doch kam der Durchbruch zustande, als sie 1986 in Stockholm die Luisa Miller in der gleichnamigen Verdi-Oper sang. Seither gehörte sie zu den führenden Sängerpersönlichkeiten der Königlichen Oper Stockholm. In der Spielzeit 1988–89 kam sie dort als Donna Anna im «Don Giovanni» und als Lauretta in «Gianni Schicchi» von Puccini zu aufsehenerregenden Erfolgen; im Herbst 1988 gastierte sie beim Wexford Festival in Irland in «Elisa e Claudio» von Mercadante. 1989 gastierte sie mit dem Ensemble der Stockholmer Oper am Bolschoj Theater Moskau als Donna Anna und sang dann wieder beim Wexford Festival in «Mitridate» von Mozart. 1990 hörte man sie an der Stockholmer Oper in der Titelpartie von Donizettis «Maria Stuarda». Auch im Bereich des Konzert- und Oratoriengesangs konnte sie sich auszeichnen («Messias» von Händel, 9. Sinfonie und Missa solemnis von Beethoven, Stabat mater von

Pergolesi und von Rossini, «Schöpfung» und «Jahreszeiten» von Haydn).
Schallplatten: Supraphon (Arien-Programm).

Nortsow, Panteleimon (Markowitsch), Bariton, *15.(28.) 3. 1900; er absolvierte seine Ausbildung zum Sänger in einem mehrjährigen Studium am Konservatorium von Kiew, das bis 1925 dauerte. Bereits seit 1924 sang er kleinere Partien an der Oper von Kiew und war 1926–27 in größeren Aufgaben an den Opernhäusern von Charkow und Kiew anzutreffen. 1927 wurde er Mitglied des Bolschoj Theaters Moskau, an dem er bereits 1925 gastweise aufgetreten war. Für mehr als 25 Jahre bis 1954 gehörte er zu den ersten Solisten dieses traditionsreichen Operninstituts, an dem er große Erfolge zu verzeichnen hatte. Diese wiederholten sich auch bei Gastspielen, die er in den Jahren nach dem Zweiten Weltkrieg in Finnland, in Bulgarien und in der Türkei gab. 1947 erhielt er seine Ernennung zum Volkskünstler der Sowjetunion. Von den zahlreichen Bühnenpartien, die er vortrug, seien der Titelheld in «Mazeppa» von Tschaikowsky, der Figaro in «Figaros Hochzeit», der Don Giovanni, der Germont-père in Verdis «La Traviata», der Graf Luna im «Troubadour», der Valentin im «Faust» von Gounod, der Escamillo in «Carmen» und der Silvio im «Bajazzo» hervorgehoben. Hinzu trat eine gleichwertige Karriere als Konzertsänger, namentlich als Interpret des russischen Volks- und Kunstliedes. Seit 1951 wirkte er als Gesanglehrer am Konservatorium von Moskau, seit 1962 als Dozent.
Die Stimme des Künstlers ist auf Melodiya-Schallplatten zu hören, darunter als Titelheld in vollständigem «Eugen Onegin» in zwei verschiedenen Aufnahmen der Oper, als Robert in «Jolanthe» von Tschaikowsky und in zahlreichen Liedaufnahmen.

Nosalewicz, Alexander, Baß, *21. 3. 1874 im rumänischen Siebenbürgen, † Januar 1959 Wiesbaden; er absolvierte sein Gesangstudium in Wien. 1900–01 war er am Stadttheater von Olmütz (Olomouc), 1901–02 am Stadttheater von Linz (Donau), 1902–03 am Hoftheater von Altenburg (Thüringen) tätig. Er setzte seine Karriere mit Engagements an den Stadttheatern von Königsberg (Ostpreußen) in den Jahren 1903–05 und Nürnberg 1905–10 fort. 1910–15 wirkte er an der Wiener Volksoper, 1915–18 am Deutschen Theater in Prag und in den langen Jahren 1918–33 am Staatstheater von Wiesbaden, wo seine Karriere ihren Höhepunkt erreichte. 1931 wirkte er dort in der deutschen Erstaufführung von Tschaikowskys Oper «Mazeppa» mit. Er gastierte 1903 an der Wiener Hofoper (als Daland im «Fliegenden Holländer»), 1905 am Hoftheater von Coburg und in den zwanziger Jahren an der Berliner Staatsoper. Bis 1936 ist er noch als Konzertsolist in Erscheinung getreten, bevor er sich aus dem Musikleben zurückzog. Aus seinem Bühnenrepertoire sei an Partien wie dem Doktor in «Doktor und Apotheker» von Dittersdorf, dem Bartolo in «Figaros Hochzeit», dem Kaspar im «Freischütz», dem König Heinrich im «Lohengrin», dem Pogner in den «Meistersingern», dem Hunding wie dem Hagen im Ring-Zy-

klus, dem Mephisto im «Faust» von Gounod, dem Gessler in Rossinis «Wilhelm Tell», dem Ramphis in «Aida» und dem Ochs im «Rosenkavalier» erinnert. Er widmete sich gerne der Interpretation moderner Musik; er sang in der Wiener Uraufführung der «Gurrelieder» von A. Schönberg die Partie des Bauern (23. 2. 1913).
Schallplatten: Pathé (Wien, 1913).

Nouvelli, Ottavio, Tenor, *21. 6. 1853 Turin, † 19. 1. 1901 Warschau; er war Schüler von Maestro Fassò am Liceo Musicale di Torino. 1876 kam es zu seinem Bühnendebüt am Teatro Rossini von Turin in einer Auswahl von Szenen aus «Mosè» von Rossini. 1877 gab er zusammen mit dem Violinisten Sivori ein Konzert im Théâtre-Italien in Paris. Daraus resultierte ein sofortiges Engagement an dieses Haus, an dem er dann den Lyonel in Flotows «Martha», den Elvino in «La Sonnambula» von Bellini und den Radames in «Aida» vortrug. 1878 sang er dort in der Oper «L'Esclave de Camoëns» von Friedrich von Flotow. In der Spielzeit 1878–79 war er am Teatro Liceo Barcelona verpflichtet, 1897 sang er an der Covent Garden Oper London den Don Ottavio im «Don Giovanni», den Corentin in «Dinorah» von Meyerbeer (als Partner von Adelina Patti), den Riccardo in Verdis «Ballo in maschera» und in «Étoile du Nord» von Meyerbeer zusammen mit Emma Turolla. 1879–80 feierte man ihn an der Kaiserlichen Hofoper St. Petersburg in einer Vielzahl von Partien, darunter als Lyonel in «Martha» und als Lohengrin. Nach Gastspielen am Teatro Comunale Bologna (1881–82), in Padua, an der Oper von Monte Carlo und am Teatro de la Opera Buenos Aires gastierte er 1883 am Théâtre-Italien Paris sehr erfolgreich in Verdis «Simon Boccanegra» und 1884 am gleichen Opernhaus als Titelheld in «Ernani» von Verdi, als Herzog im «Rigoletto» und als Elvino in «La Sonnambula» mit Marcella Sembrich zusammen. 1883 erregte er in Paris großes Aufsehen, als er zwei Kinder aus einem brennenden Haus rettete und dabei selbst Verbrennungen erlitt. Er wurde für diesen Einsatz mit einer Goldmedaille ausgezeichnet. 1885 war er am Teatro Municipale Palermo und am Teatro Liceo Barcelona zu Gast, 1886 in Genua am Teatro Carlo Felice wie am Teatro Margherita, 1886–87 auch an der Oper von Nizza. 1887 kam es zu Gastspielen in Barcelona wie am Nationaltheater Prag; 1887 wurde er an der Mailänder Scala als Assad in Goldmarks «Königin von Saba» bewundert. Es kam zu sehr erfolgreichen Auftritten am Teatro Costanzi Rom (1889 als José in «Carmen» und in der italienischen Erstaufführung der Oper «Patrie» von Paladilhe, dann auch als Walther in den «Meistersingern»). 1892 sang er in Turin das Tenorsolo in Beethovens 9. Sinfonie und nahm bald darauf eine Position als Professor am Konservatorium von Warschau an. Nach seinem frühen Tod wurden seine sterblichen Überreste nach Italien überführt und auf dem Friedhof von Trana beigesetzt.

Novikowa, Klavdia, Sopran, *9. (21.) 3. 1895, † 1968; sie studierte in den Jahren 1910–12 Gesang am Konservatorium von Odessa und war in St. Petersburg Schülerin von Eugenia Zbrujewa. Sie wurde dann jedoch Schauspielerin und gehörte als solche dem Roten Agitprop-Zug, einer Wanderbühne in der Zeit nach der Oktoberrevolution, an. Nach 1920 wandte sie sich der Operette zu. 1920–22 trat sie als Operettensängerin in Odessa, dann am Moskauer Eremitage-Theater auf. 1926 folgte sie einem Ruf an das Moskauer Operettentheater, an dem sie bis zur Beendigung ihrer Karriere 1958 als gefeierte Operettensopranistin große Erfolge hatte. Sie sang die Titelpartie in Offenbachs «La Périchole», die Serpolette in «Les Cloches de Corneville» von Planquette, Rollen in «Rose-Marie» von Friml und «Gräfin Mariza» von E. Kálmán, um nur einige Höhepunkte aus ihrem umfangreichen Repertoire zu nennen, dazu viele Partien aus russischen Operetten. Bekannt wurde sie auch als Interpretin des gehobenen Unterhaltungsliedes, nicht zuletzt aber durch viele Schallplattenaufnahmen der staatlichen sowjetrussischen Plattenproduktion (Melodiya).

Nožinić, Vilma, Sopran, * 26. 11. 1897 Slavonska Pozega (Kroatien), † 2. 3. 1975 Umag (Istrien); sie besuchte die Musikakademie von Zagreb und war dort Schülerin von Frau Eder-Bertić. 1927 fand ihr Bühnendebüt am Opernhaus von Zagreb in der Rolle der Pamina in der «Zauberflöte» statt. Während ihrer gesamten Karriere ist sie bis 1958 Mitglied dieses Hauses geblieben. Im ersten Abschnitt ihrer Karriere sang sie dort hauptsächlich lyrische Sopranpartien wie die Micaela in «Carmen», die Antonia in «Hoffmanns Erzählungen», die Lauretta in «Gianni Schicchi» und die Liu in «Turandot» von Puccini. Sie nahm dann jedoch zunehmend dramatische Rollen in ihr Repertoire auf und wurde als Donna Anna im «Don Giovanni», als Amelia im «Maskenball» von Verdi, als Desdemona im «Othello», als Senta im «Fliegenden Holländer», als Brünnhilde in der «Walküre» und als Turandot in der gleichnamigen Puccini-Oper bekannt. Dazu war sie eine geschätzte Konzert- und Oratoriensolistin.

Nucelly, Louis, Bariton, * 1883 (?), † (?); über die Lebensumstände und die Karriere dieses Sängers, der jedenfalls vor 1936 starb, ist so gut wie nichts bekannt, ausgenommen, daß er in den Jahren vor dem Ersten Weltkrieg in der Spielzeit 1908–09 an der Grand Opéra Paris einige Partien gesungen hat (Debüt als Leuthold in Rossinis «Wilhelm Tell»), darunter den Heerrufer im «Lohengrin» den Alberich in der «Götterdämmerung» und den Capulet in «Roméo et Juliette» von Gounod. 1919 gastierte er an der Pariser Opéra Comique als Scarpia in «Tosca», sang aber weder in Monte Carlo noch in Brüssel. Von Bedeutung ist er jedoch durch seine Schallplattenaufnahmen, die auf den Marken HMV, Ideal-Aspir (Paris 1912) und Aerophone und als Edison-Amberola-Zylinder (1910–11) erschienen sind. Auf ihnen präsentiert sich eine der schönsten Baritonstimmen seiner Epoche für den französischen Sprachraum. Dabei handelt es sich in der Hauptsache um Szenen aus dem Bereich der französischen Opernliteratur.

Nuri-Hadžić, Bahrija, s. unter *Hadžić,* Bahrija.

O

Obata, Machiko, Sopran, * 23. 2. 1948 Sapporo (Japan); sie begann ihr Gesangstudium in Tokio und trat dort bereits als Radio- und Konzertsängerin auf. Sie ging dann zur weiteren Ausbildung nach Deutschland und schloß diese an der Musikhochschule von Köln ab. Sie trat anschließend in das Opernstudio der Kölner Oper ein und wurde später in das Ensemble des Hauses übernommen. Hier sang sie vor allem Partien aus dem lyrischen Fachbereich wie die Pamina in der «Zauberflöte», die Servilia in «La clemenza di Tito» von Mozart, die Marzelline im «Fidelio», die Gretel in «Hänsel und Gretel», die Liu in Puccinis «Turandot», die Flora in «The Turn of the Screw» von Benjamin Britten und die Priesterin in «Aida». Sie trat als Gast an der Staatsoper von München, an der Grand Opéra wie an der Opéra-Comique Paris (1986) und bei den Salzburger Festspielen in Erscheinung und betätigte sich zugleich als Konzertsolistin.

Oberholtzer, William, Bariton, * 1948 Bloomington im amerikanischen Staat Indiana; er studierte Germanistik und Gesang an der Indiana State University. Dort wirkte er 1972 bei der Eröffnung des Indiana University Theatre in der Titelrolle der Oper «Heracles» von John Eaton mit. Er begann seine eigentliche Bühnenkarriere 1976 am Stadttheater von St. Gallen, wo er als erste Partie den Marcello in Puccinis «La Bohème» sang. Er blieb für vier Spielzeiten an diesem Haus tätig und sang dann 1978–81 am Staatstheater Saarbrücken, 1981–86 am Theater im Revier Gelsenkirchen. 1986 wurde er an das Staatstheater von Kassel berufen, an dem er bereits 1985 gastiert hatte. Seitdem war er Mitglied dieses Hauses, 1986–88 war er zugleich am Stadttheater von Münster (Westfalen) verpflichtet. Gastspiele führten ihn an die Deutsche Oper am Rhein Düsseldorf–Duisburg (Marcello in «La Bohème»), an das Landestheater Linz (Donau), an die Stadttheater von Krefeld, Freiburg i. Br. und an das Staatstheater Hannover. Er sang in Wien, Paris und Berlin; in der Berliner Philharmonie trat er als Christus in der Johannespassion von J. S. Bach und als Solist in den Carmina Burana von Carl Orff auf. Das Bühnenrepertoire des Künstlers war reichhaltig und umfaßte Partien für Kavaliersbariton wie Aufgaben aus dem lyrischen Fach, darunter den Titelhelden wie den Grafen in «Figaros Hochzeit», den Don Giovanni, den Valentin im «Faust» von Gounod, den Renato in Verdis «Ballo in maschera», den Rigoletto, den Paolo wie den Titelhelden in «Simon Boccanegra», den Ford in «Falstaff», den Tonio im «Bajazzo», den Wolfram im «Tannhäuser», den Heerrufer im «Lohengrin», den Amfortas im «Parsifal», den Jeletzky in «Pique Dame» von Tschaikowsky, den Jochanaan in «Salome», den Mandryka in «Arabella» von R. Strauss und den Wozzeck in der gleichnamigen Oper von A. Berg. Im Konzertbereich übernahm er Fachpartien in Werken von J. S. Bach bis hin zu Benjamin Britten. 1990 sang er in München in der Uraufführung des szenischen Oratoriums «Patmos» von Wolfgang von Schweinitz die Partie des Johannes.

Obermayr, Christine, Mezzosopran, * 30. 5. 1959 Wiesbaden; sie studierte an der Universität und am Konservatorium von Mainz Musik, Musikwissenschaft und Politik und war als Sängerin Schülerin von Eduard Wollitz und Josef Metternich. 1982 wurde sie erste Preisträgerin beim Bundeswettbewerb für Musik und erhielt Auszeichnungen bei weiteren Wettbewerben in Wien, Berlin und Wiesbaden. 1983 erfolgte ihr Bühnendebüt am Theater am Gärtnerplatz München als Cherubino in «Figaros Hochzeit». 1984 übernahm sie bei den Bayreuther Festspielen die Partie des Blumenmädchens im «Parsifal». 1985 trat sie erstmals als Carmen auf und hatte in dieser Partie seither aufsehenerregende Erfolge. Sie sang vor allem am Gärtnerplatz-Theater in München (Hänsel in «Hänsel und Gretel», Nancy in Flotows «Martha», Flora in «La Traviata», Nicklausse in «Hoffmanns Erzählungen», Orlowsky in der «Fledermaus», 1983–88), am Staatstheater Wiesbaden (1984–89, u. a. als Hänsel), an den Theatern von Ulm (1985–87 als Carmen, Dorabella in «Così fan tutte», Emilia in Verdis «Othello», Olga im «Eugen Onegin», Fuchs im «Schlauen Füchslein» von Janáček, Ottavia in Monteverdis «Incoronazione di Poppea», Komponist in «Ariadne auf Naxos» von R. Strauss) und Heidelberg (1987–88 Carmen und Sesto in «La clemenza di Tito» von Mozart). Weitere Gastspiele führten die Künstlerin an das Theater an der Wien (1986–87), an die Grand Opéra Paris (1984 Grimgerde in der «Walküre»), an das Teatro Regio Turin (1988 ebenfalls als Grimgerde), an das Landestheater Linz (Donau), an die Theater von St. Gallen (1985 Ljubascha in «Die Zarenbraut» von Rimsky-Korssakow), Gelsenkirchen und Augsburg (1984), an die Oper von Antwerpen (1984 Orlowsky in der «Fledermaus») und an das Teatro Liceo Barcelona (1988). In der Alten Oper Frankfurt a. M. sang sie 1988 in einer konzertant-szenischen Aufführung der Operette «Gräfin Mariza» von E. Kálmán die Manja. Die in Starnberg bei München lebende Sängerin ging dazu einer umfassenden Tätigkeit auf dem Gebiet des Konzert-, Oratorien- und Liedgesangs nach.

Ohashi, Konikazu, Baß, * 21. 10. 1931, † 21. 3. 1974 Tokio; der japanische Sänger wurde zuerst in seiner Heimat, dann an der Wiener Musikakademie ausgebildet. Nach ersten Auftritten im Konzertsaal debütierte er 1961 in Wien in einer konzertanten Aufführung von Mussorgskys «Boris Godunow» in der Partie des Pimen. 1961–63 war er dann am Landestheater Salzburg, 1963–68 am Opernhaus von Graz und gleichzeitig seit 1964 an der Wiener Volksoper engagiert. 1968 wurde er an das Opernhaus von Köln berufen, dessen Mitglied er bis zu seinem plötzlichen Tod geblieben ist. Gastspiele brachten ihm am Teatro Liceo Barcelona (1963, 1965), am Teatro Colón Buenos Aires (1965 als Daland im «Fliegenden Holländer»), am Opernhaus von Zürich (1968) und mit dem Ensemble der Kölner Oper zusammen in London (1969) große Erfolge. Seit Mitte der sechziger Jahre gastierte er regelmäßig in Japan, vor allem bei der Nikikai-Oper in Tokio, an der er 1967 den

Gurnemanz in der japanischen Erstaufführung des «Parsifal» sang. 1966 wirkte er im im Theater an der Wien in der Uraufführung von J. M. Hauers «Die schwarze Spinne» mit. Seine Stimme, ein voluminöser, dunkler Baß, beherrschte ein weitläufiges Bühnenrepertoire mit Partien wie dem Rocco im «Fidelio», dem Sarastro in der «Zauberflöte», dem Hunding wie dem Fafner im Nibelungenring, dem Marke im «Tristan», dem Mephisto im «Faust» von Gounod, dem Arkel in «Pelléas et Mélisande», dem Basilio im «Barbier von Sevilla», dem Sparafucile im «Rigoletto», dem Pater Guardian in Verdis «La forza del destino», dem Ramphis in «Aida», dem König Philipp im «Don Carlos», dem Colline in «La Bohème», dem Wassermann in «Rusalka» von Dvořák, den Titelhelden im «Don Giovanni» von Mozart und in «Herzog Blaubarts Burg» von B. Bartók. Im Konzertsaal war er ein hoch geschätzter Interpret von Oratorienpartien.
Schallplatten: Vox (Schubert-Messen), Lyrophon (geistliche Vokalmusik).

Oldenburg, Hilde, Sopran, * 1898 (?); sie debütierte 1922 am Theater von Brünn (Brno), an dem sie bis 1925 im Engagement blieb. Sie kam dann für die Spielzeit 1925–26 an das Stadttheater von Graz und war in den Jahren 1926–29 Mitglied des Stadttheaters von Zürich. 1929–32 war sie am Staatstheater von Kassel tätig und folgte darauf einem Ruf an das Staatstheater Hannover, dem sie in den Jahren 1932–40 angehörte. Mit Engagements am Opernhaus von Breslau (1940–41) und am Deutschen Theater Krakau (1940–43) fand ihre Karriere ihren Abschluß. Sie begann diese mit Partien aus dem Fachbereich der Soubrette (Susanna in «Figaros Hochzeit», Blondchen in der «Entführung aus dem Serail», Papagena in der «Zauberflöte», Ännchen im «Freischütz»), übernahm aber in späteren Abschnitten ihrer Bühnentätigkeit Partien wie die Gräfin in «Figaros Hochzeit», die Agathe im «Freischütz» und die Elsa im «Lohengrin». 1931 sang sie in Kassel die Titelrolle in der Uraufführung der Opere «Nadja» von Eduard Künnecke. Sie gab Gastspiele an der Staatsoper Wien (1938) und in der Schweiz. Verheiratet mit dem Dirigenten Erich Metze.

O'Leary, Thomas, Baß, * 3. 9. 1924 Punxsutawney (Pennsylvania); er wurde ausgebildet durch E. A. Thormodsgaard in El Paso (Texas), durch den berühmten Bassisten Alexander Kipnis in New York und durch Maestro L. d'Angelo in Rom. Bühnendebüt 1947 bei der San José Grand Opera als Kezal in der «Verkauften Braut» von Smetana. In Nordamerika sang er an den Opernhäusern von Boston, Baltimore, New Orleans (seit 1967), Chicago (1977), Houston/Texas, San Francisco (seit 1964) sowie 1968 und 1976 in San Diego. Er ging dann nach Europa, war 1960–65 Mitglied des Opernhauses von Nürnberg und zugleich als Gast an der Oper von Frankfurt a. M. verpflichtet. 1962–75 gehörte er zu den beliebtesten Sängern der Wiener Volksoper. Eine internationale Karriere trug ihm an den Staatsopern von Wien, München und Hamburg (1965), an

den Opern von Rom, Bologna (1967) und Triest (1967), in Ottawa und Toronto, am Deutschen Opernhaus Berlin (1965), an der Deutschen Oper am Rhein Düsseldorf–Duisburg, am Teatro Liceo Barcelona, an den Theatern von Basel, Genf und Zürich, in Lyon, Marseille, Frankfurt a. M., Hannover, Köln und Mannheim, in Graz wie am Opernhaus von Brno (Brünn) eine Kette von Erfolgen ein. Von den vielen Rollen, die sein Bühnenrepertoire bildeten, sind zu nennen: der Sarastro in der «Zauberflöte», der Rocco im «Fidelio», der König Philipp im «Don Carlos» von Verdi, der Massimiliano Moor in «I Masnadieri», der Zaccaria in «Nabucco», der Mephisto im «Faust» von Gounod wie in «Mefistofele» von Boito, der König Arkel in «Pelléas et Mélisande» von Debussy, der Boris, der Warlaam und der Pimen in «Boris Godunow» von Mussorgsky, der Daland im «Fliegenden Holländer», der König Heinrich im «Lohengrin», der Marke im «Tristan», der Pogner in den «Meistersingern», der Fasolt, der Fafner, der Hunding und der Hagen im Ring-Zyklus, der Gurnemanz im «Parsifal», der Bauer in «Der Mond» von C. Orff und der Cuperus in der «Zaubergeige» von W. Egk. Der in Kalifornien lebende Sänger ging auch einer intensiven Konzerttätigkeit nach. Nach 1975 zog er sich von der Bühne zurück.

Oleka, Petras, Baß, * 9. 11. 1895 Maskvoje (Litauen); er begann zunächst das Medizinstudium, ließ dann aber seine Stimme durch M. Odegova und S. Nagibina ausbilden und debütierte als Konzertsänger 1920 in Kaunas. Im gleichen Jahr noch kam es dann auch zu seinem Debüt auf der Bühne, und zwar sang er als erste Partie am Opernhaus von Kaunas den Dr. Grenvil in Verdis «La Traviata». Er blieb bis 1945 als hoch geschätztes Mitglied des Ensembles an diesem Haus tätig, wo er noch in den fünfziger Jahren Regie führte. Außerdem wirkte er seit 1933 als Pädagoge am Konservatorium von Kaunas und an der dortigen Staatlichen Musikakademie. Er unternahm zahlreiche, sehr erfolgreiche Gastspielreisen, so 1922–23 eine Südamerika-Tournee; 1925 bereiste er Italien, 1926 Spanien. Er gab Gastspiele in Berlin, Riga und 1936 am Teatro Colón Buenos Aires. Sein Repertoire umfaßte Partien wie den Komtur und den Leporello im «Don Giovanni», den Basilio im «Barbier von Sevilla», den Mephisto im «Faust» von Gounod, den Marcel in den «Hugenotten» von Meyerbeer, den Kardinal in Halévys «La Juive», den Boris Godunow, den Fürsten Galitzyn in «Khovantchina» von Mussorgsky und die Titelpartie im «Märchen vom Zaren Saltan» von Rimsky-Korssakow. Bekannt wurde er auch als Konzert- und Liedersänger.
Es ist anzunehmen, daß von seiner Stimme Schallplattenaufnahmen existieren.

Olesch, Peter Otto, Baß-Bariton, * 10. 9. 1938 Andreashütte in Oberschlesien; er studierte zunächst an der Volksmusikschule in Freital, dann war er an der Musikhochschule von Dresden Schüler des berühmten Wagner-Sängers Rudolf Bockelmann, dazu auch Ausbildung durch die Pädagogin Elsbeth

Plehn. Er debütierte 1963 an der Staatsoper Berlin als flandrischer Deputierter in Verdis «Don Carlos». Darauf kam es zu einer über zwanzigjährigen Tätigkeit an diesem Institut. Er sang hier wie auch bei Gastspielen, die er größtenteils innerhalb des Ensembles der Berliner Staatsoper absolvierte, vor allem Partien aus dem Spiel- und Charakterfach, wobei er ein breit angelegtes Repertoire beherrschte. 1989 hörte man ihn am Opernhaus von Leipzig als Titelhelden im «Don Pasquale». Weitere Bühnenpartien: Masetto im «Don Giovanni», Bartolo im «Barbier von Sevilla», Monterone im «Rigoletto», König in «Aida», Pistol im «Falstaff», van Bett in «Zar und Zimmermann», Alberich im «Nibelungenring», Alfio in «Cavalleria rusticana», Mesner in «Tosca», Waarlaam im «Boris Godunow», Rangier in «Die Teufel von R. Loudun» v. K. Penderecki. Angesehener Konzertsänger.
Schallplatten: Eterna («Herr Puntila» von P. Dessau, Querschnitt «Esther» von Robert Hanell).

Olietti, Vincenza, Sopran, * 1861 Lodi, † 7. 9. 1945 Turin; da sie Mitglied einer sehr reichen Turineser Familie war, ließ sie ihre Stimme nur zu ihrem Vergnügen ausbilden und gab einige Konzerte in ihrer Heimatstadt. 1894 betrat sie erstmals in einer offiziellen Vorstellung die Bühne, als sie in Lodi die Marguerite im «Faust» von Gounod sang. Der Erfolg war sehr groß; nach weiterer Ausbildung durch die berühmte Antonietta Fricci in Turin sang sie 1895 am Teatro Ristori Verona die Titelheldin in «Manon Lescaut» von Puccini mit sensationellem Erfolg. Im Dezember des gleichen Jahres brillierte sie am Teatro Civico von Vercelli als Desdemona in Verdis «Othello», seitdem eine ihrer Glanzrollen. 1896–97 war sie am Teatro Liceo Barcelona engagiert, wo man sie wieder als Manon Lescaut und als Desdemona bewunderte. Alles schien auf eine große internationale Karriere hinzuweisen, doch entschloß sie sich nicht, eine solche einzuschlagen. Sie trat nur noch in Konzerten, vor allem mit religiöser Vokalmusik, auf. So sang sie 1899 am Teatro Alfieri von Asti (Piemont) die Marta in dem Oratorium «La Risurrezione di Lazzaro» von Lorenzo Perosi. Nach ihrer Heirat mit Sign. Morozzo Della Rocca ist sie kaum noch aufgetreten. Zeitgenössischen Berichten zufolge muß sie eine der schönsten Sopranstimmen innerhalb ihrer künstlerischen Generation in Italien besessen haben.

Oliver, Alexander, Tenor, * 27. 6. 1944; der aus Schottland stammende Sänger studierte Gesang an der Royal Scottish Academy of Music, dann an der Wiener Musikhochschule und bei dem Pädagogen Rupert Bruce-Lockhart. 1971 sang er an der Niederländischen Oper Amsterdam in Prokofieffs «Amour des trois oranges», dann in «Intermezzo» von Richard Strauss, in «Peter Grimes» von Benjamin Britten, in «L'Ormindo» von Francesco Cavalli und in «The Turn of the Screw» von B. Britten. An der Scottish Opera Glasgow trat er in «A Midsummer Night's Dream» von Britten, in Smetanas «Verkaufter Braut», in «Wozzeck» von A. Berg, im «Eugen Onegin» von Tschaikowsky und in «Aufstieg und

Fall der Stadt Mahagonny» von K. Weill auf. Bei der Opera North Leeds erregte er als Nemorino in «Elisir d'amore» Aufsehen, bei den Festspielen von Glyndebourne in den Opern «Il Ritorno d'Ulisse in patria» von Monteverdi, «Ariadne auf Naxos» von R. Strauss, 1985 in «Albert Herring» von B. Britten, 1989 als Sellem in Strawinskys «The Rake's Progress». An der Covent Garden Oper London war er in «Eugen Onegin», in «Figaros Hochzeit» (als Don Curzio), in «Andrea Chénier» von Giordano, in Massenets «Manon» und in «Albert Herring» (1989) zu Gast. Seit 1978 Gastspiele am Opernhaus von Zürich («L'Incoronazione di Poppea» von Monteverdi, «Hoffmanns Erzählungen»), seit 1982 am Théâtre de la Monnaie Brüssel (Arbace in «Idomeneo» von Mozart, 1984 Basilio in «Figaros Hochzeit»). Hier wirkte er auch in der Uraufführung der Oper «La Passion de Gilles» von Philippe Boesmans (18. 10. 1983) mit. 1983 hatte er an der Oper von Antwerpen und an der Canadian Opera Toronto Erfolg in «L'Incoronazione di Poppea» wie in «Death in Venice» von B. Britten. 1987 sang er an der Mailänder Scala in der Premiere der Oper «Riccardo III.» von Flavio Testi. Hinzu trat eine große Konzertkarriere. Er sang zusammen mit dem Concertgebouw Orchester Amsterdam in der Matthäus- und in der Johannes-Passion von J. S. Bach und in Strawinskys «Pulcinella», mit den Sinfonie-Orchestern von Houston/Texas und Chicago und trat mit dem Vokalensemble «Songmaker's Almanac» auf.
Schallplatten: CBS («Il ritorno d'Ulisse in patria»), Telefunken (L'Incoronazione di Poppea»), HMV (Don Curzio in «Figaros Hochzeit»), MRF («Sapho» von Massenet), Philips («Ariodante» von Händel, «Il Corsaro» von Verdi), RCA («Samson» von Händel), Decca («Macbeth» und «Ballo in maschera» von Verdi), Argo («Il retablo de Maese Pedro» von M. de Falla), Opera Rara («Dinorah» von Meyerbeer).

Olivieri-Sangiacomo, Elsa, s. unter *Respighi,* Elsa.

Olsen, Derrik, Baß-Bariton, * 30. 3. 1923 Bern; eigentlicher Name Diego Ochsenbein. Er studierte am Konservatorium von Bern Piano bei Luc Balmer, 1942–46 am Conservatoire von Genf Gesang bei Rose Féart; private Studien bei Charles Panzéra in Genf und bei Ilona Durigo in Luzern (1943). 1944 begann er seine Bühnenkarriere am Grand Théâtre in Genf, an dem er (mit Unterbrechungen) bis 1969 immer wieder zu hören war. In den Jahren 1950–55 war er Mitglied des Stadttheaters von Basel. Mit dem Ensemble dieses Hauses gastierte er bei den Festspielen von Schwetzingen. Weitere Gastspiele beim Holland Festival, am Teatro Liceo Barcelona, am Teatro Colón Buenos Aires, an der Mailänder Scala (Piccola Scala), an der Berliner Staatsoper, am Opernhaus von Zürich, in Luzern, Kassel und Marseille. Aus der Vielzahl von Gestalten, die er auf der Bühne zur Darstellung brachte, seien nur der Graf in «Figaros Hochzeit», der Masetto im «Don Giovanni», der Alfonso in «Così fan tutte», der Pizarro im «Fidelio», der Basilio wie der Bartolo im «Bar-

bier von Sevilla», der Jago in Verdis «Othello», der Germont-père in «La Traviata», der Fra Melitone in «La forza del destino», der Fliegende Holländer, der Telramund im «Lohengrin», der Titurel wie der Klingsor im «Parsifal», der Jochanaan in «Salome» von R. Strauss, der Malatesta im «Don Pasquale», der Sebastiano in «Tiefland» von d'Albert, der Jeletzky in «Pique Dame» von Tschaikowsky und der Achilles in «Penthesilea» von Othmar Schoeck genannt. Ein fast noch umfassenderes Repertoire bewältigte der Künstler im Konzertsaal, das von der Barock-Epoche bis zu zeitgenössischen Werken von W. Burkhard, A. Honegger, Frank Martin, H. Sutermeister, W. Vogel und K. Huber reichte. Er wirkte in Basel in den Uraufführungen der Opern «Leonore 40/45» von Rolf Liebermann (1952) und «Titus Feuerfuchs» von Heinrich Sutermeister (1958) mit; er sang Partien in den Uraufführungen der oratorischen Werke «Cantate de Noël» von A. Honegger (1953 Basel), «Cantata profana» (1961 Basel) und «Flut» (1955 Basel), beide von Rudolf Kelterborn, «Mystère de la Nativité» von Frank Martin (1959 Genf) und «Gilgamesch-Epos» von B. Martinù (Basel 1958). Er entfaltete zahlreiche weitere künstlerische Aktivitäten. So war er Mitglied des Quatuor Vocal de Genève (mit Ellen Benoit-Favre, Juliette Salvisberg und Hugues Cuénod), 1958–70 künstlerischer Leiter des Radioorchesters Beromünster in Zürich und langjähriger Mitarbeiter von Radio DRS in Zürich und Basel, wo er seinen Wohnsitz hatte.
Schallplatten: Decca («Pelléas et Mélisande») MMS («Combattimento di Tancredi e Clorinda» von Monteverdi), CT («Die schwarze Spinne» von H. Sutermeister), Ex Libris, Westminster («Le Vin herbé» von F. Martin), Philips, Handel Society, Concert Hall («Apollo e Dafne» von Händel).

Olsen, Keith, Tenor, * 1958 (?) Denver (Colorado); er studierte Gesang an der Tennessee University und am Konservatorium von San Francisco; in Baden bei Wien nahm er an einem Kurs für den Liedvortrag teil. 1982 debütierte er an der New York City Centre Opera in Lehárs «Lustiger Witwe» und hatte an diesem Opernhaus in den folgenden Jahren bedeutende Erfolge, darunter als Faust in Gounods bekannter Oper, in Mozart-Partien und in Partien aus dem Bereich der italienischen wie der französischen Oper. In seiner amerikanischen Heimat trat er auch an den Opernhäusern von Boston, Seattle und Cincinnati auf. Er verlegte dann jedoch seine Tätigkeit nach Europa und wurde an das Staatstheater von Karlsruhe verpflichtet. Hier erregte er bei seinem Debüt 1987 als Rodolfo in Puccinis «La Bohème» großes Aufsehen. Diese Glanzrolle aus seinem Repertoire wiederholte er bei Gastspielen an der Staatsoper Hamburg, am Opernhaus von Frankfurt a. M., an der Deutschen Oper am Rhein Düsseldorf–Duisburg und am Staatstheater Hannover; am Stadttheater von Aachen hörte man ihn als Macduff in Verdis «Macbeth». In Karlsruhe wie an Bühnen in den USA war er auch als Don Ottavio im «Don Giovanni» und als Tamino in der «Zauberflöte» erfolgreich. Von seiner Gattin, der Pianistin Kathe-

rine Olsen begleitet, gab er Liederabende, in denen er ein weit gestreutes Spektrum von Liedkompositionen vortrug.
Schallplatten: HMV-Electrola (Giuliano in «Rodrigo» von Händel).

O'More, Colin, s. unter *Harrod,* James.

O'Neill, Charles, Tenor, * 22. 9. 1930 Ridgefield Park (New Jersey); er war Schüler von Sidney Dietsch in New York und debütierte 1958 bei der Fort Worth Opera als Radames in «Aida», nachdem er bereits 1957 den Wettbewerb der Metropolitan Oper New York Auditions of the Air gewonnen hatte. Seine Karriere spielte sich vornehmlich in den USA und in Westdeutschland wie der Schweiz ab. So sang er an den Bühnen von Baltimore, Fort Worth, Cincinnati, Santa Fé und San Antonio wie an den Staatsopern von Hamburg und Stuttgart, am Deutschen Opernhaus Berlin, in Essen, Köln, Frankfurt a. M., Darmstadt, Kassel, Hannover, Stuttgart, an der Deutschen Oper am Rhein Düsseldorf-Duisburg, in Basel und Zürich und gehörte mehrere Jahre lang zum Ensemble des Münchner Theaters am Gärtnerplatz. Weitere Gastspiele führten ihn an die Opernhäuser von Toronto und Vancouver und an die Nationaloper Belgrad. In seinem weit gespannten Repertoire für die Bühne standen die heldischen Partien an erster Stelle: der Florestan im «Fidelio», der José in «Carmen», der Titelheld in Verdis «Don Carlos», der Alvaro in der «Macht des Schicksals», der Manrico im «Troubadour», der Othello, der Turiddu in «Cavalleria rusticana» der Canio im «Bajazzo», der Samson in «Samson et Dalila» von Saint-Saëns, der Hermann in «Pique Dame» von Tschaikowsky, der Cavaradossi in «Tosca», der Rodolfo in «La Bohème», der Kalaf in «Turandot» von Puccini, der Titelheld in «Andrea Chénier» von Giordano wie in «Oedipus Rex» von Strawinsky, der Bacchus in «Ariadne auf Naxos» von R. Strauss und der Siegmund in der «Walküre».

Opalach, Jan, Baß-Bariton, * 2. 9. 1950 Hackensack (New Jersey); er durchlief seine Ausbildung an der Indiana State University und begann seine Bühnenkarriere bei kleineren amerikanischen Operngesellschaften. Seit 1980 war er Mitglied der City Centre Opera New York, an der er vor allem in Buffo-Rollen zu großen Erfolgen kam: als Dulcamara in «Elisir d'amore», als Papageno in der «Zauberflöte», als Taddeo in Rossinis «Italiana in Algeri», als Pistol in Verdis «Falstaff» und in seiner besonderen Glanzrolle, dem Leporello im «Don Giovanni», den er auch 1989 bei der Scottish Opera Glasgow sang. Seit 1986 gastierte er oft an der Washington Opera und an der Oper von St. Louis, an der er 1986 in der amerikanischen Premiere der Rossini-Oper «Il Viaggio a Reims» mitwirkte. 1980 sang er beim Caramoor Festival den Vilotolla in der amerikanischen Erstaufführung von Haydns «La vera costanza» (201 Jahre nach der Uraufführung des Werks!). Weitere Bühnenpartien des Sängers waren: der Titelheld in «Nozze di Figaro», der Dandini in «La Cenerentola» von Rossini, der Schaunard in

«La Bohème», der Herr Reich in «Die lustigen
Weiber von Windsor» von Nicolai und der Sancho
Panza in «Don Quichotte» von Massenet. Neben
seinem Wirken auf der Bühne stand eine zweite,
ebenso bedeutende Karriere als Konzert- und vor
allem als Oratoriensänger (Bach- und Händel-Interpret).
Schallplatten: Nonesuch (Bach-Messe), Oiseau
Lyre (Kantaten von J. S. Bach), MMG («Imeneo»
von Händel).

Operti-Gobbi, Clotilde, Mezzosopran, * 1856 London, † 8. 11. 1960 New York City; ihr Vater, Maestro
Gobbi, stammte aus Turin und war Dirigent. Zur
Zeit ihrer Geburt war er in London tätig. Sie absolvierte ihre Karriere größtenteils in den USA. Hier
war sie als Chorsängerin an der New Yorker Metropolitan Oper in deren Eröffnungssaison 1883–84
engagiert und wirkte in der ersten Vorstellung in
diesem Haus, am 22. 10. 1883, in der Aufführung
von Gounods «Faust» mit, in der so berühmte Sänger wie Christine Nilsson, Sofia Scalchi, Italo Campanini und Giuseppe Del Puente unter dem Dirigenten Augusto Vianesi in den Hauptrollen auftraten.
Sie hat diese denkwürdige Vorstellung um mehr als
75 Jahre überlebt. Anläßlich der Feier ihres
100. Geburtstages gedachte man ihrer allgemein als
der letzten noch lebenden Mitwirkenden der Gala-
Vorstellung des Jahres 1883. Sie hat im weiteren
Verlauf ihrer Karriere zumeist kleinere Partien bei
verschiedenen wandernden Opterntheatern in Nordamerika gesungen und war später in New York
pädagogisch tätig. Mit 104 Jahren ist die Sängerin,
die zu Beginn ihrer Tätigkeit als Clotilde Gobbi,
später als Clotilde Operti-Gobbi sang, in New York
verstorben.

Opfer, Fanny, Sopran, * 24. 9. 1870 Berlin, † (?); sie
erhielt ihre Ausbildung in Berlin und trat vor allem
dort, aber auch in den übrigen deutschen Musikzentren seit den Jahren um die Jahrhundertwende als
Konzertsopranistin hervor. Sie verlegte sich namentlich auf den Oratoriengesang; 1905 sang sie in
Berlin in der deutschen Erstaufführung des oratorischen Werks «The Apostles» von Edward Elgar das
Sopran-Solo. Sie gab auch Liederabende, ist aber
nicht auf der Bühne aufgetreten. Über den Fortgang
ihrer Karriere wie über ihr weiteres Lebensschicksal
existieren keine Nachrichten. Ihre Stimme ist jedoch
durch einige sehr seltene Lyrophon-Schallplatten,
die um 1904 in Berlin hergestellt wurden, erhalten
geblieben. Auf Anker erschienen Lied-Aufnahmen
der Sängerin.

Ordoñez, Antonio, Tenor, * 27. 10. 1948 Madrid; er
war in Madrid Schüler des Pädagogen Miguel García
Barrosa. Nachdem er 1980 seine Ausbildung abgeschlossen hatte, trat er in Spanien wie in Amerika als
Konzertsänger auf. 1982 debütierte er am Teatro
Zarzuela in Madrid. Dort hatte er seinen ersten
großen Erfolg als Pinkerton in «Madame Butterfly»
zusammen mit der japanischen Sopranistin Yoko
Watanabe in der Titelrolle. Die gleiche Partie sang
er dann am Teatro Liceo Barcelona zusammen mit

Ilona Tokody. 1984 gastierte er beim Festival von
Santander. Er weitete sein Rollenrepertoire, namentlich im italienischen Fach, aus und kam in
Partien wie dem Alfredo in «La Traviata», dem
Riccardo in Verdis «Ballo in maschera», dem Gabriele Adorno in «Simon Boccanegra» und dem
Titelhelden im «Don Carlos» zu internationalen Erfolgen. Die letztgenannte Rolle sang er 1985–86 an
der Opéra de Wallonie Lüttich, 1988 an der Deutschen Oper Berlin und am Teatro Comunale Bologna. 1986 wirkte er am Teatro Liceo Barcelona in
den aufsehenerregenden Aufführungen der Oper
«Saffo» von Giovanni Pacini als Partner der berühmten Primadonna Montserrat Caballé mit. Weitere
Gastspiele an der Oper von Dallas (1987 als Cavaradossi in «Tosca»), bei den Festspielen von Ravenna
(1988 Kalaf in Puccinis «Turandot»), an der Deutschen Oper Berlin (1989 Rodolfo in «La Bohème»),
in Washington (1989 Alvaro in Verdis «La forza del
destino») und Lüttich (1986–87 Edgardo in «Lucia di
Lammermoor») und bei den Puccini-Festspielen in
Torre del Lago (1989 Kalaf in «Turandot»).

Orfenow, Anatolij (Iwanowitsch), Tenor, * 17.(30.)
10. 1908 Rjasan bei Brest-Litowsk; er begann seine
Ausbildung zum Sänger 1932 am Konservatorium
von Moskau. Er wurde dann 1934 Chorsänger am
Stanislawskij-Theater Moskau, das wegen seiner
fortschrittlichen Operninszenierungen einen großen
Ruf besaß. Seit 1938 trat er in kleineren Solopartien
am Nemirowitsch-Dantschenko Theater Moskau,
dem Nachfolger des Stanislawsky-Theaters, auf; seit
1941 wurde er als Sänger tragender Rollen bekannt.
1942 folgte er schließlich einem Ruf an das Bolschoj
Theater Moskau, an dem er bis 1955 eine große
Karriere zur Entfaltung brachte. Hier und auch bei
Gastspielen an den ersten Opernbühnen Rußlands
sang er Partien wie den Grafen Almaviva im «Barbier von Sevilla» von Rossini, den Herzog in Verdis
«Rigoletto», den Alfredo in «La Traviata», den Titelhelden im «Faust» von Gounod, vor allem aber
die großen Rollen der russischen Oper wie den
Lenski im «Eugen Onegin» von Tschaikowsky oder
den Wladimir in Borodins «Fürst Igor». Dazu
brachte er im Konzertsaal ein vielseitiges Repertoire
zu Gehör.
Schallplatten der staatlichen sowjetrussischen Plattenproduktion (Melodiya), darunter auch komplette
Opern («Aleko» von Rachmaninoff, «Die Zarenbraut» von Rimsky-Korssakow, «La Cenerentola»
von Rossini, Szenen aus «Orfeo ed Euridice» von
Haydn, «Die verkaufte Braut» von Smetana).

Orgonasova, Luba, Sopran, * 22. 1. 1961 Bratislava
(Preßburg, ČSSR); Gesang- und Klavierstudium am
Konservatorium und an der Musikhochschule Bratislava. 1979 wurde sie als Solistin an das Nationaltheater Bratislava engagiert und kam durch Gastspiele wie durch Konzertauftritte in den Musikzentren der ČSSR seit 1983 dort zu einer bedeutenden
Karriere. 1983 übersiedelte sie nach Westdeutschland und war bis 1988 (anfangs unter dem Namen
Lubiča Orgonasová) Mitglied des Stadttheaters von
Hagen (Westfalen). Sie sang dort Partien wie die Ilia

in Mozarts «Idomeneo», die Pamina in der «Zauber-flöte», die Gilda im «Rigoletto», die Violetta in «La Traviata», die Lauretta in «Gianni Schicchi» von Puccini und die Sophie im «Rosenkavalier». Gastspiele und Konzerte in Kaiserslautern, Nürnberg, Essen, Bremen, Hannover, Hamburg und Zürich ließen während dieser Zeit den Namen der Künstlerin allgemein bekannt werden, die seit der Spielzeit 1988–89 durch einen Gastspielvertrag der Wiener Volksoper angehörte. 1988 sang sie bei den Festspielen von Aix-en-Provence wie an der Wiener Staatsoper die Pamina, 1989 in Aix-en-Provence die Donna Anna im «Don Giovanni» und gab dort einen glanzvollen Liederabend. An der Oper von Lyon übernahm sie die Partie der Madame Silberklang im «Schauspieldirektor» von Mozart (1988); in Zürich sang sie Solopartien in der Glagolitischen Messe von L. Janáček, im Te Deum von Bruckner und in der Missa solemnis von Beethoven, in Bremen in der Harmoniemesse von J. Haydn. Aus ihrem Bühnenrepertoire seien noch die Konstanze in der «Entführung aus dem Serail», die Susanna in «Nozze di Figaro», die Atalanta in «Xerxes» von Händel, die Marzelline im «Fidelio», die Titelpartie in Massenets «Cendrillon» und die Antonia in «Hoffmanns Erzählungen» genannt. Das Konzertrepertoire umfaßte neben Liedern Soli in oratorischen Werken von J. S. Bach und Händel bis hin zu A. Dvořák und L. Janáček.

Schallplatten: Erato (Pamina in vollständiger «Zauberflöte»).

Ortiz, Francisco, Tenor, * 1949 (?); sein Debüt fand 1973 am Teatro Liceo Barcelona als Forresto in Verdis Oper «Attila» statt. In dieser Partie erschien er dann auch bei der konzertanten Aufführung der Oper in London, 1974 in Paris, 1976 am Teatro Real Madrid und am Teatro Fenice Venedig, 1979 an der Oper von Toulouse. Er konnte bald eine große Karriere auf internationalem Niveau zur Entwicklung bringen. 1973 gastierte er an der City Centre Opera New York als Turiddu in «Cavalleria rusticana», 1974 an der Oper von Nizza als Radames in «Aida», 1975 am Grand Théâtre Genf als des Grieux in Puccinis «Manon Lescaut». Ebenfalls 1975 war er am Opernhaus von Frankfurt a.M., 1976 bei den Festspielen von Schwetzingen, 1978 in Amsterdam als Pollione in Bellinis «Norma» (eine seiner weiteren Glanzrollen, die er auch in einer konzertanten Aufführung des Werks an der Staatsoper Hamburg sang) anzutreffen. 1979 trat er an der Oper von Santiago de Chile als Titelheld in «Ernani» von Verdi, 1980 am Teatro Liceo Barcelona als Pollione, 1981 am Théâtre de la Monnaie Brüssel als Cavaradossi in «Tosca», 1982 an der Oper von Sydney als Manrico im «Troubadour» (ebenfalls eine Glanzrolle), 1983–84 in Toronto als Cavaradossi und als Kalaf auf. Weitere Gastspiele an der Grand Opéra Paris (1984), an der Oper von Rio de Janeiro (1987), an der Staatsoper von Wien (1978 als Pollione und als Alvaro in «La forza del destino») und am Teatro Liceo Barcelona (1987). In seiner spanischen Heimat trat er gern in Zarzuelas auf; auch als Konzertsänger kam er zu einer großen Karriere.

Schallplatten: Alhambra (Ausschnitte aus Zarzuelas).

Osborn-Hannah, Jane, Sopran, * 8. 7. 1873 Wilmington (Ohio), † 13. 8. 1943 New York; sie begann ihr Gesangstudium in Cincinnati, kam dann nach Europa und war seit 1903 Schülerin der berühmten Wagner-Sopranistin Rosa Sucher in Berlin. Weitere Ausbildung durch Mathilde Marchesi de Castrone und durch Giovanni Sbriglia in Paris. Nachdem sie bereits zuvor in ihrer amerikanischen Heimat als Konzert- und Oratoriensängerin aufgetreten war, debütierte sie 1906 auf der Bühne des Opernhauses von Leipzig in der Partie der Elisabeth im «Tannhäuser». Bis 1908 blieb sie Mitglied dieses Hauses, wo sie 1909 nochmals zu Gast war. Weitere Gastspiele in dieser Zeit führten sie an das Hoftheater von Hannover (1906), an die Hofopern von Berlin (1908), Dresden (1907) und München (1908). 1908 hörte man sie an der Covent Garden Oper London als Elisabeth im «Tannhäuser». In dieser Partie erfolgte 1910 auch ihr Debüt an der Metropolitan Oper New York. 1910–14 gehörte sie dem Ensemble der Oper von Chicago an. 1914 gastierte sie in Philadelphia, Seattle, Los Angeles, Denver, St. Paul und Portland als Nedda im «Bajazzo» unter dem berühmten Dirigenten Cleofonte Campanini. Sie scheint bald darauf ihre Karriere aufgegeben zu haben. Aus ihrem Bühnenrepertoire sind noch die Senta im «Fliegenden Holländer», die Elsa im «Lohengrin» und die Titelfigur in «Mignon» von A. Thomas zu nennen.

Oserow, Nikolai Nikolajewitsch, Tenor, * 3.(15.) 4. 1887, † 4. 12. 1953; er begann seine Ausbildung in Kasan und war dann in Moskau Schüler von A. M. Uspneskow. 1912 trat er erstmals bei einer reisenden Operntruppe auf. Bis 1919 gehörte er dann zum Ensemble der Zimin-Privatoper Moskau, die damals aufsehenerregende Aufführungen veranstaltete. 1920–28 war er Mitglied des Bolschoj Theaters Moskau, sang aber 1919–24 auch an verschiedenen Moskauer Operettenbühnen. Sein Repertoire für die Opernbühne besaß einen staunenswerten Umfang; seine großen Rollen waren der Sobinin in «Iwan Susanin» («Ein Leben für den Zaren») von Glinka, der Finn in dessen «Ruslan und Ludmilla», der Galitzyn in «Khovantchina» von Mussorgsky, der Levko in Rimsky-Korssakows «Mainacht», der Titelheld in «Wakula der Schmied» («Tscherewitschki») von Tschaikowsky, der Andrej in dessen «Mazeppa», der Don Juan in «Der steinerne Gast» von Dargomyshski, der Graf Almaviva im «Barbier von Sevilla», der Faust von Gounod, der Raoul in Meyerbeers «Hugenotten», der José in «Carmen», der Lohengrin, der Walther in den «Meistersingern», der Siegmund in der «Walküre», der Werther in der gleichnamigen Oper von Massenet, der des Grieux in dessen «Manon» und der Samson in «Samson et Dalila» von Saint-Saëns; hinzu kamen Aufgaben in Werken zeitgenössischer russischer Komponisten auf der Bühne wie im Konzertsaal. Nach Abschluß seiner Karriere war er im pädagogischen Bereich tätig.

Schallplattenaufnahmen der staatlichen sowjetrussischen Plattenproduktion (Melodiya).

Osten, Sigune von, Sopran, * 8. 3. 1950 Dresden; sie studierte in Hamburg und Karlsruhe und war Schülerin von Elisabeth Grümmer und Eugen Rabine. 1972 gewann sie den Bundeswettbewerb Gesang in Berlin. 1973 debütierte sie mit großem Erfolg bei den Tagen der neuen Musik in Hannover in «Aria» von John Cage. Seitdem trat sie bei zahlreichen internationalen Festspielveranstaltungen hervor, wobei sie sich namentlich als Interpretin zeitgenössischer Vokalwerke auszeichnete. So sang sie bei den Festspielen von Salzburg und Dresden, beim internationalen Beethoven-Fest in Bonn, bei den Wiener Festwochen und den Maifestspielen von Wiesbaden, bei den Donaueschinger Musiktagen, in Venedig (1980), Madrid, Lissabon und Straßburg wie beim Panmusikfestival in Tokio. Konzertreisen, Rundfunk- und Fernsehaufnahmen führten sie (von ihrem Wohnsitz Königswinter bei Bonn aus) in Europa, in den USA, in Südamerika wie in Japan zu großen Erfolgen. Bühnenauftritte an der Staatsoper von Stuttgart, am Staatstheater Wiesbaden (1989–90), in Paris, Venedig und Lissabon, an der Oper von Antwerpen und beim Festival d'Avignon begleiteten ihre Karriere im Konzertsaal. Dabei übernahm sie auch hier mit Vorliebe Partien in modernen Opernwerken wie die Marie im «Wozzeck», die Titelfigur in «Lulu» von A. Berg oder die Solorolle in dem Monodrama «Erwartung» von A. Schönberg. Mittelpunkt ihres künstlerischen Schaffens bildeten jedoch zeitgenössische Kompositionen, von denen sie über 50 in Ur- und Erstaufführungen gestaltete, darunter mehrere unmittelbar für sie geschriebene Werke von Komponisten wie Cristobal Halffter, Krysztof Penderecki, Olivier Messiaen, Mařek Kopelent, Edison Denisow und Giacinto Scelsi. Schallplatten: Decca (Lukas-Passion von K. Penderecki), Christophorus-Verlag («Noche pasiva» von C. Halffter), Supraphon (Werke von C. Halffter und Mařek Kopelent), Eterna («Engführung» von Dittrich), Colosseum.

Ostendorf, John, Baß-Bariton, * 1. 11. 1945 New York; seine Ausbildung fand am Oberlin College Ohio sowie bei den Pädagogen Margaret Harshaw, Julia Drobner und Daniel Ferro in New York statt. Er debütierte 1969 bei der Chautauqua Opera als Commendatore im «Don Giovanni» und trat dann bei einer Reihe von amerikanischen Operngesellschaften auf, darunter an den Opern von San Francisco, Houston/Texas, Baltimore, Philadelphia und im kanadischen Toronto. In Amsterdam gastierte er 1979 in der Uraufführung der Oper «Winter Cruise» von H. Henkeman. Auf der Bühne standen an erster Stelle in seinem Repertoire Partien wie der Alfonso in «Così fan tutte», der Basilio im «Barbier von Sevilla», der Escamillo in «Carmen» der Ramphis in «Aida» und der Titelheld in «Giulio Cesare» von Händel. Eine ebenso erfolgreiche Karriere kam auch auf den Gebieten des Konzert- wie des Oratoriengesangs zustande. Hier erwies er sich vor allem

als großer Interpret von Vokalwerken aus der Barock-Epoche (J. S. Bach, Händel). Schallplatten: Newport Classic (Johannes-Passion von J. S. Bach), MMG («Imeneo» von Händel).

Osterkamp, Ernst, Baß, * 1896 (?), † 30. 3. 1957 München; seine Bühnenkarriere begann mit einem Engagement am Opernhaus von Köln in den Jahren 1919–23. 1923–26 sang er an der Staatsoper Berlin und war schließlich 1926–41 Mitglied des Opernhauses von Leipzig. Er wirkte in einer Anzahl von Uraufführungen zeitgenössischer Opernwerke mit: in Berlin in «Wozzeck» von Alban Berg (14. 12. 1925 als erster Handwerksbursche), in Leipzig in «Der Zar läßt sich photographieren» von Kurt Weill (18. 2. 1928), in «Das Leben des Orest» von Ernst Křenek (19. 1. 1930 als Thoas) und in «Aufstieg und Fall der Stadt Mahagonny», ebenfalls von Kurt Weill (9. 3. 1930 als Alaskawolfjoe). 1930 sang er bei den Festspielen in der Waldoper von Zoppot in Webers «Freischütz», 1935 Gastspiel am Théâtre de la Monnaie Brüssel, 1934 am Teatro Liceo Barcelona. Bis 1949 setzte er seine Karriere als Konzertsänger fort. Auf diesem Gebiet wie auch als Lieder- und Balladensänger genoß er großes Ansehen. Höhepunkte in seinem Repertoire für die Opernbühne waren Rollen wie der Commendatore im «Don Giovanni», der Sarastro in der «Zauberflöte», der Rocco im «Fidelio», der Ferrando im «Troubadour», der Ramphis in «Aida», der Timur in Puccinis «Turandot», der König Heinrich im «Lohengrin», der Pogner in den «Meistersingern», der Papst Pius IV. in Hans Pfitzners «Palestrina», der Doktor im «Wozzeck» und der Waldner in «Arabella» von R. Strauss.

Otta-Klasinc, Ondina, Sopran, * 16. 7. 1924 Triest; die Künstlerin war in Triest Schülerin von Luigi Toffolo. 1946 debütierte sie am Opernhaus von Ljubljana (Laibach) als Rosina in Rossinis «Barbier von Sevilla». 1946–51 war sie Mitglied dieses Theaters und gastierte seitdem, vor allem an italienischen Bühnen (so 1955 in Turin), 1956 in London, 1962 am Théâtre de la Monnaie Brüssel. Auch in Frankreich, in Österreich, in Ägypten und in Südamerika trat sie als Bühnen- wie als Konzertsängerin auf. 1958–72 war sie am Opernhaus von Maribor (Marburg a. d. Drau) engagiert. Ihr Bühnenrepertoire hatte seine Höhepunkte in Partien wie der Gilda im «Rigoletto», der Violetta in «La Traviata», der Marguerite im «Faust» von Gounod, der Marzelline im «Fidelio», der Mimi wie der Musetta in Puccinis «La Bohème» und der Rusalka in der Märchenoper gleichen Namens von Dvořák.

Ottani, Gaetano Bernardino, Tenor, * (?) Bologna, † 1808 Turin; er war vielseitig begabt. Er wirkte als Maestro di Cappella am Dom San Giovanni in Bologna, wo er 1765 ein Oratorium «Le gare della potenza e dell' amore nella gloriosa assunzione di Maria Vergine» zur Aufführung brachte und 1768 am Teatro Fornari, ebenfalls in Bologna, eine von ihm komponierte Oper «L'amore senza malizia». Bereits 1747 ist er als Sänger in Venedig anzutreffen, wo er in der Oper «Tigrane» von Lampugnani die

Partie des Mitridate sang. 1750 gastierte er dort am Teatro San Giovanni Crisostomo in der Oper «Merope» von Perez und in der Karnevalssaison 1751 in «Didone abbandonata» von G. Manna sowie in «Arianna e Teseo» von G. Abbos. Im Herbst 1760 wirkte er am Teatro Ducale von Parma in der Uraufführung der Oper «Le feste d'Imeneo» von T. Traetta, 1761 in der von «Enea e Laminia» von dem gleichen Meister und 1769 in «Le feste d'Apollo» von Gluck mit. 1765 ist er am Teatro Sant' Augustino Genua als Partner der Primadonna Camilla Mattei zu finden. In der langen Zeitspanne zwischen 1750 und 1768 war er oft am Teatro Regio Turin; hier sang er 1750 in «Siroe» von Alessandro Scarlatti, 1754 in «Demofoonte» von G. Manna und in «Bajazet» von Jommelli, 1757 in der Uraufführung von «Ricimero» von Caldara, 1757 und 1758 in den Uraufführungen der Opern «Lucio vero» von Bertoni bzw. «Nitteti» von Ignaz Holzbauer, 1760 in «La clemenza di Tito» von Galuppi, 1762 wieder in einer Uraufführung, «Ifigenia in Aulide» von Bertoni, 1763 in «Pelopida» von Scarlatti, 1766 in der Uraufführung von A. Sacchinis «Alessandro nelle Indie» und 1768 in «Il trionfo di Clelia» von Joseph Mysliveček wie in der Uraufführung einer Oper von P. Caffaro «Creso», dazu in einer Anzahl weiterer Opernwerke. 1779 trat er in den Dienst des Königs von Savoyen, wo er sich neben seinem Wirken als Sänger und Komponist auch als Architekturzeichner und Maler betätigte und später bis zu seinem Tod eine Pension erhielt.

Ottenthal, Gertrud, Sopran, * 1958 (?) Bad Oldesloe (Schleswig-Holstein); sie wurde zunächst Arzthelferin, entschloß sich dann jedoch zur Ausbildung ihrer Stimme an der Musikhochschule in Lübeck. 1979 erhielt sie ein Stipendium des Deutschen Musikrates. 1980 sang sie ihre ersten Partien am Staatstheater von Wiesbaden. 1981–82 war sie mit einem Anfängervertrag an der Staatsoper Hamburg engagiert. 1982 wurde sie an die Wiener Volksoper verpflichtet, an der sie bald sehr bekannt wurde. 1984 wirkte sie bei den Salzburger Festspielen mit, 1986–88 bei den Wiener Sommer-Festwochen. 1986

gastierte sie an der Komischen Oper Berlin als Gräfin in «Figaros Hochzeit», 1990 als Mimi in «La Bohème»; weitere Gastspiele am Theater am Gärtnerplatz München, am Theater von Klagenfurt (u. a. 1984 in «Figaros Hochzeit»), am Teatro Liceo Barcelona und bei den Festspielen von Schwetzingen. Aus ihrem Bühnenrepertoire sind zu nennen: die Agathe im «Freischütz», die Fiordiligi in «Così fan tutte», die Sandrina in «La finta giardiniera» von Mozart, die Mimi in Puccinis «La Bohème», die Rosalinde in der «Fledermaus», die Antonia in «Hoffmanns Erzählungen», die Arianna in «Giustino» von Händel und die Kurfürstin im «Vogelhändler» von Zeller. Fast noch umfangreicher war ihr Repertoire als Konzert-, Oratorien- und Liedersängerin, zumal als Interpretin der Werke von J. S. Bach, Haydn, Mozart, Beethoven, Schubert und Bruckner.
Schallplatten: DGG («Werther» von Massenet, «Rosenkavalier», «Der Wildschütz» von Lortzing), Capriccio (Arien), Rundfunkaufnahmen.

Ouřednik, Jan, Baß-Bariton, * 13. 3. 1877 Plzeň (Pilsen), † 11. 11. 1950 Prag; er wurde durch den Pädagogen M. Wallerstein ausgebildet und debütierte 1902 am Stadttheater von Plzeň, dem er in den folgenden zwei Jahren angehörte. 1904–07 sang er am Opernhaus von Ljubljana (Laibach), 1907–11 am Vinohradské Theater Prag. 1911–14 war er Mitglied des Opernhauses von Zagreb, dann 1914–19 des Nationaltheaters Prag. 1919–28 war er wieder an der Kroatischen Nationaloper Zagreb engagiert. Dort wirkte er später, wie auch in Prag, als gesuchter Pädagoge; zu seinen Schülern gehörten so große Sängerpersönlichkeiten wie Zinka Milanov, Zlata Gjungenac und der Bassist Nikola Cvejić. Auf der Bühne waren seine großen Partien der Titelheld im «Fliegenden Holländer», der Valentin im «Faust» von Gounod, der Renato in Verdis «Ballo in maschera», der Jeletzki in «Pique Dame» von Tschaikowsky und der Přemysl in der Oper «Šarka» von Z. Fibich. Auch als Konzert- und Oratoriensolist angesehen.
Schallplattenaufnahmen bei Ultraphon.

P

Pace, Patrizia, Sopran, *1964 Turin; ihre Eltern waren bekannte Sänger gewesen. Sie studierte am Konservatorium von Turin Klavierspiel, während gleichzeitig ihre Stimme von ihren Eltern ausgebildet wurde. 1983 gewann sie den Concorso Internazionale Aureliano Pertile in Bologna und wurde Preisträgerin beim Concorso A. Viotti, ebenso 1984 beim Maria Callas-Wettbewerb des italienischen Fernsehens RAI. Sie debütierte 1984 direkt an der Mailänder Scala als Celia in «Lucio Silla» von Mozart. In den folgenden Jahren kam sie an der Scala in Partien wie der Micaela in «Carmen», der Susanna in «Nozze di Figaro», der Lisa in Bellinis «La Sonnambula» und dem Pagen Oscar in Verdis «Ballo in maschera» (1987) zu großen Erfolgen. Sie sang auch an der Scala in der Uraufführung der Oper «Il Principe felice» von Franco Mannino (7. 7. 1987). 1984 war sie an der Deutschen Oper Berlin zu Gast, 1985 beim Festival von Spoleto, 1986 am Teatro Regio Turin. 1986 und 1988 hörte man sie gastweise an der Staatsoper von Wien, u. a. auch hier als Oscar in «Un Ballo in maschera» und als Elvira in Rossinis «L'Italiana in Algeri». Sie gastierte an den Staatsopern von Berlin und Hamburg als Micaela in «Carmen», dazu an vielen großen italienischen Opernhäusern wie dem Teatro Comunale Florenz, dem Teatro Massimo Palermo, dem Opernhaus von Genua und dem Teatro Comunale Bologna (1988). Von ihren Bühnenpartien seien die Zerline im «Don Giovanni», die Susanna in «Nozze di Figaro», die Rosina im «Barbier von Sevilla» von Paisiello, die Sofia in Rossinis «Il Signor Bruschino», die Elvira in «Italiana in Algeri», die Lisa in «La Sonnambula» von Bellini, die Micaela in «Carmen» und der Knabe Yniold in «Pelléas et Mélisande» von Debussy erwähnt. Neben ihrer Bühnenkarriere brachte sie auch eine große Konzertkarriere zur Entwicklung. In Berlin sang sie im Mozart-Requiem; sie gab Konzerte bei den Festivals von Spoleto und Bergen in Norwegen und trat in Seoul auf.
Schallplatten: HMV (Barbarina in «Nozze di Figaro», Requiem von Mozart), CBS (Messe C-dur KV 427 von Mozart), Amadeo (Arien).

Pagliani, Rosita, Mezzosopran, *1893 (?); der Name der Sängerin ist Schallplattensammlern bekannt, weil sie in einer akustischen Aufnahme der vollständigen Oper «Aida», die um 1920 entstanden ist, die Partie der Amneris singt (mit Valentina Bartolomasi in der Titelrolle). Sonst ist wenig über den Ablauf ihrer Karriere bekannt. 1920 erscheint sie am Teatro Liceo Barcelona als Amneris und als Laura in «La Gioconda» von Ponchielli zusammen mit Tina Poli-Randaccio. Im übrigen ist sie in den frühen zwanziger Jahren in kleineren Partien an italienischen Provinzbühnen zu finden.

Pagliarini, Maria Pia, Sopran, *1898 (?); der Name der italienischen dramatischen Sopranistin begegnet uns gegen Ende der zwanziger Jahre in entsprechenden Partien an kleineren Operntheatern in der italienischen Provinz wie auch am Teatro Lirico Mailand. Sie ist jedoch dadurch bekannt geworden, daß sie

zusammen mit dem berühmten Tenor Alessandro Bonci auf einer frühen elektrischen Columbia-Aufnahme des Liebesduetts aus Verdis «Ballo in maschera» die Partie der Amelia singt. Auf der gleichen Schallplattenmarke singt sie einige Worte in einer Ensembleszene aus «Aida», in der Mariano Stabile im Mittelpunkt steht. Weitere Aufnahmen sind wohl nicht vorhanden.

Palánkay, Klára, Mezzosopran, *1921; die ungarische Sängerin erhielt ihre Ausbildung in Budapest. 1944 debütierte sie an der Nationaloper von Budapest als Amneris in «Aida». Dort blieb sie bis 1968 als führendes Mitglied des Ensembles tätig. Sie gastierte, zumeist in ihrer großen Glanzrolle, der Judith in «Herzog Blaubarts Burg» von Béla Bartók, in Wien, Paris, Amsterdam (1958), am Théâtre de la Monnaie Brüssel (1959), in Turin, Moskau und beim Festival von Edinburgh. Weitere Höhepunkte in ihrem Bühnenrepertoire waren die Carmen, die Azucena im «Troubadour», die Ulrica in Verdis «Ballo in maschera», die Eboli im «Don Carlos», die Ortrud im «Lohengrin» und die Gertrud in «Bánk-Bán» von Ferenc Erkel. Gleichzeitig mit ihrer Bühnenkarriere verlief eine zweite Karriere als Konzert- und Liedersängerin.
Schallplatten: Ultraphon, Hungaroton (Judith in «Herzog Blaubarts Burg» mit Mihály Székely in der Titelrolle von 1956).

Paleček, Josef, Baß, *1840 (?) Jestřabi Lhota bei Kolín (ČSR), †24. 2. 1915 St. Petersburg (Petrograd); er wollte ursprünglich Organist werden und begann diese Ausbildung in Kolín, dann in Prag. Dem Direktor der Prager Orgelschule fiel seine schöne Stimme auf, die in der Gesangschule Pivoda in Prag ausgebildet wurde. 1864 debütierte er, sogleich sehr erfolgreich, am Provisorischen Nationaltheater (Prozatímní divadlo) Prag als Sarastro in der «Zauberflöte». Er übernahm rasch große Partien wie den Mephisto im «Faust» von Gounod, den Falstaff in den «Lustigen Weibern von Windsor» von Nicolai, den Figaro in «Figaros Hochzeit» und den Kardinal in «La Juive» von Halévy und wirkte an diesem Haus in drei Uraufführungen von Opern Smetanas mit: am 5. 1. 1866 in «Die Brandenburger in Böhmen» («Braniboři v Čechách»), am 30. 5. 1866 in «Die verkaufte Braut» (als Kruschina) und am 16. 5. 1868 in «Dalibor» (als Beneš). 1866 sang er in der tschechischen Erstaufführung von Glinkas «Iwan Susanin» («Ein Leben für den Zaren») den Titelhelden, 1867 in der von «Ruslan und Ludmilla» den Farlaf. Der russische Komponist Balakirew, der eine von diesen Aufführungen dirigierte, war so von seiner Stimme beeindruckt, daß er ihm eine Konzertreise nach Rußland vermittelte. Dabei kam er 1869 in Moskau wie in St. Petersburg zu glänzenden Erfolgen, die sich auch bei einem Gastspiel am Mariensky Theater, der Hofoper von St. Petersburg, einstellten. Als Mephisto im «Faust» verabschiedete er sich von seinem Prager Publikum und trat seit 1870 am Petersburger Mariensky Theater auf, an dem er eine große, vierzigjährige Karriere zur Entfaltung brachte. Er sang dort eine bunte Vielfalt von Partien, darunter den Leporello im «Don Giovanni», den Kaspar im «Freischütz», den St. Bris in den «Hugenotten» von Meyerbeer, den Bertram in dessen «Robert le Diable», den Sparafucile im «Rigoletto», den König in «Aida», den König Heinrich im «Lohengrin» und viele weitere Partien. Bis 1911 war er noch als Regisseur an diesem Haus tätig und führte u. a. Regie in den Uraufführungen der Opern «Mlada» von Rimsky-Korssakow (1892), «Pique Dame» von Tschaikowsky (1890) und «Dubrovsky» von Napravnik (1895). Zeitweilig bekleidete er eine Professur am Konservatorium von St. Petersburg.

Palmer, Gladys, Alt, * 1898 (?); die Künstlerin war von etwa 1927 bis 1939 an der Covent Garden London tätig, wo sie auch in der ersten Nachkriegssaison 1946–47 wieder auftrat. Sie sang dort im wesentlichen kleinere Partien, trat aber auch mit Gastspielen und Konzerten hervor. Ihr Name ist vor allem dadurch bekannt, daß sie in einem Album mit Ausschnitten aus der «Götterdämmerung», das 1929 auf HMV erschien, die erste Norn singt (während die beiden anderen Nornen von Evelyn Arden und Noël Eadie vorgetragen werden).

Panseron, Auguste-Mathieu, Gesangpädagoge und Komponist, * 26. 4. 1795 Paris, † 29. 7. 1859 Paris; er erhielt am Pariser Conservatoire National eine sehr umfassende musikalische Ausbildung und gewann 1813 den begehrten Prix de Rome. Dann ging er nach Italien, wo er nochmals am Liceo Filarmonico Bologna bei Padre Stanislao Mattei studierte, zu dessen Schülern auch die großen Komponisten Rossini und Donizetti zählten. Als Accompagnist fand er eine Anstellung an der Grand Opéra Paris und konnte dadurch eine immense Erfahrung auf dem Gebiet der Gesangpädagogik sammeln, die ihn zu einem der kenntnisreichsten Experten auf diesem Gebiet innerhalb seiner Epoche machten. 1826 erhielt er eine Professur am Pariser Conservatoire; er veröffentlichte mehrere Abhandlungen über das Gesangstudium sowie Übungshefte für Sänger. Als Komponist brachte er einige Opern heraus («La Grille du parc», 1820; «Le Mariage difficile», 1823; «L'Ecole de Rome», 1826), weiter zwei Messen für hohe Stimmen, Motetten und zahlreiche Lieder. Als Sänger ist er dagegen kaum in Erscheinung getreten.

Paolicchi, Maria Leopoldina, Mezzosopran, * 1854 Pisa, † (?); sie studierte in ihrer Geburtsstadt Pisa, debütierte hier 1878 als Konzertsängerin und betrat 1879 am dortigen Teatro Verdi erstmals die Bühne als Maddalena im «Rigoletto». Im gleichen Jahr wirkte sie am Teatro Politeama Pisa in der Uraufführung der Oper «I Ciarlatani» von Luigi Nicolai mit. 1882 gastierte sie in Treviso als Arsace in «Semiramide» von Rossini und am Teatro Verdi von Carrara als Casilda in «Ruy Blas» von Marchetti. 1884 sang sie am Teatro Verdi in Pisa die Leonora in Donizettis «La Favorita». Die Aufführungen der Oper standen unter der Leitung des berühmten Dirigenten Leopoldo Mugnone (1858–1941), den sie einige Monate später heiratete. Mit ihm als Dirigenten trat sie

1888–89 am Teatro Costanzi Rom in einer Anzahl von Rollen auf: als Page Urbain in den «Hugenotten» von Meyerbeer, als Frédéric in «Mignon» von A. Thomas, als Pierotto in «Linda di Chamounix» von Donizetti und in der Oper «Il Conte di Gleichen» von Salvatore Auteri Manzocchi. Leopoldo Mugnone wurde vor allem dadurch bekannt, daß er am 17. 5. 1890 am Teatro Costanzi, mit dem er eng verbunden war, die Uraufführung von Mascagnis «Cavalleria rusticana» dirigierte. Am 14. 1. 1900 war er, wieder am Teatro Costanzi, der Dirigent der Uraufführung von Puccinis «Tosca». Angesichts der weltweiten Karriere ihres Gatten verzichtete Maria Leopoldina Mugnone-Paolicchi auf die Fortsetzung ihrer eigenen Bühnenkarriere. Ihre letzten Auftritte scheinen 1899 in Pisa als Konzertsolistin stattgehabt zu haben. Später lebte das Ehepaar in Florenz und betrieb eine hochangesehene Musikschule. Zu den Schülerinnen dieses Instituts gehörte u. a. die Sopranistin Vera Amerighi Rutili.

Pape, René, Baß-Bariton, * 4. 9. 1964 Dresden; er war 1974–81 Mitglied des Dresdner Kreuzchores, mit dem er Tourneen in Europa und Japan unternahm. 1981 begann er sein Gesangstudium an der Carl Maria von Weber-Musikhochschule Dresden, wo er bereits in mehreren Schüleraufführungen mitwirkte. 1987 erfolgte sein Bühnendebüt an der Staatsoper Berlin als Sprecher in der «Zauberflöte»; seit 1988 war er reguläres Mitglied dieses Opernhauses. 1987 gewann er den Nationalen Gesangwettbewerb der DDR in Gera und den internationalen Concours von Karlovy Vary (Karlsbad), 1989 die internationalen Wettbewerbe von Helsinki und Gütersloh. Am 14. 7. 1989 sang er an der Berliner Staatsoper in der Uraufführung der Oper «Graf Mirabeau» von Siegfried Matthus die Partie des Lafayette. Gastspiele führten den jungen Künstler an die Wiener Staatsoper wie an das Opernhaus von Frankfurt a. M. Aus seinem Bühnenrepertoire sind zu nennen: der Figaro in «Figaros Hochzeit», der Alfonso in «Così fan tutte», der Minister im «Fidelio», der Banquo in Verdis «Macbeth», der Procida in dessen «Vespri Siciliani», der König in «Aida», der Gremin in «Eugen Onegin» und der Galitzky in «Fürst Igor» von Borodin. Neben seinem Wirken auf der Bühne stand eine nicht weniger erfolgreiche Tätigkeit als Konzert- und Oratoriensänger. Schallplatten: Eterna («Graf Mirabeau» von S. Matthus).

Papis, Christian, Tenor, * 1955; der französische Sänger erhielt seine Ausbildung hauptsächlich in der École de Chant der Pariser Grand Opéra durch den berühmten Tenor Michel Sénéchal. 1984 begann er seine Bühnenlaufbahn mit Auftritten an den Opernhäusern von Lille, Toulouse, Marseille, Rouen, Lyon und Metz. Er kam dann auch an der Grand Opéra Paris zu ersten Erfolgen. Er sang dabei vor allem das lyrische Fachgebiet, Partien wie den Grafen Almaviva im «Barbier von Sevilla», den Don Ottavio im «Don Giovanni», den Tamino in der «Zauberflöte», den des Grieux in «Manon» und den Nicias in «Thaïs» von Massenet. Auch in Operetten demonstrierte er eine große Begabung für dieses Fach; so sang er in Lehárs «Land des Lächelns» und in den Offenbach-Operetten «La Grande-Duchesse de Gerolstein» und «La Périchole». An der Opéra de Wallonie Lüttich hörte man ihn als Vincent in «Mireille» von Gounod.

Papsdorf, Paul, Tenor, * 13. 10. 1881 Dresden, † 6. 10. 1941 Trelleborg (Schweden); als Knabe sang er im Chor der Dresdner Hofkirche, wurde dann aber Volksschullehrer. Während er in diesem Beruf arbeitete, ließ er seine Stimme in Dresden ausbilden. 1910 begann er seine Bühnenkarriere am Hoftheater von Altenburg (Thüringen), an dem er bis 1913 engagiert blieb. 1914–17 sang er am Stadttheater von Bremen, 1917–18 am Stadttheater von Posen (Poznań) und hatte 1919–25 große Erfolge am Deutschen Opernhaus Berlin–Charlottenburg. 1925–30 gehörte er dem Stadttheater von Stettin an. Er gastierte u. a. 1908 in Amsterdam (kleine Partie in den «Meistersingern»), 1911 am Opernhaus von Leipzig; 1921 sang er bei den Festspielen in der Waldoper von Zoppot den Florestan im «Fidelio». Im Mittelpunkt seines Bühnenrepertoires standen Partien wie der Tannhäuser, der Lohengrin, der Parsifal, der Pedro in «Tiefland» von d'Albert und der Prophet in «Die toten Augen» vom gleichen Komponisten. Auch im Konzertfach kam er zu einer Karriere von Bedeutung.
Von der Stimme des Sängers existiert ein einziger Edison Amberola-Zylinder, auf dem er die Gralserzählung aus «Lohengrin» singt (Berlin, 1912).

Parasini, Temistocle, s. unter *Missorta,* Palmira.

Parbs, Margarethe, Mezzosopran, * 17. 12. 1879 Schwerin, † (?); sie studierte am Stern'schen Konservatorium von Berlin und war Schülerin von Selma Nicklass-Kempner, Emilie Herzog und Thila Plaichinger. 1900 debütierte sie am Stadttheater von Rostock als Venus im «Tannhäuser» und war dann 1900–1901 am Opernhaus von Leipzig engagiert. Nach zwei Gastspielen wurde sie an die Berliner Hofoper berufen, deren Mitglied sie 1902–13 war. Danach trat sie noch bei Gastspielen auf, seit 1918 betätigte sie sich hauptsächlich als Konzert- und Liedersängerin. An der Berliner Hofoper sang sie 1904 in der Uraufführung der Oper «Der Roland von Berlin» von Leoncavallo die Partie der Eva. Ihre Gastspielreisen führten sie nach Belgien, Frankreich, Rußland und Polen. Ihr Bühnenrepertoire enthielt Rollen wie die Nancy in Flotows «Martha», die Mary im «Fliegenden Holländer», die Ortrud im «Lohengrin», die Carmen, den Hänsel in «Hänsel und Gretel», den Nicklaus in «Hoffmanns Erzählungen», den Siebel im «Faust» von Gounod und den Orlowsky in der «Fledermaus». Sie ist im späteren Verlauf ihrer Karriere auch unter dem Namen Margarethe Parbs-Krause aufgetreten. 1940 lebte sie noch in Berlin; seitdem fehlen weitere Nachrichten.
Schallplatten: HMV («Carmen»-Gesamtaufnahme, Berlin 1908), Odeon (Lieder).

Parker, Louise, Alt, * 22. 7. 1925 Philadelphia, † 15. 9. 1986 Philadelphia; sie gewann zweimal den Marian Anderson-Preis für begabte farbige Sänger und war die erste Negerin, die am Curtis Institute New York einen akademischen Grad erwarb (1950). 1951 trat sie am New Yorker Broadway auf. Ebenfalls 1951 unternahm sie eine große Europa-Tournee, die sie auch zu den Berliner Festwochen führte. Sie konzentrierte sich nun vor allem auf Konzert- und Oratorienauftritte, die sie bis nach Ostasien ausdehnte. 1958 kam es zu ihrem Bühnendebüt an der New York City Centre Opera in der Partie der Addie in «Regina» von Marc Blitzstein. Sie sang am gleichen Haus sehr erfolgreich die Begonia in der zeitgenössischen Oper «Der junge Lord» von H. W. Henze (1973, 1974) und wirkte 1972 in Atlanta City in der Premiere von Scott Joplins «Treemonisha» als Monisha mit. Nachdem sie ihre Bühnenkarriere aufgegeben hatte, nahm sie Lehraufträge an der Temple University Western Connecticut und an der Jenkinstown Music School wahr und setzte ihre Auftritte als Konzert- und Oratoriensängerin fort.
Schallplatten: RCA («When Lilacs Last in the Dooryard Bloom'd» von Paul Hindemith nach Versen von Walt Whitman unter der Leitung des Komponisten), Bach-Guild («Samson» von Händel).

Parker, Moises, Tenor, * 1945 Las Villas auf Kuba; bevor der Künstler sich der Musik widmete, war er als Lehrer für Spanisch und Theologie in Jamaika und in den USA tätig. Er absolvierte sein Studium an der Musikhochschule München, an der Juilliard School New York und am Conservatorio Giuseppe Verdi in Mailand; zu seinen Lehrern zählten Tito Gobbi, Richard Holm und Hermann Reuter. 1974 war er Preisträger beim Concorso «Voci Verdiane» in Busseto, 1975 beim Wettbewerb Francisco Viñas in Barcelona. 1976 erfolgte sein Bühnendebüt an der City Centre Opera New York als José in «Carmen» 1978–80 war er an der Opéra du Rhin Straßburg engagiert, wo er u. a. den Tamino in der «Zauberflöte», den Titelhelden in «Hoffmanns Erzählungen», den Ratansen in «Padmavati» von Roussel und den José in «Carmen» sang. In der Spielzeit 1981–82 war er an der Scottish Opera Glasgow und an der Welsh Opera Cardiff als Gast in Partien wie dem Rodolfo in «La Bohème» und dem Alvaro in «La forza del destino» zu hören. 1982–83 schlossen sich Gastspiele am Staatstheater von Braunschweig und àm Stadttheater Augsburg als José wie als Alvaro an; an der Deutschen Oper Berlin war er als Pinkerton in «Madame Butterfly» zu Gast. 1984 sang er erstmalig die Titelpartie in Verdis «Othello» am Landestheater von Coburg, seither seine Glanzrolle, die er an der Staatsoper Stuttgart, in Braunschweig und Klagenfurt (1989) wiederholte. 1984 war er in Coburg auch als Florestan im «Fidelio» anzutreffen. In der Spielzeit 1988–89 hatte der farbige Sänger am Theater des Westens Berlin große Erfolge als Porgy in «Porgy and Bess» von Gershwin. Seit 1988 Mitglied des Theaters von Kiel. 1990 gastierte er am Stadttheater Würzburg als Bacchus in «Ariadne auf Naxos» von R. Strauss. Zahlreiche Rundfunk- und Fernsehaufnahmen des auch als Darsteller geschätzten Sängers in Deutschland, England, Holland wie in Nordamerika. Auch als Konzert- und namentlich als Oratoriensolist bekannt geworden (Messias, 9. Sinfonie und Missa solemnis von Beethoven, «Elias» von Mendelssohn, Stabat mater und Messe solennelle von Rossini, Verdi Requiem).

Parker, Robert, Baß-Bariton, * 1881 (?); der (wahrscheinlich) aus den USA gebürtige Sänger kam nach einer ersten Ausbildung in Nordamerika zur Fortsetzung seines Gesangstudiums nach Deutschland und hatte 1907–08 sein erstes Engagement am Stadttheater (Opernhaus) von Hamburg. Er wechselte dann an das Opernhaus von Köln, wo er sich auf den Wagnergesang spezialisierte. So gastierte er 1911 an der Wiener Hofoper als Wotan in der «Walküre», nachdem er bereits 1908 als Jochanaan in «Salome» von R. Strauss an der Hofoper Berlin aufgetreten war. 1911 brach er seinen Kontrakt mit der Kölner Oper und wurde darauf für die deutschen Bühnen gesperrt. Seitdem gastierte er in den folgenden Jahren und sang 1913 bei der Quinlan Opera Company den Kurwenal in der australischen Premiere von Wagners «Tristan». 1914 hörte man ihn an der Covent Garden Oper London als Wotan im «Rheingold». 1919 war er Mitglied einer Operntruppe, die der berühmte englische Dirigent Thomas Beecham zusammengestellt hatte, seit 1922 wirkte er als erster Baß-Bariton bei der British National Opera Company und sang mit dieser 1923 im Londoner Haus der Covent Garden Oper in der Uraufführung der Oper «The Perfect Fool» von G. Holst. Hier sang er neben seinen Wagnerpartien wie dem Wolfram, dem Hans Sachs, dem Wotan, dem Kurwenal auch Rollen wie den Escamillo in «Carmen», den Amonasro in «Aida», den Silvio im «Bajazzo» und den Sharpless in «Madame Butterfly». 1931 erschien er dann nochmals an der Covent Garden Oper als Wotan in der «Walküre», 1935 als Wanderer im «Siegfried».
Schallplatten: Columbia (Zwei Duette mit Maggie Teyte aus «Monsieur Beaucaire» von André Messager).

Parrish, Cheryl, Sopran, * 6. 11. 1954 Pasadena (Texas); Sie studierte an der Baylor University und erwarb dort 1977 den akademischen Grad eines Bachelor of Music. 1978–79 ergänzte sie ihre Ausbildung durch weitere Studien an der Wiener Musikhochschule. 1982 erregte sie Aufsehen beim alljährlichen Gesangwettbewerb der Metropolitan Oper New York. 1983 debütierte sie an der Oper von San Francisco. Dort sang sie 1985 sehr erfolgreich die Sophie im «Rosenkavalier», die Sophie im «Werther» von Massenet und 1984–85 den Waldvogel im «Siegfried». 1987 gastierte sie an der Miami Oper als Ophélie in «Hamlet» von Ambroise Thomas, ebenfalls 1987 bei der Canadian Opera Toronto als Adele in der «Fledermaus». Die Sophie im «Rosenkavalier» übernahm sie auch 1988 bei einem Gastspiel an der Oper von Zürich, 1989 in Florenz und an der Oper von Santa Fé. Auf der Bühne trat sie in einer Anzahl von Partien aus dem Koloraturfach, im Konzertsaal in einem umfangreichen Repertoire auf.

Parsch-Zikesch, Olga, Sopran, * 1853 Prag, † 7. 6. 1941 Krč-Lhotka bei Prag; eigentlicher Name Olga Paršová-Zikešová. Sie erhielt Gesangunterricht in der Gesangschule Pivoda in Prag und debütierte in der Spielzeit 1872–73 am Stadttheater von Ulm. Sie sang dann 1873–74 am Theater von Pilsen (Plzeň), 1874–75 am Stadttheater von Trier und in der Sommersaison 1875 an der Berliner Kroll-Oper. Nach einer weiteren Spielzeit am Stadttheater von Straßburg kam sie an das Opernhaus von Leipzig, war dann 1880–82 am Opernhaus von Düsseldorf und 1882–87 am Opernhaus von Köln engagiert. Hier trug sie ein umfangreiches Repertoire vor, das von der Donna Anna im «Don Giovanni» über die Elsa im «Lohengrin» und die Elisabeth im «Tannhäuser» bis zu der Valentine in Meyerbeers «Hugenotten» und der Rachel in «La Juive» von Halévy reichte. Daneben begann sie bereits in Köln Partien wie die Fides im «Propheten» von Meyerbeer, die Ortrud im «Lohengrin» und die Azucena im «Troubadour» in ihr Repertoire aufzunehmen. Sie kehrte dann in ihre Heimat zurück und war 1887–94 am Nationaltheater Prag tätig. Hier sang sie u. a. auch die Milada in «Dalibor» von Smetana und die Santuzza in «Cavalleria rusticana». 1894 nahm sie in Prag als Donna Anna von ihrem Publikum Abschied und wurde nun eine hoch geschätzte Pädagogin; zu ihren Schülern gehörten so bedeutende Sänger wie Ottokar Mařák und Theodor Schütz. Aus ihrem Repertoire für die Bühne sind ergänzend noch zu nennen: die Leonore im «Troubadour», die Bertha im «Propheten» von Meyerbeer und die Titelpartie im «Fidelio». Sie war verheiratet mit dem Bariton *Ferdinand Zikeš,* der wie sie an deutschen wie an tschechischen Theatern engagiert war.

Partenopeo, Luigia, Mezzosopran, * 1850 Turin, † (?); sie erhielt ihre Ausbildung zur Sängerin am Liceo Musicale von Turin durch Maestro Pedrotti und schloß diese mit einem Preis bei der Verteilung der Diplome 1873 ab. 1874 fand ihr Bühnendebüt am Teatro Carignano Turin als Siebel im «Faust» von Gounod statt. 1874–75 hatte sie ihren ersten großen Erfolg als Leonora in Donizettis «La Favorita» am Teatro Comunale von Cremona. 1876 sang sie am Theater von Cuneo die Casilda in «Ruy Blas» von Marchetti und den Siebel. 1876 erregte sie am Teatro Vittorio Emanele Turin Aufsehen, als sie dort eine erkrankte Sängerin in der Partie der Casilda in «Ruy Blas» ohne Probe ersetzte. In der Folgezeit hatte sie eine beachtliche Karriere an italienischen Bühnen, so am Teatro Politeama Genua, am Teatro Comunale Como (Page Urbain in Meyerbeers «Hugenotten» 1879–80), in Turin und Mailand. Eine ihrer Glanzrollen war die Climene in der klassischen Oper «Saffo» von Pacini.

Paschalis-Souvestre, Adelina, Sopran/Mezzosopran, * 1845 (nach anderen Quellen 1847) Warschau, † 23. 3. 1925 Dresden; ihr eigentlicher Name lautete Adelina Jakubowicz. Sie erhielt ihre erste Ausbildung am Musikinstitut Dobrski in Warschau und ging zur Weiterbildung nach Italien, wo sie Schülerin von F. Lamperti und G. Corsi in Mailand wurde. 1869 debütierte sie am Theater von Cuneo als Norma. Sie unternahm dann ausgedehnte Gastspielreisen, die sie 1869 nach Odessa, 1870 an Opernhäuser in Rom und Palermo und in den siebziger Jahren nach Turin, Genua, Venedig, Triest und Nizza führten. 1875 gastierte sie erfolgreich in Barcelona, 1876 in Lissabon und dehnte ihre Reisen dann auch nach Mittel- und Nordamerika aus. Hier trat sie in Havanna, Mexico City und New York auf. Anderseits kam sie auch bei Gastspielen an deutschen und österreichischen Theatern (u. a. in Frankfurt a. M. und in Prag) wie auch am Opernhaus von Kiew zu glänzenden Erfolgen. 1883 sang sie an der Mailänder Scala die Azucena im «Troubadour», trat aber ab Mitte der achtziger Jahre hauptsächlich in ihrer Heimat Polen auf, vor allem an der Oper von Lwów (Lemberg). Dort eröffnete sie 1886 eine Gesangschule, die sie in den Jahren nach 1890 dann nach Dresden verlegte. Zu ihren Schülerinnen gehörten so bedeutende Sängerinnen wie Mathylda Polínska-Lewicka und M. Heller. Ihr Repertoire umfaßte überwiegend Partien aus dem Bereich der italienischen wie der französischen Oper, wobei der ungewöhnliche Umfang ihrer Stimme ihr den Vortrag sowohl von Sopran- wie von Mezzosopranrollen erlaubte. So sang sie die Titelfigur wie den Orsini in «Lucrezia Borgia» von Donizetti, die Leonore wie die Azucena im «Troubadour», die Norma wie die Adalgisa in Bellinis «Norma», die Leonora in «La Favorita» von Donizetti, die Amneris in «Aida», die Ulrica wie die Amelia in Verdis «Ballo in maschera», die Valentine wie den Pagen Urbain in den «Hugenotten» von Meyerbeer, die Selika in «L'Africaine» und die Marguerite im «Faust» von Gounod. Auch als Konzertsängerin geschätzt.

Patchell, Sue, Sopran, * 1949 (?) im amerikanischen Staat Montana. Sie entstammte einer Mormonenfamilie, die dort eine Farm betrieb. Zuerst studierte sie Literatur und wurde Lehrerin. Sie unterrichtete an einer Junior High School. Dann erst ließ sie ihre Stimme durch Nina Koshetz und Natalie Lemonick ausbilden. 1973 wurde sie erste Preisträgerin beim Gesangwettbewerb UCLA in Los Angeles. Sie ging nach Europa und fand 1974 ein erstes Engagement am Opernhaus von Graz. 1979 wurde sie an das Theater im Revier Gelsenkirchen verpflichtet, an dem sie bis 1986 im Engagement blieb. 1986 wechselte sie an das Staatstheater von Wiesbaden. Sie gab Gastspiele und Konzerte und hatte u. a. an der Hamburger Staatsoper großen Erfolg als Tatjana im «Eugen Onegin» von Tschaikowsky. Aus ihrem umfassenden Repertoire für die Opernbühne seien genannt: die Marguerite im «Faust» von Gounod, die Elisabetta in Verdis «Don Carlos», die Gräfin in «Figaros Hochzeit», die Donna Elvira im «Don Giovanni», die Frau Fluth in den «Lustigen Weibern von Windsor» von Nicolai, die Elsa im «Lohengrin» (Wiesbaden, 1988), die Eva in den «Meistersingern» (1989 Teatro Liceo Barcelona), die Elisabeth im «Tannhäuser», die Ariadne in «Ariadne auf Naxos» von R. Strauss (1989 Antwerpen) und die Rosalinde in der «Fledermaus». Als Konzert- und Oratoriensolistin wurde sie nicht weniger bekannt; so

sang sie in «Das Buch mit sieben Siegeln» von F. Schmidt.
Schallplatten: Preiser («Das dunkle Reich» von H. Pfitzner).

Patik, Maruša, Sopran, * 21. 3. 1920 Ljubljana (Laibach); sie war Schülerin von P. Louše in Ljubljana und debütierte 1944 am Opernhaus dieser Stadt als Zerline im «Don Giovanni». Ihre Karriere am Opernhaus von Ljubljana dauerte bis zu ihrem Abschied von der Bühne 1972. In diesen langen Jahren erwarb sie bei ihrem Publikum große Beliebtheit; sie gastierte auf der Bühne wie im Konzertsaal in Belgien, Österreich und Italien. Sie beherrschte weite Teile des Koloratur-Repertoires und wurde in Partien wie der Gilda im «Rigoletto», der Olympia in «Hoffmanns Erzählungen» von Offenbach, der Sophie im «Rosenkavalier» und der Rosina im «Barbier von Sevilla» bewundert.
Wahrscheinlich sind Aufnahmen auf Jugoton vorhanden.

Patorschinsky, Iwan (Sergejewitsch, Baß), * 20. 3. (1. 4.) 1896 Petrovo-Svistunovo, † 22. 2. 1960 Kiew; er besuchte zunächst ein kirchliches Seminar, wo bereits eine Ausbildung seiner Stimme erfolgte. Nach der Oktoberrevolution des Jahres 1917 betätigte er sich als Chorleiter und Gesanglehrer. Er setzte dann seine Ausbildung 1922–25 am Konservatorium von Jekaterinoslaw fort. 1925 wurde er an das Opernhaus von Charkow verpflichtet, dem er in den folgenden zehn Jahren angehörte. Seit 1935 war er bis zu seinem Tod als erster Bassist am Opernhaus von Kiew (Schewtschenko-Theater) tätig, an dem er sehr beliebt war. Gastspielreisen als Opern- wie als Konzertsänger führten ihn in die großen russischen Musikzentren wie nach Polen, Finnland, Jugoslawien, Österreich, nach Kanada und 1946 in die USA. Dabei setzte er sich vor allem für das ukrainische Musikschaffen ein und hatte eine Anzahl von ukrainischen Opernpartien in seinem Repertoire, darunter den Titelhelden in «Taras Bulba» von Lysenko, den Vyborny in «Natalka Poltavka», ebenfalls von Lysenko, und den Iwan Karas in «Die Saporosher Kosaken jenseits der Donau» von Gulak-Artemowsky. Weitere Höhepunkte in seinem Bühnenrepertoire waren die Titelrollen in Glinkas «Iwan Susanin» und im «Boris Godunow» von Mussorgsky, der Müller in «Rusalka» von Dargomyshski, der Galitzki in «Fürst Igor» von Borodin, der Gremin im «Eugen Onegin», aber auch Partien wie der Figaro in «Figaros Hochzeit», der Basilio im «Barbier von Sevilla», der König Philipp im «Don Carlos» von Verdi, der Marcel in Meyerbeers «Hugenotten», der Mephisto im «Faust» von Gounod und der König Heinrich im «Lohengrin». Seit 1946 nahm er eine Professur am Konservatorium von Kiew wahr.
Schallplatten der sowjetrussischen staatlichen Produktion (Melodiya).

Paulik, Franjo, Tenor, * 5. 11. 1921 Virovitica (Kroatien); er wurde in der kroatischen Hauptstadt Zagreb ausgebildet und debütierte 1947 am dortigen

Opernhaus, dessen Mitglied er während seiner ganzen Karriere blieb. Durch Gastspiele wurde er auf internationaler Ebene bekannt. Mit dem Ensemble der Oper von Zagreb gastierte er 1962 beim Festival von Edinburgh, 1962 bei den Festspielen von Wiesbaden und 1964 beim Holland Festival. 1967 hörte man ihn als Gast am Teatro Fenice Venedig, 1968 in Oslo, 1969 in Lausanne. 1975 wirkte er an der Oper von Zagreb in der Uraufführung der Oper «Die Liebe des Don Perlimplin» von Miro Belamarić mit (anschließend Aufnahme des Werks auf Jugoton). Er sang mit Vorliebe Partien aus dem Charakter- und dem Buffo-Fach, wobei er sich als begabter Darsteller erwies. Im einzelnen sind zu nennen: der Wenzel in Smetanas «Verkaufter Braut», der Herodes in «Salome» von Richard Strauss, der Nero in Monteverdis «Incoronazione di Poppea», der Schuiskij im «Boris Godunow» von Mussorgsky, der Galitzyn in «Khovantchina» und der Tom Rakewell in Strawinskys Oper «The Rake's Progress».
Weitere Schallplattenaufnahmen bei Philips («Sadko» von Rimsky-Korssakow) und Jugoton («Zrinski» von Ivan Zajc).

Paustian, Inger, Mezzosopran, *1938 (?); die dänische Sängerin erhielt ihre Ausbildung in Kopenhagen, war an der Hofoper der dänischen Metropole engagiert und zugleich 1965–67 Mitglied des Stadttheaters von Kiel. 1967–69 wirkte sie am Staatstheater Hannover und dann in den Jahren 1969–78 am Opernhaus von Frankfurt a. M. 1976–77 war sie als Gast dem Opernhaus von Zürich verbunden. 1970 gastierte sie an der Staatsoper von Hamburg, 1971 an der Bayerischen Staatsoper München, 1968 mit dem Ensemble der Hamburger Oper bei den Festspielen von Edinburgh. Auch an der Wiener Staatsoper trat sie als Gast auf, 1976 an der Oper von Valencia als Ortrud im «Lohengrin». Bei den Festspielen von Bayreuth sang sie 1968–71 die Siegrune und 1970–71 die Wellgunde im Nibelungenring, dazu 1970–71 eins der Blumenmädchen im «Parsifal». Ihre Karriere dauerte bis zum Ausgang der siebziger Jahre; dabei sang sie ein vielseitiges Bühnenrepertoire mit Rollen wie der Penelope in Monteverdis «Il ritorno d'Ulisse in patria», der Fidalma in «Il matrimonio segreto» von Cimarosa, der Marcellina in «Nozze di Figaro», der Venus im «Tannhäuser», der Magdalena in den «Meistersingern», der Brangäne im «Tristan», der Herodias in «Salome» von R. Strauss, der Amme in dessen «Frau ohne Schatten», der Azucena im «Troubadour», der Amneris in «Aida», der Prinzessin Eboli in Verdis «Don Carlos», der Giulietta in «Hoffmanns Erzählungen», der Larina im «Eugen Onegin» und der Agave in «Die Bassariden» von H. W. Henze. Sie kam auch im Konzertsaal zu einer bedeutenden Karriere.
Schallplatten: DGG (Blumenmädchen im «Parsifal»).

Payen, Paul, Bariton, *11. 3. 1900, †31. 8. 1982; er begann 1921 seine Ausbildung am Conservatoire National de Paris und gewann dort in den Jahren 1923–25 drei erste Preise bei den alljährlichen Wettbewerben des Instituts. 1925 wurde er an die Opéra-Comique Paris verpflichtet (Debüt als Yamadori in Madame Butterfly»), wo er während einer Anzahl von Jahren im Engagement blieb. Er wirkte u. a. in den Uraufführungen der Opern «Le Roi d'Ivetot» von J. Ibert (1930) und «Les Mamelles de Tirésias» von F. Poulenc (1947 als Ehemann) an der Opéra-Comique mit. Er sang dort zumeist kleinere und Buffo-Partien wie den Mesner in «Tosca», den Dancairo in «Carmen» oder den Jarno in «Mignon» von A. Thomas, aber auch kleinere Tenorrrollen wie den Spalanzani in «Hoffmanns Erählungen», den Torquemada in «L'Heure espagnole» von Ravel, den Spoletta in «Tosca» und den Hadji in «Lakmé». Derartige Partien übernahm er auch bei Schallplattenaufnahmen von Opern; so singt er auf Odeon den Mesner in einer Kurzfassung von Puccinis «Tosca», auf HMV den Dancairo in «Carmen» und auf Polydor den Schaunard in der Kurzoper «La Bohème». Auf Columbia ist er in der Rolle des Hôteliers in einer vollständigen Aufnahme von Massenets «Manon» von 1932 anzutreffen. Er darf keinesfalls mit dem wesentlich älteren französischen Bassisten Paul Payan verwechselt werden, wie dies leider in Sammlerkreisen oft geschieht.

Pecchioli, Benedetta, Mezzosopran, *1950 (?); sie war Schülerin der Pädagoginnen Maria Teresa Pediconi und Jolanda Magnoni. 1973 debütierte sie an der Piccola Scala Mailand als Clarina in «La Cambiale di matrimonio» von Rossini. 1974 gastierte sie an der Oper von Monte Carlo, an der Oper von Rouen und 1974–75 an der Oper von Toulouse. 1975 trat sie am Opernhaus von Bordeaux und am Teatro Comunale Florenz auf, 1976 beim Maggio musicale Fiorentino in «Il Re Cervo» von H. W. Henze, 1977 bei den gleichen Festspielen als Fenena in Verdis «Nabucco», 1981–82 als Floßhilde im Nibelungenring. 1976 sang sie beim Festival von Spoleto die Titelpartie in Rossinis «La Cenerentola»; 1977 zu Gast am Opernhaus von Nantes, 1980 und 1986 am Grand Théâtre Genf, 1982 und 1987 am Théâtre de la Monnaie Brüssel. In der Saison 1982–83 debütierte sie an der Metropolitan Oper New York als Rosina im «Barbier von Sevilla». Es schlossen sich Auftritte am Teatro Regio Turin (1982), beim Festival von Bilbao (1981, 1983–84), am Théâtre Châtelet Paris (1987), am Teatro Massimo Palermo (1984), in Genua (1982), bei den Festspielen von Aix-en-Provence (1987 als Meg Page in Verdis «Falstaff»), am Théâtre des Champs Élysées Paris, in Jerusalem und Köln an. Neben ihren Bühnenauftritten erschien sie auch regelmäßig als Konzertsängerin in zahlreichen europäischen Ländern. So sang sie 1986 in Paris in konzertanten Aufführungen des Nibelungenrings und gab ein sehr erfolgreiches Konzert in der New Yorker Carnegie Hall. 1989 hörte man sie an der Mailänder Scala in der Barock-Oper «Orfeo» von Luigi Rossi. Aus ihrem Bühnenrepertoire seien ergänzend noch genannt: die Fidalma in Cimarosas «Matrimonio segreto», die Lisetta in «Il mondo della luna» und die Erilda in «Le Pescatrici» von J. Haydn, die Maddalena im «Rigoletto», die Federica in «Luisa Miller» von Verdi, der Smeton in «Anna

Bolena» von Donizetti, der Orsini in «Lucrezia Borgia» vom gleichen Meister, die Geneviève in «Pelléas et Mélisande» von Debussy und die Larina in Tschaikowskys «Eugen Onegin».
Schallplatten: Harmonia mundi («Il Giuramento» von Mercadante), Bongiovanni («Demetrio e Polibio» von Rossini), MRF («Pia de' Tolomei» von Donizetti), UORC (La lettera anonima» von Donizetti).

Pechová, Jarmila, Sopran, *11.5. 1919 Brno (Brünn); Ausbildung durch A. Kranz in Brno, dann durch Tino Pattiera in Wien, nachdem sie zunächst eine Lehrerbildungsanstalt absolviert hatte. 1938–39 begann sie ihre Bühnenlaufbahn als Elevin am Opernhaus von Brno. Sie hatte dann Engagements als Opern- und Operettensoubrette am Theater von Olomouc (Olmütz, 1939–41), am Akropolis-Theater Prag (1941–43) und am Prager Tyl-Theater (1943–45), wo sie in den Operetten «Giuditta» und «Das Land des Lächelns» von F. Lehár große Erfolge hatte. Nach dem Zweiten Weltkrieg war sie Mitglied des Theaters am 5. Mai Prag, an dem sie als Opernsängerin vor allem in Werken von Verdi und Puccini auftrat. 1948 wurde sie an das Prager Nationaltheater verpflichtet und sang jetzt hier Soubrettenrollen, aber auch Partien aus dem lyrischen Fach. Sie nahm an Gastspielen des Theaters in Moskau (1955) und Berlin (1956) teil. Von den vielen Partien, die sie auf der Bühne sang, sind zu nennen: die Zerline im «Don Giovanni», der Page Oscar in Verdis «Ballo in maschera», die Butterfly, die Musetta in «La Bohème», der Cherubino in «Nozze di Figaro», die Gorislawa in «Ruslan und Ludmilla» von Glinka, der Jano in Janáčeks «Jenufa», der Hirtenknabe in «Krutňava» von Suchoň, an erster Stelle aber die Esmeralda in Smetanas «Verkaufter Braut», die sie auch in einer Gesamtaufnahme der Oper auf Supraphon singt. Weitere Aufnahmen ihrer Stimme existieren auf Ultraphon, Artia und Bruno.

Pecková, Dagmar, Mezzosopran, *4.4. 1961 Chrudim (ČSSR); mit sechs Jahren erhielt sie Klavierunterricht, mit 16 Jahren begann sie ein sechsjähriges Gesangstudium am Prager Konservatorium und sang dann während drei Jahren am Operetten- und Musicaltheater Prag. Hier hatte sie u. a. als Eliza Doolittle in «My Fair Lady» großen Erfolg. Im November 1985 trat sie in das Opernstudio der Staatsoper Dresden ein und wurde 1987 als reguläres Mitglied in deren Ensemble übernommen. In Dresden hörte man sie als Cherubino in «Figaros Hochzeit», als Rosina im «Barbier von Sevilla», als Dryade in «Ariadne auf Naxos» von Richard Strauss und in weiteren Partien. Nachdem sie 1988 an der Berliner Staatsoper erfolgreich gastiert hatte, folgte sie 1989 einem Ruf an dieses Opernhaus, an dem sie in Partien wie der Dorabella in «Così fan tutte», der Kontschakowna in «Fürst Igor» von Borodin, dem Hänsel in «Hänsel und Gretel», dem Trommler in «Der Kaiser von Atlantis» von Victor Ullmann und der Simaitha in «Das Gastmahl» von Georg Katzer auftrat. Gastspiele und Konzertauftritte in Prag wie in Musikzentren in der ČSSR und in Ostdeutschland kennzeichnen die Karriere der jungen Sängerin, die auch im Konzertsaal ein breites Repertoire vortrug (Requiem-Messen von Mozart, Verdi und A. Dvořák, 2. Sinfonie von G. Mahler, «Le Martyre de St. Sébastien» von Debussy, Lieder tschechischer und deutscher Meister).
Schallplatten: Supraphon («Niponari-Lieder» von B. Martinù; «Psalmen» von Slavicky), Pathon (Mozart- und Rossini-Arien).

Pedani, Paolo, Baß, *1938 (?); er sang in der Saison 1950–51 an der Mailänder Scala in Aufführungen der Opern «L'Osteria portoghese» von Cherubini und «La Vida breve» von de Falla und absolvierte seine weitere Ausbildung in den folgenden Jahren in der Opernschule der Mailänder Scala, an der er gleichzeitig in kleineren Partien auftrat. Er sang später u. a. am Teatro Comunale Bologna (1954 und 1963), am Teatro San Carlo Neapel (1970), am Teatro Carlo Felice Genua (1955), am Teatro Fenice Venedig (1954 und 1969) und am Opernhaus von Triest (1955). Zu internationalem Ansehen gelangte er durch Gastspiele beim Wexford Festival (1956–59 und 1962), beim Festival von Spoleto (1961) und beim Maggio musicale Florenz (1969 und nochmals 1976 in der italienischen Premiere von «König Hirsch» – «Il Re cervo» – von H. W. Henze). Bei den Festspielen von Aix-en-Provence sang er 1959 in Haydns «Il mondo della luna», 1962 den Masetto im «Don Giovanni». 1966 wirkte er in Venedig in der Uraufführung der Oper «Le metamorfosi di Bonaventura» von Francesco Malipiero in der Partie des Don Juan mit. Weitere Gastauftritte am Teatro Liceo Barcelona (1961), am Teatro Bellini Catania (1962), am Teatro Comunale Florenz (1963, 1965), an der Oper von Mexico City (1963) und am Opernhaus von Antwerpen (1965). Er wurde vor allem als Interpret der Buffo-Rollen seines Stimmfachs geschätzt: als Alidoro wie als Don Magnifico in Rossinis «La Cenerentola», als Taddeo in dessen «Italiana in Algeri», als Basilio im «Barbier von Sevilla» von Rossini wie in der gleichnamigen Oper von Paisiello, als Don Marco in «Le Cantatrici Villane» von Fioravanti, als Titelheld in Donizettis «Don Pasquale», als Fra Melitone in Verdis «La forza del destino», als Alfonso in «Così fan tutte», als Maurizio in «I quattro rusteghi» von Wolf-Ferrari. Seit etwa 1970 sang er zunehmend kleinere Rollen aus dem Charakterfach.
Schallplatten: Decca (kleine Partie in «La Traviata»), Voce («Viva la mamma» von Donizetti), Rococo (Basilio im «Barbier von Sevilla» von Rossini, Mitschnitt einer Scala-Aufführung von 1952), HMV (Schmidt in «Andrea Chénier» von Giordano).

Pederson, Monte, Baß-Bariton, *1961 (?) Sunnyside (Washington); er begann seine Ausbildung zum Sänger in seiner amerikanischen Heimat, kam dann aber zu weiteren Studien nach Deutschland und wurde in München Schüler des berühmten Baß-Baritons Hans Hotter. 1987 gewann er einen Gesangwettbewerb in Philadelphia. 1986 trat er an der

San Francisco Opera als Mr. Gobineau in «The Medium» von Gian Carlo Menotti auf, sang an einigen weiteren Bühnen in den USA, kam dann aber nach Europa und war in der Spielzeit 1987–88 am Stadttheater von Bremen engagiert. Hier wirkte er u. a. in Aufführungen der Oper «König Roger» von Szymanowski in der Titelpartie mit. Er schloß dann Gastverträge mit dem Opernhaus von Köln und dem Stadttheater von Basel ab und kam an beiden Bühnen zu großen Erfolgen. 1988 sang er erstmals in Frankreich, und zwar in Montpellier, den Titelhelden im «Fliegenden Holländer». In dieser Partie trat er auch 1989 bei den Festspielen von Bregenz hervor. 1989 gastierte er beim Festival von Orange als Minister im «Fidelio», ebenfalls 1989 an der Deutschen Oper Berlin, 1990 an der Staatsoper Stuttgart. Von seinen Bühnenpartien seien noch der Antonio in «Nozze di Figaro», der Angelotti in «Tosca», der Altgesell in «Jenufa» von Janáček und der Jochanaan in «Salome» von R. Strauss (den er 1989 mit besonderem Erfolg in Basel sang) hervorgehoben.

Peirani, Giovanni, Tenor, * 21. 4. 1868 Rivoli bei Turin, † Juli 1901 Santiago de Chile; er war ursprünglich Marmorbildhauer, kam dann aber zum Gesangstudium bei Maestro Thermignon in Turin und bei E. Barbacini in Mailand. 1895 debütierte er (ohne besonderen Erfolg) am Teatro Sociale von Colorno bei Parma als Manrico im «Troubadour». 1898 kam dann der große Durchbruch, als er am Teatro San Carlo Neapel den Arrigo in «I Vespri Siciliani» und den Radames in «Aida» von Verdi sang. Die Kritik verglich seine groß dimensionierte heldische Stimme mit der des berühmten Francesco Tamagno. 1899 sang er am Teatro Storchi von Modena den Alvaro in «La forza del destino» und in der Uraufführung einer Oper «Il Cieco» von E. M. Poggi. 1900 begeisterte er am Teatro Costanzi Rom als Radames; eine seiner Glanzrollen war der Titelheld in Verdis «Othello», den er an italienischen Bühnen, am Royal Theatre Malta, in Spanien, Portugal und in Südamerika sang. An den großen Opernhäusern des südamerikanischen Kontinents erreichte seine Karriere wohl ihren Höhepunkt. 1899 gastierte er am Opernhaus von Rio de Janeiro in 50 Vorstellungen von Opern wie «Samson et Dalila» von Saint-Saëns, «Carmen», «Il Guarany» von Carlos Gomes und «Aida». Als er 1900 wieder Südamerika bereiste, starb seine junge Ehefrau in Parà an einer Fieberepidemie. Dennoch folgte er im nächsten Sommer wieder einer Einladung nach Südamerika. Während einer Chile-Tournee erkrankte er in Santiago de Chile an Gelbfieber und wurde in wenigen Tagen dahingerafft, noch bevor die Karriere den weltweiten Umfang erreicht hatte, den man ihr allgemein prophezeite.

Pelc, Antonín, Tenor, * 31. 8. 1890 Prag, † 19. 1. 1974 Brno; er erlernte zunächst den Beruf eines Typographen, ließ jedoch nach der Entdeckung seiner schönen Stimme diese in Prag ausbilden. Dabei waren die Pädagogen R. Lanhaus und E. Kroupa

seine Lehrer. Nachdem er zuerst als Chorist in Prag und Brno (Brünn) tätig gewesen war, fand er sein erstes Engagement als Solist am Stadttheater von Plzeň (Pilsen), wo er 1918 als Junoš in Smetanas «Die Brandenburger in Böhmen» («Braniboři v Čechach») debütierte und bis 1920 blieb. 1921–24 sang er am Theater von České Budějovice (Budweis) und wurde dann durch den bekannten Komponisten und Dirigenten František Neumann an das von diesem geleitete Opernhaus von Brno berufen. Hier hatte er in den langen Jahren von 1924 bis 1959 eine sehr erfolgreiche Karriere als erster Buffo- und Charaktertenor des Hauses und wurde beim Opernpublikum der mährischen Metropole sehr beliebt. Er wirkte in Brno in zwei Uraufführungen der Opern von Leos Janáček mit: am 18. 12. 1926 in «Die Sache Makropoulos» («Věc Makropoulos»), am 12. 4. 1930 in «Aus einem Totenhaus» («Z mrtvého domu»). Aus seinem Rollenrepertoire sind der Vašek (Wenzel) in Smetanas «Verkaufter Braut», der Benda in «Der Jakobiner» von Dvořák, der Gobbo in «Jessika» von J. Bohuslav Foerster und der Viktor in «Nepřemožení» («Die Unüberwundenen») vom gleichen Komponisten, dazu zahlreiche Partien aus allen Bereichen der Opernliteratur, zu nennen. Er galt als hervorragender Schauspieler.

Pell, William, Tenor, * 1947; der amerikanische Sänger begann nach seiner Ausbildung am Konservatorium von Baltimore und an der Manhattan School of Music New York seine Karriere als Bariton und sang in diesem Fach in den USA Partien wie den Don Giovanni. In Toronto gastierte er als Figaro in «Nozze di Figaro», in San Francisco als Germontpère in «La Traviata». 1975 wechselte er dann in eine zweite erfolgreiche Karriere als Tenor (erste Tenor-Partie: Rodolfo in «La Bohème»), wobei seine Stimme sich allmählich zum Helden- und Wagner-Tenor entwickelte. Seit 1982 war er Mitglied der Deutschen Oper Berlin. Hier sang er auch in der Uraufführung der Oper «Oedipus» von Wolfgang Rihm (4. 10. 1987). 1980 gastierte er in Toronto, 1981 an der Oper von San Francisco, 1983 in Amsterdam, 1987 an der Stuttgarter Staatsoper. Beim Spoleto Festival 1987 erregte er als Titelheld im «Parsifal» großes Aufsehen. Dort sang er dann 1988 den Laça in «Jenufa» von Janáček. 1988 Gastspiele am Teatro Verdi Triest (Bacchus in «Ariadne auf Naxos»), in Genua und an der Staatstheater Hannover (Alwa in «Lulu»). Ebenfalls 1988 hatte er an der Deutschen Oper Berlin große Erfolge als Siegfried im Nibelungenring und als Kudryasch in «Katja Kabanowa» von Janáček. Bei den Bayreuther Festspielen 1989 wurde sein Parsifal bewundert. Dort sang er auch 1989 den Walther von der Vogelweide im «Tannhäuser». Aus seinem Repertoire sind noch zu nennen: der Roméo in «Roméo et Juliette» von Gounod, der Matteo in «Arabella» von R. Strauss, der Alwa in «Lulu» von A. Berg, der Desportes in «Die Soldaten» von B. A. Zimmermann, der Andres im «Wozzeck» und der Jean in «Fräulein Julie» von Bibalo.
Schallplatten: DGG (Walther von der Vogelweide im «Tannhäuser»).

Pendachanska, Alexandrina, s. unter *Popova*, Valeria.

Perret, André, Bariton/Tenor, * 1890 (?) Nîmes; er war am Conservatoire National von Paris Schüler von Guillamat und Saléza. Er gewann dort erste Preise bei den alljährlichen Wettbewerben des Instituts und war für den Herbst 1914 an die Pariser Opéra-Comique engagiert. Der Ausbruch des Ersten Weltkrieges verhinderte jedoch den Antritt des Engagements. Er wurde zur Armee eingezogen, zweimal verwundet und hoch dekoriert. Erst 1920 kam es zu seiner Entlassung, worauf er als Bariton in Bagnères-de-Bigorre debütierte. Obwohl er im Baritonfach 1921 große Erfolge in Genf und Lüttich erzielen konnte, wechselte er noch 1921 zum Tenor und sang als solcher 1921–24 am Théâtre de la Monnaie Brüssel, wo er als Jean in «Hérodiade» von Massenet debütierte. Er wirkte in den Brüsseler Erstaufführungen der Opern «Boris Godunow» (1921) und «La Fille de Roland» von Henri Rabaud (1921) mit und sang dort das gesamte Standardrepertoire seines Stimmfachs vom Herzog in Verdis «Rigoletto» und dem des Grieux in «Manon» von Massenet bis zum Titelhelden im «Othello» von Verdi. 1923 gastierte er an der Grand Opéra Paris als Jean in «Hérodiade» und als Samson in «Samson et Dalila» von Saint-Saëns und war dann seit 1924 für eine Reihe von Jahren als erster Tenor an diesem Operninstitut tätig. Er gab auch Gastspiele an französischen und belgischen Bühnen, darunter in Marseille, Béziers, Lüttich und Spa und trat als Konzertsolist in Erscheinung. Er gastierte in Deutschland am Stadttheater von Aachen. Schallplatten: HMV (Arien aus französischen Opern, Duette aus «Manon» von Massenet mit Marcelle Ragon).

Perret, Claudine, Mezzosopran, * 17. 7. 1935 Les Brenets (Kanton Neuchâtel), † 21. 1. 1986 Lausanne; sie erhielt ihre Ausbildung durch Roger Boss am Konservatorium von Neuchâtel, dann 1959–65 in Wien an der Musikakademie durch Elisabeth Rado, Alexander Kolo, Robert Schollum und Erika Rokyta sowie durch Lilly Verra. Als Opernsängerin gab sie Gastspiele am Stadttheater von Bern (Pompeio in «Giulio Cesare» von Händel, Annina im «Rosenkavalier»), am Städtebundtheater Biel–Solothurn, in Genf und Lissabon. Schwerpunkt ihrer künstlerischen Tätigkeit war jedoch ihr Wirken als Konzertsängerin. Hier brachte sie Solo-Partien in Oratorien (J. S. Bach, Händel, Beethoven, Mozart, Mendelssohn, Frank Martin) und eine Vielzahl von Liedern zum Vortrag. 1968–73 war sie Solistin des Ensemble Vocal de Lausanne. Konzerttourneen führten sie nach Belgien, Österreich, Frankreich, Italien und Südafrika. Seit 1970 wirkte sie als Pädagogin in Lausanne. Schallplatten: Erato (Hohe Messe, Magnificat und Kantaten von J. S. Bach, Magnificat von Monteverdi, «De Profundis» von de Lalande, Psalmen von Marcello), Mondiodisc (9. Sinfonie von Beethoven), VDE-Gallo («De Profundis» von J. Perrin), Bären-

reiter-Verlag («Miracles de l'Enfance» von A. Moeschinger).

Perrin, Yvonne, Sopran, * 11. 9. 1941 Zürich; Ausbildung am Konservatorium von Lausanne durch R. Girard (1958–65), am Konservatorium von Fribourg durch Juliette Bise (1966–68), in Frankfurt a. M. und an der Internationalen Sommerakademie in Salzburg. 1963 begann sie ihre Konzertkarriere; 1963–71 war sie Solistin des Ensemble Vocal de Lausanne unter Michel Corboz. Sie unternahm ausgedehnte Konzertreisen, sang in den Mittelpunkten des Schweizer wie des französischen Musiklebens, in Rom, Bologna, Pavia, Rimini und Lissabon und absolvierte eine Südafrika-Tournee. Sie galt als große Bach-Interpretin, doch enthielt ihr Konzertrepertoire eine Vielzahl von Aufgaben aus den Bereichen des Oratorien- wie des Liedgesangs. Zahlreiche Schallplattenaufnahmen auf den Marken Erato (Hohe Messe und Magnificat von J. S. Bach, Sacrae Symphoniae von G. Gabrieli, «De Profundis» von de Lalande, «Orfeo» und Madrigale von Monteverdi), VDE-Gallo (Vokalwerke von J. Binet, G. Doret, Ch. Faller, B. Reichel), Mondiodisc (9. Sinfonie von Beethoven), Mixtur («Notenbüchlein für A. M. Bach»), Famos Records (Motetten von D. Granato).

Pertusi, Michele, Baß, * 1965 Parma; er erhielt seine Ausbildung in Parma und ergänzte diese durch Studien bei dem berühmten Tenor Carlo Bergonzi. 1985 debütierte er am Teatro Sociale Modena als Silva in Verdis «Ernani». Im gleichen Jahr wurde er Preisträger beim Wettbewerb Voci Verdiane. Es kam nun zu einer schnellen Entwicklung seiner Karriere. 1985 gastierte er am Teatro Donizetti Bergamo, 1986 sang er bei den Festpielen von Ravenna, 1986 und 1987 am Teatro Comunale Bologna. Es folgten 1987 sehr erfolgreiche Auftritte am Teatro Regio seiner Heimatstadt Parma und am Teatro San Carlos Lissabon. 1989 hörte man ihn in München als Konzertsänger, 1990 gastierte er am Opernhaus in Köln. Große Erfolge auch bei Auftritten des jungen Künstlers in Paris. Von den Partien, die Bestandteil seines Bühnenrepertoires waren, sind der Commendatore im «Don Giovanni», der Raimondo in «Lucia di Lammermoor», der Pagano in Verdis «I Lombardi», der Sparafucile im «Rigoletto» und die Titelgestalt in «Don Quichotte» von Massenet zu nennen. Schallplatten: Capriccio (Arien), CBS («La Wally» von Catalani).

Perulli, Franco, Tenor, * 1898 Lecce, † Mai 1989 Lecce; er debütierte 1925 und sang im Lauf seiner Karriere an zahlreichen italienischen Theatern von Rang, gastierte aber auch im Ausland. Er beherrschte eine Vielzahl von Partien aus dem lyrischen Repertoire und galt als großer Interpret des klassischen italienischen Belcanto. Im einzelnen sind als Rollen zu nennen: der Elvino in «La Sonnambula» von Bellini, der Nemorino in «Elisir d'amore», der Ernesto im «Don Pasquales», der Graf Almaviva im «Barbier von Sevilla» von Rossini, der Paolino in «Il matrimonio segreto» von Cimarosa und der Filipeto in Wolf-Ferraris «I quattro ru-steghi». Auch als Konzertsänger aufgetreten.

Peter, Fritz, Tenor, * 7. 11. 1925 Camorino im Schweizer Kanton Tessin; nachdem er zunächst eine Ausbildung als Maschinenbauer erhalten hatte, studierte er 1945–48 in Winterthur Gesang bei Annelies Gamper und Elfriede Lemmer, 1948–55 bei Margherita Perras in Zürich, später noch bei Alphons Fircher in Stuttgart. 1955–61 war er am Stadttheater von Ulm und seit 1961 am Opernhaus von Zürich verpflichtet. Von dort aus gastierte er an den Theatern von Basel, Genf, Luzern und St. Gallen, an den Staatsopern von München und Hamburg, an den Opernhäusern von Frankfurt a.M. und Köln, in Dortmund, Saarbrücken, Karlsruhe und an der Oper von Nizza. Hinzu traten Gastspiele mit dem Zürcher Ensemble an der Mailänder Scala, an der Staatsoper Dresden, an der Oper von Helsinki, bei den Wiener Festwochen, beim Festival von Edinburgh, bei den Festspielen von Wiesbaden und Athen. Sein Bühnenrepertoire besaß einen besonders großen Umfang und enthielt Partien aus dem lyrischen, dem Charakter- wie dem heldischen Bereich. Am Opernhaus von Zürich wirkte er in den Uraufführungen der Opern «Griechische Passion» von B. Martinù (1961), «Madame Bovary» von H. Sutermeister (1967), «Ein Engel kommt nach Babylon» von R. Kelterborn (1977) und in vielen Erstaufführungen und Premieren mit. Er trat auch in Konzerten und Rundfunksendungen auf.
Schallplatten: Telefunken («Incoronazione di Poppea» und «Il Ritorno d'Ulisse in patria» von Monteverdi), Tono (Querschnitte «Don Pasquale» als Ernesto, «Freischütz» als Max, «Tristan» als Titelheld, «Paganini» von Lehár, ebenfalls in der Titelrolle).
Sein Bruder *Otto Peter* (* 17. 8. 1922 Alabardia im Kanton Tessin) war ein bekannter Konzertbariton, der in Zürich, Winterthur und Luzern als Pädagoge wirkte und Schallplatten bei Schwann und im J. Stauder-Verlag veröffentlicht hat.

Peters, Albert, Tenor, * 1895 (?); er hatte sein erstes Engagement 1919–20 am Wiener Bürgertheater, war in der Spielzeit 1920–21 an der Wiener Volksoper, 1921–22 am Opernhaus von Brno (Brünn) und 1925–26 am Opernhaus von Leipzig tätig. Über das Theater von Barmen-Elberfeld (1926–27) kam er an die Berliner Staatsoper, an der er 1927–31 sang. Hauptsächlich wurde er jedoch bekannt durch sein gleichzeitiges Auftreten an der Berliner Kroll-Oper, die damals unter Otto Klemperer Opernaufführungen veranstaltete, die größtes Aufsehen erregten. So wirkte er bereits in der Eröffnungsvorstellung am 19. 11. 1927 als Jacquino in «Fidelio» mit. Im Lauf der folgenden vier Jahre sang er an der Kroll-Oper zahlreiche Partien aus dem Buffo- und Charakterfach, von denen der Juliano in «Der schwarze Domino» von Auber, der Kilian in «Freischütz», die drei komischen Partien in «Hoffmanns Erzählungen», der Goro in «Madame Butterfly», der Bardolph in Verdis «Falstaff», der Torquemada in «L'Heure espagnole» von Ravel, der Monostatos in der «Zauberflöte» neben einigen kleineren Rollen

genannt seien. Am 8. 6. 1929 wirkte er an der Kroll-Oper in der Uraufführung von Hindemiths Oper «Neues vom Tage» mit. In der letzten Vorstellung vor der Schließung des Hauses sang er am 3. 7. 1931 den Don Curzio in «Figaros Hochzeit». 1931 sang er am Theater am Kurfürstendamm Berlin in sehr erfolgreichen Aufführungen von Weills «Aufstieg und Fall der Stadt Mahagonny»; 1932–33 trat er am Berliner Kabarett der Komiker in Operettenszenen auf. 1933 mußte er aus politischen Gründen Deutschland verlassen. 1935 gastierte er mit einer aus deutschen Emigranten bestehenden Truppe in Echternach in Luxemburg. 1936 sang er einige kleinere Rollen aus dem Wagner-Repertoire an der Covent Garden Oper London; 1939 ist er nochmals an der Oper von Monte Carlo als Mime im Nibelungenring und als Melot im «Tristan» zu finden. Damit brechen alle Nachrichten über den Künstler ab.
Schallplatten: Polydor (Duett mit Ludwig Hofmann).

Peters, Johanna, Mezzosopran, * 1932 Glasgow; sie erhielt ihre Ausbildung zur Sängerin in der National School of Opera London. 1959 begann sie ihre Bühnenkarriere, indem sie bei den Festspielen von Glyndebourne die Marcellina in «Figaros Hochzeit» sang. Sie konnte bald eine erfolgreiche Karriere an den großen englischen Opernbühnen zur Entwicklung bringen. So sang sie an der Covent Garden Oper London, an der Sadler's Wells Oper London, bei der Welsh Opera Cardiff, bei der Scottish Opera Glasgow und mehrfach bei den Festspielen von Glyndebourne. Sie gehörte jenem Kreis von englischen Sängern an, die sich in besonderer Weise mit dem Werk von Benjamin Britten befaßten; so sang sie in dem Ensemble der English Opera Group und bei den Festspielen von Aldeburgh. Sie wirkte in Aldeburgh am 11. 6. 1960 in der Uraufführung der Oper «A Midsummer Night's Dream» von Britten mit und trat in zahlreichen Partien in dessen Opern auf. Sie gastierte auch bei der Phoenix Opera und wurde später eine geschätzte Gesanglehrerin. 1978–86 wirkte sie als Professorin an der Guildhall School of Music London, seit 1989 leitete sie deren Abteilung für Vokalstudien.
Schallplatten: Decca (Florence Pike in vollständiger Aufnahme von «Albert Herring» von B. Britten).

Peterson, Claudette, Sopran, * 15. 7. 1953 Lakewood (Ohio); sie absolvierte ihre Ausbildung am San Francisco Conservatory of Music und erwarb dort den akademischen Grad eines Bachelor of Music. Bereits 1975 konnte sie an der Oper von San Francisco debütieren. 1979 hatte sie an der Washington Opera große Erfolge als Blondchen in der «Entführung aus dem Serail», 1980 am Opernhaus von Boston als Dunjascha in «Krieg und Frieden» von Prokofieff, 1982 an der Oper von Chicago als Adele in der «Fledermaus», 1984 gastierte sie in Genf, 1985 an der City Centre Opera New York in der Titelpartie von Massenets «Manon», 1986 an der Canadian Opera Toronto als Yum-Yum in der Operette «The Mikado» von Gilbert & Sullivan. 1986 hörte man sie im New Yorker Lincoln Centre als Lisetta in Pucci-

nis «La Rondine», bei der Arizona Opera als Lucia di Lammermoor in der bekannten Oper von Donizetti; sie war zu Gast in Buffalo, Houston/Texas, San Antonio, Tulsa, Honolulu und bei der Shreveport Opera (Gilda im «Rigoletto»). Sie war auch im Konzertsaal in einem Repertoire von großem Umfang erfolgreich.
Schallplatten: FSM (vollständige Oper «A Christmas Carol» von Thea Musgrave).

Petrak, Rudolf, Tenor, *3.9. 1917 Sučany (ČSR), †4.3. 1972 Greenwich (Connecticut); er begann seine Ausbildung bei A. Korinskej in Prag und war dann Schüler von Balzer in Wien. 1943 debütierte er an der Wiener Volksoper als Herzog im «Rigoletto» und blieb für eine Spielzeit an diesem Haus tätig. 1944–45 sang er am Opernhaus von Bratislava (Preßburg), 1945–47 an der Oper des 5. Mai Prag und 1947–48 am Prager Nationaltheater. 1948 verließ er seine tschechische Heimat und emigrierte in die USA. Nun kam er zu einer langjährigen, erfolgreichen Karriere an der New York City Centre Opera. Hier sang er u. a. 1960 in der amerikanischen Erstaufführung von Janáčeks «Katja Kabanova». 1967 nahm er seinen Abschied von der Bühne, auf der er in Partien wie dem Rodolfo in «La Bohème», dem Cavaradossi in «Tosca», dem Titelhelden im «Faust» von Gounod, dem Walther in den «Meistersingern», dem Belmonte in der «Entführung aus dem Serail», dem Radames in «Aida» und dem Bacchus in «Ariadne auf Naxos» von R. Strauss seine größten Erfolge gehabt hatte. Auch als Konzerttenor durchlief er eine bedeutende Karriere, wobei er auch hier ein weitläufiges Repertoire zum Vortrag brachte.
Schallplatten: Telefunken («Meistersinger»-Quintett von 1943), Columbia (Carmina Burana von C. Orff), Everest (Tenorsolo in der 9. Sinfonie von Beethoven), MGM.

Petrocchi, Vittorio, Tenor, *1914 Tivoli bei Rom, †20.2. 1990 Rom; er studierte zunächst Rechtswissenschaften an der Universität von Rom und brachte dieses Studium zum Abschluß. Nachdem er sein Gesangstudium in Rom beendet hatte, gewann er 1936 den Internationalen Gesangwettbewerb von Wien und kam darauf an der Oper von Rom zu einer erfolgreichen Karriere. Man hörte ihn dort als Alfredo in «La Traviata» (1939), als Rodolfo in «La Bohème», als Pinkerton in «Madame Butterfly» (1940) wie in weiteren Partien. 1939 gastierte er am Teatro San Carlo Neapel als Edgardo in «Lucia di Lammermoor», 1940 an der Mailänder Scala als Ramirez in «La Fanciulla del West» von Puccini und als Titelheld in Donizettis Oper «Poliuto». In den Jahren nach dem Zweiten Weltkrieg trat er nur noch selten an italienischen Provinztheatern auf und kehrte schließlich wieder zu seinem ursprünglichen Beruf als Jurist zurück.

Petrović, Dragutin, Tenor, *26. 10. 1893 Kraljewo (Rakovićevo, Serbien), †21. 9. 1974 Belgrad; er studierte Gesang an den Konservatorien von Genf und Wien. 1920 debütierte er an der Nationaloper von Belgrad und blieb für vierzig Jahre bis 1960 deren

Mitglied. Er trat dort in Partien wie dem Tamino in der «Zauberflöte», dem Max im «Freischütz», dem Schuiskij im «Boris Godunow» von Mussorgsky, dem Don Basilio in «Figaros Hochzeit», dem Wenzel in Smetanas «Verkaufter Braut» und in vielen anderen Rollen auf. Gastspiele, hauptsächlich mit dem Belgrader Ensemble zusammen, und Konzertauftritte in Jugoslawien wie im Ausland.
Schallplatten: Decca (vollständige Oper «Pique Dame» von Tschaikowsky).

Petrović, Milivoj, Tenor, *7. 7. 1938 Belgrad; er war in Belgrad Schüler von Frau Zdenka Ziková und von Stanoje Janković. Weiterführende Studien am Conservatorio Benedetto Marcello Venedig bei Paolo Bononi. 1970 debütierte er an der Belgrader Nationaloper als Alfredo in Verdis «La Traviata». Seitdem hatte er an diesem Operninstitut wie bei Gastspielen eine erfolgreiche Karriere im lyrischen Stimmfach. Partien wie der Wladimir in «Fürst Igor» von Borodin, der Lenski im «Eugen Onegin» von Tschaikowsky, der Nemorino in «Elisir d'amore», der Edgardo in «Lucia di Lammermoor», der Fenton in Verdis «Falstaff» und der Wenzel in Smetanas «Verkaufter Braut» stellten Höhepunkte in seinem Repertoire dar, das auch zahlreiche Aufgaben aus dem Konzertbereich enthielt.
Schallplatten: Jugoton.

Pettigiani, Anna Maria, Sopran, *1864 Turin, †14. 1. 1954 Rom; sie war am Liceo Musicale von Pesaro Schülerin der berühmten Virginia Boccabadati und erwarb dort 1886 ihr Abschlußdiplom. Im September des gleichen Jahres 1886 gab sie in der Berliner Kroll-Oper zusammen mit dem Geiger E. Mertens ihr erstes Konzert. Einige Wochen darauf debütierte sie am Teatro Nazionale von Rom als Norina im «Don Pasquale» von Donizetti und hatte anschließend dort großen Erfolg als Linda di Chamounix in der gleichnamigen Oper dieses Meisters. Nach einem kurzen Gastspiel am Teatro Comunale von Modena sang sie 1887 wieder in Rom die Elvira in Bellinis «I Puritani» zusammen mit Antonio Cotogni, Francesco Marconi und Romano Nannetti. Der Erfolg war so groß, daß sie in die Reihe der großen italienischen Primadonnen ihrer Epoche aufrückte. In den folgenden zehn Jahren setzten sich diese Erfolge an den großen Theatern in Italien, in Europa wie in Übersee fort, wobei sie in Opern von Rossini, Gluck, Donizetti, Bizet, A. Thomas und von Verdi ihre Triumphe feierte. Im Oktober 1893 sang sie in der Erstaufführung von Verdis «Falstaff» am Nationaltheater von Mexico City (acht Monate nach der Uraufführung) die Partie der Nannetta. Nachdem sie 1895 in Turin den Kaufmann Alfredo Pisano geheiratet hatte, gab sie ihre glänzende Karriere auf und widmete sich in Rom der pädagogischen Tätigkeit.

Pfann, Karl, Tenor, *17. 1. 1874 Wien, †7. 5. 1928 Wien; ohne eigentliche Ausbildung begann er eine Karriere als Schauspieler und sang dabei gelegentlich Couplets. So kam es dahin, daß er auch als Operettensänger eingesetzt wurde. Er debütierte am Theater von Laibach (Ljubljana, 1892–94), ging dann an das Theater von Pilsen (Plzeň, 1894–95) und, nach einem erfolgreichen Gastspiel, an das Wiener Theater in der Josefstadt, dessen Mitglied er bis 1901 blieb. Er widmete sich während dieser Zeit in Wien der weiteren Ausbildung seiner Stimme und wechselte schließlich ganz ins Gesangfach. Nach einem Engagement am Wiener Carl-Theater (1901–02) war er 1902–04 am Theater von Brünn (Brno) tätig, wo er auch Opernpartien wie den José in «Carmen» übernahm. 1904–05 war er am Carl Schultze-Theater Hamburg im Engagement und wurde darauf durch Hans Gregor an die Komische Oper Berlin verpflichtet (1905–08), an der er jetzt große Tenorpartien aus der Opernliteratur (Hoffmann in «Hoffmanns Erzählungen», Hans in der «Verkauften Braut», Cavaradossi in «Tosca», Gérald in «Lakmé» von Delibes) sang. Dann kehrte er aber wieder zur Operette zurück, wirkte sehr erfolgreich am Metropoltheater Berlin, an dem er in mehreren Revuen von Paul Lincke («Halloh, die große Revue», «Donnerwetter, tadellos») auftrat. 1911–12 war er am Neuen Operettentheater Berlin, 1912–14 im Theater am Nollendorfplatz Berlin, kehrte aber zu Beginn des Ersten Weltkrieges nach Wien zurück, wo er schon zuvor 1913 am Carl-Theater in der Uraufführung der Operette «Polenblut» von O. Nedbal mitgewirkt hatte. Er sang während der Kriegsjahre am Wiener Bürgertheater und am Theater an der Wien, an dem er auch nach Kriegsende noch auftrat. 1922–23 war er als Intendant und Sänger am Theater von Mährisch-Ostrau (Ostrava) tätig und trat dann noch gelegentlich bis 1926 als Gast an österreichischen Operettenbühnen auf. Gastspiele führten ihn während seiner Karriere an das Opernhaus von Frankfurt a. M. (1903), an die Wiener Hofoper (1903), an das Hoftheater Karlsruhe (1911) und ans Theater in Bad Ischl (1926). Aus seinem Opernrepertoire seien der Froh im «Rheingold», der Siegmund in der «Walküre», der Mathias im «Evangelimann» von Kienzl, der Canio im «Bajazzo», der Faust von Gounod und der Eisenstein in der «Fledermaus» genannt.

Schallplatten: Erste Aufnahmen auf Pathé (Wien, 1903; Berlin, 1911) dann auf G & T bzw. HMV (zahlreiche Titel, zumeist aus Operetten, aber auch einige Opernaufnahmen).

Philis-Bertin, Jenny (Jeanne), Sopran, * 1780 (?), † nach 1834; sie erhielt ihre Ausbildung am Conservatoire de Paris bei Plantade und gewann 1800 den zweiten Preis beim Jahreswettbewerb des Konservatoriums. Ab 1800 war sie dann als Chorsängerin und in kleinen Rollen am Théâtre Favart Paris beschäftigt. 1801 heiratete sie den Tenor *Bertin,* der 1800 an der Pariser Opéra-Comique u. a. in der Uraufführung der Oper «Le Calife de Bagdad» von Boieldieu mitgewirkt hatte, aber bereits 1803 starb. Sie lebte dann mit dem berühmten Komponisten François-Adrien Boieldieu (1775–1834) zusammen, der mit einer Tänzerin verheiratet war, und ging mit diesem 1804 nach St. Petersburg, wo er die Stellung eines Hofkomponisten einnahm. Sie trat dort in Uraufführungen von dessen Opern auf, u. a. am Eremitage

Theater in «Aline, Reine de Golconde» (1804 als Zélie) und in «Télémaque» (1806 als Calypso). Als Boieldieu 1810 nach Paris zurückkehrte, blieb sie bis 1816 in St. Petersburg. In der Zwischenzeit begann Boieldieu trotz seiner noch bestehenden Ehe und seiner Verbindung mit Jenny Philis-Bertin eine weitere Beziehung zu der Sängerin *Thérèse Regnault.* Aus dieser Verbindung stammte ein Sohn, Adrien-Louis-Victor Boieldieu (1816–83), der später einige Erfolge als Komponist erzielen konnte, und der u. a. eine Oper «Marguerite» komponierte. Nach dem Tod seiner Ehefrau heiratete Boieldieu 1827 Jenny Philis-Bertin, wobei die Komponisten Cherubini und Catel als Trauzeugen fungierten. Beim Tod des großen Komponisten (8. 10. 1834) lebte sie noch; über ihr weiteres Schicksal sind keine Angaben verfügbar.

Lit.: G. Favre: «Boieldieu, sa vie et son oeuvre» (Paris 1944–45).

Pia, Maria, Mezzosopran, * 25. 11. 1860 Casale Monferrato (Piemont), † (?); sie absolvierte ihr Gesangstudium am Conservatorio di Milano. 1880 kam es zu ihrem sehr erfolgreichen Debüt am Teatro Sociale von Lodi in der Rolle der Marguerite im «Faust» von Gounod. Ähnlichen Erfolg hatte sie 1881 am Teatro Malibran Venedig als Nidia in der damals sehr oft aufgeführten Oper «Jone» von Petrella. 1881 hörte man sie am Teatro Dal Verme Mailand als Siebel im «Faust» und am Theater von Codogno als Irene in Donizettis «Belisario». In der Spielzeit 1881–82 war sie am Teatro Municipale Reggio Emilia verpflichtet; hier sang sie die Casilda in «Ruy Blas» von Marchetti und in der Uraufführung der Oper «Il Conte di Chatillon» von N. Massa. Am Teatro Olimpico von Athen begrüßte man sie als Aida und in der Titelrolle von Donizettis «Linda di Chamounix» (1882). Es schlossen sich glänzende Gastspiele an italienischen wie an südamerikanischen Bühnen an. Am 11. 2. 1888 sang sie in der Uraufführung der Oper «Asrael» von Alberto Franchetti am Teatro Municipale Reggio Emilia die Partie der Lidoria. Die gleiche Partie wiederholte sie 1889 bei der Premiere des Werks an der Mailänder Scala unter dem Dirigenten Franco Faccio. Im März 1890 sang sie am Teatro Politeama Regina Margherita von Genua den Frédéric in «Mignon» von Ambroise Thomas unter der Leitung von Arturo Toscanini. Ihre Karriere zog sich mit Auftritten an italienischen Operntheatern bis etwa zur Jahrhundertwende hin.

Piave, Emilia, Sopran, * 1897, † 1956; die italienische Künstlerin sang zuerst an italienischen Opernbühnen, hatte aber ihre größten Erfolge in Südamerika zu verzeichnen. Sie ist dort am Teatro Colón Buenos Aires, aber auch an den übrigen großen Häusern immer wieder aufgetreten. Zu Beginn der dreißiger Jahre gehörte sie während drei Spielzeiten dem Ensemble der Italienischen Oper in Holland an. 1939 bereiste sie mit der Operntruppe Carro di Tespi Italien, wobei sie vor allem als Gioconda auftrat; noch 1948 war sie am Teatro Verdi von Pisa zu Gast. Höhepunkte ihres umfangreichen Bühnenreper-

toires stellten die dramatischen Sopranpartien der italienischen Opernliteratur dar: die Titelheldinnen in den Opern «Aida», «Norma» von Bellini, «La Gioconda» von Ponchielli, «Fedora» von Giordano (Livorno 1941, Pisa 1948), «Tosca», die Leonore im «Troubadour» wie in «La forza del destino» von Verdi.
Schallplattenaufnahmen der Sängerin sind nicht bekannt.

Piccoletti, Giuseppina, Sopran, *1876 (?), †1952 Mailand; sie hatte in den ersten zwei Dekaden unseres Jahrhunderts ihre Karriere an den größeren italienischen Provinztheatern; so gastierte sie 1910 am Teatro Regio Parma als Salomé in Massenets Oper «Hérodiade». Sie ist auch in Südamerika aufgetreten. Dort sang sie bereits 1900 am Teatro Municipal von Santiago de Chile die Gilda im «Rigoletto», die Titelheldin in «Lucia di Lammermoor» von Donizetti, den Pagen Oscar in Verdis «Ballo in maschera» und die Inez in «L'Africaine» von Meyerbeer. Als ihre große Partie galt die Violetta in Verdis «La Traviata», die sie immer wieder im Ablauf ihrer Karriere gesungen hat. Später eröffnete sie in Mailand ein Gesangstudio, dem sie viele Jahre hindurch vorstand. Zu ihren Schülerinnen zählte die Sopranistin Antonietta Pastori.
Schallplatten der Sängerin kamen bei G & T (darunter Szenen aus «La Traviata») und auf der kleinen Marke Jumbo heraus.

Pierot (auch Pierrot), Laurenz, s. unter *Saeger-Pierot,* Laurenz.

Pierotti, Mario, Bariton, *2.6. 1911 Pisa; er arbeitete zuerst auf dem Bauernhof seines Vaters. Als er beim Nationalen Gesangwettbewerb, den das Teatro Comunale Florenz veranstaltete, den ersten Preis gewann, nahm er das Gesangstudium am Konservatorium Cherubini in Florenz auf. 1936 debütierte er am Teatro Comunale von Agrigent als Germont-père in «La Traviata». Seine ersten Erfolge erzielte er 1938 bei den Festspielen im Castello Sforza in Mailand als Amonasro in «Aida», 1940 am italienischen Rundfunk EIAR in den Opern «Dafni» von Giuseppe Mulè und «Antonio e Cleopatra» von Gianfrancesco Malipiero sowie 1941 am Teatro Petruzzelli Bari als Amonasro und als Don Alvaro in «La forza del destino» von Verdi, 1942 am gleichen Theater als Gérard in «Andrea Chénier» von Giordano. Es folgten Gastspielauftritte am Teatro Regio Parma (1942), am Teatro Massimo Palermo (1941–42, 1947), am Teatro Comunale Bologna, an der Oper von Rom (1942 als Amonasro), am Teatro Grande Brescia, am Teatro Verdi Pisa (1941–1947–48), in Turin, Florenz, Piacenza und Genua. 1942 sang er am Teatro Liceo Barcelona den Amonasro und den Nelusco in Meyerbeers «Africaine», 1947 am Teatro San Carlos Lissabon wie am Teatro Coliseum von Porto den Tonio im «Bajazzo» und den Barnaba in «La Gioconda» von Ponchielli (in Porto als Partner von Benjamino Gigli). 1949 hörte man ihn nochmals in Barcelona als Amonasro.

Er war auch in Südamerika, in Belgien und an der Londoner Covent Garden Oper als Gast erfolgreich und kam als Konzertsänger zu bedeutenden Erfolgen. Nach Abschluß seiner Karriere zog er sich nach Pisa zurück.
Wahrscheinlich existieren Mitschnitte von Opernsendungen.

Pihler, Milan, Bariton, *22.3. 1897 Osijek (Esseg), †24.8. 1981 Rijeka (Fiume); er war Schüler von Ernesto Cammarota in Zagreb und vervollständigte seine Ausbildung in Wien. 1919 fand sein Bühnendebüt am Theater von Osijek als Marcello in Puccinis «La Bohème» statt. Bis 1927 blieb er an diesem Haus engagiert, sang darauf 1927–41 an der Nationaloper von Belgrad und 1941–45 an der Oper von Zagreb. Schließlich war er 1946–59 am Theater von Rijeka tätig. Höhepunkte in seinem umfangreichen Bühnenrepertoire waren Partien wie der Titelheld im «Falstaff» von Verdi, der Scarpia in «Tosca», der Gianni Schicchi in der gleichnamigen Puccini-Oper, der Boris Godunow, der Mephisto im «Faust» von Gounod, der Marko in «Ero der Schelm» von Gotovac und der Gojen in der Oper «Morana», ebenfalls einem Werk von Gotovac. Auch als Konzert- und Oratoriensänger angesehen.

Piland, Jeanne, Mezzosopran, *3.12. 1945 Raleigh (North Carolina); sie absolvierte ihr Gesangstudium in New York und begann dort ihre Karriere an der New York City Centre Opera. Sie kam dann aber nach Europa und war seit 1977 Mitglied der Deutschen Oper am Rhein Düsseldorf–Duisburg; seit 1981 war sie gleichzeitig der Staatsoper Hamburg, seit 1985 auch der Bayerischen Staatsoper München vertraglich verbunden. Nachdem sie bereits 1975 beim Caramoor Festival (im Staat New York) und 1978 beim Colorado Festival erfolgreich aufgetreten war, brachten Gastspiele ihr hohes internationales Ansehen. 1979 gastierte sie an der Wiener Volksoper, 1984 und 1987 an der Staatsoper von Wien (u. a. als Cherubino in «Figaros Hochzeit»), 1984 bei den Ludwigsburger Festspielen (als Dorabella in «Così fan tutte»). 1985 war sie zu Gast an der Pariser Grand Opéra und an der Covent Garden Oper London, hier als Komponist in «Ariadne auf Naxos» von R. Strauss. Diese Partie sang sie auch 1985 bei den Festspielen von Aix-en-Provence; dort bewunderte man 1986 ihren Idamante in «Idomeneo» von Mozart, 1988 ihren Sesto in «La clemenza di Tito». 1987 hörte man sie an der Oper von Monte Carlo in der Rolle des Octavian im «Rosenkavalier», ebenfalls 1987 am Grand Théâtre Genf, bereits 1986 an der Oper von Nizza. 1988 schlossen sich Auftritte an der Opéra du Rhin Straßburg (als Idamante), am Opernhaus von Zürich (als Octavian) und an der Oper von Houston/Texas (als Dorabella) an. Neben den bereits aufgezählten Partien enthielt ihr Repertoire die schwierigen Rollen für Koloratur-Contralto (Rosina im «Barbier von Sevilla», Angelina in Rossinis «La Cenerentola»), weiter den Silla in «Palestrina» von Hans Pfitzner, den Feodor in «Boris Godunow», die Preziosilla in Verdis «La forza del destino», den Annio in «La clemenza di Tito» und

Partien in Opern aus der Barock-Epoche. Zugleich hatte sie eine erfolgreiche Konzertkarriere.

Pimazzoni, Giuseppe, Bariton, * 1865 (?), † (?); über diesen Sänger und den Beginn seiner Karriere, der sich in Italien abgespielt haben muß, ist nur wenig bekannt. 1906 sang er bei der Italienischen Oper in Holland und ging im folgenden Jahr 1907 nach Nordamerika. Hier sang er bei der Milan Grand Opera Company in San Francisco u. a. in «Iris» von Mascagni. Anscheinend ist er in den USA geblieben und nahm dort an Tourneen mit Wanderopern teil. In dieser Zeit entstanden dann auch seine Columbia-Schallplatten (1909–10), die Arien aus seinem Repertoire enthalten. Auch über den weiteren Ablauf seines Lebens wie seiner Karriere sind keine Nachrichten auffindbar.

Pini, Antonio, Tenor, * um 1740 Turin, † (?); seit September 1769 wird er im Dienst des Königs von Sardinien in Turin erwähnt; er bezog ein (für damalige Verhältnisse hohes) Jahresgehalt von 1000 Lire. Fast zwanzig Jahre hindurch ist er am Teatro Regio in Turin anzutreffen. Er sang dort u. a. in den Uraufführungen folgender Opern: «Ecuba» von Cemionat (1770), «Armida» von Pasquale Anfossi (1770), «Enea in Cartagine» von Colla (1770, zusammen mit der Primadonna Anna Rosello), «Issea» von G. Pugnani (1771) und «Bacco e Arianna» von Tarchi (1784). Dazu ist er in einer Anzahl von Repertoire-Opern der damaligen Zeit zu finden.

Pinterović, Eugenija, Mezzosopran, * 2. 7. 1895 Karlovac (Karlstadt in Kroatien), † 16. 5. 1976 Belgrad; sie begann ihr Gesangstudium in Zagreb und war dann in Wien Schülerin der berühmten Rosa Papier-Paumgartner. 1920 wurde sie Mitglied der Nationaloper Belgrad und wurde in einem vierzigjährigen Wirken an diesem Operninstitut (bis 1960) eine der beliebtesten Künstlerinnen des Hauses. Ihre großen Partien waren die Azucena im «Troubadour», die Ulrica in Verdis «Ballo in maschera», die Suzuki in «Madame Butterfly», die Olga im «Eugen Onegin» von Tschaikowsky, die Gräfin in dessen «Pique Dame», die Lola in «Cavalleria rusticana» und die Herodias in «Salome» von R. Strauss. Hinzu trat eine bedeutende Karriere als Konzert- und Oratoriensängerin.

Pirogoff-Okskin, Alexej Stepanowitsch, Baß, * 9. (12.) 2. 1895 Rjasan; er wurde wie drei seiner Brüder (*Alexander, Grigorij* und *Michail Pirogoff*) ein gefeierter Bassist innerhalb seiner Künstlergeneration in Rußland. Seine Ausbildung erfolgte durch den Pädagogen Donsky in Moskau. Er begann seine Karriere an den Opernhäusern von Taschkent und Swerdlowsk, kam dann an das Theater von Nowosibirsk und wurde schließlich 1931 an das Bolschoj Theater Moskau verpflichtet. Hier sang er bis zu seinem Rücktritt von der Bühne 1948 ein vielgestaltiges Repertoire, das seine Höhepunkte in Partien wie dem Titelhelden im «Boris Godunow» von Mussorgsky, dem Warlaam wie dem Pimen in der gleichen Oper, dem Dosifey in «Khovantschina» und

dem Mephisto im «Faust» von Gounod hatte. Er nahm auch eine Anzahl von Partien aus Opernwerken zeitgenössischer russischer Komponisten in sein Repertoire auf und wurde neben seinem Wirken auf der Bühne als Konzertsänger geschätzt. Sein Bruder *Michail Pirogoff* (* 17. (29.) 12. 1887, † 1933) trat als Bassist 1913–14 am Musikdramatischen Theater Moskau, später auch an der Zimin-Oper Moskau in Erscheinung, sang aber meist kleinere Partien. Schallplatten von Alexej Pirogoff-Okskin sind bei Melodiya vorhanden.

Pisarević, Svetozar, Baß, * 25. 12. 1885 Bosanski Šamac (Slowenien), † 3. 11. 1929 Belgrad; er absolvierte seine Ausbildung zum Sänger in der Hauptsache in Wien. 1915–19 war er am Opernhaus von Zagreb (Agram), 1919–20 am Opernhaus von Ljubljana (Laibach) und von 1920 bis zu seinem Tod am Nationaltheater von Belgrad engagiert. Von den zahlreichen Partien, die Bestandteil seines Bühnenrepertoires waren, seien der Rocco im «Fidelio», der Falstaff in den «Lustigen Weibern von Windsor» von Nicolai, der Kardinal Brogni in «La Juive» von Halévy, der Kezal in Smetanas «Verkaufter Braut», der Pimen im «Boris Godunow» und der Kontschak in «Fürst Igor» von Borodin hervorgehoben. Dazu bei Gastspielen und im Konzertsaal erfolgreich aufgetreten.

Pisari, Pasquale, Sänger und Komponist, * etwa 1725 Rom, † 27. 3. 1778 Rom; er erhielt seine Ausbildung durch Quirino Gasparini und durch Maestro Birodi. Seit 1752 erscheint er als Sänger der Cappella Pontificia, der Päpstlichen Kapelle, in Rom. Man schätzte ihn vor allem als Komponisten kirchlicher Musik, die er in einem Stil schrieb, in dem noch vieles von der a cappella-Schreibweise eines Palestrina und der Meister des 17. Jahrhunderts lebendig war. Seine Messen und Motetten wurden durch Zeitgenossen wie den großen Padre Martini und den englischen Musikschriftsteller und Komponisten Charles Burnley sehr bewundert.

Pistorius, Karl, Tenor, * 22. 9. 1898 Eger (Cheb, ČSR), † 5. 4. 1966 Zürich; nach seiner Ausbildung durch die Pädagogen Boruttari in Wien und Bernardo Albini in Berlin fand er sein erstes Engagement 1924–25 am Stadttheater seiner Heimatstadt Eger. 1925–26 sang er am Stadttheater von Regensburg, 1926–27 am Theater von Brüx (Most, ČSR), 1927–29 am Theater von Teplitz-Schönau und 1929–30 am Städtischen Theater Düsseldorf. 1930 wurde er an das Opernhaus von Frankfurt a. M. verpflichtet (Antrittspartie Titelheld in «Der Tenor der Herzogin» von E. Künnecke). Hier erlangte er als Operettentenor großes Ansehen, wobei man auch sein schauspielerisches Talent in seriösen wie in komischen Rollen bewunderte. Auch seine Gattin, die Sopranistin *Wally Arno,* trat in Frankfurt in Operetten («Im weißen Rössl») auf. Da sie Jüdin war, verließ das Künstlerehepaar 1935 Frankfurt. Karl Pistorius wurde an das Opernhaus von Zürich engagiert, an dem er bis 1963 als Operettentenor eine erfolgreiche Karriere durchlief. Er trat als Gast

u. a. in Wien und St. Gallen auf. Er wirkte in Zürich in mehreren Uraufführungen von Operetten mit, so in «Drei Walzer» von Oscar Straus (1935), «Kaiserin Josephine» von E. Kálmán (18. 1. 1936 als Napoleon), «Herzen im Schnee» von R. Benatzky (1937) und «Hochzeitswalzer» von Leo Ascher (1937). 1945 übernahm er dort in der deutschen Erstaufführung von Gershwins Oper «Porgy and Bess» die Rolle des Robbins. Im Lauf seines fast dreißigjährigen Wirkens am Zürcher Theater wurde er in einer Vielzahl von Partien aus allen Bereichen der Operette zu einem besonderen Liebling des Publikums. Er war auch als Komponist tätig.
Schallplatten: MMS (Operetten-Querschnitte).

Pitti, Katalin, Sopran,* 1953; die aus Ungarn gebürtige Sängerin begann 1972 ihr Gesangstudium am Béla Bartók-Konservatorium von Budapest und war dann an der dortigen Franz Liszt-Musikakademie Schülerin von Jenö Sipos. 1975 nahm sie an Meisterkursen teil, die die berühmte Sopranistin Irmgard Seefried in Wien veranstaltete. 1976 war sie Preisträgerin beim Internationalen Bach-Wettbewerb in Leipzig, 1978 beim Tschaikowsky-Concours in Moskau. 1977 erfolgte ihr Bühnendebüt an der Nationaloper von Budapest in der Partie der Desdemona in Verdis «Othello». Seitdem blieb sie Mitglied dieses Hauses, an dem sie zu einer großen Karriere kam. Sie sang vor allem Partien aus der italienischen (Verdi, Puccini) wie aus der ungarischen und der slawischen Opernliteratur. Auch im Konzertsaal kam sie zu erfolgreichen Auftritten sowohl in ihrer ungarischen Heimat wie als Gast im Ausland.
Schallplatten: Hungaroton (Suor Genoveva in «Suor Angelica» von Puccini).

Pivnicki, Branko, Baß, * 11. 10. 1917 Srbobran (Wojwodina), † 15. 1. 1983 Belgrad; er war an der Belgrader Musikakademie Schüler des bekannten Bassisten Nikola Cvejić. 1936 begann er seine Bühnenlaufbahn an der Nationaloper Belgrad, deren Mitglied er bis zu seinem Abschied von der Bühne 1971 geblieben ist. Seit 1957 war er als Dozent an der Musikakademie von Belgrad tätig. Zahlreiche internationale Gastspiele, die er zumeist als Mitglied der Belgrader Oper absolvierte, ließen seinen Namen weiten Kreisen bekannt werden. So war er in der Schweiz, in Italien, Deutschland, Frankreich und Schweden zu Gast. Dabei sang er auf der Bühne Partien wie den Figaro in «Figaros Hochzeit», den Kezal in Smetanas «Verkaufter Braut», den Titelhelden im «Don Pasquale» von Donizetti, den Bartolo im «Barbier von Sevilla» von Rossini, den Ramphis in «Aida», den Pimen im «Boris Godunow» von Mussorgsky und war zugleich als Konzert- und Oratorienbassist bekannt.
Schallplatten: Decca (Pimen in vollständiger Aufnahme von Mussorgskys «Boris Godunow»).

Plech, Linda, Sopran, * 1952 (?) Wien; sie wurde zuerst als Mezzosopranistin ausgebildet und trat bereits während ihres Studiums in Wien an der dortigen Volksoper in kleineren Partien auf (1974). Sie setzte ihr Studium am Salzburger Mozarteum fort

und war 1976–77 am Theater von Klagenfurt engagiert; 1978 sang sie bei den Operetten-Festspielen in Bad Ischl, nahm dann aber nochmals ihr Gesangstudium auf. 1980–84 war sie, immer noch als Mezzosopran, am Staatstheater von Oldenburg verpflichtet, schulte dann aber auf das Sopranfach um. 1985–86 gehörte sie als Sopranistin dem Pfalztheater Kaiserslautern an, seitdem Mitglied der Staatsoper von Hamburg. Es bestand daneben ein Gastspielvertrag mit der Wiener Volksoper. 1987 war sie in Hamburg als Donna Anna im «Don Giovanni», 1988 als Elisabetta in Verdis «Don Carlos» besonders erfolgreich. Am Théâtre de la Monnaie Brüssel gastierte sie 1987, am Opernhaus von Köln 1989 als Jenufa in der gleichnamigen Oper von Janáček. 1988–89 sang sie bei den Festspielen von Bregenz die Senta im «Fliegenden Holländer», 1988 war sie als Gast am Stadttheater von Basel zu hören, 1989 in Antwerpen als Ariadne auf Naxos von R. Strauss. Von ihren Bühnenpartien seien noch die Gräfin in «Figaros Hochzeit», die Leonore im «Troubadour» (Deutsche Oper Berlin, 1989), die Emilia in Verdis «Othello», die Marie in Smetanas «Verkaufter Braut» und die Giulietta in «Hoffmanns Erzählungen» nachgetragen.

Plehn, Elsbeth, Alt, * 7. 3. 1922 Tilsit; sie widmete sich an der Universität von Königsberg (Ostpreußen) dem Studium der Schulmusik und Musikerziehung. Dann ließ sie in Dresden ihre Stimme durch H. Winkler, M. Flämig und A. Rauch ausbilden. Sie begann eine erfolgreiche Karriere als Konzert-Altistin, wobei sie sich vor allem als Oratoriensolistin in einem Repertoire von großer Vielseitigkeit auszeichnen konnte. Bald wurde sie als Gesangpädagogin bekannt; 1959 wurde sie als Dozentin an die Musikhochschule von Dresden berufen. Seit 1975 wirkte sie an diesem Hochschulinstitut als Professorin. Zu ihren Schülern gehörten Sänger wie Peter Otto Olesch, A. Damm und Carola Nossek.

Podleska, Thekla, Sopran, * 3. 12. 1764 Beraun (Beroun, heutige ČSR), † 28. 8. 1852 Prag; sie war die Tochter eines Müllers und die jüngste von sechs Schwestern, die sich alle als Sängerinnen auszeichnen konnten. Nach dem Tod des Vaters kam sie 1776 mit ihrer Mutter und drei Schwestern ganz mittellos nach Leipzig. Sie erregte das Aufsehen des damals hoch angesehenen Komponisten und Kapellmeisters Johann Adam Hiller. Dieser unterstützte die Familie und bildete die vier Mädchen aus. 1778 trat Thekla Podleska erstmals in einem Konzert in Leipzig öffentlich auf und hatte sogleich einen großen Erfolg. 1782 sang sie mit der Bondini'schen Truppe zusammen in Leipzig in Opern wie «Alceste» von Schweitzer als Parthenia, in «Die wüste Insel» von Schuster als Silvia und in «Arsene» von Seydelmann als Myris. 1783 ging sie an das Hoftheater von Mitau in Kurland, wo sie durch die kunstliebende Herzogin von Kurland und den Hof geradezu vergöttert wurde. Seit 1787 hatte sie ähnliche Erfolge bei Gastspielen in Wien, ging dann aber wieder nach Mitau zurück. Sie ließ sich später als Lehrerin in Prag nieder, wo sie jedoch noch oft im Konzertsaal zu

hören war. Eine ihrer Schülerinnen war ihre Nichte *Katharina Podhorsky* (1807–91), die es zu einer großen Bühnenkarriere brachte.
Von ihren Schwestern sind zu nennen: *Anna Podleska* (*22.2. 1754 Beraun, †?); sie kam nach dem Tod des Vaters zu Verwandten nach Ahowicz, wurde Schülerin des Pädagogen Adalbert Bichta in Prag, mit dem sie zusammen eine Kunstreise unternahm. Sie sang dann 1776 in Wien, anschließend in Brünn (Brno). Dort trat sie in das Kloster der Dominikanerinnen ein und erhielt den Ordensnamen Schwester Aquinata. Sie beschränkte ihr weiteres Wirken als Sängerin auf Kirchenkonzerte. Nach der Aufhebung des Klosters ging sie 1804 nach Prag.
Barbara Podleska (*1760 Beraun, †?) wurde wie ihre Schwester Thekla durch Johann Adam Hiller in Leipzig unterrichtet, sang mit ihrer Schwester am Hof von Mitau, ging dann aber nach Prag. Sie trat dort in das Kloster der Elisabetherinnen ein und bekam den Ordensnamen Schwester Aloysia. Noch 1810 gab sie in der Kirche ihres Klosters Konzerte mit geistlicher Vokalmusik.
Elisabeth Podleska (*1753 Beraun, †?), war wie ihre Schwester Anna Schülerin von Bichta in Prag und nahm wie diese an der bereits erwähnten Kunstreise teil. Auch sie folgte dem Beispiel ihrer Schwester Barbara und trat in das Elisabetherinnen-Kloster in Prag ein (als Schwester Margarethe), wo sie bis 1815 Kirchenkonzerte gab.
Zwei weitere Schwestern, *Josepha* (*1761, verheiratet mit dem Oboisten und Hofmusikus Vít Batka, 1754–1839) und *Marianne Podleska*, waren gleichfalls begabte Sängerinnen und traten am Kurländischen Hof auf der Bühne wie im Konzertsaal auf; die letztgenannte starb ganz jung.

Podvineć, Marija, Sopran, *23.3. 1910 Kreka bei Tuzle (Jugoslawien), †9. 6. 1956 Belgrad; sie war an der Musikakademie von Zagreb Schülerin von Frau Eder-Bertić. 1938 kam es zu ihrem Bühnendebüt an der Kroatischen Nationaloper Zagreb in der Rolle der Marguerite im «Faust» von Gounod. Bis zu ihrem Tod ist sie Mitglied dieses Hauses geblieben, dessen Publikum sie sehr schätzte. Sie sang dort vor allem Partien aus dem lyrisch-dramatischen Stimmfach: die Aida, die Amelia in Verdis «Ballo in maschera», die Desdemona im «Othello», die Tosca, die Senta im «Fliegenden Holländer», die Elsa im «Lohengrin» und die Dula in «Ero der Schelm» von Gotovac. Neben ihrem Wirken auf der Bühne entfaltete sie in Jugoslawien eine intensive Karriere als Konzert- und Oratoriensolistin.

Poensgen, Mimi, Sopran, *1879, † Dezember 1958 Oberstdorf (Bayern); sie erhielt ihre Ausbildung in Berlin, wo sie auch debütierte. 1907–08 war sie an der Wiener Volksoper im Engagement, 1908–09 am Theater von Troppau (Opava), 1909–13 am Stadttheater von Magdeburg, 1913–14 am Stadttheater von Nürnberg. 1914 kam sie als Nachfolgerin von Alice Guszalewicz an die Oper von Köln, deren Mitglied sie bis 1922 blieb. Für eine Spielzeit war sie 1922–23 nochmals in Nürnberg tätig, ging dann jedoch überwiegend ihrer Gastspieltätigkeit nach.

1926–32 sang sie dann wieder fest engagiert am Nationaltheater Weimar. Hatte sie im lyrischen Sopranfach begonnen, so trat sie bald in dramatischen, dann in hochdramatischen Partien auf. So sang sie die Elsa und die Ortrud im «Lohengrin», die Elisabeth und die Venus im «Tannhäuser», die Aida, die Tosca, die Selika in Meyerbeers «Africaine», die Leonore im «Fidelio», die Martha im «Tiefland» von d'Albert, die Brünnhilde im Nibelungenring, die Kundry im «Parsifal», die Isolde im «Tristan», die Titelfiguren in «Elektra» von R. Strauss und in «Die Königin von Saba» von Goldmark und die Santuzza in «Cavalleria rusticana». Sie entfaltete eine rege Gastspieltätigkeit, u. a. am Hoftheater Hannover (1910), an der Berliner Hofoper (1911), am Opernhaus von Frankfurt a. M. (1916), an der Staatsoper Dresden und am Opernhaus von Leipzig. Nach 1945 wirkte sie als geschätzte Pädagogin in Berlin, dann in Oberstdorf. Sie ist zu Beginn ihrer Karriere auch unter dem Namen Poensgen-Warmbrunn, später als Poensgen-Werhard und als Poensgen-Gutheim aufgetreten.

Polenský, Zdeněk, Tenor, *29.12. 1889 Prag, †21.9. 1955 Prag; er hieß mit seinem eigentlichen Namen Zdeněk Knittl und war der Sohn des Musikpädagogen und Dirigenten Karel Knittl (1853–1907). Nachdem er zunächst in Prag Rechtswissenschaften studiert hatte, nahm er Gesangunterricht am Prager Konservatorium, wo er Schüler von Frau D. Branbergerová war. 1909 erschien er erstmals im Konzertsaal und begann noch im gleichen Jahr seine Bühnenkarriere am Stadttheater von Plzeň (Pilsen). Seit 1914 sang er am Opernhaus von Brno (Brünn) und trat auch an Prager Theatern auf. 1920–21 war er am Opernhaus von Bratislava (Preßburg) im Engagement, 1921–24 an der Kroatischen Nationaloper in Zagreb, 1924–25 wieder in Bratislava. 1925 wechselte er abermals an die Oper von Zagreb, an der er jetzt bis 1931 blieb. Schließlich gehörte er 1931–36 nochmals dem Ensemble des Opernhauses von Brno an. Dort wirkte er 1932 in der Uraufführung der Oper «Flammen» von Erwin Schulhoff mit. Neben seinem Wirken auf der Bühne schätzte man ihn als begabten Konzert- und vor allem Liedersänger. Seit 1925 war er auch als Bühnenregisseur tätig. Später nahm er eine Professur an der Musikakademie von Belgrad wahr. Aus seinem Repertoire sind der Prinz in «Rusalka» von Dvořák, der Laça in Janáčeks «Jenufa», der Eleazar in «La Juive» von Halévy und der Herodes in der Richard Strauss-Oper «Salome» zu nennen.

Poleri, David, Tenor, *10.1. 1921 Chestnut Hill (Pennsylvania), †13.12. 1967 Lihue auf Hawaii; er erhielt seine Ausbildung zum Sänger durch den Pädagogen Alberto Sciaretta. 1949 debütierte er in Chicago bei einem Gastspiel der San Carlo Opera Company als Faust in der Oper gleichen Namens von Gounod. 1951 sang er als Antrittsrolle an der New York City Centre Opera den Alfredo in «La Traviata» und hatte seither an diesem Haus bis 1961 immer wieder große Erfolge. Am 27. 12. 1954 sang er am New Yorker Broadway Theatre in der Urauf-

führung der Oper «The Saint of Bleecker Street» von Gian Carlo Menotti die Partie des Michele. Bereits 1951 (und nochmals 1955) gastierte er beim Festival von Glyndebourne und in Edinburgh als Alvaro in «La forza del destino» von Verdi, 1952 beim Maggio musicale von Florenz als Hermann in «Pique Dame» von Tschaikowsky, 1954 als Andrej in dessen «Mazeppa». Erfolgreiche Gastspiele an der Mailänder Scala (1955 als Michele in «The Saint of Bleecker Street», 1956 in «Troilus and Cressida» von W. Walton), an der Covent Garden Oper London (1956 als Riccardo in Verdis «Ballo in maschera»), an den Opern von New Orleans, Philadelphia und Pittsburgh sowie an weiteren führenden Bühnen in Nordamerika und in Europa. Auch im Konzertsaal in einem umfangreichen Repertoire aufgetreten. Er kam bei einem Hubschrauberabsturz ums Leben.
Schallplatten: RCA (Faust in vollständiger Aufnahme der Oper «La damnation de Faust» von Berlioz, Tenor-Solo in der 9. Sinfonie von Beethoven).

Polgár, László, Baß, * 1947 Somogyszentpal (Ungarn); er wurde an der Franz Liszt-Akademie in Budapest ausgebildet und begann seine Karriere 1972 an der Nationaloper von Budapest als Graf Ceprano in Verdis «Rigoletto». Nachdem er anfänglich dort kleinere und Comprimario-Partien gesungen hatte, übernahm er seit Mitte der siebziger Jahre große Rollen und erschien seit etwa 1980 oftmals als Gast im Ausland. 1974 gewann er den Dvořák-Wettbewerb, 1980 den Hugo Wolf-Wettbewerb in Wien, 1981 den Concours Pavarotti in Philadelphia, 1982 den Liszt-Wettbewerb in Budapest. 1982 gastierte er am Théâtre de la Monnaie Brüssel und an der Oper von Philadelphia. Ebenfalls 1982 sang er an der Covent Garden Oper London den Conte Rodolfo in «La Sonnambula» von Bellini. 1983 an der Berliner Staatsoper zu Gast, 1986 an der Grand Opéra Paris. Zusammen mit dem Budapester Ensemble gastierte er 1987 bei den Festspielen von Wiesbaden. 1988 hörte man ihn am Opernhaus von Zürich als Leporello im «Don Giovanni», bei den Wiener Festwochen im Theater an der Wien in der vergessenen Oper «Fierrabras» von Franz Schubert. Bei den Salzburger Festspielen von 1988 trat er als Publio in «La clemenza di Tito» und in «La Cenerentola» von Rossini auf, 1987 in Wien in einer konzertanten Aufführung der Oper «Die Bakchantinnen» von E. Wellesz. Durch Gastspielverträge war er mit den Staatsopern von Wien und München und seit 1986 mit dem Opernhaus von Zürich verbunden. 1989 sang er bei den Festspielen im finnischen Savonlinna den Sarastro in der «Zauberflöte». An der Oper von Budapest wirkte er bereits 1980 in der Erstaufführung von Strawinskys «The Rake's Progress» mit. Neben seine Bühnenkarriere trat eine zweite nicht weniger erfolgreiche Laufbahn im Konzertsaal, vor allem als Solist in Oratorien und religiösen Musikwerken. Er gab Konzerte in Ungarn, Rußland, Italien, Frankreich, Kanada und sang 1984 und 1987 in der New Yorker Carnegie Hall in Haydns «Schöpfung», an der Mailänder Scala im Requiem von A. Dvořák. Seit 1978 Professor an der F. Liszt-Akademie Budapest.

Schallplatten: Hungaroton («Az ajtón Kivül» von Sándor Balassa, «Christus» und Ungarische Krönungsmesse von F. Liszt, Gurnemanz in Gesamtaufnahme des «Parsifal», «Belfagor» von O. Respighi), Telefunken (Leporello im «Don Giovanni», Krönungsmesse von Mozart), DGG (Basilio im «Barbier von Sevilla», Werke von J. Haydn und F. Liszt), CBS («Poliuto» von Donizetti).

Polić, Inca, Mezzosopran, * 28. 9. 1925 Zagreb; sie war in Belgrad Schülerin von zwei bekannten jugoslawischen Sängern, des Bassisten Nikola Cvejić und des Tenors Josip Riavez. Außerdem studierte sie noch in Zagreb und in Wien. 1952 debütierte sie am Theater von Novi Sad (Neusatz, Wojwodina) als Marguerite im «Faust» von Gounod. Nachdem sie erkannte, daß sie eigentlich keine Sopranstimme hatte, wurde sie durch die Pädagogin M. Hittorf zur Mezzosopranistin umgeschult und wirkte als solche bis 1961 in Novi Sad. 1961 wurde sie an das Opernhaus von Düsseldorf berufen. Hier sang sie bis 1963 unter dem Namen Inca Segall. Dann war sie 1963–66 am Staatstheater von Braunschweig und 1966–70 am Staatstheater von Wiesbaden engagiert. Sie gastierte als Bühnen- wie als Konzertsängerin in Deutschland, Österreich und Italien. Dabei sang sie auf der Bühne Partien wie die Azucena im «Troubadour», die Ulrica im «Maskenball» von Verdi, die Eboli in dessen «Don Carlos», die Carmen, den Titelhelden im «Orpheus» von Gluck, die Brangäne im «Tristan» und die Fricka im Nibelungenring. Seit 1970 war sie als Professorin am Konservatorium von Pretoria (Südafrika) tätig.

Polič, Stefanija, Sopran, * 17. 11. 1893 Triest, † 7. 8. 1978 Ljubljana (Laibach); sie war in ihrer Geburtsstadt Triest Schülerin von de Filippi. In der Spielzeit 1911–12 debütierte sie in Triest und ging dann zur Vervollständigung ihrer Ausbildung nach Wien, wo die berühmte Rosa Papier-Paumgartner ihre Lehrerin war. 1918–23 war sie am Theater von Ojisek (Esseg) verpflichtet, 1923–24 an der Oper von Belgrad. 1925 wurde sie an das Opernhaus von Ljubljana berufen, dessen Mitglied sie bis zur Aufgabe ihrer Karriere 1948 blieb. Auf der Bühne feierte man sie vor allem in Partien aus dem Soubrettenfach wie in klassischen Operetten: als Despina in «Così fan tutte», als Amina in «La Sonnambula» von Bellini, als Musetta in Puccinis «La Bohème», als Marie in der «Verkauften Braut» von Smetana, als Giulietta in «Hoffmanns Erzählungen», als Saffi im «Zigeunerbaron» von Johann Strauß, als Adele in der «Fledermaus», als Laura im «Bettelstudenten» von Millöcker und in vielen anderen Rollen. Sie war verheiratet mit dem Komponisten und Dirigenten Mirko Polič (1890–1951).

Politkowsky, Wladimir (Michailowitsch), Bariton, * 25. 3. (6. 4.) 1892; er war seit 1910 Schüler des Moskauer Konservatoriums, in erster Linie von U. Mazetti. Seit 1920 gehörte er dem Ensemble des Bolschoj Theaters Moskau an. In einer 28jährigen Karriere kam er an diesem führenden russischen Opernhaus zu großen Erfolgen. Er gastierte auch in

weiteren Zentren des russischen Musiklebens, darunter am Opernhaus von Leningrad, und war ein hoch angesehener Konzert- und Rundfunksänger. Sein Repertoire für die Opernbühne umfaßte eine Fülle sehr verschieden gearteter Rollen, darunter den Titelhelden im «Eugen Onegin» von Tschaikowsky, den Tomsky in «Pique Dame», den Dämon in der Oper gleichen Namens von Rubinstein, den Germont-père in Verdis «La Traviata», den Tonio im «Bajazzo», den Sharpless in «Madame Butterfly» und die vier dämonischen Partien in «Hoffmanns Erzählungen» von Offenbach.
Melodiya-Platten (Staatliche sowjetrussische Plattenherstellung).

Poll, Melvyn, Tenor, * 15. 7. 1941 Seattle (Washington); sein Gesangstudium erfolgte bei Gustave Stern in Seattle, dann bei Marinka Gurewich, bei Elsa Seyfert und bei Martin Rich in New York. Zuvor hatte er Rechtswissenschaften studiert und sich bereits als Rechtsanwalt betätigt. 1971 kam er zu seinem Bühnendebüt am Pfalztheater von Kaiserslautern in der Partie des Rodolfo in Puccins «La Bohème». Später sang er vor allem an der New York City Centre Opera; er gastierte an nordamerikanischen Theatern wie an der Oper von Tel Aviv. In seinem Bühnenrepertoire berücksichtigte er in erster Linie lyrische Partien aus dem Bereich der italienischen Oper wie den Edgardo in «Lucia di Lammermoor», den Pinkerton in «Madame Butterfly», den Alfredo in «La Traviata», aber auch als Faust in der Oper gleichen Namens von Gounod und in zahlreichen weiteren Aufgaben aus dem Bühnen- wie dem Konzertrepertoire konnte er sich auszeichnen.

Pollet, Françoise, Sopran, * 1956 (?); die französische Sängerin erstrebte den Beruf einer Musiklehrerin und studierte Violine und Gesang. Als sie bei internationalen Gesangwettbewerben in Versailles, Wien und Genf erste Preise gewonnen hatte, ging sie zum weiteren Studium nach München und war dort vier Jahre hindurch im Opernstudio der Bayerischen Staatsoper Schülerin von Ernst Häfliger. Um ihre Ausbildung finanzieren zu können, sang sie gleichzeitig im Chor des Bayerischen Rundfunks München. 1983 wurde sie an das Theater von Lübeck verpflichtet, an dem sie als Marschallin im «Rosenkavalier» debütierte. Bis 1986 sang sie an diesem Haus 15 große Partien, darunter die Santuzza in «Cavalleria rusticana», die Fiordiligi in «Così fan tutte», die Donna Anna im «Don Giovanni», die Elisabeth im «Tannhäuser», die Amelia in Verdis «Maskenball», die Alice Ford in dessen «Falstaff», die Giulietta in «Hoffmanns Erzählungen», die Ariadne in der Partie des Rodolfo in «Ariadne auf Naxos» und die Titelheldin in «Arabella» von R. Strauss, nicht zuletzt die Frau in «La Voix humaine» von F. Poulenc. 1986 debütierte sie in ihrer französischen Heimat in Montpellier, wo sie das nachgelassene Richard Strauss-Lied «Malven» für Frankreich kreierte. Dort hörte man sie dann auch 1989 in einer konzertanten Aufführung der Oper «Henry VIII.» von Saint-Saëns als Cathérine d'Aragon. An der Pariser Opéra-Comique gastierte sie als Vitellia in «La clemenza di Tito»

von Mozart, an der Oper von Marseille als Agathe im «Freischütz», in Paris wie in Montpellier als Rezia in «Oberon» von Weber, in Brüssel als Cassandre in «Les Troyens» von Berlioz. Dazu entfaltete sie eine bedeutende Konzertlaufbahn, vor allem auf dem Gebiet des Liedgesangs. 1989 sang sie bei einem glänzenden Liederabend in Vichy den «Liederkreis» von R. Schumann und «Les Nuits d'été» von Berlioz. 1990 übernahm sie in Hamburg die Titelpartie in der Uraufführung von Rolf Liebermanns «Freispruch für Medea (für die indisponierte Julia Varady). Schallplatten: HMV-France (Sopransolo in der 4. Sinfonie von Guy Ropartz, Arienplatte), Erato (Arien).

Polze, Helmut, Bariton, * 21. 3. 1933 Altenburg (Thüringen); er war Schüler der Musikhochschule von Weimar und kam 1952 am Opernhaus von Karl-Marx-Stadt (Chemnitz) zu seinem Debüt als Dr. Falke in der «Fledermaus» von Johann Strauß. Er sang dann am Stadttheater von Meissen und am Thüringischen Landestheater Gera, bis er 1962 an das Opernhaus von Leipzig verpflichtet wurde. Nach über zehnjährigem Wirken an diesem Operninstitut kam er 1973 einem Ruf an die Komische Oper Berlin nach. Er unternahm eine Reihe von Gastspielen gemeinsam mit den Ensembles der Leipziger wie der Berliner Oper und wurde vor allem als Interpret von Charakterpartien seines Stimmfachs bekannt. Dabei erwies er sich als hervorragender Darsteller; auch im Konzertsaal hervorgetreten.

Polzelli, Luigia, Mezzosopran, * 1760 Neapel, † 1842 Kaschau (Košice, Slowakei); sie wurde 1779 zusammen mit ihrem Ehemann, dem Violinisten Antonio Polzelli, für die Fürstlich Esterházy'sche Kapelle verpflichtet. Diese genoß zu dieser Zeit höchstes Ansehen, weil sie unter der Leitung des berühmten Komponisten Joseph Haydn (1732– 1809), des Großmeisters der Klassik, stand. Luigia Polzelli scheint bald zu Haydn in nähere Beziehung getreten zu sein. Obwohl weder sie noch ihr Ehemann sich besonders auszeichneten, konnten beide – wohl sicher auf Fürsprache Haydns – bis zur Auflösung der Kapelle 1790 dort im Engagement bleiben. Sie wirkte in einer Anzahl von Uraufführungen weltlicher wie religiöser Vokalmusik des Meisters auf Schloß Esterház wie in Eisenstadt und sang u. a. in der Uraufführung der Oper «L' Isola disabitata» am 6. 12. 1779 auf Schloß Esterház die Partie der Silvia. Joseph Haydn bemühte sich auch um das Fortkommen der beiden Söhne der Sängerin, von denen der ältere Pietro Polzelli mit 19 Jahren starb. Daß der jüngere Sohn, Antonio Polzelli (* 22. 4. 1783), ein natürlicher Sohn Haydns gewesen sei, ist eine völlig unbewiesene Legende. Nach dem Tod seiner Ehegattin Anna Maria Haydn, geb. Keller (mit der er in unglücklicher Ehe verheiratet war) am 20. 3. 1800 in Baden bei Wien, gab Haydn der inzwischen ebenfalls verwitweten Sängerin ein schriftliches Eheversprechen und setzte ihr eine Rente von 300 Gulden aus. Es hat den Anschein, daß Luigia Polzelli den alternden Meister in finanzieller Hinsicht ausnutzen wollte, jedenfalls hat er sein Versprechen nie eingelöst. Die Sängerin ging schließlich eine zweite Ehe ein und starb im Alter von 82 Jahren ganz verarmt in Kaschau.

Ponomarewa, Valentina, Mezzosopran, * 1940 im Chabarowsker Gebiet im fernöstlichen Sibirien; beide Eltern hatten am Konservatorium von Moskau studiert, der Vater war Violinist, die Mutter Pianistin. Valentina Ponomarewa begann ihre Ausbildung am Musikalischen Lehrinstitut von Chabarowsk, wo sie Gesang und Klavierspiel studierte. Ein Regisseur des Theaters von Chabarowsk entdeckte ihre Begabung für den Vortrag der in Rußland immer schon sehr beliebten Zigeunerromanzen, in denen ihre dunkel timbrierte Stimme sich besonders vorteilhaft präsentierte. Sie trug diese Romanzen wie auch andere russische Volks- und Kunstlieder auf sehr erfolgreichen Tourneen in der Sowjetunion wie im Ausland vor. Dabei trat sie zusammen mit Wandertruppen wie dem Orchester Kusbass und dem Estrade-Orchester Sowremennik auf. Sie gab Konzerte in Havanna und Helsinki, in London und Paris und konnte überall ihr Publikum begeistern. 1979 gastierte sie mit dem 1970 in Moskau gegründeten Zigeuner-Theater Romain in der Metropolitan Oper New York. Dabei kam es zu großen Ovationen für die Künstlerin. Sie wirkte in mehreren Tonfilmen mit (insgesamt über zwanzig), von denen vor allem «Grausame Romanze» ein Welterfolg wurde. Die sehr vielseitig interessierte und begabte Künstlerin nahm schließlich sogar Jazzmusik und Negro Spirituals in ihre Programme auf.
Zahlreiche Schallplatten unter dem Etikett von Melodiya haben ihre Stimme bewahrt; 1985 wurde ein Album in England veröffentlicht, das großes Aufsehen erregte.

Pontiggia, Luigi, Tenor, * 1919, † 20. 1. 1987 Seregno bei Mailand; er kam 1950 am Teatro Nuovo in Mailand zu seinem Debüt, nachdem er auch dort seine Ausbildung erhalten hatte. In den folgenden 15 Jahren kam er zu großen Erfolgen im lyrischen Fach an den führenden italienischen Opernhäusern. Auch im Ausland ist er als Gast aufgetreten, so u. a. 1957 am Stoll Theater in London. Auf dem Höhepunkt seiner Karriere erschien er in Partien wie dem Nemorino in «Elisir d' amore» von Donizetti, dem Ernesto im «Don Pasquale», dem Grafen Almaviva in Rossinis «Barbier von Sevilla», dem Florville in dessen «Signor Bruschino», dem Don Ottavio im «Don Giovanni» und dem Nadir in «Pêcheurs de perles» von Bizet. Im letzten Drittel seiner Karriere trat er vor allem in Comprimario-Rollen, so bei den Festspielen von Verona 1975, auf.
Schallplatten: Vox (vollständige Oper «Il Signor Bruschino» von Rossini, 1954), Mixtur («Lucio Silla» von Mozart, 1961), HMV («Amico Fritz» von Mascagni, «L'Arlesiana» von Cilea).

Ponzano, Adele, Mezzosopran, * 10. 1. 1876 Monferrato (Piemont), † 8. 5. 1954 Turin; sie war in Turin Schülerin der berühmten Annetta Casaloni, die die Maddalena in Verdis «Rigoletto» in der Uraufführung in Venedig gesungen hatte. 1898 debütierte sie am Theater von Saluzzo in «Fra Diavolo» von Auber. Während der folgenden dreißig Jahre kam sie an den ersten Opernhäusern in Italien, in Europa, in Nord- wie in Südamerika zu anhaltenden Erfolgen. Als einer der Höhepunkte in ihrem sehr umfangreichen Bühnenrepertoire galt die Partie der Dalila in «Samson et Dalila» von Saint-Saëns. An der Mailänder Scala war sie in besonderer Weise erfolgreich. Hier sang sie am 12. 3. 1902 in der Uraufführung der Oper «Germania» von Alberto Franchetti zusammen mit Enrico Caruso, Amelia Pinto und Mario Sammarco, am 15. 4. 1907 in der Uraufführung der Oper «Gloria» von Francesco Cilea. Bei den Verdi-Gedenkfeiern des Jahres 1913 sang sie in dessen Geburtsort Busseto die Meg Page im «Falstaff». Sie wirkte in einigen weiteren Uraufführungen zeitgenössischer italienischer Opern mit, so 1902 am Teatro Vittorio Emanuele von Turin in «Maricca» von M. Falgheri, 1909 am Teatro Comunale Bologna in «Rosellina dei Vergoni» von Balilla Pratella und, ebenfalls 1909, am Teatro Argentina Rom in «La sposa di Corinto» von Canonica. Sie galt als ausgezeichnete Konzertsängerin, vor allem als Solistin in den Oratorien von Lorenzo Perosi. Auch ihre beiden Schwestern *Leonilde Ponzano* (1871–1941) und *Lucia Ponzano* hatten bedeutende Bühnenkarrieren.
Von der Stimme von Adele Ponzano existieren einige seltene G & T-Aufnahmen (Ausschnitte aus dem Verdi-Requiem, 1912–13).

Ponzano, Leonilde, Alt, * 17. 11. 1871 Casale Monferrato (Piemont), † 23. 7. 1941 Bassano del Grappa an der Brenta; sie war am Konservatorium von Mailand Schülerin von Leoni und Sangiovanni; sie studierte dort gleichzeitig Klavierspiel und Gesang. 1894 erfolgte ihr Bühnendebüt am Teatro Vittorio Emanuele von Mortara als Azucena im «Troubadour». 1896 gastierte sie mit großem Erfolg am Teatro Liceo Barcelona als Amneris in «Aida» und als Cieca in Ponchiellis Oper «La Gioconda». Am 25. 3. 1895 sang sie an der Mailänder Scala in der Uraufführung der Oper «Silvano» von Pietro Mascagni. 1896 sang sie in dessen Oper «Zanetto», wenige Wochen nach deren Uraufführung in Pesaro, in glanzvollen Aufführungen am Teatro Goldoni von Ancona, wobei der Komponist Mascagni selbst dirigierte. Die Künstlerin trat in den folgenden Jahren sehr erfolgreich nicht nur in Italien, sondern auch in London, New York, Boston, Philadelphia und in weiteren Zentren des internationalen Musiklebens auf. 1895 wirkte sie am Teatro Lirico Mailand in der Uraufführung einer Oper «Fortunio» von N. Westerhout mit. Als sie 1899 den Grafen Tattara geheiratet hatte, gab sie ihre Karriere auf und zog sich auf dessen Landsitz in Bassano del Grappa zurück. Zwei ihrer Schwestern hatten ebenfalls eine große Sängerlaufbahn, vor allem *Adele Ponzano* (1876–1954). Dagegen war die Karriere von *Lucia Ponzano*, die wie ihre Schwester Adele Schülerin von Annetta Casaloni in Turin gewesen war, mehr auf den Konzertgesang hin ausgerichtet. 1910 sang sie am Teatro Carignano Turin die Partie der Susanna in der Oper «Nina pazza per amore» von Paisiello, 1913 wirkte sie in einer vom Circolo degli Artisti di Torino veranstalteten Aufführung der Rossini-Oper «L' occasione fa il ladro» mit.

Ponzano, Lucia, s. unter *Ponzano, Leonilde.*

Poolman-Meissner, Liesbeth, Sopran, * 1887 Rotterdam, † 29. 10. 1954 Rijswijk (Provinz Südholland); sie wurde durch ihren späteren Ehemann ausgebildet und debütierte 1912 in Rotterdam. 1913–16 war sie an der Königlichen Oper Antwerpen engagiert; hier sang sie u. a. 1914 in der Erstaufführung des «Parsifal» die Partie der Kundry. 1916–19 gehörte sie der holländischen Operngesellschaft des Impresarios Koopman an. Danach trat sie vor allem in Frankreich auf, war aber 1922–23 nochmals an der Oper von Antwerpen tätig. Sie sang in den zwanziger Jahren bei mehreren holländischen Operngesellschaften, gab 1922 sehr erfolgreiche Konzerte in Köln und sang 1929 in der konzertanten holländischen Erstaufführung der Oper «Islandsaga» von Vollerthun in Amsterdam die Partie der Thordis. Den Höhepunkt ihrer Laufbahn bezeichnete ein großes Gastspiel mit der holländischen Operngesellschaft Co-operatie Den Haag 1926 an der Grand Opéra Paris. Dabei sang sie die Leonore im «Fidelio», die Ortrud im «Lohengrin», die Isolde im «Tristan», die Brünnhilde in der «Walküre» und die Titelrolle in der Oper «Béatrice» von Guillaume Landre. 1930 gastierte sie nochmals in Paris als Isolde zusammen mit dem berühmten holländischen Tenor Jacques Urlus als Titelhelden im «Tristan». 1927 war sie an der Oper von Monte Carlo als Dalila in «Samson und Dalila» von Saint-Saëns und als Brünnhilde in der «Walküre» zu Gast. Schallplatten der bedeutenden Sängerin sind nicht bekannt.

Poot, Sonja, Sopran, * 3. 12. 1936 s'Gravenzande (Holland); sie kam als Kind nach Rhodesien, wohin ihre Eltern auswanderten. Dort erhielt sie ihre erste Ausbildung in Salisbury; sie kam zu weiteren Studien dann nach Amsterdam und an die Musikakademie Wien. 1964 erfolgte ihr Bühnendebüt am Stadttheater von Bonn in der Partie der Konstanze in der «Entführung aus dem Serail» (mit Werner Hollweg als Partner). Sie blieb bis 1971 Mitglied dieses Hauses, an dem sie sehr beliebt wurde. Man inszenierte für sie Donizetti-Opern wie «Lucia di Lammermoor», «Maria di Rohan» und «Roberto Devereux», in denen sie die Hauptpartien übernahm. 1971–73 war sie am Opernhaus von Nürnberg tätig, 1973–78 an der Staatsoper Stuttgart. Sie trat anschließend bis Mitte der achtziger Jahre gastierend auf; durch einen Gastvertrag war sie 1977–79 dem Opernhaus von Graz verbunden. Sie erschien als Gast auch am Stadttheater der Schweizer Bundeshauptstadt Bern (1964), am Stadttheater von Basel (1969) und in Amsterdam (1970 als Lucia di Lammermoor und dann mehrfach bis 1978, als sie dort die Elsa im «Lohengrin» sang). Weitere Gastspiele an der Wiener Volksoper (1971), an der Oper von Rom (1973 als Konstanze in der «Entführung aus dem Serail»), am Grand Théâtre Genf (1973 als

Elettra in «Idomeneo»), am Teatro Liceo Barcelona, in Rotterdam (1974), Nantes und Ottawa (1974 als Konstanze). Aus ihrem ungewöhnlich vielseitigen Bühnenrepertoire sind noch die Donna Anna im «Don Giovanni», die Königin der Nacht wie die Pamina in der «Zauberflöte», die Titelheldinnen in den Donizetti-Opern «Anna Bolena» und «Lucrezia Borgia», die Violetta in «La Traviata», die Amelia in Verdis «Simon Boccanegra», die Norina im «Don Pasquale» und die Miss Jessel in «The Turn of the Screw» von B. Britten nachzutragen. Auch als Konzertsängerin hatte sie eine erfolgreiche Laufbahn.

Pope, Cathryn, Sopran, * 1960 (?); die englische Sängerin erhielt ihre Ausbildung am Royal College of Music London, wo sie Schülerin von Ruth Packer war. Sie kam zu einer großen Karriere bei der English National Opera London; hier sang sie Partien wie die Pamina und die Papagena in der «Zauberflöte», die Susanna in «Nozze di Figaro», die Zerline im «Don Giovanni», die Anaide in «Mosè in Egitto» von Rossini, die Sophie im «Werther» von Massenet, die Leila in «Pêcheurs de perles» von Bizet und die Gretel in «Hänsel und Gretel» (1987). 1988 übernahm sie bei der English National Opera in der englischen Erstaufführung der Oper «Der Weihnachtsabend» («Christmas Eve») von Rimsky-Korssakow die Rolle der Oksana. Auch an den übrigen englischen Opernbühnen konnte sie eine erfolgreiche Karriere entfalten. So sang sie bei der Opera North Leeds den Amor im «Orpheus» von Gluck, an der Covent Garden Oper London die Giannetta in «Elisir d'amore», die Frasquita in «Carmen» und die Najade in der Richard Strauss-Oper «Ariadne auf Naxos». Auch als Konzertsängerin aufgetreten. Schallplatten: Philips (Barbarina in «Nozze di Figaro»), Decca (Anne Trulove in «The Rake's Progress» von Strawinsky), Virgin-Video («Rusalka» von A. Dvořák).

Popova, Valeria, Sopran, * 1947 (?); die bulgarische Sängerin war die Tochter des Violinisten und Dirigenten Sacha Popov (* 1899) und erhielt durch diesen auch ihre erste musikalische Ausbildung. Weitere Studien an der Musikakademie Sofia bei Loëli Daskalova und bei Cristo Brambaroff. Es schloß sich ein zweijähriges Studium bei der großen italienischen Sopranistin Gina Cigna an. Sie debütierte an der Nationaloper von Sofia als Lauretta in Puccinis «Gianni Schicchi» und wurde Preisträgerin bei einer Vielzahl von Gesangwettbewerben, so 1969 beim Nationalen Concours in Sofia, 1973 beim Prager Musikfrühling, 1974 in s'Hertogenbosch, 1975 in Paris und Verviers, 1977 in Sofia und Ostende. 1971–76 war sie am Opernhaus von Plovdiv engagiert, seit 1976 große Karriere an der Oper von Sofia. Gastspiele trugen ihr in der Sowjetunion, in Deutschland, in Belgien, Rumänien und Kuba große Erfolge ein; nicht weniger von Bedeutung war ihre Konzertkarriere. Von den vielen Partien, die sie auf der Bühne gesungen hat, sind die Traviata, die Manon von Massenet, die Gräfin in «Nozze di Figaro», die Jenufa in Janáčeks gleichnamiger Oper, die Fiordiligi in «Così fan tutte», die Marguerite im «Faust»

von Gounod, die Donna Elvira im «Don Giovanni», die Pamina in der «Zauberflöte», die Leonore in «La forza del destino» und die Alice Ford im «Falstaff» von Verdi, dazu Partien in bulgarischen Opern, zu nennen. Die Tochter der Künstlerin *Alexandrina Pendachanska* (* 1971) debütierte mit sensationellem Erfolg 1989 in Sofia in einer konzertanten Aufführung von Verdis «La Traviata» in der Partie der Violetta.
Schallplatten: Balkanton (Arien von Puccini, Verdi, Bellini und Massenet).

Popović, Wladimir (Vladesta), Tenor, * 13. 2. 1904 Belgrad, † 16. 3. 1972 Belgrad; seine Ausbildung erfolgte in Zagreb, wo er auch 1924 am Kroatischen Nationaltheater debütierte. Bis 1930 blieb er Mitglied dieses Hauses. 1930–43 war er an der Nationaloper von Belgrad tätig. Er gastierte u. a. 1940 an der Wiener Staatsoper. Seit 1943 wirkte er hauptsächlich als Konzert- und Radiosänger, gab aber auch noch Bühnengastspiele. Aus seinem Bühnenrepertoire, das vor allem Partien aus dem lyrischen Stimmfach enthielt, sind zu nennen: der Graf Almaviva in Rossinis «Barbier von Sevilla», der Herzog im «Rigoletto», der Alfredo in «La Traviata», der Lenski im «Eugen Onegin» von Tschaikowsky, der Hans in Smetanas «Verkaufter Braut», der des Grieux in «Manon» von Massenet und der Tamino in der «Zauberflöte».
In einer Gesamtaufnahme der Oper «Khovantchina» von Mussorgsky auf der Marke Decca ist er in einer kleinen Partie zu hören.

Popow, Wladimir, Tenor, * 29. 4. 1947 Moskau; er absolvierte seine Ausbildung zum Sänger am Tschaikowsky-Konservatorium in Moskau. In den Jahren 1977–81 hatte er seine ersten großen Erfolge am Moskauer Bolschoj Theater. 1981–82 vervollständigte er seine Ausbildung in Mailand, wobei er in der Hauptsache das italienische Fach einstudierte. Er emigrierte dann in die USA und sang dort als erste Rolle bei der Portland Opera 1982 den Ramirez in «La fanciulla del West» von Puccini. Im September 1984 kam es dann zu seinem Debüt an der Metropolitan Oper New York, wobei er dort als Antrittspartie den Lenski im «Eugen Onegin» von Tschaikowsky sang. In den folgenden Spielzeiten hatte er an diesem Haus als Cavaradossi in «Tosca», als Gabriele Adorno in «Simon Boccanegra» von Verdi, als Titelheld in «Ernani», als Turiddu in «Cavalleria rusticana», als José in «Carmen» wie als Dimitrij im «Boris Godunow» aufsehenerregende Erfolge. 1987 hörte man ihn an der Oper von Houston/Texas als Kalaf in Puccinis «Tosca» zusammen mit Eva Marton; diese Partie sang er dann auch 1987 an der Metropolitan Oper. An der Oper von Philadelphia gastierte er 1987 als Cavaradossi, in Washington 1989 als Hermann in «Pique Dame». Seine Karriere wurde durch weitere Gastspiele und Konzertauftritte in den Zentren des nordamerikanischen Musiklebens abgerundet. 1988 Gastspiel an der Covent Garden Oper London als Dimitrij, 1989 in Toronto als Cavaradossi, an der Oper von San Francisco als Radames in «Aida».

Popowa, Katja, Sopran, * 21. 1. 1924 Pleven (Bulgarien), † 24. 11. 1966 Bratislava (bei einem Flugzeugabsturz); die bulgarische Künstlerin erhielt ihre Ausbildung zur Sängerin durch die Pädagogin Mara Marinova-Cibulka, Katja Spiridonova, Asen Dimitrov und am National-Konservatorium von Sofia, das sie mit der höchsten Auszeichnung verließ. Sie wurde sogleich an die Nationaloper von Sofia verpflichtet, an der sie 1947 als Esmeralda in Smetanas «Verkaufter Braut» debütierte und seitdem eine jahrelange, sehr erfolgreiche Karriere hatte. Sie trat vornehmlich in lyrischen Sopranpartien auf. Bei den Weltjugendfestspielen 1964 in Budapest wie auch bei einem Gesangwettbewerb in Prag wurde sie mit ersten Preisen ausgezeichnet. Gastspielreisen führten sie in zahlreiche europäische Länder; besonders erfolgreich war sie dabei in Deutschland wie in Frankreich. 1959 sang sie an der Grand Opéra Paris die Marguerite im «Faust» von Gounod, die sie auch an der Staatsoper Wien und am Théâtre de la Monnaie Brüssel (1962) vortrug. Auch als Manon von Massenet wurde sie bewundert. Sie gab Gastspiele in Rußland wie in der ČSR. Angesehene Solistin in einem vielgestaltigen Konzertrepertoire. Der Künstlerin wurde der Dimitroff-Preis, eine der höchsten bulgarischen Auszeichnungen, verliehen.
Schallplatten: Balkanton, Eterna (Arien aus «Manon» von Massenet).

Porcinai, Elisa, Sopran, * 1900 (?); sie hatte in den zwanziger und dreißiger Jahren unseres Jahrhunderts eine Karriere als lyrisch-dramatische Sopranistin an den größeren Opernbühnen in der italienischen Provinz. So sang sie 1926 am Teatro Verdi Pisa die Suzel in Mascagnis «Amico Fritz» zusammen mit Tino Folgar, 1930 am gleichen Theater die Maddalena in «Andrea Chénier» von Giordano. Nachdem sie nach 1935 einige Zeit mit ihrer Karriere ausgesetzt hatte, war sie 1938, wieder als Maddalena, erfolgreich bei den Festspielen im Castello Sforza in Mailand, während Benjamino Gigli die Partie des Andrea Chénier sang. Mit diesem Partner sang sie dann auch die Maddalena, die wohl ihre Glanzrolle war, 1939 am Teatro Verdi Pisa. Sie ist nach ihrer Heirat auch unter dem Namen Elisa Gatti-Porcinai aufgetreten.
Auf Schallplatten singt sie das Kirschenduett aus «Amico Fritz» auf HMV mit Bruno Landi als Partner.

Poschner, Agnes, s. unter *Zilken,* Willy.

Poschner-Klebel, Brigitte, Sopran, * 1958 (?) Wien. Sie wurde am Konservatorium der Stadt Wien ausgebildet, an dem sie Schülerin von Gerda Scheyrer war, übte aber zunächst den Beruf einer Sekretärin aus. Vervollständigung der Ausbildung bei Gottfried Hornik. 1981–82 war sie Mitglied des Studios der Wiener Staatsoper und wurde 1982 in deren Ensemble übernommen. 1983 wechselte sie an die Wiener Volksoper und blieb an diesem Haus bis 1986 tätig, kehrte dann aber wieder an die Staatsoper Wien zurück. Hier wie bei Gastspielen kam sie jetzt zu einer großen Bühnenkarriere. Bei den Festspielen von Aix-en-Provence war sie 1988–89 als Fiordiligi in «Così fan tutte» zu hören; bereits 1984 gastierte sie am Teatro Fenice Venedig, 1986 an der Mailänder Scala als Pamina in der «Zauberflöte», 1987 in Amsterdam, 1989 in Tokio. Weitere Gastspiele in Neapel, Turin und Triest sowie als Konzertsängerin in Paris. Ihre Bühnenpartien waren die Gretel in «Hänsel und Gretel», die Rosalinde in der «Fledermaus», die Luigia in «Viva la mamma» von Donizetti, die Esmeralda in der «Verkauften Braut» von Smetana, die Ännchen im «Freischütz», die Berta im «Barbier von Sevilla», die Najade in «Ariadne auf Naxos» von R. Strauss, die Sophie im «Rosenkavalier», die Xenia im «Boris Godunow» und die Susanna in «Khovantchina» von Mussorgsky (Wien, 1989), die Emmy in Benjamin Brittens «Albert Herring» und die Lucy in der «Beggar's Opera». Als Konzert- und Oratoriensolistin trat sie in einem umfangreichen Repertoire auf. Verheiratet mit dem Dirigenten Bernhard Klebel.

Pospišil-Griff, Marta, Alt, * 30. 1. 1892 Križevci (Kroatien), † 19. 3. 1966 Zagreb; sie war Schülerin von G. Sartocić in Zagreb und von E. Herzog-Tulner in Wien. 1914 Debüt am Opernhaus von Zagreb in der Rolle der Hata in der «Verkauften Braut» von Smetana. Bis 1943 wirkte sie an diesem Operntheater, dessen Publikum ihr sehr zugetan war. Sie sang dort Partien wie die Marfa in «Khovantchina» von Mussorgsky, die Gräfin in Tschaikowskys Oper «Pique Dame», die Dalila in «Samson et Dalila» von Saint-Saëns, die Eboli im «Don Carlos» von Verdi, die Ulrica im «Maskenball» und die Marina im «Boris Godunow». Bei Gastspielen und Konzertauftritten kam sie in Jugoslawien wie im Ausland zu Erfolgen. Sie war verheiratet mit dem Bassisten *Alexander Griff* (1887–1962).
Aufnahmen ihrer Stimme wurden auf der Marke Jugoton publiziert.

Possemeyer, Berthold, Bariton, * 1951 Gladbeck (Westfalen); er studierte an der Musikhochschule Köln und war Schüler von Josef Metternich und Franz Müller-Heuser. Nachdem er bei Gesangwettbewerben in s'Hertogenbosch (1974), Leipzig (1976) und München (1981) Preise davongetragen hatte, kam er zunächst zu einer Konzertkarriere. Dabei zeichnete er sich als Oratorien- wie als Liedersänger aus und gastierte u. a. in Paris und New York, in Jerusalem und Turin, in Hamburg und Venedig. 1978 begann er dann seine Bühnenkarriere am Staatstheater von Oldenburg, ging aber 1979 an das Opernhaus von Essen. Hier sang er Partien wie den Figaro im «Barbier von Sevilla», den Papageno in der «Zauberflöte», den Guglielmo in «Così fan tutte», den Titelhelden in Tschaikowskys «Eugen Onegin», den Silvio im «Bajazzo» und den Zaren in «Zar und Zimmermann» von Lortzing. Bis 1984 war er am Essener Opernhaus verpflichtet und sang anschließend 1984–86 am Theater im Revier Gelsenkirchen. Später lebte er in Wiesbaden und ging einer ausgedehnten Gastspieltätigkeit, vor allem im Konzertbereich, nach.
Schallplatten: Ariola-Eurodisc (Geistliche Vokal-

musik), Carus-Verlag (Bach-Kantaten und geistliche Musik von Mendelssohn), Edition Schwann (Mozart-Messen), Aulos (Choralpassion von Distler).

Posszert, Emilia, Alt, * 1893 (?) in Ungarn, † 1973 Budapest; sie absolvierte ihre Gesangausbildung in Budapest und Wien und war 1918–20 an der Staatsoper von Dresden engagiert. Sie ging dann an das Landestheater von Braunschweig, dem sie in den Jahren 1920–23 angehörte. 1923–27 war sie Mitglied des Nationaltheaters Mannheim; hier sang sie 1925 die Kontschakowna in der deutschen Erstaufführung von Alexander Borodins Oper «Fürst Igor». Sie kehrte dann wieder in ihre ungarische Heimat zurück, trat dort noch als Gast an der Budapester Nationaloper auf und widmete sich einer umfangreichen pädagogischen Tätigkeit. Ihr bedeutendster Schüler war der Tenor Jozsef Simandy. Von den Partien, die sie im Lauf ihrer Bühnenkarriere gesungen hat, seien auszugsweise der Titelheld im «Orpheus» von Gluck, die Erda im Nibelungenring, die Hexe in «Hänsel und Gretel» von Humperdinck und die Klytämnestra in «Elektra» von R. Strauss genannt.

Poulenard, Isabelle, Sopran, * 5. 7. 1961 Paris; sie wurde nach ihrer Ausbildung, die in der französischen Metropole Paris erfolgte, bekannt, als sie 1981 beim Festival von Tourcoing, 1982 am Teatro Comunale und beim Holland Festival als Königin der Nacht in der «Zauberflöte» auftrat. 1982 sowie 1985–86 gastierte sie bei den Barock-Opernfestspielen von Innsbruck, 1985 bei den Händel-Festspielen von Göttingen; 1987 und 1988 sang sie in konzertanten Opernaufführungen in London, darunter 1987 in Glucks «Iphigénie en Aulide» im Rahmen des Spitalfield Festivals. 1989 gastierte sie in Straßburg in «Grisélidis» von Massenet. Sie kam im Konzertsaal fast noch zu einer bedeutenderen Karriere als auf der Bühne. Dabei widmete sie sich vor allem der Musik des Barockzeitalters, und hier wiederum in besonderer Weise der frühen italienischen und französischen Oper. So sang sie Partien wie die Lisette in «Il Re Teodoro» von A. Salieri, die Lisaura in «Alessandro» von Händel und die Silanora in «Orontea» von Antonio Cesti. Sie trat in Werken aus dieser Epoche in Frankreich wie in Deutschland (Westdeutscher Rundfunk Köln) in Radiosendungen auf und sang sie in ihren Schallplattenaufnahmen.
Diese erschienen auf Erato («Armide» von Lully, «Le Malade imaginaire» von M. A. Charpentier, «Zauberflöte»), CBS («Tamerlano» von Händel), Harmonia mundi («Le Cinesi» von Gluck).

Poulter, Eileen, Sopran, * 29. 4. 1928 London; sie absolvierte ihr Musik- und Gesangstudium am Trinity College London. Sie trat in erster Linie als Konzert- und vor allem als Oratoriensängerin in Erscheinung, sang aber auch in Opern, u. a. in Vorstellungen bei der Handel Society. Sie trat dem Deller Consort bei, das der berühmte Countertenor Alfred Deller um sich gesammelt hatte, und nahm an dessen großen internationalen Tourneen teil. Natur-

gemäß standen alt-englische und barocke Vokalwerke im Mittelpunkt ihres Repertoires. Bereits frühzeitig widmete sie sich der pädagogischen Arbeit, 1967–81 war sie als Lehrerin am Colchester Institute of Higher Education tätig.
Schallplatten: Decca («Dido and Aeneas» von H. Purcell).

Powell, Claire, Mezzosopran, * 1954 Tavistock (Grafschaft Devonshire, England); Gesangstudium an der Royal Academy of Music und im Opera Centre London. 1979 gab sie ihr erstes Konzert in der Londoner Wigmore Hall. Ihre ersten Erfolge als Bühnensängerin hatte sie bei der Glyndebourne Touring Opera, dann auch bei den Festspielen von Glyndebourne in Monteverdis «Ritorno d'Ulisse in patria». 1980 sang sie als Antrittsrolle an der Covent Garden Oper London die Olga im «Eugen Onegin» von Tschaikowsky. Seitdem war sie an diesem Haus als Nicklausse in «Hoffmanns Erzählungen», als Hermia in «A Midsummer Night's Dream» von Benjamin Britten, als Karolka in Janáčeks «Jenufa», als Gymnasiast in «Lulu» von A. Berg, als Orlowsky in der «Fledermaus», als Maddalena im «Rigoletto», als Neris in «Medea» von Cherubini (1989) und als Prinzessin Eboli in Verdis «Don Carlos» zu hören. An der Welsh Opera Cardiff sang sie die Rosina im «Barbier von Sevilla», die Maddalena, die Preziosilla in «La forza del destino» und die Marina in der Uraufführung der Oper «The Servants». Sie gastierte an der Opera North Leeds, an der Scottish Opera Glasgow und an der English National Opera London. An der Pariser Grand Opéra trat sie als Nicklausse in «Hoffmanns Erzählungen», und als Varvara in «Katja Kabanowa» von Janáček (1988) auf, an der Oper von Frankfurt a. M. als Ulrica in Verdis «Ballo in maschera», am Théâtre de la Monnaie Brüssel als Orlowsky in der «Fledermaus», an der Staatsoper München als Nicklausse und an der Oper von Rom als Idamante in Mozarts «Idomeneo». In Madrid erregte sie als Orpheus von Gluck Aufsehen, bei der Canadian Opera Toronto als Marina im «Boris Godunow», als Eboli, als Pauline in «Pique Dame» von Tschaikowsky und als Carmen. Sie gastierte weiter in San Francisco, Lissabon, Barcelona und an der Opéra de Wallonie Lüttich. Aus ihrem umfangreichen Konzertrepertoire seien Solopartien in der h-moll-Messe von J. S. Bach, in der Missa solemnis von Beethoven, in der Krönungsmesse von Mozart, im Te Deum von Bruckner, im «Lied von der Erde» von Gustav Mahler aus einem weitreichenden Repertoire hervorgehoben.
Schallplatten: CBS (Giunone in «Il ritorno d'Ulisse in patria», «El Amor brujo» von de Falla).

Power, Lawrence, Tenor, * 1910 (?) Adelaide (Australien), † August 1963 Adelaide; nachdem er 1924 einen Gesangwettbewerb in Melbourne gewonnen hatte, ging er zur weiteren Ausbildung nach Italien und war in Mailand Schüler von Maestro Peraccini. 1926 kam es zu seinem Bühnendebüt unter dem Namen Lorenzo Poerio (den er in Italien beibehielt) am Theater von Rovere als Fernando in Donizettis «La Favorita». Er trat an verschiedenen italieni-

schen Opernhäusern, darunter am Teatro Dal Verme Mailand, auf und sang in der Saison 1930–31 am Royal Opera House Malta Partien wie den Dimitrij im «Boris Godunow», den Faust in «Mefistofele» von Boito, den Rodolfo in «La Bohème», den Pinkerton in «Madame Butterfly» und den Herzog im «Rigoletto». Es schlossen sich Auftritte in der Schweiz und 1931–32 am Teatro San Carlo Neapel an; hier stand er zusammen mit so großen Sängern wie Toti Dal Monte und Tito Schipa auf der Bühne. Mit der San Carlo Opera Company unternahm er 1932–33 eine Gastspieltournee nach Indonesien. Dabei war die amerikanische Sopranistin *Annunciata Garotto* (* 1901) seine Partnerin, die er dann heiratete. 1933 wurde er durch Alfredo Salmaggi für Vorstellungen von beliebten Opern im New Yorker Hippodrome verpflichtet. Hier trat er bis 1934 mit großem Erfolg auf. Es folgten Gastspiel- und Konzertreisen in den USA wie in Kanada, bei denen er ein sehr umfangreiches Repertoire präsentierte. Bei vielen dieser Reisen wurde er von seiner Gattin begleitet, die mit ihm zusammen auftrat. 1939 kehrte er in seine australische Heimat zurück. Dort setzte das Künstlerehepaar seine Karriere, namentlich im australischen Rundfunk ABC, fort. Nach einer schweren Krankheit mußte Lawrence Power 1945 seine Karriere aufgeben und zog sich nach Adelaide zurück.
Schallplatten: HMV.

Power, Mildred, Alt, * 1890 (?), † 24. 9. 1915; diese amerikanische Sängerin begann ihre Karriere 1913 als Haus-Altistin der Columbia-Schallplattengesellschaft. Sie nahm dort in etwa die gleiche Stellung ein wie Elsie Baker bei der Victor-Company. Auf der Marke Columbia kamen mehrere Soli, vor allem aber Duette mit der Sopranistin Grace Kerns, heraus, auf denen sich eine schöne, dunkle Stimme präsentiert. Darunter wurde das Duett Norma–Adalgisa aus der Oper «Norma» von Bellini «Mira, o Norma» eine von Plattensammlern besonders gesuchte Aufnahme. Bei der Mehrzahl dieser Aufnahmen handelt es sich natürlich um populäre Lieder und Ballads. Wie bei vielen anderen amerikanischen Sängerinnen ihrer Generation beschränkte sich ihre künstlerische Tätigkeit neben den Schallplattenaufnahmen auf Solo-Auftritte in Kirchen und gelegentliche Konzerte, die sie vor allem in New York gab. Ihr allzu früher Tod hat vielleicht eine spätere Karriere auf der Bühne verhindert, zu der sie mit Sicherheit die erforderlichen stimmlichen Mittel besaß.

Pozzi-Mantegazza, Teresa, Sopran, * 1825 (?) Turin, † (?); sie erhielt ihre Ausbildung an der Accademia Filarmonica in ihrer Geburtsstadt Turin und wurde eine der führenden dramatischen Sopranistinnen innerhalb ihrer Generation in Italien. 1851 ist sie am Theater von Cesena anzutreffen, an dem sie als Odabella in «Attila» von Verdi und als Abigaille in dessen «Nabucco» zu großen Erfolgen kam. 1852 hatte sie ähnliche Erfolge als Odabella (eine ihrer großen Kreationen) am Teatro Regio von Parma, 1853 am Teatro Coccia von Novara als Titelheldin in «Gemma di Vergy» von Donizetti und als Giovanna in «La prigione d' Edinburgo» von Federico Ricci. 1858 feierte man sie am Teatro Nazionale Turin, wo sie 1860 als Partnerin des Bassisten Alessandro Bottero große Erfolge hatte. 1859–60 war sie wieder am Teatro Regio Parma anzutreffen, 1863 in Novara als Caterina in Pacinis «Regina di Cipro». Bis etwa 1875 zog sich ihre Karriere an den großen italienischen Theatern hin, wo sie u. a. am Teatro Comunale Bologna, am Teatro Doria Genua, am Teatro Grande Triest, in Bergamo, Turin, Mondovi und Mailand nachzuweisen ist. Über den Ausgang ihrer Karriere wie ihres Lebens ist nichts Gewisses bekannt.

Prandi, Giulia, Mezzosopran, * 1850 (?) Turin, † (?); sie war in ihrer Geburtsstadt Turin Schülerin von Maestra Candiani und präsentierte sich erstmals dem Publikum im August 1872 in einem Konzert am Turiner Teatro Carignano. Im Mai 1873 kam es am Teatro Balbo Turin zu ihrem Bühnendebüt als Ulrica in Verdis «Ballo in maschera». Merkwürdigerweise spielte sich ihre Karriere mehr im Ausland als in ihrer italienischen Heimat ab. So sang sie an den Hofopern von St. Petersburg und Moskau, am Teatro San Carlos Lissabon, am Teatro Real Madrid, am Teatro Liceo Barcelona, am Teatro Principal Valencia und an vielen weiteren großen europäischen Opernbühnen, wobei sie ein sehr umfassendes Rollenrepertoire zum Vortrag brachte. Auch an der Mailänder Scala ist sie aufgetreten; dort sang sie am 11. 1. 1879 in der Uraufführung der Oper «Dolores» von Auteri Manzocchi die Partie des Ildebrando. Im Februar 1880 gastierte sie am Teatro Regio Turin als Azucena im «Troubadour» von Verdi und als Marta in «Mefistofele» von Boito. Weitere Angaben über die Karriere der Künstlerin waren nicht auffindbar.

Prégardien, Christoph, Tenor, * 1956; der deutsche Künstler studierte an der Musikhochschule Frankfurt a. M., in Mailand und Stuttgart. Er sang zuerst als Solist mit dem Domchor von Limburg a. d. Lahn, war 1983–87 am Opernhaus von Frankfurt a. M engagiert, zugleich 1984–85 der Staatsoper Hamburg verbunden. 1987–88 sang er am Theater im Revier Gelsenkirchen und seit 1988 wieder am Frankfurter Opernhaus. Er gastierte u. a. am Stadttheater von Ludwigshafen, am Staatstheater Karlsruhe und an der Oper von Antwerpen. Dabei trat er in Partien aus dem lyrischen Fachbereich auf: als Graf Almaviva im «Barbier von Sevilla», als Fenton in Verdis «Falstaff», als Don Ottavio im «Don Giovanni» und als Tamino in der «Zauberflöte». Der Schwerpunkt seiner Karriere lag jedoch im Konzertrepertoire, als Oratoriensolist, und vor allem als Interpret von barocker Vokalmusik. Er sang beim Holland Festival und beim Festival von Flandern, in Paris und Aix-en-Provence, bei den Ansbacher Bach-Wochen, bei den Händelfestspielen in Göttingen und in Innsbruck. 1988 hörte man ihn in London in konzertanten Opernaufführungen, 1989 in Amsterdam und in Genf. Im belgischen Fernsehen trat er in der Matthäuspassion von J. S. Bach auf; 1989 gab er Serien von Bach- und Händel-Konzerten in London. Zahlreiche Schallplatten haben uns seine Stimme

überliefert. Sie erschienen auf den Marken Harmonia mundi («L'Infedeltà delusa» von J. Haydn, Matthäus- und Johannespassion von J. S. Bach, Magnificat und Kantaten, ebenfalls von J. S. Bach, Mozart-Requiem, Konzert-Arien von Mozart), HMV-Electrola («Die großmüthige Tomyris» von Reinhard Keiser), Hänssler-Verlag (Bach-Kantaten, «Symphoniae Sacrae» von Heinrich Schütz, Kantaten von Fasch), Spirella (Messe Nr. 1 von Cherubini), Virgin (Konzertarien von Mozart).

Prelćeć, Zvonimir, Tenor, * 6. 5. 1924 Zagreb; er erhielt seine Ausbildung in Zagreb, debütierte 1958 am dortigen Kroatischen Nationaltheater und blieb während seiner ganzen Karriere dessen Mitglied. In den Jahren 1965–67 gastierte er bei den Festspielen von Salzburg in «Boris Godunow» von Mussorgsky, 1968 am Teatro Comunale Bologna; auch am Teatro San Carlo Neapel als Gast aufgetreten. Auf der Bühne war er vor allem im lyrischen und im Charakter-Fach zu hören: als Graf Almaviva im «Barbier von Sevilla» von Rossini, als Nemorino in «Elisir d' amore», als Alfredo in «La Traviata», als Tamino in der «Zauberflöte», als Lenski in Tschaikowskys «Eugen Onegin», als David in den «Meistersingern», als Wenzel in der «Verkauften Braut» von Smetana und als Prinz in Prokofieffs «Liebe zu den drei Orangen». Neben seine Bühnenkarriere trat eine erfolgreiche Tätigkeit im Konzertfach.
Schallplatten: Jugoton.

Prévost, Alexis, Baß, * (?), † Juni 1897 Paris; er war der Sohn des Bassisten *Ferdinand Prévost.* Da beide, Vater und Sohn, gleichzeitig an der Pariser Grand Opéra engagiert waren, ist es nicht immer möglich zu entscheiden, um welchen der beiden Sänger es sich handelt. Die Verwirrung wird dadurch noch größer, daß Alexis Prévost sich auch Ferdinand-Prévôt nannte. Die Namen der beiden Künstler, die im wesentlichen an der Grand Opéra in kleineren Partien eingesetzt wurden, kommen im Zusammenhang mit mehreren Opernuraufführungen vor. Alexis Prévost sang den Hiéros in der Uraufführung von Rossinis «Le Siège de Corinthe» (9. 10. 1826), sein Vater in der gleichen Aufführung den Omar; Alexis wirkte am 3. 8. 1829 in der Uraufführung von Rossinis «Wilhelm Tell» als Leuthold mit, während sein Vater den Gessler sang. In der Uraufführung einer weiteren Oper von Rossini an der Grand Opéra, «Moïse et Pharaon» (26. 3. 1827) trat Alexis Prévost in der Partie des Orpheïde auf. Er nahm auch an den Uraufführungen von «La Muette de Portici» von Auber (29. 2. 1828), «La Juive» von Halévy (23. 2. 1835 als Albert) und «Le Prophète» von Meyerbeer (16. 4. 1849) teil. In den Uraufführungen der Opern von Meyerbeer «Robert le Diable» (21. 11. 1831) und «Les Huguenòts» (29. 2. 1836) wirkten wieder beide Sänger, Vater und Sohn, mit. Alexis Prévost sang dann noch am 22. 12. 1841 in der Uraufführung der Oper «La Reine de Chypre» von Halévy, schließlich am 16. 4. 1851 in der von Gounods «Sapho» (alle Aufführungen an der Grand Opéra); 1841 übernahm er in der ersten Aufführung des «Freischütz» an der Grand Opéra die Rolle des Kuno.

Prey, Florian, Bariton, * 1960 Hamburg; Sohn des berühmten Baritons *Hermann Prey* (* 1929). Er absolvierte sein Musikstudium an der Musikhochschule München, wo er im Hauptfach Sologesang bei Hanno Blaschke studierte. Später war er Schüler von Anna Kapinski und brachte sein Studium 1983 mit dem Staatsdiplom in Opern- und Konzertgesang zum Abschluß. 1982 gab er seine ersten Liederabende und trat seitdem als Solist in Oratorien und Kirchenkonzerten auf. Er sang bei der Schubertiade in Wien und bei den Musiktagen in Urach. 1984 kam es zu seinem Operndebüt am Teatro Fenice Venedig als Graf in der Oper «Der ferne Klang» von Franz Schreker. Am gleichen Haus sang er im Dezember 1984 in einer szenischen Aufführung der Matthäuspassion von J. S. Bach den Jesus. 1986 ging er an die Wiener Kammeroper, an der er u. a. den Silvio im «Bajazzo» sang. 1988 hörte man ihn am Stadttheater von Augsburg als Graf Liebenau im «Waffenschmied» von Lortzing. 1988 wurde er an das Stadttheater von Aachen engagiert; dort trat er in einer Anzahl von Partien auf, darunter als Harlekin in «Ariadne auf Naxos» von R. Strauss, als Dr. Falke in der «Fledermaus» und als Papageno in der «Zauberflöte». Neben seiner Tätigkeit als Sänger trat er auch mit interessanten schriftstellerischen Arbeiten hervor; er schrieb Lyrik, Prosa, Bühnenstücke und mehrere Film-Drehbücher («Montag eine Parodie», 1985).

Price, Perry, Tenor, * 13. 10. 1942 New York im amerikanischen Staat Pennsylvania; nachdem er zuerst im Ingenieurfach tätig gewesen war, studierte er Musik und Gesang. An der University of Houston war er Schüler von John Druary, in London von Otakar Kraus und in New York von Ester Andreas, Richard Fredericks und Otto Guth. 1964 debütierte er in San Francisco als des Grieux in «Manon» von Massenet. 1969 wurde er Preisträger bei einem von der Metropolitan Oper New York veranstalteten Gesangwettbewerb. Er hatte in Nordamerika eine große Karriere an den ersten Opernbühnen: an der New York City Centre Opera, an den Theatern von Houston/Texas und Fort Worth, an den Opern von San Francisco, Philadelphia, San Diego und Portland, in Montreal, Vancouver und Toronto. Er gastierte u. a. am Teatro San Carlos Lissabon und war längere Zeit am Stadttheater Augsburg im Engagement. Höhepunkte in seinem Bühnenrepertoire für lyrischen Tenor waren der Ferrando in «Così fan tutte», der Don Ottavio im «Don Giovanni», der Tamino in der «Zauberflöte», der Graf Almaviva im «Barbier von Sevilla» von Rossini, der Lindoro in dessen «Italiana in Algeri», der Herzog im «Rigoletto», der Edgardo in «Lucia di Lammermoor», der Nemorino in «Elisir d' amore», der Faust von Gounod, der Hoffmann in «Hoffmanns Erzählungen» von Offenbach, der Nureddin im «Barbier von Bagdad» von Cornelius und der Ballad Singer in «Of Mice and Men» von Carlisle Floyd. Der auch als Konzertsänger wie als Pädagoge geschätzte Künstler war mit der kanadischen Sopranistin *Heather Thomson* (* 1940) verheiratet.

Primozić, Robert, Bariton, * 11. 3. 1893 Triest, † 16. 12. 1943 Ljubljana (Laibach); er absolvierte seine Ausbildung zum Sänger durch Studien in Triest, Mailand und Budapest. 1912 debütierte er am Slowenischen Theater von Triest als Titelheld in der Oper «Zrinsky» von Ivan Zajc. 1918–28 war er an der Kroatischen Nationaloper Zagreb engagiert, seit 1928 bis zu seinem Tod Mitglied des Slowenischen Nationaltheaters in Ljubljana. Er sang ein umfassendes Repertoire auf der Bühne wie im Konzertsaal. Seine großen Bühnenrollen waren der Rigoletto, der Graf Luna im «Troubadour», der Escamillo in «Carmen», der Athanaël im «Thaïs» von Massenet, der Scarpia in «Tosca», der Wotan im Nibelungenring, der Amfortas im «Parsifal» und der Jochanaan in «Salome» von R. Strauss.

Pringle, John David, Bariton, * 17. 10. 1938 Melbourne; nach anfänglicher Betätigung als Pharmazeut wandte er sich dem Gesangstudium zu, das er bei Anni Portnoj in Melbourne und bei Luigi Ricci in Rom absolvierte. 1967 debütierte er an der Australian Opera Sydney als Frank in der «Fledermaus» von J. Strauß und blieb für viele Jahre als erster Bariton diesem größten Opernhaus des australischen Kontinents verbunden. Hier hörte man ihn in einem umfangreichen Bühnenrepertoire: als Don Giovanni, als Graf in «Nozze di Figaro», als Papageno in der «Zauberflöte», als Marcello in Puccinis «La Bohème», als Renato in Verdis «Maskenball», als Rodrigo in dessen «Don Carlos», als Don Carlo in «La forza del destino», als Ford im «Falstaff», als Nick Shadow in «The Rake's Progress» von Strawinsky, als Andrej Bolkonsky in «Krieg und Frieden» von Prokofieff und als Tarquinius in «The Rape of Lucretia» von Benjamin Britten. Dazu erwies er sich als begabter Konzert- und Oratoriensolist. Auch in England kam er zu Erfolgen; so sang er beim Glyndebourne Festival von 1983 den Robert Storch in der Richard Strauss-Oper «Intermezzo». Bei der australischen Zweihundertjahrfeier 1988 wirkte er in Sydney in einer Gala-Vorstellung der «Meistersinger» als Beckmesser mit.
Schallplatten: Philips («Voss» von Richard Meale).

Prinvot, Marguerite, Sopran, * 1890 (?); von dieser Sängerin ist nur bekannt, daß sie in dem Jahrzehnt zwischen 1915 und 1925 am Opernhaus von Marseille und an anderen Operntheatern in der französischen Provinz auftrat. Während dieser Zeit entstanden eine Anzahl von akustischen Schallplattenaufnahmen unter dem Etikett von HMV. Dabei handelt es sich um zwei Arien und ein Duett aus «Manon» von Massenet, letzteres zusammen mit dem Tenor Charles Friant, sowie um zwei Arien aus Puccinis «Tosca». Nach diesen Aufnahmen zu urteilen, war sie eine begabte Interpretin.

Probst, Wolfgang, Baß-Bariton, * 16. 11. 1945 Neuhausen; er wurde als jüngstes von sieben Kindern einer alteingesessenen bayerischen Bauernfamilie geboren und arbeitete neben seinem Studium bis zu seinem ersten Engagement an der Stuttgarter Staatsoper 1971 auf dem elterlichen Hof zusammen mit

seinen Geschwistern, nachdem er schon im Alter von einem halben Jahr seine Mutter verloren hatte. Seine Stimme wurde an der Musikhochschule München durch die bekannte Sopranistin Marianne Schech ausgebildet. 1970 gewann er bei einem Gesangwettbewerb in Berlin Preise für das Konzert- wie das Opernfach und erregte die Aufmerksamkeit des damaligen Stuttgarter Operndirektors Wolfgang Windgassen. Dieser vermittelte ihm 1971 sein erstes Bühnenengagement an der Staatsoper Stuttgart, deren Mitglied er seitdem geblieben ist. Hier sang er in den ersten Jahren seines Wirkens Partien für Baß wie den König Philipp in Verdis «Don Carlos», wechselte aber seit 1977 allmählich ins Heldenbariton-Fach. 1978–79 sang er den Wotan in den Opern des Ring-Zyklus in Stuttgart, wobei er großes Aufsehen erregte. Gastspiele auf internationalem Niveau ließen seinen Namen in aller Welt bekannt werden. An der Staatsoper München gastierte er als Wotan im «Rheingold», als Colline in «La Bohème» und als Jochanaan in «Salome», an der Opéra du Rhin Straßburg als Wanderer im «Siegfried» wie als Titelheld im «Fliegenden Holländer». An der Königlichen Oper Stockholm hörte man ihn als Raimondo in «Lucia di Lammermoor» mit der großen Primadonna Joan Sutherland in der Titelpartie, bei den Festspielen von Orange 1979 als Klingsor in «Parsifal» zusammen mit Leonie Rysanek, René Kollo und Martti Talvela. 1980 kam es zu seinem USA-Debüt an der Oper von Dallas als Wotan in der «Walküre», ein Jahr später sang er dort den Wotan im «Rheingold». 1983 Gastspiel am Teatro Colón Buenos Aires als Wanderer und als Jochanaan, 1987 als Orest in der Richard Strauss-Oper «Elektra». 1986–87 stand er im Mittelpunkt von Aufführungen des Nibelungenrings am Opernhaus von Frankfurt a. M., 1988 sang er am Teatro San Carlo Neapel den Klingsor. In Stuttgart wirkte er in der Uraufführung der Oper «Echnathon» von Philip Glass mit (24. 3. 1984). Auch als Konzert- und Oratoriensolist entwickelte er eine erfolgreiche Karriere.
Schallplatten: Orfeo («Kleider machen Leute» von J. Suder), Thom-Video («Freischütz»), SWF (Petite Messe solennelle von Rossini, Aufnahme aus Urach von 1977).

Pröglhoff, Harald, Baß-Bariton, * 1924 (?); er erhielt seine Ausbildung an der Wiener Musikakademie, wo er hauptsächlich Schüler von Hermann Gallos war. 1948 war er Preisträger beim Concours von Scheveningen. Im gleichen Jahr wurde er Mitglied der Wiener Staatsoper, an der er in einem dreißigjährigen Wirken bis 1978 über hundert, zumeist mittlere und kleinere Partien gesungen hat, so wie das Repertoire des Hauses es jeweils erforderte. Daraus seien nur der Hermann Ortel in den «Meistersingern», der Alcindor in Puccinis «La Bohème», der Ping in «Turandot», der Antonio in «Figaros Hochzeit», der Rodrigo in Verdis «Othello», der Fra Melitone in «La forza del destino», aber auch Aufgaben wie der Masetto und der Leporello im «Don Giovanni», der Papageno in der «Zauberflöte» und der Heerrufer im «Lohengrin» genannt. Auch bei den Festspielen von Salzburg wirkte er mit, so 1951

in «Wozzeck» von Alban Berg, 1952 in der Uraufführung der Richard Strauss-Oper «Die Liebe der Danaë» (14. 8. 1952); seit 1950 trat er in Salzburg auch in Konzerten auf. 1952 gastierte er an der Mailänder Scala in den «Meistersingern», 1953 mit dem Ensemble der Wiener Staatsoper an der Grand Opéra Paris. Als Konzertsänger stand er in hohem Ansehen.
Viele seiner kleinen Partien singt er in hervorragender Gestaltung auch auf der Schallplatte. Auf Decca hören wir als Antonio in «Figaros Hochzeit» unter Erich Kleiber, im «Rosenkavalier», in «Arabella», in «Die Frau ohne Schatten» von R. Strauss und in «Salome» unter Clemens Krauss, auf Columbia in der «Zauberflöte» und im «Rosenkavalier» unter H. von Karajan, auf RCA in «Ariadne auf Naxos», auf Philips in «Salome», auf DGG in «Daphne» von R. Strauss und auf Westminster in «Tosca». Dazu existieren weitere Mitschnitte von Opernaufführungen.

Protič, Predrag, Tenor, * 15. 10. 1945 Belgrad; Ausbildung durch Nikola Cvejić in Belgrad und Debüt an der dortigen Nationaloper 1969 als Rodolfo in Puccinis «La Bohème». 1973 gewann er einen Gesangconcours in der bulgarischen Hauptstadt Sofia. Er kam an der Oper von Belgrad zu einer großen Karriere im lyrischen Stimmfach und war als ständiger Gast an der Nationaloper von Sofia verpflichtet. Von seinen Bühnenrollen seien genannt: der Tamino in der «Zauberflöte», der Nemorino in «Elisir d' amore» von Donizetti, der Titelheld im «Faust» von Gounod, der Herzog in Verdis «Rigoletto», der Alfredo in «La Traviata», der Graf Almaviva im «Barbier von Sevilla» von Rossini, der Wladimir in Borodins «Fürst Igor», der Titelheld in «Werther» von Massenet, der italienische Sänger im «Rosenkavalier» von Richard Strauss, der Daliso in «Erindo» von Johann Sigmund Kusser und der Albert Herring in der gleichnamigen Oper von Benjamin Britten. Viel beschäftigter Konzertsänger.

Prudenza, Antonio, Tenor, * 20. 7. 1823 Masserano bei Vercelli, † 14. 5. 1900 Livorno; er studierte an der Universität von Turin Rechtswissenschaften, bevor er sich zur Ausbildung seiner Stimme entschloß, die an der Accademia Filarmonica di Torino bei Luigi Fabbrica erfolgte. Zuerst trat er in Konzerten auf, 1849 debütierte er am Teatro Regio Turin in «Attila» von Verdi. 1850 sang er am Teatro Carlo Felice Genua und brachte es dann zu einer über 25jährigen Karriere an den großen italienischen Opernhäusern, wobei er ein Repertoire von 74 Partien zum Vortrag brachte. In der Spielzeit 1863–64 hörte man ihn an der Mailänder Scala u. a. als Edgardo in «Lucia di Lammermoor» und in der Uraufführung der Oper «I profughi fiamminghi» von F. Faccio. Sehr beliebt war er in Neapel; hier war er oft am Teatro San Carlo wie am Teatro Fondo anzutreffen. Am Teatro Apollo Rom sang er 1867 die Titelpartie in «Roberto Devereux» von Donizetti, 1868 den Don Carlos in der gleichnamigen Verdi-Oper, am Teatro Carignano Turin 1869 den Rodolfo in «Luisa Miller» von Verdi sowie in der

Uraufführung der Oper «Il Vecchio della montagna» von Cagnoni. Eine internationale Gastspieltätigkeit brachte ihm in England und Irland, in Spanien, Portugal und Frankreich auf der Bühne wie im Konzertsaal Anerkennung ein. 1878 sang er am Teatro Comunale Bologna den Herzog im «Rigoletto» und die Titelpartie in «Poliuto» von Donizetti und beendete damit seine Bühnenkarriere. Er wurde jetzt Tenorsolist an der Kathedrale von Vercelli und ging dort einer pädagogischen Tätigkeit nach.

Pulieff, Michael, Baß-Bariton, *27. 3. 1958 Sofia; er war an der Musikakademie von Sofia u. a. Schüler der holländischen Sopranistin Elisabeth Rutgers und von Elena Kisselowa. Er ergänzte seine Ausbildung durch weiterführende Studien bei Lore Fischer und bei dem berühmten bulgarischen Bassisten Boris Christoff. Nachdem er bereits in seiner bulgarischen Heimat zwei nationale Gesangwettbewerbe für junge Sänger gewonnen hatte, wurde er 1985 Preisträger beim Maria Callas-Concours in Athen, 1987 beim Gesangwettbewerb von Genf. 1984–86 war er an der Nationaloper von Sofia engagiert Er trat in zahlreichen Konzerten in Bulgarien, in China und Korea, in Deutschland wie in der Schweiz auf und war in der Spielzeit 1986–87 am Stadttheater von Bern (Schweiz) tätig. Seit 1987 kam er an der Opéra de Wallonie Lüttich zu großen Erfolgen. Hier sang er Partien wie den Frère Laurent in Gounods «Roméo et Juliette», den Mars in «Orphée aux Enfers» von Offenbach und den Babilio wie den Eulogio in einer konzertanten Aufführung von Mascagnis Oper «Nerone», dazu Rollen in der «Zauberflöte», in «Figaros Hochzeit», in «La Traviata», in «Andrea Chénier» von Giordano und den Prince de Bouillon in «Adriana Lecouvreur» von Cilea.

Pusar, Ana, Sopran, *21. 8. 1946 Kalobje (Slowenien); die Sängerin, deren eigentlicher Name Ana Jerić war, und die auch als Ana Pusar-Jerić aufgetreten ist, erhielt ihre Ausbildung durch Jelka Sterga in Ljubljana (Laibach) und später in Salzburg. 1971

kam es zu ihrem Bühnendebüt am Opernhaus von Laibach in der Rolle der Rosina im «Barbier von Sevilla» von Rossini. Bis 1979 blieb sie Mitglied dieses Opernhauses und folgte dann einem Ruf an die Komische Oper Berlin, wo sie 1979–82 wirkte. Hier und als ständiges Mitglied der Staatsoper von Dresden (seit 1982) wurde sie bald international bekannt. Sie hatte ihre größten Erfolge in Partien wie der Tatjana im «Eugen Onegin» von Tschaikowsky, der Desdemona in Verdis «Othello», der Titelfigur in den Opern «Manon» von Massenet und «Manon Lescaut» von Puccini, der Butterfly, der Nedda im «Bajazzo», der Fiordiligi in «Così fan tutte», der Elsa im «Lohengrin» und der Ariadne in der Richard Strauss-Oper «Ariadne auf Naxos». 1985 sang sie bei den Gala-Vorstellungen zur Eröffnung der wieder aufgebauten Semper-Oper in Dresden die Marschallin im «Rosenkavalier». 1982 gastierte sie mit dem Dresdner Ensemble bei den Festspielen von Edinburgh und am Teatro Fenice Venedig. Bis 1986 wirkte sie in Berlin und Dresden und ging dann einer ausgedehnten Gastspieltätigkeit nach. An der Münchner Staatsoper bewunderte man sie 1987 als Titelheldin in «Daphne» von R. Strauss, an den Theatern von Metz und Nancy 1987 als Ariadne in «Ariadne auf Naxos», am Teatro Liceo Barcelona 1986 als Donna Anna im «Don Giovanni»; 1987 auch zu Gast am Stadttheater von Bern und am Teatro Fenice Venedig als Elsa im «Lohengrin». 1985 sang sie in Wien in einer konzertanten Aufführung der Oper «Der Schatzgräber» von Franz Schreker die Rolle der Els, 1987 in Graz in der Uraufführung von «Der Rattenfänger» von Friedrich Cerha. 1988 hörte man sie an der Wiener Staatsoper als Donna Anna und als Titelheldin in «Arabella» von R. Strauss, an der Oper von Montreal als Donna Anna, 1989 in Hamburg als Leonore im «Fidelio». Auch als Oratorien- und Konzertsopranistin in einem umfassenden Repertoire aufgetreten.
Schallplatten: Denon (Marschallin im «Rosenkavalier», Dresden 1985).

Q

Quasthoff, Thomas, Bariton, * 1959 Hildesheim; er gehörte zu den unglücklichen Opfern des als Beruhigungsmittel eingenommenen Präparates Contergan, das das Erbgut des Kindes vor seiner Geburt schädigte. So wurde er mit verkümmerten Extremitäten geboren, erwies sich aber als hoch begabter Schüler. Er studierte einige Semester Jura, wurde dann Sparkassenangestellter und arbeitete schließlich als Hörfunksprecher beim Norddeutschen Rundfunk. Man wurde auf seine stimmliche Begabung aufmerksam, doch lehnte die Musikhochschule Hannover seine Aufnahme ab, da er wegen seiner Behinderung nicht Klavier spielen könne. Darauf erfolgte eine private Ausbildung durch die Pädagogin Charlotte Lehmann (seit 1976). Als er 1988 am Gesangwettbewerb der Deutschen Rundfunkanstalten ARD teilnahm, wurde er mit sensationellem Erfolg Gewinner dieser Veranstaltung. Damit leitete er seine Karriere als Konzert-, Oratorien- und Liedersänger ein, die bei dem Grad seiner körperlichen Behinderung nicht genug bewundert werden kann. 1989 sang er beim Gustav Mahler-Fest in Kassel dessen «Lieder eines fahrenden Gesellen».
Schallplatten: HMV-Electrola (Balladen von K. Loewe).

Quesnel, Albert, Tenor, * 1870 (?), † (?); um die Person dieses aus Frankreich, vielleicht auch aus dem französisch sprechenden Teil Kanadas (Montreal?) stammenden Sängers gibt es einige Geheimnisse. Er erscheint in den Jahren 1900–1916 alljährlich in den Mitgliederregistern der Metropolitan Oper New York (Metropolitan Opera Annuals), hat dort aber nie etwas anderes als eine kleine Partie (Balthasar Zorn) in den «Meistersingern» gesungen. Man könnte daher annehmen, daß er ein Mitglied des Chores gewesen sei, der nur gelegentlich in dieser Partie eine kleine Solo-Aufgabe übernahm. Dem steht aber entgegen, daß er 1910–11 die große Primadonna Nellie Melba als assisting artist auf einer USA-Tournee begleitete. Er soll vor seinem Auftreten an der Metropolitan Oper bereits Konzerte in Chicago, St. Louis und St. Paul gegeben haben und habe auch später noch in amerikanischen (seltener in kanadischen) Städten gastiert. Noch komplizierter wird die Beurteilung dadurch, daß er auf Edison-Amberola-Zylindern sechs Solo-Aufnahmen aus dem französischen Repertoire hinterlassen hat (darunter zwei Arien und zwei Lieder), in denen eine hervorragend geführte Stimme hervortritt. Schließlich existieren amerikanische Zonophone-Platten mit französischen Liedern, auf denen er jedoch als Bariton deklariert wird. Diese Unklarheiten und Widersprüche sind bis jetzt nicht aufzuklären gewesen.

Quilico, Gino, Bariton, * 29. 4. 1955 New York; er war der Sohn des berühmten kanadischen Baritons *Louis Quilico* (* 1929) und der Pianistin Lina Pizzolongo (* 1930). Er erhielt seine erste Ausbildung durch seine Eltern und war anschließend an der Toronto University Schüler von James Craig und Constanze Fisher. 1977 debütierte er in Toronto als

Mr. Gobineau in «The Medium» von Menotti. Nach ersten Erfolgen in Kanada ging er nach Frankreich und studierte dort nochmals 1979–80 an der École d'Art Lyrique der Pariser Oper. Seit 1980 trat er dann an der Grand Opéra Paris wie auch an der dortigen Opéra-Comique auf. 1982 gastierte er beim Festival von Edinburgh und an der Oper von Dallas; 1983 debütierte er an der Covent Garden Oper London als Valentin im «Faust» von Gounod. Er trat an diesem Haus auch in den Jahren 1985–87 auf und nahm an den Tourneen des Ensembles in Japan und Korea (1986) teil. 1983 war er in Montreal, 1984 in Philadelphia und Washington wie auch am Teatro Comunale Bologna anzutreffen. Bei den Festspielen von Aix-en-Provence sang er 1985 die Titelpartie in Monteverdis «Orfeo», 1986 den Don Giovanni, 1988–89 bei den Festspielen von Salzburg den Dandini in «La Cenerentola» von Rossini. Weitere Gastspiele am Theater von Bonn (1985), an den Opernhäusern von Köln und Hamburg, an der Deutschen Oper Berlin und 1988 bei den Festspielen von Schwetzingen (als Figaro im «Barbier von Sevilla»). 1985 nahm er in Toulouse an der Uraufführung der Oper «Montségur» von M. Landowski teil. 1989 wurde er an die Metropolitan Oper New York berufen (Debüt als Figaro). Auf der Bühne gehörten der Marcello in «La Bohème» und der Belcore in «Elisir d'amore» zu seinen besonderen Glanzrollen, doch sang er ein sehr vielseitiges Repertoire, darunter den Oreste in «Iphigénie en Tauride» von Gluck, den Mercutio in Gounods «Roméo et Juliette», den Lescaut in «Manon» von Massenet, den Ramiro in «L'Heure espagnole» von Ravel, den Escamillo in «Carmen», den Papageno in der «Zauberflöte», den Eisenstein in der «Fledermaus», den Paolo Albani in Verdis «Simon Boccanegra», den Silvio im «Bajazzo», den Ned Keene in «Peter Grimes» von B. Britten und den Grafen Dominik in «Arabella» von R. Strauss, den er 1981 in der französischen Erstaufführung dieser Oper an der Pariser Grand Opéra vortrug.
Schallplatten: DGG (kleine Partie in «Carmen», 1983), HMV («Roméo et Juliette», «La jolie fille de Perth» von Bizet, «Manon» von Massenet), Erato («Le Roi malgré lui» von Chabrier, «Orfeo» von Monteverdi, «L'Heure espagnole», Titelpartie in «Le Roi Arthus» von Chausson), Philips («Le Comte Ory» von Rossini, «Pêcheurs de perles»), Cybelia («Montségur» von Landowski).

Quinault, Jean-Baptiste, Sänger und Komponist, * 9. 9. 1687 Verdun, † 30. 8. 1745 Gien (Departement Loiret); er kam 1712 als Sänger an das Théâtre Français in Paris und ist dort in den folgenden sechs Jahren in zahlreichen Opernpartien aufgetreten. Seit 1718 übernahm er an dieser Bühne jedoch Sprechrollen, obwohl er gleichzeitig ein angesehener Komponist war. Seine Kompositionen waren in der Hauptsache der Bühne zugedacht und umfaßten ein Ballett «Les amours des déesses» (1729), kleinere Singspiele (Divertissements). Bühnenmusik zu Molières «Le Bourgeois Gentilhomme» (1716) und «Princesse d'Élide» (1722), dazu Lieder und Instrumentalstücke. 1733 verließ er Paris und zog sich nach Gien an der Loire zurück.

Quittmeyer, Susan, Mezzosopran, * 1956 (?); sie begann ihre Ausbildung an der Wesley University (Illinois) und setzte sie an der Manhattan School of Music in New York weiter fort. Sie trat zu Beginn ihrer Karriere mit der Gesellschaft American Opera Project auf, wo sie in den Uraufführungen der Opern «A Winter's Tale» von J. Harbison (1979 als Hermione) und «Tartuffe» von K. Mechen (1980 als Elmire) mitwirkte, die beide in San Francisco stattfanden. Seit 1981 sang sie regelmäßig an der Oper von San Francisco. Bereits 1978 hatte sie in St. Louis in der vergessenen Oper «L'Arbore di Diana» von Vicente Martín y Soler gastiert. 1983 hörte man sie am Opernhaus von Montreal, 1984 in Los Angeles, 1984–1985 und 1988 an der Oper von Santa Fé. In Santa Fé sang sie in der amerikanischen Erstaufführung von H. W. Henzes «We Come to the River» die Partie des Kaisers. Nachdem sie in den USA auch an den Opern von Philadelphia (1985), Cincinnati (1986) und San Diego aufgetreten war, kam sie nach Europa, wo sie ihre große Karriere fortsetzte. Sie gastierte in Amsterdam (1987), am Grand Théâtre Genf (1986–87 Messagero in «Orfeo» von Monteverdi), an der Grand Opéra Paris (1987 Sesto in «Giulio Cesare» von G. F. Händel) und an der Opéra du Rhin Straßburg. 1987 debütierte sie an der Metropolitan Oper New York als Nicklausse in «Hoffmanns Erzählungen» von Offenbach und kam dort 1988 zu einem großen Erfolg in der Rolle der Dorabella in «Così fan tutte». Höhepunkte in ihrem umfassenden Bühnenrepertoire waren der Cherubino in «Nozze di Figaro» und der Komponist in «Ariadne auf Naxos» von R. Strauss (mit dem sie 1983 in San Francisco ihre große Karriere einleitete), weiter die Carmen, die Pauline in «Pique Dame» von Tschaikowsky, die Meg Page in Verdis «Falstaff» und die Zerline im «Don Giovanni» (Miami, 1988). Auch als Konzertsängerin war sie erfolgreich tätig. Verheiratet mit dem bekannten amerikanischen Baß-Bariton *James Morris* (* 1947).

Quivar, Florence, Mezzosopran, * 3. 3. 1944 Philadelphia; die farbige Sängerin studierte zunächst an der Philadelphia Academy of Music, dann an der Juilliard School in New York. Nachdem sie bereits im Konzertsaal und auch an kleineren Bühnen (Mil-

waukee Norfolk-Virginia, Memphis) aufgetreten war, begann ihre große Karriere mit ihrem Debüt an der Metropolitan Oper New York 1977. Ihre Antrittsrolle an diesem Operninstitut war die Marina im «Boris Godunow» von Mussorgsky, es folgte die Jokaste in Strawinskys «Oedipus Rex»; sie sang dort u. a. die schwierige Koloraturpartie der Isabella in Rossinis «Italiana in Algeri», die Suzuki in «Madame Butterfly», die Fides in «Le Prophète» von Meyerbeer, die Mère Marie in «Dialogues des Carmélites» von Francis Poulenc und die Serena in der denkwürdigen Premiere von Gershwins «Porgy and Bess» (1985). Sie gastierte an den Opern von Cincinnati, San Francisco, Los Angeles (Brangäne im «Tristan», 1987) und Montreal, am Teatro Colón Buenos Aires (1988 Jokaste in «Oedipus Rex» von Strawinsky), an der Oper von Rio de Janeiro (1980), am Teatro Fenice Vendedig (1982–83), am Theater von Bonn (Adalgisa in «Norma», 1988), beim Maggio musicale von Florenz und an der Staatsoper von Wien. Neben den bereits erwähnten Partien hörte man sie als Eboli im «Don Carlos» von Verdi, als Dalila in «Samson et Dalila» von Saint Saëns, als Romeo in «I Capuleti ed I Montecchi» von Bellini, dazu in einem umfassenden Konzertrepertoire. 1982 sang sie sehr erfolgreich an der Deutschen Oper Berlin (mit der sie ein Gastvertrag verband) den Titelhelden in Glucks «Orpheus», bei den Salzburger Festspielen von 1989 die Ulrica in Verdis «Ballo in maschera». Fast noch erfolgreicher als auf der Bühne gestaltete sich ihre Karriere im Konzertsaal. 1983 unternahm sie eine große Tournee mit dem Israel Philharmonic Orchestra unter Zubin Mehta und sang dabei in London, Frankfurt a. M., in Caracas, bei den Festspielen von Edinburgh (hier 1983 in den «Gurreliedern von A. Schönberg) und Salzburg. In Genua erschien sie als Solistin in «La damnation de Faust» von Berlioz, in Rom im Mozart-Requiem, in Amsterdam in «La mort de Cléopâtre» von Berlioz, in London u. a. in den Wesendonck-Liedern von Wagner.

Schallplatten: Telarc («El sombrero de tres picos» von de Falla), Erato («Roméo et Juliette» von Berlioz), Vox (Stabat mater von Rossini), Philips (8. Sinfonie von Gustav Mahler), DGG («Ein Sommernachtstraum» von Mendelssohn, Verdi-Requiem), Nonesuch («Four Saints in Three Acts» von Virgil Thompson), Decca (Serena in «Porgy and Bess»), Fono (Messa per Rossini).

R

Raboth, Wilhelm, Baß, * 1879 (?), † (?); nach einer Ausbildung in Berlin begann er seine Bühnenlaufbahn 1902 am Stadttheater von Halle (Saale), dem er bis 1906 angehörte. 1906–07 sang er am Stadttheater Mainz und ging dann an das Hoftheater von Hannover, dem er 1907–10 und, nachdem er in den Jahren 1910–12 nochmals in Mainz verpflichtet gewesen war, seit 1912 bis zu seinem Bühnenabschied 1938 angehörte. Gastspielreisen führten ihn an die großen deutschen Bühnen, so seit 1905 an das Hoftheater Wiesbaden, 1906 an das Opernhaus von Frankfurt a. M., 1908 an die Berliner Hofoper, 1908 an das Opernhaus Leipzig, 1908 an das Stadttheater Bremen, 1910 an die Hoftheater von Karlsruhe, Mannheim und Braunschweig, 1919 an die Staatsoper Berlin. In den Jahren 1905–07 gastierte er an der Londoner Covent Garden Oper in Wagnerrollen wie dem Daland im «Fliegenden Holländer» und dem König Heinrich im «Lohengrin». Sein Bühnenrepertoire setzte sich in erster Linie aus Partien für seriösen Baß zusammen; er sang den Sarastro in der «Zauberflöte», den Komtur im «Don Giovanni», den Rocco im «Fidelio», den Eremiten im «Freischütz», den Ramphis in «Aida», den Kardinal in «La Juive» von Halévy, den Großinquisitor in Verdis «Don Carlos», den Crespel in «Hoffmanns Erzählungen», den Moruccio in «Tiefland» von d'Albert und vor allem seine Wagnerheroen (Pogner, Marke, Landgraf im «Tannhäuser», Fasolt, Hagen, Hunding). Daneben war er ein geschätzter Konzert- und Liedersänger und erschien als solcher noch bis zu Beginn der vierziger Jahre. Er wirkte als Professor an der Musikhochschule Hannover; zu seinen Schülern gehörte u. a. der Baß-Bariton Kurt Rehm.

Rabsilber, Michael, Tenor, * 8. 9. 1953 Staßfurt bei Magdeburg; er war an der Musikhochschule von Leipzig vor allem Schüler von Eva Fleischer. 1980 begann er seine Bühnenkarriere am Stadttheater von Halle (Saale); er debütierte hier in der Oper «Die Bürger von Calais» von Wagner-Régeny. Bis 1984 blieb er Mitglied dieses Ensembles und folgte dann einem Ruf an die Komische Oper Berlin. Er war oft am Opernhaus von Leipzig zu Gast und unternahm weitere Gastspielreisen zusammen mit dem Ensemble seines Berliner Hauses. Höhepunkte in seinem umfangreichen Bühnenrepertoire waren Partien wie der Belmonte in der «Entführung aus dem Serail», der Don Ottavio im «Don Giovanni» (Komische Oper Berlin, 1987), der Lenski im «Eugen Onegin», der Ferrando in «Così fan tutte», der Tamino in der «Zauberflöte», der Max im «Freischütz» (Berlin, 1989), der Fenton in den «Lustigen Weibern von Windsor» von Nicolai und der Pinkerton in Puccinis «Madame Butterfly». Neben seiner Bühnenlaufbahn entwickelte er eine viel versprechende Konzertkarriere, bei der er gleichfalls ein umfassendes Repertoire vortrug.

Radecke, Anna, s. unter *Beck-Radecke*, Anna.

Radicki, Julius, Tenor, * 1763, † 16. 9. 1846 Wien; er stammte aus Italien und war dort bereits unter seinem eigentlichen Namen Giulio Radichi aufgetreten. 1810 kam er nach Wien, wo er zunächst am Theater am Kärntnertor das italienische Fach sang, dann aber auch das deutsche Tenor-Repertoire vertrat. Sein Name ist vor allem deshalb von Bedeutung, weil er am Kärntnertor-Theater am 23. 5. 1814 in der Uraufführung der dritten, endgültigen Fassung von Beethovens «Fidelio» den Florestan sang, während Anna Milder-Hauptmann wie bei den Uraufführungen der beiden ersten Fassungen des Werks die Partie der Leonore gestaltete. Eine weitere große Bühnenrolle des begabten Tenors war der Achill in «Iphigenie in Aulis» von Gluck. Er zeichnete sich jedoch in Wien vor allem als Konzertsänger aus; seine Interpretation der Tenor-Partien in der «Schöpfung» wie in den «Jahreszeiten» von Haydn galt als vorbildlich. 1829 verabschiedete er sich in einem Gala-Konzert von seinem Wiener Publikum und betätigte sich in der Folgezeit noch auf pädagogischem Gebiet.

Radnai, Erzsi, Mezzosopran, * 1901 in der Nähe von Budapest; sie absolvierte ihr Gesangstudium an der Budapester Musikakademie und wurde 1925 sogleich an die Nationaloper der ungarischen Metropole verpflichtet. 1927 wurde sie Mitglied der Städtischen Oper Budapest (Városi Szinház), zu deren Ensemble sie lange Jahre gehörte. Gastspiele an der Nationaloper Budapest wie an anderen ungarischen Bühnen und Auftritte im Konzertsaal kennzeichnen die weitere Karriere der Künstlerin. Auf der Bühne hatte sie ihre größten Erfolge als Carmen, als Titelfigur in «Mignon» von A. Thomas und als Königin von Saba in der gleichnamigen, in Ungarn viel gespielten Oper von Goldmark.
Schallplatten: Auf Qualiton-Hungaroton singt sie die Chimène in Szenen aus der Oper «Le Cid» von Massenet.

Radoboj, Ludmila, Mezzosopran, * 15. 2. 1895 Varaždin, † 10. 12. 1981 Zagreb; am Konservatorium von Zagreb war sie Schülerin des Pädagogen Leonard Brückl. 1920 debütierte sie an der Kroatischen Nationaloper von Zagreb (Agram) als Königin der Nacht in der «Zauberflöte». Seit 1922 war sie für viele Jahre Mitglied dieses Opernhauses, an dem sie ein Repertoire von ungewöhnlicher Vielseitigkeit zum Vortrag brachte. So sang sie die Gräfin in «Nozze di Figaro» und die Leonore im «Fidelio», die Senta im «Fliegenden Holländer», die Venus im «Tannhäuser» und die Ortrud im «Lohengrin», die Martha in «Tiefland» und die Magdalena in den «Toten Augen» von E. d'Albert, die Santuzza in «Cavalleria rusticana» und die Titelheldin in Janáčeks «Jenufa», die Herodias in «Salome» von Richard Strauss und die Kontschakowna in Borodins «Fürst Igor». Auch als Konzert- und Oratoriensolistin trat sie im Lauf ihrer langen Karriere immer wieder hervor.

Radovan, Ferdinand, Bariton, * 26. 1. 1938 Rijeka (Fiume, Jugoslawien); Gesangstudium in der jugoslawischen Hauptstadt Belgrad bei Julije Pejnović und bei der berühmten Zdenka Zikova. Er debütierte 1964 an der Belgrader Nationaloper als Germont-père in Verdis «La Traviata» und blieb dort bis 1965. 1965–67 sang er am Opernhaus von Ljubljana. 1966 gewann er den Gesangwettbewerb von Ljubljana (Laibach). 1967–74 war er am Opernhaus von Graz engagiert, 1974–77 am Opernhaus von Dortmund. Es kam seit 1967 zu internationalen Erfolgen an der Wiener Volksoper, an der Deutschen Oper am Rhein Düsseldorf–Duisburg, an den Staatsopern von München und Stuttgart, in Essen Turin, Bordeaux und am Prager Nationaltheater. Seit 1977 wirkte er wieder in seiner jugoslawischen Heimat an den Opernhäusern von Ljubljana und Zagreb. Als seine großen Partien galten der Escamillo in «Carmen», der Don Giovanni, der Graf in «Figaros Hochzeit», der Rigoletto wie der Nabucco in den gleichnamigen Verdi-Opern, der Amonasro in «Aida», der Renato im «Maskenball», der Jago in Verdis «Othello», der Graf Luna im «Troubadour», der Jeletzki in «Pique Dame» von Tschaikowski, der Titelheld in «Fürst Igor» von Borodin, der Scarpia in «Tosca», der Barnaba in «La Gioconda» von Ponchielli, der Nelusco in Meyerbeers «Africaine», der Jochanaan in «Salome» von R. Strauss, der Enrico in «Lucia di Lammermoor», der Gérard in «Andrea Chénier» von Giordano und der Titelheld in «Christophe Colombe» von Darius Milhaud. Bedeutende Karriere auch als Konzert- und Oratoriensänger. Schallplatten: Jugoton.

Radtke, Friedrich, Baß, * 22. 3. 1929 Magdeburg; er absolvierte seine Sängerausbildung in Berlin, wo er Schüler der Pädagogen G. Baum, F. Schmidtmann und des berühmten Wagner-Sängers Jaro Prohaska war. 1950 debütierte er sogleich an der Staatsoper Berlin. 1953–55 war er am Stadttheater von Stralsund tätig, wo er sich auch bereits als Opernregisseur betätigte und u. a. «Giulio Cesare» von Händel inszenierte. 1955–58 wirkte er als Sänger und Regisseur am Stadttheater von Frankfurt a. d. Oder, 1958–64 am Opernhaus von Erfurt. In seinem Bühnenrepertoire verlegte er sich jetzt mehr und mehr auf das Buffo-, Spiel- und Charakterfach, ging dabei aber zugleich einer intensiven Tätigkeit als Regisseur und Bühnenspielleiter nach. 1964–66 war er Spielleiter am Staatstheater von Schwerin, 1966–68 Oberspielleiter in Rostock, seit 1977 Leiter des Musiktheaters von Görlitz. Er führte als Gast Regie an weiteren Bühnen in der DDR, trat aber auch noch gastweise als Sänger in Erscheinung. So gastierte er bei den Festspielen von Salzburg, an Bühnen in Ostdeutschland und Polen. In verdienstvoller Weise war er als Bearbeiter und Übersetzer von Opernlibretti tätig.

Raffeiner, Walter, Tenor, * 8. 4. 1947 Wolfsberg in Kärnten; die Ausbildung seiner Stimme erfolgte durch den Pädagogen Alexander Kolo in Wien. Weitere Schulung im Opernstudio der Kölner Oper, an der er bereits kleinere Baritonpartien übernahm. Seine Stimme wandelte sich seit 1979 vom hohen Bariton zum Heldentenor, während er am Staats-

theater von Darmstadt engagiert war. Von dort wechselte er 1980 an die Oper von Frankfurt a. M., an der er jetzt Partien wie den Florestan im «Fidelio», den Max im «Freischütz» und den Parsifal sang. Gastspiele am Stadttheater von Freiburg i. Br., an den Staatsopern von Wien, Hamburg (seit 1982) und Stuttgart, in Bremen, Bonn, an der Deutschen Oper am Rhein Düsseldorf-Duisburg; vertraglich dem Staatstheater Kassel verbunden. Seit 1986 Mitglied der Wiener Staatsoper. Gastierte 1983 am Théâtre de la Monnaie Brüssel als Max im «Freischütz», 1982 an der Oper von Rouen als Siegmund in der «Walküre», seit 1982 nach einem erfolgreichen Debüt als Lohengrin mehrfach an der Grand Opéra Paris, 1987–88 an der Staatsoper von München als Herodes in «Salome» von R. Strauss. Bei den Salzburger Festspielen des Jahres 1986 wirkte er am 15. 8. in der Uraufführung der Oper «Die schwarze Maske» von Penderecki mit. 1988 sang er bei der Wiedereröffnung des im Zweiten Weltkrieg zerstörten Theaters von Rotterdam mit dem Kasseler Ensemble den Siegmund im Nibelungenring. Neben den erwähnten Partien gehörten der Parsifal, der Titelheld im «Tristan», der Tambourmajor im «Wozzeck» von Alban Berg, der Iwanowitsch in Prokofieffs Oper «Der Spieler», der Sergej in «Katarina Ismailowa» von Schostakowitsch und der Pedro in «Tiefland» von d' Albert zu seinen Glanzrollen. Schallplatten: DGG («Wozzeck» als Tambourmajor).

Ragin, Derek, Countertenor, * 17. 6. 1958 West PointNew York); er sang in einem Knabenchor in Newark (New York), studierte am Newark Community Center of Arts Klavierspiel (1970–75) und am Oberlin Conservatory of Music seit 1980 Gesang. 1983 debütierte er bei den Festwochen für alte Musik in Innsbruck in einem Konzert und erregte sogleich als Countertenor großes Aufsehen. 1984 hatte er ähnliche Erfolge in der Londoner Wigmore Hall und beim Festival von Aldeburgh. Ebenfalls 1984 sang er als erste Partie auf der Bühne die Titelrolle in «Tamerlano» von Händel am Opernhaus von Lyon und bei den Händelfestspielen von Göttingen. 1986 gewann er einen internationalen Gesangwettbewerb in München, 1984 den Bach-Wettbewerb in Leipzig, bereits 1983 den Purcell-Britten Preis für Konzertsänger. 1988 debütierte er dann auch an der Metropolitan Oper New York als Titelheld in Händels «Giulio Cesare» in einer konzertanten Aufführung des Opernwerks. Große Erfolge im Konzertsaal und vor allem als Oratoriensolist bei Auftritten in Frankfurt a. M., München, Stuttgart, Köln, Venedig, Mailand, Bologna, in New York, Amsterdam, Boston, Atlanta City, San Francisco, Washington und beim Maryland Handel Festival in London. Bekannt wurde er auch durch Rundfunksendungen, so in einem Gala-Konzert über BBC London (1984). Er galt als großer Händel-Interpret, beherrschte aber in seinem interessanten Stimmfach ein Repertoire von sehr großen Umfang. Schallplatten: Philips («Dido and Aeneas» von Purcell), Erato («Tamerlano» von Händel, 1985), Capriccio («Cleofide» von J. A. Hasse).

Raisbeck, Rosina, Sopran, * 28. 2. 1918 Ballarat (im Staat Victoria, Australien); die Künstlerin, deren Großmutter in Italien als Sängerin aufgetreten war, verzog als Kind mit ihren Eltern nach Newcastle (New South Wales). 1942 begann sie ihre Ausbildung am New South Wales Conservatory in Sydney. 1944 trat sie bei einer Operntruppe in Sydney in «Hoffmanns Erzählungen» von Offenbach auf und sang in der Oper «The Pearl Tree» von Edgar Bainton. Sie erschien in den folgenden drei Jahren oft in Konzertveranstaltungen und gewann 1947 ein Gesangconcours in Sydney. Durch eine Neuseeland-Tournee stellte sie die finanziellen Mittel für eine Reise nach England sicher, die sie 1946 zusammen mit ihrem Gatten James Laurie unternahm. 1947 debütierte sie als Mezzosopran an der Covent Garden Oper London in der Rolle der Maddalena im «Rigoletto». Dann wurde ihre Stimme durch den großen Tenor und Pädagogen Dino Borgioli zum dramatischen Sopran umgeschult. Im Februar 1950 sang sie als erste Sopranpartie an der Covent Garden Oper die Ortrud im «Lohengrin», dann die Senta im «Fliegenden Holländer», die Leonore im «Troubadour» und die Amneris in «Aida». Bis 1953 war sie der Covent Garden Oper vertraglich verbunden. 1954 nahm sie an einer Gastspiel-Tournee der Italian Grand Opera Company durch Australien teil. 1958 gastierte sie bei der Sadler's Wells Oper London als Senta, als Elisabeth im «Tannhäuser», als Kabanicha in «Katja Kabanova» von Janáček und 1959 in der englischen Erstaufführung von Dallapiccolas «Il Prigioniero». 1962 kam sie wieder in ihre australische Heimat zurück, trat dort noch in Musicals auf und erschien in Radio- und Fernsehsendungen.
Schallplatten: Columbia («A Mass of Life» von E. Elgar).

Rajdl, Maria, Sopran, * 13. 11. 1900 Wien, † 1. 2. 1972 Oslo; die aus Österreich stammende Sängerin begann ihre Karriere 1920 an der Staatsoper von Wien, an der sie in der Titelpartie von Puccinis «Madame Butterfly» debütierte. Bis 1926 blieb sie Mitglied dieses Hauses, wo sie 1927 und 1928 nochmals zu Gast war. 1926–27 war sie am Opernhaus (Stadttheater) von Hamburg tätig und folgte dann einem Ruf an die Staatsoper von Dresden, der sie bis 1931 als Mitglied angehörte. Gleichzeitig war sie in der Spielzeit 1928–29 an der Städtischen Oper Berlin verpflichtet. Am 6. 6. 1928 sang sie in Dresden in der Uraufführung der Richard-Strauss-Oper «Die ägyptische Helena» die Partie der Aithra, 1928 wirkte sie dort in der deutschen Erstaufführung von Wolf-Ferraris Oper «Sly» in der Partie der Dolly mit. Bei den Salzburger Festspielen sang sie 1926 die Zerline im «Don Giovanni» und den Komponisten in «Ariadne auf Naxos», 1928 die Pamina in der «Zauberflöte». 1930–31 trat sie an der Oper von Chicago auf. Sie meisterte auf der Bühne ein vielgestaltiges Repertoire mit Partien wie der Frasquita im «Corregidor» von Hugo Wolf, der Judith in «Herzog Blaubarts Burg» von Béla Bartók, der Titelfigur in «Salome» von R. Strauss, der Sophie im «Rosenkavalier», der Susanna in «Figaros Hochzeit», der Eva in den «Meistersingern» und dem Komponisten in

«Ariadne auf Naxos». Nicht weniger von Bedeutung war ihre Tätigkeit als Konzertsopranistin. Sie war mit dem norwegischen Tenor *Karl Aagard Oestvig* (1889–1968) verheiratet. Seit 1932 lebte das Künstlerehepaar in Oslo. Dort betätigten sich Maria Rajdl wie Karl Aagard Oestvig als Pädagogen, letzterer vor allem aber als Opernregisseur. Während der Besetzung Norwegens durch die deutschen Truppen übernahm er 1941 die Leitung des Opernhauses von Oslo. Deshalb hatte er nach Kriegsende Schwierigkeiten, wurde inhaftiert und lebte später dann wieder, zusammen mit seiner Gattin, als Gesanglehrer in Oslo. Ihre Tochter *Lillemari Oestvig* wurde eine bekannte Sopranistin, die sich hauptsächlich als Konzertsängerin betätigte und auf DGG eine Schallplatte mit skandinavischen Liedern aufgenommen hat. Es ist nicht zu verstehen, daß die Stimme von Maria Rajdl nicht durch Schallplatten überliefert ist, während von Karl Aagard Oestvig Polydor-Aufnahmen vorhanden sind.

Rakowski, Nicola, Bariton, * 1890 (?) in Polen; er war ein Bruder der bekannten Sopranistin *Elena Rakowska* (1876–1964), der Gattin des berühmten italienischen Dirigenten Tullio Serafin (1878–1968), die seit etwa 1910 in Italien, dann auch in Nord- und Südamerika zu einer großen Bühnenkarriere kam. Nicola Rakowski trat nach ersten Anfängen in seiner polnischen Heimat in den zwanziger Jahren an führenden italienischen Opernhäusern in Erscheinung. In der Saison 1923–24 sang er am Teatro Regio von Parma den Klingsor im «Parsifal», während seine Schwester als Kundry unter der Leitung von Tullio Serafin auftrat. Er übernahm dann an italienischen Provinztheatern kleinere und größere Aufgaben wie es das Repertoire jeweils erforderte. In der Saison 1932–33 war er an der Mailänder Scala engagiert, wo er u. a. den Jarno in «Mignon» von A. Thomas sang. In mehreren Spielzeiten gehörte er zum Ensemble des Teatro Regio Turin.
In einer Columbia-Aufnahme von 1946 singt er die Partie des Barons in «La Traviata»; hier wird sein Name irrtümlich als Paolo Rakowsky angegeben.

Rallier, Serge, s. unter *Lucazeau*, Jacqueline.

Rambaldi, Giovanni, Tenor, * 30. 4. 1874 Asti (Piemont), † 8. 7. 1953 Asti; er war 1891–94 in Mailand Schüler des Pädagogen Leonida Boschini und kam 1894 zu seinem Debüt am Theater von Casale Monferrato als Alfredo in «La Traviata». Er sang im Ablauf seiner Karriere an den führenden italienischen Opernhäusern, hatte aber wohl seine größten Erfolge in Südamerika, in Argentinien, Brasilien, Peru und Mexiko, wo er fast alljährlich anzutreffen war. Höhepunkte in seinem Bühnenrepertoire waren die großen Tenorpartien in den Opern von Verdi, Puccini, Ponchielli und Giordano, in «Ruy Blas» von Marchetti, in «Cavalleria rusticana» von Mascagni, in «Mignon» von A. Thomas und in «Saffo» von Pacini. 1906 ersetzte er am Teatro Argentina Rom den erkrankten Tenor Edoardo Garbin als Lohengrin und hatte einen sehr großen Erfolg, in Parma bewunderte man seinen Maurizio in

«Adriana Lecouvreur» von Cilea. Er lebte zuletzt als Pädagoge in seiner Heimatstadt Asti.

Ramm, Andrea von, Mezzosopran, *8. 9. 1928 Pärnu (Pernau, Estland), eigentlicher Name Andrea Ramm von Marnov. Sie durchlief eine sehr gründliche Ausbildung in Fribourg (Schweiz), München und Mailand, die neben Gesangunterricht auch Musiktheorie, Komposition und Musikologie umfaßte. Ihre Tätigkeit richtete sich im Konzertsaal wie im Rundfunk- und Schallplattenstudio einerseits auf frühmittelalterliche, Renaissance- und Barock-Musik, andererseits auf zeitgenössische Kompositionen. Teilweise brachte sie Vokalwerke in eigenen Arrangements zum Vortrag. Sie gründete in Köln das Studio für Neue Musik, dann 1960 in München das Studio der Frühen Musik. In dem letztgenannten Ensemble wirkte sie mit den Instrumentalmusikern Thomas Binkley und Sterling Jones zusammen, die sich auf das Spielen von Originalinstrumenten aus frühen Epochen der Musikgeschichte spezialisiert hatten. Andrea von Rammm unternahm ihrerseits den Versuch, auch den Vokalpart dieser Werke möglichst originalgetreu zu singen, wobei sie durch Hinzuziehung einer Tenorstimme das Spektrum der Wiedergabemöglichkeiten erweiterte. Nacheinander wirkten die Tenöre Nigel Rogers (1960–64), Willard Cobb (1964–70) und Richard Lewitt (seit 1970) in dem Ensemble mit, das bis 1977 eine umfangreiche Konzerttätigkeit entfaltete und, vor allem in Verbindung mit den Goethe-Instituten, in aller Welt auftrat. Andrea von Ramm spielte auch selbst alte Instrumente (Orgel-Portativ, Krummhorn, Dulcian). In den Jahren 1972–77 bestand zwischen dem Studio der Frühen Musik und der Schola Cantorum Basiliensis eine fruchtbare künstlerische Zusammenarbeit.

In über 50 Schallplattenaufnahmen brachte die Künstlerin zumeist frühe Vokalwerke heraus, darunter Kompositionen von Machaud, Landini, Abélard, Ciconia und Dufay; im Christophorus-Verlag erschienen mittelalterliche Minnelieder, auf HMV eine Aufnahme von Cavalieris «Rappresentazione di Anima e di Corpo», auf BASF sang sie das Alt-Solo in der Krönungsmesse in einer Aufnahme aus der Basilika Birnau am Bodensee.

Ranacher, Christa, Sopran,* 12. 12. 1953 Döllach in Kärnten; sie studierte an der Hochschule für Musik und darstellende Kunst in Wien und erwarb das Diplom für Musikpädagogik. Dann setzte sie am gleichen Institut ihre Ausbildung zur Sängerin fort, ergänzt durch Teilnahme an Meisterkursen u. a. bei Mario del Monaco und Elisabeth Schwarzkopf. Abschluß dieser Ausbildung mit einem weiteren Diplom 1984. 1984–85 begann sie ihre Bühnenkarriere am Stadttheater von Regensburg und war seit der Spielzeit 1985–86 an den Vereinigten Bühnen Krefeld-Mönchengladbach engagiert. 1987 erhielt sie den Förderpreis des Landes Nordrhein-Westfalen. Erfolgreiche Gastspieltätigkeit an führenden Bühnen des deutschen Sprachgebiets. So sang sie an der Deutschen Oper am Rhein Düsseldorf-Duisburg und am Theater im Revier Gelsenkirchen, am Na-

tionaltheater Mannheim und am Staatstheater Hannover, am Stadttheater von Münster (Westfalen) und an der Deutschen Oper Berlin, in München und am Opernhaus von Zürich. Aus ihrem Repertoire für die Opernbühne sind die Gräfin in «Figaros Hochzeit», die Donna Anna im «Don Giovanni», die Agathe im «Freischütz», die Leonore im «Fidelio», die Marie in Smetanas «Verkaufter Braut», die Ada in der Jugendoper «Die Feen» von R. Wagner, die Senta im «Fliegenden Holländer», die Anna in «I Cavalieri di Ekebù» von Zandonai, die Tosca, die Santuzza in «Cavalleria rusticana», die Salome und die Zdenka in «Arabella» von R. Strauss zu nennen. Sie widmete sich auch der Interpretation moderner Opernpartien, darunter der Titelpartie in «Judith» von S. Matthus, der Sophie in «Baal» von Friedrich Cerha und der Andromache in «Troades» von A. Reimann. Auch als Konzertsängerin aufgetreten.

Randle, Thomas, Tenor, *1958; der amerikanische Sänger absolvierte sein Gesangstudium an der University of Southern California. Er trat bald als Konzertsänger in den USA wie in Europa auf, wobei er vor allem Werke von J. S. Bach, Händel und Mozart zum Vortrag brachte. Dabei sang er als Solist zusammen mit Orchestern wie dem Stuttgarter Kammerorchester und dem Kammerorchester Baden–Württemberg und übernahm in Leipzig das Tenor-Solo im Weihnachtsoratorium von Bach. In seinem Repertoire fanden sich auch moderne Komponisten wie A. Berg, Strawinsky, Michael Tippett, Heinz Holliger und William Kraft. Auf der Bühne erschien er in Opern von Mozart, Rossini, Donizetti, Massenet (Titelheld in «Werther») und A. Thomas (Wilhelm Meister in «Mignon»). Nach Opernauftritten in Nordamerika kam er 1988–89 an der English National Opera London zu einem großen Erfolg, als er dort den Tamino in der «Zauberflöte» sang. An der Deutschen Oper Berlin gastierte der junge farbige Künstler als Sportin Life in Gershwins «Porgy and Bess».
Schallplatten: Harmonia mundi («The Fairy Queen» von Purcell).

Raphael, Mark, Bariton, *7. 4. 1900 London; er war der Sohn streng jüdischer Eltern, sein Vater Barnet Fürstenfeld starb wenige Wochen nach seiner Geburt. 1909 wurde er als Knabe in den Chor der Great Synagogue Duke's Place London aufgenommen und durch dessen Leiter Samuel Alman unterrichtet. 1910 sang er zusammen mit dem berühmten Kantor und Tenor Gerson Sirota ein Duett in der Great Assembly Hall und im Olympia Theatre London. 1912 übernahm er eine kleine Rolle in der Oper «King Ahaz», die sein Lehrer Alman komponiert hatte und im Yiddish People's Theatre London zur Aufführung brachte. Nach einem kurzen Dienst als Soldat in der englischen Armee 1918 kam es zur seriösen Ausbildung seiner Stimme. Er war Schüler von Raimund von Zur Mühlen in London, von Henri Albers in Paris und von Emilio Piccoli in Mailand. 1921 gab er unter dem Namen Mark Henry Raphael ein erstes erfolgreiches Konzert in der Londoner Wigmore Hall, in dem er auch von ihm selbst kom-

ponierte Lieder vortrug, dem dann eine Reihe ähnlicher Konzertveranstaltungen folgten. So gab er 1925 in der Wigmore Hall ein Gedächtniskonzert für Gabriel Fauré. Man bewunderte namentlich seinen Liedvortrag; einerseits stand das deutsche Kunstlied von Schubert, Schumann, Johannes Brahms, Hugo Wolf und Robert Franz im Mittelpunkt seiner Programme, anderseits galt er als ein vortrefflicher Interpret des französischen Liedschaffens von Massenet, Duparc, Reynaldo Hahn und Gabriel Fauré. Er sang den Zyklus «Nuits d' été» von A. Honegger in der ersten Aufführung des Werks in England. Er widmete sich gern dem Vortrag altitalienischer Arien. Konzertreisen brachten ihm in England wie auch auf internationaler Ebene große Erfolge; so erschien er als Liedersänger u. a. in Wien und in Frankfurt a. M. Bereits 1925 trat er im englischen Rundfunk BBC auf, wo er dann gleichfalls eine langjährige Karriere hatte. Dagegen konnte er aus gesundheitlichen Gründen keine Bühnenlaufbahn einschlagen und wirkte nur einmal am Lyric Theatre London in Aufführungen der «Beggar's Opera» mit. 1961–74 war er als Pädagoge am Londoner Royal College of Music London tätig, zugleich leitete er den Chor der West London Reform Synagogue. Er komponierte selbst Lieder auf Texte englischer Dichter und jüdische religiöse Vokalmusik.
Schallplatten: HMV (Lieder von Hugo Wolf), Columbia.

Rapp, Fritz, Baß, * 31. 8. 1872 Greifenberg in Württemberg, † (?); sein Vater war bereits Opernsänger, und er erhielt zuerst bei diesem, dann bei Rossi in Mailand seine Ausbildung. 1894 debütierte er am Stadttheater von Elbing, war 1895–96 am Stadttheater von Würzburg und 1896–1900 am Stadttheater von Basel engagiert. 1900–1902 sang er am Theater von Königsberg (Ostpreußen) und folgte dann einem Ruf als erster Bassist an das Opernhaus von Leipzig. Hier erreichte seine Karriere in den Jahren 1902–1917 ihren Höhepunkt. Er trug an diesem Haus eine Vielzahl von Partien für seriösen Baß vor: den Sarastro in der «Zauberflöte», den Eremiten im «Freischütz», den Daland im «Fliegenden Holländer», den Landgrafen im «Tannhäuser», den König Heinrich im «Lohengrin», den Pogner in den «Meistersingern», den Hagen in der «Götterdämmerung», den Marcel in den «Hugenotten» von Meyerbeer, den Kardinal in Halévys «La Juive», doch enthielt sein Repertoire auch Buffo-Partien wie den van Bett in «Zar und Zimmermann» von Lortzing, den Plumkett in Flotows «Martha» und den Falstaff in den «Lustigen Weibern von Windsor» von Nicolai. 1917 ging er als Oberspielleiter und Sänger an das Hoftheater von Altenburg (Thüringen), an dem er bis 1927 in dieser Position wirkte. Er gastierte im Lauf seiner Karriere sehr oft an den Hofopern von Berlin (seit 1908) und Dresden (seit 1910), seit 1907 auch am Hoftheater von Weimar und 1906 am Opernhaus von Frankfurt a. M.
Schallplatten: G & T (Lied- und Opernaufnahmen von 1904).

Rath, John Frédéric, Baß-Bariton, * 10. 6. 1946 Manchester; Musik- und Gesangstudium an der Manchester University und am Konservatorium von Basel (Opernschule) bei Lehrern wie Elsa Cavelti, Max Lorenz und Otakar Kraus. Er debütierte am Royal Northern College of Music Manchester als Ramphis in «Aida». Es kam dann zu einer bedeutenden Bühnenkarriere mit Auftritten bei der English Music Theatre Company, beim Festival von Glyndebourne und bei der Glyndebourne Touring Company, an der Covent Garden Oper London und am Opernhaus von Belfast. Er gastierte am Théâtre Châtelet Paris, an der Oper von Lille und am Théâtre de la Monnaie Brüssel, am Teatro Fenice Venedig, beim Maggio musicale Fiorentino, bei der Chelsea Opera Group und bei der Handel Society. Sein umfangreiches Bühnenrepertoire enthielt u. a. den Guglielmo wie den Alfonso in «Così fan tutte», den Masetto im «Don Giovanni», den Argante in «Rinaldo» von Händel, den Sparafucile im «Rigoletto», den Melibeo in «La fedeltà premiata» von Haydn, den Colline in Puccinis «La Bohème», den Zuniga wie den Escamillo in «Carmen» (letzteren sang er auch in der Inszenierung von «La Tragédie de Carmen» von Peter Brook in Paris, bei Tourneen in Europa wie in Nordamerika und im Film). Bei der Kent Opera war er als Rocco im «Fidelio» und in Benjamin Brittens «The Burning Fiery Furnace» anzutreffen, beim Festival von Edinburgh als Jochanaan in «Salome» von R. Strauss, beim English Bach Festival als Aeneas in «Dido and Aeneas» von Purcell; er sang in konzertanten Wagner-Aufführungen den Gurnemanz im «Parsifal», den Marke im «Tristan» und den Wotan im «Rheingold» wie in der «Walküre». Höhepunkte seiner Konzertlaufbahn waren Aufführungen der Matthäuspassion von J. S. Bach und des «Messias» von Händel in Paris, «Acis and Galatea» von Händel beim English Bach Festival, «Theodora» von Händel in London, in Spanien und Italien, von «Il retablo de Maese Pedro» von de Falla und von Purcells «Fiery Queen».

Rathmayer, Mathias, Tenor, * ca. 1765 (?), † (?); er war nicht von Berufs wegen Sänger, sondern hatte Jurisprudenz studiert, den Titel eines Doktors der Rechte erworben und war Professor am Wiener Theresianum. Er galt im Wien seiner Zeit als begabter Konzertsänger; wahrscheinlich stand er in Beziehungen zu Joseph Haydn, wohl auch zu dessen Gönner, dem Fürsten Joseph von Schwarzenberg. Als am 19. 3. 1798 in dessen Palais erstmalig die «Schöpfung» zur Aufführung kam, sang er das Tenorsolo des Uriel, während Christine Gerardi und Ignaz Saal die beiden weiteren Solo-Partien kreierten (am folgenden Tag, dem 20. 3. 1798, sang in dem eigentlichen Festkonzert Therese Saal den Sopranpart des Gabriel). Als im gleichen Palais am 24. 4. 1801 das zweite große Oratorium von Haydn, «Die Jahreszeiten», zur Uraufführung kam, übernahm er das Tenorsolo des Lukas, wieder mit Therese und Ignaz Saal in den beiden anderen Solo-Partien. Auch bei den Wiederholungen der «Jahreszeiten» im Schwarzenbergpalais am 27. 4. und am 1. 5. 1801 trug «Professor Rathmayer» das Tenorsolo vor. Im «Journal des Luxus und der Moden», wo die Uraufführung ausführlich gewürdigt wird, heißt es: «..., und die drei Stimmen wurden von Herrn und Dlle Saal und von Herrn Rattmeyer meisterhaft gesungen . . .». Weitere Nachrichten über diesen Dilettanten, der in Uraufführungen von zwei großen Meisterwerken mitwirkte, sind nicht vorhanden.

Ratti, Faustino, Baß, * 1855 Mailand, † 13. 3. 1905 Turin; seine Eltern verzogen nach Turin, als er Kind war, dort erhielt er am Liceo Musicale seine Ausbildung durch Bercanovich und Tancioni. 1878 begann er seine Bühnen- und Konzertkarriere. In den Jahren 1885–87 kam er am Teatro Regio Turin zu großen Erfolgen. 1886 sang er in Mantua, 1887 am Teatro Dal Verme Mailand. 1894 hörte man ihn in Treviso in der damals sehr geschätzten Oper «Cristoforo Colombo» von A. Franchetti unter der Leitung von Arturo Toscanini, 1895 in dem gleichen Werk und im «Tannhäuser» von R. Wagner am Teatro Carlo Felice Genua. In der Spielzeit 1896–97 war er an der Mailänder Scala verpflichtet. Aus seinem umfangreichen Bühnenrepertoire verdienen Rollen wie der Gessler in Rossinis «Wilhelm Tell», der Conte Rodolfo in «La Sonnambula» von Bellini, der Silva in Verdis «Ernani», der Pater Guardian in «La forza del destino», der Sparafucile im «Rigoletto», der Baldassare in «La Favorita» von Donizetti, der Lothario in «Mignon» von A. Thomas, der Nourabad in «Pêcheurs de perles» von Bizet, der Landgraf im «Tannhäuser» und der Padre Cristoforo in «I Promessi Sposi» von Ponchielli genannt zu werden. Bekannt wurde er auch als Solist in den Oratorien von Lorenzo Perosi, die er vor allem in Norditalien zum Vortrag brachte.

Rauch, Wolfgang, Bariton, * 27. 1. 1957 Köln; nach dem Studium der Volkswirtschaft und der Politikwissenschaft wandte er sich der Ausbildung seiner Stimme zu und studierte an der Musikhochschule Köln bei Josef Metternich und in Italien bei dem berühmten Tenor Mario del Monaco. 1984 begann er seine Bühnenlaufbahn mit einem Engagement an der Deutschen Oper am Rhein Düsseldorf–Duisburg. Nach einem Gastspiel an der Bayerischen Staatsoper München als Papageno in der «Zauberflöte» wurde er 1987 an dieses Opernhaus verpflichtet. Durch Gastspiele gewann seine Karriere schnell internationales Format; so war er zu Gast an der Mailänder Scala, am Teatro Liceo Barcelona, an den Staatsopern von Wien und Hamburg, an der Deutschen Oper Berlin und am Theater von Bonn. Dabei brachte er vor allem Partien aus dem lyrischen Fachbereich zum Vortrag, darunter den Guglielmo in «Così fan tutte», den Figaro im «Barbier von Sevilla», den Conte Perrucchetto in «La fedeltà premiata» von J. Haydn, den Zaren in «Zar und Zimmermann» von Lortzing, den Morales in «Carmen», den Lescaut in «Manon» von Massenet, den Marcello in Puccinis «La Bohème», den Silvio im «Bajazzo», den Lionel in Tschaikowskys «Jungfrau von Orléans», den Grafen im «Capriccio» von Richard Strauss, den Harlekin in dessen «Ariadne auf Naxos», den Dr. Falke in der «Fledermaus» und den Heerrufer im «Lohengrin». Im Konzertsaal trat er als Solist in oratorischen Werken, u. a. in einem

Gala-Konzert zusammen mit dem großen Tenor Placido Domingo, auf. Nicht vergessen sei seine Teilnahme an Rundfunksendungen.

Raunay-Dumeny, Jeanne, Mezzosopran/Sopran, * 1868 Paris, † (?); sie war die Tochter des Malers Jules Richomme und eine Schwester des Schauspielers Camille Dumeny-Richomme (1857–1920). Sie erhielt ihre Ausbildung in Paris, zum Teil durch den berühmten Bassisten Obin. 1888 fand ihr Debüt an der Grand Opéra Paris in der Partie der Uta in «Sigurd» von Reyer statt. Sie blieb während einer Spielzeit an diesem Haus und gastierte darauf an französischen Provinzbühnen; 1895–97 war sie am Théâtre de la Monnaie Brüssel im Engagement und sang dort 1897 in der Uraufführung der Oper «Fervaal» von V. d' Indy die Rolle der Guilhen. Nach weiteren Gastauftritten in der französischen Provinz kam sie 1901 einem Ruf an die Pariser Opéra-Comique nach und blieb deren Mitglied bis 1908. Hier sang sie während dieser Zeit in den Uraufführungen der Opern «L' Ouragan» von A. Bruneau (1901) und «Titania» von G. Hue (Titelrolle, 1903). Sie erschien mehrfach als Gast an der Oper von Monte Carlo (1897 als Donna Elvia im «Don Giovanni», 1909 und 1910 als Sieglinde in der «Walküre») und 1905 an der Covent Garden Oper London (Amelia in Verdis «Ballo in maschera»). Hatte sie im ersten Teil ihrer Karriere Partien für Mezzosopran wie die Maddalena im «Rigoletto» und die Amneris in «Aida» gesungen, so kam sie über Rollen wie die Venus im «Tannhäuser», die Edvige in Rossinis «Wilhelm Tell» und den Siebel im «Faust» von Gounod schließlich zu direkten Sopranpartien wie der Leonore im «Fidelio» (Opéra-Comique), der Eurydice im «Orpheus» von Gluck, der Titelfigur in «Iphigénie en Tauride» vom gleichen Meister und der Zerline im «Don Giovanni». 1910 gab sie nach einer Heirat ihre Bühnenkarriere auf. Sie war auch eine geschätzte Konzertsolistin und trat in Paris in den Concerts Lamoureux, den Concerts Colonne und den Concerts du Conservatoire in einem vielseitigen Konzertrepertoire auf.
Sie scheint keine Schallplatten hinterlassen zu haben, ganz im Gegensatz zu ihrem Bruder, der auf HMV Fabeln von Lafontaine gesprochen hat.

Raven, Irma, s. unter *Wucherpfennig,* Hermann.

Rawlins, Emily, Sopran, * 25. 9. 1950 Lancaster (Ohio); sie studierte an der Indiana University, am Curtis Institute of Music und an der Musikhochschule Wien. 1973 kam es zu ihrem Debüt am Stadttheater von Basel, dessen Mitglied sie bis 1977 blieb. 1977–82 war sie an der Deutschen Oper am Rhein Düsseldorf–Duisburg engagiert und entfaltete seitdem eine Gastspieltätigkeit auf internationaler Ebene. So gastierte sie 1976 am Nationaltheater Mannheim, 1977 am Opernhaus von Köln, 1981 an der Wiener Staatsoper. 1980 sang sie an der Oper von San Francisco die Cordelia in der amerikanischen Erstaufführung der Oper «Lear» von A. Reimann, am 7. 8. 1981 wirkte sie bei den Festspielen von Salzburg in der Uraufführung der Oper «Baal» von Friedrich Cerha mit. Weitere Gastspiele am Teatro San Carlos Lissabon (1982), am Grand Théâtre Genf (1982), an den Opern von Houston/Texas (1982) und Los Angeles (1982), am Théâtre de la Monnaie Brüssel (1986 in der Uraufführung von «Das Schloß» von Laporte) und 1988 an der Oper von Boston in der amerikanischen Erstaufführung der Oper «Tote Seelen» von R. Schtschedrin. Aus ihrem Repertoire sind als Hauptrollen die Nedda im «Bajazzo», die Traviata, der Komponist in «Ariadne auf Naxos», die Concepcion in «L'Heure espagnole» von Ravel, die Manon in «Boulevard Solitude» von H. W. Henze und der Female Chorus in B. Brittens «The Rape of Lucretia» hervorzuheben. Die Künstlerin setzte sich auf der Bühne wie im Konzertsaal in besonderer Weise für das zeitgenössische Musikschaffen ein.

Schallplatten: Philips («Elektra» von R. Strauss), Amadeo («Baal» von F. Cerha).

Raynald, Osmond, s. unter *Reynald,* Osmond.

Redondo, Marcos, Bariton, * 24. 11. 1893 Pozoblanco in der spanischen Provinz Córdoba, † 1976 Barcelona; er studierte am Konservatorium von Madrid Gesang und Komposition und trat dann als Opernsänger in Spanien (Madrid, Barcelona), in Kuba, Mexiko, in Italien und in Paris auf. Dabei hatte er seine wohl größten Erfolge am Teatro Liceo Barcelona. Am 23. 3. 1923 kreierte er in der konzertanten Uraufführung von Manuel de Fallas «Il Retablo de Maese Pedro» am Teatro San Fernando Sevilla unter der Leitung des Komponisten die Partie des Don Quichotte. Im weiteren Ablauf seiner Karriere wandte er sich dann fast ausschließlich der Zarzuela zu und erlangte auf diesem typisch spanischen Gebiet des Musiktheaters eine außerordentliche Beliebtheit. In einer über dreißigjährigen Tätigkeit als Zarzuela-Sänger trat er auch in einigen Uraufführungen dieser Bühnenwerke auf. Zuletzt lebte er in Barcelona.

Schallplatten: Columbia (u. a. Gesamtaufnahme der Zarzuela «Marina» von Emilio Arrieta von 1929), Fonotipia, Regal.

Reduzzi, Francesco, Baß, * 19. 12. 1824 Mailand, † 25. 11. 1891 Turin; er begann sein Gesangstudium in Mailand und führte es in Turin zu Ende. Es kam dann zu einer langjährigen Karriere an den großen italienischen Bühnen, vor allem am Teatro Regio von Turin, an dem man ihn in den Jahren 1851–58 ständig und nochmals in der Spielzeit 1860–61 hörte. Hier sang er u. a. Partien in den Verdi-Opern «Rigoletto», «Un ballo in maschera», «Luisa Miller», in Donizettis «Maria di Rohan» und «Don Sebastiano», in «La Cenerentola» von Rossini, in «Robert le Diable» und «Le Prophète» von Meyerbeer, in Bellinis «I Puritani» und trat in den Uraufführungen der Opern «Camoëns» von Sanelli (1852) und «La Vergine di Kent» von Villani (1855) auf. In den anschließenden zwanzig Jahren konnte er seine Karriere auf die europäischen Opernbühnen von Rang ausdehnen; so sang er viel in Spanien und in Portugal und hatte in der Saison 1877–78 besonders große

Erfolge am Teatro San Carlos Lissabon. Zwei seiner Kinder kamen wie er zu einer ansehnlichen Sängerkarriere: seine Tochter *Rosa Reduzzi* (* 3. 1. 1856 Turin, † 16. 12. 1939 Turin) war Schülerin des Turiner Pädagogen Candiani und debütierte 1876 am Teatro Carignano Turin als Elvira in Verdis «Ernani». Sie sang bis 1896 an italienischen Bühnen (Teatro Nazionale Genua, Teatro Fraschini Pavia, Teatro Andreani Mantua, Teatro Regio und Teatro Vittorio Emanuele Turin) und gastierte in Nord- und Südamerika, gab aber nach ihrer Heirat ihre Karriere auf. Ein Sohn, *Francesco Reduzzi jr* (* 16. 11. 1859 Turin, † 21. 6. 1931 Turin), der am Liceo Musicale di Torino Schüler von Fassò gewesen war, wurde als Kirchen- und Oratorienbassist in Turin wie in Norditalien bekannt.

Reduzzi, Rosa, s. unter *Reduzzi,* Francesco.

Regar, Joszi, s. unter *Trojan-Regar,* Joszi.

Reger, Philipp Salomon, Bariton, * 1804 Straßburg, † 23. 2. 1857 Berlin; er kam bereits als Kind zum Theater und trat mit verschiedenen Truppen, u. a. in Speyer, Freiburg i. Br., Offenburg, Rastatt, Köln und Aachen auf. 1829–30 gastierte er mit einer deutschen Operngesellschaft in Paris. 1832 ist er in Düsseldorf anzutreffen, wo er – wie in seiner ganzen Karriere – zugleich als Sänger wie als Schauspieler, und als solcher vor allem im Charakterfach, auftrat. Er sang und spielte anschließend in Mainz und Breslau und war in den Jahren 1837–44 in Leipzig engagiert. Hier trat er in freundschaftliche Beziehungen zu dem in dieser Zeit dort wirkenden Albert Lortzing. Er schrieb für diesen das Textbuch zu der Oper «Hans Sachs», die am 23. 6. 1840 in Leipzig uraufgeführt wurde. 1844–55 war Philipp Salomon Reger am Theater von Frankfurt a. M. tätig und ging dann an das Königliche Schauspielhaus Berlin, wo er jedoch nur noch in Sprechstücken auftrat und nach wenig mehr als einem Jahr starb.

Reichardt, Alexander, Tenor, * 1815, † (?); er debütierte 1833 am Theater von Lemberg (Lwów) als Rodrigo in Rossinis Oper «Otello». Die Titelrolle sang in dieser Vorstellung der berühmte Wiener Tenor Franz Wild, der in Lemberg zu Gast war. Dieser empfahl ihn an die Wiener Hofoper. Er kam nach Wien, studierte dort nochmals bei dem berühmten Pädagogen Giovanni Gentiluomo und sang 1834 als erste Partie an der Hofoper den Nemorino in «Elisir d'amore» als Partner der Primadonna Jenny Lutzer. 1841 unternahm er eine große Deutschland-Tournee mit Gastspielen an den Hoftheatern von Berlin und Hannover. Anschließend ging er nach Paris und betrieb dort weitere Studien. Nach Wien zurückgekehrt, setzte er seine Karriere dort auf der Bühne wie besonders auch im Konzertsaal fort. Er galt als hervorragender Liedersänger, vor allen Dingen als Interpret der Lieder von Beethoven und Schubert. Eine ausgedehnte Tournee durch England, Schottland und Irland brachte zusätzliche internationale Anerkennung; in London trat er in Konzerten unter der Leitung von Hector

Berlioz auf. In den fünfziger Jahren war er am Stadttheater von Hamburg als Tamino in der «Zauberflöte», als Graf Almaviva in Rossinis «Barbier von Sevilla» und als Titelheld in «Fra Diavolo» zu hören. 1865 trat er nochmals in Wien in einem Konzert auf, doch scheint die Stimme, wie damalige Kritiken ausführen, damals bereits stark nachgelassen zu haben. Damit brechen die Nachrichten über den Sänger ab.

Reichel, Joseph, Tenor, * 1819 Selowitz in Mähren, † 22. 3. 1866 Prag; er studierte zunächst Jurisprudenz in Wien und trat in den Kaiserlich-österreichischen Staatsdienst ein. Nachdem man seine schöne Stimme entdeckt hatte, ließ er diese durch den bekannten Pädagogen Giovanni Gentiluomo in Wien ausbilden. 1846 debütierte er am Theater von Lwów (Lemberg), sang dann am Opernhaus von Graz und kam 1847 an das Deutsche Theater in Prag, dem er bis 1858 angehörte. 1859 wurde er als Nachfolger des Tenors Vincenz Vecko an das Tschechische Nationaltheater Prag berufen, das damals unter der Direktion von Smetana im Interimstheater (Prozatímní divadlo) seine Vorstellungen gab. Hier trat er im italienischen heldischen Stimmfach auf, übernahm aber auch bereits Wagner-Partien wie den Tannhäuser und den Lohengrin; eine weitere Glanzrolle war die Titelfigur in Meyerbeers «Prophet». Bei dem Künstler machten sich frühzeitig Anzeichen eines Herzleidens bemerkbar, so daß er seine Karriere aufgeben mußte.

Reinfeld, Nicolai, Bariton/Tenor, * 1885 (?), † (?); er erhielt seine Ausbildung in Berlin und trat dort noch vor deren Abschluß 1908–09 als Bariton an der Gura-Sommeroper auf. 1910–12 war er dann am Stadttheater von Danzig, seit 1912 am Stadttheater von Freiburg i. Br. engagiert. 1911 gastierte er an der Berliner Hofoper als Wolfram im «Tannhäuser». Da seine Stimme sich zum Tenor entwickelte, nahm er erneut das Studium auf, das jedoch im Ersten Weltkrieg durch seine Einberufung zum Militärdienst unterbrochen wurde. Nach Kriegsende folgte er einem Ruf an die Staatsoper Berlin, wechselte jedoch für die Saison 1920–21 an das Stadttheater Basel und war 1921–26 an der Bayerischen Staatsoper München im Engagement. Hier verlegte er sich auf das Wagnerfach und sang Partien wie den Walther von Stolzing in den «Meistersingern», den Siegmund und den Siegfried im Ring-Zyklus. 1926–29 war er Mitglied des Opernhauses von Köln und trat danach gastierend auf. 1934–35 war er nochmals in Danzig, 1935–36 an der Volksoper Berlin engagiert. Später lebte er in Berlin, gab noch Gastspiele und betätigte sich im pädagogischen Bereich. 1924 trat er an der Covent Garden Oper London als Siegfried auf. Als Tenor sang er Partien wie den Florestan im «Fidelio», den Siegnott in der «Rose vom Liebesgarten» von Hans Pfitzner, den Pedro in «Tiefland» von E. d’ Albert, den Samson in «Samson et Dalila» von Saint-Saëns, den Vasco in Meyerbeers «Africaine» und den Canio im «Bajazzo».

Reinhold, Henry Theodore, Baß, * (?), † 14. 5. 1751 London; der Künstler war von Geburt her deutscher Abstammung. Es ist nicht bekannt, wie er nach England kam, ebensowenig, wo er seine Ausbildung erhalten hatte. In den dreißiger Jahren des 18. Jahrhunderts taucht sein Name an verschiedenen Theatern in der englischen Hauptstadt London auf, wo er kleinere Partien in Opern singt. So wirkte er auch in den Uraufführungen der beiden letzten Opernwerke von Georg Friedrich Händel mit, und zwar am 22. 11. 1740 in «Imeneo» und am 10. 1. 1741 in «Deidamia», beide im Lincoln’s Inn Fields Royal Theatre London. Händel muß den Sänger sehr geschätzt haben, denn er übertrug ihm wichtige Solopartien in den Uraufführungen seiner Oratorien. So wirkte er nachweislich in folgenden Uraufführungen mit: am 18. 2. 1743 in «Samson» (Covent Garden Oper), am 10. 2. 1744 in «Semele» (ebenfalls Covent Garden Oper), am 27. 3. 1745 in «Belshazzar» (King’s Theatre am Londoner Haymarket). am 1. 7. 1747 in «Judas Makkabäus» (Covent Garden Oper) und am 16. 1. 1739 in «Saul» (King’s Theatre). In der Partitur seines Oratoriums «Israel in Egypt» findet sich über dem Duett «The Lord is a Man of War» eine eigenhändige Eintragung Händels mit den Namen der beiden Bassisten H. T. Reinhold und Gustavus Waltz, so daß er offensichtlich die Ausführung dieses Gesangstücks den beiden Solisten zugedacht hatte.

Reisinger, Barbara, s. unter *Gerl-Reisinger,* Barbara.

Reisinger, Franz, Baß-Bariton, * 2. 12. 1882, † 6. 2. 1944 München; er begann zuerst an der Münchner Universität ein naturwissenschaftliches Studium, nahm aber gleichzeitig ein Studium am Musikkonservatorium München auf und verlegte sich schließlich ganz auf die Ausbildung seiner Stimme. 1908 begann er seine Bühnenlaufbahn am Stadttheater von Dortmund, dem er bis 1912 angehörte. 1912–16 sang er am Hoftheater Dessau und wurde dann an die Städtische Oper Berlin-Charlottenburg berufen, deren Mitglied er bis 1926 blieb, wo er dann auch als Regisseur fungierte. Ein Sturz auf der Bühne dieses Hauses zwang ihn zur vorzeitigen Beendigung seiner Bühnenkarriere, doch trat er danach noch als Konzertsänger in Erscheinung. Zuletzt lebte er als Pädagoge in Regensburg, dann bis zu seinem Tod als Bühnenvermittler in München. Gastspiele brachten ihm an führenden deutschen Theatern (Dresden, Leipzig, München) wie in der Schweiz Erfolge ein. Im Mittelpunkt seines Bühnenrepertoires standen die großen Wagnerpartien (Holländer, Telramund, Wotan, Wanderer, Amfortas, Kurwenal), der Sebastiano in «Tiefland» von E. d’ Albert, der Jochanaan in «Salome» von R. Strauss, der Scarpia in «Tosca» und der Escamillo in «Carmen».

Remond, Marie, Sopran, * 18. 1. 1831 Wien, † 22. 9. 1902 Halle (Saale); sie war Schülerin des Konservatoriums der Stadt Wien und erhielt dramatischen Unterricht durch die berühmte Kathi Fröhlich in Wien. Sie begann ihre Bühnenkarriere als Koloratursopranistin und jugendlich-dramatische Sängerin am Stadttheater von Bremen, sang dann am Hoftheater von Braunschweig und gastierte am Opernhaus von Frankfurt a. M., am Hoftheater von Wiesbaden und an anderen deutschen Opernhäusern. 1853 wurde sie an das Hoftheater von Coburg verpflichtet. Dort sang sie am 2. 4. 1854 in der Uraufführung der Oper «Santa Chiara», die der Herzog von Coburg-Gotha Ernst II. komponiert hatte und in seiner Residenz Gotha unter der Leitung von Franz Liszt uraufführen ließ. Im Dezember 1854 wirkte sie in der Coburger Premiere von Wagners «Tannhäuser» in der Rolle der Venus mit, während Julius Réer die Titelpartie sang. Sie blieb bis 1857 am Coburger Hoftheater tätig, ging dann an das Opernhaus von Breslau und beschloß ihre Bühnenkarriere am Stadttheater von Magdeburg. Hier heiratete sie 1862 einen Zimmermeister namens Heinemann. Ihr Sohn *Fritz Remond* (* 4. 3. 1864 Magdeburg, † 1. 12. 1936 Bad Tölz, eigentlich Fritz Heinemann) wurde ein bekannter Heldentenor, der besonders am Hoftheater von Karlsruhe zu einer bedeutenden Karriere kam und auch als Bühnenintendant in Erscheinung trat.

Renaux, Solange, Sopran, * 16. 10. 1909 Paris; zuerst studierte sie Klavierspiel, nahm dann aber das Gesangstudium auf, das sie ab 1929 am Conservatoire de Paris und bis 1932 bei Mme Cesbron-Viseur in Paris betrieb. 1932 debütierte sie an der Grand Opéra Paris als Thaïs in der Oper gleichen Namens von Massenet. Anfänglich sang sie dort kleinere Partien (Gerhilde in der «Walküre», Blumenmädchen im «Parsifal»), doch wurden ihr bald große Aufgaben übertragen, und sie kam als Marguerite im «Faust» von Gounod, als Salomé in «Hérodiade» von Massenet, als Page Urbain in den «Hugenotten» von Meyerbeer und als Sophie im «Rosenkavalier» zu schönen Erfolgen. Sie unternahm dann eine erfolgreiche Gastspieltätigkeit an den großen französischen Provinztheatern, darunter den Opernhäusern von Bordeaux, Lyon, Marseille, Nizza, Toulon und Toulouse, und sang 1933 und 1934 an der Oper von Monte Carlo die Thaïs, die Juliette in «Roméo et Juliette» von Gounod und die Manon von Massenet. 1935 debütierte sie an der Pariser Opéra-Comique als Louise in der gleichnamigen Oper von Charpentier und kam seither auch an diesem Haus zu einer bedeutenden Karriere. Seit 1938 gab sie Gastspiele in Südamerika. Dort wurde sie 1942 von der Besetzung des noch freien Frankreich durch die deutschen Truppen überrascht. Sie beschloß, in Südamerika zu bleiben, wo sie dann als Konzert- und Radiosängerin erfolgreich war, doch gab sie bis 1950 auch noch Bühnengastspiele. Später war sie bis 1987 als Pädagogin am Konservatorium Villa-Lobos in Rio de Janeiro tätig. Von ihren Bühnenpartien seien die Prinzessin in «Marouf» von H. Rabaud, die Tosca und die Rosenn in «Le Roi d' Ys» von Lalo nachgetragen.

Respighi, Elsa, Sopran, * 24. 3. 1894 Rom; sie hieß mit ihrem eigentlichen Namen Elsa Olivieri-Sangiacomo. Sie wurde zunächst durch Clotilde Poce und Giovanni Sgambati in Rom zur Pianistin ausgebildet. Seit 1911 besuchte sie dann die Accademia di Santa Cecilia Rom, wo sie sowohl Gesangunterricht erhielt als auch Komposition studierte. Sie war dort Schülerin von Remigio Renzi und Ottorino Respighi (1879–1936), den sie 1919 heiratete. Seitdem widmete sie sich ganz dem musikalischen Werk ihres Ehemannes, der sie bei ihren Liederabenden in Europa wie in den USA und in Südamerika am Klavier begleitete. Dabei trug sie in erster Linie Kompositionen von Ottorino Respighi, gelegentlich auch eigene Lieder vor. Obwohl sie selbst eine begabte Komponistin war, gab sie diese Tätigkeit weitgehend zugunsten der Beschäftigung mit dem Werk ihres berühmten Gatten auf. Sie vollendete dessen letzte Oper «Lucrezia», die sie am 24. 2. 1937 an der Mailänder Scala zur Uraufführung brachte. Sie führte in mehreren Aufführungen der Opern von O. Respighi Regie. 1954 veröffentlichte sie eine Biographie des großen Komponisten. Sie selbst hatte einige bedeutende Werke komponiert, darunter Orchestersuiten, Kammermusik, Lieder und zwei Opern, «Alcesti» (1954) und «Samurai» (1945).

Reß, Ulrich, Tenor, * 29. 10. 1956 Augsburg; er studierte 1975–78 am Konservatorium von Augsburg bei Franz Kelch, dann seit 1979 bei Leonore Kirschstein. Bereits 1976 war er Preisträger bei Gesangwettbewerben in Bayreuth und Berlin, 1982 in Augsburg und beim Bundesgesangwettbewerb in Berlin. 1979 begann er seine Bühnenkarriere als Spieltenor am Stadttheater von Augsburg, dessen Mitglied er bis 1984 blieb. Neben Partien aus dem Buffo- und Charakterfach hörte man ihn hier auch als Grafen Almaviva im «Barbier von Sevilla» und als Idamante in «Idomeneo» von Mozart. Seit 1984 Mitglied der Bayerischen Staatsoper München. Hier wie bei Gastspielen wurde er als Pedrillo in der «Entführung aus dem Serail», dem Monostatos in der «Zauberflöte», dem David in den «Meistersingern», dem Steuermann im «Fliegenden Holländer», dem Bardolph in Verdis «Falstaff», dem Malcolm in dessen «Macbeth», dem Beppe im «Bajazzo», dem Brighella in «Ariadne auf Naxos» und dem Valzacchi im «Rosenkavalier» von Richard Strauss, dem Junker Spärlich in den «Lustigen Weibern von Windsor» von Nicolai und dem Pong in Puccinis «Turandot» bekannt. Er gastierte an den Staatsopern von Hamburg und Stuttgart, am Nationaltheater Mannheim, am Teatro Liceo Barcelona (1989 als David), an der Opéra du Rhin Straßburg, an der Oper von Nizza (1989 als Jacquino im «Fidelio»), und im Rahmen einer Japan-Tournee; hinzu trat eine umfangreiche Konzerttätigkeit im In- und Ausland. Bei den Bayreuther Festspielen sang er 1988 sehr erfolgreich den David in den «Meistersingern».
Schallplatten: Schwann («Massimilla Doni» von Othmar Schoeck).

Reucker-Trebess, Bertha, Sopran, * 26. 11. 1872 Berlin, † 14. 1. 1949 Dresden; sie begann ihre Bühnenlaufbahn 1895 am Stadttheater Erfurt, dem sie bis 1898 angehörte. 1898–99 am Stadttheater Stettin, 1899–1900 am Stadttheater Magdeburg, 1900–1901 am Stadttheater Posen (Poznań) engagiert. 1901–07

Mitglied des Stadttheaters Zürich, an dem sie noch bis 1916 als ständiger Gast auftrat. Sie sang Partien wie die Pamina in der «Zauberflöte», die Donna Anna wie die Donna Elvira im «Don Giovanni», die Agathe im «Freischütz», die Marguerite im «Faust» von Gounod, die Titelfigur in «Mignon» von A. Thomas, die Marie in Smetanas «Verkaufter Braut», die Baronin im «Wildschütz» von Lortzing, die Anna in «Hans Heiling» von H. Marschner, die Maria im «Trompeter von Säckingen» von Nessler, die Leonore im «Troubadour», die Desdemona im «Othello» von Verdi, die Charlotte in «Werther» von Massenet, die Senta im «Fliegenden Holländer», die Elisabeth wie die Venus im «Tannhäuser», die Eva in den «Meistersingern», die Elsa im «Lohengrin», die Freia, die Sieglinde, die Gutrune, die Wellgunde und die Waltraute im Nibelungenring, die Micaela in «Carmen» und die Saffi im «Zigeunerbaron» von J. Strauß. Sie war verheiratet mit dem Regisseur und Theaterdirektor Alfred Reucker (1868–1958), der 1901–21 das Stadttheater Zürich, 1921–33 das Sächsische Staatstheater Dresden leitete.

Revenga, Matilde, Sopran, * 1898 (?); die spanische Sängerin hatte in den zwanziger Jahren unseres Jahrhunderts eine erfolgreiche Karriere an den Opernbühnen von Madrid und Barcelona. Dazu war sie eine beliebte Zarzuela-Sängerin. 1924–25 war sie am Teatro Massimo von Palermo anzutreffen; dort sang sie in den zeitgenössischen Opern «I Compagnacci» von Riccirelli, «La Monacella della Fontana» von Giuseppe Mulè, in der spanischen Oper «Maruxa» von Amadeo Vives und als Partnerin von Giuseppe Taccani und Pedro Mirassou die Nedda im «Bajazzo». Schallplattensammlern ist ihr Name bekannt, weil sie auf HMV einige elektrisch aufgenommene Duette mit Miguel Fleta und Emilio Sagi-Barba und Ensembleszenen aus der Zarzuela «Marina» von Emilio Arrieta singt (1928–30 aufgenommen).

Reynald, Osmond, Bariton, * (?), † 1885; der Name dieses Sängers verdient Erwähnung, weil er in der Uraufführung der Oper «Faust» von Gounod am 19. 3. 1859 am Théâtre Lyrique in Paris die Partie des Valentin kreierte. Er war im gleichen Jahr (1859) an dieses Theater engagiert worden, dessen Mitglied er bis 1862 blieb. In der Uraufführung hat er jedoch nicht die bekannte Arie «Avant de quitter ces lieux», das Gebet des Valentin, gesungen. Diese war in der ursprünglichen Partitur der Oper nicht enthalten (und wurde deshalb auch bis in unsere Zeit in Paris nicht gesungen); Gounod komponierte sie für den englischen Bariton Charles Santley anläßlich einer «Faust»-Aufführung 1864 in London (jedoch nicht zur englischen Erstaufführung, die am 11. 6. 1863 am Her Majesty's Theatre London stattgefunden hatte, ebenfalls mit Santley als Valentin). Osmond Reynald, dessen Familienname auch in der Schreibweise Raynald vorkommt, gastierte 1862 am Opernhaus von Toulouse. Weitere Details seiner Biographie sind nicht greifbar.

Rhein, Ursula, Sopran, * 1937 (?); sie begann ihre Bühnenkarriere 1961–62 am Stadttheater von Würzburg, sang dann 1962–65 am Landestheater Linz/Donau und 1965–69 am Nationaltheater Mannheim. Hier wirkte sie 1965 in der Uraufführung der Oper «Hero und Leander» von Günter Bialas in der Rolle der Hero mit. In den Jahren 1969–76 war sie Mitglied des Opernhauses von Nürnberg, gleichzeitig durch einen Gastvertrag auch dem Staatstheater Hannover verbunden. Bei den Festspielen von Bayreuth sang sie 1971–74 die Ortlinde, 1972–74 die Wellgunde im Nibelungenring. 1965 gastierte sie als Konzertsängerin bei den Festspielen von Salzburg, 1970 an der Oper von Philadelphia als Eva in den «Meistersingern» (eine ihrer Hauptrollen), 1975 mit dem Nürnberger Ensemble beim Maggio musicale Florenz in «Das Floß der Medusa» von H. W. Henze. Ein weiterer Höhepunkt in ihrem Bühnenrepertoire war die Marguerite im «Faust» von Gounod; zu nennen sind auch die Pamina in der «Zauberflöte», die Marie in Smetanas «Verkaufter Braut» und die Titelheldin in «Katja Kabanowa» von Janáček.

Richard, Louis, Baß-Bariton, * 5. 5. 1889 Boussu (Provinz Hainaut, Belgien), † 1977 Boussu; der eigentliche Name des Sängers war Richard Louis. Die beiden Namen, Vor- und Familiennamen, kehrte er in seinem Künstlernamen einfach um. Seine Stimme wurde durch Achille Tondeur entdeckt. Er hatte bei diesem und am Konservatorium von Mons bei Edouard Martiny studiert und debütierte 1918 am Theater von Mons, nachdem er bereits zuvor als Konzertsänger aufgetreten war. Es folgten einige Spielzeiten mit Engagements an der Oper von Lüttich (1919–21) und in Straßburg (1921–23), wo er Partien wie den Escamillo in «Carmen», den Mephisto und den Valentin im «Faust» von Gounod, den Nilakantha in «Lakmé» von Delibes und den Tonio im «Bajazzo» sang. 1923 folgte er einem Ruf an das Théâtre de la Monnaie Brüssel, und bis 1951 gehörte er zu den führenden Mitgliedern dieses bedeutendsten belgischen Opernhauses. Von Brüssel aus gastierte er an den Theatern von Toulouse, Bordeaux, Lyon, Vichy und 1931–32 an der Oper von Monte Carlo. 1934–35 sang er an der Pariser Grand Opéra den Rigoletto, den Wolfram im «Tannhäuser», den Hérode in Massenets «Hérodiade», den Amonasro in «Aida» und den Telramund im «Lohengrin». Auch in Gent und im Haag war er zu Gast. In Brüssel wirkte er in den Erstaufführungen der Opern «Fürst Igor» von Borodin (1924 als Kontschak), «La forza del destino» von Verdi, «Turandot» von Puccini (1926 als Timur), «Mona Lisa» von Max von Schillings (1928 als Francesco) und «Patrie» von Paladilhe mit. Weitere Höhepunkte in seinem breit angelegten Repertoire waren der Amfortas im «Parsifal», der Alfio in «Cavalleria rusticana», der Scarpia in «Tosca», der Pizarro in «Fidelio», der Athanaël in «Thaïs» von Massenet, der Sebastiano in «Tiefland» von E. d'Albert, der Gunther in «Sigurd» von Reyer und der Jochanaan in «Salome» von Richard Strauss.
Von der Stimme des Künstlers sind Columbia-Platten vorhanden, die 1928 aufgenommen wurden.

Richards, Leslie, Mezzosopran, * 19. 2. 1950 Los Angeles; sie wurde am San Francisco Conservatory ausgebildet. 1979 debütierte sie an der Oper von San Diego. 1980 gewann sie den Nationalen Wettbewerb der Metropolitan Oper New York, 1984 den Richard Tucker-Concours. 1980 sang sie an der Oper von San Francisco, 1983 an der Hawaii Opera, 1984 Gastspiel beim Festival von Como. Das Jahr 1985 brachte Auftritte bei der Fort Worth Opera, bei der Canadian Opera Toronto und schließlich folgte 1986 ein Engagement an der Metropolitan Oper New York. 1986 kam es auch zu Auftritten beim Spoleto Festival (USA), an den Operntheatern von Philadelphia und Anchorage und am Teatro Piccolo der Scala in Mailand. Man schätzte die Künstlerin vor allem als Mozart-Interpretin, doch sang sie ein weitreichendes Repertoire sowohl für die Bühne wie für den Konzertsaal.
Schallplatten: Sonic Arts Recording (Mozart-Arien).

Richardson, Carol, Mezzosopran, * 1949 (?) in Kalifornien; sie erhielt ihre Sängerausbildung am Occidental College Los Angeles und, ebenfalls in Los Angeles, bei Harriet Gill. Fortsetzung des Studiums bei Martial Singher in Philadelphia und in der Opernschule der Metropolitan Oper New York. 1973 debütierte sie am Stadttheater von Klagenfurt in der Rolle des Nicklausse in «Hoffmanns Erzählungen» von Offenbach. 1975 kam sie an das Opernhaus von Kiel, später gehörte sie bis 1984 zum Ensemble des Stadttheaters von Bern. Sie gastierte sehr erfolgreich an der Hamburger Staatsoper, am Theater im Revier Gelsenkirchen, am Staatstheater Karlsruhe, am Opernhaus von Hannover und gab weitere Gastspiele und Konzerte, die sie vor allem im deutschen Sprachgebiet bekannt werden ließen. 1976–81 wirkte sie bei den Festspielen von Bayreuth als Blumenmädchen im «Parsifal» mit, 1976 sang sie dort eine weitere kleine Partie im «Parsifal». Aus ihrem Repertoire sind die Dorabella in «Così fan tutte», der Cherubino in «Nozze di Figaro», die Rosina im «Barbier von Sevilla» von Rossini, der Prinz Orlowsky in der «Fledermaus» von J. Strauß, die Nancy in Flotows «Martha», die Lola in «Cavalleria rusticana», die Zerline im «Don Giovanni» und die Frugola in Puccinis «Il Tabarro» hervorzuheben. Sie sang auch die schwierigen Koloraturpartien ihres Stimmfachs (so u. a. 1988 in Bielefeld die Titelfigur in Rossinis «La Cenerentola»).

Richardson, Marilyn, Sopran, * 10. 6. 1936 Sydney (Australien); sie erhielt ihre Ausbildung am New South Wales Conservatory in Sydney, studierte zusätzlich, vor allem den Liedvortrag, bei Pierre Bernac in Paris und bei Conchita Bada in Barcelona. 1958 debütierte sie in Sydney mit einem Vortrag von A. Schönbergs «Pierrot lunaire». Sie widmete sich in der Folgezeit auf der einen Seite dem Vortrag mittelalterlicher und barocker Vokalmusik, anderseits war sie eine angesehene Interpretin zeitgenössischer Kompositionen von Meistern wie Luigi Dallapiccola, Maxwell Davies, Luciano Berio, Olivier Messiaen, John Cage und Henri Pousseur. 1972–74 ga-

stierte sie am Stadttheater von Basel in den Titelpartien der Opern «Salome» von R. Strauss und «Lulu» von A. Berg. Beim Adelaide Festival 1974 trat sie als Malinka in der australischen Erstaufführung von Janáčeks «Die Ausflüge des Herrn Broucek» auf. 1981 hörte man sie beim gleichen Festival als Anna in Puccinis Oper «Le Villi». 1975–76 sang sie an der Australian Opera Sydney die Aida, die Salome und die Marschallin im «Rosenkavalier»; an diesem Haus trat sie auch später noch als Gast auf, so 1989 als Mimi in «La Bohème», auch als Sieglinde in der «Walküre». Im Konzertsaal wie im australischen Rundfunk ABC brachte sie mehrere Vokal-Kompositionen moderner australischer Komponisten zur Uraufführung.
Schallplatten: Chandos (Anna in vollständiger Aufnahme von Puccinis «Le Villi», 1981), HMV («Zauberflöte»).

Richter, August, Tenor, * 1885 (?), † (?); er war als erster Tenor in den Jahren 1914–18 am Stadttheater (Opernhaus) von Zürich engagiert. Hier sang er eine Vielzahl von zum Teil sehr verschiedenartigen Partien, darunter den Tamino in der «Zauberflöte», den Belmonte in der «Entführung aus dem Serail», den Ferrando in «Così fan tutte», den Lyonel in Flotows «Martha», den Hoffmann in «Hoffmanns Erzählungen», den Faust von Gounod, den Wilhelm Meister in «Mignon» von A. Thomas, den Max im «Freischütz», den Riccardo in Verdis «Maskenball», den Alfredo in «La Traviata», den Rodolfo in «La Bohème», den Pinkerton in «Madame Butterfly», den Erik im «Fliegenden Holländer» und den Parsifal. In Zürich sang er am 11. 11. 1916 in der Uraufführung von Othmar Schoecks «Erwin und Elmire» und am 11. 5. 1917 den Kalaf in der der Oper «Turandot» von Ferruccio Busoni. In den Jahren 1919–24 war er Mitglied des Opernhauses von Düsseldorf. Seitdem widmete er sich ausschließlich dem Konzert- und Oratoriengesang und trat als Solist im Verdi-Requiem, im «Lied von der Erde» von Gustav Mahler, in Hans Pfitzners Kantate «Von deutscher Seele» wie in anderen Konzertwerken hervor.

Richter, Franz Xaver, Baß und Komponist, * 1. 12. 1709 Holešov (Holleschau in Mähren, nach der Eintragung im Straßburger Totenregister jedoch in Chrast an der Hernád in der Slowakei), † 12. 9. 1789 Straßburg. Er war bereits ein bekannter Bassist, gleichzeitig auch Violinist, als er 1740 als Vizekapellmeister in die Kapelle des Fürstabtes von Kempten im Allgäu berufen wurde. 1747 trat er als erster Violinist und als Sänger in die berühmte Mannheimer Hofkapelle ein und erhielt dort den Titel eines Kammerkomponisten, war aber auch als Sänger hoch angesehen. Er war wahrscheinlich auch der Lehrer des Komponisten Carl Stamitz und wurde zu einem Hauptrepräsentanten der in ganz Europa bekannten «Mannheimer Schule». Während seines Wirkens am Mannheimer Hof entstanden vor allem Instrumentalwerke, darunter allein 69 Sinfonien, sechs Klavierkonzerte mit Streichorchester, sechs Streichquartette, Sonaten für Klavier, Violoncello und Flöte, aber auch das Oratorium «La deposizione

dalla croce di Gesù Christo», das 1748 in Mannheim uraufgeführt wurde. 1769 folgte er dann einem Ruf als Kapellmeister an das Straßburger Münster und wirkte bis zu seinem Tod in dieser Stellung. Vielleicht ist er auch dort noch gelegentlich als Sänger aufgetreten. In Straßburg verlegte er sich, seiner dortigen Tätigkeit entsprechend, mehr auf die Komposition von kirchlicher Vokalmusik. Er schrieb hier 39 Messen, drei Requiemmessen, zahlreiche Motetten, Psalmen und Cantica sowie zwei Vertonungen des Hymnus Te Deum. Große Teile seiner religiösen Musik sind im Straßburger Archiv erhalten geblieben. Einige seiner Instrumentalwerke sind seit Beginn unseres Jahrhunderts durch Neudrucke wieder zugänglich gemacht worden.
Lit.: E. Schmitt: «Münsterkapelle und Dommusik zur Zeit Franz Xaver Richters und Ignaz Pleyels» (Straßburg, 1970); R. Schwarz: «Franz Xaver Richter, jehó život a pusobění» («Franz Xaver Richter, sein Leben und sein Einfluß», Holešov, 1969).

Richter, Ursula, Sopran, * 1914 (?); sie absolvierte ihr Gesangstudium am Konservatorium von Leipzig. Dort trat sie 1937 erstmals als Konzertsängerin auf. Noch im gleichen Jahr begann sie ihre Bühnenkarriere am Stadttheater von Bremen, dem sie 1937–39 angehörte. 1939–40 war sie am Opernhaus von Leipzig engagiert, 1940–44 in Dortmund. 1948 kam sie an die Komische Oper Berlin, an der sie zu einer großen Karriere kam, die bis Mitte der sechziger Jahre dauerte. Sie gastierte mit dem Ensemble dieses Opernhauses in Prag, in Moskau und Paris; bereits 1939 sang sie in Bremen in der deutschen Erstaufführung von Gianfranco Malipieros Oper «Antonio e Cleopatra». Sie hatte in ihrem Bühnenrepertoire eine Vielzahl von Partien aus dem Koloratur- wie aus dem Soubretten-Fach: die Serpetta in Mozarts «La finta giardiniera», die Rosina im «Barbier von Sevilla», die Norina im «Don Pasquale», die Musetta in Puccinis «La Bohème», die Felice in «I quattro rusteghi» von E. Wolf-Ferrari, die Sophie im «Rosenkavalier», die Zerbinetta in «Ariadne auf Naxos» von R. Strauss und die Isotta in dessen «Schweigsamer Frau», die Marie in «Zar und Zimmermann» von Lortzing, den Hahn in Janáčeks «Schlauem Füchslein», die Lehrerin in Benjamin Brittens «Albert Herring» und die Kurfürstin im «Vogelhändler» von Zeller (wie sie denn überhaupt auch als Operettensängerin hervortrat). Sie wirkte später als geschätzte Gesangpädagogin in Freiburg i. Br.
Schallplatten: Urania (Sophie im «Rosenkavalier» unter Rudolf Kempe), Eterna (hier auch Operetten-Aufnahmen).

Rico, Roger, Baß-Bariton, * 1910 (?); er debütierte 1937 an der Grand Opéra Paris als André in der Uraufführung der Oper «La Samaritaine» von d'Olonne. Er blieb in den folgenden Jahren Mitglied dieses Hauses, an dem er Partien wie den Sparafucile im «Rigoletto», den Priam in «Les Troyens» («La Prise de Troyes») von Berlioz, den Mephisto im «Faust» von Gounod wie in «La damnation de Faust» von Berlioz sang. Er gastierte auch an französischen Provinztheatern und betätigte sich im Kon-

zertfach. Er setzte seine Karriere nach dem Zweiten Weltkrieg in Paris wie in Frankreich fort.
Schallplatten: Mephisto in vollständiger Oper «Faust» von Gounod auf HMV unter Thomas Beecham von 1948.

Riddez, Jean, Bariton, * 10. 3. 1875 Lille, † 2. 9. 1939 Montreal; er studierte bis 1897 am Konservatorium seiner Heimatstadt Lille, dann 1897–1900 am Conservatoire National Paris. 1900 wurde er sogleich an die Grand Opéra Paris verpflichtet und debütierte hier als Rigoletto. Bis 1910 blieb er an diesem Haus tätig. Er sang dort in den Jahren 1908–10 Tenorpartien wie den Faust von Gounod und den Lohengrin, kehrte dann aber wieder zu seinem Bariton-Repertoire zurück. Nach Gastspielen an französischen Theatern ging er in die USA und sang 1911–12 an der Oper von Boston u. a. den Pelléas in «Pelléas et Mélisande», den Athanaël in «Thaïs» von Massenet, den Escamillo in «Carmen», den Lescaut in «Manon Lescaut» von Puccini, den Scarpia in «Tosca» und den Oberpriester in «Samson et Dalila» von Saint-Saëns. Er trat dann auch bei der Montreal Opera Company auf, wo er in den Opern «Hérodiade» und «Le jongleur de Notre Dame» von Massenet zu hören war. Nach Frankreich zurückgekehrt, sang er während fünf Spielzeiten an der Oper von Lyon und wirkte anschließend als Pädagoge am dortigen Konservatorium. Während einer Reise nach Kanada betrat er 1920 in Montreal nochmals die Bühne als Athanaël und blieb schließlich als Pädagoge in Montreal tätig. Seine Tochter *Juanita Riddez* (* 15. 4. 1915 Vichy) trat nach ihrer Ausbildung durch ihren Vater als dramatische Sopranistin auf; sie studierte 1947 an der Opéra-Comique Paris als Poussette in Massenets «Manon». Sie gab aber bald ihre Karriere auf. Jean Riddez war ein angesehener Konzertsänger und kreierte im Lauf seiner Karriere mehrere Rom-Preis-Kantaten (u. a. von Ravel und Caplet). Seine Stimme ist durch Schallplattenaufnahmen auf HMV und Columbia (Lieder) erhalten.

Riesterer, Lissie, s. unter *van Gorkom,* Jan van (in «Addenda und Corrigenda»).

Rigacci, Susanna, Sopran, * 1960 (?) Stockholm; sie entstammte einer italienischen Familie und erhielt ihre Ausbildung zunächst am Konservatorium von Florenz, dann bei der berühmten Sängerin und Pädagogin Iris Adami-Corradetti. Sie gewann mehrere Gesangwettbewerbe, darunter einen Concours für junge Sänger 1985 in Salzburg und den Maria Callas-Wettbewerb des italienischen Rundfunks RAI. Sie begann ihre Bühnenlaufbahn an der Oper von Rom in ihrer besonderen Glanzrolle, der Rosina im «Barbier von Sevilla» von Rossini. Bald war sie an den führenden italienischen Theatern anzutreffen: am Teatro Comunale Florenz, am Teatro Fenice Venedig, am Teatro Massimo Palermo, am Teatro Regio Turin und, wiederum sehr erfolgreich, an der Mailänder Scala. In Dublin gastierte sie als Gilda im «Rigoletto», beim Festival von Wexford (Irland) in «Astuzie femminili» von Cimarosa, an der Opéra de Wallonie Lüttich (1987–88) abermals als Rosina im

«Barbier von Sevilla» und als Egloge in Mascagnis «Nerone» (1989). Sie gab Konzerte in London und Lissabon, trat in Polen, Finnland und Schweden, in Österreich und in der Schweiz auf. Am Teatro Comunale Bologna wirkte sie in der italienischen Erstaufführung der zeitgenössischen Oper «Die englische Katze» von Hans Werner Henze mit (1987). Beim Maggio musicale Fiorentino erschien sie 1987 in der Rolle der italienischen Sängerin im «Capriccio» von R. Strauss.

Ihre im Koloraturfach beheimatete Sopranstimme tritt uns auf Schallplatten der Firmen RCA («Catone in Utica» von Vivaldi, «La Caduta di Adamo» von Galuppi), Bongiovanni («I pazzi per progresso» von Donizetti) und Philips («Elisir d'amore» zusammen mit Katja Ricciarelli und José Carreras) entgegen.

Rigal, Delia, Sopran, * 1921 (?) Buenos Aires; sie erhielt ihre Ausbildung in Buenos Aires und trat seit 1944 am Teatro Colón Buenos Aires in Erscheinung (Debüt als Amelia in Verdis «Simon Boccanegra»). 1945 sang sie dort die Titelheldin in «Armide» von Gluck mit Raoul Jobin als Partner. In der Saison 1947–48 war sie an der Mailänder Scala als Violetta in Verdis «La Traviata» zu hören und in den folgenden Spielzeiten bis 1950 in verschiedenen Partien aus dem italienischen Repertoire. 1949 gastierte sie an der Opéra-Comique Paris als Desdemona in Verdis «Othello». 1950 folgte sie einem Ruf an die Metropolitan Oper New York, wo sie als Antrittsrolle die Elisabeta in Verdis «Don Carlos» sang. 1952 war sie an der Metropolitan Oper, deren Direktor Rudolf Bing sie sehr in ihrer Karriere förderte, als Tosca besonders erfolgreich. Bis etwa 1956 blieb sie an der Metropolitan Oper tätig und sang dann wieder mehr in Südamerika. Ihre Auftritte wurden jedoch zunehmend seltener, und in den sechziger Jahren war ihre Karriere wohl beendet. Auf der Bühne sang sie neben den bereits genannten Partien die Leonore im «Fidelio», die Alceste in der gleichnamigen klassischen Gluck-Oper, die Fiora in «L'Amore dei tre Re» von Montemezzi und die Titelheldin in «Lodoiska» von Cherubini. Auch als Konzertsängerin kam sie zu internationalen Erfolgen.

Schallplatten: Argentinische Odeon-Aufnahmen, HRE-Peoria Record Club («Don Carlos» von Verdi, Mitschnitt einer Aufführung der Metropolitan Oper mit Jussi Björling und Cesare Siepi).

Rigby, Jean, Mezzosopran, * 1955 in der englischen Grafschaft Lancashire; sie besuchte die Birmingham School of Music als Schülerin von Janet Edmunds, dann die Royal Academy of Music London (Lehrerin: Patricia Clark) und schließlich das National Opera Studio London. Seit 1982 war sie Mitglied der English National Opera London. Hier sang sie eine Vielzahl von Partien: die Mercedes in «Carmen», die Maddalena in «Rigoletto», die Marina im «Boris Godunow» von Mussorgsky, die Blanche in Prokofieffs «Der Spieler», die Titelfigur in Benjamin Brittens «The Rape of Lucretia» und die Magdalene in den «Meistersingern». Bei der Chelsea Opera Group übernahm sie die Lady Essex in einer konzertanten Aufführung der Krönungsoper «Gloriana»

von Britten, in der Festival Hall London sang sie das Alt-Solo im Requiem von Verdi. 1983 debütierte sie an der Covent Garden Oper London als Tebaldo in Verdis «Don Carlos».

Schallplatten: Philips («Rigoletto»).

Righini, Vincenzo, Tenor und Komponist, * 22. 1. 1756 Bologna, † 19. 8. 1812 Bologna; als Sängerknabe gehörte er dem Chor der Kathedrale San Petronio in Bologna an. Er studierte dann Sologesang bei dem berühmten Kastraten Antonio Bernacchi, Komposition am Konservatorium von Bologna bei dem noch berühmteren Padre Martini. 1775 kam es zu seinem Bühnendebüt als Tenor am Teatro Ducale von Parma. 1776 ging er nach Prag, wo er zunächst als Sänger, dann aber bald als gefeierter Opernkomponist in Erscheinung trat. 1778 kamen seine Opern «La vedova scaltra» und «La bottega de caffè» mit großem Erfolg in Prag zur Aufführung. 1780 wurde er durch Kaiser Joseph II. von Österreich als Gesanglehrer und Direktor der Italienischen Hofoper nach Wien berufen. Dort hatte man bereits 1777 am Kärntnertortheater seine Oper «Il convitato di pietra» (ein Opernwerk mit dem Don Juan-Stoff zehn Jahre vor der Uraufführung von Mozarts «Don Giovanni») uraufgeführt. 1787–1792 wirkte Vincenzo Righini als Hofkapellmeister in Mainz; 1790 wurde zur Kaiserkrönung von Kaiser Leopold II. in Frankfurt a. M. eine von ihm komponierte Missa solemnis aufgeführt. 1793 folgte er einem Ruf als Hofkapellmeister an die Berliner Hofoper. In dieser einflußreichen Stellung blieb er bis zur Schließung des Hauses in den Wirren der napoleonischen Kriege 1806. 1810 kehrte er in seine Heimatstadt Bologna zurück und wurde dort einer der führenden Gesangpädagogen seiner Zeit. Auf pädagogischem Gebiet wurden vor allem seine *Exercices pour se perfectioner dans l'art du chant* bekannt, ein wertvolles und viel benutztes Übungswerk. In erster Ehe war Vincenzo Righini mit der Altistin *Anna Maria Lehritter* (1762–1783), in zweiter mit der bedeutenden Sopranistin *Rosine Eleonore Elisabeth Kneisel* (1767–1801) verheiratet.

Riley-Schofield, John, Bariton, * 1954 (?); er studierte Gesang an der Huddersfield School of Music (1972–75), dann an der Royal Academy of Music London (1975–78); zu seinen Lehrern gehörten Raimund Herincx, Steven Sweetland und Peter Harrison. Er trat zunächst bei der English National Opera London auf, wo er 1982 den Marcello in «La Bohème» von Puccini und 1983 den Cascada in der «Lustigen Witwe» von F. Lehár sang. Seit 1986 war er Mitglied des Theaters im Revier Gelsenkirchen. Hier hörte man ihn als Germont-père in «La Traviata», als Escamillo in «Carmen», als Faninal im «Rosenkavalier», als Sprecher in der «Zauberflöte», als Minister im «Fidelio», als Nachtwächter in den «Meistersingern», als Grafen im «Capriccio» von R. Strauss, als Grafen Robinson in Cimarosas «Matrimonio segreto», als Falke in der «Fledermaus», als Danilo in der «Lustigen Witwe» und als Mel in «The Knot Garden» von M. Tippett. Bei den Festspielen von Bregenz gastierte er 1988 in «Hoffmanns Erzählungen». Weitere Bühnenrollen des Künstlers waren der Valentin im «Faust» von Gounod, der Papageno in der «Zauberflöte», der Figaro im «Barbier von Sevilla», der Astolfi in «Il Campiello» von Wolf-Ferrari und der Direktor in «Les Mamelles de Tirésias» von Poulenc. Gastspiele und Konzertauftritte in Köln und Mainz, in Wiesbaden, Brüssel und Amsterdam, in London und York, in Frankreich, Portugal und Österreich. Dabei brachte er auch im Konzertsaal ein umfassendes Repertoire zum Vortrag, Werke von J. S. Bach (Matthäuspassion, Johannespassion, h-moll-Messe) und Händel (Messias, «Samson», «Saul»), J. Brahms («Ein deutsches Requiem»), Haydn («Schöpfung», «Jahreszeiten»), Mendelssohn («Elias»), Mozart (Requiem und Messen), Gabriel Fauré (Requiem) und Carl Orff («Carmina Burana»).

Ringholz, Teresa, Sopran, * 30. 12. 1958 Rochester (New York); sie studierte sechs Jahre lang an der Eastman School of Music in Rochester sowie in San Francisco. Bereits während dieser Ausbildung, die sie mit dem akademischen Grad eines Master of Music abschloß, sang sie in San Francisco kleinere Opernpartien. 1982 debütierte sie am Western Opera Theatre San Francisco als Gilda im «Rigoletto» und nahm dann in dieser Rolle an einer USA-Tournee einer Wanderoper teil, trat aber in dieser Zeit auch als Konzertsängerin in Erscheinung. 1985 kam sie nach Europa und sang dort als erste Partie in Straßburg die Zerbinetta in «Ariadne auf Naxos» von R. Strauss. Noch im gleichen Jahr wurde sie an das Opernhaus von Köln verpflichtet, an dem sie als erste größere Rolle die Liu in Puccinis «Turandot» sang und 1986 große Erfolge als Sophie im «Rosenkavalier» hatte. Man bewunderte sie in Köln als Mozart-Interpretin (Susanna in «Figaros Hochzeit», Despina in «Così fan tutte», Pamina in der «Zauberflöte», Sandrina in «La finta giardiniera»); weitere Höhepunkte in ihrem Bühnenrepertoire waren die Gretel in «Hänsel und Gretel», der Page Oscar in Verdis «Ballo in maschera», die Woglinde im Nibelungenring, die Lauretta in «Gianni Schicchi» von Puccini, die Micaela in «Carmen», die Marzelline im «Fidelio» und die Adele in der «Fledermaus». In den Sommern 1987–88 gastierte sie bei den Festspielen von Salzburg, 1988 mit dem Ensemble des Kölner Opernhauses in Tel Aviv. Als Konzertsängerin trat sie in Deutschland, in der Schweiz (Zürich, Genf) und in Frankreich (Montpellier) auf.
Schallplatten: Arabesque (mehrere Recitals mit Mozart-Arien und Ausschnitten aus Operetten von Friml und S. Romberg), Pantheon (Messias von Händel).

Ristori, Cesare, Baß, * 1836 Soresina (Lombardei), † 27. 2. 1901 Turin; er war ein jüngerer Bruder der weltberühmten italienischen Schauspielerin Adelaide Ristori (1822–1906). Er trat der von ihr geleiteten Schauspieltruppe bei, wobei er eine besondere Begabung für komische Rollen zeigte. Nachdem er seine Stimme hatte ausbilden lassen, konnte er eine zwanzigjährige große Karriere im Baß-Buffofach entwickeln. Er trat an den großen italienischen

Operntheatern wie auch im Ausland erfolgreich auf; der Bartolo in Rossinis «Barbier von Sevilla» galt als seine besondere Glanzrolle. In dieser Partie erregte er großes Aufsehen am Théâtre-Italien Paris wie bei einer Tournee, die die große Primadonna Adelina Patti mit Rossinis Oper durch Italien unternahm, die 1878 am Teatro Apollo Rom begann und einen sehr erfolgreichen Verlauf nahm. 1882 hörte man ihn in der gleichen Partie am Teatro Costanzi Rom. Seit etwa 1880 lebte er in Turin, wo er an den verschiedenen Theatern dieser Stadt immer wieder seine Triumphe feierte. Er nahm an den Uraufführungen mehrerer zeitgenössischer Opernwerke teil: «Il curioso Accidente» von L. Ricci (Teatro Carlo Felice Genua, 17. 10. 1871), «Don Marzio» von Rasori (Teatro Fossati Mailand, 1872), «Donna di più caratteri» von Guglielmi (Teatro Comunale Lucca, 1873), «L'Idolo cinese» von Fedeli (Florenz, 1874) und «La capricciosa pentita» von Valensin (Teatro delle Logge Florenz, 1874). Er war auch schriftstellerisch tätig, schrieb Komödien und gab 1880 ein pädagogisches Werk *«Studio della declamazione applicata al canto»* heraus.

Ritter, Wilhelmine, Alt, * 1843 (?), † (?); sie kam nach ihrer Ausbildung 1866 an die Hofoper von München und blieb deren Mitglied bis 1871. In diesen Jahren war sie an zwei wichtigen Uraufführungen von Opernwerken von R. Wagner beteiligt: am 22. 9. 1869 sang sie in der Uraufführung von «Rheingold» die Floßhilde und am 26. 6. 1870 in der Uraufführung von «Die Walküre» die Grimgerde. 1871 sang sie als Abschiedspartie an der Münchner Oper den Titelhelden im «Orpheus» von Gluck und zog sich nach ihrer Heirat dann ganz aus dem Musikleben zurück. Bis jetzt waren keine weiteren biographischen Details über die Künstlerin zu ermitteln.

Rittersheim, Albin von, Tenor, * 25. 11. 1890 Prag, † 26. 2. 1971 Wien; er absolvierte seine Sängerausbildung in Wien und Rom und debütierte 1912 am Theater von Olmütz (Olomouc). 1912–14 war er am Theater von Czernowitz, 1914–15 am Stadttheater von Augsburg engagiert. 1915 wurde er an die Wiener Volksoper verpflichtet und blieb deren Mitglied (mit kurzer Unterbrechung) bis 1928. Hatte er zuerst lyrische Partien wie den Fenton in Nicolais «Lustigen Weibern von Windsor», den Faust von Gounod, den Alfredo in «La Traviata» und den Hans in der «Verkauften Braut» gesungen, so wandte er sich zunehmend dem schwereren Tenorfach zu und sang jetzt den Lohengrin, den Erik im «Fliegenden Holländer», den Walther von Stolzing in den «Meistersingern», den Tannhäuser, den Johann von Leiden im «Propheten» von Meyerbeer, den Arnoldo in Rossinis «Wilhelm Tell», den Eleazar in «La Juive» von Halévy bis hin zum Othello in Verdis gleichnamiger Oper und dem Radames in «Aida». In den Jahren 1916–28 gastierte er regelmäßig an der Hofoper (Staatsoper) von Wien; nach 1928 trat er noch als Gast auf und wirkte als Pädagoge in Wien.

Rittmann, Carl, Bariton, * 1879 (?), † (?); sein Bühnendebüt erfolgte 1902 am Stadttheater von Beu-

then, wo er bis 1904 engagiert blieb. Er setzte dann sein Gesangstudium weiter fort und war danach 1906–08 am Theater der Schweizer Bundeshauptstadt Bern tätig. 1908–10 sang er am Stadttheater von Bremen und wurde nach einem erfolgreichen Gastspiel an der Wiener Hofoper 1910 an dieses Haus engagiert, dem er bis 1925 als Mitglied angehörte. Bis 1927 ist er dort noch mehrfach als Gast aufgetreten. Er sang an der Wiener Hof-(seit 1918 Staats-)Oper eine Vielzahl von Partien, sowohl lyrische als auch Charakter- und dramatische Rollen: den Grafen Eberbach im «Wildschütz» von Lortzing und den Zaren in dessen «Zar und Zimmermann», den Valentin im «Faust» von Gounod und den Papageno in der «Zauberflöte», den Wolfram im «Tannhäuser» und den Donner im «Rheingold», den Titelhelden in «Hans Heiling» von Marschner und den Sharpless in «Madame Butterfly», den Nelusco in Meyerbeers «Africaine» und den Escamillo in «Carmen», den Wotan im «Rheingold» und den Hans Sachs in den «Meistersingern». Anfang der dreißiger Jahre lebte er noch in Wien, 1942 war er mit Sicherheit verstorben.
Seine Stimme ist durch sehr viele Schallplattenaufnahmen erhalten, die bei den verschiedensten Firmen herausgebracht wurden, bei G & T, HMV, Favorit, Anker, Monarch und seit 1909 bei Pathé.

Ritz, Felicitas, Agnese, s. unter *Benda,* Felicitas Agnese.

Ritz, Sabine, s. unter *Steffani,* Domenico.

Roark-Strummer, Linda, Sopran, * 1953 (?) Tulsa (Oklahoma); sie erhielt ihre Ausbildung an der Tulsa University und an der Southern Methodist University of Texas und machte in den USA ihre ersten Bühnenauftritte, u. a. 1977 an der Oper von St. Louis als Dorabella in «Così fan tutte». Dann kam sie nach Europa und wurde für die Spielzeit 1979–80 Mitglied des Stadttheaters von Heidelberg. 1980 ging sie an das Landestheater von Linz (Donau), dem sie bis 1986 angehörte. An diesem Haus wirkte sie 1983 in der österreichischen Premiere von Albert Lortzings Oper «Regina» (in der Titelrolle), 1984 in der Uraufführung von «In seinem Garten liebt Don Perlimplin Belinda» von B. Sulzer mit. 1985 erregte ein Gastspiel an der New York City Centre Opera als Giselda in Verdis «I Lombardi» internationales Aufsehen. Es folgten jetzt Auftritte am Teatro Fenice Venedig (1986–88), an der Deutschen Oper Berlin (1987 als Abigaille in Verdis «Nabucco») und an der Mailänder Scala, an der man sie 1988 als Lucrezia in Verdis Oper «I due Foscari» hörte. Sie erwies sich in der Folgezeit als große Verdi-Interpretin und sang die Abigaille u. a. bei den Festspielen von Ravenna (1988) und in der Arena von Verona (1989). In New York wirkte sie in einer konzertanten Aufführung von Smetanas Oper «Libussa» als Krasava mit; sie gastierte in Milwaukee (1987) und an der Staatsoper Hamburg (1989), an den Theatern von Krefeld und Salzburg. Aus ihrem Bühnenrepertoire verdienen Partien wie die Lina in «Stiffelio» von Verdi, die Leonore in «La

forza del destino» wie im «Troubadour» von Verdi, die Titelpartien in den Opern «Arabella» von R. Strauss und «Jenufa» von Janáček und die Antonia in «Hoffmanns Erzählungen» Erwähnung. Verheiratet mit dem bekannten Baß-Bariton *Peter Strummer* (* 1948).
Schallplatten: RCA (Recital).

Robbin, Catherine, Mezzosopran, * 1946 (?) Toronto (Kanada); nach ihrer Ausbildung gewann sie mehrere Gesangwettbewerbe in Genf, Paris und Aldeburgh. Sie kam seit 1969 in erster Linie zu einer großen Konzertkarriere in Kanada, in den USA wie in Europa, wobei sie sich in besonderer Weise der Vokalmusik des Barockzeitalters widmete. So sang sie Soli in der Matthäuspassion und in der h-moll-Messe (Salisbury Festival) von J. S. Bach, in der «Messias» von Händel, in der Alt-Rhapsodie von J. Brahms, in «Sea Pictures» von E. Elgar, in den Sinfonien und Liederzyklen von Gustav Mahler; in Deutschland wie in England hörte man sie in der Messe C-dur und in der Missa solemnis von Beethoven; in der Londoner Wigmore Hall trat sie zusammen mit dem englischen Vokalensemble Songmakers' Almanac auf. Sie wirkte in konzertanten Aufführungen von Opern mit und übernahm Partien wie den Medoro in «Orlando» von Händel, die Titelhelden in «Giulio Cesare» und «Alessandro» (Kennedy Centre Washington, Carnegie Hall New York), beide vom gleichen Komponisten, auch die Titelrolle in «Dido and Aeneas» von Purcell. Gelegentlich betrat sie auch die Bühne; so sang sie an der Oper von Lyon die Olga in Tschaikowskys «Eugen Onegin».
Besonders bekannt wurde sie durch ihre vielen Schallplattenaufnahmen; auf Philips sang sie das Alt-Solo im «Messias», auf Erato «Les Nuits d'Eté» von Berlioz, auf DGG Stabat mater von J. Haydn, Missa solemnis und C-dur-Messe von Beethoven, auf CBC Lieder von G. Mahler, auf HMV «Orlando» von Händel; auf Marquis Records erschien eine Arienplatte.

Robbins, Julien, Baß, * 14. 11. 1950 Harrisburg (Pennsylvania); er besuchte die Academy of Vocal Arts in Philadelphia, wo er Schüler des bekannten Bassisten Nicola Moscona war. 1976–77 trat er in der Opera School der Oper von Chicago bereits in kleinen Partien auf. 1976 debütierte er an der Oper von Philadelphia als Sam in Verdis «Ballo in maschera». Drei Jahre später, im Oktober 1979, begann er seine Tätigkeit an der Metropolitan Oper New York in der Partie des Königs in «Aida». Er sang seither an der Metropolitan Oper Partien wie den Minister in Beethovens «Fidelio», den Gremin im «Eugen Onegin» von Tschaikowsky, den Ramphis in «Aida» und den Colline in «La Bohème» von Puccini. Gastspiele an den führenden nordamerikanischen Opernsheatern, u. a. in Chicago, Miami, Santa Fé und Washington (seit 1979) und Konzertauftritte führten zu weiteren Erfolgen. Seit Mitte der achtziger Jahre gastierte er in Europa (u. a. 1987 an der Oper von Nizza) und war seit 1987 durch einen Gastvertrag der Deutschen Oper Berlin verbunden.

Roberts, Stephen, Bariton, * 8. 2. 1949; seine Ausbildung erfolgte 1969–71 am Royal College of Music und an der Royal School of Music in London. 1972–76 war er als Lay-Clerk im Chor der Westminster Abbey London tätig und kam dann zu einer großen Konzertkarriere auf internationalem Niveau. Er sang mit den führenden Orchestern und Chören in England, im übrigen Europa, in den USA, Kanada und Israel, in Hongkong, Singapur und in Südamerika. Neben einem umfassenden Konzertrepertoire, das seine Höhepunkte in Vokalwerken aus der Barockzeit hatte, sang er eine Anzahl von Opernpartien, zumeist in konzertanten Aufführungen der Werke: den Grafen in «Figaros Hochzeit», den Falke in der «Fledermaus», den Ubalde in «Armide» von Gluck, den Ramiro in «L' Heure espagnole» von Ravel, den Aeneas in «Dido and Aeneas» von Purcell, den Don Quixote in «El Retablo de Maese Pedro» von Manuel de Falla und den Gregor Mittenhofer in «Elegy for Young Lovers» von H. W. Henze. Im englischen Fernsehen erlebte man ihn im War Requiem von B. Britten, in den «Sieben Todsünden» von Weill, in den Händel-Oratorien «Jephtha» und «Judas Maccabaeus» und in «Sea Drift» von F. Delius. 1983 sang er in London ein Solo in der Lukas-Passion von K. Penderecki, 1984 in dem Werk «Belshazzar's Feast» von William Walton.
Schallplatten: Decca («Carmina Burana» von C. Orff, Messe Es-dur von Mozart, Patroklus in «King Priam» von Tippett), Telefunken («Alexander's Feast» von Händel), HMV (Religiöse Musik von Charpentier, «Armide» von Gluck), TIS (Werke von Vaughan Williams).

Robertson, Duncan, Tenor, * 1. 12. 1924 Hamilton (Schottland); er war zunächst Schüler der Scottish National Academy of Music Glasgow, dann des Royal College of Music London. Er kam zu einer internationalen Konzertkarriere mit Auftritten in den meisten europäischen Ländern, hatte aber auch als Opernsänger große Erfolge. Auf diesem Gebiet sang er an der Scottish Opera Glasgow, an der Covent Garden Oper London und an der Welsh Opera Cardiff, an der Sadler's Wells Opera, bei der English Opera Group und bei der Handel Society. In den Jahren 1958–64 war er fast alljährlich bei den Festspielen von Glyndebourne zu hören: 1961 als Pedrillo in der «Entführung aus dem Serail», 1963–64 als Monostatos in der «Zauberflöte», 1959, 1961 und 1963 als Jacquino im «Fidelio», 1958 und 1962 als Brighella in «Ariadne auf Naxos». Zahlreiche Auftritte des Künstlers wurden durch Radio- und Fernsehaufzeichnungen (teilweise auch in Unterhaltungsprogrammen) festgehalten. 1959 trat er als Titelheld in Strawinskys «Oedipus Rex» unter der Leitung des Komponisten und mit Jean Cocteau als Erzähler auf. 1968 sang er beim Edinburgh Festival das Tenorsolo in der Messe e-moll von F. Schubert unter Carlo Giulini mit gleichzeitiger Übertragung im englischen Fernsehen. 1963 nahm er an Konzert zum 50. Geburtstag des großen Komponisten Benjamin Britten teil. 1966–77 hatte er eine Professur an der Guildhall School of Music London,

1977–88 dozierte er Gesang an der Royal Scottish Academy of Music Glasgow.
Schallplatten: Saga («The Cooper» von Thomas Arne, 1959), HMV (Werke von Vaughan Williams, Finale aus Donizettis «Anna Bolena» mit Maria Callas), Music Guild (Musik von Purcell).

Robertson, John, Tenor, * 20. 9. 1938 Galashiels (Schottland); er erhielt seine Ausbildung an den Universitäten von Sedbergh und Edinburgh. Seine Bühnenkarriere spielte sich weitgehend an der Scottish Opera Glasgow ab; hier sang er im Laufe der Jahre 50 verschiedene Partien in mehr als 850 Vorstellungen. Davon seien als Höhepunkte in seinem Repertoire genannt: der Ferrando in «Così fan tutte», der Don Ottavio im «Don Giovanni», der Tamino in der «Zauberflöte», der Graf Almaviva in Rossinis «Barbier von Sevilla» und der Albert Herring in der gleichnamigen Oper von Benjamin Britten. Er nahm an Tourneen der Scottish Opera in Österreich und Westdeutschland, in der Schweiz, in Polen, Jugoslawien, Portugal und Island teil, bei denen die Britten-Opern «A Midsummer Night's Dream», «The Rape of Lucretia» und «The Turn of the Screw» zur Aufführung gebracht wurden. Beim Edinburgh Festival trat er in Rollen im «Tannhäuser» wie in «Nozze di Figaro» in Erscheinung. Er inszenierte in Edinburgh Aufführungen von Verdis «La Traviata», von «Elisir d' amore» von Donizetti und von Bellinis «La Sonnambula». In Schottland wie in England hörte man ihn im Konzertsaal, und hier vor allem als Solisten in Oratorien und religiösen Vokalwerken; er sang am Rundfunk und trat im englischen Fernsehen BBC auf. Er war gleichzeitig ein hoch angesehener Pädagoge und arbeitete auf diesem Gebiet in Glasgow und Edinburgh sowie als Dozent an der School of Vocal Studies am Northern College of Music Manchester.
Schallplatten: HMV («Nozze di Figaro»).

Robiček, Ignaz, Baß, * 7. 12. 1833 Potzau (Böhmen), † August 1915 Stuttgart; er begann seine Bühnenkarriere mit einem Engagement am Opernhaus von Preßburg (Bratislava) in den Jahren 1857–58, ging dann 1858–59 an das Deutsche Theater in Budapest, 1859–60 an das Theater von Olmütz (Olomouc). In den beiden nächsten Spielzeiten sang er bis 1862 am Opernhaus von Lemberg (Lwów), 1862–63 am Theater von Düsseldorf, danach 1863–64 am Stadttheater von Hamburg. Nach einem erfolgreichen Gastspiel wurde er 1864 an das Hoftheater von Stuttgart berufen, an dem er bis 1871 im Engagement blieb. 1871 ging er an das unter deutscher Regie neu eröffnete Stadttheater von Straßburg; er setzte sein bewegtes Wanderleben von einer Bühne zur anderen mit Engagements an den Theatern von Breslau (1873–74), Frankfurt a. M. (1874–75) und Bremen (1875–76) fort und kehrte dann wieder an das Stadttheater von Straßburg zurück, dem er bis 1879 abermals als Mitglied angehörte. 1879–80 sang er am Stadttheater von Zürich, 1885–86 am Opernhaus von Brünn (Brno) und schließlich bis 1889 am Theater von Graz. Später lebte er wieder in Stuttgart und gab von dort aus noch bis 1897 Gastspiele und trat in Konzerten auf. Höhepunkte in seinem Bühnenrepertoire waren die seriösen Baßpartien wie der Sarastro in der «Zauberflöte», der Rocco im «Fidelio», der Eremit im «Freischütz», der Daland im «Fliegenden Holländer», der Landgraf im «Tannhäuser», der König Heinrich im «Lohengrin», der Pogner in den «Meistersingern», der Hunding in der «Walküre», der Marcel in den «Hugenotten» von Meyerbeer, der Kardinal in Halévys «La Juive», der Raimondo in «Lucia di Lammermoor», der Silva in Verdis «Ernani», der Sparafucile im «Rigoletto» und der Ferrando im «Troubadour».

Robinson, Gail, Sopran, * 7. 8. 1946 Meridien (Mississippi); sie war an der Memphis State University Schülerin von Frau Norvell Taylor, in New York von Robley Lawson. 1967 gewann sie den Gesangwettbewerb Auditions of the Air der Metropolitan Oper New York. 1967 erfolgte ihr Debüt bei der Memphis Opera als Titelheldin in «Lucia di Lammermoor» von Donizetti. Bereits für die Spielzeit 1969–70 wurde sie an die New Yorker Metropolitan Oper verpflichtet, wo sie 1970 als erster Knabe in der «Zauberflöte» debütierte und während vieler Jahre Partien aus dem Koloraturfach sang. Auch an den Opern von Chicago, San Antonio, Philadelphia und New Orleans, bei der Omaha Opera Company und bei der Kentucky Opera kam sie zu großen Erfolgen. In Europa absolvierte sie Gastspiele an der Hamburger Staatsoper, am Grand Théâtre Genf, an der Deutschen Oper Berlin, an der Münchner Staatsoper und an weiteren Bühnen. Als begabte Koloratrice erwies sie sich in Partien wie die Zerline in «Don Giovanni», der Fiordiligi in «Così fan tutte», der Amina in Bellinis «La Sonnambula», der Rosina im «Barbier von Sevilla» von Rossini, der Norina im «Don Pasquale», der Marie in «La Fille du régiment», dem Pagen Oscar in «Un ballo in maschera» von Verdi, der Leila in «Pêcheurs de perles» von Bizet und der Lucy in Menottis «The Telephone». Erfolgreiches Wirken auch im Konzertbereich. Schallplatten: Ariola.

Robson, Christopher, Countertenor, * 9. 12. 1953 Falkirk (Schottland); er absolvierte sein Gesangstudium am Trinity College London bei James Gaddarn, bei dem bekannten Countertenor Paul Esswood und bei Helga Mott und nahm an Kursen bei Laura Sarti und Geoffrey Parsons teil. 1976 gab er sein erstes Konzert in der Queen Elizabeth Hall London in «Samson» von Händel. 1979 gewann er in London einen Concours für junge Sänger. Er kam bald zu großen Erfolgen, vor allem an der English National Opera London, wo er 1985 in der englischen Erstaufführung der zeitgenössischen Oper «Akhnaten» («Echnathon») von Philip Glass sang. An diesem Haus wirkte er auch in Aufführungen von Monteverdis «Orfeo», von Händels «Xerxes» und «Giulio Cesare» (als Titelheld) mit. Beim Camden Festival sang er in der Oper «Eritrea» von Cavalli, in London wie in Zürich in einer weiteren Oper von Cavalli, «La Calisto». Er sang auch die Titelpartie in der amerikanischen Erstaufführung der Oper «Akh-

naten» von Ph. Glass an der Oper von Houston/ Texas und anschließend an der City Centre Opera New York. In Heidelberg, Darmstadt und im Haag gestaltete er den Daniel in szenischen Aufführungen von Händels «Belshazzar», in Innsbruck erschien er in «Orontea» von Antonio Cesti. In der Saison 1986–87 gastierte er am Opernhaus von Frankfurt a. M. und an der English National Opera London. 1988 trat er an der Covent Garden Oper London in Händels Oper «Semele» auf. Fast noch bedeutender war seine Karriere im Konzertsaal, wo er sich auf das Barock-Repertoire spezialisierte, aber dort wie auch in Rundfunksendungen darüber hinaus viele andere Werke vortrug. Als Konzertsolist hörte man ihn u. a. in London, in Paris, Brüssel und Barcelona, bei den Festspielen von Flandern und von Aix-en-Provence. Schallplatten: Meridien, Decca (Monteverdi-Vespern), Harmonia mundi (Werke von H. I. Biber).

Robson, Elizabeth, Sopran, * 1939 Dundee (Schottland); sie erhielt ihre Ausbildung an der Royal Scottish Academy of Music in Glasgow und sang bereits während ihres Studiums im englischen Fernsehen. Sie vervollständigte ihre Ausbildung in Florenz; 1961 erfolgte ihr Bühnendebüt bei der Sadler's Wells Opera London als Micaela in «Carmen». Sie kam in der Folge zu einer erfolgreichen Karriere, vor allem an der Covent Garden Oper London. Hier sang sie Partien wie die Musetta in «La Bohème» von Puccini, die Zdenka in «Arabella» von R. Strauss, die Sophie in dessen «Rosenkavalier», die Susanna in «Nozze di Figaro», die Pamina in der «Zauberflöte» und die Marzelline in «Fidelio». Bei der Scottish Opera Glasgow hörte man sie als Zerline im «Don Giovanni», beim Festival von Edinburgh 1967 als Anne Trulove in «The Rake's Progress» von Strawinsky. Sie gastierte bei den Festspielen von Glyndebourne und Aix-en-Provence und an der Mailänder Scala. Die Sängerin, die mit dem Bariton *Neil Howlett* (* 1934) verheiratet war, ist auch im Konzertsaal in einem breiten Repertoire aufgetreten. Schallplatten: Decca (Marzelline in «Fidelio» unter Georg Solti).

Rodgers, Joan, Sopran, * 1960 in der Grafschaft Cumbria (England); studierte am Royal Northern College of Music, auch Schülerin von Joseph Ward und Audrey Longford. 1982 kam es zu ihrem Bühnendebüt bei den Festspielen von Aix-en-Provence als Pamina in der «Zauberflöte», sogleich mit großem Erfolg. Sie sang dann beim Mozart Festival in Paris (Zerline im «Don Giovanni»), bei der English National Opera (Nannetta in Verdis «Falstaff») und brillierte in Israel in zwei weiteren Mozart-Partien, als Susanna in «Nozze di Figaro» und als Despina in «Così fan tutte». Nachdem sie am Teatro Regio Turin die Ilia in «Idomeneo» gesungen hatte, trat sie 1983 erstmals an der Covent Garden Oper London in «L' Enfant et les sortilèges» von Ravel auf. An diesem Haus war sie dann als Xenia in «Boris Godunow», als Echo in «Ariadne auf Naxos» von R. Strauss, als Zerline im «Don Giovanni» (1988) und als Servilia in Mozarts «La clemenza di Tito» (1989) zu hören. Bereits 1984 hatte sie an der Oper

von Lyon die Tatjana im «Eugen Onegin» von
Tschaikowsky und beim Festival von Aix-en-Provence die Serpetta in «La finta giardiniera» von
Mozart gesungen, 1987 bei der Eröffnung des Théâtre des Champs Élysées Paris die Pamina, im gleichen Jahr am Opernhaus von Zürich die Zerline im
«Don Giovanni». Diese Partie sang sie auch 1988 in
Amsterdam. 1989 erregte sie bei den Festspielen von
Glyndebourne als Susanna in «Nozze di Figaro»
Aufsehen. Auch im Konzertsaal kam sie zu einer
erfolgreichen Karriere; so sang sie 1989 in den Promenade Concerts London das Sopransolo in der
4. Sinfonie von Gustav Mahler.
Schallplatten: Telefunken (Krönungsmesse von Mozart).

Römer, Matthäus, Tenor, * 8. 11. 1871, † (?); er
widmete sich zunächst dem Studium der Philosophie
an der Universität München und schloß diese Ausbildung mit dem Doktorgrad ab. Bereits während
dieser Zeit erhielt er Gesangunterricht durch Felix
von Kraus. Vervollständigung der Gesangausbildung bei dem berühmten Jean de Reszke in Paris,
dazu Kompositionsstudium bei Joseph Rheinberger.
Längere Zeit nahm er die einflußreiche Stellung
eines Prinzenerziehers am bayerischen Hof ein.
Seine Karriere als Sänger beschränkte sich auf Gastauftritte im Theater wie im Konzertsaal. So gastierte
er an den Hofopern von München und Stuttgart und
sang 1909 bei den Festspielen von Bayreuth den
Titelhelden im «Parsifal». 1908 und 1910 gab er sehr
erfolgreiche Konzerte in Wien, 1911 wirkte er beim
Bach-Fest in Leipzig mit, 1911 war er in Frankfurt
a. M. zu Gast. Noch 1922 ist er aufgetreten; er war
als hoch geschätzter Pädagoge am Konservatorium
von München tätig. Einer seiner Schüler war der
bekannte Baß-Bariton Hans Hotter. Auf der Bühne
trat Matthäus Römer vor allem im Wagner-Repertoire auf, als Tannhäuser, als Lohengrin, als Siegmund in der «Walküre», sang aber auch Partien wie
den Herzog im «Rigoletto», den Manrico im «Troubadour» und den Radames in «Aida». Aus seinem
letzten Lebensabschnitt fehlen genauere Daten; jedenfalls lebte er noch 1930. Ein Sohn des vor allem
als Konzertsänger gefeierten Künstlers, Horand Römer (1908–40), wurde Dirigent und wirkte u. a. an
der Staatsoper Stuttgart.
Schallplattenaufnahmen des Sängers sind nicht vorhanden.

Rösinger, Kurt, Baß-Bariton, * 9. 2. 1921 Weimar;
er wurde in Weimar ausgebildet, und zwar durch den
Pädagogen F. Stauffert und durch die bekannte Altistin Helena Jung. 1947 kam es zu seinem Debüt am
Nationaltheater von Weimar. An dieser Bühne war
er bis 1959 tätig, wobei er sich vor allem, wie auch im
weiteren Ablauf seiner Karriere, auf das Buffo-Fach
spezialisierte. 1959 kam er an das Opernhaus von
Leipzig. Seit 1959 war er zugleich durch einen langjährigen Gastspielvertrag mit der Dresdner Staatsoper verbunden. Auf der Bühne trat er in einem
umfangreichen Repertoire in Erscheinung, das rund
50 große Partien umfaßte, und das als Höhepunkte
den Papageno in der «Zauberflöte», den Titelhelden

im «Falstaff» von Verdi, den Alberich wie den Fafner im Nibelungenring, den Klingsor im Parsifal»,
den Faninal im «Rosenkavalier», den Leporello im
«Don Giovanni», den van Bett in «Zar und Zimmermann», den Baculus im «Wildschütz» von Lortzing
und den Beckmesser in den «Meistersingern» enthielt.

Rösler-Keuschnigg, Maria, Sopran, * 1890 Klagenfurt, † 12. 9. 1944 Stuttgart; die Künstlerin wurde
durch Irene Schlemmer-Ambros in Wien ausgebildet. 1919 begann sie ihre Karriere an der Staatsoper
von Dresden und blieb bis 1927 deren Mitglied. Hier
wirkte sie am 8. 1. 1927 in der Uraufführung von
Othmar Schoecks Oper «Penthesilea» als Protoë
mit. In der Spielzeit 1927–28 war sie am Opernhaus
von Leipzig engagiert und wechselte dann an die
Staatsoper von Stuttgart, an der sie bis zu ihrem
tragischen Tod (bei einem Luftangriff im letzten
Kriegsjahr) wirkte. Bei den Festspielen von Bayreuth des Jahres 1930 war sie als Kundry im «Parsifal» zu hören. Sie sang im wesentlichen Partien aus
dem dramatischen Fachbereich: die Leonore im «Fidelio», die Senta im «Fliegenden Holländer», die
Ortrud im «Lohengrin», die Venus im «Tannhäuser», die Brünnhilde in den Opern des Ring-Zyklus,
die Marschallin im «Rosenkavalier» von R. Strauss
und die Färberin in dessen «Frau ohne Schatten».
Nicht weniger von Bedeutung war ihre Konzertkarriere.
Leider sind von der Stimme der Sängerin keine
Schallplattenaufnahmen vorhanden.

Roger, Marguerite, Sopran, * 1895 (?); sie studierte
in Paris. 1921 sang sie erstmalig an der Pariser
Opéra-Comique und blieb dort für die nächsten drei
Jahre im Engagement. Später sang sie vor allem an
der Oper von Monte Carlo, in Vichy und an verschiedenen französischen Provinztheatern. Bereits
1920 gastierte sie in Monte Carlo in der Travestie-
Rolle des Pedro in «Don Quichotte» von Massenet.
Später sang sie dort die Poussette in «Manon» und
die Crobyle in «Thaïs» von Massenet und wirkte in
der Uraufführung von «La Damnation de Blan-
chefleur» von H. Férrier (1920) und «Satan» von
R. Gunsbourg mit. An der Opéra Comique sang sie
u. a. die Dorabella in «Così fan tutte», die Zerline im
«Don Giovanni», die Lakmé, die drei Sopranrollen
in «Hoffmanns Erzählungen», die Manon von Massenet, die Philine in «Mignon», die Mireille, die
Butterfly und die Mimi in «La Bohème». Zu Beginn
ihrer Karriere entstanden drei akustische Schallplattenaufnahmen auf HMV, alles Duette mit Émile
Marcelin und Tilkin Servais.

Rogovska-Hristić, Xenia, Sopran, * 7. 4. 1896 Warschau, † 22. 1. 1960 Belgrad; der Name der Künstlerin begegnet erstmals 1916–18, als sie an der Zimin-
Privatoper in Moskau engagiert war. Sie kam dann
nach Jugoslawien und war in den Jahren 1920–27
Mitglied der Nationaloper Belgrad. 1927–29 gehörte
sie dem Ensemble der Opéra Russe in Paris an, das
große internationale Gastspielreisen unternahm.
Dann kam sie wieder in die jugoslawische Metropole

zurück und sang in den Jahren 1929–43 erneut am Opernhaus von Belgrad. Von den vielen Partien, die sie auf der Bühne zum Vortrag brachte, seien die Titelpartien in «Lakmé» von Delibes und «Manon» von Massenet, die Marguerite im «Faust» von Gounod, die Violetta in «La Traviata», die Mimi in Puccinis «La Bohème», die Tosca, die Elsa im «Lohengrin», die Tatjana im «Eugen Onegin» von Tschaikowsky und die Lisa in «Pique Dame» genannt.

Rohner, Ruth, Sopran, * 18. 9. 1935 Zürich; sie studierte am Konservatorium von Winterthur Gesang, Klavier- und Orgelspiel und war dann Schülerin der Opernschule Amsterdam. 1960–61 war sie Mitglied des Städtebundtheaters Biel–Solothurn, 1960–62 auch der Wiener Kammeroper. Seit 1962 gehörte sie für mehr als 25 Jahre zum Ensemble des Opernhauses von Zürich. Gastspiele an den Theatern von Bern und Basel, an den Staatsopern von Hamburg und München, an der Deutschen Oper am Rhein Düsseldorf–Duisburg, am Opernhaus von Köln und an der Opéra du Rhin Straßburg. Mit dem Zürcher Ensemble war sie als Gast an der Staatsoper Dresden, an der Nationaloper Helsinki, bei den Festspielen von Lausanne, Wiesbaden und Athen anzutreffen. Ihr Repertoire setzte sich aus vielen Partien für Koloratur- wie lyrischen Sopran und aus entsprechenden Aufgaben aus dem Bereich der Operette zusammen, Werke aus allen Epochen der Musikgeschichte. Sie wirkte am Zürcher Opernhaus in mehreren Opern-Uraufführungen mit, so in R. Kelterborns «Ein Engel kommt nach Babylon» (5. 6. 1977) und in «Madame Bovary» von H. Sutermeister (26. 5. 1967), dazu in zahlreichen Premieren und Erstaufführungen, u. a. in «Ein Stern geht auf aus Jakob» von Paul Burkhard und in «Karl V.» von E. Křenek (1970). Im Konzertsaal hörte man sie in Oratorienpartien und als Liedsängerin.
Schallplatten: Pick-Records («Engelbergische Hochzeit» von Meyer von Schauensee).

Rohr, René, Baß, * 29. 1. 1933 Zürich; er ergriff zunächst den Beruf eines Primarschullehrers, den er 1955–65 im Kanton Zürich ausübte. Er ließ seine Stimme 1960–64 am Konservatorium von Zürich durch Ria Ginster ausbilden und gehörte 1963–65 dem Internationalen Opernstudio des Opernhauses von Zürich an. 1965 wurde er als Solist in das Ensemble des Hauses übernommen, an dem er in den folgenden 25 Jahren zu den führenden Sängern gehörte. Er sang hier in den Uraufführungen der Opern «Madame Bovary» von H. Sutermeister (26. 5. 1967) und «Ein Engel kommt nach Babylon» (5. 6. 1977) von R. Kelterborn, in vielen Erstaufführungen und Premieren und übernahm eine große Zahl von Partien aus allen Bereichen der Opernliteratur. Gastspiele führten ihn an die Theater von Basel und St. Gallen, an die Staatsoper von Wien, an die Deutsche Oper am Rhein Düsseldorf–Duisburg, an das Théâtre des Champs Élysées Paris, an die Stuttgarter Staatsoper und an das Opernhaus von Graz. Mit dem Zürcher Ensemble gastierte er in Bordeaux, Helsinki und in Lausanne.

Rohr-Renard, Katharina, Alt, * 28. 12. 1881, † Januar 1972 Köln; sie war in den Jahren 1904–24 Mitglied des Opernhauses von Köln und ist noch bis 1927 als Gast an diesem Haus aufgetreten. Sie sang auf der Bühne wie im Konzertsaal ein reichhaltiges Repertoire, das für die Bühne seine Höhepunkte in Partien wie der Marcellina in «Figaros Hochzeit», der Frau Marthe im «Faust» von Gounod, der Maddalena im «Rigoletto», der Magdalene in den «Meistersingern», der Erda wie der Floßhilde im «Ring des Nibelungen», dem Hänsel in «Hänsel und Gretel» von Humperdinck und der Annina im «Rosenkavalier» von R. Strauss hatte. Am 4. 12. 1920 sang sie am Opernhaus von Köln in der Uraufführung der «Toten Stadt» von Korngold (bei einer gleichzeitigen Uraufführung des Werks in Hamburg) die Rolle der Brigitte. In den Jahren 1911–14 gastierte sie am Théâtre de la Monnaie Brüssel in den Aufführungen des Nibelungenrings, die damals besonderes Aufsehen erregten.

Rolandi, Gianna, Sopran, * 16. 8. 1952 New York; ihre Mutter war ebenfalls Sängerin gewesen und war in Italien unter dem Namen *Giovanna Frazieri* aufgetreten. Sie verbrachte ihre Kindheit in Spartanburg (South Carolina), studierte dann Violine, ließ aber schließlich am Curtis Institute Philadelphia ihre Stimme ausbilden. 1975 erwarb sie den akademischen Grad eines Bachelor of Music; ihre hauptsächlichen Lehrer waren Ellen Faull, Felix Popper, Max Rudolf und Dino Yannopoulos. 1975 ersetzte sie drei Tage vor ihrem geplanten Debüt an der New York City Centre Opera eine Sängerin in der Rolle der Olympia in «Hoffmanns Erzählungen»; das eigentliche Debüt kam dann, wie vorgesehen, als Zerbinetta in «Ariadne auf Naxos» von R. Strauss zustande. An der New Yorker City Centre Opera, wo sie manche Partien der großen Beverly Sills übernahm, hatte sie als Koloratrice große Erfolge; sie sang dort die Königin der Nacht in der «Zauberflöte», die Gilda im «Rigoletto» und die Cleopatra in «Giulio Cesare» von Händel. 1979 sang sie als Antrittsrolle an der Metropolitan Oper New York die Sophie im «Rosenkavalier», 1985 bewunderte man auch dort ihre Zerbinetta. 1982 Gastspiel an der Oper von Santa Fé. An der Oper von Seattle war sie 1985 die Lucia di Lammermoor in der Belcanto-Oper gleichen Namens von Donizetti, 1988 die Gilda im «Rigoletto». Bei den Festspielen von Glyndebourne war es 1981 wiederum ihre Zerbinetta, die große Beachtung fand, 1988 gastierte sie dort als Konstanze in der «Entführung aus dem Serail».
Schallplatten: HMV (Susanna in «Figaros Hochzeit»).

Roloff, Roger, Baß-Bariton, * 22. 2. 1947 Peoria (Illinois); er absolvierte zunächst ein akademisches Allgemeinstudium an der Indiana University Bloomington und verlegte sich vor allem auf das Gebiet der Anglistik. Er ließ dazu seine Stimme am Wesley College durch David Nott ausbilden und debütierte semiprofessionell im Alter von 22 Jahren bei einer Schüleraufführung als Escamillo in «Carmen». Er setzte jedoch das Studium der Anglistik für fünf

weitere Jahre fort und schloß es mit dem Diplom als
Englischlehrer ab. Seit 1975 weiteres Gesangstudium bei Sam Sakarian in New York. 1975 sang er
bei der Deertrees Opera (Maine). 1981 beteiligte er
sich mit großem Erfolg an einem Gesangwettbewerb
in Montreal. Bereits 1983 sollte er bei der Boston
Lyric Opera den Wotan in der «Walküre» singen,
doch zerschlug sich dieses Vorhaben schließlich wieder. In New York stellte er sich dem großen Wagner-
Interpreten Hans Hotter vor, der ihn ermutigte, sich
vorzugsweise dem Wagnergesang zu widmen. 1984
sang er an der Oper von Seattle mit großem Erfolg
den Wotan im Nibelungenring und trat dort bis 1987
in dieser Partie in Erscheinung. Diese Aufführungen
führten dazu, daß er 1985 auch am Deutschen
Opernhaus Berlin den Wotan sang. Weitere Gastspiele bei der English National Opera (1985), am
Staatstheater Hannover (1987), an den Opern von
San Diego (1987), Chicago (1987) und bei den
Münchner Opernfestspielen (1988 in «Die Liebe der
Danaë» von R. Strauss). 1987 gab er ein glanzvolles
Wagner-Konzert in der New Yorker Carnegie Hall.
1983 sang er den Friedrich in der amerikanischen
Erstaufführung der frühen Richard Wagner-Oper
«Das Liebesverbot» (Waterloo Festival, New Jer-
sey). Neben den großen Wagner-Partien (Wotan
und Wanderer im Nibelungenring, Fliegender Hol-
länder, Hans Sachs, Kurwenal im «Tristan») standen
der Jochanaan in «Salome» von R. Strauss, der Scarpia in «Tosca» und der Rupprecht in «The Fiery
Angel» von Prokofieff in seinem Bühnenrepertoire.

Romagnoli, Giuliano, Tenor, * 1890 (?); mit dem
Namen dieses Künstlers läßt sich kaum eine Karriere
von Bedeutung in Verbindung bringen. Er sang 1920
am Theater von Novi Ligure den Cavaradossi in
«Tosca» und den Enzo in «La Gioconda» von Ponchielli, ist aber sonst an keiner führenden Bühne
nachzuweisen. Um so erstaunlicher ist es, daß er in
einer Gesamtaufnahme des «Faust» von Gounod,
die 1921 in akustischer Aufnahmetechnik auf HMV
erfolgte, die Titelpartie der Oper sang, wobei
Gemma Bosini und Fernando Autori seine Partner
waren. Bereits zuvor hatte er auf HMV drei Lieder
(1913) und auf Columbia zwei Duette mit dem Bariton Taurino Parvis aufgenommen.

Romanella, Nelly, Sopran, * 1. 12. 1938 Buenos
Aires; Schülerin von Emma Brizzi in Buenos Aires.
1965 debütierte sie am Teatro Colón von Buenos
Aires als Lauretta in «Gianni Schicchi» von Puccini.
Seitdem hatte sie an diesem Hause wie bei Gastspielen und Konzerten in ihrer argentinischen Heimat
eine langjährige erfolgreiche Laufbahn. Sie beherrschte eine Vielzahl von Partien aus dem Koloraturfach, darunter die Zerline im «Don Giovanni»,
die Carolina in Cimarosas «Matrimonio segreto»,
die Adina in «Elisir d'amore», die Norina im «Don
Pasquale», die Titelfiguren in «Lucia di Lammermoor» und «Linda di Chamounix» von Donizetti,
die Musetta in «La Bohème» von Puccini, die Gilda
im «Rigoletto», die Violetta in «La Traviata», den
Pagen Oscar in Verdis «Ballo in maschera», die
Juliette in «Roméo et Juliette» von Gounod, die

Adele in der «Fledermaus» und die Amelia in Menottis «Amelia al ballo». 1969 sang sie am Teatro
Colón in der Uraufführung der Oper «Voz del silen-
cio» von Peruzzo. Sie wirkte auch in der argentinischen Hauptstadt Buenos Aires als Gesanglehrerin.

Romensky, Michail Damianowitsch, Baß-Bariton,
* 9. (21.) 12. 1887, † 1971; er war in den Jahren
1913–17 Schüler des Konservatoriums von Moskau.
1917 begann er seine Bühnenkarriere am Opernhaus
von Rostow am Don. Er sang dann an den Opernhäusern von Leningrad und Odessa und während
einer Reihe von Jahren an Operntheatern in Sibirien
(Tomsk, Omsk, Nowosibirsk). 1934 wurde er an das
Opernhaus von Charkow (Lysenko-Theater) verpflichtet, an dem er bis 1958 auftrat. In den Jahren
1942–58 auch Mitglied des Opernhauses von Kiew
(Schewtschenko-Theater). An diesen beiden großen
Operntheatern in der Ukraine absolvierte er eine
sehr erfolgreiche Karriere, die sich im übrigen auch
auf den Bereich des Konzert- und des Liedgesangs
erstreckte. Von seinen Bühnenpartien seien stellver-
tretend für viele andere der Ruslan in «Ruslan und
Ludmilla» von Glinka, der Boris Godunow, der
Galitzky in Borodins «Fürst Igor», der Mephisto im
«Faust» von Gounod und der Escamillo in «Car-
men» erwähnt.
Schallplattenaufnahmen der staatlichen russischen
Plattenherstellung (Melodiya).

Romero, Matteo, Sänger und Komponist, * etwa
1575 Lüttich, † 10. 5. 1647 Madrid; er stammte aus
dem heutigen Belgien, den damaligen Spanischen
Niederlanden, kam aber im jugendlichen Alter nach
Spanien. 1594 wurde er Mitglied der Königlichen
Kapelle in Madrid und gehörte als Sänger der Fläm-
ischen Abteilung des Chores an. Er war Schüler des
aus Namur stammenden Komponisten Philippe Ro-
gier, der seit 1588 als Maestro di Capilla die Spanische Hofkapelle unter König Philipp II. leitete. Als
dieser 1596 starb, wurde Matteo Romero 1598 sein
Nachfolger. Als Komponist erlangte er in Spanien
hohes Ansehen; er veröffentlichte geistliche Motetten und andere Kirchenmusik, aber auch weltliche
Lieder zu drei und vier Stimmen, darunter auch
Vertonungen von Gedichten des großen spanischen
Poeten Lope di Vega. 1609 erhielt er die Priester-
weihe; 1633 gab er seine Position auf und erhielt eine
Pension aus der Königlichen Schatulle. 1638 wurde
er als Musikexperte in einer besonderen Mission an
den portugiesischen Hof nach Lissabon entsandt.
Man kannte ihn zu seiner Zeit in Spanien auch unter
dem Namen «Maestro Capitán».

Ronge, Gabriele Maria, Sopran, * 3. 7. 1957 Hannover; sie studierte Philologie, ließ aber zugleich ihre
Stimme ausbilden. 1982 begann sie ihre Bühnenlaufbahn am Stadttheater von Heidelberg. 1983 kam sie
an das Stadttheater von Osnabrück, wo sie als Fiordiligi in «Così fan tutte» debütierte; anschließend
hörte man sie dort als Hanna Glawari in Lehárs
«Lustiger Witwe». Bis 1985 blieb sie in Osnabrück
tätig und ging dann einer sehr erfolgreichen Tätigkeit an den führenden deutschen Theatern nach. So

sang sie 1985–87 am Staatstheater Hannover (ihrem Wohnsitz), an den Opernhäusern von Köln (1989), Frankfurt a. M. und Bonn, am Staatstheater von Braunschweig, an der Deutschen Oper Berlin und war seit 1987 Mitglied der Bayerischen Staatsoper München. Sie trat vorwiegend in Partien aus dem deutschen Stimmfach, namentlich in Opern von Richard Wagner und Richard Strauss, hervor. So gehörten die Marschallin im «Rosenkavalier», die Elsa im «Lohengrin», die Eva in den «Meistersingern» (Grand Opéra Paris, 1989) und die Agathe im «Freischütz» (München 1990) zu den Höhepunkten in ihrem Bühnenrepertoire. An der Oper von Frankfurt a. M. sang sie 1987 die Titelheldin in Glucks klassischer Oper «Iphigénie en Tauride». Auch als Konzertsängerin wurde die Künstlerin, deren Repertoire man mit dem einer Tiana Lemnitz oder Elisabeth Grümmer vergleichen kann, bekannt.

Rørholm, Marianne, Mezzosopran, * 1956 Fredericia (Dänemark); sie schloß ihre musikalische Ausbildung 1984 am Königlichen Konservatorium Kopenhagen ab und war dann 1984–85 an der Oper von Kopenhagen engagiert. 1985 folgte sie einem Ruf an das Opernhaus von Frankfurt a. M., dessen Mitglied sie bis 1989 blieb, und an dem sie später noch als Gast auftrat. Sie wurde durch zahlreiche Gastspiele international bekannt; so gastierte sie an der Grand Opéra Paris (Zauberin in «Dido and Aeneas» von Purcell), wo sie auch als Solistin im «Lied von der Erde» von Gustav Mahler zu hören war. Ihre Glanzrolle war der Cherubino in «Figaros Hochzeit», den sie an der Deutschen Oper Berlin, am Opernhaus von Tel Aviv, an der Deutschen Oper am Rhein Düsseldorf–Duisburg (wo sie außerdem die Rosina im «Barbier von Sevilla» und die Angelina in Rossinis «La Cenerentola» übernahm) und 1989 bei den Festspielen von Glyndebourne und Ludwigsburg sang. Bei den Bayreuther Festspielen trat sie 1988 als 1. Knappe im «Parsifal» auf. Am Opernhaus von Zürich gastierte sie als Rosina im «Barbier von Sevilla», wie sie überhaupt die schwierigen Koloraturpartien ihres Stimmfachs meisterhaft zum Vortrag brachte. Als Konzert- und Oratoriensängerin hatte sie gleichfalls eine erfolgreiche Karriere. 1989 unternahm sie eine Konzert-Tournee in den USA, debütierte hier mit dem Indianapolis Symphony Orchestra und trat im Kennedy Center Washington und in der New Yorker Carnegie Hall auf.
Schallplatten: Philips (Dryade in «Ariadne auf Naxos» von R. Strauss), HEK (Werke von Niels W. Gade).

Rose, Peter, Baß, * 1961 Canterbury; er erhielt seine musikalische Ausbildung an der East Anglia University und an der Guildhall School of Music bei Ellis Keeler. 1985 gewann er ein Kathleen Ferrier-Stipendium, 1986 in Glyndebourne den John Christie Award. Darauf debütierte er 1986 beim Gastspiel der Glyndebourne Opera Company in Hongkong als Commendatore in «Don Giovanni» und wiederholte diese Partie bei weiteren Gastspielen der Operntruppe. 1986 wurde er an die Welsh Opera Cardiff verpflichtet, an der er den Bartolo in «Nozze

di Figaro», den Basilio im «Barbier von Sevilla» von Rossini, den Angelotti in «Tosca» und den Gremin in Tschaikowskys «Eugen Onegin» sang. 1988 debütierte er an der Covent Garden Oper London als Lord Rochefort in «Anna Bolena». Dort sang er auch den Cadros in «Semele» von Händel, den Lodovico in Verdis «Othello» und den Nachtwächter in den «Meistersingern». An der Scottish Opera Glasgow als Narbal in «Les Troyens» von Berlioz zu Gast, in Chicago und bei den Salzburger Festspielen in «La Damnation de Faust». Bei der Glyndebourne Opera Company hörte man ihn weiterhin als Don Inigo in «L'Heure espagnole» von Ravel und als Osmin in der «Entführung aus dem Serail», bei der English National Opera London als Angelotti, bei der Welsh Opera Cardiff ebenfalls als Osmin. 1989 sag er beim Glyndebourne Festival den Trulove in Strawinskys «The Rake's Progress». Große Erfolge bei Konzerten, u. a. in der Royal Festival Hall London.
Mitschnitte von Radiosendungen.

Rosenkranz, Elisabeth, Sopran, * 1. 4. 1904 Frankfurt a. M., † 13. 11. 1974 Frankfurt a. M. Sie erhielt ihre Ausbildung in ihrer Heimatstadt Frankfurt bei Marie Wetzelsberger-Gluck und bei Lothar Wallerstein. Sie wurde 1935 als Anfängerin an das Opernhaus von Frankfurt a. M. verpflichtet und ist während ihrer ganzen Karriere bis 1955 Mitglied dieses Theaters geblieben. Als erste große Partie sang sie dort die Butterfly. Sie nahm hier an mehreren Uraufführungen teil; so sang sie am 8. 6. 1937 ein Solo in Carl Orffs «Carmina Burana», am 26. 5. 1936 in «Dr. Johannes Faust» (als Gretel) und am 7. 10. 1943 in «Odysseus» (als Kalypso), beide von Hermann Reutter. Sie gastierte mit dem Frankfurter Ensemble u. a. 1938 in Rumänien. Die Künstlerin, deren Karriere so eng mit ihrer Heimatstadt Frankfurt verbunden blieb, wurde dort in einem weit gespannten Bühnen- und Konzertrepertoire geschätzt. Auf der Bühne hörte man sie in Partien wie der Gräfin im «Wildschütz» von Lortzing, der Titelheldin in dessen «Undine», der Ariadne in «Ariadne auf Naxos» von R. Strauss, der Marianne Leitmetzerin in «Rosenkavalier», der Amelia in Verdis «Maskenball», der Tosca, der Butterfly, der Saffi im «Zigeunerbaron» von J. Strauß, der Valencienne in Lehárs «Lustiger Witwe», der Ingrid in «Peer Gynt» von Werner Egk und der Ursula in «Mathis der Maler» von Hindemith.

Rosenshein, Neil, Tenor, * 27. 11. 1947 New York; er erregte erstes Aufsehen, als er 1975 beim Caramoor Festival die Titelpartie in «L'Ormindo» von Cavalli sang. 1977 wirkte er in Los Angeles in der US-Erstaufführung der Oper «Der Kaiser von Atlantis» von V. Ullmann mit, 1979 in St. Louis in der nordamerikanischen Premiere von «Die drei Pintos» von Weber/Mahler. 1979 hörte man ihn bei Gastspielauftritten in Washington, 1979 und 1980 in St. Louis, 1981–82 und 1986 am Grand Théâtre Genf. 1982 wirkte er beim Holland Festival mit, sang noch im gleichen Jahr an der Scottish Opera Glasgow, am Teatro Fenice Venedig und bei den Festspielen von

Schwetzingen. Das Jahr 1983 brachte Auftritte an den Opern von Chicago und Dallas wie an der Grand Opéra Paris. 1984 schlossen sich Gastspiele am Opernhaus von Lyon und in Cincinnati an, 1983 und 1987 an der Oper von Santa Fé. 1986 sang er als Antrittsrolle an der Covent Garden Oper London den Lenski im «Eugen Onegin», am gleichen Haus wie auch in Stuttgart den Stewa in «Jenufa» von Janáček. 1985 gastierte er in Amsterdam als Tom Rakewell in «The Rake's Progress» von Strawinsky, 1987 als Titelheld im «Don Carlos» von Verdi. Ebenfalls 1987 bewunderte man an der Oper von Nizza seinen des Grieux in «Manon» von Massenet. 1988 am Teatro Margherita von Genua und an der Oper von Sydney zu Gast. An der Metropolitan Oper New York kam er in der Spielzeit 1988–89 als Alfredo in «La Traviata» wie als Narraboth in «Salome» von R. Strauss zu großen Erfolgen. Er wirkte in den Uraufführungen der Opern «The Duchess of Malfi» von Burton (1978 in Vienna im amerikanischen Staat Virginia), «The Confidence Man» von G. Rochberg (Santa Fé, 1982) und «The Aspern Papers» von Dominick Argento (Dallas, 19. 11. 1988) mit. Aus seinem vielgestaltigen Bühnenrepertoire sind zu nennen: die Titelpartie in «Egisto» von Cavalli, der Lucanio in «Ariodante» von Händel, der Pedrillo in der «Entführung aus dem Serail», der Fenton in Verdis «Falstaff», der Pinkerton in «Madame Butterfly», der Quint in «The Turn of the Screw» von Benjamin Britten, der Titelheld im «Oedipus Rex» von Strawinsky, der Alfred in der «Fledermaus», der Orpheus in Offenbachs «Orpheus in der Unterwelt» und der Piquillo in dessen Operette «La Périchole». Auch als Konzert- und Oratoriensänger kam er in einem umfangreichen Repertoire zu bedeutenden internationalen Erfolgen.

Schallplatten: Telefunken (Matthäuspassion von J. S. Bach), DGG («Songfest» von Bernstein).

Rosich, Paolo, Baß, * 1780 (?), † (?); dieser Sänger hat seine musikhistorische Bedeutung hauptsächlich durch seine Verbindung zum Opernschaffen Rossinis. Am 26. 10. 1811 sang er in der Uraufführung von Rossinis Oper «L'Eqivoco stravagante» am Teatro Del Corso von Bologna die Partie des Buralicchio. Am 22. 5. 1813 übernahm er in der Uraufführung einer weiteren Rossini-Oper, «L'Italiana in Algeri», am Teatro San Benedetto von Venedig den Taddeo. Als er 1816 am Teatro della Pergola in Florenz den Bartolo im «Barbier von Sevilla» singen sollte, komponierte Pietro Romani für ihn die Arie «Manca un foglio», die gegenüber der ursprünglich in der Partitur Rossinis stehenden Arie «A un dottor della mia sorte» erheblich leichter zu singen ist. Diese alternative Arie ist während des ganzen 19. Jahrhunderts von vielen italienischen Bassisten statt der Original-Arie vorgetragen worden und ist auch auf Schallplatten aus der frühesten Epoche zu hören. Paolo Rosich setzte seine Karriere als Baß-Buffo in Italien noch lange fort und nahm auch an der berühmten Nordamerika-Tournee teil, die Manuel Garcia sr. mit seiner Operntruppe 1826 unternahm. Dabei kamen im New Yorker Park Theatre die denkwürdigen amerikanischen Erstaufführungen des «Don Gio-

vanni» (26. 5. 1826) und von Rossinis Opern «Il Turco in Italia» (14. 3. 1826), «Otello» (7. 2. 1826) sowie «La Cenerentola» (27. 6. 1826) zustande, an denen auch Paolo Rosich teilnahm, außerdem Aufführungen des «Barbiers von Sevilla» (der bereits 1819 in New York erstaufgeführt worden war). Der Vorname des Sängers kommt auch in der Form Pablo vor.

Rosowska, Zoia, Sopran, * (?); die wohl aus Rußland nach Westeuropa emigrierte Sängerin sang seit 1919 bis (mindestens) 1929 als Solistin im Ballett-Ensemble von Sergej Diaghilew; in diesem Zusammenhang wirkte sie an der Grand Opéra Paris in der Uraufführung von Strawinskys «Mavra» (3. 6. 1922 als Nachbarin) mit. Dort sang sie bereits 1920 die Solostimme in der Erstaufführung von M. de Fallas Ballett «Der Dreispitz» (wahrscheinlich auch 1919 in der Uraufführung des Werks am Alhambra Theatre London). Sie hat in England in den Jahren 1920–25 einige akustische Aufnahmen auf der Marke Vocalion gesungen. Dabei handelt es sich um Arien aus den Opern «Aida», «Tosca», «Pique Dame» von Tschaikowsky und «Louise» von Charpentier, dazu russische und französische Lieder. Die Stimme der Sängerin stellt einen fein geführten, reich gebildeten Sopran dar, dessen Interpretationen ein ungewöhnliches Stilgefühl verraten. Weitere biographische Angaben waren nicht erhältlich.

Rosquellas, Pablo Mariano, Tenor, * 1790 Madrid, † 1859; er entstammte einer berühmten Familie von Violinisten und spielte selbst in der Königlichen Kapelle Karls IV. von Spanien Viola und Violine. Er ging dann aber nach Italien, wo er seine Stimme ausbilden ließ. Ähnlich wie sein 15 Jahre älterer Landsmann Manuel Garcia sr. kam er in Italien wie in seiner spanischen Heimat zu einer bedeutenden Karriere als Bühnensänger. In den Jahren 1825–29 sang er an spanischen Bühnen vor allem Tenorpartien in den damals aktuellen Opern von Rossini, darunter den Grafen Almaviva im «Barbier von Sevilla», den Titelhelden in «Otello», den Rinaldo in «Armida», den Lindoro in «L'Italiana in Algeri» und den Ramiro in «La Cenerentola». Ein weiterer Höhepunkt in seinem Repertoire war die Partie des Titelhelden in «Giulietta e Romeo» von Zingarelli. Er sang auch – dem Beispiel anderer Tenöre seiner Generation folgend – die Titelrolle im «Don Giovanni» von Mozart. Wie Manuel Garcia die italienische Belcanto-Oper in Nordamerika einführte, so trat Pablo Mariano Rosquellas in diesen Opernwerken in Südamerika auf, wo er namentlich in Buenos Aires am Teatro Coliseo große Erfolge erzielte und dafür sorgte, daß die italienische Oper in Südamerika Verbreitung fand.

Rossi, Luigi, Sänger und Komponist, * 1598 Torremaggiore bei Foggia, † 19. 2. 1653 Rom; er war Schüler von Jean de Macche in Neapel und wurde 1633 Organist an der römischen Kirche San Luigi de' Francesi. 1635 folgte er einem Ruf als Sänger und Instrumentalmusiker an den Hof der Medici in Florenz, wo er bald in hohem Ansehen stand. 1641 ging er in den Dienst des musikbegeisterten Kardinals Antonio Barberini in Rom und wurde jetzt einer der bedeutendsten italienischen Komponisten seiner künstlerischen Generation, trat aber auch immer noch als Sänger in Erscheinung. 1642 führte man in Rom seine Oper «Il palazzo incanto d'Atlante» und zwischen 1641 und 1644 seine geistlichen Oratorien «Giuseppe, figlio di Giacobbe», «L'oratorio per la Settimana Santa» und «Santa Caterina alla rota» auf. 1646 kam er auf Ersuchen des Kardinals Mazarin an den französischen Hof. 1647 brachte er in Paris sein bedeutendstes Werk, die Oper «Orfeo», in einer prunkvollen Inszenierung zur Uraufführung (eine der frühesten Opernaufführungen in Paris wie in Frankreich). Hoch geehrt und reich belohnt kehrte er darauf wieder nach Rom zurück, wo er einige Jahre später starb. Neben den erwähnten Vokalwerken komponierte er Kantaten, Motetten, von denen einige in unserem Jahrhundert in Neudrucken herausgegeben worden sind. Er hat entscheidende Beiträge zur Weiterentwicklung der Arie wie des Rezitativs in der italienischen Musik seiner Epoche geleistet, wobei eine lyrische Grundstimmung durchweg seine Kompositionen kennzeichnet.

Rossi, Marcello, Bariton, * 17. 3. 1913 Pisa; er erlernte zuerst den Beruf eines Buchdruckers, trat dann in den Domchor von Pisa ein, dessen Direktor Bruno Pizzi ihn zum Gesangstudium ermutigte. 1940 war er erster Preisträger beim Nationalen Gesangwettbewerb des Teatro Comunale Florenz und sang in einem abschließenden Konzert im italienischen Rundfunk EIAR. Im Zweiten Weltkrieg wurde er als Soldat eingezogen, konnte aber während seiner Dienstzeit auf Sardinien am Konservatorium von Cagliari sein Studium fortsetzen. Im März 1945 debütierte er am Teatro Verdi Florenz als Figaro im «Barbier von Sevilla» von Rossini. Er kam zu erfolgreichen Gastspielen in Florenz und Pisa (seit 1945), in Genua und Trient (1950); am Teatro Petruzzelli von Bari hörte man ihn 1947 als Germont-père in «La Traviata», als Marcello in «La Bohème», als Sharpless in «Madame Butterfly» und als Rabbi David in Mascagnis «Amico Fritz». 1950 unternahm er eine Gastspiel-Tournee durch Venezuela, 1951 wurde er in einer Vielzahl von Partien an der Oper von Kairo gefeiert und gastierte zugleich am Theater von Alexandria (Ägypten) und in La Valetta auf Malta. Er nahm an mehreren Opernsendungen des italienischen Rundfunks RAI in den Jahren 1948–52 teil und setzte seine Bühnenauftritte an italienischen Provinztheatern bis 1955 fort. Er zog sich in seine Geburtsstadt Pisa zurück, erteilte dort Gesang- und Musikunterricht und trat noch gelegentlich beim dortigen Domchor auf.
Schallplatten: Cetra (vollständige Opern «Bajazzo» als Silvio und «Turandot» von Puccini als Ping).

Rossier-Maradan, Nicole, Alt, * 29. 6. 1940 Fribourg (Schweiz); sie studierte 1950–65 am Conservatoire von Fribourg Klavier- und Orgelspiel, Komposition bei Aloys Fornerod, Gesang bei Juliette Bise und Tiny Westendorp. Während ihrer Karriere trat sie an erster Stelle als Konzertsängerin hervor, wobei sie ein Repertoire von sehr weitem Umfang vortrug. Es umfaßte die großen Passionen, die h-moll-Messe, zahlreiche Kantaten von J. S. Bach, die Oratorien «Israel in Ägypten» und «Der Messias» von Händel, Messen von Haydn und Mozart wie auch dessen Requiem, die Missa solemnis von Beethoven, Mendelssohns «Elias», die Petite Messe solennelle von Rossini, das Stabat mater von A. Dvořák, «Oratorio de Noël» von Saint-Saëns, die Alt-Rhapsodie von Brahms, «Pierrot lunaire» von Schönberg und moderne Werke von L. Berio, A. Honegger, F. Martin und Strawinsky, dazu eine Vielfalt von Liedern deutscher und französischer wie russischer (Mussorgsky) Meister. Höhepunkte erreichte ihre Konzertkarriere mit Auftritten in den Schweizer Großstädten, in Deutschland (Frankfurt a. M., Stuttgart, Bachwochen Ansbach), Frankreich (Paris, Autun, Nîmes, Lyon, Grenoble, Besançon), Italien (Mailand, Bologna, Brescia), beim Festival von Aix-en-Provence, in Gent, Lissabon und Buenos Aires; Rundfunk- und Fernsehsendungen in der Schweiz wie in Frankreich. Die Künstlerin gehörte lange Jahre hindurch dem «Ensemble Vocal de Lausanne» an, das unter der Leitung von Michel Corboz stand. Sie trat auch in musikdramatischen Szenen auf (Opéra de chambre Genf, Espace Cardin Paris, Annecy), nachdem sie in Paris bei Marcel Marceau Pantomime studiert hatte.
Schallplatten: Erato («Jephte» von Carissimi, Symphonies sacrées von Gabrieli, Messen von J. S. Bach, «Et la vie l' emportera» von F. Martin – von ihr bei der Uraufführung der Kantate in Nyon 1975 kreiert –, Madrigale von Monteverdi, Psalmen von H. Schütz), Accord (Werke von Palestrina und O. Vecchi), VDE-Gallo (Chansons des 15. und 16. Jahrhunderts).

Rossmanith, Gabriele, Sopran, * 1961 (?) Stuttgart; sie entschloß sich zunächst zum Violinstudium, das sie an der Hochschule für Musik in Trossingen (Württemberg) bei Roman Schimmer absolvierte. Sie legte ihre Abschlußprüfung in diesem Fach ab und erwarb ihr Diplom als Musiklehrerin. 1982 begann sie dann jedoch mit der Ausbildung ihrer Stimme und war Schülerin der berühmten Sopranistin Sylvia Geszty. 1984 schloß sie auch das Gesangfach mit ihrer Diplomprüfung ab, 1985 erfolgte ihre Opernabschlußprüfung an der Musikhochschule Stuttgart. 1985 erhielt sie ein Stipendium für einen Liedkurs in Japan mit einem abschließenden Konzert in Tokio. 1985 gewann sie den Mozart-Wettbewerb in Würzburg. 1985–88 war sie am Staatstheater von Karlsruhe engagiert, 1988 folgte sie einem Ruf an die Staatsoper von Hamburg. Hier wie bei Gastspielen kam sie in Partien aus dem Koloraturfach zu großen Erfolgen; in Hamburg hörte man sie u. a. als Susanna in «Figaros Hochzeit», als Marzelline im «Fidelio», als Marie in «Zar und Zimmermann» von Lortzing, als Musetta in Puccinis «La Bohème» (u. a. als Partnerin von Placido Domingo) und als Sophie im «Rosenkavalier» von R. Strauss. In Karlsruhe wirkte sie in der Uraufführung der Oper «Der Meister und Margarita» von Rainer Kunad mit (9. 3.

1986), in Hamburg 1990 in der von Rolf Liebermanns «Freispruch für Medea». Auch als Konzertsängerin trat sie in einem umfangreichen Repertoire in Erscheinung. Hier sang sie Werke von Monteverdi, J. S. Bach, Mozart, J. Brahms, G. Mahler und auch Kompositionen zeitgenössischer Meister. 1990 sang sie beim Westdeutschen Rundfunk Köln die Partie der Regina in einer Sendung der Oper «Mathis der Maler» von P. Hindemith.

Rostowskij, Nikolai Abramowitsch, Tenor, * 1879 in einem kleinen Dorf in der südlichen Ukraine, † (?); er studierte zunächst Medizin und praktizierte als Arzt, bevor er sich entschloß die Sängerkarriere einzuschlagen. Er absolvierte seine Ausbildung zum Sänger bei dem berühmten Bariton Korsow und ging zur Vervollständigung seiner Studien nach Mailand, wo er Schüler von Vittorio Vanza war. 1902 begann er eine sehr erfolgreiche Bühnenkarriere am Marienskij-Theater, der Kaiserlichen Hofoper St. Petersburg. Er glänzte dort in Partien wie dem Radames in Verdis «Aida», dem Faust in der gleichnamigen Oper von Gounod und dem Gérald in «Lakmé» von Delibes; dazu sang er natürlich zahlreiche Rollen aus dem russischen Repertoire. 1910 gastierte er an der Covent Garden Oper London. Angesehener Lieder- und Romanzensänger.
Die Stimme des Künstlers, dessen Familienname manchmal auch in der Schreibweise Rostworowskij vorkommt, ist durch einige seltene G & T-, Pathé- (St. Petersburg, 1907) und Amour-Schallplatten erhalten (Wiederveröffentlichung einer von ihm gesungenen Romanze auf Rococo).

Rubens, Monica, Sopran, * 18. 12. 1957 München; Ausbildung der Stimme durch Ernst Häfliger und Agnes Giebel. Sie begann ihre Bühnenkarriere (bis Ende 1989 unter dem Namen Monika Brustmann) im Opernstudio der Bayerischen Staatsoper München und sang dann 1987–89 an den Vereinigten Städtischen Bühnen Krefeld und Mönchengladbach. Hier hörte man sie u. a. als Susanna in «Figaros Hochzeit», als Johanna in «Baal» von F. Cerha, als Gilda im «Rigoletto» und als Adina in «Elisir d'amore». Seit 1989 war sie vorwiegend im Konzertfach tätig und trat auf der Bühne nur in einigen ausgewählten lyrischen Sopranpartien, vor allem als Mozartsängerin, in Erscheinung. So gastierte sie 1989 am Opernhaus von Leipzig als Pamina in einer Neu-Inszenierung der «Zauberflöte». Sie widmete sich in besonderer Weise dem Liedgesang, wobei sie neben der klassischen und romantischen Literatur auch Lieder des 20. Jahrhunderts in ihr Programm aufnahm («Marienleben» von Hindemith, Lieder von Messiaen und Lutoslawski). Sie sang beim Festival für zeitgenössische Musik (Warschauer Herbst), bei den Göttinger Händel-Festspielen, beim Festival Barocco Viterbo, beim Settembre Musica Turin und bei den Nymphenburger Sommerfestspielen. Die in Viersen (Rheinland) lebende Künstlerin trat auch in Rundfunk- und Fernsehsendungen auf.

Rubis, Guglielmo, Tenor, * 1860 (?) Turin, † 5. 11. 1891 Turin; er war Schüler des Liceo Musicale Turin

(1874–75) sang dann in einem Turiner Chor, ließ aber seine Stimme weiter ausbilden. Im August 1879 debütierte er (ganz ohne Erfolg) am Teatro Alfieri Turin als Pollione in Bellinis «Norma». Darauf ging er in den folgenden vier Jahren einem erneuten intensiven Studium nach und hatte bei seinem zweiten Debüt im April 1882 als Titelheld in Verdis «Ernani» am Teatro Balbo Turin einen glänzenden Erfolg. Nachdem er dort nun auch als Pollione erfolgreich aufgetreten war, ging er im Herbst 1882 an das Teatro Buen Retiro Barcelona. Hier erregte er in Verdis «Ernani» wie in den Opern «Jone» von Petrella und «Il Giuramento» von Mercadante größtes Aufsehen und hatte in der Spielzeit 1882–83 in Madrid wie in Barcelona seine Triumphe. Die Königin von Spanien wurde eine besondere Verehrerin seiner Kunst und lud ihn mehrfach zu Hofkonzerten ein. Es schlossen sich Gastspiele in Südamerika an. 1883–84 huldigte man ihm am Teatro Regio Turin wie am Teatro Vittorio Emanuele Turin, vor allem als Ernani. Am Teatro Costanzi Rom sang er 1889 in der Uraufführung einer Oper «Il Conte di Gleichen» von Auteri-Manzocchi. Im September 1889 gastierte er am Teatro Politeama Garibaldi Palermo als Alvaro in Verdis «La forza del destino», 1890 am Teatro Politeama Genua als Fernando in Donizettis «La Favorita», dann als Enzo in «La Gioconda» von Ponchielli. Ein Herzleiden führte im folgenden Jahr zum frühen Tod des Künstlers, noch bevor die sich anbahnende große Karriere auf ihrem Höhepunkt angelangt war.

Rühr, Josef, Bariton, * 1899, † 9. 9. 1942 München; er wurde an der Musikhochschule von München ausgebildet und sang zunächst 1923–24 als Chorist an der Münchner Staatsoper. In der Spielzeit 1924–25 hatte er sein erstes Solistenengagement am Stadttheater von Ulm. 1925–26 sang er am Stadttheater von Cottbus, 1926–27 am Stadttheater von Basel, 1927–30 am Staatstheater von Karlsruhe. Dort wirkte er in der Uraufführung der Oper «Regina del Lago» von Julius Weismann mit (1928). Nach einem sehr erfolgreichen Gastspiel 1929 als Rigoletto wurde er 1930 an die Staatsoper von München berufen, der er bis 1939 als führendes Mitglied angehörte. Hier sang er 1936 in der deutschen Erstaufführung der Oper «Il Campiello» von Ermanno Wolf-Ferrari. Er gastierte 1930 in Paris in einer konzertanten «Tristan»-Aufführung in der Rolle des Kurwenal und gab 1931 erfolgreiche Konzerte in Brüssel. 1931 hörte man ihn als Gast am Theater von Genf, 1932 an der Wiener Staatsoper. Sein umfangreiches Opernrepertoire hatte seine Höhepunkte in Partien wie dem Don Giovanni, dem Orsini in «Rienzi» von R. Wagner, dem Heerrufer im «Lohengrin», dem Donner wie dem Wotan im Ring-Zyklus, dem Klingsor im «Parsifal», dem Fremden im «Bärenhäuter» von Siegfried Wagner, dem Storch im «Intermezzo» von Richard Strauss, dem Johannes im «Evangelimann» von Kienzl, dem Carlos in Verdis «La forza del destino», dem Jago in dessen «Othello», dem Alfio in «Cavalleria rusticana», dem Jack Rance im «Mädchen aus dem goldenen Westen» von Puccini, dem Escamillo in «Carmen», dem Mandryka in «Arabella» von R. Strauss, dem Titelhelden im «Vampyr» von H. Marschner und dem Homonay in der Johann Strauß-Operette «Der Zigeunerbaron». Dazu war er als begabter Konzert- und Oratoriensänger bekannt.

Rufo, Bruno, Tenor, * 1941 (?); er debütierte 1965 in Spoleto als Pinkerton in Puccinis «Madame Butterfly». Es kam schnell zur Entwicklung einer erfolgreichen Bühnenkarriere an den großen italienischen Opernhäusern. So sang er an der Mailänder Scala, am Opernhaus von Rom und am Teatro San Carlo Neapel und nahm an einer Fernsehaufzeichnung von Verdis «Ernani» des italienischen Fernsehens teil. 1981 trat er bei den Festspielen von Verona als Radames in «Aida» auf; weitere Gastspiele fanden am Teatro Comunale Bologna und am Teatro Regio Parma statt. Auch außerhalb Italiens kam es zur Ausbildung einer bedeutenden Bühnenkarriere, wobei er sich auf das heldische Stimmfach konzentrierte. Man hörte ihn an den Staatsopern von Hamburg, München und Wien, am Deutschen Opernhaus Berlin und an der Deutschen Oper am Rhein Düsseldorf-Duisburg. An der Opéra de Wallonie Lüttich gastierte er als Manrico im «Troubadour» und in der Saison 1986–87 als Samson in «Samson et Dalila» von Saint-Saëns.

Ruhmer-Ulbrich, Maria, s. unter *Bernhard,* Maria.

Runkel, Reinhild, Mezzosopran, * 25. 12. 1943 Volkach am Main; sie erhielt ihre Ausbildung in Wuppertal. 1975–82 war sie am Opernhaus von Nürnberg engagiert. Dann nahm sie kein festes Engagement mehr an, sondern ging einer ausgedehnten Gastspieltätigkeit auf internationaler Ebene nach. So gastierte sie am Teatro San Carlos Lissabon (1981, 1982, 1985), am Teatro Municipale Reggio Emilia (1983), an der Grand Opéra Paris (1985), an der Oper von San Francisco (1985) und in Santiago de Chile (1986). Beim Maggio musicale von Florenz hörte man sie 1986 als Magdalene in den «Meistersingern», bei den Salzburger Festspielen von 1987 in Schönbergs «Moses und Aron». 1987 gab sie auch Gastspiele am Teatro Comunale Bologna (Fricka im Nibelungenring) und an der Stuttgarter Staatsoper, 1988 am Opernhaus von Köln und am Teatro Regio Turin. Durch Gastspielverträge war sie mit der Wiener Staatsoper (1987–88) und mit dem Opernhaus von Zürich (1985–88) verbunden, wo die Künstlerin 1986 als Herodias in «Salome» und 1988 als Fricka Aufsehen erregte. Auf der Bühne war sie vor allem in Wagner- und Richard Strauss-Partien erfolgreich. Aus ihrem umfangreichen Repertoire sind hervorzuheben: die Erda, die Waltraute und die Fricka im Ring-Zyklus, die Brangäne im «Tristan», die Magdalene in den «Meistersingern», die Herodias in «Salome» von R. Strauss, die Amme in der «Frau ohne Schatten» und die Jocaste in «Oedipus Rex» von Strawinsky. Ihr Wirken auf der Bühne wurde durch eine erfolgreiche Tätigkeit als Konzert- und Oratoriensängerin seit Beginn ihrer Karriere begleitet.
Schallplatten: Decca (Kartenaufschlägerin in «Ara-

bella», Alt-Solo in der 9. Sinfonie von Beethoven), DGG («Walküre»).

Ruprecht, Martin, Tenor, * etwa 1758 Wien, † 7. 6. 1800 Wien; er gehörte zunächst einem Opernensemble an, das die bekannte Sängerin Katharina Schindler-Bergopzoomer zusammengestellt hatte, und das im Wiener Stadttheater seine Vorstellungen gab. 1778–83 und 1785–88 war er am Theater in der Hofburg in Spielzeiten zu hören, in denen das deutsche Singspiel auf dem Programm stand, in der Zwischenzeit, also 1783–85, trat er bei der Italienischen Oper in Wien auf. Schließlich wurde er 1789 Orchestermitglied der Wiener Hofkapelle. Von Bedeutung war seine Betätigung als Komponist; er schrieb in erster Linie Singspiele im damals herrschenden Geschmack wie «Die Wette», «Der Irrwisch» (1785), «Das wütende Heer» (1785) und «Der Derwisch» (1791). Er scheint mehrere Vornamen besessen zu haben, wodurch es sich erklärt, daß er auch als Stephan und als Joseph Ruprecht erscheint.

Russell, Henry, Bariton, * 24. 12. 1812 Sheerness (England), † 8. 12. 1900 London; er ging zu seiner Ausbildung nach Italien und war in Bologna Schüler der dortigen Musikakademie. In Neapel erhielt er Unterricht durch den großen Komponisten Gioacchino Rossini. Seit 1828 trat er in London als Sänger in Erscheinung, machte sich aber auch als Organist und Komponist einen Namen. In den Jahren 1831–41 lebte er in Kanada und in den USA und war dort als Organist in Rochester (New York) tätig. 1841 kehrte er nach London zurück und gab zusammen mit Charles Mackay damals in London sehr beliebte Musical Entertainments. Für diese Veranstaltungen komponierte er eine Reihe sehr volkstümlicher Lieder, darunter «Cheer, boys, cheer», «There's a time coming», «A life on the ocean wave» (das als Marsch für die Royal Marines bekannt wurde) und viele ähnliche Gesangstücke. Der bekannte englische Komponist, Dirigent und Pianist Landon Ronald (1873–1931) war sein illegitimer Sohn.

Rutgers, Elisabeth, Sopran, * 1915 Amsterdam; Ausbildung am Konservatorium von Amsterdam bei Jacoba Dresden-Dhont und bei Johannes den Hertog bis 1936, später noch bei Frau M. Singer-Burian in Wien. Nachdem sie 1937 in Wien einen Gesangwettbewerb gewonnen hatte, war sie seit 1938 Mitglied der Staatsoper Wien, an der sie bis 1950 eine erfolgreiche Karriere entfaltete. 1939 sang sie bei den Festspielen von Salzburg die Ännchen im «Freischütz», 1941 die Zerline in «Don Giovanni» und die Sophie im «Rosenkavalier» von R. Strauss; 1949 wirkte sie in Salzburg nochmals in der «Zauberflöte» mit. 1943 gastierte sie an der Wiener Volksoper, 1946 am Opernhaus von Graz (Susanna in «Figaros Hochzeit»). 1937 sang sie in Amsterdam in «Le Donne curiose» von Wolf-Ferrari, in Utrecht in einer konzertanten «Freischütz»-Aufführung; 1948 gab sie Liederabende in Amsterdam und im Haag. Im Mittelpunkt ihres Bühnenrepertoires standen die

Partien aus dem Stimmfach der Koloratur-Soubrette: die Susanna in «Figaros Hochzeit», die Papagena in der «Zauberflöte», die Marzelline im «Fidelio», die Marie im «Waffenschmied» von Lortzing, die Gretel in Humperdincks «Hänsel und Gretel» sowie Rollen in Operetten von Johann Strauss. Sie heiratete den in Wien wirkenden bulgarischen Flötisten Boris Stojanoff, mit dem sie 1950 nach Bulgarien verzog. Dort gab sie noch einige Gastspiele an der Nationaloper Sofia, vor allem aber Liederabende. Nach Abschluß ihrer Karriere, die ihr auch im Konzertbereich bedeutende Erfolge brachte, lebte sie als Pädagogin in der bulgarischen Hauptstadt Sofia. Diese Arbeit setzte sie bis 1975 fort; einer ihrer Schüler war Michael Pulieff.

Schallplatten: Imperial (Solo-Aufnahmen), DGG («Ariadne auf Naxos» von R. Strauss, 1944), Bruno Walter Society/Discocorp («Zauberflöte» aus Salzburg von 1949).

Ryhänen, Jaakko, Baß, *2. 12. 1946 Tampere (Finnland); er erhielt seine Ausbildung in Helsinki und wurde 1974 Mitglied der Finnischen Nationaloper Helsinki. Im gleichen Jahr wirkte er erstmals bei den Festspielen von Savonlinna mit, bei denen er seitdem Jahr für Jahr in großen Aufgaben aus dem Baß-Repertoire zu hören war. Zusammen mit dem Ensemble der Nationaloper Helsinki unternahm er Gastspiele im Ausland, darunter am Bolschoj Theater Moskau und an der Metropolitan Oper New York (1983). Nach einem sehr erfolgreichen Gastspiel 1985 in Madrid kam es zur Ausbildung einer großen internationalen Laufbahn. 1986 gastierte er an der Staatsoper von Hamburg, am Deutschen Opernhaus Berlin, an der Münchner Staatsoper und am Opernhaus von Zürich. Auch zu Gast an der Stuttgarter Staatsoper. 1987 sang er an der Grand Opéra Paris den Daland im «Fliegenden Holländer» und wirkte bei den Festspielen von Salzburg mit. 1988 war er an der Oper von Monte Carlo und in Madrid in der Partie des Osmin in Mozarts «Entführung aus dem Serail» sehr erfolgreich. Dazu große Karriere als Konzertsänger. Er trat u. a. zusammen mit dem Israel Philharmonic Orchestra unter Zubin Mehta und mit Liederabenden in Finnland, in den skandinavischen Musikzentren und in Deutschland auf.

Schallplatten: BIS (Opernszenen aus Savonlinna).

S

Saal, Ignaz, Baß, * 26. 7. 1761 Geiselhöring (Bayern), † 30. 10. 1836 Wien; er erhielt schon frühzeitig musikalischen Unterricht, der sich sowohl auf die Ausbildung der Stimme wie auf Instrumentalmusik erstreckte. In Salzburg lernte er den Vater Mozarts, Leopold Mozart, und den Bruder von Joseph Haydn, Michael Haydn, kennen. Er debütierte 1777, erst 16 Jahre alt, als Bassist am Kurfürstlichen Hoftheater von München und verlegte 1781 seine Tätigkeit nach Preßburg (Bratislava). 1782 folgte er einem Ruf an das Wiener Hoftheater; mit ihm wurde auch seine Gattin *Anna Maria Saal* (1762–1808) an dieses Theater engagiert. Vierzig Jahre hindurch war er am Wiener Hoftheater tätig und brachte dort Partien wie den Grafen in «Figaros Hochzeit», den Sarastro in der «Zauberflöte», den Assur in «Semiramis» von Charles Simon Catel, den Walcher in «Die Bergknappen» von Ignaz Umlauf und viele andere Rollen zum Vortrag, wurde aber auch als Schauspieler eingesetzt. Am 23. 5. 1814 wirkte er in der Uraufführung der dritten Fassung von Beethovens «Fidelio» im Wiener Theater am Kärntnertor in der Partie des Ministers mit. Die Bedeutung des Sängers innerhalb der Musikgeschichte beruht jedoch darauf, daß er in den Uraufführungen der beiden Oratorien «Die Schöpfung» (19./20. 3. 1798) und «Die Jahreszeiten» (24. 4. 1801) von Joseph Haydn die Baß-Partien des Raphael und des Adam bzw. des Simon sang, während seine Tochter *Therese Saal* (1782–1855) die Sopranpartien kreierte (am 19. 3. 1798 sang Christine Gerardi den Gabriel in der «Schöpfung», im eigentlichen Festkonzert am 20. 3. Therese Saal). Beide Uraufführungen fanden im Wiener Schwarzenberg-Palais statt. Wahrscheinlich war auch der Opernsänger *Franz Saal* († Juli 1862 Brünn) ein Sohn von Ignaz Saal.

Saal, Therese, Sopran, * 1782 Preßburg (Bratislava), † 26. 9. 1855 Wien; sie war die Tochter des Bassisten *Ignaz Saal* (1761–1831) und der Sängerin *Anna Maria Saal* (1762–1808), die beide seit 1782 am Wiener Hoftheater engagiert waren. Therese Saal, die wahrscheinlich durch ihre Eltern ausgebildet wurde, trat bereits im Alter von elf Jahren am Wiener Hoftheater auf und wurde 1801 als reguläres Mitglied in das Ensemble des Hauses aufgenommen. In der eigentlichen Uraufführung der «Schöpfung» von J. Haydn am 20. 3. 1798 (nicht aber in der vorausgegangenen, mehr einer Generalprobe entsprechenden Aufführung am 19. 3. 1798, in der Christine Gerardi das Sopransolo sang), kreierte sie die Partien des Gabriel und der Eva, während ihr Vater Ignaz Saal die Baßpartien und der Tenor Mathias Rathmayer die Tenorsolo sangen. Auch in der Uraufführung des zweiten großen Oratoriums von Haydn, den «Jahreszeiten», die – wie die der «Schöpfung» – im Wiener Palais Schwarzenberg stattfand, übernahm Therese Saal am 24. 4. 1801 die Sopranpartie der Hannchen; ihr Vater und Mathias Rathmayer waren abermals die weiteren Solisten. Die Sängerin, die in Wien als die Rivalin der Primadonna Maria Theresia Gaßmann-Rosenbaum galt, hatte nur eine relativ kurze Karriere. Sie verabschie-

dete sich 1805 als Pauline in «Uniform» von Weigl von ihrem Publikum und heiratete den Pelzwaren-Großhändler Gawet. Sie zog sich darauf ganz aus dem Musikleben zurück.

Sabbatini, Giuseppe, Tenor, * 11. 5. 1957 Rom; er studierte in seiner Heimatstadt Rom an der Accademia di Santa Cecilia zuerst Kontrabaß und spielte dieses Instrument in verschiedenen Orchestern, u. a. bei den Festspielen in der Arena von Verona und beim italienischen Rundfunk RAI in Rom. Dabei trat er auch solistisch in Erscheinung. Man machte ihn jedoch auf seine schöne Stimme aufmerksam, die er dann durch Silvana Ferraro in Rom ausbilden ließ. 1986 gewann er den internationalen Tito Schipa-Concours in Lecce, im folgenden Jahr 1987 Wettbewerbe in Spoleto, Alessandria und Rieti. 1987 fand sein Bühnendebüt am Teatro Sperimentale Spoleto als Edgardo in «Lucia di Lammermoor» statt. Er nahm anschließend an einer Tournee der Operntruppe Aslico teil, bei der er als Titelheld in Massenets «Werther» und als Rodolfo in «La Bohème» auftrat. 1988 hörte man ihn an der Oper von Rom als Faust von Gounod, am Teatro Filarmonico Verona als Edgardo, in Bari und Triest als Rodolfo. Es folgte sein Debüt an der Mailänder Scala, wieder als Rodolfo (1988); beim Festival von Ravenna des gleichen Jahres sang er den Arlecchino in «Le maschere» von Mascagni, in Bergamo und Cremona den Carlo in «Linda di Chamounix» von Donizetti. Am Opernhaus von Köln wirkte er 1988 in Aufführungen von Offenbachs «Orpheus in der Unterwelt» mit. Das Jahr 1989 brachte weitere erfolgreiche Auftritte am Teatro Comunale Bologna («Le maschere»), am Teatro Regio Parma, am Teatro Verdi Triest («Linda di Chamounix», «Der Zigeunerbaron» von J. Strauß), am Opernhaus von Zürich (Rodolfo in «La Bohème») und an der Staatsoper Wien (italienischer Sänger im «Rosenkavalier»). Zu großen Erfolgen kam der junge Künstler auch im Bereich des Konzertgesanges. So gab er Konzerte in Amsterdam, Berlin (1988), in Köln (Requiem von Donizetti, 1988) und in den Zentren des italienischen Musiklebens.
Schallplatten: Capriccio (Recital mit Arien und Duetten, «Arie sacre» mit Orgelbegleitung, «Simon Boccanegra» als Gabriele Adorno), Bongiovanni («La maga Circe» von Pasquale Anfossi).

Saccà, Roberto, Tenor, * 12. 9. 1961 Sendenhorst (Westfalen) als Sohn italienischer Eltern. Er wuchs in Stuttgart auf, wo er während zwei Jahren Mitglied der Hymnus-Chorknaben war. 1978 begann er sein Gesangstudium an der Musikhochschule von Stuttgart und schloß es 1984 als Schüler von Bruce Abel mit dem Diplom als Gesanglehrer ab. Es folgte seine Ausbildung zum Opern- und Konzertsänger an der Musikhochschule Karlsruhe bis 1987 durch Aldo Baldin. Seit 1985 kam es zu einer Bühnen- und Konzerttätigkeit in Deutschland wie im Ausland (Israel, Schweiz, Frankreich, England). 1987 unternahm er eine große Konzertreise durch Brasilien und wirkte in Opernaufführungen am Teatro Muni-

cipal Rio de Janeiro mit. 1987–88 war er am Stadttheater von Würzburg engagiert und wurde 1988 an das Hessische Staatstheater Wiesbaden berufen. Auf der Bühne wurde er als Interpret lyrischer Tenorpartien bekannt: als Don Ottavio im «Don Giovanni», als Ferrando in «Così fan tutte», als Tamino in der «Zauberflöte», als Belfiore wie als Ramiro in «La finta giardiniera» von Mozart, als Graf Almaviva im «Barbier von Sevilla», als Nemorino in «Elisir d' amore», als Jacquino in Beethovens «Fidelio», als Rinuccio in Puccinis «Gianni Schicchi», als Titelheld im «Abu Hassan» von Weber, als Steuermann im «Fliegenden Holländer» und als Albert Herring in der Oper gleichen Namens von B. Britten. Im Konzertsaal trat er vor allem als Solist in oratorischen Werken auf, die von Monteverdi und J. S. Bach bis hin zu Benjamin Britten reichten. Nicht zuletzt verdankte er Fernseh- und Rundfunksendungen das Bekanntwerden seines Namens.
Schallplatten: MdG (Petite Messe solennelle von Rossini, «Elias» von Mendelssohn) DINO-Records (Arien-Platte).

Saccur, Alma, Sopran, * 22. 5. 1876 Breslau, † 1. 12. 1960 Frankfurt a. M.; sie studierte bei Pulvermacher in Breslau und bei Rosa de Ruda in Berlin. Im November 1894 debütierte sie in einer konzertanten Aufführung von Ausschnitten aus Richard Wagners «Parsifal» in Berlin als Blumenmädchen. 1895–96 war sie am Stadttheater von Rostock engagiert, 1896–97 am Opernhaus von Köln, 1897–99 am Stadttheater von Magdeburg, 1899–1902 am Hoftheater von Darmstadt, 1902–03 am Opernhaus von Breslau, 1903–04 am Theater an der Wien in Wien, 1904–05 am Berliner Nationaltheater, schließlich 1906–07 am Stadttheater von Essen. Seitdem lebte sie in Berlin und ging einer ausgedehnten Gastspieltätigkeit nach, nahm aber in den Jahren 1914–17 nochmals ein Engagement am Stadttheater von Straßburg an. 1902 wirkte sie bei den Festspielen von Bayreuth als Soloblume im «Parsifal» mit. Von ihren zahlreichen Gastspielauftritten sind zu nennen: 1897 am Theater des Westens Berlin, 1899 und 1912 am Opernhaus Leipzig, 1899 und 1910 am Theater am Gärtnerplatz München, 1900 und 1901 am Hoftheater Stuttgart, seit 1900 mehrfach am Opernhaus Frankfurt a. M., 1901 am Hoftheater Hannover und am Hoftheater Mannheim, 1901 und 1907 am Hoftheater Wiesbaden, 1905 Hofoper Dresden, 1908 Hoftheater Weimar, 1909 Opernhaus Köln, seit 1909 oft am Hoftheater Karlsruhe und am Stadttheater Nürnberg. In den Jahren 1909–11 hörte man sie häufig an der Berliner Hofoper, vor allem als Adele in der «Fledermaus» und als Gretel in Humperdincks «Hänsel und Gretel». Auf der Bühne galt sie als hervorragende Interpretin von Soubrettenpartien und leichteren lyrischen Rollen wie als brillante Operettensängerin. Im einzelnen sind aus ihrem Repertoire zu nennen: die Zerline im «Don Giovanni», die Susanna in «Figaros Hochzeit», die Marzelline im «Fidelio», das Ännchen im «Freischütz», die Titelfigur in Lortzings «Undine», die Gabriele im «Nachtlager von Granada» von Conradin Kreutzer, die Rose Friquet in «Das Glöckchen des Eremiten»

von Maillart, die Zerline in Aubers «Fra Diavolo», die Micaela in «Carmen», die Olympia in «Hoffmanns Erzählungen», die Philine in «Mignon» von Thomas, die Lola in «Cavalleria rusticana», die Nedda im «Bajazzo», die Titelrolle in «Die Geisha» von S. Jones, die Christel im «Vogelhändler» von Zeller und die Bronislawa im «Bettelstudenten» von Millöcker. Ein Sohn der Sängerin, Bruno-Heinz Saccur († 1944), war als Dirigent tätig.
Schallplattenaufnahmen ihrer Stimme mit Szenen aus Opern und Operetten entstanden 1904–06 auf G & T in Berlin und Wien.

Sack, Emmy, Sopran, * 1893, † 4. 11. 1986 Hannover; nach anfänglicher Tätigkeit an kleineren deutschen Bühnen (1920–21 Erfurt, 1921–22 Chemnitz) erreichte ihre Karriere in den Jahren 1922–38 am Staatstheater von Hannover ihren Höhepunkt. Sie gastierte vor allem an der Dresdner Staatsoper, an der Staatsoper Berlin, an der Oper von Köln und am Opernhaus von Frankfurt a. M. Dabei gipfelte ihr reichhaltiges Repertoire in Partien wie der Leonore in Beethovens «Fidelio», der Titelheldin in «Salome» von Richard Strauss, der Marschallin im «Rosenkavalier», der Färbersfrau in «Die Frau ohne Schatten», der Donna Anna im «Don Giovanni», der Fiordiligi in «Cosí fan tutte», der Amelia im «Maskenball», der Elisabetta im «Don Carlos» und der Aida in der Verdi-Oper gleichen Namens. Neben ihrem Wirken auf der Bühne stand eine zweite bedeutende Karriere im Konzertsaal. Wirkte später in Hannover als angesehene Gesangpädagogin.
Schallplattenaufnahmen bei Odeon und Homochord.

Sacks, Philipp, Baß, * 20. 3. 1910 Leipzig; er war zunächst als Schauspieler in Bautzen tätig, ließ dann in Leipzig seine Stimme ausbilden und begann 1935 seine Karriere als Opernsänger am Landestheater von Altenburg in Thüringen. Er blieb dort bis 1941, sang 1941–42 am Stadttheater von Greifswald, 1942–43 am Theater von Reichenberg (Liberec) und seit 1943 am Stadttheater von Erfurt. Später war er vertraglich auch der Staatsoper von Dresden verbunden. Zusammen mit seiner Gattin, der Altistin *Emilie Walter-Sacks* (* 1914), ging er dann nach Westdeutschland. In der Spielzeit 1956–57 wirkte er am Stadttheater von Basel und seit 1957 für viele Jahre am Stadttheater von Bremen. Hier sang er eine Vielzahl von Partien aus allen Bereichen der Opernliteratur und trat auch als Konzertbassist in Erscheinung.

Saeger-Pierot, Laurenz, Baß, * 16. 8. 1876 Koblenz, † 16. 8. 1936 Koblenz; er begann seine Tätigkeit als Konzertsänger 1900, als Opernsänger 1904 am Stadttheater von Essen, dem er während zwei Spielzeiten angehörte. Er sang als erster Bassist dann nacheinander an den Bühnen von Dortmund (1906–08), Breslau (1908–15) und Zürich (1915–25). 1925–27 war er am Stadttheater von Nürnberg, 1927–29 an der Volksoper Wien im Engagement. Als Johanna Gadski 1929 die German Opera ins Leben rief, mit der sie Nordamerika durchreiste und dabei hauptsächlich Wagner-Opern zur Aufführung brachte, nahm der Künstler 1929–31 an dieser Tournee teil. 1913 wirkte er in Breslau in der deutschen Erstaufführung von Mussorgskys «Boris Godunow» in der Rolle des Rangoni mit. Am 11. 5. 1917 sang er in Zürich in der Uraufführung der Oper «Turandot» von Busoni die Partie des Altoum. Seine Haupt-Bühnenpartien waren der Rocco im «Fidelio», der Kaspar im «Freischütz», der Daland im «Fliegenden Holländer», der Landgraf im «Tannhäuser», der Hunding in der «Walküre», der Gurnemanz im «Parsifal» und der Mephisto im «Faust» von Gounod. 1933–34 betätigte er sich in der Verwaltung des Bühnennachweises München als Leiter der Abteilung für die Oper. Er lebte zuletzt in seiner Geburtsstadt Koblenz. Sein Familienname kommt auch in der Schreibweise Pirot oder auch Pierrot vor; in der Schweiz nannte er sich Laurenz Saeger-Pierot.

Sagemüller, Dirk, Bariton, *30. 11. 1950 Osnabrück; er absolvierte zuerst das Studium eines Agraringenieurs, wandte sich dann aber der Ausbildung seiner Stimme zu, die seit 1974 in Hamburg, zuerst durch Gisela Litz, dann durch Gisela Aulmann, erfolgte. 1978 debütierte er auf der Bühne der Hamburger Staatsoper. Mit diesem Haus wie mit dem Stadttheater von Münster (Westfalen) und dem Landestheater von Kiel war er durch Gastspielverträge verbunden. 1982–87 und später noch als Gast wirkte er am Stadttheater von Aachen. 1988 gastierte er am Teatro Verdi Triest als Harlekin in «Ariadne auf Naxos» von R. Strauss und beim Festival von Spoleto als Vater in «Hänsel und Gretel» von Humperdinck. Weitere Gastspiele führten ihn an das Grand Théâtre Genf, an die Deutsche Oper am Rhein Düsseldorf–Duisburg, an das Nationaltheater Mannheim, an das Staatstheater Wiesbaden und an das Opernhaus von Charleston. 1990 sang er in der Berliner Lindenkirche in der Uraufführung von Winfried Radekes «Damaskus» die Haupt-Partie. Sein Bühnenrepertoire hatte einen großen Umfang und gipfelte in Partien wie dem Grafen Almaviva in «Figaros Hochzeit», dem Guglielmo in «Così fan tutte», dem Don Giovanni, dem Papageno in der «Zauberflöte», dem Figaro in Rossinis «Barbier von Sevilla», dem Dandini in «La Cenerentola», dem Belcore in «Elisir d'amore», dem Valentin im «Faust» von Gounod, dem Grafen Eberbach im «Wildschütz» von Lortzing, dem Marcello in Puccinis «La Bohème», dem Demetrius in «A Midsummer Night's Dream» von B. Britten und dem Sekretär in «Der junge Lord» von H. W. Henze. Im Konzertsaal präsentierte er sich als Oratoriensolist (Bach, Händel, Mozart, C. Orff) und als Liedersänger von Rang, nachdem er u. a. durch Dietrich Fischer-Dieskau in den Liedgesang eingeführt worden war.

Schallplatten: DGG (Graf Ceprano in «Rigoletto»).

Šagovac, Sonja, s. unter *Mottl-Preger,* Sonja.

Sala, Giuseppe, Tenor, *1870 (?), †(?); er sang zu Beginn unseres Jahrhunderts eine bunte Vielfalt von kleinen und kleinsten Comprimario-Partien an den führenden italienischen Opernhäusern und vor allem an der Mailänder Scala. Dort nahm er in etwa die gleiche Stellung ein, die später Giuseppe Nessi für viele Jahre behauptete. Seine Partien reichten bis zu Aufgaben anspruchsvollerer Art wie dem Cassio in Verdis «Othello», dem Borsa im «Rigoletto», dem Beppe im «Bajazzo» und dem Gastone in «La Traviata». Sein Name begegnet bei einer Anzahl von Schallplattenaufnahmen aus der akustischen Ära; so sang er kleine Partien in vollständigen Aufnahmen der Opern «La Traviata» und «Rigoletto» auf HMV. Auf G & T ist er in einigen Fragmenten aus Verdis «Ernani» zu hören, auf Fonotipia im Sextett aus «Lucia di Lammermoor» und im Septett aus Meyerbeers «Hugenotten», Solo-Aufnahmen wurden auf Pathé (Mailand 1904, auf dieser Marke 1912 nochmals das Lucia-Sextett) veröffentlicht. Auf der Marke Odeon erschien eine einzige Solo-Platte des Sängers.

Salassa, Gaudenzio, Bariton, *1850 Turin, †(?); 1873 begann er das Gesangstudium am Liceo Musicale Turin, wo er Schüler von Giacomo Levi war. 1881 debütierte er als Germont-père in Verdis «La Traviata» am Teatro Alfieri Turin. 1884 kam er am Teatro Dal Verme Mailand als Valentin im «Faust» von Gounod, wieder als Germont-père und in der Uraufführung der Oper «Giordano Bruno» von A. Bartolucci (26. 2. 1884) zu wichtigen Erfolgen. 1884–85 war er am Teatro della Pergola Florenz und 1886 am Teatro Carignano Turin in der Uraufführung von «Il Conte Rosso» von Lucilla anzutreffen. 1886 erregte er am Teatro Comunale Bologna als Vitellio in Massenets «Hérodiade» Aufsehen. Es folgten Auftritte in Verona, Rovereto, Este und Casalmaggiore sowie 1887 ein Gastspiel am Teatro Filarmonico Verona als Escamillo in «Carmen», das einen sehr erfolgreichen Verlauf nahm. 1888 gastierte er in St. Petersburg, 1888–89 am Teatro Coccia Novara und 1890 am Teatro Vittorio Emanuele Turin. Am 17. 5. 1890 sang er in der denkwürdigen Uraufführung von Mascagnis Oper «Cavalleria rusticana» am Teatro Costanzi in Rom die Partie des Alfio, während die große Primadonna Gemma Bellincioni und ihr Gatte Roberto Stagno als Santuzza und als Turiddu auf der Bühne standen. In den Jahren von 1891 bis 1897 gab der Künstler ständig Gastspiele an den großen Operntheatern in Nord- wie in Südamerika; er trat jetzt vor allem in der Partie des Jago in Verdis Oper «Othello» hervor und sang diese Rolle mehrfach zusammen mit dem ersten Othello, Francesco Tamagno. 1898 absolvierte er zusammen mit dem Tenor Ferdinando Avedano, mit dem er befreundet war, ein langes und sehr erfolgreiches Gastspiel an den Opern von San Francisco und Mexico City. Erst 1902 kam er wieder in seine italienische Heimat zurück, wo er noch in den folgenden Jahren auf der Bühne wie im Konzertsaal zu hören war.

Salden, Ida, Sopran, *1878 (?) Hamburg–Altona, †(?); sie studierte am Stern'schen Konservatorium in Berlin und bei der berühmten Pädagogin Selma Nicklass-Kempner. 1900 debütierte sie am Stadt-

theater (Opernhaus) von Hamburg und blieb in den
Jahren 1901–06 dort als Ensemblemitglied tätig.
1906–09 sang sie am Hoftheater von Darmstadt,
1909–11 am Opernhaus von Düsseldorf und 1911–13
an der Kurfürstenoper Berlin. Seitdem lebte sie in
Hamburg und gab Gastspiele. Bei den Bayreuther
Festspielen wirkte sie 1906, 1908 und 1909 als Ortlinde in der «Walküre» und als Soloblume im «Parsifal», 1906 auch als 2. Knappe im «Parsifal», mit. Sie
gastierte 1906 und 1907 am Hoftheater von Mannheim, 1908 am Hoftheater Karlsruhe, 1909 an der
Oper von Frankfurt a. M., 1910 in Amsterdam, 1911
in Hannover. Sie war an mehreren Uraufführungen
von zeitgenössischen Opernwerken beteiligt; so sang
sie 1904 in Hamburg die Titelrolle in Siegfried Wagners «Der Kobold», 1910 in Düsseldorf die Marga in
«Stella maris» von A. Kaiser und am 23. 12. 1911 an
der Berliner Kurfürstenoper die Maliella in «Der
Schmuck der Madonna» («I Gioielli della Madonna») von Ermanno Wolf-Ferrari. Höhepunkte in
ihrem Repertoire stellten Partien wie die Pamina in
der «Zauberflöte», die Elisabeth im «Tannhäuser»,
die Elsa im «Lohengrin», die Sieglinde in der «Walküre», die Gutrune in der «Götterdämmerung», die
Butterfly, die Marguerite im «Faust» von Gounod,
die Martha in «Tiefland» von E. d'Albert und die
Blanchefleure in «Der Kuhreigen» von Wilhelm
Kienzl dar. Wahrscheinlich ist die Sängerin in den
zwanziger Jahren in Hamburg verstorben.
Schallplatten: HMV (Ausschnitte aus «Der
Schmuck der Madonna»).

Salomaa, Petteri, Baß-Bariton, * 1961 Helsinki; er
wurde zunächst durch seinen Vater, der selbst Sänger gewesen war und einen Lehrauftrag als Pädagoge an der Sibelius-Akademie in Helsinki wahrnahm, ausgebildet. Seine Ausbildung wurde durch
Lehrer wie Hans Hotter, Jewgenij Nesterenko und
Erik Saedén vervollständigt. Bereits im Alter von
17 Jahren sang er in der finnischen Metropole Helsinki das Baß-Solo des Raphael in der «Schöpfung»
von Haydn. 1981 gewann er den Nationalen Gesangwettbewerb in Lappeenranta (Finnland); 1983 debütierte er an der Finnischen Nationaloper Helsinki als
Figaro in «Figaros Hochzeit», seither eine seiner
besonderen Glanzrollen. Es kam zu einer sehr erfolgreichen Bühnen- wie Konzertkarriere in den
skandinavischen Musikzentren; 1984 sang er im
Schweizer Fernsehen das Baß-Solo in der Johannespassion von J. S. Bach. Große Erfolge bei den
Opernaufführungen im Barock-Theater auf Schloß
Drottningholm, 1986 als Leporello im «Don Giovanni», 1987 als Figaro, 1988 als Nardo in «La finta
giardiniera» von Mozart. In der Londoner Royal
Festival Hall sang er in Händels «Salomon», bei den
Festspielen von Salzburg in Verdis «Don Carlos»
unter H. von Karajan. Weitere Auftritte bei den
Festspielen von Schwetzingen, beim Wexford Festi-
val, in Amsterdam (1988 als Masetto im «Don Gio-
vanni» und als Papageno in der «Zauberflöte») und
am Grand Théâtre Genf.
Schallplatten: HMV (9. Sinfonie von Beethoven,
Messen von J. Haydn, kleine Partie in «Madame
Butterfly»), Philips («Macbeth» von Verdi), DGG

(«La forza del destino» von Verdi), Decca (Figaro in
«Nozze di Figaro»).

Salta, Anita, Sopran, * 1. 9. 1937 New York; nachdem sie als Sekretärin bei der Columbia Schallplat-
tengesellschaft in New York und in Kalifornien gearbeitet hatte, ließ sie ihre Stimme durch den New
Yorker Pädagogen Menotti Salta ausbilden. 1959
erfolgte ihr Bühnendebüt in Jacksonville (Florida) in
der Titelpartie in Verdis «Aida». Sie kam dann nach
Europa und erreichte den Höhepunkt ihrer Karriere
an westdeutschen Bühnen. Sie sang an der Staatsoper von Stuttgart, an den Opernhäusern von Wuppertal, Nürnberg und Dortmund, an den Staatstheatern von Hannover und Kassel und war längere Zeit
am Opernhaus von Essen engagiert, wo sie auch als
Konzertsopranistin wie als Gesanglehrerin wirkte.
Sie beherrschte ein weitläufiges Opernrepertoire mit
Rollen wie der Titelheldin in «Alceste» von Gluck,
der Gräfin in «Figaros Hochzeit», der Donna Elvira
im «Don Giovanni», der Fiordiligi in «Così fan
tutte», der Marguerite im «Faust» von Gounod, der
Amelia in Verdis «Maskenball», der Leonore in «La
forza del destino» wie im «Troubadour», der Violetta in «La Traviata», der Desdemona im
«Othello», der Elena in Verdis «I Vespri Siciliani»,
der Elisabetta im «Don Carlos», der Tatjana in
Tschaikowskys «Eugen Onegin», der Antonida in
Glinkas «Iwan Susanin», der Marie in der «Verkauften Braut» von Smetana, der Mimi in Puccinis «La
Bohème», der Tosca, der Butterfly, der Santuzza in
«Cavalleria rusticana», der Elsa im «Lohengrin»,
der Eva in den «Meistersingern», der Chrysothemis
in «Elektra» von R. Strauss, der Marschallin im «Rosenkavalier» und der Katerina in «Katerina Ismailowa» von Schostakowitsch.

Salvadori, Antonio, Bariton, * 1950 (?) Venedig; er
erhielt seine Ausbildung am Conservatorio Benedetto Marcello in seiner Heimatstadt Venedig, gewann mehrere Gesangwettbewerbe und debütierte,
erst 22 Jahre alt, in Rossinis «Barbier von Sevilla»
und im «Bajazzo». Ein Jahr später sang er bereits
den Rigoletto, drei Jahre später hörte man ihn an der
Mailänder Scala in Verdis «Luisa Miller» mit Montserrat Caballé und Luciano Pavarotti als Partnern.
Seitdem ist er immer wieder an der Scala aufgetreten, so in der Saison 1987–88 als Marcello in «La
Bohème» und als Belcore in «Elisir d' amore». 1988
nahm er an einer Tournee des Ensembles der Mailänder Scala durch Japan und Korea teil. An der
Oper von Chicago gastierte er mehrfach; in Turin
trat er als Amonasro in «Aida», am Teatro Fenice
Venedig als Gérard in «Andrea Chénier» von Giordano, an der Staatsoper Hamburg als Don Carlo in
Verdis «Ernani» auf. Eine seiner großen Kreationen
war der Titelheld in Rossinis «Wilhelm Tell», den er
u. a. an der Scala, in Linz (Donau), an der Oper von
Nizza, am Opernhaus von Zürich (1989–90) und in
einer konzertanten Aufführung der Oper in der New
Yorker Carnegie Hall zum Vortrag brachte. Mehrfach war er auch seit 1978 in der Arena von Verona
zu Gast, wo er 1988 den Amonasro in «Aida» sang;

an der Wiener Staatsoper war er 1988 als Ezio in «Attila» von Verdi anzutreffen.

Samoilow, Lazar, Bariton, * 12. 1. 1877 Kiew, † (?) San Francisco; er begann an der Universität von Kiew das Medizinstudium, ließ dann aber seine Stimme ausbilden. Nach ersten Lektionen durch Maestro Everardi in Kiew ging er nach Wien, wo er an der Universität das Medizinstudium fortsetzte, gleichzeitig aber am Konservatorium von Wien seine Ausbildung zum Sänger betrieb. Der Kaiser von Österreich, die Barone von Rothschild, von Goodman und Hirsch unterstützten das Gesangstudium des begabten jungen Mannes durch finanzielle Zuwendungen. Um die Jahrhundertwende sang er dann kurze Zeit an den Opern von Charkow und Odessa und unterrichtete zwei Jahre lang am Konservatorium von Odessa. Nach einem kurzen Aufenthalt in Paris ließ er sich in New York als Gesanglehrer nieder, wozu ihm sein Freund, der berühmte russische Bassist Fedor Schaljapin geraten hatte. Er trat nur gelegentlich in Konzerten auf, entfaltete dafür eine intensive pädagogische Tätigkeit, wurde aber vor allem dadurch bekannt, daß in seinem gastlichen Haus in New York so berühmte Sänger wie Benjamino Gigli, Rosa Raisa, Giacomo Rimini, Gabriella Besanzoni, Fanny Anitua, Julia Claussen und Claire Dux verkehrten. Später eröffnete Lazar Samoilow eine Gesangschule in San Francisco.
Schallplatten seiner Stimme sind nicht zum Vorschein gekommen.

Samuelsen, Roy, Baß-Bariton, * 12. 6. 1933 Moss (Norwegen); nach vorheriger Arbeit in einem Metallwerk studierte er Gesang bei Josef Heuler in Würzburg, dann in den USA an der Brigham Young University (Utah) bei John Halliday und an der Indiana University Bloomington bei Paul Matthew und Carl van Buskirk. Seine Karriere spielte sich einerseits an der Norwegischen Oper in Oslo, anderseits an Bühnen in Nordamerika ab. Hier sang er u. a. an der Oper von Chicago, in Kansas City, Memphis, bei der Kentucky Opera und mit dem Ensemble der Indiana University Opera Bloomington. An der zuletzt genannten Bühne wirkte er auch bei zwei Uraufführungen von Opernwerken mit, 1963 in «The Darkened City» von Heiden, 1966 in «The Hoosier Tale» von Kaufmann. Er war an der Indiana University als Pädagoge tätig und ging von Bloomington aus einer umfangreichen Konzerttätigkeit nach. Auf der Bühne gestaltete er ein sehr umfangreiches Rollenrepertoire, das von Mozart, über die italienischen Belcanto-Opern bis zu Verdi, Wagner, Puccini, Richard Strauss und zeitgenössischen Meistern reichte und vor allem auch Partien aus dem Bereich der russischen Oper aufzuweisen hatte.

Samuelson, Mikael, Bariton, * 9. 3. 1951; er absolvierte ein vielseitiges Musikstudium; so war er im Gesangfach Schüler von Birgit Stenberg und von Erik Werba, studierte aber gleichzeitig in Stockholm Violinspiel und Dirigieren. Seit Ende der siebziger Jahre ging er von Stockholm aus einer umfangrei-

chen Tätigkeit nach, die sowohl Opern- und Oratorienmusik von der Barock-Epoche bis zur Gegenwart wie auch Aufgaben aus dem Bereich des Films, der Sprechbühne wie des Kabaretts enthielt. So hörte man ihn an der Königlichen Oper Stockholm als Figaro in Rossinis «Barbier von Sevilla»; bei den Festspielen im Barock-Theater von Schloß Drottningholm sang er den Grafen in «Figaros Hochzeit» (1987) und den Papageno in der «Zauberflöte» (1989). 1988 übernahm er in Drottningholm ein Solo in der «Schöpfung» von Haydn. Mit dem Stockholm Music Drama Ensemble (SMDE) sang er den Tonio im «Bajazzo», den Trinity Moses in «Aufstieg und Fall der Stadt Mahagonny» von K. Weill und in Benjamin Brittens «Death in Venice», am Riksteatern Stockholm wirkte er in Operetten- und Musical-Aufführungen mit. Er trat am schwedischen Fernsehen in Opernsendungen («Drömmen om Thérèse» von L. J. Werle, «Kronbruden» von Rangström) und in selbst arrangierten Musiksendungen auf; er unternahm Tourneen als Kabarettist in Schweden und Finnland. Auch als Filmdarsteller wurde er bekannt.
Schallplatten: Swedish Music Anthology (Lieder von Carl Michael Bellman), Caprice (Recital, «Aniara» von Blomdahl).

Sances, Giovanni Felice, Tenor und Komponist, * um 1600 Rom, begraben 12. 11. 1679 Wien; er wurde in Italien zum Sänger ausgebildet und folgte 1637 einem Ruf nach Wien als Mitglied der Kaiserlichen Hofkapelle. 1649 erfolgte seine Ernennung zum Vizedirektor der Kapelle und 1669 wurde er deren erster Direktor. Bekannt wurde er vor allem durch seine Kompositionen, darunter mehrere Opern («Aristomene Messenio»). Eine seiner Opern, «Apollo deluso», komponierte er zusammen mit dem Deutschen Kaiser Leopold I. (1640–1705) nach einem Textbuch des Hofpoeten Antonio Draghi. Dieser Habsburger-Kaiser war nicht nur ein musikbegeisterter Mäzen sondern auch selbst als Komponist begabt und mit Giovanni Felice Sances befreundet, wodurch dessen Stellung am Wiener Hof eine besondere Betonung erhielt. Neben Opern hinterließ er einige Oratorien, Kantaten für Solostimmen, Capricci poetici und Trattenimenti musicali per camera.

Sándor, Judit, Sopran/Mezzosopran, * 1925 (?); die ungarische Sängerin schloß ihr Gesangstudium 1948 an der Franz Liszt Musikhochschule Budapest ab. Sie war Schülerin der Pädagogen Erzsi Gervay, Ilona Durigo, Margit Walter und Imre Molnár. Sie wurde sogleich als Stipendiatin an die Nationaloper Budapest engagiert und 1949 als ordentliches Mitglied in das Ensemble aufgenommen. In ihrer langen Karriere an diesem führenden ungarischen Opernhaus sang sie an erster Stelle Partien wie den Cherubino und die Gräfin in «Figaros Hochzeit», die Dorabella in «Così fan tutte», die Sieglinde in der «Walküre», die Fricka im Ring-Zyklus, die Magdalene in den «Meistersingern», die Donna Elvira im «Don Giovanni», die Leonore im «Fidelio», den Octavian im «Rosenkavalier», den Nicklausse in «Hoffmanns

Erzählungen», den Hänsel in «Hänsel und Gretel» und die Örzse in «Háry János» von Zoltán Kodály. Ihre eigentliche Glanzrolle war die Mélisande in «Pelléas et Mélisande» von Debussy (1963). Sie wirkte in Budapest in Uraufführungen mehrerer ungarischer Opern mit («Der Zauberschrank» von Farkas, 1952; «Kádár Kata» von Horusitzky, 1957; «Bluthochzeit» von Szokolay, 1964). Allseitig bekannt wurde sie auch als Oratorien- und Liedersängerin. Sie gab Liederabende mit vielseitigen Programmen in Ungarn, in Prag, Paris, Wien, Rom und Berlin und im Rahmen einer Rußland-Tournee. 1953 wurde sie mit dem Franz Liszt-Preis ausgezeichnet, 1963 erfolgte ihre Ernennung zur verdienstvollen Künstlerin.
Schallplatten: Hungaroton (Opern- und Lied-Recital).

Sandrini, Luigia, Sopran, * 1782 im Haag, † 26. 10. 1869 Dresden; ihre Mutter, *Signora Caravoglio* war ebenfalls Sängerin, sie erblickte während eines Gastspiels ihrer Mutter in Holland das Licht der Welt. Als Kind kam sie nach Messina, sang dort bereits kleinere Partien im Alter von 14 Jahren, erhielt aber kaum einen geregelten Unterricht. In Bologna sprang sie einmal für die Mutter von Gioacchino Rossini, die dort als seconda donna auftrat, ein. 1802 wurde sie als erste Sopranistin an die Italienische Oper in Prag engagiert, wo sie zusammen mit Künstlern wie Giuseppe Siboni und Luigi Bassi auftrat. Sie wurde bald der erklärte Liebling des Prager Publikums; Ferdinando Paër schrieb für sie die Partie der Sophie in seiner Oper «Sargino». Als nach dem Tod des Impresarios Guardasoni der Prager Italienische Oper sich auflöste, wechselte sie an die Deutsche Oper im Ständetheater. Inzwischen hatte sie den Oboisten Paolo Sandrini (1782–1813) geheiratet, der an diesem Haus tätig war. 1808 wurde sie an die Hofoper von Dresden berufen. Hier erreichte ihre Karriere den Höhepunkt. 1813 sang sie mehrmals in Gegenwart von Kaiser Napoleon I., später vor Zar Alexander I. von Rußland als Giulia in «La Vestale» von Spontini. Diese Partie hatte sie zusammen mit dem berühmten französischen Schauspieler Talma einstudiert. Ihre großen Partien waren weiter die Susanna in «Figaros Hochzeit», die Emmeline in der «Schweizerfamilie» von Joseph Weigl und viele sonstige Rollen, vor allem für hohen Koloratursopran. Als auch die Dresdner Italienische Oper 1832 zur Auflösung kam, ging sie als Pädagogin an das Konservatorium von Prag. Sie blieb in dieser Stellung bis 1839 tätig, kam dann aber wieder 1845 nach Dresden zurück. Hier wirkte sie als gesuchte Gesanglehrerin; zu ihren Schülerinnen gehörten die beiden sächsischen Prinzessinnen Elisabeth und Anna. Sie ist in Dresden nochmals in einem Konzert zusammen mit ihrer Tochter, *Marie Börner-Sandrini* (* 14. 7. 1809) aufgetreten, die ebenfalls eine geschätzte Sängerin war. Hochbetagt starb die große Künstlerin in Dresden.

Santoliva-Villani, Maria, Sopran, * 9. 3. 1875, † 8. 10. 1948; die Künstlerin hatte nach Abschluß ihrer Ausbildung ihre ersten Erfolge bei Gastspielen

am Teatro Massimo Palermo, am Teatro Mercadante Neapel, am Teatro della Pergola Florenz und am Teatro Coccia Novara. In Livorno sang sie die Titelheldin in «La Gioconda» von Ponchielli. 1905 hörte man sie bei einem längeren Gastspiel an der Oper von Odessa als Aida und als Leonore im «Troubadour». 1908 war sie während einer Saison bei der Italienischen Oper in Holland engagiert, wo sie als Gioconda und als Tosca auftrat. Im gleichen Jahr 1908 sang sie am Opernhaus von Tunis. In Spanien sang sie am Opernhaus von Valencia. 1909 zu Gast am Teatro Bellini Neapel; 1910 war sie mit einer italienischen Operntruppe, der auch der berühmte Bariton Mattia Battistini angehörte, in der rumänischen Hauptstadt Bukarest anzutreffen. Sie sang ihre Partien, die hauptsächlich dem italienischen dramatischen Fach zugehörten, bis in die zwanziger Jahre an den großen italienischen Bühnen. Sie war verheiratet mit dem Baß-Bariton *Roberto Villani,* der der weit verzweigten italienischen Sängerfamilie Villani angehörte. Auch ihre Tochter *Renata Villani* wurde als Sopranistin bekannt.
Schallplatten: Einige Aufnahmen aus Italien auf HMV und ähnliche Aufnahmen auf Columbia, alle aus der Zeit vor 1914 stammend.

Santoro, Anita, Sopran, * 1885 (?), † (?); diese Sopranistin ist dadurch von Bedeutung, daß ihr Name bei mehreren Schallplattenaufnahmen erscheint, während sich ihre Karriere wohl hauptsächlich an italienischen Provinztheatern abgespielt hat. 1911 ist sie am Teatro Bellini Catania als Jemmy in Rossinis «Wilhelm Tell» zu finden, 1920 am Teatro Donizetti Bergamo als Sophie in Massenets «Werther». Sie wirkt in mehreren Ensembleszenen mit, die alle 1912 auf HMV aufgenommen wurden, und die später auch unter dem Etikett von Victor veröffentlicht worden sind. Dabei handelt es sich um das Finale aus «Manon» von Massenet mit Aristodemo Giorgini als Partner, um das Quartett aus «La Bohème» (mit Dora Domar, Gino Giovanelli-Gotti und Ernesto Badini), um eine Szene aus «Carmen» (mit Carlos Barrera und Ernesto Badini).

Saramandić, Živan, Baß, * 2. 4. 1939 Belgrad; er war Schüler der berühmten Zdenka Ziková in Belgrad. 1966 wurde er an die Nationaloper Belgrad engagiert und blieb während der folgenden zwanzig Jahre ein geschätztes Mitglied dieses Operninstituts. Gastspiele, teilweise im Verband des Belgrader Ensembles, führten auch zu Erfolgen des Sängers in Sowjetrußland, in Polen, in der ČSSR, in Ungarn, Bulgarien, Deutschland und England. 1970 hörte man ihn als Gast am Teatro Liceo Barcelona, 1976 in Dublin. Sein Bühnenrepertoire besaß einen großen Umfang und gipfelte in Partien wie dem Boris Godunow, dem Iwan Susanin in der Oper gleichen Namens von Glinka, dem Gremin in Tschaikowskys «Eugen Onegin», dem Mephisto im «Faust» von Gounod, dem Silva in Verdis «Ernani», dem Ramphis in «Aida» und dem Mustafà in Rossinis «Italiana in Algeri». Auch als Konzertsänger wurde er in einer Vielzahl von Aufgaben bewundert.
Jugoton-Schallplatten.

Sauter, Lily, Sopran, * 16. 11. 1934 Zürich; Ausbildung in Zürich sowie in Mailand bei Rosina Sasso-Francesconi. Sie begann ihre Karriere 1961 an der Deutschen Oper am Rhein Düsseldorf–Duisburg, deren Mitglied sie bis 1964 blieb. Seit 1964 war sie an der Staatsoper von Stuttgart engagiert; dieses Engagement dauerte mit einer Unterbrechung in der Spielzeit 1965–66, als sie am Opernhaus von Zürich sang, bis zum Ende der Spielzeit 1982–83. Seitdem lebte die Künstlerin in Köngen bei Stuttgart. Sie trat als Gast bei den Festspielen von Schwetzingen in Erscheinung und sang in den Jahren 1966–67 bei den Bayreuther Festspielen den Hirtenknaben im «Tannhäuser». Sie gastierte auch an den Staatsopern von München und Hamburg, am Deutschen Opernhaus Berlin, am Opernhaus von Frankfurt a. M., am Teatro Liceo Barcelona, am Teatro Fenice Venedig, am Teatro Nuvo Mailand, in Genua und Treviso und beim Festival von Edinburgh. Ihr Bühnenrepertoire enthielt vor allem Partien aus dem Koloratur- und dem Soubrettenfach, darunter die Blondchen in der «Entführung aus dem Serail», die Susanna in «Figaros Hochzeit», die Despina in «Così fan tutte», die Rosina im «Barbier von Sevilla» von Rossini, die Titelheldin in Flotows «Martha», die Norina im «Don Pasquale», die Adina in «Elisir d'amore», die Marzelline im «Fidelio», die Gretchen im «Wildschütz» von Lortzing, die Marie in dessen «Zar und Zimmermann», die Musetta in «La Bohème», die Nannetta im «Falstaff» von Verdi, die Sophie im «Rosenkavalier», die Ännchen im «Freischütz», die Adele in der «Fledermaus» und die Regina in «Mathis der Maler» von P. Hindemith. Zahlreiche Radio- und Fernsehauftritte in Westdeutschland wie in der Schweiz.

Savelkouls, Adolf, Baß, * 1905 (?), † nach 1970; der aus dem Rheinland stammende Sänger erhielt seine Ausbildung bei Heinz Stadelmann in Köln. 1930–31 war er am Stadttheater von Freiburg i. Br., 1933–38 am Stadttheater von Koblenz engagiert. 1938 wurde er an das Theater von Chemnitz (seit 1953 Karl-Marx-Stadt) verpflichtet, an dem er bis 1962 als erster Bassist wirkte. Danach war er noch für einige Jahre an der Komischen Oper Berlin in Statistenrollen und in der Abendregie anzutreffen. Er gastierte an deutschen Bühnen, gab Konzerte und hatte im Bereich der Oper seine größten Erfolge in Partien wie dem Rocco in «Fidelio», dem Daland im «Fliegenden Holländer», dem König Heinrich im «Lohengrin», dem Beckmesser in den «Meistersingern», dem Mephisto im «Faust» von Gounod wie in «Doktor Johannes Faust» von H. Reutter, dem Kezal in der «Verkauften Braut» von Smetana und dem Pater Guardian in Verdis «Macht des Schicksals». 1955 sang er in der deutschen Erstaufführung der Oper «Krútňava» («Wirbel der Gefühle») von Eugen Suchoň in Karl-Marx-Stadt die Partie des Stelina. Nach Beendigung seiner Tätigkeit an der Berliner Komischen Oper kam er wieder in seine rheinische Heimat zurück, wo er zu Beginn der siebziger Jahre starb.
Schallplatten: Oceanic (Rocco in vollständigem «Fidelio»).

Savignol, Pierre, Baß-Bariton, * 2. 3. 1903 Toulouse, † März 1990; er war zuerst als Flugzeugtechniker tätig, nahm dann aber am Konservatorium seiner Heimatstadt Toulouse das Gesangstudium auf und debütierte 1927 an der Oper von Nizza als Nilakantha in «Lakmé» von Delibes. von Bizet. Es schlossen sich langjährige Auftritte an den großen französischen Provinztheatern an, in Marseille, Lyon, Nancy und Bordeaux. 1948 sang er dann als erste Partie an der Opéra-Comique Paris den Scarpia in «Tosca»; im gleichen Jahr erreichte er auch die Grand Opéra Paris, an der er als Mephisto in «Damnation de Faust» von Berlioz debütierte und bis in die Mitte der sechziger Jahre tätig blieb. Er sang in Paris eine Fülle von Partien, sowohl aus dem Baß- wie dem Bariton-Repertoire, und zwar Aufgaben aus der französischen, der italienischen wie der deutschen Opernliteratur. Davon seien nur einige aufgezählt: der Mephisto im «Faust» von Gounod, der Frère Laurent in «Roméo et Juliette», die vier Dämonen in «Hoffmanns Erzählungen», der König in «Le Roi d' Ys» von E. Lalo, der Athanaël in «Thaïs» von Massenet, der Sultan in «Marouf» von H. Rabaud, der Basilio im «Barbier von Sevilla», der Ramphis in «Aida», der Colline in «La Bohème», der Tonio im «Bajazzo», der König Heinrich im «Lohengrin», der Landgraf im «Tannhäuser», der Daland im «Fliegenden Holländer» und der Wotan in der «Walküre» und der Pogner in den «Meistersingern». Gastspiele führten ihn an das Théâtre de la Monnaie Brüssel (1952) und an die Oper von Monte Carlo, wo er 1954 in «La Dame blanche» von Boieldieu und 1955 in «Lakmé» von Delibes sang, wie zu den Festspielen von Orange (1960).
Schallplatten: Columbia («Le Roi d' Ys»).

Savova, Galina, Sopran, * 1940 Varna; die bulgarische Künstlerin absolvierte ihre Sängerausbildung zuerst in Varna, dann in Sofia und begann ihre Karriere 1966 mit einem Anfängerengagement an der dortigen Nationaloper. Sie sang dort bereits Partien aus dem slawischen wie dem italienischen Opernrepertoire, als sie 1971 bei einem Gastspiel der Oper von Sofia an der Pariser Grand Opéra in der Titelpartie von Puccinis «Turandot» eingesetzt wurde und darin einem glänzenden Erfolg erzielen konnte. Diese Rolle blieb seither Höhepunkt in ihrem umfassenden Bühnenrepertoire und wurde von ihr an vielen großen Bühnen gesungen. 1972 sang sie erstmals in Westdeutschland, und zwar in Darmstadt. Sie blieb eng mit dem Opernhaus von Frankfurt a. M. verbunden, wo sie 1982–87 immer wieder in großen Partien zu hören war. Sie gastierte an den Staatsopern von Hamburg und München (1983, 1985), an der Oper von Marseille (1985), am Teatro San Carlos Lissabon (u. a. 1986 als Leonore in Beethovens «Fidelio»), am Teatro Liceo Barcelona (1987 in den Titelrollen der Opern «Aida» von Verdi und «Beatrice di Tenda» von Bellini) und blieb dazu weiterhin der Nationaloper von Sofia verbunden. Auch in Italien kam sie zu einer sehr erfolgreichen Karriere. Bei den Festspielen von Verona gastierte sie 1980 und 1988 in der Titelpartie der Oper «La Gioconda» von Ponchielli, 1983 und 1988

als Turandot und 1984 als Aida. Die letztgenannte Rolle übernahm sie auch 1987 bei den Festspielen von Savonlinna. 1988 am Teatro Fenice Venedig als Turandot zu Gast, am Teatro San Carlos Lissabon als Tosca. An der New Yorker Metropolitan Oper trat sie als Aida, als Tosca, als Santuzza in «Cavalleria rusticana», als Gioconda, als Venus im «Tannhäuser» wie als Amelia im «Maskenball» von Verdi auf. 1985–86 sang sie in Amsterdam die Santuzza. Neben den bereits genannten Partien wurde sie als Titelfigur in Puccinis «Manon Lescaut», als Minnie in dessen «Fanciulla del West», als Senta im «Fliegenden Holländer», als Eva in den «Meistersingern», als Ortrud im «Lohengrin» und in Rollen aus der slawischen Opernliteratur bekannt.
Schallplatten: Balkanton.

Scamuzzi, Vicleffo, Bariton, *9.4. 1887 Pisa, †9.10. 1955 Pisa; er war der Sohn des Baritons *Polifonte Scamuzzi* (*27.5. 1861 Pisa, †7.6. 1915 Pisa), der in den neunziger Jahren des 19. Jahrhunderts an italienischen Provinzbühnen sang. Nachdem er zunächst den Beruf eines Buchdruckers erlernt hatte, wurde seine Stimme durch die Pisaner Pädagogen Mari und Sodi ausgebildet. 1911 kam es zu seinem Bühnendebüt am Teatro Verdi von Pisa als Fra Melitone in «La forza del destino» von Verdi. 1912 gastierte er am Theater von Bastia auf Korsika und unternahm dann in den Jahren 1913–15 eine ausgedehnte Tournee durch Rußland, die ihn schließlich nach China, Japan, durch Südostasien, Australien und Südafrika führte. Er sang dabei in der russischen Residenzstadt St. Petersburg vor dem russischen Zaren, trat an zahlreichen großen Operntheatern in Rußland auf (mit besonderem Erfolg in Noworossisk) und gastierte 1915 in Singapur in Partien wie dem Grafen Luna im «Troubadour», dem Alfio in «Cavalleria rusticana», dem Tonio im «Bajazzo» und dem Don Carlo in Verdis «Ernani». Im November 1915 war er wieder in Italien und sang am Teatro Politeama Pisa den Amonasro in «Aida». Nachdem er lange Zeit hindurch nur an kleineren italienischen Bühnen und im Konzertfach aufgetreten war, gab er 1933 ein längeres Gastspiel am Simbashi Theater in Tokio; hier sang er den Scarpia in «Tosca», den Sharpless in «Madame Butterfly» und den Amonasro. 1938 übernahm er am Teatro Politeama Pisa mit dem Canio im «Bajazzo» eine Tenorpartie, blieb dabei aber ohne Erfolg. In den folgenden Jahren sang er noch bis 1947, hauptsächlich in seiner Heimatstadt Pisa, kleinere und Comprimario-Partien für Bariton und gab einzelne Konzerte.
Schallplatten: Während seines Japan-Aufenthalts wurden 1933 dort einige Titel auf Nippon-Victor aufgenommen.

Scano, Gaetano, Tenor, *1945 Verona, †20.7. 1988 Verona; er absolvierte sein Gesangstudium im wesentlichen in Verona und stand dort auch 1970 erstmals auf der Bühne. Er sang an zahlreichen führenden italienischen Opernbühnen und gastierte in Spanien. 1976 sang er bei den Festspielen von Verona

den Edgardo in «Lucia di Lammermoor», 1981 und 1985 den Radames in «Aida». Er trat u. a. am Teatro Regio Turin (1972), am Teatro Fenice Venedig (1978), am Teatro Liceo Barcelona (1980), am Teatro Colón Buenos Aires (1981), beim Festival von Bilbao (1983), in Santiago de Chile (1979, 1982), in Caracas (1981) und am Teatro Verdi Triest (1984) auf. Auch in Nordamerika kam er an den Opernhäusern von New Orleans, Los Angeles, Pittsburgh, an der City Centre Opera New York (1974–77), in Montreal (1981) und Stamford zu einer erfolgreichen Karriere. Er war auf die heldischen Tenorpartien in den Opern von Verdi (Radames, Ismaele in «Nabucco», Arrigo in «La Battaglia di Legnano», Jacopo in «I due Foscari», Herzog im «Rigoletto») spezialisiert, sang aber auch den Pollione in Bellinis «Norma», den Licinio in «La Vestale» von Spontini, den des Grieux in «Manon Lescaut» von Puccini, den Pinkerton in «Madame Butterfly», den Turiddu in «Cavalleria rusticana», den Prinzen Wassilij Galitzin in «Khovantchina» von Mussorgsky, den Dimitrij Nekludow in «Risurrezione» von Alfano neben vielen weiteren Rollen.
Schallplatten: HMV («L'Assedio di Corinto» von Rossini unter Thomas Schippers).

Scarabelli, Adelina, Sopran, *29.9. 1953 Mailand; sie erhielt ihre Ausbildung am Konservatorium von Brescia. Ihr Bühnendebüt kam 1979 auf der Bühne der Piccola Scala in Mailand in der Oper «La Testa di Bronzo» von Soliva zustande. Im folgenden Jahr 1980 erschien sie dann auf der Hauptbühne der Scala als Susanna in «Nozze di Figaro». Sie hatte seither an der Scala eine erfolgreiche Laufbahn und erregte namentlich 1982 als Despina in «Così fan tutte» Aufsehen. Sie wurde durch ihre Auftritte an den führenden italienischen Operntheatern bekannt und sang 1980 am Teatro Massimo Palermo, 1981 am Teatro Verdi Triest, seit 1982 am Teatro Comunale Bologna, 1982 am Teatro San Carlo Neapel. Sie kam aber auch bald außerhalb Italiens zu einer großen Karriere. 1981 und wieder 1984 war sie zu Gast an der Grand Opéra Paris, 1982 am Theater von Bonn, 1986 am Opernhaus von Köln. 1985 sang sie bei den Festspielen von Salzburg die Partie der italienischen Sängerin im «Capriccio» von Richard Strauss. 1988–89 gastierte sie am Teatro Regio Parma, 1988 sang sie beim Maggio musicale Fiorentino die Lauretta in «Gianni Schicchi» von Puccini. In den Jahren 1988 und 1989 hatte sie an der Oper von Rom große Erfolge als Aminta in «Il Re pastore» von Mozart, als Susanna in «Nozze di Figaro», als Zerline im «Don Giovanni» und als Nannetta in Verdis «Falstaff». An der Oper von Monte Carlo hörte man sie 1990 als Elvira in Rossinis «Italiana in Algeri». Aus ihrem Bühnenrepertoire sind ergänzend noch die Marzelline im «Fidelio», die Servilia in «La clemenza di Tito» von Mozart, die Adina in «Elisir d'amore», die Gilda im «Rigoletto», der Page Oscar in Verdis «Ballo in maschera», die Musetta in «La Bohème», die Leila in «Pêcheurs de perles» von Bizet, die Micaela in «Carmen» und die Liu in Puccinis «Turandot» zu nennen. Auch als Konzertsolistin bekannt geworden.

Schallplatten: Nuova Era (Adina in «Elisir d'amore», Stabat mater von Boccherini).

Scarlatti, Tommaso, Tenor, * etwa 1671 Palermo, † 1. 8. 1760 Neapel; er war ein Mitglied der berühmten Musikerfamilie Scarlatti. Seine Brüder Alessandro Scarlatti (1660–1725) und Francesco Scarlatti (1666–1741) genossen als Komponisten und Instrumentalmusiker innerhalb ihrer Generation höchstes Ansehen. Alessandro Scarlatti galt als der bedeutendste italienische Komponist seiner Zeit, vor allem für den Bereich der Oper, aber auch für das Oratorium, die Kirchenmusik, die Kantate, das Concerto grosso und den übrigen weiten Kreis der Instrumentalmusik. Die beiden Söhne dieses großen Meisters, Pietro Filippo Scarlatti (1679–1750), namentlich aber Domenico Scarlatti (1685–1757) trugen den Ruhm der Familie in die folgende Generation weiter. – Tommaso Scarlatti hatte seine Ausbildung zum Sänger am Conservatorio di San Onofrio in Neapel erhalten und absolvierte seine ganze Karriere in dieser Stadt, die – nicht zuletzt durch die Opern seines Bruders Alessandro – eine führende Stellung auf dem Gebiet der Oper erwarb. In diesen Opern ist Tommaso Scarlatti vorzugsweise als Sänger in Neapel in Erscheinung getreten, scheint aber auch Partien in Oratorien und geistlichen Vokalwerken übernommen zu haben.

Schäfer, Markus, Tenor, * 13. 6. 1961 Andernach am Rhein; er erhielt seine erste musikalische Ausbildung durch seinen Vater, der Kirchenmusikdirektor in Bad Ems war. Nachdem er als Knabensolist in Koblenz durch Marga Plachner weitergebildet worden war, studierte er an der Musikhochschule Karlsruhe katholische Kirchenmusik und erwarb 1984 sein Abschlußdiplom. In Karlsruhe begann er dann auch seine Ausbildung zum Solisten bei Armand Mc Lane. 1982 wurde er bei einem Gesangwettbewerb in Berlin zusammen mit seiner Schwester, der Sopranistin *Magdalena Schäfer,* zweiter Preisträger. Seit 1984 Schulung im Internationalen Opernstudio Zürich, Auszeichnung beim Caruso-Concours in Mailand. 1985 Beginn der Bühnenkarriere am Opernhaus von Zürich, 1986 Gastspiele an der Staatsoper Hamburg (Wenzel in der «Verkauften Braut») und am Theater im Revier Gelsenkirchen (Caramello in «Eine Nacht in Venedig»). 1987 wurde er an die Deutsche Oper am Rhein Düsseldorf–Duisburg verpflichtet; hier hatte er Erfolge in Partien wie dem Grafen Almaviva in Paisiellos «Il barbiere di Siviglia», dem Pedrillo in der «Entführung aus dem Serail» und dem Ramiro in «La Cenerentola» von Rossini. Fast noch bedeutender als die Bühnenkarriere entfaltete sich die Laufbahn des jungen Sängers im Konzertsaal, namentlich für den Bereich des Oratoriums. Er sang die Evangelisten-Partien in den großen Passionen von J. S. Bach und ersetzte u. a. 1988 Peter Schreier in Amsterdam in der Matthäuspassion. Dazu hörte man ihn als Solisten in Händels «Messias», in den Oratorien «Elias» und «Paulus» von Mendelssohn, in der «Schöpfung» von Haydn, in Rossinis Stabat mater und in vielen weiteren

Werken aus dem Umkreis des Oratoriums und der religiösen Vokalmusik.
Schallplatten: Erato («Paulus» und «Christus» sowie weitere religiöse Vokalwerke von Mendelssohn, C-Dur-Messe von Beethoven unter Michel Corboz), Harmonia mundi («L'Infedeltà delusa» von J. Haydn), HMV (Missa solemnis KV 139 von Mozart).

Schäfer, Therese, s. unter *Braunecker-Schäfer,* Therese.

Schaer, Hanna, Mezzosopran, * 15. 3. 1944 Olten (Schweiz); sie wurde an der Musikakademie von Basel durch Joseph Cron und in Genf durch Heidi Raymond ausgebildet. Sie lebte später in Paris und ging von dort aus ihrer Bühnen- und Konzerttätigkeit nach. Sie sang an der Grand Opéra, an der Opéra-Comique und am Théâtre des Champs Élysées Paris, an den Opernhäusern von Bordeaux, Rouen, Metz, Tours und Straßburg, am Teatro San Carlos Lissabon, am Stadttheater von Basel und beim Festival von Orange. Aus ihrem Repertoire für die Bühne sind die Dorabella in «Così fan tutte», die Zulma in Rossinis «Italiana in Algeri», die Pauline in Tschaikowskys «Pique Dame», die Annina im «Rosenkavalier», die Wellgunde wie die Waltraute im Ring-Zyklus zu erwähnen. In der Hauptsache durchlief sie jedoch eine Karriere als Konzert-, Oratorien- und Liedersängerin; auf diesen Gebieten brachte sie ein umfangreiches Repertoire zu Gehör. Sie trat als Konzertsolistin in Frankreich, in ihrer Schweizer Heimat, in Barcelona und Lissabon, in Turin und beim Festival von Aix-en-Provence auf.
Schallplatten: Erato («Ariane et Barbe-Bleue» von Dukas, Blumenmädchen und 2. Knappe im «Parsifal», Werke von J. S. Bach, M. A. Charpentier, Vivaldi und Monteverdi), Arion («Lieder aus der Jugendzeit» von G. Mahler), Auvidis Tempo (9. Sinfonie von Beethoven), FSM (Requiem von Bruckner), VDE-Gallo (Messen von Mozart).

Schaffganz, Wilhelm, Baß-Bariton, * 27. 11. 1839 Bonn, † 27. 2. 1910 Bonn; er erhielt seine Ausbildung in Bonn und Köln und trat zunächst als Konzertsänger in Erscheinung. 1866 erfolgte sein Operndebüt am Stadttheater von Düsseldorf, dem er bis 1867 angehörte. Er sang dann je eine Spielzeit an der Deutschen Oper Rotterdam (1867–68) und an der Berliner Hofoper (1868–69). Danach ging er für zehn Jahre an die Dresdner Hofoper (1869–79). Er unternahm mehrere längere Gastspielreisen und war 1880–82 am Deutschen Theater Prag, 1883–84 nochmals am Deutschen Theater Rotterdam, 1884–86 am Hoftheater von Kassel, 1886–87 am Opernhaus (Deutsches Theater) von Brünn, 1888–89 am Opernhaus von Köln und 1889–90 am Stadttheater Nürnberg engagiert. Er trat als Gast an den führenden Opernbühnen des deutschen Sprachgebiets in Erscheinung, darunter an der Hofoper von Wien (1872), an den Opernhäusern von Leipzig und Frankfurt a. M. Aus seinem Repertoire für die Bühne sind zu nennen: der Lysiart in «Euryanthe» von Weber, der Jäger im «Nachtlager von Granada» von C. Kreutzer, der Hans Sachs in den «Meistersingern», der Kurwenal im «Tristan», der Wolfram im «Tannhäuser», der Titelheld in Rossinis «Wilhelm Tell», der Oberthal im «Propheten» von Meyerbeer, der Graf Luna im «Troubadour» und der Amonasro in Verdis «Aida».

Schaffrian, Rosl, Sopran,* 25. 10. 1904 Wien; sie wurde am Konservatorium der Stadt Wien ausgebildet. Nachdem sie zuerst an den Theatern von Linz (Donau) und Innsbruck aufgetreten war, kam sie für die Spielzeit 1931–32 an das Stadttheater von Münster (Westfalen). 1932–33 sang sie am Stadttheater von Kiel, 1933–34 am Stadttheater von Rostock und war 1934–35 bei der Deutschen Musikbühne, einer Wanderoper, engagiert. 1935–41 gehörte sie zum Ensemble der Berliner Volksoper, war 1941–47 am Opernhaus von Leipzig und 1947–50 an der Städtischen Oper Berlin tätig. Danach gastierte sie noch oft an der Komischen Oper wie an der Staatsoper Berlin. Weitere Gastspiele trugen ihr an der Staatsoper von Wien, am Opernhaus von Breslau, am Stadttheater von Basel, am Landestheater Braunschweig und an der Oper von Oslo Erfolge ein. Ihr Bühnenrepertoire enthielt vor allem Partien aus dem Koloratur- wie aus dem Soubrettenfach: die Despina in «Così fan tutte» und die Zerline im «Don Giovanni», die Papagena und die Königin der Nacht in der «Zauberflöte», den Cherubino in «Figaros Hochzeit» und die Marzelline im «Fidelio», die Titelheldin in «Martha» von Flotow und die Marie in «Zar und Zimmermann» von Lortzing, die Zerbinetta in «Ariadne auf Naxos» von R. Strauss und die Rosina im «Barbier von Sevilla», die Gilda im «Rigoletto» und die Violetta in «La Traviata», die Norina im «Don Pasquale» und die Musetta in «La Bohème», die Zerline in «Fra Diavolo» von Auber und die Adele in der «Fledermaus». Die auch als Operetten- und Konzertsängerin beliebte Künstlerin war mit dem Dirigenten und Chorleiter Ernst Senff (* 1904) verheiratet.
Schallplatten: Solo-Aufnahmen auf Siemens-Kristall; auf HMV und auf Historia (Szenen aus «Fidelio», Opernhaus Leipzig) vertreten.

Schaller-Keyn, Edda, Mezzosopran, * 25. 7. 1938 Altenburg in Thüringen; sie war an der Musikhochschule von Leipzig Schülerin von Eva Fleischer und debütierte 1961 am Theater von Plauen als Dorabella in «Così fan tutte». In Plauen wirkte sie bis 1963 und gab bereits während dieser Zeit Gastspiele an der Staatsoper Berlin. 1963 wurde sie an dieses Opernhaus verpflichtet, an dem sie eine jahrelange Tätigkeit entfaltete. Sie sang hier Partien wie die Dorabella, die Mary im «Fliegenden Holländer», den Cherubino in «Figaros Hochzeit», den Octavian im «Rosenkavalier» von R. Strauss, die Maddalena im «Rigoletto», die Suzuki in «Madame Butterfly», die Wellgunde im Nibelungenring und die Olga im «Eugen Onegin» und war gleichzeitig eine geschätzte Interpretin zeitgenössischer Werke. Auch als Konzertsängerin aufgetreten. Gastspiele zum Teil mit dem Ensemble der Berliner Staatsoper, zum Teil im Konzertsaal in Italien, Ägypten, Finnland, Bulgarien, Schweden, Ungarn, Österreich, in Rußland, Japan und in der Schweiz.
Schallplatten: Eterna.

Schapin, Jewgeni, Tenor, * 13. 8. 1946 Saratow; er war an der Musikakademie von Leningrad Schüler der Pädagogin G. Kommissarowa und des berühmten Bassisten Jewgeni Nesterenko. 1973 erfolgte sein Bühnendebüt am Opernhaus von Leningrad als Faust in der bekannten Oper von Gounod. Bis 1976 hatte er eine sehr erfolgreiche Karriere in Leningrad und wurde dann an das Bolschoj Theater Moskau berufen, an dem er ähnliche Erfolge davontrug. Er sang dort Partien wie den Lenski im «Eugen Onegin» von Tschaikowsky, den Herzog im «Rigoletto», den Titelhelden in Verdis «Don Carlos», den Grafen Almaviva im «Barbier von Sevilla» von Rossini und den Cavaradossi in «Tosca», wobei dies nur einen schmalen Ausschnitt aus seinem umfangreichen Bühnenrepertoire bedeutet. Er gastierte regelmäßig an der Staatsoper Berlin und unternahm Gastspiele und Konzerte in den Musikzentren in Bulgarien, in Belgien, in der Schweiz, in England und in Brasilien.
Schallplatten der sowjetrussischen staatlichen Plattenproduktion Melodiya, darunter die vollständigen Opern «Iwan Susanin» von Glinka und «Krieg und Frieden» von Prokofieff.

Scharf, Rolf, Bariton/Tenor, * 17.11. 1900; er erhielt seine Ausbildung in Wiesbaden und debütierte 1922 als Bariton am Stadttheater von Liegnitz in Schlesien. 1923 kam er von dort an die Oper von Stuttgart und wirkte bis 1927 an diesem Haus. Hier wurde er bald in großen Rollen herausgestellt und sang u. a. den Bellamy im «Glöckchen des Eremiten» von Maillart, den Zaren in «Zar und Zimmermann» von Lortzing, den Grafen Liebenau im «Waffenschmied» und auch Partien wie den Don Giovanni, den Rigoletto, den Wolfram im «Tannhäuser» und den Posa in Verdis «Don Carlos». Er geriet jedoch in eine Stimmkrise und nahm darauf nochmals das Gesangstudium auf, wobei er zum Tenor umgeschult wurde. 1927–28 sang er dann am Landestheater von Altenburg (Thüringen) als Tenor, 1928–31 am Stadttheater von Chemnitz. Nachdem er hier bereits große Erfolge in Operetten erzielt hatte, wandte er sich überwiegend der Operette zu und war 1931–32 im Berliner Admiralspalast engagiert, wo er in der Uraufführung der Operette «Die Dubarry» von Millöcker-Mackeben mitwirkte. Danach trat er gastierend auf, war in der Spielzeit 1935–36 nochmals am Staatstheater Kassel engagiert, kehrte aber wieder nach Berlin zurück, sang dort Operettenpartien am Metropoltheater (1938–39) im Admiralspalast (1940–41) und war in den Jahren 1941–44 Mitglied der Berliner Volksoper. Nach dem Zweiten Weltkrieg nahm er seine Karriere 1947 am Gärtnerplatz-Theater in München wieder auf, wo er noch bis 1950 auftrat. Er gab u. a. Gastspiele an der Staatsoper Berlin (1927) und an der Covent Garden Oper London (1930 als Dr. Falke in der «Fledermaus»).

Scharinger, Anton, Bariton, * 5. 3. 1959; er war bis zu seinem 15. Lebensjahr Sängerknabe im Motettenchor des Erzbischöflichen Knabenseminars in Hollabrunn bei Wien. Danach besuchte er das musikpädagogische Gymnasium in Krems. 1976 begann er das Gesangstudium am Wiener Konservatorium, wo er Schüler von Margarita Heppe war. 1978 erhielt er einen Preis beim Internationalen Schubert-Wolf-Wettbewerb in Wien, 1980 war er Preisträger beim Hugo Wolf-Concours. 1981–83 gehörte er zum Ensemble des Landestheaters von Salzburg. Er wirkte auch bei den dortigen Festspielen mit. Seit 1987 kam er zu großen Erfolgen an der Wiener Volksoper; 1987 sang er in Amsterdam den Dr. Falke in der «Fledermaus», 1988 zu Gast am Opernhaus von Köln, 1989 am Opernhaus von Zürich als Figaro in «Figaros Hochzeit». Er war auch bei den Festspielen von Ludwigsburg (u. a. 1989 als Figaro in «Figaros Hochzeit») und Aix-en-Provence (ebenfalls 1989 als Figaro) zu hören. Auf der Bühne erwies er sich vor allem als großer Mozart-Sänger in Partien wie dem Figaro in «Figaros Hochzeit», dem Leporello wie dem Masetto im «Don Giovanni», dem Guglielmo in «Così fan tutte» und namentlich dem Papageno in der «Zauberflöte». Neben seinem Wirken auf der Bühne entfaltete er eine zweite Karriere im Konzertsaal, wo er sich vor allem als Bach-Interpret auszeichnete.
Schallplatten: Decca (Papageno in der «Zauberflöte»), Obligat («Jahreszeiten»), Telefunken (Masetto im «Don Giovanni»), Philips («L'Oca del Cairo» von Mozart).

Schauseil, Wally, Sopran, * 28. 5. 1860 Düsseldorf, † 2. 6. 1951 Bonn; ihr Großvater war Sänger, ihr Vater Musikdirektor in Düsseldorf. Sie erhielt ihre Gesangausbildung bei Oscar Lindhult in Köln sowie bei den großen Pädagogen Francesco Lamperti in Mailand und Julius Stockhausen in Frankfurt a. M. Sie widmete sich ganz dem Wirken als Konzert- und Oratoriensängerin und ist nie auf der Bühne aufgetreten. Ihr Debüt fand bereits 1878 in Düsseldorf statt; 1879 wirkte sie beim Niederrheinischen Musikfest mit. Nachdem sie anfänglich in den westdeutschen Städten aufgetreten war, weitete sie ihre Konzerttätigkeit aus und erschien nun auch in Bremen, in Frankfurt a. M., in Karlsruhe, Breslau und besonders oft in Berlin, wo sie in den Jahren 1885–92 regelmäßig anzutreffen war, in Dresden und Leipzig (Solistin in den berühmten Gewandhauskonzerten). Sie kam auch zu großen Erfolgen bei Auslandsauftritten; so sang sie mehrfach in Holland, auch in Schweden, Frankreich und Italien. Bereits 1900 gab sie ihre Konzertkarriere auf, um sich einer intensiven Tätigkeit auf dem pädagogischen Sektor zu widmen. 1904–08 wirkte sie als Pädagogin am Konservatorium von Köln, dann auf privater Basis in Köln und später in Bad Godesberg-Bonn, wo sie hochbetagt verstorben ist. Höhepunkte in ihrem Konzertrepertoire waren Solopartien in der Matthäuspassion von J. S. Bach, im Messias wie in «Judas Makkabäus» von Händel, in der «Schöpfung» wie den «Jahreszeiten» von J. Haydn, im «Paradies und die Peri» von R. Schumann und in dem Oratorium «Christus» von F. Liszt.

Scheibenhofer, Grete, s. unter *Fassnacht,* Georg.

Scheibner, Andreas, Bariton, * 18. 1. 1951 Dresden; er erhielt seine Ausbildung an der Musikhochschule Dresden in erster Linie durch Günther Leib und Christian Elßner. 1972 fand sein Bühnendebüt am Theater von Görlitz in der Partie des Dr. Cajus in den «Lustigen Weibern von Windsor» von Nicolai statt. Nach zweijähriger Tätigkeit an dieser Bühne wechselte er 1974 an das Deutsch-Sorbische Volkstheater in Bautzen. Von dort kam er für die Jahre 1976–79 an das Stadttheater von Stralsund. Nachdem er 1979–83 am Theater von Potsdam gesungen hatte, wurde er 1983 Mitglied der Staatsoper Dresden. Auf der Bühne beeindruckte der Künstler in einem sehr umfangreichen Repertoire, aus dem der Titelheld im «Don Giovanni», der Guglielmo in «Così fan tutte», der Papageno in der «Zauberflöte», der Belcore in Donizettis «Don Pasquale», der Eugen Onegin in der gleichnamigen Oper von Tschaikowsky, der Graf Luna im «Troubadour» von Verdi, der Silvio im «Bajazzo», der Marcello in Puccinis «La Bohème» und der Zar in «Zar und Zimmermann» von Lortzing genannt seien. Eine nicht weniger umfangreiche Tätigkeit entfaltete der Künstler im Konzertsaal, wo er sowohl als Oratoriensolist wie als Liedsänger erfolgreich wirkte und in Österreich und Holland, in Polen und Westdeutschland als Gast auftrat.
Schallplatten: Eterna (Bach-Kantaten).

Scheidegger, Hans Peter, Baß-Bariton, * 23. 2. 1953 La Bottière im Schweizer Jura; er studierte an der Universität Bern Germanistik und Musikwissenschaft, am dortigen Konservatorium erfolgte die Ausbildung seiner Stimme durch Jakob Stämpfli. Dieser war dann auch sein Lehrer an der Folkwang Hochschule in Essen. Hinzu kamen Kurse bei Paul Lohmann in Thun und am Zürcher Konservatorium bei Irwin Gage. Preisträger beim internationalen Belvedere-Wettbewerb in Wien 1987. 1984–86 war er am Stadttheater Luzern engagiert, seit 1986 Mitglied des Staatstheaters von Karlsruhe. Gastverpflichtungen am Staatstheater von Darmstadt, an den Theatern von Bern und Basel, am Theater am Gärtnerplatz München, am Theater im Revier Gelsenkirchen, am Grand Théâtre Genf, an der Grand Opéra Paris wie am Opernhaus von Nizza. Aus seinem Bühnenrepertoire sind hervorzuheben: der Bartolo in «Nozze di Figaro», der Leporello im «Don Giovanni», der Publio in «La clemenza di Tito» von Mozart, der Alidoro in Rossinis «La Cenerentola», der Ferrando im «Troubadour», der Conte di Walter in Verdis «Luisa Miller», der Fiesco in «Simon Boccanegra», der König Heinrich im «Lohengrin», der Marke in «Tristan» (Basel, 1990), der Pogner in den «Meistersingern», der Rocco im «Fidelio», der Colline in «La Bohème», der Gremin im «Eugen Onegin», der Trulove in «The Rake's Progress» von Strawinsky, der Doktor im «Wozzeck» von A. Berg, der Theseus in «A Midsummer Night's

Dream» von B. Britten, Partien in «Die schwarze Spinne» von Sutermeister und in «Mystère de la Nativité» von Frank Martin. Seit 1980 kam er zu einer Konzertkarriere mit erfolgreichen Auftritten in Zürich, Basel, Bern, Genf, Lausanne, bei den Internationalen Musikfestwochen Luzern, in Düsseldorf, Essen, Karlsruhe, Bremen, Stuttgart und Lüttich. Auch im Konzertsaal brachte er ein vielseitiges Repertoire zum Vortrag. 1988 wirkte er in Karlsruhe als Solist in der Uraufführung von A. Kunads «Der Seher von Patmos» mit.
Schallplatten: Erato («Das Paradies und die Peri» von R. Schumann).

Schellenberger-Ernst, Dagmar, *1958 Oschatz (Sachsen); sie studierte 1977–83 an der Carl Maria von Weber-Musikhochschule von Dresden bei Ilse Hahn. 1982 wurde sie Preisträgerin beim A. Dvořák-Wettbewerb in Karolvy Vary (Karlsbad), 1983 beim Nationalen Concours der DDR. Noch als Studentin sang sie 1983 an der Komischen Oper Berlin die Xenia im «Boris Godunow» von Mussorgsky. Seit 1984 Mitglied dieses Opernhauses. Mit dem Ensemble der Komischen Oper Berlin gastierte sie in Wien und München. 1984 Gastspiel am Opernhaus von Leipzig, 1985 an der Staatsoper Dresden als Ännchen im «Freischütz». Auf der Bühne trat sie vorzugsweise in Partien aus dem Koloratur- und dem lyrischen Fach auf, übernahm dann aber auch Partien wie die Agathe im «Freischütz» (Komische Oper Berlin, 1989). Als Konzertsängerin von großer Begabung erwies sie sich u. a. bei den Leipziger Gewandhauskonzerten und bei den Händel-Festspielen in Halle (Saale).
Schallplatten: Capriccio (Eurydike im «Orpheus» von Gluck).

Schemtschuk, Ludmilla, Mezzosopran, *1948 (?) Donezk in der Ukraine; sie wuchs in einem sehr musikalischen Elternhaus heran, beide Eltern waren Sänger. Sie studierte am Konservatorium von Odessa und begann ihre Bühnenkarriere 1970 am Opernhaus von Minsk. Dort blieb sie sechs Jahre lang tätig und folgte dann 1977 einem Ruf an das Bolschoj Theater Moskau, zu dessen führenden Sängerpersönlichkeiten sie bald gehörte. 1978 gewann sie beim Moskauer Tschaikowsky-Wettbewerb eine Goldmedaille. Sie debütierte am Bolschoj Theater als Pauline in Tschaikowskys Oper «Pique Dame» und hatte dort wie an anderen Bühnen ihre Erfolge in Partien wie der Azucena im «Troubadour», der Amneris in «Aida», der Prinzessin Eboli in Verdis «Don Carlos», der Dorabella in «Così fan tutte», der Olga im «Eugen Onegin», der Marfa in «Khovantchina» von Mussorgsky, der Ulrica in Verdis «Ballo in maschera», der Laura in «La Gioconda» von Ponchielli, der Carmen, der Charlotte in Massenets «Werther», der Marina im «Boris Godunow», der Ortrud im «Lohengrin» und der Fricka im Nibelungenring. 1983 erregte sie auf internationaler Ebene bei Konzerten in Wien Aufsehen. Seit 1985 war sie als ständiger Gast an der Wiener Staatsoper zu hören. Dort sang sie unter Claudio Abbado 1986–88 die Laura in «La Gioconda», die Marina im «Boris

Godunow», die Ulrica in «Un Ballo in maschera» und 1989 mit besonderem Erfolg die Marfa in «Khovantchina». Seit 1985 Gastspiele an den Staatsopern von München und Hamburg. Sie gastierte an der Mailänder Scala, bei den Festspielen in den römischen Thermen des Caracalla, an der Staatsoper von Stuttgart (1987 als Santuzza in «Cavalleria rusticana») und bei den Festspielen in der Arena von Verona, wo sie 1985 die Azucena im «Troubadour» zum Vortrag brachte. Weitere Gastspiele und Konzerte in Finnland, Bulgarien und Ungarn. Der Name der Künstlerin kommt auch in der Schreibweise Ludmilla Semtschuk vor.
Schallplattenaufnahmen der staatlichen russischen Produktion (Melodiya); sie sang auf CBS in einer vollständigen Aufnahme von Mussorgskys «Salammbô».

Schenkl, Rudolf, Bariton, *23. 6. 1909 Marktredwitz (Bayern); studierte zuerst am Konservatorium von Nürnberg, dann 1929–33 an der Musikhochschule München und war auch Schüler von Carl Beines in Darmstadt. 1934 erfolgte sein Bühnendebüt am Stadttheater von Bielefeld als Ottokar in Webers «Freischütz». Er blieb bis 1939 in Bielefeld und war dann 1939–41 am Stadttheater von Osnabrück tätig. 1941 wurde er an das Opernhaus von Frankfurt a. M. verpflichtet, dem er bis zum Ende des Zweiten Weltkrieges angehörte. Hier hatte er in Partien wie dem Scarpia in «Tosca», dem Tonio im «Bajazzo», dem Orest in Glucks «Iphigenie in Aulis», dem Kühleborn in «Undine» von Lortzing, dem Gérard in «Andrea Chénier» von Giordano und dem Klingsor im «Parsifal» seine Erfolge. Am 13. 1. 1942 wirkte er in der Frankfurter Uraufführung der Oper «Columbus» von Werner Egk mit. Nach dem Zweiten Weltkrieg gab er 1947–50 Gastspiele an verschiedenen deutschen Theatern, ging dann 1950 als Spielleiter (seit 1951 Oberspielleiter) nach Gelsenkirchen. Er lebte in Tecklenburg (Westfalen) und war als Gastregisseur, u. a. am Theater von Duisburg und der Oper von Teheran wie an westfälischen Freilichtbühnen tätig.

Schexnayder, Brian, Bariton, *18. 9. 1953 Port Arthur (Texas); er erhielt seine Ausbildung zum Sänger hauptsächlich an der Juilliard Music School New York. Während seines Studiums sang er dort bereits Partien wie den Germont-père in Verdis «La Traviata», den Renato in «Un ballo in maschera» und den Sharpless in «Madame Butterfly». Er begann seine Karriere in erster Linie als Konzertsänger und gastierte nur gelegentlich bei Operngesellschaften in Nord- und Südamerika. Im Dezember 1980 debütierte er dann an der Metropolitan Oper New York als Silvio im «Bajazzo». In den folgenden Spielzeiten hörte man ihn dort zunächst in kleineren, dann auch in großen Rollen: als Enrico in «Lucia di Lammermoor» von Donizetti, als Lescaut in «Manon Lescaut» von Puccini, als Marcello in dessen «La Bohème» und als Guglielmo in «Così fan tutte». Nachdem er in seiner amerikanischen Heimat durch Gastspiele (New Orleans, 1979; Cincinnati, 1985, 1987) und Konzerte bekannt geworden war, gastierte er in der Saison 1982–83 an der Grand Opéra Paris als Marcello in «La Bohème», 1987 als Valentin im «Faust» von Gounod. 1982 bei den Festspielen von Spoleto, 1987 an der Oper von Nizza zu Gast.

Schiebener, Karl, Tenor, * 25. 10. 1905; er war nacheinander am Landestheater Detmold (1935–36), am Stadttheater Krefeld (1936–39), am Stadttheater Aachen (1939–40), am Stadttheater Erfurt (1940–1941), am Opernhaus von Breslau (1941–42) und am Theater von Königsberg (Ostpreußen, 1942–44) engagiert. Nach dem Zweiten Weltkrieg kam er 1946 an das Opernhaus von Köln, dessen Mitglied er bis zu seinem Bühnenabschied im Jahre 1959 blieb. In Köln nahm er an den deutschen Erstaufführungen der Opern «Iwan der Schreckliche» von Bizet (1952) und «Dialogues des Carmélites» von F. Poulenc (1957) teil. Er sang auf der Bühne vor allem Partien aus dem Buffo- und Charakterfach, war zugleich auch als Konzertsolist erfolgreich tätig. Er verlebte seinen Ruhestand in Köln.
Schallplatten: MMS (Pedrillo in Gesamtaufnahme der Mozart-Oper «Die Entführung aus dem Serail»).

Schildknecht, Gregor, Bariton, * 18. 10. 1936 Biel (Schweiz); Gesangstudium bei Friedrich Nidetzky in Biel, dann bei Jakob Keller in Bern, an der Wiener Musikakademie bei Adolf Vogel (1962–66), bei Willy Domgraf-Fassbaender in Nürnberg (1970–75), bei Paul Lohmann in Wiesbaden und bei F. Carino in Düsseldorf. Er begann seine Bühnenlaufbahn mit einem Engagement am Staatstheater von Oldenburg (1965–67), sang dann am Landestheater Coburg (1968–73), am Landestheater Detmold (1973–74), an den Vereinigten Bühnen Krefeld-Mönchengladbach (1974–77) und am Stadttheater von Bielefeld (1977–80). Seit 1980 gab er Gastspiele an führenden Theatern. Im Lauf seiner Karriere war er an den Staatsopern von Berlin, Stuttgart und Hamburg, an der Deutschen Oper am Rhein Düsseldorf–Duisburg, an den Staatstheatern von Hannover, Braunschweig und Karlsruhe, an den Stadttheatern von Heidelberg, Mainz und Lübeck, von Bern und St. Gallen, am Grand Théâtre Genf, an der Niederländischen Oper Amsterdam, am Théâtre de la Monnaie Brüssel, am Nationaltheater Prag, in Rotterdam, Antwerpen, Straßburg und Nancy zu Gast. Er sang ein vielseitiges Bühnenrepertoire mit Partien aus Opern von Mozart, Rossini, Donizetti, Verdi (Rigoletto, Graf Luna, Macbeth, Germont-père, Amonasro, Posa im «Don Carlos», Carlos in «La forza del destino»), Puccini (Scarpia, Sharpless), R. Wagner (Wolfram im «Tannhäuser»), Offenbach (vier Dämonen in «Hoffmanns Erzählungen»), Lortzing, R. Strauss (Mandryka in «Arabella») bis hin zu zeitgenössischen Meistern der Oper. Im Konzertsaal kam er als Solist in Oratorien wie auch als Lieder- und Balladensänger zu einer erfolgreichen Karriere in Deutschland, Holland und in seiner Schweizer Heimat, wo er in Nidau im Kanton Bern seinen Wohnsitz nahm.

Schiller, Frank, Bariton, * 1962 Dresden; er gehörte zwar dem Dresdner Kreuzchor an, hatte aber eigentlich nicht die Absicht, Gesang zu studieren, sondern wollte Mathematik- und Physiklehrer werden. Während seiner Militärdienstzeit trat er in das Alfred-Frank-Ensemble in Leipzig ein und sang an der Musikhochschule Dresden vor, worauf er sofort dort angenommen und durch Mathias Weichert ausgebildet wurde. Bereits in seinem dritten Studienjahr 1984 sprang er für seinen Lehrer bei den Sächsischen Landesbühnen Dresden–Radebeul in der Partie des Grafen im «Wildschütz» von Lortzing ein. Später sang er am Theater von Dessau den Falke in der «Fledermaus» und den Silvio im «Bajazzo». Er trat in das Studio der Staatsoper Dresden ein, wurde dort in einigen Partien eingesetzt und schließlich als Solist in das Ensemble des Hauses übernommen. Er wurde Preisträger beim Dvořák-Wettbewerb in Karlovy Vary (Karlsbad) und beim Bach-Wettbewerb in Leipzig, beim Nationalen Concours 1987 in Gera und 1989 beim Robert-Schumann-Wettbewerb in Zwickau. In Dresden sang er neben Partien aus dem Standard-Repertoire in den zeitgenössischen Opern «Die weiße Rose» von Udo Zimmermann und «Marsyas» von Thomas Heyn. Neben dem Oratoriengesang widmete er sich dem Liedvortrag in einem umfangreichen Repertoire, das auch Werke aus der Gegenwart enthielt.

Schiller, Kathi, Sopran, * 1830 Wien, † (?); sie zeigte schon als Kind eine ungewöhnliche musikalische Begabung; im Alter von zehn Jahren trat sie in einem Konzert auf. Sie begann das Gesangstudium bei dem Wiener Pädagogen Giovanni Gentiluomo, der sie für die Laufbahn einer Opernsängerin vorbereitete. Der Direktor Carl des nach ihm benannten Wiener Theaters überredete sie aber, an seinem Haus in Operetten aufzutreten. Ihr Debüt wurde jedoch durch die Revolutionsereignisse des Jahres 1848 verhindert, und so kam dies am Theater von Laibach (Ljubljana) zustande. 1849 begann sie dann ihre Wiener Karriere am Carl-Theater als Pepi in Nestroys «Eulenspiegel». Sie hatte sogleich große Erfolge und wurde zum Liebling des Wiener Publikums, das in ihr die Nachfolgerin der unvergessenen Therese Krones erblickte. Ihre Erfolge steigerten sich noch, nachdem sie 1852 an das Theater an der Wien gewechselt hatte, dem sie für sechs Jahre angehörte. 1858 ging sie an das Theater in der Leopoldstadt, gab aber bereits 1863 ihre glänzende Karriere auf. Ihre anmutige Erscheinung, ihr temperamentvolles Bühnenspiel, ihr heiterer Optimismus, den sie ausstrahlte, aber auch ihre hübsche Koloraturstimme ließen sie in vielen Operettenpartien, vor allem aber im Wiener Lokalstück, ihre Triumphe feiern.

Schilling, Martha, Sopran, * 1908 (?); sie war Schülerin von Oscar Rees in Berlin und trat seit dem Beginn der dreißiger Jahre als Konzertsängerin in Erscheinung. Seit 1935 hörte man sie regelmäßig bei Konzertveranstaltungen in Hamburg, seit 1936 in Berlin, seit 1941 in Köln. Große Erfolge hatte sie u. a. auch 1937 in Bremen, 1941 in Leipzig und nach dem Zweiten Weltkrieg 1949 beim Bach-Fest in Ansbach. Sie galt als große Bach-Interpretin,

brachte aber im Konzertsaal ein weitläufiges und sehr vielseitiges Repertoire zu Gehör. Bei ihren häufigen Auftritten an deutschen Rundfunksendern trug sie auch Opernarien vor, hat aber keine eigentliche Bühnenkarriere entfaltet. Ihre Karriere kam in den fünfziger Jahren zum Ausklang.
Schallplattenaufnahmen auf Polydor-DGG (Magnificat von J. S. Bach) und Remington (Weihnachtsoratorium von J. S. Bach).

Schimon, Ferdinand, Tenor, * 6. 4. 1797 Budapest, † 29. 8. 1852 München; er kam frühzeitig nach Wien, wollte zunächst Maler werden und ließ sich in dieser Kunst durch den Wiener Maler Lampi ausbilden. Der große Komponist Franz Schubert, zu dessen Freundeskreis er gehörte, wies ihn auf seine Begabung zum Sänger hin. Nach kurzem Studium debütierte er 1824 am Königlichen Hoftheater von München, dessen Mitglied er bis zu seiner Pensionierung 1840 blieb. Er sang dort ein umfangreiches Repertoire, blieb aber auch als Maler tätig und erlangte auf diesem Gebiet fast noch größeres Ansehen als in seiner Sängerkarriere. Er galt als hervorragender Porträtist und Genremaler. Er malte Porträts des Zaren Nikolaus I. von Rußland, aller württembergischen Prinzessinnen und eins des berühmten Komponisten Louis Spohr. Bei einer Ausstellung im Wiener Salon erregte er 1842 mit seinen Bildern «Schlafendes Mädchen» und «Die besorgte Mutter» Aufsehen. Sein Sohn Adolf Schimon (1820–87) war ein bedeutender Komponist und Dirigent und heiratete die Sängerin *Anna Schimon-Regan* (1841–1902).

Schindler, Katharina, s. unter *Bergopzoomer, Katharina.*

Schindler, Regina, Sopran, * 16. 10. 1863 Wien, † (?); sie erhielt ihre Ausbildung durch Otto Uffmann und Carl Maria Wolf in Wien. Sie begann ihre Karriere mit einem Engagement am Stadttheater von Dortmund 1882. Anschließend sang sie an den Stadttheatern von Magdeburg, Basel und Linz (Donau) und 1888–92 am Opernhaus von Düsseldorf, 1892–95 am Hoftheater von Kassel und 1895–97 am Stadttheater («Opernhaus») von Hamburg. Sie lebte dann noch gastierend in Hamburg. Sie brachte vor allem Partien aus dem dramatischen Fachbereich zum Vortrag: die Aida, die Donna Anna im «Don Giovanni», die Carmen, die Agathe im «Freischütz», die Santuzza in «Cavalleria rusticana», die Senta im «Fliegenden Holländer», die Brünnhilde im Nibelungenring, aber auch die Frau Fluth in den «Lustigen Weibern von Windsor», die Pamina in der «Zauberflöte» und die Marguerite im «Faust» von Gounod. Dazu war sie in ähnlich vielseitiger Weise als Konzertsolistin zu hören.

Schlaffenberg, Matthias, Tenor, * 1865 in Polen, † 13. 1. 1913; der Sänger, dessen eigentlicher Name Matteusz Szlafenberg war, debütierte 1887 am Opernhaus von Lemberg (Lwów) unter dem Pseudonym «Matteo» als Manrico im «Troubadour». Nach einem erfolgreichen Gastspiel am Deutschen Theater Prag wurde er 1888 an dieses Haus berufen

und sang dort bis 1891. 1892 wirkte er am gleichen Theater in der deutschsprachigen Erstaufführung der Oper «Hexen» («Heksen») des dänischen Komponisten August Enna mit. 1891–92 sang er am Theater von Graz, 1892–96 am Opernhaus von Breslau, 1896–97 am Stadttheater von Bremen und 1897–98 am Opernhaus von Riga. Anschließend war er nur noch gastierend tätig. Er hatte erfolgreiche Gastauftritte an der Wiener Hofoper (1891), am Theater des Westens Berlin (1899), am Opernhaus von Warschau (1902) und vor allem an der Oper von Lemberg. Um die Jahrhundertwende gastierte er auch mehrfach in Rußland, doch verfiel er mehr und mehr dem Alkohol, so daß seine Stimme rasch nachließ. Später lebte er unter ärmlichsten Bedingungen. (Der große Tenor Leo Slezak berichtet in seinen Erinnerungen von einer Begegnung mit ihm unter diesen Verhältnissen). In seiner Glanzzeit war er durch die strahlende, mühelose Höhe seiner Tenorstimme berühmt und sang bevorzugt Partien wie den Arnoldo in Rossinis «Wilhelm Tell», den Titelhelden in «Robert le Diable» von Meyerbeer, den Raoul in dessen «Hugenotten», den Eleazar in «La Juive» von Halévy, den Faust von Gounod, den Canio im «Bajazzo», den Max im «Freischütz», den Lohengrin und den Tannhäuser.
Schallplatten: Grammophone (Arie des «Eleazar» aus «La Juive» von 1902; vielleicht existieren weitere Aufnahmen).

Schloßhauer, Annelise, Mezzosopran, * 19. 9. 1910 Straßburg (Elsaß); sie erhielt ihre Ausbildung in den Jahren 1936–39 an der Akademie der Tonkunst in München und war 1939–45 als Pädagogin am Salzburger Mozarteum beschäftigt. 1941–45 sang sie gleichzeitig am Landestheater von Salzburg vor allem dramatische Alt- und Mezzosopran-Partien. Als Konzertsolistin hatte sie bei den Salzburger Festspielen wichtige Erfolge; so sang sie dort 1940 im Mozart-Requiem und 1941 in der c-moll-Messe von Mozart. 1945 verlegte sie ihre Tätigkeit nach Frankfurt a. M. Sie wirkte dort als Konzertsängerin und als geschätzte Gesangpädagogin. Zu ihren Schülern gehörte die Sopranistin Johanna Lotte Fecht. 1959 folgte sie einem Ruf als Dozentin an die Musikhochschule Saarbrücken und wurde dort später Professorin.
Die Künstlerin sang in den Jahren nach 1950 auf der Marke MMS in Ausschnitten aus den Opern «Die Verkaufte Braut» von Smetana, «Die Meistersinger» und «Lohengrin» (als Ortrud) von R. Wagner.

Schlosshauer-Reynolds, Eleanor, Alt, * 1890 (?); die Künstlerin lebte zu Beginn der zwanziger Jahre unseres Jahrhunderts in Berlin, ging von dort aus einer intensiven Gastspieltätigkeit nach und war zugleich als Konzertsängerin international bekannt. Gastweise trat sie 1918 in Leipzig, 1920 in Köln und München sowie, ebenfalls 1920, beim Mahler-Fest in Wien auf. 1920 unternahm sie eine Nordamerika-Tournee und gehörte dann 1921–22 als Mitglied der Oper von Chicago an. 1922–25 war sie an der Berliner Großen Volksoper im Engagement. 1926 Gastspiel am Opernhaus von Köln. 1928 und 1935 trat sie

sehr erfolgreich in Berlin als Konzertaltistin in Erscheinung. Auf der Bühne sang sie Partien wie die Azucena im «Troubadour», die Amneris in «Aida», die Brangäne im «Tristan» und die Herodias in «Salome» von Richard Strauss, im Konzertsaal ein umfassendes Repertoire aus allen Bereichen der Musikliteratur.
Schallplatten: HMV (Alt-Solo in der Missa solemnis von Beethoven unter Bruno Kittel, elektrisch aufgenommen).

Schmid, Coloman, Tenor, * 29. 12. 1829 Pillichsdorf, † 15. 11. 1905 Wien; seine Bühnenkarriere begann mit einem Engagement am Theater von Kaschau (Kosiče) in der Spielzeit 1855–56; er sang dann am Opernhaus von Laibach (Ljubljana, 1856–57), am Hoftheater von Wiesbaden (1857–58) und am Theater von Düsseldorf (1858–59). Nachdem er eine Reihe von erfolgreichen Gastspielauftritten absolviert hatte, war er 1860–61 am Stadttheater von Stettin, 1861–63 am Deutschen Theater Budapest und in der Saison 1863–64 am Kaiserlichen Hoftheater Moskau im Engagement. Es folgten Verpflichtungen an der Berliner Hofoper (1864–65), am Stadttheater von Hamburg (1865–67), dann ein längeres Engagement am Opernhaus von Frankfurt a. M., dem er 1867–72 als erster Tenor angehörte. In gleicher Position sang er 1872–76 am Theater von Breslau, danach in den Jahren 1876–80 am Stadttheater von Straßburg, von wo aus er nochmals für die Jahre 1880–82 nach Breslau zurückkehrte. Bis Mitte der achtziger Jahre gab er noch Gastspiele und Konzerte. In den Jahren nach 1890 lebte er in Warnsdorf in Böhmen, verzog aber schließlich nach Wien und war dort im pädagogischen Bereich tätig. In den zwei Jahrzehnten zwischen 1860 und 1880 gab er erfolgreiche Gastspiele an den großen deutschen Opernhäusern (Hofoper Dresden, Hoftheater Hannover), an der Wiener Hofoper und an der Oper von Lemberg (Lwów). Seine großen Partien waren der Gennaro in Donizettis «Lucrezia Borgia», der Edgardo in «Lucia di Lammermoor», der Alamir in «Belisario» von Donizetti, der Titelheld in «Robert le Diable» von Meyerbeer, der Masaniello in «La muette de Portici» von Auber, der Albert in «Le Lac des Fées» vom gleichen Komponisten, der Ernani von Verdi und der Manrico im «Troubadour». Er ist auch unter dem Namen Koloman-Schmid aufgetreten.

Schmid-Bloss, Karl, Baß-Bariton, * 1. 12. 1883 Stuttgart, † 21. 2. 1956 Zürich; er begann seine Karriere 1908 am Stadttheater von Heidelberg, kam von dort für die Spielzeit 1910–11 an das Theater von St. Gallen, war 1911–13 am Opernhaus von Brünn (Brno) und 1913–14 am Theater von Reichenberg (Liberec) engagiert. Während des Ersten Weltkrieges war er 1914–18 als Soldat zum Kriegsdienst in der deutschen Armee eingezogen. 1919 folgte er einem Ruf an das Stadttheater (Opernhaus) von Zürich und wirkte dort bis 1930 als Sänger. 1930–32 leitete er als Direktor das Theater von St. Gallen, 1930–47 das Stadttheater von Zürich. Von den vielen Opernpartien, die er dort sang, sind der Osmin in der

«Entführung aus dem Serail», der Titelheld im «Don Giovanni», der Graf in «Figaros Hochzeit», der Agamemnon in «Iphigenie in Aulis» von Gluck, der Pizarro im «Fidelio», der Kaspar im «Freischütz», der Rigoletto, der Falstaff von Verdi, der Amonasro in «Aida», der Jago im «Othello», der Escamillo in «Carmen», der Abul Hassan im «Barbier von Bagdad» von P. Cornelius, die vier Dämonen in «Hoffmanns Erzählungen», der Jochanaan in «Salome» von R. Strauss, der Ochs im «Rosenkavalier», der Scarpia in «Tosca», der Conte Gil in Wolf-Ferraris «Segreto di Susanna» und der Holofernes in «Judith» von A. Honegger hervorzuheben, dazu die Wagner-Heroen vom Fliegenden Holländer bis zum Klingsor. 1922 sang er in Zürich in der Uraufführung der Oper «Venus» von Othmar Schoeck unter der Leitung des Komponisten den Raimond, 1928 in der Schweizer Erstaufführung von dessen «Pentheselea» den Achilles. Nach 1947 trat er als Regisseur u. a. an der Grand Opéra Paris, am Teatro Liceo Barcelona und an der Oper von Bordeaux in Erscheinung.

Schmidt, Andreas, Bariton, * 1960 Düsseldorf; umfassende musikalische Ausbildung, darunter Klavier- und Orgelspiel sowie Dirigieren, in Düsseldorf. Dort erfolgte auch sein Gesangstudium bei Ingeborg Reichelt. Weitere Fortbildung bei Dietrich Fischer-Dieskau in Berlin. Preisträger bei einem Gesangwettbewerb 1982 in Berlin, 1983 Gewinner des Deutschen Musikwettbewerbs. 1984 erfolgte sein Bühnendebüt an der Deutschen Oper Berlin als Malatesta im «Don Pasquale» von Donizetti. Seitdem kam der junge, hoch begabte Künstler an dieser Bühne zu großen Erfolgen, u. a. als Guglielmo in «Così fan tutte», als Zar in «Zar und Zimmermann» von Lortzing, als Wolfram im «Tannhäuser» und als Titelheld in der Uraufführung der Oper «Oedipus» von Wolfgang Rihm (4. 10. 1987). Am 5. 5. 1990 wirkte er dort in der Uraufführung von Hans-Werner Henzes «Das verratene Meer» mit. Erfolgreiche Gastspiele an der Covent Garden Oper London (1986 als Valentin im «Faust» von Gounod, 1989 als Guglielmo), an den Staatsopern von München (1986 Guglielmo in «Così fan tutte»), Wien (1988–89 Wolfram im «Tannhäuser») und Hamburg (1986 Zar in «Zar und Zimmermann»). 1987 Gastspiele in Nancy und Angers, bei den Festspielen von Wiesbaden als Guglielmo in «Così fan tutte». Noch bedeutendere Karriere als Konzertsänger, und hier sowohl auf dem Gebiet des Oratoriums wie des Liedvortrags; er trat in Konzertsälen in zahlreichen europäischen Ländern, in Israel, Nord- und Südamerika auf und sang unter Dirigenten wie Colin Davis, Carlo Maria Giulini, Wolfgang Sawallisch, Leonard Bernstein und Giuseppe Sinopoli.
Bekannt wurde er auch durch eine Anzahl schöner Schallplattenaufnahmen, die auf DGG (Requiem von Gabriel Fauré, «Ein deutsches Requiem» von J. Brahms, «Lieder aus des Knaben Wunderhorn» von J. Brahms, Wolfram im «Tannhäuser», Matthäuspassion), Philips (Valentin im «Faust»), HMV (Geisterbote in «Die Frau ohne Schatten» von R. Strauss, Donner im «Rheingold»), HMV-Harmonia mundi («Così fan tutte»), Primavera (Lieder

von R. Schumann und Hugo Wolf), Intercord (h-moll-Messe von J. S. Bach), HMV-Electrola (Chor-Balladen von R. Schumann), Panton («Der neue Psalm» von Antonin Rejcha) und auf CBS (Markus-Passion von Ph. E. Bach) herausgebracht wurden.

Schmidt, Karl, Bariton, *1. 8. 1895 Wien, †3. 8. 1950 München; Ausbildung in Wien. 1921–22 war er am Stadttheater von Bamberg, 1922–25 am Landestheater von Altenburg in Thüringen, 1925–26 am Landestheater Dessau, 1926–28 wieder in Altenburg, 1928–30 am Stadttheater Lübeck und 1930–35 am Landestheater Braunschweig engagiert. 1935 folgte er einem Ruf an die Bayerische Staatsoper München, deren Mitglied er bis zu seinem Tod geblieben ist. 1925 sang er am Theater von Altenburg den Giovanni in der deutschen Erstaufführung von Zandonais «Francesca da Rimini»; am 24. 7. 1938 wirkte er in München in der Uraufführung der Richard-Strauss-Oper «Der Friedenstag» mit. Er begann seine Theaterkarriere als lyrischer Bariton, fügte dann eine Anzahl von heldischen Rollen in sein Repertoire ein, die er zu Beginn seines Münchner Engagements sang, ging aber schließlich ins Charakterfach über. Zu nennen sind: der Pizarro im «Fidelio», der Donner und der Alberich im Nibelungenring, der Storch im «Intermezzo» von R. Strauss, der Dietrich im «Armen Heinrich» von H. Pfitzner, der Titelheld im «Wozzeck» von A. Berg, der Telramund im «Lohengrin», der Rigoletto, der Ochs im «Rosenkavalier», der Francesco in «Mona Lisa» von Max von Schillings, der Titelheld in «Holofernes» von N. von Reznicek, der Kruschina in der «Verkauften Braut», der Melot im «Tristan» und der Sima in «Ero der Schelm» von Gotovac. Auch als Konzert- und Oratoriensänger aufgetreten.

Schmidt, Peter-Jürgen, Tenor, *25. 1. 1941 Meiningen (Thüringen); er erlernte zuerst den Beruf eines Werkzeugmachers. Nachdem man seine schöne Stimme entdeckt hatte, erfolgte deren Ausbildung an der Franz Liszt-Musikhochschule in Weimar durch Elfriede Kern. Seit 1968 war er am Nationaltheater Weimar engagiert (Antrittsrolle: Oberto in «Alcina» von Händel). Er blieb bis 1980 Mitglied dieses Hauses und ging dann 1981 als erster Tenor an die Staatsoper Berlin. Gastspiele und Konzerte trugen ihm in den Musikzentren der DDR, an der Covent Garden Oper London, an der Nationaloper von Oslo, an den Theatern von Linz (Donau), Salzburg und Graz, in Westdeutschland, Japan und Korea bedeutende Erfolge ein. 1989 gastierte er bei den Festspielen von Schwetzingen als Bacchus in «Ariadne auf Naxos» von Richard Strauss. Am 14. 7. 1989 wirkte er an der Berliner Staatsoper in der Uraufführung der Oper «Graf Mirabeau» von Siegfried Matthus in der Partie des Königs Louis XVI. mit. Aus seinem umfangreichen Rollenrepertoire für die Bühne sind noch der José in «Carmen», der Titelheld in «Hoffmanns Erzählungen» von Offenbach, der Radames in «Aida», der Cavaradossi in «Tosca», der Walther von Stolzing in den «Meistersingern», der Lohengrin, der Laça in «Jenufa» von

Janáček und der Titelheld in «Die Verurteilung des Lukullus» von Paul Dessau hervorzuheben. Schallplatten: Eterna («Levins Mühle» von Udo Zimmermann, «Graf Mirabeau» von S. Matthus).

Schmidt, Wilma, Sopran, *1925 (?); sie war in Hannover Schülerin des Pädagogen Laurenz Hofer. 1949 debütierte sie am Staatstheater Hannover und blieb an diesem Haus bis zu ihrem Bühnenabschied 1989, also vierzig Jahre lang, tätig. Sie sang hier ein sehr umfangreiches Rollenrepertoire, das Partien aus der deutschen, der italienischen, der französischen wie auch der slawischen Opernliteratur umfaßte. Im einzelnen sind zu erwähnen: die Leonore im «Fidelio», die Agathe im «Freischütz», die Sieglinde in der «Walküre», die Gutrune in der «Götterdämmerung», die Katharina in «Der Widerspenstigen Zähmung» von H. Goetz, die Herzogin von Parma in «Doktor Faustus» von Busoni, die Marschallin im «Rosenkavalier», die Rosalinde in der «Fledermaus», die Elsa im «Lohengrin» wie die Eva in den «Meistersingern» (zwei ihrer größten Kreationen), die Fiordiligi in «Così fan tutte», die Donna Elvira im «Don Giovanni», die Amelia in Verdis «I Masnadieri», die Leonore in «La forza del destino», die Elisabetta im «Don Carlos», die Alice Ford in Verdis «Falstaff» (eine weitere Hauptrolle), die Giorgietta in Puccinis «Il Tabarro», die Tatjana im «Eugen Onegin», die Jenufa in der Oper gleichen Namens von Janáček und die Titelfigur in «Manon Lescaut» von Puccini. Sie sang bei den Bayreuther Festspielen des Jahres 1961 die Freia, die Gutrune und die Ortlinde im Nibelungenring. Von weiteren Gastspielen seien Auftritte am Opernhaus von Nürnberg (1968, 1979) genannt.

Schmidt, Wolfgang, Tenor, *1956 Kassel; Gesangstudium 1976–82 an der Musikhochschule von Frankfurt a. M. bei Martin Gründler; für besondere Leistungen erhielt er dort ein Stipendium der Hindemith-Stiftung. Bereits während des Studiums sang er bei der Pocket Opera Nürnberg. Sein erstes Bühnenengagement hatte er 1982–84 am Theater von Hof (Bayern). 1984–86 war er am Theater von Kiel, 1986–88 am Opernhaus von Dortmund tätig. Hier sang er (mit dreißig Jahren) einen viel beachteten Othello in der gleichnamigen Verdi-Oper und wurde darauf 1988 an die Deutsche Oper am Rhein verpflichtet. 1983–87 wirkte er bei den Festspielen von Eutin als Tamino in der «Zauberflöte», als Max im «Freischütz» von Weber und als Hüon in «Oberon», ebenfalls von Weber, mit. Am Opernhaus von Essen war er als Dimitrij im «Boris Godunow» und 1990 als Hermann in Tschaikowskys «Pique Dame» zu Gast, am Staatstheater von Karlsruhe als Lohengrin, am Staatstheater von Hannover als Othello wie als Bacchus in «Ariadne auf Naxos» von R. Strauss. Weitere Gastspiele in Wuppertal (Florestan im «Fidelio»), an der Staatsoper Stuttgart (Florestan, Max im «Freischütz») und vor allem an der Staatsoper Berlin, an der man ihn als Florestan, als Lohengrin, als Erik im «Fliegenden Holländer» und als Pedro in «Tiefland» von E. d'Albert hörte. Den Erik sang er auch 1989 bei den Festspielen von Bregenz. Sein

erfolgreiches Wirken auf der Bühne wurde durch eine internationale Karriere auf dem Konzertpodium begleitet. So sang er in Konzerten, vor allem als Solist in Oratorien, bei den Festspielen von Wiesbaden, beim Festival von Flandern und beim Festival de Wallonie, bei Festspielveranstaltungen in Madrid und Mexico City, in Parma und Glasgow, in Polen und in Venezuela. 1988 sang er das Tenorsolo in Beethovens Missa solemnis unter Wolfgang Sawallisch in Madrid und Florenz, 1989 gab er ein glanzvolles Opernkonzert in Prag. Rundfunksendungen im deutschen, belgischen, französischen Rundfunk und Fernsehauftritte runden die Karriere des Sängers ab, der sich in deren weiterem Verlauf dann auch auf den Wagner-Gesang spezialisierte.
Schallplatten: Capriccio («Ozeanflug» von K. Weill).

Schmidt-Glänzel, Lisbeth, Sopran, * 24. 12. 1916 Chemnitz; Gesangstudium bei M. Stephan-Mundt in Chemnitz. 1949 debütierte sie am Nationaltheater Weimar, an dem sie als dramatische Sopranistin eine lange, erfolgreiche Karriere hatte. 1951–52 war sie auch an der Staatsoper von Dresden engagiert, 1960–67 Mitglied des Opernhauses von Leipzig. Sie trat weiter an den Staatstheatern von Dessau und Schwerin und an der Berliner Staatsoper auf; hinzu trat eine ausgedehnte Konzerttätigkeit. Nach Abschluß ihrer Bühnenlaufbahn war sie im pädagogischen Bereich tätig und widmete sich der Ausbildung des Sängernachwuchses am Theater der Altmark in Stendal.

Schmidt-Stein, Ingeborg, Sopran, * 1904 (?); sie begann (unter dem Namen Ingeborg Stein) ihre Karriere in der Spielzeit 1928–29 am Stadttheater von Heidelberg, setzte dann ihre Ausbildung weiter fort und trat, wie auch später immer wieder, als Konzert- und Liedersängerin auf. 1932–33 bestand ein Engagement am Staatstheater von Wiesbaden, 1933–37 war sie am Stadttheater von Magdeburg tätig und 1937–44 als erste Sopranistin an der Berliner Volksoper engagiert. Hier wirkte sie 1940 in der deutschen Erstaufführung der Oper «Der Ring der Mutter» des griechischen Komponisten M. Kalomiris in der Rolle der Erophile mit. Neben ihrem Berliner Engagement erfüllte sie 1940–42 einen Gastvertrag mit dem Staatstheater Hannover. Nach dem Zweiten Weltkrieg trat sie häufig an der Berliner Staatsoper wie an der Komischen Oper Berlin auf. Bereits 1940 sang sie als Gast an der Staatsoper Wien. Sie sang vor allem das Repertoire für Koloratur- wie für lyrischen Sopran mit Partien wie der Konstanze in der «Entführung aus dem Serail», der Susanna in «Figaros Hochzeit», der Fiordiligi in «Così fan tutte», der Frau Fluth in Nicolais «Lustigen Weibern von Windsor», der Titelfigur in «Undine» von Lortzing, der Norina im «Don Pasquale», der Traviata, der Philine in «Mignon» von A. Thomas und der Sophie im «Rosenkavalier». Ab Mitte der fünfziger Jahre betätigte sie sich in Hannover als Gesanglehrerin.
Von ihrer Stimme sind zahlreiche Schallplattenaufnahmen vorhanden; sie erschienen, Soloaufnahmen

wie Duette, beim Schallplatten-Volksverband, bei Tri-Ergon, Odeon und Parlophon. Unter dem Etikett von Oceanic singt sie in einer vollständigen Aufnahme der «Lustigen Weiber von Windsor» die Frau Fluth (Mitschnitt einer Rundfunksendung).

Schneider, Kurt, Baß, * 29. 3. 1911 Käfertal-Mannheim, † 4. 1. 1986 Mannheim; er war der Sohn eines Lehrers; seine Bühnenkarriere begann er nach seiner Ausbildung 1932 am Stadttheater von Freiburg i. Br. Die weiteren Stationen seiner Tätigkeit waren die Theater von Görlitz, Salzburg und Karlsbad (Karlovy Vary). Gegen Ende des Zweiten Weltkrieges wurde er zur Armee eingezogen und geriet in Kriegsgefangenschaft. Bereits 1945 folgte er einem Ruf an das Nationaltheater Mannheim. An diesem Haus hat er in verdienstvoller Weise während 30 Jahren gewirkt und wurde schließlich zum Ehrenmitglied des Theaters ernannt. Noch in der Spielzeit 1984–85 stand er auf der Bühne des Mannheimer Theaters, an dem er in über 200 Rollen aus allen Bereichen des Repertoires, großen wie kleinen Aufgaben, auftrat. So hat er allein in den «Meistersingern» sechs verschiedene Partien vorgetragen. Zu nennen sind weiter der Bartolo in «Figaros Hochzeit», der Leporello in «Don Giovanni», der Rocco im «Fidelio», der Stadinger im Waffenschmied der Mephisto im «Faust», von Gounod und der Ochs im Rosenkavalier. Er starb als Opfer eines tragischen Verkehrsunfalls.
Seine Stimme erscheint auf einer Gedenk-Platte des Mannheimer Theaters mit einer Arie aus dem «Postillon von Lonjumeau».

Schoberlechner, Sophie, Sopran, * 1807 St. Petersburg, † Januar 1864 Florenz; sie war die Tochter eines italienischen Gesanglehrers, der sich in der russischen Residenz St. Petersburg niedergelassen hatte und hieß mit ihrem eigentlichen Namen Sofia dall' Occa. Sie wurde durch ihren Vater zur Sängerin ausgebildet. 1824 heiratete sie ganz jung den aus Wien stammenden Pianisten und Komponisten Franz Schoberlechner (1797–1843), der schon mit zehn Jahren als Wunderkind Klavierkonzerte gegeben hatte und 1823 nach Rußland kam, wo man ihn in ungewöhnlicher Weise ehrte. Nach ihrer Eheschließung trat die Künstlerin zunächst als Konzertsolistin auf. 1827 wurde sie dann an die Hofoper von St. Petersburg verpflichtet, an der sie eine überaus erfolgreiche Karriere hatte. Man gewährte ihr in St. Petersburg ein für damalige Verhältnisse riesiges Jahresgehalt von 20 000 Rubel. Sie sang dort auch 1827 in der Uraufführung einer Oper ihres Gatten, «Il Barone di Dolzheim». Trotz der glänzenden Erfolge, die das Ehepaar in St. Petersburg hatte, verließen die beiden Künstler 1831 Rußland und nahmen ihren Wohnsitz in einer Villa in der Nähe von Florenz. 1833 sang die gefeierte Primadonna während einer Saison an der Wiener Oper. Auch an den großen italienischen Bühnen kam sie zu Erfolgen; so sang sie an der Mailänder Scala u. a. am 10. 3. 1837 in der Uraufführung der Oper «Il Giuramento» von Saverio Mercadante die Partie der Elisa. 1839 erschien sie am Teatro Ravvighi von Pisa in Donizettis

«Gemma di Vergy», gab aber 1840 aus gesundheitlichen Gründen ihre Karriere auf. Als Franz Schoberlechner 1843 starb, kam seine Gattin schließlich doch wieder in die russische Hauptstadt zurück und wirkte dort auf dem Gebiet der Gesangpädagogik. Sie starb in Florenz.

Schocke, Johannes, Tenor, * 5. 10. 1903 Oberhausen, † 28. 10. 1976 Hamburg; er erhielt seine Ausbildung bei Richard Senff in Düsseldorf sowie an der Musikhochschule Berlin. Er begann seine Bühnenlaufbahn mit einem Engagement am Stadttheater Würzburg 1925–27 und sang 1927–30 am Opernhaus von Düsseldorf. Es schlossen sich Verpflichtungen am Landestheater Darmstadt (1930–32), am Stadttheater Magdeburg (1932–33) und seit 1933 (bis zur Schließung der deutschen Theater im letzten Kriegsjahr 1944) am Opernhaus von Köln an. Hier war er beim Publikum sehr beliebt und brillierte in Partien wie dem Max im «Freischütz», dem Hüon im «Oberon» von Weber, dem Erik im «Fliegenden Holländer», dem Walther in den «Meistersingern», dem Lohengrin, dem Galba in «Die toten Augen» von E. d' Albert, dem Francesco in «Don Juan letztes Abenteuer» von P. Graener, dem Manrico im «Troubadour», dem Herzog im «Rigoletto», dem Radames in «Aida», dem Titelhelden in Verdis «Don Carlos», dem Turiddu in «Cavalleria rusticana», dem Rodolfo in «La Bohème», dem Cavaradossi in «Tosca», dem Faust von Gounod, dem José in «Carmen» und dem Dimitrij im «Boris Godunow». 1940 sang er in Köln in der deutschen Erstaufführung der Oper «Orseolo» von I. Pizzetti die Rolle des Ranieri Fusinea. Nach 1945 lebte er in Hamburg, wo er noch bis 1953 regelmäßig an der dortigen Staatsoper auftrat und einen Gastvertrag mit dem Staatstheater Braunschweig erfüllte. Nach Auftritten am Hamburger Operettenhaus 1954–55 zog er sich von der Bühne zurück und wirkte in Hamburg als Pädagoge.

Schöffel, Josef, Tenor, * 1881 Hof (Bayern), † 27. 9. 1952 Hof; er debütierte 1907 an der Hofoper von Dresden als Walther von der Vogelweide im «Tannhäuser». 1909–12 war er an der Berliner Hofoper engagiert, 1912–15 am Stadttheater von Lübeck, dann 1915–21 am Hoftheater (Staatstheater) von Karlsruhe, 1921–23 am Stadttheater von Elberfeld-Barmen, schließlich 1923–24 am Opernhaus von Brno (Bünn). Seit 1924 lebte er in seiner Heimatstadt Hof und unternahm von dort aus Gastspiel- und Konzertreisen. Dabei brachte er auf der Bühne ein umfangreiches Repertoire zum Vortrag, Partien wie den Tamino in der «Zauberflöte», den Florestan im «Fidelio», den Faust von Gounod, vor allem aber Wagner-Heroen wie den Tannhäuser, den Erik im «Fliegenden Holländer», den Tristan, den Siegmund wie den Siegfried im Nibelungenring und den Parsifal.
Von seiner Stimme sind eine Anzahl interessanter Schallplattenaufnahmen vorhanden, darunter Soli und Ensembleszenen auf HMV, akustische Homochord-Platten mit Arien, auf Polydor Duette mit Eduard Habich.

Schöneweiss, Willy, Baß-Bariton, 1908 (?); er war zuerst als Chorist am Stadttheater von Hagen (Westfalen) tätig (1930–33) und kam dann als Solist 1933 zu seinem ersten Engagement am Opernhaus von Dortmund, an dem er bis 1936 blieb. In den Jahren 1936–39 wirkte er am Stadttheater von Bremen, in den folgenden zehn Jahren 1939–49 am Staatstheater Hannover. 1949–51 war er am Opernhaus von Düsseldorf verpflichtet, ging dann aber wieder nach Hannover zurück, wo er jetzt von 1951 bis zu seinem Abschied von der Bühne 1971 blieb. In Hannover wirkte er in den Uraufführungen der Opern «Das königliche Opfer» von G. Vollerthun (1942 als Talleyrand), «Der Kuckuck von Theben» von E. Wolf-Ferrari (1943 als Theopompus) und «Boulevard Solitude» von H. W. Henze (1952 als Lilaque père), in Düsseldorf in der Uraufführung der Oper «Troilus und Cressida» von W. Zillig (1951 als Tersites) mit. Aus seinem Bühnenrepertoire seien als Glanzrollen der Osmin in der «Entführung aus dem Serail», der Leporello im «Don Giovanni», der van Bett in «Zar und Zimmermann» von Lortzing, der Baculus in dessen «Wildschütz», der Beckmesser in den «Meistersingern», der Alberich im Nibelungenring, der Ochs im «Rosenkavalier», der Waldner in «Arabella» von R. Strauss, der Doktor im «Wozzeck» von Alban Berg, der Mephisto in «Dr. Johannes Faustus» von H. Reutter, der Geronimo in Cimarosas «Il matrinio segreto», der Bartolo im «Barbier von Sevilla», der Sparafucile im «Rigoletto», der König Philipp in Verdis «Don Carlos», der Teufel in «Schwanda der Dudelsackpfeifer» von Weinberger, der Cuperus in der «Zaubergeige» von W. Egk und der Tommaso in «Tiefland» von d'Albert festgehalten. Der Künstler, der als ausgezeichneter Darsteller galt, war gleichzeitig als Operetten- wie als Konzertsänger bekannt.
Schallplatten: Imperial (Solo-Aufnahmen), Decca (Operetten-Querschnitte).

Scholz, Dieter, Baß, * 1. 1. 1932 Dresden; sein Gesangstudium fand an der Musikhochschule von Dresden statt, wo er Schüler von H. Meißner und von H. Winkler war. Er begann zunächst eine Karriere als Operettensänger in Leipzig, ging dann aber 1975 zur Oper über und spezialisierte sich auf das Buffo- und Charakterfach. Seit 1981 war er Mitglied des Opernhauses von Leipzig. Hier wie bei Gastspielen an den Bühnen der DDR und, zusammen mit dem Leipziger Ensemble, auch auf internationaler Ebene hatte er seine Erfolge in Rollen wie dem Papageno in der «Zauberflöte», dem Bartolo im «Barbier von Sevilla» von Rossini, dem van Bett in «Zar und Zimmermann» von Lortzing, dem Alfonso in «Così fan tutte», dem Falstaff in den «Lustigen Weibern von Windsor» von Nicolai und dem Kezal in der «Verkauften Braut» von Smetana.

Scholze, Rainer, Baß, * 13. 5. 1940 im Sudetenland; er wuchs in der Nähe von Dresden auf und wurde an der Musikhochschule Köln ausgebildet. 1962–66 war er als Chorsänger am Stadttheater von Lübeck tätig, wo er durch den Dirigenten Gerd Albrecht gefördert wurde und gelegentlich in kleineren Rollen auftrat.

Nach weiterem Studium wurde er 1966 als Solist in das Lübecker Ensemble übernommen, dem er bis 1970 angehörte. In der folgenden Spielzeit 1970–71 war er am Staatstheater von Braunschweig und dann für zehn Jahre am Staatstheater von Kassel (1971–81) im Engagement. 1981–83 sang er am Theater von Kiel und ging darauf an das Theater am Gärtnerplatz München. Er gastierte u. a. 1967 bei den Festspielen von Eutin, an den Staatsopern von Dresden (1985) und Hamburg. Man schätzte ihn vor allem als Interpreten von Buffo-Partien wie dem Kezal in Smetanas «Verkaufter Braut» (1987 München), dem van Bett in «Zar und Zimmermann» von Lortzing, dem Ochs im «Rosenkavalier», in Mozart- und Rossini-Partien.
Schallplatten: Ariola-Eurodisc (Masetto im «Don Giovanni»), HMV (Reinmar von Zweter im «Tannhäuser»).

Schomberg, Martin, Tenor, * 7. 11. 1944 Höxter (Westfalen), er erhielt seine Ausbildung an der Musikhochschule Hamburg als Schüler von Frau Maya Stein und von Jakob Stämpfli. 1972 debütierte er am Stadttheater von Mainz als Lenski im «Eugen Onegin» von Tschaikowsky. Er kam zu einer erfolgreichen Karriere an den Opernhäusern von Köln und Basel, an der Staatsoper von Hamburg, an der Deutschen Oper am Rhein Düsseldorf–Duisburg und war Mitglied des Opernhauses von Zürich. Hier wirkte er 1975 in der Uraufführung des Opernwerks «Ein wahrer Held» von G. Klebe in der Partie des Shawn Keogh mit. Auch bei den Festspielen von Salzburg aufgetreten; nicht zuletzt als Konzertsolist bekannt geworden. Sein Bühnenrepertoire enthielt hauptsächlich lyrische Partien wie den Belmonte in der «Entführung aus dem Serail», den Don Ottavio im «Don Giovanni», den Tamino in der «Zauberflöte», den Nencio in Haydns «L'infeldeltà delusa», den Florindo in «Le donne curiose» von Wolf-Ferrari, den italienischen Sänger im «Rosenkavalier» von R. Strauss und den Alfred in der Operette «Die Fledermaus» von J. Strauß.

Schreiber, Flora, Sopran, * 2. 4. 1825 Teschen (heutige ČSFR), † (?); ihr eigentlicher Name war Flora Kirchberger. Ihre Begabung als Sängerin wurde sehr früh konstatiert, und nach kurzem Studium sang sie bereits 1841 bei einer reisenden Operngesellschaft die Titelpartie in Bellinis «Norma». Es schloß sich ein dreijähriges weiteres Studium in Wien an, worauf sie 1844–45 am Wiener Theater in der Josefstadt sang. 1845 wurde sie Mitglied des Deutschen Theaters Prag. Von hier aus unternahm sie erfolgreiche Gastspiele an der Berliner Hofoper, am Hamburger Stadttheater, an den Hoftheatern von Schwerin und Weimar. In Schwerin lernte sie den Tenor *Karl Schreiber* kennen, den sie heiratete. Bis 1848 blieb sie in Prag tätig. 1848 gab sie wiederum erfolgreiche Gastspiele am Theater von Breslau und an den Hoftheatern von Braunschweig und Kassel. Sie wurde im Herbst 1848 an die Hofoper von Stuttgart verpflichtet. Dort wie bei Gastspielen am Opernhaus von Leipzig erreichte die Karriere der Sängerin ihren eigentlichen Höhepunkt. Sie sang vor allem

Partien für Koloratursopran und galt als große Schauspielerin. Sie ist auch als Flora Schreiber-Kirchberger aufgetreten. Über den Ausgang ihrer Karriere und ihr weiteres Schicksal liegen keine genaueren Nachrichten vor.

Schreibmayer, Kurt, Tenor, * 1953 Klagenfurt; seit 1975 Studium an der Musikhochschule Graz bei G. Hornik. Er debütierte 1976 in Graz und begann seine Bühnenkarriere mit einem Gastengagement am Opernhaus von Graz 1977–78. Dann wurde er Mitglied der Wiener Volksoper, zu deren Ensemble er seitdem gehörte. Dazu bestanden Gastverträge mit dem Theater am Gärtnerplatz München (1987–88), der Deutschen Oper am Rhein Düsseldorf-Duisburg (seit 1987), der Staatsoper Hamburg (seit 1987) und dem Opernhaus von Zürich (seit 1988). 1984 war er bei den Festspielen von Bregenz zu Gast, 1987 gastierte er am Théâtre de la Monnaie Brüssel als Stewa in Janáčeks «Jenufa», 1989 an der Opéra de Wallonie Lüttich als Lohengrin. Seit 1986 trat er bei den Bayreuther Festspielen hervor; dort hörte man ihn 1986 als Froh im «Rheingold» und als Kunz Vogelsang in den «Meistersingern», 1987 als Gralsritter im «Parsifal», als Walther von der Vogelweide im «Tannhäuser» und wieder als Kunz Vogelsang, 1988–89 als Froh und als Parsifal. Sein Bühnenrepertoire war vielseitig und enthielt sowohl Charakter- wie heldische Partien darunter den Titelhelden in «Fra Diavolo» von Auber, den Babinsky in «Schwanda der Dudelsackpfeifer» von Weinberger, den Pedro in «Tiefland» von d'Albert, den Gomez in «Die drei Pintos» von Weber / G. Mahler, den Stewa in «Jenufa», den Lohengrin (1988–89 Opéra de Wallonie Lüttich), den Morosow in Janáčeks «Aus einem Totenhaus», den Wenzel in «Kleider machen Leute» von Zemlinsky und den Max im «Freischütz», den er 1988 sehr erfolgreich an der Wiener Volksoper sang. Er widmete sich auch dem Operettengesang in Partien wie dem Jan im «Bettelstudenten» von Millöcker, dem Bolislaw in «Polenblut» von Nedbal und dem Stefan in «Die ungarische Hochzeit» von Nico Dostal. Auch als Konzertsänger aufgetreten.
Schallplatten: Austro Mechana (Operettenszenen).

Schreiner, Elisabeth, Sopran, * 1924 (?); sie war zunächst Chorsängerin am Theater von Annaberg (1943–44), setzte dann ihre Studien fort und war 1949–52 als Solistin am Stadttheater von Kaiserslautern engagiert. 1952–55 sang sie am Landestheater von Coburg, 1955–59 am Stadttheater von Krefeld, 1959–65 am Stadttheater von Mainz. Sie wandte sich nun zunehmend dem Wagner-Repertoire zu, das auch im Mittelpunkt ihres langjährigen Wirkens am Nationaltheater Mannheim stand, dem sie 1966–82 als reguläres Mitglied und dann noch für eine Reihe von Jahren als Gastsängerin angehörte. Gastspiele, vornehmlich auch als Wagner-Interpretin, führten sie an große Theater in Deutschland wie im Ausland. Seit 1970 sang sie mehrfach als Gast an der Staatsoper von Wien u. a. die Brünnhilde im Ring-Zyklus und die Senta im «Fliegenden Holländer»; 1967 hörte man sie an der Oper von Bordeaux, 1971 an der Staatsoper von München, 1972 am Teatro Liceo

Barcelona und am Teatro Regio Turin. An der Grand Opéra Paris gastierte sie 1972 als Brünnhilde, an der Covent Garden Oper London, ebenfalls 1972, als Senta. Weitere Gastspiele führten sie an die Opernhäuser von Graz (1973), Köln und Nizza wie an das Theater von Vichy. Neben den bereits genannten Rollen enthielt ihr breit gefächertes Bühnenrepertoire Partien wie die Elisabeth im «Tannhäuser», die Ortrud im «Lohengrin», die Fricka, die Sieglinde und die Gutrune im Nibelungenring, die Isolde im «Tristan», die Marschallin im «Rosenkavalier», die Ariadne in «Ariadne auf Naxos», die Färbersfrau in der «Frau ohne Schatten», die Gräfin im «Capriccio» von Richard Strauss, die Lady Macbeth in «Macbeth» von Verdi, die Amelia in dessen «Simon Boccanegra», die Elisabetta im «Don Carlos», die Tosca wie die Turandot in den gleichnamigen Puccini-Opern, die Dolly in «Sly» von E. Wolf-Ferrari, die Aida, die Küsterin in Janáčeks «Jenufa» und die Jocaste in «Oedipus Rex» von Strawinsky. Auch als Konzertsolistin behauptete sie eine angesehene Stellung innerhalb ihrer künstlerischen Generation.

Schreiner, Emmerich, Baß-Bariton, * 1875, † 1954 bei Feldbach (Steiermark); er wurde in Wien zum Sänger ausgebildet, hatte sein erstes Engagement am Theater von Bielitz (Biala) und war dann nacheinander am Stadttheater Koblenz (1902–03), am Stadttheater Klagenfurt (1903–04) und am Theater von Olmütz (Olomouc, 1903–05) tätig. Nach weiteren Studien wirkte er 1906–08 am Stadttheater Aachen, 1908–13 an der Hofoper München und 1913–18 am Stadttheater (Opernhaus) von Hamburg. Während des letztgenannten Engagements wurde er zeitweilig zum Kriegsdienst eingezogen. 1919–30 war er als Sänger und später auch als Regisseur am Theater von Graz verpflichtet. Seine Gastspiele an den Theatern von Bremen (1903) und Brünn (Brno, 1904), am Opernhaus von Frankfurt a. M. (1911) und an der Wiener Staatsoper (1919) trugen ihm große Erfolge ein. Seit 1908 war er wiederholt an der Hofoper von Stuttgart zu Gast. Seine großen Bühnenpartien waren der Figaro in «Figaros Hochzeit» wie im «Barbier von Sevilla», der Sprecher in der «Zauberflöte» der Graf Luna im «Troubadour», der Colonna in Wagners «Rienzi», der Fliegende Holländer, der Kurwenal im «Tristan», der Hans Sachs wie der Beckmesser in den «Meistersingern», der Alberich im Nibelungenring, der Ochs wie der Faninal im «Rosenkavalier» und der Graf Gil in «Susannens Geheimnis» von Wolf-Ferrari.

Schroetter, Hermann, Tenor, * 28. 11. 1842 Berlin, † 2. 8. 1897 Braunschweig; er war in Berlin Schüler von Elsner und Hein. 1869 begann er seine Sängerlaufbahn am Hoftheater von Neustrelitz und wechselte in der folgenden Spielzeit an das Hoftheater von Schwerin. Hier sang er 1870–73 und folgte dann einem Ruf an das Hoftheater von Braunschweig. Bis 1896 gehörte er zu den führenden Kräften dieses Hauses, wo er vor allem im heldischen und im Wagner-Repertoire zu großen Erfolgen kam. Gastspiele ließen seinen Namen weithin bekannt werden; so

gastierte er an den Opernhäusern von Köln und Frankfurt a. M., am Hoftheater von Hannover und in den Jahren 1871 und 1880 an der Hofoper von Wien. Richard Wagner schätzte den Künstler sehr und erwog, ihm die Partie des Siegfried für die erste Aufführung des Nibelungenrings in Bayreuth zu übertragen. Dies erwies sich jedoch als undurchführbar, da der Braunschweiger Hof nicht bereit war, den Sänger für längere Zeit zu beurlauben.

Schubert, Erika, Mezzosopran, * 6. 4. 1920 Graz; sie war am Konservatorium von Graz Schülerin von H. Thöny und Franz Mixa. 1940–41 war sie als Elevin am Opernhaus von Graz engagiert. 1942–44 sang sie am Stadttheater von Straßburg. 1945 kam sie wieder an das Opernhaus von Graz, an dem sie jetzt in einer über vierzigjährigen Karriere sehr beliebt wurde. Bei den Festspielen von Bayreuth wirkte sie 1953 als Roßweiße, 1962 als Helmwige in der «Walküre» mit. Sie war zu Gast an der Grand Opéra Paris (1957), am Opernhaus von Nürnberg (1959), am Théâtre de la Monnaie Brüssel (1960, 1964, 1966), an der Staatsoper Wien, an der Deutschen Oper am Rhein Düsseldorf–Duisburg, an den Opern von Rom, Toulouse und Lyon. Von den vielen Partien, die sie auf der Bühne gesungen hat, sind zu erwähnen: die Marcellina in «Figaros Hochzeit», die Irmentraud im «Waffenschmied» von Lortzing, die Frau Reich in den «Lustigen Weibern von Windsor» von Nicolai, die Magdalene in den «Meistersingern», die Mary im «Fliegenden Holländer», die Erda wie die Floßhilde im Nibelungenring, die Herodias in «Salome» von R. Strauss, die Klytämnestra in «Elektra», die Maddalena im «Rigoletto», die Ulrica in Verdis «Maskenball», die Quickly in dessen «Falstaff», die Marthe im «Faust» von Gounod, der Nicklaus in «Hoffmanns Erzählungen», die Wirtin im «Boris Godunow» und der Orlowsky in der «Fledermaus». Auch als Konzertsängerin kam sie zu einer bedeutenden Karriere.
Schallplatten: Westminster (Nibelungenring).

Schubert, Ida, Sopran, * 31. 3. 1871, † (?); der Name der Sängerin verdient festgehalten zu werden, weil sie am 23. 12. 1893 in der Uraufführung von Humperdincks «Hänsel und Gretel» am Hoftheater von Weimar die Partie des Hänsel gesungen hat; die denkwürdige Aufführung der Märchenoper, die bald ihren Siegeszug um die ganze Welt antrat, stand unter der Leitung von Richard Strauss. (Ursprünglich hatte sie die Gretel singen sollen und Pauline de Ahna, die spätere Gattin von Richard Strauss, den Hänsel. Da diese sich aber kurz vor der Aufführung einen Fuß verstauchte, übernahm Ida Schubert die Rolle des Hänsel, die seit der zweiten Aufführung dann durch Pauline de Ahna gesungen wurde). Ida Schubert war im Jahr zuvor, 1892, an das Hoftheater von Weimar engagiert worden, wo sie das Stimmfach der Soubrette vertrat. Bis 1896 blieb sie in Weimar tätig, scheint dann jedoch kein weiteres Solisten-Engagement angenommen zu haben. Anläßlich ihres 70. Geburtstages 1941 wird sie nochmals erwähnt; damals lebte sie in Leipzig. Es ist möglich, daß sie mit einer gleichnamigen Choristin identisch ist, die seit 1896 an verschiedenen deutschen Theatern im Engagement war (1896–98 Freiburg i. Br., 1898–99 Barmen, 1899–01 Erfurt, 1901–02 Detmold, 1902–03 Trier, 1904–05 Mühlhausen im Elsaß, 1906–07 Hoftheater Sondershausen, 1907–08 Kiel).

Schubert, Roland, Baß-Bariton, * 25. 10. 1962 Gentha (Kreis Jessen, Bezirk Cottbus); bereits mit sechs Jahren erhielt er Unterricht im Blockflöten- und Gitarrespiel, später beim Kantor der örtlichen Kirchengemeinde auch im Klavierspiel. Nachdem er bereits im Leipziger Gewandhauschor und im Extrachor des Opernhauses Leipzig gesungen hatte, studierte er seit 1981 Zahnmedizin, ließ aber zugleich seine Stimme ausbilden. Seit 1983 widmete er sich an der Felix Mendelssohn-Bartholdy-Musikhochschule Leipzig ausschließlich dem Gesangstudium und war Schüler von Christian Polster. 1989 erwarb er sein Staatsdiplom. Er wurde sogleich an das Opernhaus von Leipzig verpflichtet, wo er als Papageno in der «Zauberflöte» und als Zettel (Bottom) in «A Midsummer Night's Dream» von Benjamin Britten Aufsehen erregte. Eine umfangreiche Tätigkeit als Konzert- und Oratoriensänger brachte dem jungen Sänger in Leipzig wie bei Gastspielauftritten wichtige Erfolge.

Schuch, Liesel von, Sopran, * 12. 12. 1891 Dresden, † 10. 1. 1990 Dresden; sie war die Tochter eines berühmten Künstlerehepaares: ihr Vater Ernst von Schuch (1846–1914) war Violinvirtuose, später einer der führenden Dirigenten seiner Epoche, der während seines Wirkens an der Hofoper von Dresden 1873–1914 dieses Opernhaus zu einer künstlerischen Hochblüte führte und durch seine musikalische Leitung der ersten Richard Strauss-Opern in deren Uraufführungen in Dresden weltbekannt wurde. Ihre Mutter war die bis 1894 ebenfalls an der Dresdner Hofoper gefeierte Koloratursopranistin *Clementine Schuch-Proska* (1850–1932). Liesel von Schuch studierte zuerst bei ihrer Mutter, dann in Wien und wurde bereits frühzeitig in das Dresdner Ensemble berufen. An der Dresdner Staatsoper sang sie seit 1914, nur von gelegentlichen Gastspielen (u. a. in Wien) unterbrochen, bis 1935 eine große Karriere durchlaufen und wurde, wie ihre Mutter, zu deren Ehrenmitglied ernannt. Sie sang hier ein umfangreiches Rollenrepertoire, das sowohl Partien aus dem Koloratur- wie aus dem lyrischen Stimmfach enthielt. Am 4. 11. 1924 wirkte sie in Dresden in der Uraufführung der Richard Strauss-Oper «Intermezzo» mit. Neben ihrem Wirken auf der Bühne war sie eine angesehene Konzertsopranistin. Sie arbeitete nach ihrem Rücktritt von der Bühne 1935–67 als Pädagogin an der Dresdner Musikhochschule und lebte später hochbetagt in Dresden. Die Stadt Dresden ernannte sie zur Ehrenbürgerin. Bis in ihr hohes Alter nahm sie am kulturellen Leben der Stadt regen Anteil. Sie war verheiratet mit dem Opernsänger *Leopold Ullmann* (* 25. 1. 1882, † 16. 10. 1917 Graz, 1909–1915 am Hoftheater Dessau, dann bis zu seinem Tod in Graz engagiert). Ihre ältere Schwester *Käthe von Schuch* (* 18. 3. 1885 Dresden) war

1910–11 am Hoftheater von Dessau engagiert und trat nach ihrer Heirat später als Konzertsängerin auf.
Es ist nicht zu begreifen, daß von der Stimme der Künstlerin keine Schallplattenaufnahmen vorhanden sind.

Schuegraf, Eduard, Bariton, * 6. 12. 1851 München, † 14. 12. 1928 München; er erhielt seine Ausbildung in München und war zunächst als Konzertsänger tätig. Nachdem er weitere Studien absolviert hatte, wurde er für die Saison 1882–83 an die Münchner Hofoper engagiert. 1883–84 sang er am Stadttheater von Basel, 1884–85 am Stadttheater von Stettin und 1885–88 am Theater von Nürnberg. Nach Verpflichtungen am Opernhaus von Breslau (1888–89) und am Hoftheater von Schwerin ((1889–90) trat er nur noch gastierend zuerst von Schwerin, später von München aus, wobei er sowohl als Opern- wie zunehmend als Konzert- und namentlich als Liedersänger hervortrat. Dabei waren so große Komponisten wie Richard Strauss und Max von Schillings seine Klavierpartner. Seit 1886 bis zur Jahrhundertwende gastierte er regelmäßig an der Hofoper von München, daneben auch an der Berliner-Kroll-Oper (1883), am Hoftheater Braunschweig (1883), am Hoftheater Kassel (1884), am Opernhaus Leipzig (1892) und an weiteren Bühnen. 1884 trat er in London in einem großen Wagner-Konzert auf. In München, wo er allseitig hoch geschätzt wurde, betätigte er sich gleichzeitig als Pädagoge; einer seiner Schüler war der Tenor Erik Wirl. Sein Opernrepertoire umfaßte Partien wie den Papageno in der «Zauberflöte», den Figaro im «Barbier von Sevilla», den Jäger im «Nachtlager von Granada» von C. Kreutzer, den Wolfram im «Tannhäuser» und den Silvio im «Bajazzo». Dazu trug er ein ausgebreitetes Konzert- und Liedrepertoire vor, in dem er sich auch für zeitgenössische Kompositionen einsetzte.

Schüller, Eduard, s. unter *Ethofer,* Rosa.

Schütz-Oldosi, Amalie, Sopran, * 23. 1. 1804 Wien, † 21. 9. 1852 Baden bei Wien; sie war die Tochter des Wiener Kartenmalers Holdhaus. Aus ihrem Familiennamen bildete sie später in Italien ihren Künstlernamen Oldosi. Ihre Begabung zeigte sich schon im Kindesalter. Die Sängerin Mme Campi hörte sie im Alter von sechs Jahren und wußte die widerstrebenden Eltern zu bewegen, daß eine Ausbildung in Gesang und Klavierspiel zustandekam. Sie sang zuerst am Wiener Theater an der Wien unter dem Intendanten Grafen von Pálffy. Dort lernte sie ihren Gatten, den Bariton und Schauspieler *Joseph Schütz* kennen. Bereits 1825 sang sie am Theater am Kärntnertor in Rossinis «La donna del Lago». Ihre größten Triumphe feierte sie jedoch in Italien; sie war eigentlich die erste deutschsprachige Sängerin, die während der Blütezeit der Belcanto-Oper in Italien zu einer großen Karriere kam. Sie sang dort an der Mailänder Scala, am Teatro San Carlo Neapel und an anderen führenden Opernhäusern Sopranpartien in den damals modernen Opern von Rossini, Bellini und Donizetti. Am 1. 6. 1836 wirkte sie am

Teatro Nuovo Neapel in der Uraufführung der Opera buffa von Donizetti «Il Campanello di notte» in der Rolle der Serafina mit, während die anderen Partien mit Giorgio Ronconi und Raffaele Casaccia besetzt waren. Bereits 1825 gab sie ihre Karriere auf und lebte wieder in Wien. Kaiser Franz II. hatte sie zur Kaiserlichen Kammersängerin ernannt. 1852 versuchte sie nochmals die Wiederaufnahme ihrer glänzenden Karriere und sang während einer Saison in London. Obwohl man an ihrer Stimme deren alten Glanz vermißte, verliefen diese Auftritte erfolgreich. Sie erkrankte dann jedoch und suchte Heilung in Baden bei Wien, starb aber noch im September des gleichen Jahres.

Schukowskaja, Glafira (Wjatscheslawowna), Sopran, * 26. 4. (8. 5.) 1898; sie war Schülerin von E. J. Konstantinow. 1921 begann sie ihre Bühnenkarriere am Theater von Samara, an dem sie zwei Jahre lang wirkte. 1923–25 gehörte sie dem Ensemble der Moskauer Zimin-Oper an. Dann folgte sie einem Ruf an das Bolschoj Theater Moskau, dessen Mitglied sie 1925–48 war. Sie hatte hier wie bei Gastspielen in den Zentren des russischen Musiklebens ihre großen Erfolge im lyrischen wie im Koloraturfach. Von ihren Bühnenpartien sind die Tatjana im «Eugen Onegin», die Titelheldin in Tschaikowskys «Jolanthe», die Antonida in «Iwan Susanin», die Ludmilla in «Ruslan und Ludmilla» von Glinka, die Titelfigur in «Snegourotchka» von Rimsky-Korssakow, die Prinzessin in «Das Märchen vom Zaren Saltan», die Violetta in «La Traviata», die Mimi in «La Bohème» und die Micaela in «Carmen» hervorzuheben. Sie war eine geschätzte Konzertsolistin und arbeitete später als Pädagogin in Moskau. 1937 wurde sie zur Volkskünstlerin der UdSSR ernannt.
Zahlreiche Aufnahmen auf Melodiya, darunter die vollständigen Opern «Eugen Onegin» und «Jolanthe» von Tschaikowsky.

Schulte, Eike Wilm, Bariton, * 13. 10. 1939 Plettenberg (Westfalen); Gesangstudium an der Musikhochschule Köln bei Clemens Glettenberg und bei Josef Metternich. Bühnendebüt 1966 an der Deutschen Oper am Rhein Düsseldorf–Duisburg als Sid in «Albert Herring» von B. Britten. 1969 ging er von dort an das Stadttheater Bielefeld, wo er bis 1973 25 große Partien seines Stimmfachs sang, darunter den Papageno in der «Zauberflöte», den Germont-père in «La Traviata» und den Ill im «Besuch der alten Dame» von G. von Einem mit Martha Mödl als Partnerin. Seit 1973 Mitglied des Staatstheaters Wiesbaden. Hier wie bei Gastspielen an den Staatsopern von München und Hamburg, den Staatstheatern von Hannover, Braunschweig, Darmstadt und Karlsruhe sang er ein ausgedehntes Repertoire aus dem Kavaliers- wie dem Charakterfach. Auslandsverpflichtungen führten ihn an die Opernhäuser von Rom, Monte Carlo und Zürich, an das Teatro Fenice Venedig (1987 als Heerrufer im «Lohengrin»), das Teatro Massimo Palermo (1988 in «Die schweigsame Frau» von R. Strauss), an das Teatro Liceo Barcelona, nach London und Bergen (Norwegen). Er sang

bei den Festspielen von Schwetzingen und beim Flandern Festival. Er wirkte in mehreren Uraufführungen von Opern des Komponisten Volker David Kirchner mit, so als Henrik in «Die Trauung» (Wiesbaden, 1974), als Babel in «Die fünf Minuten des Isaak Babel» (Wuppertal, 1980) und als Ezechiel in «Das kalte Herz» (Wiesbaden, 1981); zu seinen Glanzrollen zählte auch der Meister Florian in «Das Spielwerk und die Prinzessin» von F. Schreker. 1988 sang er bei den Festspielen von Bayreuth den Heerrufer im «Lohengrin». Große Karriere als Oratorien-, Lieder- und Rundfunksänger. Im deutschen Fernsehen sang er die Titelrolle in der Barockoper «L'Artigiano gentiluomo» von J. A. Hasse.
Schallplatten: Intergo («L'Artigiano gentiluomo» von J. A. Hasse).

Schultz, Heinrich, Baß-Bariton, * 21. 11. 1879 Stuttgart, † (?); sein Vater war Chorsänger an der Stuttgarter Hofoper, wo auch er 1901 als Chorist begann. 1903 ging er in der gleichen Eigenschaft an das Hoftheater von Weimar. Dort ließ er seine Stimme weiter durch Carl Bucha ausbilden und ergänzte diese Ausbildung durch Studien bei Luise Reuss-Belce und bei Bruno Kittel in Berlin. 1906 begann er seine Karriere als Solist am Hoftheater von Weimar, dem er bis 1912 angehörte. 1912 bis zu seiner Einberufung zum Kriegsdienst 1916 sang er an der Hofoper Berlin, konnte aber 1917–19 seine Karriere am Hoftheater Schwerin fortsetzen und war 1919–20 am Stadttheater von Bremen tätig. Dann unterbrach er seine Karriere für zwei Jahre und leitete als Betriebsdirektor eine Glashütte, trat aber auch während dieser Zeit gelegentlich auf. 1923–29 war er dann Mitglied der Staatsoper Berlin. Er sang u. a. am 6. 6. 1929 an der Berliner Kroll-Oper in der Uraufführung von Hindemiths «Neues vom Tage». Gastspiele führten ihn an die großen deutschen Theater, nach Frankreich, Belgien und Holland; bei den Festspielen von Bayreuth trat er 1911–12 und 1924–25 in seiner Hauptrolle, dem Beckmesser in den «Meistersingern», auf. Er galt als hervorragender Darsteller und ist auch immer wieder in Sprechrollen hervorgetreten. Aus seinem Opernrepertoire verdienen der Bartolo im «Barbier von Sevilla», der Giacomo in «Fra Diavolo» von Auber, der Ritter Adelhof im «Waffenschmied» von Lortzing, der Melot im «Tristan», der Titurel im «Parsifal», der König in «Aida», der Teufel im «Bärenhäuter» von Siegfried Wagner und der Homonay im «Zigeunerbaron» von J. Strauß besondere Erwähnung.

Schulz, Else, Sopran, * 18. 3. 1903 Berlin; in Berlin erhielt sie ihre Ausbildung und begann ihre Karriere als Chorsängerin am Stadttheater von Erfurt 1922–24. 1924–26 hatte sie ihr erstes Engagement als Solistin am Stadttheater von Görlitz. 1926–29 war sie Mitglied des Stadttheaters von Zürich, 1929–30 des Opernhauses von Breslau, 1930–33 des Nationaltheaters von Mannheim, 1933–35 des Staatstheaters Karlsruhe, 1935–39 der Staatsoper von Stuttgart. 1938 folgte sie einem Ruf an die Wiener Staatsoper, an der in den folgenden Jahren bis 1944 ihre Karriere ihren Höhepunkt erreichte. 1936 gastierte sie an der

Londoner Covent Garden Oper in der Titelrolle der Richard Strauss-Oper «Salome», die als ihre große Kreation galt. 1938 sang sie an der Stuttgarter Staatsoper in der deutschen Erstaufführung der Oper «Orpheus» von Alfredo Casella. Nach 1945 ist sie nur noch als Gast aufgetreten, so 1946 nochmals an der Staatsoper Wien, 1952 am Staatstheater von Kassel. Seit Beginn der fünfziger Jahre wirkte sie als Pädagogin an der Musikhochschule München. Das Bühnenrepertoire der Sängerin hatte seine Höhepunkte in Partien aus dem dramatischen Sopranfach wie der Donna Anna im «Don Giovanni», der Tosca, der Elsa im «Lohengrin», der Eva in den «Meistersingern», der Gutrune in der «Götterdämmerung», dem Komponisten in «Ariadne auf Naxos» von R. Strauss, der Titelheldin in dessen «Arabella», der Esmeralda in «Notre Dame» von Franz Schmidt und der Magda Sorel in «Der Konsul» von Menotti. Dazu war sie eine erfolgreiche Konzertsopranistin.
Schallplatten: Auf EJS kamen Szenen aus «Salome» heraus (Mitschnitte von einer Wiener Aufführung des Jahres 1942). Es ist denkbar, daß noch ähnliche Aufnahmen zum Vorschein kommen.

Schwartner, Dieter, Tenor, * 6. 2. 1938 Plauen (Vogtland), er war in Dresden vor allem Schüler von Christian Elßner und von Johannes Kemter. 1969 debütierte er am Stadttheater seiner Heimatstadt Plauen als Baron im «Wildschütz» von Lortzing. Bis 1972 war er hier im Engagement und sang dann 1972–78 am Sächsischen Landestheater Dresden-Radebeul. 1978–79 war er am Theater von Dessau verpflichtet, seit 1979 Mitglied des Opernhauses von Leipzig. Durch einen Gastspielvertrag war er mit der Staatsoper von Dresden verbunden. Er gastierte zusammen mit den Ensembles der Leipziger und Dresdner Oper in den Musikmetropolen in der DDR wie auch im Ausland. Sein Repertoire enthielt als Höhepunkte Partien wie den Tamino in der «Zauberflöte», den Faust in der Oper gleichen Namens von Gounod, den Max im «Freischütz», den Lyonel in Flotows «Martha», den Florestan im «Fidelio», den José in «Carmen», den Alvaro in «La forza del destino» von Verdi und den Walther von Stolzing in den «Meistersingern». Er wirkte an der Berliner Staatsoper in der Uraufführung der Oper «Graf Mirabeau» von Siegfried Mathus mit (14. 7. 1989). Nicht weniger von Bedeutung als Konzertsänger.

Schwartz, Magali, Mezzosopran, * 5. 4. 1943 Vevey (Kanton Waadt, Schweiz); sie war an den Konservatorien von Fribourg und Lausanne Schülerin von Juliette Bise und wurde 1972 Preisträgerin beim Internationalen Gesangwettbewerb in Genf. Sie ergänzte ihre Ausbildung durch Studien bei Huguette Tourangeau und 1974–76 bei Winifred Radford in London. Als Opernsängerin trat sie gastweise am Grand Théâtre Genf, in Lausanne, Paris und beim Berlioz Festival in Lyon auf. Dabei trug sie Partien wie den Cherubino in «Nozze di Figaro», die Dorabella in «Così fan tutte», die Dido in «Dido and Aeneas» von Purcell, die Rosina im «Barbier von

Sevilla», die Angelina in Rossinis «La Cenerentola», den Octavian im «Rosenkavalier», den Female Chorus in «The Rape of Lucretia» von B. Britten und die Eurydice in «Antigone» von A. Honegger vor. Im Konzertbereich kam sie sowohl als Oratorien- wie als Liedersängerin zu einer internationalen Karriere mit Auftritten in Zürich, Basel, Bern und Fribourg, in Paris, Genf und Lausanne, in Mailand, Lissabon, Bologna, Buenos Aires und Lima.
Schallplatten: Erato (Hohe Messe und Magnificat von J. S. Bach, Euridice in «Orfeo» von Monteverdi, Magnificat und Marienvesper, ebenfalls von Monteverdi, Motetten von de Lalande), VDE-Gallo (Zwei Psalmen von Mendelssohn).

Schwarz, Anton, Baß, * 1771 (?) Stuttgart, † 19. 10. 1830 Hamburg; der eigentliche Name des Künstlers war Peregrinus Dux. 1792 begann er seine Karriere bei der Schuch'schen Gesellschaft, und zwar, einer alten Tradition folgend, als Schauspieler wie als Sänger. Stellte er auf der Sprechbühne in erster Linie Helden- und Charakterpartien dar, so sang er als Bassist bevorzugt seriöse Rollen. Er galt als bedeutender Mozart-Interpret und war hier vor allem als Sarastro in der «Zauberflöte» und als Titelheld im «Don Giovanni» angesehen. Neben seinem Wirken als Schauspieler und Sänger betätigte er sich zunehmend als Regisseur, zuerst in Königsberg (Ostpreußen), dann in Breslau und zuletzt in Hamburg. Seine Gattin, *Josephine Schwarz-Wolschowsky* (* um 1778, † ?) war eine Tochter des Schauspielerehepaars Alois Wolschowsky (1753–1809) und Franziska Wolschowsky-Kaffka (* 1763). Auch sie war als Schauspielerin wie als Sängerin, zumeist an den gleichen Orten wie ihr Gatte, tätig. Der Familienname kommt auch in der Schreibweise Schwartz vor.

Schwarzbach, Franziska, Sopran, * 3. 4. 1825 Löbau in Sachsen, † 3. 6. 1880 Leipzig; als sie mit ihrem Vater nach Leipzig reiste, kam es dort zur Entdeckung ihrer Stimme durch den Dirigenten der Gewandhauskonzerte und Organisten der Thomaskirche August Pohlentz. Dieser sorgte für ihre Ausbildung am Konservatorium von Leipzig, das kurz zuvor durch Felix Mendelssohn-Bartholdy begründet worden war. 1846 sang die junge Künstlerin erstmals öffentlich in einem Leipziger Gewandhauskonzert. Noch im gleichen Jahr 1846 kam es zu ihrem Bühnendebüt am Opernhaus von Leipzig in der Partie der Königin Marguerite de Valois in den «Hugenotten» von Meyerbeer. 1847 wurde sie an die Hofoper von Dresden verpflichtet, ging von dort aber 1849 an das Wiener Hoftheater am Kärntnertor, an dem sie eine große Karriere hatte. Sie sang dort Partien wie die Konstanze in der «Entführung aus dem Serail», die Zerline im «Don Giovanni», die Königin der Nacht in der «Zauberflöte», die Princesse de Navarre in «Jean de Paris» von Boieldieu und viele andere Aufgaben aus dem Koloraturfach. Nachdem sie eine Reihe von Jahren hindurch in Wien gesungen hatte, verlegte sie ihre Tätigkeit an die Hofoper von München, wo sie noch in den Jahren 1860–64 auftrat.

Schweizer, Verena, Sopran, * 9. 5. 1944 Solothurn
(Schweiz); sie war am Konservatorium von Zürich
Schülerin von Sylvia Gähwiller, dann in Frankfurt
a. M. und in Basel von Elsa Cavelti, in Aachen von
Rudolf Bautz; weitere Studien bei Carlo Zattoni in
Freiburg i. Br. und bei Anna Reynolds in Mannheim. In der Saison 1971–72 begann sie ihre Bühnenkarriere bei der Aargauer Oper. 1973–75 war sie am
Stadttheater von Mainz engagiert, 1975–83 am
Opernhaus von Dortmund. Seit 1985 war die Künstlerin, die in Freiburg i. Br. lebte, als ständiger Gast
an der Staatsoper von Stuttgart verpflichtet. Gastspiele trugen ihr am Grand Théâtre Genf, an der
Hamburger Staatsoper (1985–86), an den Bühnen
von Köln und Bonn, an der Deutschen Oper am
Rhein Düsseldorf–Duisburg und bei den Ludwigsburger Festspielen (1984–85 Fiordiligi in «Così fan
tutte», 1987 und 1989 Gräfin in «Figaros Hochzeit»)
Erfolge ein. In Leeds gastierte sie mit dem Ensemble
des Dortmunder Theaters. Aus ihrem Bühnenrepertoire sind die Susanna wie die Gräfin in «Figaros
Hochzeit», die Zerline im «Don Giovanni», die Fiordiligi in «Così fan tutte», die Marzelline im «Fidelio», die Adina in «Elisir d'amore», die Micaela in
«Carmen», die Gilda im «Rigoletto», die Desdemona im «Othello» und die Nannetta im «Falstaff»
von Verdi, die Mimi in «La Bohème», die Margiana
im «Barbier von Bagdad» von Cornelius, die Sophie
im «Rosenkavalier», die Gretel in «Hänsel und Gretel», die Woglinde im Nibelungenring, die Anne
Trulove in «The Rake's Progress» von Strawinsky
und die Annina in «Eine Nacht in Venedig» von
J. Strauß zu nennen. 1986 gastierte sie in Stuttgart als
Jenufa in der gleichnamigen Oper von Janáček, 1987
in Wiesbaden als Fiordiligi. Dazu war sie eine begabte Oratorien- und Konzertsopranistin, die bei
ihren Auftritten in der Schweiz, in West- und Ostdeutschland, in Paris, Rom, Livorno, Kopenhagen
und Buenos Aires in einem umfangreichen Repertoire gastierte. 1983 wirkte sie in St. Gallen in der
Uraufführung des Te Deum von P. Huber mit.
Schallplatten: Calig («Oratorio de Noël» von Saint-
Saëns), Erato (Magnificat und weitere geistliche
Vokalmusik von Vivaldi), Harmonia mundi-Elec-
trola (Fiordiligi in «Così fan tutte»), Wergo («Cardillac» von Hindemith).

Schweska, Hans, Baß-Bariton, * 20. 10. 1901 Stok-
kerau bei Wien, † 14. 10. 1953 Mannheim; er begann
seine Bühnenlaufbahn mit einem Engagement am
Deutschen Theater Brünn (Brno) 1928–31 und sang
dann am Stadttheater von Chemnitz (1931–37) und
am Nationaltheater von Mannheim (1937–45). Am
Schluß des Zweiten Weltkriegs geriet er noch in
Kriegsgefangenschaft, konnte aber 1947 wieder
seine Karriere in Mannheim aufnehmen und blieb
bis zu seinem Tod Mitglied des Hauses. Er gastierte
1929 an der Staatsoper von Wien, 1930 an der Städtischen Oper Berlin und 1941 mit dem Mannheimer
Ensemble an der Grand Opéra Paris (als Wotan im
Nibelungenring). 1941 wirkte er in Mannheim in der
deutschen Erstaufführung von A. Dvořáks «Der Jakobiner» mit. Hatte er zu Beginn seiner Karriere
bevorzugt Partien aus dem italienischen Fach gesun-

gen, so wandte er sich später vermehrt dem Wagner-
Repertoire zu. Seine großen Rollen waren der Rigoletto, der Macbeth in Verdis Oper gleichen Namens,
der Amonasro in «Aida», der Scarpia in «Tosca»,
der Titelheld in «Gianni Schicchi» von Puccini, der
Pizarro im «Fidelio», der Lysiart in «Euryanthe» von
Weber, der Hans Sachs in den «Meistersingern», der
Wotan in den Opern des Ring-Zyklus, der Gunther
in der «Götterdämmerung», der Sebastiano in «Tiefland» von d'Albert, der Dietrich in «Der arme Heinrich» von H. Pfitzner, der Athanasius in «Das Herz»
vom gleichen Komponisten, der Kaspar in der «Zaubergeige» von W. Egk, die Titelpartien in «Cardillac» von Hindemith und «Enoch Arden» von Ottmar
Gerster. Der auch im Konzertfach angesehene Sänger war mit der Ballettmeisterin Gaby Loibl verheiratet.

Schwickardi, Harry, Bariton, * 25. 8. 1911 Dresden;
er war in Dresden Schüler von H. Meißner und
studierte zusätzlich Musikwissenschaft an der Universität von Leipzig. Seit 1937 entfaltete er von
seinem Wohnsitz Dresden aus eine rege Tätigkeit als
Konzert- und namentlich als Oratoriensänger. Bedeutender noch als sein Wirken auf diesem Gebiet
gestaltete sich seine pädagogische Arbeit. Seit 1950
war er als Dozent an der Akademie für Musik und
Darstellende Kunst in Dresden tätig, dann an der
Musikhochschule von Dresden. 1971 wurde er zum
Professor ernannt, 1976 trat er als solcher in den
Ruhestand. Großes Verdienst erwarb er sich dazu
als Leiter einer Volksmusikschule in den Jahren
1950–53, ebenfalls in Dresden. 1959 gründete er ein
«Studio für Stimmforschung» an der Dresdner Musikhochschule, nachdem er sich in intensiver Weise
mit stimmphysiologischen Problemen befaßt hatte.
Sein Ziel, die Gesangsmethodik mit grundlegenden
neuen wissenschaftlichen Erkenntnissen der Stimm-
physiologie auszustatten, fand seinen Niederschlag
in einer Reihe von Publikationen. Als seine bedeutendsten Schüler sind der Tenor Eberhard Büchner
und der Bassist Thomas Thomaschke zu nennen.

Schwind, Wolfgang Ritter von, Baß, * 4. 7. 1879 Elbo-
gen, † 19. 4. 1949 Wien; Enkel des großen Malers Moritz von Schwind (1804–71), der ein Freund von Franz
Schubert gewesen war. Er begann als Schauspieler
am Deutschen Theater Brünn (Brno, 1904–05), ging
dann aber zur Ausbildung seiner Stimme nach München. Nach einem erfolgreichen Gastspiel in «Samson
et Dalila» von Saint-Saëns im Juni 1907 wurde er an
die Hofoper Berlin berufen, an der er bis 1911 wirkte.
Dann wechselte er an das Hoftheater Karlsruhe, an
dem er 1911–16 im Engagement war, aber auch in
späteren Jahren noch als Gast auftrat. Sein Repertoire für die Bühne umfaßte Partien wie den Osmin
in der «Entführung aus dem Serail», den Pogner in
den «Meistersingern», den Hagen in der «Götterdämmerung», den Landgrafen im «Tannhäuser»,
den Ramphis in «Aida» und den Marcel in den
«Hugenotten» von Meyerbeer. In den zwanziger
Jahren wirkte er auch in kleinen Rollen in Filmen
mit. Noch 1939 trat er in einer solchen Rolle in dem

Film «Es war eine rauschende Ballnacht» auf. Er betätigte sich auch wieder als Schauspieler. Schallplatten: Pathé (um 1911), HMV (Szene Ramphis-Aida zusammen mit Ottilie Metzger-Lattermann), auch Parlophon-Aufnahmen.

Scott, Vanessa, Sopran, * 11. 4. 1955 Ely (Grafschaft Cambridgeshire); sie absolvierte ihre Ausbildung zur Sängerin 1973–79 an der Royal Academy of Music London, erwarb dort den Grad eines Bachelor of Music und ihr Diplom als Gesanglehrerin. Sie ergänzte ihre Ausbildung bei dem bekannten Bariton Gérard Souzay in Frankreich. Bereits 1979 hatte sie in Edinburgh einen ersten Erfolg in dem Liederzyklus «Illuminations» von Benjamin Britten. Dieser wiederholte sich 1982 bei einem Konzert in den Londoner Purcell Rooms. Sie trat in der englischen Hauptstadt wie in den übrigen Musikzentren des Landes als Oratorien- wie als Liedersängerin hervor, dazu kam es zu viel beachteten Radio- und Fernsehauftritten. 1983–84 wirkte sie bei den Festspielen von Glyndebourne mit und nahm 1982–83 an Gastspielen der Glyndebourne Touring Opera teil. Sie wurde mit mehreren Preisen ausgezeichnet (Minnie Hauk-Goldmedaille, Flora Nielsen-Preis).

Scotta, Emilia, Sopran, * 1825 Turin, † (?); die Künstlerin studierte zunächst Klavierspiel bei Luigi Rossi in Turin. Nachdem man auf die Qualität ihrer Stimme aufmerksam geworden war, ließ sie diese durch Santina Ferlotti in Turin, dann in Florenz und schließlich durch Pietro Romani in Mailand ausbilden. Im April 1845 debütierte sie am Teatro Canobbiana Mailand mit glänzendem Erfolg als Titelheldin in Bellinis Oper «Beatrice di Tenda». Die Kritik verglich sie schon jetzt mit der berühmten Erminia Frezzolini, die damals auf dem Höhepunkt ihrer Karriere stand. Im August 1845 wiederholte sich der Erfolg der jungen Sängerin, als sie in Brescia die Lucia di Lammermoor, die Giselda in Verdis «I Lombardi» und wieder die Beatrice di Tenda sang. Am 3. 10. 1845 wirkte sie am Theater von Varese in der Uraufführung der Oper «Alboino» von Sangalli mit; in der Saison 1845–46 erreichte sie die Mailänder Scala, sang dort die Titelfigur in Donizettis «Maria di Rohan» und in der Uraufführung von «Azema di Granata» von Lauro Rossi (21. 3. 1846). In Bergamo gastierte sie 1846 als Eleonora in Federico Riccis Oper «Rolla». Sie gab in der Folgezeit Gastspiele an den ersten Bühnen der italienischen Halbinsel wie in den Musikmetropolen der europäischen Länder. 1855–56 war sie wieder an der Mailänder Scala zu finden, diesmal als Gilda im «Rigoletto» von Verdi und in der Oper «Giovanna Giscale» von Giovanni Gaetano Rossi. Trotz der großen Erfolge, die sie überall erzielte, gab sie frühzeitig ihre Karriere auf.

Scuderi, Vincenzo, Tenor, * 1962 (?); er war der Sohn des Tenors und späteren Direktors der Grand National Opera Company Long Island *Michael Scuderi.* Auch seine Mutter *Helena Jurkiewicz-Scuderi* war Sängerin. Er begann seine Ausbildung mit 17 Jahren bei seinem Vater und sang 1985 an der Long Island Opera als erste Partien den Rodolfo in «La Bohème», den Pinkerton in «Madame Butterfly» und den Turiddu in «Cavalleria rusticana». 1987 gewann er den Gesangwettbewerb von Padua und sang im Hallenstadion in Zürich den Ismaele in Aufführungen von Verdis «Nabucco». Diese Partie wie den Radames in «Aida» sang er auch 1989 bei den Festspielen von Plovdiv und unternahm dann mit dem Festspiel-Ensemble eine Skandinavien-Tournee. Ebenfalls sang er 1989 in einer Gastspieltournee mit Verdis «Rigoletto» an dreißig französischen Theatern den Herzog in dieser Oper; an der Oper von Marseille hörte man ihn 1989 als Titelhelden in «Andrea Chénier» von Giordano.

Seebe, Magdalene, Sopran, * 22. 2. 1881 Leipzig, † (?); sie wurde am Konservatorium von Leipzig zur Sängerin ausgebildet und debütierte 1898 am Leipziger Opernhaus als Undine in der gleichnamigen Oper von Lortzing. Nachdem sie dort bis 1904 engagiert gewesen war, folgte sie 1905 einem Ruf an die Hofoper von Dresden; zuvor hatte sie 1904–05 durch nochmalige Studien in Paris ihre Ausbildung vervollständigt. 1899 war sie zu Gast am Hoftheater von Weimar, 1901 am Hoftheater von Braunschweig, 1903 am Hoftheater von Wiesbaden, 1904 am Opernhaus von Frankfurt a. M., 1906 an der Berliner Hofoper, 1908 am Opernhaus von Breslau, 1910 am Hoftheater von Mannheim. 1908 gab sie sehr erfolgreiche Konzerte in Wien. In Leipzig sang sie in der Uraufführung der Oper «Orestes» von Felix von Weingartner die Elektra (15. 2. 1902), in Dresden in der denkwürdigen Uraufführung der Richard Strauss-Oper «Elektra» die zweite Magd (21. 1. 1909). Ihr Bühnenrepertoire war vielgestaltig und gipfelte in Partien wie der Susanna in «Figaros Hochzeit», der Pamina in der «Zauberflöte», der Agathe im «Freischütz», der Elsa im «Lohengrin», der Eva in den «Meistersingern», der Anna in «Hans Heiling» von Marschner, der Marie im «Waffenschmied» von Lortzing, der Gutrune in der «Götterdämmerung», der Louise im «Bärenhäuter» von Siegfried Wagner, der Titelfigur in «Mignon» von A. Thomas, der Marguerite im «Faust» von Gounod und der Rosalinde in der «Fledermaus». Nach ihrer Heirat im Jahre 1917 gab sie ihre Karriere auf. 1928 lebte sie noch in Hannover. Schallplatten: Pathé-Platten (Berlin, 1912 mit Opernarien).

Segala, Jeanne, Sopran, * 19. 2. 1915 im französischen Departement Aveyron; ihr eigentlicher Name war Jeanne Laurans. Nach ihrem Studium am Conservatoire National Paris wurde sie 1940 an die Pariser Grand Opéra verpflichtet und debütierte dort als Marguerite im «Faust» von Gounod. Sie trat dort viele Jahre hindurch in einer Vielzahl von Rollen auf und nahm zugleich ein Engagement an der Pariser Opéra-Comique wahr (Debüt als Louise in der gleichnamigen Oper von Charpentier). Als Louise verabschiedete sie sich auch 1961 aus ihrer Bühnenlaufbahn. Sie sang als Gast an den großen französischen Opernhäusern, u. a. in Bordeaux, Toulouse, Nizza und Lille, gastierte als Opern- wie als Konzertsängerin auch in Belgien, in der Schweiz und in Spanien. 1943 sang sie in der französischen Erstaufführung der Oper «Peer Gynt» von Werner Egk an der Grand Opéra Paris die Rolle der Solveig. Aus ihrem Repertoire seien genannt: die Donna Anna im «Don Giovanni»; die Eva in den «Meistersingern», die Aida, die Desdemona in Verdis «Othello», die Thaïs von Massenet, die Rosenn in «Le Roi d' Ys» von Lalo, die Butterfly, die Tosca, die Mireille in Gounods Oper gleichen Namens und die Abla in «Antar» von Dupont.

Schallplattenaufnahmen auf Columbia (Solo-Aufnahmen, Querschnitt durch «Othello» mit Georges Thill als Partner).

Segall, Inca, s. unter *Polić,* Inca.

Segura-Tallien, Giuseppe, Bariton, * 1880 Barcelona, † 1927 Nervi bei Genua; der Künstler, dessen eigentlicher Name Josep Segura y Tallien war, erhielt seine Ausbildung in Barcelona und debütierte 1905 am dortigen Teatro Liceo. Er kam bald in seiner spanischen Heimat, dann auch bei Gastspielen in Italien, zu wichtigen Erfolgen. 1908 sang er an der Mailänder Scala den Vater in Charpentiers «Louise» unter A. Toscanini. In Italien erschien er an zahlreichen Bühnen, in den zwanziger Jahren dann auch in Südamerika, wo er 1923 am Teatro Colón Buenos Aires gastierte. Im Mittelpunkt seines Repertoires standen die großen Partien aus dem Bereich der italienischen Oper: der Alfonso in «La Favorita» von Donizetti, der Enrico in «Lucia di Lammermoor», der Graf Luna im «Troubadour», der Rigoletto, der Renato in Verdis «Ballo in maschera», der Jago in dessen «Othello», der Barnaba in «La Gioconda» von Ponchielli, der Gérard in Giordanos «Andrea Chénier» und der Alfio in «Cavalleria rusticana». Er starb ganz plötzlich während einer Italien-Tournee. Er war neben seinem Wirken als Sänger auch als Komponist tätig.

Schallplatten: Fonotipia (1907, einige davon unveröffentlicht), HMV.

Seibert, Albert, Tenor, * 1892 (?); er erhielt seine Ausbildung in Stuttgart, doch wurde sein Debüt durch den Ersten Weltkrieg verhindert. So konnte er erst 1920 am Stadttheater von Heilbronn seine Karriere beginnen, ging aber bald darauf in die USA, wo er bis 1928 als Konzertsänger auftrat. Er kehrte dann nach Deutschland zurück und ging wieder für die Spielzeit 1928–29 an das Theater von Heilbronn. 1929–31 sang er am Stadttheater von Augsburg, 1931–32 am Landestheater von Darmstadt und 1932–35 am Opernhaus von Zürich. Mit einem Engagement am Opernhaus von Frankfurt a. M. erreichte seine Karriere in den Jahren 1934–43 ihren Höhepunkt. Umfangreiche Gastspielreisen führten ihn an das Stadttheater Basel (1932, 1933), an die Staatsopern von Berlin (1933), München (1935), Hamburg (1935) und Stuttgart (1935), an die Wiener Staatsoper (1937–39), nach Sofia, Zagreb, Bukarest, Belgrad und Athen (1938), an das Théâtre de la Monnaie Brüssel (1939), an die Oper von Lüttich (1939), an das Teatro Liceo Barcelona (1941), an das

Theater von Brünn (Brno, 1942) und an die Wiener Volksoper (1943). Nach dem Zweiten Weltkrieg ist er wohl nicht mehr aufgetreten. Im Mittelpunkt seines Bühnenrepertoires standen heldische und Wagner-Partien, darunter an erster Stelle der Tannhäuser, den er im Lauf seiner Karriere über hundertmal gesungen hat. Weitere Partien des Künstlers waren der Rienzi, der Lohengrin, der Erik im «Fliegenden Holländer», der Siegmund in der «Walküre», der Walther in den «Meistersingern», der Loge im «Rheingold», der Tristan, der Hüon im «Oberon», der Florestan im «Fidelio», der Radames in «Aida», der Titelheld in Verdis «Othello», der Samson in «Samson und Dalila» von Saint-Saëns und der Arme Heinrich in der gleichnamigen Oper von Hans Pfitzner. Der Sänger, der mit der ebenfalls in Frankfurt engagierten Altistin *Gertrud Walker-Seibert* verheiratet war, hatte seinen Wohnsitz in dieser Stadt, wo er noch 1963 lebte.

Seiffert, Peter, Tenor, * 4. 1. 1954 Düsseldorf; er sang bereits in Düsseldorf in einem Knabenchor und wollte zunächst den Beruf eines Physiotherapeuten ergreifen. Er erhielt seine Ausbildung zum Sänger im wesentlichen durch M. Röhrig in Düsseldorf. 1978 begann er seine Bühnenkarriere mit einem Engagement an der Deutschen Oper am Rhein Düsseldorf–Duisburg. Bis 1980 blieb er Mitglied dieser Bühnen und folgte dann einem Ruf an die Deutsche Oper Berlin. Hier konnte er eine bedeutende Karriere im jugendlich-lyrischen Tenorfach zur Entwicklung bringen und sang Partien wie den Lenski im «Eugen Onegin», den Hans in der «Verkauften Braut» und den Hüon im «Oberon» von Weber. Große Erfolge an den Staatsopern von Wien (seit 1984) und München (Debüt 1983 als Fenton im «Falstaff» von Verdi, 1984 als Nureddin im «Barbier von Bagdad» von Cornelius, 1987 als Narraboth in «Salome» von R. Strauss) und am Stadttheater von Bern (1981 als Don Ottavio im «Don Giovanni»). 1984 erreichte er bereits die Mailänder Scala; auch an der Hamburger Staatsoper und an anderen bedeutenden Opernhäusern des deutschen Sprachgebiets zu Gast gewesen. 1987 sang er an der Covent Garden Oper London den Titelhelden im «Parsifal», 1988 am Deutschen Opernhaus Berlin den Faust von Gounod, 1989 in München den Lohengrin. Auch als Konzertsolist ausgezeichnet. So sang er in London im Mozart-Requiem unter Carlo Giulini, in Philadelphia in Beethovens 9. Sinfonie unter Riccardo Muti. Seit 1986 verheiratet mit der international bekannten Sopranistin *Lucia Popp* (* 1939).

Schallplatten: HMV-Electrola («Zar und Zimmermann» von Lortzing, «Lobgesang» von Mendelssohn, 9. Sinfonie von Beethoven, Froh im «Rheingold»), Decca («Arabella» von R. Strauss), Ariola-Eurodisc («Gianni Schicchi» von Puccini).

Seiler, Helmut, Baß-Bariton, * 23. 4. 1891, † 16. 8. 1972 Karlsruhe; er begann eine Ausbildung als Dirigent, doch wurde seine Stimme durch den berühmten Bariton Karl Scheidemantel entdeckt. Er leitete seine Bühnenkarriere mit einem Engagement am Stadttheater von Lübeck 1919–21 ein. 1921–26 war er am Stadttheater von Duisburg tätig; hier sang er 1925 in der Uraufführung der Oper «Traumspiel» von Julius Weismann. 1925–29 war er am Stadttheater Braunschweig, 1929–32 an der Staatsoper Stuttgart engagiert. Dort sang er den Gondoliere in der Uraufführung von «Der Gondoliere des Dogen» von N. von Reznicek (1931). 1932–34 sang er am Stadttheater (Opernhaus) Hamburg, dann in den Jahren 1934–41 am Staatstheater Karlsruhe, wo er 1941 in der deutschen Erstaufführung der Oper «Donata» von Scuderi mitwirkte. Wegen eines Augenleidens mußte er vorzeitig seine Bühnenkarriere aufgeben. Er war neben seinem Wirken im Bereich der Oper ein hoch angesehener Konzert-, Oratorien- und Liedersänger und wirkte später als Pädagoge an der Musikhochschule Karlsruhe. Zu seinen wichtigsten Bühnenpartien zählten der Fliegende Holländer, der Kurwenal im «Tristan», der Wotan wie der Gunther im Nibelungenring, die Titelfigur in «Kain» von E. d' Albert, der Francesco in «Mona Lisa» von Max von Schillings, der Enoch Arden in der gleichnamigen Oper von O. Gerster, der Marquis im «Stier von Olivera» von E. d' Albert, der Macbeth von Verdi, der Alfio in «Cavalleria rusticana», der Scarpia in «Tosca», der Eugen Onegin, der Oberpriester in «Samson et Dalila» von Saint-Saëns und der Kommandant im «Friedenstag» von R. Strauss.

Seipelt, Joseph, Baß, * 1787 Markt Raika im ungarischen Komitat Wieselburg, † 22. 2. 1847 Wien; sein Vater, der in seinem Geburtsort als Schulmeister und Notar tätig war, starb, als er neun Jahre alt war. Darauf besuchte er die Lateinschule bei seinem Onkel Matthäus Riediger, der Provinzial der Barmherzigen Brüder in Bratislava (Preßburg) war. Dann fand er eine Beschäftigung in einem Wiener Großhandelskaufhaus. Besuche der dortigen Operntheater und seine Bekanntschaft mit dem Kapellmeister Joseph Ritter von Seyfried führten schließlich zu einem Engagement als Chorsänger am Theater an der Wien. Der Komponist Antonio Salieri bildete ihn unentgeltlich zum Solisten aus. Er begann seine Bühnenkarriere am Opernhaus von Lemberg (Lwów), dem er drei Jahre lang angehörte, und wo er Partien wie den Sarastro in der «Zauberflöte» und den Mafferu im «Unterbrochenen Opferfest» von Winter sang. Wegen einer Erkrankung mußte er seine Karriere unterbrechen und nahm diese dann wieder am Theater von Hermannstadt (Sibiu) in Siebenbürgen auf. Hier heiratete er Clara Hoffmann, die Pflegetochter des Direktors dieses Theaters. Es folgte ein Engagement am Theater von Temesvar (Timisoara); hier hörte man ihn in Partien wie dem Don Giovanni, dem Grafen in «Figaros Hochzeit», dem Mikhéli im «Wasserträger» von Cherubini und dem Richard in der «Schweizerfamilie» von Joseph Weigl. Er blieb vier Jahre in Temesvar, anschließend drei Jahre am Theater von Linz/Donau. Von dort aus gastierte er erfolgreich an der Wiener Hofoper. Er sang an der Deutschen Oper von Budapest, am Kärntnertortheater Wien (u. a. am 25. 10. 1823 als König Louis in der Uraufführung von Carl Maria von Webers «Euryanthe»), mehrere Jahre in Kaschau (Košice), dann im ungarischen

Eperjes. Er leitete vier Jahre lang das Theater von Brody, kam dann aber endgültig nach Wien und wurde Mitglied des Theaters an der Wien. Hier sang er außer den bereits genannten Rollen den Kaspar im «Freischütz», den Minister im «Fidelio», den Bartolo in Rossinis «Barbier von Sevilla», den Brabantio in dessen «Otello», den Don Magnifico in «La Cenerentola», alles in allem ein sehr umfangreiches Repertoire. Zuletzt war er Chordirektor am Theater an der Wien. Großes Ansehen genoß er als Konzertsänger; der Wiener Magistrat verlieh ihm wegen seiner Mitwirkung bei vielen Wohltätigkeitskonzerten die Ehrenbürgerschaft der Stadt. Auch als Komponist von Vokalmusik ist er in Erscheinung getreten.

Seipt, Kurt, Bariton, * 29. 5. 1908 Leipzig; er wurde am Konservatorium von Leipzig ausgebildet und begann in dieser Stadt auch 1932 seine Bühnenlaufbahn. Über die Theater von Essen, Bremerhaven, Heilbronn und Oberhausen kam er 1945 an das Opernhaus von Halle (Saale), dem er bis 1952 angehörte. Hier betätigte er sich auch als Regisseur. 1952 wurde er an das Opernhaus von Leipzig verpflichtet, dem er als hoch geschätztes Mitglied bis 1963 angehörte. Seit 1960 nahm er eine Professur an der Leipziger Musikhochschule wahr. Gastspiele führten ihn an Bühnen in der DDR und an die Deutsche Oper am Rhein Düsseldorf–Duisburg. Von den vielen Partien, die Bestandteil seines Repertoires bildeten, sind zu nennen: der Graf in «Figaros Hochzeit», der Titelheld im «Don Giovanni», der Rigoletto, der Germont-père in «La Traviata», der Figaro im «Barbier von Sevilla» von Rossini, der Graf Eberbach im «Wildschütz» von Lortzing, der Wolfram im «Tannhäuser», der Titelheld in Tschaikowskys «Eugen Onegin», der Jeletzky in dessen «Pique Dame» und der Sharpless in «Madame Butterfly». Neben seinem Wirken auf der Bühne und auf pädagogischem Gebiet auch als Konzertsolist angesehen.
Schallplatten: Eterna.

Selbig, Ute, Sopran, * 1960 Dresden; sie war zunächst Schülerin der Bezirksmusikschule Dresden, wo sie Akkordeon, Klavierspiel und Gesang studierte. 1977 wurde sie Schülerin der Pädagogin Ilse Hahn und von Martin Flämig, dem Kreuzkantor in Dresden. 1977–84 absolvierte sie ein gründliches Musikstudium an der Carl Maria von Weber Musikhochschule Dresden. Bereits während dieser Zeit wirkte sie in Aufführungen des Kreuzchores unter der Leitung ihres Lehrers Martin Flämig mit, darunter in der Matthäuspassion von J. S. Bach, in der «Schöpfung» von Haydn und im Deutschen Requiem von J. Brahms. Im Herbst 1988 begleitete sie diesen Chor als Solistin bei seiner Japan-Tournee. Sie wurde dann Mitglied der Staatsoper Dresden. Hier hörte man sie als Zerline im «Don Giovanni», als Ännchen im «Freischütz», als Nannetta in Verdis «Falstaff», als Susanna in «Figaros Hochzeit», als Musetta in Puccinis «La Bohème» und in weiteren Partien aus dem Fachgebiet der Soubrette.
Schallplatten: DEL (Religiöse Vokalmusik von Mendelssohn und C. Saint-Saëns).

Selig, Franz-Josef, Baß, * 11. 7. 1962; zunächst Studium der katholischen Kirchenmusik an der Musikhochschule Köln, dann Ausbildung der Stimme am gleichen Institut durch Chlaudio Nicolai. Er begann eine Konzertkarriere, die u. a. mit mehreren Konzertreisen in Italien und Auftritten in Mailand, Turin, Rom, Venedig, Palermo und Siena Höhepunkte erreichte. Erfolge auch bei Konzerten in Berlin, München, Hamburg, Bremen, Köln, Düsseldorf, Bonn, Freiburg i. Br., in der Schweiz, in Frankreich, in Holland und in der Türkei; Auftritte im Westdeutschen Rundfunk Köln und im Süddeutschen Rundfunk Stuttgart kennzeichneten die Weiterentwicklung seiner Karriere, die sich dann auch auf die Opernbühne ausdehnte. 1989 wurde er als erster Bassist an das Opernhaus von Essen engagiert. Hier hörte man ihn u. a. als König in Verdis «Aida», als Herr Reich in den «Lustigen Weibern von Windsor» von Nicolai und als Ssurin in «Pique Dame» von Tschaikowsky. Als seine große Partie galt der Sarastro in der «Zauberflöte», den er im Mai 1988 in einer konzertanten Aufführung der Oper in Leverkusen und 1989 in einer Gesamt-Schallplattenaufnahme unter dem Etikett von Erato in Paris sang. Weitere Schallplattenaufnahmen: HMV-Electrola (Geistliche Vokalmusik von Mozart.)

Selimsky, Assem, Bariton, * 10. 8. 1930 Pleven (Bulgarien), er wurde durch den Pädagogen Christo Brambaroff in Sofia ausgebildet. Nachdem er diese Ausbildung 1956 zum Abschluß gebracht hatte, war er 1956–60 am Theater von Russe engagiert. 1960 wurde er an die Nationaloper von Sofia berufen, an der er bald zu den führenden Sängern des Ensembles gehörte. Länger als zwanzig Jahre wirkte er an diesem Opernhaus und wurde durch Gastspiele international bekannt. Bei den Festspielen von Glyndebourne sang er 1968 den Titelhelden im «Eugen Onegin» von Tschaikowsky, 1971 den Jeletzky in «Pique Dame», ebenfalls von Tschaikowsky. Er gastierte mit dem Ensemble der Nationaloper Sofia in Belgien (1966) und in Paris. Neben Partien aus dem slawischen Repertoire sang er vor allem Rollen aus dem italienischen Fach. So hörte man ihn als Figaro im «Barbier von Sevilla» von Rossini, als Rigoletto, als Grafen Luna im «Troubadour», als Germont-père in «La Traviata», als Renato in Verdis «Ballo in maschera», als Gérard in «Andrea Chénier» von Giordano und als Escamillo in «Carmen». Zu seinen Erfolgen auf der Bühne kamen ähnliche Erfolge im Konzertbereich.
Schallplatten: Balkanton (vollständige Oper «Krieg und Frieden» von Prokofieff), Eterna (Duette mit Ljubomir Bodurow).

Selivanow, Sergej (Iwanowitsch), Bariton, * 11. (24.) 6. 1905; er begann seine Karriere als Opernsänger am Opernhaus von Swerdlowsk (Lunatscharsky-Theater) und gehörte dann zum Ensemble des Nemirowitsch-Dantschenko Theaters in Moskau, das in den zwanziger Jahren einen großen künstlerischen Ruf genoß. 1932 folgte er einem Ruf an das Bolschoj-Theater Moskau, dessen Mitglied er bis 1959 geblieben ist. Als Antrittsrolle sang er am Bolschoj

Theater den Valentin im «Faust» von Gounod und hatte dort seine Erfolge in Partien wie dem Titelhelden in Tschaikowskys «Eugen Onegin», dem Jeletzky in dessen «Pique Dame», dem Robert in «Jolanthe», dem Trubetzkoy in «Die Dekabristen» von Juri Schaporin (den er auch am 23. 5. 1953 am Bolschoj Theater in der Uraufführung der Oper sang), dem Grafen in «Figaros Hochzeit», dem Don Giovanni von Mozart und dem Germont-père in Verdis «La Traviata». Große Karriere auch im Konzertsaal.
Schallplattenaufnahmen auf der Marke Melodiya.

Sellin, Lisbeth, Sopran, * 1880 (?), † (?); über die Künstlerin sind relativ wenige Daten bekannt. In den Jahren 1904–06 war sie am Stadttheater von Rostock engagiert. Sie gastierte 1904 am Hoftheater von Schwerin, 1906 an der Stuttgarter Hofoper. 1906 wurde sie an das Opernhaus von Frankfurt a. M. berufen, an dem ihre Karriere den Höhepunkt erreichte. Bis 1916 blieb sie an diesem Haus tätig. 1907 sang sie in Frankfurt die Mélisande in der deutschen Erstaufführung von Debussys «Pelléas et Mélisande», später kreierte sie dort für Deutschland auch die Titelpartie in «Ariane et Barbe-Bleue» von Dukas. Sie wirkte in den Frankfurter Premieren der Opern «Madame Butterfly» von Puccini in der Titelrolle (1908), «Der Rosenkavalier» von R. Strauss als Octavian (1911) und «Königskinder» von Humperdinck als Gänsemagd (1911) mit. Als man in Frankfurt am 18. 8. 1912 die Oper «Der ferne Klang» von Franz Schreker zur Uraufführung brachte, übernahm sie die Partie der Grete als Partnerin von Karl Gentner, der den Fritz sang. Am 15. 3. 1913 wirkte sie in Frankfurt in der Uraufführung einer weiteren Oper von Schreker «Das Spielwerk und die Prinzessin» in der Partie der Prinzessin, wieder zusammen mit Karl Gentner, mit (eine zweite Uraufführung des Werks fand am gleichen Abend an der Wiener Hofoper statt). Mit ihrem Weggang von Frankfurt a. M. 1916 scheint ihre Karriere mehr oder weniger beendet gewesen zu sein. Zwar wird sie in der Spielzeit 1919–20 nochmals im Personalverzeichnis des Stadttheaters von Halle/Saale erwähnt, scheint aber dort nicht aufgetreten zu sein. Über das weitere Schicksal der bedeutenden Sängerin waren keine zuverlässigen Angaben erhältlich.
Schallplatten: Auf G & T sind zwei Duette mit dem in Frankfurt wirkenden Tenor Hermann Schramm vorhanden, die etwa 1907 aufgenommen wurden.

Semtschuk, Ludmilla, s. unter *Schemtschuk,* Ludmilla.

Senn, Martha, Mezzosopran, * 19. 10. 1954 St. Gallen in der Schweiz; sie wurde in Kolumbien erzogen und schlug dort zunächst das Studium der Jurisprudenz ein, das sie zum Abschluß brachte. Sie trat in den Kolumbianischen Staatsdienst ein und wurde 1983 vom Präsidenten von Kolumbien zum Kultur-Attaché der Vertretung ihres Landes bei den Vereinten Nationen in New York ernannt. Sie wirkte in dieser Position bis 1987. Seit 1980 hatte sie ihren Wohnsitz in den USA, wo sie auch ihre Stimme (u. a.

durch Zinka Milanov, Ellen Faull und Thomas Grubb) ausbilden ließ. 1982 kam es zu ihrem Bühnendebüt in Washington in der Titelpartie der Oper «Carmen» von Bizet, die ihre große Glanzrolle blieb. In Nordamerika trat sie an den Opernhäusern von Houston/Texas, Philadelphia und an der New York City Centre Opera sowie in zahlreichen Konzertveranstaltungen (u. a. in New York, Chicago, Philadelphia, Atlanta City, Washington, Miami und Toronto) auf. An der City Centre Opera New York wirkte sie 1984 in der amerikanischen Erstaufführung der Oper «Akhnaten» von Philip Glass als Nefertiti mit. 1983 erfolgte ihr Europa-Debüt als Titelheld in «Ascanio in Alba» von Mozart am Teatro Fenice Venedig. 1984 sang sie an der Mailänder Scala die Rosina im «Barbier von Sevilla» von Rossini. In der gleichen Saison trat sie dort in der Titelpartie der seit 1647 nicht mehr aufgeführten Barock-Oper «L'Orfeo» von Luigi Rossi auf. Am Teatro San Carlo Neapel hörte man sie 1986 als Dulcinée in «Don Quichotte» von Massenet (die sie auch am Teatro Liceo Barcelona vortrug), 1987 als Sarah in «Roberto Devereux» von Donizetti und als Carmen. 1988 gastierte sie am Teatro Comunale Bologna in der Rolle der Meg Page in Verdis «Falstaff», in der Saison 1987–88 in Paris in konzertanten Aufführungen der Oper «Padmâvati» von Albert Roussel. Bei den Festspielen von Salzburg bewunderte man sie 1988 als Annio in «La clemenza di Tito» von Mozart und in der schwierigen Titelpartie von Rossinis «La Cenerentola», in der Arena von Verona 1989 als Fenena in Verdis «Nabucco» und als Preziosilla in «La forza del destino». Glanzvolle Gastspiele an der Staatsoper von Stuttgart (1989 in «La Cenerentola»), an der Oper von Rom (1989 Charlotte in Massenets «Werther»), an der Oper von Köln, am Teatro San Carlos Lissabon (1989 Leonora in «La Favorita» von Donizetti), am Teatro Fenice Venedig (1989 Musetta in «La Bohème» von Leoncavallo), in Madrid und Palermo, bei den Festspielen von Ravenna und Macerata kennzeichnen den Fortgang ihrer Karriere. Nicht weniger erfolgreich verlief ihr Auftreten im Konzertsaal; so unternahm sie eine weltweite Tournee zusammen mit dem berühmten Tenor Placido Domingo, bei der die beiden Künstler Konzerte mit Ausschnitten aus Opern und Zarzuelas u. a. in London, Köln, Toronto, in Japan, Taiwan und in sechs Städten in den USA gaben. Martha Senn wirkte in Europa wie in Südamerika in Fernseh- und Tonfilmaufnahmen mit, u. a. in einer Fernsehaufnahme von «Carmen» aus Neapel.
Schallplatten: Supraphon («Le Roi David» von A. Honegger), HMV (Maddalena im «Rigoletto»), Nuova Era («El Amor brujo» und Lieder von M. de Falla).

Sentpaul, Frithjof, Bariton, * 21. 8. 1908 Koblenz; seine Ausbildung erfolgte durch den bekannten Pädagogen Julius von Raatz-Brockmann in Berlin. Sein erstes Engagement hatte er 1937–38 am Stadttheater von Liegnitz in Schlesien, dann 1938–41 am Stadttheater von Krefeld, worauf er an die Staatsoper von Stuttgart berufen wurde, der er bis zum Ende des zweiten Weltkrieges angehörte. Nach Kriegsende

lebte er gastierend in Bielefeld, war dann aber wieder seit 1954 Mitglied der Staatsoper Stuttgart und blieb dort bis zu seinem Bühnenabschied 1974 tätig. 1957 sang er bei den Festspielen von Schwetzingen in der Uraufführung der Oper «Der Revisor» von W. Egk, in Stuttgart in der von Carl Orffs «Prometheus» (1968). Er übernahm bei den Festspielen von Bayreuth 1960–61 den Hermann Ortel in den «Meistersingern»; 1954 gastierte er an der Grand Opéra Paris als Titurel im «Parsifal». Er sang auf der Bühne Partien wie den Grafen in «Figaros Hochzeit», den Grafen im «Wildschütz» von Lortzing, den Herrn Reich in den «Lustigen Weibern von Windsor» von Nicolai, den Grafen Luna im «Troubadour», den Renato in Verdis «Maskenball», den Wolfram im «Tannhäuser», den Schaunard in «La Bohème» und den Guldensack in der «Zaubergeige» von W. Egk; gegen Ende seiner Karriere trat er in kleineren und Comprimario-Rollen auf.

Šepec, Milan, Tenor, * 4. 11. 1891 Zagreb; nach seiner Ausbildung an der Musikakademie von Zagreb und bei dem Pädagogen Ranieri-Horbowsky in Wien debütierte er 1916 am Theater von Varaždin (Kroatien) in der Operette «Künstlerblut» von Eysler. Bis 1919 blieb er in Varaždin engagiert und wurde darauf Mitglied des Kroatischen Nationaltheaters Zagreb. Er trat dort in Opern- wie in Operettenpartien auf und ist auch in einigen Tonfilmen bekannt geworden. Aus seinem Repertoire für die Bühne sind als Höhepunkte zu nennen: der Don Basilio in «Nozze di Figaro», der Mime im «Rheingold», der Schuiskij in «Boris Godunow» von Mussorgsky, der Wenzel in der «Verkauften Braut» von Smetana, der Eisenstein in der «Fledermaus», der Tassilo in der Operette «Gräfin Mariza» von Kálmán und der Radjani in einer weiteren Kálmán-Operette «Die Bajadere».

Serbo, Rico, Tenor, * 9. 5. 1940 Stockton (Kalifornien); er war zunächst Chemiker, studierte dann Gesang an der University of the Pacific Stockton bei Henry Welton, bei Mabel Riegelmann in San Francisco und bei Robert Weede in Concord (Kalifornien). Er debütierte 1965 in San Francisco als Don Ramiro in «La Cenerentola» von Rossini. In seiner amerikanischen Heimat trat er vor allem an der Oper von San Francisco, dann auch an den Opern von Seattle und Santa Fé auf. Große Erfolge erzielte er in Europa; hier sang er an der Niederländischen Oper Amsterdam, am Stadttheater von Koblenz (1970–72), am Opernhaus von Essen und war 1972–75 Mitglied des Staatstheaters am Gärtnerplatz in München. Dort wirkte er auch 1975 in der szenischen Uraufführung von H. W. Henzes «Rachel la Cubana» mit. Er setzte seine Gastspieltätigkeit mit Auftritten in San Diego (1978–80), an der City Centre Opera New York (1979–85), in Philadelphia (1981), Houston (1981), Detroit (seit 1981), in Toronto (1979–80) und Vancouver (1981) fort. 1982 sang er an der Oper von New Orleans den Arvino in der amerikanischen Premiere von Verdis «I Lombardi». Er gastierte an der Deutschen Oper (1982) und am Theater des Westens Berlin (1981–83),

1984–86 in Belfast. Seine Stimme fand ihre Aufgaben namentlich im lyrischen Bühnenrepertoire, in Rollen wie dem Ferrando in «Così fan tutte», dem Tamino in der «Zauberflöte», dem Grafen Almaviva im «Barbier von Sevilla» von Rossini, dem Ernesto im «Don Pasquale», dem Lyonel in Flotows «Martha», dem Fenton in den «Lustigen Weibern von Windsor» von Nicolai wie in Verdis «Falstaff», dem Alfredo in «La Traviata», dem Filipeto in «I quattro rusteghi» von E. Wolf-Ferrari, dem Tom Rakewell in Strawinskys «The Rake's Progress», dem Tony in «Elegy for Young Lovers» von H. W. Henze, dem Lord Barrat in «Der junge Lord» vom gleichen Komponisten, dem Rodolfo in Puccinis «La Bohème» und dem Faust in «Mefistofele» von A. Boito. Angesehener Konzerttenor; verheiratet mit der Sängerin *Carol Kirkpatrick*.
Schallplatten: Opera Rara («L'Assedio di Calais» von Donizetti).

Serra, Enric, Bariton, * 1943 (?) Barcelona; er absolvierte sein Studium in Barcelona und gewann 1969 den ersten Preis beim Gesangwettbewerb des spanischen Rundfunks. Im gleichen Jahr 1969 kam er an das Teatro Liceo Barcelona (wo er bereits 1966 als Morales in «Carmen» debütiert hatte), an dem er in den folgenden zwanzig Jahren eine ununterbrochene Karriere hatte. Er sang dort Partien wie den Falstaff von Verdi, den Grand Prêtre in «Samson et Dalila» von Saint-Saëns, den Scarpia in «Tosca», den Marcello in «La Bohème», den Escamillo in «Carmen», den Enrico in «Lucia di Lammermoor», den Belcore in «Elisir d'amore», den Taddeo in Rossinis «Italiana in Algeri», den Michonnet in «Adriana Lecouvreur» von Cilea und den Alcandro in «Saffo» von Pacini (1987). Er trat an allen großen spanischen Opernhäusern als Gast auf, darunter in Madrid, Valencia, Saragossa, Bilbao, Oviedo, Las Palmas und La Coruña. Außer den bereits erwähnten Partien sang er hier den Don Carlos in Verdis «La forza del destino», den Titelhelden im «Don Pasquale», den Alfonso in «La Favorita» und den Figaro im «Barbier von Sevilla» von Rossini. An vielen ausländischen Theatern kam er bei Gastspielen zu glänzenden Erfolgen. Man hörte ihn an der Staatsoper München, an den Opernhäusern von Köln, Frankfurt a. M. und Zürich, an den Opern von Nizza, Tours, Nîmes, Angers und Toulon, am Teatro San Carlo Neapel, am Teatro Fenice Venedig, an den Opern von Bogotá, Cali und Caracas. Nicht weniger erfolgreich war er als Konzertsänger. Auf diesem Gebiet gastierte er bei den Festspielen von Granada und Santander, in der Royal Festival Hall London, in Wien und Paris. Bei den Festspielen von Schwetzingen trat er 1987 als Taddeo in «L'Italiana in Algeri» auf. Er wirkte in der Uraufführung einer Neu-Bearbeitung von Manual de Fallas Oper «L'Atlántida» (durch E. Halffter) in Madrid mit (20. 5. 1977).
Schallplatten: Decca («Madame Butterfly» mit Montserrat Caballé).

Sesardić, Zlata, Sopran, * 7. 1. 1918 Sinj (Dalmatien); sie wurde am Konservatorim von Belgrad durch E. Valiani, dann noch durch den berühmten Tenor Tino Pattiera in Wien ausgebildet. 1945 debütierte sie an der Nationaloper Belgrad und blieb dort zunächst bis 1948 engagiert. 1948–51 sang sie am Theater von Novi Sad (Neusatz), 1951–59 wieder an der Oper von Belgrad. Seit 1969 war sie bis zum Ende ihrer Karriere nochmals am Theater von Novi Sad im Engagement. Bei Gastspielen kam sie in Westdeutschland, in der Schweiz und in Ägypen zu viel beachteten Erfolgen. Ihre Glanzrollen waren auf der Bühne die Aida, die Desdemona im «Othello» von Verdi, die Amelia im «Maskenball», die Tosca, die Butterfly und die Lisa in «Pique Dame» von Tschaikowsky. Erfolgreiche Laufbahn als Konzert- und Oratoriensolistin.
Schallplatten: Decca (vollständige Oper «Boris Godunow»).

Sevšek, Nada, Mezzosopran, * 20. 11. 1938 Sentilj (St. Egidi in Windisch Büheln); sie studierte an der Musikakademie von Ljubljana (Laibach) bei A. Darian; Vervollständigung der Ausbildung bei der berühmten Sopranistin Gina Cigna. 1960 debütierte sie am Opernhaus von Dubrovnik in der Koloraturrolle der Isabella in Rossinis «Italiana in Algeri». Bis 1966 blieb sie an diesem Theater und folgte dann einem Ruf an die Kroatische Nationaloper in Zagreb. Sie sang ein vielgestaltiges Bühnenrepertoire mit Partien wie der Rosina im «Barbier von Sevilla» von Rossini, der Laura in «La Gioconda» von Ponchielli, der Eboli in Verdis «Don Carlos», der Amneris in «Aida», dem Titelhelden im «Orpheus» von Gluck und der Carmen. Auch als Konzertsängerin wurde sie in Jugoslawien wie im Ausland bekannt.

Sfiris, Konstantin, Baß, * 1958 Waltessinikon Arkadia (Griechenland); Gesangstudium am Nationalkonservatorium von Athen. Seit 1980 konnte er sein Studium mit einem Stipendium des griechischen Staates an der Musikhochschule Köln fortsetzen. 1981 gewann er den Internationalen Gesangwettbewerb von Treviso. 1983 wurde er an die Staatsoper von Wien verpflichtet, deren Mitglied er bis 1987 blieb. Seit 1986 war er am Opernhaus von Graz engagiert. Gastspiele und Konzerte trugen dem jungen Künstler in Bregenz und Barcelona, in Genf und San Francisco bedeutende Erfolge ein. Von seinen Bühnenpartien sind der König Philipp wie der Großinquisitor in Verdis «Don Carlos», der Zaccaria in dessen «Nabucco», der Procida in «I Vespri Siciliani», der Sparafucile im «Rigoletto» (Opéra de Wallonie Lüttich, 1989), der Hunding in der «Walküre» und der Pimen im «Boris Godunow» zu nennen. Im Konzertsaal trat er in einem umfangreichen, vielseitigen Repertoire in Erscheinung.

Shade, Ellen, Sopran, * 17. 2. 1944 New York; Ausbildung der Stimme in Santa Fé, im Juilliard American Opera Center und bei dem Pädagogen Cornelius Reid in New York. Zu ihrem Bühnendebüt kam es 1972 am Opernhaus von Frankfurt a. M. als Liu in «Turandot» von Puccini. In Europa sang sie in Westdeutschland (vor allem in Frankfurt a. M.) und beim

Maggio musicale Fiorentino. Sie nahm dann ihren Wohnsitz in New York und war in den USA an den Opern von New Orleans, Pittsburgh, Santa Fé, Philadelphia und an der City Centre Opera New York (Debüt 1981 als Donna Elvira) zu hören. 1976 wurde sie an die Metropolitan Oper New York verpflichtet (Antrittspartie: Eva in den «Meistersingern»). 1976 debütierte sie auch an der Oper von Chicago als Emma in «Khovantchina» von Mussorgsky und sang dort die Eve in Pendereckis «Paradise Lost» und die Ilia in «Idomeneo» von Mozart. 1981 Gastspiel am Opernhaus von Köln als Donna Anna im «Don Giovanni». 1988 gastierte sie am Theater an der Wien in Wien in der Premiere der Schubert-Oper «Fierrabras». Im gleichen Jahr sang sie in Amsterdam die Titelpartie in «Katja Kabanowa» von Janáček. Bei den Salzburger Festspielen von 1988 sang sie in einer konzertanten Aufführung der Oper «Der Prozeß» von G. von Einem. Von den Partien, die sie auf der Bühne gesungen hat, sind zu nennen: die Fiordiligi in «Così fan tutte», die Gräfin wie der Cherubino in «Nozze di Figaro», die Donna Elvira im «Don Giovanni», die Pamina in der «Zauberflöte», die Marguerite im «Faust» von Gounod, die Euridice im «Orpheus» von Gluck, die Mimi in «La Bohème» von Puccini, die Marie in der «Verkauften Braut» von Smetana, die Nedda in Leoncavallos «Bajazzo», die Micaela in «Carmen», die Eva in den «Meistersingern» und die Salud in «La vida breve» von Manuel de Falla. Auch als Konzert- und Oratoriensolistin stand die Künstlerin in hohem Ansehen. Schallplatten: Intercord (Glagolitische Messe von Janáček).

Shadur, Lawrence, Bariton, * 13. 8. 1938 New York; er war zuerst als Schauspieler beim amerikanischen CBS-Fernsehen tätig und trat in New York in Musical Comedies auf. Dann absolvierte er ein intensives Gesangstudium bei den New Yorker Pädagogen Robert Weede, Herbert Janssen, Olga Ryss und Dick Marzollo. 1965 kam es zu seinem Debüt als Opernsänger am Stadttheater von Bern (Schweiz) in der Partie des Ford in Verdis «Falstaff». Er trat in Europa an den Opernhäusern von Köln und Nürnberg und am Grand Théâtre Genf auf. Er wurde dann Mitglied der New Yorker Metropolitan Oper, an der er kleinere, aber auch tragende Partien übernahm. In den USA ist er auch an den Opern von Baltimore und Cincinnati, in San Antonio, Milwaukee und Washington in Erscheinung getreten und war gleichzeitig ein erfolgreicher Konzertsänger. Seine großen Bühnenpartien waren der Escamillo in «Carmen», der Amonasro in Verdis «Aida», der Titelheld in dessen «Macbeth», der Montfort in «I Vespri Siciliani», der Wolfram im «Tannhäuser» von R. Wagner, der Titelheld im «Fliegenden Holländer» und der Jochanaan in «Salome» von R. Strauss.

Sharnova, Sonia, Alt, * 1896 Chicago, † 3. 12. 1988 Chicago; ihre Eltern waren aus Rußland in die USA eingewandert. Sie studierte am Bush Conservatory in ihrer Geburtsstadt Chicago, dann noch bei Jean de Reszke in Nizza. 1925 kam es zu ihrem Bühnendebüt am Opernhaus von Nizza. 1928–29 nahm sie an der Nordamerika-Tournee der German Opera Company teil, die Johanna Gadski arrangiert hatte. 1930 sang sie als erste Partie in Chicago die Ulrica in Verdis «Ballo in maschera». Seitdem war sie während einer Reihe von Jahren an der Oper von Chicago zu hören: als Ortrud im «Lohengrin» und als Magdalene in den «Meistersingern», als Amneris in «Aida» und als Cieca in «La Gioconda» von Ponchielli, als Fricka im Nibelungenring und als Herodias in «Salome» von R. Strauss, als Hexe in «Hänsel und Gretel» und als Quickly im «Falstaff» von Verdi. 1935 sang sie dort die Agnese in der amerikanischen Erstaufführung von O. Respighis «La Fiamma». Nachdem sie ihre erfolgreiche Bühnen- und Konzertkarriere beendet hatte, war sie in Chicago als Pädagogin tätig.

Shaw, John, Bariton, * 1921 Newcastle (New South Wales, Australien); er entstammte einer Familie, die sieben Kinder hatte (deren ältestes er war); beide Großväter hatten sich als Sänger betätigt. Mit 15 Jahren wurde er für sechs Jahre Mitglied eines Kirchenchors in seiner Heimatstadt. Gleichzeitig übte er den Beruf eines Buchhalters bei der Broken Hill Proprietary Company aus, trat aber auch bereits als Solist in Amateurkonzerten in Erscheinung. Schließlich begann er das Gesangstudium bei Mr. und Mrs. Henri Portnoj in Melbourne. 1945 wurde er Mitglied der Australian National Opera Company, bei der er in den folgenden zehn Jahren eine Vielzahl von Partien übernahm. 1954 wurde er Preisträger beim Nationalen australischen Concours. 1955 sang er bei der Italian Grand Opera Company in deren Australien-Tournee 13 Baritonpartien in Italienisch, 1956 bei der Elizabethan Opera Company und am Australian National Theatre in der Premiere von Menottis «The Consul». 1957 nahm er an weiteren Tourneen der Elizabethan Opera teil. 1959 debütierte er an der Londoner Covent Garden Oper als Rigoletto und blieb dann für eine Reihe von Jahren bis 1974 an diesem großen Opernhaus als erster Bariton beschäftigt. Er sang dort Rollen wie den Scarpia in «Tosca», den Amonasro in «Aida», den Rodrigo in Verdis «Don Carlos», den Ford im «Falstaff», den Gunther in der «Götterdämmerung», den Amfortas im «Parsifal», den Ramiro in «L'Heure espagnole» von Ravel und den Tonio im «Bajazzo». Während zwei Spielzeiten sang er als Gast bei der Welsh Opera Cardiff, 1959 gastierte er an der Niederländischen Oper Amsterdam als Gérard in Giordanos «Andrea Chénier», 1961 an der Staatsoper Wien als Tonio im «Bajazzo», 1962 beim Holland Festival als Don Carlo in Verdis «La forza del destino». 1963 war er in seiner australischen Heimat und gab Konzerte beim Rundfunk ABC; er trat im dortigen Fernsehen in der Titelpartie von Verdis «Simon Boccanegra» auf und kam zu großen Erfolgen als Oratoriensolist («Elias» von Mendelssohn, 9. Sinfonie von Beethoven). An der Oper von San Francisco sang er den Amonasro in «Aida» mit Leontyne Price in der Titelrolle. Weitere Gastspiele bei den Festspielen von Edinburgh (1961, 1968), an der Oper von Philadelphia (1964), in Toulouse, Bordeaux (1964–65), am Nationaltheater Mannheim

(1965, 1967), an der Deutschen Oper Berlin (1968), bei der Scottish Opera Glasgow (1966–77), in Montreal (1967) und Brüssel (1969), am Grand Théâtre Genf (1971), an der Wiener Staatsoper und an der Oper von Santa Fé. Beim Aldeburgh Festival von 1967 sang er in der Uraufführung der Oper «The Bear» von W. Walton, in London 1965 (bei der New Opera Company) den Rupprecht in der englischen Erstaufführung von Prokofieffs «The Fiery Angel». 1973 trat er in der Eröffnungsvorstellung des neuen Opernhauses von Sydney als Dolokhov in «Krieg und Frieden» von Prokofieff auf. Seitdem blieb er für eine Reihe von Jahren bis zu seinem Bühnenabschied 1989 an diesem Haus tätig.
Schallplatten: HRE (Enrico in «Lucia di Lammermoor», Covent Garden Oper London 1959), HMV («The Bear», «Patience» von Gilbert & Sullivan).

Shepherd, Betsy Lane, Sopran, * 1885 (?), † (1955); diese amerikanische Sängerin hatte in den Jahren um und nach 1920 eine typisch amerikanische Konzert- und Oratorienkarriere mit Auftritten in Kirchen und Konzertsälen. Sie wurde dann als Haus-Sopranistin der Edison-Company durch eine Vielzahl von Schallplattenaufnahmen (Diamond Discs und Zylinder von 1916) bekannt, die in dieser Zeit in den Handel kamen. Sie war etwas jünger als die Sopranistin Elisabeth Spencer, die bei Edison eine ähnliche Stellung einnahm. Sie besaß eine angenehme Sopranstimme, die sich für die damalige Aufnahmetechnik besonders gut eignete. Natürlich sind auf ihren Edison-Schallplatten in erster Linie volkstümliche Lieder und Ballads sowie Unterhaltungslieder vertreten. Daraus ragen einige schöne Opern- und Oratorientitel heraus.

Sherwin, Amy, Sopran, * 23. 3. 1855 auf der Farm «Forest Home», die ihr Vater in dem wilden Huon Valley auf der Insel Tasmania errichtet hatte (heute Judbury), † 20. 9. 1935 London; Sie erhielt ihren ersten Musikunterricht durch ihre Mutter, dann durch den Organisten Frederick Augustus Packer in Hobart. Nachdem sie bereits in Kinderrollen aufgetreten war, debütierte sie wahrscheinlich 1878 bei einer italienischen Wanderoper in Hobart als Norina im «Don Pasquale». Mit dieser Truppe, genannt The Royal Italian Opera Company, gastierte sie dann auf deren Tournee in Australien und Neuseeland (hier trat sie auch bei der Pompei Opera Company auf). In Neuseeland heiratete sie im Dezember 1878 den aus Sydney stammenden Konzertmanager Hugo Gorlitz. Das Ehepaar reiste dann in die USA, und Amy Sherwin sang 1879 als Mitglied der Strakosch Opera Company in San Francisco in «La Favorita» von Donizetti und in Verdis «La Traviata». 1881–82 kam sie in den USA zu beachtlichen Erfolgen im Konzertsaal wie auf der Bühne, u. a. bei Konzerten in der New Yorker Steinway Hall und beim Cincinnati Festival. 1882 unternahm sie nochmals Studien bei Julius Stockhausen in Frankfurt a. M., bei Mme Hustache in Paris, bei Giorgio Vanuccini und bei Maestro Ronconi in Mailand. 1883 debütierte sie für England bei der Carl Rosa Opera Company in «Maritana» von Wallace. Sie gab sehr erfolgreiche Kon-

zerte in England (Promenade Concerts London) und Australien (Gala-Konzert zur Eröffnung der Jahrhundert-Ausstellung in Melbourne 1888). 1888–89 hatte sie auf einer Konzerttournee in Indien, Singapur, China und Japan große Erfolge. 1890 hörte man sie in Berlin als Marguerite im «Faust» von Gounod und als Königin Marguerite in den «Hugenotten» von Meyerbeer; 1892 sang sie in einer Serie von Konzerten in London, die die große Primadonna Adelina Patti gab, und bei denen Künstler wie Sims Reeves, Emma Albani und Sir Charles Santley mitwirkten. 1896 bereiste sie Südafrika, 1897 Australien. Dabei bereitete man ihr in ihrer Heimat Tasmania einen grandiosen Empfang. Sie setzte ihre glänzende Konzertkarriere in England, vornehmlich in London, fort, bereiste 1902 und nochmals 1906 Australien, gab aber 1907 ihre Karriere auf. Sie widmete sich der Versorgung ihrer schwer behinderten Tochter und geriet gegen Ende ihres Lebens in Vergessenheit und drückende Armut.

Shimell, William, Bariton, * 23. 9. 1952 in der englischen Grafschaft Essex; er sang im Knabenchor der Westminster Abbey London und dann im Chor der St. Edward's School Oxford. Seine Stimme erhielt ihre Ausbildung an der Guildhall School of Music London durch Ellis Keeler und bis 1979 im National Opera Studio London. 1983 gewann er den ersten Internationalen Schottischen Concours John Noble in Glasgow. 1980 debütierte er bei der English National Opera Company London als Masetto im «Don Giovanni» und sang in den folgenden Jahren an diesem Haus Partien wie den Schaunard in «La Bohème», den Mercutio in «Roméo et Juliette» von Gounod, den Papageno in der «Zauberflöte», den Morales in «Carmen» und mit besonderem Erfolg den Don Giovanni (1985, 1987). 1983 sang er bei der Glyndebourne Touring Opera den Dandini in Rossinis «La Cenerentola», 1984 und 1989 bei den Festspielen von Glyndebourne den Grafen in «Nozze di Figaro». Bei der Opera North Leeds hörte man ihn als Marcello in «La Bohème», als Harasta in Janáčeks «Schlauem Füchslein» und als Nick Shadow in «The Rake's Progress» von Strawinsky, bei der Scottish Opera in «Egisto» von Cavalli, bei der Kent Opera als Guglielmo in «Così fan tutte». Im Herbst 1984 sang er als erste Rolle bei der Welsh Opera Cardiff den Don Giovanni, 1985 den Sharpless in «Madame Butterfly». Er gastierte als Guglielmo an der Covent Garden Oper London, an der Grand Opéra Paris in «La gazza ladra» von Donizetti, in San Francisco als Nick Shadow und mit großem Erfolg an der Mailänder Scala, wo er den Grafen in «Figaros Hochzeit», dann den Figaro in der gleichen Oper sang. 1988 war er in Amsterdam als Don Giovanni zu Gast, 1989 am Opernhaus von Zürich und an der Oper von Santiago de Chile. Ebenfalls 1989 war er als Figaro in Genua zu hören, 1990 in Amsterdam als Raimbaud in Rossinis «Le Comte Ory». Neben seine erfolgreiche Bühnenkarriere trat eine zweite, ebenso erfolgreiche Laufbahn als Konzert- und Oratoriensänger in einem umfassenden Repertoire. Bereits 1984–85 übernahm er die Partie des Joseph in «L'Enfance du Christ» von Berlioz im

englischen Fernsehen; er trat auch in einer Fernseh-Serie auf, die die Gesellschaft BBC über Mozart und sein Werk ausstrahlte. Er galt als ausgezeichneter Bach- und Händel-Interpret.
Schallplatten: TIS (Werke von J. S. Bach).

Sicard, Pauline, Sopran, * 1810 Budapest, † (?); sie kam ganz jung nach Mailand und erhielt dort durch Maestro Banderoli ihre Ausbildung zur Sängerin. Im Alter von nur 13 Jahren sang sie am Teatro San Carlo Neapel die schwierige Koloraturpartie der Amenaide in Rossinis «Tancredi». Dieses Debüt wurde zu einem großen Triumph für die junge Sängerin, obwohl erst kurz vorher die große Primadonna Joséphine Fodor-Mainvielle diese Partie in Neapel gesungen hatte. Sie sang darauf an der Mailänder Scala und an anderen führenden italienischen Theatern und ging schließlich nach Lissabon. Hier wurde sie in geradezu enthusiastischer Weise gefeiert. Dabei überanstrengte sie sich jedoch, und es kam schließlich zum Verlust ihrer Stimme. Sie mußte Einladungen nach London, Paris, Mailand und Neapel absagen und ihre Karriere unterbrechen. Nach einer einjährigen Pause betrat sie in Mailand wieder die Bühne; dieser Auftritt endete mit einem Mißerfolg. Sie ging darauf nach Paris und hoffte durch ärztliche Behandlung wieder in den Besitz ihrer Stimme zu kommen. Als dies fehlschlug, versuchte sie in Berlin, Wien und Dresden als Schauspielerin ein Engagement zu erhalten, war dabei aber erfolglos. Schließlich ließ sie sich in Berlin als Geanglehrerin nieder und unterrichtete die preußischen Prinzessinnen, konnte aber nur noch gelegentlich in Salonkonzerten einige Lieder vortragen. Über ihr weiteres Schicksal sind keine Nachrichten vorhanden.

Siebenschuh, Erich, Bariton, * 27. 2. 1936 Großpeterwitz (Sachsen); er war Absolvent der Musikhochschule von Dresden und dort vor allem Schüler der Pädagogin Klara Elfriede Intrau. 1959 wurde er in das Opernstudio der Dresdener Staatsoper aufgenommen, wo er bereits kleinere Partien übernahm. 1962 erfolgte sein eigentliches Bühnendebüt beim Sächsischen Landestheater Dresden in der Titelpartie in Verdis «Rigoletto». Zwei Jahre gehörte er dem Ensemble dieser Bühne an und wurde dann 1964 an die Staatsoper Berlin verpflichtet. Hier wie bei Gastspielen an den führenden Operntheatern der DDR wie des Auslands erwies er sich als vielseitiger Interpret von Partien aus dem italienischen, dem deutschen wie dem slawischen Repertoire. Er sang auf der Bühne u. a. den Figaro im «Barbier von Sevilla», den Ford im «Falstaff» von Verdi, den Marcello in «La Bohème», den Silvio im «Bajazzo», den Ottokar im «Freischütz», den Zaren in «Zar und Zimmermann», den Heerrufer im «Lohengrin», den Faninal im «Rosenkavalier», den Kruschina in der «Verkauften Braut» und den Rangoni im «Boris Godunow». Ansehen erlangte er auch als Konzert- und Oratoriensolist.
Aufnahmen bei Eterna.

Sieber, Gudrun, Sopran, * 1953 (?); sie kam nach ihrer Ausbildung 1973–74 in das Opernstudio Düs-seldorf und wurde 1974 Mitglied der Deutschen Oper am Rhein Düsseldorf–Duisburg, an der sie bis 1983 engagiert blieb. Seit 1977 war sie zugleich Mitglied des Deutschen Opernhauses Berlin. Hier sang sie u. a. am 25. 9. 1984 in der Uraufführung der Oper «Gespenstersonate» von A. Reimann. 1978–84 war sie durch einen Gastspielvertrag auch der Bayerischen Staatsoper München verbunden. Sie war zu Gast bei den Festspielen von Eutin (1977–78) und Schwetzingen (1980, 1982) und kam bei den Salzburger Festspielen der Jahre 1981, 1984 und 1986 zu großen Erfolgen als Papagena in der «Zauberflöte», die eine ihrer besonderen Glanzrollen war, und die sie auch 1987 in der Eröffnungsvorstellung des Théâtre des Champs-Élysées in Paris vortrug. 1984 sang sie gastweise am Teatro Liceo Barcelona. Von ihren Bühnenpartien sind noch der Amor in Glucks «Orpheus», die Marie in «Zar und Zimmermann» von Lortzing, Amour in «Hippolyte et Aricie» von Rameau und die Kristin in «Fräulein Julie» von Bibalo zu nennen. Auch im Konzertsaal hatte sie eine erfolgreiche Karriere.
Schallplatten: Edition Schwann («Manfred» von R. Schumann).

Siebert, Isolde, Sopran, * 1960 Hünfeld (Hessen); sie begann 1979 ihre Ausbildung an der Musikhochschule von Freiburg i. Br. und legte dort ihre Diplomprüfung ab. 1982 wurde sie an das Stadttheater von Basel verpflichtet, an dem sie während der folgenden drei Jahre wirkte. Nach einem Gastspiel am Staatstheater von Darmstadt als Zerbinetta in «Ariadne auf Naxos» von R. Strauss wurde sie Mitglied dieses Hauses (1985–87). 1987 folgte die Künstlerin einem Ruf an das Staatstheater von Hannover. Sie wurde in Partien wie der Blondchen in der «Entführung aus dem Serail», der Susanna in «Figaros Hochzeit», der Gretel in «Hänsel und Gretel» von Humperdinck, der Tytania in «A Midsummer Night's Dream» von Benjamin Britten und in vielen anderen Aufgaben bekannt. 1986 sang sie bei den Festspielen von Bregenz die Königin der Nacht in der «Zauberflöte», eine Partie, die sie bei Gastspielen in Basel, Kopenhagen und Bilbao wiederholte. 1988 gastierte sie in dieser Rolle an der Opéra de Wallonie Lüttich. Bei der 300-Jahr-Feier der ersten Aufführung einer Oper in Hannover sang sie dort in «Enrico Leone» von Agostino Steffani (der Oper, die 1689 in Hannover ihre Uraufführung erlebt hatte). Auch als Konzert- und Liedersängerin war sie erfolgreich.
Schallplatten: Christophorus-Verlag (Biblische Lieder von A. Dvořák, weitere religiöse Vokalmusik).

Siegmund, Condi, Bariton, * 1902, † 12. 9. 1964 Hannover; er erhielt seine Gesangausbildung bei Julius Lenz in Köln, nachdem er bereits vorübergehend bei einer Wander-Operettentruppe aufgetreten war. Sein offizielles Debüt erfolgte 1927 am Stadttheater von Trier als Sebastiano in «Tiefland» von E. d'Albert. Bis 1929 blieb er an diesem Haus und sang dann 1929–30 am Stadttheater Duisburg, 1930–31 am Stadttheater Beuthen (Oberschlesien), 1931–33 am Stadttheater Cottbus, 1933–34 am Landestheater Oldenburg, 1934–36 am Staatstheater Schwerin und 1936–38 am Theater von Königsberg (Ostpreußen). 1938 wurde er an das Staatstheater Hannover berufen, an dem er bis zu seinem Abschied von der Bühne (als Titelheld in «Fürst Igor» von Borodin) 1963 wirkte. In Hannover sang er in den Uraufführungen der Opern «Das königliche Opfer» von G. Vollerthun (1942) und «Der Kuckuck von Theben» von E. Wolf-Ferrari (1943) und in der deutschen Erstaufführung von Benjamin Brittens «Albert Herring» (1950). Er gab Gastspiele an den Staatsopern von Wien (1941), Dresden, München und Stuttgart, an der Städtischen Oper Berlin, am Teatro Liceo Barcelona, am Teatro San Carlos Lissabon (1949) und bereiste Frankreich und Spanien. Seit 1955 war er durch einen Gastspielvertrag mit der Staatsoper Berlin verbunden. Aus seinem Repertoire, das seine Höhepunkte im dramatischen Fach hatte, sind zu nennen: der Pizarro im «Fidelio», der Telramund im «Lohengrin», der Kurwenal im «Tristan», der Wotan im Nibelungenring, der Hans Sachs in den «Meistersingern», der Klingsor im «Parsifal», der Borromeo in H. Pfitzners «Palestrina», der Dietrich im «Armen Heinrich», der Titelheld in «Cardillac» von Hindemith, der König in «Die Kluge» von Carl Orff, der Francesco in «Mona Lisa» von Max von Schillings, der Tonio im «Bajazzo», die Titelhelden in «Jonny spielt auf» von Křenek und «Enoch Arden» von O. Gerster, der Rigoletto, der Scarpia in «Tosca» und der Jago im «Othello» von Verdi. Zugleich genoß er hohes Ansehen als Konzertsänger.

Sigmundsson, Kristinn, Bariton, * 1951 Reykjavik; er begann sein Gesangstudium am Konservatorium von Reykjavik und trat bereits 1980 am Theater der isländischen Hauptstadt in kleineren Partien in «La Traviata» und im «Rigoletto» auf. 1982 kam er zur weiteren Ausbildung an die Musikhochschule von Wien. 1983 wurde er Preisträger beim dortigen Internationalen Belvedere-Wettbewerb und gewann zugleich einen Förderpreis der Oper von Philadelphia. Noch im gleichen Jahr sang er in Reykjavik in einer konzertanten Aufführung von Donizettis «Lucia di Lammermoor» den Enrico. Nach ersten Gastspiel- und Konzerterfolgen in den skandinavischen Musikzentren wie in Westdeutschland wurde er 1989 Mitglied des Staatstheaters Wiesbaden, wo er als Don Giovanni großen Erfolg hatte. 1989 sang er als Gast bei den Festspielen von Drottningholm den Agamemnon in Glucks «Iphigénie en Aulide».

Silla, Fred, Tenor, * 1949 Wien; er sang bis zu seinem 15. Lebensjahr bei den Wiener Sängerknaben und studierte seit 1964 an der Wiener Musikhochschule Komposition (u. a. bei Friedrich Cerha), Dirigieren und Gesang. In den Liedvortrag wurde er durch Anton Dermota eingeführt. Seit 1974 war er im Opernstudio der Wiener Staatsoper beschäftigt und wurde 1975 Preisträger bei einem Internationalen Gesangwettbewerb in Salzburg. Er begann seine eigentliche Bühnenkarriere am Stadttheater von Krefeld. Über die Theater von Ulm, Kiel und Münster (Westfalen) kam er an das Theater im Revier

Gelsenkirchen, an dem er bis 1987 eine langjährige, erfolgreiche Tätigkeit entfaltete. Seit 1985 Mitglied des Theaters am Gärtnerplatz München. Auf der Bühne hatte sein Repertoire Höhepunkte im lyrischen und namentlich im Mozart-Fach. So sang er den Don Ottavio im «Don Giovanni», den Tamino in der «Zauberflöte», den Ferrando in «Così fan tutte», den Belmonte in der «Entführung aus dem Serail», den Nemorino in «Elisir d'amore», den Titelhelden in «Hoffmanns Erzählungen», aber auch Partien in modernen Werken wie «Der Leuchtturm» von Maxwell Davies, «Jakob Lenz» von Wolfgang Rihm und «Die Verurteilung des Lukullus» von Paul Dessau, weiter zahlreiche Operetten-Rollen. Er gastierte an deutschen Bühnen, in Pisa, Venedig und Madrid. Im Konzertbereich konnte er sich sowohl als Oratoriensolist wie als Liedersänger auszeichnen. Er war auch selbst als Komponist tätig, schrieb Lieder und brachte 1979 in Karlsruhe eine Oper «Jagdszenen aus Niederbayern» zur Uraufführung.

Silva, Stella, Mezzosopran, * 6. 1. 1948 Buenos Aires als Tochter italienischer Eltern. Sie wurde zunächst in Argentinien Elementarschullehrerin, erreichte dann aber ein Gesangstudium am Institut Superior des Teatro Colón Buenos Aires und mit Hilfe eines Stipendiums des Fondo Nacional de las Artes eine zusätzliche Ausbildung in Europa, die am Liceo Musicale G. Viotti in Vercelli stattfand. Sie gewann einen Gesangwettbewerb in Mailand und debütierte 1969 am Opernhaus von Bordeaux als Preziosilla in Verdis Oper «La forza del destino». Sie nahm in Mailand ihren Wohnsitz und kam bei Auftritten am Teatro Regio Parma, an den Opern von Lyon und Nizza, an der Opéra du Rhin Straßburg, an den Staatsopern von Wien und Hamburg, an der Deutschen Oper Berlin, am Teatro Liceo Barcelona, in Washington und Johannesburg, vor allem auch am Teatro Colón Buenos Aires zu großen Erfolgen. 1973–74 wirkte sie bei den Festspielen in der Arena von Verona, u. als Amneris in «Aida», mit. Weitere Höhepunkte in ihrem umfassenden Bühnenrepertoire waren die Carmen, die Ulrica in Verdis «Ballo in maschera», die Eboli im «Don Carlos», die Azucena im «Troubadour», die Federica in «Luisa Miller» von Verdi, die Adalgisa in «Norma» von Bellini, die Gran Vestale in Spontinis «La Vestale», die Charlotte im «Werther» von Massenet, die Dalila in «Samson et Dalila» von Saint-Saëns, die Ortrud im «Lohengrin», die Laura wie die Cieca in Ponchiellis «La Gioconda», die Leonora in «La Favorita» von Donizetti, die Rosa in «L'Arlesiana» von Cilea, der Orpheus in der Oper gleichen Namens von Gluck, die Hexe in «Hänsel und Gretel» von Humperdinck und der Holofernes in «Juditha triumphans» von Vivaldi. Auch als Konzertaltistin kam sie zu einer erstrangigen Karriere.

Silvasti, Jorma, Tenor, * 9. 3. 1959 Leppävirta (Finnland); er begann 1975 seine Ausbildung zum Sänger am Musikinstitut von Savonlinna und setzte sie 1978–81 an der Sibelius-Akademie in Helsinki und 1981–83 in Frankfurt a. M. fort. 1983 war er Gewinner des Timo Callio-Wettbewerbs in Savon-

linna. 1980 begann er seine Bühnenlaufbahn an der
Finnischen Nationaloper in Helsinki und war in der
folgenden Spielzeit 1981–82 am Opernhaus von
Frankfurt a. M. tätig. 1982–85 war er Mitglied der
Vereinigten Theater Krefeld-Mönchengladbach und
folgte dann einem Ruf an das Staatstheater Karlsruhe, dem er 1985–88 als Ensemblemitglied angehörte, und wo er später noch gastierte. Seit 1983 kam
er zu großen Erfolgen bei den Festspielen von Savonlinna, vor allem als Tamino in der «Zauberflöte», aber auch als Don Ottavio in «Don Giovanni» und als Steuermann im «Fliegenden Holländer» (1989). Er wirkte in Savonlinna in der Uraufführung der Oper «Veitsi» («Das Messer») von
Paavo Heikinen mit (12. 7. 1989). Er entfaltete eine
ausgedehnte Gastspieltätigkeit; so sang er an der
Wiener Volksoper u. a. den Don Ottavio (1988), am
Opernhaus von Essen den Lenski im «Eugen Onegin» (zusammen mit dem Ensemble der Oper von
Helsinki, 1989), an der Dresdner Staatsoper den
Henry Morosus in «Die schweigsame Frau» von
R. Strauss (bei einem Gastspiel des Staatstheaters
Karlsruhe, 1989), am Stadttheater von Bremen und
an weiteren führenden Bühnen. Aus seinem Reper-
toire für die Bühne sind noch der Ferrando in «Così
fan tutte», der Fenton in den «Lustigen Weibern von
Windsor» von Nicolai wie in Verdis «Falstaff», der
Graf Almaviva im «Barbier von Sevilla», der Pyla-
des in Glucks «Iphigénie en Aulide», der Walther
von der Vogelweide im «Tannhäuser» und der Stewa
in Janáčeks «Jenufa» nachzutragen. Angesehener
Konzert- und Oratoriensänger.
Schallplatten: BIS (Opernszenen aus Savonlinna als
Tamino).

Silvestri, Alessandro, Baß, * 1851 Padua, † 1922
Alessandria; er debütierte in seiner Heimatstadt
Padua 1876 und konnte schnell zu einer internationalen Karriere kommen. Bereits 1879 sang er an der
Covent Garden Oper London und gab bis 1882 an
diesem Opernhaus alljährlich Gastspiele. Als Giuseppe Verdi 1884 an der Mailänder Scala die Neu-
Bearbeitung seiner Oper «Don Carlos» (nach der
Pariser Uraufführung von 1867) zur Uraufführung
brachte, sang er die Partie des Königs Philipp. 1891
hörte man ihn an der Scala als Landgrafen im «Tannhäuser» und als Marcel in den «Hugenotten» von
Meyerbeer. Bereits am 22. 3. 1882 hatte er am Teatro Apollo in Rom in der Uraufführung der freige-
lassenen Donizetti-Oper «Il Duca d'Alba» mitgewirkt. Er setzte seine Karriere an den führenden
Opernhäusern Italiens bis in das erste Jahrzehnt
nach der Jahrhundertwende fort und gastierte u. a.
1900 an der Hofoper von Wien, 1902 am Deutschen
Theater von Prag. Am 17. 11. 1898 sang er am
Teatro Lirico Mailand in der Uraufführung der Oper
«Fedora» von Umberto Giordano als Partner von
Gemma Bellincioni und Enrico Caruso die Rolle des
Grech. Höhepunkte in seinem Bühnenrepertoire
waren weiter der Sparafucile im «Rigoletto», der
Ramphis in «Aida», der Oroveso in Bellinis
«Norma», der Conte Rodolfo in «La Sonnambula»
und der Raimondo in «Lucia di Lammermoor» von
Donizetti.

Schallplatten: Einige frühe Zonophone-Aufnahmen
(Mailand, 1900).

Silvy, Jacqueline, Sopran, * 21. 8. 1924 Aix-en-Provence; Ausbildung am Konservatorium ihrer Geburtsstadt Aix-en-Provence und am Konservatorium von Marseille. Sie debütierte 1949 am Opernhaus von Marseille als Gilda im «Rigoletto». In den
folgenden zehn Jahren trat sie an französischen Provinzbühnen auf. 1960 wurde sie an die Grand Opéra
Paris berufen, an der sie wiederum als Antrittsrolle
die Gilda sang. Gleichzeitig war sie an der Pariser
Opéra-Comique verpflichtet. Sie gastierte regelmäßig an den führenden französischen Musiktheatern,
in Bordeaux, Lyon, Toulouse, Marseille, Straßburg
und Nantes, außerdem an der Oper von Monte
Carlo (1963–63 und 1966), in Madrid, Lausanne und
Lüttich, in London und an westdeutschen Bühnen.
1965 sang sie in Straßburg in der französischen Erst-
aufführung von Benjamin Brittens «A Midsummer
Night's Dream» die Partie der Tytania. Die auch als
Konzert- und Liedersängerin bekannt gewordene
Sopranistin trat auf der Bühne in einer Vielfalt von
Rollen auf: als Zerline im «Don Giovanni» und als
Marzelline im «Fidelio», als Sophie im «Rosenkava-
lier» und als Micaela in «Carmen», als Leila in
«Pêcheurs de perles» von Bizet und als Manon von
Massenet, als Sophie im «Werther» vom gleichen
Meister und als Anna in Meyerbeers «Africaine», als
Musetta in Puccinis «La Bohème», als Liu in dessen
«Turandot» und als Natalie in der zeitgenössischen
Oper «Der Prinz von Homburg» von H. W. Henze.
Verheiratet mit dem bekannten Tenor *Gustave Bo-
tiaux* (* 1926).
Schallplatten: Vogue (Opern-Querschnitte), Or-
pheus.

Sima, Gabriele, Sopran/Mezzosopran, * 1955 Innsbruck; sie wuchs in Salzburg auf und begann bereits
im Alter von 14 Jahren ihr Gesangstudium am Salzburger Mozarteum. Sie setzte ihre Ausbildung an
der Musikhochschule von Wien bei A. Kolo fort.
1979 kam es zu ihrem Bühnendebüt bei der Wiener
Operntruppe «Spectaculum», die sich mit der Aufführung von Barock-Opern befaßte. Sie gehörte
1979–82 dem Opernstudio der Wiener Staatsoper
an, 1982 wurde sie als Mitglied in das Ensemble des
Hauses übernommen und blieb seitdem dort engagiert. 1988 schloß sie einen Gastvertrag mit dem
Opernhaus von Zürich ab. Seit 1980 wirkte sie bei
den Festspielen von Salzburg mit; hier trat sie u. a. in
den Uraufführungen der zeitgenössischen Opern
«Baal» von Friedrich Cerha (7. 8. 1981 als Johanna)
und «Un Re in ascolto» von Luciano Berio (7. 8.
1984) auf. Sie gastierte an der Staatsoper von Hamburg und war eine angesehene Konzert- und Oratoriensängerin; so gab sie 1989 Konzerte in Japan. Auf
der Bühne trat sie sowohl im Sopran- als später auch
in Mezzosopranrollen vor ihr Publikum, so als Barbarina und als Cherubino in «Figaros Hochzeit», als
Papagena in der «Zauberflöte», als Hirtenknabe im
«Tannhäuser», als Giannetta in «Elisir d'amore» von
Donizetti, als Flora in «La Traviata», als Siebel im
«Faust» von Gounod, als Xenia im «Boris Godu-

now», als Esmeralda in Smetanas «Verkaufter Braut» und als Kartenaufschlägerin in «Arabella» von R. Strauss.
Schallplatten: Telefunken («Jephta» von Händel), DGG (kleine Partie im «Rosenkavalier»), HMV (Hirtenknabe im «Tannhäuser»), Amadeo («Baal» von F. Cerha), Edition Schwann («Penthesilea» von O. Schoeck).

Šimenc, Mario, Tenor, *23. 1. 1896 Gorica (Görz, Slowenien), †26. 9. 1958 Zagreb; er erhielt seine Ausbildung in Maribor (Marburg a. d. Drau) und debütierte am Theater dieser Stadt 1919 als Operettensänger. Sein Engagement am Theater von Maribor benutzte er zur weiteren Ausbildung für eine Opernkarriere. Als erste Opernpartie sang er 1922 den Hans in der «Verkauften Braut» von Smetana. 1922–24 war er als erster Tenor am Opernhaus von Ljubljana, 1924–41 am Kroatischen Nationaltheater von Zagreb engagiert. Er sang als Gast in Deutschland, in Italien, in der ČSR und in Bulgarien. An der Oper von Zagreb kreierte er mehrere Partien in jugoslawischen Erstaufführungen von Opern, so den Kalaf in Puccinis «Turandot», die Titelrollen in «Sadko» von Rimsky-Korssakow (1930) und in «Andrea Chénier» von Giordano und den Bojan in «Marana» von Gotovac (1931, nachdem diese Oper des kroatischen Komponisten 1930 in Brno zur Uraufführung gekommen war). Aus seinem Bühnenrepertoire sind noch der Canio im «Bajazzo», der Pedro in «Tiefland» von d'Albert, der José in «Carmen», der Eleazar in Halévys «La Juive», der Tannhäuser, der Parsifal, der Walther in den «Meistersingern», der Siegmund in der «Walküre», der Radames in «Aida» und der Titelheld im «Othello» von Verdi hervorzuheben. Hinzu kam eine erfolgreiche Karriere als Konzert- und Oratoriensolist.

Simić, Goran, Baß, *14. 10. 1953 Belgrad; er studierte Fagottspiel und Gesang an den Musikhochschulen von Belgrad und Sarajewo. 1978 begann er seine Bühnentätigkeit am Opernhaus von Sarajewo, dessen Mitglied er bis 1984 blieb. Er gewann Preise bei Gesangwettbewerben in Busseto (1981), Moskau (Tschaikowsky-Concours, 1982) und Philadelphia (1985, Concours Pavarotti). Seit Oktober 1984 war er Mitglied der Staatsoper Wien, an der er in zahlreichen Partien erfolgreich auftrat. Operngastspiele in Italien und Deutschland, in Rußland, Jugoslawien, in den USA wie in Japan trugen seinen Namen in alle Welt. Bei den Salzburger Festspielen (Oster- wie Sommerfestspiele) war er 1986 und 1988 zu hören. An der Wiener Staatsoper sang er u. a. den Sparafucile im «Rigoletto», den Tom in Verdis «Ballo in maschera», den Wurm in «Luisa Miller», den Commendatore im «Don Giovanni», den Colline in «La Bohème», den Timur in «Turandot» von Puccini, den Titurel im «Parsifal», den Basilio im «Barbier von Sevilla» und den Pimen im «Boris Godunow». Von seinen weiteren Bühnenpartien seien der Pater Guardian in Verdis «La forza del destino», der Ramphis in «Aida», der Großinquisitor im «Don Carlos», der Ferrando im «Troubadour», der Kezal in Smetanas «Verkaufter Braut»,

der Raimondo in «Lucia di Lammermoor», der Kontschak wie der Galitzki in «Fürst Igor» von Borodin genannt. Als Konzert- und namentlich als Oratoriensolist trat er in Österreich, in Deutschland, Italien und Jugoslawien in Erscheinung; er wirkte in mehreren Radio- und Fernsehsendungen mit.
Schallplatten: DGG («Ballo in maschera» von Verdi unter H. von Karajan, «Khovantchina» unter C. Abbado), Melodiya.

Símonar, Gudrún Á., Sopran, *1924 Reykjavik, †18. 2. 1988 Reykjavik; die isländische Künstlerin trat 1945 erstmalig in einem Konzert in ihrer Heimatstadt Reykjavik auf. Dann absolvierte sie ihre Gesangausbildung an der Guildhall School of Music in London und am dortigen English Opera Centre. Abschluß der Ausbildung bei Carmen Melis in Mailand. Sie kam nach Island zurück und wurde dort erste Sopranistin am Theater von Reykjavik, wo sie als Rosalinde in der «Fledermaus» debütierte und in einer langjährigen Karriere Partien wie die Santuzza in «Cavalleria rusticana», die Tosca und die Mimi in «La Bohème» sang. 1974 wirkte sie in der Uraufführung der komischen Oper «Die Dame von Thryn» des isländischen Komponisten Jón Asgeirsson in der Rolle der Freya mit. Sie ist auch in Norwegen, in Dänemark, in Rußland und in den USA, teils auf der Bühne, hauptsächlich aber im Konzertsaal, zu hören gewesen.

Šindler, Antonín, s. unter *Šindler, Valentin.*

Šindler, Václav, s. unter *Šindler, Valentin.*

Šindler, Valentin, Tenor, *30. 1. 1885 Cholín (ČSR), †21. 1. 1957 Prag; er studierte 1905–08 am Konservatorium von Olomouc (Olmütz) und debütierte im Januar 1909 am Nationaltheater Prag als Hoffmann in «Hoffmanns Erzählungen» von Offenbach. Er setzte darauf seine Studien bei Adolf Robinson in Wien und in Berlin fort und kam 1911 für zwei Jahre wieder an das Prager Nationaltheater zurück. Hier sang er jetzt u. a. den Don Ottavio im «Don Giovanni» und den Ladislav in Smetanas «Zwei Witwen» («Dvě vdovy»). 1913–14 war er am Theater Winogradow in Prag engagiert, 1914–1917 am Opernhaus von Zagreb (Agram). 1917 folgte er einem Ruf an die Oper von Brno (Brünn), an der seine Karriere ihren Höhepunkt erreichte. Bis 1932 blieb er Mitglied dieses Hauses. Hier wirkte er allein in vier Uraufführungen von Opernwerken des Komponisten Leoš Janáček mit, der den Künstler sehr schätzte: am 23. 11. 1921 sang er den Wanja Kudrjas in «Katja Kabanowa», am 11. 11. 1925 den Lumír in «Šárka», am 18. 12. 1926 den Vitek in «Die Sache Makropoulos» («Véc Makropoulos») und am 12. 4. 1930 den Chapkin in «Aus einem Totenhaus» («Z mrtvého domu»). Zu seinen Glanzrollen gehörte auch der Stewa in Janáčeks Oper «Jenufa»; im übrigen beherrschte er ein Bühnenrepertoire, das 70 Partien enthielt, und trat häufig als Konzertsolist in Erscheinung. In Brno betätigte er sich als gesuchter Gesangpädagoge; 1952–56 wirkte er an der Musikakademie in Prag ebenfalls im pädagogischen Be-

reich. Er wurde zum Volkskünstler der ČSSR ernannt. Zwei seiner Brüder waren gleichfalls bekannte Opernsänger: *Antonín Šindler* (* 17. 8. 1886 Cholín, † 1969 Prag) sang als Tenor 1919–20 in Brno, 1920–22 am Opernhaus von Ljubljana (Laibach), 1922–23 in Belgrad, 1923–26 am Theater von Olomouc (Olmütz), 1926–29 in České Budějovice (Budweis), 1929–31 in Ostrova (Mährisch-Ostrau) und 1931–32 am Theater von Pardubiče (Pardubitz); dazu war er ein angesehener Konzertsänger, seit 1952 auch Lehrer am Konservatorium von Brünn. Der jüngste der drei Brüder, *Václav Šindler* (* 13. 5. 1893 Cholín, † 30. 7. 1952 Brno), ebenfalls ein Tenor, wirkte als Buffo- und Charaktersänger sowie als Operettentenor 1919–21 in Ostrava (Mährisch–Ostrau) und 1921–32 in Brno (Brünn).
Valentin Šindler hat Schallplatten bei vielen Firmen gesungen, u. a. bei Odeon, Polydor, Favorit, Heliophon, Homochord, Maraton, Omega und Rubinton; dagegen scheinen von den Stimmen seiner Brüder keine Aufnahmen zu existieren.

Singenstreu, Hilde, Sopran, * 1912 (?); sie war Schülerin von Jacques Stückgold in Berlin und sang zuerst in der Spielzeit 1924–25 am Stadttheater von Stralsund, dann 1926–28 am Stadttheater von Bamberg und 1928–31 am Staatstheater von Schwerin. Hier wirkte sie am 13. 11. 1931 in der Uraufführung der Oper «Friedemann Bach» als Partnerin von Walther Ludwig in der Partie der Antonie mit. 1931–36 wirkte sie am Staatstheater von Wiesbaden, schließlich in den langen Jahren 1936–50 am Staatstheater von Hannover, bei dessen Publikum sie sehr beliebt war. 1939–40 war sie gleichzeitig an der Staatsoper München engagiert. In Hannover nahm sie an mehreren Opern-Uraufführungen teil: 1937 «Die Fasnacht von Rottweil» von W. Kempff, 1942 «Das königliche Opfer» von Georg Vollerthun (als Königin Luise von Preußen), 1943 «Der Kuckuck von Theben» von E. Wolf-Ferrari (als Alkmene). Sie gastierte u. a. 1933 an der Oper von Frankfurt a. M., 1936 bei den Festspielen in der Waldoper von Zoppot (als Irene in Wagners «Rienzi»), 1938 an der Münchner Staatsoper. Sie sang ein sehr vielgestaltiges Bühnenrepertoire, aus dem als Höhepunkte die Donna Elvira im «Don Giovanni», die Pamina in der «Zauberflöte», die Agathe im «Freischütz», die Elsa im «Lohengrin», die Eva in den «Meistersingern», die Sieglinde und die Gutrune im Nibelungenring, die Chrysothemis in «Elektra» von R. Strauss, der Octavian im «Rosenkavalier», die Arabella von R. Strauss, die Maria im «Friedenstag» des gleichen Komponisten, die Heliane in «Das Wunder der Heliane» von Korngold, die Amelia in Verdis «Maskenball», die Titelheldin in «Adriana Lecouvreur» von Cilea und die Lisa in «Pique Dame» von Tschaikowsky hervorgehoben seien. Sie galt als hervorragende Konzert- und Liedersängerin.
Schallplattenaufnahmen der Marke Polydor.

Singer, Ventur, * 24. 7. 1891 Villingen (Schwarzwald); erstes Engagement am Stadttheater von Heilbronn (1920–21); sang dann am Landestheater von Altenburg in Thüringen (1921–22), am

Stadttheater (Opernhaus) von Zürich (1922–25) und 1925–30 am Opernhaus von Köln. Hier trat er hauptsächlich im italienischen Fach, dann aber zunehmend in Wagner-Partien, auf. 1930–35 war er am Opernhaus von Breslau engagiert, 1935–36 am Stadttheater von Chemnitz, dann 1936–39 an der Stuttgarter Staatsoper, wo er die schweren Wagner-Heroen, vor allem den Siegfried, sang. 1939–43 kam seine Bühnenkarriere am Stadttheater von Stettin zum Ausklang. Er lebte später in Freiburg i. Br. Hatte er mit lyrischen Partien wie dem Grafen Almaviva im «Barbier von Sevilla», dem Tamino in der «Zauberflöte», dem Ernesto im «Don Pasquale» oder dem Nureddin im «Barbier von Bagdad» begonnen, so ging er in einen zweiten Abschnitt seiner Karriere in das jugendlich-heldische Fach über und sang jetzt den Erik im «Fliegenden Holländer», den Parsifal, den Titelhelden in «Hoffmanns Erzählungen» und den Turiddu in «Cavalleria rusticana». Schließlich übernahm er schwere heldische Rollen, darunter den Tannhäuser, den Siegfried, den Radames in «Aida», den Bacchus in «Ariadne auf Naxos» bis hin zu Charakterpartien (Loge im «Rheingold», Ägisth in «Elektra» von R. Strauss). Ergänzend sind aus seinem ungewöhnlich vielgestaltigen Repertoire noch der Sextus in «Guilio Cesare» von Händel, der Pylades in Glucks «Iphigenie auf Tauris», der José in «Carmen», der Cassio in Verdis «Othello», den Manuel in «Don Gil von den grünen Hosen» von W. Braunfels, der Titelheld in «Marouf» von H. Rabaud, der Galba in «Die toten Augen» von E. d'Albert, der Hüon im «Oberon» von Weber, der Alvaro in Verdis «La forza del destino», der Mathias im «Evangelimann» von Kienzl und der Claudio im «Liebesverbot» von R. Wagner zu nennen.

Singler, Frieda, Sopran, * 1886, † 8. 6. 1931 Hamburg; 1910 kam es zu ihrem Bühnendebüt am Hoftheater von Hannover, an dem sie bis 1912 auftrat. 1912–14 war sie am Stadttheater von Aachen engagiert und wurde dann an das Opernhaus (Stadttheater) von Hamburg berufen, an dem sie bis zur Beendigung ihrer Karriere 1930 wirkte. Sie sang dort vor allem Partien aus dem Soubrettenfach wie das Blondchen in der «Entführung aus dem Serail», den Cherubino in «Figaros Hochzeit», die Papagena in der «Zauberflöte», die Zerline im «Don Giovanni», die Gretchen in «Wildschütz» von Lortzing, die Marie in «Zar und Zimmermann», die Sophie im «Rosenkavalier» und die Zerline in «Fra Diavolo» von Auber, übernahm aber auch ausgesprochene Koloraturrollen wie die Olympia in «Hoffmanns Erzählungen» und die Philine in «Mignon» von A. Thomas. Sie sang in Hamburg in der Uraufführung der Oper «Die versunkene Glocke» («La Campana sommersa») von Ottorino Respighi (24. 11. 1928); bereits zuvor hatte sie 1925 dort in der deutschen Erstaufführung von dessen Oper «Belfagor» (als Magdalene) mitgewirkt.

Sirkiä, Raimo, Tenor, * 7. 2. 1951 Helsinki; er war zuerst als Instrumentalmusiker tätig und wurde viermal finnischer Meister im Akkordeonspiel, beherrschte aber auch Klavier, Orgel, Kontrabaß,

Schlagzeug, Querflöte und Gitarre. 1977 begann er das Schulmusikstudium an der Sibelius-Akademie in Helsini und wechselte drei Jahre später in die Gesangklasse; weitere Ausbildung seiner Stimme in Rom und London. 1981 gewann er den Timo Mustakallio-Concours in Helsinki. Seit 1982 trat er bei den Festspielen im finnischen Savonlinna auf. 1983 ging er an das Theater von Kiel, an dem er lyrische Tenorpartien wie den Belmonte in der «Entführung aus dem Serail», den Tamino in der «Zauberflöte», den Lyonel in Flotows «Martha», aber auch bereits den Cavaradossi in «Tosca» und den Pollione in «Norma» sang. 1985 folgte er einem Ruf an das Opernhaus von Dortmund und spezialisierte sich nun auf das jugendlich dramatische und das italienische heldische Fach. Jetzt standen der Radames in Verdis «Aida», der Riccardo in dessen «Maskenball», der Manrico im «Troubadour», der Titelheld im «Othello», der Alvaro in «La forza del destino», der Ismaele in «Nabucco», der Edgardo in «Lucia di Lammermoor», der Erik im «Fliegenden Holländer», der Walther von Stolzing in den «Meistersingern», der Titelheld im «Parsifal», der José in «Carmen», der Hüon im «Oberon» von Weber, der Narraboth in «Salome» von R. Strauss, der Bacchus in «Ariadne auf Naxos» und der Wladimir in Borodins «Fürst Igor» im Mittelpunkt seines Bühnenrepertoires. Er unternahm Gastspiele an der Deutschen Oper am Rhein Düsseldorf–Duisburg, an den Staatsopern von Dresden und Stuttgart, an den Staatstheatern von Braunschweig, Hannover, Karlsruhe und Oldenburg, an der Deutschen Oper Berlin (1989 als Manrico), in Essen, Basel, Bordeaux und Augsburg, Seit 1989 Mitglied der Nationaloper Helsinki. Er trat in seiner finnischen Heimat, in Deutschland, Italien und Rußland erfolgreich als Konzertsänger auf.

Sirmen, Maddalena, Sängerin, Instrumentalsolistin und Komponistin, * 1735 (?) Venedig, † nach 1785; sie hieß mit ihrem Geburtsnamen Maddalena Lombardini, stammte aus Venedig und erhielt dort am Conservatorio dei Mendicanti ihre Ausbildung; Violinspiel erlernte sie als Schülerin des berühmten Violinvirtuosen und Komponisten Giuseppe Tartini in Padua, 1760 begann sie ihre Kunstreisen durch Italien, wobei sie als Violinistin wie als Sängerin auftrat. Dabei traf sie in Bergamo den Violinisten und Chordirigenten an der dortigen Kirche Santa Maria Maddalena Ludovico Sirmen, den sie dann heiratete. Beide Künstler setzten nun ihre Tourneen durch die europäischen Länder fort. Nachdem sie in Italien erfolgreich aufgetreten waren, gastierten sie 1768 in Paris. 1771 kamen die beiden Ehegatten erstmalig nach London. Dort gaben sie Violinkonzerte; Maddalena Sirmen trat aber auch als Sängerin und als Virtuosin auf dem Harpsichord in Erscheinung, jedesmal mit großem Erfolg, so daß die Künstler in der Folge weitere Gastspiele in der englischen Metropole unternahmen. Eine letzte Nachricht über Maddalena Sirmen ist aus dem Jahr 1785 vorhanden. Sie besaß eine allgemein anerkannte Begabung als Komponistin und schrieb u. a. sechs Violinkonzerte, sechs Streichquartette, sechs Trios für zwei Violinen

und Cello, Duette für zwei Violinen und Violinsonaten.

Siukola, Heikki, Tenor, * 20. 3. 1943 in Finnland; er studierte an der Universität und an der Sibelius-Akademie in der finnischen Hauptstadt Helsinki, nachdem er eine erste Gesangausbildung bei seinem Vater erhalten hatte. Später war er Schüler von Iolanda di Maria Petris und von Steve Sweetland in Helsinki. Zuerst trat er im Bariton-Fach auf, wechselte dann aber bald zum Tenor. Seine ersten Verpflichtungen waren in Finnland in Tampere und an der Nationaloper von Helsinki. 1972–79 war er am Opernhaus von Wuppertal engagiert, 1980–83 an den Vereinigten Bühnen Krefeld-Mönchengladbach. Seitdem ging er einer ausgedehnten Gastspieltätigkeit auf internationalem Niveau nach. So gastierte er 1989 an der Oper von Oslo als Erik im «Fliegenden Holländer», am Teatro San Carlos Lissabon als Siegmund in der «Walküre»; weitere Gastspiele am Stadttheater von Basel (1989 als Tristan), an führenden Bühnen des deutschen Sprachgebiets, in den skandinavischen Ländern (Festspiele von Savonlinna). 1989 großer Erfolg an der Oper von Nancy als Tristan. Er sang zunächst Partien aus dem italienischen Fach wie den Titelhelden in «Andrea Chénier» von Giordano, den Cavaradossi in «Tosca», den Alfredo in «La Traviata», den Don Carlos von Verdi, den Pinkerton in «Madame Butterfly», den Johnson in Puccinis «La Fanciulla del West», auch den Hoffmann in «Hoffmanns Erzählungen». Es kamen dann in einem weiteren Abschnitt der Karriere Rollen aus dem deutschen heldischen Fach und Wagner-Heroen hinzu: der Florestan im «Fidelio», der Erik, der Lohengrin, der Parsifal, der Siegmund, der Bacchus in «Ariadne auf Naxos» von R. Strauss und vor allem der Tristan in «Tristan und Isolde».
Schallplatten: Voce (Konrad in vollständiger Oper «Hans Heiling» von H. Marschner), BIS.

Skinner, John, Countertenor, * 5. 3. 1949 York (England); er erhielt seine Ausbildung an der York Minster Song School, am Colchester Institute und an der Royal Academy of Music London. Er schloß diese mit dem akademischen Grad eines Bachelor of Arts ab. Er kam in seinem interessanten Stimmfach in England wie im Ausland zu einer bedeutenden Konzert- und Rundfunkkarriere. Er sang mit englischen Vokal-Ensembles zusammen, u. a. mit dem Consort of Musicke. Nachdem er am Staatstheater von Kassel erstmals die Bühne betreten hatte, entwickelte er auch auf dem Gebiet des Operngesangs eine internationale Karriere. Er sang u. a. an der Covent Garden Oper London, an der Scottish Opera Glasgow, an der Mailänder Scala und beim Festival von Ottawa. Seit 1984 Associate der Royal Academy of Music London.
Nicht zuletzt wurde der Künstler durch eine Reihe schöner Schallplattenaufnahmen bekannt: auf Decca erschienen Werke von John Dowland, auf Harmonia mundi «Partenope» von Händel, auf Florilegium, CBS und Erato eine Anzahl von Renaissance- und Barock-Werken verschiedener Meister,

auf HMV Arminio in «Partenope» von Händel, auf TIS eine Messe von Charpentier.

Skoglund, Annika, Mezzosopran, * 5. 11. 1960; die schwedische Sängerin studierte an der Königlichen Musikakademie Stockholm bei Birgit Stenberg und bei verschiedenen Pädagogen in London. Im März 1987 debütierte sie in Göteborg als Konzertsängerin mit den «Liedern eines fahrenden Gesellen» von Gustav Mahler. Ihre Karriere nahm eine ungewöhnlich schnelle Entwicklung. 1987 kam es bei den Festspielen im Barock-Theater von Drottningholm zu ihrem Bühnendebüt in der Partie des Cherubino in «Nozze di Figaro». Sie hatte dann an der Königlichen Oper Stockholm ihre ersten Erfolge als Suzuki in «Madame Butterfly» und als Page Isolier in Rossinis «Le Comte Ory». Sie gastierte am Teatro Fenice Venedig als Ramiro in «La finta giardiniera» von Mozart und 1989 an der Oper von Oslo als Cherubino. Es schlossen sich eine Reihe von Konzerten in Schweden wie in Italien an. 1989 debütierte sie in den USA in einem Konzert mit dem Oregon Symphony Orchestra unter James De Preist; im Herbst des gleichen Jahres sang sie unter dem gleichen Dirigenten in der New Yorker Carnegie Hall. 1990 gastierte sie beim Festival Musica Sveciae in Paris wie in Versailles.
Schallplatten: Proprius/Audio (Lieder).

Skovhus, Boje, Bariton, * 22. 5. 1962 Ikast (Dänemark); er war an der Musikhochschule von Aarhus Schüler von Helge Frees Christiansen. Von 1986–88 setzte er seine Ausbildung in der Opernklasse der Musikakademie Kopenhagen bei Susanna Eken fort. Er nahm an Meisterkursen bei Oren Brown, bei Nicolai Gedda, Sena Jurinac, Walter Berry und Pavel Lisitzian teil. 1988 trat er sein erstes Bühnenengagement an der Wiener Volksoper an (Debüt als Don Giovanni). Seine weiteren Partien waren hier der Figaro sowohl in «Figaros Hochzeit» wie im «Barbier von Sevilla» von Rossini, der Titelheld im «Eugen Onegin» von Tschaikowsky und der Danilo in der «Lustigen Witwe». Er schloß Gastverträge mit den Staatsopern von Wien und Hamburg ab und entfaltete eine intensive Tätigkeit im Konzertsaal in Österreich, Frankreich und in seiner dänischen Heimat.

Slabbert, Wicus, Bariton, * 1947 (?) Kronstad (Südafrika); zunächst Studium der Kunstgeschichte und der Malerei an der Universität von Pretoria. 1967 kam er nach Westdeutschland und wurde Schüler des berühmten Baß-Baritons Josef Metternich. Seit 1968 weitere Ausbildung im Gesangstudio der Deutschen Oper am Rhein Düsseldorf–Duisburg. Er wurde bald als lyrischer Bariton in das Ensemble des Hauses aufgenommen, wechselte dort aber 1973 in das italienische Fach. 1974 wurde er an das Opernhaus von Essen verpflichtet, wo er bis 1979 blieb und Partien wie den Germont-père in «La Traviata», den Don Carlos in «La forza del destino» von Verdi, den Rigoletto, den Don Giovanni, den Figaro in «Figaros Hochzeit», den Scarpia in «Tosca», den Jochanaan in «Salome» von R. Strauss, den Mandryka in

«Arabella» und den Hans Sachs in den «Meistersingern» übernahm. 1979 wurde er Mitglied des Staatstheaters von Kassel; hier fügte er als weitere Partien den Macbeth in der gleichnamigen Verdi-Oper, den Jago in dessen «Othello», die vier Dämonen in «Hoffmanns Erzählungen» und den Dr. Schön in «Lulu» von A. Berg in sein Repertoire ein. Seit 1988 Mitglied der Volksoper Wien (zuvor dort bereits Gastspiele in «Tiefland» von d'Albert, in «Die Kluge» von C. Orff und in Weinbergers «Schwanda der Dudelsackpfeifer»), zugleich der Wiener Staatsoper verbunden; ständiger Gast an der Deutschen Oper am Rhein Düsseldorf–Duisburg. Erfolgreiche Gastspiele an der Staatsoper Stuttgart (vier Dämonen in «Hoffmanns Erzählungen»), am Opernhaus von Nürnberg, am Theater am Gärtnerplatz München, bei den Festspielen von Bregenz (1988 vier Dämonen, 1989 Fliegender Holländer) in Pretoria (als Kurwenal im «Tristan», als Jago und als Scarpia), in Bogotá (Pizarro im «Fidelio»), bei den Festspielen von Edinburgh und Florenz, in Stockholm und Warschau. Neben der Ausdruckskraft seiner Stimme auf der Bühne wie im Konzertsaal wurde in seinen Bühnenpartien seine eminente Darstellungskunst bewundert.
Mitschnitte von Rundfunksendungen.

Slembeck, Dieter, Bariton, * 24. 5. 1935 Kamp-Lintfort (Niederrhein) † 10. 5. 1974 Frankfurt a. M.; er war Schüler der berühmten Pädagogin Franziska Martienssen-Lohmann in Düsseldorf. 1962 debütierte er am Stadttheater von Aachen, dem er bis 1965 angehörte. 1965 wurde er an das Opernhaus von Frankfurt a. M. berufen, dessen Mitglied er bis zu seinem plötzlichen Tod (er starb an den Folgen einer Gehirnblutung) blieb. Er war neben seinem Wirken auf der Bühne ein hoch angesehener Konzert-, Oratorien-, und vor allem Liedersänger. Bei den Festspielen von Bayreuth sang er 1964–67 den Reinmar von Zweter im «Tannhäuser», 1965–70 den dritten Knappen im «Parsifal», 1967–68 einen der Edlen im «Lohengrin» und 1968–70 den Konrad Nachtigall in den «Meistersingern». Gastspiele führten den Künstler nicht nur an deutsche Theater, sondern auch nach Frankreich. Von seinen Partien sind der Graf in «Figaros Hochzeit», der Papageno in der «Zauberflöte», der Germont-père in «La Traviata», der Carlos in «La forza del destino», der Wolfram im «Tannhäuser», der Sharpless in «Madame Butterfly» und der Kalif im «Barbier von Bagdad» von P. Cornelius erwähnenswert.
Schallplatten: DGG («Parsifal» aus Bayreuth).

Slorach, Marie, Sopran, * 8. 5. 1951 Glasgow; sie absolvierte ihr Gesangstudium an der Royal Scottish Academy of Music and Drama in Glasgow. 1979 wurde sie Preisträgerin bei einem internationalen Gesangwettbewerb in Sofia. Bereits seit 1974 gehörte sie der Scottish Opera Glasgow an, blieb deren Mitglied bis 1981 und trat auch danach immer wieder an diesem Haus als Gast auf. Von den vielen Partien, die sie dort gesungen hat, verdienen Erwähnung: die Marzelline im «Fidelio», die Gretel in «Hänsel und Gretel», die Marie in Smetanas «Verkaufter Braut», die Zerline im «Don Giovanni», die Mimi wie die Musetta in «La Bohème», die Leila in «Les Pêcheurs de perles» von Bizet, die Aneška in «Zwei Witwen» von Smetana, die Tatjana im «Eugen Onegin», die Liu in «Turandot», die Gouvernante in «The Turn of the Screw» von B. Britten, die Jenifer in «The Midsummer Marriage» von Tipton und die Fiordiligi in «Così fan tutte», die sie auch bei der holländischen Operngesellschaft Forum in Enschede sang. 1977 hatte sie bei der Scottish Opera einen besonderen Erfolg, als sie kurzfristig die Partie der Eva in den «Meistersingern» übernahm. Beim Wexford Festival gastierte sie als Maliella in Wolf-Ferraris «I Gioielli della Madonna» und als Vendulka in «Hubička» («Der Kuß») von Smetana, bei der English National Opera London sang sie u. a. die Donna Elvira im «Don Giovanni», die Lisa in «Pique Dame» und die erste Dame in der «Zauberflöte», bei der Opera North Leeds die Fiordiligi, die Micaela in «Carmen», die Marie in der «Verkauften Braut» und die Eva in den «Meistersingern». Mit der Glyndebourne Touring Opera gastierte sie als Donna Anna im «Don Giovanni», als Elettra in Mozarts «Idomeneo» und als Amelia in «Simon Boccanegra» von Verdi. Die letztgenannte Partie sang sie 1987 auch an der Australian Opera Sydney. Opernaufführungen mit verschiedenen englischen Gesellschaften und Konzertauftritte, bei denen sie ein umfangreiches Repertoire vortrug, kennzeichneten ihre weitere Karriere. Schallplatten: HMV («Armide» von Gluck).

Slowiozek, Klemens, Baß-Bariton, *27. 11. 1945 Stonava (ČSSR); er begann sein Gesangstudium am Konservatorium von Ostrava (Mährisch–Ostrau) und brachte es an der Musikakademie von Brno (Brünn) zum Abschluß. 1969 erfolgte sein Bühnendebüt am Opernhaus von Ostrava als Figaro in «Figaros Hochzeit». Bis 1974 blieb er Mitglied dieses Theaters und gastierte während dieser Zeit auch an anderen Opernbühnen in der ČSSR. 1974 wurde er an die Komische Oper Berlin verpflichtet, an der er eine lange, erfolgreiche Karriere hatte. Erfolgreich verliefen auch Gastspielauftritte an Bühnen in Italien, in der Sowjetunion und in Polen; dabei standen Partien wie der Leporello im «Don Giovanni», der Papageno in der «Zauberflöte» und der Wassermann in «Rusalka» von Dvořák im Vordergrund seines umfassenden Repertoires für den Bereich der Oper. Dazu als Konzertsänger aufgetreten.

Smeikal, Marie, Sopran/Mezzosopran, *1. 5. 1881 Zürich, †11. 10. 1968 Küsnacht bei Zürich; sie war eine Schülerin des Pädagogen Hans Rogorsch in Zürich. 1897 begann sie ihre Karriere als Altistin im Chor des Stadttheaters Zürich, dem auch ihre Mutter von 1879 bis 1909 angehörte. Sie ist während ihrer gesamten Karriere, die sich bis 1947 hinzog, also während 50 Jahren, Mitglied dieses Hauses geblieben. Die Zahl der Premieren und Erstaufführungen, in denen sie in Zürich mitwirkte, ist unübersehbar; sie sang dort in den Uraufführungen der Opern «Turandot» von F. Busoni (als Adelma, 11. 5. 1917), «Erwin und Elmire» von Othmar Schoeck (als Olympia, 1916) und «Der Kreidekreis» von Zem-

linsky (als Hebamme, 14. 10. 1933), dazu in den Uraufführungen vieler Operetten, darunter «Hochzeitswalzer» von L. Ascher, «Herzen im Schnee» von R. Benatzky (1937), «Hopsa» (1935) und «Tic-Tac» von Paul Burkhard, «Kaiserin Josephine» von E. Kálmán, «Herz über Bord» von Eduard Künnecke (1935), «Zwei Herzen im Dreivierteltakt» von Robert Stolz (30. 9. 1933), «Drei Walzer» von Oscar Straus (1935), ohne daß diese Liste Anspruch auf Vollständigkeit erheben könnte. Ihr Bühnenrepertoire besaß einen sehr großen Umfang und umfaßte Partien wie die Donna Elvira im «Don Giovanni», die Pamina in der «Zauberflöte», die Marguerite, die Marthe wie den Siebel im «Faust» von Gounod, die Titelfigur in Flotows «Martha», die Micaela wie die Mercedes in «Carmen», die Hexe wie den Hänsel in «Hänsel und Gretel», den Nicklausse wie die Antonia in «Hoffmanns Erzählungen», die Musetta in «La Bohème», die Titelheldin wie die Suzuki in «Madame Butterfly», die Olga wie die Larina im «Eugen Onegin» von Tschaikowsky, die Agathe im «Freischütz», die Venus im «Tannhäuser», die Leonore im «Troubadour» und die Marianne Leitmetzerin im «Rosenkavalier». Neben vielen kleineren Partien enthielt ihr Repertoire in besonderer Weise Aufgaben aus dem Gebiet der Operette. Die Künstlerin gab Gastspiele an den Theatern von Basel und Genf, ist aber stets Mitglied des Zürcher Hauses geblieben, dessen Publikum ihr in besonderer Weise zugetan war.

Smeraldi, Smeralda, s. unter *Soley,* Alessio.

Smerkolj, Samo, Bariton, *21. 8. 1921 Ljubljana (Laibach); er wurde durch Julius Betetto und Bogo Lesković ausgebildet. 1945 debütierte er am Opernhaus der slowenischen Hauptstadt Ljubljana als Titelheld in «Fürst Igor» von Borodin. Seine gesamte Karriere spielte sich in den folgenden Jahrzehnten an diesem Haus ab, mit dessen Ensemble er auch Gastspielreisen unternahm. Seine großen Partien auf der Bühne waren der Titelheld in «Macbeth» von Verdi, der Jago in dessen «Othello», der Pizarro im «Fidelio», der Scarpia in «Tosca», der Eugen Onegin in der gleichnamigen Tschaikowsky-Oper und der Orest in «Elektra» von Richard Strauss.
Der auch im Konzertrepertoire geschätzte Sänger erscheint unter dem Etikett von Philips in einer vollständigen Aufnahme der Oper «Der Jahrmarkt von Sorochintsy» von Mussorgsky.

Smetannikow, Leonid (Anatoljewitsch), Bariton, *1936 Saratow an der Wolga; sein Vater war Elektriker in einem Industriewerk, und er selbst ergriff gleichfalls diesen Beruf. Mit 19 Jahren bestand er die Aufnahmeprüfung für das Leonid Sobinow-Konservatorium in Saratow, an dem er seine Ausbildung erhielt. Bereits während seines Studiums trat er am Opernhaus von Saratow auf und wurde 1966 reguläres Mitglied dieses Theaters. Gastspiele und vor allem Konzertauftritte trugen dazu bei, daß er zunächst in seiner russischen Heimat, dann auch auf internationaler Ebene, bekannt wurde. So hat er in West- und Ostdeutschland, in Österreich, Finnland,

Jugoslawien, in Italien, Nordkorea und in Mexiko gesungen. Als seine großen Bühnenrollen galten der Titelheld im «Eugen Onegin» von Tschaikowsky, der Mazeppa in der gleichnamigen Oper dieses Komponisten, der Don Giovanni, der Valentin im «Faust» von Gounod, der Figaro in Rossinis «Barbier von Sevilla», der Germont-père in «La Traviata» (den er mit großem Erfolg an der Nationaloper Belgrad sang), die Titelpartie im «Dämon» von A. Rubinstein, der Ferdinand in Prokofieffs «Duenna» («Die Verlobung im Kloster») und der Petruschko in «Der Widerspenstigen Zähmung» von W. Schebalin. Im Konzertsaal schätzte man seine Interpretationen des russischen Volksliedes wie des Kunstliedes aus allen Bereichen der Musikliteratur. Zugleich ging er einer intensiven pädagogischen Tätigkeit als Dozent am Konservatorium von Saratow nach. 1987 wurde ihm der Titel eines Volkskünstlers der UdSSR verliehen.
Schallplattenaufnahmen der staatlichen sowjetrussischen Plattenproduktion (Melodiya).

Smith, Donald, Tenor, * 1922 Bundaberg (Queensland, Australien); nachdem er zuerst als Farmer gearbeitet hatte, kam es zur Ausbildung seiner Stimme durch den Pädagogen Les Eyde in Brisbane. 1941 wirkte er in Brisbane in der Operette «Merrie England» von E. German mit, wurde dann aber im Zweiten Weltkrieg als Soldat eingezogen. 1948 erfolgte sein eigentliches Debüt auf der Bühne, als er bei der Brisbane Opera Company den Titelhelden im «Faust» von Gounod sang. 1952 nahm er an einer Australien-Tournee mit Konzerten in den verschiedenen Großstädten, 1955 an einer Gastspielreise mit der Italian Grand Opera Company teil. 1958 und 1960 sang er bei der Elizabethan Opera Company, einer weiteren Wanderoper, in Australien den Tamino in der «Zauberflöte», den Grafen Almaviva im «Barbier von Sevilla» und den Pinkerton in «Madame Butterfly». Die neuseeländische Primadonna Joan Hammond brachte ihn 1962 an die Sadler's Wells Oper London. Er debütierte er als José in «Carmen», sang dort u. a. den Herzog im «Rigoletto», den Hans in der «Verkauften Braut» und den Ramirez in Puccinis «La fanciulla del West» (1964). Er hatte in England bedeutende Erfolge an der Covent Garden Oper (Debüt 1965 als Kalaf in «Turandot») wie bei der English National Opera London, an der Welsh Opera Cardiff, an der Scottish Opera Glasgow und beim Festival von Edinburgh; er gastierte auch an der Oper von Mexico City. Lange Jahre wirkte er als erster Tenor an der Australian Opera Sydney. Hier hörte man ihn vor allem in heldischen Partien aus der italienischen Opernliteratur, darunter als Radames in «Aida», als Alvaro in «La forza del destino», als Manrico im «Troubadour», als Riccardo in «Un ballo in maschera», als Titelhelden in Verdis «Ernani», als Herzog im «Rigoletto», als José in «Carmen», als Turiddu in «Cavalleria rusticana», als Canio im «Bajazzo», als Roméo in «Roméo et Juliette» von Gounod, als Rodolfo in Puccinis «La Bohème», als Cavaradossi in «Tosca» (den er auch in einer Opernsendung des australischen Fernsehens sang), als Luigi in Puccinis

«Il Tabarro», als Kalaf in dessen Oper «Turandot» als Ramirez in «La fanciulla del West» und als Jenik in der «Verkauften Braut» von Smetana. Er genoß als Konzertsänger wie als Gesanglehrer großes Ansehen.
Schallplatten: HMV (Herzog im «Rigoletto», Querschnitt in englischer Sprache).

Smith, Jennifer, Sopran, * 1942 (?) in Portugal; sie studierte in Lissabon und hatte bereits in Portugal wie in Europa eine bedeutende Karriere als Konzert- und Schallplattensängerin gehabt, als sie 1971 ihre Tätigkeit nach England verlegte. Sie nahm nun mehrere Opernpartien in ihr Repertoire auf und sang bei der Welsh Opera Cardiff die Gräfin in «Nozze di Figaro», die sie bei der Scottish Opera Glasgow und bei der Kent Opera wiederholte. Beim Festival von Wexford gastierte sie als Euridice im «Orpheus» von Gluck, beim Festival von Aix-en-Provence in «Les Boréades» (1982) und in «Hippolyte et Aricie» von Rameau, an der English Opera London in Monteverdis «Orfeo», in der Schweiz in «The Rape of Lucretia» von B. Britten (als Female Chorus), bei den Händel-Festspielen von Göttingen in «Hercules» von Händel (1982), in Lissabon als Aminta in «Il Re Pastore» von Mozart, an der Opéra-Comique Paris und später in New York als Cybelle in «Atys» von Lully (1987). Sie gab in den Musikzentren Europas glanzvolle Konzerte mit den führenden Orchestern und unter den ersten Dirigenten ihrer Zeit; so unternahm sie 1988–89 eine Europa-Tournee mit 18 Aufführungen der h-moll-Messe von J. S. Bach. Im Mittelpunkt ihres Konzertrepertoires standen die großen Meister der Barock-Epoche H. Purcell, J. S. Bach und Händel; sie sang Soli in Werken von Mozart, Berlioz, Janáček, F. Poulenc und B. Britten, ohne daß damit eine Begrenzung ihres Repertoires angezeigt sein sollte. Ihre Konzertreisen führten sie nach Frankreich, Spanien, in die Schweiz, Skandinavien, Belgien und Deutschland. Sie war auch eine bedeutende Liedersängerin (Schubert-Lieder).
Die Zahl der Schallplattenaufnahmen, die von ihrer Stimme vorhanden sind, ist fast unübersehbar. Sie sang auf den Marken Erato (h-moll-Messe und Magnificat von J. S. Bach, «The Indian Queen» von Purcell, «The Triumph of Time and Truth« von Händel, «Les Indes galantes» von Rameau, «Jephte» von Carissimi), RCA (Cäcilienode von Purcell, h-moll-Messe von J. S. Bach, Te Deum von Lully, «King Arthur» von Purcell, «Naïs», «Les Boréades», «Castor et Pollux» von Rameau und weitere Vokalwerke dieses Meisters), DGG («Hercules», «L' Allegro, il Penseroso ed il Moderato» von Händel, «The Fairy Queen» von Purcell), Argo («El retablo de Maese Pedro» von de Falla), Decca (Messen von J. Haydn) HMV-Portugal (Schubert-Lieder).

Smith, John Stafford, Tenor, * 30. 3. 1750 Gloucester, † 21. 9. 1836 London; er war der Sohn des Organisten der Kathedrale von Gloucester Martin Smith. Er erhielt seine erste Ausbildung durch seinen Vater und wurde darauf in London Schüler der Pädagogen Boyce und Nares. Er wurde als Tenor in den Chor der Chapel Royal aufgenommen und 1784 zum Gentleman of the Chapel Royal ernannt. 1790 gab er diese Tätigkeit auf und übernahm das Amt seines Vaters als Organist an der Kathedrale von Gloucester. Als der berühmte Organist und Komponist Samuel Arnold 1802 starb, wurde John Stafford Smith dessen Nachfolger als Organist der Chapel Royal. 1805 wurde er, jetzt als Nachfolger von Edmund Ayrton, Master of the Children of the Chapel Royal. In der Ausübung dieser Ämter nahm er großen Einfluß auf das Londoner Musikleben seiner Zeit. Er war vielseitig interessiert und begabt und assistierte dem großen englischen Musikhistoriker John Hawkins bei der Abfassung und Ergänzung seines fünfbändigen Werks «General History of the Science and Practice of Music».

Smith-Meyer, Carolyn, Sopran, * 1945 (?) Oklahoma City; sie absolvierte ihre Gesangausbildung in Chicago, wo sie in erster Linie Schülerin von T. Peck war. Sie kam dann nach Europa und debütierte 1967 am Stadttheater von Basel in der Partie der Gilda im «Rigoletto». Sie konnte in Europa wie in ihrer amerikanischen Heimat eine große Bühnen- und Konzertkarriere entwickeln. Seit 1969 war sie mehrfach an der Komischen Oper Berlin zu Gast, an der sie 1969 einen besonderen Erfolg als Bess in «Porgy and Bess» von Gershwin erzielen konnte. 1976 gastierte sie an der Staatsoper von Dresden als Konstanze in der «Entführung aus dem Serail». Bis 1984 war sie durch einen Gastspielvertrag dem Opernhaus von Frankfurt a. M. verbunden, 1989–90 sang sie am Theater von Bremen. In den USA wurde sie vor allem durch ihre Auftritte an der Oper von Chicago bekannt. Auf der Bühne sang die farbige Sopranistin zahlreiche Rollen aus dem Koloratur- wie aus dem Soubrettenfach, wobei sie sich auch als große Darstellerin erwies. Im Konzertsaal wurde sie als Interpretin des Negro Spirituals bekannt.
Mit Sicherheit sind von ihrer Stimme Mitschnitte von Rundfunksendungen vorhanden.

Smythe, Russell, Bariton, * 10. 12. 1949 Dublin; er wurde in der Londoner Guildhall School of Music und im London Opera Centre ausgebildet. Seit 1977 hatte er an der Welsh Opera Cardiff eine erfolgreiche Karriere in Partien wie dem Billy Budd in B. Brittens Oper gleichen Namens, dem Grafen in «Nozze di Figaro», dem Papageno in der «Zauberflöte», dem Figaro im «Barbier von Sevilla» und dem Eugen Onegin von Tschaikowsky. Seit 1983 kam er zu ähnlichen Erfolgen an der Covent Garden Oper London. Hier sang er den Falke in der «Fledermaus», den Malatesta im «Don Pasquale» und den Guglielmo in «Così fan tutte». Bei der English National Opera London hörte man ihn als Papageno, als Pelléas in «Pelléas et Mélisande» und als Tarquinius in «The Rape of Lucretia» von B. Britten. Seit 1980 trat er an der Staatsoper von Hamburg auf (Guglielmo, Figaro, Harlekin in «Ariadne auf Naxos» von R. Strauss, Pelléas). 1984 sang er bei einer Japan-Tournee der Hamburger Oper den Papageno. An der Wiener Volksoper seit 1982 als Baron im «Wildschütz» von Lortzing, als Harlekin und als

Falke in der «Fledermaus» zu Gast, in Lüttich als Graf in «Nozze di Figaro» (1984–85). Sein Nordamerika-Debüt erfolgte 1986 in Vancouver als Papageno. An der Oper von Lyon sang er im «Oberon» von Weber, in Amsterdam, Berlin und Brüssel in «La finta giardiniera» von Mozart, beim Buxton Festival von 1988 übernahm er die Titelpartie in der vergessenen Donizetti-Oper «Torquato Tasso». Im Konzertsaal sang er u. a. in «L' Enfance du Christ» von Berlioz zusammen mit dem Hallé-Orchester und in Valencia das Baß-Solo im «Messias».
Schallplatten: Opera Rara (Arien aus italienischen Opern), Ricercar (Nardo in «La finta giardiniera»).

Snopková, Blažena, Sopran, * 23. 8. 1891 Prag; sie war eine Tochter des Bassisten Eduard Aschenbrenner (1857–1921), der am Interimstheater in Prag und an anderen Bühnen eine bedeutende Karriere hatte. Sie trat daher oft auch unter dem Namen Blaženka Snopková-Aschenbrennerová auf. Nachdem sie zuerst an den Opernhäusern von Zagreb (Agram) und Ljubljana (Laibach) gesungen hatte, wurde sie 1916 an das Nationaltheater Prag berufen. Während der folgenden zehn Jahre hatte sie dort in Partien wie der Krasava in Smetanas «Libuše», der Marguerite im «Faust» von Gounod, der Antonia in «Hoffmanns Erzählungen» von Offenbach, der Mignon in der gleichnamigen Oper von A. Thomas, den Titelgestalten in den tschechischen Opern «Eva» von Foerster und «Jenufa» von Janáček große Erfolge. Die auch im Konzertsaal gefeierte Künstlerin gab 1926 ihre Karriere auf.

Snopková, Božena, Sopran, * 6. 3. 1890 Prag, † 6. 9. 1975 Kutná Hora (Kuttenberg); sie erhielt ihre Ausbildung in Prag, debütierte 1909 am Theater Winogradow in Prag und wurde 1914 Mitglied des Opernhauses von Brünn (Brno), zu dessen Ensemble sie bis 1930 gehörte. Während dieser langen Zeit hatte sie dort in einem ausgedehnten Repertoire ihre Erfolge. So sang sie in Opern von Smetana Rollen wie die Marie in der «Verkauften Braut», die Anežka in «Dvě Vdovy» («Zwei Witwen»), die Vendulka in «Hubička» («Der Kuß») und die Blaženka in «Tajemství» («Das Geheimnis»), weiter die Titelfigur in «Rusalka» von Dvořák, die Tatjana in Tschaikowskys «Eugen Onegin», die Lisa in «Pique Dame» und die Titelheldin in «Jenufa» von Janáček. Am Opernhaus von Brno wirkte die Sängerin am 6. 11. 1924 in der Uraufführung der Oper «Příhodá Lišky bystroušky» («Das schlaue Füchslein») in der Partie des Fuchses mit. Insgesamt umfaßte ihr Bühnenrepertoire 50 große Rollen, dazu war sie als Konzertsolistin angesehen.

Soběský, Bohumil, Bariton, * 30. 10. 1892 Soumrakov bei Telče (ČSSR), † 16. 7. 1965 Prag; er studierte 1912–13 am Konservatorium von Brünn und war dann an der Wiener Musikakademie Schüler von Gustav Geiringer. 1919 kam es zu seinem Bühnendebüt am Nationaltheater von Prag in der Partie des Königs Wladislaw in «Dalibor» von Smetana. Er sang in der Folge dort Partien wie den Radovan in Smetanas «Libussa», den Tomeš in «Hubička»

(«Der Kuß») von Smetana, den Budivoj in «Dalibor» den Krušina in der «Verkauften Braut», den Förster in «Rusalka» von Dvořák, dazu zahlreiche andere, vor allem auch Charakter-Rollen, aus allen Bereichen der Opernliteratur. Am 23. 4. 1920 wirkte er am Prager Nationaltheater in der Uraufführung von Janáčeks Oper «Die Ausflüge des Herrn Broucek» («Výlety Pana Broučka») mit. Er vervollständigte seine Ausbildung noch durch weitere Studien bei C. Emerich in Prag und bei Piccolino in Mailand, der ihn 1928–31 mit der italienischen Gesangmethode vertraut machte. 1936 wurde er Professor am Konservatorium von Brünn (Brno), wo er noch am dortigen Opernhaus wie auch bei Konzerten in Erscheinung trat, sich jedoch seither in der Hauptsache der pädagogischen Arbeit widmete. Zu seinen Schülern in Brno zählen so bedeutende Sänger wie die Sopranistin Libuše Domaninská, der Tenor Zdeněk Švehla und der Bariton Teodor Šrubar. Bohumil Sobeský gab mehrere gesangpädagogische Schriften heraus.
Schallplattenaufnahmen seiner Stimme sind bei Odeon und Parlophon vorhanden.

Sojat, Tiziana, Sopran, * 1955 Rom; sie war eine Tochter der berühmten Koloratursopranistin *Alda Noni* (* 1916), durch die sie auch auf den Beruf der Sängerin vorbereitet wurde. Sie studierte jedoch zunächst an der Universität von Rom Sport und Sportmedizin sowie Pädagogik und erwarb in beiden Disziplinen das Doktorat. Neben ihrer Mutter gehörte auch die große Sopranistin Elisabeth Schwarzkopf zu ihren Lehrern. Nachdem sie bereits als Liedersängerin aufgetreten war, debütierte sie 1984 am Opernhaus von Dublin als Elsa im «Lohengrin». Ebenfalls 1984 sang sie an der Oper von Ljubljana (Laibach) die Mimi in «La Bohème». 1985 folgten beim Operettenfestival von Triest Partien in Operetten von Nico Dostal, in Lausanne wirkte sie in konzertanten Aufführungen von «Dido and Aeneas» von Purcell und von Puccinis «Suor Angelica» mit. Sie gastierte mit dem Ensemble des Teatro San Carlo Neapel in New York mit dem Stabat mater von Pergolesi. In der Spielzeit 1988–89 gastierte sie an der Kroatischen Nationaloper Zagreb als Sieglinde in der «Walküre» und sang an der Oper von Marseille die Elena in «Mefistofele» von Boito. 1989 wurde sie an das Staatstheater von Karlsruhe verpflichtet; hier sang sie die Titelrollen in Puccinis «Madame Butterfly» und in «Arabella» von Richard Strauss. Als Konzertsopranistin trat sie in Oratorien, Messen und sinfonischen Werken u. a. in Turin, Rom, Mailand, Dubrovnik und im italienischen Rundfunk RAI auf.
Schallplatten: Auf der italienischen Marke Fone erschienen 1985 Lieder von Robert Schumann, Hugo Wolf, Gustav Mahler und Franz Liszt.

Sojer, Hans, Tenor, * 20. 3. 1943 Innsbruck; mit zehn Jahren wurde er Sängerknabe, studierte später Gesang und wurde u. a. durch Franziska Martienssen-Lohmann weitergebildet. Er debütierte 1967 als David in den «Meistersingern» am neu eröffneten Opernhaus (Tiroler Landestheater) von Innsbruck

und blieb bis 1971 Mitglied dieses Hauses. 1971–73 war er am Stadttheater von Bonn, 1973–81 am Staatstheater von Wiesbaden und seit 1981 am Staatstheater Hannover tätig. Er fing seine Bühnenkarriere als Spiel- und Charaktertenor an, wandte sich aber schon bald dem lyrischen Fachbereich zu, auf das er sich mehr und mehr spezialisierte. Dabei bevorzugte er Partien in Opernwerken von Mozart, Rossini, Donizetti, R. Wagner und R. Strauss. Ausgedehnte Gastspielreisen führten ihn u. a. an die Staatsopern von Wien, München, Hamburg und Stuttgart, an die Opernhäuser von Graz, Köln, Nancy und Genf, an das Nationaltheater Mannheim, an die Deutsche Oper am Rhein Düsseldorf–Duisburg, an die Oper von Frankfurt a. M., an das Deutsche Opernhaus Berlin, an das Teatro San Carlos Lissabon, an das Staatstheater Karlsruhe und an Bühnen in Ost-Berlin. Er wirkte bei den Festspielen von Bregenz (u. a. 1979 bei der Eröffnung der neuen Seebühne) und Schwetzingen mit. 1988 gastierte er am Teatro Liceo Barcelona als Steuermann im «Fliegenden Holländer» und als Narraboth in «Salome» (mit der berühmten Montserrat Caballé in der Titelrolle). Neben seiner Tätigkeit auf der Bühne war er seit 1967 als Konzert- und Oratoriensolist zu hören. Hier umfaßte sein Repertoire ein breites Spektrum von den Passionen und Kantaten von Bach über Beethovens 9. Sinfonie bis zu modernen Werken. Hinzu kamen Rundfunk-, Fernseh- und Schallplattenaufnahmen.
Auf DGG singt er den Brighella in einer vollständigen Aufnahme von «Ariadne auf Naxos» von R. Strauss.

Solari, Francesca, Sopran, * 1881 Genua, † 19. 7. 1969 Civitanova Marche; sie war eine Schwester der Sopranistin *Fidelia Solari* (* 1884). Über die Schwierigkeiten, die hinsichtlich der Abgrenzung der Karrieren der beiden Schwestern gegeneinander bestehen, ist unter dem Artikel Fidelia Solari nachzulesen. Francesca Solari kam zu ihrem Bühnendebüt am Teatro Costanzi Rom in Mascagnis Oper «Amica». In der Spielzeit 1912–13 sang sie an der Mailänder Scala in «Le donne curiose» von Wolf-Ferrari, in der Saison 1914–15 ist sie dort als Freia im «Rheingold» und als Anna in Catalanis «Loreley» anzutreffen, 1918 nochmals als Sinaide in «Mosè in Egitto» von Rossini. Sie ist natürlich auch an anderen italienischen Bühnen in Erscheinung getreten, so 1913 am Teatro Dal Verme Mailand.
Mit großer Wahrscheinlichkeit sind die Fonotipia-Aufnahmen aus Mascagnis Oper «Isabeau» durch Francesca Solari gemacht worden, während die übrigen unter dem Namen «F. Solari» publizierten Platten die Stimme ihrer Schwester Fidelia präsentieren.

Soler, José, Tenor, * 1904 in der spanischen Provinz Katalanien; er kam erst spät zur Ausbildung seiner Stimme, die in Barcelona stattfand. Seine ersten Erfolge hatte er an spanischen Bühnen; 1942 ist er am Teatro Liceo Barcelona als Vasco in Meyerbeers «Africaine» anzutreffen. Nach dem Zweiten Weltkrieg kam er zu großen Erfolgen in Italien. Dort sang er 1947 am Teatro Verdi Pisa den Alfredo in «La

Traviata», 1949 bei den Festspielen in der Arena von Verona den Manrico im «Troubadour», im gleichen Jahr am Theater von Reggio Calabria den Radames in «Aida». 1950 war er zu Gast am Teatro Comunale Bologna und am Teatro Massimo Palermo, 1951 am Teatro Bellini Catania als Alvaro in Verdis «La forza del destino», 1952 am Teatro Fenice Venedig als des Grieux in «Manon Lescaut» von Puccini. 1952 sang er den Herzog im «Rigoletto» in einer Sendung des holländischen Rundfunks. Häufige Gastspiele führten ihn an die großen Opernhäuser in Süd- und Mittelamerika; so sang er 1954 an der Oper von Rio de Janeiro den Titelhelden in Verdis «Don Carlos» und gastierte in Montevideo, Caracas und Havanna. Im Mittelpunkt seines Bühnenrepertoires standen die heldischen Tenorpartien aus der italienischen Oper.
Schallplatten der Marke Cetra (Titelheld in vollständiger Aufnahme von Giordanos «Andrea Chénier» von 1953 mit Renata Tebaldi als Partnerin, Arienplatte).

Soley, Alessio, Baß, * 20. 7. 1884 Savigliano (Piemont), † 7. 10. 1947 Turin; seine Ausbildung zum Sänger erfolgte in Turin bei Alessandro Rissone. 1909 kam es zu seinem Debüt am Theater von Pietrasanta (Provinz Massa) in Verdis «Rigoletto» und «Ballo in maschera». Er spezialisierte sich dann bald auf das Buffo-Fach und wurde als Interpret der entsprechenden Partien an italienischen wie ausländischen Bühnen bekannt. Während 14 Spielzeiten sang er allein an der Oper von Kairo und wurde mehrfach zu Konzerten in den Palast des Vizekönigs von Ägypten eingeladen. Am Royal Theatre Malta war er in fünf Spielzeiten anzutreffen, er bereiste Algerien, Tunesien und die übrigen nordafrikanischen Länder. Sein Bühnenrepertoire war sehr umfangreich; als seine besondere Glanzrolle galt der Doktor Bartolo in Rossinis «Barbier von Sevilla», den er im Lauf seiner Karriere 645mal gesungen hat. Eine weitere Glanzleistung bot er in der kleinen Rolle des Mathieu in «Andrea Chénier» von Giordano. Als 1929 als erste vollständige Oper Pergolesis «La serva padrona» im italienischen Rundfunk gesendet wurde, sang er den Uberto. Er war auch an den Uraufführungen mehrerer Opern beteiligt, u. a. sang er in «L'Amoroso fantasma» von Gedda (Teatro Carignano Turin, 1931) und am Teatro San Carlo Neapel in «La Granceola» von A. Lualdi; im Italienischen Rundfunk wirkte er in «Il mercante e l' Avvocato» von La Rosa Parodi mit. Seine Gattin *Smeralda Smeraldi* (* 1877 Turin, † 17. 9. 1937 Turin) war als Altistin an großen italienischen Bühnen im Comprimario-Fach beschäftigt. Ein Sohn des Künstlerehepaares, *Tommaso Soley* (* 5. 7. 1916 Turin) war während mehrerer Jahre als Tenor in Sendungen des italienischen Rundfunks (RAI) zu hören. Er sang viele kleinere Partien in Gesamtaufnahmen von Opern auf Cetra («Adriana Lecouvreur», «Andrea Chénier», «Wilhelm Tell», «La Traviata», «Othello»).

Soltermann, Jakob, Tenor, * 11. 11. 1931 Bern; Ausbildung durch Helga Kosta in Bern und durch Bruno Manazza in Zürich. Er war nacheinander engagiert am Theater von St. Gallen (1954–56), am Stadttheater Bern (als Chorist, 1956–57), am Städtebundtheater Biel–Solothurn (1957–59), am Stadttheater Luzern (1959–61), am Opernhaus Zürich (1961–63), am Landestheater Salzburg (1963–67), am Stadttheater Trier (1967–69), am Stadttheater Bremerhaven (1969–73) und gab dann von Biel aus, wo er als Gesangpädagoge tätig war, Gastspiele. Als Gast hörte man ihn u. a. an den Theatern von Zürich und Basel, an den Staatstheatern von Braunschweig und Oldenburg, am Teatro Liceo Barcelona, an den Opernhäusern von Bordeaux und Lyon, in Metz, Münster (Westfalen) und Lübeck wie bei den Festspielen im Barock-Theater von Drottningholm. Sein Bühnenrepertoire war reichhaltig und enthielt vor allem Partien aus dem lyrischen Stimmfach, darunter den Belmonte in der «Entführung aus dem Serail», den Don Ottavio im «Don Giovanni», den Ferrando in «Così fan tutte», den Tamino in der «Zauberflöte», den Ernesto im «Don Pasquale», den Edgardo in «Lucia di Lammermoor», den Paolino in «Il matrimonio segreto» von Cimarosa, den Chapelou im «Postillon de Lonjumeau» von Adam, den Titelhelden in «Hoffmanns Erzählungen», den Herzog im «Rigoletto», den Alfredo in «La Traviata», den Rodolfo in «La Bohème», den Pinkerton in «Madame Butterfly», den Rinuccio in Puccinis «Gianni Schicchi», den Stewa in Janáčeks «Jenufa», den Steuermann im «Fliegenden Holländer», den italienischen Sänger im «Rosenkavalier», dazu Partien in Operetten.

Somis-Vanloo, Christina, s. unter *Vanloo*, Christina.

Sonntag, Ulrike, Sopran, * 1959 (?) Esslingen (Württemberg); sie schlug zunächst eine Ausbildung als Schulmusikerin mit dem Hauptfach Violine ein, ließ aber gleichzeitig ihre Stimme privat durch Eva Sava ausbilden. Sie verlegte sich dann ganz auf das Gesangstudium, das sie in Rumänien und bei dem berühmten Bariton Dietrich Fischer-Dieskau weiterführte. 1984–86 war sie am Stadttheater von Heidelberg engagiert, 1985–88 am Nationaltheater Mannheim, seit 1988 an der Staatsoper Stuttgart. Ihre Bühnenkarriere wurde von ständigen Auftritten als Oratorien-, Konzert- und Liedersängerin begleitet, und auch auf diesen Gebieten trat sie in einem umfassenden Repertoire hervor. 1984 gastierte sie in Berlin, 1989 sang sie bei den Festspielen von Ludwigsburg die Ännchen im «Freischütz». Weitere Bühnenpartien der Künstlerin waren die Oriane in «Amadis» von J. Chr. Bach, die Eurydike im «Orpheus» von Gluck, die Susanna in «Figaros Hochzeit», die Donna Elvira im «Don Giovanni», die Marzelline im «Fidelio», die Frau Fluth in den «Lustigen Weibern von Windsor» von Nicolai, die Baronin im «Wildschütz» von Lortzing, die Gretel in «Hänsel und Gretel», die Sophie im «Rosenkavalier» und die Helena in «A Midsummer Night's Dream» von B. Britten.
Schallplatten: Hänssler-Verlag (Bach-Kantaten).

Soviero, Diana, Sopran, * 19. 3. 1946 Jersey City (New Jersey); Gesangstudium an der Juilliard School of Music sowie bei Maria Gurewich, Martin Rich und Boris Goldovsky. Sie debütierte unter ihrem eigentlichen Namen Diana Catani-Soviero 1969 bei der Chautauqua Opera als Mimi in «La Bohème». In den ersten Jahren ihrer Bühnenkarriere trat sie an kleineren amerikanischen Theatern unter diesem Namen auf, später jedoch nur noch als Diana Soviero. Sie sang 1970 beim Opernfest von Lake George in «L' Infedeltà delusa» von J. Haydn, 1972 in Central City (Susanna in «Nozze di Figaro»), 1973–74 in St. Paul. 1973 kam sie an die City Centre Opera New York, an der sie sehr erfolgreich als Nedda im «Bajazzo» debütierte, eine ihrer späteren Glanzrollen. Seitdem trat sie an diesem Opernhaus (mit kurzen Unterbrechungen) regelmäßig auf. Sie sang in den USA an den Opernhäusern von Detroit (seit 1974), Fort Worth (seit 1975), San Diego (seit 1979), in Dallas (Debüt 1980 als Liu in «Turandot», ein weiterer Höhepunkt in ihrem Repertoire), Boston (seit 1981), Chicago (1979), San Francisco (seit 1982), Houston/Texas (seit 1982) und Philadelphia (seit 1982). Nachdem sie in Ottawa (1980) und Montreal erfolgreich gastiert hatte, dehnte sie ihre Tätigkeit auch auf Europa aus. Hier erschien sie 1981 am Opernhaus von Zürich, 1983 in Toulouse, seit 1984 mehrfach an der Oper von Rom (Antrittsrolle: Manon von Massenet), in Nizza (1984–85) und Palermo (1985), bei den Festspielen von Torre del Lago (1984 als Butterfly) und in den römischen Thermen des Caracalla (1985 als Liu). 1982–83 war sie mit der Staatsoper Hamburg, 1985–86 mit der Staatsoper München, 1988–89 mit der Oper von Köln durch Gastverträge verbunden. 1987 debütierte sie an der Mailänder Scala als Nedda und, ebenfalls 1987, an der Metropolitan Oper New York, wo sie kurzfristig eine andere Sängerin als Juliette in «Roméo et Juliette» von Gounod (mit Alfredo Kraus als Partner) ersetzte und seitdem zu großen Erfolgen als Manon von Massenet, als Nedda, als Suor Angelica von Puccini und als Lauretta in dessen «Gianni Schicchi» kam. Am Théâtre Châtelet Paris bewunderte man 1985 ihre Traviata, vielleicht ihre größte Partie, 1988 an der dortigen Grand Opéra ihre Marguerite im «Faust». 1989 erfolgte ihr Debüt an der Covent Garden Oper London, einmal mehr als Nedda. 1988 sang sie beim Maggio musicale Florenz die Rolle der Suor Angelica; sie gastierte an der Staatsoper Wien als Manon und hatte große Erfolge bei Gastauftritten in Genf, New Orleans, Miami, Caracas und Pretoria. Ihr umfangreiches Bühnenrepertoire enthielt auch mehrere Operetten-Rollen (Titelpartie in «La Périchole» von Offenbach, Yum-Yum im «Mikado» von Sullivan, Hanna Glawari und Valencienne in der «Lustigen Witwe»).

Spacagna, Maria, Sopran, * 1951 (?) Rhode Island; sie erhielt ihre Ausbildung am New England Conservatory und kam seit Mitte der siebziger Jahre zu einer erfolgreichen Karriere an den großen amerikanischen Opernhäusern. So sang sie seit 1977 an der Oper von Dallas, seit 1978 an der City Centre Opera New York, seit 1982 an der St. Louis Opera, seit 1986 in Detroit, weiter an den Opernhäusern von Memphis (1982), Santa Fé (1987) und New Orleans (1987). Sie entwickelte jedoch auch außerhalb ihrer amerikanischen Heimat eine bedeutende Karriere und gastierte 1983 in Toronto als Liu in Puccinis «Turandot», 1987 und 1988 am Teatro Verdi Triest. 1988 sang sie dann als Debütrolle an der Mailänder Scala die Titelfigur in «Madame Butterfly». 1988 hörte man sie beim Spoleto Festival als Ismene in «Antigone» von Tommaso Traetta, 1989–90 am Opernhaus von Köln als Violetta in «La Traviata». Ihre Hauptrollen waren die drei Puccini-Partien der Mimi in «La Bohème», der Butterfly und der Liu; außerdem sang sie die Susanna in «Nozze di Figaro», die Zerline im «Don Giovanni», die Norina im «Don Pasquale», die Gilda im «Rigoletto», die Titelfigur in Mascagnis «Lodoletta», die Marguerite im «Faust» von Gounod, die Micaela in «Carmen», die Lauretta in Puccinis «Gianni Schicchi» und die Titelrolle in «Rusalka» von Dvořák. Auch im Konzertbereich kam sie zu einer großen Karriere.

Späni, Paul, Tenor, * 13. 4. 1929 Winterthur (Schweiz); er studierte in Zürich und Wien Germanistik und Musikgeschichte. Seine Stimme erhielt ihre Ausbildung an der Wiener Musikakademie durch den berühmten Tenor Tino Pattiera. 1956–57 hatte er sein erstes Engagement an der Wiener Volksoper und war dann 1957–62 Mitglied der Deutschen Oper am Rhein Düsseldorf–Duisburg. Hier sang er am 21. 10. 1961 in der Uraufführung von «Die Ameise» von Peter Ronnefeld. 1962–64 wirkte er am Staatstheater von Karlsruhe und seit 1964 in einer 25jährigen Karriere am Opernhaus von Zürich. Er war zu Gast beim Holland Festival, bei den Bregenzer Festspielen, bei den Festspielen von Salzburg und mit dem Ensemble der Deutschen Oper am Rhein bei den Festspielen von Schwetzingen (1960 Uraufführung der Oper «Battaglia» von G. Wimberger), mit der Oper von Zürich bei den Festivals von Athen und Lausanne. Weitere Gastspiele am Stadttheater Bern, an der Staatsoper Stuttgart, an den Opernhäusern von Köln, Gelsenkirchen, Wuppertal, an der Opéra du Rhin Straßburg, an der Opéra-Comique Paris, an der Oper von Rom, in Basel, Madrid, Dresden, Helsinki und Milwaukee, am Theater am Gärtnerplatz München und an der Deutschen Oper Berlin. Dabei sang er ein umfassendes Bühnenrepertoire, das lyrische wie Charakterpartien für Tenor, kleinere Rollen wie Operettenpartien enthielt. Er trat gern in Werken zeitgenössischer Komponisten auf und wirkte 1958 u. a. in der Uraufführung einer Neufassung der Oper «Karl V.» von E. Křenek in Düsseldorf mit.
Schallplatten: HMV-Electrola (Ottokar im «Zigeunerbaron»), Philips (Querschnitt «Dollarprinzessin» von L. Fall), Pick Records («Engelbergische Talhochzeit» von Meyer von Schauensee), Melodram (1. Priester in der «Zauberflöte»).

Spazzer, Louise, s. unter *Gentiluomo-Spazzer,* Louise.

Spazzer-Palm, Antonia, Sopran, * 17. 2. 1823 Budapest, † (?); sie war die Tochter eines österreichischen

Hauptmanns und die Schwester der ebenfalls bekannten Sängerin *Louise Spazzer*. Beide wurden durch den berühmten Wiener Pädagogen *Giovanni Gentiluomo* (1809–66) ausgebildet, der dann Louise Spazzer (seitdem als Mme Gentiluomo-Spazzer aufgetreten) heiratete. Mit 16 Jahren debütierte Antonia Spazzer am Theater am Kärntnertor in Wien als Jemmy in Rossinis «Wilhelm Tell». Sie sang dort 1839 einige Rollen, ging aber 1840 zusammen mit ihrer Schwester Louise Spazzer-Gentiluomo und deren Gatten an das Hoftheater von Hannover, wo beide Künstlerinnen überaus erfolgreich waren. 1842 gastierten die Schwestern in Berlin; man bot Antonia Spazzer dort ein Engagement an, das aber nach einem Einspruch aus Hannover nicht zustandekam. Darauf wechselte die Sängerin 1843 an das Opernhaus von Breslau; 1844 heiratete sie einen Kaufmann namens Palm und sang seither unter dem Namen Spazzer-Palm. Gastspiele an den Opernhäusern von Wien und Hamburg brachten triumphale Erfolge, an der Berliner Hofoper gastierte sie in Webers «Euryanthe» als Partnerin der weltberühmten Jenny Lind. 1845–49 war sie Mitglied der Stuttgarter Hofoper; 1849 gab sie zusammen mit dem bekannten Bariton Johann Baptist Pišek ein Gastspiel in London. 1850 wurde sie an die Hofoper Dresden verpflichtet, gastierte dann jedoch an der Münchner Hofoper und blieb dort im Engagement, unternahm aber zahlreiche Gastspiele an deutschen Bühnen. Nachdem sie sich bereits einige Zeit von der Bühne zurückgezogen hatte, trat sie 1864 nochmals am Wiener Theater am Kärntnertor auf, hatte aber nur geringen Erfolg. Ihr Repertoire war sehr umfangreich und enthielt an erster Stelle dramatische Partien wie die Iphigenie in Glucks «Iphigenie auf Tauris», die Titelfiguren in Bellinis «Norma» und in «Jessonda» von Spohr, die Valentine in den «Hugenotten» von Meyerbeer, die Leonore im «Fidelio», aber auch die Rosina in Rossinis «Barbier von Sevilla» und die Adina in «Elisir d'amore» von Donizetti. Große Konzertsängerin.

Speck, Guntfried, Tenor, * 5. 6. 1927 Zwickau (Sachsen); er erhielt seine Ausbildung an der Musikhochschule Leipzig. 1957 fand sein Debüt am Opernhaus von Leipzig in der Partie des Nero in «Agrippina» von Händel statt. Seitdem blieb er länger als 25 Jahre als erster Tenor an diesem Operninstitut tätig und unternahm mit dem Leipziger Ensemble mehrere Gastspiel-Tourneen. Er nahm in sein sehr umfassendes Repertoire hauptsächlich heldische Partien, aber auch Charakter- und Bufforollen, auf. So hörte man ihn als Florestan im «Fidelio», als Max im «Freischütz», als Canio im «Bajazzo», als Tichon in «Katja Kabanowa» von Janáček, als Ismael in «Nabucco» von Verdi, als Sinowij in «Katerina Ismailowa» von Schostakowitsch, als Mime im Nibelungenring, als Monostatos in der «Zauberflöte» wie in vielen anderen Partien.
Schallplatten: Eterna (vollständige Oper «Salome» von R. Strauss).

Speith, Rudolf, Baß, * 27. 6. 1837 Oelde (Westfalen), † 3. 5. 1905 Hannover; er begann mit dem Theologiestudium, doch wurde ihm, als man seine schöne Stimme hörte, geraten, Gesang zu studieren, was er dann auch befolgte. Er begann seine lange Bühnenkarriere 1863–66 mit einem Engagement am Stadttheater von Lübeck, sang 1866–67 am Stadttheater von Trier, 1867–68 am Theater von Königsberg (Ostpreußen) und wirkte 1868–76 als erster Bassist am Hoftheater von Dessau. Von Dessau aus unternahm er Gastspielreisen, die an die ersten Theater im deutschen Sprachgebiet führten. 1876 wurde er an das Hoftheater Hannover berufen, an dem er bis zu seinem Abschied von der Bühne 1897 (in der Partie des Bartolo im «Barbier von Sevilla») blieb. Im Mittelpunkt seines Bühnenrepertoires standen anfänglich die großen seriösen Baß-Partien wie der Sarastro in der «Zauberflöte», der Komtur im «Don Giovanni», der Rocco im «Fidelio», der Eremit im «Freischütz», der Daland im «Fliegenden Holländer», der König Heinrich im «Lohengrin», der Marcel in den «Hugenotten» von Meyerbeer und der Kardinal in Halévys «La Juive». Später verlegte er sich sehr erfolgreich auf komische Rollen wie den van Bett in «Zar und Zimmermann» von Lortzing, den Sulpice in der «Regimentstochter» von Donizetti, den «Falstaff» in Nicolais «Lustigen Weibern von Windsor» und den Bombardon im «Goldenen Kreuz» von I. Brüll.

Spiewok, Stephan, Tenor, * 1. 12. 1947 Berlin; er war an der Musikhochschule von Weimar Schüler von Marianne Fischer-Kupfer und von H. Gerber, dann in Dresden von Johannes Kemter. 1971 kam es am Nationaltheater Weimar zu seinem Debüt als Fenton in den «Lustigen Weibern von Windsor» von Nicolai. 1971–73 war er im Nachwuchsensemble der Dresdner Staatsoper tätig und wurde dann 1973 reguläres Mitglied dieses Opernhauses. Bis 1980 blieb er an der Dresdner Staatsoper im Engagement und wechselte dann an das Opernhaus von Leipzig. Seit 1980 durch einen Gastvertrag mit der Staatsoper Berlin verbunden. Gastspiele führten ihn nach Westdeutschland, Rußland, Bulgarien, Polen, Österreich, Italien und Japan, zum Teil auch als Konzert- und Liedersänger. Man schätzte ihn auf der Bühne namentlich im lyrischen Stimmfach, im Konzertsaal gleichfalls in einem umfassenden Repertoire. Bühnenpartien: Tamino in der «Zauberflöte», Herzog im «Rigoletto», Alfredo in «La Traviata», Stewa in «Jenufa», Eisenstein in der «Fledermaus», Andres im «Wozzeck».

Spilcker, Max, Bariton, * 6. 8. 1892 Hamburg; er studierte bei Ernst Grenzebach in Berlin, begann seine Karriere 1913–16 am Stadttheater von Lübeck und setzte sie nach seiner Teilnahme am Ersten Weltkrieg 1917–18 am Operettentheater Hamburg fort. 1918–20 gehörte er dem Stadttheater von Rostock, 1920–23 dem Opernhaus (Stadttheater) von Dortmund und 1923–26 der Berliner Staatsoper an. 1926–35 war er Mitglied des Opernhauses von Leipzig; in diese Zeit fallen einige Uraufführungen von Opernwerken, an denen er beteiligt war: «Jonny spielt auf» von Ernst Křenek (10. 2. 1927 in der Titelrolle), «Clavigo» von M. Ettinger (1927 als

Beaumarchais), «Satuala» von E. N. von Reznicek (ebenfalls 1927). 1935–38 war er am Stadttheater von Königsberg (Ostpreußen) verpflichtet; 1938–39 leitete er als Intendant das Theater von Kaiserslautern, 1939–43 war er Intendant in Königsberg und 1943–44 am Staatstheater Wiesbaden. 1928 gastierte er an der Städtischen Oper Berlin, 1929 an der Staatsoper Dresden. Noch 1949 konnte man ihn am Hamburger Flora-Theater hören. Neben seinem Wirken auf der Bühne war er ein hoch angesehener Konzert- und Oratoriensänger. Aus der Vielzahl seiner Bühnenpartien seien der Ottokar im «Freischütz» von Weber, der Kühleborn in Lortzings «Undine», der Kothner in den «Meistersingern», der Amfortas im «Parsifal», der Spielmann in den «Königskindern» von Humperdinck, der Malatesta im «Don Pasquale» von Donizetti, der Falstaff von Verdi, der Sharpless in «Madame Butterfly», der Dietrich im «Armen Heinrich» von Hans Pfitzner, der Mandryka in «Arabella» von R. Strauss und der Rangoni im «Boris Godunow» herausgegriffen.

Stabell, Carsten Harboe, Baß, *5. 9. 1960 Trondheim (Norwegen); Gesangausbildung an der Norwegischen Musikhochschule Oslo bei Thorbjørn Lindhjem und an der Norwegischen Opernschule Oslo bei Frau Marit Isene. Bereits 1984 kam es zu seinem Debüt am Opernhaus von Oslo als König in Verdis «Aida». 1985 gewann er den internationalen Belvedere-Gesangwettbewerb in Wien und wurde als Anfänger in das Ensemble des Opernhauses von Oslo aufgenommen. 1986 folgte er einem Ruf an die Staatsoper von Stuttgart, an der er zu einer erfolgreichen Karriere kam. Operngastspiele und Konzerte, vor allem Aufgaben als Oratoriensolist, brachten ihm in Deutschland wie in mehreren anderen europäischen Ländern Erfolge ein. Hinzu traten Rundfunk-, Fernseh- und Schallplattenaufnahmen. Von seinen Bühnenpartien verdienen der Osmin in der «Entführung aus dem Serail», der Sarastro in der «Zauberflöte», der Commendatore im «Don Giovanni», der Ramphis in «Aida», der Pietro in Verdis «Simon Boccanegra», der Angelotti in «Tosca», der Eremit im «Freischütz», der Bonze in «Madame Butterfly» und der Rustomji in der zeitgenössischen Oper «Satyagraha» von Philip Glass Erwähnung. In seinem Konzertrepertoire fanden sich Werke wie die Johannespassion und das Magnificat von Bach, Händels «Messias», dessen Oratorien «Judas Makkabaeus» und «Acis and Galatea», die «Schöpfung» von Haydn, die Requiemmessen von Mozart und Verdi, das Stabat mater von Rossini und «Christus» von F. Liszt.

Stabinsky, Gustav, s. unter *Kosta,* Helga.

Stach, Marcelle, Sopran, *31. 5. 1895, †(?); ihre Eltern waren bekannte Pianisten, und sie selbst begann ihre Gesangausbildung bereits mit 14 Jahren. Sie wurde in erster Linie durch die berühmte Sängerin Mme Bréjean-Silver ausgebildet und debütierte mit 18 Jahren am Theater von Caen als Lakmé in der bekannten Oper von Delibes. Sie trat danach an verschiedenen Bühnen in der französischen Provinz

auf und wurde 1926 an die Opéra-Comique Paris verpflichtet, der sie bis 1931 angehörte (Debüt als Nedda im «Bajazzo»). Sie sang dort Partien wie die Philine in «Mignon» von A. Thomas, die Lakmé, die Manon von Massenet, die Butterfly und die Antonia in «Hoffmanns Erzählungen». 1929 gastierte sie an der Pariser Grand Opéra als Königin der Nacht in der «Zauberflöte». Nach 1931 setzte sie ihre Karriere an den führenden Opernbühnen in der französischen Provinz fort und erschien in Marseille, Bordeaux, Lyon, Toulouse, Rouen, Nîmes und weiteren Theatern. Am Théâtre Trianon Lyrique in Paris, wo sie oft zu hören war, gastierte sie u. a. als Rosina im «Barbier von Sevilla» und als Titelfigur in Gounods «Mireille». Während eines Gastspiels in Nordafrika erlitt sie in Casablanca einen schweren Autounfall, der ihre Bühnenkarriere beendete, doch trat sie weiter als Konzert- und Rundfunksängerin auf. Von ihren Bühnenpartien sollten ergänzend noch die Mathilde in Rossinis «Wilhelm Tell», die Gilda im «Rigoletto», die Traviata, die Juliette in «Roméo et Juliette» von Gounod, die Marguerite im «Faust» vom gleichen Komponisten und die Thaïs von Massenet genannt werden.

Staempfli, Wally, Sopran, *31. 1. 1933 La Chaux-de-Fonds (Schweiz); sie studierte Klavierspiel am Conservatoire von La Chaux-de-Fonds bei Elise Faller, dann am Conservatoire National de Paris bei Vlado Perlemuter, dort auch Komposition bei Nadia Boulanger und Gesang bei Charles Panzéra; in Wien wurde sie weiter durch Lily Kolar, in Bern durch Margarethe Haeser, in Hamburg durch Erna Berger ausgebildet. Sie kam zu einer großen Karriere im Konzertsaal, wo sie zahlreiche Partien in oratorischen und religiösen Vokalwerken und ein sehr vielseitiges Lieder-Repertoire zum Vortrag brachte. Sie war während zwölf Jahren Mitglied des Ensemble Vocal de Lausanne, das unter der Leitung von Michel Corboz stand, und mit dem sie u. a. eine Afrika-Tournee unternahm. Sie gab Konzerte in Basel, Bern und Zürich, in Genf, Schaffhausen und Lausanne, bei den Internationalen Musikfestwochen Luzern, in Paris, Straßburg, Lyon und beim Festival von Besançon, in Köln, Gent und Bologna. 1976 nahm sie an der Uraufführung des «Requiem de Pâques» von S. Arnauld über Radio Lausanne teil. Nachdem sie einige Zeit am Conservatoire von La Chaux-de-Fonds Klavierunterricht erteilt hatte, war sie seit 1967 als Gesangpädagogin am Konservatorium von Basel wie an der Schola Cantorum Basiliensis tätig. Viele Schallplattenaufnahmen bei Erato (Hohe Messe und andere Vokalwerke von J. S. Bach, «Golgotha» von F. Martin, «Orfeo» von Monteverdi als Musica, «Chasse du Cerf» von J. B. Morin, Gloria von Vivaldi, Altfranzösische und venezianische Lieder), HMV (Deutsche Lieder von Senfl), VDE-Gallo («Les Noces» von Strawinsky), Electrola (Chansons espagnoles et françaises).

Stafford, Ashley, Countertenor, *3. 3. 1954 Holland bei Oxted in der englischen Grafschaft Surrey; er war im Knabenchor der Westminster Abbey, besuchte 1963–68 die Choir School dieser Kathedrale, 1968–72 die Trinity School Croydon und studierte dann Gesang und Musik in Oxford (1972–75); 1975 wurde er Bachelor, 1978 Master of Music. Seine Stimme wurde in der Oxford Choir School durch Simon Preston, dann durch Hervey Alan (1968–72), durch den großen Countertenor Paul Esswood (1972–76) und durch Helga Mott (1976–80) ausgebildet. Im Dezember 1975 gab er sein erstes Konzert in den Purcell Rooms in London und leitete damit eine glänzende Konzertlaufbahn ein. Er gastierte dann auch als Opernsänger, u. a. in Oxford, beim Festival von Aix-en-Provence, an der Oper von Lyon und in London. Schwerpunkte seiner Karriere als Countertenor bildeten jedoch seine Konzertauftritte, die ihm in England (Festivals von Bath und Edinburgh, Three Choirs Festival), in Europa (Berlin, Göttingen, Rom, Venedig, Perugia, Madrid, Barcelona, Lissabon) und in aller Welt (Minneapolis, New York, Washington, Boston, Toronto, Ottawa) Erfolge über Erfolge brachten. 1989 bereiste er Australien (Melbourne, Sydney) und Taiwan, 1987 und 1989 Japan. Zahlreiche Auftritte im Rundfunk wie im Fernsehen in England (BBC), Holland, Frankreich («Messias») und Deutschland begleiteten diese außergewöhnliche Karriere, in der er sich vor allem der Vokalmusik der Renaissance und des Barock widmete. Seit 1989 hatte er eine Gast-Professur am Royal College of Music London.

Viele, interessante Schallplatten dokumentieren seine Gesangskunst; sie erschienen auf DGG («The Fairy Queen» von Purcell, Werke von Schütz und Purcell), Harmonia mundi («King Arthur» und Cäcilienode von Purcell, «Israel in Egypt» von Händel, Stabat mater von Scarlatti, Messen von Haydn), CAP (Te Deum von Händel, Werke von Purcell und H. Schütz), Philips («Alexander's Feast» von Händel).

Stagno-Bellincioni, Bianca, Sopran, * 23. 1. 1888 Budapest, † Sommer 1981 Mailand; sie war die Tochter eines weltberühmten Sänger-Ehepaars. Ihr Vater war der Tenor *Roberto Stagno* (1840–97), ihre Mutter die große Primadonna *Gemma Bellincioni* (1864–1950). Sie erhielt ihre Ausbildung durch ihre Mutter. 1913 debütierte sie am Theater von Graz als Butterfly. Sie blieb dort bis 1914 im Engagement und wurde in den folgenden zwanzig Jahren durch zahlreiche internationale Gastspiele bekannt. So gastierte sie 1914 am Deutschen Theater Prag, ebenfalls 1914 an der Covent Garden Oper (als Manon Lescaut in der gleichnamigen Puccini-Oper). 1925 war sie am Teatro San Carlo Neapel, 1929 an der Oper von Monte Carlo (als Liu in «Turandot» von Puccini) anzutreffen. Weitere Gastspiele an der Oper von Rom, am Teatro San Carlos Lissabon, am Teatro Liceo Barcelona, in Madrid und Kairo. Mitte der dreißiger Jahre gab sie nach dem Tod ihres Sohnes ihre Bühnenkarriere auf. Sie unterstützte dann ihre Mutter in deren Gesangschule in Neapel. Zuletzt zog sie sich in die Casa di riposo Verdi in Mailand zrück. Aus ihrem Bühnenrepertoire sind zu nennen: die Marie in «La fille du régiment» von Donizetti, die Violetta in «La Traviata», die Mimi in Puccinis «La Bohème», die Nedda im «Bajazzo», die Lodoletta in der Oper gleichen Namens von Mascagni, die Titelpartie in dessen «Zanetto», die Marguerite im «Faust» von Gounod, die Mélisande in «Pelléas et Mélisande» von Debussy, die Tosca, die Manon wie die Thaïs in den beiden Opern von Massenet, die Titelfigur in «Salome» von R. Strauss, der Octavian im «Rosenkavalier», die Rosalinde in der «Fledermaus» und die Titelheldin in Zandonais Oper «Conchita». Sie beschrieb das Leben ihrer berühmten Eltern in *«Roberto Stagno e Gemma Bellincioni»* (Mailand, 1945).

Schallplatten der Künstlerin sind nicht bekannt.

Stajić, Nada, Sopran, * 24. 11. 1903 Bečkerck (Jugoslawien), † 23. 2. 1970 Belgrad; sie absolvierte ihre Gesangausbildung in Belgrad und Wien. 1920–48 gehörte sie zum Ensemble der Nationaloper von Belgrad und brachte dann in den Jahren 1948–53 ihre Karriere am Theater von Novi Sad (Neusatz, Wojwodina) zum Abschluß. Ihr Repertoire für die Opernbühne enthielt Partien für lyrischen wie für Koloratursopran, u. a. die Sophie im «Werther» von Massenet, die Papagena in der «Zauberflöte», die Musetta in Puccinis «La Bohème», die Micaela in «Carmen», die Liu in «Turandot» von Puccini, die Butterfly und die Adele in der «Fledermaus». Innerhalb ihrer Generation war sie in Jugoslawien auch als Konzert- und Oratoriensopranistin geschätzt.

Staněk-Doubravský, Alois, s. unter *Doubravský, Alois.*

Stanković, Ljubica, s. unter *de Santi, Christina.*

Stanković, Slobodan, Bariton, * 11. 9. 1948 Vranje (Serbien); er studierte in Belgrad Gesang und debütierte dort 1973. Er wurde dann an die Nationaloper Belgrad berufen, an der er zu einer erfolgreichen Karriere kam. 1981 wirkte er dort in der Uraufführung der Oper «Orpheus im 20. Jahrhundert» von B. Bialinski in der Titelrolle mit. Zu seinen Glanzrollen gehörten auch der Figaro in Rossinis «Barbier von Sevilla», der Valentin im «Faust» von Gounod, der Posa in Verdis «Don Carlos», der Silvio im «Bajazzo» und der Marcello in Puccinis «La Bohème». Weitere Erfolge kamen durch Gastspiel- und Konzertauftritte zustande.

Schallplatten: Jugoton.

Stanley, Frank C., Baß, * 1865 (?), † 1911; dieser amerikanische Sänger gehört zu jenen Künstlern, die zu Beginn unseres Jahrhundert sich in intensiver Weise mit dem neuen Medium der Schallplatte befaßten. Sein eigentlicher Name war Stanley Grinsted; als solcher gehörte er einem Vokal-Ensemble, dem Peerless-Quartett an, hatte aber weder als Konzert- und erst recht nicht als Opernsänger eine Karriere von Bedeutung. Er sang jedoch eine Überfülle von Schallplatten, zunächst für die Victor-Company, dann auch für Columbia und Edison. Auf ihnen findet sich jede erdenkliche Art von Vokalmusik bis hin zu populären Liedern der damaligen Zeit. Der künstlerische Wert dieser Aufnahmen ist allgemein nur gering, doch sind derartige Aufnahmen als historische Dokumente zur Entwicklung der Schallplatte nicht ohne Interesse.

Starc, Drago, Tenor, *23.9. 1917 Gorica (Görz, Kroatien), †7.3. 1984 Belgrad; er wurde am Stanković-Konservatorium in Belgrad ausgebildet. 1947 begann er seine Karriere an der Nationaloper von Belgrad und ist bis zu deren Ende im Jahre 1973 Mitglied dieses Hauses geblieben. Er trat bei zahlreichen internationalen Gastspielen hervor, die er hauptsächlich als Ensemblemitglied der Belgrader Oper absolvierte. So sang er 1961 bei den Festspielen von Wiesbaden, 1961 und 1969 in Lausanne, 1962 am Teatro Liceo Barcelona. 1962 war er, wiederum mit dem Belgrader Ensemble, bei den Festspielen von Edinburgh zu hören, u. a. in «Der Spieler» von Prokofieff; weitere Gastspiel- und Konzertauftritte in Italien, Frankreich, Österreich, Polen, Ungarn, England und Ägypten. Auf der Bühne gestaltete der Künstler ein vielseitiges Repertoire, in dem Partien wie der Faust von Gounod, der José in «Carmen», der Alfredo in «La Traviata», der Lenski im «Eugen Onegin» von Tschaikowsky, der Wladimir in «Fürst Igor» von Borodin und der Alexej in «Der Spieler» von Prokofieff als Höhepunkte herausragten. Angesehen auch als Konzertsänger. Schallplatten: Decca (Sobinin in Glinkas «Iwan Susanin»/«Das Leben für den Zaren», Lenski im «Eugen Onegin», Galitzyn in «Khovantchina» von Mussorgsky, alle um 1955 entstanden), Philips (Titelheld in «Sadko» von Rimsky-Korssakow, 1959); auch Aufnahmen auf Jugoton vorhanden. Auf den in Westeuropa veröffentlichten Schallplatten erscheint sein Name in der Schreibweise Drago Startz.

Stark, Phil, Tenor, *30. 12. 1929 Darmstadt; er begann zuerst ein Violinstudium, ließ aber, nachdem man auf seine schöne Stimme aufmerksam geworden war, diese durch die Pädagogin Susanne Horn-Stoll in Darmstadt ausbilden. 1953 debütierte er unter seinem richtigen Namen Philipp Stork am Stadttheater von Heidelberg als Graf Almaviva im «Barbier von Sevilla». Im ersten Gastspielen war er 1954–55 am Städtebundtheater Solothurn–Biel, 1955–58 am Stadttheater von Dortmund engagiert. Er verließ dann Deutschland und ging nach Kanada, wo er sich jetzt Phil Stark nannte, und seit 1960 Mitglied der Canadian Opera Company Toronto war und seinen Wohnsitz in Toronto nahm. Mit kurzen Unterbrechungen wirkte er bis Ende der achtziger Jahre bei dieser Gesellschaft. Anfänglich sang er dort lyrische Partien wie den Jacquino im «Fidelio», den Don Ottavio im «Don Giovanni», den Ferrando in «Così fan tutte», den Ernesto im «Don Pasquale», den Hoffmann in «Hoffmanns Erzählungen», den Hans in Smetanas «Verkaufter Braut», den Rodolfo in «La Bohème», den Tom Rakewell in «The Rake's Progress» von Strawinsky, auch den Turiddu in «Cavalleria rusticana». Später wandte er sich jedoch mehr den Charakterpartien für Tenor zu und sang den Monostatos in der «Zauberflöte», den Basilio in «Figaros Hochzeit», den Valzacchi im «Rosenkavalier», den Hauptmann im

«Wozzeck» von A. Berg, den Goro in «Madame Butterfly» und den Pang in Puccinis «Turandot». In diesen Rollen hatte er auch an Theatern in den USA große Erfolge; er trat dort in Hartford (1969), Seattle (1970), Cincinnati, Portland, New Orleans und Washington auf und sang 1973 an der New Yorker Metropolitan Oper seine große Glanzrolle, den Herodes in «Salome» von Richard Strauss. 1974 übernahm er an diesem Opernhaus den Mime im Nibelungenring, 1975 den Ägisth in «Elektra» von R. Strauss. Zwischenzeitlich gastierte er auch wieder an deutschen und Schweizer Bühnen (Zürich, St. Gallen, Düsseldorf, Wiesbaden, Mannheim, Köln, Karlsruhe) und erschien neben seiner Bühnentätigkeit auch als Radiosänger und in Fernseh-Shows.

Startz, Drago, s. unter *Starc,* Drago.

Steele, Suzanne, Sopran, * 1931 Südafrika, † 13. 12. 1986 Melbourne; sie kam als Kind nach London, studierte dort bei Gwen Knight und debütierte mit 17 Jahren am Old Vic Theater London in Shakespeares «A Midsummer Night's Dream». Ihre Stimme wurde weiter durch die berühmte Sopranistin Joan Cross ausgebildet, und sie wurde Choristin bei der Sadler's Wells Opera London. Man übernahm sie dann als Solistin in dieses Ensemble, und als solche debütierte sie dort in der Rolle des Hänsel in «Hänsel und Gretel» von Humperdinck. Sie sang an der Sadler's Wells Oper Partien in der «Zauberflöte», in Puccinis «La Bohème», in der «Verkauften Braut» von Smetana und in der Offenbach-Operette «Orpheus in der Unterwelt». An der Londoner Covent Garden Oper hörte man sie als Stimme des Falken in der «Frau ohne Schatten» von R. Strauss und in der Titelpartie von «Der goldene Hahn» von Rimsky-Korssakow. Sie nahm an einer Australien-Tournee der Sadler's Wells Opera teil und kam dann auch in Australien zu einer erfolgreichen Karriere. In der Eröffnungsvorstellung der neu erbauten Oper von Sydney wirkte sie 1973 in «Krieg und Frieden» von Prokofieff mit. Sehr erfolgreich gestalteten sich Rundfunk- und Fernsehauftritte der Künstlerin. Wenige Wochen vor ihrem Tod sang sie einen ökumenischen Gottesdienst anläßlich des Australienbesuchs von Papst Johannes Paul II. in den Cricket Grounds von Melbourne vor 120000 Zuhörern «The Holy City».
Schallplattenaufnahmen auf HMV, dazu zahlreiche Mitschnitte von Radiosendungen.

Stefanescu-Goanga, Petru, Baß-Bariton, *13. 3. 1902 Braila (Rumänien), †5. 9. 1973 Bukarest; er begann sein Gesangstudium in Bukarest und vollendete es als Schüler der großen Primadonna Felia Litvinne in Paris. 1927 debütierte er am Opernhaus von Lüttich als Valentin im «Faust» von Gounod. Er blieb während einer Saison in Lüttich und sang anschließend 1928–30 am Théâtre de la Monnaie Brüssel. Er setzte dann seine Karriere in Rumänien fort, und zwar zunächst am Opernhaus von Cluj (Klausenburg), an dem er 1932–34 auftrat. 1934 folgte er einem Ruf an die Nationaloper von Bukarest, an der er in den folgenden dreißig Jahren einer der führenden Künstler war. Gastspiele trugen ihm an der Staatsoper Wien an den Opernhäusern von Marseille und Bordeaux große Erfolge ein. Dabei sang er auf der Bühne bevorzugt Partien wie den Scarpia in «Tosca», den Rigoletto in der gleichnamigen Verdi-Oper, den Titelhelden in dessen «Falstaff», den Athanaël in «Thaïs» von Massenet, den Hans Sachs in den «Meistersingern», den Wotan im Nibelungenring, die Titelfiguren in «Boris Godunow» von Mussorgsky und «Fürst Igor» von Borodin. 1964 gab er seine Bühnenkarriere auf. Auch als Konzertsänger wie als Gesangpädagoge angesehen.

Schallplatten der rumänischen staatlichen Plattenproduktion (Electrecrod).

Stefanini, Nikša, Tenor, * 9. 10. 1905 Zadar (Dalmatien), † 4. 6. 1973 München; er begann zunächst in Zagreb ein Studium der Wirtschaftswissenschaften, das er mit dem Examen und der Promotion zum Doktor der Ökonomie abschloß. Daneben hatte er bereits in Zagreb Gesang studiert und vervollständigte diese Ausbildung in Mailand und Wien. 1929 wurde er an die Kroatische Nationaloper in Zagreb engagiert und blieb bis 1930 Mitglied dieses Ensembles. Seit 1931 trat er nur noch gastierend auf. So hörte man ihn als Gast an den Opernhäusern von Zagreb und Belgrad, in Rotterdam, Mailand, Rom, Wien und Berlin. Diese Gastspieltätigkeit auf internationalem Niveau setzte er bis 1947 fort. Seit 1948 hielt er sich wieder ständig in Jugoslawien auf, betätigte sich jetzt aber nur noch als Konzertsänger und vor allem als Pädagoge. Auch als Komponist wurde er bekannt. Sein Bühnenrepertoire besaß einen großen Umfang; es enthielt an erster Stelle Partien wie den Cavaradossi in «Tosca», den Pinkerton in «Madame Butterfly», den Nicias in «Thaïs» von Massenet, den Achilles in Glucks «Iphigenie in Aulis», den Aurelius Galba in «Die toten Augen» von E. d'Albert, den Loge im «Rheingold» und den Bojan in der Oper «Morana» von Gotovac. Neben seinem gesanglichen Können schätzte man auf der Bühne sein eminentes darstellerisches Talent.

Steffani, Domenico, Baß und Gesangpädagoge, * 1738 Triest, † 22. 12. 1783 Würzburg; er erwarb in Italien den Ruf eines großen Gesanglehrers und leitete das Conservatorio della pietà in Venedig. Der Fürstbischof von Würzburg, Adam Friedrich von Seinsheim, berief ihn in seine Residenz, und er betätigte sich in Würzburg ebenfalls als Pädagoge. Er war dem musikliebenden Fürstbischof bei der Errichtung eines kleinen privaten Operntheaters behilflich. Seine Gesangschule erlangte einen großen Ruf; aus ihr gingen Künstler wie die Sänger Costa, Doll und Marx, die Sängerin Mme Huber, an erster Stelle jedoch die berühmte Sabine Hitzelberger, hervor. 1784 heiratete er die Sopranistin *Sabine Ritz* (oder Rietz, * 1760 Würzburg, † wahrscheinlich 1806 Würzburg), die u. a. 1787 als Sabine Steffani-Ritz mit glänzenden Erfolgen in Amsterdam gastierte und später zusammen mit ihrem Gatten in Würzburg Unterricht erteilte. Auch ihre Schwester *Felicitas Agnesia Benda-Ritz* (1756–1835) war eine Schülerin

von Domenico Steffani. (Der Familienname des Künstlers kommt auch in der Schreibweise Stephani vor).

Steger, Ingrid, Sopran/Mezzosopran, * 27. 2. 1927 Roding (Oberpfalz); sie studierte an der Musikhochschule von München bei Henriette Klink-Schneider und bei Else Schulz (1946–52). 1949–52 war sie als Elevin an der Bayerischen Staatsoper München engagiert und eröffnete ihre eigentliche Bühnenkarriere 1951 am Stadttheater von Passau, an dem sie als Azucena im «Troubadour» debütierte. 1952–54 sang sie am Stadttheater von Augsburg, 1954–58 am Staatstheater von Kassel, 1958–60 am Stadttheater von Trier und seit 1960 am Stadttheater von Oberhausen. Sie schloß Gastverträge mit verschiedenen großen Theatern, so mit der Berliner Staatsoper (1965–68), mit dem Opernhaus von Graz (1974–75) und mit dem Staatstheater Karlsruhe (1975–77) ab. Seit dem Beginn der sechziger Jahre unternahm sie ausgedehnte Gastspielreisen; diese führten sie an die Staatsopern von Wien, Hamburg und Stuttgart (1971), an die Opernhäuser von Köln, Frankfurt a. M., Zürich und Nürnberg, an die Staatsoper Dresden, an das Staatstheater Hannover, an das Teatro Regio Parma (1965, 1968) an das Teatro Verdi Triest, an das Teatro Fenice Venedig (1968), an das Teatro San Carlos Lissabon (1972), an die Oper von San Francisco (1973), wobei sie vor allem in ihrer Glanzrolle, der Elektra in der gleichnamigen Richard Strauss-Oper, zu großen Erfolgen kam. 1967 wirkte sie bei den Osterfestspielen von Salzburg mit. Bis 1986 ist sie noch auf der Bühne erschienen. Ihr Repertoire für die Opernbühne enthielt Sopran- und Mezzosopranpartien wie die Titelrolle in «Rodelinda» von Händel, den Achill in dessen «Deidamia», die Leonore im «Fidelio», die Senta im «Fliegenden Holländer», die Elsa wie die Ortrud im «Lohengrin», die Elisabeth wie die Venus im «Tannhäuser», die Brünnhilde wie die Fricka im Nibelungenring, die Isolde im «Tristan», die Kundry im «Parsifal», die Titelheldin wie den Komponisten in «Ariadne auf Naxos» von R. Strauss, die Azucena im «Troubadour», die Lady Macbeth in Verdis «Macbeth», die Amelia im «Maskenball», die Amneris in «Aida», die Santuzza in «Cavalleria rusticana», die Turandot von Puccini, die Fürstin in «Rusalka» von Dvořák, die Judith in «Herzog Blaubarts Burg» von B. Bartók und die Titelfigur in «Penthesilea» von Othmar Schoeck. Nicht zu vergessen ist ihre Tätigkeit als Konzertsängerin.

Schallplatten: DGG («Walküre»).

Steiger, Anna, Sopran, * 13. 2. 1960 Los Angeles; sie war die Tochter des englischen Schauspielerehepaars Rod Steiger und Claire Bloom, wurde in den USA geboren, studierte aber an der Guildhall School London Gesang. Sie war u. a. Schülerin von Vera Rozsa. 1982 gewann sie den Sir Peter Pears Award und konnte 1983 bei den Festspielen von Aldeburgh Partien in den Opern «The Turn of the Screw» von B. Britten und «Jolanthe» von Tschaikowsky übernehmen. 1984 gewann sie den Richard Tauber Award, mit dessen Hilfe sie durch Studien

bei Irmgard Seefried in Wien ihre Ausbildung ergänzte. 1985–86 gehörte sie dem National Opera
Studio London an. Seit 1984 nahm sie an den Tourneen der Glyndebourne Touring Opera teil, bei
denen sie 1985 die Micaela in «Carmen», 1986 die
Miss Wordsworth in B. Brittens «Albert Herring»,
1987 die Concepcion in «L'Heure espagnole» von
Ravel sang, eine Partie, die sie auch beim Glyndebourne Festival der Jahre 1987–88 mit großem Erfolg vortrug. Bei diesen Festspielen erregte sie 1986
in der Titelpartie der Monteverdi-Oper «L'Incoronazione di Poppea» großes Aufsehen, 1987 sang sie
dort in der Uraufführung der Oper «The Electrification of the Soviet Union» von Nigel Osborne die
Partie der Sashka. In der Spielzeit 1985–86 gastierte
sie in Lausanne als Clorinda in «La Cenerentola»
von Rossini, in der folgenden Saison 1986–87 sang
sie bei der Opera North Leeds die Musetta in «La
Bohème». 1988 erfolgte ihr Debüt an der Covent
Garden Oper London als Blumenmädchen im «Parsifal»; danach sang sie dort die Karolka in «Jenufa»
von Janáček. An der English National Opera hörte
man sie in Janáčeks «Die Sache Makropoulos». 1988
gastierte sie am Grand Théâtre Genf als Concepcion, die als ein besonderer Höhepunkt in ihrem
Repertoire galt, 1989 in Lausanne als Serpetta in «La
finta giardiniera» von Mozart. In Los Angeles erlebte man sie 1989 als Jenny in «Aufstieg und Fall der
Stadt Mahagonny» von Weill (USA-Debüt), in Amsterdam 1990 als Despina in «Così fan tutte». Gleichzeitig bildete sich eine große Konzertlaufbahn heraus. Bereits 1986 gab sie ein glanzvolles Konzert in
der Londoner Wigmore Hall; 1988 sang sie beim
Aldeburgh Festival in «Poème de l'Amour et de la
Mer» von Chausson, zusammen mit dem Scottish
National Orchestra das Sopransolo im Requiem von
Gabriel Fauré. Konzerte in Belgien, Deutschland,
Jugoslawien wie beim Festival von Edinburgh, dazu
Radiosendungen über BBC London bezeichnen den
Fortgang ihrer Karriere.

Steinbach, Emma, Mezzosopran, * 1854, † 1937 Zürich; sie erhielt ihre Ausbildung in Wien und debütierte 1874 am Theater von Graz, 1875–78 war sie am
Hoftheater von Karlsruhe im Engagement und ging
dann für die Spielzeit 1878–79 an das Stadttheater
von Nürnberg. Sie trat dann bei Gastspielen auf, war
aber 1880–83 am Deutschen Theater Prag engagiert.
Seitdem wirkte sie nur noch als Gastsängerin. 1880
und 1882 sang sie an der Hofoper von Wien, ging
darauf in die USA, wo sie 1884–85 an der New
Yorker Academy of Music engagiert war. Mit diesem Ensemble gastierte sie u. a. auch in Boston,
New Orleans, San Francisco und Chicago. Dann
kehrte sie nach Europa zurück und trat jetzt häufig in
Italien auf. Dort sang sie in der Saison 1893–94 an
der Mailänder Scala die Fricka in der «Walküre» und
die Anacoana in «Cristoforo Colombo» von Franchetti. Ihre Karriere kam in den Jahren um die
Jahrhundertwende zum Ausklang. Ihr Repertoire
für die Bühne enthielt einerseits Wagner-Partien
(Ortrud, Magdalene in den «Meistersingern»,
Fricka), andererseits Aufgaben aus der italienischen
Opernliteratur wie die Leonora in «La Favorita», die

Azucena im «Troubadour», die Amneris in «Aida»
und den Orsini in «Lucrezia Borgia» von Donizetti,
aber auch französische Partien wie die Clemence in
Gounods «Mireille» und den Siebel in dessen
«Faust». Sie ist auch (wohl nach einer Heirat mit
einem Italiener) unter dem Namen Emma Stein-
bach-Luccia aufgetreten.

Steinbach, Heribert, Tenor, * 17. 5. 1937 Duisburg;
er studierte in Düsseldorf, vor allem aber an der
Musikhochschule Köln, wo er Schüler von Clemens
Glettenberg war. 1963–64 war er im Opernstudio des
Kölner Opernhauses beschäftigt, 1964–66 Mitglied
des Ensembles. Von Köln ging er 1966 an das Staatstheater Karlsruhe, dem er bis 1968 angehörte,
1968–76 war er Mitglied der Deutschen Oper am
Rhein Düsseldorf–Duisburg. 1976–80 war er durch
einen Gastvertrag dem Nationaltheater Mannheim,
1977–80 der Staatsoper München verbunden. Eine
weitreichende Gastspieltätigkeit ließ den Namen des
Künstlers auf internationaler Ebene bekannt werden. In den Jahren 1971–76 trat er bei den Festspielen von Bayreuth auf, vor allem als Froh im «Rheingold», aber auch als Melot im «Tristan» und in
kleineren Partien (Heinrich der Schreiber im «Tannhäuser», Kunz Vogelsang in den «Meistersingern»,
Gralsritter im «Parsifal»). 1976 und 1978 gastierte er
an der Grand Opéra Paris, 1978 am Teatro San
Carlos Lissabon und an der Oper von Rom, 1979 und
1982 an der Oper von Monte Carlo. Beim Maggio
musicale von Florenz hörte man ihn 1979 als Loge im
«Rheingold»; 1980 am Teatro Fenice Venedig und
am Teatro Comunale Florenz, 1981 am Opernhaus
von Leipzig zu Gast. Am Teatro Colón Buenos
Aires bewunderte man 1982 seinen Loge. 1985
wurde er an die Metropolitan Oper New York berufen, wo er als Walther von Stolzing in den «Meistersingern» debütierte. 1985 sang er am Staatstheater
Kassel, an dem er oft zu Gast war, den Siegfried,
1983 in Lausanne den Tristan, 1987–88 am Teatro
Regio Turin den Siegmund in der «Walküre», 1988
in Genua den Ägisth in «Elektra» von R. Strauss.
1988 sang er bei der Eröffnung des wieder erbauten
Theaters von Rotterdam den Siegfried im Nibelungenring. Hatte er zu Beginn seiner Karriere vornehmlich lyrische Partien gesungen (Tamino in der
«Zauberflöte», Herzog im «Rigoletto», David in den
«Meistersingern»), so wurde er später ein hervorragender heldischer und Wagner-Tenor, der als Loge,
als Siegmund und Siegfried, als Walther und als
Tristan, als Parsifal und als Froh, aber auch als Max
im «Freischütz» und als Florestan in «Fidelio» bril-
lierte. Nicht zu vergessen ist eine zweite, nicht weniger erfolgreiche Karriere im Konzertsaal.
Schallplatten: DGG («Palestrina» von H. Pfitzner),
Philips (Melot im «Tristan», kleine Rolle in den
«Meistersingern»), Wergo («Die Soldaten» von
B. A. Zimmermann).

Steinsky, Ulrike, Sopran, * 21. 9. 1960 Wien; sie
begann im Alter von 16 Jahren das Gesangstudium
bei Margaret Zimmermann und bei Hilde Zadek in
Wien und war am Konservatorium der Stadt Wien

Schülerin von Waldemar Kmentt. Hier sang sie bereits bei Schüleraufführungen in 22 Vorstellungen die Konstanze in der «Entführung aus dem Serail». 1982 wurde sie in das Opernstudio der Wiener Staatsoper aufgenommen und 1983 Mitglied dieses traditionsreichen Opernhauses. Als erste Partie übernahm sie dort kurzfristig und sehr erfolgreich die Königin der Nacht in der «Zauberflöte». Seit 1986 gehörte sie dem Ensemble der Wiener Volksoper an. Gastverträge bestanden mit der Bayerischen Staatsoper München (1984–86), mit den Opernhäusern von Frankfurt a. M. und Zürich (seit 1985). Die Königin der Nacht sang sie auch 1984 mit dem Ensemble des Kölner Opernhauses an der Oper von Tel Aviv, bei einem Gastspiel der Covent Garden Oper London mit deren Ensemble in Los Angeles (1984) und bei den Festspielen von Bregenz (1985). In Zürich hörte man sie als Adele in der «Fledermaus» und in der Saison 1989–90 als Zerline in «Fra Diavolo» von Auber. Weitere Gastspiele an der Oper von Köln (1984), am Opernhaus Dortmund (1989) und am Teatro Liceo Barcelona (Fiakermilli in «Arabella», 1989). Von den vielen Partien aus dem Fach der Koloratursoubrette, die sie gesungen hat, sind noch zu nennen: die Musetta in «La Bohème», die Zerline im «Don Giovanni», die Despina in «Così fan tutte», die Ännchen im «Freischütz», die Papagena in der «Zauberflöte», die Valencienne in der «Lustigen Witwe», die Laura im «Bettelstudenten» von Millöcker, die Lisa in Lehárs «Land des Lächelns» und die Franzi in der Operette «Ein Walzertraum» von O. Straus. Sie durchlief neben ihrer Bühnenkarriere eine nicht weniger erfolgreiche Karriere als Konzertsolistin und wirkte in Radio- und Fernsehsendungen von Opern mit («Così fan tutte», «La finta giardiniera» von Mozart, «Eine Nacht in Venedig», «Don Giovanni»). Schallplatten: HMV («Fledermaus»).

Stejskal, Margot, Sopran, * 9. 2. 1947 Engelsdorf bei Leipzig; sie studierte an der Musikhochschule von Weimar bei Hans Kremers. Dann war sie an der Musikhochschule von Leipzig Schülerin von Erhard Fischer und von Hanne-Lore Kuhse. 1975 kam es zu ihrem Bühnendebüt am Stadttheater von Cottbus als Musetta in «La Bohème» von Puccini. In den zwei folgenden Spielzeiten war sie Mitglied dieses Theaters und ging dann 1977–80 an die Staatsoperette in Dresden. 1980–84 war sie am Opernhaus von Karl-Marx-Stadt (Chemnitz) im Engagement und folgte darauf einem Ruf an die Berliner Staatsoper. Regelmäßige Gastspiele brachten ihr an der Staatsoper von Dresden große Erfolge ein. So sang sie dort auch bei den Vorstellungen zur Eröffnung der wieder aufgebauten Semper-Oper im Februar 1985 die Sophie im «Rosenkavalier» von R. Strauss. Weitere Höhepunkte in ihrem umfangreichen Bühnenrepertoire waren die Blondchen in der «Entführung aus dem Serail», die Susanna in «Figaros Hochzeit», die Nannetta im «Falstaff» von Verdi und die Adele in der «Fledermaus» von J. Strauß. Auch als Operetten- wie als Konzertsängerin erfolgreich in Erscheinung getreten. Schallplatten: Denon (Sophie im «Rosenkavalier»,

Mitschnitt der oben erwähnten «Rosenkavalier»-Vorstellung in Dresden, 1985).

Stephan, Erwin, Tenor, * 23. 6. 1949 Worms; er erhielt als Kind Klavierunterricht und sang in einem Knabenchor. Seine Ausbildung zum Sänger erfolgte am Hoch'schen Konservatorium in Frankfurt a. M., im Gesangstudio Enck in Osnabrück, bei Lisa Hagenau in Frankfurt a. M. und bei Lucretia West an der Musikhochschule Karlsruhe. Dazu absolvierte er Meisterkurse bei dem großen amerikanischen Heldentenor James King. 1978 begann er seine Bühnenkarriere am Theater von Flensburg und sang darauf am Stadttheater von Lüneburg, am Landestheater Coburg und bis 1984 am Stadttheater von Gießen vor allem Operetten-Partien, verlegte sich dann aber auf das heldische und das Wagner-Stimmfach. 1984–86 war er als erster Heldentenor am Staatstheater Saarbrücken engagiert (Antrittsrolle: Florestan im «Fidelio»). Sehr erfolgreich war er in Saarbrücken als José in «Carmen». Bereits 1985 sang er den Titelhelden im «Tannhäuser» an den Theatern von Mainz und Dortmund, in Bremen und, alternierend mit René Kollo, am Grand Théâtre Genf. 1986 hörte man ihn in dieser Partie bei den Festspielen von Orange, wobei Grace Bumbry, Leonie Rysanek und Bernd Weikl seine Partner waren. 1987 sang er erstmals den Titelhelden in Verdis «Othello» am Stadttheater von Freiburg i. Br., 1988 mit großem Erfolg dann an der Staatsoper von Dresden. Am Teatro Bellini von Catania begeisterte er sein Publikum als Hüon im «Oberon», an der Oper von Köln als Max im «Freischütz» von Weber; in Paris gastierte er als Ismaele in Verdis «Nabucco», 1989 an der Oper von Seattle (USA-Debüt) als Walther von Stolzing in den «Meistersingern». Zu seinen Opern-Gastspielen traten zahlreiche Konzertverpflichtungen; 1987 unternahm er eine große Konzerttournee. Er trat in seiner internationalen Konzertkarriere in Frankreich und Österreich, in der Schweiz, in Japan und in Südamerika auf. Schallplatten der Marke Wadko (Opernarien, Ausschnitte aus Lehár-Operetten, Weihnachtslieder). Auf Moro Titelheld in vollständigem «Tannhäuser».

Stephenson, Donald, Tenor, * 15. 2. 1947 Leeds (Grafschaft Yorkshire); er studierte 1969–71 am Royal Manchester College of Music, erwarb 1972 sein Diplom als Gesanglehrer und gehörte 1972–73 dem National Opera Studio London an. Bereits 1972 kam es zu seinem Bühnendebüt bei der English National Opera London. 1972–75 sang er bei der English National Opera, seit 1975 bei der English Opera Group, 1976–79 beim English Music Theatre. 1978 gastierte er erstmals an der Covent Garden Oper London; bekannt wurde er auch durch seine Radio- und Fernsehauftritte. Bei der Welsh Opera Cardiff bewunderte man ihn in Partien wie dem Radames in «Aida», dem José in «Carmen», dem Siegmund in der «Walküre», dem Parsifal und dem Max in «Freischütz». Er wirkte bei den Festspielen von Glyndebourne und Aldeburgh mit und sang 1984 in London in der Uraufführung (und dann auch in Rom und New York) des Werks «The No 11 Bus» von Maxwell Davies. Am Stadttheater von Freiburg i. Br. hörte man ihn als Tichon in «Katja Kabanowa» von Janáček und als Alwa in «Lulu» von A. Berg (1986) wie als Erik im «Fliegenden Holländer» (1988), an der Scottish Opera Glasgow als Florestan im «Fidelio» (1984) und als Red Whiskers in «Billy Budd» von B. Britten (1987), an der Opera North Leeds als Mark in «The Midsummer Marriage» von M. Tippett (1895). Er gastierte in Wiesbaden (1986), sang in Kaiserslautern und in Regensburg den Florestan im «Fidelio» (1987–88), beim Festival von Edinburgh den Herodes in der Richard Strauss-Oper «Salome» (1989). Auch als Konzertsänger aufgetreten.

Stephinger, Christoph, Baß, * 4. 6. 1954 Herrsching am Ammersee; als Knabe sang er vom 8. bis zum 15. Lebensjahr in dem berühmten Chor der Regensburger Domspatzen. Er ließ seine Stimme in einem fünfjährigen Gesangstudium an der Musikhochschule München ausbilden. 1981 gewann er den Mozart-Wettbewerb in Würzburg und wurde Mitglied des Opernstudios der Bayerischen Staatsoper München. Seit 1981 setzte er seine Ausbildung bei Kurt Moll in München fort; bereits in dieser Zeit kam es zu Rundfunk- und Fernsehauftritten. 1982 wurde er an das Stadttheater von Bielefeld verpflichtet, dem er bis 1986 angehörte, um dann einem Ruf an das Staatstheater von Hannover Folge zu leisten. Gastspiele führten den Künstler an die Deutsche Oper am Rhein Düsseldorf–Duisburg, an das Opernhaus von Dortmund, an die Staatstheater von Karlsruhe und Braunschweig, an die Oper von Nizza und zum Festival von Spoleto. Seine großen Bühnenpartien waren der König Heinrich im «Lohengrin», der Pogner in den «Meistersingern», der Daland im «Fliegenden Holländer» und der van Bett in «Zar und Zimmermann» von Lortzing; weiter sind zu nennen: der Masetto im «Don Giovanni», der Osmin in der «Entführung aus dem Serail», der Alfonso in «Così fan tutte», der Kezal in Smetanas «Verkaufter Braut», der Zacharias im «Propheten» von Meyerbeer und der Jim in «Maschinist Hopkins» von Max Brand. Neben seiner Bühnenkarriere entwickelte sich eine nicht weniger erfolgreiche Konzerttätigkeit, namentlich als Solist in Oratorien. So sang er 1989 bei einer Konzertreise mit der Gächinger Kantorei unter H. Rilling den Herodes in «L'Enfance du Christ» von Berlioz.

Stetzler, Bertha, Sopran, * 1903 (?); als erstes Bühnenengagement der Künstlerin findet sich ihre Tätigkeit am Stadttheater von Kaiserslautern in den Jahren 1926–31. In den folgenden drei Jahren war sie nicht fest engagiert und sang dann 1934–35 am Stadttheater von Bremerhaven. 1935 folgte sie einem Ruf an die Städtische Oper Berlin, an der sie bis 1951 als eine der führenden Kräfte des Hauses tätig war. 1931 gastierte sie am Stadttheater von Basel, 1938 an der Nationaloper von Bukarest; 1941 hörte man sie im Haag und in Amsterdam als Eva in den «Meistersingern». In Berlin sang sie in den deutschen Erstaufführungen der Opern «Palla de' Mozzi» von Marinuzzi (1940 als Anna-Bianca) und «Don Juan de

Mañara» von Francesco Alfano (1942 als Vannina d'Alonda). Sie sang vor allem Partien aus dem dramatischen Stimmfach: die Senta im «Fliegenden Holländer» und die Elsa im «Lohengrin», die Eva in den «Meistersingern» und die Gutrune in der «Götterdämmerung», die Agathe im «Freischütz» und die Leonore im «Fidelio», die Titelpartie in «Ariadne auf Naxos» von R. Strauss und den Octavian im «Rosenkavalier», die Leonore in Verdis «La forza del destino» und die Titelheldin in «Adriana Lecouvreur» von Cilea. Die Künstlerin, die auch im Konzertsaal zu bedeutenden Erfolgen kam, hat uns unverständlicherweise keine Schallplattenaufnahmen hinterlassen; immerhin besteht die Möglichkeit, daß Mitschnitte von Aufführungen zum Vorschein kommen.

Stieber-Walter, Paul, Tenor, * 17. 11. 1890 Wandsbek bei Hamburg; er absolvierte sein Gesangstudium bei Hans Nietan in Dessau und später bei Harry de Garmo in Wiesbaden. 1915 debütierte er am Stadttheater von Mainz, wo er bis 1918 blieb. 1918–21 sang er am Stadttheater von Chemnitz, 1921–22 am Landestheater Darmstadt. 1922 kam er an das Opernhaus von Hannover, an dem er bis 1929 engagiert war. Zugleich bestand 1924–28 ein Gastvertrag mit der Berliner Staatsoper. Nach 1929 wandte er sich für einige Jahre mit großem Erfolg der Operette zu und war am Theater des Westens wie am Metropol-Theater Berlin zu hören. 1936–39 gehörte er als Sänger und Regisseur dem Stadttheater von Frankfurt a. d. Oder an und wirkte anschließend in gleicher Eigenschaft an den Theatern von Liegnitz (1939–41) und Görlitz (1941–42). Seit 1943 lebte er in Marktl am Inn. Er trat auch erfolgreich als Konzert- und Oratoriensänger, vor allem aber als Lied-Interpret, auf. Dabei wurde er oft von seinem Bruder, dem Komponisten und Pianisten Hans Stieber (1886–1969) am Klavier begleitet. Er gastierte an der Staatsoper von Dresden (1927), am Opernhaus von Köln (1925) und trat 1934 bei den Festspielen von Zoppot auf. Aus seinem Bühnenrepertoire seien der Belmonte in der «Entführung aus dem Serail», der Nureddin im «Barbier von Bagdad» von P. Cornelius, der Fritz in «Der ferne Klang» von F. Schreker, der Alviano in «Die Gezeichneten» vom gleichen Komponisten, der Mephisto in «Dr. Faust» von F. Busoni, der Herzog im «Rigoletto», der Alfredo in «La Traviata» und der Klas in «Enoch Arden» von Ottmar Gerster genannt. Schallplattenaufnahmen unter dem Etikett von Odeon.

Stiegler, Paul, Baß-Bariton, * 1884, † 31. 5. 1936 Göttingen; er durchlief zunächst eine kaufmännische Lehre, nahm zugleich aber Gesangunterricht. Sein Debüt kam 1907 am Stadttheater von Lübeck zustande. Von dort ging er 1908–10 an das Stadttheater von Posen (Poznań), sang 1910–12 am Theater von Plauen (Sachsen), 1912–14 am Stadttheater von Rostock, 1914–15 am Stadttheater von Krefeld und wirkte dann in den Jahren 1915–22 als erster Bassist am Stadttheater von Bremen. 1922–27 war er am Stadttheater (Opernhaus) von Hamburg engagiert, nahm aber 1927 als Sänger von der Bühne Abschied. Bereits seit 1919 hatte er auch als Regisseur gearbeitet und verlegte sich jetzt ganz auf diese Tätigkeit. 1929 wurde er Intendant des Stadttheaters von Göttingen, das er bis zu seinem Tod leitete. Seine großen Bühnenpartien waren der Kaspar im «Freischütz», der Telramund im «Lohengrin», der Hans Sachs in den «Meistersingern», der Fliegende Holländer, der Klingsor im «Parsifal», der Sebastiano in «Tiefland» von E. d'Albert, der Amonasro in «Aida», die vier Dämonen in «Hoffmanns Erzählungen», der Lothario in «Mignon» von A. Thomas und der Arcesius in «Die toten Augen» von d'Albert.

Stigelli, Georg, Tenor, * 1819 Ingstetten (auf der württembergischen Alb), † (?); eigentlicher Name Georg Stiegele. Er begann das Studium der Rechtswissenschaft, ließ dann aber seine Stimme in Stuttgart durch die Pädagogen Binder, Jäger und Krebs ausbilden. 1841 debütierte er an der Stuttgarter Hofoper, setzte dann aber seine Karriere an österreichischen und ungarischen Bühnen fort und kam zu bedeutenden Erfolgen in Linz/Donau, Budapest und Wien. Er unterbrach nochmals seine Karriere und vervollständigte seine Ausbildung durch Studien bei dem berühmten Tenor und Pädagogen Louis-Antoine-Eléonore Ponchard in Paris und bei Maestro Cavaliere de Michewouk in Mailand. In den vierziger Jahren kam es, anschließend an diese Studien, zu erfolgreichen Auftritten an den Operntheatern von Mantua, Padua und Lodi, am Teatro Carcano Mailand und dann auch an der Mailänder Scala. Hier trat er unter dem Namen Giorgio Stigelli auf, verließ aber Italien im Revolutionsjahr 1848 und ließ sich als Sänger und Pädagoge in Frankfurt a. M. nieder. 1849 gastierte er sehr erfolgreich in London, kam 1850 dort zu ähnlichen Erfolgen und war dann in den folgenden Jahren in der englischen Metropole als Gast anzutreffen. Er gastierte auch in Wien, zuletzt 1861 nochmals als Pollione in Bellinis «Norma». Damit brechen die Nachrichten über den Künstler ab. Er war auch ein begabter Komponist und schrieb Lieder und Chorwerke, zum Teil nach Gedichten von Heinrich Heine und Ludwig Uhland.

Stilo, Gertrud, Alt, * 20. 7. 1916 Hamburg; sie erhielt an der Musikhochschule Hamburg eine Ausbildung als Violinistin und war in den Jahren 1933–44 als Violinlehrerin in Hamburg tätig. Sie begann 1943 das Gesangstudium bei Frau Schmitt de Georgi in Hamburg (bis 1948) und setzte es später bei Günther Weisenborn fort. 1947–48 sang sie während einer Saison am Stadttheater von Flensburg und war dann bis 1950 in Hamburg als Konzertsängerin tätig. 1950 folgte sie einem Ruf an die Komische Oper Berlin und blieb deren Mitglied bis 1954. 1954 wechselte sie an die Staatsoper Berlin, an der sie bis zu Beginn der siebziger Jahre eine belangreiche Karriere auf der Bühne hatte. Sie gastierte mit dem Ensemble der Komischen Oper Berlin in Budapest und mit dem der Berliner Staatsoper 1968 beim Maggio musicale Florenz. 1966 sang sie an der Staatsoper Berlin in der Uraufführung der Oper «Herr Puntila und sein Knecht Matti» von Paul Dessau die Partie der

Emma, die sie auch in einer Gesamtaufnahme der Oper auf DGG übernahm. Ihr Bühnenrepertoire war sehr umfangreich und enthielt u. a. die Frau Reich in den «Lustigen Weibern von Windsor» von Nicolai, die Fricka im Nibelungenring, die Brangäne im «Tristan», die Annina im «Rosenkavalier», die Amme in der «Frau ohne Schatten» und die Adelaide in «Arabella» von R. Strauss, die Hexe in «Hänsel und Gretel», die Azucena im «Troubadour», die Amneris in «Aida», die Quickly im «Falstaff» von Verdi, die Margarita in «I quattro rusteghi» von Wolf-Ferrari, die Kathinka in Smetanas «Verkaufter Braut» und die Mutter Lenchen in «Die Hochzeit des Jobs» von J. Haas. Gleichzeitig war sie eine geschätzte Konzert- und Liedersängerin.
Weitere Schallplattenaufnahmen auf Eterna und HMV.

Stock, Herbert, Baß, * 23. 2. 1885, † 8. 9. 1924 Berlin; er begann seine Bühnenkarriere mit einem Engagement am Stadttheater von Erfurt in den beiden Spielzeiten 1910–12. 1912 kam er an das Opernhaus von Frankfurt a. M. Dort sang er am 18. 8. 1912 in der Uraufführung von Franz Schrekers Oper «Der ferne Klang» die Partie des Dr. Vigelius. 1914 war er in der Frankfurter Premiere von Wagners «Parsifal» der Klingsor. 1917 verabschiedete er sich als Ochs im «Rosenkavalier» vom Frankfurter Publikum und folgte einem Ruf an die Hofoper Berlin. Hier blieb er bis zu seinem Tod, der ihn bereits mit 39 Jahren ereilte, tätig. Er sang in Berlin vor allem Buffo- und Charakterpartien, doch waren auch Aufgaben wie der Daland im «Fliegenden Holländer» in seinem Bühnenrepertoire anzutreffen. Als Konzertsolist beherrschte er ein umfangreiches Repertoire.

Stöger, Auguste, Sopran/Mezzosopran, * 1838 (?) Wien, † 1866 Darmstadt; sie war die Tochter eines der bekanntesten Bühnenintendanten des beginnenden 19. Jahrhunderts im deutschen Sprachraum *Johann August Stöger* (* 1791 Stockerau, † 7. 5. 1861 München). Dieser hatte ursprünglich selbst eine beachtliche Karriere als Sänger durchlaufen und u. a. an den Theatern von Brünn (Brno), Olmütz (Olomouc) und am Deutschen Theater Prag gesungen. Er gab dann diese Laufbahn auf und wurde Direktor des Theaters von Graz, dann Intendant in Preßburg (Bratislava), 1832 am Theater in der Josefstadt Wien und schließlich bis 1846 und nochmals 1852–60 des Deutschen Theaters Prag, das er zu einer großen künstlerischen Blüte führte. Auguste Stöger begann ihre Karriere 1858 am Hoftheater von Hannover. 1859 sang sie an der Münchner Hofoper. Dorthin kehrte sie nach einem längeren Gastspiel an der Hofoper von Wien (1860 als Elisabeth im «Tannhäuser», als Agathe im «Freischütz» und als Leonore im «Fidelio») 1861 wieder zurück. 1861 hatte sie in München einen ihrer größten Erfolge als Titelheld im «Orpheus» von Gluck. Bis 1864 blieb sie Mitglied der Münchner Oper und wurde darauf an das Hoftheater von Darmstadt engagiert. Sie mußte jedoch bereits im folgenden Jahr 1865 wegen eines bösartigen Halsleidens ihre vielversprechende Laufbahn beenden und starb ein Jahr später.

Stojanović, Milka, Sopran, * 13. 1. 1937 Belgrad; sie war Schülerin von Zdenka Ziková in Belgrad, besuchte dann die Opernschule der Mailänder Scala und betrieb auch Studien zusammen mit der berühmten jugoslawischen Sopranistin Zinka Milanov. 1960 debütierte sie an der Belgrader Nationaloper und blieb während ihrer gesamten Karriere Mitglied dieses Hauses. Durch Gastspiele wurde sie bereits frühzeitig auf internationaler Ebene bekannt. Sie gastierte zusammen mit dem Belgrader Ensemble 1962 beim Festival von Edinburgh, 1968 in Oslo und 1971 in Lausanne. Selbständige Gastspiele trugen ihr 1962 an Opernhaus von Graz, 1970 an der Wiener Staatsoper, 1971 am Teatro Petruzzelli von Bari und an der Staatsoper München, 1970 am Opernhaus von Köln, 1971 am Teatro Liceo Barcelona Erfolge ein. In der Saison 1967–68 war sie an der Metropolitan Oper New York engagiert. Gastspielauftritte und Konzerte in den jugoslawischen Musikzentren, in England, Ungarn und Finnland, in der Sowjetunion (Moskau), Ägypten, in der ČSSR und in Dänemark kennzeichnen den weiteren Verlauf ihrer Karriere. Ihr Bühnenrepertoire besaß einen großen Umfang; im einzelnen sind daraus die Aida, die Desdemona in «Othello» von Verdi, die Amelia in «Un Ballo in maschera», die Leonore im «Fidelio», die Mimi in Puccinis «La Bohème», die Butterfly, die Liu in «Turandot», die Gräfin in «Nozze di Figaro», die Titelfigur in «La Gioconda» von Ponchielli, die Marie in der «Verkauften Braut» von Smetana, die Tosca, die Santuzza in «Cavalleria rusticana», die Leonore in Verdis «La forza del destino» und die Tatjana in Tschaikowskys «Eugen Onegin» zu nennen.
Schallplattenaufnahmen auf Jugoton.

Stoll, Emmy, Sopran, * 1913 (?); sie sang nacheinander am Stadttheater von Kaiserlautern (1936–37), am Stadttheater von Augsburg (1937–38), an der Volksoper Berlin (1939–42), am Stadttheater von Essen (1943–44) und nach Beendigung des Zweiten Weltkrieges 1946–49 an der Staatsoper Stuttgart. 1941 sang sie an der Berliner Volksoper die Titelheldin in der deutschen Erstaufführung von Verdis «Giovanna d' Arco», 1946 in Stuttgart die Ursula in der deutschen Erstaufführung von «Mathis der Maler» von Hindemith. Von ihren weiteren Bühnenpartien seien die Tosca, die Titelfigur in Puccinis «Turandot», die Aida und die Luisa Miller in der Verdi-Oper gleichen Namens genannt. Sie war verheiratet mit dem Bariton *Herbert Gosebruch*.

Stolzenberg, Klara, Sopran, * 25. 12. 1865 Kalsruhe, † (?); sie war die Tochter des berühmten Sängers und Pädagogen *Benno Stolzenberg* (1827–1906) und der Koloratursopranistin *Claire Stolzenberg – La Porte*. Sie erhielt ihre Ausbildung durch ihren Vater und begann ihre Bühnenkarriere 1886 am Stadttheater von Freiburg i. Br., dem sie zwei Jahre lang angehörte. 1889–90 sang sie am Stadttheater von Magdeburg, 1890–91 in Breslau, 1891–95 am Opernhaus von Düsseldorf, 1895–96 am Hoftheater von Braunschweig, 1896–1900 am Stadttheater von Basel. Sie

erwies sich als hervorragend begabte Koloratursopranistin und erreichte ihre besten Leistungen in Partien wie der Susanna in «Figaros Hochzeit», der Königin der Nacht in der «Zauberflöte», der Rosina in Rossinis «Barbier von Sevilla», der Amina in «La Sonnambula» von Bellini, der Marie in Donizettis «Regimentstochter» und der Frau Fluth in den «Lustigen Weibern von Windsor» von Nicolai. Sie unternahm ausgedehnte und sehr erfolgreiche Konzerttourneen in Deutschland, in Holland und in der Schweiz und wirkte in den Jahren 1889–91 bei den Bayreuther Festspielen mit. Sie lebte seit 1900 als gesuchte Pädagogin in Düsseldorf und betätigte sich weiter als Solistin im Konzertsaal. Sie war verheiratet mit dem Dirigenten Walter Laporte; auch ihr Sohn *Raoul Laporte* (* 3. 1. 1900) beschritt die Laufbahn eines Opernsängers.

Stone, William, Bariton, * 1944 (?) Goldsboro (North Carolina); seine Ausbildung fand an der Duke University und an der University of Illinois statt und kam 1968 zum Abschluß. Wahrscheinlich war er in den ersten Jahren seiner Karriere hauptsächlich als Konzert- und Oratoriensänger tätig, ein Bereich, der auch in seiner späteren Karriere eine große Rolle spielte. 1978 trat er beim Spoleto Festival in der Oper «Martin's Lie» von G. C. Menotti auf und sang an der Oper von Chicago in der Uraufführung von Pendereckis «Paradise Lost» die Partie des Adam (29. 11. 1978). Die gleiche Partie sang er dann auch 1979 an der Mailänder Scala. Er kam nun zu einer sehr erfolgreichen Karriere an europäischen Opernhäusern; er sang am Teatro Comunale Florenz (1979, 1981), am Teatro Verdi Triest (oftmals seit 1980) und an der Oper von Rom (seit 1981); beim Maggio musicale Fiorentino gastierte er 1979 als Titelheld im «Wozzeck» von A. Berg, 1981 als Orest in «Iphigénie en Tauride» von Gluck. 1984 trat er an der Opéra-Comique (Aeneas in «Dido and Aeneas» von Purcell) wie an der Grand Opéra Paris auf, 1983 am Teatro San Carlo Neapel, 1987 beim Festival von Aix-en-Provence (Ford in Verdis «Falstaff») und seit 1987 mehrfach am Théâtre de la Monnaie Brüssel (u. a. als Germont-père in «La Traviata»), 1988 am Theater von Bonn, 1989 in einem Konzert in Köln. Er setzte gleichzeitig seine amerikanische Karriere fort und war seit 1981 regelmäßig an der City Centre Opera New York anzutreffen, auch an den Opern von Philadelphia und Washington. 1980 wirkte er an der Santa Fé Opera in der amerikanischen Premiere von Schönbergs «Von heute auf morgen» mit. Zu seinen wichtigsten Bühnenpartien gehörten der Graf in «Figaros Hochzeit», der Figaro im «Barbier von Sevilla», der Malatesta im «Don Pasquale», der Enrico in «Lucia di Lammermoor», der Ezio in Verdis «Attil», der Posa in dessen «Don Carlos», der Zurga in «Pêcheurs de perles», der Albert in «Werther» von Massenet, der Golo in «Pelléas et Mélisande», der Alfio in «Cavalleria rusticana», der Eugen Onegin von Tschaikowsky und der Abdul in «The Last Savage» von G. C. Menotti. Sein weit gespanntes Konzertrepertoire umfaßte Solopartien in der Matthäuspassion von J. S. Bach, im Messias von Händel, der Missa

solemnis von Beethoven, in dessen 9. Sinfonie wie im Deutschen Requiem von J. Brahms.
Schallplatten: CBS («Salammbô», Fragmente einer unvollendeten Mussorgsky-Oper), Telarc.

Štork, Mirko, Tenor, * 2. 7. 1880 Prag, † 18. 1. 1953 Prag; er war zuerst als Angestellter tätig. Seine Ausbildung zum Sänger erfolgte weitgehend autodidaktisch, wobei er durch den Musikwissenschaftler Oltokar Šourek gefördert wurde. Nachdem er anfänglich in Prag und in der Umgebung dieser Stadt als Konzertsänger aufgetreten war, debütierte er im Sommer 1904 am Prager Nationaltheater als Grechineux in «Les cloches de Corneville» von Planquette. Nach einigen weiteren Gastspielen wurde er 1906 an das Nationaltheater engagiert und blieb diesem Haus bis 1936 verbunden. In dieser langen Zeitspanne stand er in mehr als 3000 Vorstellungen auf der Bühne des Nationaltheaters, dessen Publikum dem Künstler sehr zugetan war. Dabei sang er sowohl lyrische Partien wie den Jacquino im «Fidelio», den Lenski im «Eugen Onegin», den Alfredo in «La Traviata», den Hans in der «Verkauften Braut» als vor allem auch Buffo-Rollen wie den Monostatos in der «Zauberflöte», den Mime im Nibelungenring und den Goro in «Madame Butterfly», namentlich jedoch den Wenzel in der «Verkauften Braut», den er im Lauf seiner Karriere über 300mal vorgetragen hat. Er wirkte in Prag auch in mehreren Uraufführungen von Opern mit, so 1905 in «Jessica» von J. B. Foerster und 1916 in «Karlstein» von V. Novák; am 23. 4. 1920 sang er dort die Titelpartie in der Uraufführung von Janáčeks «Ausflüge des Herrn Brouček» («Výlety pana Broučka»). Das Schwergewicht seines Bühnenrepertoires lag naturgemäß im tschechischen Repertoire; so sang er, den Vítek in «Dalibor», den Lúkas in «Hubička», den Vít in «Tajemství» von Smetana; dazu trat er als geschätzter Konzertsolist hervor. Gastspiele führten ihn, vor allem als Wenzel in der «Verkauften Braut», nach Stockholm, Warschau, Wien, Bukarest und 1933 nach Chicago.
Zahlreiche Schallplattenaufnahmen auf den Marken HMV, Zonophone, Odeon, Pathé (Prag, 1912), Favorite, Jumbola und Lyrophon.

Strack, Theo, Tenor, * 1881, † (?); das erste Engagement des Künstlers war 1909–12 an der Wiener Volksoper. 1912–13 sang er am Stadttheater von Graz, 1913–14 am Stadttheater von Augsburg und 1914–18 am Hoftheater Hannover. 1920–23 wirkte er am Nationaltheater von Weimar, 1923–25 an der Staatsoper Dresden. Hier sang er am 4. 11. 1924 in der Uraufführung der autobiographischen Richard Strauss-Oper «Intermezzo», am 21. 5. 1925 in der Uraufführung der Oper «Doktor Faust» von Busoni die Partie des Mephisto. 1925 wurde er an das Staatstheater von Karlsruhe berufen, dem er bis 1944 angehörte. Er wurde durch zahlreiche Gastspiele international bekannt. 1928 gab er ein Wagner-Konzert in Paris, 1930 sang er als Gast an der dortigen Grand Opéra den Tannhäuser. 1929 hörte man ihn am Teatro Liceo Barcelona, 1930 an der Oper von Chicago wie am Teatro Colón Buenos

Aires, 1934 und 1935 an der Oper von Budapest, 1934 am Théâtre de la Monnaie Brüssel. Bei den Salzburger Festspielen von 1934 gastierte er in der Partie des Tristan in der Wagner-Oper gleichen Namens. Sein Bühnenrepertoire enthielt heldische und vor allem Wagner-Rollen seines Stimmfachs, darunter den Siegmund, den Siegfried und den Loge im Nibelungenring, den Samson in «Samson et Dalila» von Saint-Saëns, den Kaiser in der «Frau ohne Schatten» von R. Strauss und den Titelhelden in Hans Pfitzners «Palestrina». Neben seinem Wirken auf der Bühne war er auch ein geschätzter Konzertsolist.
Es ist unverständlich, daß von seiner Stimme keine Schallplattenaufnahmen vorhanden sind.

Stradella, Alessandro, Sänger, Komponist und Violinist, * 1. 10. 1644 (getauft 4. 10. 1644) Montefestino bei Modena, † 25. 2. 1682 Genua; er war von vornehmer Abstammung und erhielt seine musikalische Ausbildung in Venedig. Von seinem Leben sind kaum zuverlässige Fakten bekannt, abgesehen von jenem Liebesabenteuer, das den Stoff der Oper «Alessandro Stradella» von Friedrich von Flotow bildet, die 1844 in Hamburg uraufgeführt wurde. Was sonst über den Künstler berichtet wird, scheint mehr oder weniger in das Reich der Legende zu gehören. Er schrieb zahlreiche Opern, die an Theatern in Rom, Modena und Genua mit Erfolg zur Aufführung kamen, darunter Werke wie «Circe» (Florenz, um 1667), «Il Corispeo», «Il Damone», «Floriodoro», «Orazio Cocle sul ponte», «Lo schiavo liberato», «La forza dell'amor paterno» (Genua, 1681) und «Trespolo tutore balordo» (Modena, 1686, also nach dem Tod des Komponisten), die Serenata «Il barcheggio» (Genua, 1681) und die Oratorien «Santa Editta», «Ester», «San Giovanni Battista» (1676), «Susanna», «San Giovanni Crisostomo» und «Santa Pelagia» (1681), dazu Motetten, geistliche und weltliche Kantaten, Arien und Kanzonetten, schließlich auch Instrumentalmusik (Sinfonie a più stromenti). Dagegen sind die beiden unter seinem Namen bekannt gewordenen Arien «Pietà Signore» und «Se i miei sospiri» wohl nicht von seiner Hand. Man darf annehmen, daß er in seinen Vokalwerken auch als Sänger in Ercheinung getreten ist. Wahrscheinlich ist er später in den Dienst der Herzogin von Savoyen und Regentin von Piemont, Marie de Nemours, in Turin getreten. Er fiel in Genua einem Mordanschlag zum Opfer, wie berichtet wird im Verlauf eines seiner vielen amourösen Abenteuer.

Stradiol-Mende, Pauline von, Sopran, * 1832 Wien, † (?); sie war die Tochter des Hofsekretärs der Kaiserlich-Königlichen Hof-, Haus- und Staatskanzlei Louis von Stradiol. Schon als Kind zeigte sie eine ungewöhnliche musikalische Begabung sowohl im Gesang wie im Klavierspiel, dazu auch als Malerin. Ihre Stimme wurde durch den großen Komponisten und Dirigenten Otto Nicolai entdeckt und ausgebildet. Ihr Vater untersagte ihr streng jede Bühnenkarriere. Nach dessen Tod begann sie jedoch eine solche in Italien, und zwar zuerst in Mailand. Sie erregte dort wie anschließend in Wien sowohl durch ihre schön gebildete Stimme wie durch ihre anmutige Erscheinung auf der Bühne Aufsehen. Der Regisseur Schmidt engagierte sie für die Dresdner Hofoper. In der sächsischen Hauptstadt heiratete sie den Schauspieler Mende und ging zusammen mit ihm an das Theater von Breslau. Als Debütrolle sang sie dort die Lucrezia Borgia in der gleichnamigen Donizetti-Oper. Von Breslau aus gastierte sie an der Wiener Hofoper als Gräfin in «Figaros Hochzeit», folgte aber einem Ruf an das Deutsche Theater Prag. Nach zweijährigem Wirken in Prag gab sie glanzvolle Gastspiele in Stettin und Berlin; am Stadttheater von Hamburg hörte man sie als Leonore im «Fidelio», als Donna Anna im «Don Giovanni» und als Fides im «Propheten» von Meyerbeer. Schließlich nahm sie ein Engagement an der Stuttgarter Hofoper an, wo sie Mitte der fünfziger Jahre zu großen Erfolgen kam. 1857 sang sie am Theater von Wiesbaden, seit 1858 am Opernhaus von Düsseldorf, und zwar hier vor allem im dramatischen Fach. Seit 1863 war sie am Theater von Königsberg (Ostpreußen) sowohl als Sängerin wie als Schauspielerin tätig. Noch 1867 ist sie dort aufgetreten. Dann verlieren sich ihre Karriere wie ihr Leben im Dunkeln.

Strätz, Carl, Tenor, * 1872 (?) † (?); er erhielt seine Ausbildung in Dessau, wo er in den Jahren 1895–97 im Chor des Hoftheaters wirkte. In der Spielzeit 1897–98 war er am Stadttheater von Lübeck als Solist engagiert. Es schlossen sich Verpflichtungen an den Theatern von Olmütz (Olomouc, 1898–99), Regensburg (1899–1900), Würzburg (1900–1901) und Mainz (1901–03) an. 1903 folgte er einem Ruf an das Stadttheater (Opernhaus) von Hamburg, dessen Mitglied er bis 1909 blieb. Er nahm während dieser Zeit an den Hamburger Uraufführungen der Opern «Bruder Lustig» (13. 10. 1905) und «Sternengebot» (21. 1. 1908) von Siegfried Wagner teil. Er verlegte sich zunehmend auf das heldische und das Wagner-Fach und sang 1909–11 am Stadttheater von Chemnitz, 1911–12 am Opernhaus von Köln, 1912–13 am Stadttheater von Mühlhausen (Elsaß), 1913–14 am Opernhaus von Riga, 1914–16 am Stadttheater Bremen, dann 1916–19 am Stadttheater von Halle (Saale) und schließlich 1919–20 am Stadttheater von Regensburg. Bis Mitte der zwanziger Jahre trat er noch gastierend auf. Seit Beginn der dreißiger Jahre betätigte er sich für rund zehn Jahre als Musikdezernent und als Sendeleiter bei norddeutschen Rundfunksendern. Er gastierte am Stadttheater von Nürnberg (1900), an den Hoftheatern von Karlsruhe und Wiesbaden (1901), am Hoftheater von Schwerin (1904), am Hoftheater Hannover (1905), an den Hofopern von Berlin (1907, 1909–10) und Dresden (1910). An der Covent Garden Oper London hörte man ihn 1910 als Loge im «Rheingold» und als Siegfried in der «Götterdämmerung». 1921 gastierte er nochmals an der Dresdner Staatsoper. Bühnenpartien des Künstlers: Tamino in der «Zauberflöte», Max im «Freischütz», Erik im «Fliegenden Holländer», Tannhäuser, Walther von Stolzing in den «Meistersingern», Loge, Siegmund und Siegfried im

Nibelungenring, Tristan, Parsifal, Pedro in «Tiefland» von E. d'Albert, José in «Carmen», Titelheld in «Fra Diavolo» von Auber, Eleazar in «La Juive» von Halévy, Herzog im «Rigoletto», Radames in «Aida», Vasco in Meyerbeers «Africaine». Er war verheiratet mit der Sopranistin *Martha Fritz.*

Straka, Peter, Tenor, * 22. 2. 1950 Zlin (ČSSR); Ausbildung der Stimme am Konservatorium von Düsseldorf bei William Pearson, dann an der Musikhochschule Köln bei Ellen Bosenius und Dietger Jacob. 1977–78 war er im Internationalen Opernstudio des Opernhauses Zürich, dessen Mitglied er nach einem kurzen Engagement am Theater von St. Gallen (1978–79) dann seit 1979 war. Er wurde durch Gastspiele an den Stadttheatern von Basel und Bern, an der Staatsoper Berlin wie an der dortigen Komischen Oper, am Staatstheater Hannover, an den Opern von Graz und Marseille, an der Volksoper Wien, an der Opéra-Comique Paris, am Teatro Massimo Palermo und bei den Festspielen von Orange international bekannt. Mit dem Zürcher Ensemble trat er in Dresden, beim Festival von Lausanne und bei den Festspielen von Schwetzingen auf. Er war an den Zürcher Monteverdi-Inszenierungen durch Nikolaus Harnoncourt namhaft beteiligt («Orfeo», «Incoronazione di Poppea», «Il ritorno d'Ulisse in patria»). Aus seinem Repertoire sind weiter hervorzuheben: der Idamante in «Idomeneo» von Mozart, der Tamino in der «Zauberflöte», der Nemorino in «Elisir d'amore», der Peter Iwanow wie der Marquis Châteauneuf in «Zar und Zimmermann» von Lortzing, der Hans in Smetanas «Verkaufter Braut», der Steuermann im «Fliegenden Holländer», der Froh im «Rheingold», der Rodolfo in «La Bohème» und der Narraboth in «Salome» von R. Strauss; hinzu traten Partien aus dem Bereich der Operette. Auch im Konzertsaal kam er, vor allem als Oratoriensolist, zu einer internationalen Karriere.
Schallplatten: Telefunken («Incoronazione di Poppea», «Orfeo», «Il ritorno d'Ulisse in patria»).

Strakaty, Karl, Baß-Bariton, * 2. 7. 1801 Blatna (ČSR), † 26. 4. 1868 Prag; Vater und Großvater des Künstlers waren Töpfer, beide jedoch sehr musikalisch. Er sang bereits als Knabe in Kirchenchören, lernte Klavierspiel, studierte aber 1823–24 an der Prager Universität Philosophie und Jurisprudenz. Er trat gelegentlich als Amateur in Konzerten auf; dabei wurde seine Stimme durch den Direktor des Stände-Theaters von Prag (Králove divadlo) Johann Nepomuk Stépanek entdeckt. Hier debütierte er 1827 als Kaspar im «Freischütz» in einer Aufführung in tschechischer Sprache. Er blieb Mitglied dieses Hauses bis zum Ende seiner Karriere 1858 und war durch Angebote aus Dresden, Berlin und anderen Musikzentren nicht zu bewegen, dieses Theater zu verlassen. Er sang dort in deutscher wie in tschechischer Sprache 253 verschiedene Partien in insgesamt 3230 Vorstellungen. Seine Vielseitigkeit kommt schon dadurch zum Ausdruck, daß er im «Don Giovanni» sowohl den Titelhelden, den Leporello, den Masetto wie auch den Commendatore sang, in Rossinis «Wilhelm Tell» den Wilhelm Tell, den Gessler, den Walther Fürst und den Melchthal. Höhepunkte in seinem Repertoire waren auch der Sarastro in der «Zauberflöte», der Titelheld in «Zampa» von Hérold und der Pietro in «La muette de Portici» von Auber. Dazu war er ein großer Oratorien- und Liedersänger und glänzte namentlich in Werken von J. S. Bach, Händel und Mendelssohn. Als er sich 1858 von seinem geliebten Prager Publikum als Commendatore im «Don Giovanni» verabschiedete, ernannte die Stadt Prag ihn zu ihrem Ehrenbürger. Er wirkte seitdem auf pädagogischem Gebiet in Prag.

Strate, Petra-Ines, Sopran, * 7. 9. 1945 Jessen an der Elster; sie studierte zunächst an der Musikhochschule Magdeburg und ergänzte ihre Studien in Dresden bei den bekannten Pädagogen Klara Elfriede Intrau und Günther Leib. 1971 debütierte sie am Stadttheater von Magdeburg als Pamina in der «Zauberflöte». Nach Beendigung ihres Magdeburger Engagements ging sie 1973 an das Opernhaus von Halle (Saale), dessen Mitglied sie auch für viele Jahre blieb. Seit 1984 zugleich am Opernhaus von Leipzig verpflichtet. Sie gab erfolgreiche Gastspiele an der Staatsoper Berlin wie an anderen Bühnen in der DDR und war eine hoch geschätzte Konzertsopranistin, namentlich für den Bereich des Oratoriums. Von ihren zahlreichen Bühnenpartien sind hervorzuheben: die Gräfin in «Figaros Hochzeit», die Donna Elvira im «Don Giovanni», die Fiordiligi in «Così fan tutte», die Agathe im «Freischütz» und die Liu in Puccinis «Turandot». Ihre Teilnahme an den Händel-Festspielen in Halle ließ sie als eine geschätzte Interpretin dieses Großmeisters der Barockmusik bekannt werden.
Schallplatten: Eterna.

Strathearn, Paul, Tenor, * 1964 in der englischen Grafschaft Cheshire, † 2. 9. 1989 London; er besuchte die School of Music in Birmingham und trat dann dem Chor der Scottish Opera Glasgow bei. Er wurde in das Ensemble dieser Gesellschaft als Solist aufgenommen, wo er u. a. den Laca in Janáčeks «Jenufa» sang. In dieser Partie erschien er auch 1986 an der Covent Garden Oper London. Am Teatro Fenice Venedig gastierte er als Hüon im «Oberon» von Weber, bei der English Opera Company London als Tambourmajor im «Wozzeck» von A. Berg, bei der Glyndebourne Touring Opera als Tichon in «Katja Kabanova» von Janáček und bei der Welsh Opera Company Cardiff abermals als Laca. Sein kraftvoller, heldischer Tenor wurde durch eine imposante Bühnenerscheinung hervorgehoben; der Künstler starb, noch bevor seine Karriere ihren Höhepunkt erreicht hatte.

Strathmann, Friedrich, Bariton, * 20. 7. 1867 Rodewald bei Hannover, † 9. 3. 1946 Weimar; er ergriff zunächst den Beruf eines Lehrers und war auch als solcher tätig. Als Mitglied eines Lehrergesangvereins trug er bei dessen Auftreten in Potsdam ein Solo vor; dabei hörte ihn der Intendant der Berliner Hofoper, Graf Hochberg, der ihm empfahl, seine

Stimme ausbilden zu lassen. Dies geschah dann durch Franz von Milde in Hannover, und 1894 konnte er am Stadttheater von Mainz debütieren, wo er bis 1897 blieb. Hier sang er während dieses Engagements am 2. 4. 1895 in der Uraufführung von Hans Pfitzners Oper «Der arme Heinrich» die Partie des Dietrich. 1897 trat er erfolgreich als Gast am Hoftheater von Weimar auf und wurde an dieses Haus verpflichtet, dessen Mitglied er bis zur Beendigung seiner Bühnenkarriere 1929 blieb. Er sang hier eine Fülle von Partien, von denen mit dem Minister im «Fidelio», dem Lysiart in Webers «Euryanthe», dem Fliegenden Holländer, dem Wolfram im «Tannhäuser», dem Telramund im «Lohengrin», dem Wotan wie dem Alberich in Ring-Zyklus, dem Kurwenal im «Tristan», dem Kühleborn in Lortzings «Undine», dem Titelhelden in «Hans Heiling» von Marschner, dem Helgi in «Islandsaga» von Vollerthun, dem Borromeo in Pfitzners «Palestrina», dem Sebastiano in «Tiefland» von d' Albert, dem Orest in «Elektra» von R. Strauss, dem Jago in Verdis «Othello», dem Amonasro in «Aida», dem Malatesta im «Don Pasquale», dem Figaro im «Barbier von Sevilla», dem Siméon in «Joseph» von Méhul, dem Escamillo in «Carmen», dem Valentin im «Faust» von Gounod und dem Belamy im «Glöckchen des Eremiten» von Maillart die wichtigsten genannt seien. Er gab im Lauf seiner langen Karriere Gastspiele an der Oper von Frankfurt a. M., an den Hoftheatern von Wiesbaden und Hannover (1906), an den Hofopern von München (1899, 1905) und Berlin, am Opernhaus von Leipzig (1907) und an weiteren deutschen Theatern.
Schallplattenaufnahmen unter dem Etikett von Favorit, 1908 in Weimar aufgenommen.

Strauch, Jacek, Bariton, * 1954 (?) London; er wuchs als Sohn polnischer Eltern in London in einem zweisprachigen Milieu auf. Er sang in einem Schulchor, wandte sich dann aber dem Medizinstudium zu, das er bis zur Vor-Approbation fortsetzte. Nebenher begann er im Alter von zwanzig Jahren mit der Ausbildung seiner Stimme und wurde Schüler des Royal College of Music London. 1978 gewann er den Kathleen Ferrier Memorial Concours und damit einen Platz im National Opera Studio London. 1978 sang er an der Kent Opera mit großem Erfolg die Titelpartie in Verdis «Rigoletto». Er setzte seine Bühnenkarriere in Westdeutschland fort; 1980–82 war er am Stadttheater von Würzburg, 1982–85 am Staatstheater Saarbrücken engagiert. 1984 gewann er mehrere Preise beim Internationalen Belvedere-Wettbewerb in Wien. Seit 1985 nahm er kein festes Engagement mehr an sondern gastierte sehr erfolgreich an Theatern in England, Deutschland und Frankreich. An der English National Opera London sang er 1988 den Alfio in «Cavalleria rusticana» und den Jaroslav Prus in «Die Sache Makropoulos» von L. Janáček, am Stadttheater von Bern 1987 den Titelhelden in «Wozzeck» von A. Berg, am Staatstheater von Braunschweig in den Spielzeiten 1988–90 den Amfortas im «Parsifal», den Jago in Verdis «Othello» und die vier Dämonen in «Hoffmanns Erzählungen», in Saarbrücken den Kurwenal im

«Tristan» und den Gunther in der «Götterdämme-rung», den er auch bei der Welsh Opera Cardiff übernahm. Er gastierte auch in Modena (1985), in Pretoria (1985) und an der Oper von Nizza (1987). Zu seinen großen Rollen zählte auch der Graf in «Figaros Hochzeit». In Sendungen des westdeut-schen, des englischen wie des norwegischen Rund-funks war er als Opern- wie als Liedersänger (Lieder von Mussorgsky) zu hören, wobei er nicht zuletzt durch seine geläufige Kenntnis von fünf verschiede-nen Sprachen beeindruckte.

Streng, Emmy, Sopran, * 1886 (?), † (?); sie begann ihre Bühnenlaufbahn 1909 am Stadttheater von Straßburg, ging 1911–14 an das Stadttheater von Aachen und war dann 1914–19 am Hoftheater von Weimar engagiert. Nachdem sie ihr Repertoire, das vorwiegend lyrische Rollen enthielt (Berthalda in Lortzings «Undine», Pamina in der «Zauberflöte», Elsa im «Lohengrin»), in den Bereich des dramati-schen und schließlich des hochdramatischen Reper-toires weiterentwickelt hatte, wurde sie 1919 an das Opernhaus von Leipzig verpflichtet. 1923 wechselte sie an das Stadttheater (Opernhaus) von Hamburg, dem sie bis 1928 verbunden blieb. Seitdem unter-nahm sie von Hamburg aus Gastspielreisen; so sang sie u. a. 1929 in Genf die Brünnhilde in Aufführun-gen des Nibelungenrings. Zu ihren großen Partien zählten die Leonore im «Fidelio», die Venus im «Tannhäuser», die Ortrud im «Lohengrin», die Sieg-linde wie die Brünnhilde im Ring-Zyklus, die Isolde im «Tristan», die Kundry im «Parsifal», die Mar-schallin im «Rosenkavalier», die Amelia in Verdis «Maskenball» und die Tosca. Nach dem Zweiten Weltkrieg lebte sie in Frankfurt a. M., wo sie sich im pädagogischen Bereich betätigte.

Streit, Kurt, Tenor, * 1959 Itazuke (Japan) als Sohn amerikanischer Eltern; er erhielt seine Ausbildung zum Sänger in den USA, und zwar in Albuquerque (New Mexico) und Cincinnati (Ohio); seine wichtig-ste Lehrerin war die bekannte Koloratursopranistin Marilyn Tyler. Nachdem er bereits in den USA aufgetreten war (u. a. König in «Die Liebe der Da-naë» von R. Strauss beim Festival von Santa Fé, 1985), kam er nach Westdeutschland und wurde 1986 Mitglied der Staatsoper von Hamburg. Seit 1988 gleichzeitig auch Mitglied der Wiener Staats-oper. 1987 erregte er bei den Festspielen von Schwetzingen Aufsehen in den Gluck-Opern «Echo et Narcisse» und «I Cinesi». 1988 sang er beim Glyndebourne Festival den Belmonte in der «Ent-führung aus dem Serail», 1989 bei den Festspielen von Aix-en-Provence, 1990 in Glyndebourne den Tamino in der «Zauberflöte». Er gastierte an der Covent Garden Oper London, am Théâtre de la Monnaie Brüssel (u. a. 1990 Belmonte in der «Ent-führung aus dem Serail»), an der Deutschen Oper am Rhein Düsseldorf–Duisburg, am Grand Théâtre Genf und an der Oper von San Francisco. Im Mittel-punkt seines Bühnenrepertoires stand das lyrische Repertoire mit Mozart- und Belcanto-Partien, u. a. dem Don Ottavio im «Don Giovanni», dem Fer-rando in «Così fan tutte», dem Grafen Almaviva im

«Barbier von Sevilla», dem Nemorino in «Elisir d'amore», dem Ernesto im «Don Pasquale», auch dem Jacquino im «Fidelio» (Hamburg, 1988) und dem Rinuccio in Puccinis «Gianni Schicchi», dazu war er als Konzert- wie als Oratoriensolist allgemein bekannt.

Schallplatten: Harmonia mundi («Echo et Narcisse» und «I Cinesi» von Gluck), Erato («Così fan tutte»).

Stromfeld, Emma, s. unter *Stromfeld-Klamrzyńska,* Aleksandra.

Stromfeld-Klamrzyńska, Aleksandra, Sopran, * 26. 5. 1856 Tykocin (Polen), † 31. 3. 1946 Kielce; sie erhielt zuerst eine Ausbildung als Pianistin, nahm dann aber Gesangunterricht bei T. Mikuski, bei dem großen Tenor Jean de Reszke sowie bei den berühm-ten Pädagogen Lamperti in Mailand und Désirée Artôt in Paris. Ihr Debüt als Konzertsängerin fand 1881 in Warschau statt; nach weiteren Studien debü-tierte sie an der Warschauer Oper als Halenki in der Oper «Duch wojewody» von L. Grossmann und blieb bis 1885 an diesem Haus tätig. Hier sang sie u. a. die Zerline im «Don Giovanni», die Adina in «Elisir d' amore», die Philine in «Mignon» von A. Thomas und die Martha in der gleichnamigen Oper von Flotow. Sie unternahm dann Gastspiele in Rußland (wobei sie außerhalb ihrer polnischen Hei-mat als Emma Stromfeld auftrat) und sang sehr erfolgreich an den Hofopern von St. Petersburg und Moskau; sie wurde an die Petersburger Hofoper verpflichtet, ging aber 1890 nach Italien. Nach einem erfolgreichen Auftritt am Teatro Dal Verme Mai-land sang sie während der neunziger Jahre an Opern-bühnen in Florenz, Neapel und Mailand (1895 und nochmals 1896–97). 1890 gastierte sie an der Covent Garden Oper London als Lucia di Lammermoor, als Gilda im «Rigoletto» und als Katharina in Meyer-beers «Étoile du Nord». Im gleichen Jahr gab sie Gastspiele in Madrid, im Haag und in Amsterdam. 1892–93 war sie in einer längeren Gastspielserie an der Oper von Warschau zu hören, 1893 am Opern-haus von Odessa, 1895 in Lissabon. Nach ihren Italien-Tourneen trat sie letztmalig 1898 auf und widmete sich dann der pädagogischen Arbeit, zuerst 1899–1919 in Odessa, dann seit 1919 in ihrer polni-schen Heimat in Kielce, wo sie erst nach dem Zwei-ten Weltkrieg hochbetagt starb. Sie war in zweiter Ehe mit dem Schauspieler Czeslaw Stromfeld (1849–92) verheiratet. Von den Partien, die sie auf der Bühne sang, seien noch die Hanne im «Gespen-sterschloß» von Moniuszko, die Königin Marguerite in den «Hugenotten» von Meyerbeer, die Rosina im «Barbier von Sevilla», die Violetta in «La Traviata», die Juliette in «Roméo et Juliette» von Gounod, die Marguerite in dessen «Faust», die Nedda im «Ba-jazzo» und die Titelfigur in Meyerbeers «Dinorah» nachgetragen.

Strow-Piccolo, Lynne, Sopran, * 17. 6. 1947 Water-bury (Connecticut); sie studierte an der Hartford University und bei Arthur Koret, dann bei Carlo Alfieri in Parma. 1974 gewann sie den ersten Preis beim Concours Giuseppe Verdi in Busseto und de-

bütierte 1975 am Theater von Siena. 1976 sang sie im italienischen Rundfunk RAI die Titelpartie in «Zazà» von Leoncavallo. 1976 gastierte sie an der Oper von San Diego, 1977 am Teatro Regio Turin, 1978 an der Oper von New Orleans und in Santiago de Chile, 1979 in Miami und am Opernhaus von Lille, 1980 an der Oper von Oslo. Es schlossen sich Gastspiele in Avignon (1982), Bern (1983), Johannesburg (1983), Marseille (1985) und an der Londoner Covent Garden Oper (1987 als Norma in Bellinis bekannter Oper) an. Sie war als Gast in Sofia, Warschau, Budapest und Los Angeles, an der Staatsoper Wien, in Westdeutschland, Jugoslawien und Spanien zu hören. Sie sang auf der Bühne Partien wie die Titelheldin in «Maria Stuarda» von Donizetti, die Leonore im «Troubadour» wie in «La forza del destino» von Verdi, die Odabella in dessen «Attila», die Amelia in «Un Ballo in maschera», die Elisabetta im «Don Carlos», die Desdemona im «Othello», die Titelheldin in Puccinis «Manon Lescaut», die Isabeau in der gleichnamigen Mascagni-Oper und die Sieglinde in der «Walküre».
Schallplatten: RAI (vollständige Oper «Zazà»).

Strozzi-Pečić, Maja, Sopran, *19.12. 1882 Zagreb, †26.2. 1962 Rijeka (Fiume); sie war am Konservatorium von Zagreb Schülerin von K. Norveg-Freudenreich und ergänzte ihre Ausbildung durch Studien in Wien. 1901 debütierte sie am Hoftheater von Wiesbaden als Zerline in «Fra Diavolo» von Auber. 1901–03 wirkte sie als Mitglied dieser Bühne und war 1903–05 am Opernhaus von Graz im Engagement. Nachdem sie in den folgenden Jahren nur gastiert hatte, war sie 1908–10 wieder in Graz tätig. 1910 folgte sie einem Ruf an die Oper von Zagreb (Agram) und blieb deren Mitglied bis zur Beendigung ihrer Bühnenkarriere 1937. Hier sang sie Partien wie die Lucia di Lammermoor, die Marguerite im «Faust» von Gounod, die Violetta in «La Traviata», die Desdemona in Verdis «Othello», die Butterfly, die Rusalka in der gleichnamigen Märchenoper von Dvořák, die Mélisande in «Pelléas et Mélisande» von Debussy, die Tatjana im «Eugen Onegin» und die Zorka in der Oper «Porin» von Lisinski. Ein nicht weniger umfangreiches Repertoire brachte sie im Konzertsaal zu Gehör.

Struensee, Paul, s. unter *Kallensee,* Olga.

Štrukel, Slavko, Tenor, *31.5. 1914 Ljubljana (Laibach); er studierte am Konservatorium von Ljubljana, wo er in erster Linie Schüler von Julius Betetto war. 1944 erfolgte sein Bühnendebüt am Opernhaus von Ljubljana als Max im «Freischütz». Seitdem blieb er für mehr als 25 Jahre Mitglied dieses Theaters, mit dessen Ensemble er auch mehrfach im Ausland, so 1956 in Paris, gastierte. Von den vielen Partien, die er auf der Bühne gesungen hat, seien der Schuiskij im «Boris Godunow», der Wenzel in Smetanas «Verkaufter Braut», der Herodes in «Salome» von Richard Strauss und der Fatty in «Aufstieg und Fall der Stadt Mahagonny» von Weill genannt.
Auf der Marke Philips wirkt er in mehreren vollständigen Opernaufnahmen mit («Verkaufte Braut»,

«Die Liebe zu den drei Orangen» von Prokofieff, «Der Jahrmarkt von Sorochintsy» von Mussorgsky).

Strummer, Peter, Baß-Bariton, *8.9. 1948 Wien; seine Familie wanderte, als er Kind war, nach Winnipeg (Manitoba, Kanada) aus. Er kam später in die USA, wo er auch seine Ausbildung zum Sänger am Cleveland Institut of Music erhielt. 1972 debütierte er in Atlanta City als Antonio in «Figaros Hochzeit». Er hatte erste Erfolge in Nordamerika, wo er u.a. bei der Minnesota Opera Company, an den Opern von Santa Fé und San Francisco auftrat. Er ging dann nach Europa und war in den Jahren 1978–85 an den Theatern von Heidelberg und Linz (Donau) engagiert. Im März 1985 debütierte er an der Metropolitan Oper New York als Beckmesser in den «Meistersingern»; dort trat er auch in der Partie des Dansker in Benjamin Brittens «Billy Budd» auf. In Miami hörte man ihn als Alfonso in «Così fan tutte», als Bartolo in «Figaros Hochzeit» und als Sakristan in «Tosca», an der San Francisco Opera als Bartolo in Rossinis «Barbier von Sevilla» und als Dulcamara in «Elisir d'amore», in Houston/Texas in «Le Comte Ory» von Rossini, bei der Canadian Opera Company als Leporello im «Don Giovanni», als Fra Melitone in Verdis «La forza del destino» und 1989–90 als Bartolo und als Faninal, in Santa Fé als Faninal im «Rosenkavalier», bei der Baltimore Opera als Don Magnifico in «La Cenerentola» von Rossini, bei der Portland Opera als Faninal wie als Bartolo («Figaros Hochzeit»). In der Saison 1989–90 gastierte er an der Oper von Dallas als Baron Zeta in Lehárs «Lustiger Witwe» mit Joan Sutherland in der Titelrolle, in Philadelphia als Fabrizio in «La gazza ladra» von Rossini, in Milwaukee als Musikmeister in «Ariadne auf Naxos» von R. Strauss, in San Diego als Alfonso in «Così fan tutte», in Montreal als Faninal. Auch als Konzertsänger bekannt geworden. Verheiratet mit der amerikanischen Sopranistin *Linda Roark-Strummer.*

Studer, Ulrich, Bariton, *27.8. 1945 Bern; er studierte zunächst am Konservatorium von Bern bei Suzanne Eggli Klavierspiel, dann an der Musikhochschule von München Gesang bei Hanno Blaschke (1970–76). Weitere Ausbildung durch Henry Bataille und durch Jean Stawsky. 1972 begann er seine Konzertkarriere. Er trat in den Musikzentren in der Schweiz wie in Westdeutschland auf und kam auf internationaler Ebene zu großen Erfolgen in Amsterdam und Den Haag, in Rom, Triest, Vicenza, Turin, Neapel und Palermo, beim Flandern Festival in Gent und beim Internationalen Festival für alte Musik in Innsbruck, in Sydney, Melbourne, Perth und Adelaide, in Paris und Lüttich, in Bologna, Mantua und Piacenza, beim Festival von Brno (Brünn) und bei Radio- und Fernsehauftritten in der Schweiz, in Deutschland, Frankreich, Australien und Italien. Er galt als großer Bach-Interpret, beherrschte aber ein Repertoire, das auf den Gebieten des Oratoriums wie der religiösen Vokalmusik von der Barockzeit bis zu zeitgenössischen Meistern (Willy Burkhard, D. Milhaud, H. Studer, K. Huber) reichte. Auf dem Gebiet des Liedgesangs zeichnete

er sich in Liedern von Schubert, R. Schumann, Hugo Wolf, von Debussy, Gabriel Fauré, Ravel, Poulenc, Duparc und de Falla aus. Als Opernsänger war er in den Jahren 1979–83 am Theater der Schweizer Bundeshauptstadt Bern engagiert. Er gab Bühnengastspiele an den Theatern von Basel, Biel–Solothurn, Lausanne und St. Gallen, an der Oper von Nizza und bei den Münchner Opernfestspielen im historischen Cuvilliés-Theater. Von den Partien, die er auf der Bühne vortrug, seien der Morales in «Carmen», der Belcore in Donizettis «Elisir d'amore», der Malatesta im «Don Pasquale», der Valentin im «Faust» von Gounod, der Creonte in «Orfeo ed Euridice» von Haydn, der Titelheld in Monteverdis «Orfeo», der Masetto im «Don Giovanni», der Manz in «Romeo und Julia auf dem Dorfe» von F. Delius und der Titelheld in Suppés Operette «Boccaccio» genannt.
Schallplatten: HMV (Bach-Kantaten, Werke von M. A. Charpentier und Dumont), DGG («Messe des morts» von Gilles), CBS (Kantaten und Arien von Vivaldi, Elviro in «Serse» von Händel), Erato («Armide» von Lully), Ex Libris-Schwann (Markus-Passion von A. Brunner, Erode in «San Giovanni Battista» von A. Stradella).

Šugh-Stefanac, Milena, Sopran, * 13. 7. 1887 Kri-ževci (Kroatien), † 8. 10. 1957 Križevci; sie erhielt ihre Ausbildung zur Sängerin in Zagreb (Agram) bei M. Kiseljak und Leon Brückl. Dann war sie am Konservatorium der Stadt Wien Schülerin von Philip Forstén, 1908 kam es zu ihrem Bühnendebüt am Stadttheater von Linz (Donau) als Venus im «Tannhäuser». Sie blieb bis 1909 an diesem Theater, sang in der Saison 1909–10 am Opernhaus von Zagreb und 1910–13 am Hoftheater von Darmstadt. 1913–14 war sie wieder am Opernhaus von Zagreb engagiert, 1915–17 in Prag und schließlich 1917–27 nochmals an der Kroatischen Nationaloper Zagreb. Sie galt als hervorragende Interpretin von Partien aus dem dramatischen Fach und sang u. a. die Aida, die Leonore im «Troubadour», die Gräfin in «Figaros Hochzeit», die Tosca, die Senta im «Fliegenden Holländer», die Tatjana im «Eugen Onegin» von Tschaikowsky, die Santuzza in «Cavalleria rusticana» und die Eva in «Zrinskij» von Ivan Zajc. Zugleich war sie eine angesehene Konzert- und Oratoriensopranistin.

Suhonen, Antti, Baß, * 5. 11. 1956 Nurmes (Finnland); er studierte an der Sibelius-Akademie und im Opernstudio der Nationaloper von Helsinki und nahm an Meisterkursen bei Walter C. Moore, Herbert Brauer, Peter Barne und Charles Farncombe teil. 1986–87 gehörte er dem Studio der Züricher Oper an, wo er kleinere Aufgaben übernahm. Seit 1987 Mitglied des Staatstheaters Karlsruhe. Er kam bald zu einer erfolgreichen Karriere mit Gastspielen an der Staatsoper von Dresden, an den Staatstheatern von Wiesbaden und Hannover, am Nationaltheater Mannheim und bei den Festspielen von Savonlinna. Dabei sang er u. a. Partien wie den Leporello und den Masetto im «Don Giovanni», den Titelhelden in «Figaros Hochzeit», den Alfonso in «Così fan tutte», den Sparafucile im «Rigoletto»,

den Dulcamara in «Elisir d'amore», den Basilio im «Barbier von Sevilla» von Paisiello, den Warlaam im «Boris Godunow», den Schaunard in Puccinis «La Bohème» und den Collatinus in Benjamin Brittens «The Rape of Lucretia». Am 14. 7. 1989 sang er in Karlsruhe in der Uraufführung der Oper «Graf Mirabeau» von S. Matthus die Partie des Grafen Lafayette (gleichzeitige Uraufführung in Berlin). Zu seinem Wirken auf der Bühne trat eine nicht weniger bedeutende Karriere als Konzert- und als Oratoriensolist, wobei er sich namentlich als Bach-Interpret auszeichnen konnte.
Schallplatten: Ondine Records («Thomas» von E. J. Rautavaara), Telefunken («Zauberflöte»).

Sullivan, Brian, Tenor, * 9. 8. 1919 Oakland (Kalifornien), † 9. 6. 1969 Genf; er studierte an der University of South California und war Schüler von Lillian Backstrand-Wilson. Er debütierte als Bariton in einer Studentenaufführung der Gilbert & Sullivan-Operette «Pirates of Pensance» und anschließend in Long Beach als Figaro im «Barbier von Sevilla». Nach seinem Wechsel ins Tenorfach trat er oft am New Yorker Broadway in Musicals auf und sang 1946 u. a. in der Uraufführung von «Street Scene» von K. Weill in Philadelphia. Er ging dann zur Oper über, sang an der Oper von Chicago und beim Central City Festival und debütierte 1948 an der Metropolitan Oper New York in der Titelpartie von B. Brittens «Peter Grimes». Er blieb bis 1964 an diesem Haus, in dem er in zwölf Spielzeiten zwanzig Rollen in 122 Vorstellungen sang, darunter den Tamino in der «Zauberflöte», den José in «Carmen», den Lohengrin, den Lyonel in Flotows «Martha», den Rodolfo in «La Bohème», den des Grieux in «Manon» von Massenet, den Dimitrij in «Boris Godunow» und den Andrej in «Khowantchina». Er gastierte 1952–55 an der Oper von San Francisco (Antrittsrolle: Avito in Montemezzis «Amore dei tre Re»), an der Oper von Chicago (Debüt 1957 als Titelheld in Verdis «Don Carlos»); weitere Gastspiele in Baltimore, Los Angeles, Pittsburgh, Philadelphia und Dallas. Er trat auch an Bühnen in Westeuropa in Erscheinung und war u. a. zu Gast an der Staatsoper von Wien. Aus seinem umfassenden Bühnenrepertoire sind noch der Ferrando in «Così fan tutte», der Alfredo in «La Traviata», der Pinkerton in «Madame Butterfly», der Tannhäuser, der Erik im «Fliegenden Holländer», der Tristan, der Parsifal, der Samson in «Samson et Dalila» von Saint-Saëns, der Florestan im «Fidelio», der Faust von Gounod, der Titelheld in Verdis «Othello», der Edgardo in «Lucia di Lammermoor» und der Matteo in «Arabella» von R. Strauss zu nennen. Der auch als Konzertsänger bekannte Künstler kam auf eine mysteriöse Weise zu Tode. Man barg ihn tot aus der Rhône in Genf, wobei es sich wahrscheinlich um einen Unfall handelte.
Schallplatten: RCA («Zauberflöte» in einer Kurzfassung), Melodram (Narraboth in «Salome» von R. Strauss), Pelikan (Rundfunkaufnahmen von Opernarien), Columbia.

Sulzer, Marie, Sopran, * 1824 Hohenems, † (?); sie war die älteste Tochter des berühmten Synagogen-kantors Salomon Sulzer (1804–90), aus dessen Ehe mit Fanny Hirschfeld, die wie auch er aus Hohenems in Vorarlberg gebürtig war, insgesamt 16 Kinder hervorgingen. Sie wurde am Konservatorium von Mailand durch Felice Ronconi ausgebildet und sang zuerst an italienischen Bühnen, darunter auch an der Mailänder Scala. Sie bereiste Frankreich, Spanien, Belgien und Holland und sang dann während einiger Zeit am Theater am Kärntnertor in Wien. Später gastierte sie wieder in Spanien, schließlich in Paris. Dort lernte sie den Sohn des spanischen Generals Bonaventura Belarte kennen, den sie heiratete. Darauf gab sie ihre Bühnenkarriere auf. Nachdem sie bald verwitwet war, kam sie wieder nach Wien zurück. Sie erteilte jetzt Gesangunterricht und erhielt eine Professur an der Kaiserlichen Opernschule. – Ihre Schwester *Henriette Sulzer* erhielt wie sie ihre Ausbildung in Mailand und begann ebenfalls ihre Karriere in Italien. Sie gastierte in Frankreich und ging, nachdem sie den Bassisten *Biacchi* geheiratet hatte, mit ihm nach Nordamerika. Als dieser unter Kaiser Maximilian Direktor der Oper von Mexico City wurde, trat sie dort sehr erfolgreich auf. Nach dem Untergang des Kaiserreichs Mexiko kam das Künstlerehepaar wieder nach Europa zurück. Henriette Sulzer-Biacchi zog sich jedoch jetzt ganz aus der Öffentlichkeit zurück. Bis 1871 lebte sie in Wien, dann auf ihrem Landsitz in der Nähe von Florenz. – Eine weitere Schwester *Sophie Sulzer* betätigte sich als Sängerin und Gesanglehrerin und verlegte später ihr Wirken nach New York.

Sunahara, Michiko, Sopran, * 16. 2. 1923 Hiroshima; sie erhielt ihre Ausbildung an der Musikakademie Tokio und kam 1947 bei der Fujiwara Opera Company zu ihrem Bühnendebüt in der Rolle der Butterfly. Sie sang während mehrerer Jahre bei dieser Gesellschaft und unternahm seit Beginn der fünfziger Jahre zahlreiche Auslandsreisen, die sie u. a. an die Opéra-Comique Paris (1952 als Butterfly), an das Théâtre de la Monnaie Brüssel (1954), an die Oper von Monte Carlo und an weitere große Opernhäuser führte. 1958 und 1963 gastierte sie sehr erfolgreich in Tel Aviv und wurde für die Spielzeiten 1963–65 an die dortige Nationaloper verpflichtet. Daneben trat sie weiterhin an den großen japanischen Bühnen in Erscheinung und sang, speziell in Tokio, bei der Fujiwara Opera, der Niki-Kai Oper und am Nissai-Theater. Noch 1977 ist sie in Tokio aufgetreten. Sie war die führende japanische Sopranistin der fünfziger und sechziger Jahre und brillierte vor allem in Partien aus dem italienischen Repertoire, in erster Linie als Butterfly, aber auch als Liu in «Turandot», als Zerline im «Don Giovanni», als Rosina im «Barbier von Sevilla» als Traviata, als Mimi in «La Bohème» und als Tosca. Aus ihrem Repertoire verdienen noch die Leila in «Pêcheurs de perles» von Bizet, die Micaela in «Carmen», die Manon von Massenet, die Elsa im «Lohengrin», die Tatjana im «Eugen Onegin» und die Magda Sorel in «The Consul» von G. C. Menotti Erwähnung; 1973 ist sie schließlich auch als Carmen aufgetreten.
Schallplatten: Recital auf Remington-Nippon Victor (Mitte der fünfziger Jahre aufgenommen).

Sunnegård, Thomas, Tenor, * 1950 Stockholm; er war ein Sohn des berühmten schwedischen Gesangpädagogen *Arne Sunnegård* (1907–72), wollte aber zunächst Instrumentalmusiker werden. So erhielt er an der Stockholmer Musikakademie eine Ausbildung als Musiklehrer und als Pianist. Seine Lehrerin entdeckte jedoch seine Begabung im Gesangfach, und es kam zu einem dreijährigen Gesangstudium am gleichen Institut in der schwedischen Metropole. Bereits während dieser Zeit sang er an der Königlichen Oper Stockholm einige kleinere Partien. Sein eigentliches Debüt fand dort 1982 in der Titelrolle der Oper «Albert Herring» von Benjamin Britten statt. Er kam in den folgenden Jahren an der Stockholmer Oper zu großen Erfolgen in Partien wie dem Don Ottavio im «Don Giovanni», dem Ferrando in «Così fan tutte», dem Tamino in der «Zauberflöte», dem König Karl VII. in Tschaikowskys «Jungfrau von Orléans», dem Titelhelden in «Fra Diavolo» von Auber und nahm dann auch schwerere dramatische Partien wie den Riccardo in Verdis «Ballo in maschera» in sein Repertoire auf. 1989 hatte er einen besonderen Erfolg in Stockholm als Lohengrin, den er dann als Gast am Opernhaus von Nürnberg (1989) und an der Staatsoper von Stuttgart (1990) sang. 1990 hörte man ihn in Stockholm als Erik im «Fliegenden Holländer» und als Titelhelden in «Gustav Adolf och Ebba Brahe» von Georg Martin Vogler. Er gastierte bei den Festspielen von Wiesbaden und am Moskauer Bolschoj Theater und erwies sich dazu als hervorragender Konzertsänger.

Sutor, Wilhelm, Tenor, * etwa 1774 Edelstetten (Bayern), † 7. 9. 1828 Linden bei Hannover; er war Schüler des berühmten Münchner Tenors und Gesanglehrers Johann Baptist Valesi, studierte aber in der bayerischen Metropole auch Komposition und Musiktheorie. 1800 ließ er sich in Stuttgart nieder. Hier wurde er als Sänger, mehr aber noch als Dirigent und Komponist, bekannt. 1818 folgte er einem Ruf als Musikdirektor an den Hof von Hannover. Unter seinen zahlreichen Kompositionen finden sich fünf Opern, darunter als bedeutendste «Apollos Wettgesang», eine Bühnenmusik zu Shakespeares «Macbeth», Oratorien, Kantaten und Liedkompositionen.

Sutter, Ursula, Mezzosopran, * 26. 3. 1938 Bern; Gesangstudium bei Fred Müller in Bern (1955–61), später noch bei dem Sänger und Pädagogen *Günther Wolfram Neshoda* in Stuttgart, den sie heiratete. 1961–63 war sie am Städtebundtheater Biel-Solothurn engagiert, 1963–64 am Stadttheater von Trier, 1964–66 am Opernhaus von Essen. 1966–85 erreichte ihre Karriere an der Staatsoper von Stuttgart ihren Höhepunkt. Sie gab Gastspiele an den Staatsopern von Wien, München und Hamburg, an der Deutschen Oper Berlin und an den Opernhäusern von Köln, Nürnberg, Bonn und Saarbrücken, an der Deutschen Oper am Rhein Düsseldorf–Duisburg, an der Nationaloper Bukarest, am Teatro San Carlos Lissabon und an der Oper von Monte Carlo. Bei den Festspielen von Schwetzingen trat sie zusammen mit dem Ensemble von Essen und mit dem der Stuttgarter Oper (Uraufführung «Die englische Katze» von H. W. Henze, 2. 6. 1983) auf. Aus der großen Zahl ihrer Bühnenrollen sind die Dorabella in «Così fan tutte», der Cherubino in «Figaros Hochzeit», die Rosina im «Barbier von Sevilla», die Isabella in Rossinis «Italiana in Algeri», die Maddalena im «Rigoletto», die Preziosilla in «La forza del destino» von Verdi, die Olga im «Eugen Onegin», der Hänsel in «Hänsel und Gretel», die Magdalene in den «Meistersingern», der Komponist in «Ariadne auf Naxos» von R. Strauss, die Suzuki in «Madame Butterfly», die Titelheldin in Benjamin Brittens «The Rape of Lucretia» und die Czipra im «Zigeunerbaron» von J. Strauss hervorzuheben. In Stuttgart wirkte sie in der Uraufführung der Oper «Prometheus» von Carl Orff mit (24. 3. 1968).

Svendén, Birgitta, Mezzosopran, *20. 3. 1952 in Schweden; sie erhielt ihre Ausbildung an der Königlichen Musikakademie Stockholm und in der Opernschule der dortigen Königlichen Oper. Sie wurde 1981 sogleich an die Stockholmer Oper verpflichtet und blieb deren Mitglied. Sie debütierte dort in der Titelpartie der Oper «Tintomara» von Lars-Johan Werle und sang in den folgenden Spielzeiten u. a. die Dorabella in «Così fan tutte», die Olga im «Eugen Onegin» von Tschaikowsky, den Cherubino in «Nozze di Figaro» und den Octavian im «Rosenkavalier». Am 18. 10. 1986 sang sie an der Stockholmer Oper die Titelpartie in der Uraufführung der Oper «Christina» von Hans Gefors. Sie gastierte mit diesem Werk und dem Ensemble von Stockholm dann auch bei den Festspielen von Wiesbaden. 1983–86 sang sie bei den Bayreuther Festspielen die Floßhilde, 1984–86 die Grimgerde im Nibelungenring. 1988 hatte sie einen besonderen Erfolg, als sie an der Stockholmer Oper die Titelrolle in der schwedischen Oper «Singoalla» von Gunnar de Frumerie sang; im gleichen Jahr gastierte sie als Anna in «Les Troyens» von Berlioz an der Oper von Nizza, wo sie seit 1985 regelmäßig auftrat (u. a. als Carmen und als Erda). In der Spielzeit 1988–89 debütierte sie an der Metropolitan Oper New York als Erda im «Rheingold» und im «Siegfried»; 1989 sang sie dort auch die Maddalena im «Rigoletto». Am Opernhaus von Zürich gastierte sie 1989 als Ulrica in Verdis «Ballo in maschera». Sie setzte ihre große Konzertkarriere mit Auftritten in Chicago (3. Sinfonie von G. Mahler, 1989), in Stockholm und Helsinki fort. 1989–90 wirkte sie sowohl an der Oper von Seattle wie an der San Francisco Opera in Aufführungen des Nibelungenrings mit und gastierte an der Mailänder Scala in der Rolle der Magdalene in den «Meistersingern». Sie war als gefeierte Konzertsolistin in Paris und London zu hören.
Schallplatten: Caprice (Szenen aus schwedischen Opern), DGG (Erda im «Rheingold» und im «Siegfried» unter James Levine).

Svetlev, Michael, Tenor, *6. 3. 1943 Sofia; ursprünglich wollte er Theologie studieren; dann trat er als Chansonsänger auf, ließ aber schließlich seine Stimme durch Stojan Kisijov in Sofia ausbilden. 1968–70 sang er kleine Partien am Opernhaus von

Sofia. Bei den Bayreuther Studentenfestspielen 1970 hörte ihn der Dirigent Bernhard Lang und vermittelte ihm ein Engagement am Stadttheater von Passau. Hier sang er als erste große Partie 1971 den Manrico im «Troubadour». Er war dann während einer Spielzeit am Gärtnerplatz-Theater München engagiert und anschließend für zwei Jahre am Stadttheater von Augsburg. Nach einem weiteren Engagement am Stadttheater von Bremen schloß er Gastspielverträge mit der Deutschen Oper am Rhein Düsseldorf–Duisburg und dem Nationaltheater Mannheim ab und gastierte an vielen deutschen Bühnen, u. a. an den Staatsopern von München, Hamburg und Stuttgart. In den Jahren 1979–84 war er auch als Gast an der Wiener Staatsoper anzutreffen. Weitere Gastspielauftritte an der Mailänder Scala (Debüt 1979 als Dimitrij im «Boris Godunow»), in Amsterdam, Marseille (1984, 1985), an der Covent Garden Oper London (1983 wieder als Dimitrij im «Boris Godunow») und 1982–83 an der Opéra de Wallonie Lüttich. Seine Gastspieltätigkeit erstreckte sich auch auf Nord- und Südamerika. Hier sang er in Washington (1980), Houston/Texas (1980), San Francisco (1980, 1983), Philadelphia (1982) und am Teatro Colón Buenos Aires (1980); außerdem gastierte er in Israel (1979) und in Südafrika (1982). Sein großes Bühnenrepertoire hatte seine Höhepunkte vor allem im italienischen Fach; im einzelnen sind zu nennen: der Radames in «Aida», der Riccardo in Verdis «Ballo in maschera», der Ismaele im «Nabucco», der Turiddu in «Cavalleria rusticana», der Carvaradossi in «Tosca», der Kalaf in «Turandot» von Puccini, der Gabriele Adorno in «Simon Boccanegra» von Verdi, der Herzog im «Rigoletto», der Titelheld im «Don Carlos», der Edgardo in «Lucia di Lammermoor», der Bacchus in «Ariadne auf Naxos» von R. Strauss, der Lenski im «Eugen Onegin», der Hermann in «Pique Dame» von Tschaikowsky, der Prinz in «Rusalka» von Dvořák, der Bogdan in «Iwan Susanin» von Glinka und der Hans in Smetanas «Verkaufter Braut». Auch als Konzertsänger hatte er seine Erfolge (Verdi-Requiem, Glagolitische Messe von Janáček).
Etwa 1980 erschien eine Arien-Platte des Künstlers auf Balkanton.

Svobodová, Leopolda, Sopran, *7. 11. 1875 Hrochův Týnec (Distrikt Chrudim, ČSSR), †26. 10. 1941 Brno (Brünn); ihre Mutter *Libuše Svobodová-Kofrámková* war ebenfalls als Sängerin aufgetreten. Ihre Ausbildung erhielt sie durch den Pädagogen L. Chmelensky. Ihre Karriere spielte sich zuerst an einigen kleineren tschechischen Bühnen, auch während einer Saison am Theater von Ljubljana (Laibach), hauptsächlich aber am Opernhaus von Brno (Brünn) ab, dessen Mitglied sie von 1898 bis 1913 war. Man schätzte sie hier vor allem als Interpretin der Sopranpartien in den Opern von Smetana: als Marie in der «Verkauften Braut», als Milada in «Dalibor», als Vendulka in «Hubička», als Blaženka in «Tajemství» («Das Geheimnis»), als Titelheldin in «Libussa» wie als Hedvika in der Smetana-Oper «Čertova stěna» («Die Teufelswand»). Aus ihrem reichhaltigen Repertoire sind noch zu nennen: die Aida, die Tosca, die Amelia in Verdis «Ballo in maschera» und die Titelheldinnen in den Opern «Šárka» und «Hedy» von Zdeněk Fibich. Am 21. 1. 1904 sang sie am Opernhaus von Brno (Národni divadlo) in der Uraufführung der Oper «Jenufa» («Její Pastorkyňa») von Leoš Janáček die Partie der Kostelnicka (Küsterin). Obwohl dieses Meisterwerk des Komponisten zunächst kaum Beachtung fand, verdient die Sängerin schon allein aus diesem Grund besondere Beachtung. Sie war im übrigen auch als Oratorien- und als Liedersängerin tätig und wurde als Interpretin des mährischen Volksliedes bekannt. Sie wirkte später als Pädagogin in Brno. Nach ihrer Heirat trat sie auch unter dem Namen Leopolda Hanusová-Svobodová auf. Ihre Tochter Libuše Svobodová (1901–61) war eine sehr erfolgreiche Pianistin und wirkte an der Musikakademie Bratislava.

Sweet, Sharon, Sopran, * 16. 8. 1951 New York; die Familie der Künstlerin stammte aus einer Kleinstadt im amerikanischen Staat New York. Ihr Vater hatte eine Karriere als lyrischer Tenor begonnen, die er jedoch nach seiner Rückkehr aus dem Zweiten Weltkrieg nicht mehr aufnahm. Mit fünf Jahren begann sie das Pianostudium, das sie nach einem Unfall aufgeben mußte. Als Nebenfach studierte sie Gesang, unterrichtete dann aber ein Jahr hindurch als Musiklehrerin an einer Public School. Nachdem sie einen Gesangwettbewerb der New Yorker Metropolitan Oper gewonnen hatte, wurde sie am Curtis Institute of Music Philadelphia durch Margaret Harshaw, dann in New York durch Marinka Gurewich zur Sängerin ausgebildet. Während des Studiums betätigte sie sich als Lehrerin für Gesang und Musiktheorie an der University of New York und dirigierte den Universitätschor. Mit 24 Jahren heiratete sie einen presbyterianischen Pfarrer, der aus iher Heimatstadt stammte. Sie lebte in Philadelphia, gab private Lieder- und Arienabende, ging aber 1985 schließlich nach Westdeutschland. Dort erregte sie erstes Aufsehen, als sie in München in einer konzertanten «Aida»-Aufführung in der Titelpartie einsprang. 1986 wurde sie an das Opernhaus von Dortmund verpflichtet (bis 1988), an dem sie als Antrittsrolle die Elisabeth im «Tannhäuser» sang. Die gleiche Partie sang sie dann als Gast in Zürich zusammen mit dem Ensemble der Deutschen Oper Berlin, deren Mitglied sie 1987 wurde. Sie nahm 1987 an deren Japan-Tournee mit Wagners Nibelungenring teil. 1987 gastierte sie an der Pariser Grand Opéra (Elisabetta im «Don Carlos»), 1987–88 an der Staatsoper Hamburg als Elisabetta in Verdis «Don Carlos», als Leonore im «Troubadour» und als Elisabeth im «Tannhäuser», am Staatstheater Braunschweig 1988 als Desdemona in Verdis «Othello». Bei den Festspielen von Salzburg hörte man sie 1987 als Solistin im Stabat mater von Dvořák, in München sang sie die «Gurrelieder» von A. Schönberg unter Zubin Mehta. 1988 trat sie an der Wiener Staatsoper als Elisabeth im «Tannhäuser» auf, in Brüssel als Norma in einer konzertanten Aufführung von Bellinis Oper. 1989 USA-Debüt an der Oper von San Francisco als Aida.

Schallplatten: DGG (Verdi-Requiem), Erato (Psalm 47 von Florent Schmitt).

Swift, Tom, Tenor, * 2. 10. 1928 Wigan (Grafschaft Lancashire); eigentlicher Name Thomas Kneafcy. Er erhielt seine Ausbildung bei John Tobin in Liverpool und London, bei Gustav Sacher in London und im dortigen Opera Center. Bühnendebüt 1958 bei der Sadler's Wells Opera London als Camille de Rosillion in der Lehár-Operette «Die lustige Witwe». Er durchlief eine langjährige Karriere bei der English National Opera und hatte daneben große Erfolge an westdeutschen Theatern, u. a. in Wuppertal, Kassel und Dortmund. Sein Repertoire war auf das heldische Stimmfach ausgerichtet und enthielt auch eine Anzahl von Aufgaben in Werken zeitgenössischer Komponisten. Im einzelnen sind zu nennen: der Florestan im «Fidelio», der Manrico im «Troubadour», der Riccardo in Verdis «Maskenball», der Titelheld in dessen «Don Carlos», der Lohengrin, der Hermann in Tschaikowskys «Pique Dame», der Cavaradossi in «Tosca», der Turiddu in «Cavalleria rusticana», der Canio im «Bajazzo», der Tambourmajor im «Wozzeck» von A. Berg, der Bürgermeister im «Besuch der alten Dame» von G. von Einem und der de Laubardemont in «Die Teufel von Loudon» von Penderecki. Auch im Konzertsaal in einem umfangreichen Repertoire aufgetreten.

Swoboda, Albin, Baß-Bariton, * 19. 3. 1883 Dresden, † 5. 1. 1970 Stuttgart; er entstammte der bekannten Wiener Sänger- und Schauspielerfamilie Swoboda. Er begann seine Karriere 1904–05 mit einem Engagement am Stadttheater von Plauen (Sachsen), ließ sich dann in den folgenden Jahren weiter ausbilden und war 1908–09 als Sänger und Schauspieler am Kleinen Theater in München tätig. 1909 wurde er an die Stuttgarter Hofoper berufen. In einer vierzigjährigen Karriere erlangte er bis 1949 an diesem Haus (der späteren Staatsoper Stuttgart) eine unglaubliche Beliebtheit. 1949 wurde er zum Ehrenmitglied der Oper ernannt. Er wirkte in Stuttgart in mehreren Uraufführungen mit: am 25. 10. 1912 als Harlekin in «Ariadne auf Naxos» von Richard Strauss (in der Erstfassung der Oper), am 6. 12. 1917 in «An allem ist Hütchen schuld» von Siegfried Wagner (als Teufel), am 4. 6. 1921 in «Das Nusch-Nuschi» von Paul Hindemith, 1913 in «Ulenspiegel» von Walter Braunfels, 1928 in «Scherz, List und Rache» von Egon Wellesz. 1919 sang er in Stuttgart in der deutschen Erstaufführung von Othmar Schoecks «Don Ranudo» die Partie des Pedro. Er war zu Gast u. a. 1916 am Hoftheater von Karlsruhe, 1917 an der Wiener Hofoper, 1927 an der Staatsoper Dresden wie an der Staatsoper Berlin. Sein Bühnenrepertoire war sehr umfangreich und enthielt Partien aus allen Bereichen seines Stimmfachs: den Figaro in «Figaros Hochzeit», den Alfonso in «Così fan tutte», den Pizarro im «Fidelio», den Baculus im «Wildschütz» von Lortzing, den Kurwenal im «Tristan», den Alberich im Nibelungenring, den Beckmesser in den «Meistersingern», den Lothario in «Mignon» von A. Thomas und den Ochs im «Rosenkavalier». Sehr große Erfolge erzielte er auch auf dem Gebiet der Operette, etwa als Zsupan im «Zigeunerbaron» von J. Strauß, als Frank in dessen «Fledermaus» und als Ollendorf im «Bettelstudenten» von Millöcker. Seit 1920 fand er an der Stuttgarter Oper ein weiteres Betätigungsfeld als Opern- und Operettenregisseur; so führte er Regie in den Uraufführungen der Operetten «Monika» (3. 10. 1937) und «Die ungarische Hochzeit» (4. 2. 1939) von Nico Dostal, in denen er auch als Sänger auftrat.

Syben, Margrit von, Mezzosopran, * 5. 9. 1913 Zürich; eigentlicher Name Margrit von Siebenthal. Sie war in Basel in den Jahren 1937–45 Schülerin von Ernst Reiter, Armin Weltner und Annie Weber; sie vervollständigte ihre Ausbildung bei dem bekannten Dirigenten Alexander Krannhals, bei Margarethe Haeser in Zürich (1946–50) und bei Res Fischer in Stuttgart. 1942–45 war sie am Stadttheater von Basel, 1945–48 am Opernhaus (Stadttheater) von Zürich und in den Jahren 1948–49 wieder am Stadttheater von Basel im Engagement. Gastverpflichtungen der Sängerin erfolgten am Stadttheater Bern, am Grand Théâtre Genf, an der Staatsoper Wien, an den Opernhäusern von Graz, Klagenfurt, Straßburg, Mulhouse (Elsaß) und Saarbrücken; sie gastierte in Paris und mit dem Ensemble des Stadttheaters von Heidelberg bei den Festspielen von Schwetzingen. In Basel erschien sie in den deutschsprachigen Erstaufführungen der Opern «The Rape of Lucretia» von B. Britten (1947, Titelrolle), «The Consul» von G. C. Menotti (1950) und «Raskolnikow» von H. Sutermeister (1948). Auf der Bühne sang sie u. a. die Carmen, die Marcellina wie den Cherubino in «Nozze di Figaro», die Amneris in «Aida», die Maddalena im «Rigoletto», die Azucena im «Troubadour», die Eboli in Verdis «Don Carlos», die Ortrud im «Lohengrin», die Magdalene in den «Meistersingern», den Siebel wie die Marthe im «Faust» von Gounod, die Suzuki in «Madame Butterfly», die Prothoë in «Penthesilea» von O. Schoeck, den Hänsel in «Hänsel und Gretel» und die Wirtin im «Boris Godunow» von Mussorgsky. Die Künstlerin, die später in Bern wohnte, ist auch als Konzertsängerin aufgetreten.

Sydney, Lorna, Mezzosopran, * 1912 (?) Perth (Westaustralien); ihr Großvater war Pianist und Sänger gewesen, ihr Vater war als Cellist und Komponist bekannt. Sie studierte zuerst Klavierspiel und gab mit 16 Jahren, zusammen mit dem Sinfonie-Orchester von Perth, ein Konzert, bei dem sie das Klavierkonzert von Grieg spielte. Wenig später sang sie bei einer wandernden italienischen Operntruppe in Perth am gleichen Abend die Santuzza in «Cavalleria rusticana» und die Nedda im «Bajazzo». Nachdem sie das Musikstudium an der Perth University beendet hatte, erteilte sie Musikunterricht an einem Mädchengymnasium. Mitte der dreißiger Jahre wurde ihre Stimme durch die große Lotte Lehmann während einer Australien-Tournee dieser Künstlerin entdeckt, die ihr ein Gesangstudium in Wien ermöglichte. Bei Ausbruch des Zweiten Weltkrieges sollte sie ihre Karriere an der Berliner Staatsoper

beginnen, wurde aber durch die deutschen Behörden für die Kriegsjahre interniert. 1946 kam sie an die Wiener Volksoper, an der sie bis 1954 eine große Karriere durchlief. Als erste Partie sang sie in Wien die Carmen; sie beherrschte insgesamt 47 große Rollen in Opern von Verdi, Gluck, Wagner und Richard Strauss, darunter die Klytämnestra in «Elektra», die sie auch bei einem Gastspiel an der Oper von New Orleans vortrug. 1951 und 1955 gastierte sie an der New York City Centre Opera u. a. in Prokofieffs «L'Amour des trois oranges»; im amerikanischen Fernsehen NBC erschien sie als Herodias in «Salome», ebenfalls von Richard Strauss. Dazu war sie eine hochgeschätzte Konzert- und Oratoriensolistin und eine vortreffliche Lied-Interpretin. Ihre Konzertreisen trugen ihr in Österreich wie in Deutschland, in Italien und Frankreich, in Nordamerika und in Afrika große Erfolge ein; seit 1959 unternahm sie fünf Tourneen in ihrer Heimat Australien, wobei sie über die Fernsehstation von Radio Perth in einer Serie «Presenting Lorna Sydney» erschien. Höhepunkte in ihrer Konzertlaufbahn bezeichneten Auftritte in den USA mit dem Philadelphia Symphony Orchestra unter Eugene Ormandy und ein Konzert in der New Yorker Town Hall 1955. Seit 1965 gab sie Interpretationskurse, hauptsächlich für den Liedvortrag, in den USA.
Schallplatten: Amadeo-Vanguard (Lieder aus «Des Knaben Wunderhorn» von Gustav Mahler, Lieder von Brahms und R. Schumann, Werke von J. S. Bach und Händel), Decca (Messias), Telefunken, Vienna.

Sykina, Ludmilla (Georgiewna), Sopran, * 1928 Moskau; sie entstammte einer ganz armen Familie, lernte mit 13 Jahren das Gitarrenspiel und trug dazu gerne russische Zigeuner-Romanzen vor. Sie wurde 1947 Mitglied des Pjatnitzky-Volkschores, ließ aber ihre Stimme durch den Dirigenten dieses Chores, den Komponisten Wladimir Grigorjewitsch Sacharow, weiter ausbilden. Sie vollendete ihr Gesangstudium in Moskau bei Klawdia Schuljshenko und bei der berühmten Altistin Nadeshda Oboukhova und nach deren Tod 1961 bei Lydia Russlanowa. Dann begann sie eine große internationale Karriere als Konzert- und Rundfunksängerin. Ihr Vortrag russischer Lieder und namentlich der bereits erwähnten Romanzen, galt als unvergleichlich; letztere sang sie zumeist in Bearbeitungen großer Komponisten wie Sergej Rachmaninoff, Milij Balakirew und Nikolai Rimsky-Korssakow. Ihr Lieblingslied «Ach, du Wajnka» in der Fassung von Rachmaninoff wurde in besonderer Weise kennzeichnend für die Sängerin, die zur Volkskünstlerin der UdSSR ernannt wurde. Nicht allein in Rußland sondern in einer weltweiten Karriere hat man ihre Kunst bewundert, wobei sie mit besonderem Erfolg in Nordamerika aufgetreten ist. 1978 wurde das Volks-Ensemble «Rossija» unter dem Dirigenten Wiktor Gridin gegründet, das russische Volksmusik auf höchstem künstlerischem Niveau gestalten sollte; Ludmilla Sykina trat diesem Ensemble als erste Solistin bei und unternahm damit weitere Konzert-Tourneen in aller Welt.
Die Stimme der beliebten Sängerin ist nicht allein

durch ihre Auftritte sondern vielleicht mehr noch durch ihre zahlreichen Schallplattenaufnahmen bekannt geworden, die unter dem Etikett von Melodiya (staatliche sowjetrussische Plattenproduktion) erschienen sind.

Szemere, Arpád, Bariton, * 9. 11. 1878 Brassó (Ungarn), † 2. 8. 1933 Budapest; er erhielt seine Ausbildung zum Sänger in Budapest. Er debütierte an der Hofoper der ungarischen Hauptstadt Budapest 1898 als Paris in «Roméo et Juliette» von Gounod. Er wurde sogleich an dieses Haus verpflichtet und blieb während seiner gesamten Karriere dort tätig. Er wurde zum lebenslänglichen Mitglied des Hauses ernannt. Er war hier später als Regisseur beschäftigt, nachdem er sich seit 1928 weitgehend aus seiner Sängerkarriere zurückgezogen hatte, gleichzeitig arbeitete er als Pädagoge an der Budapester Musikakademie. Sein Repertoire für die Bühne umfaßte mehr als vierzig große Partien, darunter den Don Giovanni, den Fliegenden Holländer, den Wolfram im «Tannhäuser», den Wotan wie den Gunther im Nibelungenring, den Figaro im «Barbier von Sevilla», den Rigoletto, den Grafen Luna im «Troubadour», den Germont-père in «La Traviata», den Renato in «Un Ballo in maschera», den Lothario in «Mignon» von A. Thomas, den Escamillo in «Carmen», den Nilakantha in «Lakmé» von Delibes, den Gara in «Hunyadi László» und den Tiborc in «Bánk Bán» von Ferenc Erkel, den König Salomon in Goldmarks «Königin von Saba» und den Titelhelden im «Boris Godunow» von Mussorgsky.
Schallplatten: Pathé-Zylinder (Budapest, 1904, mit Liedaufnahmen).

Szirmay, Marta, Mezzosopran, * 1939 (?); die ungarische Künstlerin zeigte eine frühe musikalische Begabung. Mit acht Jahren gab sie bereits Klavierabende, mit 14 besuchte sie das Musikgymnasium. Sie wandte sich dann jedoch der Jazzmusik zu und trat im ungarischen Rundfunk wie im Fernsehen in derartigen Programmen auf. Mit 17 Jahren nahm sie das seriöse Gesangstudium auf und erwarb ihr Diplom als Musiklehrerin. Sie begann ihre Bühnenkarriere an der Nationaloper von Budapest in kleineren Rollen und hatte dann als Ulrica in Verdis «Un ballo in maschera» einen großen Erfolg, der sich in der Partie der Mrs. Quickly in Verdis «Falstaff», ihrer besonderen Glanzrolle, wiederholte. 1967 gastierte sie in Wien in der zeitgenössischen Oper «Die Seidenraupe» des ungarischen Komponisten Ivan Eröd. 1967 hörte man sie am Stadttheater von Basel als Azucena im «Troubadour», später auch als Quickly. Ihre Karriere nahm bald internationale Dimensionen an. An der Covent Garden Oper London (wo sie ihren Wohnsitz nahm) trat sie als Klytämnestra zusammen mit Birgit Nilsson und Gwynneth Jones in der Richard Strauss-Oper «Elektra» auf; sie sang an diesem Haus auch die Quickly und Wagner-Partien im Nibelungenring. Konzerte im englischen Rundfunk BBC und Auftritte bei den Festspielen von Edinburgh, Gastspiele in Venedig, Stockholm, Washington und bei den Festspielen von Schwetzingen bezeichnen den Fortgang ihrer Sängerkarriere. Seit 1977 war die Künstlerin immer wieder an der Oper von Köln anzutreffen, 1987 sang sie am Teatro Colón Buenos Aires die Klytämnestra, 1988 am Opernhaus von Santiago de Chile, 1989 an der Hamburger Staatsoper zu Gast. Auch als Konzertsolistin geschätzt.
Schallplatten: Hungaroton (Missa brevis von Kodály, «Il matrimonio segreto» von Cimarosa, Opernszenen mit Eva Marton und Kolos Kovats, Vokalmusik von Z. Kodaly), Intercord (Glagolitische Messe von Janáček).

Szmytka, Elzbieta, Sopran, * 1956 (?) Prochowice (Polen); ihre Ausbildung erfolgte an der Musikhochschule Krakau in den Jahren 1975–82, im wesentlichen durch die Pädagogin Helena Lazarska. 1978 debütierte sie an der Oper von Krakau und wurde dann an die Theater von Bytom (Beuthen) und Wroclaw (Breslau) verpflichtet, an denen sie Partien aus dem lyrischen und dem Koloratur-Repertoire sang. Sie erregte Aufsehen, als sie mehrere internationale Gesangwettbewerbe gewann, so 1981 den A. Dvořák-Concours in Karlovy Vary (Karlsbad), 1982 den Jan-Kiepura-Wettbewerb in Warschau und den Wettbewerb von s' Hertogenbosch. 1983 unternahm sie eine Tournee mit der Oper von Wroclaw als Blondchen in der «Entführung aus dem Serail», der ihren Namen in Westdeutschland und Luxemburg bekannt werden ließ. Darauf nahm sie 1983 ihren Wohnsitz in Den Haag und ging von dort aus einer intensiven Gastspieltätigkeit nach. Sie gastierte nun regelmäßig an den Opernhäusern von Gent, Antwerpen und Lille, vor allem aber am Théâtre de la Monnaie Brüssel. Hier hörte man sie in ihren Mozartrollen (Despina, Blondchen, Serpina in «La finta giardiniera») und 1987–88 als Nannetta in Verdis «Falstaff». Bei den Festspielen von Aix-en-Provence erschien sie 1987 als Nannetta und 1988 als Servilia in «La clemenza di Tito» von Mozart, beim Holland Festival 1987 als Serpina in «La finta giardiniera». 1988 sang sie als Antrittsrolle an der Staatsoper Wien die Papagena; sie trat 1988 an der Oper von Genf, 1989 in Amsterdam als Gilda im «Rigoletto» und, gleichfalls 1989, in Antwerpen als Zerbinetta in «Ariadne auf Naxos» von R. Strauss auf. Sie gastierte bei den Wiener Festwochen, bei den Festspielen von Salzburg und in Paris. Ergänzend sind aus ihrem Repertoire für die Bühne die Susanna in «Nozze. di Figaro», die Norina im «Don Pasquale» und die Ännchen im «Freischütz» von Weber zu nennen.
Schallplatten: Ricercar («La finta giardiniera» von Mozart).

Szücz, Marta, Sopran, * 1955 (?); sie begann mit acht Jahren das Violoncello-Studium, wandte sich mit 17 Jahren der Ausbildung ihrer Stimme zu, die durch Frau Revéghyi in Budapest erfolgte. 1976–78 gab sie in ungarischen Städten wie im Ausland Konzerte mit dem Rajko-Orchester. 1978 kam sie zur Vervollständigung ihrer Ausbildung auf die Franz Liszt-Musikakademie Budapest. Bereits 1979 wurde

sie zu einem Gastspiel an die Hamburger Staatsoper, anschließend an das Opernhaus von Frankfurt a. M. eingeladen. Seit 1981 Mitglied der Budapester Nationaloper, an der sie als Debütrolle die Gilda im «Rigoletto» sang. Es kam zur schnellen Entwicklung einer internationalen Karriere mit Gastspielen an der Staatsoper von Wien (1985–87), bei der Scottish Opera Glasgow (1984) als Gilda im «Rigoletto», 1989 als Jane Seymour in «Anna Bolena» von Donizetti), an der Opéra de Wallonie Lüttich (1986–87 als Lucia di Lammermoor) und an der Oper von Monte Carlo, an der sie 1988 in Cimarosas «Il Pittore parigino» auftrat. Auch im Konzertsaal und bei Radiosendungen in ihrem Koloraturrepertoire erfolgreich aufgetreten.
Schallplatten: Hungaroton («Il Pittore parigino»).

T

Taddei, Ottavio, Tenor, *15. 7. 1926 San Miniato (Toskana); er studierte an der Accademia Chigiana in Siena und stand dort 1953 erstmals als Rodolfo in Puccinis «La Bohème» auf der Bühne des Teatro dei Ravviati. Sein offizielles Debüt folgte 1954 am Teatro Sistina in Rom als Herzog im «Rigoletto», worauf er dort auch den Edgardo in «Lucia di Lammermoor» sang. Es schlossen sich in den nächsten Jahren Gastspiele an italienischen Operntheatern wie dem Teatro Nuovo Mailand, dem Teatro della Pergola Florenz, dem Teatro Giglio Lucca, dem Teatro Comunale Modena und dem Teatro Eliseo Rom sowie erfolgreiche Konzerte an. 1958 war er in San José in Costa Rica wie in Caracas zu Gast, wieder als Herzog im «Rigoletto» und als Edgardo in «Lucia di Lammermoor». 1959 hörte man ihn am Teatro San Carlo Neapel als Mateo in «Conchita» von R. Zandonai und in der Oper «Il malato immaginario» von Iacopo Napoli, am Teatro Margherita Genua als Rodolfo in «La Bohème» und am Teatro Verdi Pisa. Seit 1960 war er oft am Teatro Comunale von Florenz, wo er seinen Wohnsitz nahm, anzutreffen. Das Publikum dieses Hauses schätzte ihn besonders. Tourneen trugen ihm in Holland, in der Schweiz, in der Türkei, in England und in Mittelamerika große Erfolge ein. 1960–61 sang er im italienischen Rundfunk RAI in den zeitgenössischen Opern «Terra senza passato» von Luigi Manenti und «La guerra» von Renzo Rosselini, 1963 in «Pique Dame» von Tschaikowsky. 1966 gastierte er in Hamburg, Nürnberg und Frankfurt a. M. als Pinkerton in «Madame Butterfly» und sang im gleichen Jahr in Florenz wie am Opernhaus von Rom in Monteverdis «Incoronazione di Poppea». Danach beschränkte sich sein Auftreten auf kleinere Partien, die er am Florentiner Teatro Comunale übernahm, wie auf Konzerte.
Schallplatten: Mitschnitte von Radiosendungen der RAI. Auf Allegro Royale Pinkerton in «Madame Butterfly», 1953.

Talley-Schmid, Eugene, Tenor, *10. 2. 1932 Rome im amerikanischen Staat Georgia; er studierte Musik und Gesang zuerst in seinem Heimatort Rome bei Ethel Wilkerson, dann an den Universitäten von San Diego und Indiana bei John Walsh und Raoul Couyas. Er debütierte 1956 an der Oper von San Diego als Hans in der «Verkauften Braut» von Smetana. Er ging dann mit Hilfe eines Fulbright-Stipendiums zu weiteren Studien nach Europa, absolvierte diese in Rom und trat beim Festival von Spoleto als Titelheld in Mascagnis «Amico Fritz» auf. Er wurde als erster Tenor an der Deutschen Oper am Rhein Düsseldorf–Duisburg, an der Hamburger Staatsoper, am Opernhaus von Wuppertal wie am Stadttheater von Münster (Westfalen) bekannt. Insgesamt hat er mehr als 50 große Partien an führenden Theatern in Europa wie in den USA zum Vortrag gebracht. Er gastierte bei internationalen Festspielveranstaltungen und trat im Konzertsaal in Rom und Birmingham, in Miami, San Diego, Palm Beach, Mobile und an weiteren Stellen zusammen mit führenden Orchestern und deren Dirigenten in Erscheinung. Dabei sang er sowohl Soli in Oratorien und religiösen Vokalwerken wie auch Lieder. Er arbeitete im pädagogischen Bereich als Professor an der Houston Baptist University.
Schallplatten: Cantabile Records (Duette von R. Schumann).

Tamagno-Grassi, Bianca, Sopran, *1883 Turin, †3. 6. 1914 Turin; sie war eine Nichte des berühmten Tenors *Francesco Tamagno* (1851–1905). Dieser veranlaßte, daß sowohl sie als auch ihre Schwester *Luigia Tamagno* ihre Stimmen am Liceo Musicale di Torino ausbilden ließen. Bianca Tamagno debütierte im März 1902 am Teatro Regio Turin in den Partien der Sephore und der Maria in dem Oratorium «Mosè» von Lorenzo Perosi. Im Oktober des gleichen Jahres sang sie am Teatro Verdi von Florenz die Suzel in «Amico Fritz» von Mascagni. 1904 erregte sie in der Titelpartie einer weiteren Oper von Mascagni «Griselda» am Teatro Carlo Felice Genua Aufsehen, 1906 an der Mailänder Scala als Nannetta im «Falstaff» von Verdi. Sie heiratete dann den zu seiner Zeit sehr bekannten Tenor *Rinaldo Grassi* (1885–1946). Seitdem beschränkte sich ihre Karriere, die noch nicht ihren Höhepunkt erreicht hatte, auf gelegentliche Auftritte im Konzertsaal. Sie kam in tragischer Weise durch einen Autounfall um, den sie auf der Straße von Rivarolo Canavese nach Lombardore erlitt.
1905 wurden in Mailand einige Odeon-Aufnahmen einer Sängerin Luisa Bianco-Tamagno gemacht, die vielleicht mit Bianca Tamagno-Grassi identisch ist, bei der es sich aber auch um deren Schwester Luigia handeln kann. Es hat den Anschein, daß die beiden Schwestern öfters miteinander verwechselt worden sind.

Tarquini, Tarquinia, Sopran, *1883 Colle Val d' Elsa bei Siena, †25. 2. 1976 Pesaro; sie debütierte 1905 und sang dann an verschiedenen italienischen Opernttheatern. Am 14. 10. 1911 trat sie in der Uraufführung der Oper «Conchita» von Riccardo Zandonai am Teatro Dal Verme Mailand in der Titelrolle auf, wobei sie das Werk zu einem großen Erfolg führte. Sie kreierte diese Partie dann auch 1912 für England an der Covent Garden Oper London, an der sie auch als Carmen auftrat. 1913 gastierte sie an der Oper von Chicago. Nachdem sie den Komponisten Riccardo Zandonai (1883–1944) geheiratet hatte, gab sie 1917 ihre Karriere auf. Aus dem Bühnenrepertoire der Sängerin sind noch die Santuzza in «Cavalleria rusticana», die Maddalena in «Andrea Chénier» von Giordano und die Titelheldin in der Richard Strauss-Oper «Salome» zu nennen.
Es ist nicht zu verstehen, warum von der Stimme von Tarquinia Tarquini-Zandonai (die übrigens auch nicht an der Mailänder Scala gesungen hat) keine Schallplattenaufnahmen veröffentlicht worden sind.

Tassopoulos, Anna, Sopran, *17. 12. 1917 Patras (Griechenland); Gesangstudium am National-Konservatorium von Athen und bei Margarethe Funk in Berlin. 1936 debütierte sie am Deutschen Opernhaus Berlin in der Titelpartie von Puccinis «Madame

Butterfly». Sie blieb bis zum Ende des Spielbetriebs im letzten Kriegsjahr 1944 Mitglied dieses Hauses und war gleichzeitig 1940–43 am Opernhaus von Breslau engagiert. 1945–48 ging sie von Rom aus einer Gastspieltätigkeit an italienischen Bühnen nach. 1949–50 war sie am Münchner Theater am Gärtnerplatz im Engagement, 1950–57 wirkte sie am Opernhaus von Düsseldorf. Bis 1962 gab die Künstlerin, die auch eine bedeutende Konzertkarriere aufzuweisen hatte, noch Gastspiele. Sie war zu Gast an den Staatsopern von Hamburg und Wien, am Théâtre de la Monnaie Brüssel, an den Nationalopern von Belgrad und Athen und an der Oper von Kairo. Bei den Bayreuther Festspielen von 1953 wirkte sie als Soloblume im «Parsifal» mit. Ihr weitläufiges Bühnenrepertoire umfaßte Partien wie die Pamina in der «Zauberflöte», den Cherubino in «Nozze di Figaro», den Pagen Oscar in Verdis «Ballo in maschera», die Violetta in «La Traviata», die Marguerite im «Faust» von Gounod, die Mimi in Puccinis «La Bohème», die Liu in «Turandot», die Mélisande in «Pelléas et Mélisande» von Debussy, die Marie in Smetanas «Verkaufter Braut», die Titelfigur in der Märchenoper «Rusalka» von Dvořák, die Undine in Lortzings gleichnamiger Oper, die Margiana im «Barbier von Bagdad» von P. Cornelius und die Anne Trulove in «The Rake's Progress» von Strawinsky. Die Sängerin war verheiratet mit dem Bariton *Thanos Burlos* (* 1911 Athen).
Schallplatten: Documenta (Mitschnitt einer Bayreuther «Parsifal»-Aufführung von 1953).

Taylor, Richard, Tenor, * 1. 1. 1949 Newburgh (New Jersey); am Tri-Cities Opera Workshop in Binghamton (New Jersey) war er Schüler von Carmen Savoca und Peyton Hibbitt. 1969 debütierte er auf der Bühne dieser Einrichtung in Binghamton als Gérald in «Lakmé» von Delibes. Hier wirkte er auch 1971 in der Uraufführung der Oper «Rapunzel» von Brooks mit. Er kam zu einer ansehnlichen Karriere an nordamerikanischen Opernbühnen, u. a. an der New York City Centre Opera, in Washington, bei der Kentucky Opera und in Lake George. Aus seinem Bühnenrepertoire seien der Idomeneo in der gleichnamigen Mozart-Oper, der Don Ottavio im «Don Giovanni», der Giasone in «Medea» von Cherubini, der Titelheld im «Faust» von Gounod, der Rodolfo in Puccinis «La Bohème», der Alfredo in «La Traviata», der Narraboth in «Salome» von R. Strauss und der Male Chorus in «The Rape of Lucretia» von B. Britten genannt.

Teimer, Philipp, Baß, * etwa 1755 in Böhmen, † 1812 Wien; wie seine beiden Brüder wurde er ein ausgezeichneter Oboist. Er kam nach Wien und spielte dort sein Instrument in verschiedenen Orchestern. Zugleich besaß er eine schön gebildete Baßstimme und wurde 1797 als Bassist durch Emanuel Schikaneder an das von diesem geleitete Theater auf der Wieden engagiert, an dem sechs Jahre zuvor Mozarts «Zauberflöte» ihre Uraufführung erlebt hatte. Als Schikaneder 1800 das neue Theater an der Wien eröffnete, wurde Philipp Teimer Mitglied des Ensembles. Er ist bis kurz vor seinem Tod an dieser

Bühne in zahlreichen Partien aus dem seriösen wie dem Buffo-Fach aufgetreten, war aber auch noch als Oboist tätig. Sein Familienname kommt auch in der Schreibweise Tajmer vor.

Temesi, Mária, Sopran, * 29. 7. 1957 Szeged (Ungarn); der eigentliche Name der Künstlerin war Maria Tóth, unter dem sie bis 1983 auch auftrat. Gesangstudium am Konservatorium von Szeged bei V. Berdal und G. Sinkó, dann seit 1979 in Budapest bei E. Kutrucz und P. Takács. 1981 gewann sie den Internationalen Gesangwettbewerb von Rio de Janeiro, 1985 den Luciano Pavarotti-Concours in Philadelphia. 1982 debütierte sie an der Nationaloper von Budapest in der Partie der Elsa im «Lohengrin». Es kam zur schnellen Entwicklung einer glänzenden internationalen Karriere. Bereits in den folgenden Jahren gastierte sie an den Staatsopern von Berlin und Dresden (wo sie als ständiger Gast im Engagement blieb), am Opernhaus von Köln, am Teatro San Carlos Lissabon, in Mailand und in New York (1988 als Desdemona in «Othello»). Durch Gastspielverträge der Staatsoper Stuttgart und dem Opernhaus Köln verbunden, ebenso der Oper von Nizza, an der sie die Elena in Verdis «Vespri Siciliani», die Lisa in «Pique Dame» von Tschaikowsky und die Eva in den «Meistersingern» sang. Sie übernahm weiter auf der Bühne Partien wie die Elisabeth im «Tannhäuser», die Elsa im «Lohengrin» (Dresden, 1988), die Amelia in «Un ballo in maschera» von Verdi (Zürich, 1989), die Alice Ford im «Falstaff», die Adriana Lecouvreur in der gleichnamigen Oper von Cilea, die Eva in den «Meistersingern», die Donna Anna im «Don Giovanni», die Desdemona in Verdis «Othello» und die Tatjana im «Eugen Onegin» von Tschaikowsky. Auch als Konzertsopranistin kam sie zu großen Erfolgen.
Schallplatten: Hungaroton (geistliche Vokalmusik und Missa choralis von F. Liszt).

Tennfjord, Oddbjørn, Baß, * 1941 Oslo; er wurde Lehrer und arbeitete während sieben Jahren in diesem Beruf. Er begann seine Sängerkarriere, nachdem seine Stimme in Bergen und Oslo ihre Ausbildung erhalten hatte, die durch Studien bei Clemens Kaiser-Breme in Essen, bei Luigi Ricci in Rom und bei Roy Henderson in London vervollständigt wurde. 1971 wurde er als erster Bassist an die Norwegische Oper (Den Norske Opera) in Oslo verpflichtet. Hier sang er in einer langjährigen Karriere Partien wie den Osmin in der «Entführung aus dem Serail», den Sarastro in der «Zauberflöte», den Titelhelden in «Don Pasquale», den Basilio im «Barbier von Sevilla», den Falstaff von Verdi, den Boris Godunow, den Wotan im Nibelungenring, den Marke im «Tristan», den Pogner in den «Meistersingern», den Ramphis in «Aida», den Fiesco in Verdis «Simon Boccanegra», den Gremin im «Eugen Onegin» und den Titelhelden in «Herzog Blaubarts Burg» von B. Bartók. Er gastierte u. a. an der Scottish Opera Glasgow als Commendatore im «Don Giovanni» und als Daland im «Fliegenden Holländer» sowie in der Saison 1988–89 als Sarastro, als Fafner im «Rheingold» und als Frank in der «Fleder-

maus». Am Teatro Comunale Bologna wie beim Festival von Ravenna hörte man ihn 1988–89 als Großinquisitor in Verdis «Don Carlos». Es kam zu Bühnen- wie Konzertauftritten in den skandinavischen Ländern, in Deutschland, Italien, Polen, Jugoslawien, Frankreich, in Israel wie in den USA. Im Konzertsaal erwies er sich als großer Oratoriensolist.
Schallplatten: CDN («Der heilige Berg» von Sinding).

Tenzi, Fausto, Tenor, *1.4. 1939 Lugano; Ausbildung der Stimme durch Friedrich Husler und Marling Roth in Cureglia, durch Alberto Soresina und Arturo Merlini in Mailand. Seine Bühnenkarriere führte ihn an die Mailänder Scala, an das Théâtre des Champs Élysées Paris, an das Teatro Comunale Bologna, nach Florenz, Luzern, Aachen und Perugia; er sang beim Buxton Festival und wurde durch Konzertauftritte in den europäischen Musikmetropolen (Mailand, Rom, Paris, Berlin, Moskau, Leningrad) wie in Nordamerika bekannt. Mit dem José in «Carmen», dem Edgardo in «Lucia di Lammermoor», dem Manrico im «Troubadour», dem Alfredo in «La Traviata», dem Riccardo in Verdis «Ballo in maschera», dem Titelhelden in dessen «Don Carlos», dem Tebaldo in «I Capuleti ed I Montecchi» von Bellini, dem Rodolfo in «La Bohème», dem Pinkerton in «Madame Butterfly», dem Turiddu in «Cavalleria rusticana» und dem Prinzen Andrej Khovansky in «Khovantchina» von Mussorgsky sind einige Höhepunkte in seinem Repertoire aufgezeigt. Er hatte seinen Wohnsitz in Castagnola (Kanton Tessin, Schweiz).
Schallplatten: DGG (Gesamtaufnahme «Pique Dame» von Tschaikowsky), Philips (1. Sinfonie von A. Skrjabin).

Tercuzzi, Fernando, Baß, *1847 Gorica (Görz in Kroatien), †1906 Zagreb; er war in den Jahren 1870–74 am Opernhaus von Zagreb (Agram) engagiert. Er unternahm dann ausgedehnte Gastspielreisen und trat u.a. an den Opernhäusern von Nizza und Genua, in Lwów (Lemberg, 1876–77) und Krakau (1877) auf. 1881–89 war er wieder Mitglied des Opernhauses von Zagreb und nach weiteren Gastspielen nochmals in den Jahren 1894–96. Aus seinem Bühnenrepertoire seien der Mephisto im «Faust» von Gounod, der Pedro in Meyerbeers «Africaine», der Basilio im «Barbier von Sevilla» von Rossini, der Raimondo in «Lucia di Lammermoor», der Landgraf im «Tannhäuser», der König Heinrich im «Lohengrin» und der Kruschina in Smetanas «Verkaufter Braut» genannt. In seiner kroatischen Heimat ist er auch unter seinem eigentlichen Namen Fernando Trček (auch Terček geschrieben) aufgetreten.

Tertnik, Josip Karol, Tenor, *18.3. 1867 Ljubljana (Laibach), †2.5. 1897 Brno (Brünn); er wurde durch F. Gerbicá in Prag ausgebildet und debütierte auch in Prag als Manrico im «Troubadour». 1892–93 war er Mitglied des Hoftheaters von Mannheim, 1893–94 des Stadttheaters von Lübeck und 1894–95 des Stadttheaters von Troppau (Opava). 1895 wurde

er an das Stadttheater von Brünn (Brno) verpflichtet, wo er sehr beliebt war. Auf dem Höhepunkt seiner Karriere starb er in einem diabetischen Koma. Von den Rollen, die er auf der Bühne gesungen hat, sind der Faust von Gounod, der Radames in «Aida», der Lohengrin, der Tannhäuser, der Loge im «Rheingold», der Turiddu in «Cavalleria rusticana» und der Mathias im «Evangelimann» von W. Kienzl zu nennen. Der jung verstorbene Künstler war auch als Konzertsolist geschätzt.

Terzakis, Zachos, Tenor, *1954 (?); der griechische Sänger studierte zunächst an der Universität von Athen Geologie, ließ aber nebenbei seine Stimme ausbilden. Nachdem er beim Maria Callas-Wettbewerb den ersten Preis gewonnen hatte, ließ er sich zu einem Engagement an der Oper von Athen überreden, wo er als erste Solopartien den Alfredo in «La Traviata», den Dimitrij im «Boris Godunow» und den Jim Mahoney in «Aufstieg und Fall der Stadt Mahagonny» von Weill sang. Der deutsche Dirigent Hans Pintgen, der ihn in Athen hörte, vermittelte dem jungen Sänger 1978 ein Engagement am Landestheater von Kiel. Von dort wechselte er an das Stadttheater von Bielefeld und kam nun in Partien wie dem Titelhelden im «Faust» von Gounod, dem Herzog im «Rigoletto», dem Riccardo in Verdis «Ballo in maschera», dem Lenski im «Eugen Onegin» von Tschaikowsky, dem Guidon im «Märchen vom Zaren Saltan» von Rimsky-Korssakow, dem Prinzen in «Rusalka» von Dvořák und dem Rodolfo in Puccinis «La Bohème» zu wichtigen Erfolgen. Seit 1982 Mitglied des Opernhauses von Nürnberg; Gastspiele an den Bühnen von Zürich und Basel, am Stadttheater von Bern, an den Staatsopern von München und Stuttgart, an der Deutschen Oper am Rhein Düsseldorf–Duisburg und an der Oper von Athen. 1987–88 wirkte er bei den Festspielen von Bregenz als Titelheld in «Hoffmanns Erzählungen» mit, 1988 am Deutschen Opernhaus Berlin als Alfredo in «La Traviata»; ebenfalls 1988 in Bern als Werther in der gleichnamigen Oper von Massenet zu Gast, am Staatstheater Kassel als Rodolfo in «La Bohème». Auch als Konzert- und Liedersänger aufgetreten.
Schallplatten: Concert Athens («Der Mutter Ring» von Kalomiris).

Tessandra, Laure, Mezzosopran, *1902 (?); die Künstlerin debütierte 1926 an der Grand Opéra Paris in der Partie der Dalila in «Samson und Dalila» von Saint-Saëns. Sie blieb in den folgenden Jahren bis etwa 1933 Mitglied dieses Operninstituts und trat dort in Rollen wie der Titelheldin in Massenets «Hérodiade», der Maddalena im «Rigoletto», der Edvige in Rossinis «Wilhem Tell», der Magdalene in den «Meistersingern», der Floßhilde im «Rheingold», der Herodias in der Richard Strauss-Oper «Salome» und der Annina im «Rosenkavalier» auf. Sie war 1930 an der Oper von Antwerpen, 1933 am Opernhaus von Monte Carlo zu Gast. Gastspiele in der französischen Provinz und Auftritte im Konzertsaal runden die Karriere der Sängerin ab.
Schallplatten der Marke Odeon, darunter Solo-Auf-

nahmen und das «Rigoletto»-Quartett zusammen mit Eidé Norena, Miguel Villabella und Édouard Rouard.

Testori, Angelo, Sopran (Kastrat), *(?), †1.10. 1844 Turin; er war zuerst in Mailand Schüler von Maestro Lento und studierte weiter bei dem Domkapellmeister Carlo Monza. Mit elf Jahren sang er in Kirchenkonzerten und trat nach weiterem vierjährigem Studium dem Chor der Mailänder Scala bei, wo er auch bereits Partien für secondo uomo übernahm. 1791 sang er sehr erfolgreich in Wien, wo er sich einem nochmaligen Studium bei dem Tenor Vincenzo Maffoli unterzog. Wie sein großes Vorbild, der Kastrat Giovanni Rubinelli, war auch er ein Meister in der technischen Beherrschung der Gesangstücke wie in der graziösen Leichtigkeit des Vortrags. Während sieben Jahren hielt er sich in Rußland auf, wo man den Sänger geradezu vergötterte. Nach Italien zurückgekehrt, sang er zuerst in Mailand und wurde dann in Bologna, Venedig, Turin, Padua, Brescia, Bergamo, Modena und Pisa gefeiert. Am 3.9. 1803 wirkte er in der Eröffnungsvorstellung des neu erbauten Teatro Carcano Mailand in der dafür komponierten Oper «Zaira» von Vincenzo Federici mit. An der Mailänder Scala sang er u. a. in den Uraufführungen der Opern «Virginia» von Casella (26.12. 1811) und «Tancredi» von Pavesi (18. 1. 1812). 1808 gestaltete er in einer glänzenden Aufführung des «Orpheus» von Gluck in Brescia die Titelpartie. Für viele Jahre gehörte er als Sopransolist der Cappella Regia Turin an, wo er außerdem in zahlreichen Rollen am Teatro Regio anzutreffen war. So sang er dort 1804 in «Ines de Castro» von Zingarelli und «Lodoiska» von Simone Mayr, in «Mitridate» von Nasolini (1805), in «Olimpiade» von Cimarosa (1807) und in «Hoaugo» von Lavigna (1807). Als der gefeierte Sänger starb, komponierte Luigi Rossi zu seinem Gedächtnis ein Requiem, das am 23.12. 1845 feierlich in der Turiner Kirche Santo Spirito aufgeführt wurde.

Te Wiata, Inia, Baß, *1915 Otaki (Neuseeland), †27.6. 1971 London; er gehörte der Maori-Volksgruppe auf Neuseeland an und erhielt seine Ausbildung zum Sänger seit 1947 am Trinity College London. 1950–54 trat er an der Covent Garden Oper London auf. Hier sang er in dieser Zeit in den Uraufführungen der Opern «The Pilgrims Progress» von Vaughan Williams (26.4. 1951 als John Bunyan), «Billy Budd» von Benjamin Britten (1.12. 1951 als Dansker) und «Gloriana», ebenfalls von B. Britten (8. 6. 1953 zur Krönung von Königin Elizabeth II. als Ballad Singer). Dann wandte er sich dem Musical zu und erschien u. a. sehr erfolgreich am New Yorker Broadway in «The most happy fella»; in diesem Musical trat er dann auch 1960 in London auf. In den Jahren 1964–70 war er wieder an der Covent Garden Oper London anzutreffen; hier sang er jetzt 1970 in der Uraufführung von Richard Rodney Bennetts «Victory». Er wirkte 1965 bei der London New Opera Company in der englischen Erstaufführung von Prokofieffs «The Fiery Angel» (als Großinquisitor) mit. 1969 sang er an der Covent

Garden Oper in der englischen Erstaufführung der Oper «Hamlet» von Humphrey Searle. Er unternahm Tourneen durch die Sowjetunion (1962), durch Israel (1966) und Japan (1970), gastierte bei der Scottish Opera Glasgow und im englischen Fernsehen. Auf der Bühne hörte man ihn u. a. als Bartolo in «Nozze di Figaro», als Alfonso in «Così fan tutte», als Sarastro in der «Zauberflöte», als Pimen im «Boris Godunow», als Colline in «La Bohème» und in vielen anderen Rollen; dazu war er als Konzertsänger tätig. 1965 sang er in seiner neuseeländischen Heimat den Porgy in Aufführungen von Gershwins Oper «Porgy and Bess». Er trat auch in Filmen auf und betätigte sich als Bildschnitzer im Maori-Stil. Schallplatten: Nixa, Kiwi-Pacific (Recital mit Opernarien und Maori-Gesängen).

Thaler, Rezika, Sopran, * 15. 10. 1888 Ljubljana (Laibach), † (?); sie war Schülerin der Pädagogen A. Danilov und M. Hubada. Sie begann ihre Karriere mit einem Engagement am Opernhaus von Ljubljana in den Jahren 1905–10. 1910–12 sang sie am Slowenischen Theater in Triest, 1913–14 am Theater von Zatec (Saaz in Böhmen). Nachdem sie 1915–17 am Opernhaus von Graz aufgetreten war, kam sie 1919 an das Kroatische Nationaltheater von Ljubljana, an dem sie bis 1927 wirkte. Sie sang ein sehr vielseitiges Repertoire auf der Bühne mit Partien wie der Susanna in «Figaros Hochzeit», der Donna Elvira im «Don Giovanni», der Pamina in der «Zauberflöte», der Thaïs in der Oper gleichen Namens von Massenet, der Musetta in Puccinis «La Bohème» und der Titelheldin in dessen «Madame Butterfly».

Thiede, Helga, Sopran, * 6. 2. 1940 Berlin; sie war Absolventin der Musikhochschule Berlin, und dort in erster Linie Schülerin von Hermann Hähnel. 1967 debütierte sie am Staatstheater Schwerin als Marina in «Die vier Grobiane» («I quattro rusteghi») von Wolf-Ferrari. Bis 1971 blieb sie in Schwerin und war dann 1972–84 am Theater von Dessau engagiert. 1984 wurde sie Mitglied der Staatsoper Dresden. Hier wie bei Gastspielen – zumeist innerhalb des Dresdner Ensembles – sang sie dramatische Sopranpartien aus allen Bereichen der Opernliteratur. Die Künstlerin wurde auch als Konzertsolistin bekannt.

Thieme, Helga, Sopran, * 27. 2. 1937 Oberlengsfeld; nach ihrem Gesangstudium in Frankfurt a. M. war sie 1962–65 am Stadttheater von Basel, 1965–67 am Stadttheater von Bielefeld, 1967–68 am Staatstheater von Wiesbaden und 1968–73 an der Staatsoper von Hamburg engagiert. 1974–76 sang sie in Bremen, 1975–76 und 1984–85 am Opernhaus von Zürich. Seit 1980 bestand ein Gast-Engagement am Stadttheater St. Gallen, das ihr Gatte Glado von May als Direktor leitete. Sie gab Gastspiele am Stadttheater von Bern, an der Deutschen Oper Berlin, an den Staatsopern von München und Stuttgart, an der Deutschen Oper am Rhein Düsseldorf-Duisburg, am Teatro Liceo Barcelona, an der Volksoper Wien, an den Opernhäusern von Köln und Wuppertal, am Staatstheater Braunschweig, bei den Fest-

spielen von Eutin und Mörbisch am Neusiedler See. In Hamburg wirkte sie in den Uraufführungen der Opern «Die Teufel von Loudun» von K. Penderecki (20. 6. 1969 als Soeur Gabrielle) und «Ashmedai» von Josef Tal (1971) mit. Bühnenpartien der Künstlerin: Susanna in «Figaros Hochzeit», Zerline im «Don Giovanni», Despina in «Così fan tutte», Königin der Nacht in der «Zauberflöte», Titelrolle in Flotows «Martha», Norina im «Don Pasquale», Adina in «Elisir d' amore», Gretchen im «Wildschütz» von Lortzing, Marie in «Zar und Zimmermann», Gilda im «Rigoletto», Ännchen im «Freischütz», Marie in der «Verkauften Braut», Adele in der «Fledermaus», Sophie im «Rosenkavalier» von R. Strauss, Isotta in der «Schweigsamen Frau», Ida in «Der junge Lord» von H. W. Henze, Fiametta in «Boccaccio» von F. von Suppé.
Schallplatten: Philips («Die Teufel von Loudon»).

Thierry, Vilma, Sopran/Mezzosopran, * 16. 9. 1890 Pregrada (Jugoslawien), † 25. 4. 1942 Pregrada; sie stammte aus einer französischen Familie und erhielt ihre Ausbildung an der Musikakademie von Wien. 1918 debütierte sie am Opernhaus von Bratislava (Preßburg). Nach einem Gastspiel am Opernhaus von Ljubljana (Laibach) wurde sie 1919 an dieses Theater verpflichtet, an dem sie bis 1935 wirkte. Sie gab erfolgreiche Gastspiele an den Opernhäusern von Belgrad und Zagreb sowie an der Deutschen Oper Berlin–Charlottenburg. Ihr Bühnenrepertoire hatte einen weiten Umfang und enthielt Partien wie die Titelfigur in «Mignon» von A. Thomas, die Leonore im «Fidelio», die Marina im «Boris Godunow», die Sieglinde wie die Brünnhilde in der «Walküre», die Tosca, die Turandot in der gleichnamigen Puccini-Oper, die Küsterin in «Jenufa» von Janáček, die Ulrica in Verdis «Ballo in maschera» und die Gräfin in «Pique Dame» von Tschaikowsky. Auch als Konzert- und Oratoriensängerin kam sie zu hohem Ansehen.

Thomann, Karl-Heinz, Tenor, * 1914 (?); seine Ausbildung erfolgte in Berlin bei Albert Fischer. Er begann seine Karriere 1938–39 am Theater von Zittau, wurde dann an das Landestheater Saarbrücken engagiert, aber bald zum Kriegsdienst im Zweiten Weltkrieg einberufen. 1946 nahm er seine unterbrochene Karriere wieder an der Staatsoper von Dresden auf, deren Mitglied er nun für rund zwanzig Jahre blieb. Hier übernahm er vor allem Charakter- und Comprimario-Rollen wie den Monostatos in der «Zauberflöte», den Kilian im «Freischütz», den Steuermann im «Fliegenden Holländer», den Valzacchi im «Rosenkavalier», den Goro in «Madame Butterfly», den Altoum in Puccinis «Turandot» und den Alfred in der «Fledermaus». 1947 wirkte er in der szenischen Uraufführung der Oper «Die Flut» von Boris Blacher an der Dresdner Staatsoper mit. Er gastierte an den größeren Theatern in der DDR, auch an der Staatsoper wie an der Komischen Oper Berlin und am Opernhaus von Leipzig. Er war verheiratet mit der Operetten-Soubrette *Rosl Schönfeld,* die eine langjährige Karriere am Theater von Chemnitz (Karl-Marx-Stadt) hatte.

Schallplatten: Mehrere vollständige Opern auf Urania, in denen er seine kleinen Partien singt (Kilian im «Freischütz», Balthasar Zorn in den «Meistersingern», 2. Soldat in «Salome», Wirt im «Rosenkavalier»).

Thomas, David, Baß-Bariton, * 26. 2. 1943 Orpington (Kent); er erhielt seine Ausbildung zum Sänger in der St. Paul's Cathedral School, in der Kings School Canterbury und im Kings College, ebenfalls in Canterbury. Er begann dann eine Konzertkarriere, die ihm in England wie bei Gastreisen in aller Welt Erfolge eintrug. Er sang mit den ersten Orchestern und unter deren Dirigenten vor allem das Barock- und das klassische Repertoire. Er wurde jedoch in erster Linie durch seine Schallplattenaufnahmen bekannt, die über 50 Titel umfaßten und bei verschiedenen Unternehmen herauskamen. Zu nennen sind Aufnahmen unter den Etiketten von RCA (Cäcilienode von H. Purcell, «Semele» und «Esther» von Händel), CBS (Bach-Kantaten), HMV (Vespern von Monteverdi), TIS (Kantaten von Händel, Marienvesper von Monteverdi, Bühnenmusik von Purcell, «L' Enfance du Christ» von Berlioz), Philips (Magnificat von J. S. Bach), Chandos («Dido and Aeneas» von Purcell), Harmonia mundi («Messias» und «Acis and Galatea» von Händel, Mozart-Requiem).

Thompson, Arthur, Bariton, * 27. 12. 1942 New York; der farbige Sänger studierte an der Manhattan School of Music, am Hartt College of Music und an der Juilliard Music School New York und debütierte 1964 offiziell in Chautauqua als Papageno in der «Zauberflöte». 1966–71 war er im Opernstudio der New Yorker Metropolitan Oper, wo man ihm kleinere Partien anvertraute. Als erste derartige Partie sang er an der Metropolitan Oper im September 1970 den Mandarin in Puccinis «Turandot». Er blieb Mitglied dieses traditionsreichen Opernhauses, wo er nach und nach über 50 Rollen, zumeist aus dem Bereich des Comprimario-Repertoires, sang. Er trat auch bei Gastspielen und Konzerten in den USA hervor; 1987 gastierte er an der Covent Garden Oper London als Mel in «The Knot Garden» von Tippett. Schallplatten: Nonesuch («Four Saints in Three Acts» von V. Thomson).

Thompson, Robert, Tenor, * 5. 4. 1943 Bradford (England); er studierte Orgelspiel und Kirchenmusik 1961–64 am Queens College Cambridge, dann am Royal College of Music London und erreichte den akademischen Grad eines Master of Arts. Abschließende Solisten-Ausbildung durch den berühmten italienischen Pädagogen Ettore Campogalliani. 1966–67 war er Mitglied des Radio-Chores der BBC London, 1968–77 wirkte er als Vicar Choral an der St. Pauls-Kathedrale London. Er ging dann auch zum Operngesang über und sang entsprechende Partien bei der Kent Opera, bei der Opera North Leeds und als Gast an Opernhäusern auf dem europäischen Kontinent. 1987 zu Gast an der Mailänder Scala. Er trat zusammen mit dem Ensemble Pro Cantione Antiqua auf, auch mit der Capella Clementina, der

Società Cameristica di Lugnano und dem Early Music Consort. Mit ihnen gemeinsam sang er in England (auch am Rundfunk), in Deutschland wie in der Schweiz.

Tibelti, Luise, Alt, * 1867 (?), † (?); die Sängerin hatte ihr erstes Bühnenengagement in den Jahren 1889–95 am Hoftheater von Weimar. Hier sang sie in der denkwürdigen Uraufführung der Märchenoper «Hänsel und Gretel» von Humperdinck am 23. 12. 1893 unter der Leitung von Richard Strauss die Partie der Mutter. Im folgenden Jahr wirkte sie, ebenfalls in Weimar, in der Uraufführung der Oper «Guntram» von R. Strauss in einer kleinen Partie mit (10. 5. 1894). Nachdem sie Weimar 1895 verlassen hatte, sang sie 1895–96 am Stadttheater von Magdeburg, 1896–97 am Opernhaus (Stadttheater) von Hamburg, 1897–98 am Stadttheater von Halle (Saale), schließlich 1898–1901 am Stadttheater von Straßburg im Elsaß. Danach lassen sich keine weiteren Engagements der Sängerin belegen, deren Name mit der Uraufführung einer der beliebtesten Opern des Repertoires verbunden bleibt.

Tiefensee, Charlotte von, Sopran, * 1827 Theresienstadt (Terezín, Böhmen), † (?); sie war die Tochter des österreichischen Generals Fischer von Tiefensee. Nach dem frühen Tod ihres Vaters zog sie mit ihrer Mutter nach Prag. Sie erhielt Unterricht im Klavierspiel durch Joseph Proksch; der Gesanglehrer Maestro Gordigiani entdeckte ihre Stimme, die mit Hilfe eines Stipendiums des österreichischen Erzherzogs Stephan seit 1847 am Konservatorium von Mailand ausgebildet wurde. 1848 wurde sie jedoch mit ihrer Mutter durch die Revolutionswirren aus Mailand vertrieben. Die beiden Frauen gingen nach Triest, wo das Studium bei zwei bekannten Komponisten und Musikpädagogen, den Brüdern Federico und Luigi Ricci, fortgesetzt wurde. Auch die große Primadonna Henriette Sontag wie der berühmte Pädagoge Giulio Marco Bordogni in Paris trugen zur Ausbildung der jungen Sängerin bei. Sie begann ihre Karriere mit Bühnenauftritten in Italien und gab 1851 viel beachtete Konzerte in Paris. 1853 und 1856 gab sie erneut Konzerte in der französischen Metropole und trat in musikalischen Soiréen in der Pariser Gesellschaft auf. In London sang sie zusammen mit der großen Jenny Lind, 1853 gab sie in Baden-Baden Konzerte vor der späteren deutschen Kaiserin Augusta, der Königin von Holland und dem Prinzen Peter von Oldenburg. Sie setzte ihre glanzvolle Konzertlaufbahn während der folgenden zwanzig Jahre fort; man hörte sie in Hofkonzerten in Wien und München und in einer Soirée bei der Königin-Witwe von Dänemark in Kopenhagen. Eine letzte Nachricht stammt von einem Hofkonzert, das sie 1878 in Oldenburg gab.

Timitz, Gilda, Mezzosopran, * (?); über diese italienische Sängerin ist so gut wie nichts bekannt. Sie scheint in den Jahren nach dem Ersten Weltkrieg eine relativ kurze Karriere an italienischen Provinzbühnen gehabt zu haben. Von Bedeutung ist ihr Name, weil sie in der vollständigen Aufnahme von Gounods Oper «Faust» von 1919 auf HMV (zusammen mit Gemma Bosini, Giuliano Romagnoli und Fernando Autori) die Rolle des Siebel singt.

Tisch, Wilhelm, Baß, * 12. 1. 1899 Lwów (Lemberg), † 24. 12. 1967 Basel; er erhielt seine Ausbildung zum Sänger in Polen und in Wien. 1924–27 war er als Chorsänger an der Wiener Volksoper engagiert und wurde 1927 als Solist in das Ensemble des Hauses übernommen. 1928 ging er von dort an das Opernhaus von Graz, an dem er bis 1932 blieb. 1928 war er an der Wiener Staatsoper zu Gast, 1931 sang er in Graz in der Uraufführung der Oper «Die drei gerechten Kammacher» von C. von Pazthory. Er gastierte auch in Zürich, Genf, Luzern und an der Oper von Kairo. 1932–33 wirkte er am Stadttheater von Nordhausen in Thüringen, mußte aber als Jude 1933 Deutschland verlassen. Er fand in der Spielzeit 1933–34 ein Engagement am Stadttheater von Troppau (Opava) in der ČSR und kam 1934 an das Stadttheater von Basel. Hier gehörte er bis 1952 zu den beliebtesten Mitgliedern des Hauses; eine große internationale Karriere, die er zweifellos erreicht hätte, wurde durch die Ungunst der Kriegsverhältnisse verhindert. 1946 sang er in Basel in der Schweizer Premiere von Glinkas «Iwan Susanin» («Ein Leben für den Zaren») die Titelpartie. Seine weiteren großen Rollen waren der Komtur im «Don Giovanni», der Sarastro in der «Zauberflöte», der Rocco im «Fidelio», der König Heinrich im «Lohengrin», der Pogner in den «Meistersingern», der Gurnemanz im «Parsifal», der Ochs im «Rosenkavalier», der Pimen im «Boris Godunow», der Kardinal in «La Juive» von Halévy, der Basilio in Rossinis «Barbier von Sevilla», der Zaccaria in Verdis «Nabucco», der König Philipp in dessen «Don Carlos» und der Colline in Puccinis «La Bohème». Zugleich genoß er als Konzert-, Oratorien- und Liedersänger hohes Ansehen.
Von der Stimme des Künstlers, einem groß dimensionierten, ausdrucksvollen Basso profondo, sind HMV-Platten vorhanden (Solo-Aufnahmen mit Arien und Liedern).

Titta, Fosca, Sopran, * 7. 10. 1879 Pisa, † 1957 Mailand; sie war eine der vier Schwestern des weltberühmten Baritons *Titta Ruffo,* dessen eigentlicher Name *Ruffo Cafiero Titta* (1877–1953) war. Nachdem ihr Bruder zu großen Erfolgen gekommen war, ließ sie ihre Stimme in einer Gesangschule in Rom ausbilden. 1903 debütierte sie am Teatro Quirino von Rom als Leonore im «Troubadour» von Verdi; der Bariton dieser Vorstellung Amleto Pollastri wurde später der Sekretär von Titta Ruffo. 1904 sang die Künstlerin die gleiche Partie am Teatro Verdi ihrer Heimatstadt Pisa. 1906 trat sie am Teatro Sociale von Trient wieder als Leonore im «Troubadour», als Santuzza in «Cavalleria rusticana» und als Nedda im «Bajazzo» auf. In den Jahren 1905–07 begleitete sie ihren Bruder Titta Ruffo auf seinen Rußland-Tourneen, sang mit ihm zusammen 1906 in St. Petersburg die Leonore im «Troubadour» und nahm an glanzvollen Konzertauftritten teil. Ihre Bühnenkarriere war relativ kurz. Sie heiratete den

Mailänder Großindustriellen Enrico Steiner, der aus Böhmen nach Italien eingewandert war, und zog sich bis auf einige wenige Konzerte, bei denen sie mitwirkte, aus dem Musikleben zurück. Sie lebte seitdem in Mailand.

Schallplatten: Trotz der Kürze ihrer Karriere ist ihre Stimme durch drei Aufnahmen überliefert (G & T, Mailand 1907, darunter ein Terzett aus dem «Troubadour» mit dem spanischen Tenor Emanuele Ischierdo und ihrem Bruder Titta Ruffo).

Titus, Graham, Bariton, * 15. 12. 1949 Newark (Grafschaft Nottinghamshire, England); er studierte Orgelspiel und Gesang am Clare College der Universität Cambridge und ergänzte diese Studien an der Musikhochschule Köln. 1974 debütierte er als Konzertsänger in den Purcell Rooms in London. 1977 gewann er den Concours von s' Hertogenbosch. Es kam dann auch bald zu Auftritten auf der Opernbühne, darunter bei der New Opera Company London, bei der Handel Society und bei der English National Opera London. 1975 wirkte er beim Aldeburgh Festival mit. Seit 1974 war er immer wieder in Rundfunksendungen der BBC London zu hören; er trat am niederländischen Rundfunk und im dortigen Fernsehen auf und unternahm eine erfolgreiche Konzertreise durch Südamerika. In seinem Konzertrepertoire fanden sich an erster Stelle die großen Solopartien in Oratorien aus allen Epochen der Musikgeschichte.

Titze, Robert, Bariton, * 1905 (?), † 7. 10. 1971 Lübeck; er war Schüler von Fred Husler in Berlin und war fast ausschließlich als Konzert- und Oratoriensänger tätig. Sein Auftreten auf der Bühne beschränkte sich auf gelegentliche seltene Gastspiele. Dafür beherrschte er im Konzertsaal ein um so weitreichenderes Repertoire und wurde ein gesuchter Gesangpädagoge. Er wirkte lange Zeit in Berlin, später in Lübeck. Sein Name verdient vor allem wegen der vielen, schönen Schallplattenaufnahmen festgehalten zu werden, die er hinterlassen hat. Darunter sind auch Opernaufnahmen anzutreffen; so singt er auf HMV-Electrola den Marullo in «Rigoletto», auf Nixa in einer vollständigen Aufnahme von Händels «Rodelinda», auf Opera in Szenen aus «Tannhäuser». Weitere Aufnahmen auf MMS, Vox, Lyrichord, Telefunken, Ducretet-Thompson (Bach-Kantaten), Urania, Cascade (Carmina Burana von C. Orff), Period und Opera (Solo im Deutschen Requiem von J. Brahms, Mitschnitt einer Aufführung des Werks in Stuttgart 1956). Diese Aufnahmen stammen fast alle aus den fünfziger Jahren unseres Jahrhunderts.

Tjutjunik, Wassilij, Baß-Bariton, * 12. 3. 1860, † 24. 5. 1924 Moskau; er studierte am Konservatorium von Moskau bei L. Cassati und bei Fedor P. Komissartschewsky. 1886 begann er seine Bühnenkarriere an der Hofoper (Mariensky Theater) von St. Petersburg, der er zwei Jahre lang angehörte. 1888 ging er an das Moskauer Bolschoj Theater, an dem er bis 1912 als Sänger und in den Jahren 1903–10 gleichzeitig auch als Regisseur tätig war. 1910 wurde

er Gesanglehrer am musikalisch-dramatischen Kolleg der Philharmonischen Gesellschaft Moskau, 1920 bis zu einem Tod wirkte er als Professor am Konservatorium von Moskau. Einer seiner Schüler war der berühmte Bassist Alexander Pirogoff. Aus seinem ausgedehnten Bühnenrepertoire sind hervorzuheben: der Bartolo in «Nozze di Figaro», der Leporello im «Don Giovanni», der Papageno in der «Zauberflöte», der Giacomo in «Fra Diavolo» von Auber, der Mephisto im «Faust» von Gounod, der Warlaam im «Boris Godunow», der Jeletzky wie der Tomski in «Pique Dame» von Tschaikowsky, der Farlaf in «Ruslan und Ludmilla» von Glinka und der Skula in «Fürst Igor» von Borodin. Der als großer Schauspieler gerühmte Künstler kam auch im Konzertsaal zu einer bedeutenden Karriere.

Todisco, Nunzio, Tenor, * 11. 6. 1942 Torre del Greco bei Neapel; er arbeitete anfänglich als Steward auf einem Passagierschiff und kam erst relativ spät zur Ausbildung seiner Stimme, die durch die Pädagogin Maria Grazia Marchini in Neapel übernommen wurde. 1971 debütierte er beim Festival von Spoleto als Canio im «Bajazzo» von Leoncavallo. Nachdem er einen internationalen Concours in Parma gewonnen hatte, konnte er vor allem an den großen italienischen Opernbühnen zu einer erfolgreichen Karriere kommen. Er sang am Teatro San Carlo Neapel, an der Mailänder Scala, an der Oper von Rom, am Opernhaus von Triest, bei den Festspielen in den römischen Thermen des Caracalla und in Spoleto. 1977 und 1984–85 wirkte er bei den Festspielen von Verona mit, wo er u. a. den Radames in «Aida» übernahm. Weitere Höhepunkte in seinem vielseitigen Repertoire waren der Manrico im «Troubadour», der Ismaele in Verdis «Nabucco», der Macduff in «Macbeth», der Edgardo in «Lucia di Lammermoor» von Donizetti, der Enzo in Ponchiellis «La Gioconda», der José in «Carmen», der Turiddu in «Cavalleria rusticana», der Canio im «Bajazzo», der Pinkerton in «Madame Butterfly», der Luigi in «Il Tabarro» von Puccini und der Erik im «Fliegenden Holländer».

Todorova, Marina, s. unter *Mader-Todorova,* Marina.

Toivannen, Heikki, s. unter *Haubold,* Ingrid.

Tolli, Cilla, Alt, * 5. 7. 1872 Oldenburg, † (?); sie strebte eine Tätigkeit als Konzertsängerin an und studierte bei dem großen Pädagogen Julius Stockhausen in Frankfurt a. M. Nachdem sie erste Erfolge im Konzertsaal erzielt hatte, entschloß sie sich, zur Bühne überzugehen und setzte ihre Ausbildung in den Jahren 1898–99 bei Marie Schröder-Hanfstaengl fort. Ihr Bühnendebüt fand 1899 am Opernhaus von Köln als Margareta in «Genoveva» von R. Schumann statt; sie wirkte bis 1902 in Köln, sang dann 1902–05 am Hoftheater von Darmstadt, 1905–08 am Stadttheater Bremen und 1908–11 am Hoftheater Weimar. Sie sang dann noch je eine Spielzeit am Stadttheater (Opernhaus) Hamburg und am Hoftheater Dessau (1912–13), widmete sich darauf aber wieder dem Konzert- und namentlich dem Oratoriengesang. Bühnengastspiele hatten die Künstlerin an die Hoftheater von Wiesbaden (1910) und Hannover (1906), an das Leipziger Opernhaus (1910) und an weitere Theater geführt. 1907 sang sie an der Covent Garden Oper London die Magdalene in den «Meistersingern», die Mary im «Fliegenden Holländer» und die Frau Reich in den «Lustigen Weibern von Windsor» von Nicolai. Sie trug in ihrem Bühnenrepertoire Partien wie die Ortrud im «Lohengrin», die Fricka, die Erda und die Waltraute im Nibelungenring, die Hexe in «Hänsel und Gretel», die Nancy in «Martha» von Flotow, die Azucena im «Troubadour», die Amneris in «Aida», die Carmen und die Dalila in «Samson et Dalila» vor.

Tomaszewski, Rolf, Baß, * 18. 3. 1940 Deutzen bei Leipzig; er studierte zunächst Pädagogik und wollte Schullehrer werden, entschloß sich dann jedoch zur Ausbildung seiner Stimme, die durch Johannes Kemter in Dresden erfolgte. Er begann seine Sängerlaufbahn 1959 am Elbe-Elster-Theater in Wittenberg, wo er als Baculus im «Wildschütz» von Lortzing debütierte. Er unterbrach jedoch die begonnene Karriere, ging wieder in seinen Beruf als Lehrer zurück und war als solcher in Borna tätig. 1971 nahm er seine Sängerkarriere bei der Sächsischen Landesbühne in Dresden-Radebeul wieder auf, deren Ensemble er bis 1975 angehörte. 1975 folgte er einem Ruf an die Dresdner Staatsoper, an der er jetzt zu einer großen Karriere kam. Man schätzte ihn als Mozart-Interpreten in Partien wie dem Sarastro in der «Zauberflöte», dem Osmin in der «Entführung aus dem Serail», dem Komtur im «Don Giovanni» und dem Don Alfonso in «Così fan tutte», aber auch in Rollen wie dem Kaspar im «Freischütz», dem Landgrafen im «Tannhäuser» und dem König Heinrich im «Lohengrin». In Buffo-Partien zeigte er ein ungewöhnliches darstellerisches Talent. Gastspiele und Konzertauftritte runden die Karriere des beliebten Sängers ab.
Schallplatten: Eterna (Ausschnitte aus «Der Schuhu und die fliegende Prinzessin» von U. Zimmermann).

Tomić, Živojin, Tenor, * 12. 2. 1896 Kladovo (Serbien), † 19. 11. 1961 Titograd (Montenegro); er absolvierte sein Gesangstudium am Konservatorium von Odessa und in Wien. 1919 debütierte er an der Oper von Belgrad. 1920 wurde er Mitglied dieses Opernhauses, an dem er bis 1928 tätig blieb. 1928–30 war er Mitglied der Nationaloper Bukarest, 1930–41 wieder der Belgrader Oper. Gastspiele und Konzertauftritte in Italien, Frankreich und in den südamerikanischen Ländern ließen seinen Namen international bekannt werden. Seine großen Bühnenpartien waren der Alfredo in «La Traviata», der Herzog im «Rigoletto», der Titelheld in «Hoffmanns Erzählungen» von Offenbach, der des Grieux in «Manon» von Massenet, der Turiddu in «Cavalleria rusticana», der Lenski im «Eugen Onegin» von Tschaikowsky, der Hans in Smetanas «Verkaufter Braut» und der Mica in «Ero der Schelm» von J. Gotovac. Seit 1945 wirkte er als Pädagoge in Titograd (Podgorica).

Tončić, Nada, Sopran, * 30. 7. 1909 Zemun (Kroatien); sie war an der Musikakademie von Zagreb Schülerin von Frau Eder-Bertić. 1933 kam es zu ihrem Bühnendebüt an der Kroatischen Nationaloper von Zagreb, deren Mitglied sie in den Jahren 1933–63, also während ihrer ganzen Karriere, blieb. Bereits 1943 gastierte sie an der Wiener Volksoper; später war sie als Gast auf der Bühne wie im Konzertsaal in Italien, Bulgarien und England zu hören. Sie beherrschte ein sehr ausgebreitetes Bühnenrepertoire, das seine Höhepunkte in Rollen wie der Gilda im «Rigoletto», der Euridice im «Orpheus» von Gluck, der Titelheldin in «Lakmé» von Delibes, der Tatjana im «Eugen Onegin», der Concepcion in «L'Heure espagnole» von Ravel, der Adriana Lecouvreur in der gleichnamigen Oper von Cilea, der Butterfly, der Salome in der bekannten Richard Strauss-Oper, der Anne Trulove in «The Rake's Progress» von Strawinsky und der Dula in «Ero der Schelm» von J. Gotovac hatte.
Schallplatten: Philips (vollständige Oper «Das Märchen vom Zaren Saltan» von Rimsky-Korssakow).

Topitz, Anton Maria, Tenor, * 26. 2. 1889 St. Nikola an der Donau (Österreich), † (?); er erhielt seine Ausbildung zum Sänger am Konservatorium der Stadt Wien bei Philipp Forstén und debütierte als Opernsänger 1919 am Deutschen Theater Brünn (Brno) in der Partie des Lohengrin. Dort blieb er bis 1921 und war dann in Graz (1921–23) und am Opernhaus von Leipzig (1923–25) tätig. 1925–26 war er als Gast der Berliner Städtischen Oper verbunden. Er gastierte auch in den folgenden Jahren an deutschen Bühnen, so 1926 in Leipzig und am Nationaltheater von Weimar; am Opernhaus von Frankfurt a. M. sang er in der Uraufführung der Oper «Von heute auf morgen» von Arnold Schönberg (1. 2. 1930). In der Hauptsache betätigte er sich jedoch jetzt als Konzert-, Oratorien- und Liedersänger und erlangte in diesem Bereich hohes internationales Ansehen. 1926 gab er Liederabende in Paris, 1927 und 1931 trat er bei den Festspielen von Salzburg in Konzerten auf, 1927 in München und Budapest, 1928 in Athen, 1929 und 1930 in Warschau, 1930 in Wien, 1930 und 1931 in Stockholm, 1931 auch in Madrid, Oslo und Kopenhagen. Seit 1930 war er Jahr für Jahr in Berlin im Konzertsaal anzutreffen. Zeitweilig war er Mitglied des berühmten Rosenthal-Vokalquartetts in Leipzig. Mehrfach bereiste er Nordamerika, wo er Liederabende gab und als Oratoriensänger sehr erfolgreich auftrat. Hier brachte er auch Werke des zeitgenössischen Komponisten Hanns Eisler zum Vortrag. Seit 1942 lebte er als Musikjournalist in Berlin.
Schallplatten: HMV-Electrola (u. a. Solo in der Missa solemnis von Beethoven unter Bruno Kittel), Parlophon (neben anderen Aufnahmen hier die Herodes-Szene aus «Salome» von R. Strauss, auch Unterhaltungslieder).

Torres, Raimon, Baß-Bariton, * 1917 (?), † 9. 4. 1987 Barcelona; der aus Katalanien stammende Sänger hatte in Spanien eine große Karriere, vor allem am Teatro Liceo Barcelona, an dem er fast 30 Jahre lang zu hören war. 1946 bewunderte man dort seine Gestaltung des Titelhelden in Mussorgskys «Boris Godunow». Aus den vielen weiteren Partien, die er in Barcelona gesungen hat, sind der Ubaldo in «La serva padrona» von Pergolesi, der Renato in Verdis «Ballo in maschera», der Amonasro in «Aida» und der Escamillo in «Carmen» hervorzuheben. 1947–48 sang er an der Mailänder Scala den Germont-père in «La Traviata» und den Alfio in «Cavalleria rusticana», 1953 den Rigoletto, in der Arena von Verona 1949 den Telramund im «Lohengrin» und den Grafen Luna im «Troubadour». 1953 Gastspiel an der Grand Opéra Paris als Rigoletto, 1954 in Genua, 1955 am Teatro Massimo Palermo, 1957–60 am Staatstheater Karlsruhe, auch am Teatro Fenice Venedig und am Teatro San Carlo Neapel). 1973 gastierte er in Céret (Südfrankreich) in der Oper «Héliogabale» von Déodat de Séverac und wiederholte diesen Auftritt bei einer konzertanten Wiedergabe des Werks 1974 im Palau de la Mùsica in Barcelona. Wenig später trat er von der Bühne zurück. Er betätigte sich als begabter Hobbymaler und -zeichner wie als Karikaturist. Er galt als einer der bedeutendsten Zarzuela-Sänger, die Spanien innerhalb seiner Generation aufzuweisen hatte. So kommt es, daß zahlreiche Schallplatten aus diesem spezifisch spanischen Bereich des Bühnengesangs von seiner Stimme auf verschiedenen Marken (HMV, Decca, span. Columbia) wie auf Privataufnahmen vorhanden sind.

Tranter, John, Baß, * 1948 Chesterfield (Grafschaft Derbyshire); er war Schüler des Pädagogen John Dethick in Sheffield und ergänzte seine Ausbildung für die Bühne im Opera Centre London. Er sang dann bei der Opera for All London, bei der Kent Opera (als Commendatore im «Don Giovanni» und als Seneca in Monteverdis «Incoronazione di Poppea») und kam seit 1976 zu großen Erfolgen bei der English National Opera London. Hier hörte man ihn u. a. als Sarastro in der «Zauberflöte», als Colline in Puccinis «La Bohème», als Monterone im «Rigoletto», als Großinquisitor in Verdis «Don Carlos» und als Dachs im «Schlauen Füchslein» von Janáček. Bei der Opera North Leeds sang er den Zaccaria in Verdis «Nabucco», den Basilio im «Barbier von Sevilla», den Daland im «Fliegenden Holländer», den Gremin in Tschaikowskys «Eugen Onegin», den Pogner in den «Meistersingern» und den Trulove in «The Rake's Progress» von Strawinsky. Bei der Welsh Opera North waren seine Partien der Fasolt und der Hagen in den Aufführungen des Nibelungenrings und der Grigoris in der «Griechischen Passion» von Martinù. Höhepunkte in seinem umfassenden Opernrepertoire waren noch der Oroveso in «Norma», der Nourabad in «Pêcheurs de perles» von Bizet, der Enrico in «Anna Bolena» von Donizetti und der Tiresias in «Oedipus Rex» von Strawinsky. Er gastierte an den Opernhäusern von Nancy und Nîmes, in Lausanne und im neuseeländischen Wellington.

Traun, Max, Tenor, * 20. 10. 1867 Linz an der Donau, † (?); er hieß eigentlich Max Edelbacher, sein

Vater war österreichischer Reichsrats- und Landtagsabgeordneter. Er sollte zunächst die juristische Laufbahn einschlagen, studierte Rechtswissenschaften an der Universität von Innsbruck und war bei der Polizeidirektion in Wien tätig. Nachdem man jedoch auf seine schöne Tenorstimme aufmerksam geworden war, ließ er diese am Konservatorium der Stadt Wien ausbilden. Sein Lehrer war hier vor allem der italienische Pädagoge Felice Mancio. Auch Schüler von August Stoll. Debüt als Konzertsänger 1896. 1897 begann er seine Bühnenkarriere am Hoftheater von Wiesbaden (Antrittspartie: Titelheld in Flotows «Alessandro Stradella»). 1898 ging er an das Stadttheater von Bremen, 1902 wurde er Mitglied des Opernhauses von Leipzig. Hier wie bei Gastspielen und Konzerten kam er zu einer sehr erfolgreichen Karriere. So gastierte er u. a. am Opernhaus von Frankfurt a. M. (1907) und am Hoftheater von Stuttgart (1907). 1904–07 war er am Mannheimer Nationaltheater engagiert. In den folgenden Jahren gab er noch Gastspiele und Konzerte und begründete dann in Bremen ein eigenes Konservatorium. Dort war er 1935 noch tätig. Man bewunderte vor allem die Schönheit seiner Tenorstimme in den hohen und höchsten Lagen in Rollen wie dem Chapelou im «Postillon de Lonjumeau» von Adam, dem Titelhelden in Flotows «Alessandro Stradella», dem Lyonel in dessen Oper «Martha», dem Grafen Almaviva im «Barbier von Sevilla» von Rossini, dem Manrico im «Troubadour», dem George Brown in «La Dame blanche» von Boieldieu, dem Châteauneuf in «Zar und Zimmermann», dem Belmonte in der «Entführung aus dem Serail» und in vielen weiteren Aufgaben.

Trauttner, Paula, s. unter *Križaj*, Josip.

Tréfás, György, Baß, * 6. 10. 1931 Budapest; er war in der ungarischen Hauptstadt Schüler der Gesangpädagogen Werner Alajos, Makai Mihály, Lendvay Andor und Hetényi Kálmán. Er debütierte am Opernhaus (Csokonay Theater) von Szeged und kam dort wie an der Nationaloper Budapest zu einer erfolgreichen Karriere als Bassist. Dabei übernahm er Partien wie den König Philipp im «Don Carlos» von Verdi, den Titelhelden in Verdis «Attila», den Silva in dessen «Ernani», den Rocco im «Fidelio» und den Titelhelden in «Herzog Blaubarts Burg» von Béla Bartók. Diese Partie sang er auch an den Opern von Antwerpen und Dresden (mit gleichzeitiger Radio-Übertragung). An der Nationaloper Sofia gastierte er als Zaccaria im «Nabucco» von Verdi, am Stadttheater von Magdeburg als Mephisto im «Faust» von Gounod und in «Angélique» von Ibert. Weitere Höhepunkte in seinem umfangreichen Bühnenrepertoire waren der Sarastro in der «Zauberflöte» und der Osmin in der «Entführung aus dem Serail». 1968 wurde er mit dem Franz Liszt-Preis ausgezeichnet, 1980 zum verdienten Künstler der Ungarischen Volksrepublik ernannt.
Schallplatten: Hungaroton.

Trekel, Roman, Bariton, * 1963 Pirna (Sachsen); bereits im Alter von sieben Jahren erhielt er Unterricht im Violinspiel, später studierte er Blockflöte und während acht Jahren Oboe. Dann ließ er seine Stimme 1980–86 an der Berliner Musikhochschule ausbilden, an der er Schüler von Heinz Reeh war. Weiterbildende Kurse absolvierte er bei Siegfried Lorenz und bei Hans Hotter. Nachdem er seine Diplomprüfung abgelegt hatte, wurde er sogleich an die Berliner Staatsoper verpflichtet; hier sang er 1986–88 in deren Opernstudio und erregte 1987 als Valerio in «Erwin und Elmire» von Reichardt erstes Aufsehen. Seit 1988 gehörte er als Solist zum Ensemble dieses Hauses und zeichnete sich im lyrischen Fachbereich, vor allem als Mozart-Interpret, aus. 1989 sang er dort die Titelpartie in viel beachteten Aufführungen der Oper «Der Kaiser von Atlantis» von Viktor Ullmann. Er wurde Preisträger bei mehreren Gesangwettbewerben, so 1985 beim Dvořák-Concours in Karlovy Vary (Karlsbad), 1987 beim Nationalen Wettbewerb der DDR und 1989 beim Internationalen Liedwettbewerb Walter Gruner in London. Konzerte und Liederabende brachten dem Künstler neben seinem Wirken auf der Bühne schöne Erfolge; er trat in solchen Veranstaltungen in der DDR, in Belgien, Österreich, in der ČSSR, in Schweden und in England hervor; dazu wirkte er in Rundfunk- und Fernsehsendungen mit.

Trentini, Enrico, Tenor, *1875 (?), †(?); diesem italienischen Tenor begegnen wir erstmals 1903 bei einer Gastspieltournee einer italienischen Operntruppe in Ägypten. Dort sang er an den Opernhäusern von Alexandria und Kairo in der Oper «Proserpine» von Saint-Saëns. Seine weitere Karriere scheint sich an Bühnen in der italienischen Provinz abgespielt zu haben; jedenfalls ist er weder an der Mailänder Scala noch am Teatro Costanzi Rom aufgetreten. 1911 gastierte er am Teatro Verdi in Pisa als Radames in «Aida» und als Alvaro in Verdis «La forza del destino». 1920 finden wir ihn am Theater von Empoli als Ramirez in Puccinis «La Fanciulla del West». Der Radames scheint in seinem Repertoire, das im wesentlichen Partien aus dem heldischen italienischen Fach enthielt, ein besonderer Höhepunkt gewesen zu sein. So singt er denn auch den Radames in der akustischen Gesamtaufnahme von Verdis «Aida» auf HMV aus dem Jahre 1920.

Trieloff, Wilhelm, Baß-Bariton, *1885 Duisburg, †9.11. 1963 Coburg; er erhielt seine Ausbildung zum Sänger in Düsseldorf, wo er auch 1920 am Opernhaus debütierte. Nach weiterem Studium war er 1922–31 am Stadttheater von Duisburg engagiert. 1931–44 wirkte er am Nationaltheater Mannheim. Am 13. 4. 1929 sang er in Duisburg in der Uraufführung der Oper «Maschinist Hopkins» von Max Brand die Titelpartie; er sang dort auch in der Uraufführung von J. Weismanns «Traumspiel» (1925). 1934 hörte man ihn in Mannheim in der deutschen Erstaufführung der Oper «La Donna serpente» von Alfredo Casella. Die Kritik bezeichnete sein Auftreten als «blendende Bühnenerscheinung mit großer Ausstrahlung». Er sang vor allem dramatische und Charakterpartien wie den Don Giovanni, den Pizarro im «Fidelio», den Fliegenden Holländer, den

Telramund im «Lohengrin», den Wotan wie den Alberich im Nibelungenring, den Klingsor im «Parsifal», den Hans Sachs in den «Meistersingern», den Jochanaan in «Salome» von R. Strauss, den Sebastiano in «Tiefland» von d'Albert, den Archidiakon in «Notre Dame» von Franz Schmidt, den Francesco in «Mona Lisa» von Max von Schillings, den Wozzeck von A. Berg, den Mephisto im «Faust» von Gounod, den Escamillo in «Carmen», den St. Bris in den «Hugenotten» von Meyerbeer, den Amonasro in «Aida», den Jago in Verdis «Othello», den Boris Godunow und den Jack Rance in «La Fanciulla del West» von Puccini. Seit 1938 war er auch als Regisseur tätig.

Trojan-Regar, Joszi, Tenor, *1905 (?); er war zuerst unter dem Namen Joszi Regar 1928–29 am Stadttheater von Klagenfurt engagiert, sang dann 1929–30 am Stadttheater Ulm, 1930–31 am Theater von Sarau (Niederlausitz), 1932–33 am Theater von Reichenberg (Liberec), 1933–35 in Osnabrück, 1935–37 in Regensburg, 1937–39 am Stadttheater von Duisburg und 1939–40 am Stadttheater von Münster (Westfalen). 1940 wurde er an die Bayerische Staatsoper München verpflichtet, zu deren Ensemble er bis 1944 gehörte. Dort wirkte er am 28. 10. 1942 in der Uraufführung der Richard Strauss-Oper «Capriccio» mit. Er war verheiratet mit der Sängerin *Annemarie Trojan*, die am Münchner Theater am Gärtnerplatz wirkte, und nannte sich seither Trojan-Regar. Er erscheint auch unter dem Namen Jochen Trojan (und auf einem Schallplattenetikett als Simon Trojan-Regar). Nach dem Zweiten Weltkrieg ist er noch gastweise und vor allem in Operettenpartien zu hören gewesen, während er im Bereich der Oper hauptsächlich in Charakter- und Buffo-Rollen auftrat (Peter Iwanow in «Zar und Zimmermann», Pang in «Turandot» von Puccini, Valzacchi im «Rosenkavalier»).
Schallplatten: Vox (Valzacchi in vollständigem «Rosenkavalier», München 1944), Polydor (Operettenquerschnitte, darunter «Schwarzwaldmädel» von L. Jessel und «Gräfin Mariza» von E. Kálmán).

Trummer, Mali, Sopran, *7. 3. 1901 Hamburg; sie erhielt ihre Ausbildung durch die Gesanglehrerinnen Frau Hell-Achilles und Frau Ingo Thorsen in Hamburg und war dann noch Schülerin von Frau Fleisch in Weimar. 1920–21 begann sie ihre Bühnenkarriere am Stadttheater (Opernhaus) von Hamburg. 1921–27 war sie am Nationaltheater von Weimar, 1927–33 am Opernhaus von Leipzig engagiert. In Leipzig wirkte sie in mehreren Opern-Uraufführungen mit: am 1. 12. 1928 in «Die schwarze Orchidee» von Eugen d'Albert (als Bessie), am 18. 2. 1928 in «Der Zar läßt sich photographieren» von Kurt Weill, ebenfalls 1928 in «Frühlings Erwachen» von Max Ettinger und am 9. 3. 1930 in «Aufstieg und Fall der Stadt Mahagonny» von Kurt Weill (als Jenny). Von den weiteren Rollen, die sie auf der Bühne gesungen hat, sind zu nennen: die Judith in «Herzog Blaubarts Burg» von B. Bartók, die Concepcion in «L'Heure espagnole» von Ravel, der Ighino in «Palestrina» von Hans Pfitzner und der Oberto in der

Händel-Oper «Alcina». Sie war in zweiter Ehe mit dem Pianisten Ernst Latzko verheiratet (* 1888 Wien).

Trussel, Jack, Tenor, * 7. 4. 1943 San Francisco; Gesangstudium an der Ball State University in Muncie (Indiana) bei George Newton und bei Cornelius Reid in New York. Er trat zuerst als Konzertsänger und bei kleineren Operngesellschaften auf. Eigentliches Debüt 1970 beim Oberlin-Festival als Pinkerton in «Madame Butterfly». Er kam in der Folgezeit zu einer bedeutenden Karriere an Opernttheatern in den USA, er sang u. a. in Boston, Dallas, Houston/ Texas (regelmäßig seit 1973), in Santa Fé (seit 1975), New Orleans (1975), Chicago (seit 1976), Pittsburgh (1979), Fort Worth (1979), Washington (1981) und San Francisco. Seit 1977 zahlreiche Auftritte an der City Centre Opera New York. Dabei hatte er seine größten Erfolge in Partien wie dem José in «Carmen» (Cincinnati, 1988), dem Rodolfo in Puccinis «La Bohème», dem Cavaradossi in «Tosca», dem Narraboth in «Salome» von Richard Strauss, dem Alwa in «Lulu» von Alban Berg, dem Araquil in «La Navarraise» von Massenet, dem des Grieux in dessen «Manon», dem Stewa in «Jenufa» von Janáček, dem Max im «Freischütz», dem Nerone in Monteverdis «Incoronazione di Poppea», dem Loris in «Fedora» von Giordano, dem Avito in «L'Amore dei tre Re», dem Alfredo in «La Traviata» und dem Titelhelden in «Hugh the Drover» von Vaughan Williams, den er 1973 in Houston in der amerikanischen Erstaufführung der Oper sang. 1974 wirkte er an der Oper von Houston in der Uraufführung von Pasatieris «The Seagull» mit; im amerikanischen Fernsehen NET trat er in einer Aufführung von Tschaikowskys «Pique Dame» auf. Sein Europa-Debüt fand 1976 beim Spoleto Festival als Hermann in Tschaikowskys «Pique Dame» statt; 1982 trat er wieder in Spoleto auf. 1979 gastierte er in Ottawa, 1986 in Vancouver, 1985 an der Staatsoper München und beim Maggio musicale Florenz (als Alwa in «Lulu»), 1986 am Teatro Comunale Florenz, 1988 an der English National Opera London. 1989 an der Covent Garden Oper London als Peter Grimes zu Gast; ebenfalls 1989 sang er an der Oper von Nancy den Sergej in der französischen Erstaufführung von «Katerina Ismailowa» («Lady Macbeth von Mzensk») von Schostakowitsch, bereits 1981 den Edmund in der amerikanischen Premiere von A. Reimanns «Lear» in San Francisco. 1987 sang er in Chicago den Alwa in «Lulu» von A. Berg, 1988 beim Maggio musicale von Florenz den Titelhelden in B. Brittens «Peter Grimes». Der Künstler, der mit der Schauspielerin Beti Seay verheiratet war, war auch im Konzertsaal mit Erfolg tätig.

Tschernow, Wladimir, Bariton, * 1953 in einem Dorf im Kaukasus als Sohn eines Lehrers für Russisch und Deutsch. Er erhielt seine Ausbildung am Konservatorium von Moskau durch Hugo Titz und wurde im Opernstudio der Mailänder Scala durch die berühmte Mezzosopranistin Giulietta Simionata weiter unterrichtet. Während seines Aufenthalts in Italien trat er bereits in Konzerten in Mailand und in

anderen norditalienischen Städten in Erscheinung. 1981 wurde er an das Opernhaus von Leningrad verpflichtet, wo er bald zu großen Erfolgen kam. 1981 gewann er den Glinka-Wettbewerb, 1982 und 1983 Preisträger beim Moskauer Tschaikowsky-Wettbewerb und beim Concours Voci Verdiane in Busseto. 1984 Sieger beim Mirjam Helin-Wettbewerb in Helsinki. Am Opernhaus von Leningrad trug er Partien wie den Germont-père in «La Traviata», den Figaro in Rossinis «Barbier von Sevilla», den Malatesta im «Don Pasquale», den Jeletzky in «Pique Dame» von Mussorgsky, den Schtschelkalow in dessen «Boris Godunow», den Don Ferdinand in Prokofieffs «Verlobung im Kloster» vor und sang am 1. 11. 1984 in der Gala-Vorstellung zur Hundertjahrfeier der Erstaufführung von Tschaikowskys «Eugen Onegin» die Titelpartie. Gastspiele und Liederabende («Dichterliebe» von R. Schumann) in den Zentren des russischen Musiklebens kennzeichnen die weitere Karriere des Sängers. 1987 nahm er an einer England-Tournee der Leningrader Oper teil, bei der er wiederum den Eugen Onegin von Tschaikowsky sang.
Schallplatten: Melodiya.

Tschornych, Lydia, Sopran, * 1950 in dem Dorf Tim in der Nähe von Kursk; ihr Heimatdorf Tim wird oft in dem literarischen Werk des Dichters Anton Tschechow erwähnt, der dort mehrfach zu Besuch war. Sie begann das Gesangstudium am Tschaikowsky-Konservatorium in Moskau. Noch während ihrer Ausbildung kam es zu einem sensationellen Debüt der jungen Sängerin am Akademischen Stanislawskij- und Nemirowitsch-Dantschenko-Theater in Moskau, als sie eine Sängerin in der Partie der Tatjana im «Eugen Onegin» ersetzte. Sie wurde sogleich an dieses Haus verpflichtet, dem sie seitdem ununterbrochen angehörte. Sie sang dort Partien wie die Titelheldin in Tschaikowskys «Jolanthe», die Oksana in «Tscherewitschki», die Elena in Verdis «Sizilianischer Vesper», die Violetta in «La Traviata», doch blieb die Tatjana ihre eigentliche Glanzrolle, in der sie auch an der Grand Opéra Paris ein glanzvolles Gastspiel gab. 1988 gastierte sie mit dem Ensemble ihres Moskauer Hauses an der Opéra de Wallonie Lüttich. Gastspiele in den russischen wie in ausländischen Musikzentren bezeichnen den weiteren Ablauf ihrer Bühnenkarriere.
Schallplatten: Melodiya.

Tucaković, Aleksandar, Baß, * 13. 11. 1878 Uranjewo im Banat, † 18. 4. 1956 Belgrad; nach seiner Ausbildung bei D. Janković in Belgrad war er während seiner gesamten Bühnenkarriere, die sich in den Jahren 1902–45 abspielte, an der Oper von Belgrad engagiert, unternahm aber auch Gastspiele und Konzertauftritte vornehmlich in den jugoslawischen Musikzentren. Von den vielen Partien, die sein Repertoire ausmachten, sind der Bartolo in Rossinis «Barbier von Sevilla», der Titelheld in Donizettis «Don Pasquale», der Kezal in der «Verkauften Braut» von Smetana, der Kaspar im «Freischütz» von Weber und der Skula in «Fürst Igor» von Borodin zu nennen.

Tuček, Vincenc, Tenor, Dirigent und Komponist, * 2. 2. 1755 Prag, † 1820 Budapest; er begann seine Laufbahn als Sänger wie als Kapellmeister an Theatern in Prag und Wien. 1797 wurde er als Kapellmeister an den Hof des musikliebenden Herzogs von Kurland Peter Biron, der in seinem Schloß im schlesischen Sagan residierte, berufen und blieb bis 1799 in dieser Stellung. 1799 ging er, wiederum als Sänger und Dirigent, an das Theater von Breslau, 1806–09 wirkte er am Leopoldstädter Theater in Wien, schließlich in Budapest. Er wurde als Komponist durch mehrere Opern und Singspiele («Dämona», «Lanassa», «Der Zauberkuss») bekannt, schrieb aber auch Messen, weitere Kirchenmusik und weltliche Kantaten. Sein Name kommt auch in der germanisierten Schreibweise Vinzenz Tuczek vor. Sein Sohn, František Tuček (1872–1850) wirkte zuerst in Wien, dann in Berlin als Musiker und Komponist. Dessen Tochter, *Leopoldine Tuček* (*Tuczek*, 1824–83) wurde eine der großen Primadonnen ihrer Epoche.

Tüller, Erwin, Tenor, * 31. 8. 1904 Bern, † 5. 9. 1971 Bern; er studierte Pharmazie und wirkte in der Schweizer Bundeshauptstadt Bern hauptberuflich als Apotheker. Nachdem er seine Stimme durch Carl Rehfuss am Conservatoire von Neuchâtel hatte ausbilden lassen, trat er als begabter Konzertsänger in Erscheinung. Er sang Solo-Partien in Oratorien und religiösen Vokalwerken in den Zentren des Schweizer Musiklebens und gab zahlreiche Liederabende. Er war Mitglied des Vokalquartetts von Radio Bern, dem außer ihm Elsa Scherz-Meister, Tina Müller-Marbach und Ernst Schlaefli angehörten. Seine Tochter *Barbara Martig-Tüller* (* 1940) wurde als Sopranistin, sein Sohn *Niklaus Tüller* (* 1942) als Baß-Bariton bekannt.
Schallplatten: Accord (drei frühe Lieder von Othmar Schoeck, vom Komponisten am Klavier begleitet), Elite.

Tüller, Niklaus, Baß-Bariton; Sohn des Apothekers und Konzerttenors *Erwin Tüller* (1904–71) in Bern, Bruder der Sopranistin *Barbara Martig-Tüller* (* 1940). Er studierte an der Universität von Bern Naturwissenschaften und promovierte 1968 zum Doktor der Pharmazeutischen Chemie. Später Honorarprofessor der Universität Bern. Er studierte am Konservatorium von Bern zuerst Flötenspiel, dann Gesang bei Sylvia Gähwiller und in Meisterkursen bei Ernst Häfliger, dazu dramatischer Unterricht bei Friedrich Schramm in Basel. Auf der Bühne ist der Künstler nur selten aufgetreten, so am Stadttheater von Bern als Cardillac in der gleichnamigen Oper von Hindemith und in Luzern in «Noyes Fludde» und in «Owen Wingrave» von B. Britten. Er wirkte jedoch gerne in konzertanten Aufführungen und in Rundfunksendungen von Opernwerken mit. In erster Linie war er jedoch ein gefeierter Konzertsänger. Sein Repertoire, namentlich auf dem Gebiet des Oratoriums und der religiösen Vokalmusik, besaß einen nahezu unerschöpflichen Umfang und reichte von Werken der Barock-Epoche (J. S. Bach, Händel, Monteverdi, Heinrich Schütz, Telemann) bis zu Partien in Werken zeitgenössischer Meister. Als Liedersänger trat er in einem Repertoire von ähnlichem Umfang vor sein Publikum. Seine Konzertkarriere war international; er sang in den Musikzentren in der Schweiz (Zürich, Genf, Lausanne, Luzern, Bern, Basel, St. Gallen, Lugano, Winterthur), gastierte in München, Stuttgart, Wien und Salzburg, beim Festival von Aix-en-Provence, in Paris, Straßburg, Lyon, beim Festival von Orange, in Marseille, Nantes und Tours, in Rom, Turin, Madrid und Barcelona, in London, Haifa und Tel Aviv, in Amsterdam, Brüssel und beim Festival von Flandern, in Tokio und Osaka, in Frankfurt a. M., Dresden, Mainz und Tübingen.
Zahlreiche Schallplattenaufnahmen, darunter auf Erato die h-moll-Messe von J. S. Bach und Werke von de Lalande, auf HMV die Harmonie-Messe von Haydn, auf Accord «Apollo e Dafne» von Händel und Lieder von Othmar Schoeck, auf CBS die Marienvesper von Monteverdi, auf Intercord «Die Schöpfung» von Haydn, auf Claves Requiem von J. D. Zelenka, auf Laudate zahlreiche Bach-Kantaten, weitere Aufnahmen auf den Marken FSM und Ex Libris.

Tulegenowa, Bibigul Achmetowna, Sopran, * 1924 (?) in einem Dorf bei Semipalatinsk in Kasachstan. Ihr Vater war sehr musikalisch, spielte Geige, Gitarre und kasachstanische Instrumente wie Domra und Bajan, und sang gerne mit seinen Kindern zusammen. Er fiel jedoch im Zweiten Weltkrieg und Bibigul Tulegenowa mußte als Telefonistin und als Fabrikarbeiterin arbeiten, sang jedoch bereits vor verwundeten russischen Soldaten. Sie sollte dann als Gesangstudentin in das Kasachstanische Konservatorium in Alma-Ata aufgenommen werden, fiel aber in der Aufnahmeprüfung durch. Die Sängerin und Schriftstellerin Galina Serebrjakowa entdeckte jedoch ihre phänomenale Naturstimme und widmete sich deren Ausbildung. Als sie darauf bei einem Laien-Wettbewerb in Alma-Ata den Frühlingsstimmen-Walzer von Johann Strauss sang, erregte sie größtes Aufsehen und wurde sogleich in das Konservatorium aufgenommen. Nachdem sie einen ersten Kurs erfolgreich absolviert hatte, heiratete sie, bekam zwei Kinder und verlor plötzlich ihre Stimme. Darauf mußte sie zwei Jahre mit dem Singen pausieren. 1954 beteiligte sie sich an einem Concours aus Anlaß der Allrussischen Konferenz der Musikschaffenden in Leningrad und erzielte beim Vortrag eines Liedes von Rachmaninoff und der Arie der Gilda «Caro nome» aus Verdis «Rigoletto» einen geradezu überwältigenden Erfolg. Damit nahm eine glänzende Karriere ihren Anfang. Sie wurde Mitglied der Kasachischen Oper in Alma-Ata, wo sie im Koloratur-Repertoire brillierte. Gastspiele (u. a. Moskau, Leningrad, Kiew), vor allem aber Konzertreisen führten die Künstlerin in die Zentren des russischen Musiklebens wie in viele Länder in aller Welt. Die als «Nachtigall von Kasachstan» bezeichnete Sängerin wurde zur Volkskünstlerin der UdSSR ernannt; sie war in der Lage, ihre Darbietungen in litauischer, armenischer, rumänischer, englischer, italienischer, spanischer und

französischer Sprache, natürlich auch in Russisch und Kasachisch, zu bringen.
Zahlreiche Schallplattenaufnahmen der staatlichen sowjetrussischen Plattenproduktion (Melodiya).

Tumagian, Eduard, Bariton, *1944 Bukarest; er begann 1968 seine Bühnenkarriere an der Nationaloper von Bukarest, an der er vor allem Partien aus dem deutschen Repertoire sang, darunter den Papageno in der «Zauberflöte», den Alfonso in «Così fan tutte», den Grafen in «Nozze di Figaro», den Pizarro im «Fidelio» und den Wolfram im «Tannhäuser». Schon zu Beginn seiner Karriere erwies er sich als großer Liedersänger. Seit 1969 war er mehrfach Preisträger bei internationalen Gesangwettbewerben, darunter 1972 in s' Hertogenbosch. 1974 wurde er an die Opéra du Rhin Straßburg verpflichtet, wo er in der Hauptsache Partien aus dem italienischen Fach übernahm: den Germont-père in «La Traviata», den Jago im «Othello», den Enrico in «Lucia di Lammermoor», den Belcore in Donizettis «Fille du régiment», den Scarpia in «Tosca», den Marcello in «La Bohème», den Sharpless in «Madame Butterfly», den Escamillo in «Carmen», den Ourrias in «Mireille» von Gounod und den Eugen Onegin von Tschaikowsky. Von Straßburg aus gastierte er an der Oper von Lyon, an der Staatsoper Stuttgart, am Staatstheater Karlsruhe und beim Festival von Orange. 1981 sang er als erste Partie am Stadttheater von Basel den Rigoletto, der nun seine große Glanzrolle wurde. Er sang ihn am Opernhaus von Zürich, bei der Welsh Opera Cardiff, bei der English National Opera London, an der Staatsoper München (1989) und an vielen anderen Theatern. 1983 gastierte er an der Oper von Frankfurt a. M. als Renato in Verdis «Maskenball», in Nizza in Bellinis «I Puritani» und in Verdis «Vespri Siciliani», in Amsterdam (1984 Montfort in «Vespri Siciliani»), in Gent und Antwerpen (1985–86), in Graz als Titelheld im «Nabucco». Seit 1986 war er während vier Spielzeiten an der Mailänder Scala zu hören, und zwar in den Verdi-Opern «Nabucco», «I Vespri Siciliani» und «I due Foscari» wie in der zeitgenössischen Oper «Riccardo III.» von Flavio Testi. 1986 kam es zu seinem USA-Debüt an der Oper von Pittsburgh in Verdis «La forza del destino». Er sang dort am Opernhaus von Philadelphia und in der Carnegie Hall New York (konzertante Aufführungen von «Beatrice di Tenda» von Bellini und «Nabucco»). Weitere Gastspiele an der Deutschen Oper Berlin, an der Staatsoper Hamburg, an der Grand Opéra Paris (Debüt 1985 als Germont-père in «La Traviata») wie an der dortigen Opéra-Comique («Rigoletto», «I Puritani»), an den Opernhäusern von Bordeaux und Toulouse («La Fanciulla del West» von Puccini), in Montpellier und bei den Festspielen von Oviedo («Simon Boccanegra», «La Favorita»). In Kanada gastierte er an den Opernbühnen von Edmonton und Winnipeg. Große Erfolge an der Staatsoper Wien, an der er als Antrittsrolle den Scarpia in «Tosca» sang (1988–89). Während seiner gesamten Karriere kam er zu großen Erfolgen im Konzertbereich (Werke von J. S. Bach, Händel, Beethoven, Mussorgsky, B. Britten). Bei den Salzburger Festspielen sang er 1984 in der 14. Sinfonie von Schostakowitsch.
Schallplatten: Electrecord (Verdi-Arien, Gesamtaufnahme «La Traviata»), CD-Videoaufnahme von «Luisa Miller», Erato («Krieg und Frieden» von Prokofieff als Napoleon), HMV («Turandot» von Puccini).

Tumanyan, Barseg, Baß-Bariton, *1958 Eriwan (Armenien); er erhielt seine Ausbildung zum Sänger am Komitas Konservatorium der armenischen Hauptstadt Eriwan durch A. G. Karpatian. 1980 kam es zu seinem Bühnendebüt am Opernhaus von Eriwan, an dem er seither auftrat. 1982–83 ergänzte er seine Ausbildung durch weitere Studien in der Opernschule der Mailänder Scala, 1985 durch Unterricht in Moskau bei dem berühmten Bassisten Jewgenij Nesterenko. Er wurde Preisträger bei den Gesangwettbewerben von Busseto (1983) und Rio de Janeiro (1987) wie beim Moskauer Tschaikowsky-Concours (1986). 1988 gastierte er am Teatro San Carlos Lissabon als Basilio im «Barbier von Sevilla» von Rossini. Im Januar 1989 sang er in der Covent Garden Oper London bei einem Gala-Konzert für die Erdbebenopfer in seiner armenischen Heimat. 1989 gab er an der Oper von Boston ein Gastspiel als Ramphis in «Aida», im gleichen Jahr nahm er an einer USA-Tournee der Armenischen Staatsoper Eriwan teil. Auf der Bühne wie im Konzertsaal kam er in einem vielseitigen Repertoire zu großen Erfolgen, wobei er auch gerne Vokalmusik aus seiner Heimat Armenien vortrug.

Tumminello, Franco, Tenor, *1880 (?), † (?); der Name dieses italienischen Tenors ist dadurch bekannt geworden, daß er auf HMV in vollständigen Aufnahmen der Opern «La Traviata» von Verdi (als Alfredo zusammen mit Margherita Bevignani und Ernesto Badini) und «Cavalleria rusticana» von Mascagni (als Turiddu), die 1915 entstanden, mitwirkte. 1922–23 sang er nochmals auf HMV Lieder. Diesen Schallplattenaufnahmen steht eine relativ bescheidene Bühnenkarriere gegenüber. Er ist weder an der Mailänder Scala noch am Teatro Costanzi Rom aufgetreten. Vereinzelte Gastspiele an Opernbühnen in der italienischen Provinz sind nachweisbar, so 1924 in Genua als Maurice in «Adriana Lecouvreur» von Cilea.

Turner, Alan, Bariton, *1870 (?), † (?); dieser englische Sänger trat in der ersten Dekade unseres Jahrhunderts bei verschiedenen englischen Operngesellschaften auf, darunter auch bei der Carl Rosa Opera Company, wo er u. a. als Telramund und als Escamillo auftrat. Mit diesen Truppen bereiste er England und gab gleichzeitig Konzerte, deren Programme zumeist aus populärer Ballad-Music bestanden. 1911 sang er an der Covent Garden Oper London den Silvio im «Bajazzo». In der Saison 1913–14 war er an der Oper von Chicago engagiert, wo er in Aufführungen von Gounods «Faust» und von «Carmen» in englischer Sprache mitwirkte. Er gründete später in England eine Opernschule und arrangierte semiprofessionelle Opernaufführungen.

Schallplatten: Aufnahmen auf G & T (London, 1906), Pathé (London, 1909–10), Edison-Zylinder, dazu Aufnahmen auf kleineren englischen Marken (u. a. John Bull). Während seines Aufenthalts in den USA entstanden Victor-Platten.

Turner, Jane, Mezzosopran, * 1960 County Durham (England); sie war Schülerin der Guildhall School of Music und des Opera Studio London. Sie debütierte 1985 bei der Glyndebourne Touring Opera als Carmen und sang beim Festival von Glyndebourne 1987 die Flora in «La Traviata». 1987 kam es zu ihrem Debüt an der Covent Garden Oper London in der Premiere der zeitgenössischen Oper «The King Goes forth to France» des finnischen Komponisten Aulis Sallinen. Später sang sie an diesem Haus die Floßhilde im «Rheingold» und eins der Blumenmädchen im «Parisfal». In den Jahren 1987–89 nahm die junge Sängerin an den Bayreuther Festspielen teil; hier gastierte sie als Floßhilde wie als Siegrune im Nibelungenring und gleichfalls als Blumenmädchen. Bei der English National Opera trat sie als Maddalena im «Rigoletto» und als Lola in «Cavalleria rusticana» auf. Auch als Konzertsolistin erfolgreich.

Turner, Margarita, Sopran, * 11. 3. 1943 Perth (Australien); nachdem sie ursprünglich als Sekretärin gearbeitet hatte, ließ sie ihre Stimme durch Emelie Hooke in London und in Westdeutschland durch Jorgos Canacakis-Canàs (den sie dann heiratete) und durch Th. Lindenbaum ausbilden. 1969 debütierte sie am Stadttheater von Krefeld als Micaela in «Carmen». Sie kam zu einer erfolgreichen Karriere an führenden Opernbühnen des deutschsprachigen Raumes und ist u. a. in Köln, Saarbrücken, Wiesbaden und Wuppertal aufgetreten. Länger als 15 Jahre wirkte sie als erste Sopranistin am Opernhaus von Essen. Aus ihrem umfassenden Rollenrepertoire sind zu erwähnen: die Fiordiligi in «Così fan tutte», die Pamina in der «Zauberflöte», die Marguerite im «Faust» von Gounod, die Titelfigur in Flotows «Martha», die Marie in der «Verkauften Braut» von Smetana, die Violetta in «La Traviata», die Marzelline im «Fidelio», die Mélisande in «Pelléas et Mélisande» von Debussy, die Eva in den «Meistersingern», die Conception in «L'Heure espagnole» von Ravel, die Sophie im «Rosenkavalier» von R. Strauss, die Nedda im «Bajazzo», die Mimi in «La Bohème» von Puccini, die Liu in «Turandot», die Rosalinde in der «Fledermaus» von J. Strauß und die Luise in «Der junge Lord» von H. W. Henze. Wie auf der Bühne beherrschte sie auch ein weitläufiges Repertoire im Konzertsaal; sie wirkte als Pädagogin an der Musikhochschule Essen.

Turner, William, Tenor und Komponist, * 1651 Oxford, † 13. 1. 1740 London; er war zunächst Chorsänger an der Christ Church seines Heimatortes Oxford. Er wurde dann Mitglied der Chapel Royal in London. Hier wurde er bekannt, als er u. a. zusammen mit John Blow und Pelham Humfrey, noch als Chorknabe, 1664 das sogenannte «Club-Anthem» auf den Text «I will always give thanks» komponierte. Im späteren Verlauf seiner Karriere wechselte er oft die Kathedralchöre, als deren Solist er auftrat. So sang er zuerst an der Kathedrale von Lincoln, dann an der St. Paul's Cathedral London und an der Londoner Westminster Abbey. 1696 kam er einem Ruf als Musikdirektor in Cambridge nach. Seine Werke waren großenteils im kirchlich-religiösen Umkreis angesiedelt und umfaßten Anthems (darunter ein Anthem zur Krönung von Queen Anne) und gottesdienstliche Gesänge, aber auch eine Masque «Presumtuous Love», weltliche Lieder, Catches und in Bühnenwerke eingestreute Gesangstücke. Die jüngste Tochter des Künstlers, *Ann Turner* († 1741) war eine begabte Sängerin; sie heiratete den Komponisten John Robinson (1682–1762).

Turofsky, Riki, Sopran, * 20. 2. 1944 Toronto; die Künstlerin, deren eigentlicher Name Rita Nan Turofsky war, absolvierte ein sehr gründliches Musik- und Gesangstudium an der Universität von Toronto, an der Academy of the West in Santa Barbara (Kalifornien) und in den Opernschulen der Opern von Vancouver und San Francisco. 1970 debütierte sie an der Oper von Vancouver als Page Oscar in Verdis «Ballo in maschera». Nachdem sie zu den Preisträgern eines internationalen Gesangwettbewerbs in Toronto gehört hatte, kam sie zu einer erfolgreichen Karriere als Koloratursopranistin vor allem in Kanada an den Opernhäusern von Toronto und Vancouver. Sie gastierte u. a. in Kansas City, in Houston/Texas und an weiteren Bühnen in Nordamerika. Dabei hörte man sie in Partien wie der Marie in Smetanas «Verkaufter Braut», der Susanna in «Nozze di Figaro», der Zerline im «Don Giovanni», der Olympia in «Hoffmanns Erzählungen» von Offenbach, der Gilda im «Rigoletto» und der Marie in der Donizetti-Oper «La fille du régiment». 1975 wirkte sie an der Oper von Toronto in der Uraufführung der Oper «The Glove» von Polgar mit; diese Aufführung wurde vom Kanadischen Fernsehen aufgezeichnet. Sie kam auch als Konzert- und Oratoriensängerin zu einer belangreichen Karriere.

Turolla, Angelica, s. unter *Cravero-Turolla,* Angelica.

Turolla, Emma, Sopran, * 7. 9. 1858 Turin, † 1943 Mailand; sie war eine Tochter des Bassisten *Remigio Turolla* und der Altistin *Angelica Turolla-Cravero* (1835–96). Sie studierte Gesang bei Daniele Antonietti und Klavierspiel bei Maestro Fasanotti. Sie debütierte im Februar 1878 am Opernhaus von Tiflis (Tblissi) in der Titelpartie der Oper «Semiramide» von Rossini. Im September des gleichen Jahres sang sie am Theater von Cento (Emilia) die Marguerite im «Faust» von Gounod. 1878 wurde sie an die Mailänder Scala verpflichtet und sang hier zusammen mit Francesco Tamagno und Anna d'Angeri in Verdis «Don Carlos»; am 6. 4. 1879 wirkte sie an der Scala in der Uraufführung der Oper «Maria Tudor» von Carlos Gomes in der Rolle der Giovanna mit. 1879 folgte sie einer Einladung an die Covent Garden Oper London. Hier sang sie die Marguerite im

«Faust», die Leonore im «Troubadour», die Amelia in Verdis «Ballo in maschera» und die Sita in der englischen Erstaufführung von Massenets Oper «Le Roi de Lahore» (28. 6. 1879), wobei der berühmte spanische Tenor Julian Gayarre und der nicht weniger bekannte Bariton Jean Lassalle ihre Partner waren. 1879–80 gastierte sie am Teatro Apollo Rom in Meyerbeers «Hugenotten», im «Troubadour» von Verdi und in «Ero e Leandro» von Mancinelli. In der Galavorstellung zur Einweihung des neu erbauten Teatro Costanzi Rom sang sie am 27. 11. 1880 ihre große Rolle, die Titelheldin in «Semiramide» von Rossini, in Anwesenheit des italienischen Königspaares. 1880–81 hörte man sie am Teatro Regio Turin u. a. in der Uraufführung der Oper «La Regina del Nepal» von Bottesini. Nach weiteren Erfolgen in Livorno, am Teatro San Carlos Lissabon, am Viktoriatheater Berlin und an der Oper von Warschau war sie 1883 wieder an der Mailänder Scala zu finden, wo sie jetzt die Titelpartie in der Uraufführung von Catalanis «Dejanice» (17. 3. 1883) kreierte. 1883 widmete sie sich dem Studium der deutschen Sprache, da sie die Partien in den Opern von Richard Wagner in der Originalsprache singen wollte. 1884 nahm sie dann ein Engagement an der Wiener Hofoper an, wo sie in den folgenden Jahren eine sehr erfolgreiche Karriere hatte. 1885 ernannte Kaiser Franz Josef von Österreich sie zur Österreichisch-Ungarischen Kammersängerin. Weitere Gastspiele am Teatro San Carlo Neapel (1884), an den Opern von Frankfurt a. M. (1886) und St. Petersburg (1888). Als sie 1890 an der Oper von Budapest zu Gast war, erkrankte sie schwer an Scharlach. Ihr Gesundheitszustand wurde dadurch so verschlechtert, daß sie ihre Karriere aufgeben mußte. Sie zog sich dann nach Mailand zurück.

Tutsek, Piroska, Alt, * 1905, † 1979 Budapest; sie erhielt ihre Ausbildung in ihrer ungarischen Heimat, zum Teil bei Anna Medek in Budapest, später bei Anna Bahr-Mildenburg in Wien. 1933 kam es zu ihrem Debüt an der Budapester Nationaloper als Amneris in «Aida», indem sie für eine andere Sängerin einsprang. Sie sang dort als Mitglied des Ensembles bis 1939. Der berühmte Dirigent Bruno Walter holte sie 1937 zu einem Gastspiel an die Wiener Staatsoper, wo sie als Eboli in Verdis «Don Carlos» zu einem glänzenden Erfolg kam, der zu ihrer Berufung an die Wiener Oper 1939 führte. Bis 1944 blieb sie dort tätig. Sehr erfolgreich war die Künstlerin dann auch bei den Salzburger Festspielen. Sie sang hier 1938 die Magdalene in den «Meistersingern» und die Venus im «Tannhäuser» (unter Hans Knappertsbusch) sowie das Alt-Solo in der 9. Sinfonie von Beethoven. Letzteres und die Altpartie im Mozart-Requiem sang sie auch 1939 in Salzburg. An der Mailänder Scala gastierte sie 1940 als Kundry im «Parsifal», 1942 als Venus. Aus ihrem umfangreichen Bühnenrepertoire sind noch die Carmen, die Ortrud im «Lohengrin», die Brangäne im «Tristan», die Waltraute und die Fricka im Nibelungenring wie der Titelheld im «Orpheus» von Gluck zu nennen. Nach dem Zweiten Weltkrieg ging sie nach Budapest zurück und betätigte sich in der ungarischen Metropole als Pädagogin.
Schallplatten: Hungaroton (Szene der Kundry aus dem 2. Akt «Parsifal», Mitschnitt der Scala-Aufführung von 1940).

U

Ucko-Hüsgen, Paula, Sopran, *22. 10. 1879 Stuttgart, †14. 10. 1932 Berlin; sie war die Tochter des Tenors und Theaterdirektos *Louis Ucko* (1838–97). Sie war Schülerin von Adolf Göttmann in Berlin und debütierte 1904 am Stadttheater von Aachen als Gräfin in «Figaros Hochzeit». 1905 wurde sie an das Hoftheater von Weimar verpflichtet, dessen Mitglied sie bis 1911 blieb. 1911 wurde sie an das Hoftheater (das nachmalige Staatstheater) von Schwerin berufen, wo ihre Karriere den Höhepunkt erreichte. Bis zu ihrem Abschied von der Bühne 1930 als Marschallin im «Rosenkavalier» war sie die gefeierte erste Sopranistin dieses Hauses, dessen Publikum die Künstlerin besonders verehrte. Seit 1906 gastierte sie regelmäßig am Opernhaus von Leipzig, 1906 am Theater von Brünn (Brno), ebenfalls 1906 am Hoftheater von Hannover. 1907 bewunderte man an der Berliner Hofoper ihre Leonore im «Fidelio». 1910 an der Hofoper München, 1910 an der Hofoper Dresden und 1919 am Stadttheater von Basel zu Gast. 1926 sang sie in Schwerin in der Uraufführung der Oper «Sturmvögel» von G. Schjelderup die Partie der Karin. Sie beherrschte ein sehr umfangreiches Repertoire für die Bühne, aus dem die Donna Anna im «Don Giovanni», die Pamina in der «Zauberflöte», die Irene im «Rienzi» von Wagner, die Senta im «Fliegenden Holländer», die Elisabeth wie die Venus im «Tannhäuser», die Sieglinde wie die Brünnhilde im Nibelungenring, die Isolde im «Tristan», die Martha in «Tiefland» von E. d'Albert, die Titelfigur in «Salome» von R. Strauss, die Kaiserin in dessen «Frau ohne Schatten», die Aida und die Tosca genannt seien. Paula Ucko-Hüsgen, die mit dem Dirigenten Max Hüsgen verheiratet war, war nicht zuletzt eine hoch geschätzte Konzert- und Liedersängerin.

Uibel, Inge, Sopran, *6. 10. 1941 Anhalt in Schlesien; sie war an der Musikhochschule Berlin hauptsächlich Schülerin von Altendorf. Bühnendebüt 1970 am Schloßtheater Potsdam in «Pimpinone» von Telemann. 1970–72 wirkte sie in Potsdam und war seither gastierend tätig. Dabei konnte man sie regelmäßig an den Staatsopern von Berlin und Dresden wie auch an der Komischen Oper Berlin hören. Weitere Gastspiele führten die Künstlerin an die Opernhäuser von Leipzig und Halle (Saale), an die Theater von Rostock und Neustrelitz. Sie trat in einem weitläufigen Repertoire auf, das lyrisch-dramatische wie Koloratur-Partien aus allen Bereichen der Opernliteratur enthielt und besondere Höhepunkte im Mozart-Repertoire aufzuweisen hatte. Dazu war sie eine Konzert- und Oratoriensolistin, die auch auf diesen Gebieten ein weites Betätigungsfeld fand.

Ulbricht, Josef, Bariton, *17. 2. 1834 Olmütz (Olomouc), †27. 8. 1883 Braunschweig; eigentlicher Name Josef Brodhager; der Sänger begann seine Bühnenkarriere in Wien und war dann nacheinander am Landestheater von Linz (Donau) und an den Stadttheatern von Brünn (Brno) und Graz engagiert. 1874 wurde er an das Hoftheater von Braunschweig berufen, an dem er bis zu seinem Tod in einem umfassenden Bühnenrepertoire auftrat. Erfolgreich gestalteten sich auch Gastspiel- und Konzertauftritte in Deutschland wie im Bereich der Österreichisch-Ungarischen Monarchie.

Ulmer, Willy, Tenor, *15. 1. 1879 München, †(?); er war 1904–05 am Stadttheater Posen (Poznán) engagiert, sang 1907–08 am Wilhelm-Theater Magdeburg und 1909–10 am Stadttheater von Augsburg. Nachem er zuerst als Operettensänger aufgetreten war, übernahm er in Augsburg mit dem Siegmund seine erste Wagner-Partie. 1910 wurde er Mitglied des Stadttheaters Zürich, wo er bis 1915 blieb. Während dieser Zeit wirkte er dort in Premieren der Opern «Benvenuto Cellini» von Berlioz (als Titelheld), «Königskinder» von Humperdinck (als Königssohn), «Oberst Chabert» von Waltershausen (als Graf Ferraud) und «Parsifal» von R. Wagner (in der Titelpartie, 1913 gegen das Verbot von Bayreuth) mit, sang aber dennoch 1914 in Bayreuth den Froh und den Siegmund im Nibelungenring. 1915–16 sang er am Opernhaus Düsseldorf, 1917–18 am Theater von Elberfeld, 1918–21 am Stadttheater von Magdeburg. Sein Bühnenrepertoire enthielt Partien aus dem heldischen Fachbereich, darunter den Florestan im «Fidelio», den Vasco in Meyerbeers «Africaine», den José in «Carmen», den Faust von Gounod, den Radames in «Aida», den Titelhelden im «Othello» von Verdi, den Canio im «Bajazzo», vor allem aber Wagner-Heroen (Arindal in «Die Feen», Erik im «Fliegenden Holländer», Lohengrin, Walther von Stolzing, Tristan, Tannhäuser, Siegmund und Siegfried im Nibelungenring). Er war verheiratet mit der Opernsängerin *Alice Prevost* und wirkte später als Pädagoge in München.

Ulram, Karl, Baß-Bariton, *20. 2. 1815 Brünn (Brno), †1879 Kassel; er war der Sohn des mährisch-schlesischen Landesadvokaten Karl Ulram. Er begann das Studium der Rechtswissenschaft, ließ aber nach dem frühen Tod seines Vaters auf den Rat des Komponisten Wenzel Tomaselli seine Stimme ausbilden. Er war Eleve und Chorist am Theater am Kärntnertor in Wien und gleichzeitig Schüler der bedeutenden Wiener Sänger Weinkopf und Ciccimarra. 1832 debütierte er am Theater von Brünn als Sarastro in der «Zauberflöte». Als die große Wilhelmine Schröder-Devrient dort gastierte, sang er zusammen mit ihr in den Opern «Otello» und «Norma» von Rossini bzw. Bellini. 1836–39 war er am Theater von Lemberg (Lwów) engagiert und gastierte von dort aus in Kiew, Odessa, Warschau und Krakau. 1839–41 wirkte er an der Wiener Hofoper (Theater am Kärntnertor); man hörte ihn dort u. a. als Gessler in Rossinis «Wilhelm Tell», als Commendatore im «Don Giovanni» und als Justinian in «Belisario» von Donizetti. Nachdem er krankheitshalber vorübergehend hatte pausieren müssen, holte ihn der Intendant des Deutschen Theaters Prag, Johann August Stöger, an sein Haus. Hier wie bei dem folgenden Engagement am Theater von Graz sang er Partien wie den Anckarström in «Le Bal masqué» von Auber, den Leporello im «Don Giovanni», den van Bett in «Zar und Zimmermann», den Bartolo im «Barbier von Sevilla» und den Hofmeister in «Le Comte Ory» von Rossini. Er gab Gastspiele in Berlin und Wien, ging dann nach Leipzig, wo er auch im Schauspiel auftrat. Ein ruheloses Wanderleben von einem Theater zum anderen kennzeichnet die Karriere des Künstlers, der sich neben seinem Wirken als Sänger und Schauspieler auch als Regisseur betätigte. Als er 1848 in Linz/Donau im Engagement war, veröffentlichte er Pamphlete im Sinne der damaligen revolutionären Bewegung in Österreich. Darauf mußte er fluchtartig Österreich verlassen; er war in Dresden und seit 1853 in Hamburg tätig. 1855 ist er in Danzig anzutreffen, in den Jahren 1857–60 als Regisseur am Hoftheater Wiesbaden. Am Hoftheater Schwerin inszenierte er Flotows Oper «Indra». 1860 ging er an das Hoftheater von Kassel, wo er 1878 noch als Regisseur wirkte. Er starb ganz plötzlich 1879.

Ungar, Clara, Sopran, * 1840 Wien. † (?); sie verlor ihre Eltern früh und wurde zusammen mit ihren beiden Schwestern Louise und Marie Ungar, die später bekannte Schauspielerinnen waren, in der Familie eines Onkels erzogen. Nachdem man ihre Begabung für den Gesang entdeckt hatte, wurde sie in Wien Schülerin von Heinrich Proksch und Richard Löffler. Sie debütierte frühzeitig am Hoftheater von Neustrelitz als Agathe im «Freischütz». Es schlossen sich Engagements an den Stadttheatern von Augsburg und Stettin und an der Berliner Kroll-Oper an. Als der Intendant Woltersdorff das letztgenannte Theater verließ, folgte sie einem Ruf an die Oper von Riga. Hier kam sie in Rollen wie der Isabella in «Robert le Diable» von Meyerbeer, der Königin Marguerite von Valois in dessen «Hugenotten», der Donna Anna im «Don Giovanni», der Titelheldin in Flotows «Martha» und der Adina in «Elisir d'amore» zu großen Erfolgen. Von Riga ging sie nach Danzig und von dort 1863 an das Friedrich Wilhelmstädtische Theater Berlin. Hier hörte man sie vor allen Dingen in den damals in Deutschland modernen Operetten von Offenbach. 1866 wurde sie an das Hoftheater Braunschweig verpflichtet, 1870 wiederum an das Stadttheater Stettin. Nach einigen kürzeren Engagements an deutschen Bühnen kam sie 1878 an das Opernhaus von Düsseldorf, an dem sie namentlich in Partien aus dem Bereich der Spieloper eingesetzt wurde.

Unnia, Gina, Sopran, * 1917 Turin; sie war 1935–37 Schülerin von Eugenio Titoni in Turin. 1937 gewann sie den Nationalen Gesangwettbewerb, der am Teatro Lirico Mailand veranstaltet wurde und debütierte noch im gleichen Jahr am Teatro Municipale von Alessandria als Titelheldin in Verdis «La Traviata». Sie sang dann am Teatro Vittorio Emanuele Turin die Mimi in Puccinis «La Bohème» und 1939 in Perugia wieder die Violetta in «La Traviata». In der Spielzeit 1941–42 erreichte sie bereits die Mailänder Scala; hier sang sie die Garsenda in Zandonais «Francesca da Rimini», den Amor in Glucks «Orpheus» und in der italienischen Erstaufführung der

Richard Strauss-Oper «Daphne». Während der Jahre des Zweiten Weltkrieges trat sie hauptsächlich im italienischen Rundfunk (EIAR) und in Konzerten in Erscheinung. 1945 nahm sie ihre Bühnenkarriere an den führenden Theatern in Italien wieder auf; so sang sie 1946 am Teatro Nuovo Turin in Boitos «Mefistofele» als Partnerin von Antonio Melandri und Tancredi Pasero. Sie gab jedoch bald ihre Bühnenkarriere auf, erteilte in Turin Gesangunterricht und betreute den Turiner Universitätschor. Schallplatten: Cetra, RAI.

Unruh, Stan, Tenor, * 20. 11. 1938 Beaver (Oklahoma); er studierte zuerst an der Juilliard School of Music New York Klavierspiel, ließ dann jedoch seine Stimme durch Giorgia Tumiati ausbilden. Nach ersten Auftritten in den USA kam er nach Europa und debütierte hier 1970 am Grand Théâtre Genf als Melot im «Tristan». Er trat, zunächst von seinem Wohnsitz Paris aus, gastierend an französischen Opernbühnen, und zwar vor allem im heldischen Fach, auf, sang u. a. 1973 bei den Festspielen von Orange, in Rouen (1975), Bordeaux (1979 als Lohengrin) und Toulouse und mehrfach am Théâtre de la Monnaie Brüssel. 1977 wurde er Mitglied des Stadttheaters von Krefeld, zu dessen Ensemble er bis 1985 gehörte, und von wo aus er (nachdem er in einer sehr erfolgreichen Inszenierung des Nibelungenrings an diesem Haus Aufsehen erregt hatte) internationale Gastspiele unternahm. Dabei wurde er in erster Linie als Wagner-Interpret bekannt. 1976 sang er an der City Centre Opera New York den Erik im «Fliegenden Holländer», 1977 an der Opéra du Rhin Straßburg den Parsifal; weitere Gastspiele am Teatro Liceo Barcelona (1978), am Staatstheater Braunschweig (1983), am Landestheater Innsbruck (1983), am Teatro Colón Buenos Aires (Siegfried in der «Götterdämmerung», 1985), am Nationaltheater Mannheim, am Staatstheater Kassel (1989–90) und beim Berlioz Festival in Bordeaux (1980 Énée in «Les Troyens»). 1986 sang er am Stadttheater von Freiburg i. Br. in der Uraufführung der Oper «Hunger und Durst» von V. Dinescu. Er nahm seinen Wohnsitz in Düsseldorf. Aus seinem Repertoire für die Bühne sind neben seinen Wagner-Heroen (Siegmund, Siegfried, Stolzing, Loge, Tristan, Parsifal, Lohengrin, Erik) der Florestan im «Fidelio», der Skuratow in Janáčeks «Aus einem Totenhaus», der Max im «Freischütz», der José in «Carmen», der Samson in «Samson et Dalila» von Saint-Saëns, der Titelheld in «Oedipus Rex» von Strawinsky, der Bacchus in «Ariadne auf Naxos» von R. Strauss und der italienische Sänger im «Rosenkavalier» zu nennen.
Schallplatten: Concert Hall (Titelheld in Querschnitt durch Verdis «Othello»).

Upshaw, Dawn, Sopran, * 1960; die amerikanische Sängerin absolvierte ihr Gesangstudium zunächst an der Manhattan School of Music. Hier sang sie bereits 1983 in der US-Erstaufführung der Oper «Sancta Susanna» von P. Hindemith die Titelpartie. Sie wechselte dann in die Opernschule der Metropolitan Oper New York und trat an diesem großen Haus seit

1985 zuerst in kleineren, dann in immer größeren Partien auf (Antrittsrolle: Gräfin Ceprano im «Rigoletto»). 1987 sang sie dort die Echo in «Ariadne auf Naxos» von R. Strauss, 1988 die Sophie im «Werther» von Massenet, 1989 den Waldvogel im «Siegfried». 1986 gastierte sie an der Oper von St. Louis, 1987 bei den Festspielen von Salzburg als Barbarina in «Nozze di Figaro». Beim Festival von Aix-en-Provence hörte man sie 1988–89 als Despina in «Così fan tutte», 1989 als Pamina in der «Zauberflöte». Als weitere Bühnenpartien verdienen die Marzelline im «Fidelio», die Zerline im «Don Giovanni» und die Constance in «Dialogues des Carmélites» von F. Poulenc Erwähnung. Auch als Konzertsängerin kam sie zu einer erfolgreichen Karriere.

Schallplatten: DGG (Echo in «Ariadne auf Naxos»), Nonesuch (Vokalmusik von Menotti, Strawinsky und Samuel Barber), Telarc (Messe G-Dur von Schubert).

Uttini, Francesco Antonio Baldassare, Sänger und Komponist, * 1723 Bologna, † 25. 10. 1795 Stockholm; er studierte Gesang und Musik bei Giacomo Perti und bei dem berühmten Padre Martini in Bologna. Er wurde als Sänger wie auch als Komponist sehr schnell bekannt und bereits 1743 Mitglied der Accademia Filarmonica von Bologna. 1751 wurde er zu deren Präsidenten gewählt. Er schloß sich als Dirigent und Sänger der in allen Ländern Europas gastierenden Operntruppe der Brüder Mingotti an und bereiste mit dieser Gesellschaft die Zentren des damaligen Musiklebens. So dirigierte er das Orchester der Mingotti-Truppe mit großem Erfolg in Madrid und in der Saison 1753–54 in Kopenhagen. 1755 ließ er sich in der schwedischen Hauptstadt Stockholm nieder. Nachdem er im Theater von Drottningholm einige seiner Opern mit Erfolg zur Aufführung gebracht hatte, berief der musik- und theaterbegeisterte schwedische König Gustav III. ihn 1767 als Musikdirektor an seinen Hof. 1773 wurde das neu restaurierte Opernhaus im Bollhus in Stockholm mit Uttinis Oper «Thetis och Pelé», die er für dieses Ereignis komponiert hatte, eröffnet. König Gustav III. hatte selbst das Textbuch in schwedischer Sprache (nach italienischen Vorlagen) verfaßt. 1773 kam in Stockholm Glucks «Orpheus» zur Erstaufführung, ein Jahr vor der Pariser Premiere des (dann freilich von Gluck neu bearbeiteten) Werks. 1776 brachte er eine zweite Oper auf einen schwedischen Text», «Aline», heraus. 1768 hatte er London besucht, wo er ebenfalls hoch geehrt wurde. Neben den beiden erwähnten Opern zu Libretti in Schwedisch komponierte er 13 italienische und fünf französische Opern, dazu Triosonaten und Sonaten für Harpsichord. Von seinen Partituren ist jedoch nur sehr wenig erhalten geblieben.

V

Vaghélyi, Gabor, Bariton, * 1944 Budapest; er wurde an der Budapester Musikhochschule ausgebildet. 1974 wurde er Mitglied des Opernhauses von Szeged. Seit 1979 war er gleichzeitig auch an der Nationaloper von Budapest engagiert. In seiner ungarischen Heimat wie bei Gastspielen an ausländischen Bühnen sang er eine Vielzahl von Baritonpartien aus allen Bereichen des Repertoires. 1981 nahm er an einer Gastspieltournee der Oper von Szeged durch Belgien teil, wobei er vor allem als Graf Luna im «Troubadour» Aufsehen erregte. Neben seinem Wirken auf der Bühne kam er auch zu einer Konzertkarriere von Bedeutung.
Schallplatten: Hungaroton (vollständige Opern «La fedeltà premiata» von Haydn und «Madame Butterfly»), CBS («Andrea Chénier» von Giordano).

Vaillant, Georges, Baß-Bariton, * 28. 12. 1912 Algier; Ausbildung der Stimme am Konservatorium von Algier und bei Paul Franz in Paris. 1938 debütierte er am Opernhaus von Toulouse, blieb dort in der Saison 1938–39 und war in der folgenden Spielzeit 1939–40 an der Oper von Marseille zu hören. 1940 verließ er Frankreich und gastierte während der Jahre des Zweiten Weltkrieges an Theatern in Nordafrika. 1944–47 setzte er seine in Frankreich unterbrochene Karriere an der Oper von Marseille fort. 1947–49 wirkte er am Opernhaus von Lüttich, 1949–52 am Théâtre de la Monnaie Brüssel. 1952 debütierte er an der Opéra-Comique Paris als Scarpia in «Tosca» und kam an diesem Haus seitdem zu einer sehr erfolgreichen Karriere, ebenfalls an der zweiten großen Opernbühne von Paris, der Grand Opéra, an der er 1952 als Antrittsrolle den Wotan im Nibelungenring sang. Er gab Gastspiele in der Schweiz wie in Südamerika. Seine Hauptrollen auf der Bühne waren der Mephisto im «Faust» von Gounod, der Nilakantha in «Lakmé» von Delibes, der Athanaël in «Thaïs» von Massenet, der Abimelech in «Samson et Dalila» von Saint-Saëns, der Lothario in «Mignon», von A. Thomas, der Rocco im «Fidelio», der Hans Sachs in den «Meistersingern», der König Heinrich im «Lohengrin», der Basilio in Rossinis «Barbier von Sevilla», der Archibaldo in «L'Amore dei tre Re» von Montemezzi, der Pimen wie der Boris Godunow in der bekannten Oper von Mussorgsky.
Schallplatten: Decca («Faust» von Gounod).

Valdesturla, Constanza, Sopran, * 1759 (?), † (?); die aus Italien stammende Sängerin kam 1779 in die Fürstlich Esterházy'sche Kapelle, die unter der Leitung des berühmten Komponisten Joseph Haydn zu dieser Zeit allenthalben berühmt war. Sie wirkte am Schloß Esterház und in der Residenz der Fürstenfamilie in Eisenstadt in zahlreichen Aufführungen der weltlichen wie der geistlichen Vokalwerke von Haydn mit und kreierte u. a. am 26. 2. 1784 in der Uraufführung seiner letzten Oper «Armida» auf Schloß Esterház die Partie der Zelmira. Im folgenden Jahre 1785 beendete sie ihr Engagement bei dem Fürsten Esterházy und ging nach Leipzig. Dort heiratete sie 1786 den Komponisten und Dirigenten

Johann Gottfried Schicht (1753–1823), der seit 1785 Dirigent der Leipziger Gewandhauskonzerte und seit 1810 Thomaskantor war. In Leipzig setzte sie ihre Karriere, vor allem im Konzertsaal, weiter fort.

Valiani, Eugenija, Mezzosopran, * 5. 11. 1901 St. Petersburg; sie studierte u. a. an der Accademia di Santa Cecilia in Rom. 1921 wurde sie an die Nationaloper von Belgrad verpflichtet, an der sie bis 1934 tätig blieb. Danach ging sie von Belgrad aus einer umfangreichen Gastspieltätigkeit nach. So gastierte sie in Rom und Florenz, an den Opern von Zagreb und Kairo. Nicht weniger erfolgreich waren ihre Konzertauftritte in Paris, Warschau, Wien und Berlin und natürlich in den Mittelpunkten des jugoslawischen Musiklebens. Später wirkte sie als Pädagogin am Konservatorium von Belgrad. Höhepunkte in ihrem vielgestaltigen Bühnenrepertoire waren die Carmen, die Azucena im «Troubadour», die Amneris in «Aida», die Titelfigur in «Mignon» von A. Thomas, die Marina im «Boris Godunow» und die Ortrud im «Lohengrin».

Vanaud, Marcel, Bariton, * 1953 Brüssel; er absolvierte sein Gesangstudium am Conservatoire von Brüssel, wo er Schüler von Frédéric Anspach war. 1971 und 1972 wurde er dort mit Preisen ausgezeichnet und ergänzte dann seine Studien bei Pierre Fleta in Lüttich. 1972 war er Preisträger beim Internationalen Concours von s'Hertogenbosch, 1977 beim Gesangwettbewerb von Verviers. 1975 begann er seine Bühnenkarriere an der Opéra de Wallonie Lüttich. Hier war er bis 1983 fest engagiert und seitdem als ständiger Gast anzutreffen. Er sang in Lüttich Partien wie den Papageno in der «Zauberflöte», den Escamillo in «Carmen», den Alfonso in Donizettis «La Favorita», den Renato in «Un ballo in maschera» von Verdi, den Ourrias in «Mireille» von Gounod und den Lescaut in Puccinis «Manon Lescaut». 1984 gab er sehr erfolgreiche Gastspiele an den Opernhäusern von Pittsburgh und New Orleans, 1985 sang er an der New York City Centre Opera den Zurga in «Pêcheurs de perles» von Bizet und den Sharpless in «Madame Butterfly». Am Théâtre de la Monnaie Brüssel erregte er als Figaro in «Nozze di Figaro» wie als Raimbaud in «Le Comte Ory» von Rossini Aufsehen und gastierte anschließend in Paris und Wien. 1987 war er in Montreal als Lescaut, in Tulsa (Oklahoma) als Posa in Verdis «Don Carlos» und in Santa Fé als Figaro zu hören, 1988 am Opernhaus von Toulouse wiederum als Raimbaud und am Theater von Metz als Renato. An der Mailänder Scala sang er in der Uraufführung der Oper «Doktor Faustus» von Glacomo Manzoni (13. 5. 1989).
Schallplatten: Auf der belgischen Marke Le Perron mit einer Arienplatte vertreten; weitere Aufnahmen bei HMV («Hoffmanns Erzählungen», «Les Béatitudes» von C. Franck) und Erato (Karnac in «Le Roi d'Ys» von Lalo).

Vanloo, Christina, Mezzosopran, * 1714 (?) Turin, † 1780) (?) Paris; sie war die Tochter des Turiner

Musikers, Komponisten und Violinvirtuosen Francesco Lorenzo Somis (1663–1736) und die Schwester des ebenso berühmten Violinisten Giovanni Battista Somis (1663–1736); ihr eigentlicher Name war Cristina Antonia Somis. Sie war bereits in ihrer Heimatstadt Turin in Konzerten, teilweise mit Mitgliedern ihrer Familie, die alle ausübende Musiker waren, aufgetreten und hatte vielleicht auch auf der Bühne gesungen, als sie am 28. 1. 1733 den französischen Maler Charles Vanloo heiratete. Das Künstlerehepaar verlegte 1734 seinen Wohnsitz nach Paris, wo Mme Vanloo jetzt zu einer großen Karriere, vor allem im Konzertfach, kam. Sie feierte bei Konzerten am französischen Hof wie in den Palästen des Pariser Adels Triumphe über Triumphe. In einer Biographie von Charles Vanloo heißt es über ihre Stimme: «La belle voix de madame de Vanloo, les grâces qu'elle met dans son chant, le choix des airs agréables et pathétiques que son discernement présente aux Français, gagnent tous les cœurs à la musique italienne . . .» Sie war in der französischen Hauptstadt auch als gesuchte Gesanglehrerin tätig. Ihre berühmteste Schülerin war die Primadonna Marie Fel; auch Mlle Petitpas scheint ihren pädagogischen Rat eingeholt zu haben, während sie bereits zu einer großen Karriere an der Grand Opéra Paris gekommen war.

Vanoni, Ludwig, Tenor, * 21. 10. 1876 Valle Maggio (Tessin), † 7. 11. 1972 Aurigeno im Schweizer Kanton Tessin; er studierte in Köln und war 1903–04 am Opernhaus von Köln engagiert, sang in der Spielzeit 1904–05 am Stadttheater von Mainz, kam dann aber wieder nach Köln zurück, wo er für die folgenden elf Jahre bis 1916 im Engagement blieb. 1916–18 war er am Stadttheater von Elberfeld anzutreffen, 1919–20 am Stadttheater von Bremerhaven und schließlich in den Jahren 1921–30 am Stadttheater (Opernhaus) von Zürich. Dort wirkte er 1922 in der Uraufführung der Oper «Venus» von Othmar Schoeck mit. 1907 gab er ein Gastspiel an der Hofoper Berlin in der Partie des Mime; 1907 und 1910 gastierte er am Hoftheater Hannover, 1922 am Stadttheater von Basel. Er war ein begabter Vertreter des Buffo- und Charakterfachs und dabei ein großer Darsteller. Im Mittelpunkt seines Bühnenrepertoires standen Partien wie der Pedrillo in der «Entführung aus dem Serail», der Veit in «Undine» von Lortzing, der Walther von der Vogelweide im «Tannhäuser», der David in den «Meistersingern», der Wenzel in Smetanas «Verkaufter Braut», der Goro in Puccinis «Madame Butterfly» und der Eisenstein in der Strauß-Operette «Die Fledermaus». Er kam auch als Konzertsänger zu einer bedeutenden Karriere.

Varcoe, Stephen, Bariton, * 19. 5. 1949 Lostwithiel in der englischen Grafschaft Cornwall; er war Choral Scholar am King's College in Cambridge und gewann 1977 ein Stipendium der Gulbenkian Foundation, mit dessen Hilfe er seine Stimme ausbilden ließ. Er begann dann eine sehr erfolgreiche Konzertkarriere und trat als Solist mit den führenden Orchestern und Chören in England auf. Dabei reichte sein Repertoire von Barockmeistern wie J. S. Bach, Händel, Rameau, Telemann und Scarlatti bis zu zeitgenössischen Komponisten. Er trat bei den Festspielen von Ansbach und Göttingen, in London, Barcelona, Paris, Lyon, Amsterdam und Kopenhagen wie beim Flandern Festival hervor. 1985 sang er in der Londoner Wigmore Hall Schuberts Liederzyklen «Die schöne Müllerin» und «Winterreise» und wurde durch Liederabende, die er in England, in Deutschland und in Frankreich gab, bekannt. Dabei trug er das deutsche, das französische wie das englische Lied vor. Besonders bekannt wurde er durch seine Radio- und Fernsehauftritte der englischen Gesellschaft BBC, aber auch bei deutschen, belgischen und holländischen Radiosendern. Auf der Bühne sang er vor allem in Opern aus der Barock-Epoche; so hörte man ihn bei den Festspielen von Aix-en-Provence «Les Boréades» von Rameau, an der Scottish Opera Glasgow als Zoroastro in Händels «Orlando». In London, Paris, Köln und Brüssel trat er in der Haydn-Oper «L'infedeltà delusa» auf, in Italien in «La Giuditta» von Alessandro Scarlatti, in London und Paris zusammen mit dem Monteverdi Orchestra in «King Arthur» von Purcell, ebenfalls in London als Sarastro in der «Zauberflöte» und als L'Ami in «La Chute de la Maison Usher» von Debussy.
Aufsehen erregte der Künstler nicht zuletzt durch eine Vielzahl von Schallplatten; so sang er auf Decca (Religiöse Vokalmusik von Mozart), Philips («Jephta» von Händel, «Die Schuldigkeit des ersten Gebotes» von Mozart), DGG («Dido and Aeneas» von Purcell), vor allem aber auf Harmonia mundi (Requiem von G. Fauré, «Israel in Egypt», «L'Allegro, il Penseroso ed il Moderato» und «The Triumph of Time and Truth» von Händel, «The Fairy Queen», «The Indian Queen» und «King Arthur» von Purcell, «L'Infedeltà delusa» von Haydn, «Die Israeliten in der Wüste» von Ph. E. Bach), Hyperion (Schubert-Lieder, Lieder für Bariton von Gerald Finzi), Chandos Records (Lieder von Franz Bridge, Bergman, Volkslieder).

Vargas, Milagro, Mezzosopran, * 1959 (?); sie begann ihr Musik- und Gesangstudium im Alter von 14 Jahren am Third St. Music Settlement in New York. Sie setzte dieses Studium an der Oberlin School of Music bei Helen Hodam fort und erwarb an der Eastman School of Music den akademischen Grad eines Master of Music als Schülerin von Jan De Gaetani. Sie begann ihre Bühnenkarriere in Europa 1983 an der Staatsoper von Stuttgart, deren Mitglied sie bis 1988 blieb, und an der sie auch weiterhin als Gast auftrat. In Stuttgart übernahm sie Partien wie den Cherubino in «Nozze di Figaro», die Nancy in «Albert Herring» von Benjamin Britten, den Prinzen Orlowsky in der «Fledermaus» von Johann Strauss und die Lybia in der klassischen Oper «Fetonte» von Niccolò Jommelli. Am 24. 3. 1984 sang sie in Stuttgart in der Uraufführung der Oper «Echnathon» («Akhnaten») von Philip Glass die Partie der Nefertiti. An der Komischen Oper Berlin gastierte sie als Dorabella in «Così fan tutte», bei den Festspielen von Heidelberg als Ramiro in Mozarts «La fanta giardiniera». 1988 sang sie in Straßburg

und Stuttgart in der Oper «Die Soldaten» von B. A. Zimmermann die Rolle der Charlotte, die sie auch in einer Sendung von Radio Stuttgart übernahm. Die Künstlerin kam, abgesehen von ihren Erfolgen auf der Bühne, auch als Oratorien- und Konzertsängerin in Europa wie in Nordamerika zu bedeutenden Erfolgen. So wirkte sie beim Aspen Festival, beim Marlboro Music Festival und bei den Festspielen für neue Musik in Saarbrücken mit. Sie sang als Solistin mit dem Philadelphia Orchestra, dem Rochester Philharmonic Orchestra und anderen großen Orchestern zusammen. Ihre Interpretation von Ravels «Shéhérazade» beim Cabrillo Festival besonderes Aufsehen.
Schallplatten: CBS («Echnathon» von Ph. Glass).

Vargas, Ramon, Tenor, * 1960 Mexico City; er ergriff zunächst den Beruf eines Elementarschullehrers, wurde dann aber in Mexico City zum Gesangssolisten ausgebildet. Nachdem er dort einen Wettbewerb gewonnen hatte, debütierte er in der mexikanischen Hauptstadt als Fenton in Verdis «Falstaff». Als weitere Partien sang er in Mexico City den Don Ottavio im «Don Giovanni», den Nemorino in «Elisir d'amore» und den Grafen Almaviva im «Barbier von Sevilla» von Rossini. 1986 gewann er dann den Concours Enrico Caruso in Mailand und wurde im gleichen Jahr in das Opernstudio der Wiener Staatsoper aufgenommen, dem er bis 1988 angehörte. 1987 sang er an der Wiener Staatsoper den Gelsomino in der denkwürdigen Aufführung von Rossinis «Il Viaggio a Reims», nachdem man dieses in Vergessenheit geratene Werk bei den Rossini-Festspielen in Pesaro neu entdeckt hatte. Im gleichen Jahr wirkte er bei den Salzburger Festspielen mit. 1988 gastierte er in Mexico City als Tamino in der «Zauberflöte»; 1989 sang er am Stadttheater Luzern, 1990 am Opernhaus von Zürich den Lorenzo in «Fra Diavolo» von Auber. Ebenfalls 1990 bei der Operngesellschaft Forum in Enschede (Holland) als Fenton in Verdis «Falstaff» zu Gast.

Vassar, Frédéric, Baß, * 1950 (?); er war zuerst in Paris Schüler von Jean Périmony und kam dann in das Opernstudio des Théâtre de la Monnaie Brüssel, wo er bereits in kleineren Partien eingesetzt wurde. Sein professionelles Debüt als Opernsänger erfolgte 1973 in Brüssel. Darauf sang er am Opernhaus von Gent und im französischen Rundfunk. Er gewann den ersten Preis beim Gesangwettbewerb Voix d'Or in Paris. 1977 hatte er großen Erfolg, als er an der Oper von Marseille den Mephisto im «Faust» von Gounod sang; es folgten Auftritte an der Opéra du Rhin Straßburg, in Avignon, Dublin und beim Festival von Orange. 1980 wurde er Preisträger beim Internationalen Concours von Treviso. Große Erfolge hatte er an der Opéra de Wallonie Lüttich in der Spielzeit 1985–86 als Escamillo in «Carmen». Dort hörte man ihn auch als Ramon in «Mireille» von Gounod, als Titelhelden im «Don Giovanni» und in den vier dämonischen Partien in «Hoffmanns Erzählungen» von Offenbach. Im Konzertsaal erwies er sich als begabter Lied-Interpret.

Schallplatten: HMV (vollständige Oper «La Muette de Portici» von Auber).

Vaterhaus, Hans, Baß-Bariton, * 4. 10. 1881 Zürich, † 26. 11. 1932 Zürich; er war Schüler des berühmten Julius Stockhausen in Frankfurt a. M. und begann etwa um 1905 eine große Karriere als Konzertsänger, die bis in die dreißiger Jahre unseres Jahrhunderts dauerte. Er sang in den Zentren des Schweizer Musiklebens (Zürich, Basel, Bern, Luzern, St. Gallen, Solothurn, Winterthur), gab Konzerte in Wien, Berlin, Bremen, Frankfurt a. M., Hamburg und Köln, in Paris und bereiste Holland und Rußland, Dabei erwies er sich als hervorragender Interpret der Werke von J. S. Bach (Matthäus- und Johannes-Passion, Hohe Messe), J. Haydn («Schöpfung», «Jahreszeiten»), Beethoven (9. Sinfonie, Missa solemnis), Mendelssohn («Elias», «Paulus»), Berlioz («Damnation de Faust», «L' Enfance du Christ»), Brahms (Deutsches Requiem), César Franck («Les Béatitudes»), G. Mahler, A. Bruckner, Verdi (Requiem) und vieler anderer Meister. Dazu war er ein bedeutender Lied-Interpret in einem Repertoire, das auch Lieder zeitgenössischer Komponisten enthielt. Als Gast trat er an den Theatern von Zürich (wo er lebte) Basel und Bern auf; dort hörte man ihn als Rigoletto, als Beckmesser in den «Meistersingern», als Alberich im «Rheingold» und als Mephisto im «Faust» von Gounod.

Vaverka, Karel, Baß, * 7. 9. 1871 Prag, † 25. 6. 1945 Plzeň (Pilsen); er erhielt seine Ausbildung als Sänger in Prag und debütierte am Prager Nationaltheater 1898 als Kardinal Brogni in «La Juive» von Halévy. Am 23. 11. 1899 wirkte er an diesem Haus in der Uraufführung der Oper «Čert a Káča» («Die Teufelskäthe») von A. Dcořák mit. 1901 heiratete er die ebenfalls am Prager Nationaltheater wirkende Mezzosopranistin *Anna Kettner* (* 1869). Das Künstlerehepaar verlegte dann seine Tätigkeit nach Deutschland. Dort waren beide 1903–05 am Stadttheater von Nürnberg, 1905–07 am Opernhaus von Düsseldorf, 1907–09 am Stadttheater von Bremen und 1909–12 am Stadttheater von Elberfeld engagiert. Bereits in Bremen befaßte er sich mit Aufgaben aus dem Bereich der Opernregie und war dann auf diesem Gebiet 1912–19 am Theater von Plzeň tätig, trat dort aber auch noch als Sänger auf. Höhepunkte in seinem Bühnenrepertoire waren in erster Linie Partien für seriösen Baß wie der Sarastro in der «Zauberflöte», der Rocco im «Fidelio», der König Marke im «Tristan», der Fafner im Nibelungenring und der Beneš in «Dalibor» von Smetana. Seit 1919 war er freischaffend in Plzeň tätig und führte auch in einigen Filmen Regie.

Vécray, Huberte, Sopran, * 16. 9. 1923 Limbourg in der belgischen Provinz Lüttich; sie erhielt ihre Ausbildung zur Sängerin am Konservatorium von Verviers. Ergänzende Studien in Salzburg. 1946 debütierte sie am Théâtre de la Monnaie Brüssel in der Partie der Jaroslawna in «Fürst Igor» von Borodin. Bis 1959 blieb sie als erste Sopranistin an diesem bedeutendsten belgischen Opernhaus tätig, zu des-

sen führenden Kräften sie gehörte. 1951 sang sie dort in der französischsprachigen Erstaufführung von Menottis Oper «The Consul» die Rolle der Magda Sorel, 1954, ebenfalls in der französischsprachigen Premiere von Benjamin Brittens «Peter Grimes», die Ellen Orford, 1958 in der von «Don Juan de Mañara» von Henri Tomasi. 1955 war sie am Théâtre de la Monnaie an der Uraufführung der Oper «Le Serment» von Alexandre Tansman beteiligt. 1953 gastierte sie an der Grand Opéra Paris als Elsa im «Lohengrin»; weitere Gastspielauftritte an den Theatern von Vichy und Lausanne, am Opernhaus von Köln, in Kassel, Bordeaux, London, Amsterdam und an den Opern von Gent und Antwerpen. Sie sang ein umfangreiches Bühnenrepertoire, das namentlich dramatische Sopranpartien enthielt: die Aida wie die Rachel in «La Juive» von Halévy, die Leonore in Verdis «Troubadour» wie die Marguerite im «Faust» von Gounod, die Sieglinde wie die Brünnhilde im Nibelungenring, die Cleopatra in «Giulio Cesare» von Händel wie die Donna Anna im «Don Giovanni», die Maria im «Friedenstag» wie die Titelfigur in «Elektra» von R. Strauss. Auch als Konzertsängerin kam sie zu einer großen Karriere.
Anscheinend sind keine eigentlichen Schallplattenaufnahmen der bedeutenden Sängerin vorhanden, doch kann man annehmen, daß Mitschnitte von Aufführungen existieren, in denen sie mitwirkt.

Veen, Lidy van der, Mezzosopran, * 1.1. 1916 Amsterdam; sie war Schülerin von Eduard Lichtenstein und von Frau Martiensen. Sie begann ihre Karriere während des Zweiten Weltkrieges bei der Niederländischen Kammeroper Amsterdam und war dann lange Jahre bis in die Zeit nach 1960 Mitglied der Niederländischen Oper Amsterdam. In Amsterdam sang sie 1960 in der Uraufführung der Oper «Martin Korda» von Henk Badings und 1962 in der holländischen Erstaufführung von H. Sutermeisters «Raskolnikoff». 1949–51, 1955–56 und 1960 wirkte sie beim Holland Festival mit. Im einzelnen seien folgende Bühnenpartien der Künstlerin genannt, die auch im Konzertsaal zu einer erfolgreichen Karriere kam: die Azucena im «Troubadour», die Madelon in «Andrea Chénier» von Giordano, die Auntie in «Peter Grimes» von Benjamin Britten, die Küstern in Janáčeks «Jenufa», die Filipjewna im «Eugen Onegin» von Tschaikowsky und die Concepcion in «L'Heure espagnole» von Ravel, in der sie 1950 einen ihrer größten Erfolge in Amsterdam hatte.
Schallplatten: Philips (Barcarole aus «Hoffmanns Erzählungen» zusammen mit Gré Brouwenstijn), MMS (3. Dame in der «Zauberflöte», Querschnitt durch «Faust» von Gounod).

Vegesack, Britta von, Sopran, * 1884 Kalmar (Schweden), † 1976 Stockholm; sie studierte zuerst in Stockholm, dann war sie Schülerin der Pädagogen P. Zeni in Mailand und F. Günther in Berlin. Nach ersten Auftritten in ihrer schwedischen Heimat wirkte sie sieben Jahre hindurch als Konzert- und Opernsängerin in Italien und trat u. a. unter Toscanini an der Mailänder Scala, aber auch an anderen

Opernhäusern von Rang auf. Auf der Bühne hörte man sie vor allem in dramatischen und in Wagnerpartien. Seit 1930˙ nahm sie eine sehr erfolgreiche Tätigkeit im pädagogischen Bereich in der schwedischen Metropole Stockholm auf, ging aber weiter vor allem ihrem Wirken im Konzertsaal nach. Aus der großen Zahl ihrer Schüler sind so bedeutende Sängerpersönlichkeiten wie Sigurd Björling, Hugo Hasslo, Hjördis Schymberg, Helga Görlin, Isa Quensel, Margit Sehlmark, Berit Lindholm und Margit Rosengren zu nennen.

Veith, Else, Sopran, * 19. 7. 1904, † 1. 11. 1988 Köln; ihre Ausbildung zur Sängerin erfolgte in Köln. 1925 debütierte sie am Stadttheater von Remscheid als Marie im «Waffenschmied» von Lortzing. In der folgenden Spielzeit 1926–27 sang sie am Stadttheater von Beuthen (Oberschlesien), 1927–32 am Stadttheater von Kiel und 1932–33 am Stadttheater von Halle/Saale. 1933 wurde sie an das Opernhaus von Köln verpflichtet, an dem sie zu einer über 25jährigen großen Karriere kam, die bis zu ihrem Abschied von der Bühne 1959 anhielt. Sie gastierte an verschiedenen deutschen Theatern, in Spanien und Holland; außerdem erschien sie bei zahlreichen Gelegenheiten als Oratorien- und Liedsängerin. Auf der Bühne trug sie in erster Linie Partien aus dem Bereich der Soubrette wie des lyrischen Soprans vor: die Zerline im˙ «Don Giovanni», die Susanna in «Figaros Hochzeit», die Despina in «Così fan tutte», die Ännchen im «Freischütz», die Frau Fluth in den «Lustigen Weibern von Windsor» von Nicolai, die Sophie im «Rosenkavalier», die Zerbinetta in «Ariadne auf Naxos» von R. Strauss, den Pagen Oscar in Verdis «Maskenball», die Norina im «Don Pasquale», die Nedda im «Bajazzo», die Musetta in «La Bohème», die Marie in der «Verkauften Braut», die Olympia in «Hoffmanns Erzählungen» und die Yvonne in «Johnny spielt auf» von E. Křenek. 1927 sang sie in Kiel in der deutschen Erstaufführung von Puccinis «La Rondine» die Rolle der Lisetta, 1948 wirkte sie in der von Benjamin Brittens «The Rape of Lucretia» in Köln mit.

Vendrell, Emilio, Tenor, * 1893 Barcelona, † 1962 Barcelona; er erhielt seine Ausbildung in seiner Geburtsstadt Barcelona und debütierte dort am Orfeo Català. Zuerst wurde er als Liedersänger bekannt und trat speziell mit Liedern in katalanischer Sprache auf. 1922 sang er am Teatro Tivoli von Barcelona erstmals eine Partie in einer Zarzuela und war dabei so erfolgreich, daß er sich nun ganz diesem Genre widmete. Er wurde einer der bekanntesten Zarzuela-Sänger seiner Generation in Spanien und wurde in den spanischen Großstädten immer wieder in diesen spezifisch spanischen Bühnenwerken gefeiert. Er wirkte in den Uraufführungen mehrerer Zarzuelas mit; Gastspiele trugen ihm auch in Frankreich, in England, in Italien und namentlich in Südamerika große Erfolge ein. Er veröffentlichte mehrere Werke über die Gesangkunst und damit verbundene künstlerische Probleme. Sein Sohn, wie er *Emilio Vendrell* (* 1924 Barcelona) genannt, gab

eine Biographie seines Vaters unter dem Titel «*El meu pare*» (Barcelona, 1966) heraus.
Die Stimme von Emilio Vendrell sr. ist uns durch akustische Fonotipia-Aufnahmen (spanische Lieder und Zarzela-Arien) und durch elektrisch aufgenommene Columbia-Platten (darunter eine Gesamtaufnahme der Zarzuela «Doña Francesquita» von A. Vives) erhalten.

Venerandi, Pietro, Tenor, *1870 (?), † (?); es lassen sich nur wenige konkrete Daten mit diesem italienischen Tenor in Zusammenhang bringen, der wohl zu Beginn unseres Jahrhunderts an Provinzbühnen in Italien aufgetreten ist. 1905 ist er bei der Italienischen Oper in Holland anzutreffen. Im Gegensatz zu seiner eher bescheidenen Karriere sind sehr viele Schallplattenaufnahmen des Künstlers vorhanden. Diese erschienen seit 1905 auf Columbia, dann auf Zonophone, schließlich auf Pathé (zwei Serien von 1906 und 1912, in Mailand aufgenommen). Nach den Arien, die auf seinen Schallplatten gesungen werden, war er ein Vertreter des italienischen heldischen Stimmfachs in Partien wie dem Radames in «Aida», dem Manrico im «Troubadour», den Titelfiguren in den beiden Verdi-Opern «Ernani» und «Othello».

Ventriglia, Franco, Baß, *20.10. 1927 Fairfield (Connecticut); er studierte zunächst in seiner amerikanischen Heimat, dann noch bei der großen Primadonna Toti Dal Monte in Italien. Er debütierte am Teatro Massimo Palermo in den «Meistersingern» und kam zu einer großen Karriere als Gast an den führenden italienischen Theatern wie in aller Welt. 1960 sang er an der Oper von Chicago, 1961 an der Oper von Monte Carlo, 1961–64 beim Wexford Festival in Irland; 1963 hörte man ihn beim Festival von Edinburgh in Verdis «Luisa Miller». Seit 1963 trat er oft am Teatro San Carlo Neapel auf, seit 1965 auch am Teatro Comunale Bologna und am Teatro Regio Parma. 1964 zu Gast an der Oper von Rom, 1963 in Kairo, seit 1969 immer wieder in Genua. Weitere Gastspiele am Teatro Regio Turin (1972), am Teatro Fenice Venedig, am Teatro Comunale Florenz, an der Mailänder Scala, an der Staatsoper von Wien, in Amsterdam (1965), Dublin (1965), London (1969) und an der Oper von Dallas. Er wirkte bei den Festspielen von Verona (1958–59) und in den Thermen des Caracalla in Rom mit. Aus einem umfangreichen Repertoire sind der Basilio im «Barbier von Sevilla», der Raimondo in «Lucia di Lammermoor», der Elmiro in Rossinis «Otello», der Ferrando im «Troubadour», der König wie der Ramphis in «Aida», der Dr. Grenvil in «La Traviata», der Loredano in Verdis «I due Foscari», der Graf Walter wie der Wurm in «Luisa Miller», der Sparafucile im «Rigoletto», der Großinquisitor im «Don Carlos», der Colline in «La Bohème», der Timur in Puccinis «Turandot» und der Alvise in «La Gioconda» von Ponchielli hervorzuheben. Der Künstler hatte auch eine erfolgreiche Laufbahn im Konzertsaal.
Schallplatten: RCA («La Traviata»), HMV («Manon Lescaut» von Puccini), Angelicum.

Verbeeck, Jan, Tenor, *24.4. 1913 Merksem bei Antwerpen; er wurde durch Mme de Prêter in Antwerpen ausgebildet und debütierte 1947 am Opernhaus von Antwerpen, dem er bis 1955 angehörte. Er blieb diesem Theater auch durch einen Gastvertrag verbunden, als er 1955 an die Oper von Gent wechselte. In Gent sang er 1960 die Titelrolle, in der belgischen Premiere der Oper «Bánk Bán» von F. Erkel. Er trat als Gast an französischen und westdeutschen Bühnen auf, namentlich aber an der Opéra de Wallonie Lüttich. Er ist noch bis zum Beginn der siebziger Jahre auf der Bühne erschienen, war aber auch als Konzertsolist tätig. Sein Bühnenrepertoire enthielt an erster Stelle Tenorpartien aus dem heldischen wie aus dem Wagner-Fach. Davon seien der Florestan im «Fidelio», der Lohengrin, der Tannhäuser, der Siegmund in der «Walküre», der Titelheld im «Othello» von Verdi, der Titelheld im «Don Carlos», der Ismaele im «Nabucco», der Manrico im «Troubadour», der Radames in «Aida», der Turiddu in «Cavalleria rusticana», der Canio im «Bajazzo», der Osaka in Mascagnis «Iris», der Jean in «Hérodiade» von Massenet, der Titelheld in dessen «Werther» und der Samson in «Samson et Dalila» von Saint-Saëns genannt.

Verbruggen, Renaat, Bariton, *10.1. 1909 Antwerpen, †28.10. 1981 Antwerpen; er hatte zunächst nicht die Absicht Sänger zu werden, sondern studierte Schiffbautechnik, Geodäsie und schließlich Architektur am Institut für Architektur und Städtebau in Antwerpen. Nachdem man auf seine schöne Stimme aufmerksam geworden war, begann er 1929 das Gesangstudium bei Adolphe Corijn, dem ehemaligen Direktor der Königlichen Oper Antwerpen. Seit 1932 wurde er durch seine Auftritte als Konzertsolist bekannt. 1944 kam es zu einer ersten Verpflichtung als Gast an die Oper von Antwerpen. Seitdem gehörte er zu den beliebtesten belgischen Bühnen- und Oratoriensängern. 1947–52 war er an der Oper von Gent und seitdem am Opernhaus von Antwerpen engagiert. 1957 sang er erfolgreich beim «Festival delle Canzone» in Venedig. Er sang auf der Bühne u.a. den Wolfram im «Thannhäuser», den Malatesta im «Don Pasquale», den Lescaut in Puccinis «Manon Lescaut» und den König in «Die Kluge» von C. Orff. Bekannt wurde er auch durch sein Auftreten in Sendungen des belgischen Rundfunks. 1961–74 war er Direktor der Vlämischen Oper Antwerpen. Er ist auch unter dem Pseudonym Bert Roelants aufgetreten.
Schallplatten: Europäischer Phonoclub (Arie des Germont-père aus «La Traviata»), HMV, Telefunken, Opera.

Vercammen, Marcel, Tenor, *20.7. 1910 Antwerpen; Ausbildung am Konservatorium von Antwerpen, bei Mina Bolotine und dann bei Clemens Glettenberg in Köln. Später war er noch Schüler des großen Heldentenors Max Lorenz. Nachdem er zuerst als Konzertsänger aufgetreten war, kam er 1940 an das Opernhaus von Antwerpen und blieb dessen Mitglied bis 1971. Gastspiele führten ihn an die

Grand Opéra Paris (1956 als Tannhäuser), an die Opéra-Comique Paris, an die Opernhäuser von Marseille und Straßburg, an die Kölner Oper und an das Nationaltheater Mannheim. Seit 1960 war er oft als Gast am Théâtre de la Monnaie Brüssel zu hören; seit 1958 wirkte er auch als Pädagoge am Konservatorium von Antwerpen. Er beherrschte ein Bühnenrepertoire von rund 80 Partien, hauptsächlich aus dem heldischen wie dem Wagner-Fach, darunter den Pollione in Bellinis «Norma», den Manrico im «Troubadour», den Tannhäuser, den Siegmund in der «Walküre», den Siegfried im Nibelungenring, den Parsifal, den José in «Carmen», den Samson in «Samson et Dalila» von Saint-Saëns und den Dimitrij im «Boris Godunow» von Mussorgsky. Er trat in Sendungen des belgischen Rundfunks wie in Konzerten auf.

Vergara, Victoria, Mezzosopran, * 1948 (?) Santiago de Chile; sie erhielt ihre erste Ausbildung in ihrer Geburtsstadt Santiago de Chile, wo sie auch bereits 1969 in kleinen Partien auftrat. Sie ging dann in die USA und setzte ihr Studium bei Nicola Moscona, Anton Guadagno sowie an der Juilliard School of Music New York bei Daniel Ferro und Rose Bampton fort. Später war sie noch in Aachen Schülerin von Rudolf Bautz. Bereits während dieses Studiums trat sie in den USA bei kleineren Operngesellschaften in Erscheinung, so 1972 als Hänsel in «Hänsel und Gretel». Es kam dann seit 1977 zu zahlreichen Auftritten an der City Centre Opera New York wie an der Oper von Detroit (1977, 1981). Sie gastierte seit 1978 ständig an den Opern von Santiago de Chile und Caracas, seit 1980 an der Oper von Houston/Texas. Dabei trug sie immer wieder ihre große Glanzrolle, die Carmen, vor, in der sie über 300mal auf der Bühne stand. Sie sang diese Partie u. a. an den Opern von San Francisco (1981 und 1983) und Cincinnati (1980), in Zürich (1982) und am Teatro San Carlos Lissabon (1982, 1983), an den Opern von Vancouver (1983), Philadelphia (1983), Seattle (1983), New Orleans (seit 1984), an der Deutschen Oper Berlin (1984), an der Opéra de Wallonie Lüttich (1985) und in Avignon (1985). Als Carmen debütierte sie auch 1988 an der Metropolitan Oper New York. 1982 gab sie ein Gastspiel an der Chicago Opera, 1984 an der Staatsoper Wien (Amneris in «Aida»), 1987 an der Oper von Köln und an der Washington Opera, an der sie 1986 in der Uraufführung der Oper «Goya» von G. C. Menotti als Herzogin von Alba mitwirkte. Am 24. 9. 1989 sang sie in der Uraufführung der Oper «Cristóbal Colón» von Lonardo Balada am Teatro Liceo Barcelona zusammen mit Montserrat Caballé und José Carreras die Partie der Beatriz. Aus ihrem Repertoire für die Bühne seien noch die Donna Elvira im «Don Giovanni», der Cherubino in «Nozze di Figaro», die Federica in Verdis «Luisa Miller», die Maddalena im «Rigoletto», die Rosina im «Barbier von Sevilla», die Dalila in «Samson et Dalila» von Saint-Saëns, der Nicklausse in «Hoffmanns Erzählungen», die Charlotte in «Werther» von Massenet, die Dulcinée in «Don Quichotte» vom gleichen Komponisten, die Marthe im «Faust» von Gounod und die Magdalene in den «Meistersingern» genannt.
Schallplatten: Decca (Maddalena im «Rigoletto»).

Vermillion, Iris, Mezzosopran, * 1960 Bielefeld; sie studierte zunächst Flötenspiel an der Musikhochschule Detmold. Dann wandte sie sich dem Gesangstudium zu, das sie bei Mechthild Böhme, anschließend bei Judith Beckmann in Hamburg absolvierte. 1986 sang sie als erste Bühnenpartien am Staatstheater von Braunschweig die Zulma in Rossinis «Italiana in Algeri» und die Barbara in der Johann Strauß-Operette «Eine Nacht in Venedig». Sie sprang in Braunschweig in der Partie der Dorabella in «Così fan tutte» ein und hatte dann einen großen Erfolg als Octavian im «Rosenkavalier». 1988 gastierte sie an der Deutschen Oper Berlin als Rheintochter im Nibelungenring und als Hänsel in Humperdincks «Hänsel und Gretel» und auch am Staatstheater von Darmstadt (Judith in «Ritter Blaubarts Burg» von B. Bartok). 1989 sang sie an der Deutschen Oper Berlin den Cherubino in «Figaros Hochzeit», 1990 in Amsterdam die Dorabella. Auch als Charlotte im «Werther» von Massenet und als Sesto in «La clemenza di Tito» von Mozart sowie als Konzertsolistin (Matthäuspassion von J. S. Bach, Lieder) erfolgreich.
Privataufnahme der Mozart-Kantate «Davidde penitente»; Philips (3. Dame in der Zauberflöte», Anna in «Maria Stuarda» von Donizetti).

Vernon, Richard, Baß, * 1950 Memphis (Tennessee); er erhielt seine Ausbildung zum Sänger an der Memphis State University. In Memphis erfolgte auch 1972 sein Bühnendebüt als Pimen im «Boris Godunow» von Mussorgsky. 1977 kam er an die Oper von Houston/Texas, in deren Opernstudio er sich weiterbildete, und an der er bereits in Verdis «Othello», in «Aida» und im «Falstaff» Partien übernahm. 1979 war er an der Oper von Washington, 1980 an der Oper von Pittsburgh zu hören. Im Februar 1981 sang er als Debüt an der Metropolitan Oper New York eine Partie in «L'Enfant et les sortilèges» von Ravel. Seitdem blieb er Mitglied dieses Hauses, wo er in mehr als 200 Aufführungen auftrat. Von den vielen kleineren wie größeren Rollen, die er an der Metropolitan Oper sang, seien der Commendatore im «Don Giovanni» und der Titurel im «Parsifal» genannt. Erfolgreich bei Gastspielen an den großen amerikanischen Theatern wie als Konzertsolist.
Mit Sicherheit sind von seiner Stimme Mitschnitte von Rundfunksendungen vorhanden.

Verreau, Richard, Tenor, * 1. 1. 1926 Château-Richer bei Quebec (Kanada); er sang als Amateur in Kirchenchören Solopartien, entschloß sich schließlich aber doch zur Ausbildung seiner Stimme. Er wurde an der Laval-Universität Schüler von Émile Larochelle und studierte auch bei Louis Gravel. Seit 1949 vervollständigte er seine Ausbildung in Paris bei Raoul Jobin. 1951 begann er seine Bühnenkarriere am Opernhaus von Lyon. Hier trat er in einer Anzahl von Partien aus dem lyrischen Fachbereich auf, ging dann aber nach Italien, um dort nochmals das italienische Stimmfach zu studieren. Seit 1956 wirkte er sehr erfolgreich an der New York City Centre Opera, 1957–64 gleichzeitig auch Mitglied der Oper von San Francisco. 1956 Gastspiel an der Covent Garden Oper London; 1958 großer Erfolg als Solist im Verdi-Requiem in der Hollywood-Bowl. 1963–65 sang er an der Metropolitan Oper New York (Antrittsrolle: Titelheld im «Faust» von Gounod), 1964 auch an der Oper von Mexico City, an der Oper von Philadelphia und in Hartford (Connecticut), seit 1962 an der Oper von New Orleans. 1965 unternahm er eine erfolgreiche Tournee durch die UdSSR; er war weiter zu Gast in Italien, in Belgien, Österreich und besonders oft in seiner kanadischen Heimat. Auf der Bühne hörte man ihn in Partien wie dem Faust in der gleichnamigen Oper von Gounod wie in «La damnation de Faust» von Berlioz, dem Vincent in «Mireille» von Gounod, dem Nadir in «Pêcheurs de perles» von Bizet, dem Roméo in «Roméo et Juliette» von Gounod, dem des Grieux in «Manon» und dem Titelhelden in «Werther» von Massenet, dem Wilhelm Meister in «Mignon» von A. Thomas, dem Herzog im «Rigoletto», dem Rodolfo in «La Bohème» und dem Cavaradossi in «Tosca». Zugleich durchlief er eine große internationale Karriere als Konzert-, Oratorien- und Liedersänger.

Schallplatten: DGG («Damnation de Faust» von Berlioz), Columbia (h-moll-Messe von J. S. Bach), RCA (Arien und Lieder).

Verteneuil, Victor, Tenor, * 1895 La Bouverie (Provinz Hainaut, Belgien), † 1973 Brüssel; er wechselte während seiner Ausbildung in Brüssel vom Bariton- zum Tenorfach. In den Jahren 1925–30 gehörte er dem Ensemble des Théâtre de la Monnaie Brüssel an. Er wirkte während dieser Jahre dort u. a. in den Premieren der Opern «Turandot» von Puccini (1926) und «Ariadne auf Naxos» von Richard Strauss (1930) mit und sang Partien aus dem heldischen Stimmfach wie den Samson in «Samson et Dalila» von Saint-Saëns, den Jean in Massenets «Hérodiade», den José in «Carmen», den Radames in «Aida», den Turiddu in «Cavalleria rusticana», den Canio im «Bajazzo», den Cavaradossi in «Tosca», dazu Wagner-Heroen wie den Tannhäuser, den Siegmund und den Siegfried. In den Jahren 1930–35 war er als Gast an mehreren französischen Theatern anzutreffen, so in Marseille, Nizza, Toulouse, in Mulhouse (Elsaß) und in Nordafrika. An der Oper von Monte Carlo sang er den Pedro in der dortigen Premiere der Oper «Tiefland» von d'Albert. 1935 kam er wieder an das Théâtre de la Monnaie Brüssel zurück, an dem er jetzt bis 1942 mit großem Erfolg wirkte. 1942–62 arbeitete er in Brüssel im gesangpädagogischen Bereich.

Schallplatten: Ultraphon (1929).

Veselá, Anna, Sopran, * 27. 1. 1860 Liberec (Reichenberg), † 8. 4. 1950 Prag; sie debütierte im Oktober 1886 an der Tschechischen Nationaloper von Prag als Agathe im «Freischütz» und hatte an diesem Operninstitut eine langjährige, erfolgreiche Karriere, die bis 1898 dauerte. Als ihre größte Rolle galt die Marie in Smetanas «Verkaufter Braut», die sie auch bei dem denkwürdigen Gastspiel der Prager Oper 1892 bei der Weltausstellung in Wien sang, wodurch der Weltruhm dieser Oper begründet wurde. Bei diesem Gastspiel trat sie auch in der Rolle der Jítka in Smetanas «Dalibor» auf. Als die Prager Nationaloper 1893 einen Smetana-Zyklus veranstaltete, hörte man sie als Marie in der «Verkauften Braut», als Vendulka in «Hubička», als Blaženka in «Tajemství» («Das Geheimnis») und als Hedvika in «Čertova stěna» («Die Teufelswand»). In der Uraufführung der Oper «Hedy» von Zdeněk Fibich (12. 2. 1896) alternierte sie mit Ružena Maturová in der Titelpartie; 1891 sang sie die Venus im «Tannhäuser», 1892 die Lisa in der Prager Erstaufführung von Tschaikowskys Oper «Pique Dame». Bedeutende Tätigkeit im Konzertsaal und später als Pädagogin in Prag.

Veselá, Marie, Sopran, * 22. 9. 1892 Wien, † 20. 2. 1969 Prag; sie hieß mit ihrem Geburtsnamen Marie Kabeláčová und erhielt ihre Ausbildung 1907–14 durch den Pädagogen Gustav Geiringer in Wien. Abschließende Studien bei den Pädagogen Molitor und Hoffmann, nachdem sie Preisträgerin im Rubinstein-Concours gewesen war. 1914 begann sie ihre Karriere am Opernhaus von Brno (Brünn) mit der Partie der Amelia in Verdis «Ballo in maschera». Sie sang dort Rollen wie die Aida, die Sophie in der «Legende von der heiligen Elisabeth» von F. Liszt und eine Anzahl von Wagner-Partien. 1916 gastierte sie am Stadttheater (Opernhaus) von Hamburg; bis 1918 und wieder in den Jahren 1919–22 gehörte sie dem Ensemble des Opernhauses von Brno an. 1922 folgte sie einem Ruf an das Nationaltheater von Prag. Hier hatte sie ihren ersten großen Erfolg in der Partie der Küsterin in Janáčeks «Jenufa». Am 23. 10. 1923 sang sie dann an der Oper von Brno die Titelrolle in der Uraufführung der Oper «Katja Kabanowa» von Janáček. Sie gastierte an den Opernhäusern von Wien, Dresden, Hamburg, Stuttgart und Mannheim. 1926 sang sie in Prag in der tschechischen Erstaufführung und 1928 an der Berliner Staatsoper die Marie in Alban Bergs «Wozzeck». Mit dem Prager Ensemble gastierte sie in Amsterdam und Moskau. Aus ihrem Repertoire seien die Krasava in Smetanas Nationaloper «Libussa», die Ježibaba wie die Fürstin in «Rusalka» von A. Dvořák, die Mešjanowka in «Eva» von Foerster (die sie nochmals an ihrem 70. Geburtstag 1962 am Prager Nationaltheater sang), die Milada in «Dalibor» von Smetana, die Klásková in «Die Laterne» («Lucerna») von Novák und die Titelrolle in «Juliette» von B. Martinů genannt. Weitere Höhepunkte in ihrem Bühnenrepertoire bildeten Partien in den Opern von Verdi und Wagner (Ortrud, Isolde, Kundry) die Elektra von R. Strauss sowie aus dem Umkreis der russischen Oper. Bis 1959 blieb sie Mitglied des Prager Opernhauses. In erster Ehe war sie mit dem Bariton *Štěpán Chodounský* (1886–1954) verheiratet.

Schallplatten: Ultraphon, Supraphon.

Viala, Jean-Luc, Tenor, * 5. 9. 1957 Paris; Ausbildung in der Opernschule der Grand Opéra Paris bei Michel Sénéchal und bei Arrigo Pola. Er debütierte 1983 an der Opéra-Comique in «Pomme d' apis» von Offenbach. Er gehörte diesem Opernhaus für mehrere Jahre an und sang dort u. a. in der Uraufführung der nachgelassenen Oper «Stradella» von César Franck. Er kam bald zu einer erfolgreichen Karriere an den führenden Opernhäusern in der französischen Provinz, gastierte aber auch als Opern- wie als Konzertsänger im Ausland. So sang er 1986 am Stadttheater Basel und wirkte bei den Festspielen von Glyndebourne als italienischer Sänger im «Capriccio» von Richard Strauss mit. 1987 gastierte er in Dublin, 1989 am Opernhaus von Köln und wirkte, ebenfalls 1989, bei den Festspielen von Aix-en-Provence als Prinz in «L' Amour des trois oranges» von Prokofieff mit. Er trat in erster Linie im lyrischen Repertoire auf und sang Partien wie den Paolino in Cimarosas «Matrimonio segreto», den Giannetto in «La gazza ladra» von Rossini, den Ernesto im «Don Pasquale», den Fenton in Verdis «Falstaff», den George Brown in «La Dame blanche» von Boieldieu, den Iopas in «Les Troyens» von Berlioz und den Rodolfo in «La Bohème» von Puccini.
Schallplatten: HMV («Guercoeur» von A. Magnard, «Les Brigands» von Offenbach), Harmonia mundi France («L' Amour des trois oranges»).

Vichey, Luben, s. unter *Vischegonow,* Ljubomir.

Vidal, Melchiorre, Tenor, * 1837 Barcelona, † 1911 Mailand; seit etwa 1860 kam der spanische Künstler in Spanien wie vor allem auch in Italien zu einer großen Bühnen- und Konzertkarriere, die rund 25 Jahre anhielt. Dabei brachte er in erster Linie die leichten lyrischen Partien aus dem Bereich der italienischen Belcanto-Oper wie aus dem Opernwerk Verdis zum Vortrag, die er mit hervorragendem Geschmack zu gestalten wußte. Später wirkte er in Mailand als gesuchter Gesanglehrer. Aus der Zahl seiner Schülerinnen und Schüler seien so große Sängerpersönlichkeiten wie Rosina Storchio, Esperanza Clasenti, Ludwig Heß, Graziella Pareto, Lucrezia Bori und Elvira de Hidalgo erwähnt. Letztere berichtete begeistert von seiner besonderen pädagogischen Begabung; sie habe das, was sie bei Melchiorre Vidal gelernt habe, später ihrer Schülerin Maria Callas weitergeben können.

Vidal-Žebrè, Ksenija, Sopran, * 29. 4. 1913 Skedenj bei Triest; sie war in Triest Schülerin von E. Just, in Mailand von Emilio Ghirardini. 1937 kam es zu ihrem Debüt am Opernhaus von Ljubljana (Laibach). Sie blieb bis 1946 Mitglied dieses Theaters und ging dann bis 1959 von Ljubljana aus einer internationalen Gastspieltätigkeit nach. Dabei trat sie vor allem in Italien und in Spanien in Partien wie der Violetta in «La Traviata», der Donna Elvira im «Don Giovanni», der Marguerite im «Faust» von Gounod, der Mimi in Puccinis «La Bohème», der Tatjana im «Eugen Onegin» von Tschaikowsky und der Marie in Smetanas «Verkaufter Braut» auf. Seit 1959 widmete sie sich in Ljubljana der Gesangpäd-

agogik. Sie war verheiratet mit dem Komponisten und Dirigenten Dimitrij Žebrè (1912–70).

Vidmar-Stritar, Nada, Sopran, * 28. 5. 1917 Bruck an der Leitha (Niederösterreich); sie entstammte einer slowenischen Familie und wurde in Ljubljana (Laibach) durch Julius Betetto und B. Leskovich ausgebildet. 1943 debütierte sie am Opernhaus von Ljubljana als Königin der Nacht in der «Zauberflöte». Dann unterbrach sie jedoch ihre Karriere und schloß sich einer Partisanengruppe innerhalb des Widerstands gegen die deutsche Besatzungsmacht an. Nach dem Ende des Zweiten Weltkrieges nahm sie ihre Tätigkeit am Opernhaus von Ljubljana wieder auf, die sie bis zur Beendigung ihrer Karriere 1974 fortsetzte. Zusammen mit dem Ensemble des Hauses trat sie bei in- und ausländischen Gastspielen in Erscheinung und war zugleich eine geschätzte Konzertsolistin, wobei sie vor allem in Oratorienpartien brillierte. Aus ihrem Repertoire für die Bühne sind die Lucia di Lammermoor, die Gilda im «Rigoletto», die Titelheldin in «La Traviata», die Susanna in «Nozze di Figaro», die Zerline im «Don Giovanni», die Mimi in «La Bohème» von Puccini, die Butterfly und die Zerbinetta in «Ariadne auf Naxos» von R. Strauss zu nennen.
Schallplattenaufnahmen unter dem Etikett von Jugoton.

Vidron, Angèle, Sopran, * 18. 5. 1875 Paris, † 17. 1. 1966 Karl-Marx-Stadt (Chemnitz); sie erhielt ihre Ausbildung in Wien und kam 1902 am Theater von Graz zu ihrem Debüt in der Rolle der Rosina im «Barbier von Sevilla» von Rossini. Sie blieb während einer Spielzeit an diesem Haus und war dann 1903–16 am Opernhaus von Köln tätig, zu dessen ersten Kräften sie während dieser Zeit gehörte. 1918–23 war sie am Stadttheater von Chemnitz engagiert, 1923–25 am Stadttheater von Kiel, 1925–26 am Stadttheater von Stettin. Internationale Gastspiele bestätigten das Ansehen der Künstlerin; 1907 sang sie als Gast am Hoftheater Hannover, 1908 an der Wiener Hofoper (als Gilda im «Rigoletto» und als Rosina), 1910 an der Berliner Hofoper (als Rosina im «Barbier von Sevilla»). Sie gastierte an der Hofoper von Dresden, in der Schweiz und in Italien und war eine hoch geschätzte Konzert- und Oratoriensolistin. Von den vielen Partien, die zu ihrem Bühnenrepertoire gehörten, sind zu nennen: die Susanna in «Figaros Hochzeit», die Königin der Nacht in der «Zauberflöte», die Lucia di Lammermoor, die Marie in der «Regimentstochter» von Donizetti, die Violetta in «La Traviata», der Page Oscar in Verdis «Ballo in maschera», die drei Frauengestalten in «Hoffmanns Erzählungen», die Philine in «Mignon» von A. Thomas, die Micaela in «Carmen», die Sophie wie auch die Marschallin im «Rosenkavalier» von R. Strauss und die Zerbinetta in dessen «Ariadne auf Naxos».
Schallplatten: G & T-Aufnahmen (Köln, 1907).

Vietti, Carolina, Alt, * 1810 (?) Turin, † (?); sie hatte in den Jahren 1830–65 eine erfolgreiche Karriere an den großen italienischen Opernhäusern, darunter auch an der Mailänder Scala. Sie brillierte vor allem in den Partien für Koloratur-Contralto, die in den Opern von Rossini anzutreffen sind, und deren technische Schwierigkeiten immer bewundert wurden. Nachdem sie 1833 am Teatro Nuovo von Novara eine der kompliziertesten derartigen Rollen, den Arsace in Rossinis «Semiramide», gesungen hatte, galt sie als eine der führenden Sängerinnen ihrer Generation für dieses Stimmfach. Große Triumphe feierte sie bei Gastspielen am Wiener Theater am Kärntnertor; sie gastierte in den Musikzentren in Deutschland, Österreich und England. 1860 hatte sie nochmals einen glänzenden Erfolg, als sie am Teatro Vittorio Emanuele Turin in der Partie der Angelina in Rossinis «La Cenerentola» zusammen mit dem Tenor Giacomo Galvani auftrat.

Vigna, Tecla, Mezzosopran, * 1856 Savigliano (Provinz Cuneo), † 1927 Mailand; sie erhielt ihre Ausbildung am Konservatorium von Mailand, wo sie 1877 und 1879 verschiedene Preise gewann. 1879 debütierte sie am Teatro Comunale Bergamo als Giovanna in Donizettis Oper «Anna Bolena» mit Emma Turolla in der Titelpartie. 1880 hörte man sie in Vercelli als Leonora in «La Favorita» von Donizetti, im gleichen Jahr am Teatro Pagliano Florenz als Cieca in «La Gioconda» von Ponchielli. Die Titelfigur in «La Favorita» wurde bald zu ihrer besonderen Glanzrolle, die sie in Alessandria, Florenz, Piacenza, am Teatro Fenice Venedig (1882) und an weiteren Bühnen zum Vortrag brachte. 1881 sang sie am Teatro Argentina Rom die Climene in der klassischen Oper «Saffo» von Pacini, außerdem die Azucena im «Troubadour», die Maddalena im «Rigoletto» und den Romeo in Bellinis «I Capuleti ed I Montecchi». Im August 1881 wirkte sie am Teatro Riccardi von Bergamo in der Uraufführung von Pedrottis «I Burgravi» mit. 1882 gab sie plötzlich ihre Karriere auf, als man ihr die Leitung einer Gesangschule am Konservatorium von Cincinnati anbot. In dieser nordamerikanischen Stadt hat sie viele Jahre hindurch als hoch geschätzte Pädagogin gewirkt, kehrte aber in ihrem Alter wieder in ihre Heimat zurück.

Villa, Edoardo, Tenor, * 19. 10. 1953 Los Angeles; seine Ausbildung erfolgte an der University of Southern California und bei den Pädagogen Martial Singher, Horst Günter und Margaret Harshaw. 1982 war er der Gewinner des alljährlichen Gesangwettbewerbs der New Yorker Metropolitan Oper. In den achtziger Jahren entwickelte sich seine Karriere an den großen amerikanischen Opernhäusern, bald aber auch an europäischen Bühnen. So trat er an den führenden französischen Provinztheatern auf, gastierte 1986 an der Grand Opéra Paris als Don Carlos in der Verdi-Oper gleichen Namens, 1988 an der Oper von Houston/Texas als José in «Carmen» und 1989 an der Staatsoper München sowie bei den Sommerfestspielen in der bayerischen Metropole, außerdem an Opernbühnen in Kanada. Sein Repertoire enthielt u. a. den Corrado in Verdis «Il Corsaro», den Jacopo in dessen «I due Foscari», den Ruggero in «La Rondine» von Puccini, den Titelhel-

den in «Hoffmanns Erzählungen», den italienischen Sänger im «Rosenkavalier» und den Albert Herring in der gleichnamigen Oper von B. Britten.
Schallplatten: Erato («Le Roi d' Ys» von E. Lalo).

Vilmar-Hansen, Emma, Alt, * 1885 (?) Genf, † (?); sie wurde an den Konservatorien von Genf und Paris ausgebildet. 1910 debütierte sie am Stadttheater von Metz, dem sie bis 1912 angehörte. 1912–13 war sie am Stadttheater Essen, 1913–15 an der Berliner Hofoper engagiert. In dem Jahrzehnt 1915–25 erreichte ihre Karriere am Städtischen Opernhaus (Deutsche Oper) Berlin ihren Höhepunkt. 1927–28 war sie Mitglied des Opernhauses von Düsseldorf. Sie gastierte an deutschen Bühnen und wurde durch ihr Mitwirken in Rundfunksendungen von Opern bekannt, in denen sie noch in den dreißiger Jahren auftrat. Bei den Bayreuther Festspielen von 1911 sang sie die Gerhilde in der «Walküre» und den 1. Knappen im «Parsifal». 1916 war sie an der Hofoper von Dresden zu Gast; 1926 sang sie in der deutschen Erstaufführung von de Fallas Oper «La vida breve» am Landestheater von Gera (Thüringen) die Partie der Großmutter. Aus ihrem Repertoire sind noch die Carmen, die Azucena im «Troubadour», die Magdalene in den Meistersingern», die Fides im «Propheten» von Meyerbeer und die Jocaste in «Oedipus Rex» von Strawinsky (Berlin, 1928) hervorzuheben. Sie war verheiratet mit dem Schauspieler Paul Hansen (1886–1967). Sie wirkte nach Abschluß ihrer Bühnenkarriere als Pädagogin am Salzburger Mozarteum.
Schallplatten: HMV (Terzett aus dem «Troubadour» mit Barbara Kemp als Leonore), Odeon.

Vinogradow, Georgij, Tenor, * 1908, † 1980 Moskau; er studierte zunächst am Konservatorium von Kasan Violin- und Violaspiel, ging dann aber nach Moskau und besuchte die Militärakademie in der russischen Metropole. Er nahm dort Gesangunterricht und trat gelegentlich bei Amateurkonzerten in Erscheinung. Er war bereits im russischen Rundfunk als Sänger erschienen, als er 1938 den ersten großen Wettbewerb für Vokalisten der UdSSR gewann. Damit leitete er eine glanzvolle Konzert- und vor allem Rundfunkkarriere ein. Auf der Bühne ist er nicht aufgetreten, doch wurde er durch seine Opernpartien, die er im Radio vortrug, allenthalben bekannt; so sang er u. a. in Radioaufführungen der Opern «Don Giovanni», «Mignon» von A. Thomas, «Philémon et Baucis» von Gounod und «Asya» von Michail Ippolitow-Iwanow. Als Rußland in den Zweiten Weltkrieg eintrat, wurde er Solist des Modell-Orchesters des Landesverteidigungs-Komitees und gab zahlreiche Konzerte vor russischen Soldaten. 1943 wurde er Solist des Alexandrow Vokal- und Tanz-Ensembles, mit dem er ausgedehnte Tourneen unternahm. Bis 1951 blieb er in dieser Position tätig. Seitdem konzentrierte sich seine künstlerische Tätigkeit auf Konzerte und Liederabende; er ist sogar gelegentlich als Vokalist zusammen mit Jazz-Orchestern aufgetreten. Seine Stimme wurde durch eine seltene Tonschönheit und Ausdrucksintensität gekennzeichnet, die auch auf seinen zahlreichen

Schallplatten, die unter dem Etikett von Melodiya erschienen, nacherlebbar sind. Auf ihnen singt er neben Opernarien, russischen Volks- und Kunstliedern auch den Liederzyklus «Schöne Müllerin» von Schubert.

Vischegonow, Ljubomir, Baß, * 18. 7. 1912 Sofia; er studierte an der Musikakademie von Sofia bei Kristina Morfova und am Konservatorium von Prag. Seit 1933 sang er an der Bulgarischen Nationaloper von Sofia. 1937–41 war er am Nationaltheater von Prag engagiert, 1941–48 am Stadttheater (Opernhaus) von Zürich. Hier sang er in der Uraufführung von Paul Burkhards «Casanova in der Schweiz» (1942) und in der Erstaufführung von H. Sutermeisters «Die Zauberinsel» (1943 als Prospero), 1963 nochmals in der Uraufführung der Oper «Die Errettung Thebens» von R. Kelterborn. Nachdem er 1948–49 an der Wiener Staatsoper aufgetreten war, kam er 1949 an die Metropolitan Oper New York und ist bis 1963 Mitglied dieses großen Opernhauses geblieben. Er gastierte am Teatro Liceo Barcelona, an den Theatern von Genf, Luzern und Basel und war auch als Konzertsänger erfolgreich. Seit Mitte der fünfziger Jahre trat er unter dem Namen Luben Vichey auf. Auf der Bühne übernahm er eine große Zahl von Partien sowohl für seriösen Baß wie für Baß-Buffo, u. a. den Osmin in der «Entführung aus dem Serail», den Titelhelden in «Nozze di Figaro», den Sarastro in der «Zauberflöte», den Rocco im «Fidelio», den Mephisto im «Faust» von Gounod, den Escamillo in «Carmen», den König Philipp in Verdis «Don Carlos», den Pater Guardian in «La forza del destino», den Sparafucile im «Rigoletto», den Fiesco in «Simon Boccanegra», den Daland im «Fliegenden Holländer», den Landgrafen im «Tannhäuser», den König Heinrich im «Lohengrin», den Marke im «Tristan», den Hunding wie den Fafner im Nibelungenring, die vier Dämonen in «Hoffmanns Erzählungen», den Boris Godunow, den Kontschak in «Fürst Igor» von Borodin und den Kaspar im «Freischütz». Er lebte später als Pädagoge in New York.
Schallplatten: UORC (König in «Aida»), Melodram («Don Carlos» von Verdi, Titurel im «Parsifal»), Nuova Era («Ballo in maschera» von Verdi), HMV (Szene aus «La forza del destino» mit Zinka Milanov).

Vitale, Maria, Sopran, * 1924, † 1984 Mailand; sie wurde durch die berühmte Giannina Arrangi-Lombardi in Mailand ausgebildet. Nachdem man zunächst angenommen hatte, ihre Stimme sei ein Koloratursopran, wechselte sie auf Anraten des Komponisten Riccardo Pick-Mangiagalli ins dramatische Fach. Erste Erfolge hatte sie in den Martini-Rossi-Konzerten im italienischen Rundfunk, worauf sie 1951 an der Grand Opéra Paris nicht weniger erfolgreich gastierte. In den folgenden Jahren sang sie dort Partien wie die Leonore im «Troubadour», die Aida, die Titelfigur in Bellinis «Norma», die Elsa im «Lohengrin», die Senta im «Fliegenden Holländer» und die Brünnhilde im Nibelungenring, letztere in deutscher Sprache. Während des Verdi-Jahres 1951 sang

sie mehrere große Partien in weniger bekannten Verdi-Opern im Italienischen Rundfunk RAI, die zum Teil auf Cetra aufgenommen wurden (Lucrezia in «I due Foscari», Giselda in «I Lombardi», dazu Titelheldin in «La Vestale» von Spontini sowie eine Arienplatte). Sie sang in Italien weiter am Teatro Massimo Palermo die Norma, an der Oper von Triest die Charlotte in «Werther» von Massenet, in Turin und Florenz die Amelia in Verdis «Ballo in maschera», konnte aber letztlich nicht zu der allgemein erwarteten weltweiten Karriere kommen. 1953 sang sie im italienischen Rundfunk die Titelpartie in Rossinis weitgehend vergessener Oper «Elisabetta Regina d'Inghilterra», in Edinburgh war sie als Desdemona in «Otello» von Rossini zu hören. Als eine Seltenheit unter den italienischen Sängerinnen ist ihre Tätigkeit als Liedersängerin zu werten; sie gab Liederabende mit deutschen Liedprogrammen u. a. in Stuttgart, Frankfurt a. M. und Berlin. Auf dem Höhepunkt ihrer Karriere stehend gab sie diese auf und zog sich mit ihrem Gatten in den kleinen Ort Münsingen in der Schweiz zurück, wo sie als Frau Colombini unerkannt und ganz zurückgezogen lebte und in keiner Weise mehr an ihre Karriere erinnert werden wollte, so daß es schwierig ist, ihre Biographie zu rekonstruieren. Später unterrichtete sie in den USA, kam dann jedoch nach Europa zurück und lebte abwechselnd in Münsingen und in Mailand.
Neben den bereits erwähnten Cetra-Aufnahmen sind von der groß dimensionierten dramatischen Stimme der Sängerin Aufnahmen auf EJS («Aroldo» von Verdi von 1956) und Morgan («I due Foscari») vorhanden.

Vitali, Josephine (Giuseppina), Sopran, * 14. 3. 1846, † (?); beide Eltern, ihr Vater *Raffaele Vitali und ihre Mutter Claudia Vitali-Zerlotti,* waren angesehene Opernsänger. Sie zeigte schon als Kind ein ungewöhnliches musikalisches Talent; mit zehn Jahren komponierte sie bereits. Nach ihrer Ausbildung, die in Italien stattfand, debütierte sie im Alter von 17 Jahren 1863 in Modena als Gilda im «Rigoletto» von Verdi. Es kam zu sehr erfolgreichen Bühnenauftritten an den führenden italienischen Theatern, dann auch in Deutschland und Österreich, in Paris, Madrid und London. Seit 1867 gab sie mehrfach Konzerte in Prag, darunter Wohltätigkeitsveranstaltungen für verschiedene Zwecke. Durch diese Konzertauftritte wurde sie in Prag sehr beliebt. Die Karriere der Künstlerin scheint jedoch früh beendet gewesen zu sein.

Vitarelli, Zenobio, Baß, * 1780 (?), † (?); er war zunächst Bassist in der Sixtinischen Kapelle, wandte sich dann jedoch der Bühne zu und wirkte vor allem in Rom. In der ebenso denkwürdigen wie unglücklich verlaufenen Uraufführung von Rossinis «Barbier von Sevilla» am 20. 2. 1816 am Teatro Argentina in Rom sang er den Don Basilio. Dabei hatte er das Mißgeschick, bei seinem Auftritt über eine Falltür zu stolpern und auf sein Gesicht zu fallen. Seine Nase blutete, die Blutung konnte auch nicht mit Hilfe seines Taschentuchs zum Stehen gebracht werden; unter diesen widrigen Umständen mußte er die

große Verleumdungsarie «La calunnia è un venti-
cello» singen. Das verwirrte, aufgebrachte Publikum
pfiff ihn aus, schließlich ging die ganze Aufführung
in einem skandalösen Debakel unter. Am 25. 1. 1817
sang er am Teatro Valle Rom in der Uraufführung
einer weiteren Rossini-Oper, «La Cenerentola», die
Partie des Alidoro; wenn auch die erste Vorstellung
nicht besonders erfolgreich war, so wurde «La Cenerentola» am Teatro Valle bis zum Ende der Spielzeit am 18. 2. 1817 mindestens zwanzigmal mit sich
steigerndem Erfolg aufgeführt. Interessant ist die
mehrfach auftauchende Bemerkung, man habe den
Sänger Zenobio Vitarelli für einen «Jettatore», also
einen mit dem «bösen Blick» ausgezeichneten Menschen, gehalten. Sein Name kommt auch in der
Schreibweise Zenobio Vitanelli vor.

Vivante, Genevra, Sopran, * 1910 (?) Venedig; sie
studierte zunächst bei Maestro Bonomi in Venedig,
dann auch bei Giacomo Benvenuti. Zu Beginn der
dreißiger Jahre begann sie ihre Karriere, die sich auf
Kammer- und Konzertmusik spezialisierte. Dabei
brachte sie in ihren anspruchsvollen Programmen
einmal Werke alter Meister, anderseits zeitgenössische Kompositionen zum Vortrag. So sang sie 1933
in einem viel beachteten Konzert in der Kirche Santa
Trinità in Florenz Vokalmusik toskanischer und um-
brischer Meister des späten Mittelalters. 1934 wirkte
sie in Florenz in einer konzertanten Aufführung von
de Fallas «El retablo de Maese Pedro» mit. 1934 sang
sie das Sopransolo in Pizzettis «Rappresentazione di
Santa Uliva» in der Uraufführung dieses Werks an
der Mailänder Scala unter der Leitung des Komponisten. Durch ähnliche Konzertauftritte wurde die
Künstlerin in den italienischen Musikmetropolen
allgemein bekannt. 1939 sang sie in der ersten Schallplattenaufnahme von Monteverdis «Orfeo» unter
Calusio die Partien der Euridice und der Musica. Als
Jüdin hatte sie seit 1939 in Italien keine Möglichkeit
mehr aufzutreten. So verlegte sie ihre Tätigkeit,
soweit dies die Kriegsereignisse zuließen, in die
Schweiz. 1946 und nochmals 1947 sang sie an der
Mailänder Scala in Honeggers «Jeanne d'Arc au
bûcher», 1948 in «Le Roi David» von Darius Milhaud. 1949 trat sie dann auch an der Oper von Rom
in «Jeanne d'Arc au bûcher» von Arthur Honegger
auf, wobei der Komponist selbst dirigierte. 1950
hörte man sie in Genua in dem Oratorium «San
Giovanni Battista» von Alessandro Stradella. Sie
sang in dem Oratorium «Geremia» von Bernstein, in
«Les Illuminations» von B. Britten, in Werken von
Pizzetti, Malipiero, Alfano, Ghedini und kreierte
«Tre Laudi» von Dallapiccola. Beim Festival von
Basel brachte sie wieder Werke von A. Honegger
zum Vortrag. Nicht zu vergessen sind ihre zahlrei-
chen Rundfunkauftritte in Italien (RAI), England
(BBC), in der Schweiz (Radio Beromünster), in
Frankreich, in Warschau und Prag. Im Monteverdi-
Jahr 1967 gab sie Konzerte mit Werken dieses Ba-
rock-Meisters. Noch im Dezember 1978 gab die
Sängerin, die ihren Wohnsitz in Venedig hatte, ein
Radiokonzert mit Arien von Monteverdi und vene-
zianischen Volksliedern.
Schallplatten: HMV («Orfeo» von Monteverdi,

«Jephte» und «Jonas» von Carissimi), Cetra, zahlreiche Mitschnitte von Radiosendungen.

Viviani, Elettra, s. unter *Callery-Viviani,* Elettra.

Vizjak-Nicolescu, Emma, Sopran, * 1847 (nach anderen Quellen 1844) Zagreb (Agram), † 3. 3. 1913
New York; sie begann ihre Ausbildung bei V. Lichtenegger in Zagreb und führte sie in Prag und Mailand weiter. 1864 debütierte sie in Mailand, nahm
aber kein festes Engagament an, sondern absolvierte
ihre Karriere innerhalb von ausgedehnten Gastspielreisen. So gastierte sie in Italien und Rußland, in
Deutschland und England, in Spanien und Portugal,
in der Schweiz wie in Südamerika. Dabei brachte sie
sowohl auf der Bühne wie auch im Konzertsaal ein
sehr umfangreiches Repertoire zum Vortrag. In der
Saison 1876–77 war sie am Opernhaus von Zagreb
anzutreffen, ging dann aber wieder ihrer weltweiten
Gastspieltätigkeit nach. Zuletzt wirkte sie als Pädagogin am Conservatory of Music in New York.

Vlachopoulos, Zoë, Sopran, * 1916 Athen; sie entstammte einer Sängerfamilie; ihr Vater, *Miklos Vlachopoulos,* hatte eine bedeutende Karriere als Bariton und u. a. 1927 Schallplatten auf Pathé aufgenommen. Sie studierte am Konservatorium von Athen
bei der Lehrerin von Maria Callas Elvira de Hidalgo
und debütierte 1940 am Nationaltheater von Athen,
dessen Mitglied sie bis in die sechziger Jahre blieb.
Hier trug sie vor allem Partien aus dem italienischen
Fach vor: die Adina in «Elisir d' amore» und die
Norina im «Don Pasquale», die Traviata, die Nedda
im «Bajazzo», die Mimi wie die Musetta in «La
Bohème», die Liu in Puccinis «Turandot», aber auch
die Antonia in «Hoffmanns Erzählungen» und die
Marguerite im «Faust» von Gounod. Gastspiele
führten sie nach Belgrad, Ankara, in die Sowjetunion und 1947 zu den Festspielen von Glyndebourne, wo sie den Amor im «Orpheus» von Gluck
sang, während die Titelrolle durch die große Kathleen Ferrier gestaltet wurde.
Schallplatten: RCA (Ausschnitte aus der genannten
«Orpheus»-Aufführung in Glyndebourne), Mitschnitte von Aufführungen der Athener Oper), Philips (Lieder von M. Kalomiris), Melodiya.

Vökt, Alfred, Tenor, * 21. 5. 1926 Basel; er studierte
1945–47 Philologie an den Universitäten von Basel
und Perugia, 1950–55 Jura an der Universität Basel
und schloß dieses Studium mit der Promotion zum
Dr. jur. ab. Gleichzeitig betrieb er in Basel ein
intensives Musik- und Gesangstudium und ließ seine
Stimme dort durch Ernst Reiter ausbilden
(1948–57). Er sang auch 1950–58 in einem Chor in
Basel. 1955–57 war er dann am Stadttheater von
Basel engagiert, 1958–59 am Stadttheater von Oberhausen, 1959–60 am Stadttheater von Gießen,
1960–62 am Theater von Kiel. 1962–65 gehörte er zu
dem Staatstheater Kassel an; in diese Zeit fielen die
Uraufführungen der Opern «König Hirsch» («Il Re
Cervo») von H. W. Henze (10. 3. 1963) und «Abend,
Nacht und Morgen» von Ján Cikker (1963) in Kassel.
1965–66 sang er am Opernhaus von Dortmund und

seitdem für mehr als zwanzig Jahre am Opernhaus von Frankfurt a. M. Er gastierte an der Deutschen Oper am Rhein Düsseldorf–Duisburg, an den Theatern von Bremen und Gelsenkirchen, am Theater an der Wien in Wien, an den Opern von Bordeaux, Nizza und Toulouse, in Paris und beim Edinburgh Festival. Sein reichhaltiges Bühnenrepertoire umfaßte sowohl lyrische wie Buffo- und Charakterpartien. Dazu war er im Konzertsaal in einem nicht weniger umfangreichen Repertoire aus den Bereichen des Oratorien- wie des Liedgesangs zu hören.

Vogel, Adelheid, Sopran, * 17. 3. 1956 Glösa in Sachsen; sie war an der Musikhochschule von Leipzig vor allem Schülerin von Eva Schubert-Hoffmann. 1977 begann sie ihre Karriere bei der Musikalischen Komödie in Leipzig als Suzanne in der Offenbach-Operette «Madame Favart». 1980 wurde sie an das Opernhaus von Leipzig verpflichtet. Dort war sie bis 1983 tätig und folgte dann einer Berufung an die Staatsoper Berlin. Hier wie bei Gastspielen in Ostdeutschland und auf internationaler Ebene hörte man sie in Partien aus dem Fachbereich der Koloratursoubrette. Im einzelnen sind zu nennen: die Zerline im «Don Giovanni», die Despina in «Così fan tutte», die Ännchen im «Freischütz», die Madeleine im «Postillon de Lonjumeau» von Adolphe Adam, die Jungfer Anna in den «Lustigen Weibern von Windsor» von Nicolai und die Gretel in «Hänsel und Gretel» von Humperdinck. Auch als Konzertsängerin wie auf dem Gebiet der Operette mit Erfolg aufgetreten.

Vogl, Josef, Tenor, * 18. 8. 1876 Aicha vorm Wald in Niederbayern, † 31. 8. 1934 Passau; er wurde an der Akademie für Tonkunst in München sowie bei Johannes Ress in Wien zum Sänger ausgebildet und debütierte 1904 am Stadttheater von Bremen, dem er bis 1907 angehörte. 1907–10 war er am Hoftheater von Hannover engagiert, 1910–12 am Opernhaus (Stadttheater) von Hamburg, 1912–14 am Stadttheater von Mainz und 1914–15 am Opernhaus von Breslau. 1914 wurde er als erster Tenor an das Opernhaus von Leipzig berufen, wo er bis 1923 auftrat. Hier gehörten der Titelheld in «Joseph» von Méhul, der Florestan im «Fidelio», der Max im «Freischütz», der Erik im «Fliegenden Holländer», der Lohengrin, der Walther von Stolzing in den «Meistersingern», der Siegmund in der «Walküre» und der Parsifal zu seinen großen Partien. Er gastierte an führenden deutschen Theatern und sang 1914 an der Londoner Covent Garden Oper den Parsifal. Nach 1923 gab er noch Gastspiele, zog sich dann aber in seinen bayerischen Geburtsort zurück.

Vogliotti, Giuseppe, Tenor, * 11. 11. 1882 Turin, † (?); er erlernte den Beruf eines Gärtners, konnte aber in den Jahren 1900–1902 seine Stimme am Liceo Musicale Turin durch Fausto Del Marchi, später noch durch Oreste Taverna und Alessandro Rissone ausbilden lassen. 1907 debütierte er in Turin als Ernesto im «Don Pasquale» von Donizetti. Bereits 1909 trat er in Barcelona als Herzog im «Rigoletto», als Titelheld in «Fra Diavolo» von Auber, als

Roméo in «Roméo et Juliette» von Gounod und wieder als Ernesto auf. Sehr erfolgreich gestalteten sich 1910 Gastspiele am Teatro Fenice Venedig in Rossinis «Cambiale di matrimonio» und am Teatro Dal Verme Mailand in «Lucia di Lammermoor» zusammen mit Amelita Galli-Curci. Nachdem er an einer Italien-Tournee mit Rossinis «Barbier von Sevilla» teilgenommen hatte, ging er 1915 für vier Jahre nach Amerika. Hier sang er zuerst in San Juan di Portorico, bereiste dann Argentinien, wo er in Buenos Aires in einer Gala-Vorstellung von Puccinis «Manon Lescaut» vor dem argentinischen Präsidenten Feliciano Viera sang, und unternahm 1915–16 eine ausgedehnte Gastspiel-Tournee durch die USA. Dabei trat er in Chicago, Los Angeles, an der Academy of Music New York, in Toronto und Montreal auf. 1917 sang er mit der Silingardi-Company wieder in Argentinien und trat auch am Teatro Colón Buenos Aires hervor. 1917 reiste er mit der Bracala Opera Company, 1918 war er in Havanna und in San Juan di Portorico zu Gast, schließlich besuchte er Südamerika, vor allem Peru, Venezuela und Chile, mit einer Operntruppe, die die große spanische Sopranistin Maria Barrientos zusammengestellt hatte. In seine italienische Heimat zurückgekehrt, hörte man ihn 1919 am Teatro Nazionale Rom als Alfredo in «La Traviata», als Enzo in «La Gioconda» und als Cavaradossi in «Tosca». 1920 sang er den Enzo in «La Gioconda» unter Leitung von Pietro Mascagni in Livorno, 1923 in Reggio Emilia den Faust in «Mefistofele» von Boito. 1925 wirkte er als Solist in einem Konzert im Teatro Regio Turin mit, und noch 1955 nahm er – jetzt 73 Jahre alt – an einem Konzert in der Turiner Kirche San Mauro teil. Er war vielseitig begabt, schrieb Artikel als Korrespondent englischer und amerikanischer Musikzeitschriften, trat in italienischen Tonfilmen auf und wurde durch Rundfunksendungen bekannt.

Volkert, Gudrun, Mezzosopran / Sopran, * 1943 (?) Brno (Brünn) als Tochter österreichischer Eltern. Sie wurde am Konservatorium von Linz (Donau) durch Emilie Auer-Weisgärber ausgebildet und begann ihre Bühnenkarriere mit einem Gast-Engagement am Theater von Klagenfurt als dramatischer Mezzosopran (1966–67). 1967 wurde sie an das Theater von Kiel verpflichtet. Hier vollzog sich nach weiteren Studien bei Friedel Becker-Brill der Übergang ins Sopran-Fach. Sie war bis 1974 in Kiel engagiert und sang anschließend 1974–83 am Stadttheater von Bielefeld. Seitdem trat sie als Gast auf und war durch Gastspielverträge mit dem Staatstheater Braunschweig (1983–88), dem Staatstheater Kassel (seit 1984) und dem Nationaltheater Mannheim (seit 1988) verbunden. 1981 gastierte sie am Théâtre de la Monnaie Brüssel, 1982 an der Oper von Rouen, 1986 an der Hamburger Staatsoper, 1987 am Teatro Regio Turin. Sie wurde eine große Wagner-Interpretin und zeichnete sich zumal als Brünnhilde im Nibelungenring aus. Nachdem sie diese Partie (in der «Walküre») erstmals in Detmold gesungen hatte, kam sie zu sensationellen Erfolgen, als sie die Brünnhilde 1988 bei der Eröffnung des neu erbauten Theaters von Rotterdam in einer Ring-Aufführung vortrug (zusammen mit dem Ensemble von Kassel). 1988–89 wurde sie als Brünnhilde im Nibelungenring an der Nationaloper Warschau bewundert. 1988 hörte man sie am Opernhaus von Wuppertal als Titelheldin in «Medea» von Cherubini, 1989 als Isolde im «Tristan». 1990 sang sie an der Metropolitan Oper New York die Brünnhilde in der «Walküre». Weitere Höhepunkte in ihrem Bühnenrepertoire waren die Leonore im «Fidelio», die Senta im «Fliegenden Holländer», die Ortrud im «Lohengrin», die Titelfigur in «Salome» von R. Strauss, die Marschallin im «Rosenkavalier», die Titelheldin in «La Gioconda» von Ponchielli, die Tosca, die Turandot in Puccinis gleichnamiger Oper, die Küsterin in «Jenufa» von Janáček und die Gräfin in «Die Soldaten» von B. A. Zimmermann.

Volz, Manfred, Baß-Bariton, * 1950 Darmstadt; er begann seine Karriere 1972 als Konzertsänger und hatte auf diesem Gebiet sich bereits Ansehen verschafft, bevor er 1980 am Stadttheater von Trier als Titelheld in «Figaros Hochzeit» zu seinem Bühnendebüt kam. Er sang dort anschließend den Papageno in der «Zauberflöte», den Fra Melitone in Verdis «La forza del destino» und weitere Rollen. 1981–83 war er am Stadttheater von Aachen verpflichtet und folgte 1985 dann einem Ruf an das Staatstheater von Kassel. Seine erste Partie an diesem Haus war der Alberich im «Siegfried»; Aufgaben wie der Ford im «Falstaff» von Verdi, der Amonasro in «Aida», der Graf in «Figaros Hochzeit», der Faninal im «Rosenkavalier» und der Vater in «Hänsel und Gretel» von Humperdinck schlossen sich an. 1986 sang er bei den Festspielen von Bad Gandersheim den König in der «Klugen» von C. Orff, 1988 bei den Aufführungen des Ring-Zyklus zur Eröffnung des neu erbauten Theaters von Rotterdam den Alberich wie den Gunther. Gleichzeitig setzte er seine Tätigkeit als Konzert- und Oratoriensolist (Verdi-Requiem) fort.

Vries, Joop de, s. unter *de Vries,* Joop.

Vuscović, Marko, Bariton, * 21. 6. 1877 Supetar auf der jugoslawischen Adria-Insel Brač, † 24. 2. 1960 Zagreb; er wurde am Konservatorium von Split ausgebildet und debütierte 1904 bei einer tschechischen Operntruppe, die in Split auftrat, in der Rolle des Mephisto im «Faust» von Gounod. Dann ging er zu weiteren Studien ins Ausland und war in Wien Schüler von J. Gänsbacher, in Berlin von Lilli Lehmann. 1905–06 war er am Stadttheater von Troppau (Opava), 1906–08 am Stadttheater von Würzburg engagiert. 1909–13 war er am Opernhaus von Zagreb (Agram) tätig, sang in den Jahren 1914–21 an der Wiener Volksoper und schließlich wieder 1921–25 am Opernhaus von Zagreb. Später wirkte er dort als Regisseur und als Gesangpädagoge. Zu seinen Schülern gehörten so bedeutende Sänger wie der Tenor Tino Pattiera und die Sopranistin Daniza Ilitsch. Bereits 1907 gastierte er am Stadttheater von Bern (Schweiz), dann auch in Berlin, Prag und Zürich, 1921 unternahm er eine Südamerika-Tournee. Sein reichhaltiges Rollenrepertoire für die Bühne hatte als Höhepunkte den Don Giovanni, den Nelusco in «L'Africaine» von Meyerbeer, den Nilakantha in «Lakmé» von Delibes, den Fliegenden Holländer, den Telramund im «Lohengrin», den Wotan im Nibelungenring, den Boris Godunow in Mussorgskys bekannter Oper, den Amonasro in «Aida», den Scarpia in «Tosca», den Titelhelden in Borodins «Fürst Igor» und den Wassermann in «Rusalka» von A. Dvořák. Hinzu kam eine nicht weniger erfolgreiche Konzertkarriere.

Wagner, Karl, Theo, Baß-Bariton, *23.12. 1902 Luzern; Ausbildung bei A. Hemmann in Bern und Luzern, bei Erik Wildhagen in München und an der Folkwang-Musikschule in Essen. 1927–28 war er als Volontär an der Bayerischen Staatsoper München tätig, 1928–29 sang er am Stadttheater Essen. Seit 1929 trat er ausschließlich als Konzertsänger auf. Er war lange Zeit hindurch Mitglied des Salvati-Vokalquartetts (mit Leni Neuenschwander, Paula Koelliker, Salvatore Salvati), dann auch des Madrigal-Ensembles Zürich. Mit dem Salvati-Quartett unternahm er Tourneen durch ganz Europa. Im Konzertsaal sang er Solopartien in Werken von J. S. Bach (Christus in den großen Passionen, Hohe Messe, Weihnachtsoratorium, Kantaten), von Händel (Messias), Haydn, Mozart, Frank Martin («Le Vin herbé») und gab erfolgreiche Liederabende («Schöne Müllerin», «Winterreise» von Schubert). Er sang u. a. in Zürich, Basel und Bern, in St. Gallen und Schaffhausen, in Mühlhausen (Mulhouse, Elsaß) und sehr erfolgreich in einem Konzert an der Mailänder Scala.

Wahlgren, Per-Arne, Bariton, *1953 nachdem der schwedische Sänger seine Ausbildung in der Opernschule der Königlichen Oper Stockholm beendet hatte, debütierte er 1978 bei der Norrlandsoperan als Titelheld im «Don Giovanni» und hatte sogleich einen bedeutenden Erfolg. Er wurde dann 1979 an das Stora Theater Göteborg verpflichtet, an dem er als Germont-père in «La Traviata», als Belcore in «Elisir d' amore» und in weiteren Partien Aufsehen erregte. Am 18. 9. 1980 gastierte er am Theater an der Wien in der österreichischen Hauptstadt in der Uraufführung der Oper «Jesu Hochzeit» von G. von Einem. 1981 wurde er als erster Bariton in das Ensemble der Königlichen Oper Stockholm berufen. Hier hörte man ihn als Grafen in «Nozze di Figaro», als Guglielmo in «Così fan tutte», als Marcel in Puccinis «La Bohème», als Sharpless in «Madame Butterfly», als Wolfram im «Tannhäuser» und in weiteren Partien seines Stimmfachs. An der Oper von Nizza gastierte er als Wolfram und in Tschaikowskys «Pique Dame», in Lausanne als Partner von Teresa Berganza in «Dido and Aeneas» von Purcell, in Madrid sang er das Baßsolo in dem Oratorium «Elias» von Mendelssohn. Er gastierte in Wiesbaden und in weiteren Zentren des internationalen Musiklebens. Am 18. 10. 1986 wirkte er an der Stockholmer Oper in der Uraufführung der Oper «Christina» von Hans Gefors mit. Im Konzertsaal erwies er sich als Oratorien- und Liedinterpret von hohem Rang. Er sang Soli in der Matthäus- wie in der Johannespassion von J. S. Bach, in dessen Weihnachtsoratorium und in vielen seiner Kantaten, im Deutschen Requiem von J. Brahms, im «Messias», dem Utrechter und dem Dettinger Te Deum von Händel, den Carmina Burana von Carl Orff, den «Liedern eines fahrenden Gesellen» von Gustav Mahler und dem Requiem von Gabriel Fauré.
Schallplatten: Erato («Dido and Aeneas» von Purcell), Musica Sveciae (Lieder von Erik Gustaf Geijer und Emil Sjögren).

Wahrmann-Schöllinger, Fanny, Sopran, *4. 8. 1890 Wien, †(?); sie erhielt ihre Ausbildung vorwiegend durch die große Wagner-Sopranistin Amalie Materna in Wien, debütierte 1910 am Theater von Kattowitz und sang dann am Stadttheater von Posen (Poznań, 1911–12) und am Stadttheater von Rostock (1912–17). In den folgenden Jahren war sie am Stadttheater von Kiel engagiert (1917–19), dann am Landestheater Dessau (1919–24), wo sie die Titelrolle in der Uraufführung der Oper «Magda Maria» von O. von Chelius sang. Den Höhepunkt erreichte ihre Karriere mit einem Engagement am Opernhaus von Hannover in den Jahren 1924–34. Hier weitete sie ihr ursprünglich eher lyrisches Rollenrepertoire (Elsa, Gutrune, Mimi, Aida) bis in das hochdramatische Fach aus und sang dann die Brünnhilde in der «Götterdämmerung», die Leonore im «Fidelio», auch die Brangäne im «Tristan» und die Amme in der «Frau ohne Schatten» von Richard Strauss. Als angesehene Wagner-Interpretin sang sie 1924 bei den Festspielen von Bayreuth die Ortlinde in der «Walküre». Die Sängerin, die mit dem Schauspieler Ernst Wahrmann verheiratet war, lebte um 1950 als Pädagogin in Hannover.
Schallplattenaufnahmen auf Polyphon.

Waldmeier, Carl Maria, Baß, *15. 10. 1884 Düsseldorf, †(?); er war zuerst als Bankbeamter tätig, begann daneben jedoch in seiner Heimatstadt Düsseldorf ein Gesangstudium bei dem bekannten Tenor Andreas Moers. Nachdem er sich ganz für die Sängerlaufbahn entschieden hatte, brachte er seine Ausbildung am Konservatorium von Köln zum Abschluß und erhielt 1912 ein Anfänger-Engagement am Kölner Opernhaus. 1915 ging er von dort an das Stadttheater von Mainz, dem er bis 1921 angehörte. 1921–22 sang er am Theater von Elberfeld-Barmen, 1922–24 am Staatstheater von Braunschweig und schließlich seit 1924 für zwanzig Jahre bis 1944 am Opernhaus seiner Heimatstadt Düsseldorf. Bis Mitte der fünfziger Jahre ist er an diesem Haus, dessen Publikum ihn sehr schätzte, noch als Gast aufgetreten. Hatte er anfänglich seriöse Partien wie den Rocco im «Fidelio», den Eremiten im «Freischütz», den Daland im «Fliegenden Holländer» oder den Ramphis in «Aida» übernommen, so ging er zunehmend ins Buffo- und Charakterfach über und brachte nun Rollen wie den Leporello im «Don Giovanni», den Titelhelden in «Figaros Hochzeit», den Bartolo im «Barbier von Sevilla», den van Bett in «Zar und Zimmermann», den Stadinger im «Waffenschmied», den Kellermeister in «Undine» von Lortzing, den Falstaff in Nicolais «Lustigen Weibern von Windsor», den Beckmesser in den «Meistersingern», den Ochs im «Rosenkavalier», den Don Pasquale von Donizetti, den Sakristan in «Tosca» und den Mephisto im «Faust» von Gounod zum Vortrag. Er wirkte in den deutschen Erstaufführungen der Opern «Le Roi d' Yvetot» von J. Ibert (Düsseldorf, 1936) und «Dafni» von Giuseppe Mulè (ebenfalls Düsseldorf, 1939) mit. Aufgrund seines besonderen schauspielerischen Talents kam er auch in zahlreichen Operettenpartien zu großen Erfolgen.

Walk, Winfried, Baß, * 15. 5. 1931 Steyr (Oberösterreich); er wurde zunächst Ingenieur, studierte dann
Gesang bei Eva Ambrosius in Darmstadt und bei
den bekannten Sängern Julius Patzak und Hans
Duhan in Wien. 1960 debütiete er am Opernhaus
von Kiel als Trinity Moses in «Aufstieg und Fall der
Stadt Mahagonny» von Weill. Er sang an führenden
deutschen Theatern, u. a. in Bielefeld, Dortmund,
am Staatstheater Darmstadt, am Theater am Gärtnerplatz in München, in Krefeld und Kiel und war
lange Jahre bis 1985 Mitglied des Landestheaters
von Linz/Donau. Der Schwerpunkt seines Bühnenrepertoires lag im Buffo-Fach, wobei er sich auch als
hervorragender Darsteller präsentieren konnte.
Von seinen Rollen sind der Leporello im «Don
Giovanni», der Nardo in Mozarts «La finta giardiniera», der Sarastro in der «Zauberflöte», der Geronimo in «Il matrimonio segreto» von Cimarosa, der
Bartolo im «Barbier von Sevilla» von Rossini, der
Mustafà in dessen «Italiana in Algeri», der Plumkett
in Flotows «Martha», der Titelheld im «Don Pasquale» von Donizetti, der Baculus im «Wildschütz»
von Lortzing, der van Bett in «Zar und Zimmermann», der Rocco im «Fidelio», der Falstaff in den
«Lustigen Weibern von Windsor» von Nicolai, der
Kezal in Smetanas «Verkaufter Braut», der Fra Melitone in Verdis «Forza del destino», der Daland im
«Fliegenden Holländer», der Landgraf im «Tannhäuser», der Fafner im Nibelungenring und der Ochs
im «Rosenkavalier» von Richard Strauss zu nennen.

Walker, Gertrud, Alt, * 1907 (?) Frankfurt a. M. Sie
begann ihre Bühnenkarriere 1930 am Stadttheater
von Saarbrücken und blieb dort bis 1933 im Engagement. 1933–39 war sie Mitglied der Staatsoper von
Stuttgart. 1938–42 trat sie bei Gastspielen und Konzerten in deutschen wie ausländischen Zentren des
Musiklebens auf, soweit sich dies durch die Kriegsereignisse verwirklichen ließ. In den Jahren 1942–44
war sie am Opernhaus von Frankfurt a. M. verpflichtet, gab aber 1944 ihre Bühnenkarriere auf. Sie war
verheiratet mit dem Tenor *Albert Seibert,* der ebenfalls in Frankfurt wirkte; seitdem ist sie auch unter
dem Namen Gertrud Walker-Seibert aufgetreten.
Aus ihrem Rollenrepertoire für die Bühne seien die
Azucena im «Troubadour», die Ulrica in Verdis
«Maskenball» und die Fricka im Nibelungenring
genannt.

Walker, Helen, Sopran, * 1950 Tunbridge Wells
(England), Ausbildung an der Guildhall School of
Music London durch Noelle Barker. 1977 debütierte
sie in der Titelpartie von Verdis Oper «Giovanna d'
Arco». Sie kam dann zu großen Erfolgen bei den
Festspielen von Glyndebourne, wo sie in Monteverdis «L' Incoronazione di Poppea» und in «A Midsummer Night's Dream» (als Helena) von Benjamin
Britten sang. Bei der Glyndebourne Touring Opera
hörte man sie als Pamina in der «Zauberflöte», als
Anne Trulove in «The Rake's Progress» von Strawinsky und als Ninetta in «L' Amour des trois oranges» von Prokofieff; sie gastierte mit diesem Ensemble in Hongkong und an der Oper von Nancy. Bei
der Opera North Leeds trat sie als Pamina und als

Fenena in Verdis «Nabucco», beim Festival von
Aldeburgh wieder als Helena in «A Midsummer
Night's Dream» auf, eine Partie, die sie dann auch an
der Londoner Covent Garden Oper vortrug. Sie
gastierte in Händel-Opern bei der Handel Opera
Society (Polissena in «Radamisto») und am Sadler's
Wells Theatre London (in «Teseo»). Weitere Gast-
spiele am Theater von Montpellier und am Teatro
Fenice Venedig, an dem sie als Anne Trulove erfolg-
reich gastierte.
Schallplatten: Decca (Kleine Partie in «Suor Ange-
lica» von Puccini), Philips («Dido and Aeneas»).

Walker, John Edward, Tenor, * 19. 8. 1933 Bushnell
(Indiana); seine Ausbildung zum Sänger erfolgte an
den Universitäten von Denver, Urbana (University
of Illinois) und Bloomington sowie bei Olga Ryss in
New York. Bühnendebüt 1963 am Stadttheater von
Bern (Schweiz) als Tamino in der «Zauberflöte». In
Europa kam er an den Opernhäusern von Zürich,
Köln und Frankfurt a. M., an der Stuttgarter Staatsoper und am Théâtre de la Monnaie Brüssel zu
großen Erfolgen als lyrischer Tenor. In Nordamerika nicht weniger erfolgreich bei Auftritten an den
Opern von San Francisco und Dallas, in Santa Fé
und Chicago, in Seattle und San Diego, bei der
Kentucky Opera, der Omaha Opera Company und
in Portland. Partien wie der Nadir in «Pêcheurs de
perles» von Bizet, der Belmonte in der «Entführung
aus dem Serail», der Don Ottavio im «Don Giovanni», der Ferrando in «Così fan tutte», der Graf
Almaviva im «Barbier von Sevilla» von Rossini, der
Fenton in Nicolais «Lustigen Weibern von Windsor»
wie im «Falstaff» von Verdi, der Alfredo in «La
Traviata», der Ernesto im «Don Pasquale» von Donizetti, der Nemorino in «Elisir d'amore», der Titelheld im «Werther» von Massenet, der Nureddin im
«Barbier von Bagdad» von Cornelius, der Hans in
der «Verkauften Braut» von Smetana, der Lenski im
«Eugen Onegin» von Tschaikowsky, der Titelheld in
«Albert Herring» von Benjamin Britten, der Lysander in «A Midsummer Night's Dream» vom gleichen
Komponisten und der David in den «Meistersingern» bildeten Höhepunkte in seinem reichhaltigen
Bühnenrepertoire. Hinzu trat eine nicht weniger
bedeutende Karriere als Konzert- und Oratorienste-
nor.

Walker, Penelope, Mezzosopran, * 12. 10. 1956
Manchester; sie erhielt ihre Ausbildung zur Sängerin
an der Guildhall School of Music und 1979–80 im
National Opera Studio London. Bereits 1976 trat sie
in einem Konzert in der Londoner Albert Hall auf.
1982 kam es zu ihrem Bühnendebüt an der Opéra-
Comique Paris. Sie sang dann beim Camden Festival
in der vergessenen Oper «Maria Tudor» von Giovanni Pacini. Bei der English Opera London war sie
als Siegrune in der «Walküre», als Kate Pinkerton in
«Madame Butterfly» und als Madame Sosostris in
«The Midsummer Marriage» von M. Tippett zu hören. Die letztgenannte Partie sang sie dann auch an
der Opera North Leeds und bei der Scottish Opera
Glasgow (hier auch die Erda im «Rheingold»). Gastierte bei der Welsh Opera Cardiff als Fricka im

Nibelungenring und als Anna in «Les Troyens» von Berlioz. Am Sadler's Wells Theatre wirkte sie in Aufführungen von Händel-Opern mit, die aus Anlaß des Händel-Jubiläums 1985 veranstaltet wurden. Sie erschien an der Covent Garden Oper London und bei den Festspielen im Theater des Herodes Atticus in Athen. Auch als Konzertsängerin kam sie, namentlich für das Gebiet des Oratoriengesangs, zu internationalen Erfolgen. 1981 sang sie zusammen mit den Berliner Philharmonikern in Berlin das Alt-Solo im «Messias» von Händel; sie wirkte bei den Festspielen von Edinburgh, beim English Bach Festival, beim Camdem Festival und beim Three Choirs Festival mit.
Schallplatten: Opera Rara (Arien aus italienischen Opern).

Walker, Sandra, Mezzosopran, * 1. 10. 1946 Richmond (Virginia); sie war anfänglich als Musiklehrerin tätig, widmete sich dann jedoch dem Gesangstudium an der University of North Carolina und an der Manhattan School of Music New York, wo sie Schülerin von Oren Brown war. 1972 debütierte sie als Floßhilde im «Rheingold» an der San Francisco Opera. Sie kam an diesem Opernhaus, an den Bühnen von Philadelphia und Chicago, vor allem aber an der City Centre Opera New York, zu einer erfolgreichen Karriere. Später hatte sie die gleichen Erfolge in Westdeutschland, u. a. am Theater im Revier Gelsenkirchen (1985) und am Staatstheater von Wiesbaden (1987). Aus ihrem Bühnenrepertoire sind Partien wie die Carmen, die Suzuki in «Madame Butterfly», die Frugola in Puccinis «Il Tabarro», die Lola in «Cavalleria rusticana», die Marquise de Birkenfeld in «La fille du régiment» von Donizetti und die Sekretärin in «The Consul» von G. C. Menotti hervorzuheben. Von New York aus, wo sie lebte, unternahm sie auch erfolgreiche Konzertauftritte. Verheiratet mit dem Sänger *Melvin Brown.*

Walker, William, Bariton, * 29. 10. 1931 Waco (Texas); er erhielt seine Ausbildung zum Sänger an der Texas Christian University in San Antonio. 1955 debütierte er an der Fort Worth Opera (Texas) als Schaunard in Puccinis «La Bohème». Er sang in Nordamerika an den Opern von New Orleans, Santa Fé, Milwaukee, Fort Worth, in Washington und Vancouver, vor allem auch an der Oper von San Antonio. 1962 wurde er an die Metropolitan Oper New York engagiert, deren Ensemble er für viele Jahre angehörte. Hier sang er kleinere, aber auch tragende Partien, wie das Repertoire es erforderte. Zu nennen sind: sein Gugliemo in «Così fan tutte» sein Papageno in der «Zauberflöte», sein Malatesta im «Don Pasquale», sein Rigoletto, sein Germontpère in «La Traviata», sein Amonasro in «Aida», sein Ford im «Falstaff» von Verdi, sein Valentin im «Faust» von Gounod, sein Figaro in Rossinis «Barbier von Sevilla», sein Marcello in Puccinis «La Bohème», sein Sharpless in «Madame Butterfly», sein Alfio in «Cavalleria rusticana», sein Tonio im «Bajazzo», sein Escamillo in «Carmen» und sein Bob in «The Old Maid and the Thief» von G. C. Menotti. Angesehener Konzertsänger.

Schallplatten: Mitschnitte von Rundfunksendungen aus der Metropolitan Oper.

Wallén, Martti, Baß, * 20. 11. 1948 Helsinki; er erhielt seine Ausbildung an der Sibelius-Akademie in Helsinki. Er debütierte an der Nationaloper von Helsinki, deren Mitglied er in den Jahren 1973–75 war. 1975 wurde er als erster Bassist an die Königliche Oper Stockholm berufen. Hier wie bei Gastspielen sang er eine Vielzahl von Partien aus dem Baß-Fach, von denen der Colline in Puccinis «La Bohème», der Ferrando im «Troubadour», der König Philipp im «Don Carlos» von Verdi, der Sparafucile im «Rigoletto», der Geisterbote in der «Frau ohne Schatten» von Richard Strauss, der Ochs in dessen «Rosenkavalier», der Daland im «Fliegenden Holländer», der Landgraf im «Tannhäuser», der Marke im «Tristan», der Pimen im «Boris Godunow» und der Titelheld im «Falstaff» von Verdi genannt seien. Er übernahm auch gerne Partien in zeitgenössischen finnischen Opernwerken, so den Paavo in «Die letzten Versuchungen» von Joonas Kokkonen und in «Der Reitersmann» von Aulis Sallinen. Auch als Konzertsänger kam er in einem umfangreichen Repertoire zu einer großen Karriere.

Waller, Adalbert, Bariton, * 1932 Danzig; er erlernte zuerst den Beruf eines Industriekaufmanns, den er auch in Frankfurt a. M. ausübte. Dann widmete er sich jedoch dem Gesangstudium, das er ebenfalls in Frankfurt absolvierte. 1958 erfolgte sein Bühnendebüt. Er sang dann 1958–59 in Bielefeld, 1959–62 bei den Deutschen Gastspieloper, 1962–65 in Passau und 1965–68 in Osnabrück. Er war 1968–74 am Stadttheater von Aachen engagiert. Hier hörte man ihn u. a. als Rigoletto, als Scarpia in «Tosca», als Alfio in «Cavalleria rusticana» und nochmals 1976–77 als Gast in der Rolle des Telramund im «Lohengrin». Bis 1981 unternahm er Gastspiele an deutschen wie an ausländischen Bühnen. So sang er an der Oper von São Paulo den Titelhelden in der brasilianischen Erstaufführung von Alban Bergs «Wozzeck», 1981 gastierte er am Opernhaus von Köln als Fliegender Holländer, 1985 am Staatstheater Braunschweig in «Lear» von A. Reimann, 1982 an der Oper von Antwerpen als Dr. Schön in «Lulu», 1982 am Teatro Colón Buenos Aires als Alberich im Nibelungenring, 1981 in Nantes, 1984 am Teatro Comunale Bologna als Kurwenal in «Tristan». Seit 1981 war er Mitglied des Opernhauses von Frankfurt a. M. Aus seinem Bühnenrepertoire sind noch als Höhepunkte der Hans Sachs in den «Meistersingern», der Wotan im Nibelungenring, der Dr. Schön in «Lulu» von A. Berg, der Titelheld im «Falstaff» von Verdi und der Graf Luna im «Troubadour» nachzutragen.

Waller, Juanita, Sopran, * 29. 3. 1939 Pittsburgh; sie wurde ausgebildet an der Carnegie-Mellon University Pittsburgh durch Maria Malpi. Sie kam nach Europa und debütierte am Stadttheater von Bremen als Salome in der gleichnamigen Richard Strauss-Oper. Sie sang dann an der Deutschen Oper am Rhein Düsseldorf–Duisburg, am Opernhaus von

Wuppertal, an der Wiener Volksoper, am Teatro San Carlo Neapel und an der Oper von Zürich. 1970–71 gastierte sie am Stadttheater Aachen als Salome. In den USA hörte man sie u. a. an der Oper von San Antonio und an der Opera South Jackson. Bei der letztgenannten Gesellschaft wirkte sie 1974 in der Uraufführung der Oper «The Bayou Legend» von Still mit. Aus ihrem Bühnenrepertoire verdienen die Aida, die Poppea in Monteverdis «Incoronazione di Poppea», die Bess in «Porgy and Bess» von Gershwin und die Salome von R. Strauss besondere Erwähnung. Ebenso bekannt wie als Bühnensängerin wurde sie in ihrem Wirken auf dem Konzertpodium; auch als Gesangpädagogin tätig.

Walter, Rose, Sopran, * 15. 11. 1890 Berlin, † 24. 10. 1962 New York; die Künstlerin kam in den zwanziger Jahren zu einer großen Karriere als Konzertsängerin in Deutschland. Sie trat mit Konzertabenden in den deutschsprachigen Musikzentren und als Solistin in Oratorien auf und setzte sich besonders für das zeitgenössische Musikschaffen ein. So war sie als Interpretin der Vokalwerke von Schönberg, Hindemith und Strawinsky bekannt und trug die damals in Deutschland noch wenig bekannten Werke von Maurice Ravel dem Publikum vor. Sie ging dieser Konzerttätigkeit von Berlin, ihrem Wohnsitz, aus nach. Auf der Bühne ist sie wohl nicht erschienen. Dafür trat sie als Mitglied des «Berliner Vokalquartetts» zusammen mit Roland Hell, Th. Bardas und Wilhelm Guttmann in Erscheinung. 1926 gastierte sie in Amsterdam, 1932 in Paris, 1929 unternahm sie eine Holland-Tournee. Nach 1933 konnte sie als Jüdin in Deutschland nicht mehr auftreten. Sie hat dann Deutschland verlassen, ging 1934 nach England, wo sie noch als Sängerin auftrat, hauptsächlich aber als Pädagogin wirkte. Seit 1940 lebte sie in New York. Verheiratet mit dem Architekten Paul Zucker (1881–1971).
Dafür haben uns jedoch einige schöne Aufnahmen unter dem Etikett von HMV-Electrola ihre Stimme überliefert; darunter befinden sich Duette (u. a. ein Duett aus «Boccaccio» von F. von Suppé) mit der Sopranistin Elisabeth Böhm-van Endert und «La Flûte enchantée» von Ravel. Auch Polydor-Platten. Aufnahmen des «Berliner Vokalquartetts» erschienen bei Homochord.

Walter-Sacks, Emilie, Alt, * 1914 (?); sie war zuerst 1939–40 als Korrepetitorin am Theater von Reichenberg (Liberec) tätig, begann dann aber ihre Bühnenkarriere als Sängerin 1941 am Stadttheater von Aussig (Ústí nad Labem), dem sie bis 1943 angehörte. 1943–49 war sie am Stadttheater von Erfurt engagiert, kam dann an die Staatsoper von Dresden, deren Mitglied sie bis Mitte der fünfziger Jahre blieb. Gleichzeitig war sie 1954–56 an der Komischen Oper Berlin verpflichtet. Sie gastierte mit dem Ensemble des letztgenannten Theaters u. a. in Prag. Sie ging dann mit ihrem Gatten, dem Bassisten *Philipp Sacks* (* 1910) nach Westdeutschland und sang hier in den Jahren 1957–66 am Opernhaus von Wuppertal. Bis zu ihrer Pensionierung 1976 arbeitete sie dort in der Verwaltung des Hauses. Aus

ihrem Rollenrepertoire für die Bühne verdienen Partien wie die Maddalena im «Rigoletto», die Suzuki in «Madame Butterfly», die Mary im «Fliegenden Holländer», die Magdalene in den «Meistersingern», die Carlotta in der «Schweigsamen Frau» von R. Strauss, die Leda in dessen «Liebe der Danaë» und die Orsola in «Il Campiello» von E. Wolf-Ferrari Erwähnung. Bedeutende Karriere als Konzert- und Oratoriensolistin.
Sie wirkt auf Urania in zwei vollständigen Opern-Aufnahmen mit, als Magdalene in den «Meistersingern» und als Annina im «Rosenkavalier».

Walzer, Linda, Sopran, * 1939 London; sie war am Royal College of Music in London Schülerin von Ruth Packer und studierte weiter bei Anthony Beskin. Sie kam zu ihrem Bühnendebüt bei der Carl Rosa Opera Company in der Partie der Berta in Rossinis «Barbier von Sevilla». Sie blieb für zwei Jahre Mitglied dieses Ensembles und sang in der Folgezeit bei verschiedenen englischen Operngesellschaften. Dabei standen Rollen wie die Marguerite im «Faust» von Gounod, die Fiordiligi in «Così fan tutte», die Gräfin in «Figaros Hochzeit», die Butterfly, die Titelfigur in Puccinis «Manon Lescaut», die Santuzza in «Cavalleria rusticana», die Gilda im «Rigoletto» und die Giselda in Verdis «I Lombardi» im Mittelpunkt ihres Repertoires für die Bühne. Große Bedeutung erlangte ihr Auftreten im Konzertsaal; dort schätzte man sie als Solistin im «Messias» von Händel, in der «Schöpfung» von Haydn, in Mendelssohns «Elias», in den Requiemmessen von Verdi und Mozart. Sie widmete sich der pädagogischen Tätigkeit und studierte den Chor der Edgware Reform Synagogue London ein.

Ward, Joseph, Tenor, * 22. 5. 1942 Preston (Grafschaft Lancashire, England); er erhielt seine Ausbildung zum Sänger am Royal Manchester College of Music. 1962 debütierte er an der Covent Garden Oper London. Hier wie an den übrigen Opernhäusern in England trat er in einer Vielzahl von Partien aus allen Bereichen des Bühnenrepertoires, namentlich des Charakterfachs, auf. Er gastierte in den USA, in Deutschland, Österreich, Portugal und Frankreich. Auch als Konzertsolist kam er zu Erfolgen; er wirkte im pädagogischen Bereich als Direktor-Assistent am Royal Northern College of Music in Manchester. Eine seiner Schülerinnen war die Sopranistin Joan Rodgers. Bekannt wurde er durch zahlreiche Radiosendungen der BBC London und durch Schallplattenaufnahmen, in denen er zumeist kleinere Partien in vollständigen Opern singt. Es handelt sich dabei vor allem um Schallplatten der Marke Decca («Norma» und «Beatrice di Tenda» von Bellini, «Montezuma» von C. H. Graun, «Albert Herring» von B. Britten, «Les Huguénots» von Meyerbeer, «The Pilgrims Progress» von Vaughan Williams).

Warnery, Edmond, Tenor, * 1880 (?), † (?); über diesen französischen Sänger können nur einzelne Daten aus seiner Karriere mitgeteilt werden. Er scheint zu Beginn seiner Laufbahn an französischen

Provinzbühnen aufgetreten zu sein. 1909 gastierte er an der Covent Garden Oper London in der englischen Erstaufführung von Debussys «Pelléas et Mélisande» in der Partie des Pelléas. 1911 wirkte er am gleichen Haus in einer weiteren englischen Premiere einer französischen Oper mit, als Gonzalve in «L'Heure espagnole» von Ravel. Auch 1924 war er an der Covent Garden Oper London zu Gast. Nach dem Ersten Weltkrieg wandte er sich mehr und mehr dem Charakterfach zu. Am 21. 3. 1925 übernahm er an der Oper von Monte Carlo in der Uraufführung von Ravels «L'Enfant et les sortilèges» die Partie der Uhr; ebenfalls 1925 sang er in Monte Carlo in der Uraufführung der Oper «Fay-en-Fah» von J. Redding. Am 29. 1. 1927 sang er am Théâtre Femina Paris in der Uraufführung von Iberts «Angélique» die Rolle des Charlot (mit der Truppe von Mme Bériza). Seit 1923 war er für rund zehn Jahre Mitglied der Grand Opéra Paris, an der er als Gonzalve in «L'Heure espagnole» von Ravel debütierte und in Partien wie dem Mime im Nibelungenring, dem Valzacchi im «Rosenkavalier» und dem Pang in Puccinis «Turandot» auftrat. 1931 wirkte er an der Grand Opéra in der Uraufführung von «L'Illustre Fregona» von Raoul Laparra mit.

Wassiljew, Nikolai (Iwanowitsch), Tenor, * 15. 9. 1891; er erhielt seine Ausbildung am Konservatorium von Leningrad, wo er in der Hauptsache Schüler der Pädagogin S. Andrejewa war. 1922 begann er seine Karriere am Narodny-Theater Leningrad und sang dann in der Spielzeit 1923–24 am Theater von Swerdlowsk. 1924 wurde er als erster Tenor an das Lettische Nationaltheater in Riga berufen, an dem er zunächst bis 1941 wirkte und in Partien wie dem Hermann in «Pique Dame» von Tschaikowsky, dem José in «Carmen», dem Canio im «Bajazzo» und in weiteren Rollen, vornehmlich aus dem dramatischen Fachbereich, zu großen Erfolgen kam. Seit 1940 übernahm er auch die Inszenierung von Opernwerken, flüchtete aber bei der Besetzung der Baltischen Staaten durch die deutschen Truppen 1941 in das Innere der Sowjetunion. Hier gab er bis 1945 Gastspiele und Konzerte, kam aber 1945 wieder nach Riga zurück. Jetzt betätigte er sich an der dortigen Oper als Regisseur für Opern- und Ballettaufführungen. Seit 1950 nahm er dazu eine Professur am Konservatorium von Riga wahr.

Watson, Richard, Baß, * 1906 (?) Adelaide (Süd-Australien); er begann seine Ausbildung am Elder Conservatory Adelaide und war 1926–29 Schüler des Royal College of Music London. 1929 wurde er sogleich an die Covent Garden Oper London verpflichtet an der er zunächst bis 1933 als erster Bassist sowohl in deren International wie English Seasons sang. Gleichzeitig wurde er durch Radiosendungen von Opern im englischen Rundfunk BBC und durch sein Auftreten als Oratoriensänger bekannt. 1933–37 hatte er in Operetten von Gilbert & Sullivan, zuerst bei der D'Oily Carte Company in England, dann bei der Williamson Company in Australien und Neuseeland große Erfolge, so daß er weitgehend mit diesen Werken identifiziert wurde. 1937

kam er nach England zurück und nahm seine Karriere an der Covent Garden Oper erneut auf. 1940 verlegte er sein Wirken wieder nach Australien, gab Konzerte im australischen Rundfunk ABC und sang Baß-Partien bei der Williamson Company auf deren Tourneen im australischen Kontinent. 1944 wurde er als Pädagoge an das Elder Conservatory in Adelaide berufen; er organisierte Opernaufführungen im Tivoli Theatre von Adelaide und trat als Konzertsolist in Adelaide, in Melbourne und Perth in Erscheinung. 1945–50 gehörte er in England wiederum dem Ensemble der D'Oily Carte Company an, er durchreiste die USA, sang u. a. in New York und kam in Gilbert & Sullivan-Operetten zu internationalem Ansehen. 1951–55 fungierte er als Direktor des Regina Conservatory of Music der University of Saskatchewan (Kanada), setzte aber auch dort seine Tätigkeit als Sänger und als Produzent von Opern fort. 1955 nahm er nochmals an einer Tournee der Williamson Company in Australien und Neuseeland teil. Schließlich nahm er wieder seine Lehrtätigkeit am Elder Conservatory Adelaide auf; er leitete die Gilbert & Sullivan Society South Australia, mit der er alljährlich eins der Werke dieser beiden Meister aufführte.

Schallplatten: Zahlreiche Aufnahmen auf Decca und HMV, die ältesten bereits aus der Zeit vor dem Zweiten Weltkrieg, in der Hauptsache Titel mit Gilbert & Sullivan-Operetten.

Weber, Annie, Sopran, * 19. 4. 1899 Basel, † 14. 1. 1988 Basel; Gesangstudium am Konservatorium von Basel bei Gottfried Becker und Lucie Lissl, in Paris und in Köln bei Hans Ditt. 1924 begann sie ihre Bühnenkarriere mit einem Engagement am Opernhaus von Köln, dem sie bis 1931 angehörte. 1931–41 war sie am Stadttheater von Bern und 1941–49 am Stadttheater von Basel engagiert, wo sie später während 23 Jahren als Gesangpädagogin am Konservatorium wirkte. Seit 1937 gab sie Gastspiele in Belgien, Frankreich, Holland und Spanien; sie gastierte (bis etwa 1952) auch am Opernhaus (Stadttheater) von Zürich, an den Theatern von Luzern, Lausanne und St. Gallen, am Grand Théâtre Genf, an der Wiener Staatsoper (in der Volksoper), an den Opernhäusern von Nizza und Genua. Sie beherrschte ein sehr großes Repertoire für die Bühne; daraus seien genannt: die Gräfin in «Figaros Hochzeit», die Donna Anna in «Don Giovanni», die Armide in der gleichnamigen Oper von Gluck, die Iphigénie in «Iphigénie en Tauride», die Leonore im «Fidelio», die Agathe im «Freischütz», die Rezia im «Oberon», die Martha in «Tiefland» und die Myrtocle in «Die toten Augen» von d'Albert, die Rachel in «La Juive» von Halévy, die Santuzza in «Cavalleria rusticana», die Titelrolle in «Mona Lisa» von M. von Schillings, die Marina im «Boris Godunow», die Küsterin in «Jenufa» von Janáček, die Tosca wie die Turandot in den bekannten Puccini-Opern, Partien in Opern von Verdi (Aida, Leonore im «Troubadour» wie in «La forza del destino», Amelia im «Maskenball», Abigaille, Alice Ford, Lady Macbeth), R. Wagner (Senta, Venus, Elisabeth, Ortrud, Isolde, Brünnhilde, Kundry) und R. Strauss (Elektra, Herodias, Marschallin, Arabella). Sie sang in Basel die Ellen Orford in der deutschsprachigen Erstaufführung der Oper «Peter Grimes» von B. Britten (1946) und in Zürich die Maria in der Premiere der Richard Strauss-Oper «Der Friedenstag» (1939). Die Sängerin trat auch unter dem Namen Annie Weber-Brägger auf.

Weber, Gunthild, Sopran, * 1909 (?); sie wurde durch den Pädagogen Oscar Rees in Berlin ausgebildet. Im Oktober 1934 debütierte sie in Berlin mit einem Liederabend. Seitdem trat sie ständig in Berlin als Konzertsolistin in Erscheinung; 1936 hörte man sie in Breslau und in Bremen, 1938 in Basel. Seit 1938 gab sie eine Anzahl von Konzerten in Hamburg wie in München. Die Künstlerin, die mit dem bekannten Berliner Chordirigenten Günther Arndt (1907–76) verheiratet war, der den nach ihm genannten Günther Arndt-Chor leitete, wirkte in den Jahren nach dem Zweiten Weltkrieg als Pädagogin an der Staatlichen Musikhochschule Berlin, trat aber auch noch weiter im Konzertsaal auf. So wirkte sie 1952 beim Händelfest in Halle (Saale) mit. Sie wurde vor allem als hervorragende Interpretin der Vokalwerke von J. S. Bach geschätzt, beherrschte aber ein weit gespanntes Repertoire auf den Gebieten des Oratorien- wie des Liedgesangs. Auf der Bühne ist sie nicht aufgetreten.
Zahlreiche Schallplatten haben uns die Stimme der Sängerin überliefert; sie erschienen auf den Marken DGG, Oiseau-Lyre (Weihnachtsoratorium von J. S. Bach), Vox (Matthäuspassion), Urania, Le Chant du Monde und Bachguild (Hohe Messe von Bach).

Weber, Lothar, Baß-Bariton, * 16. 6. 1903, † 11. 6. 1974 Virneburg (Eifel); er debütierte 1925 am Stadttheater von Koblenz und war bis 1928 dort engagiert. 1928–37 gehörte er dem Ensemble des Stadttheaters von Erfurt an und war dann in der langen Zeit von 1937 bis 1961 Mitglied des Staatstheaters Wiesbaden. Er unternahm Gastspiele in der Schweiz, an französischen und belgischen Theatern, am Teatro Liceo Barcelona und an der Staatsoper Wien. Am letztgenannten Haus sang er seinen berühmten Hans Sachs, den er im Ablauf seiner Karriere über 500mal gesungen haben soll. Weitere Glanzrollen des Künstlers waren der Figaro in «Figaros Hochzeit», der Pizarro im «Fidelio», der Fliegende Holländer, der Telramund im «Lohengrin», der Kurwenal im «Tristan», der Wotan im Nibelungenring, der Amfortas im «Parsifal», der Archidiakon in «Notre Dame» von F. Schmidt, die Titelpartien in den Opern «Enoch Arden» von O. Gerster und «Schneider Wibbel» von M. Lothar, der Sebastiano in «Tiefland» von d'Albert, der Amonasro in «Aida», der Jago im «Othello», der Scarpia in «Tosca», der Gérard in «Andrea Chénier» von Giordano und der Boris Godunow in Mussorgskys bekannter Oper. Er betätigte sich später auch als Bühnenregisseur.

Weber, Paula, Alt, * 1880 (?), † (?); sie erhielt ihre Ausbildung in Berlin und debütierte 1911 an der Berliner Kurfürstenoper. Hier sang sie am 23. 11.

1911 in der Uraufführung der Oper «Der Schmuck der Madonna» («I gioielli della Madonna») von E. Wolf-Ferrari die Partie der Carmela. Bis 1913 blieb sie an diesem Haus tätig, sang dann während der Spielzeit 1913–14 an der Hofoper von Dresden; sie ging während der folgenden Saison an das Stadttheater von Freiburg i. Br. (1914–15), kam aber 1915 wieder an die Dresdner Hofoper zurück. Bereits im folgenden Jahr wechselte sie an das Deutsche Opernhaus Berlin-Charlottenburg. Hier sang sie in den folgenden fünf Jahren bis 1921 sowohl Wagner-Partien (Fricka, Erda, Waltraute im Ring-Zyklus) als auch Partien aus dem italienischen Fach (Azucena im «Trobadour», Ulrica in Verdis «Maskenball»). Es schloß sich ein Engagement am Landestheater von Karlsruhe in den Jahren 1921–24 an; seitdem trat sie nur noch gastierend auf. Sie war auch eine angesehene Konzertsängerin, sowohl für den Bereich des Oratorien- wie des Liedgesangs. In den Jahren nach 1933 verließ sie Deutschland und ging nach Südamerika. Dort gab sie noch Gastspiele und sang u. a. 1934–35 am Teatro Colón Buenos Aires sowie 1936 an der Oper von Montevideo (Fricka in der «Walküre»). Sie lebte später als Gesangpädagogin in Buenos Aires.
Schallplatten: HMV (Duett aus «Der Schmuck der Madonna» zusammen mit Ottokar Mařák), Stradivari Records (Solo-Aufnahmen, Lieder).

Weber, Peter, Bariton, * 1952 (?) Wien; zunächst Maschinenbau-Studium an der Technischen Universität Wien, das mit dem Examen als Diplomingenieur abgeschlossen wurde. Gleichzeitig Ausbildung der Stimme durch private Studien wie an der Musikhochschule Wien. Preisträger bei mehreren Gesangwettbewerben, so 1976 beim Hugo Wolf-Wettbewerb in Salzburg, 1978 beim Schubert-Wolf-Wettbewerb in Wien und 1976 beim Mozart-Interpretations-Concours in Wien. 1976 wurde er in das Opernstudio der Wiener Staatsoper aufgenommen, deren Mitglied er in den Jahren 1978–80 war. Dort sang er u. a. den Grafen Almaviva in «Figaros Hochzeit», den Silvio im «Bajazzo», den Sharpless in «Madame Butterfly», den Malatesta im «Don Pasquale», den Dr. Falke in der «Fledermaus» und den Sekretär in «Der junge Lord» von H. W. Henze. 1980–82 war er am Opernhaus von Nürnberg und seit 1982 am Staatstheater von Hannover tätig. Gastspiele auf internationalem Niveau führten ihn an die Deutsche Oper Berlin, an die Staatsopern von Hamburg und München, an die Deutsche Oper am Rhein Düsseldorf–Duisburg, an die Oper von Frankfurt a. M., an das Grand Théâtre Genf, an das Teatro Liceo Barcelona, an das Teatro Colón Buenos Aires, nach Mailand, Rom, Catania und Paris. Er trat bei den Salzburger Oster- und Sommerfestspielen auf, beim Festival von Glyndebourne (1989 als Mandryka in «Arabella» von R. Strauss), beim Carinthischen Sommer in Ossiach und beim Festival von La Chaise Dieu. Konzerte und Liederabende in Europa wie in den USA begleiteten den Ablauf seiner Bühnenkarriere. Aus seinem Bühnenrepertoire sind noch der Amfortas im «Parsifal», der Telramund im «Lohengrin», der Zar in Lortzings «Zar und Zim-

mermann» und der Jochanaan in «Salome» von R. Strauss nachzutragen.
Schallplatten: Edition Schwann («Penthesilea» von O. Schoeck).

Wehofschitz, Kurt, Tenor, * 3. 5. 1923 Wien; seine Ausbildung fand an der Musikakademie Wien statt. 1948 debütierte er am Theater von Linz (Donau) als Wilhelm Meister in «Mignon» von A. Thomas. Er blieb dort während fünf Jahren tätig, sang 1953–54 am Stadttheater von Kiel, 1954–56 am Stadttheater von Nürnberg und war dann 1956–59 Mitglied der Staatsoper von München. 1959–64 gehörte er dem Ensemble der Düsseldorfer Oper an; er schloß Gastspielverträge mit der Oper von Frankfurt a. M. (1964–66) und mit der Wiener Volksoper (1966–68) ab, an der er noch bis in die siebziger Jahre auftrat. Er sang in München in der Uraufführung von Hindemiths «Harmonie der Welt» (11. 8. 1957 als Ulrich Greiner-Mars), in Frankfurt 1964 in den Uraufführungen der Opern «Dame Kobold» von G. Wimberger und «Das Foto des Colonels» von H. Searle. Am Düsseldorfer Opernhaus hörte man ihn 1960 in der deutschen Erstaufführung der Oper «Edipo Re» von Leoncavallo in der Rolle des Creon. Er trat als Gast u. a. in Rio de Janeiro, am Teatro San Carlos Lissabon, am Opernhaus von Zürich und an der Wiener Staatsoper auf. Von den vielen Partien, die er auf der Bühne sang, sind der Belmonte in der «Entführung aus dem Serail», der Basilio in «Figaros Hochzeit», der Leandro in «Il mondo della luna» von J. Haydn, der Leukippos in «Daphne» von R. Strauss, der Flamand in dessen «Capriccio», der Alfredo in «La Traviata», der Titelheld in Verdis «Don Carlos», der Riccardo in «Un Ballo in maschera», der Ero in «Ero der Schelm» von J. Gotovac, der Tom Rakewell in «The Rakes Progress» von Strawinsky, der Ercole in «Leonore 40/45» von Liebermann und der Gluthammer in «Der Zerrissene» von G. von Einem zu nennen. Auch auf dem Gebiet der Operette beherrschte er ein umfangreiches Repertoire.
Schallplatten: Remington (Max in vollständigem «Freischütz»), DGG («Carmen», Duette mit Rita Streich), HMV.

Weigl-Scheffstoß, Anna Maria, Sopran, * 1740 (?), † (?); sie war die Tochter eines Buchhalters des Fürsten Esterházy und kam als Sängerin zu Beginn der sechziger Jahre des 18. Jahrhunderts in die Fürstlich Esterházy'sche Kapelle, die damals unter der Leitung des großen Meisters Joseph Haydn stand und in ganz Europa berühmt war. Mit Sicherheit hat sie während ihrer Zugehörigkeit zu dieser Kapelle an Aufführungen, darunter auch Uraufführungen, von Vokalwerken Haydns teilgenommen. 1764 heiratete sie den Cellisten der Kapelle Joseph Weigl (1740–1820). Joseph Haydn wurde der Taufpate eines Sohnes des Ehepaars, Joseph Weigl (* 28. 3. 1766 Eisenstadt, † 3. 2. 1846 Wien), um den sich der große Meister gerne kümmerte und erlebte, wie sein Patenkind als Komponist (u. a. der Oper «Die Schweizerfamilie») zu internationalem Ansehen kam. 1769 verließen die Eltern den Dienst des Für-

sten Esterházy. Joseph Weigl sr. nahm ein Engagement am Wiener Burgtheater an; auch seine Gattin ist dort wie bei Konzertveranstaltungen in Wien als Sängerin aufgetreten. Seit 1792 war Joseph Weigl sr. Cellist der Kaiserlichen Hofkapelle in Wien.

Weingartner, Elisabeth, Alt, * 23. 1. 1943 Sissach (Kanton Basel-Land, Schweiz); sie studierte am Konservatorium von Basel bei Paul Zelter und Friedrich Schramm, bei den Pädagogen Erika Frauscher, Annie Weber und Eva Krasnai-Gombos, dazu bei Res Fischer in Stuttgart. 1973–81 war sie am Stadttheater von Basel tätig und gastierte u. a. am Opernhaus von Nantes, an der Opéra du Rhin Straßburg, am Stadttheater von Trier und am Theater von Cannes. Ihre großen Partien auf der Bühne waren die Carmen, die Dorabella in «Così fan tutte», die Marcellina in «Nozze di Figaro», die Isabella in Rossinis «Italiana in Algeri», die Mary im «Fliegenden Holländer», die Emilia in Verdis «Othello», die Geneviève in «Pelléas et Mélisande» von Debussy, die Annina im «Rosenkavalier» und die Wirtin im «Boris Godunow» von Mussorgsky. 1984 wirkte sie an der Opéra du Rhin Straßburg in der Uraufführung der Oper «H. H. Ulysse» von J. Prodromides in der Partie der Kirke mit (Schallplattenaufnahme auf Harmonia mundi). Große internationale Erfolge im Konzertsaal, und hier sowohl als Oratoriensängerin wie als Lied-Interpretin, in der Schweiz (Basel, Lausanne, Genf, Lugano), in Frankreich (Paris, Tours, Lille, Nantes, Nancy, Grenoble, Rennes), in Stuttgart, Lüttich und Wien.

Weinschenk, Hans-Jörg, Tenor, * 14. 11. 1955 Stuttgart; er begann seine Karriere mit einem Engagement am Stadttheater von Heidelberg 1974–76. 1976–80 war er am Opernhaus von Wuppertal engagiert, seitdem Mitglied des Staatstheaters Karlsruhe. Gleichzeitig war er in den Jahren 1981–85 Mitglied des Opernhauses von Zürich. Seit 1984 bestand auch ein Engagement am Theater am Gärtnerplatz München. Er gastierte an großen deutschen Bühnen und 1985 in Lausanne sowie 1986 an der Grand Opéra Paris. Am 9. 3. 1986 wirkte er in Karlsruhe in der Uraufführung der Oper «Der Meister und Margarita» von R. Kunad mit. Sein Repertoire für die Bühne enthielt an erster Stelle Partien aus dem Buffo- wie dem Charakterfach, darunter den Pedrillo in der «Entführung aus dem Serail», die Hexe in «Hänsel und Gretel», den Steuermann im «Fliegenden Holländer» und den David in den «Meistersingern». Neben seinem Wirken auf der Bühne hatte er auch als Konzertsänger eine erfolgreiche Karriere.

Weisel-Capsouto, Robin, Sopran, * 1953 (?); sie begann ihr Musik- und Gesangstudium am Oberlin College of Music und an der University of Illinois in den USA, wurde dann in Jerusalem Schülerin der berühmten Jennie Tourel und ergänzte diese Ausbildung durch Lektionen bei Heather Harper und Daniele Ferro in London. 1974 kam es zu ihrem Debüt, als sie das Sopransolo im «Gloria» von Vivaldi mit dem Jerusalem Symphony Orchestra sang. 1976

übernahm sie das Solo in der 4. Sinfonie von Gustav Mahler in einer Aufführung mit dem Israel Philharmonic Orchestra. Sie wandte sich auch der Opernbühne zu, und man hörte sie u. a. als Amor im «Orpheus» von Gluck, als Lucy in der «Beggar's Opera», in «La Voix humaine» von Poulenc, in «Le Roi David» von Arthur Honegger, in «Bachus and Ariadne» von Thomas Arne und in «Les Fêtes d'Hébé» von Rameau. 1984 gastierte sie bei der New England Opera Company als Zerline im «Don Giovanni». Im Mittelpunkt ihres künstlerischen Wirkens blieb jedoch der Konzert- und in erster Linie der Oratoriengesang (h-Moll-Messe von J. S. Bach, «Jephte» von Carissimi, «Salomon» und andere Oratorien von Händel).
Mitschnitte von Rundfunksendungen.

Weiß, Dorothea, Sopran, * 1936 im österreichischen Burgenland, † 17. 6. 1982 Berlin; sie wurde an den Konservatorien von Linz (Donau) und Wien ausgebildet und sang während ihrer Studienzeit bereits in den Opernchören dieser beiden Städte. Ihre Solistenlaufbahn begann sie 1963 am Stadttheater von Bielefeld, dem sie bis 1965 angehörte. Von dort wurde sie 1965 an die Deutsche Oper Berlin verpflichtet, an der sie bis zu ihrem frühen Tod eine erfolgreiche Karriere hatte. Sie sang hier eine Vielzahl von Partien aus dem lyrischen Fachbereich, die von kleineren (erste Dame in der «Zauberflöte», Wellgunde im Nibelungenring, Echo in «Ariadne auf Naxos») bis zu großen Aufgaben (Agathe im «Freischütz», Gräfin in «Figaros Hochzeit», Leonore im «Fidelio», Eva in den «Meistersingern», Butterfly, Liu in «Turandot», Giulietta in «Hoffmanns Erzählungen») reichten. Sie wirkte in Berlin in den Uraufführungen einiger moderner Opern mit, gab erfolgreiche Gastspiele (u. a. auch in Holland) und war eine angesehene Konzertsängerin.
Wahrscheinlich sind von ihrer Stimme Mitschnitte aus Radiosendungen vorhanden.

Welker, Hartmut, Bariton, * 27. 10. 1941 Velbert (Rheinland), er arbeitete zuerst als Werkzeugmacher. Nachdem man seine Stimme entdeckt hatte, begann er mit 28 Jahren das Gesangstudium. Er war an der Musikhochschule von Aachen Schüler von Frau Else Bischof. Er debütierte 1974 am Stadttheater von Aachen, als er für einen erkrankten Sänger in der Partie des Monterone im «Rigoletto» einsprang. An diesem Haus war er 1975–77 als Chorist mit gleichzeitiger Übernahme kleiner Solopartien verpflichtet. Sein offizielles Debüt fand 1977 am Stadttheater Aachen als Renato in Verdis «Maskenball» statt. Er wirkte bis 1980 am Aachener Theater und war dann 1979–84 Mitglied des Staatstheaters Karlsruhe, dem er später noch als ständiger Gast angehörte. Seit 1982 auch Mitglied der Staatsoper von Hamburg, seit 1985 der Staatsoper von Wien und seit 1987 der Deutschen Oper Berlin. Es entwickelte sich eine internationale Gastspieltätigkeit großen Ausmaßes. So gastierte er 1982 an der Oper von Genf, 1983 und 1986 an der Mailänder Scala (1983 als Telramund und als Heerrufer im «Lohengrin», 1986 als Barak in der «Frau ohne Schatten» von

R. Strauss). Im Jahre 1984 sang er bei der Scottish Opera Glasgow, am Teatro Comunale Florenz, am Théâtre Châtelet Paris und in Madrid, 1983–84 auch beim Maggio musicale Florenz (als Michele in Puccinis «Il Tabarro»). 1986–87 und 1989 war er an der Covent Garden Oper London (u. a. als Pizarro im «Fidelio» und als Kaspar im «Freischütz») anzutreffen, 1985 an der Grand Opéra Paris, 1986 am Opernhaus von Philadelphia (als Fliegender Holländer) und am Teatro Regio Turin (als Alberich im Nibelungenring), ebenfalls 1986 am Opernhaus von Santiago de Chile. Das Jahr 1987 brachte Gastspielverpflichtungen am Teatro Comunale Bologna, am Teatro San Carlo Neapel und an den Opernhäusern von Chicago und San Francisco; 1988 zu Gast in Tokio und bei den Festspielen von Savonlinna, 1989 am Theater an der Wien in Wien in «Fierrabras» von Schubert, am Teatro Regio Turin als Wozzeck. Hatte er zu Beginn seiner Karriere hauptsächlich Partien aus dem italienischen Fach übernommen, so wandte er sich später vorzugsweise dem deutschen und dem Wagner-Repertoire zu. Von seinen Rollen sind hier noch der Kurwenal im «Tristan», der Klingsor im «Parsifal», der Plumkett in Flotows «Martha», der Jochanaan in «Salome» von R. Strauss, der Titelheld in Verdis «Macbeth» der Carlos in «La forza del destino», der Amonasro in «Aida», der Barnaba in «La Gioconda» von Ponchielli und der Scarpia in «Tosca» zu erwähnen. Auch als Konzertsänger bekannt geworden.
Schallplatten: Capriccio («Traumgörge» von Zemlinsky, Archidiaconus in «Notre Dame» von F. Schmidt).

Wend, Flore, Sopran, * 31. 3. 1909 Genf; sie studierte in Genf, Paris und Berlin Violinspiel; ihre Stimme wurde durch Rose Féart und durch den Tenor van Ass in Genf ausgebildet. 1934 begann sie ihre Karriere als Konzertsängerin. Von ihrem Wohnsitz Genf aus unternahm sie ausgedehnte Konzertreisen, die sie in die Zentren des Schweizer Musiklebens, nach Paris und London, nach Nizza, Lyon und Monte Carlo, nach Hamburg und Bath (England) führten. Sie unternahm Konzerttourneen durch Belgien, Holland, Deutschland, durch Spanien und die skandinavischen Länder. Im Konzertsaal sang sie als Oratoriensolistin ein Repertoire, das von Bach und Händel bis zu zeitgenössischen Komponisten reichte. So sang sie in Genf «Poèmes pour Mi» von Olivier Messiaen unter Leitung des Komponisten. Als Liedersängerin brachte sie eine Fülle von Liedern zum Vortrag, Werke von Schubert, R. Schumann, Hugo Wolf und Johannes Brahms, von Debussy, Gabriel Fauré und Albert Roussel, von Othmar Schoeck und Frank Martin. Auf der Bühne ist sie nur gelegentlich in Genf zu hören gewesen, sang aber einige Opernpartien in konzertanten Aufführungen. 1955 kreierte sie in Fontainebleau «Paris, à nous deux» von Jean Françaix; sie trat oft im Schweizer Rundfunksender Genf auf, wurde aber vor allem durch ihre Schallplattenaufnahmen bekannt. Diese erschienen bei Decca («Médée» von M. A. Charpentier; Knabe Yniold in «Pelléas et Mélisande», «L'Enfant et les sortilèges» von

Ravel in der Titelrolle, Madrigale von Monteverdi, Vokalmusik der französischen Renaissance, Quartette von J. Brahms), Valois (Lieder von Debussy), Métronome (Lieder von G. Fauré), Vendôme (Lieder von Debussy).

Wenkoff, Wenko, Tenor, * 1921; er war ein Bruder des bekannten bulgarischen Tenors *Spas Wenkoff* (* 1928) und erhielt seine Ausbildung an der Wiener Musikakademie. 1943–44 war er an der Staatsoper Wien engagiert. Nach dem Ende des Zweiten Weltkrieges wirkte er 1947–54 und noch bis 1957 als Gast an der Wiener Volksoper. Bis 1958 gehörte er auch dem Ensemble des Stadttheaters von Basel an. Er gastierte am Opernhaus von Graz (1942), in Düsseldorf (1951) und Hannover (1953), am Teatro Liceo Barcelona (1955) und an der Oper von Monte Carlo (1955). Sein Repertoire enthielt vor allem Partien aus dem italienischen Fach, darunter den Rodolfo in Puccinis «La Bohème», den Alfredo in «La Traviata», den Herzog im «Rigoletto», den Riccardo in Verdis «Ballo in maschera», den Ernesto im «Don Pasquale» von Donizetti und den Kalaf in Puccinis «Turandot». Erfolgreiche Konzertauftritte rundeten die Karriere des Sängers ab.

Werhard, Theodor, Baß-Bariton, * 26. 12. 1882 Breslau, † 28. 1. 1941 Breslau; er war nacheinander an den Stadttheatern von Dortmund (1909–12), Regensburg (1913–15), Krefeld (1915–17) und Mainz (1917–22) engagiert, bevor er 1922 an das Staatstheater von Schwerin berufen wurde. Dort erreichte in den Jahren bis 1934 seine Karriere ihren Höhepunkt. Er wirkte hier in den Uraufführungen der Opern «Sturmvögel» von Gerhard Schjelderup (1928 als Arnfred) und «Friedemann Bach» von Paul Graener (13. 11. 1931 als Graf Brühl) mit. Auf der Bühne sang er u. a. den Pizarro im «Fidelio», den Fliegenden Holländer, den Wolfram im «Tannhäuser», den Kurwenal im «Tristan», den Wotan im Nibelungenring, den Arcesius in «Die toten Augen» von E. d'Albert, den Oberst Chabert in der gleichnamigen Oper von H. von Waltershausen, den Titelhelden in «Cardillac» von Hindemith, den Amonasro in «Aida», den Boris Godunow und die vier Dämonen in «Hoffmanns Erzählungen». Auch im Konzertsaal konnte er eine bedeutende Karriere entfalten. Seit 1934 lebte er in seiner Geburtsstadt Breslau.

Werner, Regina, Sopran, * 9. 4. 1950 Zwickau (Sachsen); ihr Vater war Kapellmeister. Sie erhielt mit zehn Jahren Klavierunterricht und besuchte 1964–68 die Leipziger Thomasschule, gleichzeitig begann sie mit dem Gesangstudium. Sie wurde dann an der Musikhochschule von Leipzig Schülerin von Eva Fleischer und gewann 1972 einen Preis beim Internationalen Bach-Wettbewerb in Leipzig. 1973 erhielt sie einen Lehrauftrag an der Leipziger Musikhochschule und war 1974–87 als Solistin in den dortigen traditionsreichen Gewandhauskonzerten zu hören. Sie nahm dann auch eine erfolgreiche Bühnenlaufbahn auf; 1975–77 und wieder seit 1989 war sie durch einen Gastvertrag der Komischen Oper Berlin

verbunden, seit 1979 gastierte sie am Theater von Halle (Saale). Seit 1986 regelmäßige Gastspiel-Auftritte an den Opernhäusern von Leipzig und Karl-Marx-Stadt (Chemnitz). 1987 wurde sie zur Dozentin an der Musikhochschule Leipzig ernannt. Konzertreisen brachten der Künstlerin in Rußland, Polen, in der ČSSR, in Bulgarien, Rumänien, Korea, Finnland, in Holland, Belgien, in der Schweiz, Italien, Spanien und Portugal, in Japan, Westdeutschland, Österreich und Ungarn große Erfolge. Dabei sang sie auf dem Konzertpodium ein reichhaltiges Repertoire, das aus Werken von J. S. Bach (Matthäuspassion, Johannespassion, Weihnachtsoratorium, h-moll-Messe und zahlreiche Kantaten), Händel («Messias», «Semele», «Saul», «Alexanderfest»), Haydn («Schöpfung», «Jahreszeiten», Messen), Mozart (Messen, Requiem), Brahms (Deutsches Requiem), A. Dvořák (Requiem, Stabat mater), Mendelssohn («Elias»), Debussy, Gustav Mahler (Lieder aus «Des Knaben Wunderhorn», 4. Sinfonie), Schostakowitsch, A. Diepenbrock (Te Deum) und Carl Orff (Carmina Burana) bestand. Dazu war sie eine hoch begabte Liedersängerin, die auch auf diesem Gebiet eine große Vielseitigkeit aufzuweisen hatte. Von ihren Bühnenrollen sind die Susanna in «Figaros Hochzeit», die Bastienne in «Bastien und Bastienne» von Mozart, die Königin der Nacht in der «Zauberflöte», die Marzelline im «Fidelio», die Gilda im «Rigoletto», die Adele in der «Fledermaus» von J. Strauß und die Sophie im «Rosenkavalier» von R. Strauss zu nennen. Sie wirkte in Rundfunk- und Fernsehsendungen mit.
Schallplatten der Marke Eterna («Messias», «Die Schöpfung», Kantaten von J. S. Bach).

Werres, Elisabeth, Sopran, * 1954 Bonn; ihre Eltern wanderten 1958 in die USA aus, wo sie in Chicago in einem zweisprachigen Milieu aufwuchs. Sie besuchte dort verschiedene Schulen und sang in deutsch-amerikanischen Kinder- und Jugendchören unter der Leitung ihres Vaters. Sie kam dann nach Deutschland und studierte seit 1971 an der Musikhochschule Köln, seit 1974 bei dem bekannten Pädagogen Dietger Jacob. 1977 wurde sie Preisträgerin beim Mozart-Wettbewerb in Würzburg und kam im gleichen Jahr in das Opernstudio des Kölner Opernhauses. Dort sang sie einige kleinere Partien und war dann 1978–80 am Staatstheater Karlsruhe engagiert (Antrittsrolle: Rosina im «Barbier von Sevilla»). In Karlsruhe trat sie als Frau Fluth in Nicolais «Lustigen Weibern von Windsor», als Marguerite im «Faust» von Gounod, als Achille in «Deidamia» von Händel, als Adele in der «Fledermaus», als Annina in der J. Strauß-Operette «Eine Nacht in Venedig» und als Eurydice in «Orpheus in der Unterwelt» von Offenbach auf und wirkte in der europäischen Premiere der Oper «Postkarte aus Marokko» von Dominik Argento mit. 1980–82 war sie am Opernhaus von Dortmund tätig, und hier kam sie als Nedda im «Bajazzo», als Gilda im «Rigoletto», als Susanna in «Figaros Hochzeit», als Adina in «Elisir d'amore», als Musetta in «La Bohème», als Despina in «Così fan tutte», als Ännchen im «Freischütz» und als Marie in «Zar und Zimmermann» zu weiteren Erfolgen. 1980 gastierte sie bei den Festspielen von Ludwigsburg als Susanna in «Figaros Hochzeit». In den Jahren 1982–89 gab sie Gastspiele an der Hamburger Staatsoper, am Opernhaus von Köln (Ännchen und Rosalinde in der «Fledermaus»), an der Deutschen Oper am Rhein Düsseldorf-Duisburg (Nedda, Marie in der «Verkauften Braut», vor allem Hanna Glawari in Lehárs «Lustiger Witwe»), an den Staatstheatern von Hannover, Karlsruhe, Darmstadt, Braunschweig und Wiesbaden (Frau Fluth, Laura im «Bettelstudenten»), am Nationaltheater Mannheim, am Opernhaus von Zürich (Rosalinde), am Theater am Gärtnerplatz München, am Theater des Westens Berlin, an der Opéra du Rhin Straßburg, an den Opernhäusern von Dortmund, Essen und Bielefeld. Als ihre beiden großen Glanzrollen galten die Rosalinde in der «Fledermaus» wie die Hanna Glawari in der «Lustigen Witwe». Sie wirkte in zahlreichen Opern- und Konzertsendungen im Rundfunk mit und erwies sich als hervorragende Solistin im Oratorien- und Liedbereich (Eröffnungskonzert des neuen Opernhauses von Essen 1988; 9. Sinfonie und Liederabende in Chicago). Seit der Spielzeit 1989–90 Mitglied des Staatstheaters Hannover.

Wertheimber, Palmyre, Alt, * 1832 Paris, † 1917; sie absolvierte ihre Ausbildung am Conservatoire National von Paris. 1852 debütierte sie an der Pariser Opéra-Comique in der Uraufführung der damals sehr erfolgreichen Oper «Galathée» von Victor Massé in der Partie des Pygmalion. Sie blieb, zumindest bis 1860, an der Opéra-Comique tätig, war aber seit 1854 auch Mitglied der Grand Opéra Paris, an der sie als Fides im «Propheten» von Meyerbeer ihr Debüt hatte. Mindestens bis 1863 blieb sie auch diesem Haus verbunden. Sie unternahm dann ausgedehnte Gastspielreisen, die sie an den großen italienischen Opernhäusern zu Erfolgen führten, sang vor allem aber am Théâtre de la Monnaie Brüssel in den Jahren 1863 bis 1870. Zwischenzeitlich erschien sie jedoch auch immer wieder an den großen Opernhäusern der französischen Metropole, so auch 1869 am Théâtre Lyrique Paris, dazu an den führenden Bühnen in der französischen Provinz. Von ihren Bühnenpartien sind zu nennen: die Mathilde in Rossinis «Wilhelm Tell», die Leonora in «La Favorita» von Donizetti, der Orsini in dessen «Lucrezia Borgia», die Azucena im «Troubadour», der Romeo in «Romeo e Giulietta» von Nicola Vaccai und die Reine Mabb in «The Bohemian Girl» von M. Balfe.

Wertinskij, Alexander Nikolajewitsch, Baß, * 15. 3. 1889 in einem Dorf bei Poltawa (Ukraine). Seine Mutter stammte aus Kiew, sein Vater Alexandro Bartidis war in Griechenland geboren. Beide arbeiteten als Landarbeiter auf einem großen Landgut. Der Künstler studierte zuerst Literatur und Theaterwissenschaft in Poltawa, dann an der Universität Moskau, wo er auch Gesangunterricht erhielt. Er gab seine ersten Konzerte 1913–14, wurde aber bei Ausbruch des Ersten Weltkriegs als Soldat eingezogen. Obwohl er zu großen Erfolgen im Konzertsaal kam, verließ er bald nach der Oktoberrevolution von 1917 Rußland und ging in die Emigration. Zu-

erst lebte er in Konstantinopel, dann in Griechenland, in Bessarabien, schließlich seit den dreißiger Jahren in Paris. Er unternahm ständig Konzertreisen, die ihn durch die ganze Welt führten. In seinen Konzerten brachte er Opernarien, bevorzugt jedoch russische und ukrainische Volks- und Kunstlieder und Zigeunerromanzen, zum Vortrag. Er bereiste im Lauf der zwanziger und dreißiger Jahre Frankreich, Deutschland, England, Polen, Rumänien und die Türkei. Nachdem im zweiten Weltkrieg die deutschen Truppen 1943 seine ukrainische Heimat wieder geräumt hatten, kam er nach Poltawa zurück. Er gab darauf in Rußland noch Konzerte, wirkte in einigen Musikfilmen mit und gab seine Lebenserinnerungen heraus. In den sechziger Jahren ist er in Poltawa gestorben. Zahlreiche Schallplattenaufnahmen aus den Jahren nach 1930, u. a. auf HMV, Odeon und Columbia, von denen einige in Rekord-Auflagen herausgebracht wurden.

Wesel-Polla, Tinka, Sopran, * 7. 5. 1890 Wien, † 1944 Graz; sie erhielt ihre Ausbildung zur Sängerin in ihrer Geburtsstadt Wien. Die einzelnen Stationen ihrer Bühnenlaufbahn waren das Stadttheater von Brünn (Brno) 1911–15, das Stadttheater von Graz 1916–18, das Opernhaus von Zagreb (Agram) 1918–1928, dann abermals 1928–34 das Theater von Graz. Erfolgreiche Gastspiele führten die Sängerin an die Hofopern von Wien (1912 und 1913) und Dresden (1913). Sie galt als hervorragende Interpretin von Partien aus dem Koloraturfach und brillierte als Rosina im «Barbier von Sevilla» von Rossini, als Konstanze in der «Entführung aus dem Serail», als Susanna in «Figaros Hochzeit», als Olympia in «Hoffmanns Erzählungen» von Offenbach, als Philine in «Mignon» von A. Thomas, als Gilda im «Rigoletto» und als Lakmé in der Oper gleichen Namens von Delibes. Ebenso bedeutende Karriere auch als Konzertsopranistin.

West, John, Baß, * 25. 10. 1938 Cleveland (Ohio); ausgebildet am Curtis Institute Philadelphia durch Martial Singher und bei Beverley Johnson in New York. Debütierte 1963 an der Oper von San Francisco als Sarastro in der «Zauberflöte». In den USA hatte er eine lange, erfolgreiche Karriere an den Opernhäusern von Houston/Texas und Philadelphia, in Santa Fé, Seattle und San Francisco, in Portland, Washington und Fort Worth. Nicht weniger erfolgreich verliefen seine Gast-Auftritte an den Opern von Vancouver und Mexico City, am Staatstheater von Hannover und beim Festival von Spoleto. Er beherrschte ein umfangreiches Bühnenrepertoire mit folgenden Hauptrollen: der Alfonso in «Così fan tutte», der Sarastro in der «Zauberflöte», der Oroveso in Bellinis «Norma», der Basilio im «Barbier von Sevilla» von Rossini, der Mephisto im «Faust» von Gounod wie in «La damnation de Faust» von Berlioz, der Boris Godunow in Mussorgskys bekannter Oper, der Ramphis in «Aida», der Arkel in «Pelléas et Mélisande» von Debussy, der Don Quixote in «Il retablo de Maese Pedro» von de Falla, der Ochs im «Rosenkavalier» von

R. Strauss, der La Roche in dessen «Capriccio», der Hunding in der «Walküre» und der Tiresias in «Oedipus Rex» von Strawinsky. Von seinem Wohnsitz New York aus ging er gleichzeitig einer intensiven Konzertkarriere nach.

Westenberger, Erna, Mezzosopran, * 1908 (?) Frankfurt a. M.; sie erhielt ihre Ausbildung am Hoch'schen Konservatorium in ihrer Heimatstadt Frankfurt. Bereits 1931 sang sie in den Aufführungen von «Hoffmanns Erzählungen» am Berliner Schauspielhaus unter Max Reinhardt den Nicklaus. 1933–34 begann sie ihre eigentliche Bühnenlaufbahn am Stadttheater von Würzburg. 1935–40 war sie am Deutschen Opernhaus Berlin engagiert, 1940–47 am Stadttheater von Halle/Saale. 1947 folgte sie einem Ruf an das Opernhaus von Leipzig, wo sie bis 1955 eine große Karriere entfaltete. Man hörte sie dort in einer Vielzahl von Partien: als Carmen, als Amneris in «Aida», als Eboli im «Don Carlos», als Ulrica in Verdis «Maskenball», als Erda im Ring-Zyklus, als Klytämnestra in «Elektra» von R. Strauss, als Annina im «Rosenkavalier», als Orlowsky in der «Fledermaus» und als Küsterin in «Jenufa» von Janáček. Die Sängerin Anny Schlemm, die bereits in Halle ihre Schülerin gewesen war, holte sie 1955 nach Westdeutschland, wo sie nochmals in der Spielzeit 1955–56 am Frankfurter Opernhaus engagiert war, dann aber sich aus gesundheitlichen Gründen auf eine pädagogische Tätigkeit beschränkte. Verheiratet mit dem Bassisten *Georg Hruschka,* der 1942–47 in Halle/Saale und 1947–55 in Leipzig engagiert war.
Schallplatten: Urania (Brangäne im «Tristan», 1950), Oceanic (Frau Reich in den «Lustigen Weibern von Windsor» von Nicolai, beide Opern Rundfunkmitschnitte).

Westi, Kurt, Tenor, * 22. 3. 1939 Oro bei Holbaek (Dänemark), er erhielt seine Ausbildung an der Kopenhagener Musikakademie und hatte sein Debüt 1960 bei der Fünen-Oper in Odense. Danach war er am Stadttheater von Kiel (1962–63), am Staatstheater von Hannover (1963–66) und an der Königlichen Oper Kopenhagen (1966–79) verpflichtet. Er entschloß sich zu einer nochmaligen ergänzenden Ausbildung und war dann 1980–86 Mitglied des Opernhauses von Oslo. Seit 1986 war er am Nationaltheater Mannheim tätig. Hatte er anfänglich das lyrische Repertoire gesungen, so nahm er später auch schwerere Partien in dieses auf. Von seinen Rollen seien genannt: der Don Ottavio im «Don Giovanni», der Ferrando in «Così fan tutte», der Lindoro in Rossinis «Italiena in Algeri», der Fenton im «Falstaff» von Verdi, der Albert Herring in der Oper gleichen Namens von B. Britten, der Quint in «The Turning of the Screw» vom gleichen Komponisten, weiter der Edgardo in «Lucia di Lammermoor», der Cavaradossi in «Tosca», der Rodolfo in «La Bohème», der Alfredo in «La Traviata», der Radames in «Aida», der Turiddu in «Cavalleria rusticana», der Pylades in «Iphigénie en Tauride» von Gluck, der Narraboth in «Salome» von R. Strauss, der Matteo in «Arabella» und der Dimit-

rij im «Boris Godunow». Er gastierte als Opern- und Konzertsänger u. a. in Leipzig, Stockholm, beim Festival von Bergen, in Hamburg, Berlin, Stuttgart, am Teatro Colón Buenos Aires, in Minneapolis und bei der Scottish Opera Glasgow (1969).
Schallplattenaufnahmen bei HMV, Philips, DGG.

Wheatley, Walther, Tenor, * 1880 (?) im amerikanischen Staat Missouri, † (?); er sang in den Jahren vor 1914 in England, Deutschland und Italien, doch sind nur wenige Nachrichten über sein Auftreten vorhanden. So gab er im Dezember 1906 in Köln ein Konzert, über das der bekannte amerikanische Baß-Bariton Clarence Whitehill berichtet. 1914 ging er in seine amerikanische Heimat zurück und nahm an Tourneen teil, die die Century Opera Company veranstaltete. 1914 und 1915 trat er bei Opernaufführungen in Ravinia Park bei Chicago auf. Über den weiteren Verlauf seiner Karriere sind keine Details zu ermitteln. Sein Name ist vor allem in Verbindung mit den Schallplattenaufnahmen von Bedeutung, die um 1914 in England auf Columbia gemacht wurden; diese wurden später auch in den USA herausgebracht. Wenn auch die Ausschnitte aus Opern in englischer Sprache gesungen sind, so zeigen sie eine strahlende, namentlich in den hohen Lagen gut ausgebildete Stimme (wie etwa in der Arie «Che gelida manina» aus «La Bohème» von Puccini).

Wheeler, Frederick, Bariton, * 1878, † (?); er war ein Kirchensolist wie dies für zahlreiche amerikanische Sänger zu Beginn unseres Jahrhunderts charakteristisch ist. Eine eigentliche Konzertkarriere absolvierte er nicht, erst recht nicht ist er auf der Opernbühne aufgetreten. Sein Name wurde bekannt durch mehrere Serien von Schallplatten, die in dem Jahrzehnt zwischen 1905 und 1915 in den USA herausgebracht wurden. Dabei handelt es sich um Aufnahmen der Marken Victor und Edison (Platten wie Amberola-Zylinder). Seine Stimme konnte mit Hilfe der damaligen Aufnahmetechnik besonders gut reproduziert werden, woraus sich die große Anzahl seiner Aufnahmen ableitete. Darunter finden sich auch Duette mit dem Tenor Reed Miller. Diese singt er unter dem Pseudonym J. F. Harrison, während Reed Miller unter dem Namen James Reed präsentiert wird.

Wien, Erika, Mezzosopran/Alt, * 2. 9. 1928 Wien; Gesangstudium an der Wiener Musikakademie bei Hans Duhan, Josef Witt und Wolfgang Steinbrück, Einführung in den Liedgesang durch Erik Werba. Sie begann ihre Bühnenkarriere mit einem Engagement an der Wiener Volksoper 1952–53 und setzte sie am Theater von Bremen (1953–59) und an der Deutschen Oper am Rhein Düsseldorf–Duisburg (1959–64) fort. Seit 1964 war sie bis 1980 am Opernhaus von Zürich tätig. Gastspiele an der Deutschen Oper wie an der Staatsoper Berlin, an den Staatsopern von Wien, München, Hamburg und Stuttgart, an den Opernhäusern von Frankfurt a. M., Hannover, Köln, Nürnberg, Wiesbaden und Wuppertal. Sie gastierte auch beim Holland Festival, beim Mag-

gio musicale Florenz, in Brüssel und Bordeaux, in Lyon und Marseille, am Teatro Colón Buenos Aires, an der Grand Opéra Paris, an den Opern von San Diego und San Francisco, in Nantes, Rouen und Toulouse, in Turin und Genua. Ihr Rollenrepertoire für die Bühne gipfelte in Partien wie der Carmen, der Marcellina in «Figaros Hochzeit», der Maddalena im «Rigoletto», der Azucena im «Troubadour», der Amneris in «Aida», der Eboli in Verdis «Don Carlos», der Ulrica in «Un Ballo in maschera», der Quickly im «Falstaff», der Mary im «Fliegenden Holländer», der Ortrud im «Lohengrin» der Erda und der Fricka im Nibelungenring, der Brangäne im «Tristan», der Venus im «Tannhäuser», dem Titelhelden im «Orpheus» von Gluck, der Marina im «Boris Godunow», der Gräfin in «Pique Dame» von Tschaikowsky, der Milada in «Dalibor» von Smetana, der Hexe in «Rusalka» von Dvořák, der Klytämnestra in «Elektra» von R. Strauss und der Marie im «Wozzeck» von A. Berg. Am Opernhaus von Zürich wirkte sie u. a. in den Uraufführungen der Opern «Madame Bovary» von H. Sutermeister (26. 5. 1967) und «Ein Engel kommt nach Babylon» von Rudolf Kelterborn (1977) mit. Große Erfolge erzielte sie auch als Konzert- und Oratoriensolistin (Werke von J. S. Bach, Beethoven, J. Brahms) sowie in ihren Liederabenden. Sie trat als Konzertsängerin in Deutschland und in der Schweiz, in Wien, Madrid, Granada und Paris auf.
Schallplatten: Auf Saga singt sie in Querschnitten durch die Opern «Rigoletto» (als Maddalena) und «Nabucco» (als Fenena) von Verdi; auch auf Amadeo zu hören.

Wierzbicki, Tadeusz, Baß, * 1921 Gostkowo (Nord-Polen), † 9. 1. 1990 Brüssel; während des Krieges kämpfte er im Untergrund in der polnischen Heimatarmee gegen die deutschen Besatzungstruppen und geriet Ende 1944 in deutsche Kriegsgefangenschaft. Nach dem Zweiten Weltkrieg entschloß er sich zum Gesangstudium und war u. a. in Brüssel Schüler der großen Koloratrice Lucette Korsoff. 1951 debütierte er am Opernhaus von Gent. In den Jahren 1957–60 sang er sehr erfolgreich am Théâtre de la Monnaie Brüssel. Er unternahm zahlreiche Gastspiele und kam u. a. an den Theatern von Luzern und Linz/Donau zu großen Erfolgen. Als Gast ist er dann auch wieder in seiner polnischen Heimat aufgetreten, wo er an den Opernhäusern von Warschau und Poznań (Posen) erschien. Auf der Bühne zeigte sich seine Vielseitigkeit in einem Repertoire, das über 50 Partien umfaßte, darunter den König Philipp in Verdis «Don Carlos», den Ramphis in «Aida», den Kardinal Brogni in «La Juive» von Halévy, den Titelhelden in «Don Quichotte» von Massenet, den Boris Godunow und den Kontschak in «Fürst Igor» von Borodin, dazu die großen Wagner-Rollen seines Stimmfachs. Auch als Konzertsolist angesehen.

Wiesendanger, Paul, Bariton, * 20. 6. 1886 in der Schweiz, † 13. 7. 1957 Balksee bei Cuxhaven; er bgann zunächst das Studium der Zahnmedizin, wechselte dann aber ins Gesangfach und wurde

Schüler von Wilhelm Vilmar in Hamburg. Am Hamburger Opernhaus (Stadttheater) hatte er in den Jahren 1907–08 ein Anfänger-Engagement und sang dann an den Stadttheatern von Würzburg (1908–09) und Koblenz (1909–10), anschließend bis 1915 am Theater von Posen (Poznań). 1915–18 sang er am Stadttheater von Straßburg und war dann in der langen Zeit von 1918 bis zur Schließung der deutschen Theater im letzten Jahr des Zweiten Weltkrieges 1944 am Staatstheater von Hannover tätig. Hier sang er vor allem Partien aus dem lyrischen wie dem Charakterfach, darunter den Guglielmo in «Così fan tutte», den Papageno in der «Zauberflöte», den Figaro in «Figaros Hochzeit», den Ottokar im «Freischütz», den Zaren in «Zar und Zimmermann», den Grafen im «Wildschütz» von Lortzing, den Herrn Fluth in den «Lustigen Weibern von Windsor» von Nicolai, den Wolfram im «Tannhäuser», den Kothner in den «Meistersingern», den Donner wie den Gunther im Nibelungenring, den Templer in «Der Templer und die Jüdin» von H. Marschner, den Reinhart in «Herzog Wildfang» von Siegfried Wagner, den Ho-Tschi in «Li-Tai-Pe» von Clemens von Franckenstein, den Rigoletto, den Grafen Luna im «Troubadour», den Germont-père in «La Traviata», den Posa im «Don Carlos» von Verdi, den Sharpless in «Madame Butterfly», den Lescaut in Puccinis «Manon Lescaut» und den Dandini in «La Cenerentola» von Rossini. Neben seinem Wirken auf der Bühne war er ein geschätzter Konzert-, Oratorien- und Liedersänger und wurde auf diesen Gebieten durch Auftritte in vielen deutschen Städten bekannt.
Schallplatten: Homochord (Lieder).

Wiessner, Gerty, Sopran, * 13. 3. 1903 Wien, † 13. 5. 1984 Bern; die Künstlerin, die ihre Ausbildung an der Wiener Musikakademie erhalten hatte, kam seit 1929 am Stadttheater der Schweizer Bundeshauptstadt Bern zu einer Bühnenkarriere, die bis 1963 dauerte. Sie gab während dieser Zeit Gastspiele an den Theatern von Zürich, Genf und St. Gallen, an der Staatsoper von Hamburg, an der Opéra-Comique Paris, am Opernhaus von Breslau und am Teatro Liceo Barcelona, doch blieb Bern ihre eigentliche künstlerische Heimat. Sie hat dort in ihrer langen Karriere eine Vielzahl von Partien aus allen Bereichen der Opernliteratur vorgetragen, die vom Koloraturfach bis zum dramatischen Repertoire reichten. Sie sang in Bern u. a. in den Erstaufführungen der Opern «Albert Herring» von B. Britten, «Der Kuß» («Hubička») von Smetana, «Rusalka» von Dvořák, «Arabella» von R. Strauss (als Titelheldin), «Intermezzo» vom gleichen Komponisten (als Christine), «I Lombardi» von Verdi (als Viclinda) und «Il Mondo della luna» von Haydn (als Clarice). Auch als Konzert- und Oratoriensängerin angesehen.

Wilbrink, Hans, Bariton, * 1932 (?); sein Vater war ein bekannter holländischer Journalist. Er studierte Gesang und Musik (Kirchenmusik und Dirigieren) am Konservatorium von Utrecht und war dann Schüler von Felix Hupka in Amsterdam. 1955 gewann er den Gesangwettbewerb des westdeutschen Rundfunks ARD in München und hatte erste Erfolge in seiner holländischen Heimat, einmal als Konzertsänger (1956 Solist in Beethovens 9. Sinfonie in Amsterdam), dann als Pelléas in «Pelléas et Mélisande» auf der Bühne. 1958 wirkte er in Amsterdam in der Uraufführung der Oper «François Villon» von Sem Dresden mit. 1959 ging er nach Deutschland und war dann in den folgenden sieben Jahren bis 1966 Mitglied des Opernhauses von Frankfurt a. M. In den Jahren 1959–61 bestand gleichzeitig ein Gastvertrag mit der Städtischen Oper Berlin. 1966 folgte er einem Ruf an die Staatsoper von München, an der er eine erfolgreiche Karriere entwickelte, die länger als zwanzig Jahre dauerte. Er wirkte in einer Vielzahl von Opern-Uraufführungen mit, so bereits 1964 in Frankfurt in der von G. Wimbergers «Dame Kobold», im gleichen Jahr dort auch in «Das Foto des Kolonels» von H. Searle, 1969 in München in «Aucassin und Nicolette» von G. Bialas, 1976 in «Die Versuchung» von J. Tal, 1986, immer noch in München, in «Belshazar» von V. D. Kirchner. Er trat gerne in Werken der zeitgenössischen Opernliteratur auf, so als Titelheld in H. W. Henzes «Prinz von Homburg» und als Stolzius in «Die Soldaten» von B. A. Zimmermann. Dabei enthielt sein Bühnenrepertoire jedoch eine Vielzahl von Partien, darunter den Figaro in «Figaros Hochzeit», den Guglielmo in «Così fan tutte», den Papageno in der «Zauberflöte», den Scherasmin im «Oberon» von Weber, den Malatesta im «Don Pasquale», den Olivier im «Capriccio» wie den Morbio in der «Schweigsamen Frau» von R. Strauss, den Mr. Gedge in «Albert Herring» wie den Oberon in «A Midsummer Night's Dream» von B. Britten. Gastspiele führten den Sänger u. a. an die Staatsoper von Wien, nach Paris (1962 mit dem Ensemble der Frankfurter Oper), an die Oper von Köln (1965) und zu den Festspielen von Glyndebourne, wo er 1963 seine Glanzrolle, den Pelléas in «Pelléas et Mélisande» von Debussy, sang. Auch als Konzert- und Oratoriensolist genoß er hohes Ansehen.

Schallplatten: Christophorus-Verlag (Messen von Schubert), Music and Arts (9. Sinfonie von Beethoven unter Klemperer, Mitschnitt von 1956), DGG («La Cenerentola» von Rossini), Schwann («Gloria» von J. S. Bach).

Wildbrunn, Karl, Tenor, *22. 5. 1873 Slaň (ČSR), †9. 2. 1938 Wien; eigentlicher Name Karel Schmaus. Er begann ein Medizinstudium, ließ dann seine Stimme ausbilden und debütierte als Bariton gastweise am Nationaltheater Prag, sang auch in Olomouc (Olmütz). Durch Moritz Wallerstein wurde er zum Tenor umgeschult und studierte in der Bayreuther Schule bei Julius Kniese. 1902 sang er bei den dortigen Festspielen als erste Tenorpartie den ersten Ritter im «Parsifal»; er war nacheinander an den Opernbühnen von Köln (1902–03), Wiesbaden (1903–04), nach zweijähriger Gastspieltätigkeit in Leipzig (1906–09) und Dortmund (1909–14) engagiert und trat als Gast u. a. bei den Bayreuther Festspielen (1902), an der Covent Garden Oper London (1905), an den Hoftheatern von Dresden,

Mannheim und Hannover auf. Sein Bühnenrepertoire umfaßte Partien wie den Tamino in der «Zauberflöte», den Hans in Smetanas «Verkaufter Braut», den Titelhelden im «Faust» von Gounod, den Froh im «Rheingold», den Don Ottavio im «Don Giovanni» und den Lyonel in Flotows «Martha». Er wirkte später als Vortragsmeister an der Städtischen Oper Berlin und im pädagogischen Bereich in Wien. Seine Gattin war seit seiner Dortmunder Zeit die berühmte Sopranistin *Helene Wildbrunn-Wehrenpfennig* (1882–1972), die zu den führenden Sängerpersönlichkeiten der Wiener Staatsoper innerhalb ihrer Generation zählte. Karl Wildbrunn wurde später als Regisseur bekannt und führte u. a. 1922 Regie bei Aufführungen des Nibelungenrings in Rio de Janeiro und am Teatro Colón Buenos Aires.

Wilke, Elisabeth, Mezzosopran/Alt, *19. 5. 1952 Dresden; sie besuchte die Musikhochschule in ihrer Heimatstadt Dresden und war dort Schülerin von H. Köhler. 1974 debütierte sie sogleich an der Staatsoper von Dresden in der Rolle des Hänsel in Humperdincks Märchenoper «Hänsel und Gretel». Seitdem war sie Mitglied dieses traditionsreichen Hauses, wo man sie u. a. als Dorabella in «Così fan tutte», als Amastris in «Serse» von Händel, als Olga im «Eugen Onegin» von Tschaikowsky und in vielen anderen Rollen hörte. Am 25. 5. 1989 sang sie dort in der Uraufführung der Oper «Der goldene Topf» von Eckehard Mayer die Partie der Veronika. Die Künstlerin unternahm Gastspiele (u. a. 1988 in Amsterdam als Dorabella) zusammen mit dem Ensemble der Dresdener Oper und erwies sich als vielseitig begabte Konzertsängerin, vor allem als bedeutende Oratoriensolistin.

Schallplatten: Capriccio («Symphoniae sacrae» von Heinrich Schütz, «Virtuosi Saxoniae», Weihnachtsoratorium von Saint-Saëns, Missa brevis von Carl Friedrich Fasch), Philips (Matthäuspassion von J. S. Bach).

Will, Jacob, Baß, *8. 6. 1957 Hartsville (South Carolina); er war der Sohn einer Musiklehrerin und Chordirektorin und kam so früh mit der Musik in Verbindung. Dennoch studierte er zunächst Ökonomie und Wirtschaftswissenschaften, bevor er seine Stimme am Cincinnati Conservatory ausbilden ließ. Er wurde in das Opernstudio der San Francisco Opera aufgenommen und sang als erste größere Solopartie an diesem Haus den Masetto im «Don Giovanni». Es schlossen sich Auftritte an der Long Beach Opera, bei der Anchorage Opera in Alaska (als Basilio im «Barbier von Sevilla») und während mehrerer Jahre beim Carmel Beach Festival (als Figaro in «Nozze di Figaro») an. Bei Tourneen mit verschiedenen Opernensembles in den USA sang er u. a. den Don Giovanni, den Frank in der «Fledermaus» und den Dulcamara in «Elisir d' amore». Er war außerdem ein viel beschäftigter Konzertsänger und musizierte zusammen mit bekannten amerikanischen Chorvereinigungen und Orchestern. Im Herbst 1986 kam er erstmalig nach Europa. 1988 wurde er Mitglied des Opernhauses von Zürich; hier sang er u. a. den Basilio im «Barbier von Sevilla» und den Melchthal in «Wilhelm Tell» von Rossini. Am Theater von St. Gallen gastierte er als Sparafucile im «Rigoletto» und als Raimondo in «Lucia di Lammermoor», 1989 in «Andrea Chénier» von Giordano. Im Oktober 1989 wirkte er als Solist in Aufführungen der Missa per Rossini im New Yorker Lincoln Center mit, 1990 sang er am Opernhaus von Vancouver den Oroveso in Bellinis «Norma».

Willemer, Marianne von, Sopran, * 20. 11. 1784 Linz (Donau), † 6. 12. 1860 Frankfurt a. M.; sie war die Tochter des Schauspielers und Impresarios Georg Jung (1760– ca. 1796), der seit 1781 an verschiedenen österreichischen Theatern anzutreffen war, später in Krems und Hainburg und seit 1793 als Theaterdirektor in Preßburg (Bratislava) wirkte. Ihre Mutter war Anna Maria Elisabeth Pirngruber, die einer Linzer Familie angehörte und später auch die Bühnenlaufbahn einschlug. Die Tochter kam als Marianne Jung frühzeitig zu einer Opern- und Balletttruppe, mit der sie 1798 in Frankfurt a. M. gastierte, wobei sie u. a. die Sira im «Unterbrochenen Opferfest» von Peter von Winter sang. Der reiche Frankfurter Bankier Johann Jakob von Willemer (1760–1838) nahm sie als Pflegetochter in sein Haus auf. Seit 1800 war von Willemer «Vorstand des Theaters der Freien Stadt Frankfurt»; in seinem Hause führte Marianne von Willemer ein schöngeistiges Leben, das sich mit vielerlei Aktivitäten in den Bereichen der Poesie, der Musik, der bildenden Künste wie der Philosophie befaßte. 1814 wurde sie die dritte Frau des zweimal verwitweten Johann Jakob von Willemer. Kurz zuvor hatte Goethe sie in Wiesbaden kennengelernt. 1814 und vor allem 1815 weilte der berühmte Dichter als Gast im Frankfurter Stadthaus der Familie von Willemer und auf deren Landsitz, der Gerbermühle. Zwischen Goethe und Marianne von Willemer kam jener Freundschaftsbund zustande, als dessen Ergebnis die Gedichte des «Westöstlichen Divans» anzusehen sind, in denen die Altersweisheit Goethes sich in der damals beliebten Form orientalischer Poesie enthüllt. Bekanntlich stammen einige der zu dieser Sammlung gehörenden Gedichte aus der Feder der poetisch hoch begabten Marianne von Willemer, die unter dem Namen «Suleika», den Goethe ihr gab, in die Literaturgeschichte einging. In ihren Gedichten wird eine hohe Musikalität der Sprache immer wieder greifbar.
Lit.: C. Gugitz: «Zu Suleikas Bühnenlaufbahn», Wien 1950; «Marianne und Johann Jakob v. Willemer: Briefwechsel mit Goethe» (herausgegeben von H.-J. Weitz, 1960).

Williams, Rodney, Baß-Bariton, * 3. 7. 1941 Bekkenham (Kent, England); er sang 1952–55 im Knabenchor des King's College Cambridge. Als Solist dieses Chores trat er in einer Weihnachtssendung des englischen Fernsehens BBC auf und sang auf einer Schallplatte Christmas Carols. 1955–60 war er Music Scholar in Cranleigh (Surrey); 1960–63 Gesang- und Musikstudium am Royal College of Music London. Hier waren seine Gesanglehrer Norman Allin und Hervey Alan, Orgelspiel lernte er bei

H. K. Andrews und Sidney Campbell, Klavierspiel bei Edwin Benbow, Musiktheorie und Harmonie bei Lloyd Webber und Michael Mullinar. 1969–72 war er Mitglied des Chors of Her Majesty's Chapel Royal London, seit 1972 Lay Vicar an der Westminster Kathedrale. Er trat zusammen mit diesem Chor in zahlreichen Radio- und Fernsehsendungen auf und wurde als Solist in Oratorien und religiösen Vokalwerken weithin bekannt. Er sang auch mit anderen renommierten englischen Chören, so mit den Elizabethan Singers, den British Broadcasting Corporation Singers, den Westminster Glee Singers und den Louis Halsey Singers und leitete selbst eine Chorvereinigung, die unter dem Namen Rodney Williams Singers auftrat. Zugleich war er in London als geschätzter Gesanglehrer tätig. Schallplattenaufnahmen seiner Stimme sind, namentlich in Verbindung mit den erwähnten Chören, vorhanden.

Williams-King, Anne, Sopran, * 1960 (?) Wrexham (Wales); sie absolvierte ihr Gesangstudium am Royal Northern College of Music und wurde dann in das National Opera Studio London aufgenommen. Sie kam zu einer bedeutenden Karriere an der Welsh Opera Cardiff. Hier trat sie in Partien wie der Lenio in «Die griechische Passion» von B. Martinù, der Mimi in «La Bohème», der Gilda im «Rigoletto», der Fiordiligi in «Così fan tutte», der Marzelline im «Fidelio» und der Micaela in «Carmen» auf. 1988 kam es zu ihrem Debüt an der Covent Garden Oper London als Freia im «Rheingold». An der Opera North Leeds war sie als Mimi, als Rebecca in der gleichnamigen Oper von Wilfred Josephs und als Juliet in «A Village Romeo and Juliet» von Delius zu hören, an der Scottish Opera Glasgow als Freia wie als Violetta in «La Traviata». Am Stadttheater der Schweizer Bundeshauptstadt Bern gastierte sie als Anne Trulove in Strawinskys «The Rake's Progress». Weitere Gastspiele, Auftritte im Konzertsaal, im Rundfunk und im Fernsehen kennzeichnen die Karriere der Sängerin.

Williamson, Hardy, Tenor, * 1885 (?), † (?); dieser aus England stammende Tenor sang in den Jahren 1914 bis etwa 1920 in Nordamerika bei der Aborn Opera Company und bei anderen reisenden Operngesellschaften, die Opernaufführungen in englischer Sprache veranstalteten. Während dieser Zeit entstanden in den USA Lyrophon (1917)-Edison-Aufnahmen, darunter ein Duett aus Verdis «Troubadour» mit der Sopranistin Julia Heinrich. Auch auf Vocalion wurden Aufnahmen seiner Stimme angefertigt. Er kam später wieder nach England zurück; dort wurden dann nochmals 1927–28 frühe elektrische Schallplatten mit Operettentiteln («The Mikado», «Gondoliers») aufgenommen.

Willis, Helen, Mezzosopran, * 25. 7. 1959 Newport (Gwent, Wales); sie studierte in den Jahren 1977–83 an der Royal Academy of Music London. 1983 trat sie in einem Konzert in der Londoner Wigmore Hall auf. 1983–85 sang sie im Chor der Festspiele von Glyndebourne. 1984 debütierte sie als Solistin auf der Bühne der Welsh Opera Cardiff in der Partie der

Siegrune in der «Walküre». Es schlossen sich Auftritte an englischen Bühnen und im Konzertsaal an. Über die BBC London sang sie u. a. zusammen mit dem Welsh Symphony Orchestra die «Sea Pictures» von E. Elgar und die Wesendonck-Lieder von R. Wagner. Sie wurde durch Konzertauftritte auch im Ausland bekannt.

Willmann, Magdalene, Sopran, * 1771 Forchtenberg (Nord-Württemberg), † 12. 1. 1802 Wien; sie war die Tochter des Musikers Johann Ignaz Willmann († 1815). Ihr Bruder Max Willmann (* ca. 1768, † 1813 Wien) war ein bekannter Cellist, mit dem sie im Lauf ihrer Karriere oft zusammen in Konzerten aufgetreten ist. Ihre ältere Schwester *Marianne Willmann* (* etwa 1770) wurde wie sie eine bekannte Sängerin. Magdalene Willmann trat ganz jung als Solistin in die Kurfürstliche Kapelle in Bonn ein. Dort lernte sie den jungen Ludwig van Beethoven kennen, der ebenfalls seit 1783 der Hofkapelle angehörte. Es wird behauptet, Beethoven habe der jungen Sängerin einen Heiratsantrag gemacht, den diese jedoch ausgeschlagen habe. 1788 hatte die Künstlerin in Frankfurt a. M. große Erfolge als Susanna in «Figaros Hochzeit». 1786 ist sie am Wiener Hoftheater zu finden, 1794 in Triest wie in Graz, 1794–96 am Theater von Preßburg (Bratislava). In Wien erreichte sie den Höhepunkt ihrer Sängerlaufbahn, wo sie seit 1795 an der Hofoper (Wiener Erstaufführung der Oper «Le gare generose» von Paisiello, 1797) wie auch in dem von Emanuel Schikaneder geleiteten Theater auf der Wieden erschien. Bekannt wurde sie auch durch ihre großen Konzerttourneen, die sie zum Teil mit ihrem Bruder Max Willmann gemeinsam unternahm. Nach ihrer Heirat 1798 ist sie auch unter dem Namen Willmann-Galvani aufgetreten. Als sie später in Wien Episoden aus ihrer Bekanntschaft mit Beethoven erzählte, zeigte sich der große Meister darüber sehr verärgert. Ihre bereits erwähnte Schwester *Marianne Willmann* scheint in erster Linie als Konzertsängerin aufgetreten zu sein. Sie war in Wien Schülerin von Mozart und trat dort u. a. 1787 und 1789 mit ihrem Bruder Max Willmann im Konzertsaal auf. Sie heiratete 1796 den Schriftsteller Franz Xaver Huber (* 1752, † 1820), der für Beethoven den Text zu dessen Oratorium «Christus am Ölberge» schrieb, das 1803 uraufgeführt wurde. Damit ergibt sich eine weitere Verbindung zwischen dem großen Komponisten und der Musikerfamilie Willmann.

Wilmant, Tieste, Bariton, * 1859 Lodi, † 20. 3. 1937 Lodi; er debütierte 1878 in Chiari. Seine Karriere ist schwer in ihren Einzelheiten zu verfolgen, scheint sich jedoch hauptsächich an italienischen Bühnen abgespielt zu haben. In der Spielzeit 1893–94 sang er an der Mailänder Scala in Catalanis «Loreley» und in «Manon Lescaut» von Puccini. In der Saison 1899–1900 war er wieder an der Scala anzutreffen, wo er jetzt den Alberich in der italienischen Erstaufführung des «Siegfried» von Richard Wagner sang, dazu den Jago im «Othello» von Verdi. Von musikhistorischer Bedeutung ist sein Mitwirken in der Uraufführung von Puccinis «La Bohème» am 1. 2.

1896 am Teatro Regio Turin, in der er den Marcello sang.
Schallplatten: Zwei sehr seltene Zonophone-Aufnahmen (Mailand, 1904).

Wilson, Neil, Tenor, * 4. 6. 1956 Lubbock (Texas); er entstammte einer texanischen Farmerfamilie (eigentlicher Name Neil Wilson Nease) und kam nur unter großen Schwierigkeiten zu einem Musik- und Gesangstudium an den Universitäten von Dallas und Oklahoma; dann Schüler von Thomas Lo Monaco in New York, später auch von Carolina Segrera. Er trat zuerst im Freilichttheater Wolftrap bei Washington in einer Aufführung von Verdis «Falstaff» unter S. Caldwell auf und sang dann kleine Partien an der Oper von Houston/Texas. 1984 kam er nach Deutschland und wurde an die Staatsoper von Stuttgart verpflichtet. Hier wie am Theater von Bonn sang er mit sensationellem Erfolg 1985 die Titelpartie in Massenets «Werther» Gastspiele brachten ihm ähnliche Erfolge an den Staatsopern von München (1985) Wien (1985) und Hamburg (1985), am Teatro Comunale Bologna (1986) in Los Angeles (1986) und an deutschen Bühnen. 1987 hörte man ihn am Opernhaus von Köln als Herzog im «Rigoletto»; im gleichen Jahr gastierte er in Washington (als Roméo in Gounods «Roméo et Juliette») und New York. Dort debütierte er 1988 an der Metropolitan Oper als Macduff in «Macbeth»; 1989–90 in Zürich als Faust in «Mefistofele» von Boito zu Gast. An der Metropolitan Oper hörte man ihn auch als Werther und als Rodolfo. Bei den Festspielen von Glyndebourne wirkte er 1986 in Monteverdis «Incoronazione di Poppea» mit. Auf der Bühne sang er bevorzugt Partien wie den Herzog im «Rigoletto», den Alfredo in «La Traviata», den Macduff in Verdis «Macbeth», den Giasone in «Medea» von Cherubini, den Nemorino in «Elisir d' amore», den Rodolfo in «La Bohème», den Pinkerton in «Madame Butterfly», den Lenski im «Eugen Onegin» und den Pelléas in Pelléas et Mélisande» von Debussy. Auch im Konzertsaal brachte er es zu großen Erfolgen, so sang er 1986 in Israel das Tenorsolo im Verdi-Requiem zusammen mit der berühmten Sopranistin Montserrat Caballé. Verheiratet mit der Mezzosopranistin *Linda Munguia.*

Wilson-Johnson, David, Bariton, * 16. 11. 1950 Northampton (England); er erhielt seine Ausbildung am St. Catharine's College in Cambridge und an der Royal Academy of Music London. Seit 1976 kam er an der Londoner Covent Garden Oper zu einer erfolgreichen Bühnenkarriere. Er sang dort in «Le Rossignol» von Strawinsky, in Ravels «L' Enfant et les sortilèges», im «Boris Godunow» und in der «Zauberflöte». An der Welsh Opera Cardiff wie an der Opera North Leeds trat er in Opern von Mozart, Rossini und F. Delius auf. Im Konzertsaal sang er zusammen mit dem Ensemble Intercontemporain unter Pierre Boulez; er gastierte als Konzertsänger in Wien unter Nikolaus Harnoncourt; 1988 sang er in der Royal Festival Hall London die Titelpartie in der englischen (konzertanten) Erstaufführung der Oper «Saint François d' Assise» von

O. Messiaen. 1989 wirkte er in einer Aufführung von
M. Tippetts «Midsummer Marriage» im englischen
Fernsehen BBC mit. 1988 hörte man ihn bei den
Londoner Promenade Concerts als Solisten in der
Lyrischen Sinfonie von A. Zemlinsky. Bekannt
wurde er auch durch seine Liederabende; so unter-
nahm er eine Tournee durch die englischen Groß-
städte, bei der er Schuberts «Winterreise» zum Vor-
trag brachte.
Schallplatten: Decca («La Traviata», Mozart-Mes-
sen), Chandos («The Kingdom» von E. Elgar),
DGG (Geistliche Musik von J. Haydn); weitere
Aufnahmen auf Erato, Hyperion und CBS, darunter
Schuberts «Winterreise», «King Priam» von M. Tippett, «Punch and Judy» von Birtwistle und «Belshazzar's Feast» von W. Walton.

Windheuser, Paula, Sopran, * 7. 8. 1882 Düren
(Rheinland), † 20. 8. 1951 Frankfurt a. M.; sie debütierte 1906 am Stadttheater von Heilbronn als
Agathe im «Freischütz» und ging von dort für die
Jahre 1907–09 an das Stadttheater von Aachen.
Nach einer weiteren Ausbildung wurde sie 1910 an
die Hofoper von Wien berufen, an der sie bis 1916
mit großem Erfolg auftrat. 1916–19 gehörte sie dem
Hof- und Nationaltheater von Mannheim an und war
dann wieder für die Jahre 1919–22 Mitglied der
Staatsoper Wien. Bereits 1907 hatte sie an der Stuttgarter Hofoper gastiert, 1916 und 1917 am Opernhaus von Frankfurt a. M., 1922 am Opernhaus von
Köln, 1925 und 1926 nochmals an der Wiener Staatsoper. 1913 trat sie bei den Festspielaufführungen in
der Waldoper von Zoppot auf. Ein Gastspiel am
Stadttheater von Aachen 1928 als Kundry im «Parsifal» bezeichnet wohl den Ausklang ihrer Karriere.
Während dieser hatte sie auf der Bühne Partien wie
die Donna Elvira im «Don Giovanni», die Agathe im
«Freischütz», die Gabriele im «Nachtlager von Granada» von C. Kreutzer, die Elisabeth im «Tannhäuser», die Elsa im «Lohengrin», die Sieglinde wie die
Brünnhilde im «Ring des Nibelungen», die Marguerite im «Faust» von Gounod und die Leonore im
«Troubadour» von Verdi gesungen und sich zugleich
als bedeutende Konzertsolistin erwiesen.

Windmüller, Yaron, Bariton, * 1957 in Israel; er
studierte zuerst in Tel Aviv Klavierspiel, verlegte
sich dann aber auf die Ausbildung seiner Stimme,
die an der Musikhochschule München durch Ernst
Häfliger und durch Malcolm King in Vicenza stattfand. Dann gehörte er für zwei Jahre dem Opernstudio der Bayerischen Staatsoper München an. 1982
debütierte er in London in der Oper «Armide» von
Gluck und trat in Israel als Solist mit dem Israel
Philharmonic Orchestra auf. Seit 1986 war er Ensemblemitglied des Staatstheaters am Gärtnerplatz
München und gab von dort aus Gastspiele an deutschen wie ausländischen Theatern. Dabei reichte
sein Opernrepertoire vom Titelhelden in «Dido and
Aeneas» von Purcell über den Grafen in «Figaros
Hochzeit», den Guglielmo in «Così fan tutte», den
Don Giovanni, den Papageno in der «Zauberflöte»,
den Wolfram im «Tannhäuser», den Marcello in
Puccinis «La Bohème» bis zu Partien in zeitgenössi-

schen Opern wie dem Werther in «Die Leiden des
jungen Werthers» von Hans-Jürgen von Bose und
dem Kaspar in «Die Zaubergeige» von Werner Egk.
Neben seiner Tätigkeit im Bereich der Oper brachte
er eine zweite Karriere als Konzertsänger, sowohl in
Oratorienpartien wie als Lied-Interpret, zur Entwicklung; er sang im Konzertsaal am Rundfunk
unter der Leitung führender Dirigenten.

Winkelmann, Hans, Tenor, * 1881 Hamburg,
† 22. 10. 1943 Hannover; er war der Sohn des großen Wagner-Tenors *Hermann Winkelmann*
(1849–1912), der 1882 in der Bayreuther Uraufführung des «Parsifal» die Titelpartie dieses Opernwerks kreiert hatte. Er begann seine Bühnenlaufbahn 1906 an der Wiener Volksoper, sang dann
1907–08 am Stadttheater von Graz, 1908–09 an der
Hofoper von München und 1909–15 am Deutschen
Theater Prag. 1915–17 war er am Stadttheater von
Chemnitz, 1917–18 am Opernhaus von Düsseldorf
und 1918–24 am Staatstheater von Schwerin engagiert. Dann ging er als Oberspielleiter an das Staatstheater Hannover, wo er bis zu seinem tragischen
Tod bei einem Bombenangriff auf die Stadt Hannover wirkte. Gastspiele führten ihn 1913 an die Hofoper von Wien, 1917 an die Dresdner Hofoper und
an das Opernhaus von Leipzig, 1921 war er bei den
Salzburger Festspielen in einem Konzert zu hören.
Aus seinem Bühnenrepertoire seien der Florestan
im «Fidelio», der Lohengrin, der Tristan, der Faust
von Gounod und der Matthias im «Evangelimann»
von W. Kienzl genannt.

Wirz, Clara, Alt, * 12. 5. 1933 Kriens bei Luzern
(Schweiz); sie war Schülerin von Eduard Stocker in
Luzern, von Juliette Bise in Bern, von der Schweizer
Pädagogin Marietta Amstad in Rom und von Eva
Liebenberg in Hilversum (Holland). Seit 1968 kam
sie zu einer großen Konzertkarriere auf internatio-
naler Ebene. Sie sang in der Schweiz (Zürich, Basel,
Bern, Genf, Lausanne, Montreux, Lugano, Interna-
tionale Festwochen Luzern, Bach-Festwochen
Schaffhausen) und Deutschland (Berlin, München,
Hannover, Wiesbaden, Düsseldorf, Essen, Köln,
Karlsruhe, Bremen), Frankreich (Paris, Marseille,
Bordeaux, Lyon, Grenoble, Nizza, Lourdes, Tou-
louse), Italien (Mailand, Rom, Bologna, Turin,
Neapel, Florenz, Genua, Palermo, Padua, Parma,
Venedig, Rimini, Parma, Pisa), beim Holland Festival und im Rahmen einer großen USA-Tournee.
1975 war sie in Paris Mitbegründerin eines Vokal-
Quartetts, dem auch Anna-Maria Miranda, Jean-
Claude Orliac und Udo Reinemann angehörten, und
mit dem sie während der folgenden zehn Jahre auftrat. Seit 1975 war sie Dozentin und Gesangspädago-
gin an der Akademie für Schul- und Kirchenmusik in
Luzern. An der Oper von Lyon ist sie gelegentlich
als Gast aufgetreten, war im übrigen aber eine ausschließliche Konzertsängerin. Im Konzertsaal war
sie in einem Repertoire von ungewöhnlichem Umfang zu hören, das von Werken aus er Barock-
Epoche (J. S. Bach, Händel) bis zu zeitgenössischen
Komponisten (A. Honegger, F. Martin, H. Suter,
P. Hindemith, P. Huber) reichte. Als Liedersänge-

rin trat sie gleichfalls in einem vielseitigen Repertoire vor ihr Publikum.

Zahlreiche Schallplatten der Firmen CBS (Werke von M. A. Charpentier), Arion (Liebeslieder-Walzer und Vokalquartette von J. Brahms, Terzette und Quartette von J. Haydn und Mozart), Accord («Tagebuch eines Verschollenen» von Janáček, «Frauenliebe und -leben» von R. Schumann), Swiss Pan (Messe von Zelenka, Böhmische Pastorellen), Fono Luzern (Te Deum von Flury).

Wirz-Wyss, Clara, Sopran, *6. 1. 1881 Lenzburg (Schweiz), †11. 12. 1971 Bern; sie studierte zunächst Klavierspiel in Lenzburg und Luzern, dann am Conservatoire von Genf bei Willy Rehberg, Musiktheorie und Komposition bei Émile Jaques-Dalcroze und Otto Barblan (1897–1900). 1900–03 ließ sie dann ihre Stimme durch die berühmte Aglaja von Orgéni in Dresden ausbilden, studierte aber weiter auch Klavierspiel in Dresden bei Bertrand Roth und in Zürich bei Robert Freund, Gesang in Köln bei Lina Beck. 1905 begann sie ihre Karriere als Konzertsopranistin, gab aber in den ersten Jahren auch sehr erfolgreiche Konzerte als Pianistin. Dann verlegte sie sich jedoch ganz auf ihre Karriere im Gesangfach. Diese nahm schnell internationale Dimensionen an. Sie sang in den Zentren des Musiklebens in der Schweiz (Zürich, Basel, St. Gallen, Biel, Winterthur), in Deutschland (Düsseldorf, Köln, Dresden, Leipzig, Hamburg, Mannheim, Kaiserslautern, Stuttgart, München, Wiesbaden), in Wien, beim Festival der modernen Musik in Frankfurt a. M., in Straßburg und Mailand und bei vielen Schweizerischen Tonkünstlerfesten. Dabei trug sie ein weit gespanntes Oratorien-Repertoire vor, das seine Höhepunkte einerseits in Werken aus der Barock-Epoche (Bach, Händel), in oratorischen Werken der Klassik und Romantik, anderseits in modernen Kompositionen von W. Braunfels, Maurice Ravel, A. Schönberg, P. Hindemith und E. Křenek hatte. 1921 sang sie in Bern ein Solo in der Messe c-moll von F. Klose, 1931 in Basel den Liederzyklus «An den Schmerz» von F. Weingartner, 1929 kreierte sie in Leipzig die lyrischen Gesänge «Vom ewigen Leben» von Franz Schreker. Sie galt als eine große Lied-Interpretin, wobei auch hier ihr Repertoire eine Vielzahl von Liedern deutscher wie französischer Meister aufzuweisen hatte. Die Sängerin, die seit 1909 mit dem Schriftsteller Otto Wirz verheiratet war, betätigte sich später in Bern und Zürich im pädagogischen Bereich.

Wissiak, Richard, s. unter *Wissiak,* Wilhelm.

Wissiak, Wilhelm, Baß, *1879, †7. 1. 1960 Hannover; er absolvierte seine Ausbildung am Konservatorium der Stadt Wien. 1902 stand er erstmals auf der Bühne, als er am Stadttheater von Elberfeld einen der Edlen im «Lohengrin» sang. Dort blieb er bis 1904 im Engagement, war 1904–05 am Nationaltheater Berlin und dann 1905–08 an der Wiener Hofoper tätig. 1909–14 war er Mitglied des Stadttheaters von Straßburg und folgte darauf 1914 einem Ruf an das Hoftheater, das spätere Staatstheater Hannover. In

einer dreißigjährigen Tätigkeit bis 1944 erwarb er sich beim dortigen Publikum größte Beliebtheit. 1910 gastierte er an der Hofoper München, 1912 und 1917 an der Dresdner Hofoper. Seine großen Rollen waren der Osmin in der «Entführung aus dem Serail», der Sarastro in der «Zauberflöte», der Kaspar im «Freischütz», der Kardinal Brogni in Halévys «La Juive», der König Philipp im «Don Carlos» von Verdi, der Landgraf im «Tannhäuser» und der Ochs im «Rosenkavalier». In Hannover wirkte er in mehreren Uraufführungen von Opernwerken mit, so in «Herrn Dürers Bild» von Mraczek (1927), in «Der Freikorporal» von G. Vollerthun (1931) und «Die Fasnacht von Rottweil» von W. Kempf (1937). Bei den Göttinger Händel-Festspielen gastierte er 1927 in der Wiederaufführung von Händels Oper «Radamisto». In Hannover wie bei Gastauftritten kam er auch als Konzertbassist zu Erfolgen. Sein älterer Bruder *Richard Wissiak,* der ebenfalls seine Ausbildung in Wien erhalten hatte, trat seit 1897 als Opern- und Konzertbassist auf. Er war 1905–11 an der Komischen Oper Berlin und 1911–13 an der Berliner Kurfürsten-Oper engagiert, an der er in der Uraufführung von Ermanno Wolf-Ferraris «Der Schmuck der Madonna» («I gioielli della Madonna») mitwirkte (23. 11. 1911).

Schallplatten: 1906–07 wurde in Wien Aufnahmen von Wilhelm Wissiak auf Odeon gemacht, darunter die Arien des Osmin aus der «Entführung aus dem Serail», der als seine besondere Glanzrolle galt.

Wolf, Carl Maria, Tenor und Pädagoge, *20. 9. 1820 Budapest, †21. 1. 1907 Wien; er begann seine Karriere als Bühnensänger in Budapest und war dann in den fünfziger Jahren des 19. Jahrhunderts an der Wiener Hofoper tätig. Es folgte ein Engagement an der Berliner Hofoper, wo er auch als Regisseur wirkte. Nachdem er fünf Jahre lang dort gearbeitet hatte, gab er seine Bühnenkarriere auf. Er ging nun nach Wien und ließ sich in der Metropole der Kaiserlich-Königlichen Monarchie als Gesangpädagoge nieder. Auf diesem Gebiet erlangte er hohes internationales Ansehen. Aus den vielen Schülern, die ihm ihre Ausbildung verdanken, sind so berühmte Namen wie Marie Wilt, Sophie König, Therese Boschetti, Caroline Finaly, Marie Geistinger, Regina Schindler, Bertha Steinher, Mme Linée, Laura Hilgermann und der große Operettentenor Jani Szika zu nennen. 1873 schreibt ein Kritiker über ihn: «Unter den vielen Gesangslehrern, welche mir vorgekommen, ist Wolf der treffendste ... Seine Gesangsmethode ist die alte, echte, welche Italien seine Gesangsgrößen zu danken gehabt hat ...»

Wolf, Gerd, Baß, *18. 4. 1940 Flöha in Sachsen; er studierte an der Musikhochschule Berlin zuerst bei H. Trommler und wurde weiter durch die Pädagogen Plehn und J. Kemter ausgebildet. 1970 debütierte er beim Sächsischen Landestheater Dresden-Radebeul als Eremit im «Freischütz» von Weber und blieb Mitglied dieses Ensembles. Seit 1982 bestand ein Gastvertrag mit der Staatsoper Berlin; 1984 wurde er reguläres Mitglied dieses Hauses, an dem seine Karriere ihren Höhepunkt erreichte. Er sang

dort u. a. Partien wie den Leporello im «Don Giovanni», den Osmin in der «Entführung aus dem Serail», den König Ludwig in «Euryanthe» von Weber, den Eremiten im «Freischütz», den Bartolo in «Figaros Hochzeit», den Falstaff in den «Lustigen Weibern von Windsor» von Nicolai, den van Bett in «Zar und Zimmermann» von Lortzing, den Skula in «Fürst Igor» von Borodin, den Tommaso in «Tiefland» von E. d'Albert, den Doktor im «Wozzeck» von A. Berg, den Petrus in «Der Mond» von C. Orff und den Bauern in «Die Kluge» vom gleichen Komponisten. Er wirkte als ständiger Gast am Opernhaus von Leipzig und gastierte mit diesem Ensemble wie mit dem der Berliner Staatsoper in Neapel und Messina, in Las Palmas und Teneriffa, in Prag und Bratislava (Preßburg), in Westdeutschland, Japan (1987) und Holland. Weiten Kreisen wurde er auch als Konzertsänger wie durch sein Mitwirken in Rundfunk- und Fernsehsendungen bekannt.
Schallplatten: Eterna («Palestrina» von H. Pfitzner, «Graf Mirabeau» von Siegfried Matthus, Konzertaufnahmen), Philips («Ariadne auf Naxos» von R. Strauss).

Wolf, Sophie, Sopran, * 27. 7. 1880 Colmar im Elsaß, † 29. 3. 1938 Seefeld (Tirol); sie war eine Schülerin der berühmten Aglaja von Orgéni. 1906 begann sie ihre Karriere am Stadttheater von Halle (Saale), dem sie bis 1909 angehörte. 1909–21 war sie Mitglied des Opernhauses von Köln. Sie setzte ihre Karriere 1921–25 am Stadttheater von Duisburg fort und beschloß sie mit einem Engagement am Opernhaus von Nürnberg 1925–30. Gastspiele ließen den Namen der Sängerin international bekannt werden. 1907 gastierte sie am Hoftheater von Mannheim, 1908 an der Hofoper von Dresden, 1910 und 1911 am Théâtre de la Monnaie Brüssel. 1910 sang sie in Rotterdam die Sieglinde in der «Walküre», 1913 an der Covent Garden Oper London die Marschallin in einer der ersten Aufführungen des «Rosenkavaliers» an diesem Hause. Bei den Bayreuther Festspielen des Jahres 1914 hörte man sie als Wellgunde und als dritte Norn im Nibelungenring. 1917 sang sie als Gast am Opernhaus von Frankfurt a. M., 1921 am Teatro Liceo Barcelona, 1926 an der Bayerischen Staatsoper München. Besonders erfolgreich war sie an der Staatsoper von Wien, an der sie 1922 und 1926–28 gastweise auftrat. 1925 wirkte sie am Stadttheater Duisburg in der Uraufführung der Oper «Traumspiel» von Julius Weismann als Indras Tochter mit. Aus ihrem breit gefächerten Bühnenrepertoire seien als Höhepunkte die Elsa im «Lohengrin», die Isolde im «Tristan», die Kundry im «Parsifal», die Leonore im «Fidelio», die Chrysothemis in «Elektra» von R. Strauss, die Ariadne in dessen «Ariadne auf Naxos», die Kaiserin in der «Frau ohne Schatten» und die Titelfigur in «Mona Lisa» von Max von Schillings genannt.
Schallplattenaufnahmen der Sängerin sind nicht bekannt.

Wolfe, James, Baß, * Mai 1890 Riga; er gehörte einer strenggläubigen jüdischen Familie an und hatte große Widerstände zu überwinden, bevor er eine Theaterlaufbahn einschlagen konnte. Er wurde in Riga und Berlin ausgebildet und debütierte in Berlin 1910 in der «Zauberflöte». In den folgenden Jahren sang er an verschiedenen Opernbühnen in Österreich, in Holland, England, Frankreich und in der Schweiz. Während der Jahre des Ersten Weltkrieges betätigte er sich 1915–18 beim Internationalen Roten Kreuz. Nach Kriegsende emigrierte er in die USA, wo er zuerst bei einer Operntruppe sang, die sich aus russischen Emigranten gebildet hatte, dann bei einer «Mexican Centenary Opera», die Vorstellungen in St. Louis gab. In der Saison 1921–22 war er an der Oper von Chicago engagiert; hier sang er am 30. 12. 1921 in der Uraufführung der Oper «L'Amour des trois oranges» von Prokofieff die Partie des Farfarello. 1923 wurde er an die Metropolitan Oper New York berufen und blieb bis 1940 ununterbrochen Mitglied dieses bedeutenden Operninstituts. Er sang hier eine Vielzahl von Partien, zumeist kleinere und Comprimario-Rollen, gehörte aber zu jenen Künstlern, die für den Betrieb der Metropolitan Oper ganz unentbehrlich waren. Als seine Glanzrolle galt der Titurel im «Parsifal». Erfolgreiche Auftritte hatte er in den Sunday Night Concerts der Metropolitan Oper. Interessant ist es, daß er 1921 in New York an einer Aufführung von Halévys Oper «La Juive» in jiddischer Sprache teilnahm.
Schallplattenaufnahmen seiner Stimme scheinen nicht vorhanden zu sein.

Wolfrum, Paul, Bariton, * 1944 Kitzbühel (Tirol), † 15. 2. 1990 Wien; er begann ein Technikstudium an der Technischen Hochschule Wien, ließ dann aber seine Stimme am Konservatorium der Stadt Wien ausbilden. Sein Bühnendebüt fand 1967 am Landestheater von Linz (Donau) statt, an dem er bis 1978 wirkte. Hier sang er Partien wie den Grafen in «Figaros Hochzeit», den Guglielmo in «Così fan tutte», den Papageno in der «Zauberflöte», den Figaro im «Barbier von Sevilla», den Malatesta in «Don Pasquale», den Zaren in «Zar und Zimmermann» von Lortzing, den Valentin im «Faust» von Gounod und wirkte 1976 in der Uraufführung von «Der Aufstand» von Helmut Eder mit. 1978–81 war er Mitglied der Staatsoper von Wien, an der er überwiegend mittlere und kleinere Rollen sang (Dominik in «Arabella», Harlekin in «Ariadne auf Naxos» und Morbio in der «Schweigsamen Frau» von R. Strauss, Schaunard in «La Bohème», Yamadori in «Madame Butterfly», Larkens in «La Fanciulla del West» von Puccini, Brus von Müglitz in «Palestrina» von H. Pfitzner). 1981 wurde er dann an die Deutsche Oper Berlin verpflichtet, an der er als Antrittsrolle den Papageno sang. Er blieb bis zu seinem plötzlichen Tod (nach einer Operation, bei der sich eine unheilbare Krankheit herausstellte) an diesem Haus tätig, an dem er wenige Tage vor seinem Tod noch in Janáčeks «Sache Makropoulos» auf der Bühne stand. Er trat als Gast an der Wiener Volksoper, am Stadttheater von Basel, am Teatro Massimo Palermo, am Opernhaus von Graz, am Landestheater Innsbruck, am Nationaltheater Mannheim und in Tokio auf. Bei den Festspielen von Schwetzingen wirkte er in der Uraufführung der Oper «Ophelia» von R. Kelterborn mit (2. 5. 1984). Hinzu kamen Auftritte auf dem Konzertsektor u. a. in Dresden, bei der Schubertiade in Hohenems (Vorarlberg) und beim Carinthischen Sommer. Schallplatten: Capriccio («Aufstieg und Fall der Stadt Mahagonny» von K. Weill).

Wollbrant, Lotte, Sopran, * 1900, † 1988 Düsseldorf; die Künstlerin begann ihre Karriere am Stadttheater von Beuthen (1926–27), sang nach weiteren Studien 1928–30 in Koblenz 1930–32 in Stettin. Sie wurde bekannt, nachdem sie 1932 an das Opernhaus von Düsseldorf verpflichtet wurde, dem sie bis zu ihrem Abschied von der Bühne 1946, den sie in der Partie der Tosca nahm, angehörte. Sie wurde hier und auch bei Gastspielen an führenden deutschen Theatern in Partien aus dem jugendlich lyrischen Repertoire bekannt: als Elsa im «Lohengrin», als Elisabeth im «Tannhäuser», als Gräfin in «Figaros Hochzeit» wie als Arabella in der Oper gleichen Namens von Richard Strauss. Später sang sie dann auch schwerere dramatische Rollen vor allem in Opern von Wagner und R. Strauss. Sie sang in Düsseldorf 1936 die Annemarie in der Uraufführung von O. Gersters «Enoch Arden», 1939 die Egle in der deutschen Erstaufführung von «Dafni» von Mulè. Dazu war sie eine begabte Konzertsopranistin. Nach ihrem Rücktritt von der Bühne war sie noch einige Jahre im Konzertsaal anzutreffen; im übrigen widmete sie sich in Düsseldorf einer ausgedehnten pädagogischen Tätigkeit. Es ist möglich, daß von ihrer Stimme Mitschnitte aus Rundfunksendungen existieren.

Wollgarten, Adelheid, Alt, * 1890 (?), † Mai 1950 Köln; sie war Schülerin von Felix Dahn in Köln und war zuerst als Konzertsängerin (mindestens seit 1914) tätig. Gegen Ende des Ersten Weltkrieges lebte sie in Frankfurt a. M., wo sie 1920 ihre Bühnenkarriere begann und bis 1921 am dortigen Opernhaus auftrat. 1921 folgte sie einem Ruf an das Opernhaus von Köln, an dem sie als erste Altistin bis zum Ende ihrer Karriere 1944 wirkte und in dieser langen Zeit beim Opernpublikum sehr beliebt wurde. Sie sang in Köln in mehreren Uraufführungen von Opern: 1933 in «Der Heidenkönig» von Siegfried Wagner als Wera, 1942 in «Schwanhild» von Paul Graener als Mutter und wirkte in den deutschen Erstaufführungen von Janáčeks «Katja Kabanowa» (1922 als Warwara) und «Die Liebe zu drei Orangen» von Prokofieff (1925 als Clarissa) mit. Ihr Rollenrepertoire für die Bühne war ebenso vielseitig wie umfangreich; sie sang die Cornelia in «Julius Caesar» von Händel, den Adriano in «Rienzi», die Brangäne im «Tristan», die Erda, die Fricka und die Waltraute im Ring-Zyklus, die Ortrud im «Lohengrin», die Magdalene in den «Meistersingern», die Herodias in «Salome» von R. Strauss, die Klytämnestra in dessen «Elektra», die Adelaide in «Arabella», die Magdalena im «Evangelimann» von Kienzl, die Azucena im «Troubadour», die Ulrica im «Maskenball» von Verdi, die Amneris in «Aida», die Eboli im «Don Carlos», die Quickly im «Falstaff», die Dalila

in «Samson et Dalila» von Saint-Saëns, die Amme im «Boris Godunow», die Hexe in den «Königskindern» von Humperdinck und die Hiltrud im «Sternengebot» von Siegfried Wagner. Als Konzert- und Oratoriensängerin war sie nicht minder bekannt. Auch bei dieser Künstlerin ist es nicht zu verstehen, daß sie keine Schallplattenaufnahmen gemacht hat.

Wolovsky, Leonardo, Baß-Bariton, * 1922 (?) York (Pennsylvania); er erhielt seine Ausbildung am Oberlin College Ohio und begann in seiner amerikanischen Heimat Ende der vierziger Jahre eine Karriere als Konzertsänger. Er kam um 1950 nach Europa, wo er u. a. 1952 am Theater von Catania zusammen mit Maria Callas in Bellinis «Norma» auftrat. Er verlegte seine Tätigkeit dann nach Westdeutschland. Hier war er 1953–57 am Staatstheater von Wiesbaden engagiert. 1957–73 gehörte er dem Ensemble des Opernhauses von Nürnberg an, gleichzeitig bestanden Verpflichtungen am Opernhaus von Frankfurt a. M. (1959–73), an der Bayerischen Staatsoper München (1961–69) und am Staatstheater von Hannover (1961–73 und später noch oft bei Gastspielen). 1956–60 gastierte er an der Staatsoper von Hamburg, 1958 am Opernhaus von Essen, 1960 am Theater von Graz; weitere Gastspiele in Amsterdam und Zürich, in Paris, Barcelona und Athen. Noch 1988 hörte man ihn am Stadttheater von Bielefeld als Simon Mago in «Nerone» von Boito. Seine großen Bühnenrollen waren der Enrico in «Lucia di Lammermoor», der Oroveso in «Norma», der König Philipp in Verdis «Don Carlos», der Titelheld im «Nabucco», der Fliegende Holländer, der Hans Sachs in den «Meistersingern», der Wanderer im «Siegfried» und der Boris Godunow in der Oper gleichen Namens von Mussorgsky. Neben seiner Bühnenlaufbahn entwickelte er eine zweite Karriere mit ähnlichen Erfolgen auf den Gebieten des Konzert- und Oratoriengesangs. Zahlreiche Schallplatten der Marke MMS, darunter vollständige Aufnahmen der Opern «Aida», «Lohengrin», der 9. Sinfonie von Beethoven, des Verdi-Requiems und des Weihnachtsoratoriums von J. S. Bach. Auf Eurodisc erschien ein Querschnitt «Fidelio».

Wolschowsky, Josephine, s. unter *Schwarz,* Anton.

Woodall, Doris, Alt, * 1875 (?), † (?); sie war Engländerin und erhielt ihre Ausbildung an der Royal Academy of Music London. Nach ersten Auftritten in England kam sie nach Deutschland und debütierte 1901 am Hoftheater von Schwerin. 1902–05 war sie am Hoftheater von Neustrelitz in Mecklenburg engagiert. Dann kehrte sie nach England zurück und wurde als erste Altistin an die Carl Rosa Opera Company verpflichtet, deren Mitglied sie bis 1923 blieb. Hier sang sie Partien wie die Azucena im «Troubadour», die Amneris in «Aida», die Carmen, die Brangäne im «Tristan», die Ortrud im «Lohengrin», die Fricka in der «Walküre», die Dalila in «Samson et Dalila» von Saint-Saëns und die Frau Reich in den «Lustigen Weibern von Windsor» von Nicolai. 1910 gastierte sie an der Covent Garden

Oper London und sang im gleichen Jahr 1910 in der englischen Erstaufführung der «Königin von Saba» von Goldmark am Londoner Kensington Theatre die Titelrolle. Aus ihrem Repertoire sind noch die Marcellina in «Nozze di Figaro», der Siebel im «Faust» von Gounod, die Maddalena im «Rigoletto» und die Erda im Nibelungenring nachzutragen. Seit 1923 wirkte sie als Pädagogin am Athenäum in Glasgow.
Schallplatten: Pathé (London, 1910–11).

Woodson, Leonard, Sänger, Organist und Komponist, * etwa 1565 Winchester in der englischen Grafschaft Hampshire, † 1641 (?) Eton; zu Beginn des 17. Jahrhunderts erscheint er als Chorist im Choir of St. George's Chapel in Windsor. 1615 wurde er als Organist an das Eton College berufen und blieb in dieser Stellung lange tätig. Man schätzte ihn nicht nur als Sänger und Organisten sondern auch als Komponisten. Er schrieb ein Te Deum und weitere kirchliche Vokalmusik, aber auch weltliche Lieder und Violinwerke.

Woodward, Donna, Sopran, * 2. 6. 1946 Baltimore (Maryland); sie studierte am Virginia Intermont College, dann am College Conservatory der University of Cincinnati und erwarb den akademischen Grad eines Master of Music. 1969 erhielt sie ein Stipendium der Corbett Foundation zur weiteren Ausbildung in Europa. Sie begann ihre Bühnenkarriere mit einem Engagement am Stadttheater von Luzern (1970–71) und sang dann 1971–73 am Staatstheater Darmstadt, 1973–75 am Stadttheater Heidelberg und 1975–86 am Nationaltheater Mannheim. Seit 1986 ging sie von ihrem Wohnsitz Ludwigshafen einer internationalen Gastspieltätigkeit nach; so sang sie im Lauf ihrer Karriere in Frankreich, in der Schweiz, in Belgien und an deutschen Theatern. Ihre Bühnenpartien gehörten dem Soubretten- wie dem lyrischen Fachbereich an: sie sang u. a. die Blondchen in der «Entführung aus dem Serail», die Adele in der «Fledermaus», die Ännchen im «Freischütz», die Sophie im «Rosenkavalier», die Rosina im «Barbier von Sevilla» von Rossini und die Musetta in Puccinis «La Bohème». Die Künstlerin, die dazu im Konzertsaal bedeutende Erfolge hatte, ist nach ihrer Heirat auch unter dem Namen Donna Woodward-Stadtmüller aufgetreten.
Schallplatten: RBM (Rosalia in «Doktor und Apotheker» von Dittersdorf).

Woronjetz, Olga, Sopran, * 1935 (?) in einem Dorf in der Umgebung von Smolensk; ihre Familie war sehr musikalisch, der Vater trat als Solist im Moskauer Rundfunk auf, die Mutter war Pianistin und Sängerin. Ihre Ausbildung fand am Moskauer Institut für Theater und Bühne durch die Pädagogen L. Russlanowij, Kusnetzow, Polkow und Danilin statt. Sie begann dann eine Konzertkarriere, in deren Mittelpunkt der Vortrag des russischen Volks- und Kunstliedes wie der alten russischen Romanzen stand. Konzertreisen führten sie durch die ganze Sowjetunion, brachten ihr aber auch im Ausland beachtliche Erfolge ein. So hat sie in Frankreich und

Holland, in Dänemark und Finnland, in Südamerika, Afrika und auf den Großen Antillen ihre Konzerte gegeben.
Schallplatten, zumeist mit Liedern, sind auf Melodiya herausgekommen.

Worthley, Max, Tenor, * 1912 (?) Adelaide (South Australia); er sang bereits als Knabe in einem Chor, erlernte dann aber den Beruf eines Bankkaufmanns und studierte nur nebenbei Gesang bei Mrs Kugelberg, dann am Elder Conservatory in Adelaide. Seit 1934 trat er bereits in Konzerten und in Sendungen des australischen Rundfunks ABC auf, ging aber bis 1939 seiner Beschäftigung bei einer Bank nach. Er wurde 1939 als Soldat eingezogen und nahm an den Kämpfen des Zweiten Weltkrieges im Mittleren Osten, auf New Guinea und auf Borneo teil. 1947 ging er nach London, wo er seine Ausbildung vervollständigte und dann in England wie auf dem europäischen Kontinent als Konzert- und Oratoriensänger auftrat; er wirkte in mehr als 300 Radiosendungen des englischen Rundfunks BBC mit. Er entfaltete auch eine bedeutende Bühnenkarriere, vor allem innerhalb der English Opera Group, die sich in erster Linie mit dem Werk von Benjamin Britten befaßte. So sang er am 14. 6. 1949 bei der Uraufführung von B. Brittens «Let's Make an Opera» in der Jubilee Hall in Aldeburgh. Beim Festival of Britain sang er 1951 den Titelhelden in der Britten-Oper «Albert Herring», an der Covent Garden Oper London gastierte er als Hauptmann in Alban Bergs «Wozzeck» und als Don Curzio in «Nozze di Figaro». Beim Aldeburgh Festival sang er auch in «Prima Donna» von Arthur Benjamin. 1953 kam er nach Australien zurück; hier sang er 1956 bei der Elizabethan Opera Company u. a. Mozart-Partien wie den Don Ottavio im «Don Giovanni» als Partner von Sena Jurinac, dann den Hans in Smetanas «Verkaufter Braut» und den Rodolfo in «La Bohème» und unternahm Konzertreisen wie Radiosendungen in Australien, Neuseeland, Malaysia und Singapur. 1959 hörte man ihn in Adelaide als Nemorino in «Elisir d'amore» und als Tamino in der «Zauberflöte». 1958 reiste er nach Deutschland, lernte in Frankfurt a. M. die deutsche Sprache, studierte nochmals den Liedvortrag und trat in Liederabenden auf. 1960 begann er eine abermalige Karriere bei der BBC; hier sang er u. a. Werke von Hindemith, Monteverdi, Purcell, Solopartien in Oratorien von J. S. Bach, Händel, Haydn und Beethoven, aber auch leichtere Musik von Offenbach, Johann Strauß, F. Lehár, Gilbert & Sullivan. 1961 trat er dem von Alfred Deller begründeten Deller-Consort bei, mit dem er auf dessen Tourneen (u. a. 1961 in den USA) mittelalterliche und Barock-Musik zum Vortrag brachte.
Schallplatten: HMV, Decca, Oiseau Lyre, zum Teil als Mitglied des Deller-Consort.

Wózniak, Zbyslav, Tenor, * 15. 4. 1906 Krakau; er studierte 1926–31 Gesang am Konservatorium von Krakau bei Konstanty Kniaginin. In den Jahren 1932–37 war er am Theater von Krakau engagiert, ging aber 1937 zur weiteren Ausbildung nach Italien

und war in Mailand Schüler des großen Tenors Edoardo Garbin. 1938 wurde er dann an das Stadttheater
von Basel verpflichtet und blieb dort in einer über
vierzigjährigen Karriere bis 1972 als hoch angesehenes Mitglied dieses Hauses tätig. 1946 sang er in
Basel in der ersten deutschsprachigen Aufführung
von Benjamin Brittens «Peter Grimes» den Titelhelden, 1947 den Male Chorus in dessen «The Rape of
Lucretia». Am 9. 6. 1961 wirkte er am Opernhaus
von Zürich in der Uraufführung von B. Martinùs
Oper «Griechische Passion» mit. Sein umfassendes
Bühnenrepertoire enthielt als Glanzrollen den Belmonte in der «Entführung aus dem Serail», den
Ferrando in «Così fan tutte», den Tamino in der
«Zauberflöte», den Châteauneuf in «Zar und Zimmermann» von Lortzing, den Nureddin im «Barbier
von Bagdad» von P. Cornelius, den Grafen Almaviva im «Barbier von Sevilla», den Herzog im «Rigoletto», den Cassio in Verdis «Othello», den Titelhelden in «Hoffmanns Erzählungen», den Schuiskij im
«Boris Godunow» und den Basilio in «Figaros Hochzeit». Er gastierte u. a. in Bern und Zürich, am
Grand Théâtre Genf, in Lausanne und Luzern, an
der Oper von Rom, am Teatro Regio von Parma, am
Teatro Verdi Triest, beim Holland Festival (1954),
am Teatro Liceo Barcelona, in Paris, Tunis und
Karlsruhe. Neben seinem Wirken auf der Bühne
stand eine zweite ebenso erfolgreiche Karriere als
Konzert- und Oratoriensolist. 1942 sang er in Basel
ein Solo in der Uraufführung der 7. Sinfonie von
Felix Weingartner.
Schallplatten auf HMV und Philips (Gesamtauf-
nahme «Aus einem Totenhaus» von Janáček).

Wucherpfennig, Hermann, Baß, * 27. 6. 1884 Mühlhausen (Thüringen), † 29. 8. 1969 Karlsruhe; er studierte zunächst Philologie, promovierte auch in diesem Fach, ließ aber zugleich seine Stimme durch
Rudolf von Milde in Dessau und durch V. Moratti in
Berlin ausbilden. Er begann seine Karriere mit
einem Engagement am Hoftheater von Dessau
1905–09. 1909–12 wirkte er am Stadttheater von
Nürnberg, 1912–16 am Opernhaus von Düsseldorf.
1916–22 gehörte er der Städtischen Oper Berlin–
Charlottenburg, 1922–31 dem Staatstheater Karlsruhe an. Er sang u. a. in den Uraufführungen der
Opern «Theodor Körner» (Düsseldorf, 1912) von
A. Kaiser, «Der Friedensengel» von Siegfried Wagner (Karlsruhe, 1926), in der deutschen Erstaufführung von Isidore de Laras «Die drei Masken» (Düsseldorf, 1913) und übernahm die Titelpartie in der
Wiederaufführung der Händel-Oper «Tamerlano»
1924 in Karlsruhe. Er gastierte 1920 an der Berliner
Staatsoper, bereiste 1924 Südamerika und trat als
Gast in Norwegen und Ungarn auf. Seine großen
Bühnenrollen waren: der Sarastro in der «Zauberflöte», der Rocco im «Fidelio», der Daland im «Fliegenden Holländer», der Landgraf im «Tannhäuser»,
der Pogner in den «Meistersingern», der Plumkett in
Flotows «Martha», der Falstaff in den «Lustigen
Weibern von Windsor» von Nicolai, der Basilio im
«Barbier von Sevilla», der Ferrando im «Troubadour», der König Philipp in Verdis «Don Carlos»,
der Ramphis in «Aida», der Marcel in Meyerbeers ·

«Hugenotten» und der Crespel in «Hoffmanns Erzählungen». 1932 wurde er als Pädagoge an die
Kaiserliche Musikakademie in Tokio berufen und
wirkte in dieser Stellung bis 1953, trat aber auch in
Japan noch als Sänger in Erscheinung. Er war verheiratet mit der Opern- und Konzertsopranistin
Irma Raven (* 1880 Gleiwitz, † 15. 1. 1971 Karlsruhe), die auch unter dem Namen Irma Rappaport
aufgetreten ist und in den Jahren 1907–08 am Stadttheater von Trier, 1908–11 in Nürnberg und danach
in einer umfangreichen Gastspieltätigkeit anzutreffen war.

Wünzer, Rudolf, Baß, * 20. 11. 1902; er begann
seine Bühnenkarriere 1925–26 mit einem Engagement am Stadttheater von Trier, sang dann 1926–27
als Anfänger am Landestheater Darmstadt und war
1927–30 am Nationaltheater Mannheim tätig. Nach
Spielzeiten an den Theatern von Bamberg
(1930–31), Kaiserslautern (1931–34), Wuppertal
(1934–38) und Dessau (1938–40) wurde er an die
Bayerische Staatsoper München verpflichtet, der er
bis zu seinem (durch Krankheit bedingten) Bühnenabschied 1960 als Mitglied angehörte. Hier sang er in
der Uraufführung der Oper «Die Harmonie der
Welt» von Paul Hindemith (11. 8. 1957). Er trat als
Gast an der Wiener Volksoper (1941) und 1953 mit
dem Münchner Ensemble an der Covent Garden
Oper London auf. Seine großen Rollen waren: der
Leporello im «Don Giovanni», der Alfonso in «Così
fan tutte», der Titelheld in «Figaros Hochzeit», der
Kaspar im «Freischütz», der Marke im «Tristan»,
der König Heinrich im «Lohengrin», der Pogner in
den «Meistersingern», der Hagen in der «Götter-
dämmerung», der Gurnemanz im «Parsifal», der
Plumkett in «Martha» von Flotow, der Mephisto im
«Faust» von Gounod, der König Philipp in Verdis
«Don Carlos» und der Ferrando im «Troubadour».
In einem späteren Abschnitt seiner Karriere sang er
in München mittlere und kleine Rollen wie den
Kuno im «Freischütz», den Lord Tristan in «Mar-
tha» oder den Parpignol in «La Bohème». Nach
seinem Rücktritt von der Bühne zog er sich nach
Garmisch zurück.
Schallplatten: Urania-Vox (Reinmar von Zweter in
vollständigem «Tannhäuser»), Melodram (kleine
Rollen in «Elektra» und im «Rosenkavalier» von
R. Strauss).

Wunderlich, Hans-Heinz, Baß-Bariton, * 1889
Nürnberg, † 4. 1. 1971 Berlin; seine Ausbildung erfolgte in Nürnberg und München, wo er 1919–21 ein
Anfänger-Engagement an der Staatsoper erhielt.
Nach weiterem Studium kam er an das Stadttheater
von Münster (Westfalen, 1922–23), an das Theater
von Bremerhaven (1923–24), dann an das Stadttheater von Erfurt, dem er bis 1925 angehörte. 1925–29
war er am Stadttheater von Aachen tätig, wo er
bereits die großen Partien seines Stimmfachs in sein
Repertoire aufnahm: den Pizarro im «Fidelio», den
Wotan in den Opern des Ring-Zyklus, den Kurwenal im «Tristan» und den Orest in «Elektra» von
R. Strauss. 1929 wurde er an die Staatsoper Berlin
berufen, an der er bis 1932 blieb. Nach einer Saison

in Königsberg (Ostpreußen, 1932–33) sang er 1933–35 am Stadttheater von Wuppertal, um dann 1935 einem Ruf an die Volksoper Berlin Folge zu leisten. Hier trat er jetzt zunehmend in Baß-Partien auf, als Pater Guardian in Verdis «Macht des Schicksals», als Landgraf im «Tannhäuser», als Stadinger im «Waffenschmied» von Lortzing, als Sarastro in der «Zauberflöte» und als Tommaso in «Tiefland» von E. d' Albert. Bis 1943 gehörte er der Berliner Volksoper an, sang 1943–44 am Deutschen Theater in Lille und nahm nach dem Zweiten Weltkrieg seine Karriere mit einem Engagement am Stadttheater von Quedlinburg (1946–48) wieder auf. 1948 wurde er dann abermals an die Staatsoper Berlin berufen, an der er noch zehn Jahre blieb. Hier sang er jetzt vor allem Charakterpartien und kleinere Rollen wie den Pistol im «Falstaff» von Verdi, den Onkel Bonze in «Madame Butterfly», den Kruschina in Smetanas «Verkaufter Braut» und den Antonio in «Figaros Hochzeit». Während seiner langen Karriere gastierte er immer wieder an den größeren deutschen Opernhäusern; 1924 sang er bei den Festspielen von Bayreuth den Donner im «Rheingold» und den Titurel im «Parsifal», 1935 bei den Festspielen in der Waldoper von Zoppot den Kothner in den «Meistersingern». Aus seinem Repertoire für die Bühne sind noch der Siméon in «Joseph» von Méhul, der Fliegende Holländer, der Hans Sachs in den «Meistersingern», der Klingsor im «Parsifal», der Dietrich im «Armen Heinrich» von Hans Pfitzner, der Sebastiano in «Tiefland» von E. d' Albert, der Francesco in «Mona Lisa» von Max von Schillings, der Alfio in «Cavalleria rusticana» und der Tonio im «Bajazzo» zu nennen. Er war zugleich ein ausgezeichneter Konzert-, Oratorien- und Liedersänger.
Schallplatten: Eterna (Lieder von Schubert und Schumann).

Wutz, Maria, Sopran, * 1906 (?); sie debütierte 1930 am Stadttheater von Aachen als Agathe im «Freischütz» und blieb bis 1932 an diesem Haus tätig. 1932–34 war sie am Landestheater Dessau engagiert und wirkte dann 1935–42 als erste lyrische Sopranistin an der Berliner Volksoper. Hier sang sie die Pamina in der «Zauberflöte», die Gräfin in «Figaros Hochzeit», die Marie in der «Verkauften Braut» von Smetana, die Micaela in «Carmen», die Anna in «Hans Heiling» von Marschner, die Marguerite im «Faust» von Gounod, die Lisa in Tschaikowskys «Pique Dame», die Elisabeth im «Tannhäuser» und die Desdemona in Verdis «Othello» zu ihren großen Partien. Nach Beendigung des Zweiten Weltkrieges scheint sie nicht mehr aufgetreten zu sein.
Schallplatten: HMV (Solo-Aufnahmen aus Opern), Imperial (u. a. Duette mit Franz Klarwein).

Wyns, Charlotte, Mezzosopran, * 11. 1. 1868 Paris, † (?); die Künstlerin hieß eigentlich Charlotte Wijns. Ausbildung am Conservatoire National Paris bei Crosti, Archard und Giraudat. Sie war 1893–98 an der Opéra-Comique Paris engagiert, wo sie als Mignon von A. Thomas debütierte (die sie auch in der 1000. Aufführung dieser Oper dort sang). Sie ging in der Saison 1898–99 an das Théâtre de la Monnaie

Brüssel, kam aber bereits 1900 wieder an die Opéra-Comique zurück, der sie jetzt bis etwa 1905 als Mitglied angehörte. Am 27. 11. 1897 sang sie an der Opéra-Comique in der Uraufführung der Oper «Sapho» von Massenet die Partie der Divonne, während Emma Calvé die Fanny Legrand kreierte. 1897 gastierte Charlotte Wyns an der Oper von Monte Carlo als Charlotte im «Werther» von Massenet; allgemein galt diese Partie als ihre Glanzrolle. 1901 ist sie als Gast am Theater von Graz anzutreffen, 1903 an der Covent Garden Oper London als Santuzza in «Cavalleria rusticana». 1905 sang sie am Berliner Nationaltheater (einer Opernbühne, die nur kurze Zeit bestand) die Leonora in «La Favorita» von Donizetti. 1905 gastierte sie an der Oper von Kairo und im ägyptischen Alexandria als Carmen und in «Proserpine» von Saint-Saëns zusammen mit Giuseppe Borgatti und Titta Ruffo. 1915 sang sie nochmals an der Oper von Monte Carlo die Carmen in einer konzertanten Aufführung dieser Oper von Bizet. Weitere Nachrichten über die große Künstler waren nicht auffindbar.
Schallplatten: Dutrein-Zylinder (zwei Aufnahmen mit Arien aus «Carmen» und «Cavalleria rusticana», Paris 1904).

Wyss, Colette, Sopran, * 21. 11. 1893 La Neuveville (Kanton Bern); sie war die ältere Schwester der Schweizer Sopranistin *Sophie Wyss* (1897–1983) und studierte in Genf, dann bei Cornélie van Zanten in Holland. 1920–25 wirkte sie als Pädagogin am Konservatorium in Basel, entwickelte aber gleichzeitig eine große Konzertkarriere. Ihre Konzerttourneen führten sie durch die Schweiz, durch Deutschland, Österreich und Frankreich. Sie nahm nun auch Opernpartien in ihr Repertoire auf und war 1925–26 am Theater von Zürich, 1928–29 am Opernhaus von Stuttgart engagiert. Sie verlegte ihren Wohnsitz nach Paris, trat als gesuchte Konzertsolistin und zugleich als Pädagogin hervor und spezialisierte sich, ähnlich wie ihre Schwester Sophie Wyss, auf zeitgenössische Musik. Sie trat oft zusammen mit ihrer Schwester Sophie (und auch als Trio mit einer weiteren Schwester *Emilie Perret-Wyss*) auf. Sie gastierte als Konzertsängerin in Berlin, London und Amsterdam und in vielen anderen Zentren des Musiklebens. Von ihren Bühnenpartien sind die Gräfin in «Nozze di Figaro», die Pamina in der «Zauberflöte», die Leonore im «Fidelio», die Agathe im «Freischütz», die Eurydice im «Orpheus» von Gluck und die Elisabeth im «Tannhäuser» zu nennen. Verheiratet mit dem Musikwissenschaftler Jacques Feschotte.

Wyss, Dora, Alt, * 9. 7. 1900 Zofingen (Kanton Aargau, Schweiz), † 8. 4. 1978 Zürich; Ausbildung der Stimme durch Sophie Stähelin in Aarau (1918–22), am Konservatorium von Dresden durch Mary Wollen (1922–24), in Kursen bei Lotte Leonard in Berlin und bei Ilona Durigo in Zürich. Sie konnte eine große Karriere als Konzertsängerin, sowohl für den Bereich des Oratorien- wie des Liedgesangs, entwickeln. Sie gab Konzerte in der Schweiz (Zürich, Basel, Bern, Genf, Luzern, St.

Gallen, Winterthur), in Dresden und Leipzig, in Frankfurt a. M., Stuttgart und München, in Hamburg, London, Paris und Mailand, in Venedig und Perugia. Ihr Repertoire für den Konzertsaal umfaßte Werke von Monteverdi, J. S. Bach (Passionen, Weihnachtsoratorium, Hohe Messe, Kantaten), Händel (Messias), Mozart (Messen, Requiem), Beethoven (Missa solemnis), J. Brahms (Alt-Rhapsosie), Dvořák (Requiem, Stabat mater, Te Deum), Bruckner (Messen, Te Deum), Mendelssohn («Elias», «Paulus»), Verdi (Requiem), Gustav Mahler («Kindertotenlieder», «Lieder eines fahrenden Gesellen», «Lied von der Erde», Lieder aus «Des Knaben Wunderhorn»), Honegger («Roi David»), H. Suter («Le Laudi») und H. Sutermeister (Psalmen). Sie sang 1940 in Zürich in der Uraufführung des ersten Teils und 1942 in der des vollständigen Werks «Le Vin herbé» von Frank Martin, 1947 in Basel in der Uraufführung der Kantate No 2 für Alt und Chor von H. Sutermeister. Die Sängerin war Mitglied des Ensembles «Arte Antica» in Zürich, des Madrigalensembles Zürich und des Zürcher Vokalquartettts (mit Margrit Vaterlaus, Alfred Grüninger und Werner Heim). Sie gastierte am Zürcher Opernhaus als Geneviève in «Pelléas et Mélisande», als Erda im «Rheingold» und als Cathérine in «Jeanne d' Arc au bûcher» von Honegger, war aber im übrigen keine eigentliche Opernsängerin. Seit 1934 war sie im pädagogischen Bereich in Zürich tätig. Verheiratet mit dem Verleger Friedrich Witz (1894–1984).

Wyzner, Franz, Baß, *1934 (?) Wien; er erhielt seine Ausbildung in Wien, u. a. bei Oskar Martold.

1958–59 hatte er sein erstes Bühnenengagement am Landestheater von Salzburg. 1959–64 war er am Stadttheater von Gelsenkirchen tätig und wurde dann für mehr als zwanzig Jahre Mitglied des Opernhauses von Wuppertal. Hier wirkte er u. a. in der deutschen Erstaufführung der Oper «Schuld und Sühne» von Petrović mit (1971) sowie in der Uraufführung der unvollendeten Oper «Die Spieler» von Schostakowitsch in der Bearbeitung durch Kr. Meyer (1986). Er wechselte 1986 an die Deutsche Oper am Rhein Düsseldorf–Duisburg und schloß einen Gastvertrag mit dem Theater am Gärtnerplatz München ab. Er unternahm Gastspiele bei den Festspielen von Schwetzingen (1970), an der Staats- wie an der Volksoper Wien und sang 1983 bei den Festspielen von Salzburg in «Dantons Tod» von G. von Einem. 1983 gastierte er am Teatro Colón Buenos Aires als Alberich im Nibelungenring, 1985 am Opernhaus von Köln. Aus seinem Repertoire für die Bühne, das vor allem Partien aus dem Buffo- wie dem Charakterfach enthielt, sind zu nennen: der Leporello im «Don Giovanni», der Papageno in der «Zauberflöte», der Figaro in «Figaros Hochzeit», der Alfonso in «Così fan tutte», der Kaspar im «Freischütz», der Don Magnifico in Rossinis «La Cenerentola», der Mephisto im «Faust» von Gounod, der Doktor im «Wozzeck» von A. Berg, der Kezal in der «Verkauften Braut», der Adam im «Zerbrochenen Krug» von Geissler und der Astrologe in «The Burning Fiery Furnace» von Benjamin Britten, den er 1977 in der österreichischen Premiere des Werks in Wien sang.

Schallplatten: Orfeo («Dantons Tod», Mitschnitt der Salzburger Aufführung von 1983).

X Y

X, Madame, Sopran, unter diesem Namen kam in der ersten Dekade unseres Jahrhunderts eine Serie von Schallplattenaufnahmen bei Pathé heraus. Auf ihnen war ein technisch vortrefflich gebildeter, ausdrucksvoller Koloratursopran zu hören. Mysteriöse Gerüchte kamen um die Sängerin auf, von der diese Aufnahmen stammten (wobei auch der Name Camille Ixo auftauchte). In Wirklichkeit handelte es sich um die belgische Koloratrice Alice Verlet (1873–1934), die auch unter ihrem eigentlichen Namen Schallplatten aufgenommen hat. Vielleicht ist der Grund für das angenommene Pseudonym darin zu suchen, daß Alice Verlet durch einen Exklusiv-Kontrakt mit der Gesellschaft HMV verbunden war.

Yahia, Mino, Baß-Bariton, * 1929 (?) Alexandria (Ägypten); er wurde zuerst in New York zum Psychiater ausgebildet, begann aber bereits während dieses Studiums mit der Ausbildung seiner Stimme. Er entschloß sich dann, sich ganz dem Gesang zu widmen und ging zu weiteren Studien nach Europa. Er begann hier seine Karriere 1955 am Stadttheater von Heidelberg, wurde für die Spielzeit 1956–57 an das Theater von Kiel engagiert und war in den Jahren 1957–60 Mitglied des Opernhauses Nürnberg. Bereits 1959 hatte er erfolgreich an der Bayerischen Staatsoper München gastiert und wurde 1960 deren reguläres Mitglied. Er wirkte dort bis 1966 und sang während dieser Zeit 1963 in der Uraufführung der Oper «Die Verlobung von San Domingo» von Werner Egk die Partie des Gottfried. 1961 gastierte er bei den Festspielen von Salzburg in der Uraufführung von Rudolf Wagner-Regénys «Das Bergwerk zu Falun». Er trat als Gast an der Staatsoper Wien (Hunding in der «Walküre»), am Staatstheater Hannover und am Teatro Colón Buenos Aires (1965 Barak in der «Frau ohne Schatten» von R. Strauss) auf und sang den Barak auch in der New Yorker Premiere der Oper bei der New York Concert Opera. Im Mittelpunkt seines Bühnenrepertoires standen seine großen Wagner-Partien: der Daland im «Fliegenden Holländer», der König Heinrich im «Lohengrin», der Marke im «Tristan», der Pogner in den «Meistersingern», der Hunding, der Fafner und der Hagen im Nibelungenring. Weitere Höhepunkte in seinem Repertoire waren der Ariodate in Händels «Xerxes», der Publio in «La clemenza di Tito» von Mozart, der Zaccaria in Verdis «Nabucco», der Sparafucile im «Rigoletto» und der Gremin im «Eugen Onegin» von Tschaikowsky.

Yanko, Vekoslav, s. unter *Janko*, Vekoslav.

Yaron, Gilah, Sopran, * 1949 (?) Tel-Aviv; ihre musikalische Begabung zeigte sich bereits im Alter von fünf Jahren. Sie besuchte das Music Teachers College in Tel-Aviv, erwarb das Diplom als Musiklehrerin und wurde durch Hede Tuerk-Bornstein zur Sängerin ausgebildet. Mit einem Stipendium der Sharett Foundation konnte sie ihre Ausbildung bei Günther Reich, bei George London und bei Elisabeth Schwarzkopf vervollständigen. 1970 wurde sie vom Israel Philharmonic Orchestra mit einem Preis

für junge Künstler ausgezeichnet und musizierte nun als Solistin mit den verschiedenen Orchestern des Staates Israel. 1972 sang sie sehr erfolgreich beim Israel Festival das Sopransolo im Magnificat von J. S. Bach. 1975 gastierte sie in Konzerten in der Schweiz und kam bald in Europa zu großen Erfolgen. In Berlin gab sie ein Konzert mit Werken von Paul Hindemith und Anton Webern; sie sang in verschiedenen deutschen Städten in der Lukaspassion von Penderecki, in der 2. Sinfonie von Gustav Mahler und im «Sommernachtstraum» von Mendelssohn. Hinzu kamen Radiosendungen, namentlich über die Sender Baden-Baden und Stuttgart. Sie gastierte in Konzertsälen in Österreich, Belgien, Holland, Luxemburg, Italien, Dänemark und England. 1982 hörte man sie in Israel in «Psaumes Hébraïques» von I. Markevitch, 1984 in «Poèmes pour Mi» von Olivier Messiaen. Ihr umfangreiches Lied-Repertoire konnte die Künstlerin in sechs Sprachen zum Vortrag bringen.
Schallplatten: Decca (2. Sinfonie von G. Mahler).

Yoes, Janice, Sopran, * 1948 (?); die amerikanische Sängerin kam nach ersten Auftritten an kleineren Theatern in den USA 1973 an die City Centre Opera New York, an der sie als Santuzza in «Cavalleria rusticana» debütierte. Seitdem trat sie dort auf, ging aber Mitte der siebziger Jahre nach Deutschland, wo sie sich in das deutsche Bühnenrepertoire einarbeitete. 1975–77 war sie am Stadttheater von Augsburg, 1976–77 am Staatstheater Saarbrücken, 1977–78 am Staatstheater Karlsruhe engagiert und wurde dann 1978 als hochdramatische Sopranistin an das Opernhaus von Nürnberg verpflichtet, dessen Mitglied sie bis 1984 blieb. In den Jahren 1980–83 war sie durch einen Gastvertrag dem Opernhaus von Graz verbunden. Sie konzentrierte sich in ihrem Bühnenrepertoire auf Partien wie die Brünnhilde im Nibelungenring, die Isolde im «Tristan», die Salome von Richard Strauss, die Rezia im «Oberon» von Weber, die Lady Macbeth in Verdis «Macbeth»; als ihre größte Kreation galt allgemein die Titelheldin in der Oper «Elektra» von R. Strauss. Letztgenannte Partie sang sie als Gast an der Staatsoper Wien, in Marseille, Madrid, an der Deutschen Oper Berlin, an der Oper von Seattle und bei der chilenischen Erstaufführung des Werks 1984 in Santiago de Chile. 1977 erschien sie bei den Festspielen von Bregenz als Rezia; sie sang seit 1986 die Brünnhilde bei den allseitig beachteten Aufführungen des Nibelungenrings in Seattle und gastierte in dieser Partie 1980 am Teatro San Carlo Neapel und 1982 am Teatro San Carlos Lissabon. Weitere Gastspiele führten sie an das Stadttheater von Basel (1978), an das Teatro Verdi Triest (1981), an das Staatstheater Braunschweig (1982) und an die Oper von Pretoria (1987–88).

Yorke, Helen, Sopran, * 1890 (?); der Name dieser amerikanischen Sängerin begegnet uns 1919, als sie bei der De Feo Opera Company engagiert war und dort Partien wie die Gilda im «Rigoletto», die Titelheldin in «Lucia di Lammermoor» und die Rosina im

«Barbier von Sevilla» sang, zumeist als Partnerin des Tenors Salvatore Sciaratti. Im gleichen Jahr wurden auf Pathé einige Schallplatten mit Arien aus diesen Opern veröffentlicht, die auch unter den Etiketten von Perfect und Actuelle herausgebracht wurden. Auf ihnen präsentiert sich eine hübsche, technisch versierte Koloraturstimme. Da keine weiteren Nachrichten über die Künstlerin vorhanden sind, muß sie wohl nur eine kurze Karriere gehabt haben.

Young, Friedrich, Tenor, * 1824 (nach anderen Quellen 1826) Budapest, † 18. 2. 1884 Kennenberg bei Esslingen (Württemberg); sein Vater war als Schauspieler aus England nach Hamburg gekommen; sein Bruder Eduard Young (1823–82) wurde ein bekannter Maler. Friedrich Young erhielt seine Ausbildung durch Franz Wild und Karl Kunt in Wien. Im November 1849 debütierte er am Deutschen Opernhaus in Budapest, dem er bis 1851 als Mitglied angehörte. 1851 trat er am Opernhaus von Frankfurt a. M. auf und war dann bis 1852 am Hoftheater von Schwerin anzutreffen. 1852–54 wirkte er am Ungarischen Nationaltheater Budapest. Er gab Gastspiele in Hamburg und Breslau und wurde 1854 Mitglied der Hofoper von München. Er gastierte als Bühnen- wie als Konzertsänger in Kopenhagen, wo er auch an Hofkonzerten teilnahm. Er heiratete die berühmte Tänzerin Lucile Grahn (* 1821 Kopenhagen), die große Erfolge an der Grand Opéra Paris, an der Mailänder Scala und seit 1845 am Her Majesty's Theatre wie an der Covent Garden Oper London hatte. Bei dem Künstler machten sich später zunehmend Symptome einer geistigen Zerrüttung bemerkbar, die schließlich seine Unterbringung in der geschlossenen Anstalt Kennenberg erforderlich machte.

Yovanovitch, Mile, s. unter Jovanović, Milorad.

Zaccari, Ivo, Tenor, * 1873 Cannuzzo bei Ravenna, † (?); dieser italienische Tenor debütierte 1896 in Venedig. Zwei Jahre später sang er 1898 in der Premiere von Puccinis «La Bohème» am Teatro Regio Parma den Rodolfo mit Salomea Kruszelnicka in der Partie der Mimi. Er trat in den ersten zehn Jahren unseres Jahrhunderts an italienischen Bühnen auf, muß aber auch in England gewesen sein, da dort Schallplattenaufnahmen seiner Stimme entstanden sind. Sein Name ist überhaupt mehr durch seine Schallplatten als durch den Verlauf seiner Karriere, über den es nur spärliche Anhaltspunkte gibt, von Bedeutung. 1906 sang er auf G & T eine Arie aus «Don Pasquale», zusammen mit der Sopranistin Giuseppina Piccoletti ein Duett aus «Pêcheurs de perles» von Bizet und eine Szene aus «Faust» von Gounod. Um 1910 wurden in London Beka-Aufnahmen hergestellt, auf denen er u. a. Arien aus Verdis «Ernani» und aus «Fedora» von Giordano vorträgt.

Zalewski, Wlodzimierz, Baß-Bariton, * 1950 (?); er debütierte 1975 am Opernhaus von Lodz, dessen Mitglied er dann für lange Jahre blieb. Seit 1982 trat er regelmäßig am Theater im Revier von Gelsenkirchen auf. Hier hatte er einen ersten großen Erfolg, als er in der zeitgenössischen ungarischen Oper «Draußen vor der Tür» von Sándor Balassa die Partie des Fremden sang. 1987 übernahm er bei den Festspielen von Bregenz die Partie des Fliegenden Holländers in der gleichnamigen Wagner-Oper; 1988 Gastspiel am Opernhaus von Philadelphia als Alfonso in «Così fan tutte». Einen seiner größten Erfolge erzielte er in Lodz als Boris Godunow. Aus seinem umfangreichen Bühnenrepertoire sind noch der Kaspar im «Freischütz», der Basilio im «Barbier von Sevilla», der Mustafà in Rossinis «Italiana in Algeri», der Wotan im Nibelungenring, der Scarpia in «Tosca» und der Titelheld in «Cardillac» von P. Hindemith zu erwähnen. Er wirkte am Landestheater von Linz (Donau) in der Uraufführung der Oper «Michael Kohlhaas» von Karl Kögler mit (12. 3. 1989). Seit 1981 war er auf pädagogischem Gebiet als Professor an der Musikakademie von Lodz tätig. Abgesehen von seinem Wirken auf der Bühne war er auch ein angesehener Konzert- und Oratoriensolist.

Zalsman, Gerardus, Bariton, * 6. 10. 1871 Haarlem, † 2. 12. 1949 Den Haag; er erhielt seine Ausbildung durch den großen holländischen Bariton Johannes Messchaert, durch die nicht weniger berühmten Pädagogen Cornélie van Zanten in Amsterdam und Julius Stockhausen in Frankfurt a. M. Er war in erster Linie als Konzertsänger, namentlich für die Bereiche des Oratorien- wie des Liedgesangs, tätig und kam seit Mitte der neunziger Jahre zu einer glänzenden Karriere mit Auftritten in den meisten europäischen Ländern. Dabei standen Solopartien in den großen Oratorien («Elias» und «Paulus» von Mendelssohn, «Christus» von F. Liszt, Deutsches Requiem von J. Brahms) im Mittelpunkt seines Repertoires. Er dehnte seine Reisetätigkeit bis nach

Ostasien aus und wurde hier vom Ausbruch des Ersten Weltkrieges überrascht. Daher blieb er als Sänger wie als Pädagoge in Schanghai und kehrte erst 1924 wieder nach Europa und in seine niederländische Heimat zurück. Hier setzte er seine Karriere bis zum Anfang der dreißiger Jahre fort und trat auch gelegentlich als Opernsänger in Erscheinung. So sang er bei der Operngesellschaft Co-operatie Den Haag und gastierte mit diesem Ensemble 1926 an der Grand Opéra Paris. Er wirkte im Haag auch im pädagogischen Bereich.
Schallplatten: Pathé-Zylinder (Amsterdam, 1903–1904, Lieder und Opernarien), Odeon (Amsterdam, 1906), G & T (Berlin, 1907, Lieder und Oratorien-Soli; hier wird sein Name als Gerard Zalsman angegeben).

Zanazzo, Alfredo, Baß, * 14. 10. 1946 Imperią (Ligurien); er war ein Schüler des großen Bassisten Tancredi Pasero und von Sforni-Corti in Mailand. Nachdem er mehrere Gesangwettbewerbe gewonnen hatte, debütierte er 1981 bei den Festspielen in der Arena von Verona als König in «Aida» und sang dort 1982–89 alljährlich den Ramphis in der gleichen Verdi-Oper, auch den Timur in Puccinis «Turandot». 1981 sang er am Teatro Comunale Treviso den Daland im «Fliegenden Holländer»; darauf kam es bald zu einer großen internationalen Karriere des Sängers. Bereits 1982 hörte man ihn an der Mailänder Scala als Narbal in «Les Troyens» von Berlioz und als König in «Ariodante» von G. F. Händel. An der Grand Opéra Paris war er 1986–87 als Colline in Puccinis «La Bohème» zu Gast, an der Oper von Rom sang er den Pater Guardian in Verdis «La forza del destino», am Teatro Regio Turin den Zaccaria in «Nabucco» und 1987 den Masetto im «Don Giovanni», am Teatro Verdi Triest ebenfalls den Zaccaria. Mit dem Ensemble der Festspiele von Verona gastierte er 1987 in der Wiener Stadthalle als Ramphis in «Aida» und sang die gleiche Partie auch an der Staatsoper Wien und in den Aufführungen vor den Tempeln von Luxor (1987). In der Saison 1986–87 erfolgte sein Debüt an der Metropolitan Oper New York, wiederum als Ramphis in «Aida». Bei den Festspielen von Macerata trat er als Raimondo in «Lucia di Lammermoor», am Opernhaus von Zürich als Banquo in «Macbeth» von Verdi (1988) und als Walter Fürst in «Wilhelm Tell» von Rossini auf; am Grand Théâtre Genf sang er in Monteverdis «Orfeo», an der Oper von Frankfurt a. M. 1988 den Raimondo in «Lucia di Lammermoor», in Toronto den Procida in Verdis «Vespri Siciliani», in Las Palmas den Alvise in «La Gioconda» von Ponchielli.

Zapf, Rosl, Mezzosopran, * 1921 (?); die österreichische Sängerin erhielt ihre Ausbildung hauptsächlich durch die Pädagogin Stoja von Milinković in Graz. Ihre Bühnenkarriere begann sie mit einem Engagement am Salzburger Landestheater in den Jahren 1945–49. 1949 ging sie an das Opernhaus von Frankfurt a. M. und blieb bis zu ihrem Abschied von der Bühne 1976 eins der beliebtesten Mitglieder

dieses Hauses. Sie wirkte dort 1962 in der Uraufführung der Oper «Die Alkestiade» von L. Talma wie in den deutschen Erstaufführungen von Hindemiths «Cardillac» (1952 in der Neufassung des Werks) und von R. Rossellinis «Un Sguardo dal Ponte» (1962) mit. 1954 trat sie am Théâtre de la Monnaie in Brüssel, 1954 bei den Festspielen von Salzburg, 1959 am Teatro San Carlos Lissabon auf; auch an der Grand Opéra Paris ist sie als Gast erschienen. Ihr Bühnenrepertoire hatte seine Höhepunkte in Partien wie der Marcellina und dem Cherubino in «Figaros Hochzeit», der Frau Reich in Nicolais «Lustigen Weibern von Windsor», der Mary im «Fliegenden Holländer», dem Hänsel in «Hänsel und Gretel», der Azucena im «Troubadour», der Quickly in Verdis «Falstaff», der Magdalene im «Evangelimann» von Kienzl, der Gräfin Geschwitz in «Lulu» von Alban Berg, der Wirtin im «Boris Godunow», der Mrs. Herring in «Albert Herring» von B. Britten und der Czipra im «Zigeunerbaron» von J. Strauß. Nicht weniger von Bedeutung war die Künstlerin als Operetten- wie als Konzertsängerin.
Schallplattenaufnahmen auf MMS (Amneris in «Aida»-Querschnitt).

Zaporojetz, (Zaporoshetz), Capiton, Baß, * 1880 (?); von dem russischen Künstler sind nur wenige biographische Fakten bekannt. Sein Name erscheint erstmals im Zusammenhang mit der Moskauer Privatoper (seit 1904 auch als Zimin-Oper bekannt, die seit 1908 ihre Vorstellungen im Solodownikow-Theater gab). Dieses Ensemble, zu dem so bedeutende Sänger wie Fedor Schaljapin zählten, gab damals aufsehenerregende Opernaufführungen. Am 7. 10. 1909 wirkte Capiton Zaporojetz an diesem Haus in der Uraufführung der Oper «Der goldene Hahn» von Rimsky-Korssakow mit. 1910 sang er dort in einer wichtigen Premiere von Mussorgskys «Khovantchina» den Iwan Khovanski. 1909 gastierte er mit dem Ensemble der Kaiserlichen Oper Moskau an der Grand Opéra Paris als Pimen im «Boris Godunow», 1913 am Théâtre des Champs-Élysées, ebenfalls in Paris, als Iwan Khovanski. Die gleiche Partie sang er am 1. 7. 1913 bei der englischen Erstaufführung der Oper am Londoner Drury Lane Theatre mit Fedor Schaljapin als Dosifey. Er trat nach der Oktoberrevolution von 1917 nicht mehr in Rußland auf und lebte jetzt in Frankreich. Er gab mehrere Gastspiele an der Oper von Monte Carlo, so 1924 als Ramphis in «Aida» und als Kontschak in «Fürst Igor» von Borodin, 1925 als Gudal in «Der Dämon» von Rubinstein und als Raimondo in «Lucia di Lammermoor», 1930 in der Johann Strauß-Operette «Eine Nacht in Venedig», 1931 als Sparafucile im «Rigoletto», 1932 und 1939 als Colline in «La Bohème» und als Ramphis. 1924 wirkte er am Teatro Colón Buenos Aires in der dortigen Premiere von Tschaikowskys «Pique Dame» mit. 1926 schloß er sich dem Ensemble der Opéra Russe an, das durch die emigrierte russische Sängerin Maria Kousnetzoff zusammengestellt worden war. Bei der Opéra Russe hörte man ihn in Paris als Sparafucile, als Warlaam im «Boris Godunow» und in der Oper «Das Märchen von der unsichtbaren Stadt Kitesh» von Rimsky-

Korssakow. Von russischer Seite wurde ein Todesdatum 1937 angegeben; dem widerspricht jedoch ein Engagement in Monte Carlo 1939.
Schallplatten: Pathé-Platten (St. Petersburg, 1910–12, Lieder und Arien), Columbia (etwa 1927).

Zauner, Carolina, Mezzosopran, * 28. 1. 1872 Novara, † 22. 4. 1952 Novara; sie war eine Schwester der Sopranistin *Gemma Zauner* (1882–1952) und erhielt ihre Ausbildung durch Bartolomeo Pozzolo in Vercelli. 1889 debütierte sie in Vercelli als Azucena im «Troubadour», sang dann in San Remo und Novi Ligure und kam bereits 1892 an die Mailänder Scala, wo sie als Page Urbain in den «Hugenotten» von Meyerbeer ihr Debüt hatte. Noch im gleichen Jahr sang sie am Teatro Carlo Felice Genua die Emilia in Verdis «Othello» zusammen mit Francesco Tamagno und Hariclea Darclée, dann die Maddalena im «Rigoletto» und die Afra in Catalanis «La Wally» unter Toscanini. Sie kam zu einer internationalen Karriere mit Gastspielauftritten am Teatro Regio Turin, am Teatro Costanzi Rom, am Teatro Massimo Palermo, an den Opern von Warschau und Wilna, in Bukarest und in den Zentren des Musiklebens in Nord- wie in Südamerika. 1894 sang sie am Teatro Regio Turin in der Uraufführung von Luppinis «I dispettosi amanti». Nachdem sie 1900 den bekannten Bariton *Alessandro Modesti* (1858–1940) geheiratet hatte, setzte sie ihre Karriere noch bis 1914 fort, ging dann aber nach New York. Dort übte sie eine intensive pädagogische Tätigkeit aus, die bis 1931 anhielt. Dann kam sie in ihre Heimatstadt Novara zurück.

Zauner, Gemma, Sopran, * 27. 4. 1882 Novara, † 24. 8. 1952 Casamicciola; sie wurde wie ihre Schwester *Carolina Zauner* (1872–1952) Sängerin und studierte bei Maestro Angelo Ballario. Ihr Bühnendebüt erfolgte 1907 am Teatro Tosi Borghi von Ferrara als Mimi in Puccinis «La Bohème». 1908 sang sie am Teatro Carlo Felice Genua die Anna in Catalanis «Loreley», 1909 in Pesaro die Suzel in «Amico Fritz» von Mascagni und die Sophie in Massenets «Werther». Es folgten Auftritte in Rimini, am Teatro Verdi und am Teatro della Pergola in Florenz. 1910 kam sie zu beachtlichen Erfolgen am Teatro Sociale Como (Titelfigur in «Manon» von Massenet), in Neapel und Lecce. Die Manon, neben der Adriana Lecouvreur in der gleichnamigen Oper von Cilea, ihre besondere Glanzrolle, sang sie auch 1911 am Teatro Metastasio von Prato und am Teatro Rossetti von Triest. 1911 hörte man sie am Teatro Dal Verme Mailand als Eunice in «Quo vadis» von Nouguès und als Mimi in «La Bohème», 1912 war sie am Teatro Massimo Palermo in der Titelrolle von Mascagnis «Iris» zu Gast. Nachdem sie den berühmten Bariton *Luigi Montesanto* (1887–1954) geheiratet hatte, gab sie ihre vielversprechende Karriere auf.

Zavřel, Karel, Bariton / Tenor, * 14. 12. 1891 Pulčin bei Vsetín (ČSR), † 11. 4. 1963 Prag; er studierte bei dem Pädagogen G. Stasnič und am Konservatorium von Brünn in den Jahren 1902–12. 1912 wurde er an das Opernhaus von Brünn (Brno) engagiert, wo er

zunächst im Baritonfach sang. 1914 wurde er zur österreichisch-ungarischen Armee eingezogen und nahm bis 1919 am Ersten Weltkrieg in Rußland teil. 1919 nahm er seine Karriere am Theater von Ostrava (Mährisch-Ostrau) wieder auf. Noch im gleichen Jahr ging er wieder an das Opernhaus von Brno, jetzt aber als Tenor. Hier sang er am 23. 10. 1921 in der Uraufführung der Oper «Katja Kabanowa» von Leoš Janáček die Partie des Boris. Bis 1925 gehörte er dem Opernhaus von Brno an und sang dann 1925–26 am Theater von Teplitz (Teplice) und 1926–27 am Opernhaus von Nürnberg. Nach abermaligem Studium bei Gennaio in Mailand trat er jetzt wieder als Bariton auf. Nach einem Gastspiel am Nationaltheater Prag (1928) war er 1929–39 am Deutschen Theater Prag als Bariton tätig. Wenn er an deutschsprachigen Theatern auftrat, benutzte er den Künstlernamen Karl Herden. 1939–42 war er am Theater von Budweis (České Budějovice) engagiert. 1942–48 war er in der Hauptsache an Prager Operettenbühnen anzutreffen. Durch den zweimaligen Wechsel vom Bariton- zum Tenorfach und wieder ins Baritonfach zurück, besaß sein Rollenrepertoire einen sehr großen Umfang und reichte vom Dalibor und vom Lohengrin in den gleichnamigen Opern von Smetana und R. Wagner bis zum Figaro in «Figaros Hochzeit» und dem Amonasro in Verdis «Aida». Man schätzte ihn auch als Konzert- und Liedersänger. Seit 1953 lebte er als Gesanglehrer in České Budějovice. Er war verheiratet mit der Sopranistin *Hana Hrdličková* (* 1893); sein Sohn *Miloš Zavřel* (* 3. 4. 1927 Prag) wurde ein bekannter Bühnentenor.
Von der Stimme des Künstlers sind Aufnahmen auf Polydor vorhanden.

Zehme, Albertine, Sopran, * 7. 1. 1857 Wien, † 11. 5. 1946 Naumburg a. d. Saale; sie wurde zunächst Schauspielerin und trat in Leipzig in Dramen von Shakespeare und Schiller mit großem Erfolg auf. Ihr Interesse wandte sich dann aber dem Wagner-Gesang zu, den sie 1891–93 in Bayreuth zusammen mit Cosima Wagner studierte. Sie ließ sich durch diese u. a. in die Partien der Venus im «Tannhäuser», der Brünnhilde im Nibelungenring und der Kundry im «Parsifal» einführen. Nach Leipzig zurückgekehrt, wurde sie jetzt durch ihre psychologisch vertiefte Darstellung von Frauengestalten in den Schauspielen von Ibsen bekannt. Gleichzeitig erwarb sie als Rezitatorin ein großes Ansehen. Im Januar 1912 trat sie an den Komponisten Arnold Schönberg heran und legte ihm nahe, 21 Gedichte von Albert Giraud in der deutschen Übersetzung von Otto Erich Hartleben zu komponieren. Schönberg schrieb darauf diesen Zyklus «Le Pierrot lunaire» für eine Solostimme (Sprechgesang) und einzelne Instrumente. Die Künstlerin war am Entstehen dieses richtungweisenden Werks ständig beteiligt und interpretierte es in dessen Uraufführung am 16. 10. 1912 in Berlin. Auf einer Europa-Tournee brachte sie das neuartige Vokalwerk in München, Stuttgart, Wien, Prag und in anderen Musikzentren zum Vortrag. Sie blieb auch weiter dem Schaffen von Arnold Schönberg eng verbunden und übernahm die Rezi-

tationsstimme in der deutschen Erstaufführung von dessen «Gurreliedern» 1914 in Leipzig (nach deren Uraufführung am 23. 2. 1913 in Wien). Wenn Albertine Zehme auch in erster Linie als Rezitatorin und eben durch ihr Eintreten für das Werk Schönbergs bekannt geworden ist, so hat sie auch als Sopranistin, und hier namentlich als Liedersängerin, beachtliche Erfolge gehabt.

Zehnder, Ursula, Sopran, * 3. 12. 1932 Bern; sie war am Konservatorium von Bern Schülerin von Jakob Stämpfli und wurde auch durch Franziska Martienssen-Lohmann, durch Paul Lohmann, Elisabeth Grümmer und Elsa Cavelti ausgebildet. Sie wurde im Lauf ihrer Karriere zu einer der bekanntesten Oratoriensolistinnen, die die Schweiz innerhalb ihrer Generation aufzuweisen hatte. Sie trat im Konzertsaal in den Schweizer Musikzentren Zürich, Basel, Bern, Luzern, Genf, St. Gallen, Sion wie bei den Festwochen von Interlaken und im internationalen Bereich in Paris, Karlsruhe, Nürnberg, Regensburg, Stuttgart, Nancy und Leipzig auf. Ihr Repertoire war breit gefächert und enthielt die großen Passionen, die h-Moll-Messe, das Weihnachtsoratorium und viele Kantaten von J. S. Bach, den «Messias» und weitere Oratorien von Händel, das Requiem und Messen von Mozart, die 9. Sinfonie und die Missa solemnis von Beethoven, die Oratorien «Die Schöpfung» und «Die Jahreszeiten» von Haydn, Werke von Mendelssohn, Brahms, Bruckner, Berlioz, Debussy, Rossini, Verdi, Kompositionen von B. Britten, W. Burkhard, Frank Martin, A. Honegger, Carl Orff, Othmar Schoeck, R. Sturzenegger und H. Suter. Ein Repertoire von ähnlicher Breite legte sie ihren Liederabenden zugrunde. Die Sängerin, die in Riggisberg im Kanton Bern ihren Wohnsitz hatte, wirkte auch in konzertanten Opernaufführungen und in Sendungen des Schweizer Rundfunks mit. Schallplatten: Jecklin Disco (Lieder von A. Furer, W. Grimm, J. Marx, H. Pfitzner, A. Zemlinsky), Martina (Lieder von Brahms, Pfitzner, O. Schoeck, H. Wolf).

Zelenay, Gejza, Baß, * 31. 7. 1924 Bánovce bei Bebravou (ČSR); er studierte Gesang am Konservatorium von Bratislava (Preßburg) bei Frau Zuravlevá (1947–49), dann bei Enrico Manni in Košice (1949–52) und nochmals in Bratislava bei J. Godin (1958–60). 1949–58 war er am Theater von Košice (Kaschau) engagiert, 1958–68 am Nationaltheater von Bratislava. Hier sang er in der Uraufführung der Opern «Svátopluk» von Eugen Suchoň (10. 3. 1960) und «Mr. Scrooge» von Ján Cikker (1963 als Titelheld). Seit 1968 kam er dann am Opernhaus von Zürich zu einer bedeutenden Bühnenkarriere. Er gastierte an der Komischen Oper Berlin, am Nationaltheater Prag, an der Deutschen Oper am Rhein Düsseldorf–Duisburg, am Nationaltheater Mannheim, am Staatstheater Karlsruhe, an den Opernhäusern von Lodz, Poznań (Posen) und Wroclaw (Breslau), am Pfalztheater Kaiserslautern und mit dem Zürcher Ensemble in Dresden, Helsinki und beim Festival von Lausanne. Aus seinem umfangreichen Bühnenrepertoire seien nur der Osmin in der

«Entführung aus dem Serail», der Leporello wie der Commendatore im «Don Giovanni», der Sarastro in der «Zauberflöte», der Basilio im «Barbier von Sevilla», der Mustafà in Rossinis «Italiana in Algeri», der Zaccaria in Verdis «Nabucco», der Pater Guardian in «La forza del destino», der Ramphis in «Aida», der Mephisto im «Faust» von Gounod, der Pimen im «Boris Godunow», der Gremin in «Eugen Onegin», der Kezal in der «Verkauften Braut», die vier Dämonen in «Hoffmanns Erzählungen», der Förster im «Schlauen Füchslein» von Janáček, der Lothario in «Mignon» von A. Thomas und der Wassermann in «Rusalka» von A. Dvořák genannt. Auch als Konzert- und Rundfunksänger kam er zu einer erfolgreichen Karriere.

Zengraf, Elise, Sopran, * 1830 Arad (Ungarn), † (?); ihr Vater war Gutsbesitzer und lehnte zunächst eine Bühnenkarriere für seine Tochter ab. Sie erhielt jedoch Gesangunterricht bei dem Kapellmeister Limmer und begann 1845 ihre Theaterlaufbahn am Theater von Arad in der Titelpartie von Bellinis «Norma». Im Lauf der folgenden zwei Jahre übernahm sie bis 1847 dort Partien aus dem Bereich der Oper, wirkte aber auch in Vaudeville-Aufführungen und Possen mit. Auf Wunsch des Vaters gab sie jedoch das Engagement auf, begann aber 1848 am Theater von Linz/Donau erneut ihre Karriere. Sie wurde von dort als Opernsängerin an das Deutsche Theater Prag, dann an das Theater von Graz engagiert. 1852 gastierte sie am Hoftheater von Hannover als Page Oscar im «Maskenball» von Verdi und als Zerline in «Fra Diavolo» von Auber und wurde darauf an dieses Haus verpflichtet. Bis 1854 blieb sie in Hannover; sie folgte dann einem Ruf an die Hofoper von Dresden. Hier wurde sie namentlich als Interpretin von Partien aus dem Fachgebiet der Soubrette bekannt, u. a. als Jenny in «La Dame blanche» von Boieldieu, als Princesse in dessen «Jean de Paris», als Susanna in «Figaros Hochzeit», als Zerline im «Don Giovanni», als Zigaretta in «Indra» von Flotow und als Page Urbain in den «Hugenotten» von Meyerbeer.

Zenoni, Margherita, Sopran, * 1815 (?) Turin, † 31. 3. 1878 Turin; sie begann frühzeitig eine Karriere an kleineren italienischen Bühnen, studierte dann aber Gesang bei Maestro Marcello in Turin und bei Maestro Boniforti in Mailand. 1842 begann sie dann ihre eigentliche Karriere, die ihr in den folgenden dreißig Jahren große Erfolge eintrug. 1845–46 sang sie am Theater von Zara, 1853–54 kam sie am Teatro Coccia von Novara zu großen Erfolgen. 1861 hörte man sie am Opernhaus von Valencia als Leonore im «Troubadour», als Lady Macbeth in «Macbeth» von Verdi, als Lucrezia in dessen «I due Foscari», in den Titelpartien der Opern «Norma» von Bellini, «Lucrezia Borgia» und «Gemma di Vergy» von Donizetti. In der Saison 1859–60 feierte sie in Konstantinopel große Triumphe; hier machte sie das Opernpublikum mit den dort noch weitgehend unbekannten Opern der italienischen Belcantisten und den frühen Werken Verdis bekannt. Wei-

tere Stationen ihrer erfolgreichen Karriere waren das Teatro San Carlo Neapel, das Teatro Fenice Venedig, die Opernhäuser von Bergamo und Triest und die rumänische Hauptstadt Bukarest. 1869–70 unternahm sie eine große Gastspiel-Tournee mit einer Truppe von italienischen Sängern durch Indien. Einige Zeit danach beendete sie ihre Bühnen- und Konzertkarriere und zog sich nach Turin zurück und wirkte als Pädagogin. Sie ist nach ihrer Heirat auch unter dem Namen Margherita Zenoni-Occhiena aufgetreten.

Zentai, Csilla, Sopran, * 23. 5. 1940 Mako (Ungarn); sie studierte am Konservatorium von Szeged Gesang, Klavierspiel, Komposition und Chorleitung, seit 1964 an der Franz Liszt-Musikakademie Budapest bei Eva Kutrucz und erhielt 1967 ihr Diplom als Gesanglehrerin in Szeged. 1967 verließ sie Ungarn und setzte ihre Ausbildung an der Musikhochschule Stuttgart, u. a. bei Lore Fischer und Hubert Giesen, fort. 1968 gewann sie den Gesangwettbewerb von s'Hertogenbosch, wurde Preisträgerin beim Concours von Toulouse (1968) und wiederum Gewinnerin des Wettbewerbs Francisco Viñas in Barcelona (1969). Nachdem sie bereits in der Stuttgarter Opernschule in «Angélique» von Ibert 1969 debütiert hatte, war sie 1969–74 am Stadttheater von Ulm, 1973–79 am Stadttheater von Bremen engagiert. 1979 wurde sie Mitglied der Deutschen Oper am Rhein Düsseldorf–Duisburg, an der ihre Karriere seitdem den Höhepunkt erreichte. Internationale Gastspiele bestätigten ihr hohes Ansehen für den Bereich der Oper wie auch des Konzerts. So trat sie als Gast an den Staatsopern von Hamburg, Stuttgart und München auf. Am Opernhaus von Köln hörte man sie als Fiordiligi in «Così fan tutte», als Agathe im «Freischütz», als Butterfly, als Marie in der «Verkauften Braut» von Smetana, an der Wiener Staatsoper als Gräfin in «Figaros Hochzeit» und 1987 als Fiordiligi in «Così fan tutte». Im Salzburger Festspielhaus sang sie in einer konzertanten «Don Giovanni»-Aufführung die Donna Anna im «Don Giovanni», in Zürich die Marschallin im «Rosenkavalier», am Deutschen Opernhaus Berlin die Donna Elvira im «Don Giovanni» und die Kundry im «Parsifal». Weitere Gastspiele an der Oper von Bordeaux, bei der Operngesellschaft Forum in Enschede (Holland), in Brüssel, Gent und Antwerpen, in Luxemburg, in St. Gallen und Bern, bei den Schönbrunner Schloßfestspielen, in Kolumbien und bei einem Gastspiel mit dem Ensemble der Deutschen Oper am Rhein in Moskau. Konzert- und Rundfunkauftritte in Deutschland, Holland, Belgien, Italien (RAI Turin), Spanien, Mexico und Ungarn. Aus ihrem Repertoire für die Bühne seien noch ergänzend die Titelfiguren in Verdis «La Traviata» wie in «Ariadne auf Naxos» von R. Strauss, die Jenufa in der gleichnamigen Oper von Janáček, die Pamina in der «Zauberflöte», die Marguerite im «Faust» von Gounod, die Rosalinde in der «Fledermaus», die Amaranta in «La fedeltà premiata» von Haydn und die Fin in «Schneider Wibbel» von Mark Lothar genannt. 1988 sang sie in Düsseldorf in der deutschen Erstaufführung von L. Berios «Un Re in ascolta», 1989 hatte sie dort abermals einen glänzenden Erfolg in der Titelpartie von Verdis «Aida». Verheiratet mit dem Arzt Dr. A. K. Zentai. Mitschnitte von Rundfunkaufnahmen.

Zhadan, Ivan, Tenor, * 1900 in der Ukraine; er hatte in den zwanziger und dreißiger Jahren eine bedeutende Bühnenkarriere, zunächst an Operntheatern in seiner ukrainischen Heimat, dann am Bolschoj Theater Moskau. Während der deutschen Besetzung Rußlands im Zweiten Weltkrieg wechselte er auf die deutsche Seite und kam schließlich am Kriegsende in ein Lager für Displaced Persons. Zu Beginn der fünfziger Jahre wanderte er in die USA aus. Dort konnte er nur noch gelegentlich als Sänger auftreten; er scheint 1955 ein letztes Konzert in Miami gegeben zu haben. Schließlich arbeitete er als Gärtner auf dem Landsitz einer wohlhabenden russischen Dame in Long Island. Nachdem die beiden geheiratet hatten, verzogen sie auf die Virgin Islands in der Karibik. 1968 lebte der Künstler dort noch.
Aus seiner Zeit in Rußland sind Schallplattenaufnahmen der staatlichen Plattenproduktion (Melodiya) vorhanden, die Opernarien und Lieder enthalten.

Ziegler, Delores, Mezzosopran, * 4. 9. 1951 Atlanta (Georgia); sie studierte Musik und Gesang an der University of Tennessee bei Edward Sambara und erwarb den akademischen Grad eines Master of Arts. In einer Schüler-Aufführung sang sie bereits den Cherubino in «Figaros Hochzeit». Zunächst trat sie hauptsächlich als Oratoriensängerin auf, debütierte aber, nachdem sie mehrere Gesangswettbewerbe gewonnen hatte, 1978 bei der Eröffnung eines neuen Operntheaters in Oxfield (Tennessee) als Flora in «La Traviata». Anschließend sang sie 1979 in St. Louis die Maddalena im «Rigoletto». Sie ging dann nach Europa und wurde in München Schülerin von Hans Hotter. 1981 wurde sie an das Stadttheater von Bonn engagiert, wo sie als Emilia in Verdis «Othello» debütierte und dann als Dorabella in «Così fan tutte» und vor allem als Octavian im «Rosenkavalier» von R. Strauss zu aufsehenerregenden Erfolgen kam. Seit 1982 Mitglied des Opernhauses von Köln, doch wurde ihre Karriere zunehmend durch Gastspiele gekennzeichnet. Ihre großen Erfolge hatte sie in Köln als Cherubino in «Figaros Hochzeit» (1983), als Prinz Orlowsky in der «Fledermaus» (1985) und als Octavian im «Rosenkavalier» (1987). 1984 ersetzte sie an der Mailänder Scala eine erkrankte Sängerin als Dorabella und wurde nun international bekannt. Sie sang an der Scala wie später in Wien (1987) und beim Maggio musicale Florenz (1989) den Idamante in «Idomeneo» von Mozart, 1987 an der Scala auch den Romeo in «I Capuleti ed I Montecchi» von Bellini, in Florenz 1989 den Octavian im «Rosenkavalier». Gastspiele an der Bayerischen Staatsoper München (seit 1984), bei den Festspielen von Glyndebourne (1984 als Dorabella), an den Opernhäusern von Oslo (1986), San Diego (1986), Toronto (1987) und an der Hamburger Staatsoper (1988), 1988 sang sie bei den

Festspielen von Salzburg den Sesto in «La clemenza di Tito» von Mozart. In der Spielzeit 1989–90 übernahm sie an der Metropolitan Oper New York den Siebel im «Faust» von Gounod. Dazu große Erfolge als Konzertsängerin, vor allem hier auch als Bach-Interpretin. Verheiratet mit dem Tenor *Randall Outland,* der seit 1981 am Opernhaus von Köln wirkte.
Schallplatten: Telefunken (h-moll-Messe von J. S. Bach), HMV («Così fan tutte»), Telarc (Messe C-dur von Mozart), Decca (2. Dame in der «Zauberflöte»), Erato («Le Roi d'Ys» von Lalo).

Ziegler, Irene, Alt, * 1903 München, † 14. 3. 1966 Mannheim; sie erhielt ihre Ausbildung in München und fand ihr erstes Bühnenengagement 1924–27 am Stadttheater von Augsburg. 1927–32 war sie am Stadttheater (Opernhaus) Dortmund tätig und dann seit 1932 bis zu ihrem Tod über dreißig Jahre am Nationaltheater Mannheim. Mit dem Ensemble dieses Hauses gastierte sie 1941 an der Grand Opéra Paris als Fricka im Nibelungenring wie auch am Opernhaus von Antwerpen. Weitere Gastspiele an den Staatsopern von München und Dresden, an der Staatsoper Hamburg und am Opernhaus von Frankfurt a. M. Aus ihrem Repertoire für die Opernbühne seien die Carmen, die Dalila in «Samson et Dalila» von Saint-Saëns, die Amneris in «Aida», die Azucena im «Troubadour», die Ulrica in Verdis «Ballo in maschera», die Titelpartie im «Orpheus» von Gluck, der Adriano in Wagners «Rienzi», die Brangäne im «Tristan», die Waltraute im Nibelungenring, der Octavian im «Rosenkavalier», die Herodias in «Salome», die Klytämnestra in «Elektra» wie die Amme in der «Frau ohne Schatten» von Richard Strauss aufgeführt. Auch als Konzert- und Oratoriensängerin kam sie zu einer erfolgreichen Laufbahn.
Schallplatten: Auf einer privaten Gedenkplatte des Mannheimer Nationaltheaters ist ihre Stimme zu hören.

Ziesack, Ruth, Sopran, * 1963 Hofheim (Taunus); ursprünglich wollte sie Intrumentalmusik, und zwar Querflöte, studieren. Der Tenor Christoph Prégardien riet ihr jedoch zur Ausbildung ihrer Stimme, die an der Musikhochschule von Frankfurt a. M. durch die berühmte Altistin Elsa Cavelti erfolgte. Sie wollte sich in erster Linie dem Liedgesang widmen, besuchte aber auch die Opernschule in Frankfurt. 1987 gewann sie einen Wettbewerb für Liedgesang in London, 1988 den Deutschen Musikwettbewerb, im gleichen Jahr den Internationalen Concours von s' Hertogenbosch. 1988 begann sie ihre Bühnenkarriere am Stadttheater von Heidelberg. Als Antrittsrolle sang sie dort die Valencienne in Lehárs «Lustiger Witwe» und hatte dann als Pamina in der «Zauberflöte» einen aufsehenerregenden Erfolg. Es folgten die Gilda im «Rigoletto», der Sesto in «Giulio Cesare» von Händel und die Despina in «Così fan tutte». Ein Gastspiel an der Deutschen Oper am Rhein Düsseldorf-Duisburg im Juni 1989 als Marzelline im «Fidelio» führte zu ihrer Verpflichtung an dieses Opernhaus (1990). Zusammen mit dem Ensemble der Ludwigsburger Festspiele gastierte sie 1989 in Japan (Tokio, Osaka, Kyoto, als Solistin im Weihnachtsoratorium, im Mozart-Requiem und im «Messias» von Händel. Auch als Liedersängerin kam sie zu einer vielversprechenden Karriere.

Zikeš, Ferdinand, s. unter *Parsch-Zikesch,* Olga.

Zilken, Willy, Bariton/Tenor, * 1882 Köln, † 9. 12. 1951 Wien; er wurde durch die Pädagogen Rudolf Thiele und Wilhelm von Wymetal ausgebildet und begann seine Bühnenlaufbahn 1907–08 als Bariton am Stadttheater von Heidelberg. 1908–12 war er am Stadttheater (Opernhaus) von Essen, 1912–16 am Stadttheater von Elberfeld tätig. Seine Stimme entwickelte sich nach einer kurzen Umschulung zum Tenor, und in den Jahren 1916–20 war er als solcher am Stadttheater von Chemnitz engagiert. 1920–21 wirkte er am Landestheater von Dessau, 1921–23 am Staatstheater Karlsruhe und 1923–27 am Opernhaus von Leipzig. Gastspiele führten ihn 1924 an die Staatsoper von Wien, 1925 an die von Dresden; er bereiste Holland, Frankreich, Belgien, die Schweiz und die USA. Nach 1927 gab er Gastspiele, vor allem in Hannover, und Konzerte, war als Regisseur tätig und 1938–44 Vortragsmeister an der Wiener Staatsoper. 1920 sang er in Dessau in der Uraufführung der Oper «Magda Maria» von Oskar von Chelius, 1927 in Leipzig in der von Max Ettingers «Clavigo» (als Carlos). Aus seinem Tenor-Repertoire seien sein Florestan im «Fidelio», sein Tannhäuser, sein Lohengrin, sein Tristan, sein Siegmund in der «Walküre», sein Siegfried, sein Pedro in «Tiefland» von E. d'Albert, sein Samson in «Samson et Dalila» von Saint-Saëns und sein Alvaro in Verdis «La forza del destino» hervorgehoben. Eine seiner großen Bariton-Partien war im ersten Abschnitt seiner Karriere der Amfortas im «Parsifal». Sehr geschätzt wurde er als Konzert- und vor allem als Liedersänger. Er war verheiratet mit der Sopranistin *Agnes Poschner,* die mit ihm zusammen 1912–15 in Elberfeld engagiert war; diese hatte 1908 als Aida an der Stockholmer Oper gastiert und bereits 1906 in Helsinki Aufnahmen auf G & T-Platten gemacht. Von der Stimme von Willy Zilken sind akustische Polydor-Aufnahmen vorhanden; auf Electrola existiert ein Querschnitt durch Verdis «Rigoletto».

Zimmer, Walter, Bariton, * 1886, † 25. 9. 1940 Murnau (Oberbayern); er war zuerst 1912–14 am Stadttheater von Innsbruck engagiert und sang dann 1914–16 am Stadttheater von Augsburg. Es folgten Verpflichtungen am Theater am Gärtnerplatz in München (1916–17), am Opernhaus von Düsseldorf (1917–18), am Theater von Gera (Thüringen, 1919–23), am Stadttheater von Chemnitz (1923–26), dann am Opernhaus von Leipzig, dessen Mitglied er bis zu seinem Tod geblieben ist. In Leipzig sang er am 9. 3. 1930 in der Uraufführung von Weills «Aufstieg und Fall der Stadt Mahagonny» die Partie des Dreieinigkeitsmoses, 1935 übernahm er, ebenfalls in Leipzig, die Titelrolle in der Wiederaufführung der vergessenen Händel-Oper «Arminio». Bereits 1925 hatte er am Stadttheater von Chemnitz in der Urauf-

führung der Oper «Hassan der Schwärmer» von W. Kienzl mitgewirkt. Seine großen Bühnenrollen waren der Pizarro im «Fidelio», der Fliegende Holländer, der Hans Sachs in den «Meistersingern», der Wotan in den Opern des Ring-Zyklus, der Kaspar im «Freischütz», der Borromeo in «Palestrina» von Hans Pfitzner, der Dietrich im «Armen Heinrich» vom gleichen Meister, der Barak in der «Frau ohne Schatten» von R. Strauss, der Escamillo in «Carmen», der Scarpia in «Tosca» und der Boris Godunow. Neben seinem Wirken auf der Bühne hatte er auch eine beachtliche Konzertkarriere.
Schallplatten: Solo-Aufnahmen auf Homochord.

Zimmermann, Margarita, Mezzosopran, * August 1942 Buenos Aires; sie entstammte einer argentinisch-russischen Familie. Sie studierte in Argentinien, wo sie seit 1975 regelmäßig am Teatro Colón Buenos Aires sang. Sie kam 1977 nach Europa, wo sie bereits 1977–78 in Salzburg auftrat. Dann hatte sie einen ersten großen Erfolg 1978 am Théâtre de la Monnaie Brüssel in der Rolle des Cherubino in «Figaros Hochzeit». An der Oper von Lyon bewunderte man sie als Idamante in «Idomeneo» von Mozart und 1979 in der Barock-Oper «Ercole amante» von Cavalli. 1980 debütierte sie an der Covent Garden Oper London als Cherubino in «Figaros Hochzeit»; sie sang dann 1980 beim Berlioz-Festival in Lyon und gastierte als Dalila in «Samson et Dalila» von Saint-Saëns am Opernhaus von Miami und am Teatro Fenice Venedig. 1981 nahm sie ihren Wohnsitz in Venedig. Dort kam sie 1981–86 am Teatro Fenice zu großen Erfolgen in «Idomeneo», in «Szenen aus Faust» von R. Schumann, im «Orpheus» von Gluck und in einer szenischen Bühnenaufführung der Matthäuspassion von J. S. Bach. 1987 Gastspiel am Teatro Comunale Bologna als Marguerite in «La damnation de Faust» von Berlioz. 1988 hörte man sie in Madrid, 1989 an der Oper von Monte Carlo in der Titelrolle von Massenets «Thérèse». Weitere Gastspiele am Grand Théâtre Genf (1980), an der Oper von San Francisco (1982), an der Grand Opéra Paris (1983 als Carmen), am Théâtre des Champs-Elysées Paris (1986), an den Opern von Nantes (1982), Rom (1985) und Monte Carlo (1989). Die Konzertauftritte der Sängerin, die ihre Bühnenkarriere fast noch an Bedeutung übertrafen, wurden durch eine große Vielseitigkeit, vor allem im Lied-Vortrag, gekennzeichnet, die sich auf allen Gebieten, auch in ihren zahlreichen Schallplattenaufnahmen, wiederspiegelt.
Diese Schallplatten erschienen bei Philips («Maometto II.» und Petite Messe solennelle von Rossini), RCA-Erato («Il nascimento di Aurora» von Albinoni, «Catone in Utica» und Gloria von Vivaldi), HMV («La jolie fille de Perth» von Bizet, «Ermione» von Rossini, Stabat mater von Rossini, religiöse Musik von Ferdinando Giuseppe Bertoni), Decca (Messe C-dur von Beethoven, «Manon Lescaut» von Puccini).

Zinovjev, Lau, Tenor, * 1876 Uciana (Litauen), † 3. 7. 1927 Belgrad; der Sänger, der seine Ausbildung am Konservatorium von Odessa und in Italien erhalten hatte, wurde durch Gastspiele bekannt, die er in aller Welt gab. So sang er an Bühnen in Rußland und Italien, in Wien, Madrid, London, Buenos Aires und New York. 1920 wurde er Mitglied des Opernhauses von Belgrad, an dem er bis zum Ende seiner Karriere 1926 als erster Tenor wirkte. Sein Bühnenrepertoire hatte seine Höhepunkte in Partien wie dem José in «Carmen», dem Herzog im «Rigoletto», dem Canio im «Bajazzo» und dem Eleazar in Halévys «La Juive». Hinzu trat ein ausgedehntes Repertoire für den Bereich des Konzert- und Oratoriengesanges.

Zobel, Carl, Tenor, * 28. 1. 1852 Budapest, † (?); Gesangstudium am Konservatorium der Stadt Wien bis 1878, worauf er als Lyonel in Flotows «Martha» zu seinem Bühnendebüt am Hoftheater Mannheim kam (1879). Er wurde dann an das Stadttheater von Mainz engagiert, ging in der folgenden Spielzeit an das Theater von Graz und war 1881–82 am Opernhaus von Köln im Engagement. 1882–86 war er Mitglied des Hoftheaters Wiesbaden. In der Spielzeit 1886–87 gehörte er dem Ensemble der Metropolitan Oper New York an und sang an diesem Haus den Radames in der Haus-Premiere von Verdis «Aida» (12. 11. 1886 in deutscher Sprache). Er kam nach Europa zurück, war zunächst am Stadttheater von Brünn (Brno), dann bis 1892 am Opernhaus von Riga verpflichtet. Danach trat er noch bei Gastspielen auf. Eine Stimmkrise zwang ihn jedoch bald zur Aufgabe seiner Karriere. Er mußte von der Bühne Abschied nehmen und war schließlich Besitzer eines Cafés in Wien. Seine großen Bühnenpartien waren der Erik im «Fliegenden Holländer», der Tannhäuser, der Lohengrin, der Raoul in den «Hugenotten» von Meyerbeer, der Eleazar in «La Juive» von Halévy, der Herzog im «Rigoletto», der Riccardo in «Un Ballo in maschera» und der Titelheld im «Othello» von Verdi.

Zoja, Angiolina, Sopran, * 1819 Turin, † Dezember 1871 Turin; sie wurde innerhalb ihrer Generation als Interpretin der Titelpartie in Donizettis «La figlia del reggimento» bekannt. Sie hat diese Partie an vielen großen italienischen Opernhäusern gesungen und wurde ganz mit ihr identifiziert. Dabei schätzte man neben ihren gesanglichen Leistungen besonders ihre Fähigkeit im Trommelschlagen, die ganz einzigartig gewesen sein muß. Nach einem Auftritt der Künstlerin 1846 am Teatro Valle Rom berichtete die Gazzetta Musicale: «... non aveva voce né limpida, né soave, ma seppe valersi con tale arte di quei pochi mezzi che la natura gli aveva elargiti, aggiungendovi una perizia tale nel suonare il tamburo da riuscire senza rivali». Der Dichter Ferretti feierte ihre Kunst in einer von ihm verfaßten Sestine. 1848 ist sie als Marie in der «Regimentstochter» u. a. am römischen Teatro Valle anzutreffen. 1846 sang sie die gleiche Rolle am Teatro Nuovo Florenz, 1848 am Teatro Comunale Bologna. Am Teatro Cannobiano Mailand und un a weiteren italienischen Bühnen ist sie immer wieder in dieser Paraderolle wie in anderen Partien aufgetreten. Sie gründete nach Aufgabe ihrer Karriere in Turin eine Gesangschule.

Zschau, Marilyn, Sopran, * 9. 2. 1941 Chicago; sie war zunächst als Büroangestellte tätig, kam dann aber zum Gesangstudium an der Juilliard School New York bei Christopher West und bei John Lester in Missoula (Montana). 1965–66 nahm sie an einer Tournee der Metropolitan National Opera Company teil. 1967 erfolgte ihr Europa-Debüt an der Wiener Volksoper als Marietta in der «Toten Stadt» von Korngold. Es kam zu Engagements am Opernhaus von Zürich und am Stadttheater von Basel, schließlich wurde sie Mitglied der Bayerischen Staatsoper München; seit 1985 auch der Wiener Staatsoper verbunden, an der sie bereits zuvor seit 1971 gastiert hatte. Große internationale Gastspielkarriere; in Westdeutschland hörte man sie an den Staatsopern von Hamburg und Stuttgart, an der Oper von Frankfurt a. M. und am Stadttheater von Bielefeld, sie sang an der Nationaloper Budapest und an anderen führenden Bühnen, u. a. bei der English National Opera London und in Genf. 1985 debütierte sie an der New Yorker Metropolitan Oper als Musetta in Puccinis «La Bohème» und war dort auch als Tosca erfolgreich. 1986 erregte ihre Gestaltung der Färbersfrau in der Richard Strauss-Oper «Die Frau ohne Schatten» an der Mailänder Scala Aufsehen, 1987 sang sie in Los Angeles die Renata im «Feurigen Engel» von Prokofieff, 1988 an der Oper von Sydney die Salome von R. Strauss, 1988 in Chicago die Venus im «Tannhäuser». Ebenfalls 1988 hörte man sie beim Maggio musicale Florenz als Giorgetta in «Il Tabarro» von Puccini, im gleichen Jahr in Santa Fé und 1989 in Seattle als Senta im «Fliegenden Holländer», 1989 an der Oper von Sydney als Brünnhilde in der «Walküre». Weitere Höhepunkte in ihrem Bühnenrepertoire waren die Gräfin in «Figaros Hochzeit», die Fiordiligi in «Così fan tutte», die Donna Elvira im «Don Giovanni», die Pamina in der «Zauberflöte», die Titelfigur in «Agrippina» von Händel, die Violetta in «La Traviata», die Desdemona in Verdis «Othello», die Tatjana im «Eugen Onegin» von Tschaikowsky, die Mimi in Puccinis «La Bohème», die Titelheldinnen in den Puccini-Opern «Madame Butterfly» und «Manon Lescaut», die Giorgetta in «Il Tabarro», die Nedda im «Bajazzo», der Komponist in «Ariadne auf Naxos» von R. Strauss (Wien, 1971), die Marschallin wie der Octavian in dessen «Rosenkavalier», die Titelfigur im «Schlauen kleinen Füchslein» von Janáček, die Kluge in der Oper gleichen Namens von C. Orff und die Lucile in «Dantons Tod» von Gottfried von Einem. Auf dem Gebiet des Konzertgesangs wurde sie namentlich als Solistin in Oratorien geschätzt.
Video-Aufnahme einer Aufführung von «La Bohème», aus der Covent Garden Oper.

Zschille, Dora, Sopran, * 23. 12. 1906 Chemnitz; sie wurde in ihrer Heimatstadt Chemnitz durch den Pädagogen Eibenschütz ausgebildet und debütierte am Stadttheater von Chemnitz 1928. Bis 1936 war sie an diesem Haus im Engagement und sang dann 1936–40 am Stadttheater von Duisburg. 1940–48 war sie Mitglied des Staatstheaters Hannover und folgte 1948 einem Ruf an die Staatsoper von Dresden. Hier wirkte sie bis zu ihrem Abschied von der Bühne 1971 als erste hochdramatische Sopranistin und erlangte beim Dresdner Publikum große Beliebtheit. Sie wurde zum Ehrenmitglied des Hauses ernannt. Regelmäßige Gastspiele an der Berliner Staatsoper führten auch an dieser Bühne zu großen Erfolgen. Sie gastierte weiter an Bühnen in der Sowjetunion, in den Niederlanden, in Rumänien und Finnland und wurde als Konzertsopranistin geschätzt. Zu Beginn ihrer Karriere hatte sie hauptsächlich lyrische Partien gesungen (Gräfin in «Figaros Hochzeit, Elisabeth» im «Tannhäuser», Marie in der «Verkauften Braut»). Dann nahm sie zunehmend dramatische Rollen (Aida, Amelia in Verdis «Simon Boccanegra», Giulia in Spontinis «La Vestale») bis hin zur Venus im «Tannhäuser», der Eboli im «Don Carlos» und der Küsterin in Janáčeks «Jenufa» in ihr Repertoire auf. Sie verbrachte ihren Ruhestand in Dresden.

Zubović, Dubrovka, Mezzosopran, *1.9. 1953 Zagreb; sie war an der Musikakademie von Zagreb Schülerin des bekannten Baritons Vladimir Ruzdak. Weitere Studien bei A. Mezetov an der Musikakademie Belgrad und bei der berühmten Sopranistin Gina Cigna in Mailand leiteten über zu einem Engagement an der Belgrader Nationaloper, das die Künstlerin 1975 begann. Seitdem blieb sie an diesem führenden jugoslawischen Opernhaus engagiert. Sie sang hier 1981 in der Uraufführung der Oper «Orpheus des 20. Jahrhunderts» von B. Bialinski die Partie der Eurydike. Eine weitere Glanzrolle der Sängerin, die sich auch als Konzertsolistin auszeichnete, war die Titelheldin in «Carmen» von Bizet. Jugoton-Aufnahmen.

Zürrer, Erno, Baß, *23.2. 1908 Zürich; er studierte an der Accademia di Canto bei Alfredo Cairati in Zürich (1933–40) und kam seit 1933 bis etwa 1956 von Zürich aus, wo er wohnte, zu einer erfolgreichen Gastspielkarriere für den Bühnen- wie den Konzertbereich. Am Opernhaus von Zürich, in Basel, Bern, St. Gallen und Luzern sang er Partien wie den König Heinrich im «Lohengrin», den Pogner wie den Nachtwächter in den «Meistersingern», den Basilio im «Barbier von Sevilla», den Ramphis in «Aida», den Ferrando im «Troubadour», den Eremiten im «Freischütz», den Colline in «La Bohème», den Truchsess von Waldburg in Hindemiths «Mathis der Maler» und den Tommaso in «Tiefland» von E. d' Albert. Er gastierte auch am Teatro Liceo Barcelona, an den Opernhäusern von Monte Carlo, Marseille, Toulouse, Nizza und Tunis. 1945 wirkte er in Zürich in der deutschen Erstaufführung von Gershwins «Porgy and Bess» als Jim mit. Von noch größerer Bedeutung war seine Karriere im Konzertsaal, und hier vor allem als Solist in Oratorien und religiösen Vokalwerken, aber auch als Lieder- und Balladensänger. 1940 sang er in Zürich in der Uraufführung des ersten Teils, 1942 in der des gesamten Werks «Le Vin herbé» von Frank Martin. Er trat auch mehrfach in Sendungen des Schweizer Rundfunks auf.

Žunec, Noni (Jeronim), Tenor, *7.5. 1921 Maribor (Marburg a. d. Drau); seine Ausbildung fand an der Musikakademie von Zagreb statt und führte zu seinem Bühnendebüt 1947 am Opernhaus von Sarajewo in der Rolle des Herzogs im «Rigoletto» von Verdi. Nachdem er während einer Spielzeit in Sarajewo gesungen hatte, wurde er 1948 an die Kroatische Nationaloper von Zagreb berufen, deren Mitglied er seitdem für dreißig Jahre bis 1978 blieb. Mit dem Ensemble dieses Hauses gastierte er 1964 beim Holland Festival, 1966 bei den Festspielen von Wiesbaden, 1964 am Teatro San Carlo Neapel. Von den rund 70 Partien, die er beherrschte, verdienen der Riccardo in Verdis «Un Ballo in maschera», der Canio im «Bajazzo», der José in «Carmen», der Cavaradossi in «Tosca», der Pelléas in «Pelléas et Mélisande» von Debussy, der Hermann in «Pique Dame» von Tschaikowsky, der Wladimir in Borodins «Fürst Igor», der Tom Rakewell in «The Rake's Progress» und der Titelheld in «Peter Grimes» von Benjamin Britten besondere Erwähnung. Eine weitere große Partie des Künstlers, der sich auch als Konzertsolist auszeichnete, war der Titelheld in «Ero der Schelm» von Gotovac.
Schallplatten: Decca (vollständige Oper «Fürst Igor»).

Župan, Rudolf, Bariton, *19.1. 1905 Pula (Istrien), †1976 Santiago de Chile; er absolvierte seine Gesangausbildung am Konservatorium von Mailand. 1933 debütierte er am Teatro Donizetti Bergamo. 1934 folgte er einem Ruf an das Opernhaus von Zagreb, dessen Mitglied er bis 1945 blieb. In der jugoslawischen Erstaufführung von Verdis Oper «Don Carlos» wirkte er dort in der Partie des Posa mit. Er gastierte an Bühnen in Italien und Spanien und lebte zuletzt in Südamerika. Von den zahlreichen Rollen, die er gesungen hat, seien der Amonasro in «Aida», der Germont-père in «La Traviata», der Barnaba in «La Gioconda» von Ponchielli, der Gérard in «Andrea Chéniers von Giordano, der Enrico in «Lucia di Lammermoor» von Donizetti und der Nikola in der Oper «Zrinsky» von Ivan Zajc genannt.

Zwerenz, Mizzi, Sopran, *13.7. 1876 Pöstyn (Pistyan, Ungarn), †14.6. 1947 Wien; ihr Vater, Carl Ludwig Zwerenz, war Schauspieler und später Theaterdirektor an verschiedenen Bühnen in der österreichisch-ungarischen Monarchie, u. a. in Bozen, Meran, Iglau, Teplitz, Hall in Oberösterreich (wo 1880 Gustav Mahler seine Dirigentenlaufbahn unter ihm begann) und Preßburg (Bratislava); ihre Mutter war Operettensängerin. Sie war eine Urenkelin des Burgschauspielers Karl Ludwig Costenoble (1769–1837). Ihre Ausbildung erfolgte durch die berühmte Pädagogin Rosa Papier-Paumgartner in Wien. Sie betrat erstmals die Bühne 1897 in Baden bei Wien und kam schnell zu einer großen Karriere als Operettensoubrette. Nachdem sie am Friedrich Wilhelmstädtischen Theater in Berlin 1900–01 sehr erfolgreich aufgetreten war, berief man sie 1901 an das Wiener Carl-Theater. Hier erreichte ihre Karriere in einer fast zwanzigjährigen Dauer (bis 1923 mit Unterbrechungen) ihren Höhepunkt; sie gehörte zu den beliebtesten Operettensängerinnen der Donaumetropole. Nachdem sie 1915–18 am Wiener Apollo-Künstlertheater und 1919–21 am Wiener Komödienhaus aufgetreten war, kam sie wieder an das Carl-Theater zurück und setzte dort 1921–23 ihre glänzende Karriere fort. 1923 wechselte sie an das Theater an der Wien in Wien, wo ihre Künstlerlaufbahn, zuletzt im Rahmen von Gastspielen, 1936 zum Ausklang kam. Zwischendurch hatte 1926–27 ein kurzes Engagement am Wiener Stadttheater bestanden. 1908 gastierte sie in Graz, 1906 am Stadttheater von Brünn (Brno), seit 1906 oftmals am Deutschen Theater Prag, 1928 am Gärtnerplatztheater München. Zu den Glanzrollen der Sängerin, die auch als hervorragende Schauspielerin galt, gehörten die Adele in der «Fledermaus», die Titelrolle in «Sissy» von F. Kreisler, vor allem aber die Franzi Steingruber in «Ein Walzertraum» von Oscar Straus; letztere Partie hatte sie auch am 2. 3. 1907 in der Uraufführung der Operette am Carl-Theater gesungen. Sie wirkte in vielen weiteren Operetten-Uraufführungen mit, u. a. in «Fesche Geister» von C. M. Ziehrer (1905 Sommertheater «Venedig» in Wien), «Die Schützenliesl» von E. Eysler (1905), «Künstlerblut» ebenfalls von E. Eysler (1906), «Die geschiedene Frau» von Leo Fall (1908), «Zigeunerliebe» von Franz Lehár (8. 1. 1910) «Polenblut» von O. Nedbal (1913) – die letztgenannten fünf alle im Carl Theater. Am Theater an der Wien hörte man sie in den Uraufführungen der «Zirkusprinzessin» von E. Kálmán (26. 3. 1926) und in E. Eyslers «Die gold'ne Meisterin» (13. 9. 1927). Sie war verheiratet mit dem Gesangs- und Charakterkomiker *Arthur Guttmann* (* 1. 7. 1877 Wien, † 3. 6. 1956 Wien), der einer Schauspielerfamilie angehörte, 1896 seine Karriere in Budweis (České Budějovice) begann und schließlich an den großen Wiener Operettentheatern, teilweise zusammen mit seiner Gattin (u. a.

auch in der Uraufführung des «Walzertraums»), bekannt wurde. Ihr Sohn, Fritz Zwerenz (1895–1970) wirkte als Dirigent an verschiedenen Operettentheatern.

Die Stimme von Mizzi Zwerenz, die neben Louise Kartousch die große Diva des «silbernen Zeitalters» der Wiener Operette war, erscheint auf G & T, später auf HMV-Schallplatten (seit 1905); auch von Arthur Guttmann existieren Aufnahmen auf HMV.

Zwingenberg, Glanka, Sopran, * 1903 (?), † 28. 12. 1951 Mannheim; sie begann ihre Karriere Ende der zwanziger Jahre als Konzertsängerin, kam dann aber zu ihrem Bühnendebüt am Opernhaus von Essen, an dem sie in den Jahren 1934–36 auftrat. Sie wurde 1936 an die Staatsoper von Hamburg berufen, wo sie bereits damit begann, hochdramatische Partien zu übernehmen. 1939 ging sie von dort aus an das Nationaltheater Mannheim, an dem sie bis 1946 eine sehr erfolgreiche Karriere entwickeln konnte. Sie mußte diese wegen zunehmender Erkrankung 1946 aufgeben, trat aber noch bis 1948 gastweise dort auf und sang als letzte Partie in Mannheim die Isolde im «Tristan». Sie wurde Dozentin an der Musikhochschule Mannheim, starb jedoch bald. Während ihrer Karriere trat sie als Gast am Opernhaus von Breslau (1942), an der Oper von Rom (1942 als Senta), am Teatro Liceo Barcelona (1942), an der Staatsoper Stuttgart (1943) und 1941 mit dem Mannheimer Ensemble an der Grand Opéra Paris als Brünnhilde auf. 1948 gastierte sie an der Städtischen Oper Berlin als Isolde. Weitere große Partien der Künstlerin waren die Donna Anna im «Don Giovanni», die Leonore in «La forza del destino» von Verdi, die Lady Macbeth in dessen «Macbeth», die Hilde in «Der arme Heinrich» von Hans Pfitzner, die Martha in «Tiefland» von E. d'Albert, die Marschallin im «Rosenkavalier» und die Elektra in der Oper gleichen Namens von Richard Strauss.

ADDENDA UND CORRIGENDA
ZUM HAUPTWERK

A

Aarden, Mimi; wirkte in Hamburg in der Uraufführung von H. W. Henzes «Prinz von Homburg» mit (22. 5. 1960).

Abarbanell, Lina; sie wirkte u. a. 1903 am Theater an der Wien in der Uraufführung der Operette «Bruder Straubinger» von Eysler mit. In New York trat sie zunächst am Irving Place Theatre, einer deutschsprachigen Bühne auf, die durch den Impresario Heinrich Conried geleitet wurde, der 1903 die Direktion der Metropolitan Oper übernommen hatte. Durch diesen kam es zu ihrem Auftreten in der Premiere von «Hänsel und Gretel». Weitere Partien hat sie an der Metropolitan Oper nicht gesungen.

Abendroth, Irene; sie war die Tochter deutscher Eltern und zeigte schon als Kind eine besondere musikalische Begabung. Ausgebildet durch Lamperti und Campanini in Mailand, durch Aurelie Wilczek in Wien und durch Frau Mampe-Babnigg. Sie sang am 21. 3. 1896 in Wien in der Uraufführung von Goldmarks «Das Heimchen am Herd». In Dresden wirkte sie in der Uraufführung der Oper «Odysseus Tod» (30. 10. 1903) von August Bungert mit. Sie gastierte an den Hofopern von Berlin und Stuttgart wie auch am Opernhaus von Leipzig. Hatte sie zu Beginn ihrer Karriere die Adalgisa in «Norma» gesungen, so wurde sie später eine große Norma, wie denn überhaupt ihr Bühnenrepertoire einen sehr großen Umfang besaß. Höhepunkte darin waren Partien wie die Violetta in «La Traviata», die Philine in «Mignon» von A. Thomas, die Konstanze in der «Entführung aus dem Serail» und die Gilda im «Rigoletto». Die Künstlerin, die seit 1900 mit Thomas Joseph Taller, Edler von Draga, verheiratet war, ließ sich 1910 als Pädagogin in Wien nieder. In der Inflation nach dem Ersten Weltkrieg verlor sie nahezu ihr gesamtes Vermögen und lebte in dürftigen Umständen in Wien. Ihre letzte Ruhestätte fand sie auf dem Wiener Zentralfriedhof, nicht weit vom Grab des Dichters Nikolaus Lenau entfernt.

Abendroth, Martin; von den großen Partien, die er an der Berliner Staatsoper wie an der Kroll-Oper gesungen hat, sind zu nennen: der Komtur im «Don Giovanni», der Rocco wie der Minister in «Fidelio», der Kaspar im «Freischütz», der Geronimo in Cimarosas «Matrimonio segreto», der Crespel in «Hoffmanns Erzählungen», der Daland im «Fliegenden Holländer», der Sarastro in der «Zauberflöte», der Basilio im «Barbier von Sevilla», der Sparafucile im «Rigoletto», der Goldhändler in «Cardillac» von Hindemith und der Tschekunow in Janáčeks «Aus einem Totenhaus». In der deutschen Erstaufführung der Oper «Le pauvre Matelot» («Der arme Matrose») von Darius Milhaud sang er 1929 in Berlin die Rolle des Schwiegervaters.
Von seiner Stimme sind auch Aufnahmen auf Polydor vorhanden.

Abott, Bessie; Bei ihrem Auftreten an der Grand Opéra Paris nahm sie den Namen Bessie Abott (nach dem Familiennamen ihrer Mutter) an. Sie sang dort Rollen wie die Marguerite im «Faust» von Gounod, die Gilda im «Rigoletto» und, sehr erfolgreich, die Zerline im «Don Giovanni». Bei ihrem Debüt an der Metropolitan Oper New York als Mimi war Enrico Caruso ihr Partner. Sie sang an diesem Haus auch die Philine in «Mignon» von A. Thomas, die Gilda, die Juliette in Gounods «Roméo et Juliette» und die Titelheldin in Flotows «Martha». Sie brachte 1910 mit ihrer Operntruppe Puccinis «La Bohème» zur Aufführung. 1912 heiratete sie den Bildhauer und Schriftsteller T. Waldo Story, einen Bruder des ersten Gatten von Emma Eames. 1912 sang sie am Knickerbocker Theatre New York in der Operette «Robin Hood» von Reginald De Koven. Ihre Victor-Platten wurden 1907–08 aufgenommen.

Achard, Léon; sang am 29. 12. 1864 an der Opéra-Comique Paris in der Uraufführung der Oper «Le Capitaine Henriot» von F. A. Gevaert, ebenfalls zusammen mit Mme Galli-Marié.

Achsel, Wanda; sie wirkte in Köln in einer Reihe von Premieren mit, so in «Königskinder» von Humperdinck, «Die heilige Elisabeth» von F. Liszt und «Der Rosenkavalier» von Richard Strauss. In Köln lernte sie auch den Tenor *Hans Clemens* kennen, mit dem sie bis 1933 verheiratet war. Den Höhepunkt erreichte ihre Karriere mit ihrem Engagement an der Staatsoper von Wien. Unter ihren HMV-Platten findet sich ein Duett aus der Strauß-Operette «Eine Nacht in Venedig» mit dem Tenor Hermann Gallos.

Achté, Emmy; sie sang in der Uraufführung der Oper «Die Jungfrau im Turm» («Jungfru i Tornet») von Jean Sibelius in Helsinki die Partie der Fürstin (9. 11. 1896).

Ackté, Aino; sie sang auch an der Grand Opéra Paris die Herwine in der Uraufführung von A. Bruneaus Oper «La Cloche du Rhin». 1904–05 war sie an der Metropolitan Oper New York engagiert, an der sie in insgesamt 19 Vorstellungen, vor allem als Marguerite im «Faust» von Gounod (Debüt) und als Eva in den «Meistersingern», auftrat. 1907 Debüt an der Covent Garden Oper London als Elsa im «Lohengrin». Als sie 1906 an der Opéra-Comique in «Marie Magdeleine» von Massenet auftrat, wurde ein Teil des Pariser Publikums durch ihre realistische Darstellung der Rolle schockiert. Ihr eminentes darstellerisches Talent zeigte sich vor allem in ihrer Gestaltung der Rolle der Salome. Während des Ersten Weltkrieges trat sie in den skandinavischen Ländern auf.

Adam, Theo; sang als erste Partie 1952 in Bayreuth den Hermann Ortel in den «Meistersingern», bei den Salzburger Festspielen von 1969 den Ochs im «Rosenkavalier». Debütrolle an der Covent Garden Oper London 1967: Wotan. Er blieb für drei Spielzeiten bis 1972 an der Metropolitan Oper tätig, wo er außer dem Hans Sachs auch den Wotan in «Rheingold» wie in der «Walküre» (und insgesamt in 14 Vorstellungen) sang. 1979 Gastspiel als Hans Sachs

am Opernhaus von Köln. 1987 übernahm er bei den Festspielen von Salzburg die Rolle des Moses in «Moses und Aron» von Schönberg.
Lit.: H. P. Müller: «Theo Adam – für Sie porträtiert» (Leipzig, 1986).
Schallplatten: Philips (Baß-Solo in «Paulus» von Mendelssohn), HMV («Die schweigsame Frau» von R. Strauss), Schwann («Penthesilea» von Othmar Schoeck). Bei Melodram kamen Mitschnitte der Bayreuther «Lohengrin»-Aufführungen von 1954 und 1960 heraus, in denen er die Partie des Königs Heinrich singt.

Adami, Carl; er hatte bereits 1856 in Boston das Tenorsolo in der «Schöpfung» von Haydn gesungen.

Adams, Suzanne; debütierte auch an der Covent Garden Oper London als Juliette (1899) und sang dort am 30. 5. 1901 die Hero in der Uraufführung von Stanfords «Much Ado About Nothing». Ihre Antrittsrolle an der Metropolitan Oper New York war 1899 abermals die Juliette. Sie sang dort auch die Euridice im «Orpheus» von Gluck, die Donna Elvira im «Don Govanni», die Königin Marguerite in den «Hugenotten», die Nedda im «Bajazzo», die Infantin in Massenets «Le Cid», den Waldvogel im «Siegfried» und die Micaela in «Carmen». Ihr Gatte, der Cellist Leo Stern (1862–1904), starb früh.

Ader, Rose; gastierte 1922 am Teatro Costanzi Rom als Mimi in Puccinis «La Bohème», 1931 an der Covent Garden Oper London als Rosalinde in der «Fledermaus».

Adini, Ada, † Februar 1924 Dieppe (Departement Seine-Maritime). Sie heiratete den spanischen Tenor *Antonio Arámburo* (1840–1912). Sie debütierte mit der Mapleson Company 1879 an der Academy of Music New York als Gilda im «Rigoletto» und sang dort auch die Leonore im «Troubadour». Debüt an der Grand Opéra Paris 1887 als Chimène in «Le Cid» von Massenet. An der Mailänder Scala sang sie in den Jahren nach 1890 Partien wie die Selika in Meyerbeers «Africaine», die Donna Anna im «Don Govanni», die Rachel in «La Juive» von Halévy, die Cathérine in «Henri VIII.» von Saint-Saëns und die Brunehild in «Sigurd» von Reyer. In der Saison 1894–95 sang sie an der Scala in französischer Sprache in «Patrie» von Paladilhe, «La Navarraise» und «Le Cid» von Massenet sowie in «Sigurd». In Bologna hörte man sie als Brünnhilde im Nibelungenring und als Isolde, in Neapel in «I Medici» von Leoncavallo. Bei Gastspielen in Amsterdam, in deutschen wie in russischen Musikzentren sang sie in der Hauptsache ihr Wagner-Repertoire. Sie war auch als Konzertsolistin und als Pädagogin tätig und unterrichtete u. a. die berühmte spanische Mezzosopranistin Maria Gay. In zweiter Ehe mit dem Schriftsteller Paul Millet (†1924) verheiratet.

Afejan, Nadja; Schallplatten: auf Eterna als Leonora in Donizettis «La Favorita» zu hören.

Affre, Agustarello; er sang 1891 an der Grand Opéra Paris den Belmonte in der «Entführung aus dem Serail» von Mozart. Seine großen Partien an diesem Haus waren der Raoul in den «Hugenotten» von Meyerbeer, der Jean in dessen «Le Prophète», der Vasco in «L'Africaine», der Arnoldo in Rossinis «Wilhelm Tell», der Eleazar in Halévys «La Juive», der Faust von Gounod, der Samson in «Samson et Dalila» von Saint-Saëns und der Lohengrin. 1902 sang er den Canio in der Premiere von Leoncavallos «Bajazzo» (in französischer Sprache). 1913 trat er an der Oper von Havanna unter dem Namen Albert Affre auf. Während des Ersten Weltkrieges gab er Konzerte vor französischen Soldaten, sogar im unmittelbaren Frontgebiet. Er starb in seiner Villa an der Côte d'Azur und wurde auf dem Friedhof Père-Lachaise in Paris beigesetzt.
Schallplatten: G & T (1902–04), Odeon (seit 1904), Fonotipia. Sang auf AGPA eine Arie aus der Oper «Hernani» von Hirschmann, die er 1906 kreiert hatte.

Agay, Karola; Schallplatten: Helikon («Bánk BáN» von F. Erkel).

Agnesi, Luigi, * 17. 7. 1833 Erpent bei Namur; sang am 14. 3. 1864 im Salon des reichen Pariser Bankiers Pillet-Will das Baßsolo in der Uraufführung von Rossinis Petite Messe solennelle, am 24. 2. 1869 dann die gleiche Partie in der Uraufführung der Orchesterfassung des Werks in Paris.

Agostinelli, Adelina; studierte bei dem Tenor und Pädagogen *Giorgio Quiroli*, den sie heiratete. Debüt am Teatro Fraschini Pavia als Fedora. 1904 großer Erfolg am Teatro Dal Verme Mailand als Tosca, anschließend Auftritte in Livorno, Neapel, Bari und Turin. Sie gastierte fast alljährlich in Spanien und an südamerikanischen Bühnen. Am Teatro Colón Buenos Aires sang sie die Mimi in «La Bohème», die Nedda im «Bajazzo», beide Sopranpartien, Margherita wie Elena, in «Mefistofele» von A. Boito und in den Erstaufführungen der Opern «Thaïs» von Massenet (1908) und «La Fanciulla del West» von Puccini (1911). 1912 sang sie am Théâtre des Champs Élysées Paris in «Mefistofele» zusammen mit Fedor Schaljapin und Dimitrij Smirnoff. An der Covent Garden Oper London trat sie u. a. als Manon von Massenet auf, 1915 Gastspiel am Teatro Donizetti Bergamo. Noch 1924 am Teatro Coliseo Buenos Aires aufgetreten.
Schallplatten: Edison-Platten und -Zylinder (1910), Fonografia Nazionale (um 1920), Pathé-Platten.

Agostini, Giuseppe; sang 1897 am Teatro Margherita in Cagliari den Rodolfo in «La Bohème», den er auch für Nordamerika in Los Angeles kreierte (14. 10. 1897) und dann in New York (16. 5. 1898) sang; diese Aufführungen fanden im Rahmen einer Coast to Coast-Tournee der Milan Royal Opera Company statt. In Italien sang er u. a. in Monza (hier wiederum den Rodolfo in der lokalen «Bohème»-Premiere), in Genua, Rom, Triest, Brescia und Bari und 1909 in Parma in Catalanis «Loreley». Er ersetzte den erkrankten Enrico Caruso an der Metropolitan Oper New York 1903 in zwei Vorstellun-

gen als Rodolfo und als Herzog in Verdis «Rigoletto».
Seltsamerweise befindet sich unter seinen Schallplatten keine Aufnahme aus Puccinis «La Bohème».

Agussol, Pauline; sang 1888 in der Premiere von Gounods «Roméo et Juliette» an der Grand Opéra den Stéphano, 1895 den Hirtenknaben in der ersten Aufführung des «Tannhäuser» nach der unglücklichen Premiere von 1861. Insgesamt ist sie während zwanzig Jahren an der Grand Opéra aufgetreten.
Unter ihren Schallplattenaufnahmen befinden sich viele Ensembleszenen.

Ahlin, Cvetka, *28. 11. 1927 Ljubljana; sie ist auch unter dem Namen Cveta Ahlin-Souček aufgetreten.
Schallplatten: Eurodisc (Ausschnitte aus «Der Wildschütz» von Lortzing).

Ahnsjö, Claes Haakon; gastierte 1987 an der Staatsoper Berlin als Ramiro in Rossinis «La Cenerentola».
Schallplatten: Philips («Lucia di Lammermoor» mit Montserrat Caballé), Obligat (c-moll-Messe von Mozart), Decca (Messe Nr. 2 von Bruckner), Fono (Messen von J. Haydn), DGG («Parsifal», Konzertarien von Mozart), Musica Sveciae, Electrola (h-moll-Messe von J. S. Bach).

Ahrens, Hans-Georg; sang bei den Festspielen von Wiesbaden 1987 dem Alfonso in «Così fan tutte», bei den Ludwigsburger Festspielen 1989 den Bartolo in «Figaros Hochzeit».

Aimaro, Lina; Ausbildung durch Mario Pieraccini in Mailand. Gastierte 1936 in Budapest als Gilda im «Rigoletto» und sang anschließend in Rimini, Brescia und Palermo. 1937 Debüt an der Mailänder Scala als Lucia di Lammermoor, wo sie 1949–55 wiederum anzutreffen war, u. a in Carl Orffs «Carmina Burana». Gastierte auch in Antwerpen und Stockholm. 1946 sang sie am Teatro Lirico Mailand als Partnerin des berühmten Tenors Tito Schipa.

Alabiso, Carmelo, Tenor, *Februar 1886 Sciosia (Sizilien), †11. 6. 1966 Mailand; er studierte vor seiner Ausbildung zum Sänger Medizin, wurde dann Schüler des Gesangpädagogen Terraglia und debütierte 1913 am Teatro Verdi Triest als Hoffmann in «Hoffmanns Erzählungen». 1915 sang er in Catania den Folco in «Isabeau» von Mascagni, 1919 war er am Teatro Donizetti in Bergamo anzutreffen, wo er u. a. die Oper «La Vampa» von Ravelli kreierte. Am Teatro Costanzi Rom gastierte er als Osaka in Mascagnis «Iris». 1924 erreichte er die Mailänder Scala; hier sang er den Rinuccio in Puccinis «Gianni Schicchi» und den Julien in «Louise» von Charpentier unter Toscanini. Besonders beliebt war er am Teatro Carlo Felice Genua. Hier hörte man ihn 1927 in «Risurrezione» von Alfano, 1929 in Mascagnis «Isabeau», 1931 in den Puccini-Opern «Il Tabarro» und «Gianni Schicchi». 1930 wirkte er am Teatro Massimo Palermo in der Premiere der Oper «Dafni» von

Giuseppe Mulè mit. 1931 sang er an der Oper von Rom einmal mehr den Folco in «Isabeau», seine besondere Glanzrolle. 1932 Engagement bei der Italienischen Oper in Holland. Weitere Gastspiele in Neapel, Venedig, Pisa, Florenz, Turin, Brescia, Bologna und Verona. 1934 gab er seine Bühnenkarriere auf.
Die große, im heldischen italienischen Fach beheimatete Tenorstimme des Sängers erscheint auf akustisch aufgenommenen Fonografia Nazionale-Platten; akustische wie elektrische Aufnahmen auf Columbia und auf Artiphone. – (Neufassung) –.

Alan, Hervey, †1982 Croydon.

Alarie, Pierrette; sie studierte zuerst bei Jeanne Maubourg und Albert Roberval, dann 1938–43 bei dem Gesangpädagogen Salvator Isaurel, 1943–46 am Curtis Institute of Music Philadelphia und in New York bei Elisabeth Schumann. Bereits 1943 hatte sie – semiprofessionell – in Montreal debütiert. Nachdem sie 1945 den Gesangwettbewerb der New Yorker Metropolitan Oper gewonnen hatte, kam es zu ihrem dortigen Debüt als Page Oscar in Verdis «Maskenball» (1945). 1966 gab sie ihre Bühnenkarriere auf; 1970 sang sie letztmals das Sopransolo im «Messias» in Montreal.

Albanese, Francesco; sang 1954 an der Mailänder Scala den Pylades in Glucks «Iphigenie auf Tauris» zusammen mit Maria Callas.

Albanese, Licia; sie sang nach ihrem Debüt in Bari an der Oper von Rom die Micaela in «Carmen» und die Pamina in der «Zauberflöte», am Teatro San Carlo Neapel die Mimi in «La Bohème». Antrittspartien an der Mailänder Scala waren die Mimi und die Lauretta in Puccinis «Gianni Schicchi» (1935). Seitdem kam sie an diesem Haus wie an den anderen großen italienischen Theatern zu einer glänzenden Karriere. Im New Yorker Haus der Metropolitan Oper sang sie 17 Partien in 286 Vorstellungen, hinzu rund 120 Vorstellungen bei der jährlichen Tournee der Oper. Davon sind noch zu nennen: die Susanna in «Nozze di Figaro», die Marguerite im «Faust» von Gounod, die Donna Anna im «Don Giovanni», die Tosca, die Titelfigur in «Manon Lescaut» von Puccini, die Giorgetta in Puccinis «Il Tabarro», die Lauretta in «Gianni Schicchi» und die Nedda im «Bajazzo». Als Butterfly trat sie 1941 an der Oper von San Francisco auf; dort nahm man 1950 eigens für sie Puccinis Oper «Suor Angelica» ins Repertoire auf. Auch an der Oper von Chicago gab sie Gastspiele (Debüt 1941 als Micaela in «Carmen»). Gastierte auch in Südamerika.

Albani, Emma; sie bildete ihren Künstlernamen aus dem Namen der Stadt Albany, wo sie ihre Jugend verbracht hatte. Sie sang als Antrittsrolle an der New Yorker Academy of Music 1874 die Amina in «La Sonnambula»; 1877 gastierte sie in Berlin («Lohengrin» und «Fliegender Holländer» in deutscher Sprache). Sie sang vor allem in Oratorienaufführungen bei den vielen englischen Musikfesten und kreierte

Gounods Oratorium «Redemption» 1882 beim Festival von Birmingham. 1883 unternahm sie eine große USA-Tournee. Als Debütrolle sang sie 1891 an der Metropolitan Oper New York die Gilda im «Rigoletto»; bereits 1890 hatte sie im Haus der Metropolitan Oper als Mitglied einer Wanderoper (unter dem Impresario Abbey) gastiert und dabei die Desdemona im «Othello» als Partnerin des großen Tenors Francesco Tamagno, des ersten Othello, gesungen; 1892 sang sie diese Partie auch zusammen mit Jean de Reszke in der offiziellen Premiere des Werks an der Metropolitan Oper. 1896 verließ sie die Bühne, nachdem sie in London nochmals als Isolde im «Tristan» einen glänzenden Erfolg davongetragen hatte. 1911 gab sie ein letztes Konzert in der Londoner Albert Hall.

Alberghetti, Anna Maria; sie sang später nur noch selten, u. a. 1961 in dem Musical «Carneval» von B. Merrill.

Albers, Henri; in Antwerpen hörte Massenet den jungen Sänger in seiner Oper «Hérodiade» und bewunderte seine Leistung. Als erste Partie sang er an der Covent Garden Oper London den Valentin im «Faust» von Gounod. 1898 Debüt an der Metropolitan Oper New York als Wolfram im «Tannhäuser». Er sang dort auch den Mercutio in «Roméo et Juliette» von Gounod, den Escamillo in «Carmen» – eine seiner größten Kreationen –, den Grafen Luna im «Troubadour», den Alfonso in Donizettis «La Favorita», den Nevers in Meyerbeers «Hugenotten», den Valentin und den Telramund im «Lohengrin». Antrittsrolle an der Opéra-Comique Paris war 1899 der Zurga in «Pêcheurs de perles» von Bizet. 1899 gastierte er als Wotan in der ersten französischen Gesamtaufführung des Nibelungenrings in Lyon, 1903 in der belgischen Premiere des Opern-Zyklus in Brüssel. Für Brüssel kreierte er auch 1902 den Jago in Verdis «Othello», 1904 den Scarpia in «Tosca». 1908 Gastspiel an der Oper von Nizza als Beckmesser in den «Meistersingern»; im gleichen Jahr sang er bei einer Gastspiel-Tournee in Deutschland den Don Giovanni und den Rigoletto. Auch in seiner holländischen Heimat ist er öfters aufgetreten, hatte inzwischen jedoch die französische Staatsbürgerschaft angenommen. Am 18. 6. 1923 wirkte er an der Opéra-Comique in der Uraufführung von Reynaldo Hahns «Nausicaa» in der Partie des Ulysses mit.
Unter seinen Schallplatten finden sich auch Aufnahmen in holländischer und in deutscher Sprache.

Alberti, Werner; er wurde auch durch Mariano Padilla y Ramos, den Gatten der großen Primadonna Désirée Artôt, in Berlin ausgebildet. Nach seinem Konzertdebüt nahm er an einer großen Tournee einer Operettengesellschaft durch Deutschland und die Schweiz teil (1887–88). Er gastierte am Opernhaus von Leipzig und 1895 sehr erfolgreich am Teatro Margherita von Genua. 1907 am Opernhaus von Warschau zu Gast.
Schallplatten: Auch Homochord-Aufnahmen.

Alboni, Marietta; 1869 kreierte sie in Paris (wo sie bereits 1847 am Théâtre-Italien debütiert hatte), das Altsolo in der Uraufführung der Orchesterfassung von Rossinis Petite Messe solennelle.

Alcaïde, Tomaz; erregte 1932 an der Scala als Königssohn in den «Königskindern» von Humperdinck Aufsehen. 1930 gastierte er am Teatro Massimo Palermo als Herzog im «Rigoletto», 1932 am Teatro Donizetti Bergamo als Faust von Gounod. Eine seiner großen Partien war der Loris in «Fedora» von Giordano.

Alcock, Merle; sie sang an der Metropolitan Oper New York Partien wie die Maddalena im «Rigoletto», die Cieca in «La Gioconda» von Ponchielli, die Lola in «Cavalleria rusticana», in «Le Roi de Lahore» von Massenet, in Rimsky-Korssakows «Le Coq d' Or», in «La cena delle beffe» von Giordano, in «La via breve» von de Falla und 1929 in der Premiere von Pizzettis «Fra Gherardo». Bei den Festspielen von Ravinia hörte man sie u. a. als Ortrud im «Lohengrin». Zu ihren Schülern gehörten die Sopranistin Eileen Farrell und der Tenor George Maran.
Ihre Victor-Schallplatten erschienen seit 1920.

Alda, Frances; sie verlor im Alter von fünf Jahren ihre Mutter und wurde bei ihren Großeltern in Melbourne erzogen; ihre Großmutter *Fanny Simonsen* war eine in Australien bekannte Sängerin gewesen. 1900 bereiste sie Australien mit der Williamson & Musgrove's Light Opera Company und trat unter dem Namen Frances Adler in Operetten von Gilbert & Sullivan auf. Sie wurde in Paris Schülerin von Mathilde Marchesi und später von deren Tochter Blanche Marchesi. Der Komponist Jules Massenet hatte selbst die Partie der Manon in seiner gleichnamigen Oper mit ihr einstudiert, in der sie 1904 an der Pariser Opéra-Comique debütierte. 1907–08 sang sie an der Mailänder Scala (u. a. die Titelpartie in der Premiere von Charpentiers «Louise» unter Toscanini und in «Mefistofele» von Boito zusammen mit Fedor Schaljapin), 1905–06 an Théâtre de la Monnaie Brüssel (wo sie allein 52mal als Manon auftrat), 1906 an der Covent Garden Oper London; auch an der Oper von Warschau aufgetreten. Ihren ersten großen Erfolg erzielte sie an der Metropolitan Oper New York bereits im Dezember 1908 bei ihrem Debüt als Gilda im «Rigoletto». Nachdem sie den Direktor der Metropolitan Oper Giulio Gatti-Casazza 1910 geheiratet hatte, sang sie dort auch 1916 in der Premiere von Zandonais Oper «Francesca da Rimini» die Titelrolle. Bis 1929 blieb sie Mitglied dieses Hauses, an dem sie insgesamt 23 Partien in 266 Vorstellungen (ohne die jährlichen Tourneen des Ensembles) sang. Im November 1929 nahm sie als Manon Lescaut in der Oper gleichen Namens von Puccini dort ihren Bühnenabschied. 1910 gastierte sie mit dem Ensemble der Metropolitan Oper in Paris (als Desdemona in Verdis «Othello» und als Nannetta in dessen «Falstaff»). In der Saison 1914–15 war sie an der Oper von Chicago anzutreffen. 1928 trennte sie sich von Gatti-Casazza. Neben ihrem Wirken auf der Bühne war sie eine geschätzte Konzert- und Liedersängerin. Als eine der ersten großen Primadonnen ist sie im Rundfunk aufgetreten.

Alle Schallplatten der berühmten Sängerin wurden in Nordamerika aufgenommen, die ersten entstanden 1910.

Alexander, Carlos; studierte Komposition und Gesang bei A. Schadow in Berlin. Er debütierte bereits 1940 in St. Louis als Monterone im «Rigoletto». Sang in den Uraufführungen der Opern «Die Ameise» von P. Ronnefeld (Düsseldorf, 21. 10. 1961) und «Prometheus» von Carl Orff (Stuttgart, 24. 3. 1968) sowie 1961 bei den Festspielen von Glyndebourne in H. W. Henzes «Elegy for young Lovers».

Alexander, John, * 27. 10. 1923 Meridian (Mississippi); Gesangstudium bei Robert Weede, Debüt 1952 in Cincinnati als Titelheld im «Faust» von Gounod. Sang 1957 den Alfredo in Verdis «La Traviata» an der New York City Centre Opera. 1961 an die Metropolitan Oper New York berufen. Dort hatte er eine lange, über dreißigjährige Karriere; noch 1987 sang er hier den Bacchus in «Ariadne auf Naxos» von R. Strauss. Von den weiteren Rollen, die er an der Metropolitan Oper vorgetragen hat, seien der Belmonte in der «Entführung aus dem Serail», der Arbace wie der Titelheld in Mozarts «Idomeneo», der Alfredo in «La Traviata», der Faust von Gounod, der Walther von Stolzing in den «Meistersingern» und der Titelheld in «Hoffmanns Erzählungen» von Offenbach genannt. An der Wiener Volksoper gastierte er 1967 als Paul in der «Toten Stadt» von Korngold, an der Staatsoper Wien 1968 als Rodolfo in Puccinis «La Bohème». 1970 an der Covent Garden Oper London als Pollione in Bellinis «Norma» aufgetreten. 1973 sang er an der Oper von Boston die Titelpartie in der ersten kompletten Bühnenaufführung von Verdis «Don Carlos» in der Pariser Urfassung in Nordamerika. 1987 hörte man ihn an der Oper von San Francisco als Hoffmann in «Hoffmanns Erzählungen». Höhepunkte in seinem umfangreichen Bühnenrepertoire waren weiter der Percy in «Anna Bolena» von Donizetti und der Walther von Stolzing in den «Meistersingern».

Alexander, Roberta, * 3. 3. 1949 Yellow Springs (Ohio); studierte zunächst an der Michigan University in Ann Arbor, dann in Europa am Konservatorium von Den Haag bei Woltmann. 1980 gastierte sie an der Oper von Houston/Texas als Pamina in der «Zauberflöte», 1981 in Santa Fé als Daphne in der Richard Strauss-Oper gleichen Namens, 1982 in Zürich als Elettra in «Idomeneo» von Mozart, später dort auch als Fiordiligi in «Così fan tutte» und 1989 als Gräfin in «Figaros Hochzeit». 1987 großer Erfolg an der Wiener Staatsoper als Titelheldin in Janáčeks «Jenufa», ebenfalls 1987 an der Hamburger Staatsoper als Donna Elvira im «Don Govanni». An der Metropolitan Oper New York (Debüt 1983 als Zerline im «Don Giovanni») bewunderte man 1987 ihre Mimi in «La Bohème», 1988, wie in Zürich, ihre

Gräfin in «Figaros Hochzeit». Beim Glyndebourne Festival sang sie 1989 die Jenufa. Bei den Salzburger Festspielen wirkte sie in Gustav Mahlers 8. Sinfonie mit, in Wien trat sie sehr erfolgreich mit dem Concentus Musicus unter N. Harnoncourt auf.

Schallplatten: Philips (4. Sinfonie von Gustav Mahler, Arien- und Liedaufnahmen), Telefunken («Prima la musica» von A. Salieri, Ausschnitte aus «Giulio Cesare» von Händel, Donna Elvira im «Don Giovanni»).

Alexandrowa-Kotschetowa, Alexandra (Dormitontowna); Schülerin von Felice Ronconi in St. Petersburg. Zu ihren großen Partien gehörten auch die Ludmilla in «Ruslan und Ludmilla» von Glinka und die Nadesha in «Askolds Grab» von Alexej Werstowsky.

Alexandrowicz, Maria; ihre Stimme wurde durch den berühmten Tenor Jean de Reszke entdeckt und auch ausgebildet. Sang 1914 an der Oper von Monte Carlo in einer Wiederaufführung der Barock-Oper «Les Fêtes d'Hébé» von Rameau. Zu Beginn der dreißiger Jahre gab sie Gastspiele an französischen Provinztheatern.

Alexandrowskaja, Larissa Pompejewna: Gesangstudium am Konservatorium von Minsk bei W. A. Swedkow und bei A. P. Bonatschitsch.

Alexieva, Anna; Schallplatten: HMV («Boris Godunow»).

Alexy, Alexander; er war ein geschätzter Operettensänger und wirkte am Wiener Theater an der Wien in den Uraufführungen der Johann Strauß-Operetten «Jabuka» (12. 10. 1884) und «Die Göttin der Vernunft» (13. 7. 1897) mit. Er lebte nach Aufgabe seiner Karriere wieder in Wien.

Alfani-Tellini, Ines; sang 1921 am Teatro della Pergola von Florenz; in der Saison 1923–24 an der Mailänder Scala auch als Pamina in der «Zauberflöte» aufgetreten. Sie galt als hervorragende Schauspielerin.

Schallplatten: Columbia (abgekürzte Fassungen von «Elisir d'amore» und «Don Pasquale»).

Aliberti, Lucia; studierte auch bei Luigi Ricci in Rom. 1986 großer Erfolg an der Mailänder Scala als Amina in Bellinis «La Sonnambula», 1985 am Théâtre de la Monnaie Brüssel als Adina in «Elisir d'amore». 1986 Gastspiel an der Staatsoper Hamburg als Gilda im «Rigoletto», 1987 an der Covent Garden Oper London als Violetta in «La Traviata», ebenfalls 1987 am Opernhaus von Köln als Lucia di Lammermoor. In dieser Partie debütierte sie 1988 auch an der Metropolitan Oper New York. 1988–89 hörte man sie an der Deutschen Oper Berlin wieder als Lucia di Lammermoor und als Adina in «Elisir d'amore».

Schallplatten: Capriccio («La Traviata»).

Alizard, Adolphe-Joseph-Louis; er sang eine Solopartie in der Uraufführung der Sinfonie «Roméo et

Juliette» von Hector Berlioz (Paris, 24.11. 1839) und in der Uraufführung von Verdis «Jérusalem» am 26.11. 1846 an der dortigen Grand Opéra (einer Neu-Fassung der Oper «I Lombardi» von 1843).

Allan, Richard van; 1976 Gastspiel in San Diego als Ochs im «Rosenkavalier». Bekannt auch als König Philipp in Verdis «Don Carlos» und als Boris Godunow.
Schallplatten: DGG (kleine Partie in Verdis «La forza del destino»), Virgin-Video («Gloriana» von B. Britten).

Allard, André; sang mit dem Ensemble der Oper von Monte Carlo 1912 in Paris den Sonora in der Premiere von Puccinis «La Fanciulla del West».

Allegranti, Maddalena; † 1754 Venedig.

Allen, Betty; sie sang 1951 in Tanglewood in Bernsteins «Jeremiah Symphony», 1954 an der City Centre Opera New York in «Queenie» von Kern und unternahm 1955 eine Europa-Tournee. 1958 gab sie ein viel beachtetes Konzert in der New Yorker Carnegie Hall. 1964 begann sie ihre offizielle Opernkarriere am Teatro Colón Buenos Aires. 1973–75 Mitglied der City Centre Opera New York. 1973 kam sie an die Metropolitan Oper New York, wo sie als Commère in «Four Saints in Three Acts» von Virgil Thomson debütierte. 1979 wurde sie Direktorin der Harlem School of the Artists; zugleich Lehrtätigkeit an der North Carolina School of the Arts in Winston-Salem (1978–87) und am Curtis Institute of Music Philadelphia (seit 1987).
Schallplatten: DGG («Treemonisha» von Scott Joplin), Nonsuch («Four Saints in Three Acts» von V. Thomson).

Allen, Perceval; auch unter dem Namen Perceval Maud Allen aufgetreten.

Allen, Thomas, * 10. 9. 1944 Seaham Harbour (Durhamshire). Sang bei der Welsh Opera auch den Papageno in der «Zauberflöte». In dieser Rolle debütierte er 1981 an der Metropolitan Oper New York, wo er auch den Grafen Almaviva in «Nozze di Figaro» und 1989 den Titelhelden in «Billy Budd» von B. Britten sang. 1986 gastierte er an der Oper von San Francisco als Titelheld im «Eugen Onegin», 1987 an der Mailänder Scala als Don Giovanni.
Schallplatten: HMV (Figaro in «Nozze di Figaro»), Decca (Graf in «Figaros Hochzeit»). Philips (Figaro in «Figaros Hochzeit», «L'Enfance du Christ» von Berlioz), Unicorn («Songs of Sunset» von Delius), DGG (Titelheld im «Eugen Onegin»), Rainbow-Video (Guglielmo in «Così fan tutte», Glyndebourne 1975), Virgin-Classics (Lieder von R. Schumann).

Allin, Norman; studierte am Royal College of Music in London. Er sang in den Jahren 1926–38 vor allem Wagner-Partien an der Covent Garden Oper London. Er war einer der bedeutendsten Konzert- und Oratorienbassisten Englands innerhalb seiner Gene-

ration und besonders als Solist im «Messias» von Händel bekannt.

Alma, Marian; wirkte 1904 an der Hofoper Berlin in der wenig erfolgreichen Uraufführung von Leoncavallos Oper «Der Roland von Berlin» mit.

Alpar, Gitta; von ihrer Stimme sind auch Aufnahmen auf Odeon vorhanden.

Alperyn, Graciela; 1987 Gastspiel am Staatstheater Wiesbaden als Rosina im «Barbier von Sevilla» und als Charlotte im «Werther» von Massenet, 1989 bei den dortigen Festspielen als Dalila in «Samson et Dalila.

Alsen, Elsa; bei der German Opera sang sie in deren USA-Tournee die Venus im «Tannhäuser», die Brünnhilde im Nibelungenring, die Leonore im «Fidelio» und die Isolde im «Tristan». 1925–28 und nochmals 1934 hörte man sie an der Oper von Chicago u. a. als Martha in «Tiefland» von d'Albert, als Isolde und als Octavian im «Rosenkavalier». Zusammen mit Lawrence Tibbett trat sie in dem Tonfilm «The Rogue Song» auf.

Alsen, Herbert; eigentlicher Name Herbert Murke. Schallplatten: Einige Aufnahmen auf BASF, auf Amadeo Ausschnitte aus «Don Giovanni».

Alten, Bella; sie sang in den Jahren 1904–14 an der Metropolitan Oper New York mit Ausnahme der Saison 1908–09. Als Antrittspartie sang sie dort den Cherubino in «Nozze di Figaro»; sie kreierte den Hänsel in der Premiere von Humperdincks «Hänsel und Gretel» (25.11. 1905) und übernahm Partien wie die Musetta in «La Bohème», den Amor im «Orpheus» von Gluck, den Pagen Oscar in Verdis «Ballo in maschera», die Ännchen im «Freischütz» und die Olga in «Fedora» von Giordano, dazu eine Anzahl kleinerer Partien.

Althouse, Paul; er sang als Knabensopran in der Christ Episcopal Church seines Heimatortes Reading und erhielt ersten Gesangunterricht durch Evelyn Essick. Zur weiteren Ausbildung ging er nach New York. Er debütierte 1913 an der Metropolitan Oper New York als Dimitrij im «Boris Godunow» unter Toscanini und sang dort in den Uraufführungen von «Madeleine» von V. Herbert (24. 1. 1914), «Madame Sans-Gêne» von Giordano (25. 1. 1925 als Neipperg), «The Canterbury Pilgrims» von R. De Koven (8. 3. 1917) und «Shanewis» von Charles Wakefiled Cadman (12. 3. 1918). Er trug in diesen Jahren an der Metropolitan Oper auch den Turiddu in «Cavalleria rusticana», den Froh im «Rheingold», den Nicias in «Thaïs» von Massenet, den Pinkerton in «Madame Butterfly» und den italienischen Sänger im «Rosenkavalier» vor. In Europa gastierte er 1929 vor allem als Turiddu und als Canio. Ein glanzvolles Wagner-Konzert unter Arturo Toscanini 1932 führte zu einem erneuten Ruf an die Metropolitan Oper, jetzt für das Wagner-Fach. Er sang dort dann auch den Tristan, den Walther von Stolzing und den

Parsifal. In Philadelphia bewunderte man ihn als Samson in «Samson et Dalila» von Saint-Saëns. Große Karriere auch im Konzertsaal. Hier sang er u. a. neunmal das Tenorsolo in Beethovens 9. Sinfonie, die «Gurrelieder» von Schönberg unter Stokowski und «Das Lied von der Erde» von Gustav Mahler unter Koussevitzky.
Schallplatten: Einige Pathé-Zylinder waren bereits vor seinem Debüt 1912 aufgenommen worden; seit 1915 Victor-Aufnahmen, seit 1920 Pathé-Platten.

Altmeyer, Jeannine, * 2. 5. 1948 La Habra-Pasadena (Kalifornien); ihre Familie war deutsch-italienischer Abstammung. 1975–79 Mitglied der Staatsoper von Stuttgart. 1987 gastierte sie an der Grand Opéra Paris als Chrysothemis in «Elektra» von R. Strauss, ebenfalls 1987 in Los Angeles als Isolde im «Tristan» (eine ihrer großen Rollen). Seit 1986 war sie an der Metropolitan Oper New York als Sieglinde, als Brünnhilde und als Leonore im «Fidelio» zu hören.

Altschewsky, Iwan, * 15. (27.) 12. 1876 Charkow, † 27. 4. (10. 5.) 1917 Baku. Er mußte sein naturwissenschaftliches Studium an der Universität Charkow aus finanziellen Gründen aufgeben und debütierte nach kurzer Ausbildung 1901 an der St. Petersburger Hofoper in einer kleinen Partie. 1902–04 studierte er in den Sommermonaten bei Jean de Reszke in Paris, später bei Félia Livinne und ging 1905–06 an das Théâtre de la Monnaie Brüssel. 1906 trat er am Manhattan Opera House New York u. a. als Faust von Gounod auf. 1907 kam er nach Rußland zurück und schloß sich der Zimin-Privatoper in Moskau an. Er trat auch bei anderen Privatopern und am Bolschoj Theater Moskau auf, dessen Mitglied er 1910 wurde. Dort wandte er sich jetzt auch dem Wagner-Gesang zu und trat als Tannhäuser, als Siegfried und in weiteren Wagner-Partien hervor. 1914 sang er an den Opernhäusern von Odessa und Charkow als Bariton die Titelrolle in Rubinsteins «Dämon». Er war zugleich ein bekannter Konzert- und Liedersänger und trug bereits damals Lieder von Prokofieff und Enescu vor. Er starb plötzlich während einer Tournee durch Georgien und die Kaukasus-Länder in Baku.
Schallplatten: G & T (1903).

Alva, Luigi; 1954 sang er erstmals in Europa, und zwar am Teatro Nuovo Mailand den Alfredo in Verdis «La Traviata». Seit 1960 erfolgreiche Auftritte an der Londoner Covent Garden Oper. 1964–75 glanzvolle Karriere an der Metropolitan Oper New York (Antrittsrolle: Fenton im «Falstaff» von Verdi).

Alvares, Eduardo; er kehrte später wieder in seine Heimat Brasilien zurück. Dort hatte er u. a. große Erfolge an Teatro Municipal Rio de Janeiro als José in «Carmen» (1987) und als Bacchus in «Ariadne auf Naxos» von R. Strauss (1988). An der Metropolitan Oper New York debütierte er als des Grieux in Puccinis «Manon Lescaut». Diese Partie wie auch den Dick Johnson in «La Fanciulla del West» sang er als Gast an der Niederländischen Oper Amsterdam.

Einen weiteren Höhepunkt erreichte seine Karriere in England. Hier sang er an der Opera North Leeds den Manrico im «Troubadour» und den Kalaf in Puccinis «Tosca», an der English National Opera London den Radames in «Aida» und den Cavaradossi in «Tosca» (1987).

Alvarez, Albert, * 16. 1. 1861 Cenon bei Bordeaux; sang an der Grand Opéra Paris in den Uraufführungen der Opern «Messidor» von A. Bruneau (19. 2. 1897), «Astarte» von Xavier Leroux (15. 1. 1901) und «Le fils de l'Étoile» von Camille Erlanger (17. 4. 1904). Er war eng mit dem Werk von Jules Massenet und dem Schaffen des damals sehr beliebten Komponisten Isidore De Lara verbunden.

Alvary, Lorenzo; Seit 1942 für 29 Spielzeiten bis 1971 Mitglied der Metropolitan Oper New York (Antrittsrolle: Zuniga in «Carmen»). Er galt hier vor allem als verläßlicher und ganz unentbehrlicher Interpret von kleinen Partien, von denen er nur einige wie der Alcindor und der Benoit in «La Bohème», der Antonio in «Figaros Hochzeit», der König in «Aida», der Ferrando im «Troubadour» und der Zuniga in «Carmen» genannt seien. Er trat noch 1979 an der Oper von San Francisco auf.

Amara, Lucine; ihr Debüt an der Metropolitan Oper New York 1950 war die erste Vorstellung unter Rudolf Bing als Direktor des Hauses. Sie sang an der Metropolitan Oper u. a. die Aida, die Donna Anna im «Don Giovanni», die Mimi in «La Bohème» und die Euridice im «Orpheus» von Gluck. 1957–58 gastierte sie in Glyndebourne auch als Donna Elvira im «Don Giovanni». 1965 unternahm sie eine Rußland-, 1983 eine China-Tournee. Noch 1987 hörte man sie an der Metropolitan Oper als Mère Marie in «Dialogues des Carmélites» von F. Poulenc.

Amato, Pasquale, † 12. 8. 1942 Jackson Heights, Long Island (New York). Sein Lehrer war in Neapel Maestro Cucciola. Debüt 1900 am Teatro Bellini Neapel als Germont-père in «La Traviata» und als Lescaut in «Manon Lescaut» von Puccini. Er sang an der Mailänder Scala unter A. Toscanini. In der Saison 1908–09 hörte man ihn dort als Barnaba in «La Gioconda» von Ponchielli, als Scarpia in «Tosca», als Gellner in Catalanis «La Wally» und bereits am 15. 4. 1907 in der Uraufführung der Oper «Gloria» von Cilea. An der Metropolitan Oper wirkte er 1917 in der Premiere von Massenets «Thaïs» mit, 1915 sang er den Titelhelden in der Erstaufführung von Borodins «Fürst Igor». An der Metropolitan Oper trat er im eigentlichen Haus in New York in 446 Vorstellungen auf. 1932 sang er dort nochmals in einem Konzert, das zum 25jährigen Jubiläum des Direktors Giulio Gatti-Casazza gegeben wurde, der ihn wie viele andere bedeutende Sänger an die Metropolitan Oper berufen hatte. 1933–35 gab er Gastspiele bei der Chicago Opera, darunter als Scarpia zusammen mit Maria Jeritza in «Tosca» und als Grand-Prêtre in «Samson et Dalila» von Saint-Saëns mit Sigrid Onegin. Er war einer der ersten Künstler, die in Opernsendungen des amerikanischen Rund-

funks mitwirkten, wobei er oft zusammen mit Frances Alda auftrat. Er gastierte in Prag und Budapest, in Wien und Brüssel, an deutschen Bühnen und in Havanna. Sehr beliebt war er in Südamerika. Hier sang er erstmalig 1904 in Buenos Aires am Teatro Politeama, später am Teatro de la Opera, am Teatro Coliseo, namentlich aber am Teatro Colón. 1935 Professor an der Louisiana University in Baton Rouge.
Schallplatten: Fonotipia (um 1907), Victor (seit 1912), Columbia und Homochord (1924 in Deutschland aufgenommen).

Ambrož (Ambrosch), Joseph Karl; seine Tochter *Karoline Ambrož* (* 1791) wurde ebenfalls eine bekannte Sängerin.

Ambrož (Ambrosch), Karoline, Sopran, * 1791 Berlin, † (?); Tochter des Tenors *Joseph Karl Ambrož* (1758–1822), der eine große Karriere an der Berliner Hofoper hatte. Sie war Schülerin ihres Vaters, studierte aber zugleich Klavierspiel und debütierte 1803 als Pianistin. 1805 trat sie als Sängerin in Weimar auf. 1809 hatte sie, ebenfalls als Sängerin, große Erfolge in Breslau. Nach einer vorübergehenden Tätigkeit an der Berliner Hofoper und Gastspielen in Wien und Stuttgart (1811) kam sie 1812 für einige Jahre nach Hamburg und Kopenhagen, wo ihre Karriere als Opernsängerin wohl den Höhepunkt erreichte. Man bewunderte allgemein ihre brillant geführte Sopranstimme, die bis zum dreigestrichenen A reichte, ihre technische Versiertheit und den musikalischen Geschmack ihres Vortrages. Sie heiratete den Weimarer Hofschauspieler Heinrich Bekker (1764–1822), der von Goethe (er hatte den Antonio in der Uraufführung seines «Torquato Tasso» kreiert) sehr geschätzt wurde, in dessen dritter Ehe, scheint darauf aber bald ihre Karriere aufgegeben zu haben. – (Neufassung) –.

Ambroziak, Delfina; 1987 Gastspiel an der Komischen Oper Berlin.

Ameling, Elly; 1970 übernahm sie im holländischen Fernsehen die Titelpartie in einer Sendung von «Madame Butterfly», 1974 gastierte sie in Washington als Ilia in «Idomeneo». Königin Juliana der Niederlande ernannte sie zum Ritter des Ordens von Oranien-Nassau. Sie erhielt die Ehrendoktorwürde der Universitäten von Princeton, Vancouver und Cleveland.
Schallplatten: Philips (Lieder von Duparc und Satie, «La Damoiselle élue» von Debussy, «Schéhérazade» von Ravel; hier erschien auch ein umfangreiches Album unter dem Titel «Belcanto des 18. Jahrhunderts»), Erato (Sopransolo im Mozart-Requiem).

Amerighi-Rutili, Vera, * 22. 8. 1896 Nasacchio bei Pisa, † 13. 5. 1952 Pisa; sie wurde durch den berühmten Dirigenten Leopoldo Mugnone ausgebildet und debütierte im Mai 1919 am Teatro della Pergola Florenz als Elena in «Mefistofele» von A. Boito. Bereits im gleichen Jahr 1919 Gastspiel an der Covent Garden Oper London. Am Teatro Regio

Parma sang sie 1925 die Norma in der gleichnamigen Oper von Bellini, sie gastierte am Teatro Petruzzelli Bari, am Teatro Verdi Triest, in Turin und vor allem am Teatro Verdi von Pisa. 1938 trat sie am Teatro Municipal Rio de Janeiro als Titelheldin in «La Gioconda» von Ponchielli auf.
Unter ihren Fonotipia-Platten finden sich Szenen aus «Norma».

Amiranaschwili, Petr Warlamowitsch, * 3. (16.) 11. 1907 Nigoiti (Bezirk Lantschchustki, Georgien); seine Tochter *Medea Amiranaschwili* (* 1930) wurde eine bekannte Opernsängerin.

Anceschi, Aristide; Schallplatten: Pathé-Aufnahmen (Mailand, 1906).

Ancona, Mario; 1890 sang er ein einziges Mal an der Mailänder Scala in «Le Cid» von Massenet. In der Uraufführung des «Bajazzo» hat er (im Gegensatz zu den Behauptungen einiger Quellen) nicht den Silvio gesungen. 1892 Gastspiel am Olympic Theatre London als Alfonso in «La Favorita» von Donizetti. 1893–97 Mitglied der Metropolitan Oper New York (Antrittsrolle: Tonio im «Bajazzo»). An diesem Haus hörte man ihn auch als Alfio in «Cavalleria rusticana», als Valentin im «Faust» von Gounod, als Titelhelden in Rossinis «Wilhelm Tell» (zusammen mit Francesco Tamagno in der Rolle des Arnoldo), als Wolfram im «Tannhäuser», als Amonasro in «Aida», als Nevers in den «Hugenotten» von Meyerbeer, als Nelusco in «L'Africaine» und 1894 als Rabbi David in der amerikanischen Erstaufführung von Mascagnis «Amico Fritz». Er trat auch in Hofkonzerten vor König Eduard VII. von England in London auf. Am Manhattan Opera House New York hatte er seine größten Erfolge als Don Giovanni und als Riccardo in «I Puritani» von Bellini. In der Saison 1915–16 wirkte er am Opernhaus von Chicago; er gastierte auch an der Oper von Warschau. Seit 1885 hatte er seinen Wohnsitz in Florenz. Man hob immer wieder seine elegante Erscheinung wie seinen Geschmack in der Auswahl seiner Garderobe hervor, dazu auf der Bühne seine darstellerische Begabung.
Seine Victor-Platten erschienen 1906–08.

Anday, Rosette; eigentlicher Name Piroska Anday. Sie gastierte bereits 1928 mit dem Ensemble der Wiener Oper an der Grand Opéra Paris; 1928–29 an der Covent Garden Oper London, 1929 auch in Buenos Aires zu Gast. In den Jahren 1938–45 konnte sie wegen ihrer jüdischen Abstammung nicht auftreten, überstand aber diese Zeit der Verfolgung. 1948 sang sie an der Mailänder Scala die Brangäne im «Tristan», 1949 beim Maggio musicale Florenz die Marcellina in «Figaros Hochzeit». 1949 war sie mit dem Ensemble der Wiener Staatsoper in Holland, wiederum als Marcellina und als Annina im «Rosenkavalier», zu hören.
Schallplatten: Remingon («Messias» von Händel, Stabat mater von Rossini, Verdi-Requiem), Columbia (Altsolo in Beethovens 9. Sinfonie), Decca (Czipra im «Zigeunerbaron»).

Anders, Peter; sang am 1. 4. 1943 an der Berliner Staatsoper in der Uraufführung von Othmar Schoecks «Schoß Dürande». 1949 trat er in Hamburg erstmalig in einer heldischen Partie, dem Radames in «Aida», vor sein Publikum, 1953 sang er dort den Siegmund in der «Walküre». 1952 gastierte er beim Festival von Edinburgh, zusammen mit dem Ensemble der Hamburger Staatsoper, als Max im «Freischütz», als Florestan im «Fidelio» und als Walther in den «Meistersingern». Auch die Tochter des Künstlers *Sylvia Anders* (* 17. 3. 1943 Berlin) wurde als Sängerin und Schauspielerin bekannt. Schallplatten: Auf Telefunken erschien u. a. ein Duett mit seiner Gattin *Susanne Anders* (* 1909, † November 1979 Salzburg) aus «Mignon» von A. Thomas; auf Acanta vollständige Aufnahme der Operetten «Der Zigeunerbaron» von J. Strauß und «Paganini» von F. Lehár. Auf CR-Toshiba Tenorsolist in Beethovens 9. Sinfonie, auf Movimento Musica «Lohengrin»-Aufnahme.

Anderson, June; Schülerin von Robert Leonard in New York. Sie sang 1985 an der Mailänder Scala auch die Giulia in Bellinis «I Capuleti ed I Montecchi», ebenfalls 1985 an der Grand Opéra Paris die Lucia di Lammermoor, 1987 die Elvira in «I Puritani» von Bellini. Bei den Festspielen von Aix-en-Provence von 1988 hörte man sie in der Titelpartie der Rossini-Oper «Armida», in Pesaro in dessen «Otello», an der Oper von San Francisco in einer weiteren Oper von Rossini «Maometto II». 1989 Debüt an der Metropolitan Oper New York als Gilda im «Rigoletto». Am 13. 7. 1989 sang sie in dem Gala-Konzert zur Eröffnung der neu erbauten Bastille-Oper Paris.
Schallplatten: HMV («Le Postillon de Lonjumeau» von A. Adam, «La Fille du régiment» von Donizetti, «La Muette de Portici» von Auber), Orfeo («Die Feen» von R. Wagner), Philips («La Juive» von Halévy).

Anderson, Marian; nachdem ihr Vater starb, als sie zwölf Jahre alt war, konnte ihre Mutter nur mühsam die Familie ernähren. Im Chor der Union Baptist Church in Philadelphia erregte ihre Stimme erstes Aufsehen. Nachdem sie 1925 einen Gesangwettbewerb gewonnen hatte, vermittelte ihr die National Association of Negro Musicians eine weitere Ausbildung in England. Hier wurde sie durch den Dirigenten Sir Henry Wood besonders gefördert. 1929 gab sie ein Konzert in der New Yorker Carnegie Hall und wurde dann in Stockholm nochmals Schülerin von Mme Charles Cahier. Sie nahm später auch Lieder von Jan Sibelius in ihr Konzertprogramm auf, die sie mit dem finnischen Pianisten Kosti Vehanen als Begleiter vortrug. Der Komponist zeigte sich durch ihren Liedvortrag tief beeindruckt. 1935 und 1936 gab sie glanzvolle Konzerte in New York. 1937 war sie in Buenos Aires allein in 17 Konzertveranstaltungen zu hören. Ihr denkwürdiges Konzert vor dem Lincoln Memorial in Washington fand am Ostersonntag, dem 9. 4. 1939, statt. Während des Zweiten Weltkrieges beschränkte sich ihre Konzerttätigkeit auf die USA; nach Kriegsende besuchte sie wieder Europa und gab Konzerte in Paris und Wien wie in den skandinavischen Ländern.
Schallplatten: HMV (älteste Aufnahmen 1929–30 in England entstanden); auf RCA-Victor findet sich auch die Szene der Ulrica aus Verdis «Ballo in maschera» «Re dell'abisso», zwei Tage nach ihrem denkwürdigen Auftritt auf der Bühne der Metropolitan Oper 1955 aufgenommen.

Andersson, Laila; sang am 2. 9. 1965 in Stockholm in der Uraufführung der Oper «Herr von Hancken» von Blomdahl, 1987 in Aarhus die Brünnhilde im Nibelungenring.

Andor, Éva; Schallplatten: Hungaroton («Legende von der heiligen Elisabeth» von F. Liszt, «Spinnstube» von Z. Kodály).

Andreini, Virginia; sie trat zunächst in der Theatertruppe ihres Ehemanns Compagnia dei Fedeli auf. Sie mußte die schwierige Titelpartie in Monteverdis Oper «L'Arianna» in wenigen Tagen einstudieren, da die Hofsängerin Caterina Martinelli, für die Monteverdi diese komponiert hatte, kurz zuvor im Alter von nur 18 Jahren verstorben war.

Andrejew, Pawel; die russischen Opern, die durch die Diaghilew-Truppe in London aufgeführt wurden, kamen durch diese Truppe auch 1913–14 am Théâtre des Champs Élysées Paris zur Aufführung. Hier fand auch am 26. 5. 1914 die Uraufführung von Strawinskys «Le Rossignol» statt, in der der Künstler mitwirkte.

Andreolli, Florindo; sang bei den Salzburger Festspielen 1988 den Don Curzio in «Figaros Hochzeit», beim Maggio musicale Florenz 1989 den Valzacchi im «Rosenkavalier». Seit 1975 trat er immer wieder bei den Festspielen in der Arena von Verona in Erscheinung.
Schallplatten: RCA («Francesca da Rimini» von Zandonai).

Andresen, Ivar; wirkte am 3. 10. 1930 in Dresden in der Uraufführung der Oper «Vom Fischer un syner Fru» von Othmar Schoeck mit. Sang an der Covent Garden Oper London neben seinen Wagner-Partien auch den Sarastro in der «Zauberflöte». Debütierte 1930 an der Metropolitan Oper New York als Daland im «Fliegenden Holländer» und hatte 1931 dort einen besonderen Erfolg in der amerikanischen Erstaufführung von Weinbergers «Schwanda der Dudelsackpfeifer». Er starb ganz plötzlich im Alter von nur 44 Jahren in Stockholm. Er war u. a. der Lehrer des schwedischen Bassisten Sven Nilsson.
Schallplatten: Auf Columbia erschienen auch Loewe-Balladen.

Andrew, Milla Eugenia; Schallplatten: Sang auf MRF in Aufnahmen der Opern «Maria di Rudenz» und «Rosmonda d'Inghilterra», beide von Donizetti.

Andshaparidse, Surab; bereits 1957 Gastspiel am Bolschoj Theater Moskau. Seit 1980 Intendant der Oper von Tblissi (Tiflis).
Schallplatten: Melodiya (Cavaradossi in vollständiger «Tosca»-Aufnahme; Hermann in «Pique Dame», auf Ariola-Eurodisc übernommen).

Angas, Richard; Gastspiele führten ihn bis nach Israel, Australien und Südafrika. An der English National Opera London hörte man ihn als Seneca in «L'Incoronazione di Poppea» und als Pluto in «Orfeo» von Monteverdi, als Basilio im «Barbier von Sevilla», als Pimen im «Boris Godunow», als Daland im «Fliegenden Holländer» und als Jupiter in Offenbachs «Orpheus in der Unterwelt». Er sang dort am 21. 5. 1986 in der Uraufführung der Oper «The Mask of Orpheus» von Birtwistle und 1988 in der englischen Erstaufführung von «The Making of the Representative for Planet 8» von Philip Glass. An der Opera North Leeds gastierte er in Prokofieffs «L'Amour des trois oranges».

Angelici, Martha; debütierte an der Grand Opéra Paris 1953 als Micaela in «Carmen». In Paris hörte man sie u. a. als Leila in «Pêcheurs de perles» von Bizet, als Mimi in «La Bohème», als Nedda im «Bajazzo» und als Pamina in der «Zauberflöte». Sie wirkte dort auch in den Uraufführungen der Opern «Comme ils s'aiment» von Lavagne (1941) und «Ginevra» von Delannoy (1942) mit.
Schallplatten: Columbia («Renard» von Strawinsky).

Angervo, Heljä; sie gastierte 1987 beim Festival von Edinburgh als Maddalena im «Rigoletto».
Schallplatten: Finlandia («Silkkirumpni» von Paavo Heinninen).

Anghelakowa, Cristina; sang als Antrittsrolle an der Mailänder Scala die Jocaste in «Oedipus Rex» von Strawinsky. 1987 wirkte sie bei den «Aida»-Aufführungen vor den Tempeln von Luxor als Amneris mit; diese Partie sang sie auch 1988 an der Deutschen Oper Berlin.

Anghelopoulos, Ghiannis (Iannis, Johannis), *21. 1. 1887 (nach anderen Quellen 1890) Athen; er sang bereits als Kind Soli in der Athener St. Georgios-Kirche, studierte dann später bei Nina Foká und am Konservatorium von Athen bei Lotter. Er betätigte sich zuerst als Chorist an der Oper von Athen. 1910 sprang er für einen erkrankten Kollegen als Rigoletto ein und kam zu einem sensationellen Erfolg. Seitdem gehörte er zu den führenden Kräften des Hauses. Toscanini wollte ihm ein Engagement an der Mailänder Scala vermitteln, doch wurde er wegen politischer Äußerungen gegen Mussolini 1923 aus Italien ausgewiesen. 1943 hörte man ihn nochmals in einem Wohltätigkeitskonzert in der griechischen Hauptstadt zusammen mit der damals ganz unbekannten jungen Sängerin Maria Kalogeropoulos, der späteren Maria Callas. Von seinen Bühnenpartien sind noch der Alfonso in «La Favorita» von Donizetti, der Carlo in Verdis «Ernani», der

Germont-père in «La Traviata», der Renato in «Un Ballo in maschera», der Mephisto im «Faust» von Gounod und der Tonio im «Bajazzo» zu nennen. Unter seinen Schallplattenaufnahmen finden sich zahlreiche griechische Lieder.

Anitua, Fanny; sang 1910 als Antrittspartie an der Mailänder Scala die Erda im «Siegfried», 1912 am Teatro Massimo Palermo die Cieca in Ponchiellis «La Gioconda», am 20. 3. 1915 an der Scala in der Uraufführung der Oper «Fedra» von Pizzetti die Rolle der Etra und in der gleichen Saison die Cieca und die Kontschakowna in Borodins «Fürst Igor». 1921 hörte man sie am Teatro Costanzi Rom als Amneris und als Marina im «Boris Godunow», 1925–27 an der Scala auch als Titelhelden im «Orpheus» von Gluck und als Ulrica in Verdis «Ballo in maschera». Gastierte 1926 und nochmals 1937 (jetzt als Amneris und als Azucena) am Teatro Colón Buenos Aires.
Schallplatten: Columbia (um 1915 aufgenommen, darunter eine abgekürzte Fassung von «Carmen»), einige Pathé-Platten.

Annaloro, Antonio; er wirkte in Florenz in den Uraufführungen der Opern «Vanna Lupa» (4. 5. 1949) und «Ifigenia» (9. 5. 1951) von Ildebrando Pizzetti mit. In Venedig sang er in der Bühnen-Uraufführung von Prokofieffs «L'Ange de Feu» (14. 9. 1955). An der Mailänder Scala war er 1948 als Osaka in Mascagnis «Iris» zu Gast, am Teatro Massimo Palermo 1946 als Edgardo in «Lucia di Lammermoor» und 1948 als Folco in «Isabeau» von Mascagni, am Teatro Comunale Bologna 1945 als Alfredo in «La Traviata», in Genua 1947 als Pinkerton in «Madame Butterfly», am Teatro Fenice Venedig 1949 in «La via della finestra» von Zandonai. Er sang an der Oper von Rom (1950 als des Grieux in Puccinis «Manon Lescaut» und als Milio in «Zazà» von Leoncavallo), am Teatro Lirico Mailand (1944) und in Reggio Emilia (1949). 1963 hörte man ihn in einer Rundfunkaufnahme der RAI Mailand in der Partie des Hermann in «Pique Dame» von Tschaikowsky.

Annear, Gwynneth; sie sang beim Glyndebourne, Festival 1965 die Titelrolle in Donizettis «Anna Bolena, 1970 und 1973 die erste Dame in der «Zauberflöte».
Schallplatten: CBS (Sinfonien von G. Mahler).

Annibali, Domenico; erstes Auftreten in Rom 1725.

Anselmi, Giuseppe, *17. 11. 1876 Catania; er gab bereits mit 13 Jahren in seiner Heimatstadt Catania ein Violinkonzert. Eine dreijährige Operetten-Tournee führte durch die Länder des Nahen Ostens. 1896 sang er als erste Opernpartien an der Königlichen Oper Athen den Herzog im «Rigoletto», den Alfredo in «La Traviata» und den Grafen Almaviva im «Barbier von Sevilla». Anschließend gastierte er in Ägypten und in der Türkei. Sein Debüt an einem italienischen Opernhaus fand 1900 am Teatro San Carlo Neapel als Turiddu in «Cavalleria rusticana»

statt. 1901 wirkte er dort auch in der Erstaufführung von Mascagnis «Le Maschere» als Florindo mit (wenige Tage nach den sechs gleichzeitigen und allesamt nicht erfolgreichen Uraufführungen dieser Oper am 17. 1. 1901). 1901 hörte man ihn am Teatro Massimo Palermo als Herzog im «Rigoletto» und als Edgardo in «Lucia di Lammermoor». 1904 sang er als erste Partie an der Mailänder Scala wiederum den Herzog im «Rigoletto», 1907 hatte er dort große Erfolge als Turiddu. Besonders beliebt war er beim Publikum der spanischen Hauptstadt Madrid, wo er am Teatro Real immer wieder zu Gast war; auch in den Zentren des deutschen Musiklebens aufgetreten. Von den Partien, die er 1910–13 am Teatro Colón Buenos Aires vortrug, seien der Elvino in «La Sonnambula» von Bellini, der Ernesto im «Don Pasquale», der Graf Almaviva im «Barbier von Sevilla», die Titelhelden in Roméo et Juliette» von Gounod und «Werther» von Massenet, der Nadir in «Pêcheurs de perles» von Bizet und der Rodolfo in Puccinis «La Bohème» genannt. Nach Beendigung seiner Sängerkarriere betätigte er sich als Komponist; er schrieb u. a. Lieder, Klavierstücke und ein «Poeme Sinfonica» für Orchester. Im Februar 1926 gab er in Rapallo nochmals ein Violinkonzert.
Schallplatten: Seine Aufnahmen auf Edison-Diamond entstanden etwa 1913 in London.

Anspach, Frédéric, † 19. 8. 1977 Brüssel.
Schallplatten: Anthologie Sonore, HMV («Jeanne d'Arc au bûcher» von A. Honegger), Pavane (Lieder von Debussy, Gabriel Fauré, Maurice Ravel und Bourgignon), Mitschnitte von Sendungen des belgischen Rundfunks).

Ansseau, Ferdinand; Studium bei Désiré Demest und bei Ernest van Dijk in Brüssel. 1914 sang er am Stadttheater von Belfort. Während des Ersten Weltkrieges weigerte er sich, in Belgien die Bühne zu betreten. Am 21. 12. 1918 sang er in einer Gala-Vorstellung zur Wiedereröffnung des Théâtre de la Monnaie Brüssel den Canio im «Bajazzo». Der Erfolg war sensationell und machte seinen Namen international bekannt. Seine Antrittsrolle an der Covent Garden Oper London war 1919 der des Grieux in «Manon» von Massenet; Debüt an der Opéra-Comique Paris 1920 als Werther von Massenet, 1921 bewunderte man ihn dort als Titelhelden im «Orpheus» von Gluck, seitdem seine besondere Glanzrolle. Am Théâtre de la Monnaie Brüssel, dem er während seiner ganzen Karriere durch Gastspiele verbunden blieb, sang er im Februar 1939 als letzte Partie nochmals den Canio. Am 5. 5. 1940 gab er sein letztes Konzert. Sein Rollenrepertoire enthielt auch Wagner-Partien wie den Lohengrin und den Tannhäuser.
Erste Schallplattenaufnahmen seiner Stimme entstanden 1919 auf HMV während seines Gastspiels in London.

Anthony, Charles; er sang an der Metropolitan Oper vor allem kleinere Partien aus allen Bereichen der Opernliteratur und ist dort in mehr als 1800 Vorstellungen zu hören gewesen. In Nordamerika ist er auch an den Opern von Boston, Dallas und Santa Fé aufgetreten.
Schallplatten: Decca («The Little Sweep» von B. Britten), Argo (Stimme Gottes in «Noye's Fludde» von B. Britten), L'Oiseau-Lyre («The Fairy Queen» von Purcell).

Antoine, Bernadette; sie wirkte an den beiden großen Pariser Opernhäusern länger als zwanzig Jahre.
Schallplatten: HMV (Ellen in «Lakmé» von Delibes), KARO-Hilversum (vollständige Aufnahme «Dialogues des Carmélites» von F. Poulenc), Rodolphe Records («Francesca da Rimini» von Zandonai).

Antoine, Joséphine; sang auf Columbia auch Aufnahmen mit volkstümlichen Liedern und Koloratur-Kanzonen.

Antti, Aune, † 27. 8. 1983 Helsinki; Schallplatten: DGG/Metronome (Liedaufnahmen).

Apostolu, Giovanni; Schallplattenaufnahmen auf G & T.

Appel, Wolf; Sohn des Opernsängers und Intendanten *Willy Appel* (* 1904); gastierte 1988 am Opernhaus von Zürich.

Aprile, Giuseppe; auch der später berühmte Komponist Domenico Cimarosa zählte zu seinen Schülern.

Aquistapace, Jean; sang 1914 an der Covent Garden Oper London auch den Colline in Puccinis «La Bohème».

Aragall, Giacomo; sang in der Spielzeit 1963–64 an der Mailänder Scala als Antrittsrolle den Titelhelden in «Amico Fritz» von Mascagni. 1966 sang er an der Scala den Romeo in «I Capuleti ed I Montecchi» von Bellini. Seit 1965 gastierte er an der Deutschen Oper Berlin, 1964 an der Staatsoper von München, an der er dann seit 1974 oft anzutreffen war. 1973 kam er als Gast an die Oper von San Francisco, wo er 1974 große Erfolge in «Esclarmonde» von Massenet hatte, als Indi er 1976 in der gleichen Oper an der Metropolitan Oper New York wiederholten.
Schallplatten: Ariola-Eurodisc (Recital), Melodram («Le Pescatrici» von J. Haydn, «I Capuleti ed I Montecchi»), TIS («Lucrezia Borgia» von Donizetti), Decca («Simon Boccanegra»), Capriccio («Madame Butterfly»).

Araiza, Francisco; sang 1973 als erste Opernpartien in Mexico City den des Grieux in Massenets «Manon» und den Rodolfo in «La Bohème». Debütierte 1975 an der Oper von Zürich als Ferrando in «Così fan tutte» und war seit 1978 über zehn Jahre Mitglied des dortigen Ensembles. Er sang an der Mailänder Scala (u. a. 1987 als Don Ottavio im «Don Giovanni») und an der Oper von San Francisco. 1988 Gastspiel am Opernhaus von Houston/Texas als des

Grieux in «Manon» von Massenet. Seit 1979 erfolgreiches Wirken an der Staatsoper von Hamburg. 1988–89 gastierte er bei den Salzburger Festspielen als Ramiro in Rossinis «La Cenerentola», 1988 am Teatro Liceo Barcelona als Faust in der Oper gleichen Namens von Gounod. Er bewährte sich als großer Lied-Interpret (u. a. bei den Salzburger Festspielen und bei einer Japan-Tournee).
Schallplatten: Ariola-Eurodisc («Elisir d'amore»), Telefunken («Orfeo» von Monteverdi, «Idomeneo» von Mozart), Philips («Faust» von Gounod, «Barbier von Sevilla» von Rossini, «Maria Stuarda» von Donizetti, «Falstaff» von Verdi), HMV («Così fan tutte»), Fonit-Cetra («La Cenerentola»), Orfeo («Alzira» von Verdi), CBS («Italiana in Algeri», «La Cenerentola»).

Arámburo, Antonio, Tenor, * 17. 1. 1840 Erla bei Saragossa; er entstammte einer wohlhabenden Bauernfamilie in der spanischen Provinz Aragon. Er wurde zunächst Beamter, gab diese Laufbahn jedoch wieder auf. Zu seinen großen Rollen gehörte auch die Bravourpartie des Arnoldo in Rossinis «Wilhelm Tell».

Aramesco, Leonardo, † Dezember 1946 New York. Er emigrierte schließlich in die USA.
Auch Schallplattenaufnahmen unter dem Etikett von Polydor.

Arangi-Lombardi, Giannina; sie sang als Altistin u. a. 1921 am Teatro Dal Verme Mailand die Amneris in «Aida» und die Brangäne im «Tristan», am Teatro Massimo Palermo wie am Teatro Regio Parma die Cieca in «La Gioconda» von Ponchielli, in Parma auch die Venus im «Tannhäuser» und die Elena in «Mefistofele» von A. Boito. Als Sopranistin erschien sie wieder am Teatro Constanzi Rom, jetzt als Santuzza in «Cavalleria rusticana». 1925 kreierte sie für Italien am Teatro Regio Turin die Ariadne in der italienischen Erstaufführung der Richard Strauss-Oper «Ariadne auf Naxos». An der Mailänder Scala trat sie auch als Donna Anna im «Don Giovanni» und als Santuzza auf. Sie gastierte am Teatro Colón Buenos Aires (1926) und an der Oper von Kairo. Zu ihren Schülern gehörten die Sopranistinnen Leyla Gencer und Maria Vitale.
Schallplatten: Erste Aufnahmen auf Fonotipia, noch als Altistin, von 1921; die ältesten Aufnahmen im Sopran-Fach auf Columbia von 1924.

Aranyi, Desider; war 1900–02 am Theater des Westens in Berlin engagiert, 1902–04 am Deutschen Operntheater Prag, seit 1904 wieder in Budapest. Hier zeichnete er sich als Heldentenor aus und absolvierte eine große Karriere, auch im Konzertsaal.

Araujo, Constantina; Schallplatten: Columbia.

Araya, Graciela; sie sang 1985 am Deutschen Opernhaus Berlin in «Die Weise von Liebe und Tod des Cornets Christoph Rilke» von Siegfried Matthus. An der Deutschen Oper am Rhein Düsseldorf–Duisburg, deren Mitglied sie seit 1986 war, trat sie

erfolgreich als Angelina in Rossinis «La Cenerentola» (1988), als Titelheldin in «The Rape of Lucretia» von B. Britten und als Sesto in «Giulio Cesare» von Händel (1989) auf, in Bremen als Carmen, an der Wiener Volksoper in der Titelrolle der Oper «Mignon» von A. Thomas.

Arbell, Lucy; sie sang auch die Dulcinée in Massenets «Don Quichotte» in der Pariser Premiere der Oper am 29. 12. 1910 am Théâtre Gaîté Lyrique mit Lucien Fugère (für den Massenet diese Partie geschrieben hatte) als Don Quichotte.

Archipowa, Irina (Konstantinowna),* 2. 12. 1925 Moskau; eigentlicher Name Irina Weloschkina. Sie war auch Schülerin von Nadeshda Malischewa und debütierte 1954 in Swerdlowsk als Ljubascha in der «Zarenbraut» von Rimsky-Korssakow. Sie gastierte an der Staatsoper Wien, an der Grand Opéra Paris, an den Opernhäusern von Bordeaux, Lyon, Marseille, Rouen, Nancy und beim Festival von Orange. Weitere Gastspiele an der Staatsoper Dresden, an der Komischen Oper Berlin, am Deutschen Opernhaus Berlin, bei den Festspielen von Wiesbaden und am Nationaltheater Belgrad. 1987 sang sie bei den Festspielen von Savonlinna die Marfa in Mussorgskys «Khovantchina», 1988 an der Covent Garden Oper London die Ulrica in Verdis «Ballo in maschera».

Arië, Raphael, * 22. 8. 1920 Sofia, † 17. 3. 1988; entdeckt und ausgebildet durch Cristo Brambaroff. An der Mailänder Scala sang er 1949 den Warlaam im «Boris Godunow», 1952 in «Fürst Igor» von Borodin, dann eine Anzahl weiterer Partien. An der Scala wirkte er auch in den Uraufführungen der Opern «L'Urgano» von Lodovico Rocca (1952) und «Clitennestra» von Ildebrando Pizzetti mit (1965), an der Oper von Rom in «La Stirpe di Davide» von Franco Mannino (1962). 1949 gastierte er bei den Festspielen von Aix-en-Provence als Komtur im «Don Giovanni». Im Konzertsaal schätzte man ihn namentlich als Solisten im Verdi-Requiem, in dem er u. a. in London auftrat. 1950–52 hörte man ihn an der New York City Centre Opera als Leporello im «Don Giovanni» und als Mephisto im «Faust» von Gounod. In der Uraufführung von Strawinskys «The Rake's Progress» (11. 9. 1951 Venedig) sang er die Partie des Trulove, 1961–62 bei den Festspielen von Salzburg den Großinquisitor in Verdis «Don Carlos». Seit 1978 war er Professor an der Rubin-Akademie der Universität von Tel-Aviv. 1982 sang er als letzte Partie beim Maggio musicale von Florenz den Gremin im «Eugen Onegin» von Tschaikowsky. Er lebte später in der Schweiz, wo er auch starb.
Schallplatten: Hunt Records (Mozart-Requiem).

Arimondi, Vittorio; er war der Sohn eines italienischen Offiziers und wurde zunächst Industriekaufmann. Nach Ausbildung seiner Stimme durch Maestro Cima debütierte er 1883 in Varese als Don Antonio in «Il Guarany» von Carlos Gomes. Zu Beginn seiner Karriere unternahm er eine Südamerika-Tournee (1885–86); er sang am Teatro Fenice

Venedig (1886–87), am Teatro Carlo Felice Genua (1888–89, wo er auch am 6. 10. 1892 in der Uraufführung der Oper «Cristoforo Colombo» von Alberto Franchetti mitwirkte) und am Teatro Carignano Turin. 1895 sang er bei einem Hofkonzert auf Schloß Windsor vor Königin Victoria von England. 1896–97 trat er am Teatro Regio Turin auf. 1899 gastierte er an der Hofoper von St. Petersburg, 1904 am Teatro Coliseo wie am Teatro Politeama Buenos Aires. Er galt als großer Interpret von Buffo-Partien.

Arizmendi, Elena; Maria Barrientos hielt sie für ihre beste Schülerin. Bereits 1945 sang sie am Teatro Colón eine kleine Partie in «Armida» von Gluck. 1949 war sie am Teatro Colón die Liu in Puccinis «Turandot», während Maria Callas die Titelpartie sang. 1957 hörte man sie am gleichen Haus als Lauretta in Puccinis «Gianni Schicchi», dann erst wieder 1968 als Carolina in «Il matrimonio segreto» von Cimarosa und als Titelheldin in «Il segreto di Susanna» von Wolf-Ferrari. An der Mailänder Scala gastierte sie in der Spielzeit 1951–52 als Serpina in «La serva padrona» von Pergolesi, an der Oper von Rom 1950 als Liu in «Turandot» und als Euridice im «Orpheus» von Gluck mit Ebe Stignani in der Titelrolle.
Schallplatten: Odeon-Platten (aus Argentinien stammend).

Arkandy, Katherine; Schallplatten: Elektrische HMV-Aufnahme der Eröffnungsszene aus «Carmen».

Arkel, Teresa; wirkte 1897 an der Mailänder Scala in der Uraufführung der Oper «Signor de Pourceaugnac» von Alberti Franchetti als Partnerin von Alessandro Bonci mit.

Armanini, Giuseppe; er sang auch 1911 an der Mailänder Scala in der Oper «Fior di neve» von Filasi, 1912–14 ebenfalls an der Scala den Fenton in Verdis «Falstaff» wie in den «Lustigen Weibern von Windsor» von Nicolai. Am Teatro Massimo Palermo trat er 1913 als Alfredo in «La Traviata» auf.
Schallplatten: Zunächst Aufnahmen auf Fonotipia; in seinem Todesjahr 1915 erschienen Columbia-Platten.

Armgart, Irmgard, * 22. 1. 1908 Berlin; Tochter eines Malermeisters. Sie war in Berlin Schülerin von Maria Ivogün und von Jean Nadolovitch.

Armolli, Amelia; Debüt 1937 an der Mailänder Scala als Poussette in «Manon» von Massenet; dort ersetzte sie Mafalda Favero in der Rolle der Suzel in Mascagnis «Amico Fritz». An der Italienischen Oper in Holland hörte man sie auch als Musetta in «La Bohème» und als Micaela in «Carmen».
Schallplatten: Unter ihren Operetten-Aufnahmen finden sich Duette mit dem Tenor Franco Agnoletti.

Armster, Karl; Schallplatten: Zehn Aufnahmen auf Pathé-Platten (Opernarien und einige Lieder, Berlin, 1912).

Armstrong, Karan; debütierte 1967 an der Metropolitan Oper New York als Sandmännchen in «Hänsel und Gretel». 1980 wirkte sie am Theater an der Wien in Wien in der Uraufführung der Oper «Jesu Hochzeit» von G. von Einem mit. 1987 Japan-Tournee mit dem Ensemble der Deutschen Oper Berlin (Gutrune in Ring-Aufführungen). 1988 Gastspiel an der Opéra-Comique Paris und in Los Angeles, 1989 bei den Festspielen von Wiesbaden als Titelheldin in «Katja Kabanowa» von Janáček; 1988 großer Erfolg in Berlin als Katerina Ismailowa in der gleichnamigen Oper von Schostakowitsch; auch in den dramatischen Monologen «Erwartung» von A. Schönberg und «La Voix humaine» von F. Poulenc bekannt geworden. Verheiratet mit dem Regisseur und Intendanten der Deutschen Oper Berlin Götz Friedrich (* 1930).
Schallplatten: Cybelia («Montségur» von Landowski).

Armstrong, Sheila; Schallplatten: HMV (9. Sinfonie von Beethoven), CBS (Soli in Sinfonien von G. Mahler).

Arndt-Ober, Margarethe; vor ihrer Heirat im Jahre 1910 sang sie unter dem Namen Grete Ober. Zunächst übernahm sie an der Berliner Hofoper kleinere Rollen (so 1907 eine der Mägde in der Premiere der Richard Strauss-Oper «Elektra»), wurde dann aber in großen Aufgaben herausgestellt. 1908 hörte man sie dort in der deutschen Erstaufführung der Oper «Thérèse» von Massenet, 1910 in der Uraufführung von Arthur Nevins «Poia», die unter Carl Muck in Berlin stattfand. 1913 sang sie die Eboli in der Berliner Premiere von Verdis «Don Carlos». Erst nach Beendigung des Ersten Weltkrieges konnte sie die USA verlassen und kam nach Deutschland zurück. Für viele Jahre blieb sie jetzt die führende Altistin der Staatsoper Berlin. Hier sang sie in der Uraufführung der Operette «Die große Sünderin» von E. Künnecke (31. 12. 1935) und in der der Oper «Peer Gynt» von Werner Egk (24. 11. 1938). Noch im Zweiten Weltkrieg gab sie bis 1944 Konzerte vor deutschen Soldaten, bei denen sie so anspruchsvolle Vokalwerke wie die Arie des Adriano aus «Rienzi» zum Vortrag brachte.
Schallplatten: Auf ANNA-Records erschien ein Mitschnitt der Johann Strauß-Operette «Eine Nacht in Venedig» aus dem Jahre 1938.

Arne, Susanna Maria, s. unter *Cibber,* Susanna.

Arnold, Irmgard; sang an der Komischen Oper Berlin 1956 die Aminta in der «Schweigsamen Frau» von R. Strauss.

Arnoldson, Sigrid; sang als Debütrolle am Londoner Drury Lane Theatre 1887 die Rosina im «Barbier von Sevilla». An der Metropolitan Oper New York hörte man sie 1893–94 auch als Königin Marguerite in den «Hugenotten» von Meyerbeer, als Cherubino in «Nozze di Figaro», als Zerline im «Don Giovanni», als Nedda im «Bajazzo» und als Micaela in «Carmen». Seit 1889 trat sie fast alljährlich in Rußland auf. Sie gastierte in Amsterdam, am Théâtre Royal de la Haye im Haag und oft in den skandinavischen Musikzentren. Verheiratet mit dem österreichischen Impresario Adolf Fischhof. Neben den Vorzügen ihrer Stimme bewunderte man bei ihren Bühnenauftritten die aparte Schönheit ihrer Erscheinung und ihr gewandtes darstellerisches Talent.

Arral, Blanche; trat in den Jahren um 1890 auch am Théâtre Royal de la Haye im Haag auf. Bei ihren Konzerten, die sie 1935 im amerikanischen Rundfunk gab sprach sie selbst Kommentare, indem sie Anekdoten aus ihrer Sängerkarriere erzählte.
Schallplatten: Auf IRCC wude eine Aufnahme der Cours-la-Reine-Szene aus Massenets «Manon» veröffentlicht; dies ist die einzige Schallplattenaufnahme, die von einem Mitwirkenden der Uraufführung der Oper vorhanden ist.

Arroyo, Martina; sang in der Spielzeit 1986–87 nochmals an der Metropolitan Oper New York die Aida und die Santuzza in «Cavalleria rusticana», 1987 an der Oper von Seattle die Titelfigur in Puccinis «Turandot».

Artner, Josefine von; 1898 zu Gast an der Covent Garden Oper London. Bei den Festspielen von Bayreuth sang sie auch die Woglinde im Nibelungenring und eins der Blumenmädchen im «Parsifal». 1899 gastierte sie als Woglinde in der Amsterdamer Premiere von Wagners «Rheingold». Ihr umfassendes Bühnenrepertoire enthielt Partien wie die Susanna in «Figaros Hochzeit», die Zerline im «Don Giovanni», die Ännchen im «Freischütz», die Leonore im «Troubadour» und die Zerline in «Fra Diavolo» von Auber.
Schallplatten: Wahrscheinlich existiert von ihrer Stimme nur das Rheintöchter-Terzett aus «Rheingold» auf G & T mit Marie Knüpfer-Egli und Ottilie Metzger-Lattermann von 1904.

Artôt, Désirée; Tschaikowsky widmete der Sängerin seine sechs Lieder op. 65.

Artôt de Padilla, Lola; debütierte 1909 an der Berliner Hofoper als Zerline im «Don Giovanni». Sie sang dort 1910 in der Uraufführung der Oper «Poia» von dem amerikanischen Komponisten Arthur Nevin, 1914 in der Premiere von Gounods «Amour Médecin». Sie gastierte auch an deutschen Bühnen.
Ihre ersten Schallplatten erschienen bereits um 1906 auf Odeon; unter ihren HMV-Platten sind Duette mit Björn Talén von 1922.

Aruhn, Britt Marie; sang 1987 in Brüssel auch die Sandrina in «La finta giardiniera» von Mozart, 1987 bei den Drottningholmer Festspielen die Elena in «Paride ed Elena» von Gluck.
Schallplatten: RCA-Erato (Deutsches Requiem von Brahms, kleine Partie im «Parsifal»).

Arvidson, Jerker; wirkte 1987–88 bei den Festspielen von Drottningholm als Publio in «La clemenza di Tito» von Mozart mit.

Aschenbrennerová-Snopková, Blažena, s. unter *Snopková,* Blažena.

Aschieri, Caterina; sie nahm nicht an der Uraufführung der Oper «Demofoonte» von Gluck teil.

Asker, Björn; trat 1988 als Rigoletto und als Fliegender Holländer an der Stockholmer Oper auf.

Asmus, Rudolf; Schallplatten: Philips («Ariadne auf Naxos» von R. Strauss).

Astrua, Giovanna; * 1720 (?) Graglia bei Vercelli; Schülerin von F. Brivio in Mailand. Sie debütierte 1739 am Teatro Regio Turin in der Oper «Ciro riconosciato» vo L. Leo, zusammen mit der großen Primadonna Caterina Mancinelli. Im gleichen Jahr hörte man sie am Teatro San Samuele Venedig. In der Saison 1745–46 trat sie am Teatro San Carlo Neapel als Partnerin des gefeierten Kastraten Caffarelli auf. 1750 wirkte sie am Teatro Regio Turin in der Uraufführung der Oper «La vittoria d'Imeneo» von Galuppi mit. In Berlin sang sie in den Uraufführungen der Opern «Britannico» (1751) und «Merope» (1756) von C. H. Graun. Sie starb, ein Jahr nach dem Verlust ihrer Stimme, jung in Turin.

Aszperger, Wojciech; seine Gattin *Katarzyna Aszperger* (1795–1835) war eine Tochter des Sängerehepaars *Andrzej Rutkowski* (1760–1830) und *Karolina Werter-Rutkowska* (1766–1828).

Atherton, James; † 20. 11. 1987 St. Louis. Er war zuletzt Direktor der Opernklasse am Konservatorium von St. Louis, starb jedoch früh.

Atlantow, Wladimir (Andrejewitsch), * 19. 2. 1939 Leningrad; war auch in Leningrad Schüler von P. G. Tichonow. Gastierte bei den Festspielen von Wiesbaden 1969 als José in «Carmen», als Titelheld im «Don Carlos» und als Riccardo in «Un Ballo in maschera» von Verdi. 1987 sang er dort nochmals im «Boris Godunow» von Mussorgsky. 1975 Gastspiel mit dem Ensemble des Bolschoj Theaters in New York. 1987 großer Erfolg an der Covent Garden Oper London als Othello, 1988 am Teatro Liceo Barcelona. Verheiratet mit der bekannten russischen Sopranistin *Tamara Milaschkina* (* 1934).
Schallplatten: Melodiya (vollständige Opern «Tosca» und «Pique Dame», letztere auf Philips übernommen), Eurodisc («Boris Godunow»).

Attwood, Marthe; sie war die Tochter eines Schiffskapitäns und erhielt ihre Ausbildung zur Sängerin am Lasell Seminary in Auburndale (Massachusetts).
Schallplatten: Sehr wenige Aufnahmen auf Columbia, alle mit Unterhaltungsliedern.

Auenmüller, Gabriele; sang in Dresden u. a. die Barbarina in «Figaros Hochzeit», die Zerline im «Don Giovanni», die Marzelline im «Fidelio», die Ännchen im «Freischütz» und die Giannetta in «Elisir d'amore».

Schallplatten: Capriccio (Symphonia sacrae von Heinrich Schütz).

Auger, Arleen; debütierte an der New York City Centre Opera 1968 als Königin der Nacht. Gastspiel am Bolschoj Theater Moskau. Bis 1985 pädagogisch an der Musikhochschule von Frankfurt a. M. tätig. 1986 sang sie bei der Hochzeit des englischen Prinzen Andrew in der Londoner Westminster Abbey, im Oktober 1987 in einer Aufführung der Paukenmesse von J. Haydn im Vatikan in Rom. Gefeierte Bach-Interpretin.
Schallplatten: Decca («Gräfin in «Nozze di Figaro»), CBS (Lieder), HMV («Alcina» von Händel, 2. Sinfonie von G. Mahler), Virgin Classics («Chants d'Auvergne» von Canteloube).

Auguez, Numa; er sang am 20. 8. 1874 in einer ersten Aufführung des 2. Aktes der Oper «Samson et Dalila» in der Pariser Wohnung der großen Primadonna Pauline Viardot-Garcia (die selbst die Dalila übernahm) die Partie des Grand-Prêtre, während der Komponist Saint-Saëns am Flügel begleitete. (Die Uraufführung der Oper fand erst 1877 in Weimar unter F. Liszt statt).

Aumonier, Paul; wahrscheinlich auch an Theatern in der französischen Provinz und als Konzertbassist aufgetreten.

Austin, Frederic; er war zunächst in Liverpool als Organist und Musiklehrer tätig, dann seit 1902 als Konzertsolist. 1922 brachte er am Londoner Kingsway Theatre die Fortsetzung der Beggar's Opera «Polly» zur Uraufführung.

Austral, Florence; ihr Vater, Wilhelm Lindholm, war aus Skandinavien nach Australien eingewandert und hatte seinen Familiennamen in Wilson geändert. Er starb früh; darauf nahm seine Tochter den Familiennamen ihres Stiefvaters an und nannte sich zunächst Florence Fawaz. Gesangstudium bei Mme Elise Wiedermann in Melbourne, dann bei Gabriele Sibella in New York. Sie gab Konzerte in Chicago und Boston, bevor sie 1922 bei der British National Opera Company debütierte, wobei sie den Namen Florence Wilson annahm. 1927 sang sie in New York die Brünnhilde in einer konzertanten Aufführung der «Götterdämmerung» und das Solo in der h-moll-Messe von J. S. Bach. Seit 1925 unternahm sie alljährlich bis 1935 große Konzerttourneen in den USA, 1930 durchreiste sie Australien. 1923 und 1926 bewunderte man sie als Konzertsolistin bei den Londoner Händel-Festen, 1924 bei der Wembley Exposition in Beethovens 9. Sinfonie, im Londoner Crystal Palace im Verdi-Requiem. In Philadelphia sang sie 1928 die Brünnhilde im Nibelungenring mit George Baklanoff als Partner. Bei der Gastspiel-Tournee durch Australien 1934–35 trat sie in ihrem Wagner-Repertoire, als Marschallin im «Rosenkavalier» und, ganz überraschend, in der Koloraturpartie der Leila in «Pêcheurs de perles» von Bizet auf. 1937 sang sie letztmals in den USA in einem Konzert mit dem Minneapolis Symphony Orchestra unter Eugene Ormandy. Während des Zweiten Weltkrieges lebte sie in England und gab Wohltätigkeitskonzerte. 1946 kehrte sie in ihre australische Heimat zurück. 1959 mußte sie ihre Lehrtätigkit am Konservatorium von Sydney krankheitshalber aufgeben.

Autori, Fernando; Ausbildung der Stimme durch Antonio Cantelli in Palermo. Er sang zu Beginn seiner Karriere am Teatro Massimo Palermo auch in «La Fanciulla del West» und «La Bohème» von Puccini, in «Lucia di Lammermoor», «Manon» von Massenet und in «Madame Sans-Gêne» von Giordano. Kam nach Gastspielen am Teatro Dal Verme und am Teatro Carcano in Mailand an die Mailänder Scala. Hier sang er oft zusammen mit dem berühmten Bariton Mariano Stabile, mit dem er freundschaftlich verbunden war. 1929 gastierte er zusammen mit dem Ensemble der Scala in Berlin. Er sang an der Mailänder Scala auch in den Uraufführungen der Opern «La cena delle beffe» von Giordano (20. 12. 1924) und «I Cavalieri di Ekebù» von Zandonai (7. 3. 1925) sowie am 12. 2. 1936 in der Uraufführung von Wolf-Ferraris «Il Campiello». An der Covent Garden Oper London kreierte er 1927 den Timur in der Erstaufführung von Puccinis «Turandot»; man bewunderte ihn dort als Leporello im «Don Giovanni», als Archibaldo in «L'Amore de tre Re» von Montemezzi, als Sparafucile im «Rigoletto», als Titelhelden im «Falstaff» von Verdi, als Simone in Puccinis «Gianni Schicchi», als König Philipp im «Don Carlos», um nur einige seiner Partien zu nennen, in denen er in London aufgetreten ist. Er wirkte bei den Mozart-Festen von Frankfurt a. M. und Basel mit und gastierte häufig in Turin. Ähnlich wie Enrico Caruso war auch er ein begabter Karikaturist; er unterzeichnete seine Karikaturen mit dem Signum «Nanni».
Schallplatten: vollständige Oper «Faust» von Gounod auf HMV (1920), Fonotecnica.

Auvinen, Ritva; sang 1988 in Helsinki die Emilia Marty in Janáčeks «Sache Makropoulos».
Schallplatten: BIS (Opernszenen aus Savonlinna), Ondine (Lieder von Sibelius).

Avdejewa, Larisa (Iwanowna), *21. 6. 1925 Moskau; zu ihren Rollen gehörten weiter die Filipjewna im «Eugen Onegin» und die Pauline in «Pique Dame» von Tschaikowsky, die Stescha in «Die Dekabristen» von Schaporin, die Marfa in «Khovantchina» von Mussorgsky und die Gertrude in «Bánk Bán» von F. Erkel. Ihr Name erscheint auch in der (richtigeren) Schreibweise Larissa Awdejewa.
Schallplatten: vollständige Oper «Eugen Onegin». Auf HEK singt sie Werke von Prokofieff.

Axarlis, Stella; 1973 großer Erfolg an der Deutschen Oper am Rhein als Titelheldin in «Katja Kabanowa» von Janáček, 1987 in Sydney als Ortrud im «Lohengrin».

Azarmi, Nassrin; 1982 sang sie am Opernhaus von Antwerpen die Titelpartie in «Lulu» von A. Berg.

Azzimonti, Giovanni; er sang am 23. 4. 1923 an der Mailänder Scala in der Uraufführung von Respighis Oper «Belfagor», 1935 in Florenz in der von Pizzettis «L'Orseolo».

Azzolini, Gaetano; er sang an der Mailänder Scala auch in der Uraufführung von Adriano Lualdis «Il Diavolo nel campanile» (22. 4. 1925). 1918 am Teatro Real Madrid zu Gast, u. a. als Basilio im «Barbier von Sevilla».

B

Babak, Renata, *4. 2. 1939 Charkow; studierte 1955–58 am Rimsky-Korssakow-Konservatorium in Leningrad, 1958–61 an der Tschaikowsky Musikakademie Kiew. Bühnendebüt 1958 an der Oper von Leningrad als Prinzessin in Dargomyshskis «Rusalka». 1961–64 sang sie am Opernhaus von Lwów (Lemberg) und debütierte 1964 am Bolschoj Theater Moskau als Carmen. 1973 emigrierte sie in die USA. Hier sang sie an verschiedenen Bühnen Partien wie die Azucena im «Troubadour», die Amneris in «Aida», die Ulrica in «Un Ballo in maschera», die Santuzza in «Cavalleria rusticana» und die Leonore in «La forza del destino». Dazu unternahm sie große Konzerttourneen in den USA wie in Europa. Seit 1983 leitete sie die Vokalklasse am Washington Conservatory of Music.
In den USA erschienen Schallplatten bei The Golden Age («Renata Babak sings Ukrainian Songs and Arias»).

Babiy, Sinowij (Jossifowitsch); *27. 1. 1935 Podsaki bei Lwów; studierte 1952–54 am Konservatorium von Lwów und war dann beim Vokalensemble der Roten Armee (Alexandrow-Chor) tätig.

Baccaloni, Salvatore; Debüt an der Mailänder Scala 1926 in «Debora e Jaele» von Pizetti. Er sang an der Covent Garden Oper London nur in der Saison 1928–29 (Antrittsrolle: Timur in Puccinis «Turandot»), seit 1930 jedoch in drei Spielzeiten am Teatro Colón Buenos Aires. Bei den Glyndebourner Festspielen war er vor allem als Leporello im «Don Giovanni» erfolgreich, aber auch als Alfonso in «Così fan tutte», als Bartolo in «Nozze di Figaro», als Titelheld im «Don Pasquale» und sogar in einer deutschsprachigen «Entführung aus dem Serail» als Osmin. 1938 als Leporello zu Gast an der Oper von San Francisco, wo man 1944 seinen Titelhelden im «Falstaff» von Verdi bewunderte. An der Metropolitan Oper New York hat er in deren Haus (ohne die alljährlichen Tourneen des Ensembles) 15 verschiedene Rollen in 297 Vorstellungen gesungen, darunter auch eigentliche Bariton-Partien wie den Falstaff von Verdi und den Titelhelden in Puccinis «Gianni Schicchi».

Bachmann, Hermann; wirkte am 13. 12. 1904 an der Berliner Hofoper in der (nicht erfolgreichen) Uraufführung von Leoncavallos «Roland von Berlin» mit.

1892 gastierte er bei den Bayreuther Festspielen als Kothner in den «Meistersingern», 1896 als Wotan im Ring-Zyklus. Seine großen Partien waren der Fliegende Holländer und der Falstaff in der gleichnamigen Verdi-Oper wie in den «Lustigen Weibern von Windsor» von Nicolai.

Bacquier, Gabriel; Debüt an der Grand Opéra Paris 1958 als Germont-père in «La Traviata», bereits seit 1956 Mitglied der Pariser Opéra-Comique, wo er in der Oper «Le Fou» von Landowski debütierte. 1968 Gastspiel an der Oper von Seattle als Don Giovanni. 1964 sang er als Antrittsrolle an der Metropolitan Oper New York den Grand-Prêtre in «Samson et Dalila» von Saint-Saëns. Im eigenlichen Haus der Metropolitan Oper hat er in 15 Spielzeiten zwölf Partien in 115 Vorstellungen gesungen (ohne die Jahreestournee des Ensembles). Als Don Giovanni war er auch an der Staatsoper von Wien zu Gast. Namentlich in Buffopartien erwies er sich als hervorragender Darsteller. 1989 sang er beim Festival von Aix-en-Provence den König in «L'Amour des trois oranges» von Prokofieff.

Bada, Angelo; er war zuerst Chorsänger an der Kathedrale seiner Heimatstadt Novara und erhielt keine eigentliche professionelle Ausbildung. An der Metropolitan Oper New York sang er 1908 als Antrittsrolle den Boten in Verdis «Aida». In der Uraufführung von «La Fanciulla del West» sang er die Rolle des Trin (1910), in der von Giordanos «Madame Sans-Gêne» am 25. 1. 1915 den Despreaux, in der New Yorker Premiere von Puccinis «Turandot» 1926 den Pang. Giulio Gatta-Casazza nannte den Künstler «Il più grande comprimario esistente»; er bekleidete später den Rang eines künstlerischen Direktors der Metropolitan Oper. Als letzte Partie sang er an diesem Haus 1938 einen Knappen im «Parsifal». In seiner Heimatstadt Novara, wo er seinen Ruhestand verbrachte, ehrte man ihn dadurch, daß man ihn zum «Presidente dell' Università dei Calzolai» ernannte.
Schallplatten: Auf HMV erscheint er (anonym) in einem Ausschnitt aus «Boris Godunow» als Schuiskij zusammen mit dem berühmten Fedor Schaljapin; dabei handelt es sich um eine Aufnahme der Covent Garden Oper London. Man hatte ihn eigens als Partner Schaljapins für diese Aufführung nach London engagiert.

Badini, Ernesto; semiprofessionelles Debüt 1895 in San Colombano al Lambro, offizielles Debüt, ebenfalls als Figaro, 1900 am Theater von Pavia. Seit 1911 häufig zu Gast am Teatro Massimo Palermo, 1925–31 regelmäßig an der Covent Garden Oper London. Dort hörte man ihn 1925 als Enrico in «Lucia di Lammermoor», als de Siriex in «Fedora» von Giordano, als Sharpless in «Madame Butterfly» und als Figaro im «Barbier von Sevilla», 1926 als Ford im «Falstaff» von Verdi, 1927 in der Premiere von Puccinis «Turandot», 1931 als Fra Melitone in Verdis «La forza del destino».
Schallplatten: G & T (1906), Favorit (um 1910); seine Aufnahmen mit vollständigen Opern kamen

alle auf HMV heraus, darunter Rossinis «Barbier von Sevilla» 1918 in akustischer und nochmals 1928 in elektrischer Aufnahmetechnik.

Bär, Olaf, * 19. 12. 1957 Dresden; gehörte 1966–75 dem Dresdner Kreuzchor an. 1983 gewann er einen Gesangwettbewerb in London und konnte darauf in der Londoner Wigmore Hall mit einem Liederabend debütieren. Seit 1983 weitere Ausbildung im Opernstudio der Staatsoper Dresden. Debütierte dort 1983 als Graf in «Il matrimonio segreto» von Cimarosa. 1986 großer Erfolg in Dresden als Don Giovanni. Seit 1987 auch Mitglied der Staatsoper Berlin. 1987 Gastspiel bei den Festspielen von Glyndebourne als Graf im «Capriccio» von R. Strauss, 1988 beim Festival von Aix-en-Provence als Guglielmo in «Così fan tutte».
Weitere Schallplatten: HMV («Schöne Müllerin» von Schubert, Lieder von Hugo Wolf), DGG (Weihnachtsoratorium von J. S. Bach), Philips («Ariadne auf Naxos» von R. Strauss); sang auf Decca wie auf Philips und auf DGG in der Matthäuspassion von J. S. Bach. Interessant ist, daß er als zwölfjähriger Knabensopran auf Eurodisc-RCA einen der drei Knaben in der «Zauberflöte» gesungen hat.

Bäumer, Margarete; sang auf Parlphon die Schlußszene aus «Siegfried» zusammen mit Reiner Minten (um 1930).

Baglioni, Bruna; 1987 wirkte sie bei den Aufführungen von Verdis «Aida» in Luxor (Ägypten) als Amneris mit. Sie gastierte an den Staatsopern von Hamburg, München und Stuttgart, in Zürich und Bern (1984), in Lüttich (1983) und am Opernhaus von Köln. und sang bei den Festspielen von Verona 1989 die Preziosilla in «La forza del destino».
Arien-Platte auf Felmain-Records.

Bahr-Mildenburg, Anna; debütierte 1895 in Hamburg als Brünnhilde in der «Walküre» unter Gustav Mahler. Mit diesem großen Komponisten und Dirigenten blieb sie als Künstlerin wie auch persönlich eng verbunden und folgte ihm 1898 an die Wiener Hofoper. Hier wirkte sie auch am 2. 1. 1908 in der Uraufführung von Goldmarks Oper «Ein Wintermärchen» mit. Als international hoch angesehene Pädagogin bildete sie so bedeutende Sänger wie Elisabeth Schärtel, Maria Nežádal, Adolf Vogel, Eugenia Zareska, Ruth Michaelis, Ira Malaniuk, Josef Greindl und den berühmten Wagner-Tenor Lauritz Melchior aus.

Baier, Ida; war in den Jahren 1880–1906 an der Wiener Hofoper im Engagement.

Bailey, Norman (Stanley); er kam 1975 an die City Centre Opera und 1976 an die Metropolitan Oper New York (Antrittsrolle: Hans Sachs). An diesem Haus sang er Partien wie den Wotan in der «Walküre», den Amfortas im «Parsifal», den Jochanaan in «Salome» von R. Strauss und den Orest in dessen «Elektra». 1987 gastierte er bei der Scottish Opera Glasgow als Sharpless in «Madame Butterfly». Seit

1985 (in zweiter Ehe) mit der bekannten Sopranistin *Kristine Ciesinski* (* 1952) verheiratet. 1977 zum Commander of the Order of the British Empire ernannt.
Schallplatten: Opera Rara («Assedio di Calais» von Donizetti).

Baillie, Isobel; Debüt 1923 in einem Konzert mit dem Hallé-Orchester unter Sir Hamilton Harty. Seit 1922 zahlreiche Auftritte am englischen Rundfunk BBC. Sie soll allein tausendmal das Sopransolo im «Messias» von Händel gesungen haben (!). Ihre Autobiographie erschien unter dem Titel *«Never Sing Louder than Lovely»* (1982).

Bainbridge, Elisabeth; Gastspiel beim Maggio musicale Florenz von 1988 als Auntie in «Peter Grimes» von Benjamin Britten. 1989 feierte sie an der Covent Garden Oper London ihre 25jährige Zugehörigkeit zu diesem Haus, wo sie 1965 debütiert hatte. 1976 sang sie mit diesem Ensemble an der Mailänder Scala; 1979 bereiste sie den Fernen Osten. 1977 USA-Debüt an der Chicago Opera (in «Peter Grimes»), 1979 Gastspiel in Buenos Aires.
Schallplatten: HMV (Vokalmusik von Vaughan Williams), RCA («Salome» von R. Strauss, «Troubadour»), Philips (geistliche Musik von Mozart).

Baker, Janet; bereits während ihres Studiums hatte sie im Oxford University Opera Club die Rosa in Smetanas Oper «Das Geheimnis» gesungen, 1958 in einer Vorstellung im Morley College den Titelhelden im «Orpheus» von Gluck. Sie sang in den Jahren 1961–76 mit der English Opera Group im Rahmen des Aldeburgh Festivals. Als erste Partie übernahm sie in Glyndebourne 1966 die Dido in «Dido and Aeneas» von Purcell. 1982 sang sie als letzte Bühnenpartie wie an der Covent Garden Oper London den Orpheus von Gluck, 1988 hörte man sie nochmals in dieser Rolle in einer konzertanten Aufführung des «Orpheus» in New York.
Schallplatten: Decca («Giulio Cesare» von Händel, Schubert-Lieder), Philips («L'Enfance du Christ» von Berlioz).

Bakker, Marco; 1967 Preisträger bei einem Gesangwettbewerb in München. Gastierte 1974 bei den Festspielen von Glyndebourne als Titelheld in «Eugen Onegin» von Tschaikowsky und in «Intermezzo» von R. Strauss. 1971 sang er in Berlin als Solist in der Matthäuspassion von J. S. Bach und beim Wexford Festival, 1977 Japan-Tournee. Er trat auch im englischen Fernsehen (BBC) und in Sendungen des ungarischen Fernsehens auf.

Bakkers, Marthe; neben den erwähnten HMV-Platten existieren auch Aufnahmen auf der Marke Disque Opéra (in einer dem Pathé-System verwandten Wiedergabetechnik).

Baklanoff, Georges, * 6. 12. 1938 Basel; er wurde seit 1892 in Kiew erzogen. Sein Universitätsstudium mußte er aufgeben, weil sein Vormund sein gesam-

tes Vermögen veruntreut hatte und schließlich durch Selbstmord endete. Der berühmte Tenor Ippolyt Pryanischnikow, bei dem er Gesang studierte, ermöglichte ihm eine kostenlose zweijährige Ausbildung zum Sänger, die er 1902 bei Vittorio Vanza in Mailand fortsetzen konnte. Nachdem er mit einer Wanderbühne Rußland bereist hatte, kam er seit 1907 an der Hofoper von St. Petersburg zu großen Erfolgen. 1910 sang er an der Londoner Covent Garden Oper den Rigoletto und den Scarpia in «Tosca», 1911 in Paris den Titelhelden im «Eugen Onegin». Zu den vielen Partien, die er 1917–28 an der Oper von Chicago sang, gehörten der Mephisto im «Faust» von Gounod, der Escamillo in «Carmen», der Nilakantha in «Lakmé» von Delibes, der Amonasro in «Aida», der Renato in «Un Ballo in maschera», der Athanaël in «Thaïs» von Massenet, der König in Mascagnis «Isabeau», der Vater in «Louise» von Charpentier, der Rigoletto und der Telramund im «Lohengrin». 1920 sang er in Chicago den Wotan in der «Walküre», aber erst in der Saison 1925–26 den Boris Godunow, der als eine seiner größten Kreationen galt. Seit 1926 verlegte er seine Tätigkeit wieder mehr nach Europa, wo er in Prag, Zagreb und Wien zu großen Erfolgen kam. Seit 1930 lebte er in der Schweiz. 1932 feierte man ihn in Basel als Don Giovanni, 1934 bei den Festspielen in der Waldoper von Zoppot als Sebastiano in «Tiefland» von d'Albert. In Philadelphia gastierte er 1928–30 als Wotan.
Schallplatten: HMV (erste Aufnahmen um 1910 in Rußland entstanden, eine zweite Serie wurde 1919 zunächst bei Victor angekündigt, erschien aber dann bei HMV), Columbia (1911–18, USA), Vox (1923) und Parlophon (elektrische Aufnahmen, Berlin etwa 1932).

Bakočevič, Radmila; sang 1982 an der Deutschen Oper am Rhein Düsseldorf-Duisburg die Titelfigur in Puccinis Oper «Turandot».

Baldani, Ruža; gastierte 1988 am Teatro Municipal Rio de Janeiro als Amneris in «Aida», an der Staatsoper von Hamburg als Azucena im «Troubadour», 1989 am Teatro Liceo Barcelona als Marfa in «Khovantchina».
Schallplatten: MRF («Nerone» von A. Boito, Opernsendung der RAI von 1975).

Baldassari, Benedetto; wirkte wahrscheinlich auch in der Uraufführung von Händels Oper «Radamisto» (27. 4. 1720) im Londoner King's Theatre mit.

Baldin, Aldo, * 1.1. 1945 Urussanga (Brasilien); gastierte 1989 am Opernhaus von Köln.
Schallplatten: Telefunken (Kantaten von Buxtehude, «Schöpfung» von Haydn), RBM (Lieder), Schwann (religiöse Vokalmusik), Orfeo (Requiem von Donizetti).

Baldwin, Marcia; später Professorin an der Eastman School of Music Rochester (New York).

Baleani, Silvia; Schallplatten: Fonit-Cetra («Iphigenie en Tauride» von Piccinni).

Balfe, Michael; während seines Italien-Aufenthalts sang er in Mailand zusammen mit der großen Primadonna Maria Malibran. Bei Auftritten in Bergamo lernte er seine Gattin, die Sängerin *Lina Roser,* kennen.

Balguerie, Suzanne, † Februar 1973 Grenoble; sie sang an der Opéra-Comique Paris, an der sie 1911 als Ariane in «Ariane et Barbe-Blue» von Dukas debütiert hatte, auch 1924 in der Uraufführung von Henri Rabauds «L'Appel de la mer». 1925 hatte sie dort große Erfolge als Isolde im «Tristan». Neben ihrem Engagement an der Opéra-Comique war sie später auch im Ensemble der Pariser Grand Opéra tätig.
Schallplatten: Elektrische Polydor-Platten mit Szenen aus Opern, darunter Isoldes Liebestod.

Ballester, Vicente; er trat bei der San Carlo Opera Company 1920–21 als Amonasro in «Aida», als Graf Luna im «Troubadour», als Escamillo in «Carmen» und als Tonio im «Bajazzo» auf. Er war auch bei den Opernfestspielen von Ravinia bei Chicago anzutreffen. Sein Debüt an der Metropolitan Oper New York fand 1924 in einer konzertanten Aufführung der Oper «Samson et Dalila» von Saint-Saëns statt. Neben den erwähnten Rollen sang er dort noch den Alfio in «Cavalleria rusticana» und wirkte in drei Sunday Night-Concerts mit.

Balslev, Lisbeth, * 21. 2. 1949 Åbenraa; gastierte mit dem Ensemble der Oper von Köln 1988 in Tel Aviv. 1987 an der Mailänder Scala in der Titelrolle der Richard Strauss-Oper «Salome» zu Gast, am Teatro San Carlos Lissabon als Senta, in Bern als Elisabeth im «Tannhäuser», an der Jütländischen Oper Aarhus als Sieglinde in der «Walküre». 1988 gastierte sie in Lyon und sang in Turin und Florenz die Isolde im «Tristan».

Baltsa, Agnes, * 19. 11. 1944 auf der griechischen Insel Lefkas; 1970 sang sie bei den Festspielen von Salzburg in «Bastien und Bastienne» von Mozart. Sie erzielte bei ihren Gastspielen an der Londoner Covent Garden Oper immer wieder große Erfolge (Giulietta in «Hoffmanns Erzählungen», 1984 Romeo in «I Capuleti ed I Montecchi» von Bellini, 1987 Isabella in «L'Italiana in Algeri», 1989 Eboli in Verdis «Don Carlos»). Zu ähnlichen Erfolgen kam sie auch an der Metropolitan Oper New York, an der sie 1979 als Octavian im «Rosenkavalier» debütierte. Ihre Gestaltung der Carmen rief dort 1987 eine große Sensation hervor. Seit 1976 glanzvolle Auftritte an der Grand Opéra Paris; 1977 begann sie eine große Karriere an der Mailänder Scala, an der sie 1985 als Romeo in «I Capuleti ed I Montecchi» besonders gefeiert wurde. 1989 sang sie an der Wiener Staatsoper die Santuzza in «Cavalleria rusticana». Seit 1974 verheiratet mit dem Baß-Bariton *Günter Missenhardt* (* 1938).
Schallplatten: HMV («La Favorita» von Donizetti, «Fledermaus» von J. Strauß, «Così fan tutte», Stabat mater von Rossini, Arien-Platte), DGG («La Cenerentola», «Italiana in Algeri», Venus im «Tannhäuser», Philips (Lieder griechischer Komponisten,

«Ariadne auf Naxos», «La forza del destino», «Maria Stuarda» von Donizetti), Decca («Idomeneo»).

Bamberger, Johanna, s. unter *Hitzelberger, Sabine.*

Bampton, Rose, *28. 11. 1908 Lakewood bei Cleveland (Ohio); Schülerin von Horatio Connell, auch von Lotte Lehmann. In Philadelphia sang sie 1929–32 zumeist kleinere Rollen. Seit 1937 wechselte sie an der Metropolitan Oper New York ins Sopranfach, übernahm aber bis 1939 auch noch Partien für Mezzosopran. Als Wagnersängerin zeichnete sie sich in Partien wie der Sieglinde in der «Walküre» und der Kundry im «Pasifal» aus. 1937–39 Konzertreisen in den europäischen Ländern (England, Holland, Schweden). Bereits 1931 hatte sie in New York in einer Aufführung der «Gurrelieder» von A. Schönberg unter Stokowski gesungen. An der Covent Garden Oper London hörte man sie als Amneris in «Aida» (1937). Sie kam an der Oper von Chicago 1937–46 zu einer großen Karriere, u. a. als Maddalena in «Andrea Chénier» von Giordano und als Elsa im «Lohengrin»; 1949 Gastspiel an der Oper von San Francisco. Am Teatro Colón Buenos Aires trat sie auch als Agathe im «Freischütz», als Marschallin im «Rosenkavalier» und als Daphne in der Richard Strauss-Oper gleichen Namens auf. An der Metropolitan Oper sang sie in 17 Spielzeiten 14 Partien in 68 Vorstellungen (ohne die Auftritte im Rahmen der Tourneen des Ensembles). 1950 gastierte sie an der New York City Centre Opera als Marschallin. Nach Abschluß ihrer aktiven Sängerkarriere wirkte sie als Pädagogin in New York und Montreal.

Bandelli, Antonella; sie sang 1986 im historischen Teatro Rossini von Lugo mit großem Erfolg in «La scala di seta» von Rossini, 1987 in Florenz die Xenia im «Boris Godunow» von Mussorgsky.
Schallplatten: DGG (Giannetta in «Elisir d'amore»).

Bandrowski, Alexander; Schallplatten: Zehn Titel auf Pathé-Platten (Warschau 1910, darunter Arien aus Wagner-Opern, aus «Manru» und Lieder).

Barabas, Sari; sie wirkte auch in mehreren Tonfilmen mit.
Schallplatten: Philips (Operettenmelodien von J. Strauß und Paul Abraham, ungarische Zigeunerlieder), Telefunken (Querschnitt «Gasparone»).

Baracchi, Aristide; sang an der Covent Garden Oper London auch den Ping in Puccinis «Turandot».
Schallplatten: Cetra (kleine Partie in «Fanciulla del West» von Puccini).

Barbaux, Christiane; 1982 großer Erfolg am Théâtre de la Monnaie Brüssel als Servilia in «La clemenza di Tito» von Mozart. Am 16. 11. 1986 sang sie in der Eröffnungsvorstellung dieses Hauses nach dessen Renovierung die Sophie im «Rosenkavalier». Diese Partie übernahm sie dann auch 1987 beim Festival von Aix-en-Provence. Gastierte 1988 in Amsterdam als Norina im «Don Pasquale», an der Grand Opéra Paris als Gilda im «Rigoletto»: Bei den Salzburger Festspielen 1988 war sie wieder als Servilia in «La clemenza di Tito» zu hören.

Barbi, Alice; 1902–03 und 1905 ist sie nochmals in Wien als Konzertsolistin aufgetreten.

Barbieri, Fedora; erstes öffentliches Auftreten in der Basilika San Giusto in Triest. Bühnendebüt 1940 am Teatro Comunale Florenz; 1941 wirkte sie beim Maggio musicale Fiorentino in Glucks «Armida» und in der Uraufführung von Alfanos «Don Juan de Mañara» mit, 1942 sang sie bei den dortigen Festspielen in Monteverdis «Ritorno d'Ulisse in patria», 1943 in dessen «Orfeo». 1941–42 war sie an der Oper von Rom engagiert. 1942 erfolgte ihr Debüt an der Mailänder Scala als Meg Page im «Falstaff» von Verdi. Bei ihrer Tournee durch Deutschland, Holland und Belgien erregte sie 1943 als Quickly im «Falstaff» von Verdi (mit Mariano Stabile in der Titelrolle) Aufsehen. 1943 heiratete sie Luigi Bartoletti, den Direktor des Maggio musicale Florenz. An der Mailänder Scala galt sie als die Nachfolgerin der großen Ebe Stignani. 1947–48 am Teatro Colón Buenos Aires zu Gast. 1953 hörte man sie auch in Florenz in Cherubinis «Medea», 1952 Gastspiel an der Oper von San Francisco. 1955–58 große Erfolge an der Wiener Staatsoper. Noch 1987 wirkte sie bei den Puccini-Festspielen in Torre del Lago als Zita in «Gianni Schicchi» mit; im gleichen Jahr sang sie in Florenz die Wirtin im «Boris Godunow» von Mussorgsky.

Barbieri-Nini, Marianna, *18. 2. 1818 Florenz; sie sang am Teatro Fenice Venedig 1855 in der Uraufführung von Giuseppe Apollonis Oper «L'Ebreo» die Partie der Leila.

Barbot, Joseph-Théodore-Désiré; am 19. 12. 1894 nahm er als Ehrengast an der 1000. Aufführung von Gounods «Faust» an der Grand Opéra Paris teil.

Bardi, Giovanni; unter seinen Schallplattenaufnahmen befindet sich ein Quartett aus dem Stabat mater von Rossini, unter seinen Pathé-Platten 19 Soloaufnahmen.

Bardini, Gaetano, *8. 10. 1929 Riparbello bei Pisa; Debüt 1957 am Teatro Goldini Livorno als Osaka in Mascagnis «Iris». Gastspiele am Teatro San Carlo Neapel, am Teatro Massimo Palermo und am Teatro Bellini Catania. Er sang bis 1969 an der Metropolitan Oper New York Partien wie den Alvaro in «La forza del destino» von Verdi und den Turiddu in «Cavalleria rusticana». 1964 an der Oper von Mexico City zu Gast; trat auch an der Staatsoper Wien (als Turiddu), an den Nationalopern von Budapest und Warschau (als Radames in «Aida») auf.
Schallplatten: Fratelli Fabbri (Manrico im «Troubadour»).

Barker, Joyce; sang auch am Opernhaus von Kapstadt.

Schallplatten: Colos (Arien aus italienischen Opern).

Baromeo, Chase; sang in Chicago am 4. 11. 1929 in der Eröffnungsvorstellung des neu erbauten Civic Opera House den König in Verdis «Aida».

Baronti, Duilio; wirkte an der Mailänder Scala am 24. 3. 1934 in der Uraufführung der Oper «Il Dibuk» von Lodovico Rocca mit. 1934–35, 1938 und 1948 war er bei den Festspielen in der Arena von Verona anzutreffen. Aus seinem sehr umfangreichen Bühnenrepertoire seien die Sparafucile im «Rigoletto», der Raimondo in «Lucia di Lammermoor», der Ferrando im «Troubadour» der Nourrabad in «Pêcheurs de perles» von Bizet, der Abimelech in «Samson et Dalila» von Saint-Saëns, der Cirillo in «Fedora» von Giordano, der Messer Cornelius in «Isabeau» von Mascagni und der Wikinger in «Sadko» von Rimsky-Korssakow genannt.

Barrera, Carlos, *1870 (?), †(?); 1901 trat er als Samson in «Samson et Dalila» auch am Teatro Lirico Mailand auf. Im gleichen Jahr sang er am Teatro Regio Parma mit der spanischen Sopranistin Carmen Bonaplata-Bau. 1901 gastierte er mit einer italienischen Operntruppe in Ägypten und war in Kairo wie in Alexandria als Samson und als Othello zu hören.
Schallplatten: Pathé (1908), HMV (seit 1909, darunter Duette mit Karolina Pietraczewska und Elena Ruszkowska).

Barrientos, Maria, *4. 3. 1884 Barcelona, †8. 8. 1946 St. Jean de Luz-Ciboure (Pyrenées Basses, Frankreich); ihre Familie lebte in bescheidenen Verhältnissen, ihr Vater war Barbier, die Mutter betrieb einen kleinen Tabakladen. Mit zwölf Jahren begann sie das Gesangstudium bei Francisco Bonet in Barcelona. Bereits 1897 sollte sie am Teatro Liceo Barcelona den Amor im «Orpheus» von Gluck singen, doch lehnte der Dirigent Rodolfo Ferrari das Auftreten eines Kindes an seinem Hause ab. Darauf debütierte sie 1898 am Teatro Novidades Barcelona als Ines in «L'Africaine». Bei ihrer Deutschland-Tournee von 1900 trat sie auch in Hamburg, Bremen und München auf. Debütierte 1903 an der Covent Garden Oper London als Rosina im «Barbier von Sevilla», 1904 an der Mailänder Scala als Dinorah in der gleichnamigen Oper von Meyerbeer. 1906–07 und 1911 sang sie in Havanna mit großem Erfolg. Nachdem sie 1907 einen argentinischen Kaufmann geheiratet hatte, unterbrach sie ihre glänzende Karriere für einige Zeit, erschien aber 1911 wieder am Teatro Colón Bueos Aires als Lucia di Lammermoor. Dort brillierte sie 1913, 1917 und 1921 in ihren großen Koloratur-Partien. Letztmalig sang sie 1924 auf der Bühne an der Oper von Monte Carlo in «Philémonn et Baucis» und in «La Colombe» von Gounod (1929 nicht mehr dort aufgetreten). 1925 gab sie in Rom ein letztes Konzert. Am Konservatorium Colón Buenos Aires war sie u. a. die Lehrerin der argentinischen Sopranistin Elena Arizmendi.
Schallplatten: Columbia (1916–20 in Nordamerika,

um 1927 in Frankreich aufgenommen; die von Manuel de Falla begleiteten Lieder bereits in elektrischer Aufnahmetechnik).

Barroilhet, Paul; sang auch am 13. 11. 1843 an der Grand Opéra Paris die Titelrolle in der Uraufführung von Donizettis «Dom Sébastien» («Don Sebastiano»).

Barsowa, Valeria (Wladmirowna), †13. 12. 1967 Sotchi (Nordkaukasus); sie erzielte große Erfolge bei einer Konzerttournee durch Polen.
Unter ihren Schallplattenaufnahmen auf Melodiya finden sich auch integrale Opern, darunter «Ruslan und Ludmilla» von Glinka und «Sadko» von Rimsky-Korssakow.

Barstow, Josephine; seit 1967 an der Sadler's Wells Oper aufgetreten. Sie sang 1976 an der Covent Garden Oper London in der Uraufführung von Hans Werner Henzes «We come to the River», bereits 1974 bei der English National Opera London in der englischen Erstaufführung der Oper «Die Bassariden» vom gleichen Komponisten. Ihre Antrittsrolle an der New Yorker Metropolitan Oper war 1977 die Musetta in Puccinis «La Bohème». 1983 wirkte sie bei den Festspielen von Bayreuth als Gutrune in der «Götterdämmerung» mit. Großer Erfolg 1987 bei der North Opera Leeds als Lady Macbeth in Verdis «Macbeth». 1988 Gastspiel an der Oper von Boston als Titelheldin in Cherubinis «Medea», in San Francisco als Katerina Ismailowa in der gleichnamigen Oper von Schostakowitsch. 1987 sang sie in Houston/Texas, wie bereits 1979 an der Staatsoper Berlin, die Salome von Richard Strauss. 1988 trat sie am Staatstheater von Wiesbaden auf. 1989 sang sie bei den Salzburger Osterfestspielen die Tosca, bei den Sommerfestspielen die Amelia in «Un Ballo in maschera».
Schallplatten: Pickwick-Video («Macbeth» von Verdi aus Glyndebourne), TER (Verdi-Arien), HMV («The Knot Garden» von Tippett, «Un Ballo in maschera» unter H. von Karajan).

Bartolomasi, Valentina; sang 1920–21 am Teatro Scribe (nicht am Teatro Regio) Turin und am Teatro Petruzzelli Bari.
Ihre ersten HMV-Platten erschienen bereits 1913.

Bary, Alfred von; sein Medizinstudium fand zuerst an der Universität von Leipzig, dann in München statt. Seine größten Erfolge hatte er als Siegmund wie als Siegfried im Nibelungenring, als Lohengrin und als Tristan, Partien, die er alle bei den Bayreuther Festspielen zum Vortrag brachte.

Basile Baroni, Adriana; über ihr Auftreten in Mantua schreibt Monteverdi am 22. 6. 1611 in einem Brief an den Kardinal Ferdinando Gonzaga in Rom: «Jeden Freitag ist im Spiegelsaal (des Schlosses) Konzert. Signora Adriana kommt, um zu singen, und sie verleiht der Musik soviel Kraft und besondere Anmut und erfreut damit so sehr die Sinne, daß dieser Ort gleichsam ein neues Theater wird, und ich glaube, die Lustbarkeit der Konzerte wird nicht enden ...» Seit 1634 lebte sie in Rom, wo sie bei den Konzertabenden, die sie gab, Gitarre spielte und wohl auch sang. Die Mutter wie ihre beiden Töchter sind auch in dem 1637 eröffneten Teatro San Cassiano (dem ersten öffentlichen Opernhaus überhaupt) aufgetreten. Ihre beiden Töchter *Leonora Baroni* (* Dezember 1611 Mantua, † 6.4. 1670 Rom) und *Caterina Baroni* (* etwa 1620 Mantua) waren hoch angesehene Sängerinnen und Instrumentalsolistinnen. Leonora spielte Viola da gamba und komponierte Instrumental- wie Vokalwerke. Der englische Dichter John Milton feierte in drei Gedichten ihre Kunst wie die ihrer Mutter. Leonore, deren feurige schwarze Augen gerühmt werden, kam 1644 auf Veranlassung von Kardinal Mazarin nach Paris, wo sie in den in Frankreich noch weitgehend unbekannten italienischen Opern grandiose Triumphe feierte. Man überhäufte sie mit Geld (10 000 Livres für französische Modellkleider, 3000 Livres für Schmuck, 1000 Livres Pension) und Ehrungen. Sie verließ Paris jedoch, nachdem der Kastrat Alto Melani seit 1647 dort die Opernszene beherrschte. Von Caterina Baroni wird behauptet, daß sie meisterhaft Harfe gespielt und auch Gedichte geschrieben habe.

Basilides, Maria, * 11. 11. 1886 Jolsva (Ilosvár, Ungarn).

Basiola, Mario; sang nach seinem Bühnendebüt 1918 am Teatro Comunale Florenz. 1920 wirkte er in Barcelona in der Uraufführung der Oper «Il Monaco nero» von Cassado mit, 1921 gastierte er am Teatro della Pergola in Florenz als Rigoletto. 1925–32 Mitglied der Metropolitan Oper New York, wo er neben Partien aus dem italienischen Fach auch Rollen aus der französische Opernliteratur übernahm. 1931 sang er dort in der amerikanischen Erstaufführung der Oper «La Notte di Zoraima» von Montemezzi als Partner von Rosa Ponselle. 1932 kündigte er sein Engagement an der Metropolitan Oper wegen der Kürzung der Gagen, die die Direktion vornahm. 1939 erfolgreiches Gastspiel an der Covent Garden Oper London als Jago im «Othello» von Verdi und als Scarpia in «Tosca». Während der Jahre des Zweiten Weltkrieges trat er in Italien auf und gastierte an deutschen Bühnen.

Baske-Broßmann, Marie, s. unter *Baske,* Eduard.

Bassi, Amedeo; gastierte in der Spielzeit 1900–01 an der Metropolitan Oper New York (ohne deren eigentliches Mitglied zu sein). Am 10. 4. 1906 sang er am Teatro San Carlo Neapel in der Uraufführung der Oper «Tess» von Frédéric d' Erlanger.

Bassi, Luigi; debütierte 1779 als Knabensopran in Pesaro in der Oper «Il curioso indiscreto» von Anfossi. Nachdem er den Don Giovanni kreiert hatte, ist er später auch in weiteren Mozart-Partien, so als Guglielmo in «Così fan tutte» und als Masetto im «Don Giovanni», aufgetreten.

Bastianini, Ettore; erster Gesangunterricht durch Flaminio Contini in Florenz. Als Bassist hatte er

große Erfolge am Teatro Regio Parma; am Silvesterabend 1951 debütierte er dann als Bariton in Bologna. Beim Maggio musicale von Florenz erregte er durch seine Gestaltung von Partien aus dem Bereich der russischen Oper Aufsehen; 1952 sang er dort den Prinzen Andrej in «Krieg und Frieden» von Prokofieff, 1953 den Jeletzky in «Pique Dame» und 1954 den Titelhelden in «Mazeppa» von Tschaikowsky. 1953 kam er als Bariton an die Mailänder Scala; hier 1954 großer Erfolg als Titelheld im «Eugen Onegin» von Tschaikowsky. 1956 Gastspiel an der Oper von Chicago als Riccardo in Bellinis «I Puritani». An der New Yorker Metropolitan Oper war er (im eigentlichen Haus in New York) in elf Partien und in 71 Vorstellungen zu hören, darunter als Gérard in «Andrea Chénier» von Giordano, als Marcello in «La Bohème», als Scarpia in «Tosca», als Enrico in «Lucia di Lammermoor», als Posa im «Don Carlos» und als Amonasro in «Aida». 1960 sang er, wieder als Partner von Maria Callas, an der Mailänder Scala den Severo in Donizettis Oper «Poliuto». Bei den Salzburger Festspielen trat er 1960–63 als Posa in Verdis «Don Carlos» und als Graf Luna im «Troubadour» unter Herbert von Karajan auf.
Schallplatten: Cetra Opera Live («Don Carlos»), Fonit Cetra («Andrea Chénier»), Foyer («La battaglia di Legnano» von Verdi, «Troubadour»).

Bastin, Jules; Preisträger bei Gesangwettbewerben in s' Hertogenbosch (1962) und München (1963). Gastierte an der Covent Garden Oper London (Debüt als Ochs im «Rosenkavalier») und wirkte an der Grand Opéra Paris in der Uraufführung der (ergänzten) Oper «Lulu» von A. Berg mit (24. 2. 1979). Er sang 1987 beim Maggio musicale von Florenz in «Benvenuto Cellini» von Berlioz, 1989 bei den Festspielen von Aix-en-Provence die Köchin in «L'Amour des trois oranges» von Prokofieff.
Schallplatten: HMV («L'Enfance du Christ» von Berlioz), Chant du monde («Le Roi d'Ys» von Lalo, «Sigurd» von Reyer), Perron (Arien-Aufnahmen), CBS («Le Prophète» von Meyerbeer).

Bathori, Jane; sie heiratete ihren ehemaligen Lehrer, den belgischen Tenor *Pierre-Émile Engel.* Sie sang an der Mailänder Scala 1902 den Hänsel in der dortigen Premiere von «Hänsel und Gretel»; sie kreierte von Debussy «Le promenoir des deux amants» (1910) und «Poèmes de Mallarmé» (1913) und «L'Histoire naturelle» von Ravel (1906).

Battistini, Mattia; sein Vater, Barone Poggio di Casalino, war Arzt und Professor für Anatomie an der Universität von Rom. Debütierte 1888 als Nelusco in Meyerbeers «Africaine» an der Mailänder Scala und sang dort bis 1890 u. a. den Figaro im «Barbier von Sevilla», den Don Carlo in Verdis «Ernani», den Telramund im «Lohengrin», den Alfonso in »La Favorita» von Donizetti sowie die Titelhelden in «Simon Boccanegra» von Verdi und «Hamlet» von A. Thomas. Glänzende Erfolge an der Covent Garden Oper London, an der er in der Saison 1905–06 als Rigoletto, als Valentin im «Faust» von Gounod, als Don Giovanni, als Germont-père in «La Traviata» und als Amonasro in «Aida» auftrat. Er gastierte in diesen Jahren auch in Prag und Budapest und an der Oper von Monte Carlo. Er lehnte Reisen nach Nordamerika ab, da er sich angeblich vor Ozeanüberquerungen zu Schiff fürchtete. 1917 erschien er nach über 25jähriger Abwesenheit wieder an der Scala als Don Carlo in Verdis «Ernani»; 1919 hörte man ihn an der Oper von Monte Carlo als Athanaël in «Thaïs» von Massenet, 1921 bei der Eröffnung des im Ersten Weltkrieg zerstörten Teatro Verdi von Padua als Rigoletto. 1922 gab er nochmals glanzvolle Konzerte in London. 1927 stand er letztmals in Graz im Rahmen einer Abschiedstournee durch Deutschland und Österreich auf dem Konzertpodium.

Von seiner Stimme existieren insgesamt etwa 120 Schallplattenaufnahmen; bis 1914 sang er auf HMV; bei einer Schweizer Platte aus dem Jahre 1919 handelt es sich vielleicht um eine ursprüngliche Fonotecnica-Aufnahme.

Battle, Kathleen; 1976 gastierte sie an der New York City Centre Opera als Susanna in «Figaros Hochzeit». Weitere Höhepunkte in ihrem Bühnenrepertoire waren die Despina in «Così fan tutte» und die Cleopatra in «Guilio Cesare» von Händel (Metropolitan Oper New York, 1988).

Schallplatten: HMV (Susanna in «Nozze di Figaro», Despina in «Così fan tutte»), Decca («Entführung aus dem Serail») DGG (Requiem von G. Fauré, «Ariadne auf Naxos», «Semele» von Händel, Schubert-Lieder, «Salzburg-Recital» mit James Levine am Klavier).

Baturin, Alexander, * 1904 Oschmjana (Gouvernement Wilna, Litauen); sang im Januar 1926 in Palermo das Baßsolo im Verdi-Requiem unter Giuseppe Mulè.

Schallplatten der staatlichen russischen Produktion Melodiya, darunter auch vollständige Opern («Fürst Igor» von Borodin, «Pique Dame» und «Jolanthe» von Tschaikowsky); ein Duett mit Xenia Dershinskaja wurde auf HMV übertragen.

Baucardé, Carlo; sang in der Uraufführung der Oper «Jone» von Enrico Petrella am 26.1. 1858 an der Mailänder Scala.

Bau de Bonaplata, Carmen, s. unter *Bonaplata-Bau,* Carmen.

Bauer, Victor; Schallplatten: Supraphon, Wergo.

Baugé, André; durch seine Auszeichnungen aus dem Ersten Weltkrieg kam es dahin, daß er Präsident der Association des Artistes Lyriques de Théâtre Anciens Combattants wurde. Seine Mutter, *Anna Tariol-Baugé* (* 28.8. 1872 Clermont-Ferrand), war eine bekannte Operettensängerin und hatte in der Uraufführung von Messagers «Véronique» mitgewirkt (10.12. 1897 Bouffes-Parisiens).

Baum, Kurt, * 15. . 1900 Köln, † 27.12. 1989 New York; er besuchte die Schule in Köln, studierte

Medizin in Prag, Gesang seit 1930 in Berlin und Wien, dann bei Edoardo Garbin in Mailand. Debüt 1933 am Opernhaus von Zürich, Debüt an der Metropolitan Oper New York als italienischer Sänger im «Rosenkavalier» 1941. Er sang dort hauptsächlich im heldischen Fach, u. a. den Manrico im «Troubadour», den Alvaro in Verdis «La forza del destino», den Radames in «Aida», den Enzo in «La Gioconda», den Lohengrin, den José in «Carmen», den Cavaradossi in «Tosca» und 1959 den Tambourmajor in der Premiere des «Wozzeck» von A. Berg. 1950 gastierte er in Mexico City als Partner von Maria Callas, mit der zusammen er auch 1953 in London als Radames auftrat. 1957 gastierte er nochmals an der Covent Garden Oper London. Bei den Festspielen von Verona sang er 1953 den Manrico im «Troubadour». Gastspiele am Teatro Colón Buenos Aires.

Baumann, Emma; ihr Gatte *Kaspar Baumann* (1843–94) war als Opernsänger in Hannover, Köln und Detmold engagiert. Sie sang am 20.1. 1888 in Leipzig in der Uraufführung von «Die drei Pintos» von Weber/G. Mahler.

Baumann, Kaspar, s. unter *Baumann,* Emma.

Baumann, Ludwig; sang 1986 in Lausanne den Valentin im «Faust» von Gounod, 1988 am Théâtre Châtelet Paris den Orest in «Iphigénie en Tauride» von Gluck.

Bausewein, Kaspar; debütierte 1858 an der Hofoper von München als Sarastro in der «Zauberflöte» und blieb deren Mitglied bis zum Ende seiner Bühnenkarriere für mehr als 40 Jahre. Am 29.6. 1888 sang er an diesem Haus in der Uraufführung von Richard Wagners Jugendoper «Die Feen» (fünf Jahre nach dem Tod des Komponisten) die Partie des Harald.

Baxevanos, Peter; er kam 1935 an das Opernhaus von Zürich. Hier sang er 1937 den Emilio in «Massimilla Doni» von Othmar Schoeck in der Schweizer Erstaufführung des Werks. 1938 verließ er Zürich und sang 1938–40 am Stadttheater von Kiel, 1940–44 wieder an der Wiener Volksoper. Seine Tochter Chariklia Baxevanos wurde Schauspielerin und vor allem durch Fernsehauftritte bekannt.

Beach-Yaw, Ellen; sie erregte allgemeines Aufsehen durch die ungewöhnliche Tonhöhe ihres Soprans, der bis zum E in altissimo reichte. Dieses nur ausnahmsweise bei Sängerinnen bekannte Phänomen ist (wie bei Erna Sack, Mado Robin und Wilfriede Lüttgen) durch Schallplattenaufnahmen dokumentiert. Manchmal gelangt man jedoch bei ihr zu dem Eindruck, daß akrobatische Demonstrationen ihrer Stimmtechnik den künstlerischen Wert des Vortrages beeinträchtigen.

Beattie, Herbert; er sang in den Jahren 1957–72 und 1980–84 an der City Centre Opera New York. 1959–82 trat er bei vielen Gelegenheiten in Radiosendungen hervor. Pädagogische Tätigkeit 1950–52

an der Syracuse University, 1952–53 an der Pennsylvania State University, 1953–58 an der Buffalo University, 1958–82 an der Hofstra University. Er komponierte Chor- und andere Vokalwerke.

Beaujon, Marise; sang an der Pariser Grand Opéra auch die Salomé in Massenets «Hérodiade» und die Brunehild in «Sigurd» von Reyer. Sie gab 1931 ihre Bühnenkarriere auf, nachdem sie nochmals an der Opéra-Comique in der Titelrolle von Charpentiers «Louise» einen ihrer größten Erfolge erzielt hatte.

Bechi, Gino; nach seinem Debüt in Empoli sang er nacheinander an den Theatern von Alessandria, Bari, Palermo und Reggio Emilia Partien wie den Rigoletto, den Figaro im «Barbier von Sevilla» und den Enrico in «Lucia di Lammermoor». 1937 gastierte er an der Oper von Kairo als Figaro im «Barbier von Sevilla». Als erste größere Partie sang er 1938 an der Oper von Rom den Baldassare in «L'Arlesiana» von Cilea. In der Saison 1939–40 erreichte er die Mailänder Scala, an der er den Cascart in Leoncavallos «Zazà» mit Benjamino Gigli und Mafalda Favero als Partnern sang. 1947 zu Gast am Teatro Colón Buenos Aires; sehr beliebt an spanischen Bühnen, besonders am Teatro Liceo Barcelona. 1948 wirkte er bei den Donizetti-Jahrhundertfeiern in Bergamo als Severo in dessen Oper «Poliuto» mit, 1949 sang er am Teatro Massimo Palermo den Titelhelden in «Hamlet» von A. Thomas.
Lit.: D. Rubboli: «Gino Bechi: Il palcoscenico e la vita» (1989).

Bechstein, Hans; Schallplatten: Neun Pathé-Aufnahmen (Berlin, 1912, Opern- und Liedtitel).

Becht, Hermann, * 19. 3. 1939 Karlsruhe; studierte bei Josef Greindl in Saarbrücken. 1968 gewann er einen Gesangwettbewerb in Berlin. Durch einen Gastspielvertrag dem Stadttheater Bonn verbunden. Gab auch Gastspiele an den Staatsopern von Wien und von Hamburg. Er sang 1979–80 bei den Bayreuther Festspielen den Alberich im Nibelungenring, den er auch 1987 am Teatro Comunale Bologna übernahm. Weitere Gastspiele an den Opern von Chicago und San Francisco, am Bolschoj Theater Moskau, am Teatro Liceo Barcelona (1989 als Waldner in «Arabella» von R. Strauss) und 1987 am Opernhaus von Lyon.

Beck, Ellen; es kam keine eigentliche Bühnenkarriere der Künstlerin zustande, nachdem sie einige Versuche an der Kopenhagener Oper in dieser Richtung gemacht hatte.

Becker, Herbert; er war der Onkel des bekannten Tenors *Siegfried Jerusalem* (* 1940). Er wirkte in einer Gesamtaufnahme der «Zauberflöte» auf Barclay als 1. Geharnischter mit, in der sein Neffe den Tamino sang.

Becker-Egner, Lieselotte; bei einem ihrer Gastspiele sang sie 1965 am Stadttheater von Aachen die Konstanze in der «Entführung aus dem Serail».

Beckmann, Friedel; noch 1946–49 ist sie in Köln als Konzertsängerin, u. a. als Solistin in der Matthäuspassion, aufgetreten.

Beckmann, Judith; sang 1984 in Köln die Eva in den «Meistersingern», 1988 an der Staatsoper von München die Titelrolle, in «Arabella» von Richard Strauss und, ebenfalls 1988, am Opernhaus von Dortmund die Ariadne in «Ariadne auf Naxos» vom gleichen Komponisten.

Beckmans, José, † 13. 8. 1987 Vichy.

Beddoe, Dan; 1911 sang er bei den Krönungsfeierlichkeiten für König Georg V. von England in London das Tenorsolo im «Messias». In dieser Partie bewunderte man den 71jährigen Sänger nochmals 1934 in New York.
Unter seinen elektrischen Aufnahmen auf Columbia von 1929 finden sich auch zwei Arien aus dem «Elias» von Mendelssohn.

Bednár, Václav, † 12. 11. 1987 Prag.
Schallplatten: Supraphon («Vanda» von A. Dvořák).

Beeth, Lola; sie war u. a. Schülerin von Rosa de Ruda in Berlin. An der Berliner Hofoper wurde sie vor allem als Partnerin des großen Wagner-Tenors Albert Niemann bewundert. An der Wiener Hofoper sang sie 1888–95 auch mit großem Erfolg Partien aus dem Koloraturfach wie die Marguerite im «Faust» und die Juliette in «Roméo et Juliette» von Gounod. Zu ihren Schülern gehörte die Sopranistin Käthe Heidersbach.

Begemann, Max, * 21. 3. 1877 Rostock, † (?); er wurde durch Alexander Heinemann und Julius Lieban in Berlin ausgebildet.
Weitere Schallplattenaufnahmen sind auf den Marken Lyrophon und Polydor vorhanden.

Begg, Heather; sie debütierte 1959 an der Covent Garden Oper London, an der sie bis 1976 auftrat. Sie sang im weiteren Verlauf ihrer Karriere seit 1976 vor allem an der Oper von Sydney.
Schallplatten: Philips (Mrs. Bonner in der australischen Oper «Voss» von Richard Meale).

Behnne, Harriet, † 4. 10. 1963 New York; 1904 sang sie erstmals in Berlin.
Die Schreibweise ihres Familiennamens als Behnée auf den Etiketten ihrer Columbia-Platten erklärt sich daraus, daß sie selbst seit 1907 in den USA diese öfters anwandte.

Behrens, Hildegard, * 9. 2. 1937 Varel (Oldenburg); in Freiburg i. Br. Schülerin von Ines Leuwen. Debüt am dortigen Stadttheater 1971 als Gräfin in «Figaros Hochzeit». Seit 1975 Gastspiele an der Covent Garden Oper London. 1987 Gastspiel an der Grand Opéra Paris als Elektra in der gleichnamigen Oper von Richard Strauss, eine ihrer Glanzrollen. Ebenfalls 1987 sang sie bei der Eröffnung des neu erbau-

ten Opernhauses von Houston/Texas die Schluß-
szene aus «Salome». 1987 große Erfolge an der
Wiener Staatsoper als Marie im «Wozzeck» von
A. Berg, 1988 an der Bayerischen Staatsoper Mün-
chen als Emilia Marty in «Die Sache Markropoulos»
von Janáček, 1989 bei den Festspielen von Savon-
linna als Senta. Verheiratet mit dem Regisseur Seth
Schneidmann.
Schallplatten: DGG (Brünnhilde in der «Walküre»,
Marie im «Wozzeck», Lieder von F. Liszt), Philips
(Titelheldin in «Elektra»), HMV («Guercoeur» von
Albéric Magnard).

Beilke, Irma, † 20. 12. 1989 Berlin; debütierte 1926
an der Städtischen Oper Berlin als Brautjungfer im
«Freischütz» unter Bruno Walter. Sie sang am 11. 2.
1939 in Leipzig in der Uraufführung von «Die pfiffige Magd» von Julius Weismann. An der Covent
Garden Oper London gastierte sie 1938 als Blondchen in der «Entführung aus dem Serail» und als
Sophie im «Rosenkavalier». An der Berliner Staatsoper sang sie 1946 in Busonis «Arlecchino»; sie
wirkte dort in den Premieren der Opern «Amelia al
ballo» von G. C. Menotti und «Mathis der Maler»
von P. Hindemith (als Regina, 1948) mit, 1980 wurde sie zu deren Ehrenmitglied ernannt.

Beirer, Hans; debütierte 1936 am Landestheater von
Linz als Hans in Smetanas «Verkaufter Braut». Der
Städtischen Oper, später Deutsche Oper, Berlin
blieb er durch Gastspiele während seiner gesamten
Karriere eng verbunden. Er war vielseitig interes-
siert und betätigte sich auch als Schriftsteller und
Maler.
Schallplatten: Melodram (Florestan im «Fidelio»,
Genf 1964), Amadeo-Polygram («Der Besuch der
alten Dame» von G. von Einem), Fonit-Cetra
(«Zauberflöte», Salzburg 1951).

Belcourt, Emile, * 27. 6. 1926 Laflèche bei Regina
(Saskatchewan, Kanada). 1973 kam es zu seinem
Bühnengebüt in seiner kanadischen Heimat.

Belhomme, Hypólite; sang am Théâtre de la Monnaie Brüssel in den Premieren der Opern «Grisélidis» von Massenet (1903) und «Tosca» von Puccini
(1904).

Bell, Donald; er studierte 1955–60 in Berlin und gab
bereits 1958 ein Konzert in der Londoner Wigmore
Hall.
Schallplatten: CBS (Baßsolo in Beethovens 9. Sinfonie).

Belletti, Giovanni; als Partner von Jenny Lind sang
er am Her Majesty's Theatre London in den Opern
«Elisir d'amore» und «Don Pasquale» von Donizetti, mit Sofia Cruvelli 1848 in der englischen Erstaufführung der Verdi-Oper «Attila».

Bellincioni, Gemma, * 18. 8. 1864 Monza (Piemont), † 24. 4. 1950 Roccabelvedere bei Neapel; ihr
voller Name war Gemma Cesira Matilda Bellincioni.
Sie war in Neapel Schülerin der Pädagogen Giovanni

Corsi und Luigia Ponte dell'Armi, bevor sie 1883–84
eine Spanien-Tournee unternahm. Bereits 1882
hatte sie in Lissabon die Gilda im «Rigoletto» als
Partnerin von Enrico Tamberlik gesungen. Debüt an
der Mailänder Scala 1886 als Isabella in «Robert le
Diable» von Meyerbeer. Am 13. 4. 1901 sang sie in
Rom in der Uraufführung der Oper «Lorenza» von
Mascheroni, am 10. 5. 1904 am Teatro Lirico (nicht
an der Scala) in der von «La Cabrera» von Gabriel
Dupont. 1898 trat sie an der Mailänder Scala, an der
sie seit 1886 nicht mehr gesungen hatte, als Titelheldin in der italienischen Erstaufführung von Massenets Oper «Sapho» in Erscheinung. 1911 verabschiedete sie sich in Paris als Salome (die sie über hundertmal gesungen hatte) von der Bühne. Beim Kriegs-
eintritt Italiens 1915 flüchtete sie nach Holland, wo
sie, nahezu vergessen, in dürftigsten Verhältnissen
lebte. 1924 hörte man sie dort nochmals, inzwischen
60 Jahre alt geworden, als Santuzza, als Tosca und
als Carmen. Die italienische Regierung richtete
schließlich für sie in Rom ein Opernstudio ein, an
dem sie bis 1931 tätig war; dann wirkte sie als Pädagogin in Neapel, wo sie noch wenige Tage vor ihrem
Tod Unterricht erteilte. Zu ihren Schülern gehörte auch ihre Tochter *Bianca Stagno-Bellincioni*
(1888–1981).

Belling, Susan, * 3. 5. 1943 Bronx (New York); studierte an der Chatam Square Music School
(1958–60), an der Manhattan School of Music
(1960–63) und im Opernstudio der Metropolitan
Oper New York (1964–67). Sie sang an der Santa Fé
Opera die Titelrolle in der Oper «Melusine» von
Aribert Reimann, an der City Centre Opera New
York wirkte sie 1977 in der Uraufführung der Oper
«Lily» von Leon Kirchner mit. In der ersten Spielzeit
der Metropolitan Oper New York im Lincoln Centre
1966–67 sang sie die Belinda in «Dido and Aeneas»
von Purcell. Sie trat bei vielen, auch konzertanten,
Opernaufführungen in den amerikanischen Musikzentren auf; so hörte man sie in der Hollywood Bowl
als Zerline im «Don Giovanni», mit dem Atlanta
Symphony Orchestra zusammen in «Nozze di Figaro», mit dem Cleveland Symphony Orchestra als
Papagena in der «Zauberflöte» (in der sie auch die
Pamina sang), mit dem Chicago Symphony Orchestra als Solistin in der 4. Sinfonie von Gustav Mahler. 1977 kam es zu ihrem Europa-Debüt beim Festival Venezianischer Musik in Castelfranco-Venedig.

Belloc-Giorgi, Teresa; Belloc war der Familienname
ihres Gatten, eines Chirurgen der Napoleonischen
Armee namens Angelo Belloc. Debüt 1801 am Teatro Regio Ducale Turin in der Oper «L'Equivoco»
von Simone Mayr. 1802–03 war sie am Teatro Regio
Parma anzutreffen; mit der Herzogin Marie-Louise
von Parma blieb sie freundschaftlich verbunden.
1803 war sie in Paris zu Gast. Im Laufe ihrer Karriere
hat sie in dreißig Uraufführungen von Opern mitgewirkt. Neben dem abfälligen Urteil über ihre
Stimme steht eine andere Äußerung von Stendhal,
in der er sie «für wahrscheinlich die erste Sängerin in
Italien» erklärt. Sie zog sich nach Beendigung ihrer
großen Karriere auf ihren Landsitz San Giorgio

Cavarese zurück, wo sie sich, selbst schwer unter Gicht leidend, der armen Bevölkerung der Gegend annahm und um die soziale Fürsorge des gesamten Distrikts große Verdienste erwarb.

Beňačková, Gabriela; als ständiger Gast an den Staatsopern von Wien und München, an der Deutschen Oper Berlin und seit 1979 oft an der Covent Garden London anzutreffen (Debüt als Tatjana im «Eugen Onegin»). 1986 gastierte sie in San Francisco als Titelheldin in Janáčeks «Jenufa», die zu ihren besonderen Glanzrollen zählte, 1987 an der Staatsoper Wien als Rusalka in Dvořáks gleichnamiger Oper. In dieser Rolle hatte sie 1987 auch an der Metropolitan Oper New York große Erfolge. 1988 sang sie an der Deutschen Oper Berlin die Desdemona in Verdis «Othello», am Teatro Liceo Barcelona die Marguerite im «Faust» von Gounod, 1989 in Stuttgart die Maddalena in «Andrea Chénier» von Giordano.
Schallplatten: Supraphon («Dimitrij» von Dvořák), DGG (Sopransolo in der 9. Sinfonie von Beethoven), Video-Topaz («Verkaufte Braut»), BIS («Jenufa»), Fono (Messa per Rossini).

Bence, Margarethe; später an der Wiener Volksoper tätig, wo sie sich in deren Opernstudio auch pädagogisch betätigte.

Bendazzi, Luigia, * 22. 1. 1829 Ravenna. Ihre Tochter *Ernestina Bendazzi-Garulli* (1864–1931), die mit dem Tenor *Alfonso Garulli* (1858–1915) verheiratet war, wurde wie ihre Mutter eine bekannte Sängerin.

Bende, Zsolt; Schallplatten: Hungaroton («Juditha triumphans» von Vivaldi, «Il ritorno di Tobia» von J. Haydn).

Bender, Paul; Sohn eines protestantischen Pfarrers. Bei den Bayreuther Festspielen von 1903 sang er den Fasolt im «Rheingold». 1910 gastierte er am Théâtre de la Monnaie Brüssel als Daland im «Fliegenden Holländer», 1914 an Théâtre des Champs-Elysées als Hans Sachs in den «Meistersingern»: 1914 übernahm er an der Londoner Covent Garden Oper in der englischen Erstaufführung des «Parsifal» die Bariton-Partie des Amfortas. An der Metropolitan Oper New York debütierte er 1922 als Ochs im «Rosenkavalier» und sang dort neben seinen Wagner-Partien den Sarastro in der «Zauberflöte» und den Titelhelden im «Barbier von Bagdad» von P. Cornelius. 1924 auch in London als Ochs sehr erfolgreich. Im Konzertsaal galt er im Vortrag der Balladen von Carl Loewe als Nachfolger des unvergessenen Eugen Gura. Wenige Wochen vor seinem Tod sang er an der Münchner Oper nochmals die vier Dämonen in «Hoffmanns Erzählungen».
Schallplatten: Die ersten Aufnahmen erschienen 1907 auf G & T; auch Aufnahmen auf Polydor-DGG (um 1922).

Benelli, Ugo; gastierte 1986 am Théâtre de la Monnaie Brüssel als Podestà in Mozarts «La finta giardiniera».

Schallplatten: HMV (Basilio in «Nozze di Figaro»), Ricercar («La finta giardiniera von Mozart).

Benevicová-Micová, Emilia, † 25. 12. 1906 Duba (ČSR).

Benningsen, Lilian; Schallplatten: RAI-Electrola («Walküre», Rom 1953).

Benoni, Bohumil; sang am 12. 2. 1889 in der Uraufführung von A. Dvořáks «Der Jakobiner» die Partie des Bohuš, am 1. 1. 1899 wirkte er in der Uraufführung von «Eva» von J. B. Foerster mit, am 31. 3. 1901 in der von «Rusalka» von Dvořák; alle Aufführungen fanden am Nationaltheater Prag statt.

Ben-Sedira, Leila, * 17. 2. 1903 Algier, † 18. 6. 1982; sie gab auch Gastspiele am Opernhaus von Monte Carlo.

Bensing, Heinrich; Ausbildung durch H. Ditt in Köln und durch O. Waldner in Wien. Blieb bis zu seinem Tod Mitglied des Opernhauses von Frankfurt a. M. Dort sang er am 7. 10. 1942 in der Uraufführung der Oper «Odysseus» von H. Reutter die Partie des Telemach. Nach dem Zweiten Weltkrieg Gastspiele an der Hamburger Staatsoper, an der Staatsoper von Wien und 1951 bei den Salzburger Festspielen.

Bentonelli, Joseph, † 4. 4. 1975 Norman (Oklahoma).

Benucci, Francesco; er wirkte auch an der Wiener Hofoper in der Uraufführung von Cimarosas «Il matrimonio segreto» in der Partie des Robinson mit (7. 2. 1792). Bei der Londoner Aufführung von Paisiellos «Il Barbiere di Siviglia» am His Majesty's Theatre 1789 handelte es sich um die englische Premiere der Oper.

Berberian, Ara; Debüt 1958 bei der Turnau Opera in Woodstock (New York). 1979 wurde er an die Metropolitan Oper New York verpflichtet (Antrittsrolle: Zacharie in «Le Prophète» von Meyerbeer), an der er in den folgenden zehn Jahren zahlreiche kleinere und größere Baß-Partien sang.

Berberian, Cathy; sie entstammte einer ursprünglich armenischen Familie. 1979 sang sie in Zürich in «Il combattimento di Tancredi e Clorinda» von Monteverdi. 1983 trug sie im italienischen Fernsehen zum 100. Todestag von Karl Marx eine eigene Version der Internationale vor.

Berbié, Jane; 1988 sang sie bei den Salzburger Festspielen die Marcellina in «Figaros Hochzeit», 1987 beim Festival von Aix-en-Provence die Annina im «Rosenkavalier».
Schallplatten: Decca (Emilia in Verdis «Othello»), HMV («Louise» von Charpentier), Estro Armonico («Don Giovanni», «Nozze di Figaro»).

Beresford, Hugh, Bariton/Tenor; sang 1981 am Opernhaus von Köln den Florestan im «Fidelio» und den Erik im «Fliegenden Holländer».

Berg, Anna-Lisa (Annalisa), s. unter *Björling,* Jussi.

Berg, Pieter van den; wurde 1970 als erster Bassist an die Niederländische Oper Amsterdam verpflichtet; gastierte auch in Madrid. Von seinen Bühnenrollen sind zu nennen: der Bartolo in «Figaros Hochzeit», der Ramphis in «Aida», der Fiesco in «Simon Boccanegra» und der Procida in «I Vespri Siciliani» von Verdi, der Sarastro in der «Zauberflöte», der Gremin im «Eugen Onegin» und der Rocco im «Fidelio» (Amsterdam, 1988).

Berganza, Teresa; Gastspiele an der Mailänder Scala (Debüt 1958 an der Piccola Scala als Page Isolier in «Le Comte Ory» von Rossini). An der Metropolitan Oper New York sang sie auch die Rosina im «Barbier von Sevilla», insgesamt 15 Vorstellungen in zwei Spielzeiten. Auch an der Oper von Chicago aufgetreten (Antrittspartie: Cherubino, 1962). Am 13. 7. 1989 wirkte sie im Eröffnungskonzert der neuen Pariser Bastille-Oper mit. Ihre Ehe mit dem Pianisten Felix Lavilla wurde später wieder aufgelöst.
Schallplatten: CBS (Spanische Lieder), Erato («Dido and Aeneas» von Purcell), Movimento Musica («L'Italiana in Algeri»), Orfeo («La finta semplice» von Mozart).

Berger, Erna, † 14. 6. 1990 Essen; seit 1932 Mitglied der Städtischen Oper Berlin (Debüt als Page Oscar in Verdis «Maskenball»), seit 1934 der Staatsoper Berlin (Debüt als Leila in den «Perlenfischern» von Bizet). Bei den Bayreuther Festspielen 1932 hörte man sie als Waldvogel im «Siegfried». Gastspiele an der Staatsoper von München; 1949–52 an der Metropolitan Oper New York tätig. An der Covent Garden Oper London gastierte sie auch als Marzelline im «Fidelio». Seit 1938 große Erfolge an der Wiener Staatsoper u. a. 1952 als Anne Trulove in der Premiere von Strawinskys «The Rake's Progress». In Holland gastierte sie bereits 1938 in Amsterdam als Sophie im «Rosenkavalier», während des Zweiten Weltkrieges als Konstanze in der «Entführung aus dem Serail» und in den Nachkriegsjahren als Konzertsolistin. 1960–71 Professorin an der Musikhochschule von Hamburg. Ihre Lebenserinnerungen erschienen unter dem Titel *«Auf Flügeln des Gesanges»* (Zürich, 1989).

Berger, Rudolf, Bariton/Tenor, * 11. 4. 1874 Brünn (Brno), † 27. 2. 1915 New York; Ausbildung durch Adolf Robinson in Brünn. Debüt als Bariton 1896 am Stadttheater von Brünn in der Partie des Telramund im «Lohengrin». Bis 1897 war er dann am Stadttheater von Olmütz (Olomouc) tätig und folgte 1898 einem Ruf an die Berliner Hofoper. Hier sang er u. a. am 13. 12. 1904 in der Uraufführung der (wenig erfolgreichen) Oper «Der Roland von Berlin» von Leoncavallo die Partie des Thomas Wintz. In den Jahren 1901, 1906 und 1908 wirkte er bei den Bayreuther Festspielen als Amfortas, als Klingsor im «Parsifal» und als Gunther in der «Götterdämmerung» mit. 1908 lernte er in Bayreuth den amerikanischen Gesangpädagogen Oscar Saenger kennen, der ihm dringend zu einer Umschulung seiner Stimme zum Tenor riet. Er wurde durch diesen dann in New York zum Helden- und Wagner-Tenor ausgebildet. Darauf debütierte er als solcher 1909 an der Berliner Hofoper in der Partie des Lohengrin. 1913 heiratete er die amerikanische Sopranistin *Marie Rappold* (1879–1957). Nach Gastspielen, in erster Linie in Wagner-Partien, in Paris, London, Prag und Amsterdam wie auch an der Wiener Hofoper folgte er 1913 einem Ruf an die Metropolitan Oper New York (Debüt 1914 als Siegmund in der «Walküre»). An der Metropolitan Oper sang er in den beiden folgenden Spielzeiten vor allem Wagner-Heroen: den Tannhäuser, den Lohengrin, den Walther von Stolzing, den Tristan und den Siegfried in der «Götterdämmerung». Sein Bühnenrepertoire besaß durch den Wechsel des Stimmfachs einen besonders großen Umfang; er soll 96 Bariton- und 18 Tenor-Partien beherrscht haben. Er starb plötzlich, auf dem Höhepunkt seiner Karriere stehend.
Sowohl als Bariton wie als Tenor hat der Künstler Schallplatten auf HMV und auf Odeon hinterlassen. – (Neufassung) –.

Berger-Tuna, Helmut; 1988 sang er am Opernhaus von Zürich den Kezal in der «Verkauften Braut» von Smetana und den Ochs im «Rosenkavalier».

Berglund, Joel; bereits während seines Studiums unternahm er eine Nordamerika-Tournee mit dem Stockholmer Universitäts-Männerchor als dessen Baß-Solist. 1932 wirkte er an der Stockholmer Oper in der Uraufführung der Oper «Resan till Amerika» («Die Reise nach Amerika») von Hilding Rosenberg mit. Er sang in Stockholm auch in den Uraufführungen von zwei Opern von Kurt Atterberg: 1934 als Jost Hundsheimer in «Fanal», 1941 als Molok in «Aladdin». Gastspiele an der Wiener Staatsoper (1936), am Teatro Colón Buenos Aires (1937) und an der Oper von Chicago (1939). 1940 erhielt er einen Ruf an die Metropolitan Oper New York, dem er aber wegen der Kriegsverhältnisse nicht folgen konnte.
Schallplatten: Erste Aufnahmen auf HMV entstanden 1937 in Schweden.

Berglund, Rut; Schülerin von Ernst Grenzebach in Berlin. Sie sang auch 1936 an der Berliner Staatsoper in der Premiere der Oper «Schirin und Gertraude» von Paul Graener. 1934 Gastspiel an der Covent Garden Oper London als Magdalene in den «Meistersingern» und als Adelaide in der Richard Strauss-Oper «Arabella».

Bergonzi, Carlo; Studium bei Maestro Grandini, dann am Konservatorium von Parma. Während dieses Studiums wurde er wegen antifaschistischer Aktivitäten verhaftet und konnte erst nach Kriegsende seine Ausbildung beenden. Bei seinem Debüt an der Scala kreierte er 1953 die Titelpartie in der Urauf-

führung der Oper «Masaniello» von Napoli. Seit 1962 Gastspiele an der Covent Garden Oper London (Debüt als Alvaro in «La forza del destino»). 1956–83 ist er an der Metropolitan Oper New York insgesamt in 21 Partien und 249 Vorstellungen (ungerechnet die Vorstellungen bei der alljährlichen Tournee des Ensembles) aufgetreten. 1981 feierte man seine 25jährige Zugehörigkeit zum Haus mit einer Gala-Vorstellung. Noch 1988 hörte man ihn an der Wiener Staatsoper als Edgardo in «Lucia di Lammermoor».
Schallplatten: Capriccio (Belcanto-Kanzonen).

Bergström, Oscar; Schallplatten: Pathé-Aufnahmen, Stockholm, 1909).

Berini, Bianca, * 20. 12. 1928 Triest; kam 1978 an die Metropolitan Oper New York, an der sie als Antrittsrolle die Amneris in «Aida» und eine Vielzahl weiterer Partien (Eboli im «Don Carlos», Santuzza Dalila, Ulrica in «Un Ballo in maschera», Federica in «Luisa Miller» von Verdi, Azucena im «Troubadour») im Ablauf ihres dortigen Wirkens sang.

Berini, Mario; debütierte 1941 bei der San Carlo Opera Company. Er sang 1941 am Opernhaus von Philadelphia den Rodolfo in «La Bohème» und debütierte 1946 an der Metropolitan Oper New York als Titelheld im «Faust» von Gounod. Er sprang in dieser Rolle ganz kurzfristig für Raoul Jobin ein. Gastierte auch an der Oper von San Francisco, u. a. 1946 als Florestan im «Fidelio».

Bériza, Marguerite, Sopran (im Hauptband unter Dériza, Marguerite eingeordnet), * 1880 in der Provence, † (?); sie studierte in Marseille und Paris und debütierte 1900 an der Opéra-Comique Paris in einer kleinen Partie. 1906 sang sie dort in der Pariser Erstaufführung von Puccinis «Madame Butterfly» die Partie der Kate Pinkerton, in späteren Aufführungen die Suzuki. Sie hatte dann bis etwa 1912 an der Opéra-Comique in großen Partien Erfolge: als Tosca, als Mignon, als Santuzza in «Cavalleria rusticana», als Anita in «La Navarraise» von Massenet, als Traviata, als Musetta in «Le Bohème» und als Mallika in «Lakmé» von Delibes. Sie gastierte an den Opernhäusern von Lyon, Genf, Nizza und Marseille; an der Oper von Monte Carlo bewunderte man sie als Carmen wie als Thaïs in der gleichnamigen Oper von Massenet. 1910 trat sie an der Oper von Boston erfolgreich als Tosca auf. 1923 erschien sie am Théâtre Fiametta Paris in modernen Werken. Sie gründete in den zwanziger Jahren eine Privatgesellschaft, mit der sie u. a. 1927 am Théâtre Fémina in Paris die einaktige Oper «Angélique» von Jacques Ibert zur Uraufführung brachte und die Hauptrolle kreierte. – Sie war in erster Ehe mit dem berühmten französischen Tenor *Lucien Muratore* (1878–1954) verheiratet, der sich aber von ihr trennte, um 1913 die Sopranistin Lina Cavalieri zu heiraten. 1906–07 erschienen eine Anzahl von Edison-Zylindern, auf denen sie unter dem Namen Magali (der provençalischen Form von Marguerite) Muratore singt; darunter finden sich auch Duette mit Lucien Muratore.

1910 kam eine Pathé-Platte heraus, auf der Magali Muratore (Mme Muratore) zusammen mit Jane Marignan, Albert Vaguet und Henri Albers eine Ensembleszene singt. Die Künstlerin erscheint auch unter dem (fälschlich so geschriebenen) Familiennamen Dériza und später (wohl nach einer weiteren Heirat) als Mme Bériza-Greven. – (Neufassung) –.

Berman, Karel; Schallplatten: Supraphon («Der listige Bauer» von Dvořák, «Jenufa», «Die Ausflüge des Herrn Brouček» und «Die Sache Makropoulos» von L. Janáček, «Julietta» von B. Martinù).

Bernac, Pierre, † 17. 10. 1979 Vielleneuve-les-Avignon; debütierte 1913 in einem Konzert in Paris. Eine seiner ersten Auslands-Tourneen fand 1938 in Holland und Belgien statt, noch im gleichen Jahr bereiste er England. Glänzende Erfolge hatte er 1948 bei einer großen Nordamerika-Tournee. Zu seinen Schülern gehörte auch die berühmte Sopranistin Jessye Norman.
Schallplatten: Ultraphon, HMV (erste Aufnahmen mit Liedern von F. Liszt in deutscher Sprache von 1938; seit 1946 in England aufgenommene Platten u. a. mit Liedern von Gounod, Debussy, Ravel und Poulenc). Auf Columbia «Dichterliebe» von R. Schumann.

Bernacchi, Antonio Maria, † 13. 3. 1756 Bologna.

Bernasconi, Antonia, † nach 1783 Wien (vielleicht auch in Stuttgart).

Berry, Walter; debütierte an der Wiener Staatsoper 1950 in «Jeanne d'Arc au bûcher» von A. Honegger. Seine Karriere an diesem Haus dauerte über 35 Jahre, noch 1988 sang er dort den Don Magnifico in Rossinis «La Cenerentola»; bei den Salzburger Festspielen hörte man ihn 1988 in einer konzertanten Aufführung von G. von Einems Oper «Der Prozess». 1968 sang er erstmals in Wien den Ochs im «Rosenkavalier», seitdem eine seiner Glanzrollen. 1954 gastierte er mit dem Ensemble der Wiener Staatsoper an der Covent Garden Oper London, 1976 sang er dort den Barak in der «Frau ohne Schatten» von R. Strauss, und noch 1986 gastierte er an der Covent Garden Oper als Waldner in «Arabella». Nach seinem Debüt an der Metropolitan Oper New York in der Spielzeit 1966–67 als Barak ist er dort in zehn Spielzeiten aufgetreten, u. a. als Leporello, als Ochs im «Rosenkavalier», als Pizarro im «Fidelio», als Alfonso in «Così fan tutte» und in Wagner-Partien, insgesamt im Haus der Metropolitan Oper in 83 Vorstellungen von neun Rollen. An der Oper von Chicago debütierte er 1957 als Figaro in «Figaros Hochzeit», 1988 an der Oper von San Francisco als Klingsor im «Parsifal» zu Gast.
Schallplatten: HMV-Electrola («Zigeunerbaron»), Melodram («Rienzi»).

Bertana, Luisa, * 11. 12. 1898 Quilmes bei Buenos Aires. Von den Partien, die sie seit 1922 an der Mailänder Scala sang, seien die Meg Page im «Falstaff» von Verdi, die Afra in Catalanis «La Wally», die Brangäne im «Tristan», die Marina im «Boris Godunow», die Geneviève im «Pelléas et Mélisande» von Debussy und der Siebel im «Faust» von Gounod genannt. Am Teatro Colón Buenos Aires wirkte sie in weiteren Erstaufführungen und Premieren mit («Debora e Jaele» von Pizzetti, 1923; «Nerone» von Boito, 1926; «Khovantchina» von Mussorgsky, 1929; «La Campana sommersa» von Respighi, 1929). Hier sang sie auch am 23. 7. 1926 in der Uraufführung der argentinischen Oper «Ollantay» von Constantino Gaito.

Berthold, Charlotte; * 17. 1. 1934 Löbau (Sachsen); Ausbildung an der Musikhochschule von Leipzig, später bei Margarethe Bärwinkel in Berlin und München. Debüt 1955 am Landestheater von Gera (Thüringen). Es folgten Engagements am Theater von Halle (Saale, 1956–58), am Opernhaus von Hannover (1959–63) am Stadttheater von Lübeck (1963–65), am Opernhaus von Wuppertal (1965–68) und seit 1971 am Opernhaus von Zürich. 1967–84 war sie durch einen Gastvertrag mit der Staatsoper München verbunden. Mit deren Ensemble gastierte sie u. a. bei den Festspielen von Schwetzingen. Weitere Gastspiele am Théâtre des Champs-Élysées Paris, an den Staatsopern von Hamburg und Stuttgart, an der Deutschen Oper am Rhein Düsseldorf–Duisburg, an der Opéra du Rhin Straßburg, in Karlsruhe, bei den Festspielen von Drottningholm und mit dem Zürcher Ensemble in Dresden, Wien, Helsinki, Athen und Wiesbaden. 1977 wirkte sie in Zürich in der Uraufführung der Oper «Ein Engel kommt nach Babylon» von R. Kelterborn mit.

Berthon, Mireille; sie sang u. a. am Opernhaus von Rouen 1918 in der Uraufführung der Oper «Ninon de Lenclos» von Mainguenant. Am Teatro Colón Buenos Aires gastierte sie 1920 als Thaïs und als Manon von Massenet wie als Marguerite im «Faust» von Gounod, an der Oper von Monte Carlo in «Damnation de Faust» von Berlioz, in Vichy in «La fille de Madame Angot» von Lecocq. An der Grand Opéra bewunderte man sie in vielen großen Aufgaben aus dem lyrischen wie dem jugendlich-dramatischen Repertoire. Nach dem Zweiten Weltkrieg sang sie in Opernsendungen des französischen Rundfunks kleinere Sopran- und Mezzosopranpartien.

Bertinotti, Teresa; sie sang in Neapel (1791–92), am Teatro della Pergola Florenz (1794), am Teatro Fenice Venedig (1794), am Teatro Ducale Mailand (1795 und 1802), in Bologna (1796) und am Teatro Regio Turin (1801). Am 21. 4. 1801 gastierte sie in der Eröffnungsvorstellung des Teatro Nuovo von Triest in der Titelpartie der eigens für dieses Ereignis komponierten Oper «Ginevra di Scozia» von Simone Mayr. 1803 war sie als Gast in Rußland, 1807 in Monaco anzutreffen. Am 6. 6. 1811 wirkte sie am His Majesty's Theatre London in der englischen Erstaufführung der «Zauberflöte» mit; 1812 hörte man sie in Genua. 1815 sang sie am Teatro Corso Bologna in der Uraufführung der von ihrem Gatten komponierten Oper «Castore e Polluce». Sie wirkte

auch in den Uraufführungen der Opern «Virginia» von F. Federici (Teatro Aliberti Rom, 1798), «Annibale in Capua» von A. Salieri (Teatro Nuovo Triest, 21. 5. 1801), «Rosana» von F. Paër (Teatro Ducale Mailand, 31. 1. 1795), «I misteri Eleusini» von S. Mayr (Teatro Ducale Mailand, Januar 1802) und «La Vergine Vestale» von G. Albertini (Teatro Aliberti Rom, 1803) mit. In den Jahren 1816–18 gastierte sie am Teatro Fenice Venedig, am Théâtre-Italien Paris und vor allem in Bologna. Als ihr Gatte im Jahre 1822 durch einen tragischen Unfall starb, gab sie ihre Bühnenkarriere auf und wirkte als Pädagogin in Bologna. Zu ihren Schülern gehörten so bedeutende Sängerinnen wie Rita De Bassini-Gabussi, Ottavia Malvini, Balbina Steffenone und Silvia Cabucci.

Bertolli, Francesca, † 9. 1. 1763 Bologna; sie hat offensichtlich nach 1737 England verlassen und war dann wahrscheinlich noch in Italien als Sängerin tätig, wo sie jedenfalls 1763 in Bologna starb.

Berton, Liliane; sie sang 1957 wie 1966 an der Grand Opéra Paris die Sophie im «Rosenkavalier».

Bertram, Heinrich; seine Tochter, *Maria Wellig-Bertram*, war lange am Opernhaus von Frankfurt a. M. tätig und mit dem Opernsänger *Alexander Wellig* (1885–1965) verheiratet.

Bertram, Theodor; bei den Wagner-Festspielen von München erregten sein Hans Sachs wie sein Wotan großes Aufsehen. Seit 1901 sang er bei den Festspielen von Bayreuth den Wotan im Nibelungenring. Seine erste Ehefrau, *Fanny Moran-Olden,* starb 1905 in geistiger Umnachtung; seine zweite Gattin, die Sängerin *Lotte Wetterling,* kam am 21. 2. 1907 bei einem Schiffsunglück vor Hoek van Holland ums Leben. Darauf brach der sensible Künstler völlig zusammen. Er war hoch verschuldet und wegen seiner haltlosen Lebensführung in immer neue Schwierigkeiten verstrickt. Schließlich verfiel er der Trunksucht und erhängte sich im Bayreuther Bahnhofshôtel. Seinem letzten Wunsch entsprechend wurde er in Holland an der Seite von Lotte Wetterling beigesetzt.

Besalu, Blanca; Von ihrer Stimme sind Schallplattenaufnahmen auf HMV vorhanden (etwa 1912 entstanden).

Besanzoni, Gabriella; Studium an der Accademia di Santa Cecilia Rom bei Alessandro Maggi und Ibilda Brizzi. Sie sang am Teatro Colón Buenos Aires u. a. die Carmen, die Mignon, den Titelhelden im «Orpheus» von Gluck (1924), die Amneris in «Aida», die Dalila in «Samson et Dalila» von Saint-Saëns und die Glorianda in der Uraufführung der Oper «Jacquerie» von Marinuzzi (11. 8. 1918). Debüt an der Metropolitan Oper New York in der Spielzeit 1919–20 als Amneris. 1920–21 große Erfolge an der Oper von Chicago, 1921–22 an der Oper von Rom (Teatro Costanzi) als Carmen und als Dalila. Neben der Carmen gehörten die Titelfigur in «Mignon» von

A. Thomas, die Angelina in Rossinis «La Cenerentola» und die Adalgisa in «Norma» zu den Höhepunkten in ihrem umfassenden Bühnenrepertoire. Während sie in Rio de Janeiro lebte, ging sie einer weitreichenden Gastspieltätigkeit in Südamerika nach.
Schallplatten: Gesamtaufnahme «Carmen» auf HMV von 1932 in italienischer Sprache.

Beschort, Jonas Friedrich; er wirkte am 14. 3. 1821 am Königlichen Schauspielhaus Berlin in der Uraufführung des Singspiels «Preziosa» von Carl Maria von Weber mit.

Betetto, Julius; er nahm an der Wiener Oper an den Uraufführungen von zwei Richard Strauss-Opern teil: am 4. 10. 1916 «Ariadne auf Naxos» (in deren Zweitfassung), am 10. 10. 1919 «Die Frau ohne Schatten».

Betley, Bozena; Schallplatten: Polskie Nagranie («Das Gespensterschloß» von Moniuszko).

Bettendorf, Emmy; nach ihrer Heirat 1931 beschränkte sie ihr Auftreten auf den Konzertsaal; sie lebte dann in Österreich. Als sie 1938 ihren Gatten verlor, geriet sie in drückende Not und mußte durch Konzerte, die sie vor deutschen Soldaten in Polen, Rußland und Griechenland gab, ihren Lebensunterhalt bestreiten. Ihr letztes derartiges Auftreten fand im September 1944 in Albanien statt. Sie lebte während der Jahre des Zweiten Weltkrieges in Garmisch, wo sie eine Fremdenpension betrieb. Auf Intervention des berühmten Bassisten Michael Bohnen wurde sie 1947 Dozentin an der Musikhochschule Berlin, an der sie bis 1952 unterrichtete. Krank und vereinsamt verbrachte sie ihre letzten Lebensjahre in Berlin.

Bettini, Geremia, Tenor, * 1823, † 1865; er darf nicht mit dem gleichaltrigen Tenor *Alessandro Bettini* (1821–98) verwechselt werden.

Bettoni, Vincenzo; sang 1912 am Teatro Colón in den Premieren der «Götterdämmerung» und der «Königskinder» von Humperdinck unter Toscanini. 1915 gastierte er in Bergamo in Donizettis «Regimentstochter», 1919 war er wieder am Teatro Colón Buenos Aires und 1923–24 an der Oper von Havanna. Mit Conchita Supervia gastierte er auch in Madrid. An der Scala hörte man ihn seit 1927 u. a. als Rocco im «Fidelio», als Pistol in Verdis «Falstaff», 1932–33 als Giacomo in «Fra Diavolo» von Auber; noch 1950 erschien er dort als Lunardo in «I quattro rusteghi» von Wolf-Ferrari. Weitere wichtige Auftritte an der Scala 1931 in Rossinis «Italiana in Algeri» zusammen mit Bruna Castagna, am 24. 3. 1934 in der Uraufführung der Oper «Il Dibuk» von Lodovico Rocca, 1935 in der Premiere der «Schweigsamen Frau» von R. Strauss, in der Saison 1936–37 in «La Cenerentola» mit Gianna Pederzini als Partnerin. In der Saison 1934–35 an der Londoner Covent Garden Oper zu Gast.
Schallplatten: HMV (vollständige Opern «Rigo-

letto» als Sparafucile und «La Bohème» als Colline), Columbia (als Sparafucile in einer zweiten integralen «Rigoletto»-Aufnahme und, bereits in elektrischer Aufnahmetechnik, als Basilio im «Barbier von Sevilla», 1931 aufgenommen), auf Odeon-Parlophon Opernszenen zusammen mit Conchita Supervia.

Beuf, Augusto, Baß-Bariton, * 21. 6. 1887 Palermo, † Februar 1969 Verona; als Knabe nahm er an einer Operntournee einer Truppe teil, die aus Kindern bestand, und die Opern wie den «Barbier von Sevilla» oder «Don Pasquale» aufführten. Er studierte dann am Liceo musicale Palermo Violoncello und wurde Cellist im Orchester des Teatro Massimo Palermo. Er begann seine Sängerkarriere ohne ein eigentliches Gesangstudium. Er bereiste mit einer italienischen Operettentruppe, der Compagnia Lombardo, Ägypten. In Kairo verpflichtete ihn der Impresario Castellani für eine Griechenland- und Balkantournee seiner Operngesellschaft. Dabei kam es zu seinem Operndebüt 1908 am Teatro Comunale von Mojica bei Ragusa. 1913 gastierte er am Teatro Biondo Palermo als Alfio in «Cavalleria rusticana», 1914 auf Korfu als Germont-père in «La Traviata». Während des Ersten Weltkrieges diente er als Soldat in der italienischen Armee. 1917–18 studierte er bei dem berühmten Antonio Cotogni in Rom, dessen letzter Schüler er war. 1918 erschien er dann wieder auf der Bühne, und zwar am Teatro Carcano in Mailand. Seine ersten großen Erfolge hatte er bald darauf am Teatro Costanzi in Rom, wo er seine Ausbildung bei Alfredo Martini vervollständigte. In den zwanziger Jahren gastierte er an der Mailänder Scala, an den übrigen großen italienischen Opernhäusern, bei den Festspielen in der Arena von Verona (1921–29), vor allem aber in Rom. Dazu sang er viel in Südamerika, so 1927 am Teatro Colón Buenos Aires in «Tosca» und «Lucia di Lammermoor». 1931–34 Mitglied der Oper von Chicago. Dort sang er u. a. den Grafen Luna im «Troubadour», den Amonasro in «Aida», den Enrico in «Lucia di Lammermoor» und den Marcello in Puccinis «La Bohème». Seit 1934 übernahm er auch Baß-Partien und Wagner-Rollen; so erschien er an der Mailänder Scala als Hans Sachs. 1935 gastierte er in Florenz in der Uraufführung der Oper «L'Orseolo» von Pizzetti, an anderen italienischen Bühnen hörte man ihn als König Philipp in Verdis «Don Carlos», als Ramphis in «Aida», als Colline in «La Bohème» und als Graf in «Nozze di Figaro». In dem Jahrzehnt 1938–48 unternahm er Konzerttourneen durch die ganze Welt, oft zusammen mit der berühmten Koloratursopranistin Toti dal Monte, mit der er in Paris und Brüssel und bei einer Spanien-Tournee auftrat. Während des Zweiten Weltkrieges gastierte er in Berlin. 1946 trat er als erster italienischer Sänger im englischen Fernsehen auf.
Akustische Aufnahmen auf Columbia, elektrische auf HMV; noch 1951 sang er (bereits in der Langspielplatten-Ära) auf Urania das Baß-Solo im Verdi-Requiem. –(Neufassung) –.

Beval, Franco; Während der Jahre des Zweiten Weltkrieges sang er u. a. 1941 an der Oper von Rom den Vassili in Giordanos «Siberia», 1941–42 am Teatro Petruzzelli von Bari den Alvaro in Verdis «La forza del destino» und den Titelhelden in «Andrea Chénier», 1944 am Teatro Lirico Mailand den des Grieux in «Manon Lescaut» von Puccini, 1944–45 am Teatro Verdi Triest den Alvaro und den Manrico im «Troubadour».

Bevignani, Margherita; 1911 großer Erfolg am Teatro Donizetti Bergamo als Königin Marguerite de Valois in den «Hugenotten» von Meyerbeer. Während ihres erzwungenen Aufenthalts in Holland gastierte sie dort bei kleineren Operngesellschaften und wurde dabei vor allem als Violetta in «La Traviata» bekannt. Bei der großen Grippeepidemie des Jahres 1918 erkrankte sie schwer und starb, nachdem sie 1919 in ihre italienische Heimat zurückgekehrt war, an einer Lungentuberkulose.

Beyle, Léon, * 28. 2. 1871 Lyon, † 1922 Lyon; debütierte 1898 an der Opéra-Comique Paris als José in «Carmen». Er sang dort in den Uraufführungen der Opern «La fille de Tabarin» von Gabriel Pierné (20.1. 1901), «La fille de Roland» von Henri Rabaud (16. 3. 1904), «Aphrodite» von Camille Erlanger (21. 3. 1906), «La Lépreuse» von Sylvio Lazzari (7. 2. 1912) und «La Sorcière» (18. 12. 1912), wiederum von Camille Erlanger. 1910 ersetzte er bei einem Gastspiel der New Yorker Metropolitan Oper in Paris den erkrankten Enrico Caruso als Cavaradossi in «Tosca» in einer Vorstellung, in der auch Geraldine Farrar und Antonio Scotti mitwirkten.
Schallplatten: Zahlreiche Aufnahmen auf G & T (Paris, 1904–07, zum Teil auf Zonophone wieder veröffentlicht), auf der obskuren Marke Disque Eden, auf HMV (vollständige Oper «Faust») und auf Pathé.

Bezetti, Victoria: Schallplatten: Electrecord (Violetta in vollständiger «La Traviata»).

Bianchi, Bianca, * 28.1. 1855 Heidelberg; debütierte 1874 an der Covent Garden Oper London als Page Oscar in Verdis «Maskenball». Sie war u. a. die Lehrerin von Minnie Nast.

Bianchi, Eliodoro; noch während seiner Ausbildung kam eine von ihm komponierte Kantate zu Ehren des Königs von Neapel zur Aufführung. Er sang nur in den Uraufführungen der Rossini-Opern «Ciro in Babilonia» am 14.3. 1812 am Teatro Comunale Ferrara und «Edoardo e Cristina» am 24. 4. 1819 am Teatro San Benedetto Venedig, nicht aber in denen von «Tancredi» (hier wirkte der Tenor Luciano Bianchi mit) und «Aureliano in Palmira». 1822 sang er in einer Gala-Vorstellung beim Kongreß von Verona den Bertrando in Rossinis «L'Inganno felice». Seit 1836 erteilte er auf seinem Landsitz Palazzolo di Brescia Gesangunterricht.

Bianchi, Valentina, † 28. 2. (11. 3.) 1884 Kandau (Kandava) in Kurland; bis 1861 war sie am Hoftheater von Schwerin engagiert, 1862–65 an der Hofoper St. Petersburg, an der sie vor allem als Leonore im «Fidelio» großes Aufsehen erregte.

Bianci Lacy, Mrs., s. unter *Lacy,* John.

Biasini, Piero; 1927–30 und nochmals 1934 große Erfolge bei der Italienischen Oper in Holland. Hier übernahm er Partien wie den Jago in Verdis «Othello», den Don Carlos in «La forza del destino», den Rigoletto, den Scarpia in «Tosca» und war besonders erfolgreich als Vater in «Louise» von Charpentier mit Partnerinnen wie Giuseppina Cobelli und Gilda Dalla Rizza. 1935 wirkte er beim Maggio musicale Fiorentino mit; bei den Salzburger Festspielen gastierte er 1935–38 als Ford in Verdis «Falstaff», zum Teil unter der Leitung von A. Toscanini. Neben den bereits erwähnten Partien sang er an der Mailänder Scala den Belcore in «Elisir d'amore», den Marcello in «La Bohème», den Figaro in «Nozze di Figaro», den Lescaut in Puccinis «Manon Lescaut», den Albert im «Werther» von Massenet, den Mercutio im «Faust» von Gounod, den Don Giovanni und den Vater in «Hänsel und Gretel».
Schallplatten: HMV (Alfio in «Cavalleria rusticana» von 1930), Allegro Royale (Ausschnitte aus «Nozze di Figaro»).

Bible, Frances, * 26. 1. 1927 Sacketts Harbour (New York). Bis 1977 trat sie an der New York City Centre Opera auf. Dort sang sie 1973 in der New Yorker Premiere von Cherubinis Oper «Medea». Am 7. 7. 1956 sang sie in Central City in der Uraufführung der Oper «The Ballad of Baby Doe» von Douglas Moore die Partie der Augusta. Sie hat nicht dem Ensemble der New Yorker Metropolitan Oper angehört.

Bickerstaff, Robert, * 26. 7. 1932 Sydney; im Mittelpunkt seiner Tätigkeit standen seine Auftritte bei der English National Opera London, an der er 1964–70 zu hören war (u. a. als Amonasro, als Escamillo, als Macbeth wie als Simon Boccanegra in den gleichnamigen Verdi-Opern, als Scarpia, als Eugen Onegin, als Wotan und als Graf in «Nozze di Figaro»).

Biedermann, Therese; sie war am Theater an der Wien an einer Vielzahl von Operetten-Uraufführungen beteiligt, so sang sie 1887 in «Simplizius», 1893 in «Fürstin Ninetta», 1897 in «Die Göttin der Vernunft», alle von Johann Strauß, 1894 in «Der Obersteiger» von Zeller, 1898 in «Der Opernball» von Heuberger und am 20. 12. 1902 in «Der Rastelbinder» von Franz Lehár.

Billa-Azéma, Jeanne; Mutter der Sängerin *Marie-Louise Azéma,* die den Bariton *Jean Borthayre* (1902–84) heiratete. Mme Billa-Azéma war die Lehrerin der bekannten Sopranistin Marthe Nespoulos.

Bilt, Peter van der; gastierte 1963 in San Francisco als Basilio im «Barbier von Sevilla». Zu seinen großen Partien gehörte auch der van Bett in «Zar und Zimmermann» von Lortzing.
Schallplatten: Philips (Mozart-Arien).

Binci, Mario; sang an der Oper von Rom u. a. die Titelpartie in «La damnation de Faust» von Berlioz und den Rodolfo in Puccinis «La Bohème», sehr beliebt war er am Teatro San Carlo Neapel.

Birrenkoven, Franz, s. unter *Birrenkoven,* Willi.

Birrenkoven, Willi; am Opernhaus (Stadttheater) von Hamburg sang er 1893–1912 Partien in den Uraufführungen der Opern «Das Sternengebot» von Siegfried Wagner (1908) und «Die Brautwahl» von F. Busoni (1902). Seine Gattin, die Sopranistin *Anna Slach* starb bereits am 20. 4. 1903 in Hamburg, nachdem sie zuvor in Düsseldorf, dann in Köln und zusammen mit ihrem Gatten bei der bereits erwähnten Nordamerika-Tournee und u. a. an der Metropolitan Oper New York aufgetreten war.

Birrenkoven-Slach, Anna, s. unter *Birrenkoven,* Willi.

Bischoff, Johannes; er sang 1910 an der Berliner Hofoper in der Uraufführung der Oper «Poia» des amerikanischen Komponisten Arthur Nevin. Seit 1913 war er Mitglied des Hoftheaters (später Landestheater) Darmstadt. Hier trat er in den Uraufführungen der Opern «Scirocco» von Eugen d'Albert (1921), «Tuttifäntchen» von Paul Hindemith (1922) und «Sior Todaro brontolon» von Malipiero (1928) auf.

Bise, Juliette; zu den Schülern der hochgeschätzten Pädagogin gehörten weiter so bedeutende Sänger wie Beatrice Haldas, Danielle Borst, François Loup und Gilles Cachemaille. Ihr Sohn Georges Delnon war ein bekannter Opernregisseur.
Schallplatten: Claves-Verlag (Passion von Reinhard Keiser).

Bishop, Anna; 1852 gab sie auch Gastspiele in Mexico City. 1855 kam sie mit Robert-Nicolas-Charles Bochsa nach Australien, gab Konzerte und Bühnengastspiele in Sydney und Melbourne, doch starb Bochsa bereits kurz nach der Ankunft in Australien. In Sydney fand er seine letzte Ruhestätte. In zweiter Ehe heiratete sie den New Yorker Juwelenhändler Martin Schultz. 1867–68 bereiste sie nochmals Australien.

Bispham, David; er entstammte einer Quäkerfamilie, in der er keinerlei musikalische Ausbildung erhielt. Debütierte 1891 in London als Longueville in «La Basoche» von Messager. Dabei erregte er ein derartiges Aufsehen, daß man ihn sogleich an die dortige Covent Garden Oper verpflichtete, wo er als Antrittspartie den Kurwenal im «Tristan» sang. Dort sang er auch in der Uraufführung der Oper «Much Ado About Nothing» von Stanford (30. 5. 1901) und am 12. 11. 1906 am Prince of Wales' Theatre in der von Liza Lehmanns «The Vicar of Wakefield». Bereits 1896 hatte er in London in der Uraufführung des Liederzyklus «In a Persian Garden» von Liza Lehmann das Baßsolo kreiert. An der Metropolitan Oper New York hatte er namentlich

als Wotan wie als Alberich im Nibelungenring und als Kurwenal große Erfolge. 1910 sang er in Cincinnati in der Uraufführung der Oper «Paoletta» von Floridia, im gleichen Jahr in San Francisco in der von Henry Hadleys «Awakening of Pan». Er wurde einer der größten amerikanischen Oratoriensänger seiner Generation, vor allem als Solist in Mendelssohns «Elias» geschätzt. Bekannt wurde er auch durch zahlreiche Liederabende, die er gab. Gegen Ende seiner Karriere betätigte er sich als Rezitator und Schauspieler.
Schallplatten: Seine Columbia-Aufnahmen entstanden 1906–15 in Nordamerika.

Bisson, Yves; bei den Festspielen von Bregenz sang er 1988 den Abimelech in «Samson et Dalila» von Saint-Saëns. Er gastierte an der Opéra de Wallonie Lüttich; schließlich auch an der Metropolitan Oper New York aufgetreten. Sein Repertoire enthielt Partien aus dem lyrischen wie dem heldischen Fachbereich.

Bitterauf, Richard; 1934 gastierte er in England und sang bei dieser Gelegenheit in der (konzertanten) englischen Erstaufführung von Alban Bergs «Wozzeck» am Rundfunk BBC London die Titelpartie (nicht in der Covent Garden Oper, wo erst 1952 die englische Bühnen-Erstaufführung stattfand).

Bjelow, Eugenij (Semjonowitsch); Schallplatten der staatlichen russischen Produktion, darunter auch die vollständigen Opern «La Cenerentola» von Rossini und «Bajazzo» von Leoncavallo.

Bjeschu, Maria (Lukjanowa), * 5. 5. 1934 Wolontirowska (Bezirk Suworow). Höhepunkte in ihrem Bühnenrepertoire waren die Tatjana im «Eugen Onegin» von Tschaikowsky, die Nedda im «Bajazzo», die Aida, die Tosca und die Lisa in «Pique Dame».

Björling, Jussi; eigentlicher Name Johan Jonatan Björling. Er gastierte zu Beginn seiner Karriere mit dem Ensemble der Stockholmer Oper in Helsinki, Kopenhagen, Oslo und Riga. 1932 wirkte er in Stockholm in der Uraufführung der Oper «Resan till Amerika» («Die Reise nach Amerika») von Hilding Rosenberg, 1934 in der der Oper «Fanal» von Kurt Atterberg mit. 1939 zu Gast an der Covent Garden Oper London (Debüt als Manrico im «Troubadour»), darauf Konzertreise durch Holland. Den Don Ottavio hat er an der Oper von Stockholm und bei einigen Gastspielen, nicht aber bei den Festspielen von Salzburg gesungen. 1937 kam er erstmals nach Nordamerika. Hier sang er zuerst in einem Radiokonzert, darauf in einem Konzert in Springfield (Massachusetts). Im Januar 1938 dann großer Erfolg bei einem Konzert in der Carnegie Hall New York. 1937 zu Gast an der Oper von Chicago. 1940 sang er an der Oper von San Francisco den Rodolfo in «La Bohème» und setzte nach Beendigung des Zweiten Weltkrieges dort wie auch in Chicago seine große Karriere fort. 1945 leitete er sein zweites Engagement an der Metropolitan Oper New York

Stammbaum der Familie Björling

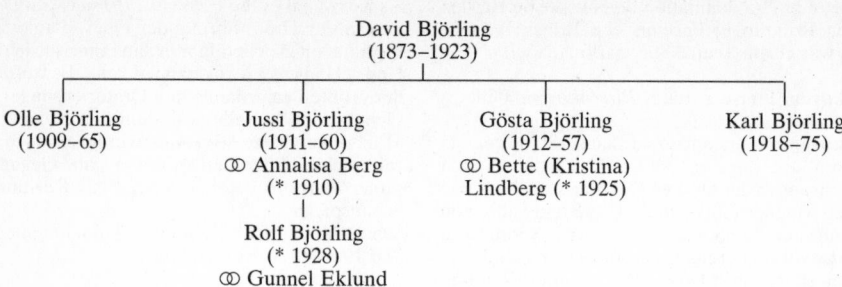

David Björling
(1873–1923)

Olle Björling	Jussi Björling	Gösta Björling	Karl Björling
(1909–65)	(1911–60)	(1912–57)	(1918–75)
	⚭ Annalisa Berg	⚭ Bette (Kristina)	
	(* 1910)	Lindberg (* 1925)	

Rolf Björling
(* 1928)
⚭ Gunnel Eklund

mit der Partie des Herzogs im «Rigoletto» ein. Insgesamt hat er an der Metropolitan Oper (ohne die Auftritte bei deren jährlichen Tourneen) zehn Partien in 90 Vorstellungen gesungen, darunter den Manrico, den Titelhelden im «Faust» von Gounod, den Riccardo in Verdis «Ballo in maschera», den Titelhelden in dessen «Don Carlos», den Cavaradossi in «Tosca», den Turiddu in «Cavalleria rusticana» und den des Grieux in «Manon Lescaut» von Puccini. Beim Maggio musicale Florenz gastierte er 1943 als Manrico. In der Saison 1959–60 hörte man ihn an der Covent Garden Oper London nochmals als Rodolfo in «La Bohème». Mit seiner Gattin *Anna-Lisa Berg* (* 1910) zusammen trat er 1948 in Stockholm in «La Bohème», 1951 in San Francisco in «Roméo et Juliette» von Gounod auf. Mit ihr sang er auf HMV Duette.
Weitere Schallplatten: Toscanini Edition (Tenor-Solo im Verdi-Requiem).

Björling, Sigurd; bevor er 1928 das Gesangstudium aufnahm, war er als Geiger in einem Stockholmer Filmtheater beschäftigt. Debüt 1935 in Stockholm als Alfio. Gastierte 1950 an der Oper von San Francisco als Kurwenal im «Tristan», als Amfortas und als Jochanaan in «Salome» von R. Strauss. 1945 sang er in der Stockholmer Premiere von B. Brittens «Peter Grimes» den Balstrode. Während der Saison 1952–53 sang er an der Metropolitan Oper New York den Kurwenal und den Amfortas, den Scarpia in «Tosca», den Rangoni im «Boris Godunow» und den Grand-Prêtre in «Samson et Dalila» von Saint-Saëns. Seit 1949 verheiratet mit der dänischen Sopranistin *Edith Oldrup* (* 1912).
Schallplatten: Olympic (Baß-Solo in Beethovens 9. Sinfonie unter W. Furtwängler).

Bjoern, Per; debütierte 1917 an der Königlichen Oper Kopenhagen als Telramund im «Lohengrin». Seine großen Rollen waren neben den Wagner-Heroen (Wolfram, Wotan, Telramund) der Graf in «Figaros Hochzeit», der Tonio im «Bajazzo», der Jago in Verdis «Othello», der Germont-père in «La Traviata», der Titelheld in Rossinis «Wilhelm Tell» und der Jochanaan in «Salome» von Richard Strauss.

Bjoner, Ingrid, * 8. 11. 1927 Kraakstad (Norwegen). Sie sang 1956 im norwegischen Rundfunk die 3. Norn und die Gutrune in einer Sendung der «Götterdämmerung» und wurde darauf an die Oper von Oslo verpflichtet (Debüt 1957 als Donna Anna im «Don Giovanni»). 1957 kam sie an das Opernhaus von Wuppertal, dem sie bis 1959 angehörte. 1964 großer Erfolg in München in der Titelpartie der Oper «Daphne» von R. Strauss. Debütierte 1961 an der New Yorker Metropolitan Oper als Elsa im «Lohengrin». 1986 sprang sie bei den Bayreuther Festspielen nochmals als Isolde im «Tristan» ein und sang in Karlsruhe die Küsterin in Janáčeks «Jenufa», 1987 im italienischen Rundfunk RAI die Elektra, 1988 in München die Färberin in der «Frau ohne Schatten» von R. Strauss, 1989 an der Oper von Oslo die Senta.

Blachut, Boris; Schallplatten: Supraphon («Die heilige Ludmilla» von A. Dvořák, Weihnachtsmesse von Ján Jakub Ryba).

Blanc, Ernest; Schallplatten: Melodram («Lohengrin» aus Bayreuth von 1959).

Blanc, Jonny; sang 1974 beim Festival von Edinburgh den Stewa in «Jenufa» von Janáček. 1973 hörte man ihn bei den Festspielen von Drottningholm in «Gustaf Adolf och Ebba Brahe» von G. J. Vogler.

Blanchart, Ramon; sang in Barcelona den Hans Sachs in der Premiere der «Meistersinger». An der Oper von Boston trat er u. a. als Valentin im «Faust» von Gounod, als Nevers in den «Hugenotten» von Meyerbeer, als Rigoletto, als Germont-père in «La Traviata» auf und wirkte in der Premiere der Oper «La Lépreuse» von Sylvio Lazzari mit.
Von seiner Stimme sind auch Parlophon-Platten vorhanden.

Bland, Elsa; sie sang am 20. 11. 1910 die Titelpartie in der Uraufführung der Oper «Semirama» von Ottorino Respighi am Teatro Comunale Bologna.

Blank, Viktoria; sie wirkte am 29. 6. 1888 an der Hofoper von München in der Uraufführung von

Richard Wagners Jugendoper «Die Feen» mit, später auch in der von «Herzog Wildfang» von Siegfried Wagner (14. 3. 1901). Richard Strauss widmete ihr einige seiner frühen Lieder.

Blankenheim, Toni; er wirkte an der Grand Opéra Paris in der Uraufführung der (dreiaktigen) Neufassung von Alban Bergs «Lulu» mit (24. 2. 1973).

Blankenship, William; er war 1968 in Wien als Henry in der «Schweigsamen Frau» von R. Strauss sehr erfolgreich. In den Jahren nach 1980 kam er zu einer bedeutenden Karriere als Fernsehakteur in den USA. Seine Tochter *Rebecca Blankenship* wurde eine bekannte Opernsängerin.

Blanzat, Anne-Marie; gastierte auch in Turin sowie 1988 in Straßburg als Magda Sorel in Menottis «Konsul».

Blasel, Carl; unübersehbar ist die Zahl der Operetten-Uraufführungen, an denen er beteiligt war; davon seien genannt: «Prinz Methusalem» von J. Strauß (3. 1. 1877), «Boccaccio», von F. von Suppé (1. 2. 1879), «Der Rastelbinder» (20. 12. 1902) und «Zigeunerliebe» (3. 1. 1910) von F. Lehár, «Ein Walzertraum» von O. Straus (2. 3. 1907) und «Die geschiedene Frau» von Leo Fall (23. 12. 1908), alle am Carl-Theater Wien, an dem er nach der Jahrhundertwende wieder auftrat. Am 5. 1. 1898 wirkte er am Theater an der Wien in der Uraufführung von Richard Heubergers «Ein Opernball» mit.
Schallplatten: Zahlreiche Aufnahmen auf G & T.

Blass, Robert; er sang 1901 in Bayreuth den Titurel wie den Gurnemanz im «Parsifal» und den Hagen in der «Götterdämmerung». In den Jahren 1920–22 war er nochmals an der Metropolitan Oper New York engagiert. Dort sang er insgesamt 25 Partien in 234 Vorstellungen (ohne die Vorstellungen während der Jahrestournee des Ensembles). Davon sind zu nennen: der Rocco im «Fidelio», der Sarastro in der «Zauberflöte», der Hohepriester in Goldmarks «Königin von Saba», der Ramphis in «Aida», der Gaveston in «La Dame blanche» von Boieldieu, an erster Stelle aber seine Wagner-Heroen vom Daland im «Fliegenden Holländer» bis hin zum Gurnemanz im «Parsifal», den er in der denkwürdigen Erstaufführung an der Metropolitan Oper am 24. 12. 1903 kreierte. Er wirkte dort auch in den Premieren der Opern «Manru» von Paderewski (1902), «Der Wald» von Mrs. Ethel Smyth (1902) und «Salome» von R. Strauss (1907) mit. In den Spielzeiten 1920–22 hörte man ihn an der Metropolitan Oper als König Marke im «Tristan» und als Gurnemanz. Die letztgenannte Partie sang er auch 1914 bei der Premiere des Werks am Deutschen Opernhaus Berlin.

Blatter, Johanna; Schallplatten: HMV («Walküre» aus Wien, 1954). Auf Melodram erschien der Mitschnitt einer Berliner Aufführung von Glucks «Iphigenie in Aulis» von 1951.

Blauvelt, Lilian; sie studierte zuerst in New York, dann in Paris bei Jacques Bouhy. 1898 trat sie in einem Konzert vor der englischen Königin Victoria auf und wirkte als Solistin beim Händel Festival im Londoner Kristallpalast mit. An der Covent Garden Oper London sang sie u. a. die Zerline im «Don Giovanni», die Juliette in «Roméo et Juliette» von Gounod und die Micaela in «Carmen». Bis 1914 unternahm sie große Konzertreisen in Europa und Amerika. Im Ersten Weltkrieg sang sie vor englischen, französischen und serbischen Soldaten und gab 1915 eine Serie von Wohltätigkeitskonzerten für Serbien in der Schweiz. Bis 1920 hörte man sie als Solistin bei den Londoner Promenade Concerts unter Henry Wood, bei denen sie bereits 1898 erstmalig aufgetreten war.

Blegen, Judith, * 27. 4. 1941 Missoula (Missouri); Schülerin von Eufemia Giannini-Gregory in Philadelphia. Kam 1962 zur weiteren Ausbildung nach Europa und debütierte 1963 in Nürnberg als Olympia. 1964 gastierte sie beim Festival von Spoleto als Mélisande in «Pelléas et Mélisande». Sie debütierte 1970 an der Metropolitan Oper New York als Papagena in der «Zauberflöte» und hatte dort eine nahezu zwanzigjährige Karriere, wobei sie in über 200 Vorstellungen, u. a. als Nannetta in Verdis «Falstaff», als Adina in «Elisir d'amore», als Juliette in «Roméo et Juliette» von Gounod, als Gilda im «Rigoletto», als Sophie im «Rosenkavalier», als Gretel in «Hänsel und Gretel» und als Adele in der «Fledermaus» auftrat. Seit 1975 große Erfolge an der Covent Garden Oper London (Debüt als Despina in «Così fan tutte»). 1969 sang sie an der Oper von Santa Fé die Emily in der amerikanischen Premiere der Oper «Help! Help! The Globolinks» von Menotti und spielte dabei selbst das Violinsolo. Verheiratet mit dem Konzertmeister der New Yorker Metropolitan Oper Raymond Gnieweck.
Schallplatten: RCA («Messias» von Händel), Philips (8. Sinfonie von G. Mahler, Harmonie-Messe von J. Haydn), DGG, Telarc (Requiem von G. Fauré).

Blinkhof, Jan; 1986–87 an der Oper von Nizza zu Gast, wo er wieder als Tristan auftrat. 1988 sang er an der Covent Garden Oper London den Laça in Janáčeks «Jenufa»; im gleichen Jahr gastierte er am Deutschen Opernhaus Berlin als Sergej in «Katerina Ismailowa» von Schostakowitsch, 1989 in Genf als Boris in «Katja Kabanova» von Janáček, an der Grand Opéra Paris in «Doktor Faust» von F. Busoni.

Bloch, Max; er sang an der Metropolitan Oper New York auch in den Uraufführungen der Opern «Madame Sans-Gêne» von Giordano (25. 1. 1915) «Goyescas» von Granados (28. 1. 1916) und in zahlreichen Premieren. Am Teatro Colón Buenos Aires hörte man ihn als David in den «Meistersingern» und als Walther von der Vogelweide im «Tannhäuser».

Blochwitz, Hans Peter; Schüler von Elisabeth Fellner-Köberle in Mainz, Erna Westenberger und Karl-Heinz Jarius in Frankfurt a. M. Gastierte als Don

Ottavio 1987 an der Hamburger Staatsoper, 1988 in Amsterdam (dort auch als Lenski im «Eugen Onegin»). Bei den Festspielen von Aix-en-Provence sang er 1987 den Belmonte in der «Entführung aus dem Serail», 1988–89 den Ferrando in «Così fan tutte». Letztgenannte Partie sang er dann auch 1989 an der Covent Garden Oper London.
Schallplatten: Harmonia mundi (Matthäuspassion von J. S. Bach), Philips (Mozart-Requiem, «Die Schuldigkeit des ersten Gebots» von Mozart, «Paulus» von Mendelssohn), DGG (Weihnachtsoratorium von J. S. Bach, Lobgesang-Sinfonie Nr. 2 von Mendelssohn, Ferrando in «Così fan tutte»), Decca (Evangelist in der Matthäuspassion von J. S. Bach, Tamino in der «Zauberflöte»), HMV-Harmonia mundi («Davidde penitente» von Mozart), Telefunken (Don Ottavio im «Don Giovanni»).

Blomé, Olga, * 24. 7. 1888, † (?).

Blyth, May; seit 1926 mit dem australischen Dirigenten Aylmer Buesst (1883–1970) verheiratet.
Schallplatten: Auch auf Decca und Columbia (Santuzza in vollständiger «Cavalleria rusticana») vertreten.

Boatwright, Mc Henry, * 29. 2. 1928 Tenile (Georgia). Konzertdebüt 1954 in der Jordan Hall Boston. 1958 großer Erfolg in der New Yorker Town Hall. 1958 sang er am New England Opera Theatre den Arkel in «Pelléas et Mélisande», 1966 an der Staatsoper Hamburg in der Uraufführung der Oper «Die Heimsuchung» («The Visitation») von Gunther Schuller, die 1967 an der Metropolitan Oper New York wiederholt wurde. 1974 sang er beim Begräbnis von Duke Ellington.

Bobková, Amalie, † 12. 12. 1956 Prag. Schallplatten der Marken G & T und Odeon.

Bocca, Laura Angela; noch 1974 sang sie am Teatro Regio von Parma die Maddalena im «Rigoletto».

Boccabadati, Luigia, Mezzosopran, * 1800 Modena, † 12. 10. 1850 Turin; Tochter eines Arztes. Sie erhielt ihre Ausbildung durch Maestro Gandini in Modena. Sie hatte sogleich bei ihrem Debüt 1817 am Teatro Ducale von Parma einen sensationellen Erfolg. Ähnliche Erfolge stellten sich 1823 in Venedig, 1824 in Rom, 1825 in Mailand und abermals 1827 in Rom ein. Da sie sich vor allem als hervorragende Interpretin von Partien aus dem Buffo-Fach erwies, sang sie in den Jahren 1829–31 gerne derartige Rollen. In diese Zeit fielen die Uraufführungen einer Anzahl von Donizetti-Opern, in denen sie große Partien kreierte: «Il Castello di Kenilworth» (Teatro San Carlo Neapel, 6. 7. 1829), «I Pazzi per progretto» (Teatro Fondo Neapel, 7. 2. 1830), «Il diluvio universale» (Teatro San Carlo Neapel, 28. 2. 1830), «Il ritorno desiderato» (Teatro San Carlo Neapel, 1830), «Francesca di Foix» (Teatro San Carlo Neapel, 31. 5. 1831). Von den vielen weiteren Opernuraufführungen, in denen sie mitwirkte, seien noch Mercadantes «Amici di Siracusa» (Teatro

Valle Rom, 24. 2. 1824), «I Fidanzati» von G. Pacini (Teatro San Carlo Neapel, Frühjahr 1829) und «Bonifazio ed I Geremei» des polnischen Prinzen Poniatowski (Genua, 24. 3. 1835) genannt. An der Mailänder Scala kreierte sie die Titelpartie in der Uraufführung von «Ida della Torre» von Nini (16. 4. 1838). Berlioz schreibt 1832 über sie: «Sie ist ein ganz großes Talent und verdiente wohl mehr als den Ruf, den sie zur Zeit genießt». 1833 kam sie zu einem Gastspiel nach London und sang am King's Theatre die Angelina in Rossinis «La Cenerentola». Nachdem sie während drei Spielzeiten in Turin aufgetreten war, hatte sie 1840–42 große Erfolge am Teatro San Carlos Lissabon. 1843 war sie wieder in Turin anzutreffen, 1844 am Teatro Carlo Felice von Genua, im folgenden Jahr am Real Teatro Carolino Palermo. 1845 gab sie ihre Karriere auf und wirkte dann als Pädagogin in Genua und Turin. Sie war mit einem Sign. Gazzuoli verheiratet; aus dieser Ehe stammten drei Töchter und ein Sohn, die alle begabte Sänger wurden. Am bekanntesten von ihnen wurde *Virginia Boccabadati* (1828–1922), die auch als Gesanglehrerin tätig war und zu deren Schülerinnen die große Sopranistin Celestina Boninsegna gehörte. Während der Sohn, *Cesare Boccabadati,* als Baß auftrat, spielten sich die Karrieren von *Augusta Boccabadati* († Dezember 1875 Santiago de Chile) und *Cecilia Boccabadati* († August 1906 Florenz) hauptsächlich an kleineren Theatern ab. Augusta Boccabadati war die Lehrerin der bekannten Mezzosopranistin Sofia Scalchi. – (Neufassung) –.

Boccolino, Ebe; Ausbildung durch Giordano Ruzzo in Bologna. Sie sang 1914–15 am Teatro San Carlo Neapel die Mimi in «La Bohème», die Violetta in «La Traviata» und die Titelheldin in «Manon» von Massenet. Während ihrer Süd- und Mittelamerikatournee gastierte sie 1921 in Havanna zusammen mit Bernardo de Muro in «Andrea Chénier» von Giordano. Aus ihrem umfangreichen Repertoire für die Bühne sind noch zu nennen: die Titelfiguren in «Iris» von Mascagni und «Conchita» von Zandonai, die Fiora in Montemezzis «Amore dei tre Re», die Desdemona in Verdis «Othello», die Alice Ford in dessen «Falstaff», die Isabeau in Mascagnis Oper gleichen Namens, die Suzel in «Amico Fritz» und die Titelheldin in «Francesca da Rimini» von Zandonai.
Ihre HMV-Schallplatten entstanden 1911–12.

Bockelmann, Rudolf; seit 1911 Philologie- und Musikologiestudium an der Universität Leipzig. Er nahm am Ersten Weltkrieg als Freiwilliger teil und wurde mehrfach verwundet. Seine Stimme wurde durch den berühmten Dirigenten Arthur Nikisch und durch den Bariton Karl Scheidemantel entdeckt. Er debütierte 1921 am Opernhaus von Leipzig als Telramund und wirkte dort in der Uraufführung der Oper «Das Leben des Orest» von Křenek (19. 1. 1930) mit. In Hamburg sang er in den Uraufführungen der Opern «Das Wunder der Heliane» von Korngold (7. 10. 1927) und «Die versunkene Glocke» («La Campana sommersa», 15. 11. 1927) von Respighi, an der Berliner Staatsoper in der

Uraufführung von Hans Pfitzners «Das Herz» (14. 11. 1931, gleichzeitig mit München). In Bayreuth wurde er 1928 und 1930 als Kurwenal und als Gunther, seit 1931 als Wotan, 1939–42 als Fliegender Holländer gefeiert. Er gastierte an der Grand Opéra Paris (1934 als Hans Sachs), in Barcelona und 1930–32 an der Oper von Chicago. Nach dem Zweiten Weltkrieg hatte er Schwierigkeiten in der Fortsetzung seiner Karriere, da er in der Zeit des Nationalsozialismus mit der damaligen Kunst- und Theaterpolitik sympathisiert hatte. So sang er, abgesehen von Hamburg, zumeist an kleineren Bühnen. Er galt neben Friedrich Schorr als der größte Wagner-Bariton seiner Generation, dazu als bedeutender Lied-Interpret (Loewe-Balladen). Verheiratet mit der Opernsängerin *Maria Weigand* (* 8. 10. 1902 Hannover).

Boddenberg, Elisabeth, s. unter *Bartram*, Robert.

Bodurow, Ljubomir; debütierte 1950 am Staatlichen Musiktheater, einer Operettenbühne, in Sofia. 1951 wurde er an die Nationaloper von Sofia berufen. Durch Gastspielverträge war er den Staatsopern von Berlin und Wien verbunden. 1987 sang er mit dem Ensemble der Oper von Sofia in Perugia in Borodins «Fürst Igor».
Schallplatten: Eterna.

Boehm, Andreas; er sang 1927–28 am Stadttheater von Lübeck, 1928–30 in Rostock, 1930–33 in Bremen und nach 1933 in der ČSR am Theater von Aussig (Ustì nad Labem). 1935 kam er in die Schweiz und war dort 1935–44 am Stadttheater von Bern verpflichtet. 1945 sang er in der deutschsprachigen Premiere von Gershwins «Porgy and Bess» in Zürich die Rolle des Porgy. 1946–49 an der Staatsoper Wien, 1948–50 an der Wiener Volksoper als Gast verpflichtet.

Böhme, Kurt, † 20. 12. 1989 München; sang am 24. 6. 1935 in Dresden in der Uraufführung einer weiteren Richard Strauss-Oper, in «Die schweigsame Frau». Gastierte 1936 an der Covent Garden Oper London als Komtur im «Don Giovanni», 1956–70 in Partien wie dem Hunding und dem Hagen im Nibelungenring und dem Ochs im «Rosenkavalier». 1952 trat er bei den Bayreuther Festspielen auch als Klingsor im «Parsifal» auf. Nach dem plötzlichen Tod seiner Gattin gab er 1985 seine Karriere auf.
Schallplatten: Preiser (1. Akt «Walküre»).

Böhmer, Ewald; debütierte am Stadttheater von Halle (Saale) und kam nach kurzen Engagements an den Theatern von Halberstadt, Beuthen und Dessau 1922 an das Staatstheater Wiesbaden, zu dessen Ensemble er dann 40 Jahre gehörte.

Boesch, Christian; engagiert 1970–72 in Saarbrücken, 1972–75 in Kiel. 1968–70 und wieder seit 1975 Mitglied der Wiener Volksoper. Seit 1973 ständiger Gast am Opernhaus von Zürich. Seit 1978 großer Erfolg als Papageno bei den Salzburger Festspielen.

Die gleiche Partie sang er 1987 in der Eröffnungsvorstellung des renovierten Théâtre des Champs Elysées Paris. 1987 Gastspiel als Wozzeck in Madrid. Weitere Gastspiele in Amsterdam und Brüssel, an der Mailänder Scala und in Santiago de Chile; Israel-Tournee mit der Oper von Köln. Im deutschen Fernsehen trat er als Moderator von Musiksendungen auf.
Schallplatten: Telefunken («Fledermaus»).

Boesch, Ruthilde; sie wurde später eine gesuchte Gesangpädagogin und war u. a. die Lehrerin der großen Koloratricen Edita Gruberová und Eva Lind.
Schallplatten: Discocorp («Zauberflöte», Salzburg 1949).

Bötel, Heinrich; Gastspiele auch in Rotterdam (1890) und am Thalia-Theater New York (1887). Noch 1911 ist er in Hamburg-Altona aufgetreten.

Bogart, John-Paul; sang an der Grand Opéra Paris in der Uraufführung der Oper «Célestine» von Maurice Ohana (13. 6. 1988), in Karlsruhe in der von «Der Meister und Margarita» von Rainer Kunad (9. 3. 1986). 1989 Gastspiel in Milwaukee als Mephisto im «Faust» von Gounod, am Théâtre des Champs Élysées Paris als Alessio in «La Sonnambula».
Schallplatten: Orfeo (Requiem von Donizetti).

Bogucka, Maria; Von ihrer Stimme wurden 1905 in Warschau Pathé-Zylinder ausgenommen.

Bohnen, Michael; seine Stimme erregte bereits während seiner Schulzeit Aufsehen. Gesangstudium bei Fritz Steinbach und bei Richard Dornburg in Köln. Während seiner Militärdienstzeit gründete er einen 200 Mann starken Soldatenchor, mit dem er in verschiedenen deutschen Städten auftrat. Sang 1914 am Drury Lane Theatre London den Ochs im «Rosenkavalier» unter Sir Thomas Beecham. Seine Antrittspartie an der New Yorker Metropolitan Oper war der Francesco in der amerikanischen Erstaufführung der Oper «Mona Lisa» von Max von Schillings mit Barbara Kemp, der Gattin des Komponisten, als Partnerin (1. 3. 1923). An der Metropolitan Oper sang er in deren Haus (ohne die Tourneen des Ensembles) in 175 Vorstellungen 21 verschiedene Partien. Seine erregende Darstellungskunst wurde mit der des großen und mit ihm befreundeten Fedor Schaljapin verglichen. Als letzte Partie sang er an der Metropolitan Oper im April 1932 den Wanderer im «Siegfried». 1928 hörte man ihn in Berlin in der Operette «Casanova» von Johann Strauß-Benatzky, dann in einer Anzahl weiterer Operettenaufführungen. Er wirkte auch in Filmen mit (bereits 1918 in dem Stummfilm «Herrin der Erde» mit Mia May), darunter in Opernfilmen wie «Tiefland» und «Der Rosenkavalier» (als Ochs mit Richard Strauß als Dirigenten) und in dem Operettenfilm «Viktoria und ihr Husar».
Schallplatten: Pathé (bereits 1914), Odeon (um 1919), Ultraphon-Telefunken.

Bohuss-Hellerowa, Irena, * 1878 Jaroslaw (Südpolen); Gesangstudium bei Walery Wysocki am Konservatorium von Lwów. Debütierte 1895 an der Oper von Lwów als Siebel im «Faust» von Gounod. Sie gastierte am Teatro Lirico Mailand, am Teatro San Carlos Lissabon, in St. Petersburg und Prag, in Neapel und Bologna. Noch 1925 ist sie als Konzertsängerin in Polen aufgetreten. Verheiratet mit dem Theaterdirektor Ludwik Heller (1865–1926).

Bokor, Margit; war 1928–30 am Opernhaus von Leipzig engagiert. 1933-38 Mitglied der Staatsoper Wien. Hier wirkte sie 1934 in der Uraufführung der Operette «Giuditta» von Franz Lehár mit. Gastierte 1935 an der Oper von Rom. Seit 1940 war sie in den USA an den Opern von Chicago und Philadelphia zu hören.

Bollmann, Hans Heinz; er war 1912–13 am Stadttheater von Bochum, 1913–15 in Wilhelmshaven (nicht jedoch in Altona) engagiert, wurde dann aber zum Kriegsdienst eingezogen. 1925–26 kurzes Engagement an der Berliner Staatsoper. Als Operettensänger kam er zu einer großen Karriere an den führenden Berliner Operettenbühnen, so 1927–28 am Theater des Westens, 1930–31 am Theater im Admiralspalast, 1935–36 am Metropoltheater und 1937–38 am Theater des Volkes. 1938 am Wiener Raimund-Theater zu Gast.

Bolschakow, Nikolai (Arkadjewitsch); Schüler von Ippolit Pryanischnikow in St. Petersburg.

Bolska, Adelaida Julianowa, † 29.9. 1930 Tallinn (Reval, Estland); 1885–88 Studium am Konservatorium von Moskau, 1889–93 Mitglied der Kaiserlichen Oper Moskau. 1897–1918 hatte sie eine große Karriere an der Hofoper von St. Petersburg. 1918 verließ sie Rußland und sang noch bis 1922 an der Oper von Lwów (Lemberg). Gastspiele in Barcelona (1896), Paris, Wien, Tiflis und an der Covent Garden Oper London (1903).
Schallplatten: Es existieren einige sehr seltene Aufnahmen auf RAOG, darunter Duette mit dem Tenor Andrej Labinski.

Bolz, Oskar; 1905 kam er an die Hofoper von Stuttgart, an der er 1906 in der deutschen Erstaufführung von Giordanos «Siberia» mitwirkte. 1912–13 an der Hamburger Oper, 1913–18 wieder an der Hofoper Stuttgart, 1918–20 am Stadttheater von Halle (Saale) und 1920–21 in Nürnberg engagiert. Gastspiele führten ihn an die Opernhäuser von Wien und Dresden, nach Riga, München und Budapest. Er war verheiratet mit der Sängerin *Elsa Salvi.*
Auch Schallplattenaufnahmen auf Favorit und Odeon vorhanden.

Bonanome, Franco; gastierte 1988 am Opernhaus von Philadelphia als Faust in Boitos «Mefistofele».

Bonaplata-Bau, Carmen; sang 1894 am Teatro Carlo Felice Genua. 1895 und 1896 gastierte sie in Buenos Aires; sie unternahm eine Tournee durch die USA

und trat als Gast an den Opern von Monte Carlo (1901) und Moskau auf. 1901 gastierte sie am Teatro Regio Parma als Aida und als Tosca zusammen mit dem spanischen Tenor Carlos Barrera. Ihre Tochter *Carmen (Carmelita) Bau de Bonaplata* sang u. a. 1910 am Teatro Verdi Pisa die Margherita in Boitos «Mefistofele».

Bonatschitsch, Anton Petrowitsch, † 26.1. 1933 Minsk; er debütierte als Bariton 1900 am Opernhaus von Charkow als Titelheld in Rubinsteins «Dämon». Am gleichen Haus Tenor-Debüt 1902 als Hermann in «Pique Dame», doch behielt er bis 1905 seine Bariton-Partien bei und ist sogar gelegentlich als Bassist aufgetreten. In den Jahren 1906–11 gastierte er in Italien und Frankreich sowie 1908 in Berlin. Seit 1928 lebte er in Minsk, wo er Mitbegründer und erster Direktor der Gesangabteilung des Belorussischen Konservatoriums war.
Schallplatten: Pathé (13 Aufnahmen in der Serie «Goldene Pathé» von 1912).

Bonci, Alessandro, † 9.8. 1940 Viterba bei Rimini; war in Pesaro auch Schüler von Carlo Pedrotti. 1896 professionelles Debüt am Teatro Regio Parma als Fenton. Bereits in der Saison 1896–97 kam es an der Mailänder Scala zu einem glanzvollen Auftreten als Arturo in «I Puritani», in der gleichen Saison sang er dort in der Uraufführung von Franchettis «Signor de Pourceognac». 1900 Debüt an der Covent Garden Oper London als Rodolfo in «La Bohème». 1905–06 war er bei einer Australien-Tournee erfolgreich. An der New Yorker Metropolitan Oper sang er in drei Spielzeiten 65 Vorstellungen von 13 Rollen (im eigentlichen Haus der Metropolitan Oper), darunter den Rodolfo, den Don Ottavio im «Don Giovanni», den Wilhelm Meister in «Mignon» von A. Thomas, den Grafen Almaviva in Rossinis «Barbier von Sevilla» und kam zu großen Erfolgen in den Sunday Night Concerts. 1914 trat am Teatro Colón Buenos Aires als Faust von Gounod, als Ernesto im «Don Pasquale», als des Grieux in Massenets «Manon», als Don Ottavio und in der Uraufführung der argentinischen Oper «El Sueño de Alma» von Carlos Buchardo (4.8. 1914) auf. 1914 war er für die Chicago Opera engagiert, kehrte aber wegen der Kriegsereignisse nach Italien zurück. Nach seinem Kriegseinsatz konnte er in der Saison 1916–17 wieder an der Mailänder Scala singen (Rodolfo in «La Bohème», Wilhelm Meister in «Mignon», Nemorino im «Elisir d'amore»). 1926 war er nochmals an der Scala zu hören, lebte seitdem aber ganz zurückgezogen in Mailand.
Schallplatten: Fonotipia (1905–08), Columbia (akustische und sogar noch einige elektrische Aufnahmen von 1927).

Bondini, Caterina, s. unter *Bondini,* Pasquale.

Bondini, Pasquale; von der Uraufführung des «Don Giovanni» wird die Anekdote berichtet, Mozart habe bei einer Probe Caterina Bondini ins Gesäß gekniffen, damit sie den Schrei der Zerline am Ende des ersten Aktes möglichst realistisch ausführte.

Bondino, Ruggiero; Schallplatten: TIS («Roberto Devereux» von Donizetti), Rodolphe Records.

Bonelli, Richard, * 6. 2. 1887 Port Byron bei New York; zuerst naturwissenschaftliches Studium an der Syracuse University. Er trat auch als Gast in Kuba auf, wurde aber im Ersten Weltkrieg zum Dienst in der amerikanischen Armee eingezogen. Sein europäisches Debüt erfolgte 1923 in Modena. Durch Vermittlung des Malers Léon Bakat kam er 1923 zu einem längeren Gastspiel an der Oper von Monte Carlo. Einem Ruf an die Mailänder Scala konnte er wegen einer plötzlichen Erkrankung nicht Folge leisten. 1924 bereiste er die USA mit der San Carlo Opera Company, 1925 Deutschland mit der Operngesellschaft von Max Sauter. Es folgte ein Engagement am Théâtre Gaité Lyrique Paris. 1925 sang er als Antrittsrolle an der Oper von Chicago den Germont-père in «La Traviata», 1926 war er an der Oper von San Francisco zu hören. An der New Yorker Metropolitan Oper trat er in einem umfangreichen Bühnenrepertoire in Erscheinung, u. a. als Tonio im «Bajazzo», als Sharpless in «Madame Butterfly», als Amonasro in «Aida» und als Wolfram im «Tannhäuser», insgesamt in 103 Vorstellungen von 19 Partien (ohne die Auftritte bei den alljährlichen Gastspiel-Tourneen des Hauses). Nach dem Zweiten Weltkrieg trat er noch an der New York City Centre Opera auf, u. a. als Scarpia in «Tosca». Nach dem Rücktritt von Edward Johnson 1949 als Direktor der Metropolitan Oper New York war er als dessen Nachfolger im Gespräch, doch fiel die Wahl schließlich auf Rudolf Bing.
Schallplatten: Die meisten seiner Aufnahmen sind populäre Lieder und Ballads; die ältesten kamen unter dem Etikett von Vocalion heraus.

Bonfigli, Lorenzo; er sang am 11. 3. 1830 am Teatro Fenice Venedig in der Uraufführung von Bellinis «I Capuleti ed I Montecchi» die Partie des Tebaldo. 1831 wirkte er am Teatro San Carlo Neapel in der Uraufführung von Donizettis «Francesca da Foix» mit.

Bonhomme, Jean, † Oktober 1986; 1976 war er wieder an der Londoner Covent Garden Oper zu hören. Aus seinem Bühnenrepertoire sind als Höhepunkte zu nennen: der Rodolfo in «La Bohème», der Cavaradossi in «Tosca», der Pylades in «Iphigénie en Tauride» von Gluck und der José in «Carmen».

Boninsegna, Celestina; sie sang am 17. 1. 1901 bei einer der sechs gleichzeitigen Uraufführungen von Mascagnis «Le Maschere» am Teatro Costanzi Rom die Partie der Rosaura. An der Metropolitan Oper New York sang sie 1906–07 nur in zwei Vorstellungen von Verdis «Aida» und in einem Sunday Night Concert. An der Oper von Boston hörte man sie 1909–10 als Aida, als Titelheldin in «La Gioconda» von Ponchielli, als Valentine in Meyerbeers «Hugenotten» und als Elena in «Mefistofele» von A. Boito.
Schallplatten: HMV (1907–08 und seit 1917), Columbia (1910–14), Edison (1912), Pathé (1905–19).

Bonisolli, Franco; er war Schüler des Tenors Alfredo Lattaro. Debüt 1961 beim Festival von Spoleto als Ruggiero in Puccinis «La Rondine». 1971 sang er als Antrittsrolle an der Metropolitan Oper New York den Grafen Almaviva im «Barbier von Sevilla». Er trat dort auch als Fasut von Gounod, als Nemorino in «Elisir d'amore», als Herzog im «Rigoletto», als Alfredo in «La Traviata» und 1986 als Cavaradossi in «Tosca» auf. 1987 Gastspiel an der Covent Garden Oper London als Kalaf in «Turandot» von Puccini. 1988 sang er bei den Festspielen in der Arena von Verona den Enzo in «La Gioconda», den Radames in «Aida» und wiederum den Kalaf, 1989 den Radames.
Schallplatten: Orfeo («Djamileh» von Bizet), Acanta-Bellaphon («Rigoletto», «Troubadour»).

Bonney, Barbara, * April 1956 Montclair (New Jersey); erste Studien (Cello und Gesang) an der New Hampshire University. Bei den Festspielen von Ludwigsburg (nicht von Schwetzingen) in Händels «Semele» gefeiert. Gastierte 1987 an der Oper von Monte Carlo als Sophie im «Rosenkavalier», ebenfalls 1987 am Grand Théâtre Genf als Pamina in der «Zauberflöte», 1988 in Lausanne als Adina in «Elisir d'amore» und in Zürich als Susanna in «Figaros Hochzeit». In der Saison 1989–90 sang sie an der Metropolitan Oper New York die Adele in der «Fledermaus». Vor allem auch als Oratoriensolistin angesehen.
Schallplatten: DGG («Ariadne auf Naxos» von R. Strauss, «Elisir d'amore», Hirt im «Tannhäuser», Matthäuspassion Deutsches Requiem von J. Brahms, Musik zu «Peer Gynt» von Grieg), Decca (Susanna in «Figaros Hochzeit»), Philips (Mozart-Requiem), Telefunken («Fledermaus»), Zerline im «Don Giovanni»).

Bonoldi, Claudio; weitere Uraufführungen von Rossini-Opern, in denen er mitwirkte waren «Sigismondo» (26. 12. 1814 Teatro Fenice Venedig), «Armida» (11. 11. 1817 Teatro San Carlo Neapel) und «Bianca e Falliero» (26. 12. 1819 Scala Mailand).

Booth, Webster, * 1905 Liverpool; er trat oft zusammen mit der Sopranistin *Anna Ziegler* auf, die er heiratete (mit ihr zusammen auch Aufnahmen auf HMV, Ausschnitte aus Operetten und Musicals). Als Auftritt im Ausland ist nur eine Kanada-Tournee 1926 nachzuweisen. In den Jahren 1956–78 wirkte er als Gesangpädagoge in Südafrika.

Boozer, Brenda, * 25. 1. 1948 Atlanta City (Georgia); auch Schülerin von Elena Nikolaidi. 1982 an der Chicago Opera als Meg Page in Verdis «Falstaff» zu Gast. Diese Rolle sang sie dann auch an der Metropolitan Oper New York, wo sie dazu als Komponist in «Ariadne auf Naxos» von R. Strauss und als Orlowsky in der «Fledermaus» auftrat. Gastierte an der Grand Opéra Paris sowie 1983 an der Covent Garden Oper London. 1989 gastierte sie beim Festival von Spoleto als Nicklausse in «Hoffmanns Erzählungen».

Borchers, Bodo; zu seinen Schülern gehörte der bekannte Bariton Karl Scheidemantel. Eine zweite Tochter, *Hedwig Borchers,* war 1913–27 am Opernhaus von Leipzig und später als Konzertsängerin tätig. Sie war mit dem Dirigenten Otto Didam verheiratet.

Borchers, Hanna, s. unter *Borchers,* Bodo.

Bordogni, Giulio Marco (nicht Giovanni Marco); sang am Théâtre-Italien in den Premieren der Rossini-Opern «Otello» (1821), «Elisabetta regina d'Inghilterra» (1822), «Mosè in Egitto» (1822) und «La Donna del Lago» (1824). In der Uraufführung der Oper «Il Viaggio a Reims» wirkte er als Conte di Libenskof mit (19. 6. 1825). Mit dem großen Komponisten Gaetano Donizetti war er freundschaftlich verbunden. Von seinen vielen Schülerinnen und Schülern sind noch Mario Zucchelli, Sophie Anna Thillon, Johanna Wagner-Jachmann, Anna Zerr und Franz Wild zu nennen.

Bordon, Fred, * 24. 4. 1896, † 15. 11. 1961.

Bordoni, Faustina; aus ihrer Ehe mit dem großen deutschen Komponisten Johann Adolf Hasse gingen wahrscheinlich fünf Kinder hervor. Beide Ehegatten fanden in der Kirche San Marcuola in Venedig ihre letzte Ruhestätte.

Borg, Kim; er sang an der New Yorker Metropolitan Oper auch den Pizarro im «Fidelio» und den Rangoni im «Boris Godunow».
Schallplatten: Weitere Aufnahmen auf Columbia, Supraphon, Unicorn («Saul og David» von C. Nielsen) und Felix, auf Finlandia Lieder von Y. Kilpinen.

Borgatti, Giuseppe, * 17. 3. 1871 Cento; an der Scala galt er als einer der Lieblingssänger des großen Dirigenten Arturo Toscanini. Hier sang er 1906 den Herodes in der Erstaufführung der Oper «Salome» von R. Strauss.

Borghi-Mamo, Adelaide; sie heiratete 1849 den Tenor *Michele Mamo,* mit dem sie zusammen am Royal Theatre auf Malta gesungen hatte. Die Tochter des Sängerehepaars, *Erminia Borghi-Mamo* (1854–1941) wurde ebenfalls eine bedeutende Sängerin.

Borghi-Zerni, Ayres; 1921 sang sie am Teatro Politeama Neapel die Gilda im «Rigoletto» und die Lucia di Lammermoor, am Teatro Regio Turin die Traviata. Weitere Höhepunkte in ihrem Repertoire waren die Rosina im «Barbier von Sevilla», die Elvira in «I Puritani» von Bellini und die Amina in dessen «La Sonnambula».

Borgioli, Armando; erzielte namentlich an der Oper von Rom und beim Maggio musicale von Florenz große Erfolge wie auch bei mehrmaligen Gastspielen an der Covent Garden Oper London 1927–39. An der Metropolitan Oper New York trat er auch als

Graf Luna im «Troubadour», als Amonasro in «Aida», als Enrico in «Lucia di Lammermoor», als Barnaba in Ponchiellis «La Gioconda», als Gérard in «Andrea Chénier» von Giordano, als Nelusco in «L'Africaine» von Meyerbeer und als Tonio im «Bajazzo» auf. 1937 sang er an der Mailänder Scala den Orest in Glucks «Iphigenie auf Tauris», 1943 in Holland den Titelhelden im «Rigoletto».
Schallplatten: Columbia (Amonasro in «Aida», 1929), HMV (Scarpia in «Tosca», 1938).

Borgioli, Dino; semiprofessionelles Debüt 1914 in Florenz als Rinaldo in «Armide» von Lully. An der Mailänder Scala sang er als Antrittsrolle 1923 den Ernesto im «Don Pasquale». Seit 1923 auch große Karriere am Teatro Costanzi Rom, an dem er als des Grieux in Massenets «Manon» debütierte. 1921 gastierte er in Buenos Aires, 1923 in Lissabon; nach seinem Debüt an der Covent Garden Oper London 1925 hörte man ihn dort 1927–28, 1930 und in den Jahren 1934–37. In der Spielzeit 1933–34 gehörte er als Mitglied der Oper von Chicago an und hatte dort u. a. als Cavaradossi in «Tosca» große Erfolge. 1937 sang er bei den Festspielen von Glyndebourne den Don Ottavio im «Don Giovanni». Er erwarb sich große Verdienste im Rahmen der Rossini-Renaissance, die in den zwanziger Jahren von Conchita Supervia ausging.
Schallplatten: Amadeo (Ausschnitte aus «Don Giovanni» von den Salzburger Festspielen 1937).

Borgmann, Emil; aus seinem Bühnenrepertoire sind der Lohengrin, der Walther von Stolzing in den «Meistersingern», der Florestan im «Fidelio» und der Hüon im «Oberon» von Weber zu nennen.

Borgonovo, Luigi; 1927 unternahm er mit der Bracala Opera Company eine Mittelamerika-Tournee. In der Spielzeit 1932–33 hörte man ihn an der Mailänder Scala als Lescaut in Massenets «Manon», als Michonnet in «Adriana Lecouvreur» von Cilea und in der Premiere von Z. Kodalys «Spinnstube». 1938–39 und 1949 wirkte er bei den Festspielen in der Arena von Verona mit. Im Ablauf seiner Karriere trat er immer wieder in Südamerika auf.

Bori, Lucrezia, † 14. 5. 1960 New York; sang als Antrittsrolle an der Mailänder Scala 1910 die Carolina in Cimarosas «Il matrimonio segreto». Am 14. 8. 1914 wirkte sie am Teatro Colón Buenos Aires in der Uraufführung von «El Sueño d'Alma» von Carlos Lopez Buchardo mit. Großer Erfolg 1910 bei einem Gastspiel des Ensembles der New Yorker Metropolitan Oper in Paris als Titelheldin in Puccinis «Manon Lescaut» mit Enrico Caruso als Partner. 1915 übernahm sie die Partie der Ah-Yoe in der Metropolitan-Premiere der Oper «L'Oracolo» von Leoni. An der Oper von Boston gastierte sie mit sensationellem Erfolg als Butterfly. 1919 sang sie an der Oper von Monte Carlo die Mimi in «La Bohème» und die Zerline im «Don Giovanni». Nach vierjähriger Abwesenheit eröffnete sie 1919 ihr zweites Engagement an der Metropolitan Oper als Mimi in «La Bohème». Sie brillierte jetzt an diesem Haus in einer Vielzahl

von Partien aus dem italienischen wie dem französischen Repertoire; von den erwähnten über 600 Vorstellungen fanden allein 448 im eigentlichen Gebäude der Metropolitan Oper statt. 1924–31 gastierte sie alljährlich an der Sommer-Oper von Ravinia bei Chicago. Am 29. 3. 1936 nahm sie in einer Gala-Vorstellung an der Metropolitan Oper von der Bühne Abschied. Bis zu ihrem Tod gehörte sie dem Direktorium des Hauses an, seit 1936 war sie Vorsitzende der Metropolitan Opera Guild.
Schallplatten: Seit 1913 Edison-Zylinder und -Platten, seit 1914 viele Aufnahmen auf HMV.

Borio, Rita, s. unter *Basso Borio,* Rita.

Borisenko, Vera (Iwanowna); Schallplatten: Sang auch in vollständigen Aufnahmen der Opern «Fürst Igor» von Borodin, «Rusalka» von Dargomyshski, «Die Zauberin» von Tschaikowsky, «Mainacht» von Rimsky-Korssakow, als Titelheldin in «Carmen» und als Maddalena im «Rigoletto» (in einer Aufnahme in russischer Sprache von 1949).

Borissowa, Galina (Iljinitschna); sang 1988 in Boston in einer konzertanten Aufführung der Oper «Tote Seelen» von Rodion Schtschedrin.
Schallplatten: einige Melodiya-Aufnahmen auf Philips übernommen.

Borkh, Inge; sie erregte 1951 in Bern als Marie in A. Bergs «Wozzeck» großes Aufsehen. Sie sang auch die Magda Sorel in der Premiere von Menottis «Konsul» in Basel (1951). Seit 1952 der Städtischen Oper (Deutsche Oper) Berlin und der Staatsoper München vertraglich verbunden. 1956 zu Gast an der Oper von Chicago. Als Antrittsrolle sang sie an der Mailänder Scala 1955 die Silvana in «La Fiamma» von Respighi. 1958 debütierte sie an der Metropolitan Oper New York als Salome; 1961 sang sie dort die Elektra. Seit 1947 mit dem Rechtsanwalt Lenz aus Basel, in zweiter Ehe mit dem Bariton *Alexander Welitsch* (* 1906) verheiratet.
Schallplatten: Melodram («Fidelio», Genf 1964).

Born, Claire; sie kam 1920 an die Wiener Staatsoper, der sie bis 1926 angehörte.

Boronat, Olimpia; debütierte 1886 am Teatro Bellini Neapel. Sie sang auch am Teatro San Carlo Neapel, am Teatro Manzoni Mailand, am Teatro Politeama Palermo und am Teatro Adriano Rom. 1901 gastierte sie am Teatro Bellini Catania bei den Festaufführungen zum 100. Geburtstag von Vincenzo Bellini. Sie gab Gastspiele am Teatro Liceo Barcelona, am Teatro Real Madrid und am Teatro San Carlos Lissabon. Während einer Saison sang sie mit einer italienischen Operntruppe am Theater von Alexandria in Ägypten.

Borosini, Rosa, * 27. 6. 1698 Modena.

Borriello, Mario, * 1914 Wien; er wirkte am 14. 9. 1955 am Teatro Fenice Venedig in der Bühnen-

Uraufführung der Oper «L' Ange de Feu» von Prokofieff mit.

Borsó, Umbert, * 4. 4. 1923 Castelfiorentino bei Florenz; er verbrachte seine Jugendzeit in Pisa und war dort Schüler von Liliana Bardelli, später von Vera Amerighi Rutili und von Melchiorre Vidal. Er sang 1963 an der Mailänder Scala als Antrittsrolle den Manrico im «Troubadour», 1964 den Turiddu in «Cavalleria rusticana»; seit seinem Debüt 1953 als Giasone in Cherubinis «Medea» hörte man ihn in vielen Spielzeiten an der Oper von Rom. Auch in Catania und Bari zu Gast. 1959 sang er bei den Festspielen von Verona den Alvaro in «La forza del destino», bei den Festspielen in den römischen Thermen des Caracalla 1956 den Turiddu, 1958–59 den Radames, 1961 den Arnoldo in Rossinis «Wilhelm Tell», 1965 nochmals den Radames. 1967 gastierte er bei den Festspielen von Wiesbaden. 1955 und 1971–72 Gastspiele in Australien. 1953 und 1973 in Amsterdam, 1966 in Rotterdam, 1966 in Brüssel, an der Staatsoper von Wien (1961 als Enzo in «La Gioconda», 1968 als Radames), in Berlin, Zürich (1957), am Teatro Liceo Barcelona, an der Oper von Kairo (1954, 1958–59), am Opernhaus von Philadelphia (1961 als Enzo, 1968 als Radames), in Havanna, am Bolschoj Theater Moskau (1964 als Manrico, 1968 als Alvaro), in Köln (1970) und Hamburg (1970). Debüt an der Metropolitan Oper New York 1962 als Enzo in «La Gioconda». Er sang dort in der gleichen Saison den Radames, den Canio im «Bajazzo», die Titelpartien in Verdis «Enani» und in «Andrea Chénier» von Giordano.
Schallplatten: Remington (des Grieux in Puccinis «Manon Lescaut»).

Borst, Heinz; Gastspiele führten ihn nach Amsterdam und Belgrad, Bologna, Florenz, Genua, Parma, Triest, an die Oper von Rom und an die Oper von Marseille. In Zürich wirkte er am 9. 6. 1961 in der Uraufführung der Oper «Griechische Passion» von B. Martinù mit.

Borst, Martina; seit 1987 am Opernhaus von Dortmund tätig. Gleichzeitig dem Staatstheater Hannover verbunden. Gastierte u. a. 1987 an der Staatsoper Wien. Sie sang 1987 an der Wiener Volksoper die Dorabella in «Così fan tutte», bei den Festspielen von Bregenz 1988 den Nicklausse in «Hoffmanns Erzählungen».1989 Gastspiel an den Opern von Lüttich und Nantes als Bersi in «Andrea Chénier» von Giordano. Eine weitere Glanzrolle der Sängerin war die Clarice in Rossinis «La pietra del paragone». 1987 trug sie im Hessischen Rundfunk Frankfurt a. M. die «Kindertotenlieder» von G. Mahler vor.

Boruttau, Alfred; er wurde 1905 an die Wiener Hofoper engagiert. Einer seiner Schüler war der bekannte Bassist Ludwig Weber.

Bosabalian, Luisa; 1988 wurde das Wilhelma-Theater in Stuttgart mit einem Liederabend, den die Sängerin gab, wieder eröffnet. 1988–89 unternahm die in München lebende Künstlerin Konzertreisen für die Erdbebenopfer in ihrer armenischen Heimat.

Boscacci, Romeo, *25. 9. 1885 Rom; Er trat nach seinem Debüt in Modena als Arrigo in Verdis «I Lombardi» auf. 1911 sang er den Narraboth in Kairo und 1911–12 diese Partie wie den Schuiskij im «Boris Godunow» am Teatro Massimo Palermo. 1913 hörte man ihn an der Mailänder Scala als Cassio im «Othello» von Verdi. 1916–20 wirkte er an der Oper von Boston. Hier übernahm er eine bunte Vielfalt von Tenorpartien vom Grafen Almaviva im «Barbier von Sevilla» bis zum Othello von Verdi. 1924 gastierte er mit der San Carlo Opera, bei der er 1916–25 engagiert war, sehr erfolgreich in San Francisco. 1936 trat er bei der Italienischen Oper in Holland auf.

Bosch, Emiel (Émile); Schallplatten: auch auf HMV vertreten.

Boschi, Giuseppe Maria; seit 1707 am Teatro San Cassiano wie am Teatro San Giovanni Crisostomo in Venedig zu finden. Sang in den Uraufführungen der Opern «Scipione» (23. 3. 1726) und «Alessandro» (5. 5. 1726) von G. F. Händel in London.

Bosetti, Hermine; war bis 1926 an der Staatsoper von München im Engagement; sie sang am 19. 3. 1906 dort im Residenztheater in der Uraufführung von Wolf-Ferraris «I quattro rusteghi».

Bosio, Angiolina; sie war die Tochter eines Schauspielers und wurde seit 1840 durch Venceslao Cattaneo in Mailand ausgebildet. Debütierte im Juli 1846 am Teatro Re in Mailand als Lucrezia in Verdis Oper «I due Foscari». Sie sang anschließend auch am Teatro Carcano Mailand. 1853 hörte man sie an der Grand Opéra Paris in der französischen Erstaufführung von Verdis «Luisa Miller». An der Petersburger Hofoper zahlte man ihr 100000 Francs in vier Monaten. Mehrmals sang sie zusammen mit dem berühmten Tenor Enrico Tamberlik in Konzerten vor dem russischen Zaren und seinem Hof.

Bosman, Rosa, *1856 (?); ausgebildet am Konservatorium von Brüssel durch J. Warnots. Sie debütierte 1880 am Théâtre de la Monnaie Brüssel als Carmen. Dort sang sie am 7. 1. 1884 in der Uraufführung der Oper «Sigurd» von Ernest Reyer die Partie der Hilda. Bis 1901 ist sie an der Grand Opéra Paris aufgetreten.

Botta, Luca; sang bei der Western Metropolitan Opera Company u. a. den José in «Carmen», den Cavaradossi in «Tosca», den Rodolfo in «La Bohème», den Pinkerton in «Madame Butterfly» und den Milio in «Zazà» von Leoncavallo. Nach seinem Debüt an der Metropolitan Oper New York 1914 hörte man ihn dort in den Premieren von Leonis «L'Oracolo» (1915 als Win-San-Luy), von Borodins «Fürst Igor» (1915 als Wladimir) und von «Thaïs» von Massenet (1917 als Nicias), dazu in Partien wie dem Alfredo in «La Traviata», dem Turiddu in

«Cavalleria rusticana», dem Osaka in «Iris» von Mascagni und dem Cavaradossi in «Tosca». 1914 gastierte er am Teatro Colón Buenos Aires als Ismaele in Verdis «Nabucco», als Hüon im «Oberon» von Weber und sang den Avito in der Erstaufführung von Montemezzis «Amore dei tre Re».
Schallplatten: HMV (1913 in Italien aufgenommen, in den USA als Victor-Platten vertrieben), eine Fonodisc-Aufnahme.

Bottazzo, Pietro, *5. 12. 1934 Mestro bei Padua; war auch Schüler von Maria Carbone. Er beherrschte allein 26 Tenor-Partien in Opern von Rossini.
Schallplatten: Cetra-Italia («La gazza ladra» von Rossini).

Bottero, Alessandro; auch sein Sohn *Osvaldo Bottero* (1849–92) wurde ein bekannter Bassist.

Boué, Géori; debütierte 1938 an der Pariser Opéra-Comique als Mimi in «La Bohème», 1941 an der Grand Opéra Paris als Marguerite im «Faust» von Gounod. An diesem Haus war sie als Rosenn in «Le Roi d'Ys» und als Thaïs von Massenet erfolgreich und sang dort eine Anzahl weiterer Partien. Während ihrer Rußland-Tournee gastierte sie als Tatjana wie als Butterfly auch am Bolschoj Theater Moskau. 1957 kam es zu Auseinandersetzungen zwischen ihr und der Direktion der Grand Opéra, worauf sie sich mehr der Operette zuwandte und auf diesem Gebiet zu großen Erfolgen kam. 1966 gründete sie in Paris das Centre Lyrique Populaire de France.

Boulanger, Mme; eine weitere Enkelin Lili Boulanger (1893–1918), Schwester von Nadja Boulanger, war gleichfalls als Komponistin tätig.

Bourbon, Jean, *8. 5. 1875 Machine (Nièvres), †(?).

Bourdin, Roger; Gastspiele an der Oper von Monte Carlo (1949 als Ourrias in «Mireille» von Gounod und als Athanaël in «Thaïs» von Massenet) und 1946 an der Oper von Chicago.

Bouvet, Maximilien-Nicolas; er wirkte auch in den Uraufführungen der Opern «L'Attaque du moulin» von A. Bruneau (23. 11. 1893 Opéra-Comique Paris) und «Messaline» von Isidore de Lara (21. 3. 1899 Oper von Monte Carlo) mit.
Von seiner Stimme existieren Pathé-Zylinder (Paris, 1902–03) und -Platten (Paris, 1907–08).

Bouvier, Hélène; sie gastierte an der Mailänder Scala 1951 in Debussys «Le Martyre de Saint Sébastien», 1957 zusammen mit Jacqueline Brumaire in «Louise» von Charpentier.
Schallplatten: Bourg Records («Lazare» von A. Bruneau), Vogue (Lieder).

Bowman, James (Thomas); 1969 wurde er Lay Vicar an der Londoner Westminster Abbey. Er sang 1970–74 in Glyndebourne den Endimione in «La

Calisto» von Cavalli, 1972 wirkte er an der Covent Garden Oper London in der Uraufführung der Oper «Taverner» von P. Maxwell Davies mit, 1977 in der von M. Tippetts «Ice Break». 1979 Gastspiel an der Opéra-Comique, 1982 an Théâtre Châtelet Paris, 1983 in Genua. An der Oper von Santa Fé sang er 1987 in «Ariodante» von Händel; 1988 hörte man ihn an der Mailänder Scala in der Oper «Fetonte» von Niccolò Jommelli.
Schallplatten: RCA (Messias), DGG («Orfeo» von Monteverdi), Telefunken (Matthäuspassion von J. S. Bach), Decca (Stabat mater von Pergolesi).

Boyagian, Garbis; 1988 gastierte er am Teatro Massimo Palermo in «Fedra» von I. Pizzetti, 1989 bei den Festspielen von Verona als Amonasro in «Aida». 1988–89 gab er eine Reihe von Konzerten für die Opfer des großen Erdbebens in seiner armenischen Heimat.

Boyce, Bruce; er sang u. a. 1938 beim Three Choirs Festival in England. 1949 war er in London in Cimarosas «Matrimonio segreto», 1950 in der Beggar's Opera zu hören.
Schallplatten: Decca («Elias» von Mendelssohn).

Bracht, Roland; Schüler von Hanno Blaschke in München. Er sang 1986 an der Metropolitan Oper New York den König Heinrich im «Lohengrin», 1989 die gleiche Partie in Pretoria. 1988 Gastspiel mit dem Ensemble der Staatsoper Stuttgart an der Deutschen Oper Berlin. Am 25. 9. 1988 sang er in der Eröffnungsvorstellung des neu erbauten Opernhauses von Essen den Pogner in den «Meistersingern».
Schallplatten: Amadeo («Vom Tode» von Schiske).

Bragin, Alexander; Schallplatten: Acht Aufnahmen auf Pathé (St. Petersburg).

Brambaroff, Cristo; Schallplatten: Balkanton (Titelheld im «Boris Godunow»).

Brambilla, Linda; sie sang in der Saison 1890–91 an der Mailänder Scala, alternierend mit Regina Pinkert, die Adina in Donizettis «Elisir d'amore» als Partnerin von Enrico Caruso unter A. Toscanini. An der Oper von Havanna gastierte sie 1902–03 als Gilda im «Rigoletto», als Traviata, als Ophelia in «Hamlet» von A. Thomas und als Mathilde in Rossinis «Wilhelm Tell».
Schallplatten: Ihre Fonodisc-Aufnahmen sind um 1911 entstanden.

Brambilla, Marietta; 1837 war sie in Mailand wie ihre Schwester Teresa Brambilla Solistin in einer Kantate «In morte di Maria Malibran»; die die damals bekanntesten italienischen Komponisten Donizetti, Pacini, Mercadante, Coppola und Vaccai auf den Tod der großen Primadonna komponiert hatten. Man bewunderte Marietta Brambilla vor allem in ihren Travestierollen, darunter als Adriano in Meyerbeers «Il Crociato in Egitto» und als Romeo in «Giulietta e Romeo» von Zingarelli. Donizetti

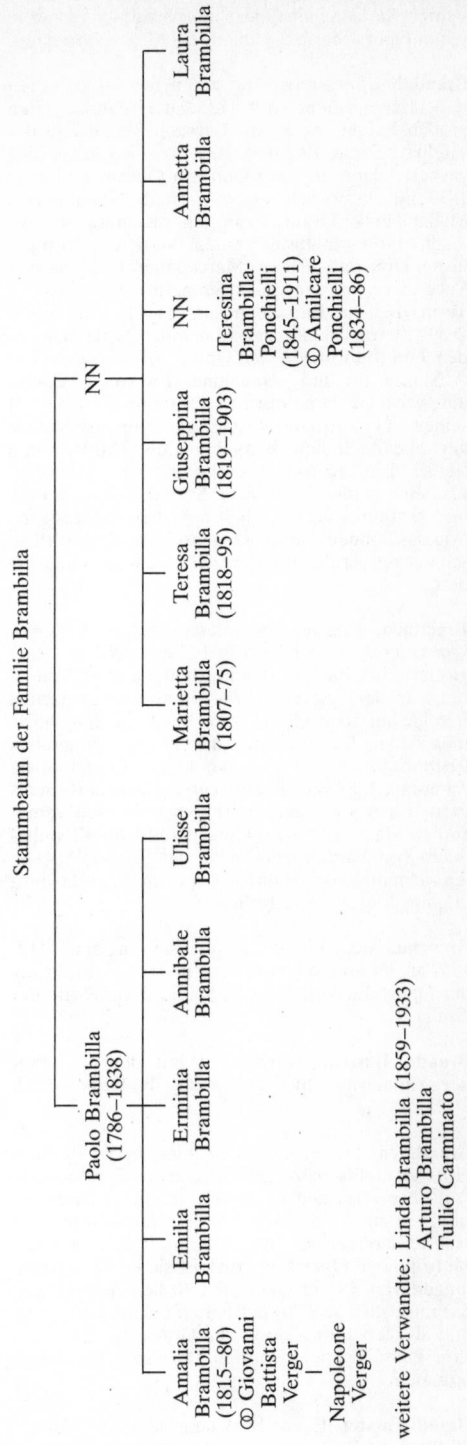

Stammbaum der Familie Brambilla

Paolo Brambilla
(1786–1838)

NN

Emilia Brambilla

Amalia Brambilla
(1815–80)
⚭ Giovanni Battista Verger

Napoleone Verger

Erminia Brambilla

Annibale Brambilla

Ulisse Brambilla

Marietta Brambilla
(1807–75)

Teresa Brambilla
(1818–95)

Giuseppina Brambilla
(1819–1903)

NN

Teresina Brambilla-Ponchielli
(1845–1911)
⚭ Amilcare Ponchielli
(1834–86)

Annetta Brambilla

Laura Brambilla

weitere Verwandte: Linda Brambilla (1859–1933)
Arturo Brambilla
Tullio Carminato

schrieb für sie eigens die Tenorpartie des Gondi in seiner Oper «Maria di Rohan» für Mezzosopran um.

Brambilla, Teresa; sie trat anfänglich an kleineren italienischen Bühnen auf. 1833 hatte sie ihren ersten großen Erfolg am Teatro Carcano Mailand in der Titelpartie von Bellinis «Beatrice di Tenda». Sie gastierte dann an der Oper von Odessa und sang 1837 mit ihrer Schwester Marietta Brambilla in Mailand in der Uraufführung einer Kantate «In morte di Maria Malibran», einem Werk der Komponisten Donizetti, Pacini, Mercadante, Coppola und Vaccai zum Tod der großen Sängerin. 1837 war sie in Turin, 1838 in Barcelona zu Gast. In der Saison 1839–40 trat sie an der Mailänder Scala u. a. in den Uraufführungen der Opern «Il Corsaro» von A. Mazzucato und «Giovanna II.» von C. Coccia auf. Verdi war von ihrer Interpretation der Elvira in seiner Oper «Ernani» begeistert. 1846 gastierte sie am Théâtre-Italien Paris in «Luisa Miller» von Verdi. Ein Kritiker beschreibt ihr Auftreten: «... eine geradezu göttliche Stimme. Ihre Technik und rhythmische Sicherheit sind bewundernswert. Wie das Sonnenlicht die Gegenstände der Natur, so schmücken Triller und Verzierungen ihre Kantilenen.»

Brambilla, Teresina; debütierte 1863 an der Oper von Odessa als Adalgisa in Bellinis «Norma» und gastierte in Lissabon, Madrid, Paris und St. Petersburg. In der Spielzeit 1878–79 hatte sie glänzende Erfolge am Teatro San Carlos Lissabon. 1882 hörte man sie am Teatro Regio Turin in der italienischen Erstaufführung von Gounods Oper «Le Tribut de Zamora». 1883 war sie am Teatro Costanzi Rom als Partnerin des berühmten Tenors Francesco Tamagno in «Poliuto» von Donizetti und im «Troubadour» von Verdi zu hören; in der Saison 1884–85 feierte man sie bei einem Gastspiel in St. Petersburg in einer Vielzahl von Rollen.

Branchu, Alexandrine Caroline; sie sang am 16. 12. 1807 an der Grand Opéra Paris in der Uraufführung der Oper «La Vestale» von Spontini die Partie der Giulia.

Brandt, Barbara; verheiratet mit dem Direktor der Minnesota Opera Company H. Wesley Balk (* 1932).

Brandt, Marianne; sie erregte 1868 an der Berliner Hofoper als Fides und als Azucena im «Troubadour» Aufsehen. Bei den ersten Bayreuther Festspielen sang sie am 17.8. 1876 in der Uraufführung der «Götterdämmerung» die Waltraute. Im Haus der Metropolitan Oper New York ist sie in 160 Vorstellungen von 18 verschiedenen Rollen aufgetreten, darunter auch als Donna Elvira im «Don Giovanni» und als Siebel im «Faust» von Gounod.
Ihre Pathé-Zylinder wurden 1905 in Wien aufgenommen.

Brandt-Forster, Ellen; 1891 sang sie an der Wiener Hofoper die Bastienne in der Premiere von Mozarts «Bastien und Bastienne», am 21. 8. 1896 in der Uraufführung von Goldmarks «Das Heimchen am Herd».

Branisteanu, Horiana; Schallplatten: Pickwick-Video («Don Giovanni», Glyndebourne 1977).

Brannigan, Owen, † 9. 5. 1973 Newcastle upon Tyne; 1946–51 und nochmals 1971 war er bei den Festspielen von Glyndebourne zu hören, darunter als Bartolo in «Nozze di Figaro», als Banquo in «Macbeth» von Verdi und als Silvano in der denkwürdigen Premiere der Oper «La Calisto» von Cavalli (26. 5. 1971).
Schallplatten: Decca («The Fairy Queen» von Purcell), HMV (Beggar's Opera), Argo («Noyes Fludde» von B. Britten).

Branzell, Karin; Antrittsrolle an der Berliner Staatsoper war 1918 die Fricka in der «Walküre». 1919 sang sie dort in den Premieren der «Frau ohne Schatten» von R. Strauss und von Hans Pfitzners «Palestrina». 1931 wirkte sie an der Metropolitan Oper als Königin in der amerikanischen Erstaufführung von Weinbergers «Schwanda der Dudelsackpfeifer» mit. 1935–39 nahm sie an den Münchner Sommerfestspielen teil, bei denen sie auch als Adriano in «Rienzi» auftrat; 1939 gastierte sie in Zürich. An der New Yorker Metropolitan Oper sang sie ununterbrochen in den Jahren 1924–42, dann nochmals 1944 und schließlich in der Saison 1950–51, in der sie von der Bühne Abschied nahm. Sie ist dort in 309 Vorstellungen von 19 Rollen (ungerechnet die Vorstellungen im Rahmen der jährlichen Gastspieltournee) aufgetreten, in erster Linie im Wagner-Fach, aber auch als Amneris in «Aida», als Dalila in «Samson et Dalila» von Saint-Saëns und als Herodias in «Salome» von R. Strauss. Sie war verheiratet mit dem Maler Einar Eduardsen, der 1929 starb; später erscheint sie unter dem Namen Karin Branzell-Reinshagen. Zu ihren zahlreichen Schülern gehörte auch die Sängerin Nell Rankin.
Schallplatten: Auf Odeon erschienen u. a. Duette mit Emmy Bettendorf, auf Urania-Remington deutsche Lieder; es ist auch ein Mitschnitt einer Metropolitan-Aufführung des «Lohengrin» von 1936 mit der Künstlerin in der Partie der Ortrud vorhanden.

Braslau, Sophie; Tochter des russischen Wissenschaftlers und Arztes Dr. Abel Braslau. Zuerst Klavierstudium am New Yorker Institute of Musical Art bei Alexander Lambert. Zwei Tage nach ihrem (unsichtbaren) Debüt an der Metropolitan Oper sang sie dort die Wirtin im «Boris Godunow» von Mussorgsky (1914). Sie sang danach dort Partien wie die Maddalena im «Rigoletto», die Preziosilla in «La forza del destino» und die Marina im «Boris Godunow» und am 12. 5. 1918 die Titelrolle in der Uraufführung der Oper «Shanewis» von Cadman. Sie wirkte in den amerikanischen Erstaufführungen von Leonis «L'Oracolo» (1915), von Zandonais «Francesca da Rimini» (1916 als Altichiari), von Rimsky-Korssakows «Le Coq d'Or» (1918 als Amelfa) und von «Crispino e la comare» von Federico und Luigi

Ricci (1919) an der Metropolitan Oper mit und hatte große Erfolge in deren Sunday Night Concerts. In den USA wie bei ihrer Europa-Tournee zeichnete sie sich als große Lied-Interpretin aus (Lieder von Schubert, Lieder russischer Komponisten, jüdische religiöse Volksmusik). Sie starb nach langer Krankheit.
Schallplatten: Victor (akustische Aufnahmen 1914–23), Columbia (elektrische Aufnahmen).

Bratt, Gillis; aus der Vielzahl seiner Schüler seien noch Torsten Lennartsson, Göta Ljungberg, Magna Lyckseth-Scherfven, Gustaf Rödin, Sigune Schillander und Berthold Schweback genannt.

Braun, Carl; im Lauf der zwanzig Jahre, in denen er bei den Bayreuther Festspielen mitwirkte, sang er dort folgende Partien: den Fafner (1906–07, 1931), den Fasolt (1911–12, 1925–30), den Wotan (1924), den Hunding (1925–30), den Hagen (1911–12, 1925–30) im Nibelungenring, den Gurnemanz (1909–12, 1924, 1930) wie den Titurel (1908) im «Parsifal» und den Pogner in den «Meistersingern» (1911). An der New Yorker Metropolitan Oper sang er neben seinen Wagner-Heroen auch den Sarastro in der «Zauberflöte», den Marcel in Meyerbeers «Hugenotten» und den Thoas in der Premiere von Glucks «Iphigénie en Tauride» (1916). Beim Eintritt der USA in den Ersten Weltkrieg mußte er sein Engagement aufgeben und war bis 1919 dort interniert. Während seines Wiesbadener Engagements gastierte er oft am Opernhaus von Frankfurt a. M., so als Jochanaan in «Salome» und als Orest in «Elektra» von R. Strauss (1910). 1910 war er beim Amsterdamer Wagner-Verein auch als Fafner in Nibelungenring zu Gast. Bei der USA-Tournee der German Opera 1929–31 hörte man ihn als König Marke im «Tristan» und als Wotan. Bis 1933 sang er fast alljährlich seine großen Wagner-Partien bei den Festspielen in der Waldoper von Zoppot.
Schallplatten: Mit größter Wahrscheinlichkeit bestehen von seiner Stimme nur Aufnahmen in akustischer Aufnahmetechnik.

Braun, Hans; an der Covent Garden Oper London gastierte er 1947 in kleineren Partien als Mitglied des Wiener Ensembles, 1948 als Graf in «Figaros Hochzeit» und als Melot im «Tristan», 1953 als Orest in «Elektra» von R. Strauss, beim Maggio musicale Florenz gleichfalls als Orest. An der Wiener Staatsoper sang er den John Sorel in der Erstaufführung von Menottis «The Consul» (1951), bei den Salzburger Festspielen den Tarquinius in B. Brittens «The Rape of Lucretia» (1950). Auch am Teatro Liceo Barcelona zu Gast.
Schallplatten: Vanguard-Amadeo (Nelson-Messe von J. Haydn).

Braun, Helena, † 2. 9. 1990 Sonthofen; sie debütierte 1929 in Koblenz als Altistin und wechselte während ihres Engagements in Wiesbaden (1934–40) ins hochdramatische Sopranfach. Sie sang an der Staatsoper von Wien in der Uraufführung der Oper «Johanna Balk» von R. Wagner-Régeny (4. 4.

1941). Ihr Gastspiel an der Metropolitan Oper New York am 21. 12. 1949 kam zustande, indem sie die plötzlich erkrankte Helen Traubel als Brünnhilde in der «Walküre» ersetzte. Sie verlegte ihren Wohnsitz später nach Sonthofen (Allgäu).
Schallplatten: Sang auch auf Movimento Musica die Ortrud in vollständiger «Lohengrin»–Aufnahme: auch auf Laudis vertreten.

Braun, Katharina, s. unter *Brouwer, Katharina.*

Braun, Oscar; † (?), Todesdatum und -ort unbekannt.

Braun, Victor; 1987 beim Maggio musicale Florenz in «Benvenuto Cellini» von Berlioz, 1989 als Golo in «Pelléas et Mélisande» zu Gast. Ebenfalls 1987 sang er in Amsterdam in der Oper «Doktor Faust» von Busoni, bei den Festspielen von Bregenz die vier Dämonen in «Hoffmanns Erzählungen» und an der Oper von Chicago in A. Bergs «Wozzeck». In der Eröffnungsvorstellung des neu erbauten Opernhauses von Essen sang er den Hans Sachs in den «Meistersingern» (25. 9. 1988).

Braun, Walter, s. unter *Günther-Braun,* Walter.

Brecknock, John; gastierte 1981 und 1985–86 in Paris, 1983–84 an der Opéra de Wallonie Lüttich als Roméo in «Roméo et Juliette» von Gounod.
Schallplatten: HMV (Alfredo in «La Traviata» in englischer Sprache).

Breitenfeld, Richard; sang 1905 in der (von Bayreuth untersagten) holländischen Erstaufführung des «Parsifal» in Amsterdam den Amfortas, 1913 wieder in Amsterdam den Jochanaan in «Salome» von R. Strauss mit Aino Ackté in der Titelpartie. Hoch angesehener Oratoriensolist.

Bréjean-Silver, Georgette, † (?); Schülerin der Pädagogen Mangin und Crosto am Conservatoire National de Paris. Sie sang an der Oper von Bordeaux in den lokalen Premieren der Opern «Sapho» und «Esclarmonde» von Massenet und übernahm zahlreiche Koloraturpartien aus dem französischen wie dem italienischen Repertoire. Am 7. 12. 1889 wirkte sie bei den Festlichkeiten anläßlich der Eröffnung des neuen Gebäudes der Opéra-Comique mit. Später war sie hauptsächlich am Théâtre de la Monnaie Brüssel tätig. In zweiter Ehe mit dem Komponisten Charles Silver (* 1868) verheiratet. 1951 lebte sie noch in Courbevoie.
Schallplatten: Auf Odéon de Luxe u. a. zwei Arien aus «La Belle au Bois Dormant», einem Werk ihres Gatten, das sie 1902 kreiert hatte.

Brema, Marie; 1913–25 Direktorin der Opernklasse am Royal Manchester College of Music.

Brendel, Wolfgang; sang 1981–82 an der Mailänder Scala den Grafen in «Figaros Hochzeit», 1984 den Wolfram im «Tannhäuser», 1983 an der Oper von Chicago den Vater Miller in Verdis «Luisa Miller».

1987 Gastspiel an der Oper von Köln; 1988 sang er an der Staatsoper von Wien wie an der Covent Garden Oper London (Debüt 1985 als Graf Luna im «Troubadour») den Titelhelden in «Eugen Onegin» von Tschaikowsky, 1989 an der Metropolitan Oper New York den Germont-père, im gleichen Jahr bei den Bayreuther Festspielen den Wolfram. Am Teatro San Carlos Lissabon trat er 1989 als Amfortas auf.
Schallplatten: HMV-Electrola («Fledermaus»), Acanta («Eine Nacht in Venedig» von J. Strauß).

Brent, Charlotte, * um 1735; ihre Mutter war Solistin in der Uraufführung des Oratoriums «Jephtha» von G. F. Händel gewesen. Sie selbst sang am 27. 6. 1761 am Londoner Drury Lane Theatre in einer weiteren Uraufführung einer Oper von Thomas Arne, «Judith», die Titelrolle.

Bressler-Gianoli, Clotilde; seit 1900 an der Opéra-Comique Paris aufgetreten. Auch in New York wurde sie als Carmen bewundert. 1912 starb sie – viel zu früh – durch eine Sepsis nach einer Appendix-Perforation.

Breuer, Hans; 1899–1900 Mitglied der Metropolitan Oper New York (Antrittsrolle: Erik im «Fliegenden Holländer»).

Breul, Elisabeth; Schallplatten: Eterna («Die Bürger von Calais» von Wagner-Régeny).

Bréval, Lucienne, † 15. 8. 1935 Neuilly-sur-Seine. Debüt an der Metropolitan Oper New York Januar 1901 als Chimène in «Le Cid» von Massenet. Sie trat an diesem Haus während zwei Spielzeiten (1900–02) als Selika in Meyerbeers «Africaine», als Valentine in den «Hugenotten», als Brünnhilde im «Siegfried» und als Titelheldin in «Salammbô» von Reyer auf. In Paris setzte sie ihre erfolgreiche Bühnenkarriere bis 1919 fort.

Breviario, Giovanni; Seine großen Rollen waren der Canio im «Bajazzo», der Radames in «Aida», der Cavaradossi in «Tosca», der Raoul in den «Hugenotten» von Meyerbeer, der Pollione in «Norma», der Titelheld in «Andrea Chénier» von Giordano und in besonderer Weise der Othello von Verdi.

Brewer, Bruce; wirkte 1988 an der Grand Opéra Paris in der Uraufführung von Maurice Ohanas Oper «Célestine» mit. Verheiratet mit der Mezzosopranistin *Joyce Castle* (* 1944).
Schallplatten: KRO («St. François d'Assise» von O. Messiaen), Vox/Fono («Zoroastre» von Rameau), Cascavelle Records («Boulevard Solitude» von H. W. Henze).

Brice, Carol, † 15. 2. 1985 Norman (Oklahoma). Setzte ihre Studien bei Francis Rogers in New York fort. Sie ist auch in Musicals aufgetreten. 1958 debütierte sie an der New York City Centra Opera als Addie in der Oper «Regina» von Blitzstein. Auch als

Maria in «Porgy and Bess» von Gershwin sehr erfolgreich.

Bridges, Althea; 1961–64 sang sie bei der Australian Opera Company, 1964–68 am Opernhaus von Graz, 1971–83 am Landestheater von Linz (Donau). Dort wirkte sie in der Uraufführung der Oper «Michael Kohlhaas» von Karl Kögler mit (12. 3. 1989).

Briesemeister, Otto; Sohn eines Schullehrers. Er legte sein ärztliches Staatsexamen an der Universität von Leipzig ab und promovierte dort zum Dr. med. Er wurde Militärarzt und spezialisierte sich auf die Hals- und Kehlkopfheilkunde. Man bewunderte seinen unvergleichlichen Loge in Wien und Stockholm, in London und Paris. Weitere Bühnenpartien des Künstlers waren der Siegmund wie der Siegfried im Nibelungenring und die Titelpartien in «Fra Diavolo» von Auber und im «Faust» von Gounod. Als seine Tochter 1910 an einer Diphtherie erkrankte, zog er sich diese Infektion an deren Krankenbett zu und starb daran.
Schallplatten: Ein Pathé-Zylinder (Berlin 1907 mit «Frühlingsfahrt» von R. Schumann).

Brilioth, Helge; 1970 an die Metropolitan Oper New York berufen. Er wirkte am 18. 10. 1986 in Stockholm in der Uraufführung der Oper «Christina» von Hans Gefors mit.

Brinkmann, Bodo; er ergriff zunächst den Beruf eines Statikers und technischen Zeichners und begann erst mit 24 Jahren das Gesangstudium. Mitglied der Bayerischen Staatsoper München, Gastspiele an der Deutschen Oper am Rhein Düsseldorf-–Duisburg (1987 als Telramund im «Lohengrin»), an der Wiener Staatsoper (Antrittsrolle: Paolo in Verdis «Simon Boccanegra») und am Teatro Liceo Barcelona (1989 als Jochanaan in «Salome»). Bei den Bayreuther Festspielen 1987 und 1989 gastierte er als Kurwenal im «Tristan» als Donner im «Rheingold» und als Gunther in der «Götterdämmerung», 1989 auch als Heerrufer im «Lohengrin». Bei den Aufführungen von Borodins «Fürst Igor» in der Münchner Olympia-Halle 1987 sang er den Titelhelden. 1989 gastierte er am Teatro San Carlos Lissabon als Wotan in der «Walküre».
Schallplatten: RCA (Moruccio, nicht Sebastiano in «Tiefland»), HMV («Troades» von A. Reimann).

Brinkmann, Rudolf; weitere Uraufführungen, in denen er in Frankfurt a. M. mitwirkte, waren: «Die Abreise» von E. d'Albert (1898), «Der ferne Klang» von Franz Schreker (1912), «Die Gezeichneten» (1918) und «Der Schatzgräber» (1920), ebenfalls von F. Schreker. Die Angaben über die Anzahl von Partien, die er gesungen hat, schwanken zwischen 300 und 500, jedenfalls besaß sein Repertoire einen ganz ungewöhnlichen Umfang.

Broccardi, Carlo; debütierte 1911 am Teatro Corso Bologna als Lohengrin. Er sang auch an der Mailänder Scala, am Teatro Comunale Bologna, in Lissabon und in Südamerika.

Brodersen, Friedrich; er war der Sohn eines protestantischen Pfarrers. Während er die Baugewerbeschule in Stuttgart besuchte, ließ er gleichzeitig dort seine Stimme ausbilden. In München sang er am 28. 3. 1916 in der Uraufführung der Oper «Violanta» von Wolfgang Korngold den Simone, am 12. 6. 1917 in der von Hans Pfitzners «Palestrina» den Murone. Höhepunkte in seinem Bühnenrepertoire waren Rollen wie der Titelheld in «Hans Heiling» von Marschner, der Zar in «Zar und Zimmermann» von Lortzing, der Kühleborn in dessen «Undine» und der Wolfram in «Tannhäuser».
Schallplatten: Pathé (München 1912–13, darunter Duette mit Ella Tordek).

Bröcheler, Caspar; wirkte in Hamburg in der Uraufführung der Oper «Der Zerrissene» von Gottfried von Einem (17. 9. 1964) mit. Sein Neffe *John Bröcheler* (* 1945) wurde ein bekannter Bariton.

Bröcheler, John; Neffe (nicht Sohn) des Baritons *Caspar Bröcheler* (1911–83). Bühnendebüt 1973 in Amsterdam als Sid in «Albert Herring» von Benjamin Britten. Sang 1985 an der Mailänder Scala als Antrittsrolle den Jochanaan in «Salome» von R. Strauss, 1988 an der Wiener Staatsoper den Golo in «Pelléas et Mélisande». Gastierte 1989 am Theater von Bonn als Wolfram im «Tannhäuser», in München als Titelheld in «Mathis der Maler» von Hindemith und als Dunois in Tschaikowskys «Jungfrau von Orléans».
Schallplatten: Supraphon («Das Paradies und die Peri» von R. Schumann).

Broggini, Cesy, * 5. 6. 1928 San Giuliano Terme bei Pisa; debütierte 1948 am Teatro Verdi Pisa als Mimi. Dann Gesangstudium bei Nerina Baldisseri in Florenz. Sie sang 1956 beim Holland Festival die Alice Ford in Verdis «Falstaff», 1957 die Micaela in «Carmen». An der Mailänder Scala hörte man sie als Nedda im «Bajazzo», als Mimi und als Ursula in der Premiere von P. Hindemiths «Mathis der Maler» (1957). Gastspiele an der Oper von Rom, am Teatro Liceo Barcelona, am Teatro San Carlos Lissabon, am Teatro Colón Buenos Aires und an der Nationaloper von Zagreb. Bis 1969 setzte sie ihre Bühnenkarriere fort und verlebte dann ihren Ruhestand in Florenz.
Schallplatten: Sang auf Cetra auch in vollständiger Aufnahme von Boitos «Mefistofele».

Brohly, Suzanne; sie sang auch am 7. 12. 1912 an der Grand Opéra Paris in der Uraufführung der Oper «La Lépreuse» von Sylvio Lazzari.
Schallplatten: Auf Grammophone erschien eine Aufnahme «Rêves de Wagner». Operettenplatten sang sie unter dem Namen Alice Martell.

Bronsgeest, Cornelis; war in Berlin Schüler von Richard Schulz-Dornburg. 1910 sang er in der Berliner Premiere von Verdis «Don Carlos» den Posa, 1916 in der von «Ariadne auf Naxos» von R. Strauss (in der Zweitfassung des Werks). 1922–24 bereiste er mit einer Wandertruppe Holland und Belgien und

trat dabei selbst als Don Giovanni, als Graf in «Figaros Hochzeit» und in weiteren Partien auf. 1924 veranstaltete er im Amsterdamer Théâtre Carré «Parsifal»-Aufführungen, in denen er als Amfortas mitwirkte. 1924–33 organisierte er fast wöchentlich in Berlin Radiosendungen mit Opern, in denen die ersten Künstler sangen. Sänger wie Joseph Schmidt und Miliza Korjus wurden durch diese Sendungen überhaupt erst bekannt. Während der Jahre des Zweiten Weltkrieges gab er mit einem kleinen Ensemble Opernvorstellungen vor deutschen Soldaten, in denen er noch in Baß-Partien anzutreffen war.

Bronskaja, Eugenia (Adolfowna), * 20. 1. (1. 2.) 1882 St. Petersburg; sie sang bei ihrem Gastspiel am Teatro Fenice Venedig 1907 die Tatjana in der lokalen Premiere von Tschaikowskys «Eugen Onegin».

Brooks, Patricia, * 7. 11. 1937 New York; ausgebildet als Tänzerin, teilweise durch die berühmte Martha Graham. Debütierte 1960 an der City Centre Opera New York als Marianne Leitmetzerin im «Rosenkavalier» und sang dort am 26. 10. 1961 in der Uraufführung von «The Crucible» von Robert Ward. Gastierte in San Francisco und Toronto. Gastierte 1969 an der Covent Garden Oper London (als Königin im «Goldenen Hahn» von N. Rimsky-Korssakow) und 1974 an den Opern von Santa Fé und Houston/Texas, wo sie die Titelpartie in «Lulu» von A. Berg sang.

Broßmann-Baske, Marie, s. unter *Baske,* Eduard.

Brothier, Yvonne; sang am 9. 3. 1923 an der Opéra-Comique in der Uraufführung der Oper «La Hulla» von Samuel-Rousseau, 1927 in der ersten holländischen Bühnenaufführung von «Pelléas et Mélisande» die Mélisande.
Ihre HMV-Schallplatten erschienen seit etwa 1920.

Brouwenstijn, Gré; debütierte 1946 an der Niederländischen Oper Amsterdam als Giulietta in «Hoffmanns Erzählungen». Dort erregte ihre Leonore im «Fidelio» 1949 großes Aufsehen, seitdem eine ihrer Glanzrollen. Sie stand seit 1949 für viele Jahre im Mittelpunkt des Holland Festivals, wo sie neben der Rezia im «Oberon» auch die Leonore im «Troubadour» (1949), die Donna Anna im «Don Giovanni», die Amelia in Verdis «Ballo in maschera», die Gräfin in «Nozze di Figaro», die Tatjana im «Eugen Onegin» von Tschaikowsky, die Jenufa von Janáček, die Titelheldin in Glucks «Iphigénie in Tauride», die Desdemona im «Othello» von Verdi, die Leonore in «La forza del destino», die Senta in «Fliegenden Holländer» und natürlich vor allem die Leonore im «Fidelio» zum Vortrag brachte. Große Karriere auch im Konzertsaal. 1948–53 verheiratet mit dem holländischen Tenor *Jan van Mantgem* (* 1903).

Brown, Anne; weitere Aufnahmen auf Tono.

Browning, Lucielle; sie sang an der Metropolitan Oper New York Partien wie die Flora in «La Traviata», die Mamma Lucia in «Cavalleria rusticana», die Berta im «Barbier von Sevilla» oder den Pagen in «Salome» von R. Strauss. 1938 wirkte sie in der Premiere von Menottis «Amelia al Ballo» mit.

Brownlee, John, * 7. 1. 1900 Geelong im australischen Staat Victoria, † 3. 1. 1969 New York; eigentlicher Name Donald Mackenzie Brownlee. Nellie Melba entdeckte seine Stimme, als er in Melbourne das Baß-Solo im «Messias» sang und veranlaßte deren weitere Ausbildung. An der Covent Garden Oper London, an der er zwischen 1930 und 1949 in fünf Spielzeiten auftrat, sang er Partien wie den Mercutio in «Roméo et Juliette» von Gounod, den Golo in «Pelléas et Mélisande» von Debussy, den Jago in Verdis «Othello», den Amonasro in «Aida» und den Scarpia in «Tosca». 1931 zu Gast am Teatro Colón Buenos Aires; 1935–39 alljährlich große Erfolge bei den Festspielen von Glyndebourne. 1948–49 wirkte er beim Festival von Edinburgh mit, in der Spielzeit 1949–50 hatte er nochmals große Erfolge an der Covent Garden Oper als Papageno in der «Zauberflöte». 1937–58 Mitglied der Metropolitan Oper New York, an der er 33 Partien in 348 Vorstellungen (ohne die Vorstellungen bei den Tourneen des Ensembles) sang. 1937–38 und 1945 war er an der Oper von Chicago, 1940–50 fast alljährlich an der San Francisco Opera anzutreffen. 1956–69 Direktor, seit 1960 Präsident des Manhattan Institute of Music, 1953–67 zugleich Präsident der American Guild of Musical Artists. Er war ein gesuchter Gesangpädagoge (u. a. Lehrer von Ezio Flagello und Johanna Meier).
Schallplatten: EJS (Sharpless in «Madame Butterfly») CBS («Fledermaus»), UORC (Papageno in der «Zauberflöte», Metropolitan Oper 1942).

Brozia, Zina; An der Oper von Boston sang sie seit 1911 u. a. die Tosca, die Butterfly, die Marguerite im «Faust» von Gounod und die Salomé in Massenets «Hérodiade». 1914 hörte man sie am Théâtre Gaité Paris in der Uraufführung von «La Danseuse de Tanagra» von Hirschmann.

Brumaire, Jacqueline; sie sang am 1. 6. 1951 in der Uraufführung von Bondevilles «Madame Bovary» (Opéra-Comique Paris). 1957 an der Mailänder Scala als Louise in der Oper gleichen Namens von Charpentier zu Gast.

Brun, Johanne, † 3. 2. 1954 Kopenhagen; sie war die Tochter des Kaufmanns Niels Prieme. Sie heiratete den Tenor *Frederik Brun* (1852–1929), von dem sie sich 1906 wieder trennte. Auch dessen Bruder *Nordal Brun* (1857–1906) wirkte als Tenor auf der Opernbühne.
Schallplatten: Auch Lyrophon-Aufnahmen; etwa 1937 erschien auf HMV ein Album mit Wagner-Sängern der Kopenhagener Oper, in dem sie vertreten ist, in limitierter Ausgabe. Von Nordal Brun existiert eine Serie von Pathé-Zylindern mit Opern- und Liedtiteln.

Bruna-Rasa, Lina; sang in der Uraufführung der Oper «Sly» von Wolf-Ferrari 1927 an der Scala alter-

nierend mit Mercedes Llopart die Partie der Dolly, 1929 übernahm sie die Partie der Magda in der Erstaufführung von Respighis «La Campana sommersa». Bis 1936 an der Scala aufgetreten. Gastspiele am Teatro Colón Buenos Aires, an der Oper von Monte Carlo (1931 als Leonore im «Troubadour») und 1937 am Opernhaus von Zürich. Bei ihrer Deutschland-Tournee wurde sie 1934 vor allem in Frankfurt a. M. als Donna Anna im «Don Giovanni» gefeiert.
Schallplatten: Columbia («Andrea Chénier», 1931), HMV («Cavalleria rusticana», 1940 bereits nach Ausbruch ihrer Krankheit, aufgenommen).

Brunner, Evelyn, * 17. 12. 1942 Lausanne; auch Schülerin von Marie Ratoff in Mailand. Sie sang seit 1963 mit dem Ensemble Vocal de Lausanne zusammen. Gastierte an der Grand Opéra und an der Opéra-Comique Paris, in Amsterdam, Brüssel, Athen und Nizza, in Basel, Zürich und beim Wexford Festival in Irland. 1987 hörte man sie in Lausanne als Titelfigur in «Ariadne auf Naxos» von Richard Strauss. Sie zeichnete sich als Konzertsolistin bei Auftritten in Zürich, Madrid, Lissabon, Paris und New York sowie in weiteren Musikzentren in der Schweiz und in Frankreich aus. Die Sängerin, die ihren Wohnsitz in Lyon nahm, wirkte 1971 in Lausanne in der Uraufführung des Oratoriums «De Profundis» von J. Perrin mit.
Schallplatten: Erato-Ariola (religiöse Musik von Mendelssohn und von M. A. Charpentier).

Brunskill, Muriel, * 18. 12. 1899 Kendall (Cumbria, England), † Ende Februar 1980 Bishops Tawton (englische Grafschaft Devonshire). An der British National Opera sang sie u. a. die Geneviève in «Pelléas et Mélisande», die Erda im Nibelungenring und die Titelpartie in «Alceste» von Rutland Boughton. Sie wirkte als Solistin bei den zahlreichen englischen Musikfesten mit. In den USA erregte sie großes Aufsehen beim Festival von Cincinnati. Sie wirkte auch in Filmen mit.
Schallplatten: Columbia (um 1930 entstanden).

Bruscantini, Sesto; 1950 großer Erfolg am Teatro Eliseo Rom als Selim in Rossinis «Il Turco in Italia» zusammen mit Maria Callas. Ebenfalls 1950 wirkte er an der Oper von Rom in der italienischen Premiere von Carl Orffs «Die Kluge» mit. Seine Karriere dauerte ungewöhnlich lange; noch 1988 gastierte er in Los Angeles als Alfonso in «Così fan tutte».
Schallplatten: Opera Rara («Emilia di Liverpool» von Donizetti).

Bruson, Renato; die Karriere des Sängers entwickelte sich anfänglich nur langsam. In den Jahren 1975–76, 1978–82 und 1985 sang er bei den Festspielen in der Arena von Verona. 1986 großer Erfolg am Teatro Regio Parma als Falstaff von Verdi. Am 5. 2. 1987 sang er in der Jahrhundertaufführung von Verdis «Othello» an der Mailänder Scala den Jago. 1987 gastierte er am Teatro Regio Turin, 1988 am Deutschen Opernhaus Berlin als Don Giovanni. Bereits

1969 kam es zu seinem Debüt an der Metropolitan Oper New York als Enrico in «Lucia di Lammemoor», doch hatte er seine großen Erfolge dort in den achtziger Jahren u. a. als Graf Luna im «Troubadour», als Germont-père in «La Traviata», als Don Carlos in «La forza del destino» und als Posa im «Don Carlos» von Verdi. 1987 wirkte er bei den Festspielen von Bregenz mit.
Schallplatten: Philips («Macbeth» von Verdi, Alfio in «Cavalleria rusticana») CBS («Macbeth» von Verdi), DGG («La forza del destino», «Ballo in maschera» von Verdi, «Manon Lescaut» von Puccini, «Samson et Dalila» von Saint-Saëns), Acanta (Arie antiche), Capriccio («La Traviata»), Nuova Era («Poliuto» von Donizetti).

Bryhn-Langaard, Borghild; sie sang an der Oper von Chicago 1919 nur eine einzige Partie, nämlich die Amelia in «Ballo in maschera». Seit 1920 lebte sie in ihrer norwegischen Heimat und gab Konzerte und einzelne Gastspiele.
Schallplatten: HMV (als Borghild Langaard), Pathé (als Borghild Bryn).

Bryn-Jones, Delme; sein Debüt an der Covent Garden Oper London fand 1963 statt. 1967 sang er erstmals in Nordamerika, und zwar an der Oper von San Francisco. Im englischen Rundfunk BBC wirkte er in der Premiere der Oper «Die Bassariden» von H. W. Henze mit (1973).

Buades d'Alessio, Aurora; sie sang am 23. 1. 1934 an der Oper von Rom in der Uraufführung der Oper «La Fiamma» von Ottorino Respighi.

Bucha, Karl; er wirkte am 10. 5. 1894 in Weimar in der Uraufführung der Richard Strauss-Oper «Guntram» mit. 1895 ging er an das Stadttheater (Opernhaus) Hamburg, gastierte auch in Düsseldorf, kam aber 1897 wieder an das Hoftheater von Weimar zurück, an dem er jetzt bis 1910 blieb. In der Spielzeit 1911–12 arbeitete er als Regisseur am Stadttheater von Erfurt.

Buchanan, Isobel, * 15. 3. 1954 Glasgow; debütierte 1975 am Opernhaus von Sydney als Pamina in der «Zauberflöte». Sie sang 1987 bei den Festspielen von Glyndebourne die Dorabella in «Così fan tutte». 1978 Gastspiel an der Wiener Staatsoper als Micaela in «Carmen». Seit 1979 Auftritte an der Covent Garden Oper London.
Schallplatten: Decca («Rodelinda» von Händel).

Buchner, Paula; Schallplatten: Eterna (vollständige Oper «Tristan» mit Max Lorenz).

Buckel, Ursula; sie arbeitete jahrelang mit dem Münchner Bach-Chor und dessen Leiter Karl Richter wie auch mit Diethard Hellmann und dem Mainzer Bach-Chor zusammen. 1958 sang sie in Basel in der Uraufführung des «Gilgamesch-Epos» von B. Martinù eine Solo-Partie.
Weitere Schallplattenaufnahmen auf Vox (Bach-Kantaten, Mozart-Requiem, «Elias» von Mendels-

sohn, Ein deutsches Requiem von J. Brahms), Resonance (Haydn-Messen) und Intercord (Krönungsmesse von Mozart).

Buckman, Rosina; semiprofessionelles Debüt 1905 in Wellington als «A Moorish Maid» von Alfred Hill. 1909 sang sie in Sydney in der Oper «Maritana» von Vincent Wallace, 1910 nahm sie an einer Australien-Tournee der Williamson Opera Company teil, bei der sie die Suzuki als Partnerin von Amy Castles in «Madame Butterfly» sang. (Später brillierte sie bei der Beecham Opera als Butterfly). 1911 hörte man sie in der Operntruppe der großen Primadonna Nellie Melba als Suzuki, als Frasquita in «Carmen», als Marthe im «Faust» und als Musetta in «La Bohème». An der Covent Garden Oper London war sie 1914 eins der Blumenmädchen in der «Parsifal»-Premiere. 1919 sang sie dort nochmals in der Oper «Naïl» von Isidore de Lara. 1919 heiratete sie den englischen Tenor *Maurice d'Oisly (1882–1949)*. 1935 gab sie ihre Karriere auf und wurde Professorin an der Royal Academy of Music London.

Budai, Livia, Mezzosopran, * 23. 6. 1950 Esztergom (Ungarn); sie war in ihrer ungarischen Heimat Schülerin von Olga Révhegyi und von András Mikó an der Budapester Musikakademie. Nachdem sie einen Gesangconcours in Sofia gewonnen hatte, debütierte sie dort 1973 als Amneris in «Aida». 1973–77 hatte sie erste Erfolge an der Nationaloper von Budapest (namentlich 1974 als Fricka in der «Walküre»), dazu war sie vor allem auch als Konzert- und Oratoriensängerin tätig. Sie kam dann nach Westdeutschland und nahm ein festes Engagement am Stadttheater von Gelsenkirchen an (1977). Große Erfolge bei Gastspielen an der Staatsoper von Hamburg (seit 1978) und an der Covent Garden Oper London, wo sie als Azucena im «Troubadour» Aufsehen erregte. An der Staatsoper von München, deren Mitglied sie seit 1980 war, erschien sie als Eboli im «Don Carlos» von Verdi, am Deutschen Opernhaus Berlin als Laura in «La Gioconda» von Ponchielli und als Preziosilla in Verdis «La forza del destino». Weitere Gastspiele am Teatro Liceo Barcelona (1979), am Théâtre de la Monnaie Brüssel (1984), am Teatro Comunale Bologna (1983 als Brangäne im «Tristan»), am Teatro Regio Turin (1987 als Fricka in der «Walküre») und an der Oper von San Francisco (1979). Seit 1983 auch Mitglied des Deutschen Opernhauses Berlin. 1987 sang sie an der Metropolitan Oper New York die Flora in «La Traviata» und die Azucena im «Troubadour». Gastspiele an der Opéra de Wallonie Lüttich (1984 als Dalila in «Samson et Dalila» von Saint-Saëns), bei den Festspielen von Aix-en-Provence (1987 als Quickly in Verdis «Falstaff») und in Wien, wo sie sich als Solistin im Requiem von Verdi auszeichnete. 1988 sang sie bei den Festspielen in der Arena von Verona die Laura in «La Gioconda» von Ponchielli und die Amneris in «Aida», in Brüssel die Kundry im «Parsifal», 1989 in Marseille die Cassandre in «Les Troyens» von Berlioz. Zu den großen Partien der Sängerin gehörten die Carmen, die Amneris, die Ulrica im «Maskenball» von Verdi, die Brangäne im

«Tristan» und die Gertrudis in «Bánk Bán» von F. Erkel. Hervorragende Konzert- und Oratoriensängerin. Die Künstlerin, die seit ihrer Heirat auch unter dem Namen Livia Budai-Batky auftrat, wurde bereits 1976 mit dem Kodaly-Preis ausgezeichnet. Schallplatten: Ariola-Eurodisc (Lola in «Cavalleria rusticana», Arienplatte), Denon (8. Sinfonie von G. Mahler), Helikon (Religiöse Vokalmusik von F. Liszt, Requiem von R. Schumann, Werke von Charpentier und J. S. Bach), CBS (Laura in «La Gioconda»). – (Neufassung) –

Büchel, Hilde, * 10. 2. 1920 Zürich; sie sang in den Jahren 1943–45 als Gast am Theater von Luzern, dann 1945–48 am Stadttheater von Basel, 1948–51 am Städtebundtheater Biel–Solothurn, 1951–56 am Theater von Kiel, 1956–57 am Stadttheater von Lübeck und 1957–60 am Opernhaus von Zürich. 1960–61 war sie am Opernhaus von Frankfurt a. M. und schließlich bis zu ihrem Tod am Stadttheater von Heidelberg engagiert. Am Theater von Basel sang sie in den deutschen Erstaufführungen der Opern «Peter Grimes» (1946 als Auntie) und «The Rape of Lucretia» (1947 als Bianca). Schallplatten: In einer Privataufnahme von Tschaikowskys «Eugen Onegin» aus der Hamburger Staatsoper von 1952 singt sie die Partie der Larina.

Büchner, Eberhard; Schüler von Harry Schwickardi in Dresden. Debütierte 1965 am Staatstheater Schwerin als Tamino. 1985–87 sang er bei den Salzburger Festspielen den Flamand im «Capriccio», 1986 in der Eröffnungsvorstellung der renovierten Berliner Staatsoper den Adolar in «Euryanthe» von Weber, 1988 an der Mailänder Scala den Erik im «Fliegenden Holländer». Schallplatten: DGG («Die Freunde von Salamanca» von Schubert, «Idomeneo» von Mozart), Philips («Der Mond» und «Die Kluge» von C. Orff, Solist in der Matthäuspassion und im Weihnachtsoratorium von J. S. Bach), HMV-Electrola (gleichfalls «Idomeneo»), Capriccio (Tenor-Solist in der 9. Sinfonie von Beethoven, in Bach-Kantaten und in «Symphoniae Sacrae» von H. Schütz).

Büssel, Robert, * 25. 7. 1880 Nürnberg; Gesangstudium bei K. Becker in Köln. Er debütierte am Opernhaus von Köln, sang dann in Berlin, Essen und Leipzig und seit 1902 länger als vierzig Jahre an der Hofoper (der späteren Staatsoper) von Dresden. Dort sang er auch noch in den Uraufführungen der Opern «Die toten Augen» von E. d'Albert (5. 3. 1916), «Der Günstling» von R. Wagner-Régeny (20. 2. 1935) und «Die Zauberinsel» von H. Sutermeister (31. 10. 1942), schließlich in der der Operette «Coeur As» von E. Künnecke (1913).

Büttner, Max; sang in Karlsruhe in den Uraufführungen der Opern «Till Eulenspiegel» von E. N. von Reznicek (1902) und «Schwarzschwanenreich» von Siegfried Wagner (1918).

Buff-Gießen, Hans, † 13. 9. 1907 Dresden; Ausbildung der Stimme durch Gustav Scharfe in Dresden.

Bugarinovič, Milada; Schallplatten: EJS (Szene aus «Salome» von R. Strauss).

Bugg, Madeleine; sang 1925 in Genua die Suzel in Mascagnis «Amico Fritz». Neben der Ausdruckskraft ihrer Stimme bewunderte man auf der Bühne die aparte Schönheit ihrer Erscheinung und ihr großes darstellerisches Talent.

Buljakow, Pawel Petrowitsch, * 15. (27.) 8. 1824 Moskau; verheiratet mit der Sopranistin *Annisja Alexandrowna Lawrowa-Buljakowa* (1831–1920).

Bumbry, Grace; sang 1963 mit großem Erfolg an der Oper von Chicago die Ulrica in Verdis «Ballo in maschera». Gastierte 1975 bei den Festspielen in der Arena von Verona, 1979 an der Grand Opéra Paris als Abigail in Verdis «Nabucco», 1987 an der Oper von Nizza in der Titelpartie von Massenets «Hérodiade», 1989 in Marseille als Didon in «Les Troyens» von Berlioz. 1987 wirkte sie in den Aufführungen von Verdis «Aida» vor den Tempeln von Luxor wie in der Arena von Verona als Amneris mit. Sie wurde zum Ehrendoktor des Ebner-Rust College Holy Springs (Missouri) und der University of Missouri St. Louis ernannt. Schallplatten: Lévon (Amneris in «Aida»), CBS («Le Cid» von Massenet).

Bundschuh, Dieter; sang 1987 am Nationaltheater Mannheim die Bravourrolle des Arnoldo in Rossinis «Wilhelm Tell».

Bunlet, Marcelle; gastierte 1934 am Teatro Colón Buenos Aires als Ariane in «Ariane et Barbe-Bleue» von Dukas (eine ihrer großen Kreationen) und als Alcesté in der gleichnamigen Oper von Gluck.

Buntz, Bjarne, † 2. 4. 1982 Oslo; er sang an der Oper von Oslo am 7. 12. 1951 in der Uraufführung der Oper «Cymbelin» des norwegischen Komponisten Lars Eggen.

Burchuladze, Paata, * 12. 2. 1951 Tblissi (Tiflis); 1986 an der Mailänder Scala, 1989 bei den Festspielen von Verona als Zaccaria in Verdis «Nabucco» bewundert, 1987 in Genua und 1988 in Philadelphia als Titelheld in «Mefistofele» von A. Boito. Bereits 1987 hatte er in Philadelphia als Boris Godunow debütiert; im gleichen Jahr wirkte er bei den Festspielen von Bregenz als Silva in Verdis «Ernani» mit. 1987–88 trat er bei den Salzburger Festspielen als Commendatore im «Don Giovanni» auf, 1988 an der Wiener Staatsoper wie an der Covent Garden Oper London als Boris Godunow. 1989 hatte er in Wien einen besonders großen Erfolg als Dosifey in Mussorgskys «Khovantchina», an der Scala als Fiesco in «Simon Boccanegra». Schallplatten: Decca (russische Lieder, «Simon Boccanegra», «Aida»), DGG (Pater Guardian in «La forza del destino», Baß-Solo im Mozart-Requiem, Lieder von Mussorgsky und Rachmanioff), Melodiya-Eurodisc (Arien-Recital).

Burg, Robert, † 9. 2. 1946 Radebeul bei Dresden. Debütierte 1914 am Theater von Aussig (Ustí nad Labem) als Valentin im «Faust» von Gounod; 1915 kam er an das Deutsche Theater Prag, 1916 an die Hofoper von Dresden, an der er als Antrittspartie den Kothner in den «Meistersingern» übernahm.

Burgstaller, Aloys, * 27. 9. 1871 Holzkirchen (Oberbayern), † 19. 4. 1945 Gmund am Tegernsee; nach seinem Mitwirken in der New Yorker Erstaufführung des «Parsifal» wurde er von den Bayreuther Festspielen ausgeschlossen.

Burian, Emil; Début 1895 am Opernhaus Köln, sang dann in Ostrava (Mährisch Ostrau), Brno (Brünn), 1899–1901 am Opernhaus von Agram (Zagreb) und 1902–04 am Theater von Plzeň (Pilsen). 1908–10 am Stadttheater (Opernhaus) von Hamburg, seit 1910 an der Nationaloper Prag engagiert.

Burke, Edmund, † 19. 2. 1970 Flintridge bei Pasadena (Kalifornien). Eine Kriegsverletzung aus dem Ersten Weltkrieg zwang ihn, vorzeitig seine Bühnenkarriere aufzugeben.
Schallplatten: Zwei HMV-Aufnahmen von 1913.

Burke, Thomas; Schallplattenaufnahmen des Künstlers erschienen unter dem Namen Tom Burke auch auf der kleinen englischen Marke Dominion.

Burles, Charles; Schallplatten: HMV («Padmâvati» von Roussel).

Burmeister, Anneliese, † 16. 6. 1988 Berlin. Weitere Bühnenpartien der Sängerin waren der Titelheld im «Orpheus» von Gluck, die Dorabella in «Così fan tutte», die Azucena im «Troubadour», die Ulrica in Verdis «Maskenball», die Quickly in dessen «Falstaff», die Hexe in «Rusalka» von Dvořák und die Gaea in «Daphne» von R. Strauss.
Schallplatten: HMV («Die schweigsame Frau» von R. Strauss).

Burrian, Carl, * 12. 1. 1870 Rousinow bei Rakovnik (Böhmen), † 25. 9. 1924 Senomaty bei Prag; er war 1896–98 am Hoftheater (Opernhaus) von Hannover, 1898–1901 am Stadttheater (Opernhaus) von Hamburg engagiert, 1901–02 am Opernhaus von Budapest. An der Metropolitan Oper New York ist er 96mal in zehn verschiedenen Partien (im eigentlichen Haus) aufgetreten, in der Hauptsache im Wagner-Repertoire. Bis 1912 trat er als Gast an der Wiener Hofoper auf, deren reguläres Mitglied er 1912–14 war. Verheiratet mit der Sopranistin *Frantiska Jelinková* (1865–1937), die mit ihm zusammen in Dresden engagiert war.

Burrowes, Norma; Debüt 1964 bei der Glyndebourne Touring Opera als Zerline im «Don Giovanni»; seit 1979 große Erfolge an der Metropolitan Oper New York in Partien wie der Blondchen in der «Entführung aus dem Serail», dem Pagen Oscar in Verdis «Ballo in maschera» und der Sophie im «Ro-

senkavalier». 1969–80 mit dem Dirigenten Steuart Bedford (* 1939) verheiratet.
Schallplatten: Decca («The Fiery Queen» von Purcell, «Hänsel und Gretel» von Humperdinck), Philips («Armida» von Händel), Erato («Israel in Egypt» von Händel), HMV («Riders to the Sea» von Vaughan Williams).

Burrows, Stuart; zuerst als Konzertsänger tätig. An der Covent Garden Oper London hörte man ihn auch als Beppe im «Bajazzo», als Fenton im «Falstaff» von Verdi und als Elvino in Bellinis «La Sonnambula». Seit 1971 ist er in neun Spielzeiten an der Metropolitan Oper New York aufgetreten, dabei sang er im eigentlichen Haus der Oper sechs Partien in 67 Aufführungen, darunter den Tamino, den Fenton in Verdis «Falstaff», den Belmonte in der «Entführung aus dem Serail», den Faust von Gounod und den Alfredo in «La Traviata». 1982 Gastspiel am Théâtre de la Monnaie Brüssel als Titus in «La clemenza di Tito» von Mozart.
Schallplatten: DGG («Messias» von Händel), CBS («Das klagende Lied» von G. Mahler).

Burzio, Eugenia, * 20. 6. 1872 Poirino bei Turin; bereits mit neun Jahren spielte sie Violine, dann Ausbildung zur Sängerin durch die Pädagogen Aversa und Benvenuti am Conservatorio Giuseppe Verdi in Mailand. Bühnendebüt 1899 am Teatro Vittorio Emanuele in Turin als Santuzza in «Cavalleria rusticana». Sie sang dann an der Oper von Monte Carlo und am Teatro Lirico Mailand (1900 als Rosa Mamai in «L'Arlesiana» von Cilea). Seit 1907 Gastspiele am Teatro Colón Buenos Aires und in Brasilien. 1915 hörte man sie an der Mailänder Scala als Titelfigur in «Loreley» von Catalani. 1916 sang sie am Teatro Carlo Felice von Genua in der Uraufführung der Oper «Mameli» von Leoncavallo, bereits 1912 am Teatro Lirico Mailand in der italienischen Premiere von dessen «I Zingari». Sie gehört zu den ganz wenigen bedeutenden Sängerinnen ihrer Epoche, die weder in England noch in Nordamerika aufgetreten sind. Während der drei letzten Jahre ihrer schweren Krankheit wurde sie bis zu ihrem Tod in rührender Weise durch ihre Freundin, die große Primadonna Rosina Storchio, gepflegt.

Bussani, Francesco; in der Uraufführung der Oper «Il matrimonio segreto» von Cimarosa am 7. 2. 1792 in Wien sang Dorothea Bussani-Sardi die Partie der Fidalma, Francesco Bussani übernahm bei dieser Aufführung in Gegenwart von Kaiser Leopold II. keine Rolle. (Biographie von Dorothea Bussani-Sardi, s. Ergänzungsband).

Butt, Clara; erste Studien bei Daniel Roothan. Am Royal College of Music London Schülerin von J. H. Blower, dann noch in Paris von Jaques Bouhy. 1899 kreierte sie in Norwich die «Sea Pictures» von Elgar. 1898 kam sie zu großen Erfolgen bei Konzerten in Berlin. Für mehr als dreißig Jahre stand sie im Mittelpunkt der zahlreichen englischen Musikfeste. Während des Ersten Weltkrieges trat sie in zahlreichen Wohltätigkeitskonzerten vor alliierten Solda-

ten auf. Sie war eine der bekanntesten englischen Sängerinnen ihrer Generation.
Ihre Schallplattenaufnahmen erschienen seit 1910 auf HMV, seit etwa 1916 auf Columbia, wo auch noch einige elektrische Aufnahmen zur Veröffentlichung kamen.

Buzea, Ion; 1966–67 an der Wiener Volksoper, 1967–70 und 1973–82 am Opernhaus von Zürich engagiert. 1973–85 Mitglied der Oper von Köln. Bei einem Auftritt als Titelheld in «Hoffmanns Erzählungen» 1985 am Opernhaus von Köln kam es zu einem Skandal, als er bei Mißfallensäußerungen aus dem Publikum dieses von der Bühne her beschimpfte.

Bye, Erik, † 17. 5. 1953 Oslo.

Byrding, Holger, † 13. 6. 1980 Kopenhagen.

C

Caballé, Montserrat; 1962–63 sang sie an der Oper von Mexico City die Manon von Massenet, 1965 in der New Yorker Carnegie Hall die Titelpartie in Donizettis «Lucrezia Borgia». An der Oper von Chicago debütierte sie 1970 als Traviata. 1983 sang sie beim Festival von Perugia die Hypermestra in «Les Danaïdes» von A. Scarlatti, 1986 in Rom die Titelpartie in Spontinis «Agnese di Hohenstaufen». 1987 hörte man sie in Pesaro als Ermione, am Teatro Liceo Barcelona als Saffo in den beiden gleichnamigen Opern von Rossini und Pacini. 1988 bewunderte man an der Wiener Staatsoper ihre Mme Cortese in Rossinis «Viaggio a Reims».
Schallplatten: Decca (Adalgisa in «Norma» mit Joan Sutherland in der Titelpartie), Harmonia mundi («Caterina Cornaro» von Donizetti).

Cabanel, Paul; sang 1935 in Amsterdam den Don Inigo in der holländischen Erstaufführung von Ravels «L'Heure espagnole», 1952 wirkte er beim Holland Festival in einer konzertanten Aufführung von «La damnation de Faust» von Berlioz mit.
Schallplatten: Die vollständige Aufnahme von «Samson et Dalila» erschien 1946 auf Pathé (nicht auf HMV).

Cabel, Marie, † 23. 5. 1885 Maisons Lafitte bei Paris. 1854 erregte sie in London besonderes Aufsehen als Marie in «La fille du régiment» von Donizetti.

Caccini, Giulio; nach anderen Quellen in Tivoli geboren.

Cachová, Marie, * 4. 9. 1853 Beroun (Beraun bei Prag), † 28. 2. 1879 Beroun; sang in der Uraufführung von Smetanas Oper «Hubička» («Der Kuß») am 7. 11. 1876 in Prag die Partie der Martinka.

Cahier, Charles Mme; war auch Schülerin von Victor Capoul und Fidèle König in Paris, dann in Berlin

von Amalie Joachim-Weiss. Debüt 1904 an der Oper von Nizza als Orpheus von Gluck. 1905 heiratete sie den schwedischen Rittergutsbesitzer und Diplomaten Charles Cahier. Gustav Mahler vermittelte 1906 einen Ruf an die Wiener Hofoper; dort wurde sie auch durch dessen Nachfolger Felix von Weingartner sehr geschätzt. In den Jahren 1909–13 trat sie bei den Münchner Opernfestspielen in Wagner-Partien auf. Sie gastierte in Berlin, Dresden, Leipzig, München und Amsterdam und erwarb hohes Ansehen als Konzert- und Oratoriensolistin, vor allem als Bach-Interpetin (Matthäuspassion) und in Werken von Robert Schumann und Franz Liszt. Beim Mahler-Fest von 1920 sang sie in Amsterdam zusammen mit dem Concertgebouw Orchester unter Willem Mengelberg. An der Metropolitan Oper ist sie nur in drei Vorstellungen (eine von jeder der genannten Partien) aufgetreten. Sie hatte jedoch große Erfolge in den USA im Konzertsaal, sang u. a. in der amerikanischen Premiere von «Les Noces» von Strawinsky und brachte in ihren Konzerten gern Werke zeitgenössischer französischer Komponisten zum Vortrag (Reynaldo Hahn, Raoul Laparra, Gabriel Dupont). Während des Ersten Weltkrieges hielt sie sich in Schweden auf und gastierte 1914–18 an der Stockholmer Oper. 1933 trennte sie sich von Charles Cahier. Bis 1937 gab sie Unterrichtskurse in Wien und Salzburg; aus dem Kreis ihrer Schüler sind so große Namen wie Marian Anderson, Göta Ljungberg und Rosette Anday zu nennen.
Schallplatten: eine akustische G & T-Platte mit zwei Arien aus «Carmen» (Wien, 1907), alle weiteren Aufnahmen in elektrischer Aufnahmetechnik um 1930.

Cahill, Teresa; sie sang 1970 an der Covent Garden Oper London, 1972 an der Oper von Santa Fé, 1976 an der Mailänder Scala, 1981 an der Oper von Philadelphia. Konzertauftritte beim Edinburgh Festival, den Berliner und Wiener Festwochen. Rundfunksendungen in England, Italien, Deutschland, Belgien und Dänemark.
Schallplatten: HMV («Scenes from the Saga of King Olaf» von Elgar), Denon (8. Sinfonie von Gustav Mahler), Chandos (Lieder von R. Strauss), Pearl (Werke von E. Elgar).

Calabrese, Franco, * 20. 7. 1923 Palermo.

Callas, Maria; sang in den Jahren des Zweiten Weltkrieges in Athen u. a. die Titelheldin in «Tosca», die Beatrice in der Operette «Boccacio» von F. von Suppé, endlich 1944 die Martha in «Tiefland». Ihre Stimme wurde in den USA durch den berühmten italienischen Tenor Giovanni Zenatello entdeckt, der ihr ein Engagement bei den von ihm begründeten Festspielen in der Arena von Verona vermittelte. Dort sang sie in den Jahren 1947–48 und 1952–54; an der Mailänder Scala debütierte sie 1950 als Aida. 1953 sang sie erstmals in Florenz die Titelrolle in «Medea» von Cherubini. Am 2. 1. 1958 kam es zu einem großen Skandal, als sie in einer Galavorstellung von Bellinis «Norma» (in Anwesenheit des italienischen Staatspräsidenten) sich während der

Vorstellung weigerte, weiter aufzutreten und das Haus verließ. Ihr erster Bühnenauftritt an der Londoner Covent Garden Oper fand am 5. 7. 1965 als Tosca statt.
Lit.: D. A. Long: «Callas as they saw her» (New York, 1987); C. Guandalini: «Callas-l'ultima diva» (Turin, 1987).
Schallplatten: HMV (Mitschnitte von Unterrichtsstunden unter dem Titel «Maria Callas at Juillard»).

Calleja, Icilio; der eigentliche Name des Sängers war Illissillo Cagliescha.

Calma, Wiktoria; Schallplatten: Colosseum (vollständige Opern «Fedora» und «Mese Mariano» von Giordano).

Calvé, Emma, * 15. 8. 1858 Décazeville (Departement Aveyron), † 6. 1. 1942 Millau (Departement Aveyron). Sie kreierte 1884 am Théâtre des Nations Paris die Partie der Bianca in der Uraufführung der Oper «Aben-Hamed» von Théodore Dubois. 1887 sang sie an der Mailänder Scala in der Oper «Flora mirabilis» von Samara und 1890 sehr erfolgreich die Ophélie in «Hamlet» von A. Thomas. Am 16. 7. 1902 sang sie an der Opéra-Comique Paris in der Uraufführung der Oper «La Carmélite» von Reynaldo Hahn. 1892 war sie an der Opéra-Comique, 1894 an der Covent Garden Oper London die Santuzza in den Premieren von Mascagnis «Cavalleria rusticana». 1923 unternahm sie nochmals eine glanzvolle Nordamerika-Tournee. 1911 heiratete sie den Tenor *Galileo Gasparini*, von dem sie sich 1921 wieder trennte.
Lit.: J. Contrucci: «Emma Calvé, la Diva des Siècles» (Paris, 1989).
Schallplatten: Pathé (um 1920).

Calvesi, Vincenzo, Tenor.

Cambiaggio, Carlo; debütierte 1829 am Theater von Varallo in Piemont.

Cambon, Charles, † 17. 9. 1965 Paris.

Campagnano, Vasco, * 12. 2. 1909 Alexandria (Ägypten) als Sohn italienischer Eltern. Studierte zuerst bei der Pädagogin Olga Righi-Mieli in Alexandria und trat dort bereits in Konzerten auf. Seit 1926 weitere Ausbildung durch Mario Sammarco und Elvino Ventura in Mailand. 1929 Debüt als Bariton am Teatro Comunale von Borgotaro (bei Bologna) in Puccinis «La Bohème». Er sang als Bariton u. a. in Padua, Bari, Asti und Terme Montecatini. 1940 wurde er als Jude verhaftet, später wieder freigelassen, aber 1943 durch die deutsche Besatzungsmacht in ein Konzentrationslager verschleppt, aus dem er, schwer erkrankt, 1945 befreit wurde. 1946 debütierte er als Tenor (nach Umschulung durch den Pädagogen Luigi Bolis) am Teatro Fraschini von Pavia in der Partie des Pinkerton in «Madame Butterfly». Gastierte 1949 in Zürich, beim Festival von Orange, in Tunis und Nizza sowie 1957 bei den Festspielen in der Arena von Verona. Eins

seiner letzten Gastspiele war 1959 an der Oper von Tel-Aviv als Radames in «Aida» und als José in «Carmen».

Campanari, Giuseppe; sang am 15. 6. 1893 am New York Opera House in der amerikanischen Erstaufführung des «Bajazzo» die Partie des Tonio, während Selma Kört-Kronold die Nedda kreierte. 1900 hörte man ihn an der Metropolitan Oper New York in der Premiere von Puccinis «La Bohème» als Marcello. Insgesamt hat er im Haus der Metropolitan Oper (ohne die Vorstellungen bei deren Tourneen) in 14 Spielzeiten bei 208 Vorstellungen auf der Bühne gestanden. Als letzte Partie sang er dort 1912 den Alfio in «Cavalleria rusticana».
Schallplatten: Columbia (1903 und 1909), Victor (1903–05), Edison-Zylinder.

Campanini, Italo; Debüt 1863 am Teatro Regio Parma als Oloferno Vitellozzo in «Lucrezia Borgia» von Donizetti. An der Metropolitan Oper New York sang er auch den Don Ottavio im «Don Giovanni», den Raoul in den «Hugenotten» von Meyerbeer, den Edgardo in «Lucia di Lammermoor», den Faust in «Mefistofele» von A. Boito, den Grafen Almaviva im «Barbier von Sevilla» von Rossini und den Lohengrin.

Campigna, Fidelia; war in erster Ehe mit dem Tenor *Jésus de Gaviria* (eigentlich Jesús Aguirregaviria, * 1892) verheiratet.

Campora, Giuseppe; sprang bei seinem Debüt 1949 für den erkrankten Tenor Galliano Masini ein. Er sang dann in Lecce, Lucca und Genua. 1951 kam er an die Mailänder Scala, an der er als Partner von Renata Tebaldi in der Partie des Maurizio in «Adriana Lecouvreur» von Cilea debütierte. 1952 und 1956 wirkte er bei den Festspielen in der Arena von Verona mit.

Canali, Anna Maria; sie sang 1947, 1949, 1952 und 1955 bei den Festspielen in der Arena von Verona.

Caniglia, Maria; wurde 1930 an die Mailänder Scala engagiert, wo sie 1931 als erste Partien die Rosaura in Mascagnis «Le Maschere» und die Maria in «Lo Straniero» von I. Pizzetti sang. 1931 wirkte sie an der Scala in der Uraufführung der Oper «La Notte di Zoraima» von Montemezzi in der Partie der Manuela mit, 1937 in der von Respighis «Lucrezia» in der Titelrolle. 1937 großer Erfolg an der Scala als Titelfigur in Glucks «Iphigénie en Tauride». An der Scala namentlich als Partnerin des großen Tenors Benjamino Gigli gefeiert. 1937 sang sie bei den ersten Festspielen in den Thermen des Caracalla in Rom die Aida. 1931, 1934–36 und 1939 gastierte sie bei den Festspielen in der Arena von Verona. An der Metropolitan Oper New York sang sie als Antrittspartie die Desdemona in Verdis «Othello» (1938), dann in der gleichen Saison die Aida, die Tosca, die Alice Ford im «Falstaff» und die Maria in Verdis «Simon Boccanegra», trat aber im Haus der Metropolitan Oper insgesamt nur in zwölf Vorstellungen in

Erscheinung. 1947–48 gastierte sie am Teatro Colón Buenos Aires als Norma und als Adriana Lecouvreur von Cilea.

Cannarile, Antonietta; sang 1970 bei den Festspielen von Verona.

Cantelli, Antonino; zu seinen Schülern gehörte auch der Bassist Fernando Autori.

Cantelo, April; sie sang 1963 beim Glyndebourne Festival die Marzelline in «Fidelio». Beim Festival von Aldeburgh wirkte sie am 11. 6. 1960 in der Uraufführung von Benjamin Brittens «A Midsummer Night's Dream» mit, 1962 bei der New Opera Company London in der englischen Premiere von H. W. Henzes «Boulevard Solitude».

Capecchi, Renato; große Karriere bei den Festspielen in der Arena von Verona, bei denen er 1953–54, 1956, 1958–60, 1967, 1969 und 1983 auftrat. 1975 erschien er nochmals an der Metropolitan Oper New York, an der er (im eigentlichen Haus in New York) insgesamt in 165 Vorstellungen zu hören war.

Capella, Juanita; sie sang am 22. 4. 1915 in der Eröffnungsvorstellung des Teatro Nacional von Havanna die Aida.

Cappuccilli, Piero; als Antrittsrolle sang er an der Mailänder Scala 1964 den Enrico in «Lucia di Lammermoor». 1988 sang er nochmals bei den Festspielen von Verona den Amonasro, 1989 den Titelhelden in «Nabucco» von Verdi. In der Spielzeit 1959–60 Mitglied der Metropolitan Oper New York, an der er jedoch nur in einer einzigen Vorstellung den Germont-père in «La Traviata» sang (26. 3. 1960). Dagegen trat er an der Oper von Chicago öfters auf. 1976 großer Erfolg an der Mailänder Scala als Simon Boccanegra in Verdis Oper gleichen Namens.
Schallplatten: Hungaroton («Macbeth» von Verdi), Rizzoli Records («Beatrice di Tenda» von Bellini), Frequenz («Rigoletto» und «Lucia di Lammermoor», Mitschnitte von Sendungen der RAI, 1957), Nuova Era («Loreley» von Catalani).

Capsir, Mercedes; ihr Vater *José Capsir* war selbst Opernsänger und bereiste mit einer von ihm zusammengestellten Wanderoper Spanien. 1923 Gastspiel an der Oper von Monte Carlo als Gilda und als Rosina, später sang sie dort auch die Titelheldin in Flotows «Martha» und die Musetta in «La Bohème». am 12. 1. 1929 sang sie an der Scala die Rosalina in der Uraufführung der Oper «Il Re» von Giordano (wobei sie die indisponierte Toti Dal Monte ersetzte).

Capuana, Maria; sie sang auch die Brangäne bei einer Wiederholung der Turiner «Tristan»-Aufführung am Théâtre des Champs Élysées in Paris. Diese Partie galt als besonderer Höhepunkt in ihrem Bühnenrepertoire; sie trat als Brangäne u. a. 1920 in Reggio Emilia und in Triest auf und sang sie an der

Mailänder Scala. 1926 wirkte sie in Bergamo in der Uraufführung der Oper «Ivania» von Pizzi mit, 1926 gastierte sie am Teatro Regio Parma, 1931 und 1934 am Teatro Massimo Palermo. 1931 nahm sie an der ersten Italien-Tournee der Wanderoper Carro di Tespi teil, bei der sie als Amneris auftrat. Sie bereiste auch Chile und wirkte in den Jahren 1923 und 1926 bei den Festspielen in der Arena von Verona mit.
Ihre Fonotecnica-Platten entstanden um 1924.

Capuzzo, Agostino, s. unter *della Rizza,* Gilda.

Caracciolo, Juanita; 1920 hatte sie am Teatro Costanzi Rom auch als Butterfly, als Margherita in «Mefistofele» von A. Boito und in der Premiere der Oper «La via delle finestra» von R. Zandonai große Erfolge. Sie gastierte am Teatro Massimo Palermo (1919), am Teatro Comunale Bologna (1921) und am Teatro Verdi Pisa (hier in der Titelrolle von Catalanis Oper «La Wally»). An der Mailänder Scala sang sie in der Saison 1922–23 auch die Louise in der gleichnamigen Oper von Charpentier unter A. Toscanini. Der Familienname der Sängerin kommt auch in der Schreibweise Carracciolo vor.

Carbone, Maria; 1937 hörte man sie an der Scala in «Maria Egiziaca» von Respighi, in «La Fanciulla del West» von Puccini, in den Opern «Debora e Jaele» und «Fra Gherardo» von I. Pizetti, später in zahlreichen weiteren Partien. Dabei wandelte sich ihre Stimme allmählich vom lyrischen zum Lirico spinto-Sopran. Der Höhepunkt ihrer Karriere fiel in das Jahrzehnt 1932–42. Neben der Salome galt auch die Elektra in der gleichnamigen Richard Strauss-Oper als eine ihrer Glanzrollen.

Card, June; im Lauf ihrer zwanzigjährigen Karriere an der Oper von Frankfurt a. M. sang sie dort ein umfangreiches Repertoire, u. a. 1988 die Partie der Frau in dem dramatischen Monolog «La Voix humaine» von F. Poulenc. 1988 trat sie beim Holland Festival in der konzertanten Aufführung der «Orestie» von Darius Milhaud auf. Sie betätigte sich auch als Opernregisseurin (1988 «La clemenza di Tito» von Mozart am Theater von Giessen).
Schallplatten: CBS, MRF («Die Gezeichneten» von F. Schreker).

Cardinali, Franco; er sang am 27. 9. 1889 in der Uraufführung der Oper «Lo Schiavo» von Carlos Gomes am Teatro Imperial von Rio de Janeiro (nicht am Teatro Constanzi Rom) die Partie des Americo.

Carena, Maria, *8. 8. 1891 Piossasco bei Turin; debütierte 1917 am Teatro Chiarella Turin als Leonore im «Troubadour», 1919 am Teatro Constanzi Rom als Aida. In der Saison 1922–23 hörte man sie an der Scala als Elsa im «Lohengrin» und als Isabella in «Cristoforo Colombo» von Franchetti, 1920 nahm sie am Teatro Comunale Bologna an der Uraufführung der Oper «Nemici» von Guerrini teil; sie gastierte 1926–36 am Tetro Regio Turin, 1922 und

1931–32 am Teatro Carlo Felice Genua, 1920–21 und 1924 am Teatro Comunale Bologna. 1927 feierte man sie am Teatro San Carlo Neapel als Giulia in «La Vestale» von Spontini und als Valentine in den «Hugenotten» von Meyerbeer. Ihre weiteren großen Partien waren die Giselda in Verdis «I Lombardi», die Titelrollen in «Sour Angelica» von Puccini und in Catalanis «Loreley», die Elena in «Mefistofele» von Boito, die Santuzza in «Cavalleria rusticana», die Tosca, die Katiusha in «Risurrezione» von Alfano, die Aida und die Leonore im «Troubadour».

Carey, Clive; sang am 23. 6. 1921 am Lyric Theatre London in der Uraufführung der Oper «Savitri» von Gustav Holst.

Carini, Nina, † 23. 10. 1978 Buenos Aires.

Carlin, Mario; wirkte am 14. 9. 1955 am Teatro Fenice Venedig in der Bühnenuraufführung von Prokofieffs «Ange de Feu» mit.

Carlson, Lenus; Ausbildung am Moorehead State College (Minnesota); 1972–73 sang er an der Oper von Dallas, 1973 in San Antonio, Boston und Washington, 1974 bei der Scottish Opera Glasgow, 1975 beim Festival von Edinburgh und an der Covent Garden Oper London (Valentin im «Faust»), 1974 in Amsterdam. Debütierte 1974 an der Metropolitan Oper New York als Silvio im «Bajazzo» (zuvor bereits auf der Studiobühne des Hauses in «Dido and Aeneas» von Purcell) und sang dort Partien wie den Eugen Onegin von Tschaikowsky, den Guglielmo in «Così fan tutte», den Escamillo in «Carmen», den Valentin im «Faust» von Gounod und den Lescaut in Puccinis «Manon Lescaut». An der Deutschen Oper Berlin hatte er große Erfolge als Paul in «Die tote Stadt» von Korngold (1983), als Nevers in den «Hugenotten» von Meyerbeer (1987), als Arcesius in «Die toten Augen» von E. d'Albert (1987) und in der Uraufführung von Wolfgang Rihms «Oedipus» (4. 10. 1987).

Carlyle, Joan, * 6. 4. 1931 Wirral bei Ruthin (Nordwales); Schülerin von Selma Nicklass-Kempner in Berlin. 1968 Gastspiel am Teatro Colón Buenos Aires. Bis 1969 an der Covent Garden Oper London aufgetreten. Sie beherrschte ein Repertoire von erstaunlichem Umfang.

Carmassi, Bruno, † Mai 1971; trat an der Covent Garden Oper London auch als Sparafucile im «Rigoletto» auf. In dieser Partie gastierte er auch 1947 in Zürich, 1956 in Lugano. Schon 1924 ist er am Teatro Verdi in Pisa anzutreffen. 1931 und 1941 am Teatro Monteverdi Spezia, 1932 am Teatro Vittorio Emanuele Turin, 1933 in Genua, 1948 und 1949 am Teatro Massimo Palermo, 1928 bei einem Gastspiel in São Paulo (Brasilien). Er wirkte in Opernsendungen des italienischen Rundfunks RAI mit.
Schallplatten: HMV (Zuniga in «Carmen», Ferrando im «Troubadour»).

Carmeli, Boris, * 1930 in Polen; seine Familie war italienischer Herkunft. Mit zwei Jahren kam er nach Italien zurück. Als Jude wurde er im Alter von 13 Jahren verschleppt, überstand aber den Aufenthalt in mehreren Konzentrationslagern. Nach Kriegsende entschloß er sich zur Ausbildung der Stimme. Diese erfolgte zuerst durch Ubaldo Carrozzo und durch Giovanni Binetti in Mailand. Im Verlauf seiner Karriere gab er fast alljährlich Gastspiele und Konzerte in Israel.

Carnevali, Abele; sang auf HMV in vollständiger Aufnahme von Rossinis «Barbier von Sevilla» zusammen mit Malvina Pereira, Edoardo Taliani, Ernesto Badini und Umberto Di Lelio (um 1920) und wahrscheinlich auch den Sakristan in «Tosca» (1918).

Carnuth, Walter; Schallplatten: HMV («Fliegender Holländer»).

Caron, Lucille; unter ihren Schallplattenaufnahmen finden sich auch Ausschnitte aus «Sigurd» von Reyer.

Caronna, Ernesto; sang am Teatro Colón Buenos Aires auch in «Cavalleria rusticana» und in «Le Jongleur de Notre Dame» von Massenet.
Schallplatten: Edison-Platten mit spanischen Volksliedern.

Carosio, Margherita; auch Ausbildung am Conservatorio Paganini in Genua. 1928 Gastspiel an der Covent Garden Oper London als Musetta in «La Bohème». Seit 1929 kam sie zu einer großen Karierre an der Mailänder Scala. Sie sang die Egloge in der Uraufführung von Mascagnis «Nerone» (16. 1. 1935 Scala Mailand). 1932, 1936 und 1939 wirkte sie bei den Festspielen in der Arena von Verona mit. 1948 hörte man sie beim Donizetti-Festival in Bergamo in dessen Oper «Betly». An der Oper von Rom trat sie auch als Armidoro in «La buona figliuola» von Piccinni auf. 1955 gastierte sie nochmals am Londoner Stoll Theatre als Adina in «Elisir d'amore», als Mimi in «La Bohème» und als Titelheldin in Massenets «Manon». Sie gab später eine Musikzeitschrift «Retroscena» heraus.
Schallplatten: Columbia («Amelia al ballo» von Menotti, Arien und Duette mit dem Tenor Carlo Zampighi).

Carpi, Fernando; unter seinen Schülern waren so bedeutende Sänger wie Suzanne Danco, Otakar Kraus, Ernst Häfliger, Rudolf Jedlička, Geraint Evans und Maria Tauberová.

Carraciolo, Juanita, s. unter *Caracciolo*, Juanita.

Carrara, Olga; sie wirkte in Chicago auch in der USA-Premiere der Oper «Jacquerie» von Montemezzi mit. 1924 nahm sie an einer Tournee durch Mittel- und Südamerika und durch Kuba mit einer Operntruppe teil, der auch Titta Ruffo und Antonio Cortis angehörten. Dabei sang sie in Havanna, in Caracas und in Bogotà die Mimi in «La Bohème» und die Tosca, in Bogotà auch die Aida. 1925 am

Teatro Liceo Barcelona als Tosca zu Gast. Sie sang 1930 in der Premiere (nicht Uraufführung) der Oper «Dafni» von Mulè in Palermo.

Carré, Marguerite; sang an der Opéra-Comique am 7.2. 1912 auch in der Uraufführung der Oper «La Lépreuse» von Sylvio Lazzari.

Carreras, José; seine Familie wanderte nach Argentinien aus, kam aber dann doch wieder in ihre spanische Heimat zurück, wo der Künstler seine Erziehung erhielt. Er sang bereits im Alter von zehn Jahren am Teatro Liceo Barcelona den Trujaman in «Il retablo de Maese Pedro» unter José Iturbi. 1972 sang er als Antrittsrolle an der New York City Centre Opera den Pinkerton in «Madame Butterfly». Er debütierte in der Saison 1974–75 an der Mailänder Scala als Riccardo in Verdis «Un Ballo in maschera». Bei den Salzburger Festspielen erregte er als Titelheld im «Don Carlos» von Verdi großes Aufsehen. 1973 gastierte er an der Oper von San Francisco, seit 1976 an der Chicago Opera. 1981 wirkte er in München in der Uraufführung der Oper «Lou Salome» von Giuseppe Sinopoli mit. Dazu war er immer wieder in seiner spanischen Heimat zu hören, vor allem in Barcelona und in Madrid, wo er 1981 erstmalig den José in «Carmen» sang, seither eine seiner großen Glanzrollen. 1987 feierte man ihn an der Scala als Canio im «Bajazzo». 1987 erkrankte er an einer schweren Bluterkrankung und mußte seine Karriere unterbrechen. Es hatte zunächst den Anschein als wäre die Krankheit nicht zu beherrschen, doch konnte er am 21.7. 1988 mit einem glanzvollen Konzert unter freiem Himmel in Barcelona vor 150000 Zuhörern und in Anwesenheit der spanischen Königin Sofia einen neuen Abschnitt seiner Sängerlaufbahn beginnen. In diesem Konzert, das für Spanien zu einem nationalen Festtag wurde, trug er Opernarien und spanische Lieder vor. 1988 wurde er zum Ehrenmitglied der Wiener Staatsoper ernannt. Am 24.9. 1989 sang er am Teatro Liceo Barcelona in Gegenwart des spanischen Königspaares die Titelpartie in der Uraufführung der Oper «Cristobál Colón», die der Komponist Lonardo Balada für ihn geschrieben hatte. Man bewunderte ihn als Interpreten des spanischen Volks- und Kunstliedes, doch sang er auch deutsche Kunstlieder, trat in Zarzuelas auf und hatte große Erfolge beim Tonfilm («Last Romance», 1986, worin er den großen spanischen Tenor Julián Gayarre darstellte). Seine Autobiographie erschien unter dem Titel *«José Carreras. Singen mit der Seele»*, *«El Placer de cantar»*, (1989).
Schallplatten: DGG («La forza del destino», «Madame Butterfly», «Lou Salome» von G. Sinopoli), Hungaroton («Andrea Chénier» von Giordano), Acanta (Deutsche Kunstlieder), Philips («Misa Criolla» und Weihnachtskantaten von Ariel Ramirez, «La Jiuve» von Halévy), CBS («Poliuto» von Donizetti).

Carrión, Emmanuel; er betätigte sich in Mailand als angesehener Pädagoge. Einer seiner Schüler war

sein Sohn *José Carrión* (1845–92), der ebenfalls ein erfolgreicher Tenor wurde.

Carroli, Silvano; sang 1988 in Verona den Barnaba in «La Gioconda» von Ponchielli, 1989 den Alfio in «Cavalleria rusticana». Er wirkte 1987 bei den «Aida»-Aufführungen vor den ägyptischen Tempeln von Luxor als Amonasro mit. Beim Maggio musicale von Florenz hörte man ihn 1988 als Michele in Puccinis «Il Tabarro» und als Amonasro. Letztere Partie und den Jack Rance in Puccinis «La Fanciulla del West» sang er auch 1988 bei den Festspielen in den Thermen des Caracalla in Rom.

Carron, Arthur; sang seit etwa 1930 an der Sadler's Wells Opera London Partien wie den Manrico im «Troubadour», den Othello von Verdi und den Tannhäuser. An der Metropolitan Oper New York hörte man ihn u. a. als Tristan und als Siegmund in der «Walküre». An der Londoner Covent Garden Oper sang er den Herodes in der Richard Strauss-Oper «Salome» mit Ljuba Welitsch in der Titelrolle.

Carson, Clarice; Schallplatten: MRF («Leonora» von Paër).

Carteri, Rosanna; sie wurde auch durch Nino Ederle ausgebildet. 1954 erschien sie an der Oper von San Francisco als Mimi in «La Bohème», 1960 in der gleichen Rolle an der Covent Garden Oper London, 1955 an der Chicago Opera als Marguerite im «Faust» von Gounod. 1961 sang sie an der Mailänder Scala die Metarosa in der Uraufführung von Pizzettis «Calzare d'Argento», am 25. 10. 1962 am Théâtre des Champs Elysées Paris in der Uraufführung von Gilbert Bécauds «Opéra d'Aran».

Carturan, Gabriella; sie sang auch an der Mailänder Scala in der Uraufführung von Pizzettis Oper «L'Assassinio nella cattedrale» (1. 3. 1958).

Caruso, Enrico; er war das 18. von 21 Kindern des Schlossers Marcello Caruso. Nach seinem Debüt sang er in Kairo (1896) am Teatro Massimo Palermo (1897), in Rußland (1897–98 und nochmals 1900), dann an der Oper von Monte Carlo. Seine großen Triumphe an der Mailänder Scala feierte er in den Jahren 1900–1902, wobei er als Nemorino in Donizettis «Elisir d'amore» 1901 eine wahre Sensation hervorrief. 1899 hörte man ihn erstmalig in Südamerika am Teatro Colón von Buenos Aires, 1904 in Deutschland, und zwar am Theater des Westens Berlin, wo er den Herzog im «Rigoletto» sang. In dieser Partie hatte er auch 1902 an der Covent Garden Oper London debütiert, während die große Primadonna Nellie Melba die Gilda sang. 1905 bewunderte man ihn am Théâtre Sarah Bernhardt in Paris als Loris in «Fedora» von Giordano; 1909 gastierte er zusammen mit dem Ensemble der New Yorker Metropolitan Oper in Paris, 1912 nahm er an einem Pariser Gastspiel der Oper von Monte Carlo teil. Am 23. 11. 1903 sang er an der Metropolitan Oper New York als Antrittspartie wiederum den Herzog im «Rigoletto» zusammen mit Marcella

Sembrich, Luise Homer, Antonio Scotti und Marcel Journet. Wenige Stunden vor dem großen Erdbeben, das San Francisco am 18. 4. 1906 zerstörte, war er am dortigen Opernhaus als José in «Carmen» zusammen mit Olive Fremstad aufgetreten, sodaß ein Gerücht aufkam, daß er ein Opfer dieser Naturkatastrophe geworden sei, was sich dann bald als Irrtum herausstellte. 1909 mußte er sich einer Stimmbandoperation unterziehen, von der er sich jedoch schnell wieder erholte. Bis 1913 gab er immer wieder an deutschen Bühnen, in Wien und Prag Gastspiele. 1916 hörte man ihn letztmalig in Mailand als Canio im «Bajazzo» unter Toscanini. Im März 1919 feierte man seine 25jährige Zugehörigkeit zur Metropolitan Oper New York mit einer Gala-Vorstellung (3. Akt «Elisir d'amore», 1. Akt «Bajazzo», Krönungsszene aus «Le Prophète» von Meyerbeer). Als letzte Rolle sang er dort am 24. 12. 1920 den Eleazar in «La Juive». In 18 Spielzeiten hatte er an der Metropolitan Oper 37 Partien in 620 Vorstellungen gesungen. Er starb am 2. 8. 1921 kurz nach 9 Uhr morgens im Hôtel Vesuvio Neapel und wurde auf dem Friedhof Santa Maria del Pianto in Neapel bestattet.
Lit.: P. V. Key & Bruno Zerato (Sekretär des Sängers): «Enrico Caruso» (London & Boston, 1923); Michael Scott: «The Great Caruso», 1988.
Schallplatten: Die G & T-Aufnahmen entstanden zum Teil 1902–04 im Grand Hôtel in Mailand; seine erste Victor-Aufnahme war 1904 «La donna è mobile» aus Verdis «Rigoletto», die letzte am 16. 9. 1920 das Crucifixus aus der Messe solennelle von Rossini. Caruso selbst äußerte einmal; «My records will be my biography».

Caruso, Mariano; er sang in den Jahren 1948–57 alljährlich bei den Festspielen in der Arena von Verona.
Schallplatten: Ariola-Eurodisc (Gaston in «La Traviata» mit Maria Callas in der Titelpartie).

Carvalho, Marie, s. unter *Miolan-Carvalho,* Marie.

Stammbaum der Familie Casaccia

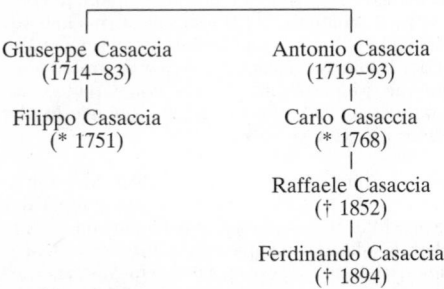

Giuseppe Casaccia
(1714–83)

Antonio Casaccia
(1719–93)

Filippo Casaccia
(* 1751)

Carlo Casaccia
(* 1768)

Raffaele Casaccia
(† 1852)

Ferdinando Casaccia
(† 1894)

Casals, Margherita; trat 1972 bei den Festspielen von Verona auf.

Casapietra, Celestina; verheiratet mit dem Dirigenten Herbert Kegel (* 1920). 1989 Gastspiel in Amsterdam in «Der Kreidekreis» von Zemlinsky.

Schallplatten: Philips («Carmina Burana» und «Trionfi» von Carl Orff), auch auf Eterna und Ars Vivendi (4. Sinfonie von G. Mahler) sind Aufnahmen erschienen.

Casarini, Gianfranco; trat 1969–84 fast alljährlich bei den Festspielen in der Arena von Verona auf.

Casazza, Elvira; entfernte Verwandte von Giulio Gatti-Casazza (1869–1940), dem bekannten Direktor der Mailänder Scala und dann der Metropolitan Oper New York. Mit der Lombardi Company gastierte sie u. a. im November 1911 in San Francisco als Dalila in «Samson et Dalila» von Saint-Saëns. In der Spielzeit 1915–16 hörte man sie an der Mailänder Scala, zuerst als Amneris in «Aida», und seither bis 1942 in einer Vielzahl von Partien. Besondere Höhepunkte in ihrem Bühnenrepertoire waren die Ortrud im «Lohengrin» und die Margarita in «I quattro rusteghi» von Wolf-Ferrari. 1916 gastierte sie am Teatro Colón Buenos Aires als Amneris, als Ulrica in Verdis «Ballo in maschera» und als Quickly in dessen «Falstaff». Am Teatro Constanzi Rom trat sie in der Uraufführung der Oper «L'Uomo che ride» von Arrigo Pedrollo auf (6. 3. 1920), an der Scala in der von «Il Diavolo nel campanile» von Adriano Lualdi (22. 4. 1925). 1920 sang sie bei einem längeren Gastspiel am Teatro Real von Madrid die Ulrica, die Brangäne im «Tristan» und die Herodias in «Salome» von R. Strauss. 1931 war sie an der Covent Garden Oper London als Dame Quickly im «Falstaff» und in der Premiere der Oper «Fedra» von Pizzetti mit der großen Rosa Ponselle als Partnerin anzutreffen.
Schallplatten: Alle Aufnahmen der Sängerin sind noch in akustischer Aufnahmetechnik gemacht worden; unter ihren HMV-Platten finden sich zwei Duette mit Benjamino Gigli.

Casellato Lamberti, Giorgio; Schüler von Ettore Campogalliani. Sang bei den Festspielen von Verona in den Jahren 1970–71, 1976–77 und 1980. Debütierte 1965 an der Oper von Chicago als Radames in «Aida», 1974 an der Metropolitan Oper New York als Cavaradossi in «Tosca». Er sang dort in den folgenden fünf Spielzeiten Partien wie den Turiddu in «Cavalleria rusticana», den Enzo in Ponchiellis «La Gioconda» und den Radames. Als Radames gastierte er auch 1987 an der Deutschen Oper Berlin und bei den «Aida»-Aufführungen vor den Tempeln von Luxor in Ägypten, ebenfalls 1989 in den Thermen des Caracalla in Rom. Aus seinem Repertoire seien noch der Dick Johnson in Puccinis «La Fanciulla del West» und der Titelheld in «Oedipus Rex» von Strawinsky genannt.
Schallplatten: Eurodisc («Il Tabarro» von Puccini), CBS («La Gioconda»).

Casoni, Bianca-Maria, * 1. 3. 1932 Mailand. Gastierte 1961 beim Festival von Edinburgh. 1969 trat sie an der New Yorker Metropolitan Oper auf.
Schallplatten: CBS («Il Campanello» von Donizetti).

Cassani, Albertina; neben dem Standard-Repertoire sang sie in Holland Rollen wie die Norina im «Don Pasquale», die Marguerite de Valois in «Les Huguénots» von Meyerbeer, die Philine in «Mignon» von A. Thomas und den Walter in «La Wally» von Catalani. Aus dem lyrischen Fachbereich waren die Mimi in «La Bohème», die Manon von Massenet, die Marguerite im «Faust» von Gounod und die Antonia in «Hoffmanns Erzählungen» in ihrem Rollenvorrat zu finden.

Cassel, Walter, * 15. 5. 1910 Council Bluffs (Iowa). Bereits 1934 trat er als Radiosänger auf und war als solcher bis 1938 bei der NBC engagiert, dazu sang er am New Yorker Broadway in Musicals. 1942 Debüt an der Metropolitan Oper New York als Brétigny in «Manon» von Massenet. 1948 hatte er an der City Centre Opera New York große Erfolge als Escamillo in «Carmen» und blieb dort bis 1955 tätig. Nach seinem Wieder-Engagement an die Metropolitan Oper 1955 sang er dort bis 1974 Partien wie den Scarpia in «Tosca», den Jochanaan in «Salome» von R. Strauss und den Mandryka in «Arabella» vom gleichen Meister. Insgesamt hat er im Haus der Metropolitan Oper 203mal auf der Bühne gestanden. Gastspiele an der Oper von Chicago, an der Wiener Staatsoper und am Teatro Liceo Barcelona. 1967–69 war er auch an der Deutschen Oper am Rhein Düsseldorf-Duisburg verpflichtet. 1956 sang er in Central City in der Uraufführung der Oper «The Ballad of Baby Doe» von Douglas Moore die Partie des Horace Tabor.
Schallplatten: MGM (Gesamtaufnahme «The Ballad of Baby Doe»), Columbia.

Cassilly, Richard; war auch Schüler von Hans Heinz in New York. Debütierte an der New York City Centre Opera 1956 als Titelheld in «Wakula der Schmied» von Tschaikowsky. 1959 sang er an der Oper von Chicago den Laça in Janáčeks «Jenufa». In dieser Partie debütierte er auch 1968 an der Covent Garden Oper London. 1974 übernahm er in London in einer konzertanten Aufführung von A. Schönbergs «Moses und Aron» die Partie des Aron, 1973 an der City Centre Opera New York in der Premiere von Cherubinis «Medea» den Giasone. Seit seinem Debüt an der Metropolitan Oper New York ist er an diesem Haus in über 100 Vorstellungen aufgetreten, darunter als Tannhäuser, als Tristan, als Othello von Verdi, als Canio im «Bajazzo», als Samson in «Samson et Dalila», als Jimmy in «Aufstieg und Fall der Stadt Mahagonny» von Weill, als Captain Vere in B. Brittens «Billy Budd» und als Tambourmajor in «Wozzeck» von A. Berg.
Schallplatten: Philips («A Child of our Time» von M. Tippett).

Cassinelli, Antonio; wirkte in den Jahren 1960–62 bei den Festspielen in der Arena von Verona mit.

Cassinelli, Riccardo; seit 1974 wirkte er für mehr als 15 Jahre am Teatro Colón Buenos Aires. Am 8. 4. 1987 sang er am Grand Théâtre Genf in der Uraufführung der Oper «La Forêt» von R. Liebermann.

Schallplatten: HMV («Turandot» von Puccini), RCA (Basilio in «Figaros Hochzeit»), Philips («Attila» und «Un giorno di regno» von Verdi).

Castagna, Bruna; debütierte 1925 am Teatro Sociale Mantua als Marina im «Boris Godunow» von Mussorgsky und noch im gleichen Jahr 1925 an der Mailänder Scala als Suzuki in «Madame Butterfly». 1932–33 hatte sie an der Scala große Erfolge in der Koloraturpartie der Isabella in «L'Italiana in Algeri» von Rossini. 1938 gastierte sie an der Oper von Chicago als Carmen und als Dalila. Die Carmen sang sie auch bei ihrem Nordamerika-Debüt 1934 im New Yorker Hippodrome. 1936 trat sie im New Yorker Lewisohn Stadium vor 15 000 Zuhörern als Carmen auf. Seit 1934 hielt sie sich hauptsächlich in Nordamerika auf.
Schallplatten: Auf BJR singt sie die Azucena im «Troubadour» (Mitschnitt einer Aufführung der Metropolitan Oper von 1941), auf Toscanini Edition das Alt-Solo im Verdi-Requiem, auf EJS die Adalgisa in «Norma» (Metropolitan Oper, 1943) und die Ulrica in Verdis «Ballo in maschera» (Metropolitan Oper, 1937), auf Cetra Opera Live die Amneris in «Aida» (Metropolitan Oper, 1943).

Castagna, Maria; Schallplatten: Columbia (Lola in vollständiger Oper «Cavalleria rusticana» von 1929).

Castel, Nico; Er debütierte an der New Yorker Metropolitan Oper 1970 als Basilio in «Figaros Hochzeit» und hatte an diesem Operninstitut in einer zwanzigjährigen Karriere namentlich im Charakterfach seine Erfolge. Vor allem wurde er als Hexe in «Hänsel und Gretel» bekannt, erwies sich im übrigen jedoch in vielen kleineren und größeren Aufgaben als ein ganz unentbehrliches Mitglied des Ensembles, dem er auch als Pädagoge und Spracherzieher zur Verfügung stand.

Castelli, Christiane, † 2. 12. 1989 Bordeaux; sie wirkte später als Professorin am Conservatoire von Bordeaux.

Castelmary, Armand; an der Metropolitan Oper New York debütierte er 1893 als Vulcain in Gounods «Philémon et Baucis» und ist dort bis zu seinem Tod auf der Bühne in 70 Vorstellungen aufgetreten, darunter als Mephisto im «Faust» von Gounod, als Sparafucile in «Rigoletto» und als Remigio in «La Navarraise» von Massenet.

Castles, Amy, Sopran, * 24. 7. 1880 Melbourne (Australien), † 19. 11. 1951 Melbourne; ihr Vater wie ihre Mutter waren begabte Amateursänger. Alle sieben Kinder der Familie, die Mitte der achtziger Jahre nach Bendigo verzog, wurden in Australien als Sänger bekannt, namentlich die drei Töchter Amy, *Eileen* (1886–70) und *Dolly Castles* (1884–1971). Amy, die bekannteste von ihnen, studierte zunächst bei Allen Bindley in Melbourne. 1899 gab sie in Melbourne ein erstes Konzert, ging dann aber zur weiteren Ausbildung nach Paris. Dort studierte sie kurze Zeit bei der berühmten Mathilde Marchesi de

Castrone, verließ diese Lehrerin jedoch, da sie ihre Stimme zum Alt ausbilden wollte, und wurde dann Schülerin von Jacques Bouhy. 1901 gab sie ein Konzert in London unter der Schirmherrschaft des Prinzen und der Prinzessin von Wales. 1902 kam sie nach Australien, wo sie 40 glanzvolle Konzerte im Rahmen einer Tournee gab, die der Impresario J. C. Williamson arrangiert hatte. 1904–09 erzielte sie in Europa nicht weniger glänzende Erfolge in Konzertsälen in England und Deutschland, vor allem aber in Holland, wo sie u. a. in mehreren Hofkonzerten vor Königin Wilhelmina sang. 1908 hörte der große Tenor Enrico Caruso die Sängerin in einem Konzert im Kursaal von Ostende und war so begeistert von ihr, daß er einen Empfang für die junge Künstlerin gab. In Deutschland sang sie in München, Köln, Dortmund, Dresden, Frankfurt a. M., Mannheim, Mainz und Leipzig. 1909–10 unternahm sie wieder eine große Konzert-Tournee durch ihre australische Heimat, wurde aber während dieser Zeit für die Williamson Opera Company engagiert und trat in einer Saison mit dieser Truppe in Australien auf, wobei sie als Mimi in «La Bohème», als Nedda im «Bajazzo», als Santuzza in «Cavalleria rusticana», vor allem aber als Butterfly, gefeiert wurde: (Nach einer Vorstellung in dieser Rolle überreichte ihr der australische Premierminister einen mit Diamanten besetzten Schmetterling). 1911 gab sie zwanzig Konzerte in Neuseeland, kam dann nach London und wurde 1912 mit einem Sechsjahresvertrag an die Wiener Hofoper verpflichtet. Bei Ausbruch des Ersten Weltkrieges verließ sie jedoch Wien und ging nach Australien zurück. Náchdem sie dort eine weitere Konzerttournee absolviert hatte, kam sie 1916 in die USA und gab 1917 dort ein sehr erfolgreiches Konzert in der New Yorker Carnegie Hall. 1919 reiste sie in ihre australische Heimat zurück, um dort 1920 eine Tournee mit der Slapoffski Opera Company anzutreten. Sie trat in der Folgezeit dort noch als Konzertsolistin hervor, war 1930 ein letztes Mal in den USA und blieb dann in Australien. Ihre Schallplatten erschienen bereits 1906–08 bei G & T, darunter eine brillant vorgetragene Arie «Bel raggio lusinghier» aus «Semiramide» von Rossini, die Arie der Gilda aus «Rigoletto», dazu Lieder, die mehr oder weniger dem Kreis der gehobenen Unterhaltungsmusik zuzurechnen sind. 1917 entstanden in den USA vier Lyrophone-Aufnahmen, 1926 in Australien Columbia-Platten. In Australien sollen noch Platten ihrer Stimme im elektrischen Aufnahmeverfahren um 1930 gemacht worden sein. – (Neufassung)

Catalani, Angelica; sie wurde auch durch den berühmten Kastraten Girolamo Crescentini unterrichtet, in den sie sich verliebt haben soll. Diesen traf sie später in Portugal wieder, wo er mit einer eigenen Operntruppe in Porto gastierte. Sie trat dort in drei verschiedenen Partien zusammen mit dem Sänger auf. Auch in London wurde ihr Auftreten fürstlich honoriert; man bezeichnete dort das Jahr 1807 als «Catalani-Jahr». Man lud sie als Gast zum großen Aachener Kongreß von 1813 ein, wo sie mit den ersten Persönlichkeiten, darunter dem Kaiser von

Österreich, dem russischen Zaren und dem König von Preußen, zusammentraf, dazu mit den führenden Politikern der europäischen Staaten. Baron Rothschild bot sich ihr als Berater in Vermögensfragen an und half ihr bei der Errichtung der Catalani-Stiftung in Florenz.

Caterinuccia, s. unter *Martinelli*, Caterina.

Catley, Gwen, * 9. 2. 1910 London.
Schallplatten: Pye-Records (Arien-Platte).

Catopol, Elise, von, * 1887 Bukarest; sie stammte aus einer rumänischen Familie und hieß eigentlich Elisa Catopolu.

Cava, Carlo; trat 1968 bei den Festspielen von Verona auf.
Schallplatten: Melodram («Luisa Miller» von Verdi), Fonit Cetra («Aureliano in Palmira» von Rossini).

Cavalieri, Katharina; sie kam, protegiert von Antonio Salieri, dessen Geliebte sie war, bereits 1775 an die Italienische Oper in Wien und debütierte hier in «La finta giardiniera» von Pasquale Anfossi. Mozart erwähnt in einem Brief an seinen Vater die «geläufige Gurgel» der Sängerin.

Cavalieri, Lina, * 25. 12. 1874 Viterbo bei Rom, † 7. 2. 1944 bei Florenz; debütierte an der Metropolitan Oper New York als Titelheldin in Giordanos «Fedora» (gleichzeitig Premiere der Oper an diesem Haus); 1909 sang sie dort auch die Titelfigur in der Premiere von Puccinis «Manon Lescaut» zusammen mit Enrico Caruso. Man hörte sie weiter als Tosca, als Nedda und, wieder zusammen mit Enrico Caruso, in der amerikanischen Erstaufführung von «Adriana Lecouvreur» von Cilea (1907). Am Manhattan Opera House war ihre Antrittsrolle die Salomé in «Hérodiade» von Massenet (1909), 1911 gastierte sie in Paris in der Erstaufführung von Giordanos Oper «Siberia» und verlegte ihre Tätigkeit jetzt mehr und mehr nach Frankreich. Sie trat zuerst in Italien, dann in den USA, im Film auf.

Cavallerová-Weisová, Hana; sang am Nationaltheater von Prag in der Uraufführung der Oper «Král a uhlíř» («Der König und der Köhler») von A. Dvořák (24. 11. 1894).

Cavalli, Floriana, * 6. 2. 1930 Bologna.
Schallplatten: Melodram (Titelheldin in «Tosca» mit Giuseppe di Stefano als Partner).

Cavara, Arthur; sang an der Kroll-Oper Berlin den Gonzalez in «L'Heure espagnole» von Ravel und in der Premiere von Janáčeks «Aus einem Totenhaus».
Schallplatten: DGG (Ensembleszenen aus «Un Ballo in maschera» und aus «Rigoletto», 1935).

Cavelti, Elsa; 1945 sang sie das Solo in der Uraufführung von Frank Martins «Weise von Liebe und Tod des Cornets Christoph Rilke».

Schallplatten: Bruno Walter Society-Discocorp (Octavian im «Rosenkavalier», 9. Sinfonie von Beethoven).

Cebotari, Maria; seit 1935 gastierte sie regelmäßig an der Berliner Staatsoper, seit 1936 oft an der Staatsoper von Wien. In Berlin bewunderte man ihre Butterfly, ihre Darstellung der Titelrolle in der Erstaufführung der Richard Strauss-Oper «Daphne» (1939), ihre Antonida in Glinkas «Leben für den Zaren» («Iwan Susanin», 1940), ihre Carmen (1941–42), ihre Salome (1942), ihre Maddalena in «Andrea Chénier» von Giordano (1942); sie sang dort die Titelpartie in «Donna Diana» von E. von Reznicek in einer Gala-Aufführung zum 80. Geburtstag des Komponisten und in der deutschen Erstaufführung der Oper «La Farsa amorosa» von Zandonai (1941). Weitere Gastspiele führten sie nach Amsterdam, Brüssel und Stockholm, nach Prag (Tatjana im «Eugen Onegin» in russischer Sprache) und Basel. Noch 1944 gastierte sie an der Oper von Rom als Konstanze in der «Entführung aus dem Serail» und als Eurydike, am Opernhaus von Zürich als Gräfin im «Capriccio» von R. Strauss. Ihre Erfolge beim Film hatte sie seit 1936 («Mädchen in Weiß»), vor allem als Partnerin des berühmten italienischen Tenors Benjamino Gigli («Mutterlied», «Amami Alfredo»). In dem Film «Drei Frauen um Verdi» (1941) stellte sie die dem großen Komponisten befreundete Sopranistin Teresina Stolz dar, in einem anderen die unvergessene Maria Malibran. Nach dem Zweiten Weltkrieg war sie nochmals in Zürich, in Graz, Innsbruck und Bern zu Gast. Als letzte Partie sang sie, bereits schwer erkrankt, am 1. 4. 1949 in Wien die Laura im «Bettelstudenten» von J. Strauß.
Schallplatten: Ihre früheste Aufnahme findet sich auf HMV, ein Duett aus «La Bohème», zusammen mit Marcel Wittrisch, von 1932; Nuova Era (Sinfonie Nr. 2 von G. Mahler).

Cecchele, Gianfranco; sang u. a. 1963 an der Mailänder Scala den Walther in Catalanis «Loreley». 1967–68, 1977–79 und 1984 trat er bei den Festspielen in der Arena von Verona auf. 1988 am Opernhaus von Rio de Janeiro als Radames in «Aida» zu Gast.
Schallplatten: Frequenz (Turiddu in «Cavalleria rusticana»), Nuova Eva («Loreley» von Catalani).

Cech, Karel, * 9. 4. 1844 Prcice (CSR), † 28. 11. 1913 Prag; er wirkte in einer Anzahl von Uraufführungen der Opern des zweiten großen tschechischen Komponisten A. Dvořák in Prag mit: 1874 in «Der König und der Köhler» («Král a uhlir»), 1876 in «Vanda», 1878 in «Der Bauer ein Schelm» («Selma Sedlák»), 1881 in «Die Dickschädel» («Tvrdé palice»), schließlich am 12. 2. 1889 in «Der Jakobiner» («Jakobín»), wobei sein Bruder Adolf Cech dirigierte.

Cecil, Lionello; er war Schüler des italienischen Pädagogen Mario Pieraccini. Er debütierte 1918 am Teatro Storchi in Mantua als Herzog im «Rigoletto», 1921 sang er am Teatro Fenice Venedig den des

Grieux in Massenets «Manon» und den Nadir in «Pêcheurs de perles» von Bizet. Er bereiste mehrfach mit italienischen Operngesellschaften seine australische Heimat. Zu Beginn der dreißiger Jahre kam er endgültig dorthin zurück und gab in Sydney Gesangunterricht.

Cecil, Winifred; Schallplatten: Cetra (etwa 1949).

Ceek, John, s. unter der richtigen Schreibweise des Familiennamens *Cheek,* John.

Cehanovsky, George, † 25. 3. 1986 Yorktown Heights (New York). Er war während des Ersten Weltkriegs Kommandeur eines russischen Torpedoboots. Debütierte 1923 in Baltimore als Mercutio in «Roméo et Juliette» von Gounod. An der Metropolitan Oper sang er im eigentlichen Haus in 1706 Vorstellungen (dazu in über 650 Vorstellungen im Rahmen der alljährlichen Gastspiel-Tournee). Als erste Rollen übernahm er an der Metropolitan Oper den Kothner in den «Meistersingern» und den Mandarin in der Erstaufführung von Puccinis «Turandot» (16. 11. 1926). Er war (auch noch nach seinem Bühnenabschied) an der Metropolitan Oper als Sprachinstrukteur für das russische Repertoire tätig.

Cerdan, Joachim; als seine große Rolle galt allgemein der Abimelech in «Samson et Dalila» von Saint-Saëns.

Cernay, Germaine, Mezzosopran; debütierte bereits 1925 an der Grand Opéra Paris als Euryclée in «Pénélope» von Gabriel Fauré. Seit 1927 war sie an der Pariser Opéra-Comique tätig. Sie vertrat einen Stimmtyp, den man in Frankreich (nach der großen Primadonna Célestine Galli-Marié) mit dem Namen «Galli-Marié» bezeichnet; im französischen Rundfunk hat sie sogar bei einer Opernsendung die Titelrolle in «Pelléas et Mélisande» übernommen.
Schallplatten: viele Odeon-Aufnahmen (1929–33), Columbia (Kurzfassung der Oper «Mignon» von A. Thomas).

Cerquetti, Anita; 1949 gab sie ein erstes Konzert. 1956 und 1957 sang sie bei den Festspielen von Verona die Titelheldinnen in «La Gioconda» und in «Norma». Bereits 1954 gastierte sie in Reggio Emilia in der Titelrolle von Catalanis «Loreley», in Florenz als Abigail in Verdis «Nabucco», 1955 an der Oper von Rom als Aida; 1957 trat sie in Mexico City als Leonore im «Troubadour» auf. Ihre letzten Auftritte waren 1960 an der Mailänder Scala und im Holländischen Rundfunk Hilversum als Abigail in «Nabucco».
Schallplatten: MRF («Norma», Rom 1958), Cetra Opera Live (Elisabetta in Verdis «Don Carlos»), Legendary Recordings (Recital).

Cervená, Sona; sang am 6. 8. 1961 bei den Salzburger Festspielen in der Uraufführung der Oper «Das Bergwerk zu Falun» von Wagner-Régeny. Gastierte u. a. 1971 an der Oper von San Francisco in «Lulu» von A. Berg. 1987 sang sie in Frankfurt in «Jenufa»

von Janáček, 1988 in «Der ferne Klang» von F. Schreker.

Cervi Caroli, Ersilde; Schallplatten: Neun Aufnahmen auf Fonotipia, darunter je zwei Duette mit Giovanni Zenatello und Mario Gilion.

Cervinková, Ludmila; weitere Höhepunkte in ihrem Bühnenrepertoire waren die Küsterin in «Jenufa» von Janáček, die Julia in «Der Jakobiner» von A. Dvořák und die Venus im «Tannhäuser».

Cesányiová, Margita, *28.11. 1911; eigentlicher Name Margita Studienka.

Cesbron-Viseur, Suzanne; seit 1923 war sie Mitglied der Grand Opéra Paris. 1924 Gastspiel an der Oper von Monte Carlo als Mélisande in «Pelléas et Mélisande» von Debussy. Auch im Konzertsaal kam sie zu einer bedeutenden Karriere.

Chalanda, Paulette, *30.4. 1925 Villemur-sur-Tarn.

Chalmers, Thomas; seit 1909 Gesangstudium bei Lombardi in Florenz. Seit 1911 Bühnenauftritte an kleineren italienischen Theatern. Er wurde dann durch den Impresario W. Savage für eine Nordamerika-Tournee mit dessen Savage Opera Company engagiert, bei der die damals neue Oper «La Fanciulla del West» von Puccini zur Aufführung kam. Dabei waren die Hauptrollen mit Florence Easton und Thomas Chalmers besetzt. Er war dann bei der Aborn Company (1913), bei der Century Opera Company und bei der Rabinoff-Boston Opera (1914–15) engagiert. An der New Yorker Metropolitan Oper sang er u. a. den Marcello in «La Bohème» von Puccini, den Sharpless in «Madame Butterfly», den Alfio in «Cavalleria rusticana», den Valentin im «Faust» von Gounod, den Amonasro in «Aida» und den Fra Melitone in Verdis «La forza del destino» (diesen u. a. auch am 18.11. 1918 beim sensationellen Debüt der großen Rosa Ponselle). Er wirkte dort auch in der Uraufführung der Oper «Shanewis» von Charles Cadman mit (23. 3. 1918). 1919 gastierte er an der Sommer-Oper von Ravinia bei Chicago. Als Schauspieler trat er vor allem am New Yorker Broadway auf. In den dreißiger Jahren gab er die Zeitschrifft «Pathé Movie News» heraus.
Schallplatten: Einige wenige frühe Columbia- und Zonophone-Platten, Edison-Platten und -Amberola-Zylinder.

Chambon, Marius; seine Antrittsrolle an der Grand Opéra Paris war 1892 gleichfalls der Marcel in «Les Huguénots». Er wirkte hier auch 1892 in der Premiere der Oper «Samson et Dalila» von Saint-Saëns mit (14 Jahre nach deren Uraufführung in Weimar). Aus seinem Repertoire seien der Commendatore im «Don Giovanni», der Kardinal in «La Juive» von Halévy, der Gessler in Rossinis «Wilhelm Tell», der Hagen in «Sigurd» von Reyer, der Don Pedro in «L'Africaine» von Meyerbeer und der König in «Hamlet» von A. Thomas genannt.

Chamlee, Mario; er begann ein wissenschaftliches Studium an der South California University, in deren Glee Club er sang. Er debütierte 1916 bei der Lombardi Opera Company in Los Angeles als Edgardo in «Lucia di Lammermoor», doch verlief dieses Debüt erfolglos. Nach erneuten Studien bei Sibella und Dellera in New York unternahm er 1917 (unter dem Namen Mario Rodolfi) eine Tournee mit der Aborn Opera Company. 1917–19 war er als Soldat eingezogen. Er stellte an der französischen Front eine Unterhaltungstruppe zusammen, mit der er Vorstellungen vor alliierten Soldaten und u. a. 1919 vor den Delegierten der Pariser Friedenskonferenz gab. In seine amerikanische Heimat zurückgekehrt, sang er bei der Scotti Opera Company 1919–20 Partien aus dem italienischen und dem französischen Repertoire. 1927 und 1931 gastierte er an der Oper von San Francisco, in den Jahren 1921–31 alljährlich an der Sommer-Oper von Ravinia bei Chicago anzutreffen. 1933 Gastspiel an der Oper von Chicago. 1936–39 gehörte er nochmals der Metropolitan Oper New York an. Hier wirkte er jetzt in der Premiere der Oper «Caponsacchi» des holländischen Komponisten Richard Hageman (1937) mit, ebenso in der von Menottis «Amelia goes to the Ball» (1938), und wurde auch hier als Marouf bewundert. An der Metropolitan Oper New York war er in den Spielzeiten 1920–21, 1927–28 und dann wieder 1936–39 engagiert. Er betätigte sich gleichzeitig als Radiosänger.
Seine Stimme ist ausschließlich auf Brunswick-Platten erhalten, die in den Jahren 1920–30 entstanden sind.

Chanajew, Nikander; Schallplatten: Melodiya (vollständige Opern «Pique Dame» von Tschaikowsky, «Sadko» von Rimsky-Korssakow, «Carmen»).

Charbonnel, Marie; sang am 24. 2. 1906 an der Oper von Monte Carlo in der Uraufführung der Oper «L'Ancêtre» von Saint-Saëns (und 1911 in deren Premiere an der Opéra-Comique), am 30.11. 1910 in der Uraufführung von Ernest Blochs «Macbeth» an der Pariser Opéra-Comique.

Chard, Geoffrey; er sang bei der National Opera of New South Wales Partien wie den Don Giovanni, den Jago in Verdis «Othello», den Figaro im «Barbier von Sevilla», den Rigoletto, den Grafen Luna im «Troubadour» und den Escamillo in «Carmen». 1956 Teilnahme an der Australien-Tournee der Elizabethan Trust Company zusammen mit der Sopranistin *Marjorie Conley* (1933–59), die er heiratete. Diese starb 1959 plötzlich während eines Urlaubs an einer Gehirnblutung. 1961 kam er nach England, wurde Mitglied der English National Opera und gab Gastspiele, u. a. auch bei der Dublin Grand Opera Society. 1988 hörte man ihn an der Oper von Sydney als Nick Shadow in Strawinskys «The Rake's Progress». Im Verlauf seiner Karriere nahm er mehrfach an Gastspiel- und Konzerttourneen in Australien und Neuseeland teil.

Charpantier, Marguerite; sie studierte in Paris, war aber nicht Schülerin des Conservatoire National. In

Genf sang sie die Mimi in Puccinis «La Bohème», in Trouville die Titelrollen in den Opern «Thaïs», «Sapho» und «Grisélidis» von Massenet. An der Oper von New Orleans hörte man sie seit 1912 als Königin Marguerite in den «Hugenotten» von Meyerbeer, als Juliette in «Roméo et Juliette» von Gounod, als Thaïs, als Gilda im «Rigoletto» und als Eunice in «Quo vadis» von Jean Nouguès.

Chauvet, Guy; er sang an der Grand Opéra Paris auch den Turiddu in «Cavalleria rusticana» und den Fernando in Donizettis «La Favorita». Gastspiel an der Staatsoper Wien als Enée in «Les Troyens» von Berlioz (1976).
Schallplatten: Véga (vollständige Oper «La Favorita»).

Chavanne, Irene von; sie wollte zuerst Pianistin werden, doch entdeckte ihr Klavierlehrer W. A. Remy ihre stimmliche Begabung und riet zum Gesangstudium. Debütierte 1885 an der Hofopfer von Dresden als Orsini in «Lucrezia Borgia» von Donizetti. 1900 sang sie die Dalila in der Dresdner Premiere der Oper «Samson et Dalila» von Saint-Saëns. Dabei erregte sie derartiges Aufsehen, daß die Grand Opéra Paris sie zu einem Gastspiel in dieser Rolle einlud. Dies lehnte sie jedoch genauso ab wie eine Einladung an die Wiener Hofoper.

Cheek, John, * 17. 8. 1948 Grenville (South Carolina). Er übernahm an der Metropolitan Oper New York seit 1977 Partien wie den Titelhelden in «Nozze di Figaro», den Monterone im «Rigoletto», den Ferrando im «Troubadour», den Pimen im «Boris Godunow», den Panthée in «Les Troyens» von Berlioz, den Wurm in «Luisa Miller» und den Klingsor im «Parsifal». 1986 sang er an der City Centre Opera New York als Antrittsrolle den Titelhelden in «Mefistofele» von Boito, 1988 den Attila in der gleichnamigen Verdi-Oper, 1988 in Toronto den Pater Guardian in «La forza del destino».
Schallplatten: RCA («Messias» von Händel).

Chelotti, Teresa; Schallplatten: 1906–07 wurde auf Zonophone als eine der ersten vollständigen Opernaufnahmen «Aida» herausgebracht; dabei wurde die Titelpartie abwechselnd von zwei Sängerinnen, Teresa Chelotti und Elvira Magliulo, gesungen; der Radames war Orazio Cosentino, die Amneris Vittoria Colombati, der Amonasro Giovanni Novelli. 1912 sang Teresa Chelotti nochmals auf amerik. Columbia die Aida in einer kompletten Aufnahme der Oper; in dieser Aufnahme alternierte sie mit der Sopranistin Ester Toninello.

Chenal, Marthe; sie erhielt ihre Erziehung in einem Konvent der Sacré-Coeur-Schwestern in Cofians. Nach ihrem Debüt an der Grand Opéra Paris 1905 sang sie dort Partien wie die Elisabeth im «Tannhäuser», die Marguerite im «Faust» von Gounod, die Donna Anna im «Don Giovanni», die Ännchen im «Freischütz» und die Titelfigur in «Ariane» von Massenet. An der Oper von Monte Carlo hörte man sie als Proserpine in der gleichnamigen Oper von Saint-

Saëns, als Titelheldin in «Rusalka» von Dargomyshski, als Tosca, als Fedora von Giordano, als Margherita wie als Elena in «Mefistofele» von A. Boito. 1909 kreierte sie in Bordeaux «Bacchus triomphant» von Camille Erlanger.

Chiara, Maria, * 24. 11. 1939 Oderza bei Udine; sang 1969 in der Arena von Verona die Liu in Puccinis «Turandot» als Partnerin von Placido Domingo. Gastierte auch 1971 an der Staatsoper von Hamburg, an der Covent Garden Oper London (1973 als Liu, 1978 als Desdemona im «Othello» von Verdi); in Köln hörte man sie 1984 als Amelia in Verdis «Maskenball». 1986 gastierte sie auch in Melbourne als Amelia im «Maskenball», an der Oper von Chicago als Manon Lescaut von Puccini, am Teatro Colón Buenos Aires als Amelia und als Suor Angelica von Puccini. In der Spielzeit 1977–78 kam sie an die Metropolitan Oper New York (Debüt als Traviata). 1987 sang sie die Aida in Aufführungen von Verdis bekannter Oper im ägyptischen Luxor. Diese Partie, die sie auch 1985 an der Mailänder Scala sang, zählte neben den Titelheldinnen in den Donizetti-Opern «Maria Stuarda» und «Anna Bolena», der Elisabetta in Verdis «Don Carlos» und der Amelia in «Simon Boccanegra» zu ihren Glanzrollen.
Schallplatten: Decca (Titelfigur in «Aida»).

Chookasian, Lily, * 1. 8. 1921 Chicago; sie studierte bei Philip Manuel in New York und bei der berühmten Rosa Ponselle in Baltimore. Konzertdebüt unter Bruno Walter 1953 in Chicago. An der Metropolitan Oper New York ist sie seit ihrem Debüt 1962 in einer langjährigen Karriere in über 300 Vorstellungen aufgetreten, darunter auch noch als Principessa in «Suor Angelica», als Frugola in «Il Tabarro» von Puccini, als Quickly in Verdis «Falstaff», als Tisbe (nicht Teresa) in «La Cenerentola» von Rossini und als Geneviève in «Pelléas et Mélisande». Bei den Festspielen von Bayreuth gastierte sie 1965 auch als Erda im Nibelungenring. 1963 sang sie an der City Centre Opera New York in Menottis Oper «The Medium», 1976 in Baltimore in der Uraufführung der Oper «Ines de Castro» von Pasatieri.
Schallplatten: Candide («Das Klagende Lied» von G. Mahler), CBS («Alexander Newsky» von Prokofieff).

Chrétien-Vaguet, Alba; sie sang an der Grand Opéra Paris 1893 als Antrittsrolle die Alice in «Robert Le Diable». 1955 lebte die Künstlerin noch in Pau.

Christian, Hans; wurde als Mitglied der Wiener Staatsoper in einer über 25jährigen Karriere an diesem Opernhaus bekannt.

Christoff, Boris; nach den Kriegswirren kam er in ein Flüchtlingslager in Deutschland. 1950 sang er beim Maggio musicale Florenz den Agamemnon in Glucks «Iphigénie en Aulide», 1951 den Procida in Verdis «Vespri Siciliani» und den Pluto in «Orfeo ed Euridice» von J. Haydn. 1949 sang er als Antrittspartie an der Covent Garden Oper London den Boris

Godunow; in dieser Rolle gastierte er 1953 in Paris, 1956 in San Francisco. 1949 trat er bei den Festspielen in der Arena von Verona auf, 1953 wirkte er an der Oper von Rom in der Uraufführung der Oper «Enea» von Guerrini mit. Erst 1980 trat er erstmalig in New York in einem Konzert auf.
Schallplatten: Melodram («Fra Diavolo» von Auber), Unicorn («Saul og David» von C. Nielsen).

Christopher, Russell; sang nach seinem Debüt bei verschiedenen wandernden Operntruppen. Er übernahm als Antrittsrolle an der Metropolitan Oper New York 1963 den D'Obigny in «La Traviata» und hat an diesem Haus in einer langjährigen Kariere über 60 Partien, zumeist aus dem Comprimario-Fach, übernommen, die er in vorbildlicher Weise gestaltete.

Christou, Nicolas, er gastierte in Lüttich, in Genf und Straßburg, in Amsterdam und Frankfurt a. M. In seinem Bühnenrepertoire fanden sich als weitere Partien der Don Giovanni, der König Philipp in Verdis «Don Carlos», der Ramphis in «Aida» und der Figaro in «Figaros Hochzeit».

Chryst, Dorothea; Schallplatten: Philips (Ausschnitte aus Musicals).

Ciaffi Ricagno, Luella; sie war als Pädagogin am Conservatorio Giuseppe Verdi in Turin tätig.

Ciaroff Ciarini, Romano; 1916 gastierte er am Stadttheater von Zürich.

Cibber, Susanna; sie sang die Partie der Micah in der Uraufführung des Oratoriums «Samson» von G. F. Händel am 18. 2. 1743 an der Covent Garden Oper London.

Ciccolini, Guido, * 1885 Rom; er sang den Pinkerton in der holländischen Erstaufführung von Puccinis «Madame Butterfly» (1909). In Rußland kam er zu großen Erfolgen an den Opernhäusern von St. Petersburg, Odessa und Warschau. 1915 an der Oper von Havanna als Turiddu in «Cavalleria rusticana» zu Gast. In der Saison 1918–19 hörte man ihn in Chicago als Herzog im «Rigoletto», als Alfredo in «La Traviata», als Grafen Almaviva im «Barbier von Sevilla» und als Rodolfo in «La Bohème».

Ciesinski, Kristine, * 5. 7. 1952 Newark (Delaware). Gastierte 1987–88 (u. a. als Roxane in «König Roger» von K. Szymanowski) am Stadttheater von Bremen, 1988 beim Wexford Festival in Irland. 1987 sang sie bei der Welsh Opera Cardiff die Cassandra in «Les Troyens» von Berlioz, bei den Festspielen von Bregenz die Giulietta in «Hoffmanns Erzählungen», 1988 bei der North Opera Leeds die Senta im «Fliegenden Holländer». Seit 1985 mit dem bekannten englischen Bariton *Norman Bailey* (* 1933) verheiratet.

Cigada, Francesco; Bei dem Gastspiel der Oper von Boston in Paris sang er den Manfredo in der französi-

schen Erstaufführung von Montemezzis «Amore dei tre Re» und den Lescaut in «Manon Lescaut» von Puccini. 1921 gastierte er in Madrid als Titelheld in Rossinis «Wilhelm Tell». Am Teatro Colón Buenos Aires kreierte er 1919–20 Pizzettis «Fedra» für Südamerika und trat als Kurwenal im «Tristan», als Amonasro in «Aida» und als Hermann in Catalanis «Loreley» auf. Letzter Bühnenauftritt 1924 in Bergamo als Wilhelm Tell.
Schallplatten: Seine G & T-Aufnahmen wurden teilweise in den USA unter dem Etikett von Victor herausgegeben. Darunter findet sich eine vollständige Aufnahme des «Bajazzo» (auf 21 Schellackplatten), die in Anwesenheit des Komponisten Leoncavallo 1907 entstand.

Cigna, Gina; sie trat an der Metropolitan Oper New York während zwei Spielzeiten in 17 Vorstellungen auf, darunter als Norma, als Leonore im «Troubadour», als Donna Elvira im «Don Giovanni» und als Titelheldin in «La Gioconda» von Ponchielli. Ihr letzter Auftritt an der Scala war 1945.

Ciniselli, Ferdinando; sang 1920 am Teatro Massimo Palermo den Herzog im «Rigoletto» und in der Premiere von Puccinis «La Rondine». Ebenfalls 1920 hörte man ihn in Madrid und am Teatro Colón Buenos Aires. dort sang er u. a. den Herzog im «Rigoletto», den Alfredo in «La Traviata», den Pinkerton in «Madame Butterfly», den des Grieux in Massenets «Manon» und den Faust in «Mefistofele» von A. Boito. Fast das gleiche Repertoire wiederholte er später an der Mailänder Scala. Er gastierte in Ravenna und Bologna (u. a. zusammen mit Conchita Supervia in Rossinis «La Cenerentola»), am Teatro San Carlo Neapel und am Théâtre des Champs Élysées Paris.

Cinti-Damoreau, Laure; sie sang in der Uraufführung von Rossinis «Il Viaggio a Reims» die Partie der Contessa di Folleville (19. 6. 1825).

Cioni, Renato; Schallplatten: Melodram («Parisina d'Este» von Donizetti).

Cirino, Giulio, † 25. 7. 1970 Rom. Er war in den Jahren 1912–13, 1915–16, 1920–25 und nochmals 1928 am Teatro Colón Buenos Aires anzutreffen, u. a. auch 1915 als Ochs in der Erstaufführung des «Rosenkavaliers».

Civil, Pablo, † 28. 12. 1987 Barcelona. Ausbildung durch José Sabater in Barcelona, der seine Stimme vom Bariton zum Tenor umschulte. Debütierte 1925 am Teatro del Casino in Masnou bei Barcelona als Herzog im «Rigoletto». Nach einer Tournee mit einer wandernden Opernbühne durch Spanien kam er nach Italien und trat dort 1928–31 an zahlreichen Theatern auf. 1928 sang er in Cannes zusammen mit Elvira de Hidalgo in «La Traviata». 1933 debütierte er am Teatro Liceo Barcelona als Paco in «La vida breve» von de Falla. Seine Karriere in Spanien wurde durch den Bürgerkrieg unterbrochen. Er sang dann an italienischen Opernbühnen, darunter auch

an der Mailänder Scala. Hier kreierte er Partien in den zeitgenössischen Opern «Luczrezia» von O. Respighi (24. 2. 1937), «La morte di Frine» von Lodovico Rocca (24. 4. 1937) und «Proserpina» von Renzo Bianchi (23. 3. 1938). 1941 kam er wieder an das Teatro Liceo Barcelona, an dem er noch 1953 (in der Uraufführung der Oper «Canigó» von Massana) sang. 1947 unternahm er mit dem Ensemble der San Carlo Opera Company eine große Nordamerika-Tournee, bei der er allein 54mal als José in «Carmen» auftrat. 1955 sang er dann als letzte Partie am Teatro Calderón Barcelona den Edgardo in «Lucia di Lammermoor». Er betätigte sich seitdem noch als Produzent von Zarzuelas, als Bühnenspielleiter am Teatro Liceo und 1965–85 als Professor für Gesangspädagogik am Conservatorio del Liceo in Barcelona. Aus seinem Bühnenrepertoire seien noch der Nadir in «Pêcheurs de perles» von Bizet, der Maurizio in «Adriana Lecouvreur» von Cilea und der Lohengrin genannt.
Schallplatten: Auch einige Aufnahmen auf Odeon und Fonotipia, eine mit Szenen aus Lehárs «Lustiger Witwe».

Clabassi, Plinio; Er sang an der Mailänder Scala 1958 in den legendären Aufführungen von Bellinis «Il Pirata» als Partner von Maria Callas (nicht aber in der Uraufführung von Pizzettis «Assassinio nella cattedrale»). Am Teatro San Carlo Neapel wirkte er am 4. 12. 1953 in der Uraufführung der Oper «La figlia di Jorio» von Ildebrando Pizzetti in der Partie des Cosma mit.

Claire, Marion; ihr Vater war Jurist und ein bekannter Rechtsanwalt. An der Berliner Staatsoper sang sie 1927–31 Partien wie die Sophie im «Rosenkavalier», die Desdemona in Verdis «Othello» und die Mimi in «La Bohème». Nach ihrem Debüt in Chicago 1928 war sie dort als Nedda im «Bajazzo», als Cherubino in «Figaros Hochzeit», als Giulietta wie als Antonia in «Hoffmanns Erzählungen», als Desdemona und als Mimi zu hören, 1934 als Liu in «Turandot» und als Sophie im «Rosenkavalier». Auf dem Gebiet der leichteren Musik hatte sie eines ihrer größten Erfolge am Center Theatre of Radio City New York in «The Great Waltz». Einer ihrer erfolgreichsten Filme war «Make a Wish». Seit 1940 trat sie in einem Saturday Night-Programm «The Chicago Theatre of the World» mit prominenten Gästen und ihrem Gatten als Dirigenten in Opern- und Operettenszenen auf.

Claudel, Marcel, * 1900 Courcelles (Provinz Hainaut, Belgien), † 1981 Brüssel; er sang 1923–27 am Théâtre de la Monnaie Brüssel, war dann während einer Saison am Opernhaus von Lyon und 1928–37 an der Opéra-Comique Paris engagiert. Dort sang er Partien wie den Rodolfo in Puccinis «La Bohème», den Hans in Smetanas «Verkaufter Braut», den Paolino in «Il matrimonio segreto» von Cimarosa und den Georges Brown in «La Dame blanche» von Boieldieu. Seit 1937 gehörte er wieder der Oper von Brüssel an, wo er noch bis 1958 (zuletzt im Comprimario-Fach) auftrat. An der Oper von Monte Carlo

gastierte er als Hoffmann in «Hoffmanns Erzählungen, als Pelléas in «Pelléas et Mélisande» und als Dimitrij im «Boris Godunow» (mit Fedor Schaljapin in der Titelrolle). Er gab Konzerte in London, in der ČSSR und in Nordafrika. Später Direktor des Theaters (Palais des Beaux-Arts) von Charleroi.

Clegg, Edith; sie debütierte am Prince of Wales' Theatre London in der Uraufführung von Liza Lehmanns «The Vicar of Wakefield» (12. 1. 1906) und sang am 27. 1. 1909 an der Covent Garden Oper in der Uraufführung von «The Angelus» von Edward Naylor.

Clément, Edmond; er wollte ursprünglich Ingenieur werden und studierte am Pariser Polytechnikum. Dann wurde seine Stimme durch Victor Warot ausgebildet. 1894 sang er in der Londoner St. Joseph's Hall zusammen mit der Primadonna Nellie Melba Werke des Komponisten Herman Bemberg. 1906 wirkte er an der Opéra-Comique in der französischen Erstaufführung von Puccinis «Madame Butterfly» als Pinkerton mit. Er debütierte als Mitglied der New Yorker Metropolitan Oper 1909 im Gebäude des New Theatre New York (das von der Metropolitan Oper bespielt wurde) als Werther. Hier fanden auch die Aufführungen von Bruneaus «Attaque de Moulin» (amerikanische Erstaufführung, 1910) und von «Fra Diavolo» statt. Im Haus der Metropolitan Oper erschien er jedoch in der Saison 1910–11 in einem Sunday Night-Concert. Während des Ersten Weltkrieges gab er in Frankreich Konzerte vor alliierten Soldaten.
Seine Victor-Schallplatten kamen 1912 in den USA heraus.

Coates, Edith; wirkte an der Covent Garden Oper London in den Uraufführungen der Opern «The Olympians» von Arthur Bliss (19. 9. 1949), «Gloriana» von B. Britten (8. 6. 1953) und «The Midsummer Marriage» von M. Tippett (27. 1. 1955) mit. Bis 1967 ist sie an diesem Haus aufgetreten. Verheiratet mit dem Tenor, Schauspieler und Regisseur *Powell Lloyd* (1900–1987).

Coates, John, * 29. 6. 1865 Girlington bei Bradford (Yorkshire), † 16. 8. 1941 Northwood in der Nähe von London. Er sang im Kirchenchor von St. Jude's in Bradford. Seit 1894 trat er bei der D'Oily Carte Company in Operettenpartien für Bariton auf. 1901–07 unternahm er große Gastspiel- und Konzerttourneen in Deutschland. Dabei trat er vor allem an der Oper von Köln, aber auch an der Berliner Hofoper (1902 als Lohengrin), am Hoftheater Hannover (1902), in Leipzig, Dresden, Frankfurt a. M., Düsseldorf, Mannheim, Mainz und Bremen auf. 1910 gab er im Rahmen einer weiteren Deutschland-Tournee Liederabende in Berlin, Hamburg und Bremen. Als großer Interpret der Werke von Edward Elgar erwies er sich in den Uraufführungen von dessen Oratorien «The Apostles» (Birmingham Festival, 14. 10. 1903) und «The Kingdom» (Birmingham Festival, 3. 10. 1906). 1909 sang er am His Majesty's Theatre London in der englischen Erst-

(nicht Ur-) -Aufführung der Oper «The Wreckers» von Ethel Smith. Bei seiner Nordamerika-Tournee 1926–27 bewunderte man seinen ganz unvergleichlichen Vortrag von Vokalwerken aus dem Elisabethanischen England.
Schallplatten: Aus den zwanziger Jahren existieren schöne Aufnahmen auf Vocalion und Columbia.

Cobelli, Giuseppina; von den vielen Partien, die sie an der Mailänder Scala gesungen hat, sind zu nennen: die Traviata, die Prinzessin Eboli in Verdis «Don Carlos», die Santuzza in «Cavalleria rusticana», die Titelheldinnen in «Adriana Lecouvreur» von Cilea, «Fedora» von Giordano und «Maria Egiziaca» von Respighi, die Minnie in Puccinis «La Fanciulla del West» und die Titelfigur in «La Wally» von Catalani. In der Uraufführung von Respighis «La Fiamma» sang sie 1934 in Rom die Partie der Silvana. Im Wagner-Fach als Sieglinde in der «Walküre» und als Kundry im «Parsifal» hervorgetreten. Sie galt als eine der großen Darstellerinnen unter den Opernsängerinnen ihrer Generation.

Cochran, William; debütierte 1974 an der Covent Garden Oper London als Laça in «Jenufa». 1977 Gastspiel an der Oper von San Francisco als Tichon in «Katja Kabanowa» von Janáček, 1983 in Frankfurt als Tom Rakewell in «The Rake's Progress» von Strawinsky. 1987 zu Gast am Théâtre de la Monnaie Brüssel. An der Deutschen Oper am Rhein Düsseldorf-Duisburg sang er 1987 in «Die Gezeichneten» von F. Schreker, 1988 am Théâtre des Champs Elysées Paris als Siegfried im Nibelungenring, an der Opéra du Rhin Straßburg in der zeitgenössischen Oper «Die Soldaten» von B. A. Zimmermann. 1988 Gastspiel in Los Angeles als Tichon in «Katja Kabanova» von Janáček.

Coertse, Mimi; Gesangstudium bei Mme Amée Parkerson in Johannesburg, dann in Wien. Während vieler Jahre war sie am Opernhaus von Kapstadt wie auch in Johannesburg zu hören. Ihre großen Bühnenpartien waren neben den bereits erwähnten die Lucia di Lammermoor, die Titelheldin in Flotows «Martha», die Gräfin in «Figaros Hochzeit» (1989 Pretoria), die Fiordiligi in «Così fan tutte», die Gilda im «Rigoletto», die Traviata, die Musetta in «La Bohème», die Nedda im «Bajazzo», die Frau Fluth in Nicolais «Lustigen Weibern von Windsor», die Concepcion in «L'Heure espagnole» von Ravel, die Manon von Massenet und die Daphne in der Richard Strauss-Oper gleichen Namens. Geschätzte Konzertsolistin.
Schallplatten auch auf Telefunken, Westminster, Turnabout, Saga und Ariola-Eurodisc («Rigoletto»).

Colalillo, Martha; 1988 gastierte sie bei den Festspielen in der Arena von Verona als Liu in Puccinis «Turandot».

Colbran, Isabella; sie konnte ihre Ausbildung in Neapel mit Hilfe eines Stipendiums der spanischen Königin Maria Luisa vervollständigen. 1808 debü-

tierte sie an der Mailänder Scala in der Premiere der Oper «Coriolano» von Giuseppe Nicolini.

Cold, Ulrik; Gesangstudium bei H. Byrding und P. Birch in Kopenhagen. Debütierte 1963 als Konzertsänger in Kopenhagen, 1968 am Theater von Aarhus als Sarastro in der «Zauberflöte». 1969–71 wirkte er am Staatstheater von Kassel, 1971–78 an der Königlichen Oper Kopenhagen. Er gastierte in Westdeutschland, in Holland und 1987 am Teatro Comunale Bologna. Er nahm seinen Wohnsitz in Odense, wo er sich im pädagogischen Bereich betätigte.
Schallplatten: IMS («Lulu» von Friedrich Daniel Kuhlau), BIS (Faust-Kantate von Schnittke), Amber (Werke von C. Nielsen).

Collier, Marie, † 8. 12. 1971 London; sie übte zunächst den Beruf einer Pharmazieassistentin aus, bevor sie ihre Stimme ausbilden ließ. Nach 1956 war sie noch in London Schülerin von Dawson Freer und von Joan Cross. Sie sang 1963 an der Covent Garden Oper London die Titelrolle in der englischen Erstaufführung von Schostakowitschs «Katarina Ismailowa».

Collins, Anne; sang 1974 bei der English National Opera in «Die Bassariden» von H. W. Henze (englische Bühnenpremiere der Oper). Sie gastierte an der Welsh Opera Cardiff, beim Glyndebourne Festival, am Grand Théâtre Genf und an der Canadian Opera Toronto. Konzertauftritte in England wie in Europa, 1983 Australien-Tournee.
Schallplatten: Savoy (Ausschnitte aus Gilbert & Sullivan-Operetten), HMV (Glagolitische Messe von Janáček).

Collins, Kenneth; Debüt beim Camden Festival 1970 als Marcello in der englischen Erstaufführung von Leoncavallos «La Bohème». 1971 sang er bei der Welsh Opera Cardiff den Radames in «Aida».
Schallplatten: HMV (Riccardo in Verdis «Ballo in maschera»), RCA («Norma», «Nabucco»).

Colombo, Scipio; er sang auch 1950 am Teatro Eliseo Rom die Titelpartie in der Uraufführung der Oper «Job» von Luigi Dallapiccola.
Schallplatten: Legendary Recording (Marquis de la Force in «Dialogues des Carmélites» von F. Poulenc, Mitschnitt der Uraufführung an der Scala).

Colon, Mlle, * 5. 11. 1808 Boulogne-sur-Mer (Departement Pas-de-Calais).

Colzani, Anselmo; er wirkte in den Jahren 1952, 1955, 1959–60, 1963 und 1966–67 bei den Festspielen in der Arena von Verona mit. 1957 sang er an der Mailänder Scala den Thoas in Glucks «Iphigenie auf Tauris» mit Maria Callas in der Titelrolle. 1956 an der Oper von San Francisco als Alfio in «Cavalleria rusticana» zu Gast. 1966 sang er in der Eröffnungsvorstellung der neuen Oper von Houston/Texas den Amonasro in «Aida». 1960–76 war er an der New Yorker Metropolitan Oper in 16 Spielzeiten und in

insgesamt 201 Vorstellungen (im eigentlichen Haus) zu hören, darunter als Amonasro, als Falstaff von Verdi, als Gérard in «Andrea Chénier» von Giordano, als Enrico in «Lucia di Lammermoor», als Scarpia in «Tosca», als Jack Rance in «La Fanciulla del West» von Puccini und als Michonnet in «Adriana Lecouvreur» von Cilea.
Schallplatten: Melodram («Tosca»).

Comelli, Adelaide; sie kreierte in Neapel auch Partien in den Uraufführungen der Donizetti-Opern «Gianni di Calais» und «Giovedi grasso» (1828).

Conati, Laurenzo; gastierte 1926 in Lausanne als Marcello in «La Bohème» und als Sharpless in «Madame Butterfly».

Condò, Nucci, *1946 Triest; trat bis zum Sommer 1980 bei den Festspielen von Glyndebourne in Erscheinung. 1987 sang sie am Teatro Donizetti Bergamo die Ida in «Gemma di Vergy» von Donizetti.
Schallplatten: Pickwick-Video («Nozze di Figaro» und «Falstaff» aus Glyndebourne).

Conley, Eugene, *12. 3. 1908 Lynn (Massachusetts), †17. 12. 1981 Denton (Texas). Debütierte 1942 mit der San Carlo Opera Company in Washington als Herzog im «Rigoletto» und sang noch im gleichen Jahr in Chicago den Titelhelden in «Hoffmanns Erzählungen». 1950 gastierte er bei den Festspielen von Verona. Seit 1950 sang er während sieben Spielzeiten an der Metropolitan Oper New York u. a. den Don Ottavio im «Don Giovanni», den Rodolfo in «La Bohème», den Pinkerton in «Madame Butterfly» und den Edgardo in «Lucia di Lammermoor». 1950 Gastspiel an der Oper von San Francisco als Graf Almaviva in Rossinis «Barbier von Sevilla».
Schallplatten: Music and Arts (8. Sinfonie von G. Mahler).

Connell, Elizabeth; sie trat bereits während ihres Studiums in Johannesburg in Schüleraufführungen, u. a. als Ludmilla in Smetanas «Verkaufter Braut», auf. Debütierte beim Wexford Festival 1973 als Varvara in «Katja Kabanova» und sang 1973–75 an der Australian Opera Sydney (Antrittsrolle: Venus im «Tannhäuser»). Begann 1975 an der English National Opera London eine fünfjährige Karriere mit der Rolle der Eboli im «Don Carlos». 1976 Debüt an der Covent Garden Oper London als Viclinda in Verdis «I Lombardi». Dort hatte sie 1987 große Erfolge als Leonore im «Fidelio». In Sydney gastierte sie als Lady Macbeth in Verdis «Macbeth» (1977) und als Titelheldin in Cherubinis «Medea» (1987). 1983 trat sie bei den Festspielen von Salzburg als Elettra in «Idomeneo» auf, 1989 als Chrysothemis in «Elektra», 1986 beim Festival von Edinburgh und 1989 an der Mailänder Scala als Rezia im «Oberon», in Philadelphia als Donna Anna im «Don Giovanni» (1983), an der Grand Opéra Paris als Senta im «Fliegenden Holländer» (1987), an der Oper von Rom als Lady Macbeth (1987). 1985 debütierte sie an der Metropo-

litan Oper New York als Vitellia in «La clemenza di Tito» von Mozart. 1990 sang sie bei den Festspielen von Bayreuth die Senta im «Fliegenden Holländer».
Schallplatten: HMV (8. Sinfonie von G. Mahler), DGG (2. Sinfonie, «Lobgesang» von Mendelssohn), Decca («Wilhelm Tell» von Rossini), Nuova Era («Polinto» von Donizetti).

Conner, Nadine, *20. 2. 1913 Compton (Kalifornien). Ausbildung an der University of South California durch Horatio Cogswell und Amado Fernandez. Sie sang seit 1941 an der Metropolitan Oper New York in 18 Spielzeiten insgesamt 118 Vorstellungen (im eigentlichen Haus der Metropolitan Oper) von lyrischen wie Koloratur-Partien, darunter die Gilda im «Rigoletto», die Zerline im «Don Giovanni», die Micaela in «Carmen», die Susanna in «Nozze di Figaro», die Marguerite im «Faust» von Gounod, die Rosina im «Barbier von Sevilla» und die Sophie im «Rosenkavalier».

Cononovici, Magdalena; Schallplatten: Erato («Krieg und Frieden» von Prokofieff).

Conrad, Doda; er wirkte unter der Leitung von Nadia Boulanger am 30. 6. 1938 am Théâtre der Princesse Winaretta de Polignac in der Uraufführung der Oper «Le Diable boiteux» von Jean François mit.
Schallplatten: Quartette mit Comtesse Marie-Blanche de Polignac, Irène Khedroff und Hugues Cuénod auf HMV.

Constantino, Florencio; er kam ganz jung nach Argentinien. Mit Hilfe eines spanischen Mäzens konnte er seine Stimme ausbilden lassen. Nach seinem Debüt 1892 in Montevideo in der Oper «Dolores» von Bretón sang er in dem gleichen Werk am Teatro Odeón in Buenos Aires. Nach Italien gekommen, sang er an verschiedenen Provinztheatern und hatte dann entscheidende Erfolge am Teatro Dal Verme Mailand als Herzog im «Rigoletto». 1906 erstes Auftreten in Nordamerika mit dem Ensemble der San Carlo Opera Company in New Orleans und anschließend in einer USA-Tournee. 1908 sang er als Antrittsrolle am New Yorker Manhattan Opera House den Herzog im «Rigoletto» mit Luisa Tetrazzini als Gilda; mit dieser Künstlerin zusammen trat er anschließend dort auch in Bellinis «I Puritani» auf. Auch an der Metropolitan Oper New York debütierte er in der Saison 1910–11 als Herzog im «Rigoletto». In der gleichen Saison hörte man ihn bei der Chicago-Philadelphia Opera als Edgardo in «Lucia di Lammermoor».

Cook, Deborah, *6. 7. 1948 Philadelphia; 1977–80 am Stadttheater Bremen, 1980–81 an der Münchner Staatsoper engagiert. Seit 1985 mit dem Pianisten Ronald Marlowe (nach dem Tod ihres ersten Gatten) verheiratet. 1979 aufsehenerregender Erfolg beim Buxton Festival als Lucia di Lammermoor.

Cooke, Thomas; er spielte meisterhaft neun verschiedene Musikinstrumente. Seit 1812 trat er in

London als Bühnensänger in Erscheinung. Er war auch ein begabter Komponist und schrieb außer Bühnenmusiken (u. a. zu Shakespeares «A Midsummer Night's Dream») viele damals in England sehr beliebte Songs, Glees und Catches.

Corazza, Rémy; er sang 1987–88 beim Festival von Glyndebourne in den Ravel-Opern «L'Heure espagnole» und «L'Enfant et les sortilèges», 1988 auch den Dr. Cajus in Verdis «Falstaff».
Schallplatten:HMV («Mireille» von Gounod), KARO-Hilversum («Dialogues des Carmélites» von F. Poulenc), Aris (José in «Carmen»).

Cordes, Marcel; Schallplatten: Electrola (vollständige Aufnahme «Die verkaufte Braut», Ausschnitte aus «Don Pasquale» und «Der Zigeunerbaron»).

Cordon, Norman; debütierte bei der San Carlo Opera Company als König in «Aida» und sang bis 1935 an der Oper von Chicago. An der Metropolitan Oper New York (Antrittsrolle: Monterone in «Rigoletto») hat er 35 Partien in 377 Vorstellungen (ohne die Vorstellungen außerhalb des Hauses bei der jährlichen Gastspiel-Tournee) gesungen. 1936–39 zu Gast an der San Francisco Opera. An der Metropolitan Oper wirkte er am 20. 2. 1942 in der Uraufführung der Oper «The Island God» von Menotti mit.
Schallplatten: UORC («Lohengrin»).

Corelli, Franco; seit 1963 Gastspiele an der Staatsoper von Wien. Auch an der Covent Garden Oper London (Debüt 1957 als Cavaradossi in «Tosca»), an der Grand Opéra Paris (1970) und an der Städtischen Oper Berlin (1961) zu Gast. Bis 1974 wirkte er als einer der führenden Tenöre an der Metropolitan Oper New York. Hier hatte er seine großen Erfolge als Kalaf in Puccinis «Turandot», als Cavaradossi, als Enzo in «La Gioconda» von Ponchielli, als Maurizio in «Adriana Lecouvreur» von Cilea, als Rodolfo in «La Bohème», als Ernani in der gleichnamigen Verdi-Oper, als Werther von Massenet und als Roméo in «Roméo et Juliette» von Gounod (1967).
Schallplatten: Fonit Cetra («Adriana Lecouvreur»).

Corelli, Maria; ihr Vater wirkte als Komponist und Dirigent in Sofia. Sie studierte in Mailand bei Narducci und bei Rosetta Pampanini.

Corena, Fernando, † 26. 11. 1984 Lugano. Er war zehn Jahre lang als Konzert- und Rundfunksänger in Zürich tätig, bevor er sich zur Bühnenlaufbahn entschloß. In den Jahren 1948 und 1950–52 wirkte er bei den Festspielen in der Arena von Verona mit. 1954 folgte er einem Ruf an die Metropolitan Oper New York. Als letzte Partie sang er an der Metropolitan Oper 1978 den Mesner in «Tosca» von Puccini, eine seiner Glanzrollen.
Schallplatten: BJR («Don Pasquale» von 1956).

Cornelius, Peter, * 4. 1. 1865 Labjergaard (Jütland), † 30. 12. 1934 Snekkersten bei Kopenhagen. 1907–14 gastierte er sehr erfolgreich an der Covent Garden Oper London (Debüt als Siegmund in der «Walküre»). Dort sang er u. a. 1908–09 den Siegfried in den ersten Aufführungen des Nibelungenrings unter Hans Richter, 1909 den Walther von Stolzing in den «Meistersingern», 1910 den Titelhelden im «Tristan». Außerhalb des Wagner-Repertoires war der Pedro in «Tiefland» von d'Albert eine seiner Glanzrollen, eine weitere der Florestan im «Fidelio».
Seine G & T-Platten erschienen seit 1903.

Cornell, Gwynn; nahm 1983 an der Metropolitan Oper New York an den Aufführungen von «Les Troyens» von Berlioz teil.

Cornubert, Pierre; gastierte 1899-1900 am Teatro Tacon in Havanna. An der Metropolitan Oper New York sang er auch noch den Raoul in den «Hugenotten», den Roméo in «Roméo et Juliette» von Gounod und das Tenor-Solo in einer Aufführung des Stabat mater von Rossini (1900).

Corradi, Giampaolo; er sang 1975–85 fast alljährlich bei den Opernfestspielen in der Arena von Verona.
Schallplatten: Frequenz («Mosè in Egitto» von Rossini).

Correa, Lorenza; sang in der Uraufführung von Rossinis «Aureliano in Palmira» am 26. 12. 1813 an der Mailänder Scala die Partie der Zenobia.

Correck, Josef; große Erfolge vor allem auch bei den Festspielen von Bayreuth. Hier sang er 1925 den Hans Sachs in den «Meistersingern», 1927–28 den Wotan und 1925–28 den Gunther im Nibelungenring.

Corsi, Emilia; 1892 sang sie am Teatro Regio Parma u. a. die Suzel in der Premiere von Mascagnis

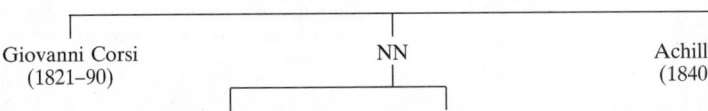

Stammbaum der Familie Corsi

Giovanni Corsi (1821–90)	NN	Achille Corsi (1840–1906)
	Antonio Pini-Corsi (1858–1918) Gaetano Pini-Corsi (* 1860)	Emilia Corsi (1870–1927)

Verwandte: Rina Corsi (* 1908)

«Amico Fritz», 1898 am Teatro Massimo Palermo die Titelfigur in Puccinis «Manon Lescaut», ebenfalls in der Premiere des Werks, und in Bergamo die Mimi in der ersten lokalen Aufführung von «La Bohème».

Corsi, Giovanni; er sang am 23. 1. 1985 am Teatro Fenice Venedig in der Uraufführung der damals sehr erfolgreichen Oper «L'Ebreo» von Giuseppe Apolloni die Partie des Issachar.

Cortez, Viorica; 1965–70 Mitglied der Nationaloper Bukarest. Debütierte 1968 an der Covent Garden Oper London als Carmen. 1969 Italien-Debüt an Teatro San Carlo Neapel als Amneris, 1971 USA-Debüt an der Oper von Seattle; 1973 sang sie in Chicago die Titelrolle in «Maria Stuarda» von Donizetti. Seit 1971 große Erfolge an der Metropolitan Oper New York (Debüt als Carmen). Sie sang dort die Amneris in «Aida» und die Azucena im «Troubadour», die Giulietta in «Hoffmanns Erzählungen» und die Principessa in «Adriana Lecouvreur» von Cilea. An den Festspielen von Verona nahm sie in den Jahren 1972–73, 1975 und 1977–80 teil; 1988 sang sie dort nochmals die Cieca in «La Gioconda» von Ponchielli und die Amneris. Die Cieca übernahm sie auch 1988 am Teatro Liceo Barcelona. Auch als Dulcinée in Massenets «Don Quichotte» bekannt geworden.
Schallplatten: Frühe Aufnahmen auf der rumänischen Marke Electrecord (Lola in «Cavalleria rusticana»).

Cortis, Antonio; seine Familie stammte aus Valencia, der eigentliche Name des Künstlers war Antonio Mortón Corts. (Sein Bruder *Bautista Cortis* wurde ein erfolgreicher Bariton). Er sang zuerst am Teatro Real Madrid, 1917 am Teatro Colón Buenos Aires und dann in Italien u. a. an den Theatern von Triest, Terni und Bari. In der Saison 1925–26 war er an der Oper von San Francisco anzutreffen, 1931 an der Mailänder Scala. Gegen Ende seiner Karriere trat er hauptsächlich in Spanien auf; 1947 sang er nochmals am Teatro Tivoli von Barcelona den Cavaradossi in «Tosca» und den José in «Carmen». Letzter Bühnenauftritt 1951 am Theater von Saragossa.
Lit.: F. Vercher-Grau: «Antonio Cortis, il piccolo Caruso» (Valencia, 1989).

Cortis, Marcello; eigentlicher Name Kurt Mautner. Seine Karriere wurde durch die Ereignisse des Zweiten Weltkrieges unterbrochen und konnte erst 1946 wieder aufgenommen werden. 1946 sang er am Teatro Comunale Bologna, seit 1947 an der Mailänder Scala (Antrittsrolle: Melot im «Tristan»). Bei den Festspielen von Aix-en-Provence gastierte er 1952 als Leporello im «Don Giovanni». In den Jahren 1950–57 wirkte er in zahlreichen Opernaufführungen im italienischen Rundfunk RAI mit.

Cortona, s. unter *Cecchi, Domenico.*

Corvinus, Lorenz; Schallplatten: es existieren auch Columbia-Zylinder, die 1904 in Wien entstanden sind.

Cossa, Dominic; Debüt an der City Centre Opera 1961 als Morales in «Carmen»; er trat an der Metropolitan Oper New York 1970–76 auch als Masetto im «Don Giovanni», als Figaro im «Barbier von Sevilla», als Mercutio in «Roméo et Juliette» von Gounod, als Marcello in «La Bohème» und als Lescaut in «Manon Lescaut» von Puccini auf. 1976 Gastspiel an der Opéra du Rhin Straßburg.

Cossotto, Fiorenza; auch Schülerin von Sergio Ravazzin in Mailand. Gastierte 1958 beim Wexford Festival als Giovanna Seymour in «Anna Bolena» von Donizetti. 1960 und 1962 große Erfolge am Teatro Liceo Barcelona, 1963 am Teatro Fenice Venedig in der Partie der Santuzza in «Cavalleria rusticana». 1960–89 war sie fast alljährlich bei den Festspielen in der Arena von Verona anzutreffen, wo man namentlich ihre Amneris bewunderte. Sie debütierte 1964 in Chicago als Leonora in «La Favorita» von Donizetti. An der Metropolitan Oper New York hörte man sie als Laura in «La Gioconda» von Ponchielli, als Prinzessin Eboli in Verdis «Don Carlos», als Quickly in dessen «Falstaff», als Carmen, als Adalgisa in «Norma», als Leonora in «La Favorita» (1971), als Principessa in «Adriana Lecouvreur» und als Santuzza in «Cavalleria rusticana». Schallplatten: Frequenz («Cavalleria rusticana»).

Cossutta, Carlo; sang 1973–74 bei den Festspielen in der Arena von Verona. 1977 Gastspiel an der Staatsoper von Wien als Pollione in «Norma» mit Montserrat Caballé in der Titelpartie. In der Spielzeit 1972–73 an der Metropolitan Oper New York tätig (Debüt Februar 1973 als Pollione in «Norma»). 1988 gastierte er bei den Festspielen von Bregenz als Samson in «Samson et Dalila» von Saint-Saëns.

Costa, Alfredo; er trat nach der Jahrhundertwende am Teatro Lirico Mailand in den Opern «Zazà» von Leoncavallo, «Adriana Lecouvreur» von Cilea und «Siberia» von Giordano auf. 1905 sang er beim Pariser Gastspiel der Sonzogno-Kompanie den Elio in «Chopin» von Vittorio Orefice. Im Haus der Metropolitan Oper in New York ist er nicht aufgetreten, sang aber in den Jahren 1910–14 bei der Chicago-Philadelphia Company Partien wie den Tonio im «Bajazzo», den Marcello in «La Bohème», den Grafen Luna im «Troubadour», den Renato in Verdis «Ballo in maschera», den Amonasro in «Aida», den Rigoletto, den Germont-père in «La Traviata», den Alfio in «Cavalleria rusticana» und trat zusammen mit Alice Zeppilli in «Il segreto di Susanna» von Wolf-Ferrari auf.

Costa, Mary, *5. 4. 1932 Knoxville (Tennessee). Studium am Konservatorium von Los Angeles bei Mario Chamlee und bei Ernest St. John Metz. Sie trat zuerst in Konzerten und in kleineren Bühnenpartien in ihrer Heimat auf. 1962 Gastspiel an der Covent Garden Oper London als Concepcion in «L'Heure espagnole» von Ravel und als Traviata. Die Traviata sang sie auch bei ihrem Debüt an der Metropolitan Oper New York 1964. Man hörte sie dort als Musetta in «La Bohème», als Alice Ford im

«Falstaff» von Verdi, als Manon von Massenet und als Rosalinde in der «Fledermaus».

Costeletzky, Franziska, s. unter *Gerl,* Judas Thaddäus.

Cotlow, Marilyn; sie doublierte beim Tonfilm im Playback-Verfahren Gesangstücke für Filmstars. An der Metropolitan Oper New York auch als Adina in Donizettis «Elisir d'amore» aufgetreten.
Schallplatten: CBS («The Medium» von G. C. Menotti).

Cotogni, Antonio; weitere Schüler: Augusto Beuf, Giuseppe Costa.

Cotrubas, Ileana; seit 1971 an der Covent Garden Oper London tätig (Antrittsrolle: Tatjana im «Eugen Onegin»). 1986 dort großer Erfolg als Traviata. Ihre Antrittsrolle an der New Yorker Metropolitan Oper war 1977 die Mimi in Puccinis «La Bohème». Dort hörte man sie auch als Gilda, als Micaela in «Carmen» und als Tatjana im «Eugen Onegin». 1989 gab sie ihre Bühnenkarriere auf, nachdem sie noch beim Maggio musicale Florenz die Mélisande gesungen hatte.
Schallplatten: Decca (2. Sinfonie von G. Mahler), Pickwick-Video («Figaros Hochzeit» aus Glyndebourne).

Couderc, Joseph-Antoine-Charles; an der Opéra-Comique Paris wirkte er am 29.12. 1864 in der Uraufführung von «Le Capitaine Henriot» von F. Auguste Gevaert mit.

Couderc, Simone, * 3. 6. 1911 Cruzy (Departement Hérault); Ausbildung am Konservatorium von Rouen und bei H. Saint-Crique, seit 1934 am Conservatoire National Paris bei Suzanne Cesbron-Viseur.

Courso, Yvonne; sie wurde sogleich nach Beendigung ihres Studiums für eine Tournee mit der Canadian Grand Opera Company durch Kanada (1918) verpflichtet, auf der sie dann Partien aus dem französischen wie dem italienischen Repertoire sang.

Cousins, Michael; Gastspiele 1981 am Grand Théâtre Genf, 1986 an der New York City Centre Opera als Nadir in «Pêcheurs de perles» von Bizet.
Schallplatten: RCA (Messen von Mozart).

Cox, Jean; nahm am Zweiten Weltkrieg als Pilot der amerikanischen Luftwaffe teil. Seine Antrittsrolle an der Metropolitan Oper New York war der Walther von Stolzing in den «Meistersingern» (April 1976). 1966 gastierte er bei den Festspielen von Aix-en-Provence als Bacchus in «Ariadne auf Naxos». 1983 sang er in Bayreuth nochmals den Siegfried, 1984 den Walther von Stolzing. Er nahm seinen Wohnsitz in dem fränkischen Dorf Peesten, wo er sich auf pädagogischem Gebiet betätigte.

Crabbé, Armand; während seiner gesamten Karriere sang er kleine Partien unter dem Pseudonym Mr. Morin, tragende Rollen unter seinem eigentlichen Namen Armand Crabbé. Bis 1914 gastierte er Jahr für Jahr an der Covent Garden Oper London, u. a. als Valentin im «Faust» von Gounod, als Ford in Verdis «Falstaff» und als Silvio im «Bajazzo». Am Manhattan Opera House New York sang er in der amerikanischen Erstaufführung von Massenets «Le Jongleur de Notre-Dame» (1908) und in «Salome» von R. Strauss. 1910–14 gehörte er der Chicago-Philadelphia Opera Company an, bei der er eine Vielzahl von Partien vortrug und in der Uraufführung der Oper «Natoma» von Victor Herbert mitwirkte (13.12. 1911). 1920 übernahm er überraschend an der Mailänder Scala die Tenorpartie des Herodes in «Salome». Fast alljährlich 1916–26 am Teatro Colón Buenos Aires zu Gast, wo man ihn namentlich als Figaro im «Barbier von Sevilla» feierte, 1917 sang er dort in der Uraufführung der Oper «Ardid de Amor» von Carlos Pedrell. 1924 bereiste er mit einer Kammeroper Südamerika. Sein bekanntester Schüler war der Bariton Gilbert Dubuc.
Schallplatten: Kanadisch-Victor (1909), Fonotipia (um 1915), elektrische Aufnahmen auf HMV und Decca (um 1933).

Craft, Marcella, * 11. 8. 1874 Indianapolis (Indiana); in den Jahren 1909–14 war sie an der Hofoper von München engagiert.

Craig, Charles; er nahm später heldische Partien in sein Bühnenrepertoire auf, darunter den Titelhelden in Verdis «Othello».

Cramer, Pauline; 1883–84 hatte sie ein kurzes Engagement am Opernhaus von Köln.

Crasnaru, George-Emil, Baß, * 30. 8. 1941 Bukarest; er entstammte einer Künstlerfamilie und wurde an der Musikakademie Bukarest durch Peter Stefanescu-Goanga und Aurel Alexandru ausgebildet; auch Schüler von Frau Rina del Monaco. Er begann seine Karriere im Konzertsaal (unter dem Namen Georghe Crasnaru) als Solist der Staats-Philharmonie Bukarest 1969 und kam 1970 zu seinem Bühnendebüt an der Nationaloper der rumänischen Hauptstadt in der Partie des Osmin in der «Entführung aus dem Serail». Er wurde Preisträger beim Enescu-Gesangwettbewerb in Bukarest (1970), beim Concours von s'Hertogenbosch (1970), beim Bach-Wettbewerb in Leipzig (1972) und beim Concours Florent Marcil in Montreal (1973). Nachdem er an der Bukarester Oper im seriösen wie im Buffo-Repertoire zu großen Erfolgen gekommen war, verlegte er 1981 seine Tätigkeit nach Westdeutschland. Hier war er in den Jahren 1981–87 Mitglied des Staatstheaters Wiesbaden, wo er Partien wie den König Philipp in Verdis «Don Carlos», den Landgrafen im «Tannhäuser», den Daland im «Fliegenden Holländer», den Sarastro in der «Zauberflöte», den Mephisto im «Faust» von Gounod und den Titelhelden in Rossinis «Mosè in Egitto» übernahm. Seit 1987 war er am Staatstheater von Saarbrücken engagiert; von den Partien, die er hier gesungen hat, seien der Ochs im «Rosenkavalier», der Boris in «Katerina Ismailowa»

von Schostakowitsch und der Wotan in «Der Wal-küre» hervorgegangen. Große internationale Gast-spielkarriere mit Auftritten an der Staatsoper Hamburg, am Nationaltheater Mannheim, an der Deutschen Oper Berlin, am Teatro San Carlo Neapel, an den Opernhäusern von Köln und Zürich, an der Oper von Monte Carlo und in Houston/Texas. 1975 sang er bei den Salzburger Festspielen den Großinquisitor im «Don Carlos» unter H. von Karajan. Gastspiel- und Konzertreisen führten ihn nach Bulgarien und in die ČSSR, nach Jugoslawien, Polen und Ungarn, nach Frankreich, Italien, Spanien und Portugal, in die Niederlande, nach Österreich, Schweden und Finnland, nach China, Korea und Kanada. In vielen von diesen Ländern kam es zu Rundfunk- und Fernsehauftritten des Künstlers. Aus seinem Bühnenrepertoire sind noch nachzutragen: der Figaro in «Nozze di Figaro», der Don Giovanni, der Leporello wie der Commendatore im «Don Giovanni», der Raimondo in «Lucia di Lammermoor», der Oroveso in «Norma», der Basilio in Rossinis «Barbier von Sevilla», der Zaccaria in Verdis «Nabucco», der Titelheld in dessen «Attila», der Fiesco in «Simon Boccanegra», die Titelfigur in Boitos «Mefistofele», der Kezal in der «Verkauften Braut», der Gremin im «Eugen Onegin», der Theseus in «A Midsummer Night's Dream» von B. Britten, dazu viele weitere Rollen. Auch als Konzert- und Oratorienbassist kam er zu einer großen Karriere.
Schallplatten der rumänischen Marke Electrecord, darunter die vollständigen Opern «Tosca», «La damnation de Faust» von Berlioz, «Pontische Elegie» von Th. Grigoriu, «Die längste Nacht» von D. Popovich und Arien. – (Neufassung) –.

Crass, Franz; 1960 sang er in London in Beethovens Missa solemnis, 1964 im Mozart-Requiem.
Schallplatten: Melodram («Lohengrin», Bayreuth 1959).

Cravi-Bozza, Mina, † 10. 2. 1984 New York.

Creed, Kay; studierte auch an der Musikhochschule München. 1966 sang sie bei der Eröffnung der neuen City Centre Opera New York in der Oper «Don Rodrigo» von Ginastera. Sie war Mitbegründerin der Tulsa Opera und der Oklahoma Opera und wirkte als Dozentin für Gesang und Katholische Kirchenmusik an der Oklahoma University.

Cremonini, Giuseppe; 1895–97 und nochmals in der Spielzeit 1900–1901 war er an der Metropolitan Oper New York engagiert (Antrittsrolle 1895 Fernando in «La Favorita» von Donizetti).

Crescentini, Girolamo; während seines Wirkens am Teatro Fenice Venedig unterrichtete er auch die große Primadonna Angelica Catalani, die sich in ihn verliebt haben soll. 1795 floh er aus Venedig, indem er seine Verträge brach. Er traf Angelica Catalani später in Portugal wieder, wo er mit einer eigenen Operntruppe in Porto auftrat und (gegen ein fürstliches Honorar) die vergötterte Sopranistin dahin brachte, mit ihm zusammen drei Partien auf der Bühne zu gestalten. Kaiser Napoleon I. soll in Wien beim Anhören seines Gesangs in Tränen ausgebrochen sein und gefragt haben: «Wie ist es möglich, daß ein Mensch so göttlich singen kann?». Darauf soll sein Adjutant erwiedert haben: «Das kann niemand, nur Crescentini!» Der Philosoph Schopenhauer, der ihn in Wien auf der Bühne hörte, notierte: «Vielleicht der wunderbarste aller Kastraten».

Crespin, Régine, * 23. 2. 1927 Marseille; am Conservatoire de Paris auch Schülerin von Paul Cabanel. 1954–55 hatte sie einen entscheidenden Erfolg an der Grand Opéra Paris als Rezia im «Oberon» von Weber. Debütierte 1959 an der Mailänder Scala als Titelheldin in «Fedra» von Pizzetti, im gleichen Jahr an der Wiener Staatsoper als Sieglinde in der «Walküre», seit 1962 oft am Teatro Colón Buenos Aires zu Gast. 1966 sang sie beim Festival von Aix-en-Provence die Titelrolle in «Ariadne auf Naxos». An der Metropolitan Oper New York sang sie über hundert Vorstellungen von 12 Rollen, darunter die Amelia in Verdis «Ballo in maschera», die Sieglinde, die Elsa im «Lohengrin», die Kundry im «Parsifal», die Tosca, die Brünnhilde in der «Walküre», die Charlotte in «Werther» von Massenet, die Carmen, die Santuzza und noch 1987 die Mme de Croissy in «Dialogues des Carmélites» von Poulenc. 1987 auch zu Gast in San Francisco und am Teatro Colón Buenos Aires (Mme Flora in «The Medium» von Menotti, Gräfin in «Pique Dame» von Tschaikowsky). 1989 Bühnenabschied in Paris als alte Gräfin in «Pique Dame».

Crestani, Lucia, * 21. 1. 1886 Verona, debütierte 1904 am Teatro Carignano Turin als Aida. In der Saison 1905–06 gastierte sie am Teatro Regio Turin in «Siberia» von Giordano, in Ancona als Santuzza in «Cavalleria rusticana» und in Cento als Aida. 1906 sang sie am Teatro Massimo Palermo wieder die Stephana in «Siberia», 1907 am Teatro Regio Parma die Aida, in der Saison 1908–09 in Triest die Titelpartie in Catalanis «Loreley» und die Marguerite in «La damnation de Faust» von Berlioz. Gastierte 1911 am Teatro Liceo Barcelona. Während des Ersten Weltkrieges und in den zwanziger Jahren setzte sie ihre Karriere an den großen italienischen Bühnen fort.
Schallplatten: Von ihrer Stimme existieren nur fünf Titel aus dem Beginn ihrer Karriere auf G & T (1904 aufgenommen).

Crimi, Giulio; sang 1912 in Treviso den Hagenbach in «La Wally» von Catalani, 1913 in Palermo den Ramirez in der dortigen Premiere von Puccinis «La Fanciulla del West». Am Teatro Colón Buenos Aires übernahm er 1916 in der Erstaufführung der Verdi-Oper «La Battaglia di Legnano» für Südamerika die Rolle des Arrigo und sang in der Uraufführung der Oper «Huemac» des argentinischen Komponisten Pascual de Rogatis (22. 7. 1916). An der Metropolitan Oper New York hatte er im November 1918 sein Debüt als Radames in «Aida». Man hörte

ihn an diesem Haus auch als José in «Carmen», als Alfredo in «La Traviata», als Rodolfo in «La Bohème», als Milio in «Zazà» von Leoncavallo, als Andrea Chénier, als Cavaradossi in «Tosca» und in einer seiner größten Kreationen, dem des Grieux in Puccinis «Manon Lescaut». Insgesamt ist er im Haus der Metropolitan Oper während vier Spielzeiten in 86 Vorstellungen aufgetreten. An der Oper von Chicago kam er als Manrico im «Troubadour» zu einem besonderen Erfolg. Am Teatro Colón gastierte er u. a. 1921 als Alvaro in der Erstaufführung von Verdis «La forza del destino», 1924 als Walther in Catalanis «Loreley». Am Teatro Costanzi Rom sang er 1926 als eine seiner letzten Rollen den Radames in «Aida».
Schallplatten: Unter seinen Vocalion-Aufnahmen befindet sich eine Szene aus Verdis «Troubadour» zusammen mit Rosa Raisa.

Cristoforeanu, Florica; 1920 hatte sie einen besonderen Erfolg in Genua in der Oper «I pescatori di Napoli» von Sorria. Am Teatro Adriano Rom gastierte sie als Aida und als Butterfly, an der Mailänder Scala sang sie neben den bereits erwähnten Partien auch die Charlotte im «Werther» von Massenet. 1926 wirkte sie am Teatro Donizetti von Bergamo in der Uraufführung der Oper «Ivania» von Pizzi mit.

Crivelli, Gaetano; am 7. 3. 1827 sang er am Teatro Fenice Venedig in der Uraufführung von Meyerbeers Oper «Il Crociato in Egitto» die Partie des Adriano.

Crofoot, Alan, † 4. 3. 1979 im amerikanischen Staat Ohio.

Croiza, Claire; sang 1905 in der Premiere von «Pelléas et Mélisande» in Brüssel die Geneviève. Großen Erfolg hatte sie dort auch als Orpheus von Gluck.

Crook, Paul; Schallplatten: RCA («Othello» von Verdi).

Crooks, Richard; auch Schüler von Léon Rothier und Sidney Bourne in New York. Trotz seiner prekären finanziellen Lage lehnte er zu Beginn seiner Karriere ein Auftreten in dem Musical «The Student Prince» am New Yorker Broadway ab. 1927 sang er in New York das Tenorsolo in Beethovens 9. Sinfonie unter Toscanini, 1928 in der amerikanischen Erstaufführung von Gustav Mahlers «Lied von der Erde» unter Willem Mengelberg. An der Oper von Philadelpia debütierte er 1930 als Cavaradossi in «Tosca». 1933–45 große Karriere an der Metropolitan Oper New York. Im Haus der Metropolitan Oper trat er in 51 Vorstellungen von neun Rollen auf, darunter als Don Ottavio, als Faust, als Alfredo in «La Traviata», als Wilhelm Meister in «Mignon» und als Charles in «Linda di Chamounix» von Donizetti. Auch an den Opern von Chicago (1940–43) und San Francisco (1934) in Erscheinung getreten. 1936 bereiste er Australien.

Seine HMV-Aufnahmen kamen zum Teil in Deutschland heraus.

Croonen, Maria; Schallplatten: Eterna (Micaela in «Carmen», Querschnitt «Eugen Onegin»), Wergo (Marie in Smetanas «Verkaufter Braut»).

Cross, Joan; sie trat seit 1931 in einer Vielzahl von Partien bei der Sadler's Wells Opera London auf. An der Covent Garden Oper London sang sie 1934 die Desdemona in Verdis «Othello» mit Lauritz Melchior als Partner, 1935 die Micaela in «Carmen» mit Conchita Supervia in der Titelpartie. Sie sang in den Uraufführungen von B. Brittens Opern «The Rape of Lucretia» den Female Chorus, von «Albert Herring» die Lady Billows, von «Gloriana» die Queen Elizabeth und von «The Turn of the Screw» die Mrs. Grose. 1951 trat sie bei der English Opera Group als Dido in «Dido and Aeneas» von Purcell auf. 1951 von Königin Elizabeth zum Commander of the British Empire erhoben.
Schallplatten: HMV (Arien aus Oratorien).

Crossley, Ada, * 3. 3. 1874 Tarraville (Gippsland im australischen Staat Victoria). Sie stammte aus einer australischen Pionierfamilie und wuchs in der wilden Landschaft des Tarra Valley heran. Debütierte nach ihrem Studium bei Fanny Simonsen in Melbourne 1892 dort in Mendelssohns «Elias». 1895 gab sie ihr erstes Konzert in der Londoner Queen's Hall. Seit 1897 hatte sie in England für die folgenden 15 Jahre eine große Konzertkarriere, vor allem als Oratoriensolistin bei den zahlreichen englischen Musikfesten («Elias» und «Paulus» von Mendelssohn, «Messias» und andere Oratorien von G. F. Händel). Sie unternahm Konzerttourneen durch Australien und Südafrika. 1903 große Nordamerika-Tournee, die mit einem Konzert in der New Yorker Mendelssohn Hall eröffnet wurde. Seit 1905 mit dem Londoner Arzt für Kehlkopfkrankheiten Dr. Francis Muecke verheiratet, der wie sie aus Australien stammte. 1913 beendete sie ihre professionelle Karriere und trat nur noch gelegentlich in Wohltätigkeitskonzerten auf.
Unter ihren Schallplatten befindet sich nur eine einzige Aufnahme aus einem Oratorium.

Cruvelli, Sofia, † 6. 11. 1907 Monte Carlo.

Cruz-Romo, Gilda; debütierte 1969 an der City Centre Opera New York als Margherita in «Mefistofele» von Boito. 1970 wurde sie an die Metropolitan Oper New York berufen (Debüt als Butterfly) und sang dort u. a. die Nedda im «Bajazzo», die Leonore in den Verdi-Opern «Der Troubadour» und «La forza del destino», die Elisabetta in «Don Carlos», die Amelia in «Un Ballo in maschera», die Traviata, die Desdemona im «Othello», die Aida, die Tosca, die Manon Lescaut wie die Suor Angelica in den Opern gleichen Namens von Puccini. 1974 wirkte sie bei den Festspielen in der Arena von Verona mit, 1979 gastierte sie an der Staatsoper von Wien als Leonore in Verdis «La forza del destino». 1988 hörte man sie bei der New Jersey Opera als Donna Anna

im «Don Giovanni», bei der Connecticut Opera als Titelheldin in Cherubinis «Medea».
Schallplatten: Lévon (Titelheldin in «Aida», 1976).

Cuberli, Lella, * 1950 Austin (Texas); sie wirkte auch in den Aufführungen von Rossinis «Il Viaggio a Reims» an der Mailänder Scala und an der Wiener Staatsoper im Anschluß an den Triumph des Werks in Pesaro in der Rolle der Contessa di Folleville mit. 1987 gastierte sie am Théâtre de la Monnaie Brüssel als Traviata. 1986–88 sang sie bei den Festspielen von Salzburg die Gräfin in «Figaros Hochzeit», 1989 an der Scala die Euridice im «Orpheus» von Gluck. 1989 USA-Debüt an der Oper von Chicago als Amenaide in «Tancredi» von Rossini. Eigentlicher Name Lella Terrell; verheiratet mit dem Italiener Francesco Cuberli.
Schallplatten: Fonit-Cetra (Belcanto-Arien), Frequenz («Il Barbiere di Siviglia» von Paisiello), CBS («Tancredi» von Rossini).

Cuccaro, Constanza; Schallplatten: Laudate (Bach-Kantaten), HE (Weihnachtsoratorium von J. S. Bach).

Cuénod, Hugues, * 26. 6. 1902 Corseaux-sur-Vevey (Schweiz). Er wirkte am 30. 6. 1938 im Privattheater der Princesse de Polignac in Paris in der Uraufführung der Oper «Le Diable boiteux» von Jean François mit, die unter der Leitung von Nadia Boulanger stand. Er sang in mehreren Vokalgruppen (u. a. Quatuor vocal de Genève) und war Begründer des Ensemble Baroque de Lausanne. Lehrtätigkeit am Conservatoire von Genf bis 1952. 1951 zu Gast an der Mailänder Scala. Am 12. 3. 1987 debütierte er (mit 85 Jahren!) an der Metropolitan Oper New York wiederum als Kaiser in Puccinis «Turandot». Im gleichen Jahr 1987 sang er bei den Festspielen von Glyndebourne den Mr. Taupe in der Oper «Capriccio» von R. Strauss.

Cullis, Rita; 1973–76 war sie als Choristin, dann als Solistin bei der Welsh Opera Cardiff tätig. Dort sang sie u. a. 1989 die Agathe im «Freischütz», 1986 gastierte sie bei der English National Opera London als Donna Anna im «Don Giovanni» und im «Schlauen Füchslein» von Janáček. In Amsterdam (1988–89) und Belfast sang sie die Titelrolle in «Aridne auf Naxos» von R. Strauss.
Schallplatten: HMV («Parsifal»).

Culp, Julia; studierte 1900–03 bei Etelka Gerster in Berlin. Nach semiprofessionellen Auftritten in Holland in Oratorienaufführungen (seit 1900) erfolgte ihr offizielles Debüt 1903 mit einem Konzert in Magdeburg. 1908 sang sie beim Festival von Norwich, 1911 in London den Engel in dem Oratorium «The Dream of Gerontius» von Edward Elgar. In erster Ehe war sie mit dem Adjutanten Kaiser Wilhelms II. Eric Mertens verheiratet, von dem sie sich 1918 trennte. Sie gab in Wien Gesangkurse, an denen so bedeutende Sängerinnen wie Kerstin Thorborg, Gertrude Pitzinger, Desi Kurz-Halban und Jo

Vincent teilnahmen. Ihr letztes Auftreten war 1935 in einer Sendung des holländischen Rundfunks. Obwohl sie nicht auf der Opernbühne erschienen ist, finden sich unter ihren Schallplattenaufnahmen auch Opern-Arien.

Cundari, Emilia, * 1930 Detroit. Sie blieb bis 1959 an der Metropolitan Oper New York tätig und ging dann mit ihrem italienischen Ehegatten nach Italien. Dort trat sie noch gelegentlich auf, vor allem an der Oper von Rom, zeichnete sich aber vor allem im Konzertsaal aus. Ende der sechziger Jahre kam sie wieder in die USA und nahm eine pädagogische Tätigkeit am Marygrove College auf.
Es sind weitere Aufnahmen ihrer Stimme auf RCA, Victor und Harmonia mundi vorhanden.

Cunitz, Maud, * 3. 4.. 1911 London, † 22. 7. 1987 Baldham bei München. Gastspieltätigkeit an der Wiener Staatsoper und an der Oper von Düsseldorf. 1965 beendete sie ihre Bühnenlaufbahn.
Schallplatten: Acanta (Operette «Die große Sünderin» von E. Künnecke).

Cupido, Alberto, * 1948 Portofino (Riviera). Gastierte 1987 an der Oper von Monte Carlo als Edgardo in «Lucia di Lammermoor» und an der Oper von Philadelphia, 1988 an der Staatsoper von München, am Teatro Liceo Barcelona und am Grand Théâtre Genf (als Faust in Boitos «Mefistofele»).
Schallplatten: Decca («Roméo et Juliette» von Gounod), RCA-Balkanton («Adriana Lecouvreur» von Cilea).

Curioni, Alberico; seine Karriere dauerte sehr lange. Am Teatro San Carlo Neapel, wo er in den Jahren 1813–32 immer wieder auftrat, hat er noch 1853 gesungen. Am 16. 3. 1833 wirkte er am Teatro Fenice Venedig in der Uraufführung von Bellinis Oper «Beatrice di Tenda» mit. – Sein Familienname kommt auch in der Schreibweise Currioni vor.

Curtin, Phyllis, * 3. 12. 1921 Clarksburg (West-Virginia). Debüt 1946 bei der New England Opera Company als Tatjana im «Eugen Onegin». Man hörte sie 1950 an der City Centre Opera New York als Fräulein Bürstner in «Der Prozeß» von Gottfried von Einem (amerikanische Premiere der Oper). An diesem Opernhaus sang sie in den Uraufführungen der Opern «Susannah» (als Titelheldin, 1955) und «The Passion of Jonathan Wade» (1962) von Carlisle Floyd. 1961 sang sie als Antrittsrolle an der New Yorker Metropolitan Oper die Fordiligi in «Così fan tutte». Sie ist dort auch als Gräfin in «Figaros Hochzeit», als Donna Anna im «Don Giovanni», als Violetta in «La Traviata», als Eva in den «Meistersingern», als Rosalinde in der «Fledermaus» und als Ellen Orford in B. Brittens «Peter Grimes» aufgetreten. Seit 1964 Direktorin der Boston School of Arts.

Curtis Verna, Maria, * 9. 5. 1927 Salem (Massachusetts). Gesangstudium zunächst am Hollis College (Virginia). In Italien Schülerin des Pädagogen Ettore Verna, den sie dann heiratete. An der Mailänder Scala gastierte sie 1954 als Desdemona in Verdis «Othello»; in der gleichen Partie war sie bereits 1949 sehr erfolgreich am Teatro Lirico Mailand aufgetreten. 1954 sang sie als erste Partie an der New York City Centre Opera die Donna Anna im «Don Giovanni». 1957 Debüt an der Metropolitan Oper New York als Leonore im «Troubadour». In den folgenden zehn Spielzeiten sang sie dort bis 1968 in 72 Vorstellungen u. a. die Aida, die Traviata, die Leonore in «La forza del destino» und die Titelfigur in Puccinis «Turandot». 1961–62 gastierte sie an der Oper von Philadelphia, 1965 beim Festival von Opatija als Turandot.

Czengery, Adrienne; sie war in Budapest Schülerin von Eva Kutrucz und sang schon früh in Budapest im Konzertsaal. Als Antrittsrolle übernahm sie 1974 in München die Marzelline im «Fidelio». Sie sang dort vor allem Mozart-Partien wie die Susanna in «Figaros Hochzeit», die Zerline im «Don Giovanni» (zwei Rollen, in denen sie auch 1976–77 bei den Festspielen von Glyndebourne gastierte), die Fiordiligi in «Così fan tutte» und die Pamina in der «Zauberflöte». 1980 gab sie ein sehr erfolgreiches Konzert in der Londoner Wigmore Hall. Sie trat als Gast in Amsterdam, Hamburg, Köln und Berlin auf und wirkte 1981 in der Uraufführung der Kantate «Messages of the Late Miss R. V. Troussova» von György Kurtag mit (später Aufnahme auf Erato). Weitere Schallplatten: Helikon (Lieder von Strawinsky, Kanzonetten von J. Haydn).

Czerny, Ingrid, * 22. 6. 1932 Gablonz (Jablonek nad Nisou, ČSR). Schülerin von Rita Meinl-Weise in Leipzig. Schallplatten: Eterna («Acis and Galatea» von G. F. Händel).

Czerwenka, Oskar; Ausbildung der Stimme, nachdem er zuerst Maler werden wollte. Er sang bei den Salzburger Festspielen in den Uraufführungen der Opern «Der Prozeß» von G. von Einem (17. 8. 1953) und «Irische Legende» von W. Egk (17. 8. 1955). Debütierte 1960 an der Metropolitan Oper New York als Rocco im «Fidelio». Er veröffentlichte *«Lebenszeiten–Ungebetene Briefe»* (Wien, 1987).

Czerwinska, Irma, s. unter *Strakosch,* Ludwig.

Czubok, Engelbert, * 28. 7. 1902 Witkowitz (Vitkoviče, Mähren). Er begann seine Karriere 1924 als Chorist am Deutschen Theater Prag, wurde aber bereits 1925–27 dort als Solist eingesetzt. 1927–30 war er am Opernhaus von Breslau engagiert. 1930 wurde er an die Staatsoper Stuttgart berufen, der er bis 1965 als Mitglied und bis zu seinem Tod als Gast angehörte. Er wirkte in mehreren deutschen Erstaufführungen von Opern mit; bereits 1928 in Breslau in «Schwanda der Dudelsackpfeifer» von Jaromir Weinberger, später in Stuttgart in «Mathis der Maler» von P. Hindemith (1946) und «L'Arlesiana» von Cilea (1940).

D

da Costa, Albert; auch Schüler von Raymond Mc Dermott in New York. Er gewann 1954 einen Gesangwettbewerb der New Yorker Metropolitan Oper, worauf er 1955 an diesem Haus als junger Seemann im «Tristan» debütierte. Er hat in acht Spielzeiten an der Metropolitan Oper 13 verschiedene Partien gesungen, darunter den Erik im «Fliegenden Holländer», den Siegmund in der «Walküre», den Manrico im «Troubadour» und den Dimitrij im «Boris Godunow». Schallplatten: CBS (Tenorsolo in der 9. Sinfonie von Beethoven).

Daddi, Francesco; wirkte am 17. 1. 1901 in einer der sechs gleichzeitigen Uraufführungen von Mascagnis Oper «Le Maschere» am Teatro Costanzi Rom mit. Als er 1938 nochmals an der Oper von Chicago auftrat, wurde er vom Publikum jubelnd begrüßt. Schallplatten: Unter seinen vielen Aufnahmen finden sich schöne neapolitanische Lieder.

Dalberg, Frederick, † Anfang März 1988 Kapstadt. Debütierte 1931 in Leipzig als Monterone im «Rigoletto». Bei den Festspielen von Bayreuth trat er auch 1942–44 als Hagen in der «Götterdämmerung» auf. Er sang an der Covent Garden Oper London in der Uraufführung von Benjamin Brittens «Billy Budd» den Claggart (1. 12. 1951), in der von dessen Oper «Gloriana» den Raleigh (8. 6. 1953).

Dalis, Irene; debütierte 1953 am Landestheater Oldenburg als Eboli in Verdis «Don Carlos». Die gleiche Partie sang sie 1957 als Antrittsrolle an der Metropolitan Oper New York. Dort hat sie in 19 Spielzeiten 22 Rollen in 232 Vorstellungen (ohne die Vorstellungen im Rahmen der jährlichen Gastspieltournee) gesungen. Sie sang an der Sadler's Wells Opera London in der englischen Erstaufführung der «Frau ohne Schatten» von R. Strauss die Partie der Amme. Nach ihrem Rücktritt von der Bühne richtete sie in San José (Kalifornien) ein Opernstudio ein. Seit 1984 leitete sie die San José Opera.

Dallapozza, Adolf; Schallplatten: Philips («Orpheus in der Unterwelt» von Offenbach).

Dall'Argine, Eugenio, s. unter *Dall'Argine,* Simona.

Dall'Argine, Simona; ihr Vater, *Eugenio Dall'Argine,* hatte in den Jahren um 1930 in Italien und 1930 auch am Teatro Colón Buenos Aires gesungen. Seine Stimme ist auf Columbia-Platten anzutreffen (kleine Partien in vollständigen Opern «Rigoletto» und «Fedora» um 1930). Simona Dall'Argine wirkte u. a. 1964 bei den Festspielen in der Arena von Verona mit.

dalla Rizza, Gilda; 1915 sang sie am Teatro Colón Buenos Aires den Octavian in der Erstaufführung des «Rosenkavaliers» von R. Strauss. Zu dem großen

Kreis ihrer Schüler gehörten u. a. Adriana Lazzarini, Rita Malatrasi, Elena Rizzieri und Laura Zannini.

dalle Molle, Giuseppina; wirkte 1981 bei den Festspielen in der Arena von Verona mit.

Dal Monte, Toti, †26. 1. 1975 Pieve di Soglio bei Treviso. Sie studierte Klavierspiel am Conservatorio Benedetto Marcello in Venedig, bevor sie sich der Ausbildung ihrer Stimme zuwandte. 1918 sang sie am Teatro Massimo Palermo die Gilda im «Rigoletto» und die Titelfigur in der Premiere von Mascagnis «Lodoletta». In der Saison 1921–22 hatte sie an der Mailänder Scala als Gilda einen sensationellen Erfolg. An der Metropolitan Oper New York sang sie nur die Lucia di Lammermoor und die Gilda, 1925–26 an der Covent Garden Oper London wiederum die Lucia und die Rosina im «Barbier von Sevilla». 1923 und 1927 war sie am Teatro Colón Buenos Aires zu Gast, 1928–29 unternahm sie eine Gastspielreise durch Australien. 1929 sollte sie an der Scala die Rosalina in der Uraufführung von Giordanos «Il Re» kreieren, war aber am Tag der Aufführung (12. 1. 1929) indisponiert und wurde durch Mercedes Capsir ersetzt. 1937 bewunderte man sie bei einem Gastspiel in der Zürich als Lucia di Lammermoor und als Amina in Bellinis «La Sonnambula». Bis 1933 hörte man sie an der Scala in Partien wie der Amina, der Linda in Donizettis «Linda di Chamounix», der Rosina, der Gilda, der Lucia di Lammermoor und der Norina im «Don Pasquale». Sie galt allgemein als hervorragende Interpretin der schwierigen Koloraturpartien aus dem Bereich der Belcanto-Oper. 1949 war sie nochmals bei den Festspielen von Verona anzutreffen. Um 1950 trat sie in Venedig als Schauspielerin in Komödien von Goldoni auf. Zu ihren Schülerinnen zählte auch die Koloratrice Marilyn Tyler. Aus der Ehe der Sängerin mit dem Tenor *Enzo de Muro Lomanto* stammte eine Tochter.

Dalmorès, Charles; an der Oper von Brüssel (Théâtre de la Monnaie) sang er Wagner-Partien und 1903 den Cavaradossi in der Premiere von Puccinis «Tosca» mit Claire Friché in der Titelrolle. 1902 kreierte er auch für Paris am Théâtre Château d'Eau den Siegfried in der «Götterdämmerung». Nach 1914 wurde er in der Partie des Parsifal bekannt.

d'Alvarez, Marguerite; ihr Vater war peruanischer Konsul in Liverpool. Sie debütierte 1907 am Opernhaus von Rouen als Dalila und sang anschließend während einer Saison in Algier. Am Manhattan Opera House New York hörte man sie auch als Amneris in «Aida» und als Mutter in Charpentiers «Louise». 1910 gastierte sie an der Oper von Marseille, 1913 an der Mailänder Scala als Carmen. 1913 sang sie an der Oper von Boston als Antrittsrolle die Maliella in «I Gioielli della Madonna» von Wolf-Ferrari. 1914 an der Covent Garden Oper London als Amneris mit Emmy Destinn und Giovanni Martinelli als Partnern gefeiert. Während des Ersten Weltkrieges trat sie in England vor allem im Kon-

zertsaal auf, 1919 unternahm sie eine Australien-Tournee. 1920, 1922 und 1925 gab sie Gastspiele an der Oper von Chicago, 1925 auch an der San Francisco Opera. Sie galt allgemein als große Darstellerin. In ihren Memoiren *«Forsaken Altars»* beschreibt sie auch ihr Verhältnis zu dem Impresario Oscar Hammerstein (1846–1919), der sie heiraten wollte.

Dam, José van; debütierte bereits 1960 am Opernhaus von Lüttich als Basilio im «Barbier von Sevilla»; 1961 kam er an die Pariser Grand Opéra. Hier wie an der Opéra-Comique sang er zunächst kleinere Partien. Am Grand Théâtre Genf wirkte er 1966 in der Uraufführung der Oper «La Mère Coupable» von Darius Milhaud mit. Seit 1967 große Karriere an der Deutschen Oper Berlin, u. a. als Paolo in Verdis «Simon Boccanegra», als Leporello im «Don Giovanni», als Alfonso in «Così fan tutte» und als Titelheld in Verdis «Attila». Er debütierte als Escamillo in «Carmen» 1967 an der Oper von Santa Fé, 1973 an der Covent Garden Oper London, 1970 an der Oper von San Francisco und im November 1975 auch an der Metropolitan Oper New York. An diesem Haus sang er dann den Golo in «Peléas et Mélisande», den Colline in «La Bohème», den Fliegenden Holländer, den Figaro in «Nozze di Figaro», den Jochanaan in «Salome» und den Wozzeck von A. Berg. Gastspielverpflichtungen an der Oper von Köln und am Nationaltheater Mannheim. 1987 sang er an der Mailänder Scala den Don Giovanni zur 200-Jahrfeier dieser Mozart-Oper, 1986 in Brüssel den Titelhelden im «Boris Godunow», 1989 an der Grand Opéra Paris den Wilhelm Tell von Rossini.
Schallplatten: HMV («Hoffmanns Erzählungen», «Guercoeur» von A. Magnard, Werke von Roussel), DGG (9. Sinfonie und Missa solemnis von Beethoven, «Roméo et Juliette» von Berlioz) Erato («L'Enfance du Christ» von Berlioz), Cybelia/IMS («Saint François d'Assise» von O. Messiaen).

Damajew, Wassilij Petrowitsch; er arbeitete ganz jung als Viehhirt und sang dann in einem Kirchenchor, wo seine Stimme erstes Aufsehen erregte. 1902 konnte er seine Ausbildung in Moskau beginnen. Er nahm im Verlauf seiner Bühnenkarriere auch schwerere Partien wie den Radames in «Aida» oder den Walther von Stolzing in den «Meistersingern» in sein Repertoire auf. Mit Fedor Schaljapin zusammen trat er im «Boris Godunow» als Dimitrij auf. 1921–24 wirkte er an der Zimin-Oper (Solodownikow-Theater) Moskau.

Danco, Suzanne; bei den Festspielen von Glyndebourne sang sie 1951 die Donna Elvira (nicht die Donna Anna) im «Don Giovanni». In der Saison 1951–52 hörte man sie an der Covent Garden Oper London als Mimi in «La Bohème». Als Liedersängerin widmete sie sich namentlich dem Vortrag des französischen Kunstliedes (Debussy, Ravel, G. Fauré).

d'Andrade, Antonio, s. unter *d'Andrade,* Francisco.

d'Andrade, Francisco; beim Salzburger Mozart-Fest von 1901 sang er den Titelhelden im «Don Giovanni» zusammen mit Lilli Lehmann, Johanna Gadski, Geraldine Farrar und anderen großen Sängern. Sein Bruder *Antonio d'Andrade* (* 13. 4. 1854 Lissabon, † 18. 12. 1942 Lissabon) sang an italienischen Bühnen und wirkte u. a. am 31. 5. 1884 am Teatro Dal Verme Mailand in der Uraufführung von Puccinis erster Oper «Le Villi» in der Partie des Roberto mit.

d'Angelo, Gianna; debütierte 1954 bei den Festspielen in den Thermen des Caracalla in Rom als Gilda. Sie gastierte in Glyndebourne 1955–56 als Rosina im «Barbier von Sevilla», 1962 als Zerbinetta in «Araidne auf Naxos» von R. Strauss. Sie debütierte 1961 an der Metropolitan Oper New York als Gilda im «Rigoletto» und sang an diesem Theater in acht Spielzeiten sieben Partien in 36 Vorstellungen (ohne ihre Auftritte bei den jährlichen Gastspielreisen), darunter die Lucia di Lammermoor, die Amina in «La Sonnambula», die Rosina und die Zerbinetta.

d'Angelo, Louis, * 6. 5. 1888 Neapel, † 9. 8. 1958 Jersey City (New York). Er studierte am New York College of Music bei Guarini und trat zuerst in Nordamerika bei der Savage Opera Company auf. Im Gebäude der Metropolitan Oper ist er in 130 Partien in insgesamt 1490 Vorstellungen aufgetreten, abgesehen von den vielen Auftritten während der alljährlichen Tournee des Ensembles. Er sang dort auch den Zuniga in «Carmen», den König in Verdis «Aida», den Konrad Nachtigall in den «Meistersingern», eine unübersehbare Fülle von Comprimario-Rollen (er soll insgesamt 300 Partien beherrscht haben) und den Marco in der Uraufführung von Puccinis «Gianni Schicchi» (14. 12. 1918).

Dangès, Henri; 1911 wirkte er an der Grand Opéra Paris in der Erstaufführung von Giordanos Oper «Siberia» mit und sang im gleichen Jahr dort in «Déjanire» von Saint-Saëns.
Schallplatten: Seine Columbia-Platte ist, wie alle seine Aufnahmen, akustisch aufgenommen.

Danieli, Lucia; wirkte 1953 und 1956 bei den Festspielen in der Arena von Verona mit.

Daniels, Barbara, * 7. 5. 1946 Grenville (Ohio); zu ihren Lehrern gehörten in Cincinnati die berühmten Dirigenten Thomas Schippers und James Levine, der Bassist Italo Tajo und die Pädagogin A. Marková. Debüt 1974 an der Cincinnati Opera als Musetta in «La Bohème». Nach einem ersten Engagement am Landestheater Innsbruck 1975–76 (Debüt als Fiordiligi in «Così fan tutte») sang sie 1976–78 am Staatstheater Kassel, 1978–84 am Opernhaus von Köln. Seit 1978 war sie an der Covent Garden Oper London zu hören (Musetta, Donna Elvira, Rosalinde in der «Fledermaus», Alice Ford im «Falstaff» von Verdi). 1979 gastierte sie in Washington als Norina im «Don Pasquale», 1980 in San Francisco als Zdenka in «Arabella» (dort später auch als Traviata, Liu und Micaela in «Carmen»). In Zürich sang sie die Gräfin in «Le Comte Ory» von Rossini, in Perugia in «Mosè» vom gleichen Meister (konzertante

Aufführung). 1987 Gastspiel an der Oper von Rom als Musetta, 1988 am Teatro Regio Turin als Violetta in «La Traviata». An der New Yorker Metropolitan Oper trat sie als Traviata, als Rosalinde, als Marguerite im «Faust» von Gounod und als Thérèse in «Les mamelles de Tirésias» von F. Poulenc auf. Von ihren Bühnenpartien seien noch die Titelrolle in Massenets «Manon», die Alice Ford im «Falstaff», die Liu in Puccinis «Turandot» und die Marguerite im «Faust» genannt.
Schallplatten: DGG (Musetta in Puccinis «La Bohème»), HMV (Szenen aus «Faust» von Gounod).

Danise, Giuseppe, * 11. 1. 1882 Salerno bei Neapel, † 9. 1. 1963 New York. Schüler von Luigi Colonnesi und Abramo Petillo in Neapel. Debüt als Alfio in «Cavalleria rusticana» 1906 am Teatro Bellini Neapel. 1913 große Erfolge am Teatro Massimo Palermo in den Opern «Isabeau» von Mascagni und «La Bohème» von Leoncavallo, ebenfalls 1913 am Teatro Regio Parma als Posa im «Don Carlos» und bei den ersten Festspielen in der Arena von Verona als Amonasro in «Aida». Als weitere Partien, die er 1922–32 an der New Yorker Metropolitan Oper sang, sind zu nennen: der Germont-père in «La Traviata», der Tonio im «Bajazzo», der Nelusco in Meyerbeers «Africaine», der Rabbi David in «Amico Fritz» von Mascagni, der Valentin im «Faust» von Gounod, der Titelheld in Rossinis «Wilhelm Tell» und der Raoul in der Premiere der Oper «La Habanéra» von Laparra (1924). Insgesamt hat er im Haus der Metropolitan Oper 29 Partien in 312 Vorstellungen gesungen. Als die Direktion des Hauses 1932 die Gagen der Solisten kürzte, kündigte er seinen Vertrag mit der Metropolitan Oper auf. Seit 1932 hatte er dann an der Mailänder Scala (an der er 1915 in der Premiere von Borodins «Fürst Igor» als Titelheld debütiert hatte) wieder große Erfolge, vor allem als Scarpia in «Tosca» und als Alfonso in «La Favorita» von Donizetti. 1933 sang er in Palermo den Scarpia. Seit 1947 mit *Bidu Sayao* (* 1902) verheiratet.

Dara, Enzo; Bühnendebüt 1960 in Fano als Bartolo im «Barbier von Sevilla» von Rossini. 1970 sang er an der Mailänder Scala als Antrittsrolle den Bartolo im «Barbier von Sevilla», 1987 an der Londoner Covent Garden Oper den Dulcamara in «Elisir d'amore», 1988 beim Rossini Festival in Pesaro in «Signor Bruschino». 1982 debütierte er an der Metropolitan Oper New York als Bartolo im «Barbier von Sevilla».
Schallplatten: Frequenz («Il Barbiere di Siviglia» von Paisiello), Nuova Era («Don Pasquale»), DGG («Italiana in Algeri»).

Darclée, Hariclea; kam 1890 erstmals an die Mailänder Scala, an der sie am 21. 2. 1891 in der Uraufführung der Oper «Condor» von Carlos Gomes sang. 1911 wirkte sie am Teatro Costanzi Rom in der Premiere der Richard Strauss-Oper «Der Rosenkavalier» als Marschallin mit.

Darcy, Emery, * 9. 12. 1908 Chicago; er war Schüler der Gesanglehrerin *Lucy Lenox* in Chicago, die er heiratete. Weitere Studien bei Hermann Weigert und Walter Taussig in New York. Er debütierte als Bariton 1932 in Chicago in der Partie des Malatesta im «Don Pasquale», wurde dann aber zum Tenor umgeschult. 1940 debütierte er an der Metropolitan Oper New York als Bote in «Samson et Dalila» von Saint-Saëns. In 13 Spielzeiten hat er im eigentlichen Haus der Metropolitan Oper 23 Partien in 367 Aufführungen gesungen.

Dargavel, Bruce, * 1905 Neath (Wales), er sang bereits 1935–39 bei der Sadler's Wells Opera London und kam in den Jahren nach dem Zweiten Weltkrieg zu einer erfolgreichen Karriere an der dortigen Covent Garden Oper.

Davia, Federico; er debütierte an der Mailänder Scala in «Gianni Schicchi». 1980 sang er beim Edinburgh Festival den Dulcamara in «Elisir d'amore, 1988 an der Covent Garden Oper London Figaro in «Nozze di Figaro». Zu Gast an der Metropolitan Oper New York, in Washington und Mexico City; bei den Festspielen von Salzburg sang er 1988 den Antonio in «Nozze di Figaro», in Glyndebourne 1988 den Pistol in Verdis «Falstaff». Später Direktor der Opera Academy London und der Operngesellschaft I Commedianti, artistischer Direktor für Opern-Filme im französischen Fernsehen.

David, Giovanni; er sang auch am 27. 3. 1819 am Teatro San Carlo Neapel den Oreste in der Uraufführung von Rossinis «Ermione».

Davidoff (Davidow), Alexander, * 4. 9. 1872 Poltawa (im gleichnamigen russischen Generalgouvernement); er sang als Knabe in Kirchenchören, mußte sich aber das Geld für die Ausbildung seiner Stimme durch Auftritte in Café-chantants und in Gaststätten in Odessa verdienen. Ein Impresario aus Kiew entdeckte schließlich seine Stimme in einem Amateur-Männerquartett. 1896 Mitglied der Mamontow-Privatoper Moskau.
Neben Opernarien und -duetten finden sich auf seinen Schallplaten auch russische Zigeunerromanzen und sogar italienische Lieder mit Gitarrenbegleitung.

Davidowa, Xenia; unter ihren Schallplattenaufnahmen der staatlichen russischen Produktion (Melodiya) finden sich auch vollständige Opern («Aida», «Carmen», «Mazeppa» von Tschaikowsky, «Sadko» von Rimsky-Korssakow).

Davies, Ben; eigentlich Benjamin Grey Davies. Wurde 1878 Schüler von Alberto Randegger in London und gab 1879 in Dublin sein erstes Konzert. Bühnendebüt 1881 mit der Carl Rosa Company in Birmingham in «The Bohemian Girl» von Balfe. 1893 gab er sehr erfolgreiche Konzerte im Rahmen der Weltausstellung von Chicago.
Schallplatten: G & T (1901–02), Zonophone (1905), Pathé (1903, davon einige als Zylinder herausgegeben), HMV (mehrere Serien seit 1913), dann mit 76 Jahren elektrische Columbia-Aufnahmen, die seine

Stimme erstaunlich gut erhalten zeigen. Leider handelt es sich bei den meisten Aufnahmen um wenig wertvolle Ballad-Musik.

Davies, Cecilia; Johann Adolf Hasse komponierte eine Kantate auf die gefeierte Sängerin, deren Text Pietro Metastasio verfaßt hatte.

Davies, Ryland; während seines Studiums wirkte er 1963 in Manchester in der englischen Erstaufführung von Glucks Oper «Paride ed Elena» mit. 1968 sang er bei den Festspielen von Glyndebourne den Belmonte in der «Entführung aus dem Serail»; an der Covent Garden Oper London hörte man ihn 1977 als Hylas in einer vollständigen Aufführung des Opernwerks «Les Troyens» von Berlioz. Noch 1989 sang er in Glyndebourne den Lysander in «A Midsummer Night's Dream» von B. Britten. Die Ehe mit der Mezzosopranistin *Anne Howells* wurde später wieder getrennt.
Schallplatten: Decca (Edgardo in «Lucia di Lammermoor», Don Ottavio im «Don Giovanni»), Philips (Messen und Requiem von Mozart), RCA (Messias von Händel).

Davies, Tudor; er wandte sich bereits früh dem Rundfunk zu und wirkte in vielen Sendungen der BBC London mit. In Nordamerika wurde er in erster Linie als Konzertsänger bekannt.
Schallplatten: HMV («Madame Butterfly» in englischer Sprache mit Rosina Buckman, Ausschnitte aus «Hugh the Drover»), auch akustische Aufnahmen auf der englischen Marke Scala.

Davis, Agnes; bei ihren Konzerten mit dem Philadelphia Orchester sang sie u. a. Soli in Beethovens 9. Sinfonie, in «Le Roi David» von A. Honegger, in der 2. Sinfonie von Gustav Mahler, in «Die Glocken» von Rachmaninoff und in Wagner-Konzerten.

Davy, Gloria; an der Juilliard-Musikschule New York Schülerin von Belle Julie Soudent. 1954 sang sie an der Juilliard School in der amerikanischen Erstaufführung der Richard Strauss-Oper «Capriccio» die Partie der Gräfin. 1957 Gastspiel an der Oper von Nizza als Aida. 1958 debütierte sie an der Metropolitan Oper New York als Aida und sang dort in vier Spielzeiten Partien wie die Pamina in der «Zauberflöte», die Leonore im «Troubadour» und die Nedda im «Bajazzo». 1959 gastierte sie an der Staatsoper von Wien.

Davydova (Dawidowa), Vera, * 17. (30.) 9. 1906 Nikolajewka-na-Amurje (heutiges Fernöstliches Gebiet Chabarowsk).

Dawson, Peter; er entschloß sich zum Gesangstudium, nachdem er bei einem Amateur-Wettbewerb in Ballarat 1900 eine Goldmedaille gewonnen hatte. Seit etwa 1904 bereiste er England, gab überall Ballad Concerts im damaligen Zeitgeschmack und nahm als assisting artist an Tourneen berühmter Sänger (wie Emma Albani) teil. 1909 absolvierte er eine glanzvolle Australien-Tournee. Während des

Ersten Weltkrieges gab er zahlreiche Wohltätig-keitskonzerte in England wie in Australien. 1926 trat er in einer Serie von Konzerten in der Wigmore und der Aeolian Hall in London auf, bei denen er ein künstlerisch anspruchsvolles Programm vortrug. 1931 bereiste er mit dem Pianisten Mark Hambourg zusammen Australien. Insgesamt hat er acht große Tourneen durch Australien und Neuseeland unter-nommen, dazu mehrere Reisen durch Südafrika. Er ist in Indien, Japan und China aufgetreten.
Unter seinen Schallplatten finden sich Edison-Bell- und -Amberola-Zylinder.

de Ahna, Pauline; sie hatte für die Uraufführung von Humperdincks «Hänsel und Gretel» (am 23.12. 1893 in Weimar mit Richard Strauss als Dirigenten) die Partie des Hänsel einstudiert, konnte diese aber erst in der zweiten Vorstellung übernehmen, da sie sich einen Fuß verstaucht hatte und mußte bei der Uraufführung durch Ida Schubert ersetzt werden. Sie sang am 10.5. 1894 in der ersten Oper «Gun-tram» von R. Strauss bei deren Uraufführung am Hoftheater von Weimar die Partie der Freihild. Ri-chard Strauss widmete ihr verschiedene Lieder, dar-unter die Lieder op.27, und gab musikalische Por-träts seiner Gattin in der Sinfonischen Dichtung «Ein Heldenleben», in seiner «Symphonia dome-stica» und in der autobiographischen Oper «Inter-mezzo».

De Amicis-Buonsollazza, Anna-Lucia; sie kreierte 1763 am Londoner King's Theatre die Oper «Orione» von Johann Christian Bach.

Dean, Stafford, * 20.6. 1933 Kingswood (Grafschaft Surrey, England); er sang zuerst 1962–64 bei der Opera for All. Debütierte 1964 bei der Sadler's Wells Opera London als Zuniga in «Carmen». Dort hörte man ihn u. a. als Daland im «Fliegenden Holländer», als Sarastro, als Sparafucile im «Rigoletto» und als Pater Guardian in «La forza del destino». An der Covent Garden Oper London gastierte er als Narbal in «Les Troyens» von Berlioz, als Figaro in den «Nozze di Figaro», als Publio in «La clemenza di Tito», als Alfonso in «Lucrezia Borgia» von Donizetti, als Bottom in B. Brittens «A Midsummer Night's Dream» und als Don Esteban in «Der Geburtstag der Infantin» von A. Zemlinsky. 1976 sang er als Antrittsrolle an der Metropolitan Oper New York den Figaro in «Nozze di Figaro». Am 6.9. 1977 wirkte er beim Festival von Edinburgh in der Urauf-führung der Oper «Mary Queen of the Scots» von Thea Musgrave mit, 1987 in der Londoner Erstauf-

führung von «The King Goes Forth to France» von Aulis Sallinen. 1981, 1983 und 1985 Gastspiele am Opernhaus von Köln, 1987 am Teatro Regio Turin und am Teatro Comunale Florenz. Verheiratet mit der Mezzosopranistin *Anne Howells* (* 1941).
Schallplatten: London («The Burning Fiery Fur-nace» von B. Britten), Pickwick-Video (Leporello im «Don Giovanni» aus Glyndebourne, 1977).

de Angelis, Nazzareno; sang am 15.4. 1907 an der Mailänder Scala in der Uraufführung der Oper «Gloria» von Cilea.

Dearth, Harry; Schallplatten: Seit 1910 erschienen rund 70 Aufnahmen auf HMV, fast ausschließlich sentimentale Lieder und Ballads.

de Bassini, Alberto; Schallplatten: Einige Berliner Records kamen unter dem Pseudonym A. Del Campo heraus.

de Bassini-Gabussi, Rita, s. unter *de Bassini,* Achille.

Debicka, Hedwig von; sie wirkte 1920 an der Wiener Volksoper in der Premiere von Puccinis «La Ron-dine» mit.
Schallplatten: Sie sang u. a. auf Polydor die Margue-rite in einer Kurzopernfassung des «Faust» von Gou-nod.

Decarli, Eduard; er sang an der Hofoper von Dres-den in den Uraufführungen der Opern «Herrat» von Felix Draesecke (1892) und «Urrasi» von Wilhelm Kienzl (1886).

de Castro, Consuelo Escobar; bei den Festspielen von Ravinia trat sie als Lucia di Lammermoor, als Adina in «Elisir d'amore», als Norina im «Don Pasquale», als Rosina im «Barbier von Sevilla» und als Philine in «Mignon» von A. Thomas auf. Sie war verheiratet mit dem mexikanischen Tenor *Carlos de Castro Padilla* (* 1889 Mexico City, † 1938 Mexico City). Dieser hatte in Italien, u. a. bei Arturo Pes-sina, studiert und debütierte 1915 in Mexico City als Herzog im «Rigoletto». Er stellte dann eine eigene Operntruppe zusammen, der auch Consuelo Esco-bar de Castro angehörte, die er heiratete. Seit 1926 war er als Pädagoge, dann als Professor am Konser-vatorium der mexikanischen Hauptstadt tätig. Da-neben arbeitete er auch im diplomatischen Dienst des Staates Mexiko.
Unter den Schallplatten der Sängerin sind in der

Stammbaum der Familie De Amicis

Domenico De Amicis ⚭ Rosalba Baldacci
(* 1716)   (* 1716)

| Marianna De Amicis | Anna-Lucia De Amicis-Buonsollazzi (1733–1816) ⚭ S. Buonsollazzi | Gaetano De Amicis (* 1746) ⚭ Marianna Buonsollazzi |

Hauptsache volkstümliche spanische und mexikanische Lieder und nur einige wenige Opernarien zu finden.

de Castro Padilla, Carlos, s. unter *de Castro,* Consuelo Escobar.

de Cavalieri, Anna; 1954 gastierte sie bei den Festspielen in der Arena von Verona als Aida.
Schallplatten: MMS (Musetta in «La Bohème»).

de Cecco, Disma, * 4. 10. 1926 Codroipo bei Udine.

de Cisneros, Eleonora; sie debütierte, noch als Eleanor Broadfoot, 1900 an der Metropolitan Oper New York als Roßweiße in der «Walküre». 1906 sang sie an der Scala die Gräfin in der Premiere von Tschaikowskys «Pique Dame», 1909 die Klytämnestra in der von «Elektra» von R. Strauss sowie am 29. 3. 1906 in der Uraufführung von Franchettis «La figlia di Jorio». 1913 hörte man sie bei den Verdi-Gedenkfeiern am Teatro Regio Parma als Eboli im «Don Carlos». Auf der Bühne wurde sie nicht zuletzt wegen der Schönheit ihrer Erscheinung und wegen ihrer Darstellungskunst bewundert.

de Creus, Eugène; einerseits hörte man ihn an der Opéra-Comique Paris als Fischer in Rossinis «Wilhelm Tell», als Don Ottavio im «Don Giovanni», als Léopold in «La Juive» von Halévy, anderseits in kleineren Aufgaben aus dem Buffo- und Charakterfach. Er wirkte dort auch in der Uraufführung der Oper «Marouf» von Henri Rabaud in mehreren kleinen Rollen mit (15. 5. 1914). Seine Tochter *Hélène (Éliane) de Creus* wurde gleichfalls als Sängerin bekannt.

de Francesca-Cavazza, Maria; 1978 wirkte sie bei den Festspielen von Bayreuth mit.
Schallplatten: Colosseum (Musik aus Nürnberg), Edition Schwann (Lieder von E. Wolf-Ferrari).

de Franceschi, Enrico. Am Teatro Colón Buenos Aires trat er 1919 als Mephisto in «La damnation de Faust» von Gounod und als Sharpless in «Madame Butterfly» auf. Er gastierte auch in Verona (jedoch nicht bei den Festspielen in der dortigen Arena) in «La damnation de Faust». 1923–24 sang er am Teatro Costanzi Rom den Grafen Luna im «Troubadour» und den Renato in Verdis «Ballo in maschera», 1937–38 an der Mailänder Scala den Sharpless in «Madame Butterfly» und den Enrico in «Lucia di Lammermoor».

Defrère, Désiré; er wirkte an der Oper von Chicago in der Uraufführung von Prokofieffs «L'Amour des trois oranges» mit (30. 12. 1921).

de Gabarain, Marina; Schallplatten. Decca (Vokalmusik von E. Chabrier, Ravel und de Falla).

de Garmo, Harry; auch Favorit-Schallplatten, während seines Engagements in Köln aufgenommen.

de Garmo, Tilly; sie verließ zusammen mit ihrem Gatten Fritz Zweig 1933 aus politischen Gründen Deutschland.
Schallplatten: Polydor (u. a. Kurzoper «Hänsel und Gretel»).

de Gaviria, Jesús, s. unter *Campigna,* Fidelia.

Degele, Eugen; er sang bei den Bayreuther Festspielen von 1883 den Klingsor im «Parsifal».

de Giovanni, Dora; sang 1924 am Teatro Municipale von Piacenza die Titelrolle in Mascagnis «Iris». 1927 wirkte sie am Teatro Carlo Felice Genua in der Uraufführung der Oper «Arabesca» von Monleone mit, die sehr erfolgreich verlief (um genau so schnell wieder in Vergessenheit zu geraten).

De Giuli Borsi, Teresa; eigentlicher Name Maria Teresa Pippa. Debütierte 1839 am Teatro Re Mailand in den Opern «Elisa e Claudio» von Mercadente und «Beatrice di Tenda» von Bellini. Bis 1844 blieb sie an der Mailänder Scala, wo sie in Uraufführungen heute vergessener Opernwerke und in Opern von Donizetti (als Lucia di Lammermoor, Maria di Rudenz, Gemma di Vergy) große Erfolge hatte. Als sie in der Uraufführung von Verdis Oper «La battaglia di Legnano» am 27. 1. 1849 in Rom die Verse «... dall'Alpi a Cariddi echeggi vittoria» sang, kam es zu einer grandiosen nationalen Demonstration. 1851–52 war sie am Teatro Regio Turin anzutreffen, wo sie in der Uraufführung der Oper «Camoëns» von Sanelli (8. 1. 1852) auftrat. 1852 war am Teatro San Carlo Neapel zu Gast. In den fünfziger Jahren kam sie namentlich in Rom zu großen Erfolgen. Ihre Tochter *Giuseppina Giuli Borsi,* die auch ihre Schülerin war, hatte in den Jahren 1870–90 eine beachtliche Karriere als Mezzosopranistin an italienischen Bühnen.

de Gogorza, Emilio; als Kind von zwei Monaten kam er nach Spanien und erhielt teils dort, teils in Frankreich und England, seine Erziehung. Als Knabe sang er im Choir of the Brompton Oratory in London und nach seinem Stimmbruch in St. George's in Windsor. Der Herzog von Norfolk riet ihm dringend zu einem professionellen Gesangstudium, das er dann in den USA absolvierte. Später war er in Paris auch Schüler von Bourgeois. Er begleitete die berühmte Primadonna Marcella Sembrich auf Konzertreisen in Nordamerika als assisting artist. Auch zusammen mit *Emma Eames,* mit der er vorübergehend verheiratet war, unternahm er Tourneen in den USA. Insgesamt hat er 17 große Konzertreisen durch Nordamerika unternommen, sang dort mit allen großen Orchestern zusammen und stand im Mittelpunkt zahlreicher Musikfeste. 1926–40 leitete er als Direktor die Gesangabteilung des Curtis Institute of Music in Philadelphia. Zu seinen Schülern gehörten u. a. John Brownlee und Conrad Thibault.
Schallplatten: Seine Victor-Aufnahmen erschienen seit 1904 exklusiv auf dieser Marke bis 1928, darunter finden sich Duette mit Emma Eames, Enrico

Caruso, Marcella Sembrich und Tito Schipa. Erst viel später kam eine elektrische Aufnahme, das Lied «Voici que le printemps» von Debussy, zur Veröffentlichung.

de Grecis, Nicola, † 1826 (?); jedenfalls lebte er noch in diesem Jahr.

de Groot, Gerry; sie trat seit 1959 als Solistin an der Niederländischen Oper Amsterdam auf, war 1962–64 an der Deutschen Oper am Rhein Düsseldorf-Duisburg und seit 1964 bis zu ihrem Tod am Opernhaus von Zürich tätig. Sie gastierte an den Theatern von Basel und Bremen, an der Oper von Bordeaux, beim Maggio musicale von Florenz und mit dem Ensemble des Opernhauses von Essen bei den Schwetzinger Festspielen.
Schallplatten; Guilde (Desdemona in Querschnitt durch Verdis «Othello»).

de Groote, Hilda; sang 1982–83 an den Opern von Gent und Antwerpen die Ännchen im «Freischütz» und die Sophie im «Rosenkavalier». 1965–81 an der Staatsoper Wien aufgetreten; später in Wien als Pädagogin tätig.

de Groote, Maurice, * 14. 6. 1910 Brüssel; sein Debüt fand 1930 in Paris statt.

de Haan-Manifarges, Pauline; eine ihrer Schülerinnen war die holländische Altistin Maartje Offers.

de Hidalgo, Elvira, * 27. 12. 1888 Valderrobles bei Teruel (Provinz Aragonien, Spanien); Schülerin von Melchiorre Vidal in Mailand. Debütierte mit zwanzig Jahren 1908 am Teatro San Carlo Neapel als Rosina im «Barbier von Sevilla». An der Metropolitan Oper New York sang sie nach ihrem Debüt 1910 später noch die Gilda im «Rigoletto» und die Lucia di Lammermoor, ist aber alles in allem dort nur in sechs Vorstellungen aufgetreten. Am Konservatorium von Ankara gehörte die türkische Sopranistin Leyla Gencer zu ihren Schülerinnen.

de Kanel, Vladimir; erster Gesangunterricht durch Lydia Nesterenko in Rio de Janeiro. Er debütierte 1962 in Kolumbien als Basilio im «Barbier von Sevilla». 1985–88 Gastspiele an der Opéra de Wallonie Lüttich u. ä. als Mephisto im «Faust» von Gounod. Sang 1987 in Rio de Janeiro den Daland im «Fliegenden Holländer».
Schallplatten: Erato («Krieg und Frieden» von Prokofieff).

Delamboye, Hubert; Gastspiele an der Oper von Seattle (1986 als Mime im Nibelungenring) und an der Grand Opéra Paris (1987). Bei den Festspielen von Wiesbaden sang er 1989 den Samson in «Samson et Dalila» von Saint-Saëns.

del Campo, Sofia, Sopran, * 1884 in Chile, † 24. 6. 1964 Santiago de Chile; sie entstammte einer aristokratischen Familie, ihr Großvater war der Marques de la Peña Blanca. Sie erhielt ihre Gesangsausbildung

zuerst am Konservatorium von Santiago de Chile. Hier erregte sie derartiges Aufsehen, daß die chilenische Regierung sie zur weiteren Ausbildung nach Deutschland schicken wollte. Dies wurde jedoch von ihren Eltern strikt abgelehnt. Sie beschränkte zunächst ihre künstlerischen Aktivitäten auf Auftritte in einigen Wohltätigkeitskonzerten. Als die Bracala Opera Company zu Beginn der zwanziger Jahre Chile durchreiste und eine Koloratursopranistin benötigte, sang sie dort mit großem Erfolg die Lucia di Lammermoor und im weiteren Ablauf der Tournee die Gilda im «Rigoletto», die Ophélie in «Hamlet» von A. Thomas, die Traviata und die Rosina im «Barbier von Sevilla». Es folgte eine Konzertreise durch Chile. 1924 gab sie ein Konzert im Teatro Odeón von Buenos Aires. Sie ging darauf nach Rom, ergänzte dort ihre Ausbildung und gab 1926 in Rom wie in Paris Konzerte. 1927 kam es zu ihrem Nordamerika-Konzertdebüt in New York, anschließend konzertierte sie in anderen Städten der USA. Zu einem weiteren Auftreten auf der Opernbühne ist es wohl nicht mehr gekommen. Sie beschränkte sich auf eine Konzerttätigkeit in Südamerika, wobei sie mehr als Gesellschaftsdame denn als Berufssängerin in Erscheinung trat. Sie war die Mutter der Film- und Unterhaltungssängerin *Rosita Serrano*. Von ihrem schönen, virtuosen Koloratursopran existieren elektrische Victor-Platten von 1928, darunter spanische und südamerikanische Volkslieder. – (Neufassung) –.

Deldi, Pierre, † 23. 10. 1973 Lardenne.

Della Casa, Lisa, * 2. 2. 1919 Burgdorf (Kanton Bern, Schweiz); sie war am 28. 5. 1949 am Opernhaus von Zürich in der Uraufführung der Oper «Die schwarze Spinne» von W. Burkhard zu hören. 1947–73 gehörte sie der Wiener Staatsoper an und wurde 1985 zu deren Ehrenmitglied ernannt. An der Covent Garden Oper London sang sie u. a. die Arabella von Richard Strauss. An der Metropolitan Oper New York debütierte sie 1953 als Gräfin in «Figaros Hochzeit» und trat dort bis 1968 in 15 Spielzeiten in 155 Vorstellungen und in elf verschiedenen Partien (ohne die Vorstellungen bei der alljährlichen Gastspieltournee) auf, darunter als Donna Elvira im «Don Giovanni», als Marschallin wie als Octavian im «Rosenkavalier» und als Arabella.
Schallplatten: Columbia («Lustige Witwe») RCA (4. Sinfonie von G. Mahler, Lieder von R. Strauss), HMV («Frauenliebe und -leben» von R. Schumann, «Tosca»), Cetra.

della Chiesa, Viviane; Schallplatten: RCA («Tosca», Verdi-Arien).

Deller, Alfred, * 31. 5. 1912 Margate (Grafschaft Kent, England), † 16. 7. 1979 Bologna; bereits während seiner Tätigkeit im Chor der Kathedrale von Canterbury fiel dem englischen Komponisten Michael Tippet die besondere Begabung des Künstlers auf, wobei dieser ihn für einen idealen Interpreten englischer Barockmusik hielt. 1946 sang er erstmals am englischen Rundfunk BBC. 1953 begründete er das Stour Music Festival in Kent. Hier wie bei vielen anderen Auftritten zeichnete er sich als Countertenor, einer in England traditionsreichen Kunst des Singens, aus. Nachdem er 1960 bei der Uraufführung von B. Brittens «A Midsummer Night's Dream» in Aldeburgh die Partie des Oberon gesungen hatte, trat er in der gleichen Rolle auch bei der Premiere des Werks an der Covent Garden Oper London (1961) auf.

Deller, Mark; Schallplatten: Helikon («Acis and Galatea» von G. F. Händel, Cäcilien-Ode von Purcell). Weitere Aufnahmen auf Nonesuch, Vanguard und Argo.

Dellert, Kerstin; sie erreichte die Restaurierung des alten Barocktheaters in dem Stockholmer Vorort Solna (einem Gegenstück zum Theater von Drottningholm) und war seit 1985 Leiterin der dort stattfindenden Festspiele.

del Lungo, Laura, s. unter *Dammaco, Giacomo.*

Delmas, Jean-François; studierte zuerst bei Mangin in Lyon, dann am Conservatoire National de Paris bei R. Bussine und bei dem berühmten Bassisten Louis-Henri Obin. Er sang 1914 an der Grand Opéra Paris den Gurnemanz in der Premiere des «Parsifal» und wirkte dort u. a. in den Uraufführungen der Opern «Monna Vanna» von Henri Février (10. 1. 1909), «Astarté» von Xavier Leroux (15.2. 1901), «Le Fils de l'Étoile» von Camille Erlanger (17. 4. 1904) und «Antar» von Gabriel Dupont (13. 4. 1921) mit.

del Monaco, Mario; debütierte 1941 am Teatro Puccini Mailand als Pinkerton in «Madame Butterfly». 1941 gastierte er auch am Teatro Regio Parma als Cavaradossi in «Tosca» zusammen mit Maria Caniglia und wirkte am gleichen Haus 1942 in der Uraufführung der Oper «Ariodante» von Nino Rota mit. Im Dezember 1945 kam es zu seinem Debüt an der Mailänder Scala als Pinkerton mit Iris Adami-Corradetti in der Rolle der Butterfly. 1953 sang er an der Scala den Hagenbach in Catalanis «La Wally» zusammen mit Renata Tebaldi, 1955 den Pollione in «Norma», 1960 den Énée in «Les Troyens». An der Covent Garden Oper London sang er 1946 mit dem Ensemble des Teatro San Carlo Neapel den Cavaradossi in «Tosca», den Rodolfo in «La Bohème», den Pinkerton und den Canio im «Bajazzo», dann 1962 dort grandioser Erfolg als Titelheld in Verdis «Othello». Diese schwierige Partie hat er erstmals 1951 an der Oper von Mexico City und dann im Lauf seiner Karriere 427mal gesungen. In seinem Othello-Kostüm wurde er in Pesaro zur letzten Ruhe bestattet. An der Metropolitan Oper New York sang er (in deren Haus) 102 Vorstellungen von 16 Partien, darunter den Radames, den Othello, den Manrico im «Troubadour», den Canio, den Enzo in «La Gioconda» von Ponchielli, den Cavaradossi und den José in «Carmen».

Delna, Marie, *3.4. 1875 Meudon bei Paris; sie wurde im Alter von 15 Jahren durch den Maler Beaudoin entdeckt. Sie sang am 23. 11. 1893 in der Uraufführung von «L'Attaque du moulin» von Alfred Bruneau die Partie der Marcelline (Opéra-Comique Paris). 1907 hatte sie am Pariser Théâtre Gaîté Lyrique glänzende Erfolge in «La Vivandière» und «L'Attaque du moulin». An der Metropolitan Oper New York debütierte sie ebenfalls in der Saison 1909–10 als Marcelline in «L'Attaque du moulin». Als sie dort den Titelhelden im «Orpheus» von Gluck sang, zog das New Yorker Publikum die Gestaltung dieser Rolle durch Louise Homer vor. Marie Delna schrieb ihren Mißerfolg unberechtigterweise Intrigen dieser Künstlerin zu, und als Louise Homer im gleichen Jahr 1910 mit dem Ensemble der Metropolitan Oper bei deren Gastspiel im Théâtre du Châtelet Paris die Amneris in «Aida» sang, organisierte sie Mißfallenskundgebungen gegen sie, konnte aber deren Erfolg letztlich nicht verhindern. Die Auseinandersetzungen der beiden bekannten Sängerinnen erregten damals (namentlich in Presseartikeln) großes Aufsehen. Am 17. 2. 1912 sang Marie Delna an der Opéra-Comique in der Uraufführung der Oper «La Lépreuse» von Sylvio Lazzari.

Delorie, Annie, *17. 1. 1925 Amsterdam.

de los Angeles, Victoria; Schülerin von Dolores Frau am Konservatorium von Barcelona. Bühnendebüt in der Saison 1945–46 als Gräfin in «Figaros Hochzeit» (Teatro Liceo Barcelona). 1949 sang sie am gleichen Haus die Eva in den «Meistersingern» und die Elisabeth im «Tannhäuser» in deutscher Sprache. 1950 Debüt an der Mailänder Scala als Ariadne in «Ariadne auf Naxos» von R. Strauss. 1951 hörte man sie dort als Donna Anna im «Don Giovanni», 1955 als Agathe im «Freischütz». An der Metropolitan Oper New York, der sie 1951–61 angehörte, hat sie 13 Partien in 103 Vorstellungen (im Haus der Oper in New York) gesungen, darunter die Mimi in «La Bohème», die Manon von Massenet, die Gräfin in «Nozze di Figaro», die Butterfly, die Traviata, die Rosina im «Barbier von Sevilla», die Eva in den «Meistersingern», die Elisabeth im «Tannhäuser», die Titelfigur in Flotows «Martha», die Desdemona im «Othello» von Verdi, die Mélisande in «Pelléas et Mélisande» und die Micaela in «Carmen». Als man ihr 1987 die Ehrendoktorwürde der Universität Barcelona verlieh, gab sie aus diesem Anlaß nochmals einen Liederabend, ebenso 1990 in Wien und Berlin.

del Pozo, Marimi; eine weitere Tante der Künstlerin war die spanische Sängerin *Ofelia Nieto.*

del Signore, Gino; er gehörte zu dem Ensemble, das am 14. 9. 1955 am Teatro Fenice Venedig Prokofieffs «Ange de Feu» zur Uraufführung brachte.

de Luca, Giuseppe; mit acht Jahren trat er als Knabensopran auf und kam in die Scuola Cantorum der Fratelli Carissimi in Rom, mit zehn Jahren stand er

in einer Kinderrolle auf der Bühne. 1903 sang er an der Mailänder Scala den Alberich im Nibelungenring. 1906–12 unternahm er alljährlich eine Rußland-Reise und kam dabei an den Opernhäusern von Warschau, Odessa, Moskau und Kiew zu großen Erfolgen. Am 4.8. 1914 sang er am Teatro Colón Buenos Aires in der Uraufführung von Carlo Lopéz Buchardos Oper «El Sueño d'Alma». Nach einem glanzvollen Gastspiel in Havanna kam er 1915 an die Metropolitan Oper New York, an der er über dreißig Jahre als erster Bariton wirkte. Als die Direktion der Metropolitan Oper 1935 die Gagen der Solisten kürzte, kündigte er seinen Vertrag mit dem Haus und ging in seine italienische Heimat zurück, trat aber in der Saison 1940–41 nochmals an der Metropolitan Oper in einigen Partien (Rigoletto, Germont-père, Figaro) auf. Während der Zeit des Zweiten Weltkrieges hielt er sich seit 1941 in Rom auf, kam aber sogleich nach Kriegsende wieder in die USA. 1946 gab er hier ein Konzert in der New Yorker Town Hall und trat an der Metropolitan Oper in einem Sunday Night Concert auf. Einer seiner Schüler war der bekannte Bariton Leonard Warren.
Schallplatten: Seine ersten Aufnahmen kamen bei G & T (Mailand, 1903–04) heraus, dann auf Fonotipia (1905–08), zahlreiche Aufnahmen auf Victor (1917–32), 1946 auf amerikan. Decca altitalienische Arien, dazu viele Privat- und Clubaufnahmen aus der letzten Zeit seiner Karriere.

de Luca, Libero; studierte 1932–34 in München bei Max Kraus. Seine Stimme wurde durch Alfredo Cairati vom Bariton zum Tenor umgeschult. Er sang bereits seit 1940 am Städtebundtheater Biel-Solothurn. Bis 1960 ist er an den beiden großen Opernhäusern der französischen Metropole Paris aufgetreten. Als Konzertsänger (Oratorium wie Lied) hörte man ihn in Zürich, Basel und Bern, in Bordeaux, Straßburg und Paris.
Schallplatten: Decca (Wilhelm Meister in «Mignon» von A. Thomas), Melodram (Canio im «Bajazzo», Titelheld in «Joseph» von Méhul), Rodolphe Records («Così fan tutte»), DGG (Lieder und Arien).

de Lucia, Fernando; er sang am 10.11. 1892 in Florenz in der Uraufführung einer weiteren Oper von Pietro Mascagni, «I Rantzau», am 25.3. 1895 an der Mailänder Scala in dessen «Silvano». 1892 übernahm er an der Covent Garden Oper London wie auch 1894 an der New Yorker Metropolitan Oper die Titelpartie in «Amico Fritz» von Mascagni. Als Debütrolle sang er am 11.12. 1893 an der Metropolitan Oper New York den Canio im «Bajazzo» von Leoncavallo, den er auch in der englischen Erstaufführung der Oper am 19.5. 1893 an der Covent Garden Oper London kreiert hatte. Er blieb an der Metropolitan Oper nur für eine Saison und sang dort u. a. den Turiddu in «Cavalleria rusticana», den Herzog im «Rigoletto», den Faust von Gounod, den Alfredo in «La Traviata», den Don Ottavio im «Don Giovanni» und den José in «Carmen». An der Covent Garden Oper gastierte er 1905 zum letztenmal. Nach der Uraufführung der Oper «Iris» von Mascagni am

Teatro Costanzi Rom (22.11. 1898) sang er die Partie des Osaka auch im folgenden Jahr 1899 in der Premiere des Werks an der Mailänder Scala. Letztmalig stand der Künstler, dessen Name vor allem auch mit der aufkommenden veristischen Oper verbunden bleibt, wohl 1917 in Neapel auf der Bühne. Von seinen vielen Schülern sind noch Enzo de Muro Lomanto und Melchiorre Luise zu nennen.
Schallplatten: Erste Aufnahmen auf G & T (1902–1903); sang dann auf HMV und Fonotipia (seit 1910), 1920–22 auf Phonotype (hier fast vollständige Aufnahmen «Rigoletto» und «Barbier von Sevilla»). Insgesamt existieren von seiner Stimme über 400 Schallplattentitel.

de Lussan, Zélie; sie erhielt ihre Ausbildung durch ihre Mutter, die französische Sängerin *Eugénie de Lussan*. Bühnendebüt 1884 in Boston als Arline in «The Bohemian Girl» von Balfe. In London hörte man sie auch als Cherubino in «Nozze di Figaro», als Papagena in der «Zauberflöte» und als Bertha in Meyerbeers «La Prophète», vor allem aber als Carmen. 1899 sang sie an der Covent Garden Oper London in der Premiere von Puccinis «La Bohème» die Musetta zusammen mit Nellie Melba und Fernando de Lucia. Sie trat in Hofkonzerten vor Königin Victoria von England auf Schloß Windsor auf. Seit 1894 war sie für drei Spielzeiten an der Metropolitan Oper New York engagiert. An diesem Haus trat sie als Nannetta in Verdis «Falstaff», als Nedda im «Bajazzo», als Cherubino, als Zerline im «Don Giovanni», insgesamt in acht verschiedenen Rollen, auf. In England unternahm sie Tourneen mit der Moody-Manners Company und trat bei verschiedenen Vaudeville-Truppen auf. Sie nahm in London ihren Wohnsitz und wurde zu einer bekannten Figur im Musikleben der englischen Metropole. Kurz vor ihrem Tod gab man auf IRCC eine ursprünglich auf Beka aufgenommene Arie aus Gounods «Le Tribut de Zamora» heraus, der sie einige ergreifende Worte als Widmung vorausschickte.

del Zopp, Rudolf; er etablierte sich später als Operettensänger in Berlin.

de Macchi, Maria, * 1870 Peruzzaro bei Turin; ausgebildet durch Augusta Boccabadati-Francalucci in Turin. 1892 kam es zu einem zweiten Debüt im dramatischen Sopranfach am Theater von Civitanova in der Rolle der Leonore in Verdis «La forza del destino». 1895–96 sang sie am Teatro Comunale von Triest, 1898 erschien sie am Teatro Comunale Bologna in einem großen Wagner-Konzert unter dem Dirigenten Martucci. 1900 gab sie ein glanzvolles Konzert in Neapel zusammen mit dem berühmten Violinisten Joseph Joachim. 1901 Gastspiel am Deutschen Theater Prag in einem Zyklus von Wagner-Opern. Am 16.8. 1902 wirkte sie am Teatro Verdi Vicenza in der Uraufführung der Oper «Cecilia» von Giacomo Orefice mit. Diese Oper und die Titelrolle in «Aida» sang sie dann auch 1903 am Teatro Dal Verme Mailand.

de Marchi, Emilio, * 6.1. 1861 Voghera (bei Padua); debütierte 1886 am Teatro Dal Verme Mailand als

Alfredo in «La Traviata». Seine Antrittsrolle an der Mailänder Scala war der Walther von Stolzing in den «Meistersingern» (1898). An der New Yorker Metropolitan Oper sang er als erste Partie im Januar 1902 den Cavaradossi in der Premiere von Puccinis «Tosca». In zwei Spielzeiten ist er an der Metropolitan Oper in 14 Partien zu hören gewesen: als Radames in «Aida» und als Titelheld in Verdis «Ernani», als Turiddu in «Cavalleria rusticana» und als Canio im «Bajazzo», als José in «Carmen» und als Riccardo in Verdis «Ballo in maschera», als Alfredo in «La Traviata» und als Rodolfo in «La Bohème».

de Méo, Cléontine; Schallplatten: Ihre einzige Columbia-Platte enthält die Arie «Divinités du Styx» aus «Alceste» von Gluck und die Agathen-Arie aus dem «Freischütz».

de Méric, Marie-Joséphine, Sopran, * 22. 3. 1800 Straßburg, † 1877 (?); sie hieß eigentlich Marie-Joséphine Bonnaud und trat unter diesem Namen zuerst in ihrer Heimatstadt Straßburg als Konzertsängerin auf. Ihr Bühnendebüt erfolgte 1823 unter dem Namen Mlle de Méric an Théâtre Louvois in Paris in der Partie der Amenaide in Rossinis «Tancredi». Im Dezember 1825 trat sie an der Mailänder Scala auf, gab Gastspiele in den großen italienischen Städten und kam gegen Ende des Jahres 1827 wieder nach Paris zurück. In Italien sang sie unter dem Namen Giuseppina Demery (oder auch Demeri). Im August 1827 hatte sie in Livorno den englischen Impressario Joseph Glossop geheiratet, der in erster Ehe mit der englischen Sopranistin *Elizabeth Fearon* verheiratet gewesen war. In Paris sang sie seit ihrer Rückkehr in die französische Metropole meistens unter dem Namen Mme Glossop. Aus dieser Ehe ging eine Tochter, *Émilie de Méric* hervor, die 1830 in Paris geboren wurde. Joséphine de Méric kam 1832 an das King's Theatre London (wo sie unter diesem Namen auftrat) und hatte dort während zwei Spielzeiten glänzende Erfolge. Hier sang sie 1833 in den englischen Erstaufführungen der Bellini-Opern «Norma» und «I Capuleti ed I Montecchi» als Partnerin der großen Giuditta Pasta die Partien der Adalgisa bzw. der Giulia. Im gleichen Jahr sang sie die Donna Elvira in Aufführungen des «Don Giovanni», in denen die nicht weniger berühmte Wilhelmine Schröder-Devrient als Donna Anna mitwirkte. Nachdem ihr Gatte mit seinen Unternehmungen Bankrott hatte, trennte sie sich von diesem und heiratete den italienischen Tenor *Alexander Timoleone*. Seit 1834 gastierte sie wieder in Italien, trat aber in der Frühjahrssaison 1834 auch am Königstädtischen Theater Berlin auf. 1846 war sie wieder in ihrer Heimatstadt Straßburg anzutreffen; dort gab sie zusammen mit A. Timoleone und ihrer Tochter Émilie Unterricht und trat in Konzerten auf. 1865 war sie in Paris, doch werden die Nachrichten über die Künstlerin immer spärlicher. Jedenfalls lebte sie noch im März 1876 und ist wahrscheinlich im darauf folgenden Jahr 1877 gestorben. Sie darf keineswegs mit der fast gleichaltrigen französischen Sopranistin *Henriette Méric-Lalande* (1799–1867) verwechselt werden; es bestand wohl mit Sicherheit keine verwandtschaftliche Beziehung zwischen den beiden Sängerinnen. – (Neufassung) –.

de Méric-Lablache, Émilie, Mezzosopran, * 6. 10. 1830 Paris, † 1901; sie war die Tochter der berühmten französischen Sopranistin *Marie-Joséphine de Méric* (1800–1877) und des englischen Impresarios Joseph Glossop. Sie wurde wahrscheinlich durch ihre Mutter ausgebildet. Ihr Bühnendebüt fand im November 1845 in Paris in «Maria di Rohan» von Donizetti statt. 1846 hielt sie sich in Straßburg auf, erteilte dort zusammen mit ihrer Mutter und ihrem Stiefvater, dem italienischen Tenor *Alexander Timoleone*, Gesangunterricht und gab Konzerte. 1849–50 sang sie während zwei Spielzeiten, noch unter dem Namen Mlle de Méric, an der Covent Garden Oper London. Zu Beginn der fünfziger Jahre kam sie zu einer sehr erfolgreichen Karriere mit abwechselnden Bühnenauftritten in St. Petersburg und Wien. Im September 1854 heiratete sie in Maisons-Lafitte bei Paris Nicolas Lablache, einen Sohn des berühmten Bassisten *Luigi Lablache* (1794–1858). Seitdem trat sie zumeist unter dem Namen Mme de Méric-Lablache auf. Seit etwa 1860 hatte sie eine bedeutende Karriere in England wie in Nordamerika, und zwar sowohl als Bühnen- wie als Konzertsängerin. Gelegentlich erschien sie auch in Deutschland, so 1863 in Baden-Baden und 1864 in einer Tournee, die sie in mehrere deutsche Städte führte. Wie in der Biographie ihrer Mutter bleiben auch bei ihr manche Details unklar. So ist zwar bekannt, daß sie 1901 in London beigesetzt wurde, doch stehen Todesdatum und -ort nicht fest. Hinzu kommt, daß sie in manchen Quellen irrtümlich als Tochter der französischen Sopranistin *Henriette Méric-Lalande* (1799–1867) bezeichnet wird, die man immer wieder mit ihrer Mutter verwechselt hat. Aus der Ehe von Émilie de Méric und Nicolas Lablache gingen drei Kinder hervor, von denen sich die Tochter *Louise Lablache* auch als Sängerin betätigte.

Demitz, Heinz-Jürgen, † November 1989; auch zu Gast am Nationaltheater Mannheim. Er sang beim Festival von Spoleto 1987 den Amfortas im «Parsifal». Am 26. 9. 1987 wirkte er in Graz in der Uraufführung der Oper «Der Rattenfänger» von Friedrich Cerha mit. Beim Holland Festival von 1988 gastierte er in einer konzertanten Aufführung der «Orestie» von D. Milhaud.

Demougeot, Marcelle; war am Conservatoire National Paris Schülerin der Pädagogen Mangin, Warot, Giraudet, vor allem aber von Hettich. 1907–09 sang sie an französischen Provinztheatern. Einen ihrer größten Erfolge hatte sie an der Grand Opéra Paris, als sie dort innerhalb von acht Tagen die Brünnhilde in der «Walküre» einstudierte sowie 1912 als Isolde im «Tristan». Im gleichen Jahr 1912 wirkte sie an der Grand Opéra in der Premiere der Oper «Déjanire» von Saint-Saëns mit. Bereits 1906 hatte sie dessen Kantate «La Gloire de Corneille» kreiert. 1921 sang sie nochmals an der Grand Opéra die Brünnhilde in der «Walküre». Nachdem sie 1914 dort in der Erstaufführung des «Parsifal» als Kundry aufgetreten war, hatte sie in dieser Partie an zahlreichen französischen Theatern große Erfolge. Sie gastierte auch in Lyon und Vichy. Außerhalb des Wagner-Repertoires gehörten die Aida, die Valentine in Meyerbeers «Hugenotten», die Mathilde in Rossinis «Wilhelm Tell», die Cyria in «Ariane» von Massenet und die Marguerite in «La damnation de Faust» von Berlioz zu ihren Glanzrollen.

Dempsey, Gregory; 1956 Australien-Tournee mit der Elizabethan Opera Company, bei der er in Mozart-Opern auftrat. 1957–58 sang er mit der gleichen Truppe u. a. den Rodolfo in «La Bohème», den Cavaradossi in «Tosca», den Hoffmann in «Hoffmanns Erzählungen», den José in «Carmen» und den Florestan im «Fidelio». In den Jahren 1960 und 1962 war er abermals bei dieser Wanderoper engagiert. 1974 wirkte er bei der English National Opera London in der englischen Erstaufführung von H. W. Henzes «Die Bassariden» mit; beim Edinburgh Festival sang er in der Uraufführung von «Mary Queen of the Scots» von Thea Musgrave (6. 9. 1977).
Schallplatten: HMV (Nibelungenring).

de Muro, Bernardo; nach einem Auftreten am Teatro Petruzzelli in Bari erreichte er bereits 1912 die Mailänder Scala, an der er in der italienischen (wie der europäischen) Erstaufführung von Mascagnis Oper «Isabeau» den Folco sang. An der Scala trat er 1912 auch in der Premiere der Oper «Das Mädchen von Pskow» von Rimsky-Korssakow zusammen mit dem großen russischen Bassisten Fedor Schaljapin auf. Es folgten Gastspiele am Teatro Costanzi Rom, am Teatro Regio Parma, am Teatro Dal Verme Mailand, am Teatro Comunale Bologna, in Neapel, Turin und Triest. 1915 sang er am Teatro Colón Buenos Aires, 1928 in Havanna, 1933 im New Yorker Hippodrome als Manrico im «Troubadour» und als Titelheld in «Andrea Chénier» von Giordano. 1944 gab er in den New Yorker Polo Grounds seine Abschiedsvorstellung als José in «Carmen».

de Muro Lomanto, Enzo, * 11. 2. 1902 Canosa di Puglia (Apulien); er war in Neapel Schüler des großen Tenors Fernando de Lucia. Debüt 1925 am Theater von Catanzaro in Kalabrien. Noch im gleichen Jahr große Erfolge als Cavaradossi und als Herzog im «Rigoletto» am Teatro San Carlo Neapel. 1927 Gastspiele in Budapest und Madrid. Seine Antrittsrolle an der Mailänder Scala war 1928 der Tonio in «La Fille du Régiment» von Donizetti mit Toti Dal Monte in der Titelpartie. Mit ihr zusammen trat er auch in Donizettis «Don Pasquale» auf. Weiter sang er an der Scala den Colombello in der Uraufführung der Oper «Il Re» von Giordano (12. 1. 1929). Aus seiner Ehe mit der großen Koloratrice Toti Dal Monte, die 1932 wieder getrennt wurde, stammte eine Tochter. Er unternahm Tourneen durch Australien, Japan und China. 1943 sang er nochmals an der Scala in einer einzigen Vorstellung den Herzog im «Rigoletto».
Schallplatten: Columbia (vollständiges Intermezzo «Le Furie d'Arlecchino» von Lualdi mit Maria Zamboni).

de Negri, Giovanni, Battista, * 30. 7. 1851 Nizza Montferrato (Piemont). Nach zweijährigem Studium bei Carlo Guasco und bei Luigia Abbadia debütierte er 1878 am Teatro Riccardi in Bergamo in «Poliuto» von Donizetti. 1881 gastierte er in Budapest, 1882 am Deutschen Theater Prag, wo er die Titelrollen in «Robert le Diable» von Meyerbeer und von Verdis «Ernani» sang. Es folgten Auftritte in Messina und am Teatro Principe Alfonso in Madrid. 1885–86 am Teatro Regio Turin, 1886–87 an der Oper von Warschau anzutreffen. Seine große Partie, den Othello von Verdi, sang er zuerst am Teatro Regio Turin, dann an der Mailänder Scala und an vielen Opernhäusern von Rang. Sehr große Erfolge erzielte er an der Scala 1892–93 auch als Samson in «Samson et Dalila» von Saint-Saëns, als Tannhäuser und als Siegmund in der «Walküre». Am 21. 2. 1891 sang er an der Scala in der Uraufführung der Oper «Condor» des brasilianischen Komponisten Carlos Gomes. Letzte Auftritte als Samson und als Tannhäuser am Teatro Comunale Triest.
Schallplatten: Unter seinen Zonophone-Aufnahmen befinden sich Arien aus «Othello» und aus «Norma».

Denemy-Ney, Karoline, † 1884 Salzburg.

Denijs, Thomas; war auch Schüler des berühmten Johannes Messchaert. Während seiner kurzen Opernkarriere in Holland sang er noch den Masetto im «Don Giovanni» und den Wolfram im «Tannhäuser», ging dann aber ganz zum Konzertgesang über. Bis 1935 trat er Jahr für Jahr in den Aufführungen der Matthäuspassion unter Willem Mengelberg auf, später in einem Solistenquartett, das außer ihm mit Mia Peltenburg, Ilona Durigo und Karl Erb besetzt war.
Schallplatten: Auf der kleinen deutschen Marke Mignon kamen holländische Kinderlieder heraus.

Denize, Nadine; seit 1977 Gastspiele an der Hamburger Staatsoper. An der Opéra du Rhin Straßburg trat sie im Lauf ihrer Karriere immer wieder auf, so u. a. 1986 als Ortrud im «Lohengrin». Diese Partie sang sie 1987 an der Oper von Lyon; 1988 am Teatro Colón Buenos Aires als Marguerite in «La damnation de Faust» von Berlioz zu Gast, in Florenz als Brangäne im «Tristan». An der Opéra-Comique Paris hörte man sie 1988 als Marina im «Boris Godunow». Von den vielen Partien die sie sang, seien noch die Concepcion in «L'Heure espagnole» von Ravel, die Venus im «Tannhäuser» und die Fricka im Nibelungenring genannt.
Schallplatten: HMV («Guercoeur» von Albéric Magnard), Rizzoli Records (Kantaten von Ravel).

Dens, Michel; er sang 1934–36 am Opernhaus von Lille, am 1. 6. 1951 an der Opéra-Comique Paris in der Uraufführung der Oper «Madame Bovary» von Bondeville. Seine Karriere dauerte sehr lange; noch 1979 ist er in großen Partien, darunter als Scarpia, an Theatern wie Calais und Perpignan aufgetreten.

de Paolis, Alessio; er sang am Teatro Goldoni Venedig in der Uraufführung der Oper «La favola d'Or-

feo» von Alfredo Casella (6. 9. 1932), 1936 an der Oper von Rom in der von Alfanos «Cyrano de Bergerac». An der Metropolitan Oper New York hat er in 26 Spielzeiten 50 Partien in 1212 Vorstellungen gesungen (ungerechnet die Vorstellungen im Verlauf der jährlichen Gastspieltournee des Ensembles).
Schallplatten: EJS (Beppe im «Bajazzo»), auf Bruno Walter Society wie auf Robin Hood Records singt er den Basilio in «Nozze di Figaro» in Mitschnitten von Aufführungen der Metropolitan Oper von 1944 bzw. 1952.

de Pasquali, Bernice; nach ihrer Heirat mit dem Tenor *Pietro de Pasquali* ist sie während ihrer ganzen Karriere unter diesem Namen aufgetreten. Während der USA-Tournee mit dessen Operntruppe hatte sie vor allem in Chicago große Erfolge. 1909 debütierte sie an der Metropolitan Oper New York als Violetta in «La Traviata». Sie wurde hier bekannt, als sie 1909 die große Primadonna Marcella Sembrich kurzfristig als Susanna in «Figaros Hochzeit» ersetzte. Sie blieb bis 1915 als erste Koloratursopranistin Mitglied des Hauses, wo sie auch als Rosina im «Barbier von Sevilla», als Adina in «Elisir d'amore», als Gilda im «Rigoletto», als Norina im «Don Pasquale» und als Micaela in «Carmen» auftrat. 1910 kreierte sie in Cincinnati die Oper «Paoletta» von Pietro Floridia.
Ihre Columbia-Schallplatten kamen 1912–14 heraus.

de Philippe, Edis, † 15. 7. 1978 Tel Aviv.

Děpoltová, Eva; sie war 1974–76 am Theater von Ostrava engagiert. Sie sang auch die Donna Anna im «Don Giovanni» in der Galavorstellung zum 200. Jahrestag der Prager Uraufführung des Werks im Oktober 1987. Gastspiele führten die Künstlerin an Bühnen in Ost- und Westdeutschland, in Österreich, Polen und in der Türkei. Aus ihrem umfangreichen Bühnenrepertoire sind noch die Lady Macbeth in Verdis «Macbeth», die Traviata wie die Titelheldinnen in den Opern «Manon Lescaut», «Tosca» und «Turandot» von Puccini zu nennen.
Schallplatten: Supraphon («Der listige Bauer» von Dvořák, «Die Wunder unserer Lieben Frau» von B. Martinů).

Depraz, Xavier; er sang noch 1987 bei den Festspielen von Glyndebourne den Zuniga in «Carmen».
Schallplatten: Rodolphe Records («Francesca da Rimini» von Zandonai).

de Reszke, Édouard; er sang am Théâtre-Italien Paris 1876 in der Erstaufführung von Verdis «Aida» die Partie des Königs. An diesem Haus sang er auch 1883 in der Premiere von Verdis «Simon Boccanegra» (in der Neufassung der Oper) den Fiesco, 1884 in der ersten Aufführung von Massenets «Hérodiade» in Paris den Phanuël. Bis 1885 ist er am Théâtre-Italien aufgetreten. An der Mailänder Scala, an der er (wie auch 1880 an der Covent Garden Oper London) als Indra in Massenets «Le Roi de Lahore» debütierte, wirkte er in den Urauf-

führungen der Opern «Il Figliuol prodigo» von Ponchielli (26. 12. 1880) und «Maria Tudor» von Carlos Gomes (27. 3. 1879) mit. An der Grand Opéra Paris hörte man ihn in den Uraufführungen von «Le Cid» von Massenet (30. 11. 1885 als Don Diège), «Patrie» von Émile Paladilhe (20. 12. 1886 als Duc d'Alba) und «Aben-Hamet» von Théodore Dubois (Dezember 1885 als Duc de Santa Fé). 1891 sang er erstmals mit dem Ensemble der Metropolitan Oper New York auf deren Gastspieltournee in Chicago den Landgrafen im «Tannhäuser» und debütierte einige Tage später im November 1891 an deren New Yorker Haus als Frère Laurent in «Roméo et Juliette». Er sang dort Partien wie den Leporello im «Don Giovanni», den Marcel in Meyerbeers «Hugenotten», den Grafen Almaviva in «Nozze di Figaro», den Ramphis in «Aida», den Basilio im «Barbier» von Sevilla, den Titelhelden in «Mefistofele» von Boito und den Mephisto im «Faust» von Gounod, wurde aber vor allem durch seine Wagner-Heroen bekannt (Daland, Hans Sachs, Marke, Hagen, Wanderer), die er zuerst in italienischer, seit 1896 in deutscher Sprache sang. Nur in den Spielzeiten 1892–93 und 1897–98 blieb er der Metropolitan Oper fern, an der er 377 Vorstellungen von 29 Rollen gegeben hat (ohne die Vorstellungen innerhalb der alljährlichen Tournee des Ensembles). 1899 trat er in einem Hofkonzert zum 80. Geburtstag der englischen Königin Victoria auf.

de Reszke, Jean; er sang u. a. 1876 in Paris den Fra Melitone in Verdis «La forza del destino». Bei seinem Tenor-Debüt 1879 am Teatro Real Madrid trat er in «Robert le Diable» zusammen mit seiner Schwester Joséphine de Reszke auf. Vor seinem offiziellen Debüt an der Metropolitan Oper New York im Dezember 1891 war er bereits im November 1891 mit dem Ensemble dieses Hauses während der alljährlich stattfindenden Gastspieltournee in Chicago als Lohengrin aufgetreten. Bis 1901 blieb er mit Ausnahme der Spielzeiten 1892–93, 1897–98 und 1899–1900 an der Metropolitan Oper tätig, wo er in der zweiten Hälfte seines Engagements auch als Tristan, als Walther von Stolzing in den «Meistersingern», als Lohengrin, als Siegfried im Nibelungenring und als Siegmund in der «Walküre» gefeiert wurde. Nach zweijährigem Sprachstudium sang er seit 1895 das Wagner-Repertoire in deutscher Sprache, wobei er als Tristan 1895 einen sensationellen Erfolg hatte. Am 29. 4. 1901 nahm er in einer Galavorstellung des 2. Aktes von Wagners «Tristan» vom Publikum der Metropolitan Oper Abschied, an der er 17 verschiedene Partien in 227 Vorstellungen (allein in deren New Yorker Haus) gesungen hatte. Weitere Schüler des großen Sängers und Pädagogen waren Leo Slezak, Mary Lewis, Albert Lindquest und Rachel Frease-Green.

Dereyne, Fély; sie sang an der Metropolitan Oper New York auch die Nedda im «Bajazzo» mit Enrico Caruso als Partner. An der Oper von Boston wirkte sie in der amerikanischen Erstaufführung der Oper «La Habanéra» von Raoul Laparra mit (1910).
Schallplatten: Ihre Columbia-Platte von 1912 ent-

hält die Arie der Musetta aus «La Bohème» und eine Szene aus «Manon» von Massenet.

de Ridder, Anton; seit 1956 für mehr als dreißig Jahre am Staatstheater Karlsruhe verpflichtet, seit 1962 immer wieder als Gast am Theater am Gärtnerplatz München zu hören. Bei den Festspielen von Salzburg wirkte er 1985–87 in «Capriccio» von R. Strauss, in Karlsruhe in der Uraufführung von Rainer Kunads «Der Meister und Margarita» (9. 3. 1986) mit.

Dériza, Marguerite, s. unter *Bériza, Marguertite.*

Derksen, Jan, Bariton/Tenor; nach seinem Wechsel ins Tenorfach trat er auch als Titelheld im «Parsifal» auf.

Dermota, Anton, † 22. 6. 1989 Wien; er wuchs in ärmlichen Verhältnissen heran; auch sein Bruder *Gašper Dermota* (1917–69) wurde in seiner jugoslawischen Heimat als Tenor bekannt. 1936 wurde er durch Bruno Walter an die Wiener Staatsoper geholt; bis 1966 blieb er deren Mitglied, trat aber auch noch später dort als Gast auf. Neben seinen Mozart-Partien verdienen sein Florestan, sein Alfred in der «Fledermaus», sein Steuermann im «Fliegenden Holländer», sein Lenski im «Eugen Onegin» und aus dem letzten Drittel seiner Bühnenkarriere sein Titelheld in «Palestrina» von Hans Pfitzner und sein Mathias Freudhofer im «Evangelimann» von W. Kienzl Erwähnung.
Schallplatten: Preiser («Das Buch mit sieben Siegeln» von Franz Schmidt); er sang auf Movimento musica in der Matthäuspassion von J. S.Bach, auf Fonit Cetra den Tamino in der «Zauberflöte» (Salzburg, 1951).

Dernesch, Helga, Sopran/Mezzosopran; 1982 gastierte sie an der Oper von San Francisco als Herodias in «Salome» und sang dort 1984–85 die Fricka und die Erda im Ring-Zyklus. Sie debütierte 1985 an der Metropolitan Oper New York als Marfa in «Khovantchina» von Mussorgsky; in der Uraufführung der Oper «Lear» wie auf der Schallplattenaufnahme dieser Oper auf DGG sang sie die Partie der Goneril. 1989 sang sie in Ring-Aufführungen an der Mertropolitan Oper die Fricka und die Waltraute, dazu die Amme in der «Frau ohne Schatten».
Weitere Schallplatten: HMV-Electrola («Troades» von A. Reimann), DGG («Arabella» von R. Strauss).

Dershinskaya, Xenia (Giorgijewna); Schallplatten: Lisa in vollständiger Aufnahme «Pique Dame» von Tschaikowsky, Jaroslawna in «Fürst Igor» von Borodin).

Deschamps-Jehin, Blanche; an der Oper von Monte Carlo sang sie am 4. 3. 1894 in der Uraufführung der Oper «Hulda» von César Franck (nach dem Tod des Komponisten) die Titelrolle.

de Segurola, Andrea; er kam 1902 für eine Saison an die Metropolitan Oper New York, an der er als König in Verdis «Aida» debütierte. Seit 1903 große Erfolge an den führenden italienischen Opernhäusern, namentlich am Teatro Regio Parma, 1905 an der Oper von Havanna, 1907 an der Oper von Boston. Am Manhattan Opera House New York trat er u. a. in «La Sonnambula» und in «I Puritani» von Bellini auf. 1909 wurde er abermals an die Metropolitan Oper New York verpflichtet, an der er jetzt bis 1923 tätig war. Man hörte ihn dort als Colline in «La Bohème», als Geronte in Puccinis «Manon Lescaut», als Warlaam in der amerikanischen Erstaufführung des «Boris Godunow» (1913), 1912 in der Premiere von «Le Donne curiose» von E. Wolf-Ferrari, 1918 in der von Mascagnis «Lodoletta» und in den Uraufführungen von «Madeleine» von V. Herbert (24. 1. 1914) und «Madame Sans Gêne» von Giordano (25. 1. 1915). 1913 gastierte er bei den Verdi-Jahrhundertfeiern am Teatro Regio Parma in Verdi-Opern. 1931 sang er überraschend einige Bariton-Rollen (Marcello in «La Bohème», Sharpless in «Madame Butterfly»). Im gleichen Jahr ließ er sich als Pädagoge in Los Angeles nieder.

Desmond, Astra, * 10. 4. 1898 Torquay (Grafschaft Devonshire, England) † 16. 8. 1973 London; sie sang u. a. unter Sir Henry Wood an der Londoner Covent Garden Oper die Ortrud im «Lohengrin». 1937 lernte sie Norwegisch, um die Lieder von Edvard Grieg in ihrer Originalsprache vortragen zu können. Sie sang diese dann in einer Serie von Rundfunksendungen der BBC London und wurde dafür 1943 vom norwegischen König Hakon mit einem Orden ausgezeichnet.
Schallplatten: Decca (Lieder von Grieg).

Destinn, Emmy; sie studierte Violinspiel bei Ferdinand Lachner, dann 1892–96 Gesang bei Marie Loewe-Destinn in Prag. Im August 1898 sang sie die Santuzza an der Berliner Kroll-Oper. Im September 1898 debütierte sie, wiederum als Santuzza, an der Hofoper Berlin. Sie blieb deren Mitglied bis 1908. 1903 sang sie am Theater des Westens Berlin die Milada in der deutschen Erstaufführung von Smetanas «Dalibor». 1901–02 gastierte sie in Bayreuth als Senta. Als Antrittsrolle sang sie 1904 an der Covent Garden Oper London die Donna Anna im «Don Giovanni». Sie kreierte dort die Butterfly für London als Partnerin von Enrico Caruso und Antonio Scotti (1905), 1906 die Tatjana im «Eugen Onegin» zusammen mit Mattia Battistini. 1907 hatte sie am Théâtre Châtelet Paris aufsehenerregende Erfolge, als sie dort für Paris die Titelfigur in «Salome» von R. Strauss kreierte. An der Metropolitan Oper New York, an der sie (im eigentlichen Haus) in 247 Vorstellungen von 22 Partien auftrat, sang sie am 10. 12. 1910 in der Uraufführung von Puccinis «La Fanciulla del West» die Partie der Minnie zusammen mit Enrico Caruso und Pasquale Amato. In den zwanziger Jahren gab sie Konzerte in London und 1928 in Berlin. Eine ihrer Schülerinnen war die große tschechische Sopranistin Jarmila Novotná. Emmy Destinn war auch eine begabte Schriftstellerin und sammelte seltene Buchausgaben, von denen sie eine wertvolle Kollektion besaß.

Von ihrer Stimme sind über 200 Schallplattenaufnahmen vorhanden; sie erschienen auf Columbia (1904), Odeon (1905, in Italien unter dem Etikett von Fonotipia vertrieben), HMV (1906–10), amerikan. Columbia (1912), Victor, Edison Diamond (1910, drei Titel). Auf G & T (HMV) sang sie in den kompletten Opern «Faust» und «Carmen» (Berlin, 1908).

de Strozzi, Violetta, * April 1897 Sarajewo; eigentlicher Name Ljubica Oblak-Strozzi. Gesangstudium am Konservatorium von Zagreb (Agram) bei Milka Ternina und bei Irene Schlemmer-Ambros in Wien. Debüt 1916 an der Oper von Zagreb als Jungfer Anne in den «Lustigen Weibern von Windsor» von Nicolai. Sie blieb bis 1922 an diesem Haus tätig, sang 1922–24 am Opernhaus von Breslau und war 1924–33 an der Berliner Staatsoper engagiert. Hier sang sie ein vielgestaltiges Bühnenrepertoire, das Partien wie die Aida, die Tosca, die Leonore im «Troubadour» wie in Verdis «La forza del destino», die Santuzza in «Cavalleria rusticana», die Martha in «Tiefland» von d'Albert, die Titelfiguren in den Richard Strauss-Opern «Salome» und «Ariadne auf Naxos», die Jenufa in der gleichnamigen Oper von Janáček, die Elisabeth im «Tannhäuser» und die Irene im «Rienzi» von R. Wagner (Berlin, 1932) enthielt. 1927 gastierte sie an der Staatsoper von Wien, 1928 an der Berliner Kroll-Oper, weitere Gastspiele in Paris, Prag und Rom. 1933 wanderte sie nach Nordamerika aus, wo sie 1934–35 der Cosmopolitan Opera angehörte, mit der sie im New Yorker Hippodrome zu Gast war.
Schallplatten: Akustische Aufnahmen auf Odeon und Homochord, einige wenige elektrische auf Odeon und HMV. – (Neufassung) –.

de Trévi, José, *31.3. 1890 Lüttich, †21.1. 1958 Brüssel.

de Tréville, Yvonne; Schallplatten: Von den Edison-Aufnahmen der Künstlerin wurde eine, der «Éclat de rire» aus «Manon Lescaut» von Auber, auch auf Edison-Zylindern veröffentlicht.

de Tura, Gennaro; Debüt 1905 in Reggio Calabria als Loris in «Fedora» von Giordano. Sang 1907 am Teatro Carlo Felice Genua in der Premiere der Oper «La figlia di Jorio» von Franchetti, 1909 in Livorno, 1910 am Teatro Coliseo Buenos Aires den Pollione in «Norma» und den Canio im «Bajazzo». 1914 gastierte er an der Oper von Havanna (Teatro Payret) als Radames in «Aida», als Manrico im «Troubadour», als Riccardo in Verdis «Ballo in maschera» und als Canio. 1919 kreierte er am Teatro Carlo Felice Genua die Oper «Alba Eroica» von Monleone. Pädagogische Tätigkeit in Mailand.
Schallplatten: Seine HMV-Aufnahmen erschienen in den USA unter dem Etikett von Victor.

Deutekom, Cristina; sie erhielt eine kurze Ausbildung am Konservatorium von Amsterdam durch Coby Riemersmaa. Nach ihrem Debüt 1974 an der New Yorker Metropolitan Oper sang sie dort in den folgenden drei Spielzeiten u. a. die Donna Anna im «Don Giovanni» und die Elena in Verdis «Vespri Siciliani». 1976 wirkte sie bei den Festspielen in der Arena von Verona mit.

de Vere, Clémentine; an der Metropolitan Oper New York hörte man sie in den Jahren 1897–1901 auch als Violetta in «La Traviata», als Susanna in «Figaros Hochzeit», als Donna Elvira im «Don Giovanni», als Gilda im «Rigoletto», als Marguerite im «Faust» von Gounod, als Königin Marguerite de Valois in Meyerbeers «Hugenotten» und als Inez in dessen «Africaine».
Schallplatten: Von den wenigen Aufnahmen, die von ihrer Stimme vorhanden sind (vier Bettini-Zylinder von 1898 sowie die erwähnten Edison-Aufnahmen), kann allenfalls eine Arie aus «Maritana» von V. Wallace eine Vorstellung von der Qualität ihrer Stimme vermitteln.

Devlin, Michael; Gesangstudium bei Norman Treigle und Daniel Ferro in New York. Seit 1966 trat er an der New York City Centre Opera auf. 1978 wurde er an die Metropolitan Oper New York engagiert, an der er als Escamillo in «Carmen» debütierte. Er sang 1982 wie 1987 in San Francisco und 1986 in Los Angeles den Jochanaan in «Salome», 1988 in Santa Fé den Kommandanten im «Friedenstag» von R. Strauss.

de Voltri, Mafalda; sie sang in der Saison 1920–21 am Teatro Dal Verme Mailand die Gilda im «Rigoletto» und in der Oper «Dejanice» von Catalani. Im gleichen Jahr gastierte sie in Neapel als Titelheldin in Ponchiellis «La Gioconda». Am Teatro Donizetti Bergamo trat sie 1924–25 als Anna in Catalanis «Loreley» auf.

Devos, Louis; Schallplatten: Erato-RCA (Requiem von Mozart).

Devriès, David, * 1881 Bagnères-de-Luchon (Departement Haute-Garonne); Sohn (nicht Neffe) des Baritons *Maurice Devriès* (1854–1919), Neffe von *Hermann Devriès* (1858–1949), *Fidès Devriès* (1851–1941) und *Jeanne Devriès* (1850–1924). 1907 wirkte er an der Pariser Opéra-Comique in der Uraufführung der Oper «Circé» der Brüder Paul und Théodore Hillemacher mit. Am 1. 4. 1913 sang er am Théâtre du Casino Nizza in der Uraufführung der Oper «La Vida breve» von Manuel de Falla (in französischer Sprache) die Partie des Paco. Am Manhattan Opera House New York hatte er als Jean in «Le Jongleur de Notre Dame» von Massenet große Erfolge.
Schallplatten: Seine Odeon-Aufnahmen entstanden um 1930 in elektrischer Aufnahmetechnik.

Devriès, Jeanne, † 1924.

Devriès, Maurice; sein Sohn *David Devriès* (1881–1934) hatte als Tenor, vor allem an der Pariser Opéra-Comique, eine große Karriere.

Stammbaum der Familie Devriès

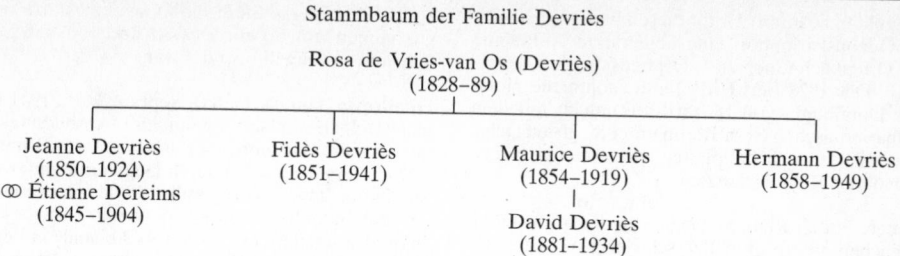

Rosa de Vries-van Os (Devriès)
(1828–89)

Jeanne Devriès (1850–1924) ∞ Étienne Dereims (1845–1904)	Fidès Devriès (1851–1941)	Maurice Devriès (1854–1919) David Devriès (1881–1934)	Hermann Devriès (1858–1949)

de Vries-van Os, Rosa; ihr Enkel *David Devriès* (1881–1934), Sohn von Maurice Devriès, hatte eine große Karriere als Tenor in Frankreich wie in Nordamerika.

Diakow, Anton; Schallplatten: HMV (eine weitere vollständige «Boris Godunow»-Aufnahme), Schwann (Stabat mater von Dvořák), Erato («Krieg und Frieden» von Prokofieff), HMV («Samson et Dalila»), DGG (Matthäus-Passion), Pick (Lieder russischer Komponisten).

Diaz, Justino; gewann 1963 den Gesangwettbewerb der New Yorker Metropolitan Oper und wurde sogleich an dieses Haus engagiert (Antrittsrolle: Monterone im «Rigoletto», Oktober 1963). Im Lauf seines Wirkens hat er dort über 30 Partien in mehr als 230 Vorstellungen (im Haus der Oper in New York) gesungen. An der Covent Garden Oper London gastierte er 1976 als Escamillo in «Carmen», 1987 als Jago in Verdis «Othello» zum Jubiläum des 100. Jahrestags der Uraufführung. Die gleiche Partie übernahm er 1986 in einer Film-Version der Oper unter dem Regisseur Zeffirelli. An der Mailänder Scala hörte man ihn 1969 als Maometto II. in der Rossini-Oper «L'Assedio di Corinto». An der City Centre Opera New York sang er 1974 als Antrittsrolle den Francesco in der Oper «Beatrix Cenci» von Alberto Ginastera.
Schallplatten: ASV-Discs (Arien-Platte).

di Cesare, Ezio; 1985 und 1987 Gastspiele an der Opéra de Wallonie Lüttich, 1985 an der Grand Opéra Paris (als Alfredo in «La Traviata»). 1986 wirkte er in Rom in Aufführungen von Spontinis «Agnese di Hohenstaufen» mit, 1987 am Teatro Liceo Barcelona in der spanischen Premiere der Mozart-Oper «Lucio Silla». 1984 trat er an der Mailänder Scala in «Tito Manlio» von Vivaldi, 1986 als Arvino in Verdis «I Lombardi» auf. 1988 sang er beim Festival von Ravenna und bei den Rossini-Festspielen von Pesaro, wo er den Iago in «Otello» von diesem Meister vortrug.
Schallplatten: HMV (Cassio in «Othello» von Verdi).

Dickie, Murray; Debüt 1947 am Cambridge Theatre London als Graf Almaviva in Rossinis «Barbier von Sevilla». 1950–54 war er beim Festival von Glyndebourne als Pedrillo in der «Entführung aus dem Serail» und als Sellem in «The Rake's Progress» von

Strawinsky zu hören. Später Direktor der Oper von Kapstad. Sein Bruder *William Dickie* (1914–84) war ein bekannter Bariton, sein Sohn *John Dickie* (* 1953) ein ebenso bekannter Tenor, der fast das gleiche Repertoire wie sein Vater sang.

Dickie, William, † 1984; gastierte an der Staatsoper von Wien als Posa in Verdis «Don Carlos». Als seine besondere Glanzrolle galt der Figaro in Rossinis «Barbier von Sevilla». 1973 wurde er Generalmanager der Intimate Opera Company.
Schallplatten: Columbia (in vollständigen Aufnahmen von Verdis «La Traviata» von 1955 und «Rigoletto» von 1956, hier als Marullo).

Dicks, Wilhelm Walter; Schallplatten: DGG («Lulu» von A. Berg).

Dickson, Muriel, * 1903 Edinburgh, † 11. 3. 1990 Glasgow; nach ihrem Gesangstudium bei Luigi Ricci in Florenz debütierte sie 1927 bei der D'Oyly Carte Opera Company. 1935 kam sie an die Metropolitan Oper New York (Antrittsrolle: Marie in der «Verkauften Braut»), an der sie bis 1940 u. a. auch die Carolina in Cimarosas «Matrimonio segreto» und die Musetta in «La Bohème» sang. 1938 übernahm sie dort die Titelpartie in der Premiere von Menottis «Amelia al ballo» (in englischer Sprache). Seit 1945 lebte sie wieder in Schottland, unterrichtete an der Royal Scottish Academy of Music und später privat in Glasgow.

Didier, Laura; Schallplatten: HMV (Beppe in Mascagnis «Amico Fritz» zusammen mit Luciano Pavarotti).

Didur, Adam; Schüler von Walery Wysocki in Lwów. Debüt an der Covent Garden Oper London 1905 als Colline in «La Bohème»; sang am 29. 3. 1906 an der Scala in der Uraufführung von Franchettis «La figlia di Jorio». Antrittsrolle am Manhattan Opera House New York: Alvise in «La Gioconda» (1907). An der Metropolitan Oper New York hat er in deren Haus in New York 54 verschiedene Partien in insgesamt 690 Vorstellungen zum Vortrag gebracht.

Diemen, Ursula; der Vater der Sängerin war Holländer, die Mutter Deutsche, sie selbst heiratete später einen Amerikaner. Sie wurde durch Auftritte am Rundfunk, vor allem aber durch ihre Schallplattenaufnahmen bekannt. Unter diesen befand sich auch auf Odeon-Parlophon eine abgekürzte Aufnahme der Offenbach-Operette «Orpheus in der Unterwelt». Das 1928 (auf HMV) aufgenommene «Laudate Dominum» von Mozart, zusammen mit dem Philharmonischen Chor Berlin unter Siegfried Ochs, gehört zu jenen Schallplatten, die einen geradezu legendären Ruhm erlangten.

Diener, Franz; Richard Wagner hielt ihn für einen möglichen Interpreten der schwierigen Partie des Siegfried in seinem Nibelungenring.

Dietrich, Marie, † 14. 12. 1939 Berlin. In den langen Jahren ihres Wirkens an der Berliner Hofoper sang sie dort ein umfangreiches Repertoire mit Partien aus dem Koloratur- wie dem lyrischen Sopranfach.
Schallplattenaufnahmen auch unter dem Etikett von Zonophone.

di Giovanni, Eduardo, s. unter *Johnson*, Edward.

di Giuseppe, Enrico; sang 1965 als Antrittsrolle an der New York City Centre Opera den Michele in Menottis «Saint of Bleecker Street». 1970 kam er an die Metropolitan Oper New York. Hier debütierte er als Turiddu in «Cavalleria rusticana» und trat in den folgenden Spielzeiten als Graf Almaviva in Rossinis «Barbier von Sevilla», als Lindoro in dessen «Italiana in Algeri», als Ferrando in «Così fan tutte», als Alfredo in «La Traviata», als Pinkerton in «Madame Butterfly» und in der Titelpartie der Oper «Werther» von Massenet auf.

di Lelio, Umberto, *1894; Schüler von Antonio Cotogni in Rom. 1923 und 1933 bei den Festspielen von Verona anzutreffen. Von weiteren Partien, die er an der Mailänder Scala gesungen hat, seien der Klingsor im «Parsifal», der Sparafucile im «Rigoletto», der Warlaam im «Boris Godunow», der Lodovico in Verdis «Othello», der Sulpice in «La fille du régiment», der Graf in «Nozze di Figaro», der Wanderer im «Siegfried» und der Ochs im «Rosenkavalier» genannt, den er unter dem Komponisten Richard Strauss an der Scala vortrug.
Seine elektrischen Columbia-Aufnahmen kamen um 1929 heraus.

di Leo, Serafina; studierte nochmals in Mailand bei Mercedes Llopart. 1935 gastierte sie an der Mailänder Scala als eine der Walküren in R. Wagners «Walküre».
Schallplatten: Auf den Etiketten ihrer HMV-Platten wird sie als Serafina di Leo Rafi bezeichnet.

Dima, Elena; sie sang nach ihrer Heirat auch unter dem Namen Elena Dima-Toroiman.
Schallplatten: Electrecord (Leonore im «Troubadour»).

di Mazzei, Enrico, † 1928 Plowdiw (Philippopel, Bulgarien); der Sänger befand sich angeblich 1928 auf einer Tournee in Bulgarien und soll dort bei dem

Erdbeben, das die Stadt Philippopel zerstörte, umgekommen sein. So würde es sich erklären, daß seine Karriere so schnell beendet war.

Dimitrowa, Ghena (Gena), Sopran, * 6. 5. 1941 Beglej (Bulgarien); sie begann ihre Ausbildung am Staatskonservatorium von Sofia bei Cristo Brambaroff und ergänzte diese durch langjährige, intensive Studien in Italien, vornehmlich in der Opernschule der Mailänder Scala. Ihr Bühnendebüt erfolgte 1965 an der Nationaloper von Sofia als Abigaille in Verdis Oper «Nabucco». 1968 gewann sie den Verdi-Gesangwettbewerb in Busseto, 1972 den Concours von Treviso. Nach ersten Erfolgen als gefeiertes Ensemblemitglied der Oper von Sofia unternahm sie seit 1969 internationale Gastspiele. Sie konnte vor allem in Italien, dann auch in Frankreich, in Deutschland und Spanien eine große Karriere zur Entwicklung bringen. 1980–83 bewunderte man ihre Stimme wie ihr darstellerisches Talent bei den Festspielen in der Arena von Verona, wo sie als Aida und in den Titelpartien der Opern «La Gioconda» von Ponchielli und «Turandot» von Puccini auftrat. 1981 sang sie an der Oper von Dallas die Elvira in «Ernani» von Verdi. 1983 hatte sie als Turandot an der Mailänder Scala, an der sie bereits 1972 erstmalig gastiert hatte, einen geradezu sensationellen Erfolg, der sich 1984 an der Londoner Covent Garden Oper wiederholte. In den siebziger Jahren trat sie während fünf Spielzeiten am Teatro Colón von Buenos Aires in ihren großen Rollen auf. Gastspiele führten die Künstlerin an die Deutsche Oper am Rhein Düsseldorf–Duisburg, an das Deutsche Opernhaus Berlin und an die Münchner Staatsoper, an der sie 1987 wiederum als Turandot triumphierte. 1981 USA-Debüt an der Oper von Dallas als Elvira in Verdis «Ernani», 1984 in New York als Abigaille in «Nabucco». Auch an der Metropolitan Oper New York kam sie zu aufsehenerregenden Erfolgen, u. a. 1989 als Santuzza. In Venedig gastierte sie als Amelia in Verdis «Simon Boccanegra», 1982 an der Oper von Rouen als Norma, in Saragossa als Madeleine in «Andrea Chénier» von Giordano mit Placido Domingo als Partner. 1984 hörte man sie als Abigaille in «Nabucco» wie als Odabella in Verdis «Attila» am Teatro Liceo Barcelona, 1984 bei den Salzburger Festspielen als Lady Macbeth in «Macbeth» von Verdi, 1987 in Houston (Texas) und an der Grand Opera Paris als Norma. 1987 sang sie auch die Aida bei den Aufführungen vor den Tempeln von Luxor. 1988 gastierte sie in der Arena von Verona als Turandot, 1989 an der Londoner Covent Garden Oper als Santuzza. Wegen des unerschöpflichen Volumens und der Tonfülle ihrer Stimme wurde sie in Italien gerne mit der unvergeßlichen Gina Cigna verglichen. Höhepunkte ihres Bühnenrepertoires bildeten die dramatischen Sopranpartien der italienischen Opernliteratur: die Abigaille in Verdis «Nabucco», die Odabella in «Attila», die Amelia (Maria) in «Simon Boccanegra», die Aida, die Lady Macbeth, die Giselda in «I Lombardi», ebenfalls von Verdi, die Titelheldin in «La Gioconda», die Madeleine in «Andrea Chénier», die Titelfigur in Bellinis «Norma» und die Turandot in der gleichnamigen

Puccini-Oper. Die Künstlerin ist auch als Konzertsopranistin in Erscheinung getreten.
Schallplatten: Erste Aufnahmen auf der bulgarischen Marke Balkanton; sang dann auf DGG die Abigaille in vollständigem «Nabucco», auf HMV italienische Arien, auf Orfeo in Verdis «Oberto», auf CBS ein Arien-Recital, auf Decca die Amneris in «Aida», auf Topaz-Video in «I Lombardi» von Verdi, auf Nuova Era wie auf Thom-EMI-Video in Puccinis «Turandot»; Mitschnitte von Opernaufführungen unter dem Etikett von HRE («Aida», «La Gioconda»). – (Neufassung) –.

Di Murska, Ilma; * 6. 2. 1834 Ogulin (Kroatien); erste Studien bei V. Lichtenegger in Zagreb (Agram), dann bei J. Netzer in Graz, in Wien und in Paris bei Mathilde Marchesi.

di Palma, Piero, * 1916 Genua. Schallplatten: RCA («Francesca da Rimini» von Zandonai).

Dippel, Andreas; er war der Sohn eines Fabrikanten. Mitglied der Wiener Hofoper in den Jahren 1893–98. Er debütierte am 26. 11. 1890 an der Metropolitan Oper New York in der amerikanischen Erstaufführung der Oper «Asrael» von Franchetti (in deutscher Sprache). Im eigentlichen Haus der Metropolitan Oper New York hat er während zwölf Spielzeiten 191 Vorstellungen von 41 verschiedenen Partien gesungen, darunter den Grafen Almaviva in Rossinis «Barbier von Sevilla», den Edgardo in «Lucia di Lammermoor», den Faust von Gounod, den Radames in «Aida», den Siegfried im Nibelungenring und den Tristan. Verheiratet mit der Schauspielerin Anita Lenau.

Dirkens, Annie; Schallplatten: Pathé-Aufnahmen (Wien, 1908).

di Stasio, Anna; sie sang an der Mailänder Scala zum Teil auch Partien aus dem Comprimario-Fach. 1976 wirkte sie bei den Festspielen in der Arena von Verona mit.

di Stefano, Giuseppe; zuerst wollte er katholische Theologie studieren und trat in das Seminar St. Avialdo in Mailand ein. Dort erregte seine Stimme Aufsehen und er entschloß sich, diese ausbilden zu lassen. Nach einer dreijährigen Militärdienstzeit flüchtete er in die Schweiz, wo er interniert wurde, aber auch bereits als Sänger auftreten konnte. Nach Kriegsende Gesangstudium bei Luigi Montesanto in Mailand. 1946 gastierte er in Venedig und Bologna und eröffnete die Saison am Teatro Liceo Barcelona. 1948 debütierte er an der Mailänder Scala als des Grieux in «Manon Lescaut» von Puccini. 1948–52, 1955–56 und nochmals 1964–65 sang er an der Metropolitan Oper New York (Antrittsrolle: Februar 1948 Herzog im «Rigoletto»). Er ist dort u. a. als des Grieux in «Manon Lescaut», als Rodolfo in «La Bohème», als Cavaradossi in «La Bohème», als Pinkerton in «Madame Butterfly» als Faust von Gounod, als Alfredo in «La Traviata», und als José in «Carmen» bewundert worden. In der Spielzeit

1964–65 sang er an der Metropolitan Oper nur in einer einzigen Vorstellung den Hoffmann in «Hoffmanns Erzählungen». An der Mailänder Scala wirkte er 1961 in der Uraufführung der Oper «Calzare d'argento» von Pizzetti in der Partie des Giuliano mit. Seit 1954 Gastspiele an der Oper von Chicago; in den Festspielsommern 1951–57, 1962 und nochmals 1985 in der Arena von Verona aufgetreten.
Schallplatten: Melodram («Tosca»), Preiser («Land des Lächelns»); erste Aufnahmen seiner Stimme kamen bereits während des Zweiten Weltkrieges auf HMV in der Schweiz heraus, auf deren Etiketten er als Giuseppe Difano bezeichnet wird.

di Veroli, Elda; Schülerin von Ersilia Ceresoli in Rom. Sie debütierte 1919 am Teatro Traiano von Civitavecchia als Gilda im «Rigoletto». Noch im gleichen Jahr 1919 sang sie am Teatro Costanzi in Rom die Norina im «Don Pasquale». In dieser Partie gab sie auch 1926 ein Gastspiel an der Grand Opéra Paris. In der Saison 1936–37 kam ihre Karriere zum Abschluß. Als Jüdin wurde sie in den Jahren des Zweiten Weltkrieges in Italien zunehmend verfolgt und mußte 1943–44 ein ständig gefährdetes Leben im Untergrund führen. 1945 ist sie nochmals in einem Konzert des italienischen Rundfunks RAI aufgetreten.

Dobbs, Mattiwilda; Debüt beim Holland Festival 1952 in Strawinskys «Le Rossignol». Bei den Festspielen von Glyndebourne gastierte sie 1954–56 und 1961 als Zerbinetta in «Ariadne auf Naxos», als Königin der Nacht in der «Zauberflöte» und als Konstanze in der «Entführung aus dem Serail». Sie debütierte an der Metropolitan Oper New York im November 1956 als Gilda im «Rigoletto» und sang dort bis 1964 in acht Spielzeiten sechs Partien in 29 Vorstellungen, darunter die Zerbinetta in «Ariadne auf Naxos», die Olympia in «Hoffmanns Erzählungen», den Pagen Oscar in Verdis «Ballo in maschera», die Zerline im «Don Giovanni» und die Lucia di Lammermoor. 1959 Gastspiel am Bolschoj Theater Moskau. 1973–74 war sie Professorin an der Texas University in Austin, 1975–76 an der University of Illinois, 1976–77 an der University of Georgia, seit 1977 an der Howard University Washington. Schallplatten: HMV (Konstanze in «Entführung aus dem Serail»).

Doe, Doris; einer ihrer Vorfahren war der englische Oratoriensänger *Henry Rice*. Sie wurde in New York durch Frank La Forgue, Sybil Mc Dermid und Charles A. Baker ausgebildet. Zu ihren Bühnenpartien gehörte auch die Wirtin im «Boris Godunow» von Mussorgsky.

Doeme, Zoltan, * 1868 in Ungarn, † Januar 1935 München. Er lebte zuletzt als Gesanglehrer in München.

Dönch, Karl; häufige Gastspiele an der Städtischen Oper (Deutsches Opernhaus) Berlin. 1973–87 Direktor der Wiener Volksoper.

Schallplatten: Melodram («Die schweigsame Frau» von R. Strauss).

Doenges, Paula, Sopran, *17.3. 1874 Leipzig, †15.6. 1931 Langenbrück bei Dresden; sie studierte in Leipzig bei den Pädagogen Rebling und Proft. 1891 kam es zu ihrem Debüt am Opernhaus von Leipzig als Agathe im «Freischütz». Hier sang sie u.a. am 11.11. 1906 in der Uraufführung der Oper «Strandrecht» («The Wreckers») von Ethel Smyth die Partie der Thirza; bereits 1896 hatte sie in Leipzig in der Uraufführung von «Kukuška», einer Jugendoper des späteren großen Operettenkomponisten Franz Lehár, mitgewirkt. Nachdem sie 1906 erfolgreich am Opernhaus von Frankfurt a.M. gastiert hatte, wurde sie 1908 als erste dramatische Sopranistin an dieses Haus verpflichtet. Hier sang sie die großen dramatischen Partien, vor allem die Wagner-Heroinen wie die Brünnhilde im Nibelungenring und die Isolde im «Tristan», aber auch die Leonore im «Fidelio», die Gräfin in «Figaros Hochzeit», die Rezia im «Oberon» von Weber, die Santuzza in «Cavalleria rusticana» und die Katharina in «Der Widerspenstigen Zähmung» von H. Götz. 1909 gestaltete sie in der Frankfurter Premiere der Richard Strauss-Oper «Elektra» die Titelpartie. Bis 1913 blieb sie in Frankfurt tätig und gab dann nur noch einzelne Gastspiele und Konzerte. Sie gastierte an den Hofopern von Dresden (1897, 1902, 1906) und München (1897, 1908), an den Hoftheatern von Hannover (1906), Karlsruhe (1910) und Wiesbaden (1910–11). 1898 hörte man sie an der Wiener Hofoper als Sieglinde in der «Walküre» und als Elisabeth im «Tannhäuser», 1902 an der Covent Garden Oper London als Sieglinde. 1905 sang sie gastweise am Theater von Brünn (Brno), 1909 bei den Wagner-Festspielen in München (Isolde im «Tristan»). – (Neufassung) –.

Dörwald, Lotte, s. unter *Dörwald,* Wilhelm.

Döse, Helena; erregte in den Jahren 1972–75 am Stadttheater von Bern in Partien wie der Donna Anna im «Don Giovanni», der Micaela im «Carmen» und der Jenufa in Janáčeks gleichnamiger Oper Aufsehen. 1975 erfolgreiches Auftreten an der Stockholmer Oper in der Titelpartie der Oper «Katja Kabanowa» von Janáček. Sie gastierte an der Covent Garden Oper London 1974 als Mimi in «La Bohème», später als Agathe im «Freischütz», als Gutrune in der «Götterdämmerung» und als Amelia in Verdis «Simon Boccanegra». 1982 Gastspiel an der San Francisco Opera, 1987 an der Deutschen Oper Berlin als Agathe im «Freischütz», in Kopenhagen als Marschallin im «Rosenkavalier» und 1988 an der Oper von Sydney bei der australischen Zweihundertjahrfeier als Eva in den «Meistersingern». Mitglied der Oper von Frankfurt a.M.; sang als Gast an den Opern von Marseille (Elisabetta im «Don Carlos») und Zürich.
Schallplatten: Virgin Classics (Donna Anna im «Don Giovanni»), Rainbow-Video (Firodiligi in «Così fan tutte», Glyndebourne 1975).

D'Oisly, Maurice, *2.11. 1882 Tunbridge Wells, †18.6. 1949 London.

Dolci, Alessandro; sang 1920 bei den Festspielen in der Arena von Verona den Radames in «Aida».

Dolina, Maria Iwanowna, *1.4. 1868, †2.12. 1919 Petrograd.
Schallplatten: Von der Stimme der Künstlerin sind einige seltene Beka-Platten vorhanden.

Doluchanowa, Zara; sie ging 1938 zur weiteren Ausbildung nach Eriwan, wo sie Schülerin von Alexander Dolukhanian wurde. Ihr eigentliches Bühnendebüt fand erst 1941 am Opernhaus von Eriwan statt, wo sie bis 1944 tätig blieb. Sie sang dort Partien wie den Siebel im «Faust» von Gounod, die Olga im «Eugen Onegin» und die Pauline in «Pique Dame» von Tschaikowsky. Nach dem Zweiten Weltkrieg kam sie in Moskau zu einer großen Karriere als Konzert- und vor allem als Rundfunksängerin, war aber nicht am Bolschoj Theater Moskau engagiert. Sie wurde in besonderer Weise als Bach- und Händel-Interpretin bekannt wie auch durch ihre Gestaltung der schwierigen Partien für Koloratur-Contralto. 1968 gab sie in Moskau ihr Abschiedskonzert. Sie trat als Gast in Norwegen, Schweden, Frankreich, Italien, England, Rumänien, in der ČSSR, in Ostdeutschland wie in Nordamerika auf.
Schallplatten: Auf Melodiya erschienen vollständige Opernaufnahmen, darunter Rossinis «Barbier von Sevilla», «La Cenerentola» (1950) und «L'Italiana in Algeri», auch Rimsky-Korssakows «Die Mainacht».

Domanínská, Libuše; sie sang beim Festival von Edinburgh 1964 die Milada in Smetanas Oper «Dalibor» in der englischen Erstaufführung des Werks. Seit der Spielzeit 1957–58 gastierte sie bis 1968 regelmäßig an der Staatsoper von Wien. Höhepunkte in ihrem Bühnenrepertoire waren die Marie in der «Verkauften Braut», die Titelheldin in Smetanas «Libussa», die Jenufa in Janáčeks gleichnamiger Oper, die Aida, die Elisabetta in «Don Carlos» von Verdi, die Eurydike im «Orpheus» von Gluck und die Titelheldin in «Eva» von Foerster.

Domgraf-Fassbaender, Willi; er sang in Stuttgart 1928 in der Uraufführung der Oper «Scherz, List und Rache» von Egon Wellesz. An der Berliner Kroll-Oper wirkte er auch in Aufführungen von Janáčeks «Aus einem Totenhaus» mit. Zu den Glanzrollen des Künstlers gehörten noch der Wolfram im «Tannhäuser», der Amfortas im «Parsifal», der Rigoletto und der Orest in «Elektra» von R. Strauss; 1943 trat er in Berlin in der Uraufführung der Oper «Schloß Dürande» von Othmar Schoeck auf. In dem Tonfilm «Aufforderung zum Tanz» stellte er den Komponisten Carl Maria von Weber dar, in «Figaros Hochzeit» (1948) den Grafen Almaviva.
Schallplatten: Polydor (u.a. Kurzfassung «Fledermaus»), Cetra Opera Live (Papageno in der «Zauberflöte», Wien 1937).

Domingo, Placido, *21.1. 1941 Madrid; sein Vater war der Bariton *Placido Domingo Ferrer* (1907–87),

seine Mutter die Sopranistin *Josefa (Pepita) Embil,* beide bekannte Zarzuela-Sänger. Sein Vater leitete eine (vor allem in Mexiko und Mittelamerika) reisende Zarzuela-Kompanie als Impresario. Placido Domingo wurde durch die Pädagogen Franco Iglesias und Carlo Morelli in Mexico City ausgebildet. 1960 hörte man ihn an der Oper von Dallas als Arturo in «Lucia di Lammermoor». 1965 sang er als Antrittsrolle an der City Centre Opera New York den Pinkerton in «Madame Butterfly». 1969–70 und 1974–77 hatte er große Erfolge in der Arena von Verona, namentlich als Radames in «Aida». An der Covent Garden Oper London debütierte er 1971 als Cavaradossi in «Tosca». 1985 dirigierte er an der Metropolitan Oper New York Gounods Oper «Roméo et Juliette». Am 5.2. 1987 sang er an der Mailänder Scala in der Jahrhundertfeier der Uraufführung von Verdis «Othello» den Titelhelden (wie hundert Jahre zuvor Francesco Tamagno). Am 23.11. 1986 übernahm er in der Uraufführung der Oper «Goya» von G. C. Menotti in Washington die Titelpartie; diese Partitur hatte der Komponist dem berühmten Sänger gewidmet. Bei der Eröffnung des neuen Opernhauses von Houston/Texas mit Verdis «Aida» 1987 wirkte er als Radames mit; auch an der Londoner Covent Garden Oper gastierte er im Jubiläumsjahr 1987 als Othello. Am 13.7. 1989 sang er im Gala-Konzert zur Eröffnung der neu erbauten Bastille-Oper Paris. Seine Selbstbiographie erschien 1983 unter dem Titel *«My first 40 Years»*.
Schallplatten: HMV («Fledermaus»), Decca («Lohengrin»), Acanta (Arien aus Zarzuelas), DGG (Titelheld im «Tannhäuser»), CBS («Le Cid von Massenet).

Dominguez, Oralia; sang an der Covent Garden Oper London am 27.1. 1955 in der Uraufführung von «A Midsummer Marriage» von Michael Tippett die Sosostris; bei den Festspielen von Glyndebourne hörte man sie 1955 als Quickly in Verdis «Falstaff», 1957 als Isabella in Rossinis «Italiana in Algeri».

Dominici, Ernesto, * 1893 Bricherasio (Piemont), † 16. 1. 1954 Turin; debütierte 1922 am Teatro Regio Turin als Großinquisitor in Verdis «Don Carlos». 1929 sang er an der Mailänder Scala den Tigellino in Boitos «Nerone». Er trat bei den Festspielen von Verona (1926) auf und nahm 1950 an einer Deutschland-Tournee der Oper von Rom teil. Er wirkte in mehreren Uraufführungen von zeitgenössischen italienischen Opern mit: «Dafni» von Mulè (14. 3. 1928 Oper von Rom), «Il Gobbo del Califfo» (4. 5. 1929, Oper von Rom), «Ginevra degli Almieri» von Peragallo (13. 2. 1937 Oper von Rom) und «Terra di leggenda» von L. Rocca (italienischer Rundfunk EIAR Turin 1934). Er wirkte zuletzt als Pädagoge in Turin.
Schallplatten: Cetra (Marchese in «La forza del destino»).

Dominici, Francesco; an der Scala Mailand trat er in vielen Aufführungen, die unter der Leitung von A. Toscanini standen, auf.

Donalda, Pauline; bei der Einwanderung nach Kanada führte ihre Familie noch den Namen Lichtenstein. Das College, auf dem die Künstlerin in Montreal studiert hatte, war durch Sir Donald Smith gegründet worden; man nannte die Absolventen in Montreal «Donalda's». Diese Bezeichnung wählte sie als ihren Künstlernamen. Erste Ausbildung in Montreal am Victoria College durch Clara Lichtenstein (die jedoch nicht mit ihr verwandt war). Debütierte 1905 an der Covent Garden Oper London als Micaela in «Carmen». Sie mußte 1906 wegen einer Augenkrankheit sechs Monate lang pausieren, trat aber Ende des Jahres wieder am Théâtre de la Monnaie Brüssel auf. 1906 ging sie zusammen mit ihrem Gatten *Paul Seveilhac* an das Manhattan Opera House New York, wobei beide die bestehenden Kontrakte mit der Oper von Brüssel brachen. In New York sang Pauline Donalda u. a. 1907 als Antrittsrolle die Marguerite im «Faust» von Gounod, dann die Titelheldin in Flotows «Martha». 1907 Gastspiel an der Oper von Monte Carlo (Debüt als Manon in Massenets bekannter Oper). Seit 1912 gastierte sie regelmäßig an der Londoner Covent Garden Oper, u. a. als Partnerin von Enrico Caruso in «La Bohème» und in «La Traviata». Große Erfolge auch als Konzertsängerin, vor allem bei den Leipziger Gewandhauskonzerten und bei Oratorienaufführungen in England. Während des Ersten Weltkrieges blieb sie in Kanada, wo sie gerade bei Kriegsausbruch ihre Familie besuchte. Sie entwickelte dort allerlei patriotische Aktivitäten und gab ihre «Donalda Afternoon musicales», mit deren Ertrag sie die Bewaffnung der kanadischen Westmouth Rifle Brigade finanzierte. Sie wurde zum Ehrenmitglied der Red Cross Society of Canada ernannt. Nach der Trennung von Paul Seveilhac war sie seit 1918 in zweiter Ehe mit dem dänischen Tenor *Mischa Léon* verheiratet, der 1928 starb.

Donat, Zdislawa; sang während ihres Engagements an der Staatsoper von München auch am dortigen Theater am Gärtnerplatz. Seit 1983 Gastspiele an der Covent Garden Oper London, 1985 bei den Festspielen in der Arena von Verona, 1989 bei den Festspielen von Orange (als Königin der Nacht).

Donath, Helen; Gastspiele an den Staatsopern von Stuttgart und Dresden, am Deutschen Opernhaus Berlin, am Stadttheater von Bern (Schweiz) und an der Wiener Volksoper. 1971 sang sie als Gast am Bolschoj Theater Moskau wie an der Oper von San Francisco die Sophie im «Rosenkavalier», 1989 an der Oper von Seattle die Eva in den «Meistersingern».
Schallplatten: Philips (Weihnachtsoratorium von J. S. Bach), Eurodisc («Gianni Schicchi» von Puccini), Schwann («Der Corregidor» von Hugo Wolf), Acanta (Mozart-Arien), Voce («Alessandro Stradella» von Flotow), Orfeo («La finta semplice» von Mozart).

Donzelli, Domenico; mit dem berühmten Komponisten Gioacchino Rossini war er freundschaftlich verbunden. Er wirkte dann auch in einer Vielzahl von

Uraufführungen von Donizetti-Opern mit, in «Zoraida di Granata» (28.1. 1822, Teatro Argentina Rom), «Olivo e Pasquale» (7. 1. 1827, Teatro Valle Rom), «Ugo Conte di Parigi» (13.3. 1832, Scala Mailand), «Parisina d'Este» (17. 5. 1833 Teatro della Pergola Florenz) und «Maria Padilla» (26. 12. 1841 Scala, Mailand). In der Uraufführung von Rossinis «Il Viaggio a Reims» (19. 6. 1825 Théâtre-Italien Paris) sang er die Partie des Cavaliere Belfiore. 1829 gastierte er am Drury Lane Theatre London in der englischen Erstaufführung von Bellinis «Il Pirata». Seinen Ruhestand verbrachte er in seinem Palast in Bologna.

Dooley, William; studierte an der Eastman School Rochester bei Lucy Lee Call. Debütierte 1964 an der Metropolitan Oper New York als Eugen Onegin. Er blieb während 14 Spielzeiten Mitglied des Hauses und ist dort insgesamt in 26 verschiedenen Partien aufgetreten. 1987 Gastspiel an der Deutschen Oper Berlin in «Oedipus» von Wolfgang Rihm.

d'Orazi, Attilio; Schallplatten: RCA-Balkanton («Adriana Lecouvreur» von Cilea).

Doree, Doris; an der New York City Centre Opera kam sie als Santuzza in «Cavalleria rusticana» und als Senta im «Fliegenden Holländer» zu großen Erfolgen. Die Marschallin im «Rosenkavalier» galt als ihre besondere Glanzrolle.
Schallplatten: Auf Columbia kam noch eine Gesamtaufnahme von Rossinis «Wilhelm Tell» heraus, in der sie die Edvige singt.

Doria, Renée; sie sang noch vor ihrem Bühnendebüt in Prades in einer konzertanten Aufführung von Glucks «Orpheus» die Eurydice als Partnerin von Alice Raveau. 1943 hörte man sie am Théâtre Gaité Lyrique Paris als Lakmé; in der gleichen Rolle debütierte sie 1944 an der Pariser Opéra-Comique. Sie sang die Philine in «Mignon» in der 2000. Vorstellung dieser Oper an der Opéra-Comique. 1946 übernahm sie in der ersten Opernaufführung im französischen Fernsehen die Rosina im «Barbier von Sevilla». Ihre Karriere dauerte sehr lange; noch 1978 wirkte sie in einer vollständigen Schallplattenaufnahme von Massenets «Sapho» mit, 1982 kam eine Arienplatte heraus.
Weitere Schallplatten: Bourg Records («Le Comte Ory» und «Barbier von Sevilla» von Rossini).

Dorliak, Xenia Nikolajewna; ihre Tochter *Nina Ljowna Dorliak* war ihre Schülerin und setzte die pädagogische Arbeit ihrer Mutter in Moskau fort.

Dorow, Dorothy; zahlreiche Bühnengastspiele, vor allem in Italien (Mailand, Venedig, Bologna, Rom). Später Leiterin eines Workshop am Sweelinck-Konservatorium Amsterdam.
Schallplatten: Italia (Sinfonie von Zemlinsky), HMV («Lulu» von A. Berg), Caprice (Ausschnitte aus schwedischen Opern), BIS (Vokalmusik von O. Messiaen, darunter «Harawi»). Etcetera (Lieder von Webern und Vokalwerke von F. Donati).

Dosia, Elen; an der Grand Opéra Paris hatte sie auch als Juliette in «Roméo et Juliette» von Gounod große Erfolge. 1937–40 trat sie an der Oper von Chicago auf; hier sang sie die Manon, die Juliette, die Giulietta und die Antonia in «Hoffmanns Erzählungen» und trat zusammen mit ihrem Gatten im Konzertsaal in Erscheinung. An der Metropolitan Oper New York ist sie nur in zwei Partien, der Mélisande und der Tosca, aufgetreten. Auf der Bühne verdankte sie ihre Erfolge nicht zuletzt auch der aparten Schönheit ihrer Erscheinung und ihrer eminenten Darstellungskunst.

Douglas, Nigel, * 9. 5. 1929 Lenham (Kent); Ausbildung am Magdalen College Oxford und in Wien. Gastspiele und Konzerte in Antwerpen, Lissabon, an der Deutschen Oper am Rhein Düsseldorf–Duisburg und beim Wexford Festival. Auf der Bühne sang er Partien in Opern von B. Britten, den Loge im «Rheingold», den Hauptmann im «Wozzeck» und den Eisenstein in der «Fledermaus». Er inszenierte Wiener Operetten an der Sadler's Wells Oper London, an der Australian Opera Sydney und an der Oper von Antwerpen. Hinzu traten zahlreiche Rundfunk- und Fernsehauftritte. Er sang 1988 an der Covent Garden Oper London den Herodes in «Salome» von R. Strauss.

Dow, Dorothy; debütierte 1946 in Buffalo als Santuzza in «Cavalleria rusticana» und gehörte 1948–50 dem Opernhaus von Zürich an. 1950 Debüt an der Mailänder Scala als Elisabeth im «Tannhäuser». 1953 sang sie in Genua die Gräfin in der italienischen Erstaufführung der Richard Strauss-Oper «Capriccio». 1952 Gastspiel an der Mailänder Scala als Marie in A. Bergs «Wozzeck». 1951 sang sie in New York in dem Monodrama «Erwartung» von A. Schönberg. Diesen dramatischen Monolog nahm man auf Philips-Schallplatten auf. Auf Koch Records singt sie Werke von Webern.

Dragonette, Jessica, * 14. 2. 1901 (nach anderen Quellen 1904) Kalkutta; 1935 wählte man sie zur «Queen of the Radio», im gleichen Jahr trat sie in ihrer 500. Radiosendung auf.
Schallplatten; Ihre Aufnahmen altitalienischer Barockarien erschienen bei Columbia; danach kamen noch einige Victor-Aufnahmen (1939) heraus.

Dragoni, Matteo, * 1890 Split (Spalato); sein eigentlicher Name war Mate Čulić-Dragun. Debütierte 1915 als Silvio im «Bajazzo» am Theater von Revere bei Modena. Am Teatro Dal Verme Mailand sang er 1921 den Rigoletto, den Silvio im «Bajazzo» und Barnaba in «La Gioconda» von Ponchielli.
Schallplatten der Marke HMV, die 1918–25 in Italien aufgenommen wurden.

Drake, Bryan; er wirkte 1971–81 als Professor an der Guildhall. School of Music London, 1981–85 war der Direktor der Opernabteilung des Royal College of Music.
Auch Schallplatten der Marke London.

Dressler, Günter; Bühnendebüt 1956 in Görlitz als König in «Aida». Sang am 27. 3. 1973 in Dresden in der Uraufführung der Oper «Levins Mühle» von Udo Zimmermann.

Dreßler, Lili, † 16. 1. 1927 München; sie sang am 29. 6. 1888 an der Hofoper München in der Uraufführung von Richard Wagners Jugendoper «Die Feen» die Partie der Ada.

Dreulette, Edmond, s. unter *Cabel,* Marie.

Drill-Oridge, Theo; wurde 1905 an die Wiener Hofoper engagiert; 1907–12 war sie auch an der Wiener Volksoper anzutreffen. In der Saison 1912–13 sang sie an der Metropolitan Oper New York. 1913 folgte sie einem Ruf an das Opernhaus (Stadttheater) von Hamburg. Ihr Familienname kommt auch in der Schreibweise Drill-Orridge vor.

Driscoll, Loren, * 14. 4. 1928 Midwest Wyoming (Minnesota). Gesangstudium in Syracuse und an der Boston University. 1957–59 große Erfolge an der City Centre Opera New York (Antrittsrolle: Kaiser in Puccinis «Turandot»). Seit 1966 für drei Spielzeiten Mitglied der Metropolitan Oper New York, an der er als erste Rolle den David in den «Meistersingern» vortrug. Auch als Alfred in der «Fledermaus» dort aufgetreten.

Drivala, Jenny; gastierte 1987 am Teatro Liceo Barcelona in der spanischen Erstaufführung der Mozart-Oper «Lucio Silla». Im gleichen Jahr 1987 hörte man sie beim Festival von Spoleto in der Oper «Montezuma» von C. H. Graun und am Teatro Colón Buenos Aires als Konstanze in der «Entführung aus dem Serail». 1988 Gastspiel in Rom in «Il Re pastore» von Mozart, am Théâtre Châtelet Paris als Traviata, an der Mailänder Scala wie am Theater von Metz als Amina in «La Sonnambula».

Drost, Hendrik; er sang 1930 in Nürnberg in der deutschen Erstaufführung von Zandonais «I Cavalieri di Ekebù» die Partie des Gösta Berling.

Druschjakina, Sofia Iwanowna; Schallplatten: Auf «Club 99» wurde ein Duett aus «Sadko» von Rimsky-Korssakow zusammen mit dem Tenor Wassilij Damajew veröffentlicht, wahrscheinlich eine G & T-Aufnahme.

Dua, Octave; debütierte 1919 an der Metropolitan Oper New York als Gottesnarr im «Boris Godunow». 1921–22 sang er an der Oper von Chicago unter der Direktion von Mary Garden. An der Covent Garden Oper London hatte er als Mime im Nibelungenring besondere Erfolge.
Schallplatten: HMV (Ausschnitte aus Puccinis «Turandot» mit Eva Turner in der Titelpartie, während er den Kaiser singt).

Dubois, Gaston; 1952 lebte er noch in Nizza.
Schallplatten: Auch Zonophone (G & T)-Aufnahmen.

Dubulle, Auguste, * 10. 6. 1858 Vedrine-Saint-Loup; er war am Conservatoire National de Paris Schüler von Bassine und Obin.

Ducasse, Alice; am 3. 3. 1875 sang sie an der Opéra-Comique in der denkwürdigen Uraufführung der Oper «Carmen» von Bizet die Partie der Frasquita.

Duchêne, Maria; an der Metropolitan Oper New York sang sie 1913 in der amerikanischen Erstaufführung des «Boris Godunow» die Partie der Amme. Sie trat hier auch als Ulrica in Verdis «Ballo in maschera», als Maddalena im «Rigoletto», als Lola in «Cavalleria rusticana», als Giulietta wie als Stimme der Mutter in «Hoffmanns Erzählungen» und als Schwertleite in der «Walküre» auf.

Duclos, Marcelin, * 1879 Bagnères-de-Bigorre in den Pyrenäen, † (?); er gewann 1907 den Gesangwettbewerb des Pariser Conservatoire. 1922 hörte man ihn an der Grand Opéra Paris in der Premiere der Oper «Khovantchina» von Mussorgsky.

Dürrler, Brigitte; gastierte 1972 an der Wiener Staatsoper als Ännchen im «Freischütz».
Schallplatten: Geistliche Musik von Mozart auf RCA wie auf Eurodisc.

Dufranne, Hector, * 25. 10. 1870 Mons (Belgien). An der Opéra-Comique Paris sang er in den Uraufführungen der Opern «Grisélidis» von Massenet den Marquis (20. 11. 1901), in «La fille de Roland» von Rabaud den Amaury-Ganelon (16. 3. 1904), in «Le Chemineau» von Xavier Leroux die Titelpartie (6. 11. 1907). Seit 1907 auch Mitglied der Grand Opéra Paris. In Chicago sang er in der Uraufführung von Prokofieffs «Amour des trois oranges» die Rolle des Zauberers (30. 12. 1921), in der Pariser Uraufführung von de Fallas «El retablo de Maese Pedro» die Titelpartie (25. 6. 1923).

Duhan, Hans; bei den Festspielen von Salzburg sang er 1922 den Grafen Almaviva in «Figaros Hochzeit» und den Titelhelden in «Don Giovanni»; hier wurde er besonders durch seine Liederabende bekannt wie er denn allgemein als großer Konzert- und Liedersänger galt.

Dulong, Henry von; einer seiner Schüler war der berühmte Konzertbassist Hermann Schey.

Dumesnil, Suzanne; sie sang in der Uraufführung der Oper «La Reine Fiamette» von Xavier Leroux am 23. 12. 1904 an der Opéra-Comique Paris die Partie der Angioletta; während Mary Garden, Adolphe Maréchal und Jean Périer die übrigen Hauptrollen vortrugen. In der Uraufführung von Erlangers «Aphrodite» sang sie an diesem Haus die Corinne (27. 3. 1906), in der von «La Fille de Roland» von Rabaud den Théobald (16. 3. 1904).

Duncan, Robert Todd; studierte an der Butler University wie an der Columbia University. Bühnendebüt 1934 bei der Aeolian Opera Company in New

York als Alfio. 1945 sang er als Antrittsrolle an der New York City Centre Oper den Tonio im «Bajazzo». 1949 kreierte er am New Yorker Broadway den Stephen Kumalo in Weills Musical «Lost in the Stars».

Dunn, Mignon, * 17. 6. 1931 Memphis (Tennessee); Schülerin von Karin Branzell und Beverly Johnson in New York. Sie debütierte 1955 an der Oper von New Orleans als Carmen. Ebenfalls 1955 sang sie als erste Partie an der Oper von Chicago die Maddalena im «Rigoletto», auch an der Oper von San Francisco (Debüt 1967 als Brangäne) und seit 1956 an der City Centre Opera New York aufgetreten. 1971 sang sie an der Metropolitan Oper New York die Brangäne im «Tristan» als Partnerin von Birgit Nilsson. An der Metropolitan Oper sang sie in einer über dreißigjährigen Karriere mehr als 50 Rollen in 450 Vorstellungen (im New Yorker Haus der Oper), darunter auch die Fricka im Nibelungenring, die Ortrud im «Lohengrin», die Herodias in «Salome» von R. Strauss, die Anna in «Les Troyens» von Berlioz und die Mère Marie in «Dialogues des Carmélites» von F. Poulenc. Das Publikum der Metropolitan Oper verehrte die Künstlerin sehr. Sie gastierte 1981 in Mexico City, 1988 beim Festival von Spoleto (als Küsterin in «Jenufa» von Janáček), in Philadelphia als Hexe in «Rusalka» von Dvořák, 1989 in Chicago als Amneris.

Du Plessis, Christian; Schallplatten: OPR («L'Assedio di Calais» von Donizetti), HMV (Germont-père in «La Traviata» in Englisch).

Dupré, Pierre, † 22. 3. 1980; kreierte 1910 an der Grand Opéra Paris die Partie des Eumée in der Uraufführung der Oper «Le Mariage de Télémaque» von Claude Terrasse. Sein Rollenrepertoire war sehr umfangreich und enthielt sowohl große tragende Rollen wie Aufgaben aus dem Comprimario-Bereich.
Schallplatten: Sang auf Pathé auch den Sparafucile in einer kompletten «Rigoletto»-Aufnahme.

Duprez, Gilbert; in Italien sang er 1831 am Teatro del Giglio in Lucca den Arnoldo in der italienischen Erstaufführung von Rossinis «Wilhelm Tell». Dabei wandte er erstmals das «Do di petto» («Hohes Brust-C») an, das beim Publikum eine ungeheure Begeisterung hervorrief. (Rossini hielt allerdings diese Technik für unkünstlerisch und verglich sie mit dem «brünstigen Schrei eines Kapauns»). Als 1837 das Schloßtheater von Versailles unter König Louis-Philippe wieder eröffnet wurde, trat er in Szenen aus «Robert le Diable» von Meyerbeer (in der Titelpartie) auf. Seine enormen Erfolge veranlaßten letzten Endes den Selbstmord seines großen Vorgängers Adolphe Nourrit (8. 3. 1839). Einer seiner Schüler war der belgische Tenor Eloi Sylva.

Dupuy, Jean; 1987 trat er an der Grand Opéra Paris als Ägisth in der Richard Strauss-Oper «Elektra» auf.
Schallplatten: RCA («Pénélope» von G. Fauré),

DGG («Roméo et Juliette» von Berlioz), KARO («Dialogues des Carmélites» von Poulenc).

d'Urbino-Poloni, Angela; sie sang am Theater von Vicenza die Aida mit Aureliano Pertile als Radames. Am gleichen Haus wirkte sie in der Uraufführung der Oper «Rolla» mit, die ihr Gatte Gaetano Poloni komponiert hatte. Sie sang in den Uraufführungen von «L'Uomo che ride» von Arrigo Pedrollo (1920 Teatro Costanzi Rom) und von Salvaggis «Maggiolata Veneziana» (1922). Am Teatro Adriano Rom hörte man sie als Santuzza in «Cavalleria rusticana» unter der Leitung des Komponisten Pietro Mascagni, am italienischen Rundfunk in der klassischen Oper «Saffo» von Pacini. An der Oper von Kairo gastierte sie 1929 auch als Elvira in Verdis «Ernani», als Abigail in dessen «Nabucco», als Elisabetta im «Don Carlos» und als Selika in Meyerbeers «Africaine».

Durigo, Ilona; begann das Gesangstudium 1898 bei Frau Maleczky in Budapest. Sie gab auch Konzerte in Italien. In Holland sang sie in den Jahren 1930–39 das Altsolo in den Aufführungen der Matthäuspassion in Amsterdam unter W. Mengelberg, wobei Solisten wie Mia Peltenburg, Jo Vincent, Karl Erb, Thom Denijs und Hermann Schey mitwirkten. Höhepunkte in ihrem Konzertrepertoire waren die «Lieder eines fahrenden Gesellen» und die «Kindertotenlieder» von Gustav Mahler, die Alt-Rhapsodie von J. Brahms, Liedkompositionen von Schubert, R. Schumann, Brahms und Lieder zeitgenössischer Komponisten.
Schallplatten: Pathé (akustische Aufnahmen von 1908 mit ungarischen Volksliedern), Elektrische Columbia-Platten (1930 in der Schweiz erschienen, Lieder enthaltend), Philips (Aufführung der Matthäuspassion unter W. Mengelberg, Amsterdam 1939).

Duschek, Josepha, Sopran, * 6. 3. 1754 Prag, † 8. 1. 1824 Prag; sie war die Gattin des Komponisten und Pianisten Franz-Xaver Duschek (František Xaver Dušek, * 8. 12. 1731 Chotěborek, † 12. 2. 1799 Prag); Sie war die Tochter eines Prager Apothekers und hieß eigentlich Josepha (Josephine) Hambacher. Sie sang in Prag Opernpartien, wurde aber vor allem als Konzertsängerin bekannt. Als solche trat sie mit glänzenden Erfolgen auch in Wien und Berlin, in Dresden, Leipzig und Weimar auf. Das Ehepaar Duschek war mit dem großen Komponisten Wolfgang Amadeus Mozart und seiner Familie bekannt. Josepha Duschek, deren Großvater Ignaz Anton Weiser 1772–75 Bürgermeister von Salzburg war, lernte die Familie Mozart bereits 1777 anläßlich eines Besuchs in dieser Stadt kennen. Damals komponierte der junge Mozart für sie die große dramatische Szene der Andromeda «Ah, lo predevi» (KV 272). So ergab es sich, daß der Komponist, als er 1787 zur Uraufführung seines «Don Giovanni» nach Prag kam, bei der Familie Duschek abstieg. In deren Stadtwohnung am Kohlmarkt wie in dem idyllischem Landhaus Bertramka in der Nähe von Prag verbrachte Mozart eine glückliche Zeit, in der er mit der Komposition seiner Oper beschäftigt war. Aus

Dankbarkeit komponierte er für die Sängerin jetzt eine zweite Konzertarie für Sopran «Bella mia fiamma» (KV 528). Gemessen an den Schwierigkeiten, die die für sie geschriebenen Konzertstücke enthalten, muß die Künstlerin über eine virtuose Gesangtechnik wie über einen großen Tonumfang verfügt haben. Auch mit Ludwig van Beethoven war das Künstlerehepaar freundschaftlich verbunden. Als dieser 1796 in Prag weilte, komponierte er seine große dramatische Konzertarie «Ah perfido», die Josepha Duschek bei einem Konzert 1796 in Prag und dann auch in Leipzig vortrug (wobei es sich jedoch nicht um die Uraufführung der Arie handelte, die am 27.11.1796 ebenfalls in Prag, durch die Aristokratin und mit dem schweren Werk überforderte Josephine Clary erfolgte). – Hinsichtlich ihres Privatlebens genoß die Sängerin in Prag keinen guten Ruf. Man sagte ihr nach, daß sie ihren Reichtum – der übrigens bald verschwendet war – ihren dubiosen Beziehungen zu dem böhmischen Magnaten Grafen Cham verdanke. Als sie 1788 in Weimar weilte und erfolgreiche Konzerte gab, erregte ihr Benehmen (das Schiller als «anmaßend, ja frech» bezeichnete) Anstoß; die Herzogin-Mutter Anna Amalia schrieb sogar «sie sähe recht aus wie eine abgedankte Maîtresse». Zum zweihundertjährigen Jubiläum der Uraufführung des «Don Giovanni» gedachte man 1987 auch des Ehepaares Duschek; die Villa Bertramka wurde aus diesem Anlaß restauriert.
Josepha Duschek darf keinesfalls mit der englisch-italienischen Sopranistin *Sophia Corri-Dušík* (*1775) verwechselt werden, die auch als Sophia Corri-Dussek erscheint, und die mit dem tschechischen Komponisten Jan Ladislav Dušik (* 12.2. 1760 Čáslav/Tschaslau, † 20.3. 1812 St. Germain-en-Laye) verheiratet war. – (Neufassung) –.

Dusseau, Jeanne, Sopran, * 2.2. 1893 Glasgow; die Sängerin, deren eigentlicher Name Ruth Thom lautete, kam bereits als Kind nach Kanada und wurde durch den Pädagogen Atherton Furlony in Toronto ausgebildet. 1912 gab sie ein erstes Konzert in Toronto, setzte dann aber das Gesangstudium bei Giuseppe Carboni fort. 1919 heiratete sie den kanadischen Bariton *Lambert Victor Dusseau* und war in der Saison 1921–22 an der Oper von Chicago engagiert. Hier sang sie Partien aus dem dramatischen italienischen Fach und nahm am 30.12. 1921 an der Uraufführung der Oper «L'Amour des trois oranges» von Prokofieff als Ninetta teil. In den folgenden 15 Jahren hörte man wenig mehr von der Künstlerin, die sich auf Konzertauftritte in Kanada und in den USA beschränkte. 1929 war sie auch in London im Konzertsaal zu hören. 1936 nahm sie dann nochmals ein Engagement an der Sadler's Wells Opera London an, an der sie jetzt bis 1940 Partien wie die Tosca, die Aida, die Butterfly, die Leonore im «Fidelio», die Giulietta in «Hoffmanns Erzählungen» und die Rosalinde in der «Fledermaus» sang und zu großen Erfolgen kam. 1942 nahm sie von der Bühne Abschied. Sie war zunächst in New York als Pädagogin tätig, später in Washington.
Von der ausdrucksstarken, schön gebildeten Stimme

der Sängerin sind zwei Aufnahmen auf HMV von 1939 vorhanden. – (Neufassung) –.

Dustmann-Meyer, Louise; Richard Wagner hatte sie als Interpretin für die Partie der Isolde in seiner Oper «Tristan und Isolde» vorgesehen, doch zerschlugen sich diese Pläne.

Dutreix, Maurice; er sang 1914 an der Grand Opéra Paris eine kleine Partie in der französischen Erstaufführung des «Parsifal».

Duval, Denise; debütierte 1947 an der Pariser Grand Opéra als Butterfly. An der Opéra-Comique Paris sang sie in der Uraufführung der Oper «Les mamelles de Tirésias» die Partie der Thérèse (3.6. 1947). Schallplatten: INA-Archives (Arien, von Francis Poulenc am Klavier begleitet), HMV («Les mamelles de Tirésias»).

Duval, Pierre, * 17.9. 1932 Montreal.

Dux, Claire; sie sang in Köln die Mimi in der dortigen Premiere von Puccinis «La Bohème». An der Berliner Hofoper debütierte sie 1911 als Sophie in der Berliner Premiere des «Rosenkavaliers». In der deutschen Hauptstadt erregte sie Aufsehen als Desdemona in Verdis «Othello», in der Mozart-Oper «La finta giardiniera», die man speziell für sie in den Spielplan aufgenommen hatte, und bereits 1909 bei einem Gastspiel als Mimi mit dem berühmten Tenor Enrico Caruso als Partner. 1917 sang sie an der Berliner Hofoper in der Uraufführung von Leo Blechs «Rappelkopf». An der Oper von Chicago debütierte sie 1921 als Nedda im «Bajazzo». In den USA kam sie zu einer großen Karriere im Konzertsaal. 1925 sang sie in einer der ersten Opernsendungen des Senders Berlin die Titelheldin in Flotows «Martha». Sie verbrachte ihren Lebensabend in Chicago.

Dvořáková, Ludmila; debütierte 1960 an der Staatsoper Berlin als Octavian im «Rosenkavalier». Schallplatten: Supraphon («Dimitrij» von Dvořák), Eterna (Szenen aus «Lohengrin»).

Dvorsky, Peter; Schüler von Frau Cernečka in Bratislava. 1975 gewann er den Internationalen Concours von Genf. Zahlreiche Gastspiele an der Staatsoper von Wien, u.a. 1987 als Prinz in «Rusalka» von Dvořák. Seit 1979 große Erfolge an der Covent Garden Oper London, so 1986 als Alfredo in «La Traviata», 1988 als Lenski im «Eugen Onegin» und als Riccardo in Verdis «Ballo in maschera». 1987 hörte man ihn an der Metropolitan Oper New York als Rodolfo in «La Bohème», 1987 am Teatro Liceo Barcelona als Edgardo in «Lucia di Lammermoor», 1989 bei den Salzburger Festspielen als Cavaradossi in «Tosca». Sein Bruder *Miroslaw Dvorsky* wirkte als Tenor an der Oper von Bratislava.
Schallplatten: Acanta (Arien), Topaz-Video («Verkaufte Braut»), Virgin-Video («Madame Butterfly»), Capriccio («La Traviata»).

Dworsky, Jaro; sein Vater *Jaroslaw Dworsky* (*5. 2. 1853 Wlaschim, † 4. 8. 1935) wirkte lange Jahre als Opernsänger am Theater von Königsberg (Ostpreußen) und war in der Spielzeit 1885–86 auch an der Metropolitan Oper New York engagiert (Auftritte auch unter dem Namen Jost Dworsky). Jaro Dworsky kam nach seinem Debüt in Königsberg 1921 im folgenden Jahr 1922 an die Städtische Oper Berlin und war 1924–26 und wieder 1927–30 Mitglied der Staatsoper Berlin. Aus seinem Bühnenrepertoire sind zu nennen: der Ferrando in «Così fan tutte», der Lyonel in Flotows «Martha», der Herzog im «Rigoletto», der Manrico im «Troubadour», der Max im «Freischütz», der Wilhelm Meister in «Mignon» von A. Thomas, der Lenski im «Eugen Onegin», der Rodolfo in «La Bohème», der Cavaradossi in «Tosca», der Pinkerton in «Madame Butterfly» und der Dimitrij im «Boris Godunow».

Dyck, Ernest van; eigentlich Ernest-Marie-Hubert van Dyck; er entstammte einer Antwerpener Fabrikantenfamilie. Seine Tochter *Isolde van Dyck* (*1889 Bayreuth) wurde als Konzertsängerin bekannt und trat als solche in Brüssel (1927), Antwerpen und Köln wie auch 1933 bei den Festspielen von Salzburg auf. Sie sang Schallplatten auf der Marke Columbia.

Dygas, Ignacy; Schallplatten: Eine Serie von elf Aufnahmen auf Edison-Platten wurde später auch unter dem Etikett von Syrena veröffentlicht; vier Edison-Zylinder.

Dzerwiecki, Henryk; Schallplatten: 1904–06 wurden in Warschau einige Pathé-Zylinder mit Opernarien aufgenommen.

E

Eadie, Noel, † 11. 4. 1950 London; studierte zuerst Klavierspiel, dann Gesang.
Schallplatten: HMV, darunter die Szene der Nornen aus der «Götterdämmerung» mit Evelyn Arden und Gladys Palmer von 1929.

Eames, Emma; der Komponist Charles Gounod studierte selbst mit ihr die Partien der Marguerite im «Faust» und der Juliette in «Roméo et Juliette» ein. Als Juliette debütierte sie dann auch 1889 an der Grand Opéra Paris. In den Jahren 1891–1901 sang sie bei Gastspielen an der Covent Garden Oper London Partien wie die Marguerite im «Faust», die Titelfigur in «Mireille» vom gleichen Komponisten, die Desdemona in Verdis «Othello», die Elisabeth im «Tannhäuser» und die Eva in den «Meistersingern». Sie sang im eigentlichen Haus der Metropolitan Oper New York bis 1909 in 258 Vorstellungen (einschließlich der jährlichen Gastspieltournee in 420 Aufführungen). Dabei hörte man sie als Micaela in «Carmen» (1893), als Pamina in der «Zauberflöte» (1900) in den ersten Aufführungen dieser Werke an der Metropolitan Oper; 1907 übernahm

sie in der Erstaufführung von Mascagnis «Iris» die Titelpartie; 1902 hatte sie einen ihrer größten Erfolge als Tosca, 1905 als Alice Ford im «Falstaff» von Verdi. Man hörte sie dort auch als Leonore im «Troubadour», als Aida, als Desdemona im «Othello», als Gräfin in «Nozze di Figaro», als Elisabeth im «Tannhäuser», als Elsa im «Lohengrin», als Eva in den «Meistersingern», als Sieglinde und vor allem in ihrer großen Glanzrolle, der Marguerite im «Faust». Am 15. 2. 1909 stand sie als Tosca letztmals auf der Bühne der Metropolitan Oper. Sie zog sich nach Bath (Maine) zurück und gab eine Anzahl von Konzerten, zum Teil gemeinsam mit Emilio de Gogorza. Noch 1916 erschien sie in einem Wohltätigkeitskonzert in Portland (Maine). Ein Neudruck ihrer Memoiren *«Some Memories and Reflections»* kam 1977 heraus.

Easton, Florence, *25. 10. 1882 Middlesbrough-on-Tees; Schülerin von Agnes Larkcom in London. 1905–06 Tournee mit der Savage Opera Company durch Nordamerika (Debüt als Gilda im «Rigoletto»). An der Berliner Hofoper sang sie in den Premieren der Opern «Donna Diana» von N. von Reznicek (1908) und «Poia» von Arthur Nevin (1910). 1910 hörte man sie in Edinburgh, dann auch in Glasgow, Manchester und Leeds in Aufführungen des Ring-Zyklus in den Partien der Sieglinde und der Gutrune. Während ihres Hamburger Engagements (1913–16) wirkte sie in der dortigen Premiere von Puccinis «Fanciulla del West» mit. 1915–16 sang sie an der Oper von Chicago (Antrittsrolle: Brünnhilde im «Siegfried»), 1919–28 war sie oft bei den Festspielen von Ravinia zu Gast. An der Metropolitan Oper New York hat sie 1917–29 39 Partien in 277 Vorstellungen in deren New Yorker Haus gesungen; hier sang sie in den Uraufführungen von Albert Wolffs «L'Oiseau bleu» die Mutter (27. 12. 1919) und in der von «The King's Henchman» von Deems Taylor (17. 2. 1927), 1922 in der Premiere von «Così fan tutte» die Fiordiligi, 1929 die Anita in der von Křeneks Jazzoper «Jonny spielt auf». An der Covent Garden Oper London bewunderte man sie 1927 als Titelfigur in der Puccini-Oper «Turandot», 1932 als Isolde im «Tristan». Seit 1930 lebte sie von Francis Maclennan getrennt. Bis 1943 ist sie noch als Konzertsolistin in Erscheinung getreten.

Easton, Robert, † 26. 5. 1987 London; zu seinen Lehrern gehörte auch der bekannte Bariton Dinh Gilly. Einen besonderen Erfolg erzielte er 1929 als Solist im «Messias» von Händel unter Sir Thomas Beecham in London. 1934 debütierte er an der Londoner Covent Garden Oper als Fafner im «Siegfried». Er sang dann an diesem Haus auch den König in «Aida», den Colline in «La Bohème», den Eremiten im «Freischütz» und den Vater in Charpentiers «Louise». Seine Stimme blieb ihm lange erhalten, sodaß er noch jenseits des 80. Lebensjahres im Konzertsaal erschienen ist.
Schallplatten: Columbia (Colline im 4. Akt der Oper «La Bohème» unter Beecham; dazu Konzertwerke).

Ebert, Elisabeth; debütierte 1950 beim Sächsischen Landestheater Dresden–Radebeul als Ännchen im

«Freischütz». Sie trat auch im Fernsehen der DDR in Erscheinung. Aus ihrem Bühnenrepertoire seien noch folgende Partien genannt: die Pamina in der «Zauberflöte», die Donna Elvira im «Don Giovanni», die Rosina im «Barbier von Sevilla» von Rossini wie in der gleichnamigen Oper von Paisiello, die Titelheldin in «Deidamia» von Händel, die Jenufa in Janáčeks Oper und die Titania in «A Midsummer Night's Dream» von Benjamin Britten.

Ecker, Heinz-Klaus; trat 1981–89 bei den Festspielen von Bayreuth in kleineren Partien (u. a. als Hans Schwarz in den «Meistersingern») auf. 1988 Gastspiel in Genua als Orest in «Elektra» von R. Strauss.
Schallplatten: RCA (Messen von Mozart).

Eda-Pierre, Christiane; sie gastierte 1966 mit dem Ensemble der Pariser Opéra im Gebäude der Metropolitan Oper New York als Gräfin in «Nozze di Figaro». 1980 wurde sie dann an die Metropolitan Oper verpflichtet, an der sie als Antrittsrolle die Konstanze in der «Entführung aus dem Serail» sang. Sie trat dort auch als Gilda im «Rigoletto» und als Antonia in «Hoffmanns Erzählungen» auf.
Schallplatten: Cybelia-IMS («Saint François d'Assise» von O. Messiaen), Supraphon («Le Roi David» von A. Honegger), Arion («Les Illuminations» und «Phèdre» von B. Britten).

Eddy, Nelson; Ausbildung der Stimme durch den berühmten David Bispham in Philadelphia. Er gastierte mit dem Philadelphia Orchestra in New York in konzertanten Aufführungen der Opern «Wozzeck» von A. Berg und «Parsifal». 1934–35 sang er an der Oper von San Francisco den Wolfram im «Tannhäuser» und den Amonasro in «Aida».
Schallplatten auf Victor (1936–39, darunter Duette mit Jeanette Mac Donald) und Columbia (seit 1940, bis in die LP-Ära reichend).

Edelmann, Otto; er geriet gegen Ende des Zweiten Weltkrieges für zwei Jahre in russische Kriegsgefangenschaft. Er hatte an der New Yorker Metropolitan Oper vor allem als Wagner-Sänger in Rollen wie dem Wotan, dem Hans Sachs und dem König Marke im «Tristan», aber auch als Ochs im «Rosenkavalier» und als Rocco im «Fidelio», seine Erfolge; er sang in deren Haus in New York in 15 Spielzeiten neun verschiedene Partien in hundert Vorstellungen. Seine große Glanzrolle, den Ochs im «Rosenkavalier», hat er im Lauf seiner Karriere 236mal gesungen. Einer seiner Schüler war sein Sohn *Peter Edelmann,* der wie sein Vater eine Bühnenkarriere als Bariton einschlug.
Lit.: St.-M. Schlinke: «Otto Edelmann» (Wien, 1987).
Schallplatten: Movimento musica (Matthäuspassion von J. S. Bach).

Eder, Claudia; sang 1987 an der Wiener Volksoper in «Die Weise von Liebe und Tod des Cornets Christoph Rilke» von S. Matthus.

Schallplatten: Unisono (Geistliche Musik von Charpentier, Pastoral-Musik).

Edmondi, Vittorio, s. unter *Grabczewski,* Wiktor.

Edvina, Marie-Louise, * 28. 5. 1878 Montreal (Kanada); in der Saison 1919–20 sang sie nochmals an der Covent Garden Oper London Partien wie die Manon und die Thaïs von Massenet, die Louise von Charpentier und die Tosca. Nachdem ihr erster Gatte Hon. Cecil Edwards im Ersten Weltkrieg gefallen war, heiratete sie in zweiter Ehe 1919 Stuart Worthley.

Egel, Martin; Gastspiele 1987 am Teatro Regio Turin in «Ulisse» von Dallapiccola, 1988 am Teatro Verdi Triest als Musiklehrer in «Ariadne auf Naxos» von R. Strauss.
Schallplatten: Decca («Meistersinger»), FSM (Mozart-Arien, Lieder von F. Liszt und R. Strauss, Volkslieder).

Egenieff, Franz; nahm 1904–05 an der großen Nordamerika-Tournee der Savage Opera Company teil. An der Komischen Oper Berlin war er 1907–10 als Graf in «Figaros Hochzeit», als Don Giovanni, als Belcore in «Elisir d'amore», als Cascart in «Zazà» von Leoncavallo, als Graf Eberbach im «Wildschütz» von Lortzing und als Aubry in Marschners «Vampyr» zu hören. Er unternahm in den Jahren vor und nach dem Ersten Weltkrieg ausgedehnte Studienreisen durch Japan, China und Korea wie durch abgelegene Gegenden auf dem Balkan. Selbst sehr wohlhabend, war er mit einer Nichte des amerikanischen Multimillionärs und «Bierkönigs» Adolphus Busch verheiratet. Bei der German Opera sang er 1929–31 in den USA den Klingsor im «Parsifal», den Gunther in der «Götterdämmerung» und den Kurwenal im «Tristan».
Schallplatten: Pathé (darunter Duette mit Minnie Nast), Polydor (seit 1923), Odeon (hier u. a. Duette mit Lola Artôt de Padilla), ein Edison Amberola-Zylinder.

Eggert, Max, s. unter *Py,* Gilbert.

Egmond, Max van; seit 1973 Lehrtätigkeit am Muzieklyceum Amsterdam.

Ehnn, Bertha; debütierte 1864 in Linz (Donau) als Nancy in Flotows «Martha» und als Irene in «Belisario» von Donizetti. Von ihren Bühnenpartien sind noch zu nennen: die Gräfin in «Figaros Hochzeit», die Pamina in der «Zauberflöte», die Agathe im «Freischütz», die Titelfigur in «Euryanthe» von Weber und der Orsini in «Lucrezia Borgia» von Donizetti. Seit 1873 mit dem österreichischen Hauptmann von Sand verheiratet.

Ehrenbergová, Eleonora; sie entstammte einer deutschen Familie und hieß eigentlich Eleonore Gayer von Ehrenberg.

Ehrensperger, Gisela; sie wuchs in Zürich auf. Ihr Großvater wie dessen Bruder hatten als Tenor bzw.

Baß-Bariton an der Münchner Oper gewirkt. Seit 1967 war sie Mitglied des Theaters am Gärtnerplatz München, an dem sie in einer über zwanzigjährigen Bühnenkarriere mit ständigem Erfolg wirkte.
Schallplatten: Telefunken (Operetten-Querschnitte «Fledermaus», «La Vie Parisienne» von Offenbach, «Der Vetter aus Dingsda» von Künneke, «Saison in Salzburg» von Raymond).

Ehrenstein, Louise, † 13. 2. 1944 Wien; sie blieb bis 1900 Mitglied der Wiener Hofoper.

Eipperle, Trude, * 27. 1. 1908 Stuttgart; sie gab Gastspiele an der Oper von Monte Carlo (1953 als Agathe im «Freischütz»), an der Mailänder Scala, am Teatro Liceo Barcelona, am Teatro San Carlos Lissabon und am Théâtre de la Monnaie Brüssel. 1965 nahm sie von der Bühne Abschied und lebte seither in Aalen (Württemberg).
Schallplatten: Melodram (Elsa im «Lohengrin», 1951).

Eisen, Arthur; gastierte 1987 mit dem Ensemble des Bolschoj Theaters Moskau in Budapest als Pimen im «Boris Godunow».

Eisinger, Irene; sie war 1934–37 am Deutschen Theater Prag tätig und absolvierte 1936 ein glanzvolles Gastspiel an der Covent Garden Oper London. Hier hatte sie als Gretel in Humperdincks «Hänsel und Gretel» mit Maggie Tate als Partnerin einen ihrer größten Erfolge, ebenso 1937 als Adele in der «Fledermaus». Seit 1938 lebte sie ständig in England, zumeist in London. Von ihren Tonfilmen war «Zwei Herzen im Dreivierteltakt» am bekanntesten.
Schallplatten: Die frühesten Aufnahmen der Sängerin kamen bereits in den Jahren 1927–31 heraus.

Ek, Harald; sang 1988 im Scandinavium in Göteborg den José in «Carmen».

Elenkow, Stefan; sang 1987 bei einem Gastspiel der Oper von Sofia beim Festival von Perugia den Kontschak in Borodins «Fürst Igor», 1988 bei den Festspielen von Ravenna den Zaccaria in Verdis «Nabucco». Mehrfach an der Hamburger Staatsoper zu Gast.
Schallplatten: Balkanton («Khovantchina» von Mussorgsky).

Elias, Rosalind; studierte an der Accademia di Santa Cecilia Rom bei Luigi Ricci und bei Nazzareno de Angelis. 1948–52 trat sie an der New England Opera Boston auf. Sie debütierte 1954 an der Metropolitan Oper New York als Grimgerde in der «Walküre» und war für mehr als dreißig Jahre Mitglied dieses großen Opernhauses. 1970 Gastspiel bei der Scottish Opera Glasgow als Titelfigur in Rossinis «La Cenerentola», 1972 an der Wiener Staatsoper als Carmen. 1987 hörte man sie in Houston/Texas als Herodias in «Salome» von R. Strauss. Sie war später auch als Opernregisseurin tätig (1988 «Carmen» in Cincinnati).

Eliasson, Sven Olof; bis 1982 wirkte er am Opernhaus von Zürich, 1969–83 als ständiger Gast an der Deutschen Oper am Rhein Düsseldorf–Duisburg, 1982–85 an der Deutschen Oper Berlin. 1987 trat er an der Jütländischen Oper Aarhus als Siegmund in der «Walküre» auf. 1983 künstlerischer Direktor des Stora Teater Göteborg, Dozent an der Stockholmer Opernschule.

Elkins, Margreta; eigentlicher Name Margaret Geater. Mit 17 Jahren gewann sie ein Stipendium der Regierung des australischen Staates Queensland. 1953 sang sie bei einem Gastspiel der Australian National Opera in Brisbane die Carmen, später die Suzuki in «Madame Butterfly», den Siebel im «Faust» von Gounod und die Azucena. 1956 kam sie nach Europa, sang in Dublin die Dorabella in «Così fan tutte» und die Carmen und unternahm 1956–58 Tourneen mit der Carl Rosa Opera Company. 1958 sang sie an der Covent Garden Oper London als Antrittsrolle eine der Walküren in der «Walküre». In Philadelphia hörte man sie 1965 u. a. als Siebel. 1965 Australien-Tournee mit der Sutherland Williamson Opera Company. Sie sang am 29. 5. 1962 in Coventry in der Uraufführung der Oper «King Priam» von M. Tippett die Partie der Helena, die sie bei der Aufführung des Werks an der Covent Garden Oper wiederholte. 1988 sang sie in einer Gala-Aufführung von Verdis «Aida» bei der Weltausstellung von Brisbane die Amneris.
Schallplatten: Columbia (Alisa in «Lucia di Lammermoor» mit Maria Callas).

Ellis, Brent, * 20. 6. 1944 Kansas City (Missouri); er debütierte am 19. 5. 1967 in Washington in der Uraufführung der Oper «Bomarzo» von Alberto Ginastera. Er sang an den Opernhäusern von Miami und Seattle, an der Oper von San Francisco (1974–78), in Santa Fé (1972–81) und Boston (1975–82). 1974 debütierte er an der New York City Centre Opera als Ottone in Monteverdis «Incoronazione di Poppea». 1977–79 erfolgreiche Gastspiele an der Staatsoper von Wien. 1987 sang er bei den Festspielen von Glyndebourne den Germont-père in «La Traviata», ebenfalls 1987 an der Opera North Leeds und bei deren Gastspiel in Wiesbaden den Titelhelden in Verdis «Macbeth». 1979 wurde er an die Metropolitan Oper New York verpflichtet (Debüt als Silvio im «Bajazzo»). Hier sang er dann auch den Ford im «Falstaff» von Verdi, den Figaro im «Barbier von Sevilla», den Belcore in «Elisir d'amore» und den Germont-père. 1988 hörte man ihn an der Oper von Santa Fé als Kunrad in «Feuersnot» von R. Strauss und bei einem Gastspiel an der Covent Garden Oper London, 1988 in Seattle als Rigoletto, 1989 in Santa Fé in seiner Glanzrolle, dem Germont-père in «La Traviata».
Schallplatten: SL-Video («La Traviata»).

Ellsworth, Warren, * 28. 10. 1951; gastierte auch an der Oper von Seattle, am Grand Théâtre Genf (Siegmund in der «Walküre», 1987) und in Lausanne (1988 Giasone in «Medea» von Cherubini). 1988 hörte man ihn an der Deutschen Oper Berlin wie am

Théâtre des Champs-Élysées Paris als Siegmund, in Los Angeles als Tambourmajor in Alban Bergs «Wozzeck». 1986 sang er an der English National Opera, 1988 an der Covent Garden Oper London den Parsifal, 1989 in Miami den Siegmund in der «Walküre».

Elmo, Cloë; sie sang als erste Partie an der Mailänder Scala 1936 die Meg Page in Verdis «Falstaff». Sie hatte an der Scala in den Jahren 1936–43 und wiederum 1951–54 eine sehr erfolgreiche Karriere. Sie wirkte in mehreren Uraufführungen von Opern mit, darunter in «Re Hassan» von Giorgio Federico Ghedini (1939 Teatro Fenice Venedig), in «L'Uragano» von Lodovico Rocca (1952 Scala Mailand), in «Proserpina e lo straniero» von Juan Castro (1952 Scala Mailand) und in «Il Festino» von Francesco Malipiero (1954 Teatro Donizetti Bergamo). An der Metropolitan Oper New York sang sie 1947–49 auch die Ulrica in Verdis «Ballo in maschera», die Maddalena im «Rigoletto» und die Quickly im «Falstaff», die zu ihren größten Kreationen gehörte. 1948 gastierte sie als Quickly wie als Azucena am Opernhaus von San Francisco.
Schallplatten: Nuova Era (Quickly im «Falstaff», eine Aufführung aus der Scala von 1951).

Elms, Lauris; 1953 sang sie in einem Radiokonzert der Royal Philharmonic Society im australischen Rundfunk (ABC) unter Walter Süsskind. 1956 Preisträgerin beim Internationalen Gesangconcours von Genf. 1958 gastierte sie in Israel als Solistin in der 9. Sinfonie von Beethoven. 1958 wirkte sie an der Covent Garden Oper London in der englischen Erstaufführung der Oper «Dialogues des Carmélites» von Francis Poulenc mit. Spätere Tätigkeit als Konzert- und Oratoriensolistin in Australien und Neuseeland.

Elvira, Pablo, * 24. 9. 1938 San José (Puerto Rico); debütierte an der City Centre Opera New York 1974 als Germont-père in «La Traviata», 1978 an der Metropolitan Oper New York als Rigoletto. An der Metropolitan Oper sang er seitdem Partien wie den Alfio in «Cavalleria rusticana», den Tonio im «Bajazzo», den Lescaut in «Manon Lescaut» von Puccini, den Figaro im «Barbier von Sevilla» von Rossini, den Enrico in «Lucia di Lammermoor», den Don Carlo in «Ernani» wie in «La forza del destino» von Verdi. 1988 Gastspiel an der Oper von New Orleans als Renato in Verdis «Ballo in maschera».

Elwes, Gervase; er studierte nach seinem Debüt nochmals kurzfristig bei Victor Beigel in London. 1904 gab er auf Schloß Windsor ein Konzert vor der englischen Königsfamilie. 1904 sang er erstmals in London das Tenorsolo in «The Dream of Gerontius» von Elgar; 1909 kreierte er in London den Liederzyklus «On Wenlock Edge» von Ralph Vaughan Williams. In Berlin wie in München bewunderte man 1907 seinen Vortrag von Brahms-Liedern; im gleichen Jahr stand er im Mittelpunkt des Three Choirs Festival in Gloucester. 1909 hatte er auch in New York große Erfolge in «The Dream of Geron-

tius». Seine große Nordamerika-Tournee 1920–21 begann in Winnipeg. Am 6. 1. 1921 hatte er bei einem Konzert in der New Yorker Aeolian Hall einen grandiosen Erfolg; am 11. 1. 1921 hörte man ihn am Abend vor seinem tragischen Tod in einem Konzert an der Universität von Princeton. Immer wieder wird die Ausstrahlung seiner großen Persönlichkeit hervorgehoben, die auch noch in seinen Schallplattenaufnahmen bemerkbar wird.

Emili, Romano; 1987 sang er am Teatro Comunale Florenz in Mussorgskys «Boris Godunow», 1989 beim dortigen Maggio musicale den Arbace in Mozarts «Idomeneo».

Emminger, Josef, * 14. 10. 1804, † 27. 12. 1872 Prag.

Endert, Elisabeth Böhm-van; zuerst Schülerin von Wally Schauseil in Düsseldorf, dann von Richard Müller in Dresden. Auf Veranlassung des großen Dresdner Dirigenten Ernst von Schuch schlug sie die Bühnenlaufbahn ein. In den zwanziger Jahren bereiste sie Nordamerika in zwei großen Tourneen. Bereits 1909 hatte sie an der Berliner Hofoper gastiert. In Berlin trat sie in Partien wie der Pamina in der «Zauberflöte», der Eva in den «Meistersingern», der Elsa im «Lohengrin», der Marguerite im «Faust» von Gounod, der Titelfigur in «Mignon» von A. Thomas und dem Octavian im «Rosenkavalier» auf. Nach 1923 gab sie noch einzelne Bühnengastspiele, war aber hauptsächlich als Konzertsolistin tätig.
Sehr viele Schallplattenaufnahmen, zumeist auf HMV (hier auch elektrische Aufnahmen auf HMV-Electrola), auf Polydor (Volkslieder, Duette mit Birgit Engell) und auf Anker.

Endrèze, André; debütierte 1929 an der Grand Opéra Paris als Valentin im «Faust» von Gounod.

Engel, Pierre-Emile; er heiratete die berühmte Sopranistin *Jane Bathori* (1876–1970), die seine Schülerin gewesen war.

Engelen-Sewing, Cato; bis zu ihrem 80. Lebensjahr war sie ein aktives Mitglied des Tonkunst-Chors Amsterdam. Ihre exakte Technik, namentlich in der Ausführung von Trillern und schwierigen Koloraturen, wurde immer wieder hervorgehoben.

Engell, *Birgit;* seit 1911 verheiratet mit dem Sänger und Pädagogen *Hans Erwin Hey* († 6. 5. 1943 Wien). Zahlreiche, schöne Solo-Platten kamen auf Columbia, Beka und HMV heraus.

English, Gerald; 1960–77 Professor am Royal College of Music London, seit 1977 am Victoria College for the Arts (Australien).
Schallplatten: HMV («The Pilgrim's Progress» von Vaughan Williams, Te Deum von Purcell, Lieder von Dowland, Ward und Purcell).

Epstein, Ernestine, † 5. 10. 1935 Frankfurt a. M.

Epstein, Hermine, s. unter *Epstein,* Ernestine.

Equiluz, Kurt; seit 1982 Professor an der Wiener Musikakademie.
Schallplatten: Telefunken (h-moll-Messe von J. S. Bach, Marienvesper von Monteverdi), Harmonia mundi, Pan («Alfonso und Estrella» von Schubert), Christophorus-Verlag («Winterreise» von Schubert).

Erb, Karl; er entstammte sehr armen Verhältnissen, konnte aber bereits als Knabe in einem Kirchenchor singen. Er wurde Bürogehilfe, dann städtischer Angestellter in Ravensburg. Seine schöne Stimme wurde durch den Intendanten der Stuttgarter Hofoper Baron von Putlitz entdeckt. Nach der Uraufführung von Hans Pfitzners «Palestrina» gastierte das Ensemble dieser Aufführung 1917 mit dem neuen Werk in Basel, Bern und Zürich. 1921–31 mit der großen Sopranistin *Maria Ivogün* (1891–1987) verheiratet. Er sang in München auch in den Uraufführungen der Opern «Don Gil von den grünen Hosen» (15. 11. 1924) und «Die Vögel» (4. 12. 1920) von Walter Braunfels. Zu seinen großen Bühnenpartien gehörten der Loge im «Rheingold» (London 1927 und sehr oft bei den Münchener Festspielen), vor allem aber der Titelheld im «Corregidor» von Hugo Wolf, den er in München, Berlin und Wien und bei Gastspielen sang. Große Erfolge erzielte er als Bach-Interpret bei Konzerten in der Leipziger Thomas-Kirche. 1918–43 sang er Jahr für Jahr in den denkwürdigen Aufführungen der Matthäuspassion des Amsterdamer Concertgebouw Orchesters unter Willem Mengelberg die Partie des Evangelisten. Thomas Mann hat dem großen Sänger ein literarisches Denkmal gesetzt, wenn der Tenor Erbe in seinem Roman «Doktor Faustus» das Oratorium «Apokalypse» des Helden Thomas Leverkühn kreiert.
Schallplatten: Noch 1936–37 kamen Liedaufnahmen unter dem Etikett von Columbia heraus.

Ercolani, Renato, * 8. 8. 1920 Perugia; gastierte in den Festspielsommern 1975–76 in der Arena von Verona.

Erdös, Richard; Schallplatten: Pathé-Zylinder (Budapest, 1903).

Erhard, Eduard, * 9. 8. 1882 Wien, † (?); er gab Gastspiele an der Berliner Hofoper, an der Covent Garden Oper London, an der Metropolitan Oper New York und an weiteren Bühnen, hatte aber in Deutschland kein festes Engagement. Verheiratet mit der Sopranistin *Josefine Sedlmayer* (* 1885 Wien).

Ericson, Barbro; von ihren weiteren großen Partien sind zu nennen: die Klytämnestra in «Elektra» von R. Strauss, die Ulrica in Verdis «Ballo in maschera», die Eboli in dessen «Don Carlos», die Quickly im «Falstaff», die Amme in der «Frau ohne Schatten» von R. Strauss und die Amneris in «Aida». Am 12. 4. 1978 wirkte sie an der Stockholmer Oper in der

Uraufführung von G. Ligetis Oper «Le grand Macabre» mit.

Erl, Hans, * 8. 10. 1882 Wien, † 19. 10. 1944 im Konzentrationslager Auschwitz; er war engagiert: 1908–09 am Raimund-Theater Wien, 1911–13 am Stadttheater von Augsburg, 1913–14 am Stadttheater von Elberfeld und 1914–18, unterbrochen durch einen Einsatz als Soldat im Ersten Weltkrieg (1914–15), am Stadttheater von Chemnitz, seither am Opernhaus von Frankfurt a. M.

Erl, Josef, * 2. 1. 1874 Hütteldorf bei Wien. Sein Bruder *Franz Erl* († 25. 10. 1895 Wien) war ebenfalls ein bekannter Tenor und war in Lwów (Lemberg), Graz, Brno (Brünn) und kurze Zeit auch an der Wiener Hofoper engagiert.

Erman, Sigvard, s. unter *Erman,* Knut.

Ernster, Dezsö; er war der Sohn eines Synagogen-Kantors. Debüt 1923 in Plauen als Landgraf im «Tannhäuser». Er wirkte am 8. 6. 1929 an der Kroll-Oper Berlin in der Uraufführung von Hindemiths «Neues vom Tage» mit. Da er als Jude seit 1933 in Deutschland nicht mehr auftreten konnte, ging er nach Graz. 1938 Gastspiel an der Oper von Chicago als Pogner in den «Meistersingern», 1940 Auftritte in seiner ungarischen Heimat. Nachdem er die Schrekkenszeit im Konzentrationslager Bergen-Belsen überstanden hatte, sang er 1945 während einer Spielzeit am Stadttheater von Basel. In Nordamerika gastierte er auch an der Oper von San Francisco. 1954 Gastspiel an der Oper von Rom als Ochs im «Rosenkavalier», 1957 als Pogner in den «Meistersingern»; auch am Opernhaus von Zürich aufgetreten.
Schallplatten: Melodram (Landgraf im «Tannhäuser»). 1967 wurden nochmals Arien des damals 69jährigen Künstlers auf Platten aufgenommen.

Errolle, Ralph; war seit 1926 für mehrere Jahre an der Oper von Philadelphia tätig. Aus seinem Repertoire verdienen der Titelheld in «Hoffmanns Erzählungen», der Nicias in «Thaïs» von Massenet, der Froh im «Rheingold», der Gonzalve in «L'Heure espagnole» von Ravel und der Win-San-Luy in Leonis «L'Oracolo» Erwähnung.

Erschoff, Iwan (Wassiljewitsch); auf Veranlassung des berühmten Komponisten Anton Rubinstein wurde er 1888–93 in Moskau durch Stanislaw Gabel und durch Paletschek ausgebildet. Bereits seit 1894 an italienischen Theatern anzutreffen, darunter am Teatro Regio Turin. Er brillierte auch als Manrico im «Troubadour», als Titelheld in Verdis «Othello», als Radames in «Aida», als Canio im «Bajazzo», als Cavaradossi in «Tosca», als Raoul in den «Hugenotten» von Meyerbeer und als José in «Carmen». Während der Belagerung von Leningrad durch die deutschen Armeen im Zweiten Weltkriege wurde er nach Taschkent evakuiert, wo er starb. Seine sterblichen Überreste fanden 1956 auf dem Alexander

Newsky-Friedhof in Leningrad in einem Ehrengrab ihre letzte Ruhestätte.
Lit.: A. A. Hosenpud: «Iwan Erschoff» (1986).

Erwen, Keith; Schallplatten: Decca («Les Troyens» von Berlioz, «La Traviata»), Pickwick-Video («Macbeth» von Verdi aus Glyndebourne).

Escalaïs, Léon, * 8. 8. 1859 Cuxac d'Aude bei Narbonne; er wirkte später als gesuchter Pädagoge in Paris. Die beiden bekannten Tenöre José Luccioni und Riccardo Martin waren seine Schüler.

Escobar, Consuelo, s. unter *De Castro Escobar,* Consuelo.

Escobar, Maria Luisa, * 1886 San Luis Potosi (Mexiko), † 1965 Mexico City. Sie war die ältere Schwester der Koloratursopranistin *Consuelo Escobar de Castro* (* 1895). Sie gastierte auch in England, Frankreich und Spanien. Am Teatro de Bellas Artes in Mexico City nahm sie als Tosca von der Bühne Abschied. Sie erhielt eine Professur am Konservatorium der mexikanischen Hauptstadt. Verheiratet mit dem Violinisten José Rocabruna (1879–1957).
Schallplatten: Auf ihren Edison-Platten von 1924 ist sie in mexikanischen und spanischen Liedern zu hören.

Esposito, Andrée; Schallplatten: Le chant du monde (Recital, «Sigurd» von Reyer).

Esser, Hermin; 1988 Gastspiel an der Staatsoper von Dresden als Herodes in «Salome» von R. Strauss.

Esswood, Paul, * 6. 6. 1942 West Bridgford (Nottinghamshire); sein Solistendebüt erfolgte 1965 in Händels «Messias». 1968 sang er seine erste Bühnenpartie beim Berkeley Festival (Kalifornien) in der Oper «Erismena» von Cavalli. 1978 gastierte er an der Mailänder Scala in Monteverdis «Incoronazione di Poppea». 1979 sang er an der Oper von Chicago in der Uraufführung von Pendereckis «Paradise Lost». Er trat beim Festival von Edinburgh, in Wien und Salzburg, bei den Berliner Festwochen, beim Festival von Wexford, beim Holland Festival und beim Festival von Flandern auf. 1990 sang er in Karlsruhe die Titelrolle in «Admeto» von Händel. 1973–85 Professor am Royal College of Music London. 1985 gründete er das Ensemble Pro Cantione Antiqua.
Schallplatten: Decca (Szenen aus «Giulio Cesare» von Händel), Hyperion (Songs von Purcell), DGG (Brockes-Passion von Händel), Hungaroton («Der geduldige Sokrates» von Telemann), Philips («Echnaton» von Philip Glass).

Estes, Simon; an der New Yorker Metropolitan Oper hatte er auch als Landgraf im «Tannhäuser», als Amfortas im «Parsifal», als Amonasro in «Aida», als Orest in «Elektra» von R. Strauss und namentlich als Wotan im Nibelungenring große Erfolge zu verzeichnen. Trotz seiner glanzvollen Auftritte bei den Bayreuther Festspielen übertrug man ihm 1983 dort nicht die Partie des Wotan, die allgemein als eine

seiner größten Kreationen galt, und den er 1984–85 an der Deutschen Oper Berlin, 1986–88 an der Metropolitan Oper in Ring-Aufführungen sang. 1986 erstmals an der Covent Garden Oper London als Fliegender Holländer zu Gast.
Schallplatten: HMV («Roméo et Juliette» von Berlioz), Philips (9. Sinfonie von Beethoven, Verdi-Arien), DGG (Verdi-Requiem).

Estlinbaum, Elke; Schallplatten: Wergo (Lieder und Kantaten von Hermann Reutter).

Esty, Alice; sie kam um 1900 nach England und beteiligte sich dort u. a. an Tourneen der Carl Rosa- und der Moody-Manners Opera Company.

Ettl, Karl, * 19. 12. 1899 Wien, † 19. 10. 1956 Wien.

Eustrati, Diana; aus ihrem Bühnenrepertoire sind noch die Leonora in Donizettis «La Favorita» und die Dalila in «Samson et Dalila» von Saint-Saëns zu nennen.

Evangelatos, Daphne; sang 1982 in Brüssel den Annio in Mozarts «La clemenza di Tito», 1988 bei den Festspielen von Salzburg die Tisbe in «La Cenerentola» von Rossini.
Schallplatten: Eurodisc («Die Sizilianische Vesper» von Verdi), Erato («Tancrède» von Campra).

Evans, Anne; sie ließ ihre Stimme am Conservatoire von Genf durch Maria Carpi, Herbert Graf und Lotvi Mansouri, später auch bei Luigi Ricci in Rom, ausbilden. Bereits während ihres Studiums übernahm sie am Grand Théâtre Genf kleine Opernpartien. Sie war am Royal College of Music in London Schülerin von Vida Harford und von Ruth Packer. An der Sadler's Wells Opera (English National Opera) London sang sie 1968–78 neben den genannten Partien auch die Mimi in «La Bohème», die Fiordiligi in «Così fan tutte», die Traviata, die Elsa im «Lohengrin» und die Milada in Smetanas «Dalibor». Zu ihrer großen Glanzrolle wurde später die Brünnhilde im Nibelungenring. Diese sang sie 1988–89 an der Oper von Nizza, am Théâtre des Champs Élysées Paris, an der Deutschen Oper Berlin und dann auch 1989 bei den Festspielen von Bayreuth. 1989 großer Erfolg bei der Welsh Opera Cardiff in der Rolle der Färbersfrau in der Richard Strauss-Oper «Die Frau ohne Schatten».
Schallplatten: EMI-HMV (Helmwige und 3. Norn in vollständigem Nibelungenring in englischer Sprache).

Evans, Edgar, * 9. 6. 1912 Cardiganshire (Wales); er debütierte 1946 in London. Er wurde durch zahlreiche Radio- und Fernsehsendungen bekannt.
Schallplatten: HMV («Tristan und Isolde»).

Evans, Geraint; bei den Festspielen von Glyndebourne kam er 1950–61 namentlich als Mozartsänger in Partien wie dem Guglielmo in «Così fan tutte», dem Leporello wie dem Masetto im «Don Giovanni» und dem Papageno in der «Zauberflöte» zu großen

Erfolgen, dazu seit 1957 in einer seiner besten Rollen, dem Titelhelden in Verdis «Falstaff». Während sechs Spielzeiten ist er seit 1964 an der Metropolitan Oper New York zu hören gewesen; als Leporello, als Wozzeck, als Beckmesser in den «Meistersingern», als Balstrode in «Peter Grimes» von Benjamin Britten, insgesamt (im New Yorker Haus) in 46 Vorstellungen von sieben Rollen. Debütierte 1959 in San Francisco als Beckmesser, 1961 in Chicago als Lem in «The Harvest» von Giannini. 1975 Gastspiel an der Grand Opéra Paris als Leporello im «Don Giovanni». 1971 wurde er durch Königin Elizabeth II. in den Adelsstand erhoben. 1984 Bühnenabschied an der Covent Garden Oper London in der Partie des Dulcamara in «Elisir d'amore».

Evans, Nancy; in erster Ehe mit dem Schallplattenproduzenten und Manager von HMV Walter Legge (1906–79), in zweiter mit dem Regisseur Eric Croizier verheiratet. Sie leitete später die Gesangabteilung der Britten-Pears Music School in Aldeburgh.

Everardi, Camillo; zu seinen zahlreichen Schülern gehörten so bedeutende Sänger wie der Tenor Nikolai Figner, die Altistin Maria Slawina, der Baß-Bariton Nikolai Speransky, der Bassist Fedor Strawinsky, der Bariton Joakim Tartarow und der Tenor Dimitrij Usatow.

Eweyk, Arthur van; von Berlin aus, wo er bis 1912 seinen Wohnsitz hatte, ging er seiner Tätigkeit im Konzertsaal nach. Noch vor Ausbruch des Ersten Weltkrieges kehrte er in die USA zurück. Er widmete sich als einer der ersten Interpreten dem Liedschaffen von Hugo Wolf und von Max Reger. Man schätzte aber auch seinen Vortrag der Balladen von Carl Loewe.

Ewing, Maria, Mezzosopran/Sopran, *27. 3. 1950 Detroit; Ausbildung in Cleveland durch Jennie Tourel und durch Eleanor Steber. Sie debütierte 1973 beim Ravinia Festival und sang bereits 1976 an der Metropolitan Oper New York als Antrittsrolle den Cherubino in «Nozze di Figaro». Ihre Karriere nahm eine schnelle Entwicklung. 1976 trat sie an der Mailänder Scala als Mélisande in «Pelléas et Mélisande» von Debussy auf. Seit 1978 hatte sie große Erfolge in England, und hier vor allem bei den Festspielen von Glyndebourne. Dort sang sie die Dorabella in «Così fan tutte», 1981 die Rosina im «Barbier von Sevilla». 1980 gastierte sie am Théâtre de la Monnaie Brüssel und sang bei den Festspielen von Salzburg den Cherubino. 1981 bewunderte sie das Publikum der Pariser Grand Opéra als Zerline im «Don Giovanni» und als Komponist in «Ariadne auf Naxos» von R. Strauss. 1982 heiratete sie den berühmten englischen Regisseur Sir Peter Hall (*1928), der ihr große Aufgaben in den von ihm inszenierten Opernaufführungen übertrug. 1981 sang sie am Grand Théâtre Genf die Angelina in Rossinis «La Cenerentola», 1982 in der Offenbach-Operette «La Périchole», 1983 die Susanna in «Figaros Hochzeit». 1984 wirkte sie beim Festival von Glyndebourne als Poppea in Monteverdis «Incoronazione di Poppea» mit, 1985

und 1987 feierte sie dort in der Partie der Carmen wahre Triumphe. 1987 trat sie an der Metropolitan Oper New York als Komponist in «Ariadne auf Naxos» hervor; weitere Partien, die sie dort sang, waren die Dorabella, die Zerline im «Don Giovanni», die Rosina, die Carmen und die Blanche in «Dialogues des Carmélites» von Poulenc (1987). In Los Angeles erregte sie 1986 als Salome in der gleichnamigen Oper von Richard Strauss Aufsehen. Die gleiche Partie trug sie 1988 an der Covent Garden Oper London vor, wobei sie den «Tanz der sieben Schleier» völlig nackt ausführte (wie zuvor 1984 in Glyndebourne die Badeszene der Poppea). 1987 Gastspiel an der Chicago Opera als Cherubino.
Schallplatten: RCA (Bersi in «Andrea Chénier» von Giordano, Ninetta in Verdis «Vespri Siciliani»), HMV («Don Giovanni»), DGG («La Damoiselle élue» von Debussy, Mozart-Requiem), Castle-Video («Incoronazione di Poppea»). – (Neufassung) –.

Exner, Ingeborg; Schallplatten: Sie sang auf Opera in einem Querschnitt «Cavalleria rusticana» die Partie der Santuzza mit Sandor Konya als Partner, auf DGG in Vokalwerken von Debussy.

Eyle, Helmut; bildete sich größtenteils autodidaktisch zum Sänger. Debüt als Solist 1946 am Opernhaus von Leipzig als Herr Reich in den «Lustigen Weibern von Windsor» von Nicolai. Er gastierte, zumeist mit dem Leipziger Ensemble, in Paris, an westdeutschen Bühnen, an der Oper von Lodz, in Jugoslawien und auf Kuba.

F

Fabbri, Franca; sang 1975 am Teatro Lirico Mailand in der Uraufführung der Oper «Al gran sole carico d'amore» von Luigi Nono.

Fabbri, Guerrina; sie war Schülerin von A. Mattioli in Ferrara und von Galetti-Gianoli in Mailand. Sie debütierte 1885 am Stadttheater von Viadana als Orsini in «Lucrezia Borgia» von Donizetti und sang 1885–86 in Palermo die Cieca in «La Gioconda» und die Marta in «Mefistofele» von Boito. 1889 schloß sie sich einer Operntruppe an, die die große Primadonna Adelina Patti zusammengestellt hatte, mit der sie befreundet war; diese Truppe gab auch einige Gastvorstellungen im Gebäude der New Yorker Metropolitan Oper. Während ihres eigentlichen Engagements an diesem Haus 1891–92 sang sie nur eine einzige Partie, die Nancy in «Martha». In der Saison 1906–07 fand ihr Debüt an der Mailänder Scala in einer ihrer Glanzrollen, der Quickly in Verdis «Falstaff», statt. 1908 hörte man sie am Teatro Colón Buenos Aires als Erda im «Siegfried», als Cieca in «La Gioconda», als Königin im «Hamlet» von A. Thomas und als Mme de la Haltière in der südamerikanischen Erstaufführung von Massenets «Cendrillon». Wegen ihrer Korpulenz mußte sie sich im letzten Abschnitt ihrer Karriere auf Partien aus dem Buffo- und dem Charakterfach verlegen. – Ihre Schwester *Vittorina Fabbri* sang an der Mailänder Scala u. a. 1891 in der Uraufführung der Oper «Condor» von Carlos Gomes.

Fabbri, Vittorina, s. unter *Fabbri,* Guerrina.

Fabbri-Mulder, Inez, Sopran, * 26. 1. 1831 Wien, † 28. 6. 1909 San Francisco; sie war die Tochter eines Wiener Textilfabrikanten und hieß eigentlich Agnes Schmidt. Angeblich war eine finanzielle Notlage ihrer Familie der Grund, daß sie die Bühnenkarriere einschlug. Im Alter von nur 16 Jahren debütierte sie 1847 am Theater von Kaschau (Košice) in der Titelrolle von Donizettis «Lucrezia Borgia» und blieb vier Jahre an dieser Bühne. Sie unternahm dann große Reisen, sang am Theater von Königsberg (Ostpreußen) und 1857 am Stadttheater von Hamburg. Dort traf sie den holländischen Pianisten, Dirigenten und Impresario Richard Mulder (1822–74), der den Auftrag hatte, in Valparaiso (Chile) ein Opernhaus zu eröffnen. Sie heiratete ihn 1858 und ging als Primadonna seiner Operntruppe nach Südamerika. In Valparaiso wie in anderen südamerikanischen Städten kam sie zu großen Erfolgen; sie sang u. a. vor dem Kaiser Pédro II. von Brasilien, der ihr ein Brillanten-Halsband zum Geschenk machte. 1860 reiste sie nach New York und sang dort am Niblo's Garden Theatre unter Max Maretzek. Es schlossen sich Reisen durch die USA, Kanada und Porto Rico an. Eine Europa-Tournee brachte 1862–63 glänzende Erfolge bei Gastspielen in Amsterdam, im Haag, in Utrecht, Wiesbaden, Posen, Riga, Aachen, Mainz, Bremen und Mannheim, an den Hofopern von Wien und Berlin. 1864–71 war sie am Opernhaus von Frankfurt a. M. im Engagement. 1871 sang sie an der Covent Garden Oper London als Rivalin der großen Primadonna Adelina Patti. 1872 kam sie wieder nach New York, wo sie jetzt bei der Habelmann-Formes Company sang. Zusammen mit ihrem Gatten gründete sie dann die Fabbri Italian and German Opera Company und verlegte ihre Tätigkeit 1872 nach San Francisco. Hier kam sie zu triumphalen Erfolgen. Richard Mulder gründete das Mulder Conservatory of Music und veranstaltete mit ihr als Primadonna zahlreiche Opernaufführungen, starb jedoch bereits im Dezember 1874. Sie organisierte weiter Opernvorstellungen und Konzerte in San Francisco und gab 1877 ein großes Gala-Konzert anläßlich ihres 30jährigen Wirkens als Sängerin. Sie heiratete den Bariton *Jacob Muller* (1845–1901), einen Schüler ihres ersten Mannes, der 14 Jahre jünger war als sie. Zwischen 1876 und 1880 gab sie über dreißig Konzerte in San Francisco und sang dort 1879 vor dem amerikanischen Präsidenten Ulysses S. Grant. 1881 beendete sie ihre aktive Karriere, befaßte sich aber weiter mit der Inszenierung von Opern, geriet dabei aber in große Schulden und lebte zuletzt, verarmt und vergessen, in San Francisco. – (Neufassung) –.

Fabri, Annibale Pio; er war auch unter dem Namen «Balino» oder «Il Bolognese» allgemein bekannt.

Fagoaga, Isidoro, * 4. 4. 1895 Vera de Bidasea (Provinz Navarra); er begann das Gesangstudium bei dem Pädagogen Luís Iribarne und ging dann zur weiteren Ausbildung nach Italien. 1924 gastierte er bei den Festspielen in der Arena von Verona als Parsifal. Er wurde als der führende Wagner-Tenor in Italien von Cosima und Siegfried Wagner zu den Bayreuther Festspielen eingeladen und studierte auf deren Anregung seine Wagner-Partien nun auch in deutscher Sprache ein.

Fahberg, Antonia; Schallplatten: DGG («Zauberflöte»).

Fahrni, Helene; sie gab Konzerte in Berlin, Hamburg, Leipzig, Köln, Aachen und Wien, in Paris, Brüssel, Budapest, in London, Stockholm und in den Schweizer Musikzentren; zusammen mit Hildegard Hennecke, Heinz Marten und Fred Drissen trat sie auch in einem Vokalquartett auf. Schallplatten: Auf Telefunken singt sie das Sopransolo in der 9. Sinfonie von Beethoven.

Falck, Jorma; erfolgreiche Auftritte bei den Opernfestspielen von Savonlinna, wo er auch in der Uraufführung der Oper «Das Messer» («Veitsi»; 12. 7. 1989) mitwirkte. Schallplatten: BIS (Opernszenen aus Savonlinna).

Falco, Philine; sie studierte Klavierspiel bei Cateau Esser in Amsterdam und am Konservatorium im Haag bei Frau Boll, später in den USA Gesang bei Melanie Gutmann-Rice. 1920–22 sang sie kleinere Partien für Sopran wie für Mezzosopran in Chicago. Bei der Hinshaw Company hörte man sie als Dorabella in «Così fan tutte», bei der San Carlo Opera Company als Nedda im «Bajazzo», als Musetta in «La Bohème», als Micaela in «Carmen», dazu in einigen Comprimario-Rollen. Während vier Spielzeiten gehörte sie der San Carlo Opera an. In Ravinia übernahm sie 1926 (und nochmals 1949 in Philadelphia) die Rolle des polnischen Pianisten in Giordanos Oper «Fedora» und spielte auf der Bühne ein Nocturne von Chopin. Eins ihrer letzten Engagements war bei der Salmaggi's Opera Company, mit der sie die USA bereiste.

Falcon, Marie Cornélie; als König Louis-Philippe 1837 das Schloßtheater von Versailles wieder eröffnete, sang sie zusammen mit dem berühmten Tenor Gilbert Duprez, dem Nachfolger von Adolphe Nourrit, in Szenen aus «Robert le Diable» von Meyerbeer.

Falcon, Ruth; auch Schülerin von Luigi Ricci in Rom. 1976–80 Mitglied der Staatsoper München, an der sie die Leonore im «Troubadour» wie in «La forza del destino», die Gräfin in «Figaros Hochzeit» und die Elettra in «Idomeneo» sang. 1981 Gastspiel an der Grand Opéra Paris als Donna Anna, 1983 an der Staatsoper Wien und an der Covent Garden Oper London als Leonore im «Troubadour». 1989 Debüt an der New Yorker Metropolitan Oper als Kaiserin in der «Frau ohne Schatten», wobei sie für

Eva Marton einsprang. Sie sang 1986 in Nancy die Titelpartie in Bellinis «Norma» und bei den Festspielen von Aix-en-Provence die Ariadne in «Ariadne auf Naxos» von R. Strauss, 1987 an der Covent Garden Oper London die Kaiserin in der «Frau ohne Schatten», ebenfalls von Richard Strauss, 1988 die Chrysothemis in «Elektra». 1988 Gastspiel bei der New Jersey Opera.
Schallplatten: HMV-Electrola («Die Walküre»).

Falewicz, Magdalena; 1971–72 Mitglied der Kammeroper Warschau. 1973–79 gehörte sie dem Ensemble der Komischen Oper Berlin an, seit 1979 an führender Stelle an der Berliner Staatsoper tätig. 1985 sang sie an der Staatsoper von Dresden in der Uraufführung der Oper «Die Weise von Liebe und Tod des Cornets Christoph Rilke» von Siegfried Matthus, 1988 dort großer Erfolg als Gräfin in «Figaros Hochzeit». Man schätzte sie als Mozart- und Verdi-Interpretin, als Mimi in «La Bohème» von Puccini, als Butterfly und als Zdenka in «Arabella» von R. Strauss.

Falkman, Carl Johan, * 24. 7. 1947 Stocksund (Schweden); 1988 großer Erfolg als Don Giovanni in Stockholm.
Schallplatten: Capriccio («Barfôta»-Lieder von Petterson), Cascavelle Records («Boulevard Solitude» von H. W. Henze).

Falkner, Keith, * 1. 3. 1900 Sawston (Cambridgeshire); mehrfache Auftritte beim Bethlehem Festival (Pennsylvania).
Schallplatten: Bei Columbia erschienen Aufnahmen für die Purcell-Society, auf Victor Christus in der vollständigen Matthäuspassion unter Koussevitzky.

Fanelli, Maria Luisa; Schallplatten: Auf HMV kamen Duette aus «Il Trovatore» und aus «Lohengrin» mit Benvenuto Franci und Aureliano Pertile als Partnern heraus.

Faragó, András; sang 1987 in Budapest in der Uraufführung von S. Szokolays «Ecce homo».

Farinelli (Carlo Broschi); er war der Sohn eines Müllers. Mit dem berühmten Librettisten Pietro Metastasio war er durch eine Künstlerfreundschaft verbunden. Während er seinen Ruhestand in seinem Palast in Bologna verlebte, erhielt er hin und wieder noch Briefe der großen Primadonna Vittoria Tesi-Tramontini, die mit ihm zusammen gesungen hatte.

Farley, Carol; 1968–69 Studium an der Musikhochschule München bei Marianne Sehech. 1969 Konzertdebüt in der New Yorker Town Hall. 1971–72 an der Welsh Opera und an der Oper von Brüssel aufgetreten, 1972–75 an der Oper von Köln. Gastierte in Philadelphia (1974), Lyon (1976–77), Straßburg (1975), Zürich (1976), an der Deutschen Oper am Rhein Düsseldorf–Duisburg (1980–81), in Chicago (1981), Toronto (1980) und beim Maggio musicale Florenz (1985 als Lulu). Sie trat seit 1975 an der Metropolitan Oper New York auf, an der sie als

Antrittspartie die Mimi in «La Bohème» sang. 1976 debütierte sie an der City Centre Opera New York in der Titelrolle der Offenbach-Operette «La belle Hélène». 1978 hatte sie an der Metropolitan Oper große Erfolge als Lulu in der gleichnamigen Oper von A. Berg. Diese Partie sang sie auch bei der Welsh Opera, an den Opernhäusern von Zürich und Köln (1985 dort auch als Salome). 1987 zu Gast am Teatro Colón Buenos Aires. Verheiratet mit dem Dirigenten José Serebrier (* 1938).
Schallplatten: Chandos (Lieder von F. Poulenc), ASV (Französische Lieder, Lieder von Prokofieff), CGR («Guntram» von Richard Strauss).

Farneti, Maria; debütierte 1898 in Turin als Desdemona in Verdis «Othello». In Buenos Aires trat sie auch am Teatro Coliseo auf.

Farrar, Geraldine; bereits mit drei Jahren sang sie ein Lied in einer Kirche, mit zehn Jahren stellte sie in einem historischen Festspiel Jenny Lind dar. Im Januar 1896 gab sie ein erstes Konzert in der Town Hall ihres Heimatortes Melrose. Als man sie für kleine Partien an die Metropolitan Oper New York engagieren wollte, lehnte sie dieses Angebot ab und ging zur weiteren Ausbildung nach Europa. Im November 1901 bewunderte man an der Berliner Hofoper ihre Traviata, 1902 ihre Nedda im «Bajazzo», 1903 kreierte sie für Berlin Massenets «Manon». Sie sang dort auch sehr erfolgreich die Zerline im «Don Giovanni» und die Juliette in «Roméo et Juliette» von Gounod. 1904–06 gastierte sie an der Oper von Monte Carlo, an der sie als Antrittsrolle die Mimi in «La Bohème» als Partnerin von Enrico Caruso sang. 1905–06 Gastspiel an der Oper von Warschau. Bis 1914 war sie in Paris wie in Berlin noch mehrfach als Gast zu hören, ist aber weder in London noch in Italien aufgetreten. An der Metropolitan Oper New York wirkte sie in der amerikanischen Erstaufführung der Oper «Ariane et Barbe-Bleue» von Dukas (1911) mit, ebenfalls 1911 in Wolf-Ferraris «Segreto di Susanna» und 1918 in der Premiere von Mascagnis «Lodoletta» in den Titelpartien. In den Jahren 1915–20 trat sie in 14 (stummen) Filmen auf. An der Metropolitan Oper hat sie in 16 aufeinander folgenden Spielzeiten 35 Partien in 517 Vorstellungen gesungen, darunter allein 94mal die Butterfly (ohne Berücksichtigung der Vorstellungen im Rahmen der jährlichen Gastspieltournee in den USA). Bei ihrem Bühnenabschied am 22. 4. 1922 als Titelheldin in Leoncavallos «Zazà» veranstaltete man vor der Metropolitan Oper eine Massenhuldigung für die abgöttisch verehrte Sängerin. 1916 hatte sie den holländischen Schauspieler Lou Tellegen geheiratet, von dem sie sich aber wieder trennte.

Farrell, Eileen, * 13. 2. 1920 Willimantic (Connecticut); sie präsentierte in ihrer Rundfunk-Sendereihe «Eileen Farrell presents» ein Programm, das vom Unterhaltungslied bis zum Ausschnitt aus Opern reichte. 1951 sang sie in der Carnegie Hall New York (konzertant) die Marie in A. Bergs «Wozzeck». Ihr eigentliches Bühnendebüt erfolgte erst 1956 in Tampa (Florida) als Santuzza in «Cavalleria rusti-

cana»; noch im gleichen Jahr 1956 sang sie in San Francisco die Leonore im «Troubadour». Sie blieb für fünf Spielzeiten Mitglied der Metropolitan Oper New York und sang dort 1960–65 auch die Santuzza, die Titelfigur in «La Gioconda» von Ponchielli, die Maddalena in «Andrea Chénier» von Giordano und die Leonore im «Troubadour». Während sie in ihren Konzerten auch Szenen aus Opern von R. Wagner vortrug, hat sie auf der Bühne keine Wagner-Partien gesungen. 1971–80 nahm sie eine Professur an der Indiana University wahr.
Schallplatten: Columbia (Sopransolo im «Messias»), CBS (Arien-Aufnahmen), Reference Records («Songs», 1988 publiziert).

Fassbaender, Brigitte; weitere Höhepunkte in ihrem Bühnenrepertoire waren die Carmen, die Charlotte in Massenets «Werther», die Eboli im «Don Carlos» von Verdi, die Marina im «Boris Godunow», die Klytämnestra in «Elektra» (Salzburger Festspiele, 1989), die Gräfin Geschwitz in «Lulu» von A. Berg und die Fricka in der «Walküre», die sie 1986 an der New Yorker Metropolitan Oper sang. Sie betätigte sich als Opernregisseurin (1989 «Rosenkavalier», München) und nahm eine Professur an der Münchner Musikhochschule wahr.
Schallplatten: HMV (Petite Messe solennelle von Rossini), Orfeo (Requiem von Hindemith).

Faßbender, Zdenka; sie debütierte 1899 am Hoftheater von Karlsruhe in der Partie der Rachel in «La Juive» von Halévy.

Fassler, Wolfgang, * 1944 Wien; begann seine Bühnenkarriere 1973 am Landestheater Saarbrücken, sang 1975–77 am Landestheater Salzburg, seit 1977 am Opernhaus von Wuppertal. 1977 wurde er Mitglied des Stadttheaters von Bremen. 1987 gastierte er an der Opéra du Rhin Straßburg als Tambourmajor in A. Bergs «Wozzeck», 1988 am Teatro San Carlo Neapel als Parsifal und gleichfalls 1988 am Teatro Comunale Florenz als Tristan.

Faßmann, Augustine von; sie war in erster Ehe mit einem Freiherrn von Seckendorff, in zweiter mit dem Hauptmann von Held verheiratet.

Faust, Hertha, * 1897, † Juni 1986 Hamburg; sie sang zu Beginn ihrer Karriere in Berlin, Erfurt und Nürnberg, bevor sie 1932 an die Hamburger Oper engagiert wurde.

Favero, Mafalda; debütierte 1927 am Teatro Regio Turin als Liu in Puccinis «Turandot». In der Saison 1928–29 sang sie an der Mailänder Scala auch die Elsa im «Lohengrin» und die Liu in «Turandot». 1940 nahm man eigens für sie Leoncavallos Oper «Zazà» in den Spielplan der Scala auf. Hier sang sie auch am 9. 2. 1929 in der Uraufführung von Lattuadas «Le Preziose ridicole» die Rolle der Madelon. An der Covent Garden Oper London hörte man sie 1937 als Liu und als Norina im «Don Pasquale», 1939 als Liu, als Zerline im «Don Giovanni» und als Mimi in «La Bohème». 1938 sang sie an der Oper von San Francisco (Antrittsrolle: Zerline im «Don Giovanni»). Sie debütierte im November 1938 an der Metropolitan Oper New York als Mimi in «La Bohème» in der gleichen Vorstellung, in der auch Jussi Björling sein Hausdebüt als Rodolfo gab.
Schallplatten: HMV (Ausschnitte aus Puccinis «Turandot» mit Eva Turner und Octave Dua).

Fay, Maud; 1908 sang sie an der Münchner Hofoper die Tosca in der dortigen Erstaufführung von Puccinis bekannter Oper, ebenfalls die Diemuth in «Feuersnot» von R. Strauss und die Titelfigur in «Ariadne auf Naxos» in den Premieren dieser Opernwerke. Sie hatte in München große Erfolge als Donna Anna im «Don Giovanni» und als Gräfin in «Figaros Hochzeit». Sie gastierte an der Covent Garden Oper London, an der Hofoper von St. Petersburg sowie 1912 und 1913 in Amsterdam als Elisabeth im «Tannhäuser» und als Sieglinde in der «Walküre». Im Februar 1916 sang sie als Antrittsrolle an der Metropolitan Oper New York die Sieglinde, wurde aber dort kaum beschäftigt. In der Spielzeit 1916–17 trat sie an der Oper von Chicago auf. Sie heiratete später einen amerikanischen Marineoffizier und lebte als Mrs. Powers Symington in San Francisco.
Schallplatten: Ihre einzige HMV-Aufnahme enthält ein Duett aus «Lohengrin» mit dem Tenor Heinrich Knote. Wahrscheinlich sind weitere Aufnahmen gemacht worden, die anscheinend verlorengegangen sind.

Fear, Arthur; sang bei der New English Opera Company (nicht bei der English National Opera Company).
Schallplatten: HMV (auch Szenen aus «Rheingold» mit Göta Ljungberg und Walter Widdop).

Féart, Rose, * 26. 3. 1878 Saint-Riquier (Departement Somme), † 5. 10. 1954 Genf; bis 1913 durchlief sie an der Grand Opéra Paris eine große Karriere. Sie gab Gastspiele am Theater von Genf und an der Hofoper von St. Petersburg. Nachdem sie durch Heirat Schweizerin geworden war, wirkte sie 29 Jahre hindurch als hoch geschätzte Pädagogin am Conservatoire von Genf.

Fecht, Johanna Lotte; sie gastierte auch am Stadttheater von Bern (1985) und am Opernhaus von Graz (1987); 1988 trat sie in Graz und in Salzburg als Brünnhilde in der «Walküre» auf, 1986 in Nürnberg als Turandot in der Puccini-Oper gleichen Namens.

Federici, Francesco; er entstammte einer aristokratischen Familie in Ferrara, 1905–06 hörte man ihn in Bergamo als Malatesta in Donizettis «Don Pasquale» zusammen mit Hariclea Darclée. 1911 Gastspiele in Helsinki (zusammen mit Elvira de Hidalgo in «Rigoletto» und im «Barbier von Sevilla») und am Teatro Payret in Havanna. In den Jahren 1913–16 sang er an der Oper von Chicago den Enrico in «Lucia di Lammermoor», den Rigoletto, den Figaro im «Barbier von Sevilla», den Alfio in «Cavalleria rusticana», den Silvio im «Bajazzo», den Marcello in Puccinis «La Bohème», den Sharpless in «Madame

Butterfly» und den Scarpia in «Tosca». Um 1926 wechselte er ins Buffo-Fach. 1933–34 war er bei der Italienischen Oper in Holland tätig. Dort brach er in Amsterdam in einer Vorstellung von Verdis «La forza del destino», in der er den Fra Melitone sang, auf der Bühne zusammen und starb wenige Tage später. Er fand im Haag seine letzte Ruhestätte.

Fedoseyew, Andrej (Alexandrowitsch) * 1. 2. 1934 Tiraspol (Bessarabien-Rumänien, heute Moldauische Sowjetrepublik); im zweiten Teil seiner Karriere nahm er heldische Partien in sein Repertoire auf.
Schallplatten: Melodiya, darunter eine vollständige «Boris Godunow»-Aufnahme, in der er die Titelpartie singt. In einer weiteren vollständigen Oper, «Pique Dame», die auch auf Philips publiziert wurde, hört man ihn als Jeletzky.

Fehenberger, Lorenz; Schallplatten: PLA («Der Friedenstag» von Richard Strauss).

Fehn, Helmut; Schallplatten: Garnet-Records (Bach-Kantaten, Messen von F. Schubert).

Feinhals, Fritz; seit 1893 Studium in Mailand. Bei den Wagner-Festspielen am Prinzregenten-Theater in München hörte man ihn als Wotan, als Hans Sachs, als Telramund, als Amfortas und als Kurwenal im «Tristan», jedesmal mit großem Erfolg. In Budapest gastierte er als Fliegender Holländer (in italienischer Sprache) und als Don Giovanni. Seit 1903 war er bei den großen Wagner-Aufführungen des Wagner-Vereins Amsterdam zu Gast, letztmalig 1909 als Telramund im «Lohengrin». Als Antrittsrolle sang er im November 1908 an der New Yorker Metropolitan Oper den Wotan in der «Walküre». Neben seinen Wagner-Heroen trat er dort auch als Amonasro in «Aida» auf. Allgemein galt er als großer Darsteller auf der Bühne, doch kam er auch im Konzertsaal zu bedeutenden Erfolgen. Seine Gattin, die Altistin *Elise Feinhals,* wirkte bei den Münchner Festspielen und in Amsterdam in kleineren Partien mit.
Schallplatten: Erste Aufnahmen auf Berliner Records (1903), dann auf Odeon (1908), auf HMV und auf Edison-Zylindern.

Felix, Benedikt; seine Tätigkeit an der Wiener Hofoper wurde durch Differenzen des Sängers mit deren Direktor Gustav Mahler, der 1898–1907 das Haus leitete, belastet, doch blieb der Künstler dort im Engagement.
Schallplatten: Sieben Titel auf G & T (Wien, 1902).

Feller, Carlos; seine Eltern waren aus Polen nach Argentinien ausgewandert. Er gastierte 1958 mit der Kammeroper Buenos Aires bei Aufführungen im Rahmen der Weltausstellung von Brüssel und blieb in Europa. Er nahm ein Engagement am Stadttheater von Mainz an, sang an der Oper von Frankfurt a. M. und bis 1966 am Theater von Kiel. Dann ging er für die Jahre 1966–69 nach Buenos Aires zurück, kam aber 1969 wieder nach Westdeutschland und

wurde 1973 Mitglied des Opernhauses von Köln. 1986 Gastspiel am Opernhaus von Zürich als Schigolch in «Lulu» von A. Berg. Große Erfolge bei einer Gastspiel-Tournee der Kölner Oper in Israel sowie 1988–89 bei den Festspielen von Schwetzingen («Il cambiale di matrimonio» von Rossini, 1989). 1988 sang er als Antrittsrolle an der Metropolitan Oper New York den Alfonso in «Così fan tutte». Diese Partie hatte er bereits 1984 bei den Festspielen im Barocktheater auf Schloß Drottningholm gesungen, wo man ihn 1988 als Bartolo in «Figaros Hochzeit» hörte.
Schallplatten: DGG (Bartolo in «Figaros Hochzeit»).

Fellwock, Ottilie, * 1877, † (?); sie trat bereits 1891 in Berlin in einem Konzert auf. 1899–1902 sang sie am Theater von Graz und kam dann 1902 an das Deutsche Theater Prag. Dort blieb sie bis 1906 tätig und war 1906–08 am Stadttheater von Nürnberg engagiert. Etwa 1910–14 ist sie am Stadttheater von Stettin anzutreffen. Sie war verheiratet mit dem bekannten Tenor *Franz Costa* (* 1861), der eine erfolgreiche Bühnenkarriere hatte.

Felser, Frieda; nach ihrem ersten Engagement in Köln gehörte sie in der Spielzeit 1905–06 der Wiener Hofoper an, kam dann aber wieder nach Köln zurück.

Fenn, Jean, * 10. 5. 1930 Riverside (Illinois).

Féraldy, Germaine; sie sang 1924 als Antrittsrolle an der Pariser Opéra-Comique die Micaela in «Carmen». An diesem Haus sang sie u. a. die Natilde in der Uraufführung der Oper «Le bon Roi Dagobert» von Samuel-Rousseau (5. 12. 1927) und 1928 die Marie in der ersten Aufführung von Smetanas «Verkaufter Braut» an der Opéra-Comique.
Ihre zahlreichen und ausnahmslos schönen Schallplattenaufnahmen sind alle in elektrischer Aufnahmetechnik vorhanden.

Fernandi, Eugenio, * 1922 Valperga Canarese bei Turin; er entstammte einer bäuerlichen Familie. Er gab auch Gastspiele an der Covent Garden Oper London, an der Grand Opéra Paris, am Théâtre de la Monnaie Brüssel und an der Berliner Staatsoper. In Nordamerika gastierte er an der Chicago Opera. 1964 sang er in einem Konzert im Vatikan in Rom vor Papst Paul VI. ein Solo in dem Oratorium «Il Giudizio Universale» von Lorenzo Perosi, im November des gleichen Jahres in einer Eurovisionssendung aus Paris das Tenor-Solo im Verdi-Requiem.

Ferni, Carolina; die Schwester der Sängerin Virginia Ferni-Teja hatte als Violinistin eine erfolgreiche Karriere. Die beiden Sopranistinnen *Teresina Ferni* und *Vincenzina Ferni* (1853–1926) waren Cousinen (letztgenannte nicht, wie oft behauptet, eine Schwester *Virginia Ferni* (auch unter dem Namen Ferni-Germano aufgetreten) stand dagegen in keinem verwandtschaftlichen Verhältnis zu den genannten Sängerinnen.

Ferni, Virginia, Sopran, *17.12. 1849 Turin, †4.2. 1934 Turin; sie war nicht (wie oft behauptet wird) verwandt mit den Sängerinnen *Carolina Ferni* (1839–1926) oder *Vincenzina* und *Teresina Ferni* (beide Cousinen von Carolina Ferni). Sie zeigte als Kind eine Doppelbegabung für den Gesang wie für das Violinspiel und sang bereits mit sieben Jahren virtuose spanische Lieder, die sie selbst auf der Violine begleitete. 1976 betrat sie erstmals am Teatro Real von Madrid die Bühne in der Partie des Siebel im «Faust» von Gounod. Es kam nun zu einer sehr erfolgreichen Karriere der Sängerin an den großen Bühnen in Europa wie in Nord- und Südamerika. 1878–80 trat sie am Teatro Liceo Barcelona auf, 1884 am Teatro San Carlo Neapel und am Teatro Comunale Bologna, 1885 am Teatro Costanzi Rom (als Carmen und als Mignon). Am 16. 2. sang sie in der Uraufführung von Alfredo Catalanis Oper «Loreley» auf Wunsch des Komponisten am Teatro Regio von Turin die Titelpartie. Am 27. 2. 1887 kreierte sie an der Mailänder Scala die Titelrolle in einer weiteren Oper von Catalani «Edmea». 1886–87 war sie zu Gast in Triest und 1887 an der Hofoper St. Petersburg. In Bologna wirkte sie am 2. 10. 1884 in der Uraufführung von Luigi Mancinellis Oper «Isora di Provenza» mit. Höhepunkte in dem umfangreichen Bühnenrepertoire der Sängerin waren die Carmen, die Mignon in der gleichnamigen Oper von A. Thomas, die Margherita wie die Elena in «Mefistofele» von A. Boito. Nachdem sie den Violinisten Germano geheiratet hatte, trat sie auch unter dem Namen Virginia Germano-Ferni auf. Ihr Sohn Carlo Germano wurde wie sein Vater ein international bekannter Geiger. – (Neufassung) –.

Ferrani, Cesira; erste Ausbildung am Liceo musicale di Torino, dann bei Antonietta Fricci. Debüt 1887 als Marguerite im «Faust» von Gounod am Teatro Regio Turin; sie sang im gleichen Jahr am Teatro Carignano Turin der Gilda im «Rigoletto». 1892 gastierte sie am Teatro Carlo Felice Genua als Amelia in «Simon Boccanegra» von Verdi und als Titelheldin in Catalanis «Loreley» unter A. Toscanini. Es folgten Auftritte am Teatro Comunale Bologna, in Bari, Brescia und Udine. Am 17. 1. 1901 sang sie eine der sechs gleichzeitigen Uraufführungen von Mascagnis Oper «Le Maschere» am Teatro Carlo Felice Genua. Die Vorstellung endete mit einem skandalösen Mißerfolg und mußte schließlich abgebrochen werden. An der Mailänder Scala sang sie in der Uraufführung der Oper «Il Fior d'Alpe» von Alberto Franchetti (15.3. 1894), am Teatro Lirico Mailand in der von Giacomo Orefices «Chopin» (25. 11. 1901).
Schallplatten: Unter ihren G & T-Aufnahmen (Mailand 1903) finden sich auch Titel aus «Manon Lescaut» und «La Bohème» von Puccini.

Ferraresi del Bene, Adriana; 1788 sang sie in Wien zu ihrem Debüt in der Oper «L'Arbore di Diana» von Martín y Solér. Sie trat in der österreichischen Metropole auch in Opernwerken von Antonio Salieri, Pietro Alessandro Guglielmi und Giovanni Paisiello auf.

Ferrari-Fontana, Edoardo; wollte zunächst wie sein Vater Arzt werden, trat dann aber in den diplomatischen Dienst ein. 1912–14 große Erfolge an der Mailänder Scala als Pollione in «Norma» und als Tristan. 1913–14 trat er an der Oper von Boston als Canio im «Bajazzo», als José in «Carmen» und als Gennaro in Wolf-Ferraris «I gioielli della Madonna» auf. 1914 wurde er an die Metropolitan Oper New York engagiert. Obwohl er dort 1914 in der amerikanischen Erstaufführung von Montemezzis «Amore dei tre Re» in der Partie des Avito einen sensationellen Erfolg hatte, wurde er in keiner weiteren Partie mehr eingesetzt.

Ferraris, Ines-Maria, *6. 5. 1883 Turin; sie studierte zuerst Klavierspiel bei Antonio Quartero in Turin und trat bereits 1894 als Pianistin öffentlich auf. Sie betätigte sich dazu als Schauspielerin und Konzertsängerin. An der Mailänder Scala hörte man sie auch 1913 als Colombina in «Le donne curiose» von E. Wolf-Ferrari. Der große Dirigent Arturo Toscanini bewunderte ihre Stimme sehr und stellte sie in großen Aufgaben heraus. Am Teatro Colón Buenos Aires hörte man sie in der Premiere von Wolf-Ferraris «Il segreto di Susanna», als Page Oscar in Verdis «Ballo in maschera» und als Walter in «La Wally» von Catalani. 1916 Gastspiel am Teatro Massimo Palermo als Traviata, 1920 als Gilda im «Rigoletto»; 1920–21 und 1924 am Teatro San Carlo Neapel anzutreffen. An der Mailänder Scala sang sie u. a. auch 1925 in «Hänsel und Gretel» und 1927 im «Rosenkavalier» von R. Strauss zusammen mit der spanischen Mezzosopranistin Conchita Supervia, mit der sie freundschaftlich verbunden war. Zu ihren besonderen Glanzrollen gehörten die Violetta in «La Traviata», und die Nannetta in Verdis «Falstaff». Nach ihrem Rücktritt von der Bühne unterrichtete sie am Konservatorium von Venedig, dann am Konservatorium von Bologna und an der Accademia Chigiana von Siena; zuletzt als Pädagogin in Mailand tätig.

Ferrauto, Augusto; 1940–42 war er an der Mailänder Scala tätig.
Schallplatten: Cetra.

Ferrer, Placido Domingo, s. unter *Domingo,* Placido.

Ferri, Baldassare; man nannte ihn poetisch «den Phönix der Schwäne». Er war in der Lage, die chromatische Tonleiter mit allen Halbtönen durch zwei Oktaven zu singen und dabei, ohne zwischendurch zu atmen, jeden Ton mit einem Triller zu verzieren.

Ferrier, Kathleen; 1947 sang sie in London das Alt-Solo in der englischen Erstaufführung der 3. Sinfonie von Gustav Mahler. Sie trat auch beim Edinburgh Festival in Erscheinung; 1949 kreierte sie in Amsterdam Benjamin Brittens «A Spring Symphony», 1951 in Nottingham seine Kantate «Abraham and Isaac» zusammen mit dem Tenor Peter Pears (B. Britten hatte das Werk für die beiden von ihm hoch geschätzten Sänger komponiert). Sie wurde mit dem Titel eines Commander of the British Empire ausgezeichnet.

Lit.: M. L. Hutchinson: «The Life of Kathleen Ferrier» (London, 1988).

Schallplatten: Decca («Kindertotenlieder» von G. Mahler, Stabat mater von Pergolesi, Liebeslieder-Walzer von J. Brahms; zahlreiche Lieder von Schubert, R. Schumann, Brahms, Gustav Mahler sowie englische Volkslieder).

Ferrin, Agostino; er sang 1968, 1971 und 1972 bei den Festspielen in der Arena von Verona. 1987 hörte man ihn am Teatro Massimo Palermo in der ganz vergessenen Oper «Semirama» von O. Respighi, im gleichen Jahr in Bergamo als Guido in «Gemma di Vergy» von Donizetti.

Schallplatten: MRF («Nerone» von A. Boito), Lévon («Aida»), Fonit Cetra («Tetide in Sciro» von D. Scarlatti), Frequenz («Lucia di Lammermoor»).

Fessler, Eduard, † 21. 11. 1907 Berlin.

Feuge-Gleiss, Emilie; Schallplatten: Unter ihren G & T-Aufnahmen ist die Waldvogel-Szene aus dem «Siegfried» zu finden.

Ffrangcon-Davies, David; er lebte 1896–1901 in Berlin und ging von dort aus seiner Konzerttätigkeit in den deutschen und Schweizer Musikzentren nach.

Fibichová, Betty, * 16. 2. 1846; sie wirkte in Prag in den Uraufführungen mehrerer Opern von A. Dvořák mit: 1878 in «Der Bauer ein Schelm» («Šelma sedlák»), 1876 in «Vanda», 1881 in «Die Dickschädel» («Tverdé palice»), 1887 in einer Neufassung von «König und Köhler» («Král a uhlíř»); 1880 sang sie ein Solo in der Uraufführung seines Stabat mater in Prag.

Field, Helen; sie hatte seit 1977 ihre ersten Erfolge bei einer Welsh Opera. 1988 sang sie bei der English National Opera die Pamina in der «Zauberflöte» und die Traviata. Bereits 1983 hatte sie mit diesem Ensemble an der Metropolitan Oper New York die Gilda gesungen. 1987 gastierte sie als Desdemona in Verdis «Othello» am Théâtre de la Monnaie Brüssel und übernahm an der Opera North Leeds die Titelpartie in der englischen Erstaufführung der Richard Strauss-Oper «Daphne». Am 27. 10. 1989 sang sie in Houston in der Uraufführung der Oper «New Year» von M. Tippett.

Filippeschi, Mario, Tenor, * 7. 6. 1907 Montefoscoli bei Pisa, † 26. 12. 1979 Florenz; er wurde zunächst Polizeibeamter und spielte in einer Polizeikapelle Klarinette. Er studierte dann Gesang bei den Mailänder Pädagogen Cataldi und Pessina und debütierte 1937 am Theater von Colorno (bei Parma) als Edgardo in «Lucia di Lammermoor». Einige Tage später trat er am Teatro Verdi in Busseto als Herzog im «Rigoletto» auf. 1938–40 hatte er erste internationale Erfolge bei der Italienischen Oper in Holland. Er gastierte am Teatro Regio Parma, am Teatro Petruzzelli Bari, am Teatro Carlo Felice Genua, am

Teatro Grande Bescia, am Teatro Verdi Pisa und an weiteren italienischen Bühnen, dazu nahm er während der Jahre des Zweiten Weltkrieges an Tourneen italienischer Wanderopern in Deutschland teil. 1941 sang er als Antrittsrolle an der Oper von Rom den Alfredo in «La Traviata». 1948 debütierte er an der Mailänder Scala als Maurizio in «Adriana Lecouvreur» von Cilea. Bei den Festspielen in den Thermen des Caracalla in Rom hörte man ihn 1946 als Turiddu in «Cavalleria rusticana» und als Rodolfo in «La Bohème», 1948 als Faust in «Mefistofele» von Boito und als Alfredo in «La Traviata», 1953 und 1957 als Arnoldo in Rossinis «Wilhelm Tell», als Manrico im «Troubadour», als Cavaradossi in «Tosca» und als Radames in «Aida», den er auch 1955 sang. An der Oper von Rom war er bis 1958 Jahr für Jahr anzutreffen; er gastierte auch in Rio de Janeiro, in São Paulo und in Kairo. Bei den Festspielen in der Arena von Verona wirkte er 1953–55 als Radames, 1953 auch als Manrico im «Troubadour» mit. 1958 Gastspiel als Arnoldo im «Wilhelm Tell» am Drury Lane Theatre London. Er wirkte auch in einigen Tonfilmen mit. Er lebte später in Florenz, wo er ein exklusives Möbelgeschäft betrieb. Seine voluminöse, strahlende Stimme fand die ihr gemäßen Aufgaben vor allem in den heldischen Partien der italienischen Oper.

Schallplatten: Solo-Platten auf HMV; auf Cetra Arnoldo in vollständiger Oper «Wilhelm Tell», auf Columbia Pollione in «Norma» mit Maria Callas in der Titelrolle, auf HMV Titelheld in Verdis «Don Carlos», auf Philips in Rossinis «Mosè in Egitto» zu hören. Weiter existieren Mitschnitte von Opernaufführungen auf Cetra-Opera Live («Armida» von Rossini mit Maria Callas), HRE («Tosca», ebenfalls mit Maria Callas), MDP («Rigoletto» mit Lina Pagliughi), UORC («I Puritani» von Bellini). – (Neufassung) –.

Fillunger, Marie, † 23. 12. 1930 Interlaken.

Finaly, Caroline, † Juni 1934 Triest.

Fine, Wendy; Schallplatten: DGG («Parsifal»).

Finel, Paul; er wirkte am 25. 11. 1954 in Paris in der konzertanten Uraufführung von Prokofieffs «A'Ange de Feu» mit.

Finke, Martin; er sang am 15. 8. 1986 bei den Salzburger Festspielen in der Uraufführung der Oper «Die schwarze Maske» von K. Penderecki. Seit 1983 Mitglied des Opernhauses von Köln; hier war er 1986 als Valzacchi im «Rosenkavalier» sehr erfolgreich. 1988 Gastspiel an der Oper von Nizza als Mime im Nibelungenring.

Schallplatten: HMV («Zigeunerbaron» von J. Strauß), Philips («Ariadne auf Naxos»).

Finnie, Linda, * 9. 5. 1952; 1977 Preisträgerin beim Wettbewerb von s'Hertogenbosch und beim Kathleen Ferrier-Concours. Seit 1979 sang sie an der English National Opera London. An der Covent Garden Oper gastierte sie im Nibelungenring. 1986

sang sie in London in der 8. Sinfonie von G. Mahler, in Chicago im Verdi-Requiem, dort auch 1987 in «Alexander Newsky» von Prokofieff. Beim Edinburgh Festival hörte man sie im «Messias», in San Francisco in den «Liedern eines fahrenden Gesellen» von G. Mahler. 1988 Gastspiel am Théâtre des Champs Elysées Paris als Waltraute im Nibelungenring. Bei den Bayreuther Festspielen 1988–89 hörte man sie als Fricka, als zweite Norn und als Siegrune in den Opern des Ring-Zyklus.
Schallplatten: Philips, Chandos («Alexander Newsky», 9. Sinfonie von Beethoven, «Elias» von Mendelssohn).

Finnilä, Birgit; Schallplatten: Big Ben (Biblische Lieder von A. Dvořák), Eterna («Tito Manlio» von Vivaldi).

Finzi-Magrini, Giuseppina, Sopran, * 5. 5. 1878 Mantua, † 30. 11. 1944 Desio; sie gehörte einer sehr wohlhabenden jüdischen Familie an und debütierte 1895 am Teatro Grande von Brescia. Sie sang in den folgenden Jahren an Bühnen in Italien und Griechenland und erregte bald Aufsehen durch die Schönheit ihres Koloratursoprans. 1900 gastierte sie am Teatro Verdi in Padua als Sophie im «Werther» von Massenet und als Philine in «Mignon» von A. Thomas; 1903 brachte eine Chile-Tournee die ersten internationalen Erfolge ein, die sich 1908 bei Gastspielen an den Opern von Odessa und Moskau (dort nochmals 1914 zu Gast) wie in Alexandria (Ägypten) fortsetzten. 1910 triumphierte sie an der Kaiserlichen Hofoper St. Petersburg, an der sie insgesamt in acht Spielzeiten aufgetreten ist. Sie gab dort Konzerte vor Zar Nikolaus II. Sie sang am Teatro Real Madrid (1910), am Teatro Costanzi Rom (1915–16 als Gilda im «Rigoletto» und als Violetta in «La Traviata»), am Teatro Regio Turin (1915 als Marguerite de Valois in Meyerbeers «Hugenotten»), in Brescia, Bergamo, Verona, am Teatro Carcano Mailand (1922 als Rosina im «Barbier von Sevilla» von Rossini), in Bologna (1923 als Elvira in «I Puritani» von Bellini) und am Teatro Politeama Genua. In der Spielzeit 1914–15 hörte man sie an der Mailänder Scala als Gilda. Zu Beginn der zwanziger Jahre wurden ihre Auftritte seltener; sie widmete sich ihrer Familie und betätigte sich in Turin auf pädagogischem Gebiet. Während des Zweiten Weltkrieges kam die Künstlerin 1943, vor allem nach der Besetzung Norditaliens durch die deutschen Truppen 1943, in eine gefährliche Situation. Sie hielt sich mit mehreren Familienmitgliedern, ganz verarmt, in einem Landhaus in der Nähe von Desio verborgen. Nach einer Durchsuchung dieses Verstecks erlitt sie im Oktober 1944 einen Schlaganfall, wodurch sie, gelähmt und unerkannt, sieben Wochen später im Hospital von Desio starb. Sie wurde unter einem falschen Namen in aller Stille beigesetzt. Ihr technisch vollendet durchgebildeter, brillant geführter Koloratursopran, dessen Tonhöhe Erstaunen erregte, wurde vor allem in den klassischen Belcanto-Partien bewundert.
Schallplatten auf G & T (Mailand, 1904), Fonotipia (Mailand, 1905), Columbia, Pathé; auf HMV findet

sich ein einziges Duett mit Tita Ruffo. – (Neufassung) –.

Fioravanti, Giulio, * 17. 10. 1923 Ascoli Piceno (Provinz Marche); in den Jahren 1970–72, 1975 und 1977 gastierte er bei den Festspielen in der Arena von Verona, u. a. als Amonasro in «Aida».
Schallplatten: Melodram («Parisina d'Este» von Donizetti, «Tosca»).

Firssowa, Vera; Schallplatten: Melodiya (vollständige Oper «Die Zarenbraut» von Rimsky-Korssakow von 1960 als Marfa).

Fischer, Betty, † 19. 1. 1969 Wien.
Schallplatten: Von ihrer Stimme sind zehn Aufnahmen auf der Marke HMV vorhanden.

Fischer, Ernst; er debütierte 1857 am Theater von Graz als Tenor, wechselte aber bald ins Bariton- und ins Baß-Bariton-Fach. Als Antrittspartie sang er an der Metropolitan Oper New York 1885 den Landgrafen im «Tannhäuser». Insgesamt hat er im eigentlichen Haus der Metropolitan Oper in New York in sieben Spielzeiten 30 verschiedene Partien in 324 Aufführungen vorgetragen.

Fischer, Ludwig (Franz Josef); er trat 1794 und 1798 in den Londoner Salomon-Konzerten auf. Verheiratet mit der Sopranistin *Barbara (Anna Maria) Strässer-Fischer* (* 1758).

Fischer, Philine; Schallplatten: Eterna («Poro, Re dell'Indie» von G. F. Händel).

Fischer, Res, † 4. 10. 1974 Ruit auf den Fildern bei Esslingen.

Fischer-Dieskau, Dietrich; den Namensteil Dieskau hatte sein Vater dem Familiennamen nach dem Gutshof Dieskau bei Leipzig beigefügt, der den Vorfahren der Familie gehört hatte. 1951 sang er in London als Solist in «A Mass of Life» von Delius unter Beecham. (An der Uraufführung von Henzes «König Hirsch» nahm er nicht teil.) 1955 hörte man ihn erstmals in Nordamerika, und zwar in Cincinnati. Am 30. 5. 1962 sang er in der Kathedrale von Coventry in der Uraufführung des «War Requiem» von Benjamin Britten, am 19. 1. 1966 in London in der von «The Vision of St. Augustine» von Michael Tippett. Seit 1973 trat er auch als Dirigent in Erscheinung. Bei den Festspielen von Salzburg wirkte er 1985 in einer konzertanten Aufführung des Opernwerks «Saint François d'Assise» von O. Messiaen, 1986 in dem Oratorium «Golgotha» von Frank Martin mit. 1987 erschien sein autobiographisches Werk *«Nachklang».*
Schallplatten: Decca («Intermezzo» von R. Strauss), HMV-Electrola («Zigeunerbaron» von J. Strauß), Orfeo («Olympie» von Spontini, Requiem von P. Hindemith), Philips («Ariadne auf Naxos»).

Fisher, Susanne; kam 1935 für drei Spielzeiten an die Metropolitan Oper New York. Sie sang beim Wor-

cester Festival, in Chautauqua und 1936 zusammen
mit dem Cincinnati Symphony Orchestra als Sophie
in einer konzertanten Aufführung des «Rosenkavaliers». In der Saison 1939–40 war sie nochmals an der
Metropolitan Oper New York engagiert, sang dort
aber nur eine einzige Rolle, eine der Rheintöchter
im Nibelungenring.

Fisher, Sylvia; nach dem frühen Tod ihres Vaters
wurde sie in einer Klosterschule in Kilmore erzogen,
wo man bereits auf ihre schöne Stimme aufmerksam
wurde. Man hörte sie im australischen Rundfunk
ABC als Donna Anna im «Don Giovanni», als Aida,
als Elsa im «Lohengrin», als Solistin im «Messias»
und in «Israel in Egypt» von Händel, im Verdi-
Requiem, in Beethovens 9. Sinfonie und Missa solemnis und in der h-moll-Messe von J. S. Bach. 1947
gab sie glanzvolle Radio-Abschiedskonzerte in Sydney und Melbourne. Einen ihrer ersten großen Erfolge an der Covent Garden Oper London erzielte
sie als Gräfin in «Figaros Hochzeit», 1950 sang sie
dort die Marschallin im «Rosenkavalier». 1955 und
1958 bereiste sie Australien. (An der Sadler's Wells
Opera sang sie nicht die Küsterin in «Jenufa».)
Verheiratet mit dem italienischen Violinisten
Ubaldo Gardini.

Fisichella, Salvatore; gastierte 1984 in Lüttich als
Faust von Gounod. 1986 debütierte er an der Metro-
politan Oper New York als Arturo in «I Puritani»
von Bellini mit der großen Primadonna Joan Suther-
land als Partnerin. 1987 großer Erfolg am Teatro
Bellini Catania. 1989 am Opernhaus in Zürich als
Arnoldo in Rossinis «Wilhelm Tell», 1988 in Rom als
Titelheld in «Roberto Devereux» von Donizetti.
Schallplatten: Felmain Records (Arien-Platte).

Fissore, Enrico; Gastspiele an der Oper von Chicago
und bei den Festspielen in der Arena von Verona
(1970), 1986 am historischen Teatro Rossini in Lugo
in Rossinis «La scala di seta».
Schallplatten: Nuova Era («Gianni di Parigi» von
Donizetti).

Fitziu, Anna, * 1887 Huntington (West-Virginia),
† 20. 4. 1967 Hollywood; als Antrittsrolle sang sie an
der Metropolitan Oper New York am 28. 1. 1916 in
der Uraufführung der Oper «Goyescas» von E. Granados die Partie der Rosario. An der Oper von
Chicago nahm sie 1917 an der Uraufführung von
Henry Hadleys Oper «Azora» teil. In den Spielzeiten 1922–23 und 1925–26 war sie wiederum an der
Chicago Opera tätig.

Flagello, Ezio, * 28. 1. 1931 New York; auch Schüler
von John Brownlee. Bereits 1955 sang er den Dulcamara in «Elisir d'amore» beim Empire State Festival
in Ellenville (New York). An der Metropolitan Oper
New York hatte er seit 1957 eine langjährige Karriere. Man hörte ihn dort u. a. als Leporello im «Don
Giovanni», als Pogner in den «Meistersingern», als
König Philipp in Verdis «Don Carlos» und in Buffo-
Partien in den Opern von Rossini. Insgesamt sang er
im New Yorker Haus der Metropolitan Oper 48

Partien in 407 Vorstellungen (bis 1987), darunter
den Fiesco in «Simon Boccanegra», den Basilio im
«Barbier von Sevilla», den Alfonso in «Così fan
tutte» und den Sparafucile im «Rigoletto».
Schallplatten: Nuova Era (Leporello im «Don Giovanni»).

Flagstad, Karen-Marie, s. unter *Flagstad,* Kirsten.

Flagstad, Kirsten, † 7. 12. 1962 Oslo; sie gastierte
1932 in Berlin als Isolde im «Tristan», trug sich
jedoch mit dem Gedanken, ihre Karriere aufzugeben. Bei den Bayreuther Festspielen von 1933 sang
sie dann die Ortlinde und die dritte Norn im Nibelungenring. Bei ihrem Debüt an der Metropolitan
Oper New York hatte sie am 2. 2. 1935 einen sensationellen Erfolg als Sieglinde in der «Walküre», der
sich einige Tage später in der Partie der Isolde (mit
Lauritz Melchior als Tristan) wiederholte. Die Metropolitan Oper zahlte ihr eine Höchstgage von 1000
Dollar pro Abend, für damalige Verhältnisse eine
riesige Summe. 1937 gastierte sie an der Oper von
Chicago, 1935–38 und nach dem Zweiten Weltkrieg
1949–50 in San Francisco. Während des Zweiten
Weltkrieges lebte sie in Norwegen und war nur
während einer Spielzeit als Gast am Opernhaus von
Zürich zu hören. Sie hatte 1930 nach einer ersten
Ehe (mit Sigurd Hall) Henry Johansen geheiratet,
der während der deutschen Besetzung Norwegens
mit der Besatzungsmacht kollaboriert hatte, dann
inhaftiert wurde und 1946 im Gefängnis starb. Dadurch wurde die große Künstlerin auf dem Höhepunkt ihrer Karriere behindert, weil sie selbst, ganz
unbegründet, der Kollaboration verdächtigt wurde.
1950 trat sie mit großem Erfolg an der Mailänder
Scala als Brünnhilde auf. Nach Überwindung großer
Schwierigkeiten wurde sie 1950 wieder an die New
Yorker Metropolitan Oper berufen und hatte dort
abermals eine glänzende Karriere, schließlich am
1. 4. 1952 einen letzten großartigen Erfolg, als sie
sich als Alceste in der gleichnamigen Oper von
Gluck vom Publikum verabschiedete. Im New Yorker Haus der Metropolitan Oper hat sie in neun
Spielzeiten elf Partien in 191 Vorstellungen gesungen. 1957 gab sie nochmals in London ein Konzert,
bei dem sie im norwegischen Kostüm Lieder von
Edvard Grieg vortrug.
Lit.: H. Vogt: «Flagstad» (1987).
Schallplatten: HMV (Lieder), RCA (Wagner-Szenen, norwegische Lieder), Decca (Wesendonck-Lieder, Lieder norwegischer Komponisten). Auf Fonit
Cetra als Brünnhilde in der «Walküre» (Scala 1950),
auf UORC als Elsa im «Lohengrin» (Metropolitan
Oper 1937), auf Melodram als Isolde im «Tristan»
(Covent Garden Oper 1937) zu hören; mit Sicherheit
existieren weitere Mitschnitte von Opernaufführungen. Auf Cetra «Vier letzte Lieder» von R. Strauss.

Fleischer, Edytha; bei der USA-Tournee der German Opera 1922–24 trat sie als Marzelline im «Fidelio», als Adele in der «Fledermaus», als Susanna in
«Figaros Hochzeit» und als Hänsel in «Hänsel und
Gretel» auf. Sie blieb bis 1936 Mitglied der Metropolitan Oper New York. 1925–26 sang sie bei der

William Wade Hinshaw Company hauptsächlich Mozart-Partien in englischer Sprache. An der Metropolitan Oper sang sie in einer Vielzahl von wichtigen Erstaufführungen und Premieren: 1928 als Lisetta in Puccinis «La Rondine», 1929 als Yvonne in «Jonny spielt auf» von E. Křenek, 1930 als Volkhova in «Sadko» von Rimsky-Korssakow und als Aithra in «Die Ägyptische Helena» von R. Strauss, 1931 in «Boccaccio» von F. von Suppé, 1932 als Sofia in Il Signor Bruschino» von Rossini, 1935 als Serpina in «La serva padrona» von Pergolesi. 1936–49 gastierte sie vielfach am Teatro Colón Buenos Aires. Als Oratoriensolistin sang sie vor allem bei den Oratorienkonzerten der New York Friends of Music.

Fleischer, Eva; Schallplatten: Eterna (vollständige Aufnahme von Monteverdis «Orfeo», Lieder von Mussorgsky).

Fleischer, Hanns; er wirkte am 9. 3. 1930 am Opernhaus von Leipzig in der Uraufführung von Kurt Weills «Aufstieg und Fall der Stadt Mahagonny» in der Rolle des Willy mit.

Fleischer-Edel, Katharina; sie blieb für zwanzig Jahre bis 1917 am Hamburger Opernhaus (Stadttheater) tätig.

Flesch, Ella; zu Beginn ihres Münchner Engagements (1925–34) sang sie Koloraturpartien, darunter sogar die Königin der Nacht in der «Zauberflöte», wandte sich dann aber dem dramatischen Stimmfach zu und hatte ihre großen Erfolge u. a. als Aida, als Tosca, als Salome in der gleichnamigen Richard Strauss-Oper, als Venus im «Tannhäuser» und als Octavian im «Rosenkavalier». In München sang sie die Aithra in der Premiere der «Ägyptischen Helena» von R. Strauss. 1946 hörte man sie an der New York City Centre Opera als Ariadne in «Ariadne auf Naxos», einer weiteren Oper von Richard Strauss.

Fleta, Miguel, * 1. 12. 1897 Albalate de Cinca bei Huesca (Spanien), † 29. 5. 1938 La Coruña; eigentlicher Name Miguel Burro Fleta. Sein Vater war Gastwirt und als Jota-Sänger bekannt. Miguel Fleta war der 14. und letzte Sohn seiner Eltern. Zuerst arbeitete er als Hirt und Maurer. 1917 beteiligte er sich erfolglos an einem Jota-Wettbewerb in der spanischen Stadt Villanueva de Gallego. Durch seinen Bruder kam er 1917 nach Barcelona und wurde hier Schüler der französischen Sopranistin und Pädagogin *Luisa (Marie-Luise) Pierrick* (* 1887 Chavergny bei Laon), die u. a. 1911 an der Mailänder Scala die Titelpartie in der Premiere der Oper «Ariane et Barbe-Bleue» von Dukas kreiert hatte. 1922 Gastspiel an der Wiener Volksoper in der dortigen Premiere von Puccinis «La Rondine». Am Teatro Colón Buenos Aires sang er 1922 in der Uraufführung der Oper «Flor de Nieve» von Constantino Gaito. 1930 unternahm er eine große Tournee durch Venezuela, Mexiko, Kuba und Kalifornien, 1934 trat er in Konzerten in Berlin und Triest auf. Seit 1930 war er hauptsächlich in Spanien anzutreffen. Als letzte Bühnenpartie sang er 1937 am Teatro Coliseu in

Lissabon den José in «Carmen». Er zog sich 1937 in Portugal eine Infektion zu und starb im folgenden Jahr an einer Urämie. Aus seiner Verbindung mit der Sängerin Luisa Pierrick stammten zwei Söhne, darunter der später bekannt gewordene Tenor *Pierre Fleta* (* 1925). Aus einer 1927 geschlossenen Ehe gingen vier Kinder hervor, von denen die Töchter *Elia Fleta* und *Paloma Fleta* als Unterhaltungssängerinnen in Spanien bekannt wurden.

Fleta, Pierre; seit 1956 erfolgreiche Auftritte an der Grand Opéra Paris, u. a. als des Grieux in «Manon» von Massenet, als Alfredo in «La Traviata» und als Cavaradossi in «Tosca». Seit 1974 Professor am Konservatorium von Lüttich.

Fliether, Herbert; wirkte am 22. 5. 1960 an der Hamburger Staatsoper in der Uraufführung von H. W. Henzes «Prinz von Homburg» mit. An der Covent Garden Oper London gastierte er als Wanderer im «Siegfried».

Flintzer-Haupt, Emilie, s. unter *Flintzer,* Oskar.

Flor, Margherita; Columbia-Schallplatten.

Florence, Evangeline, † 1. 11. 1928 London; 1898 unternahm sie eine große Tournee durch Deutschland und Österreich. Um 1914 kehrte sie in die USA zurück.
Schallplattenaufnahmen auf G & T (London, 1901–02), Zonophone (London, 1901–02) und Pathé (1905).

Florino, Enzo; nach seinem Debüt bei den Drottningholmer Festspielen von 1962 ist er immer wieder an diesem Barock-Theater aufgetreten. 1985 Gastspiel am Teatro Bellini Catania in der Opera buffa «Adelson e Salvini» von Bellini.
Schallplatten: Decca (Antonio in «Nozze di Figaro»).

Floryanski, Wladyslaw, *4. 5. 1845 Lwów (Lemberg), † 12. 4. 1911 Lwów; eigentlicher Name Wladyslaw Floryan Kohmann. Er wirkte als erster Tenor 1887–1905 am Nationaltheater Prag und gastierte 1895 sehr erfolgreich an der Hofoper von St. Petersburg. 1906–07 unternahm er eine Nordamerika-Tournee. Seine großen Bühnenpartien waren der Radames in «Aida», der Titelheld in Verdis «Othello», der Tannhäuser, der Lohengrin, der Canio im «Bajazzo», der Turiddu in «Cavalleria rusticana», der Hans in der «Verkauften Braut» und der Titelheld in «Dalibor» von Smetana, der Juan in «Hedy» von Z. Fibich und der Titelheld in «Dimitrij» von A. Dvořák. Er sang 1888 den Lenski in «Eugen Onegin» und 1892 den Hermann in «Pique Dame» in den Prager Erstaufführungen dieser Tschaikowsky-Opern.
Schallplatten: Pathé-Zylinder (Wien, 1905, Oper und Lied).

Floyd, Alpha; sie sang 1972 bei der Atlanta Opera in der Premiere einer Neufassung der Oper «Treemonisha» von Scott Joplin.

Schallplatten: BJR (Titelpartie in «Die Königin von Saba» von Goldmark).

Fodor-Mainvielle, Joséphine; Tochter des holländischen Violinisten und Komponisten Andreas Fodor (1751–1828). 1814 große Erfolge an der Grand Opéra Paris in Opern von Grétry und Breton. Rossini komponierte für die von ihm sehr geschätzte Sängerin eine Arie «Ah, se è ver che in tal momento», die sie in der Singstunde der Rosina in seinem «Barbier von Sevilla» sang.

Förstel, Gertrude; bei den Bayreuther Festspielen der Jahre 1904–12 hörte man sie als Waldvogel im «Siegfried», als Woglinde im Nibelungenring, als Hirtenknabe im «Tannhäuser» und als Blumenmädchen im «Parsifal». Das Sopransolo in der 4. Sinfonie von Gustav Mahler wurde allgemein als eine ihrer größten Leistungen bewundert. Zu ihren Schülern zählten so bedeutende Sänger wie Aga Joesten, Julius Katona und Ilse Hollweg.

Fohström, Alma; von ihrer Stimme sind auch drei Pathé-Aufnahmen vorhanden, die 1903 in St. Petersburg entstanden sind.

Foldi, Andrew; 1954 Bühnendebüt bei der Chicago Opera als Biondello in «The Taming of the Shrew» von Vittorio Giannini. Seit 1975 Mitglied der Metropolitan Oper New York (Antrittsrolle: Alberich im «Rheingold»). Hier hatte er einen seiner größten Erfolge als Beckmesser in den «Meistersingern»; man hörte ihn dort als Bartolo im «Barbier von Sevilla», als Dansker in «Billy Budd» von B. Britten und als Schigolch in «Lulu» von A. Berg. 1982 sang er bei den Festspielen von Glyndebourne den Bartolo in Rossinis «Barbier von Sevilla», 1987 an der Oper von Chicago den Schigolch.

Folgar, Tino, † 31. 12. 1982 Buenos Aires.
Schallplatten: HMV (vollständige Oper «Rigoletto» von 1927; sehr viele Aufnahmen mit Szenen aus Zarzuelas).

Fontaine, Charles; an der Oper von Chicago sang er 1918–20 u. a. in den Premieren der Opern «Ghismonda» von H. Février, «Le vieil Aigle» von R. Gunsbourg, «Cléopâtre» von Massenet und «Madame Chrysanthème» von A. Messager. Dazu hörte man ihn als Faust von Gounod, als José in «Carmen», als Nicias in «Thaïs» von Massenet, als des Grieux in «Manon» vom gleichen Meister und als Julien in «Louise» von Charpentier.
Unter seinen Pathé-Aufnahmen, die 1912–27 in Paris und 1919 in den USA entstanden, findet sich eine vollständige Wiedergabe von Verdis «Troubadour», in der er den Manrico singt, von 1912.

Fontana, Gabriele; 1987 gastierte sie an der Wiener Staatsoper und sang bei den Festspielen von Glyndebourne die Fiordiligi in «Così fan tutte».
Schallplatten: Decca («Idomeneo» von Mozart, «Arabella» von R. Strauss), Orfeo («Paride ed Elena» von Gluck, «Die weiße Rose» von U. Zim-

mermann), HMV-Electrola («Die großmüthige Tomyris» von Reinhard Keiser).

Forbach, Moje, * 24. 9. 1898 Schloß Raichertshausen bei München.

Formes, Karl, * 7. 8. 1810 (nach anderen Quellen 1816) Köln–Mühlheim. Bis 1862 war er immer wieder an der Londoner Covent Garden Oper anzutreffen. Dort sang er in der Uraufführung einer Neu-Fassung der Oper «Faust» von Louis Spohr (4. 4. 1852). 1857 kam er erstmals nach Nordamerika; hier gab er in den Jahren 1864–67 fortlaufend Gastspiele.

Formes, Theodor; er wirkte am 27. 5. 1857 in der Uraufführung der Oper «Andreas Mylius» von Friedrich von Flotow als Titelheld mit, die dieser zur Einweihung des neu erbauten Großherzoglichen Schlosses in Schwerin komponiert hatte.

Formichi, Cesare; er sang zu Beginn seiner Karriere 1909 am Teatro Donizetti Bergamo in «La Wally» von Catalani. Bei seiner Rußland-Tournee 1912 hatte er besondere Erfolge an der Oper von Kiew. Er debütierte 1922 an der Oper von Chicago als Amonasro in «Aida» und sang in den folgenden zehn Jahren dort Partien wie den Rigoletto, den Jago in Verdis «Othello», den Tonio im «Bajazzo», den Escamillo in «Carmen», den Barnaba in «La Gioconda» von Ponchielli, den Gérard in Giordanos «Andrea Chénier», den Don Carlo in «La forza del destino», den Athanaël in «Thaïs» und den Manfredo in «L'Amore dei tre Re» von Montemezzi. Am 4. 10. 1929 wirkte er in der Eröffnungsvorstellung des neuen Civic Opera House Chicago als Amonasro in «Aida» mit.

Fornia, Rita, * 17. 7. 1878 San Francisco; bis 1906 absolvierte sie ihre Karriere unter ihrem eigentlichen Namen Regina Newman, den sie bei ihrer Berufung an die Metropolitan Oper in Rita Fornia änderte. An der Metropolitan Oper wirkte sie in den Jahren 1907–22 auch in den Premieren der Opern «Tiefland» von E. d'Albert (1908) und «Der Rosenkavalier» von R. Strauss (1913 als Marianne Leitmetzerin) mit. Als sie in einer Vorstellung von Gounods «Faust» den Siebel sang, sprang sie «au pied levé» während der Aufführung für die plötzlich indisponierte Geraldine Farrar als Marguerite in der Scène de l'église ein. 1912 sang sie dort in einer konzertanten Aufführung von Monteverdis «Orfeo» die Partie der Euridice. Als ihre große Kreation galt allgemein die Suzuki in «Madame Butterfly».

Forrester, Maureen; in London bewunderte man sie als Solistin im Verdi-Requiem unter Sir Malcolm Sargent. Große Erfolge auch im «Lied von der Erde» von Gustav Mahler und in «The Dream of Gerontius» von E. Elgar. An der Metropolitan Oper New York trat sie in den Spielzeiten 1975–77 als Ulrica in Verdis «Maskenball» auf, nachdem sie dort als Erda im «Rheingold» debütiert hatte.
Schallplatten: RCA (9. Sinfonie von Beethoven, re-

ligiöse Vokalmusik von Rachmaninoff), IMP-Classics (2. Sinfonie von G. Mahler).

Forsell, Björn, * 31. 5. 1915 Stockholm, † 1975 Stockholm; 1939 sang er am Landestheater von Innsbruck den Grafen Almaviva in «Figaros Hochzeit» und war dann erfolgreich an der Wiener Volksoper tätig. Er heiratete die österreichische Sopranistin *Erika Feichtinger* (* 1914), die an der Wiener Volksoper wie am Theater an der Wien wirkte. Beide hielten sich 1945–47 in Schweden auf, wo sie an verschiedenen Operettentheatern auftraten. Sie waren auch gastweise an den Opernhäusern von Nürnberg und Zürich zu hören. Björn Forsell betätigte sich dazu als Opernregisseur.

Forsell, John; er debütierte im November 1909 an der Metropolitan Oper New York als Telramund und sang dort in der Erstaufführung von Tschaikowskys «Pique Dame» 1910 den Jeletzky. In Stuttgart kreierte er in der Uraufführung der Oper «Mona Lisa» von Max von Schillings am 26. 9. 1915 den Francesco. Bis 1938 trat er an der Stockholmer Oper auf, zuletzt als Gast. Er galt als hervorragender Darsteller unter den Opernsängern seiner Generation. Zu seinen Schülern gehörten weiter die Sopranistinnen Magna Lyckseth-Scherfven und Inez Wassner und der Bassist Gösta Sjöberg.
Alle seine Schallplattenaufnahmen sind bis auf wenige Ausnahmen in schwedischer Sprache gesungen.

Forst, Grete; nach ihrem Debüt in Köln kam sie dort zu erfolgreichen Auftritten als Philine in «Mignon» von A. Thomas und als Marie in der «Regimentstochter» von Donizetti. In der letzteren Rolle und als Gilda gastierte sie von Köln aus an der Wiener Hofoper und wurde darauf 1902 an dieses Haus verpflichtet. 1905 gab sie nochmals ein Gastspiel in Köln als Susanna in «Figaros Hochzeit». An der Wiener Hofoper sang sie auch die Eva in den «Meistersingern» und die Adalgisa in Bellinis «Norma» mit Lilli Lehmann in der Titelpartie.
Schallplatten: G & T (Wien, seit 1905), Pathé (Wien, 1904).

Forstén, Filip; von seinen vielen Schülern sind zu nennen: Hermann Gallos, Alfred Poell, Margarethe Michalek, Viorica Ursuleac, Alexandra Trianti und Vera Schwarz.

Fort, Luigi; Ausbildung durch Luigi Cocchi in Turin. Debüt als Konzertsänger 1926 in der Kirche Santa Teresa in Turin in «Il Natale di Redentore» von Lorenzo Perosi. Bühnendebüt 1927 am Teatro Regio Turin als Arturo in «Lucia di Lammermoor». An der Mailänder Scala hatte er 1938 einen besonderen Erfolg als Nadir in «Pêcheurs de perles» von Bizet. Gastspiele am Teatro Reale Rom, am Teatro Carlo Felice Genua, in Florenz und Bologna und im Ausland in Rio de Janeiro, São Paulo, Kairo, Alexandria, am Théâtre de la Monnaie Brüssel, am Teatro Liceo Barcelona und an der Oper von Nizza. Einem Ruf an die New Yorker Metropolitan Oper konnte

er 1939 wegen der Kriegsereignisse nicht Folge leisten.

Forti, Anton, † 16. 7. 1859 Wien.

Forti, Helena, Sopran, * 25. 4. 1884 Berlin, † 11. 5. 1942 Wien; sie trat bereits mit fünf Jahren in Kinderrollen im Residenz-Theater in Dresden auf, mit zehn Jahren begann sie das Musikstudium, wurde dann aber doch zunächst einmal Schauspielerin. Als solche debütierte sie 1900 in Dessau in Goethes «Die Geschwister». Dann entschloß sie sich zur Sängerlaufbahn und studierte seit 1903 bei Karl Scheidemantel in Dresden und bei Theodor Emmerich in Berlin. Ihr Debüt als Opernsängerin erfolgte 1906 am Hoftheater von Dessau als Valentine in den «Hugenotten» von Meyerbeer. 1907 gastierte sie an der Hofoper von Stuttgart, sang 1908–09 am Theater von Brünn (Brno) und 1910–11 am Deutschen Theater von Prag unter der Direktion von Angelo Neumann. 1910 war sie an der Mailänder Scala zu Gast, wo sie die Leonore im «Fidelio» und die Brünnhilde in der «Walküre» sang. 1911 kam sie an den Hofoper von Dresden, an der sie als Antrittspartie die Elisabeth im «Tannhäuser» vortrug. Bis 1924 blieb sie Mitglied des Hauses, an dem sie als Abschiedspartie 1924 den Adriano in Wagners «Rienzi» sang. 1914 bewunderte man bei den Festspielen von Bayreuth ihre Sieglinde in der «Walküre» und ihre Kundry im «Parsifal». Am 5. 3. 1916 sang sie an der Dresdner Hofoper in der Uraufführung von E. d'Alberts Oper «Die toten Augen» die Partie der Myrtocle. 1923 war sie in Dresden die Marina im «Boris Godunow», in der dortigen Premiere dieses Opernwerks, die den entscheidenden Durchbruch für die deutschsprachigen Theater bedeutete. Sie wiederholte diese Partie am Opernhaus (Stadttheater) von Zürich. Sie gastierte erfolgreich in Berlin und Wien, in Köln, Amsterdam und Bukarest. Seit 1917 war sie mit dem Regisseur und Generalintendanten Bruno Iltz (1886–1965) verheiratet, der in Düsseldorf wirkte und später Direktor der Wiener Volksoper wurde.
Schallplatten: Einige Zonophone- und Odeon-Platten (um 1920), alle recht selten zu finden. – (Neufassung) –.

Fortner-Halbaerth, Bella, † 28. 1. 1959 Berlin; 1920–22 war sie am Opernhaus von Breslau tätig, 1922–26 am Deutschen Opernhaus Berlin. Später ist sie bis 1935 am Stadttheater von Duisburg und noch bis 1950 gelegentlich an der Komischen Oper Berlin aufgetreten. 1926 wirkte sie bei den Festspielen in der Waldoper von Zoppot mit, 1927 gastierte sie in Madrid, 1930 an der Covent Garden Oper London.

Fortune, George; 1988 am Teatro San Carlos Lissabon als Scarpia in Puccinis «Tosca» zu Gast.
Schallplatten: CBS-Metronom («Christus» von F. Liszt), Orfeo («Olympie» von Spontini).

Fournets, René; 1903 großer Erfolg am Théâtre Gaîté-Lyrique Paris als Phanuël in «Hérodiade» von Massenet. Man schätzte ihn allgemein als Interpreten der Baß-Partien in den Opern von Massenet.

Schallplatten: Seine Homophone-Aufnahmen (von 1906) erschienen auch unter dem Etikett von Rubin.

Fox, Tom; bei der Japan-Tournee der Berliner Staatsoper von 1987 trat er als Titelheld in «Figaros Hochzeit» auf; im gleichen Jahr sang er am Teatro Colón Buenos Aires den Jago in Verdis «Othello», 1988 am Théâtre des Champs Élysées Paris den Alberich im Nibelungenring, 1989 an der Oper von Seattle den Pizarro.

Fränkel-Claus, Mathilde; 1941 lebte die Künstlerin noch in Berlin.

Francesconi, Renato; 1977 und 1982 sang er als Gast bei den Festspielen in der Arena von Verona.
Schallplatten: Felmain-Records (Arien-Aufnahmen).

Franchi, Franca; sie sang 1924–25 bei den Festspielen von Verona die Cieca in «La Gioconda» von Ponchielli. Am Teatro Colón Buenos Aires wirkte sie in der Uraufführung der Oper «Ollantay» des argentinischen Komponisten Constantino Gaito (23. 7. 1926) mit.

Franci, Benvenuto; er gab 1916 ein erstes Konzert und debütierte 1918 auf der Bühne, und zwar am Teatro Costanzi Rom als Giannetto in Mascagnis «Lodoletta». An der Mailänder Scala wurde er in den zwanziger Jahren durch A. Toscanini sehr gefördert. Seit 1926 trat er für vier Spielzeiten nacheinander am Teatro Colón Buenos Aires auf. Hier wirkte er auch in der Uraufführung der Oper «Ollantay» des argentinischen Komponisten Constantino Gaito mit (23. 7. 1926). Große Erfolge bei den Festspielen in der Arena von Verona in den Jahren 1922, 1924–25, 1931–32, 1934 und 1948; 1937 hörte man ihn bei den ersten Festspielen in den Thermen des Caracalla in Rom als Amonasro in «Aida». 1935 sang er beim Maggio musicale Florenz (nicht in Verona) in Glucks «Alceste». 1928–50 war er ständig an der Oper von Rom tätig; 1950 gastierte er dort nochmals in der Oper «Cecilia» von L. Refice.
Schallplatten: Erste Aufnahme auf Phonotype (Neapel 1920, darunter Duette mit Fernando de Lucia), ältere akustische und spätere elektrische Aufnahmen auf Columbia, darunter eine vollständige «Carmen»-Aufnahme von 1931; elektrische Aufnahmen auch auf HMV.

Francia, Piero; Schallplatten: LR (Scarpia in «Tosca» mit Virginia Zeani und Placido Domingo).

Francillo-Kaufmann, Hedwig, † 26. 4. 1948 Rio de Janeiro.

Francl, Rudolf; in Düsseldorf sang er u. a. den Hans in der «Verkauften Braut» von Smetana zusammen mit Anny Schlemm; auch sein Bruder *Ivan Francl* (* 1907) war ein bekannter Tenor.

François, Andrée; gastierte an der Staatsoper Wien als Micaela, als Nedda im «Bajazzo» und als Mimi in «La Bohème», an der Hamburger Staatsoper als Donna Elvira im «Don Giovanni» und als Marguerite im «Faust» von Gounod. Auch an der Berliner Staatsoper, in Montreal, Vancouver und Lausanne zu Gast. 1988 großer Erfolg im Palais des Sports in Lüttich als Liu in Puccinis «Turandot».
Schallplatten: Perron (Arien-Platte).

Franke, Paul, * 23. 12. 1920 Boston; Ausbildung am New England Conservatory in Boston und in New York. 1948 wurde er an die Metropolitan Oper New York verpflichtet (Antrittsrolle: Junger Mann in Montemezzis «Amore dei tre Re»). Von den sechzig verschiedenen Partien, die er in über 1500 Vorstellungen an der Metropolitan Oper im Lauf einer jahrzehntelangen Karriere gesungen hat, seien der David in den «Meistersingern», der Goro in Puccinis «Madame Butterfly», der Beppe im «Bajazzo» und der Cassio in Verdis «Othello» hervorgehoben.

Franklin, David, † 22. 10. 1973 Evesham (Worcester). Bei den Festspielen vom Glyndebourne übernahm er in den Jahren 1953–58 Sprechrollen in der «Entführung aus dem Serail» und in «Ariadne auf Naxos» (da er nach einer Halsoperation 1951 seine Sängerkarriere beenden mußte). An der Covent Garden Oper war er auch als Rocco im «Fidelio», als Ochs im «Rosenkavalier», als Pogner in den «Meistersingern», als Marke im «Tristan» und als Pimen im «Boris Godunow» zu hören.

Frantz, Ferdinand; er debütierte an der Metropolitan Oper New York im Dezember 1949 als Wotan in der «Walküre» und hat in deren New Yorker Haus acht verschiedene Partien in zwanzig Vorstellungen gesungen, neben Wagner-Heroen vor allem den Pizarro im «Fidelio».
Schallplatten: HMV-Electrola (Wotan in vollständiger «Walküre»).

Franz, Paul; nachdem das Pariser Conservatoire ihm die Aufnahme verweigerte, studierte er privat bei Louis Delaquerrière in Paris. Als die Musikzeitschrift «Musica» 1908 einen Concours für Tenöre ausschrieb, wurde er zwar nur zweiter Preisträger (von dem Sieger hat man nie wieder etwas gehört), erregte aber großes Aufsehen und wurde 1909 an die Grand Opéra Paris engagiert (Debüt als Lohengrin). 1922 erregte er als Walther von Stolzing in den «Meistersingern» an der Grand Opéra einmal mehr großes Aufsehen. 1915 Gastspiel an der Mailänder Scala, 1918 am Teatro Colón Buenos Aires, weitere Gastspiele an der Oper von Monte Carlo (1923) und an der Oper von Antwerpen. An der Covent Garden Oper London gastierte er 1910–14 als Radames in «Aida», als Raoul in den «Hugenotten» von Meyerbeer, als José in «Carmen», als Julien in Charpentiers «Louise» und als Samson in «Samson et Dalila». Siegfried Wagner hatte ihn für die Bayreuther Festspiele des Jahres 1915 vorgesehen, doch verhinderte der Ausbruch des Ersten Weltkrieges alle derartigen Pläne.
Schallplatten: Akustische Aufnahmen auf HMV (seit 1910) und auf Pathé, elektrische auf Columbia

und auf Pathé. 1904 erschienen auf Odeon und Pathé Aufnahmen eines Tenors «F. Gautier de l'Opéra». Dabei handelt es sich keinesfalls (wie behauptet worden ist) um frühe Aufnahmen von Paul Franz.

Franzen, Hans, *5. 2. 1935 Verl bei Bielefeld; studierte bei R. Capellmann in Bielefeld, an der Kölner Musikhochschule bei Heinz Marten (1958–61) und im Kölner Opernstudio. 1962–71 Mitglied der Kölner Oper, 1971–73 in Kiel, 1973–75 in Mannheim, seitdem in Zürich engagiert. Er wirkte bei den Salzburger Festspielen 1988 in einer konzertanten Aufführung von G. von Einems Oper «Der Prozeß» mit.
Schallplatten: Capriccio («Aufstieg und Fall der Stadt Mahagonny» und «Der Zar läßt sich photographieren» von K. Weill).

Frascani, Nini, † 1935; sie sang nicht die Partie der Prinzessin von Bouillon 1902 in der Uraufführung von Cileas «Adriana Lecouvreur» am Teatro Lirico Mailand (die Interpretin war vielmehr Edvige Ghibaudo), sondern übernahm diese erst an diesem Theater in der Spielzeit 1903–04. 1906 gastierte sie am Teatro Coliseo Buenos Aires in «La figlia di Jorio» von Giordano, im «Rigoletto» und in der «Walküre». 1909 sang sie am Teatro San Carlo Neapel die Königin in «Hamlet» von A. Thomas, 1911 am Teatro Regio Parma die Laura in «La Gioconda» von Ponchielli. Am Teatro Colón Buenos Aires wirkte sie in der Uraufführung der argentinischen Oper «El Sueño d'Alma» von Carlos López Buchardo mit (4. 8. 1914). 1921 sang sie zusammen mit ihrem Gatten, dem Tenor *Gaetano Tommasini,* bei der Favorita Opera Company im New Yorker Manhattan Theatre. Mit ihm gemeinsam eröffnete sie später in Mailand ein Opernstudio.

Fraschini, Gaetano, *16. 2. 1816 Pavia; er kreierte am 12. 1. 1844 am Teatro San Carlo Neapel in der Uraufführung von Donizettis «Caterina Cornaro» die Partie des Gerardo. 1864 gastierte er in Paris.

Frassini, Natalie, *23. 11. 1830 Amorbach (Unterfranken).

Frauscher, Moritz; gehörte in den Jahren 1899–1904 dem Ensemble der Wiener Hofoper an.

Frazzoni, Gigliola; wirkte in den Jahren 1956 und 1972 bei den Festspielen von Verona mit.

Frease-Green, Rachel; sie sang bereits in Paris in einer Schüleraufführung der Blumenmädchenszene aus dem «Parsifal» zusammen mit dem berühmten Wagner-Tenor Ernest van Dyck. Offizielles Debüt 1909 an der Covent Garden Oper London als Eva in den «Meistersingern». An der Berliner Volksoper sang sie so verschiedene Rollen wie die Gilda im «Rigoletto», die Traviata, die Leonore im «Troubadour», die Marguerite de Valois in den «Hugenotten» von Meyerbeer, die Elsa im «Lohengrin» und die Eva in den «Meistersingern». In der Saison 1911–12 hörte man sie in Chicago als Leonore im

«Troubadour» und als Santuzza in «Cavalleria rusticana». 1929 ersetzte sie in Cleveland bei der German Opera Company Johanna Gadski in der Partie der Isolde im «Tristan».

Frederiksen, Tenna (richtige Schreibweise des Familiennamens, nicht Fredericksen); nach ihrer Heirat trat sie zumeist unter dem Namen Tenna Kraft auf.

Freeman, Bettina, *1889 Boston, †(?); seit 1909 sang sie leichtere Partien für Sopran und Mezzosopran an der Oper von Boston. Sie debütierte hier als Priesterin in «Aida». Im späteren Verlauf ihrer Karriere ist sie auch in Italien aufgetreten.

Frei, Gerhard; studierte an der Musikhochschule Breslau bei Bertermann. Debütierte 1940 am Stadttheater von Görlitz als Landgraf im «Tannhäuser».

Freier, Jürgen; 1974–80 Mitglied der Staatsoper von Dresden. Seit 1980 war er an der Staatsoper Berlin tätig. Hier sang er bei der Eröffnung des neu renovierten Hauses am 15. 11. 1986 den Lysiart in «Euryanthe» von Weber. 1987–88 gastierte er bei den Festspielen von Bregenz in den vier dämonischen Partien in «Hoffmanns Erzählungen» von Offenbach.

Fremstad, Olive; ihr Vater war Arzt und Evangelist, sie spielte als Kind bei seinen Gottesdiensten bereits die Orgel. Sie wurde von einem amerikanischen Ehepaar adoptiert, studierte Klavierspiel, dann aber Gesang bei E. F. Bristol in New York. 1891 gab sie ihr erstes professionelles Konzert im New Yorker Lenox Lyceum. 1895 debütierte sie am Opernhaus von Köln als Azucena. Von Köln aus gastierte sie in Amsterdam und Antwerpen und sang 1903 bei den Festspielen von Bayreuth eine der Rheintöchter und eine Walküre. 1902 und 1903 war sie an der Covent Garden London zu Gast; hier sang sie die Ortrud im «Lohengrin», die Brangäne im «Tristan» und wirkte in der englischen Premiere der Oper «Der Wald» von Ethel Smyth mit. In den Jahren 1900–03 erregte sie an der Hofoper von München im Wagner-Repertoire wie als Carmen Aufsehen. An der Metropolitan Oper New York, der sie seit 1903 angehörte, sang sie die Isolde in der «Tristan»-Vorstellung, die das Hausdebüt des großen Dirigenten und Komponisten Gustav Mahler war (1908). Ihre weiteren großen Rollen an diesem Theater waren die Brangäne, die Fricka und die Brünnhilde im Ring-Zyklus, die Elisabeth wie die Venus im «Tannhäuser», die Elsa im «Lohengrin», die Kundry im «Parsifal», die Santuzza in «Cavalleria rusticana» und die Tosca. Die Salome, auf deren Einstudierung sie zwei Jahre verwandt hatte, gestaltete sie auch 1907 am Théâtre du Châtelet Paris. In San Francisco sang sie wenige Stunden vor dem verheerenden Erdbeben vom 18. 4. 1906 die Carmen als Partnerin des großen Tenors Enrico Caruso. Sie verließ 1914 die Metropolitan Oper wegen Differenzen mit deren Direktor Giulio Gatti-Casazza, nachdem sie in deren New Yorker Haus 18 große Partien in 206 Vorstellungen

gesungen hatte. 1918 sang sie mit dem Ensemble der Oper von Chicago nochmals in Minneapolis die Tosca. 1920 gab sie ihr Abschiedskonzert in der New Yorker Aeolian Hall. Ihre letzten Lebensjahre wurden durch eine schwere rheumatische Erkrankung getrübt.
Ihre Columbia-Schallplatten, die 1911–13 herauskamen, können kaum eine gültige Vorstellung von ihrer schönen Stimme vermitteln.

Freni, Mirella; sie trat bei den Festspielen von Verona (1965) und an der Oper von Chicago auf (Debüt 1965 als Mimi). Am 5. 2. 1987 sang sie an der Mailänder Scala die Desdemona in der Jahrhundertfeier der Uraufführung von Verdis «Othello». Ebenfalls 1987 war sie die Aida in der Eröffnungsvorstellung des neuen Opernhauses von Houston/Texas. Zu ihren Glanzrollen gehörte auch die Tatjana im «Eugen Onegin» von Tschaikowsky.
Schallplatten: DGG («Madame Butterfly», «Eugen Onegin»), HMV («La forza del destino»), Melodram («Faust», Scala-Aufführung von 1962).

Fretwell, Elizabeth, *13.8. 1920 Melbourne; sie hatte ursprünglich die Absicht Balettänzerin zu werden, ließ dann aber ihre Stimme ausbilden. Sie sang in Melbourne seit 1947 Partien wie den Cherubino in «Nozze di Figaro», die Donna Anna im «Don Giovanni», die Fiordiligi in «Così fan tutte», die Butterfly und die Elsa im «Lohengrin». Beim Besuch der englischen Königin Elizabeth II. in Australien trat sie als Antonia in «Hoffmanns Erzählungen» auf. 1954 erregte sie in Dublin als Musetta in «La Bohème» Aufsehen. 1965 nahm sie an der Deutschland-Tournee der Sadler's Wells Opera teil; ebenfalls 1965 debütierte sie an der Covent Garden Oper London als Aida. 1964 hörte man sie bei einer Australien-Tournee der Elizabethan Opera Company als Gräfin in «Nozze di Figaro» und als Leonore im «Fidelio». Seit 1970 Mitglied der Oper an Sydney, an der sie eine Vielzahl von Partien sang. Verheiratet mit dem australischen Bariton *Robert Simmons,* der bei der Australian National Opera auftrat, später aber seine Karriere aufgab.

Freund, Marya; sie war mit dem Musikwerk von Arnold Schönberg wie keine andere Interpretin verbunden; sie kreierte seine «Gurrelieder» (Wien, 1913) und wurde dadurch bekannt, daß sie Werke wie seinen «Pierrot lunaire», den Liederzyklus «Das Buch der hängenden Gärten» und das Sopransolo im zweiten Streichquartett meisterhaft zum Vortrag brachte (sie kreierte jedoch nicht die drei zuletzt genannten Werke).

Frey, Willy, *4. 11. 1901 Zürich; er war 1927–28 am Stadttheater von Elberfeld-Barmen (Wuppertal), 1928–30 am Opernhaus von Breslau und 1930–39 an der Hamburger Staatsoper engagiert. 1939–56 wirkte er als erster Tenor am Stadttheater von Bern, 1940–44 war er durch Gastspielverträge auch mit den Theatern von Zürich und Basel verbunden.
Schallplatten: DGG (Kurzopern «Zar und Zimmermann» und «Die lustigen Weiber von Windsor»).

Frezzolini, Erminia; sie war kurzfristig mit dem Komponisten Otto Nicolai verlobt. Als die Verlobung aufgelöst wurde, soll sie 1844 bei der Uraufführung seiner Oper «Il Proscritto» an der Mailänder Scala diese absichtlich zu Fall gebracht haben.

Frezzolini, Giuseppe; (sang nicht 1831 in der Uraufführung von Donizettis «Gianni di Calais» am Teatro Carcano Mailand).

Fricci, Antonietta; mit 16 Jahren sang sie bereits in einem Konzert in Wien Arien von Beethoven und Rossini. Nach ihrem Debüt am Teatro Ravviati in Pisa 1858 als Violetta in Verdis «La Traviata» sang sie dort in den beiden folgenden Spielzeiten, 1858–59 auch am Teatro Vittorio Emanuele Turin, dann an den Theatern von Livorno und Asti. 1861 und 1876–77 war sie am Teatro San Carlos Lissabon zu Gast. An der Mailänder Scala sang sie in der Uraufführung von Ponchiellis Oper «I Lituani» die Partie der Aldona (3. 7. 1877). Seit 1866 war sie oft am Teatro Regio Turin anzutreffen. Seit 1885 wirkte sie in Turin als Pädagogin.

Frick, Gottlob; er sang 1935–36 am Stadttheater von Freiburg i. Br., 1936–40 am Theater von Königsberg (Ostpreußen) und war dann bis 1950 Mitglied der Staatsoper Dresden. In den Jahren 1947–50 vertraglich auch der Staatsoper Berlin verbunden. Seit 1950 an der Städtischen Oper Berlin tätig. Bereits 1950 sollte er an die Metropolitan Oper New York engagiert werden, doch zerschlugen sich diese Pläne. Er debütierte dann dort in der Spielzeit 1961–62 als Fafner im Nibelungenring. In der Saison 1950–51 hörte man ihn an der Mailänder Scala als Landgrafen im «Tannhäuser». 1952 gastierte er mit dem Ensemble der Hamburger Staatsoper beim Festival von Edinburgh als Kaspar im «Freischütz», als Pogner in den «Meistersingern» und als Sarastro in der «Zauberflöte». Auch am Teatro Liceo Barcelona und an der Oper von Rom als Gast aufgetreten.
Schallplatten: HMV-Electrola (Hunding in der «Walküre», Wien 1954), RAI («Walküre», Rom 1953).

Friderici-Jakowicka, Teodozja, *18.6. 1835 Kielce (Polen).

Friedrich, Elisabeth; 1933 sang sie die Titelpartie in einer Aufführung von Glucks «Iphigenie auf Tauris» vor dem berühmten Pergamon-Altar in Berlin. Auch am Teatro Liceo Barcelona aufgetreten.

Friedrich, Karl; Schallplatten: Auch auf Polydor mit Operettenausschnitten vertreten.

Friesenhausen, Maria; Schallplatten: Bärenreiter-Verlag (Werke von H. Schütz), Soli Deo Gloria, Carus-Verlag (Weihnachtsoratorium von J. S. Bach), Laudate.

Frijsh, Povla; sie gab ihr erstes Konzert in den USA am 10. 11. 1915 und ist dann bis 1935 alljährlich dort aufgetreten. Sie galt nicht nur als hervorragende

Interpretin des französischen Liedes, sondern wurde auch beim Vortrag der Lieder von Schubert, R. Schumann, Brahms, Richard Strauss, Edvard Grieg und anderer Meister bewundert.
Schallplatten: Ihre ersten Aufnahmen auf HMV erschienen 1933, auf Victor kamen zwei Serien von Aufnahmen 1939 und 1941 heraus.

Frind, Annie, † 7. 4. 1987 New Orleans. Bühnendebüt an der Berliner Volksoper 1923 als Marie in «Zar und Zimmermann» von Lortzing. Sie sang 1925–27 als Koloratursoubrette an der Staatsoper von München, 1930–33 an der Staatsoper Dresden, 1933–37 am Deutschen Opernhaus Berlin. 1931 Gastspiel in Amsterdam. 1937 mußte sie aus politischen Gründen ihre Karriere in Berlin beenden und sang vorübergehend in Prag. Von ihren Opernpartien sind noch zu nennen: die Musetta in «La Bohème», der Page Oscar in Verdis «Maskenball», die Despina in «Così fan tutte» und die Mélisande in «Pelléas et Mélisande» von Debussy. 1951 wanderte sie in die USA aus, wo sie 1954–56 als Dozentin an der Tulane University wirkte.
Schallplatten: Auf Telefunken sang sie in der vollständigen Operette «Der Vogelhändler» mit Willi Wörle und Anita Gura zusammen. Ihre erste Aufnahme, der Nonnenchor aus der Operette «Casanova» von J. Strauß auf HMV, wurde zu einem sensationellen Erfolg und nahm den Weg durch die ganze Welt.

Fröhlich, Anna; die Schwester der Künstlerin, *Josephine Fröhlich* (1803–78), debütierte 1821 an der Wiener Hofoper als Konstanze in der «Entführung aus dem Serail». Sie war u. a. später die Lehrerin der berühmten Sopranistin Leopoldine Tuczek.

Fröhlich, Josephine, s. unter *Fröhlich,* Anna.

Froumenty, Pierre, * 14. 6. 1897 Agen (Departement Lot-et-Garonne); er sang u. a. 1957 an der Opéra-Comique Paris in «Die schweigsame Frau» von R. Strauss.

Fuchs, Anton von; er wirkte an der Münchner Hofoper in den Uraufführungen von Richard Wagners Jugendoper «Die Feen» (29. 6. 1888) und in «Der Bärenhäuter» von Siegfried Wagner (22. 1. 1899) mit.

Fuchs, Eugen, Baß-Bariton; seine großen Partien waren der van Bett in «Zar und Zimmermann» von Lortzing, der Baculus im «Wildschütz», der Alfonso in «Così fan tutte», der Leporello im «Don Giovanni», der Papageno in der «Zauberflöte», der Kezal in der «Verkauften Braut» von Smetana, der Falstaff in den «Lustigen Weibern von Windsor» von Nicolai, vor allem aber der Beckmesser in den «Meistersingern».
Schallplatten: Auf HMV singt er den Beckmesser in einer abgekürzten «Meistersinger»-Aufnahme von 1943 unter W. Furtwängler. Auf Urania als Lord Tristan in Flotows «Martha» anzutreffen.

Fuchs, Gabriele; Schallplatten: Edition Schwann (Mozart-Messen), Wergo (Lieder von Hermann Reutter).

Fuchs, Marta; sie sang als Altistin in Aachen (1928–30) Partien wie den Orpheus von Gluck, die Carmen und die Azucena im «Troubadour». Bereits 1931 hatte sie am Deutschen Opernhaus Berlin sehr erfolgreich als Octavian im «Rosenkavalier» gastiert; an der Dresdner Staatsoper übernahm sie in der Uraufführung der Oper «Der Günstling» von Rudolf Wagner-Régeny die Partie der Maria Tudor (20. 2. 1935). 1941 Gastspiel an der Oper von Rom als Leonore im «Fidelio». Bis 1944 war sie ständig an der Wiener Staatsoper zu hören. 1949 gab sie in Dresden nochmals einen erfolgreichen Liederabend. 1954 mußte sie wegen eines Halsleidens ihre Karriere endgültig beenden. Sie galt als große Schauspielerin innerhalb der Sängergeneration ihrer Zeit.
Schallplatten: Telefunken (Duette aus «Arabella» mit Elsa Wieber und Paul Schöffler), Urania (Duette von A. Dvořák mit Margarethe Klose, 1951).

Fülöp, Attila; Schallplatten: Viele weitere Aufnahmen auf Hungaroton, u. a. «Fedora» von Giordano, «Mosè in Egitto» von Rossini, Te Deum von Marc-Antoine Charpentier, «Il ritorno di Tobia» von J. Haydn, Krönungsmesse von Mozart.

Fuentes, Jovita, * 1895, † 1978 Manila.

Fugère, Lucien; eine seiner Paraderollen war der Longueville, den er in der Uraufführung von «La Basoche» von Messager an der Pariser Opéra-Comique kreiert hatte (30. 5. 1890). Messager komponierte für den mit ihm befreundeten Sänger die Rolle des Maître André in seiner Oper «Fortunio», die dieser ebenfalls an der Opéra-Comique kreierte (5. 6. 1907). Hier wirkte er auch am 20. 11. 1901 in der Uraufführung von Massenets Oper «Grisélidis» mit. Am 29. 12. 1910 sang er am Théâtre Gaité-Lyrique Paris die Titelpartie in der Oper «Don Quichotte» von Massenet (nach deren Uraufführung am 19. 2. 1910 am der Oper von Monte Carlo mit Fedor Schaljapin als Don Quichotte), deren Partitur der Komponist ihm gewidmet hatte. 1897 sang er an der Covent Garden Oper London den Leporello im «Don Giovanni»; dies blieb sein einziges Auftreten außerhalb von Frankreich. 1898 war er der Schaunard in der französischen Erstaufführung von Puccinis «La Bohème» an der Opéra-Comique, 1909 der Papageno in einer denkwürdigen Inszenierung der «Zauberflöte». 1927 feierte man sein 50jähriges Bühnenjubiläum an der Pariser Opéra-Comique mit einer Gala-Vorstellung von Rossinis «Barbier von Sevilla» (mit dem Sänger in der Partie des Bartolo), 1928 seinen 80. Geburtstag mit einer ähnlichen Aufführung im französischen Badeort Le Toquet. Lucien Fugère war der letzte Sänger, nach dem man (einer alten Sitte in Frankreich folgend) einen Stimmtyp benannte. Unter einem «Fugère» versteht man einen Buffo-Sänger, der zwischen Bariton und

Baß steht, und sich durch einen eleganten, humorvollen Vortrag auszeichnet.
Schallplatten: Elektrische Aufnahmen sind aus den Jahren 1928–30 vorhanden.

Fujiwara, Yoshie; Schallplatten: Auf Victor wie auf HMV (um 1930) erschienen vor allem japanische Volkslieder.

Fursch-Madi, Emma; sie war u. a. die Lehrerin von Sophie Traubmann.

Fusati, Nicola; 1908–09 wurde er am Teatro Massimo Palermo als Vasco in Meyerbeers «Africaine» und als Gabriele Adorno in «Simon Boccanegra» von Verdi gefeiert, 1917 am Teatro San Carlo Neapel als Radames in «Aida». Er sang an allen italienischen Bühnen von Rang, darunter am Teatro Donizetti Bergamo, am Teatro Comunale Bologna, am Teatro Carlo Felice Genua und am Teatro Municipale Reggio Emilia. 1926 gastierte er am Teatro Felice Venedig als Radames. Als seine Glanzrolle galt der Titelheld im «Othello» von Verdi.
Schallplatten: Aufnahmen auf Fonotipia (1913) und Edison Bell (1923), elektrische Aufnahmen auf HMV (Titelrolle in vollständiger «Othello»-Aufnahme von 1932).

G

Gabel, Stanislaw Wasiljewitsch; von seinen vielen Schülern sind noch Wladimir Kastorsky, Alexander Bragin, Valentina Kusa, Andrej Labinski, Gabriel Morskoi, Kipras Petrauskas und Arkadij Tschernoff zu nennen.

Gabór, Arnold; er studierte Gesang in Berlin und in Italien. Er wurde nach Anfängen an süddeutschen Bühnen 1911 an die Volksoper von Budapest verpflichtet. Es kam dann bald zu einer großen Karriere an der Budapester Nationaloper. In der Saison 1931–32 war er an der Oper von San Francisco zu Gast. Sein Bruder *Jozsef Gabór* († 1929) war 1904–1913 als Tenor an der Nationaloper Budapest tätig und hat auf Polydor Schallplatten gesungen.
Neu-Ausgaben einiger Schallplattentitel von Arnold Gabór erfolgten in Ungarn später auf Qualiton-Hungaroton.

Gabry, Edith; eigentlicher Name Edith Gáncs. 1988 hörte man sie nochmals bei den Festspielen von Schwetzingen als Berta in Rossinis «Barbier von Sevilla».
Schallplatten: Qualiton (Missa brevis von Z. Kodály), Opera (Querschnitt «Othello» mit Eugene Tobin), Vox, Eurodisc, FSM.

Gadski, Johanna; nach einer Konzerttournee durch Holland (1894) bereiste sie 1895–97 mit der Damrosch Opera Company Nordamerika (USA-Debüt als Elsa im «Lohengrin»), bei der sie auch 1896 in Boston in der Uraufführung von Walter Damroschs Oper «The Scarlet Letter» die Partie der Hester Prynne sang. An der Metropolitan Oper New York sang sie in den Jahren 1900–1917 in 455 Vorstellungen (davon 296 im eigentlichen New Yorker Haus) 25 verschiedene Partien. 1904–06 unternahm sie eine große Konzerttournee durch die USA. Nach dem Eintritt der USA in den Ersten Weltkrieg mußte sie ihr Engagement aufgeben. Ihr Ehemann wurde sogar der Spionage für Deutschland bezichtigt. Sie war jedoch beim Publikum der Metropolitan Oper so beliebt, daß man sich am 13. 4. 1917 in einer eigens arrangierten Vorstellung, bei der sie die Isolde sang, von ihr verabschiedete. 1929–31 bereiste sie dann mit der von ihr zusammengestellten German Opera Nordamerika. Dabei sang sie, jetzt 56 Jahre alt, Partien wie die Isolde, die Brünnhilde, die Donna Elvira im «Don Giovanni» und die Martha in «Tiefland». Ihre Tochter *Charlotte Gadski* wirkte in Berlin als Pädagogin und betreute vor allem amerikanische Schülerinnen, darunter Polyna Stoska.
Ihre Schallplatten erschienen alle 1903–17 auf Victor in den USA.

Gahmlich, Wilfried; sang 1987–88 die vier komischen Partien in «Hoffmanns Erzählungen» bei den Festspielen von Bregenz.
Schallplatten: Wergo (Vokalmusik von P. Hindemith).

Gailhard, Pierre; er sang 1879–83 an der Italian Opera London. Als er 1884 in die Direktion der Grand Opéra Paris berufen wurde, brachte er als erste Premiere Verdis «Rigoletto» heraus, nachdem diese Oper bis dahin in Paris nur am Théâtre-Italien aufgeführt worden war. Zuletzt trat er nur noch bei besonderen Gelegenheiten an der Grand Opéra als Sänger in Erscheinung. Neben den bereits erwähnten Sängern holte er auch Jean-François Delmas, Lucienne Bréval, Ernest Van Dyck, Rose Carron, Marcelle Demougeot, Pol Plançon, Agustarello Affre, Albert Vaguet und im letzten Jahr seiner Direktion noch 1907 Yvonne Gall an das von ihm geleitete Haus. Man kann sein Wirken an der Grand Opéra nur mit dem von Albert Carré an der Opéra-Comique Paris vergleichen.

Gal, Zehava, *28. 8. 1948 Haifa (Israel); Nach ihrem Erfolg an der Mailänder Scala als Fedor in «Boris Godunow» sang sie diese Partie wenig später an der Grand Opéra Paris. Sie sang die Rosina im «Barbier von Sevilla» auch beim Festival von Glyndebourne; 1986 wirkte sie in der Grange sublime de Mezières in Monteverdis «Incoronazione di Poppea» mit, 1987 hörte man sie in Amsterdam als Rosina im «Barbier von Sevilla». Diese Partie übernahm sie auch 1988 an der Oper von Tel Aviv.
Schallplatten: Edition Schwann (Werke von Mussorgsky).

Galassi di Lorenzo, Elvira; sie sang 1920 in Mantua die Suzel in Mascagnis «Amico Fritz», 1924 am Teatro Carcano Mailand die Nedda im «Bajazzo».
Unter ihren Pathé-Platten finden sich Duette aus

«La Traviata» und «La Bohème» mit dem Tenor Fernando Ciniselli.

Gale, Elizabeth; sie sang 1977–78 und 1982 in Glyndebourne die Zerline im «Don Giovanni», 1989 die Tytania in «A Midsummer Night's Dream» von B. Britten.
Schallplatten: Harmonia mundi (Oratorien «Jephtha» und «Der Messias» von Händel, h-moll-Messe von J. S. Bach), Savoy (Operetten von Gilbert & Sullivan), Castle-Video («Incoronazione di Poppea»).

Galeffi, Carlo; debütierte 1903 am Teatro Quirino Rom als Enrico in «Lucia di Lammermoor»; anschließend hörte man ihn in Neapel als Rigoletto und als Amonasro in «Aida». 1908–09 kam es zu erfolgreichen Auftritten in Florenz und Palermo. 1910 kam er an die Metropolitan Oper New York, sang dort aber nur eine einzige Partie, den Germont-père in «La Traviata» (als Partner von Nellie Melba), hatte dafür aber an der Oper von Boston große Erfolge als Marcello in «La Bohème», als Barnaba in «La Gioconda» von Ponchielli und als Graf Luna im «Troubadour». Am 2. 11. 1911 wirkte er in der Uraufführung von Mascagnis Oper «Isabeau» am Teatro Coliseo Buenos Aires (zugleich der Eröffnungsvorstellung des Hauses) in der Partie des Raimondo mit. 1914 sang er am Teatro Colón Buenos Aires den Amfortas in der ersten Aufführung des «Parsifal» in Südamerika. Seit 1920 gastierte er regelmäßig an diesem Opernhaus, wo er auch in der Uraufführung der argentinischen Oper «Ariana y Dioniso» von Felipe Boero (1920) auftrat. An der Mailänder Scala sang er am 15. 12. 1913 in der Uraufführung von Mascagnis Oper «Parisina». Im gleichen Jahr war er dort als Titelheld in Verdis «Nabucco» sehr erfolgreich. 1921 hörte man ihn am Lexington Theatre New York in Gino Marinuzzis «Jacquerie» (Erstaufführung dieser Oper für Nordamerika).
Schallplatten: Auf spanischen Odeon-Platten erschien neben Ausschnitten aus Zarzuelas eine vollständige Aufnahme der Zarzuela «Maruxa» von Amadeo Vives.

Gall, Yvonne; debütierte 1908 an der Grand Opéra Paris, an die Pierre Gailhard sie kurz vor Aufgabe seiner Direktion berufen hatte, als Woglinde in der Premiere der «Götterdämmerung». Sie sang an der Opéra-Comique Paris in den Uraufführungen der Opern «Les noces Corinthiennes» von Henri Busser (10. 5. 1922) und «Guercoeur» von Albéric Magnard (24. 4. 1931).

Galli, Caterina, * etwa 1723.

Galli-Curci, Amelita; ihre Mutter stammte aus Spanien, ihr Großvater väterlicherseits war Dirigent und mit einer Opernsängerin verheiratet. Nach ihrem Erfolg 1909 in Rom als Gilda gastierte sie an den Opern von Kairo und Alexandria in Ägypten. Im Winter 1913–14 gab sie Gastspiele in Spanien, 1914 wurde sie in St. Petersburg bewundert, 1915 in Barcelona, wo sie an Typhus erkrankte und einige Zeit

pausieren mußte. 1916 bereiste sie Kuba und Mittelamerika mit der Bracala Opera Company. 1915 sang sie am Teatro Colón Buenos Aires die Sophie im «Rosenkavalier» in der Erstaufführung dieser Richard Strauss-Oper für Südamerika. Sie gastierte mit dem Ensemble der Chicago Opera 1918 in New York in der Titelpartie von Meyerbeers «Dinorah». An der Metropolitan Oper New York ist sie (in deren New Yorker Haus) nach ihrem Debüt 1921 als Traviata in Partien wie der Rosina im «Barbier von Sevilla», der Königin von Shemakan in Rimsky-Korssakows «Der goldene Hahn», der Juliette in «Roméo et Juliette» von Gounod, der Dinorah (die man eigens für sie ins Repertoire aufnahm) und einmal auch als Mimi in «La Bohème», insgesamt in 69 Vorstellungen, aufgetreten. Als Konzertsängerin hörte man sie auf Tourneen in Kanada, in Australien, im Orient und 1924 mit sensationellem Erfolg in der Londoner Albert Hall, 1932 in Südafrika, 1934 wieder in England. 1936 mußte sie, auf dem Höhepunkt ihrer Karriere stehend, diese wegen eines Halsleidens aufgeben, das sich auch durch mehrmalige Operationen nicht beheben ließ.
Schallplatten: Bereits die ersten Aufnahmen, die Victor 1916 von ihrer Stimme machte, brachten sensationelle Erfolge; die letzten ihrer über 130 Schallplattenaufnahmen entstanden 1930.

Galli-Marié, Célestine, † 22. 9. 1905 Vence bei Nizza; sie sang an der Opéra-Comique Paris auch in der Uraufführung von «Le Capitaine Henriot» von François-Auguste Gevaert (29. 12. 1864).

Gallmeyer, Josephine; debütierte 1853 als Soubrette am Theater von Brünn (Brno).

Gallos, Hermann; Schallplatten: Christschall (Krönungsmesse und «Davidde penitente» von Mozart), Discocorp (Monatos in der «Zauberflöte», Salzburg 1949).

Galvany, Maria; sie ist in den Jahren um die Jahrhundertwende an italienischen Bühnen, nicht aber, wie irrtümlich behauptet wird, an der Mailänder Scala aufgetreten. Über den Ausgang ihrer Karriere ist nichts sicheres bekannt; angeblich soll sie 1918 in San Francisco in Vaudeville-Theatern aufgetreten sein.
Schallplatten: G & T (Mailand, seit 1903), Pathé (1904), HMV und Edison Amberola-Zylinder.

Galvany, Marisa, Sopran, * 19. 6. 1936 Paterson (New Jersey); eigentlicher Name Myra Beth Genis. Schülerin von Armen Boyagian. Bühnendebüt 1968 an der Oper von Seattle als Tosca. Sie sang an den großen Opernhäusern in den USA und debütierte 1972 an der New York City Centre Opera als Elisabetta in «Maria Stuarda» von Donizetti mit Beverly Sills in der Titelrolle. Sie gastierte in Philadelphia und San Francisco (1973 als Aida), an der Oper von New Orleans (1974 als Rachel in Halévys «La Juive» mit Richard Tucker in der Rolle des Eleazar) und in Mexico City (1972 ebenfalls als Aida). In Europa hörte man sie als Gast an der Oper von

Frankfurt a. M., am Teatro Liceo Barcelona, in Warschau, Prag und Belgrad und am Opernhaus von Rouen. 1979 wurde sie an die Metropolitan Oper New York berufen und debütierte als Titelheldin in Bellinis «Norma». Man hörte sie dort im Lauf der folgenden Jahre als Ortrud im «Lohengrin», als Küsterin im «Jenufa» von Janáček und als Mutter in «Hänsel und Gretel» von Humperdinck. 1973 gestaltete sie in einer Opernsendung des Kanadischen Fernsehens die Lady Macbeth in «Macbeth» von Verdi. In Südamerika trat sie an Opernhäusern in Brasilien und Venezuela auf. In ihrem Bühnenrepertoire bevorzugte sie dramatische Partien aus dem italienischen wie dem französischen Fach. Im einzelnen sind zu nennen: die Lady Macbeth, die Elena in Verdis «Vespri Siciliani», die Abigail in «Nabucco», die Elvira in «Ernani» von Verdi, die Turandot in der Oper gleichen Namens von Puccini, die Santuzza in «Cavalleria rusticana», die Gräfin in «Figaros Hochzeit», die Salomé in «Hérodiade» von Massenet, die Jolanthe in der gleichnamigen Oper von Tschaikowsky und die Blanche in «Dialogues des Carmélites» von F. Poulenc. Geschätzte Konzert- und Oratoriensängerin.
Schallplatten: Vanguard (Titelpartie in vollständiger Oper «Medea in Corinto» von Giovanni Simone Mayer). – (Neufassung)–.

Gambill, Robert; er debütierte bereits am 15. 3. 1981 an der Mailänder Scala in der Uraufführung von Stockhausens «Donnerstag aus Licht» in der Partie des Michael und sang seit 1982 dort mehrere Rollen. Am Grand Théâtre Genf war er 1986 als Fenton im «Falstaff» von Verdi zu hören, am Opernhaus von Lüttich in der Saison 1988–89 wie auch in Paris als Giannetto in «La gazza ladra» von Rossini. Er sang 1987 bei den Festspielen von Schwetzingen den Grafen Almaviva im «Barbier von Sevilla», 1987 am Teatro Colón Buenos Aires den Belmonte in der «Entführung aus dem Serail». 1988 hörte man ihn an der Mailänder Scala als Steuermann im «Fliegenden Holländer» (1989 auch an der Metropolitan Oper New York), 1988 am Theater an der Wien in Wien in «Fierrabras» von F. Schubert.
Schallplatten: Orfeo («Acis and Galatea» von Händel), DGG («Donnerstag aus Licht» von Stockhausen).

Gamrekeli, David, * 27. 7. 1911 in Georgien.
Schallplatten: Unter seinen Aufnahmen auf Melodiya auch vollständige Opern, darunter «Sadko» von Rimsky-Korssakow.

Gandolfi, Alfredo, Bariton, * 21. 5. 1885 Turin, † 9. 6. 1963 New York; er war Schüler von Chiarina Fino-Savio in Turin. Sein Bühnendebüt fand 1911 am Teatro Vittorio Emanuele seiner Heimatstadt Turin als Enrico in «Lucia di Lammermoor» statt. Dort sang er 1913 auch in Puccinis «Manon Lescaut». 1914 wirkte er in der italienischen Erstaufführung des «Parsifal» am Teatro Comunale Bologna in der Partie des Amfortas mit, wobei Giuseppe Borgatti und Elena Rakowski die weiteren Hauptpartien sangen. Diese Partie trug er 1914 auch am

Teatro Regio Turin, am Teatro Carlo Felice Genua und in einer nicht ganz vollständigen Aufführung an der Mailänder Scala vor. 1916 wirkte er in den denkwürdigen Aufführungen von Cavalieris Barockwerk «La Rappresentazione di Anima e di Corpo» am Liceo Musicale Turin mit. Seine spätere Karriere spielte sich dann größtenteils in Nordamerika ab. Er trat allein während 32 Spielzeiten an der Oper von San Francisco auf; hier sang er auch 1932 in der Eröffnungsvorstellung des neu erbauten Opernhauses den Scarpia in «Tosca» mit Claudia Muzio und Dino Borgioli zusammen. 1929–32 war er Mitglied der Metropolitan Oper New York (Antrittsrolle: Sergeant in Puccinis «Manon Lescaut»). Hier übernahm er in erster Linie Buffo-Partien und Comprimario-Rollen. So sang er den Fra Melitone in Verdis «La forza del destino», den Sakristan in «Tosca», den Fléville in «Andrea Chénier» von Giordano und den Baron Douphol in «La Traviata». Er nahm an der Metropolitan Oper auch an der Uraufführung der Oper «Peter Ibbetson» von Deems Taylor teil (7. 2. 1931). Später widmete er sich in New York der pädagogischen Tätigkeit.
Schallplatten: eine akustisch aufgenommene HMV-Platte; er erscheint in mehreren Aufnahmen auf EJS, darunter als Scarpia im 1. Akt «Tosca» in der Gala-Vorstellung von 1932 in San Francisco. – (Neufassung) –.

Ganzarolli, Wladimiro; er trat 1960 bei den Festspielen in der Arena von Verona auf.
Schallplatten: Melodram (vollständige Oper «Ali Baba» von Cherubini).

Garavaglia, Lina, s. unter *Garavaglia,* Rosa.

Garavaglia, Rosa; sie sang 1910 an der Mailänder Scala die Teresa in «La Sonnambula» von Bellini, 1911 in der Premiere von «Ariane et Barbe-Bleue» von Dukas und in der Uraufführung der Oper «Fior di Neve» von Filasi, 1913 die Lucia in «Cavalleria rusticana», die Mercedes in «Carmen» und die Anna in Verdis «Nabucco». 1911 gastierte sie auch in Brasilien, namentlich am Opernhaus von São Paulo. Von ihrer Schwester *Lina Garavaglia* existieren Pathé-Zylinder, 1904–05 in London aufgenommen.

Garaventa, Ottavio; er gastierte u. a. am Teatro Regio Turin und in den Jahren 1971, 1975 und 1979 bei den Festspielen in der Arena von Verona. 1987 trat er in Genua als Faust in «Mefistofele» von A. Boito auf und sang beim Donizetti Festival in Bergamo den Tamos in einer weiteren Oper dieses Komponisten «Gemma di Vergy».
Schallplatten: Frequenz («Mosè in Egitto» von Rossini, 1968).

Garazzi, Peyo; Schallplatten: Bongiovanni («Dejanice» von A. Catalani).

Garbin, Edoardo; er sang am 6. 10. 1892 am Teatro Carlo Felice von Genua in der Uraufführung der Oper «Cristoforo Colombo» von Alberto Franchetti (zur 400-Jahrfeier der Entdeckung Amerikas durch

Columbus) die Partie des Guerara. Am Teatro Vittorio Emanuele von Turin wirkte er als Titelheld in der Uraufführung von Montemezzis «Giovanni Gallurese» mit (28. 1. 1905).

Garcia, Manuel sr., * 22. 1. 1775 Sevilla, † 9. 6. 1832 Paris.

Garcia, Manuel jr., eigentlicher Name Manuel Patrizio Rodriguez Garcia. Er studierte in Paris Musiktheorie bei dem Komponisten und Musikhistoriker François-Joseph Fétis. Seit 1880 lehrte er an der Royal Academy of Music London, seit 1883 war er Professor am dortigen Royal College of Music.

Garcisanz, Isabel; sie sang bei den Festspielen von Glyndebourne den Nerillo in «L'Ormindo» von Cavalli, die Zaida in Rossinis «Il Turco in Italia» und 1970 die Concepcion in «L'Heure espagnole» von Ravel.

Garden, Mary, † 3. 1. 1967 Inverurie bei Aberdeen. Erste Studien bei Mrs. Robinson Duff in Chicago. In Paris, wo sie durch die berühmte amerikanische Sängerin Sybil Sanderson protegiert wurde, war sie auch Schülerin von Jules Chevalier. Ihr Debüt («au pied levé») an der Opéra-Comique fand am 23. 4. 1900 in Charpentiers «Louise» statt. An der Opéra-Comique feierte man sie, abgesehen von den Erfolgen in den Ur- und Erstaufführungen damaliger Opern, auch als Manon und als Thaïs in den bekannten Opern von Massenet, als Fanny Legrand in dessen «Sapho» und als Juliette in «Roméo et Juliette» von Gounod. An der Oper von Monte Carlo kreierte sie am 14. 5. 1905 Massenets Oper «Chérubin», die dieser für sie komponiert hatte. 1908 trat sie am New Yorker Manhattan Opera House als Salome von Richard Strauss auf. In Philadelphia wirkte sie in der Uraufführung der Oper «Natoma» von Victor Herbert mit (25. 2. 1911). An der Oper von Chicago sang sie als Antrittspartie 1910 die Mélisande, 1911 hörte man sie dort erstmals in einer weiteren Glanzrolle als Carmen, 1914 als Tosca. In der Saison 1919–20 leitete sie als Direktorin die Chicago Opera. Sie setzte auch die Uraufführung von Prokofieffs Oper «L'Amour des trois oranges» am 30. 12. 1921 in Chicago durch. 1930 kreierte sie dort in ihrer letzten Spielzeit die Oper «Camille» des amerikanischen Komponisten Hamilton Forrest. In Brüssel gastierte sie als Marguerite im «Faust» von Gounod und als Ophélie in «Hamlet» von A. Thomas. 1918 hatte sie in einigen amerikanischen Stummfilme mitgewirkt, u. a. als Thaïs. Ihre letzte Vortragsreise fand 1949 statt.
Schallplatten: G & T (Paris 1904, darunter Lieder von Debussy, von diesem am Klavier begleitet), Columbia (1912), Pathé, Edison-Zylinder (1905); es existieren elektrisch aufgenommene Victor-Platten die um 1928 entstanden sind.

Gareis, Joseph; er wirkte in den Frankfurter Uraufführungen der Opern von Franz Schreker mit: 1912 in «Der ferne Klang», 1913 in «Das Spielwerk und die Prinzessin», 1918 in «Die Gezeichneten» und 1920 in «Der Schatzgräber».

Garett, Eric, s. unter *Garrett,* Eric (richtige Schreibweise des Familiennamens).

Gargiulo, Assunta; sie sang in der Saison 1918–19 am Teatro Costanzi Rom die Micaela in «Carmen», die Musetta in «La Bohème», den Knaben Yniold in «Pelléas et Mélisande» und kleinere Partien in den italienischen Erstaufführungen der Puccini-Opern «Suor Angelica» und «Gianni Schicchi» (als Teile seines «Trittico», 11. 1. 1919). 1926 sang sie am gleichen Haus in der Uraufführung der Oper «Gioconda e il suo Re» von Adriano Lualdi.
Schallplatten: Odeon-Fonotipia (Quartett aus «La Bohème» mit Augusta Concato, Ferdinando Ciniselli und Ernesto Badini).

Garibaldi, Luisa; Schülerin des Baritons Vittorio Carpi in Florenz.

Garner, Françoise; sang in den Festspielsommern 1977–79 in der Arena von Verona.

Garrard, Don; er wurde in Kanada bekannt, als er im Fernsehen die Partie des Don Giovanni sang. Er sang am 13. 6. 1964 in der Kirche von Orford in der Uraufführung von Benjamin Brittens «Curlew River», 1973 beim Glyndebourne Festival in der englischen Erstaufführung von G. von Einems «Der Besuch der alten Dame». In Glyndebourne hörte man ihn auch als Trulove in «The Rake's Progress» von Strawinsky und als Arkel in «Pelléas et Mélisande» von Debussy.

Garrett, Eric, Baß-Bariton, * 1933 (?) Cleveland (Grafschaft Yorkshire, England); Ausbildung der Stimme am Royal College of Music in London. Ergänzende Studien in Deutschland, bei Eva Turner in London sowie Einstudierung einiger Rollen des italienischen Repertoires durch Tito Gobbi. Nachdem er drei Jahre hindurch im Chor der Londoner Covent Garden Oper gesungen hatte, debütierte er dort 1963 als Solist in den Partien des Benoît und des Alcindoro in «La Bohème». Er sang in den folgenden Jahren an der Covent Garden Oper über 50, zumeist kleinere und Buffo-Partien, u. a. den Mesner in «Tosca» zusammen mit Maria Callas und Tito Gobbi. Er trat auch bei der New England Opera Company, bei der Scottish Opera, der Welsh Opera und beim Wexford Festival (Macrobio in Rossinis «La pietra del paragono») in Erscheinung. In den Jahren 1978–79 erfolgreiche Gastspiele an den Opernhäusern von Brüssel und Gent als Bartolo im «Barbier von Sevilla», als Dulcamara in Donizettis «Elisr d'amore», in «Don Pasquale» und in «Adriana Lecouvreur» von Cilea. Seither große Erfolge als Baß-Buffo in Belgien, so 1981 in Antwerpen als Ochs im «Rosenkavalier» (1981) und in Lüttich als Bartolo im «Barbier von Sevilla» (1983). Den Ochs sang er auch in Los Angeles. 1988 erregte er an der Londoner Covent Garden großes Aufsehen, als er den verhinderten Paolo Montarsolo in der Rolle des Mustafà in Rossinis «Italiana in Algeri» ersetzte. Schallplatten: Kleinere Opernpartien auf DGG («La Fanciulla del West» von Puccini) und Decca («Billy Budd» von B. Britten, «La fille du régiment» von Donizetti). – (Neufassung) –.

Garris, John, Tenor, * 7. 11. 1911 Frankfurt a. M., † 21. 4. 1949 Atlanta (Georgia); eigentlich Hans Gareis, Sohn des Baritons *Joseph Gareis* (1876–1959), der lange an der Oper von Frankfurt a. M. wirkte. Er studierte an der Musikhochschule Frankfurt Piano und Dirigieren und war dann als Hilfsdirigent und Korrepetitor an den Opernhäusern von Frankfurt a. M. und München beschäftigt. 1938 verließ er Deutschland und ließ sich in Griechenland nieder. Ohne eine eigentliche Gesangausbildung gehabt zu haben trat er bei Radio Athen in zwei Liedsendungen auf und sang in Athen das Tenorsolo in der «Schöpfung». 1940 wanderte er nach Nordamerika aus und arbeitete an der New Yorker Metropolitan Oper als Repetitor. Nachdem man auch dort auf seine schöne Stimme aufmerksam geworden war, debütierte er 1942 an diesem Opernhaus als Sänger in der Partie des Valzacchi im «Rosenkavalier». Er trat an der Metropolitan Oper vor allem als Charakter- und Buffo-Tenor auf, übernahm aber auch Partien aus dem lyrischen Fach. Er sang dort bis zu seinem tragischen Tod u. a. den Cassio im «Othello» von Verdi, den Laërte in «Mignon» von A. Thomas, den Gastone in «La Traviata» und, mit besonderem Erfolg, den David in den «Meistersingern» und den Mime im «Siegfried». Er gastierte in San Francisco, Los Angeles und St. Louis und nahm an einer Nordamerika-Tournee mit Lehárs «Lustiger Witwe» teil. In der New Yorker Town Hall sang er das Tenorsolo in «Roméo et Juliette» von Berlioz unter A. Toscanini. 1948 wirkte er an der Metropolitan Oper in der Premiere von Benjamin Brittens «Peter Grimes» mit. Er ist auch in dem Tonfilm «The Lost Weekend» aufgetreten. Im April 1949 befand sich das Ensemble der Metropolitan Oper auf seiner alljährlichen Gastspieltournee in Atlanta (Georgia). Hier entfernte sich John Garris kurz vor Abfahrt des Zuges, in dem die Truppe reiste, von dieser. Er wurde später erschossen in einer Allee in einem anderen Viertel der Stadt gefunden. Das Geheimnis um diesen Mord ist nie geklärt worden.
Offiziell sind seine einzigen Schallplatten die Rolle des Gaston in «La Traviata» auf RCA unter Toscanini und das «Meistersinger»-Quintett auf Columbia (mit Polyna Stoska, Herta Glaz, Torsten Ralf und Herbert Janssen). Es sind jedoch zahlreiche Mitschnitte von Aufführungen der Metropolitan Oper zum Vorschein gekommen, darunter in der Toscanini Edition «Roméo et Juliette» von Gounod, auf HMV «La Traviata» und auf Bruno Walter Society «Figaros Hochzeit» als Don Curzio). – (Neufassung) –.

Garrison, Mabel, † 20. 8. 1963 Northampton (Massachusetts); Schülerin von Lucien Odenthal in Baltimore und von E. Heimendahl in Boston. Sie heiratete 1908 den Professor für Harmonielehre am Pea-

body Conservatory Boston George Siemonn. Debütierte 1912 mit der Aborn Opera Company in Boston als Philine in «Mignon» von A. Thomas. 1913–20 an der Metropolitan Oper New York engagiert. Nachdem sie in der ersten Saison nur in einem Sunday Night Concert aufgetreten war, sang sie als erste Rolle auf der Bühne im November 1914 die Frasquita in «Carmen». Einen Monat später war sie als Page Urbain in den «Hugenotten» von Meyerbeer sehr erfolgreich und übernahm dann Partien wie die Gretel in «Hänsel und Gretel», die Titelheldin in Fotows «Martha», die Lucia di Lammermoor, die Gilda in «Rigoletto», die Adina in «Elisir d'amore», den Pagen Oscar in Verdis «Ballo in maschera», die Königin von Shemakan in «Le Cocq d'or» von Rimsky-Korssakow (amerikanische Premiere 1918) und die Biancofiore in der amerikanischen Erstaufführung von Zandonais «Francesca da Rimini» (1916). An der Oper von Chicago brillierte sie vor allem als Rosina im «Barbier von Sevilla» (1925–26).
Schallplattenaufnahmen auf Victor, insgesamt 31 Titel, alle 1916–24 in akustischer Aufnahmetechnik gefertigt.

Garrone, Nella, Mezzosopran; sie sang 1911 in Lucca eine kleine Partie in Puccinis «La fanciulla del West».

Gasdia, Cecilia, * 14. 8. 1960 Verona; sie studierte Literatur und Romanistik, dazu auch Klavierspiel in Verona. Bühnendebüt 1981 in Florenz als Giulietta in Bellinis «I Capuleti ed I Montecchi» mit Agnes Baltsa in der Rolle des Romeo. 1983–84 große Erfolge an der Grand Opéra Paris; beim Maggio musicale Fiorentino sang sie 1987 die Teresa in «Benvenuto Cellini» von Berlioz. 1986 gastierte sie beim Rossini Festival von Pesaro in «Maometto II.» von Rossini; sie sang auch in der Wiener Premiere von «Il Viaggio a Reims» nach den erfolgreichen Aufführungen in Pesaro und an der Mailänder Scala. Im November 1986 sang sie als Antrittspartie an der Metropolitan Oper New York die Juliette in «Roméo et Juliette» von Gounod. 1987 Gastspiel am Teatro Liceo Barcelona als Mimi in «La Bohème», 1988 in Chicago als Amina in «La Sonnambula». Schallplatten: RCA-Erato («Ermione» und «Zelmira» von Rossini, Vokalwerke von Vivaldi, Stabat mater von Rossini), Fonit-Cetra («L'Esule di Roma» von Donizetti), Nuova Era («Rinaldo» von Händel, Liu in «Turandot» von Puccini).

Gasparjan, Goar; Schallplatten: Unter ihren Aufnahmen auf Melodiya findet sich die vollständige Oper «Anush» des armenischen Komponisten Armen Tigranjan.

Gates, Lucy; ihre Mutter war eine Tochter des Stifters der Mormonen Brigham Young. Im Alter von neun Jahren kam sie von Hawaii in die USA zurück; sie begann dort mit zwölf Jahren eine Ausbildung als Violinistin und gewann ein Jahr später einen Preis im Klavierspiel bei einem Concours in Salt Lake City. 1902 kam sie zur weiteren Ausbildung nach Deutschland. 1912–14 am Hoftheater von Kassel engagiert, wo sie u. a. die Sophie in der Premiere des «Rosenkavaliers» sang. 1916–19 USA-Tournee mit den Sängern Mabel Garrison, David Bispham, Albert Reiss und Sam Franko unter dem Namen «Society of American Singers». 1918 sang sie in Ravinia die Gilda im «Rigoletto», die Juliette in «Roméo et Juliette» von Gounod und die Lucia di Lammermoor. 1918 war sie in Brooklyn bei der Zuro Opera Company, 1920 bei der Newark Opera tätig; 1927 gastierte sie in Seattle. 1929 sang sie als letzte Bühnenpartie in Salt Lake City die Carmen. 1916 hatte sie dort Albert E. Bowen geheiratet.

Gatta, Dora, * 11. 11. 1921 Foggia.

Gatti, Gabriella; sie trat zunächst als Konzertsängerin auf. Sie sang 1937–39 bei den Festspielen in der Arena von Verona, 1938–41 beim Maggio musicale von Florenz. Bei der letztgenannten Festspielveranstaltung hörte man sie u. a. als Amelia in Verdis «Simon Boccanegra» (1938), als Armida von Gluck (1941) und als Mathilde in Rossinis «Wilhelm Tell» (1939), in der Uraufführung der Oper «Re Lear» von Vito Frazzi (29. 4. 1939) und als Solistin in der Missa solemnis von Beethoven. 1949 sang sie am Teatro Comunale Bologna die Agathe im «Freischütz» von Weber. 1950 sang sie als Abschiedspartie an der Oper von Rom die Mathilde in «Wilhelm Tell». Sie war eine der großen Oratoriensolistinnen unter den italienischen Sängerinnen ihrer Generation und erregte in der Matthäuspassion von J. S. Bach, im «Messias» von Händel, in der «Schöpfung» von Haydn und im Deutschen Requiem von J. Brahms Aufsehen. Sie wirkte in zahlreichen Opernsendungen des italienischen Rundfunks RAI mit und sang in London in einer Radiosendung von Verdis «Othello» 1948 die Desdemona.
Schallplatten: In einem Album für «The Gramophone Shop New York» erschienen Arien von Monteverdi, Vivaldi und anderen Meistern der Barock-Epoche.

Gaudin, André, † 10. 12. 1986 Paris; er blieb bis 1946 an der Pariser Opéra-Comique tätig. 1931, 1935 und 1938 war er am Teatro Colón Buenos Aires zu Gast, 1937 an der Covent Garden Oper London (Pelléas in «Pelléas et Mélisande»). Seine großen Partien waren der Lescaut in «Manon» von Massenet, der Albert in dessen «Werther», der Escamillo in «Carmen», der Germont-père in «La Traviata», der Marcello in Puccinis «La Bohème», der Scarpia in «Tosca», an erster Stelle aber der Pelléas.

Gaudio, Mansueto; sang 1904–05 und 1909–10 an der Hofoper von St. Petersburg. Am 22. 4. 1915 wirkte er in der Eröffnungsvorstellung des Teatro Nacional Havanna als Ramphis in «Aida» mit. Mehrfach (vor allem auf seinen Schallplatten) erscheint der Name des Sängers in der Form, daß der Vor- und der Familienname vertauscht werden, also als Gaudio Mansueto (letzteres Wort als Familienname). Es scheint sich dabei um einen Irrtum zu handeln; die Register der Mailänder Scala und anderer Theater weisen ihn jedenfalls als Mansueto Gaudio aus.

Gauley, Marie-Thérèse, * 15. 2. 1903; ihre Mutter, *Mme Gauley-Texier* (1866–1948), war eine bekannte Mezzosopranistin, die 1911-12 an der Grand Opéra Paris auftrat und in der Saison 1918–19 an der Oper von Monte Carlo gastierte. Nach der Uraufführung von Ravels «L'Enfant et les sortilèges» in Monte Carlo kreierte Marie-Thérèse Gauley auch die Partie des Kindes 1926 bei der Premiere des Werks an der Opéra-Comique Paris.

Gauthier, Eva; sie begann mit 13 Jahren das Gesangstudium bei Frank Buels in Ottawa und sang 1901 als Solistin in der dortigen St. Patrick's Church. 1906 begleitete sie als assistant artist die berühmte Emma Albani auf ihrer Abschiedstournee durch Kanada. 1910 Gastspiel an der Covent Garden Oper London. Sie sang bei ihren Liederabenden vor allem Lieder der französischen Impressionisten und war mit Komponisten wie Auric, Roussel und Strawinsky befreundet. 1917 trug sie Strawinskys «Poème Japonais» in der New Yorker Aeolian Hall vor.
Schallplatten der Firmen Victor (1915–17), Columbia und Artcraft (um 1930 mit Liedern zeitgenössischer Meister).

Gavazzi, Ernesto; 1989 sang er beim Rossini-Festival in Pesaro den Eusebio in «L'Occasione fa il ladro».
Schallplatten: HMV (Don Curzio in «Nozze di Figaro», Trabucco in «La forza del destino») Decca (Harvey in «Anna Bolena» von Donizetti, «Aida»), Virgin-Video (Goro in «Madame Butterfly»).

Gaveaux, Pierre; seine Gattin, die Sopranistin *Aglaé Gavaudan* (1775–1837), gehörte zu den führenden Sängerinnen ihrer Epoche in Frankreich. In der Uraufführung seiner Oper «Léonore» (nach einem Text von Jean Nicolas Bouilly) sang er am Théâtre

Stammbaum der Familie Gavaudan

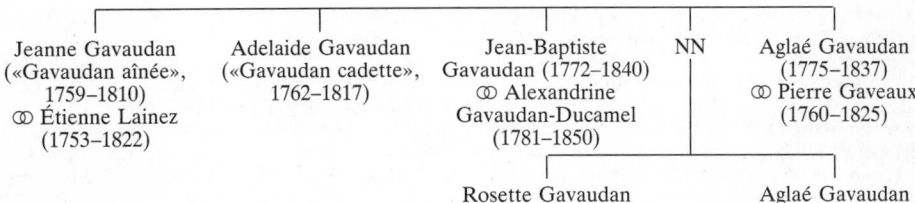

Jeanne Gavaudan («Gavaudan aînée», 1759–1810) ∞ Étienne Lainez (1753–1822)

Adelaide Gavaudan («Gavaudan cadette», 1762–1817)

Jean-Baptiste Gavaudan (1772–1840) ∞ Alexandrine Gavaudan-Ducamel (1781–1850)

NN   Aglaé Gavaudan (1775–1837) ∞ Pierre Gaveaux (1760–1825)

Rosette Gavaudan   Aglaé Gavaudan

Feydeau selbst den Florestan, Mme Scio die Titelpartie der Léonore (19. 2. 1798).

Gay, Maria; eigentlicher Name Maria Pichot. Ihre
Stimme wurde entdeckt, als sie 16 Jahre alt war. Sie
wurde Schülerin des Pädagogen Juan Gay in Barcelona, den sie heiratete, doch kam es bald zur Trennung der Ehegatten. Bühnendebüt 1902 am Théâtre
de la Monnaie Brüssel als Carmen, wobei sie die
Partie innerhalb von fünf Tagen einstudiert haben
soll. 1907 sang sie an der Mailänder Scala als Antrittsrolle die Carmen und hatte in der gleichen
Spielzeit dort als Orpheus von Gluck und als Amneris in «Aida» große Erfolge. Nachdem sie an der
Metropolitan Oper New York, ebenfalls als Carmen, debütiert hatte, sang sie dort in der Saison
1908–09 die Lola in «Cavalleria rusticana», die Azucena im «Troubadour» und die Amneris in «Aida».
1909 erregte sie an der Metropolitanoper als Quickly
in Verdis «Falstaff» unter Toscanini Aufsehen.
1910–12 und 1915–16 trat sie an der Oper von Boston
auf. 1913 hörte man sie an der Mailänder Scala als
Amneris; im gleichen Jahr bereiste sie Südamerika.
Auch an den beiden großen Opernhäusern der französischen Metropole Paris, der Grand Opéra wie der
Opéra-Comique, absolvierte sie glänzende Gastspiele. Am 22. 4. 1915 sang sie in der Eröffnungsvorstellung des Teatro Nacional Havanna die Amneris
in «Aida». Diese Partie trug sie auch 1924 in Berlin
vor. 1927 sang sie nochmals am Teatro Costanzi
Rom ihre unvergleichliche Carmen.
Schallplatten: G & T (Paris, 1904), HMV (1908),
Favorite (1907), Columbia (USA, 1911–13, darunter
Duette mit Giovanni Zenatello); elektrische Victor-
Aufnahmen (Finale aus «Carmen» mit Giovanni
Zenatello, 1930 aufgenommen).

Gayarre, Julián; er sang am 22. 3. 1882 am Teatro
Apollo von Rom in der Uraufführung der nachgelas-
senen Oper «Il Duca d'Alba» von Donizetti den
Marcello.

Gayer, Catherine; sie gastierte 1962 an der Covent
Garden Oper London und trat auch als Gast bei der
Scottish Opera Glasgow auf. 1988 gestaltete sie an
der Komischen Oper Berlin Schönbergs Monodrama «Erwartung».

Gayer von Ehrenberg, Eleonore, s. unter *Ehrenbergová,* Eleonora.

Gedda, Nicolai; seine Mutter war Schwedin. Er
wurde zuerst von seiner Tante Olga Gedda und nach
deren Heirat 1928 durch deren Gatten, den Bassisten *Michail Ustinow,* adoptiert. Er erhielt seine
erste Ausbildung 1950–51 in der Opernschule der
Königlichen Oper Stockholm und wurde später
Schüler von Paola Novikova in New York. Als Antrittsrolle sang er 1954 an der Covent Garden Oper
London den Herzog im «Rigoletto». Seit 1953 oftmals an der Mailänder Scala zu Gast, ebenso an der
Staatsoper von Wien, an der er 1962 als erste Partien
den Tamino in der «Zauberflöte» und den Don
Ottavio im «Don Giovanni» sang. Seit 1957 sang er

an der Metropolitan Oper New York in 22 Spielzeiten 27 Partien in 289 Vorstellungen (im eigentlichen
Haus in New York). Seine Karriere dauerte sehr
lange an; noch 1986 hatte er bei einem Liederabend
in London, 1989–90 bei zahlreichen Konzerten glänzende Erfolge.
Schallplatten: Bei der Fülle von Aufnahmen, die von
der Stimme des Sängers vorhanden sind (darunter
sehr viele vollständige Opern), kann man sich nur
auf einen annähernden Überblick beschränken. Zu
nennen sind Aufnahmen auf HMV («Hoffmanns
Erzählungen», «Boris Godunow», «Barbier von Sevilla», «Il Turco in Italia» von Rossini, «I Capuleti ed
I Montecchi» von Bellini, «Damnation de Faust»
von Berlioz, «Carmen», «Pêcheurs de perles»,
«Faust» von Gounod, «Iwan Susanin» von Glinka,
«Louise» von Charpentier, «Fra Diavolo» von Auber, «Lady Macbeth von Mzensk» von Schostakowitsch, «Manon» und «Thaïs» von Massenet, «Così
fan tutte», «Zauberflöte», «Don Giovanni», «Rigoletto», «Padmâvati» von Roussel, «Bettelstudent»
von Millöcker, Matthäuspassion von J. S. Bach, Petite Messe solennelle von Rossini), auf Columbia
(«La Bohème» und «Carmen» mit Maria Callas zusammen, «Werther» von Massenet, «Der Barbier
von Bagdad» von Cornelius, italienischer Sänger im
«Rosenkavalier» und «Capriccio» von R. Strauss,
«Faust» von Gounod, «Fledermaus», «Die lustige
Witwe») auf RCA («Rigoletto», «Vanessa» von
S. Barber), auf Philips («Così fan tutte», «Benve-
nuto Cellini» von Berlioz), auf Erato («Krieg und
Frieden» von Prokofieff), auf Ariola-Eurodisc («I
Puritani» von Bellini), auf DGG (Titelheld in «Pale-
strina» von H. Pfitzner), auf CBS («Cendrillon» von
Massenet) auf Pathé («Platée» von Rameau, «Don
Giovanni», «Orpheus» von Gluck), auf HMV-Elec-
trola («Die Zwillingsbrüder» von Schubert, «Abu
Hassan» von Weber, «Freischütz», «Der betrogene
Kadi» von Gluck, «Undine» und «Zar und Zimmer-
mann» von Lortzing, «Die Entführung aus dem Serail» und «Der Schauspieldirektor» von Mozart), auf
Orfeo («Alceste» von Gluck) auf BJR («Le Prophète» von Meyerbeer), auf MRP («Orfeo ed Euridice» von J. Haydn), auf Cetra Opera Live («La
clemenza di Tito» von Mozart), dazu viele weitere
Mitschnitte, Arien und Liedaufnahmen.

Geis, Josef; Schallplatten: Während von der Stimme
des Sängers keine Aufnahmen vorhanden sind, existieren von seinem Vater *Jakob Geis* vier Aufnahmen auf G & T.

Geisler, Walter, *1913 Oppeln (Schlesien), †9. 6.
1979 Berlin.

Gélin, Nicolas, †23. 12. 1810 Creil-sur-Oise (Departement Oise).

Gelli, Antonio; gastierte 1934 an der Covent Garden
Oper London als Sakristan in «Tosca».
Weitere vollständige Opern-Aufnahmen auf HMV:
Sakristan in «Tosca» (mit Carmen Melis, Piero Pauli
und Apollo Granforte), Yamadori in «Madame But-
terfly».

Genast, Eduard Franz, Baß-Bariton.

Gencer, Leyla; studierte in Ankara bei Elvira de Hidalgo, der Lehrerin von Maria Callas. Seit 1957 an der Mailänder Scala aufgetreten. 1957 sang sie in der Kathedrale von Mailand bei den Begräbnisfeierlichkeiten für den großen Dirigenten Arturo Toscanini. 1956 hörte man sie am Teatro Verdi Triest als Agathe im «Freischütz», seit 1956 fast alljährlich an der Oper von San Francisco. 1962–63 und 1965–68 sang sie bei den Festspielen in der Arena von Verona Partien wie die Norma, die Aida und die Amelia in Verdis «Ballo in maschera». 1965 gastierte sie bei den Festspielen von Glyndebourne als Gräfin in «Figaros Hochzeit» und als Titelheldin in «Anna Bolena» von Donizetti, 1969 und 1972 beim Edinburgh Festival als Maria Stuarda und als Elisabetta d'Inghilterra in den gleichnamigen Opern von Donizetti bzw. Rossini. 1966 bewunderte man sie beim Maggio musicale von Florenz in der Titelrolle von Glucks «Alceste», 1967 sang sie in San Francisco die Titelheldin in «La Gioconda» von Ponchielli, an der Scala die Elettra in «Idomeneo», 1968 am Teatro Fenice Venedig die Medea in der Oper gleichen Namens von Cherubini, 1969 am Teatro Massimo Palermo die Giulia in Spontinis «La Vestale». Auf der Bühne wirkte sie nicht zuletzt durch ihre enorme darstellerische Begabung. In besonderer Weise erwarb sie sich Verdienste um die Wiederbelebung in Vergessenheit geratener Belcanto-Opern aus der ersten Hälfte des 19. Jahrhunderts.
Schallplatten: TIS («Roberto Devereux», «Lucrezia Borgia» und «Maria Stuarda» von Donizetti), RAI-Nuova Era («Anna Bolena» von Donizetti).

Gentile, Maria; debütierte 1925 am Teatro Verdi von Pisa als Gilda im «Rigoletto». 1929 gastierte sie dort abermals in dieser Partie, als Lucia di Lammermoor und als Rosina im «Barbier von Sevilla». 1928 Gastspiel am Teatro Regio Parma, 1929 am Teatro San Carlo Neapel. Sie nahm an zahlreichen Festspielveranstaltungen in Italien (nicht in Verona) teil. Auch in Schweden ist sie auf der Bühne wie im Konzertsaal in Erscheinung getreten.
Schallplatten: Columbia und Polydor (Berlin, 1934).

Gentner-Fischer, Else; Debüt 1905 am Hof- und Nationaltheater Mannheim. 1911 sang sie in der Frankfurter Premiere des «Rosenkavaliers» die Partie der Sophie, 1914 wirkte sie in der als «Parsifal» mit. Am 18. 1. 1912 kreierte sie in der Frankfurter Uraufführung der Oper «Oberst Chabert» von Wolfgang Waltershausen die Partie der Gräfin. Im weiteren Verlauf ihrer Karriere wandte sie sich immer mehr dem dramatischen und dem Wagner-Fach zu, während sie anfänglich auch lyrische Partien vorgetragen hatte. Bei der Tournee der German Opera Company 1923–24 in den USA hinterließ sie als Gräfin in «Figaros Hochzeit» großen Eindruck.
Schallplatten: G & T (ein Duett mit dem Tenor Hermann Schramm, Frankfurt 1906), Polydor (1924, darunter das Wiegenlied aus «Der Schatzgräber» von F. Schreker), einige elektrische Aufnahmen auf HMV.

Genzardi, Giovanni, † 6. 12. 1972 Mailand.

Géori-Boué, Mme, s. unter *Boué*, Géori.

Gerhäuser, Emil; am Hoftheater Karlsruhe sang er u. a. am 12. 10. 1893 in der Uraufführung der Oper «Der Rubin» von Eugen d'Albert. In der Spielzeit 1902–03 war er an der Metropolitan Oper New York engagiert.
Schallplatten: Auf einem Mapleson-Zylinder aus der Metropolitan Oper von 1903 ist er in einem kurzen Fragment aus «Tannhäuser» zu hören.

Gerhardt, Elena; sie sang während ihres Engagements am Opernhaus von Leipzig 1903–04 die Titelfigur in «Mignon» von A. Thomas und die Charlotte in «Werther» von Massenet. Im Juni 1906 hatte sie bei ihrem ersten Konzert in England in der Londoner Queen's Hall einen grandiosen Erfolg. Sie wurde in England fast noch bekannter als in Deutschland und war seit 1922 fast ständig in London anzutreffen. So wanderte sie 1933 ganz nach dort aus. Man rühmte sie vor allem als Interpretin der Lieder von Schubert, R. Schumann, J. Brahms und Hugo Wolf. Eine ihrer Schülerinnen war Flora Nielsen.
Schallplatten: G & T (Leipzig, 1908, von Arthur Nikisch am Klavier begleitet), HMV, Columbia (1917, in Nordamerika aufgenommen) und Vocalion (um 1924 in England entstanden). Elektrische Aufnahmen auf HMV («Winterreise» von Schubert, Lieder von Hugo Wolf in einem Album der Hugo Wolf-Society).

Gerhart, Maria; unter ihren Odeon-Schallplatten befindet sich ein Duett aus «Figaros Hochzeit» mit Hans Duhan.

Gerl, Franz Xaver; er komponierte selbst Singspiele in dem damals in Wien volkstümlichen Stil, darunter «Don Quixote und Sancho Panza», das 1790 zur Uraufführung kam. Nach dem Tod seiner Gattin, der Sängerin *Barbara Reisinger* heiratete er 1808 deren ältere verwitwete Schwester *Magdalena Dengler-Reisinger*, ebenfalls eine Sängerin und Schauspielerin.

Gerl, Johannes, s. unter *Gerl*, Judas Thaddäus.

Gerl, Judas Thaddäus; eine seiner Glanzrollen war der Mikhéli in «Der Wasserträger» («Les deux journées») von Cherubini. 1795 wurde er Domchorist in Salzburg, 1797 Hofbassist auf Probe am Hof des Erzbischofs von Salzburg, 1799 wirklicher Hofbassist.

Gerlach-Rusnak, Rudolf; 1917 geriet er in russische Kriegsgefangenschaft; hier erregte er Aufsehen, als er bei Lagerabenden ukrainische Lieder sang. 1918 begann er sein Gesangstudium bei Eugen Fuchs in Prag. Den Namen Rudolf Gerlach-Rusnak bildete er aus dem seines Lieblingshelden (Rudolf in «La Bohème») und dem Familiennamen seiner Gattin Elisabeth Gerlach. Sein Sohn *Wolfgang Gerlach-*

Rusnak war als Opernsänger u. a. am Gärtnerplatz-Theater in München tätig.

Gern, Johann Georg; war seit 1801 bis zu seinem Rücktritt von der Bühne 1829 an der Berliner Hofoper im Engagement.

Gerson, Therese, Mezzosopran; sie sang 1934 mit einer Operntruppe, die sich aus deutschen Emigranten unter dem Dirigenten Paul Pella zusammensetzte, in Holland in Aufführungen der Oper «Julius Cäsar» von G. F. Händel. 1937 hatte sie große Erfolge im New Yorker Lewinsohn Stadion als Herodias in «Salome» von Richard Strauss. Die gleiche Partie und die Madelon in «Andrea Chénier» von Giordano sang sie 1947 an der City Centre Opera New York.

Gerstäcker, Samuel Friedrich; er war in Hamburg und dann 1816–24 am Hoftheater von Kassel engagiert. Hier sang er am 28. 7. 1823 unter der Leitung des Komponisten Louis Spohr in der Uraufführung seiner Oper «Jessonda» die Partie des Nadori.

Gerster, Etelka; sie heiratete den Impresario Carlo Gardini (1833–1910), der sie in Budapest in großen Aufgaben herausstellte. Seit 1878 sang sie bei der Mapleson Opera Company und gastierte mit dieser an der New Yorker Academy of Music als Königin der Nacht in der «Zauberflöte», als Lucia di Lammermoor und als Amina in «La Sonnambula» (ihre Antrittsrolle 1878), jedesmal mit großen Erfolgen. Mit der Mapleson Company unternahm sie auch große Nordamerika-Tourneen. Sie war u. a. die Lehrerin von Lula Mysz-Gmeiner, Clara Butt und Julia Culp. 1918 zog sie sich in ihre Villa in Pontecchio bei Bologna zurück.

Gerville-Réache, Jeanne, * 26. 3. 1882 Orthez (Departement Basses-Pyrénées); ihr Vater war Gouverneur der französischen Karibik-Inseln Martinique und Guadeloupe, wo sie (auf Martinique) ihre Kindheit verbrachte; ihre Mutter war Spanierin. Nach einer Auseinandersetzung mit dem Direktor der Opéra-Comique verließ sie 1902 dieses Haus und sang seit 1903 für fünf Spielzeiten an der Oper von Brüssel. Bei der Chicago Philadelphia Opera Company hörte man sie 1910–12 als Carmen, als Dalila in «Samson et Dalila» von Saint-Saëns, als Brangäne im «Tristan» und als Fricka in der «Walküre». 1913–14 war sie bei der Canadian National Grand Opera im Engagement. Sie starb ganz plötzlich, erst 33 Jahre alt, in New York.

Gessendorf, Mechthild; sie debütierte 1961 an der Wiener Kammeroper im Soubrettenfach. 1975 wechselte sie in das lyrisch-dramatische Fach. 1984 gastierte sie erfolgreich an der Staatsoper von Wien; weitere Gastspiele am Deutschen Opernhaus Berlin, bei den Festspielen von Savonlinna und am Opernhaus von Köln (1988 als Kaiserin in «Die Frau ohne Schatten» von R. Strauss). 1987 sang sie die Marschallin im «Rosenkavalier» an der Oper von Monte Carlo und an der Covent Garden Oper Lon-

don, 1989 am Théâtre des Champs Élysées Paris, 1987 die Elsa im «Lohengrin» an der Oper von Lyon und bei den Festspielen von Aix-en-Provence, 1988 die gleiche Partie am Opernhaus von Zürich. 1989 an der Miami Opera als Sieglinde zu Gast, an der New Yorker Metropolitan Oper als Senta.

Geszty, Sylvia; an der Komischen Oper Berlin hatte sie große Erfolge in den vier Sopranpartien in «Hoffmanns Erzählungen» von Offenbach. Sie gastierte in Buenos Aires wie in Los Angeles als Sophie im «Rosenkavalier». 1970 erhielt sie eine Professur an der Musikhochschule Stuttgart; auch in Zürich im pädagogischen Bereich tätig.
Schallplatten: CBS («Christus» von F. Liszt).

Ghazarian, Sona; sie gastierte auch bei den Festspielen in der Arena von Verona (1985) und am Teatro Liceo Barcelona (1988).
Schallplatten: Arienaufnahmen auf Polyphon.

Gherlinzoni, Edgardo, † 15. 11. 1961 Ferrara; er erscheint auch unter dem Namen Edoardo Gherlinzoni. Zuletzt lebte er in dürftigen Verhältnissen in einem Altenheim in Ferrara.

Ghiauroff, Nicolai; 1957 wurde er an der Grand Opéra Paris als Mephisto im «Faust» von Gounod bewundert. 1960 debütierte er an der Mailänder Scala als Warlaam im «Boris Godunow»; später dort in der Titelpartie dieser Oper und als König Philipp in Verdis «Don Carlos» gefeiert, dazu 1966 als Zaccaria in «Nabucco» von Verdi, dann als Creon in Cherubinis «Medea», als Baldassare in «La Favorita» von Donizetti, als Marcel in Meyerbeers «Hugenotten». als Don Giovanni und als Großinquisitor in «Don Carlos». Seit 1963 erfolgreiche Auftritte an der Oper von Chicago. 1965 Debüt an der Metropolitan Oper New York als Mephisto im «Faust» von Gounod. Er sang in den folgenden Jahren in 35 Vorstellungen dort Partien wie den König Philipp, den Pater Guardian in «La forza del destino» und den Fiesco in Verdis «Simon Boccanegra». In der Eröffnungsvorstellung des neuen Opernhauses von Houston/Texas sang er 1987 den Ramphis in «Aida». 1989 an der Staatsoper von Wien als Iwan Khovansky in Mussorgskys «Khovantchina» erfolgreich aufgetreten. Sein Sohn, Vladimir Ghiauroff, wurde als Dirigent bekannt.
Schallplatten: Melodram («Faust», Scala 1962), Frequenz («Mosé in Egitto» von Rossini).

Ghirardini, Emilio; sang 1916 an der Oper (Teatro Nacional) von Havanna den Kyoto in der Premiere von Mascagnis «Iris», den Sonora in «La Fanciulla del West», den Schaunard in «La Bohème» und den Silvio im «Bajazzo». 1921 und 1923 hörte man ihn am Teatro Massimo Palermo, seit 1924 immer wieder am Teatro Costanzi Rom, an dem er als Antrittspartie den Tebaldo in «Giulietta e Romeo» von Zandonai sang. Später gastierte er an der Oper von Rom als Ford in Verdis «Falstaff», als Papageno in der «Zauberflöte», als Belcore in «Elisir d'amore», als Baldassare in «L'Arlesiana» von Cilea und in der Urauf-

führung der Oper «Ginevra degli Almieri» von Arrigo Pedrollo.
Schallplatten: elektrische Aufnahmen auf Columbia (um 1930, darunter Ford in einer vollständigen Aufnahme von Verdis «Falstaff»).

Ghiuselev, Nicolai; er wirkte 1976–77 und 1980–81 bei den Festspielen in der Arena von Verona mit. 1989 sang er bei den Festspielen in den Thermen des Caracalla in Rom den Ramphis in «Aida».
Schallplatten: Philips («Aida», «Carmen»), Erato (Kutusow in «Krieg und Frieden» von Prokofieff), Sony Records («Fürst Igor» von Borodin).

Giachetti, Rina; weitere Gastspiele an der Wiener Hofoper (1900), am Teatro Liceo Barcelona (1900), am Teatro San Carlo Neapel (1901 und 1904). An der Oper von Monte Carlo gastierte sie 1906 als Margherita in «Mefistofele» von Boito, 1908 als Tosca. 1910 sang sie an der Mailänder Scala die Titelrolle in der Oper «Rhea» von Spiro Samara. Auch am Teatro de la Opera Buenos Aires aufgetreten.

Giacomini, Giuseppe, *7.9. 1940 Monselice bei Padua. Debütierte 1967 am Theater von Vercelli als Pinkerton in «Madame Butterfly». Seit 1974 trat er an der Mailänder Scala auf. Gastspiele in Berlin (1972) und Wien (1972), in München (1973) und 1987 an der Oper von Houston/Texas (als Giasone in «Medea» von Cherubini). In New Orleans sang er 1987 den Othello von Verdi, ebenfalls 1987 an der Covent Garden Oper London den Pollione in «Norma», 1988–89 an der Oper von Chicago den Alvaro in «La forza del destino» und den Radames in «Aida». 1978, 1980 und 1985 trat er bei den Festspielen von Verona, hauptsächlich als Radames, auf; diese Partie übernahm er auch 1987 bei den «Aida»-Aufführungen vor den Tempeln von Luxor, 1989 am Teatro Colón Buenos Aires. Nach seinem USA-Debüt 1975 bei der Connecticut Opera (als Ramirez in «La Fanciulla del West») wurde er 1976 an die Metropolitan Oper New York verpflichtet (Antrittsrolle: Alvaro in «La forza del destino»). Dort sang er seitdem Partien wie den Don Carlos von Verdi, den Macduff in dessen «Macbeth», den Canio im «Bajazzo», den Pinkerton, den Manrico im «Troubadour» und den Cavaradossi in «Tosca». 1990 gastierte er am Teatro Filarmonico Verona in der Partie des Othello.

Giacomotti, Alfredo; er wirkte 1965 und 1985 bei den Festspielen von Verona mit.
Schallplatten: DGG («Rigoletto» und «Macbeth» von Verdi), CBS (Verdi-Arien), HMV («Ernani» von Verdi), MRF («Cyrano de Bergerac» von Alfano).

Giana, Adalgisa; 1911 USA-Tournee mit der Lombardi Opera Company unter dem Impresario Fortune Gallo; 1915 am Opernhaus von Havanna (Teatro Nacional) engagiert. Hier hörte man sie als Musetta in «La Bohème» (ihre Glanzrolle), als Micaela in «Carmen», als Lola in «Cavalleria rusticana» und als Nedda im «Bajazzo». Sie sang 1918 am

Teatro Colón Buenos Aires die Musetta in «La Bohème», die Mallika in «Lakmé» von Delibes, die Nella in «Gianni Schicchi» und die Prinzessin Elisa in der Premiere von Giordanos «Madame Sans-Gêne».

Giannini, Dusolina; bei ihrem ersten Konzert 1923 in der New Yorker Carnegie Hall sprang sie für die erkrankte Anne Case ein und kam zu seinem sensationellen Erfolg. Darauf gab sie weitere Konzerte mit dem Minneapolis Symphony Orchestra unter Henri Verbruggen und mit den New Yorker Philharmonikern unter Bruno Walter. 1924–25 unternahm sie große Konzerttourneen in den USA, in Kanada und Kuba. Nach ihrem Bühnendebüt 1925 in Hamburg als Aida sang sie dort auch die Santuzza in «Cavalleria rusticana», dann in Berlin die Aida unter Bruno Walter. In Berlin bewunderte man vor allem ihre Carmen. 1928 Gastspiel an der Covent Garden Oper London als Aida (mit Aureliano Pertile als Radames), als Santuzza und als Butterfly. In den USA unternahm sie in den zwanziger und dreißiger Jahren mehrere Coast to Cost-Tours, sie bereiste auch Australien. An der Metropolitan Oper New York sang sie 1936–41 Partien wie die Aida, die Santuzza, die Tosca und die Donna Anna im «Don Giovanni», trat aber im allgemeinen dort nur selten auf (nur 12 Vorstellungen in sechs Spielzeiten). 1939 und 1943 gastierte sie an der Oper von San Francisco. Seit 1944 hörte man sie an der New York City Centre Opera als Aida (die sie auch in der Eröffnungsvorstellung des Hauses am 21.2. 1944 gestaltete), als Santuzza, als Tosca und als Carmen. 1951 versuchte sie an der City Centre Opera mit der Amneris in «Aida» eine Mezzosopran-Partie zu singen, mußte dies aber nach dem 1. Akt der Oper aufgeben. Damit beendete sie ihre Bühnenkarriere.
Schallplatten: Akustische wie elektrische Aufnahmen auf Victor und auf HMV (hier vollständige «Aida» mit Aureliano Pertile von 1928); ihre letzten Aufnahmen entstanden bereits 1934.

Giaotti, Bonaldo; seit seinem Debüt an der Metropolitan Oper New York 1960 hat er dort in einer über 25jährigen Karriere mehr als dreißig Partien in mehr als 300 Vorstellungen (im New Yorker Haus der Oper) gesungen, darunter den Ramphis in «Aida», den Raimondo in «Lucia di Lammermoor» und den Timur in Puccinis «Turandot». In der langen Zeitspanne 1963–88 wirkte er immer wieder bei den Festspielen in der Arena von Verona mit. 1987 sang er bei den «Aida»-Aufführungen im ägyptischen Luxor den Ramphis, 1988 in Chicago den Alvise in «La Gioconda» von Ponchielli.
Schallplatten: Opera Rara (Commendatore im «Don Giovanni»), CBS («Iris» von Mascagni).

Gibbs, John, sang am 9.6. 1966 in der Kirche von Orford in der Uraufführung von Benjamin Brittens «The Burning Fiery Furnace» im Rahmen des Aldeburgh Festivals, 1970 bei den Festspielen von Glyndebourne in der Uraufführung von «The Rising of the Moon» von Nicholas Maw.
Schallplatten: RCA (Szenen aus Puccini-Opern).

Giebel, Agnes; sie trat bereits im Kindesalter als Sängerin auf und gab 1933 einen ersten Liederabend mit Liedern von Richard Strauss und Max Reger. Professionelles Debüt nach ihrem Gesangstudium 1947.
Schallplatten: Telefunken (Schubert-Lieder), Hunt Records (c-moll-Messe von Mozart), DGG (vollständiger «Wildschütz» von Lortzing), Decca («Walküre»).

Gießen, Hans, s. unter *Buff-Gießen,* Hans.

Gigli, Benjamino; bei den ersten Festspielen in den römischen Thermen des Carcalla 1937 wirkte er als Radames in «Aida» mit. Nachdem er 1938 erneut an die Metropolitan Oper New York berufen worden war, sang er dort 1939 nur noch in fünf Vorstellungen. Damit hatte er (im eigentlichen New Yorker Haus der Metropolitan Oper) dort in 13 Spielzeiten 17 Partien in 375 Vorstellungen gesungen.
Schallplatten: Erste Aufnahmen auf HMV (Mailand, 1918–19), in den Jahren 1920–32 zuerst akustische, dann elektrische Victor-Aufnahmen aus den USA. Seit 1932 entstanden zahlreiche HMV-Aufnahmen in England wie in Italien, darunter die erwähnten Duette mit seiner Tochter *Rina Gigli* (1951 aufgenommen, eine Aufnahme bereits von 1941).

Gigli, Rina; gastierte mit ihrem berühmten Vater *Benjamino Gigli* 1946 an der Londoner Covent Garden Oper im Rahmen eines Gastspiels des Teatro San Carlo Neapel.

Gilibert, Charles; er sang in Brüssel 1900 in der Premiere der Oper «Thyl Uilenspiegel» von Jan Blockx. Er debütierte an der Metropolitan Oper New York als Herzog in «Roméo et Juliette» von Gounod und sang dort eine bunte Vielfalt von Partien, darunter den Schaunard in der Premiere von Puccinis «La Bohème» (1900), den Sakristan in der von «Tosca» (1901, zugleich amerikanische Erstaufführung der Oper), den Myrrhon in der amerikanischen Erstaufführung von de Laras «Messaline» (1902), den Bartolo im «Barbier von Sevilla», den Monterone im «Rigoletto» und den Oberthal in «Le Prophète» von Meyerbeer. 1906 wurde er an das Manhattan Opera House verpflichtet, an dem er bis 1910 im Engagement blieb. Hier kreierte er für Nordamerika den Vater in der Erstaufführung von Charpentiers Oper «Louise» (1908).
Schallplatten: Seltene Aufnahmen auf Columbia (zwei Serien von 1903 und 1907) und Victor (1907 und 1910), dazu einige Edison-Wachszylinder.

Gillmann, Max; er wirkte am 12.6. 1917 in der Münchner Uraufführung von Hans Pfitzners «Palestrina» mit und gastierte dann mit dem Ensemble dieser Uraufführung in Zürich, Basel und Bern.
Schallplatten: Einige seltene Aufnahmen unter dem Etikett von Beka.

Gilly, Albert, s. unter *Gilly,* Dinh.

Gilly, Dinh, *9.7. 1877 Algier; da sein Vater ihn zwingen wollte in die Armee einzutreten, um wie er den Beruf eines Offiziers zu ergreifen, flüchtete er von zu Hause nach Frankreich und begann das Gesangstudium. Nachdem er als Absolvent des Conservatoire Paris den Grand Prix du Chant gewonnen hatte, wurde er durch Pierre Gailhard direkt an die Grand Opéra Paris engagiert. Als Gailhard 1908 von seinem Amt als Direktor des Hauses zurücktrat, beendete auch er seine Tätigkeit an diesem Operninstitut. Während seines Engagements an der Metropolitan Oper New York (1909–14) wirkte er dort in den Uraufführungen der Opern «La Fanciulla del West» von Puccini (10.12. 1910 als Sonora) und «Julien» von G. Charpentier (26.2. 1914 in drei kleinen Partien) mit. 1914 besuchte er die Primadonna Emmy Destinn, mit der er befreundet war, auf deren Schloß Stráz in Böhmen, als der Erste Weltkrieg ausbrach. Er wurde verhaftet und als feindlicher Ausländer in ein österreichisches Internierungslager gebracht, wo er bis zum Kriegsende festgehalten wurde. Seine Tochter aus erster Ehe *Renée Gilly* (1907–77) hatte seit 1933 eine erfolgreiche Karriere als Mezzosopranistin an der Pariser Opéra-Comique. Dort sang sie in den dreißiger Jahren Partien wie die Charlotte im «Werther» von Massenet und die Margared in «Le Roi d'Ys» von Lalo. Der Tenor *Albert Gilly* († 7.12. 1922 Paris) war ein Verwandter, vielleicht sogar ein Bruder, von Dinh Gilly. Er war wie dieser in Algier geboren, wirkte an der Oper von Monte Carlo in der Uraufführung von Massenets «Don Quichotte» (19.2. 1910 mit Fedor Schaljapin in der Titelpartie) mit und sang 1919 an der Covent Garden Oper in «Thaïs» und «Thérèse» von Massenet sowie in «L'Heure espagnole» von Ravel. – Zu den Schülern von Dinh Gilly gehörten Dora Labette (Elisa Perli), John Brownlee und Dennis Noble.
Schallplattenaufnahmen auf Beka, Odeon (1908 bis 12), HMV (akustische Aufnahmen 1923–25, elektrische um 1928), Victor (drei tschechische Duette mit Emmy Destinn von 1914), auf Edison-Zylindern (die ältesten von 1905) und -Platten.

Gilly, Renée, s. unter *Gilly,* Dinh.

Gilmore, Gail; gastierte 1987 am Teatro Fenice Venedig als Ortrud im «Lohengrin». 1987 erfolgte ihr Debüt an der Metropolitan Oper New York als Fricka im «Rheingold»; 1988 sang sie in Santiago de Chile die Ortrud.

Gimenez, Eduardo; auch Gastspiele an der Oper von Houston/Texas und am Opernhaus von Leningrad, wo er im «Barbier von Sevilla» («Il barbiere di Siviglia») von Paisiello auftrat. Er wirkte am Teatro Liceo Barcelona am 21.9. 1988 in der Uraufführung der katalanischen Oper «Llibre Vermell» («Das rote Buch») von Xavier Benguere mit.
Schallplatten: Decca (Basilio in «Nozze di Figaro»).

Ginster, Ria; wenn sie auch fast ausschließlich eine Karriere als Lieder- und Oratoriensängerin gemacht hat, so hat sie doch einige Opernpartien in Rund-

funksendungen übernommen. So sang sie über Radio Frankfurt a. M. die Titelrollen in «Pelléas et Mélisande» von Debussy und in «Suor Angelica» von Puccini. Auf der Bühne ist sie nicht erschienen. 1931–39 gab sie alljährlich glänzende Liederabende in London; dort hörte man sie auch als Solistin im «Messias» von Händel unter Sir Thomas Beecham. Seit 1934 unternahm sie nicht weniger glanzvolle Nordamerika-Tourneen. Einen Höhepunkt in ihrer Karriere bezeichnet ein Konzert in der New Yorker Town Hall im November 1935. Sie übte ihre Lehrtätigkeit in Zürich bis gegen Ende der sechziger Jahre aus, seit 1946 auch Visiting Professor an amerikanischen Universitäten (Pittsburgh, San Francisco, Los Angeles). Eine ihrer Schülerinnen war die Sopranistin Hilde Zadek.
Schallplattenaufnahmen auf Homochord-Parlophon (1928), HMV (Lieder von Hugo Wolf in einem Album der Hugo Wolf-Society); in der Schweiz entstanden noch HMV-Aufnahmen in der Zeit nach dem Zweiten Weltkrieg.

Giorgi-Belloc, Teresa, s. unter *Belloc-Giorgi,* Teresa.

Giorgini, Aristodemo; er sang 1907 am Teatro Regio Parma den Titelhelden in Mascagnis «Amico Fritz», in Palermo 1908–09 die gleiche Partie und den Rodolfo in «La Bohème»; er trat in Genua, Neapel, Florenz und Triest auf. 1910 großer Erfolg an der Mailänder Scala als Elvino in «La Sonnambula». Dort sang er während der Verdi-Gedenkfeiern des Jahres 1913 das Tenorsolo im Verdi–Requiem. 1912–14 hörte man ihn an der Oper von Chicago als Don Ottavio im «Don Giovanni» und in vielen weiteren Partien für lyrischen Tenor aus der italienischen Opernliteratur.
Schallplatten: Nach seinen frühen G & T-Aufnahmen (Mailand, 1904–08) Aufnahmen auf Edison-Zylindern (um 1910), auf Pathé-Platten und auf HMV (hier u. a. vollständige «La Bohème» von 1928 und schöne neapolitanische Lieder).

Giovagnoli, Muzio, † November 1943; im März 1943 trat er an der Mailänder Scala alternierend mit Tito Schipa als Federico in «L'Arlesiana» von Cilea auf, starb jedoch Ende des gleichen Jahres.

Giovanelli-Gotti, Gino; debütierte nach seiner Ausbildung am Quercia College und bei Silvio Tanzi 1904 im Baritonfach am Teatro Lirico Mailand als Silvio im «Bajazzo».

Giovanetti, Julien, * 9. 1. 1914 St. Paul (Departement Ain).

Giraldoni, Eugenio; er sang noch 1920 am Teatro Costanzi Rom in der Uraufführung der Oper «L'Uomo che ride» von Arrigo Pedrollo.

Giraldoni-Ferni, Carolina, s. unter *Ferni,* Carolina.

Girardi, Alexander; am 20. 2. 1903 wirkte er am Theater an der Wien in der Uraufführung der Ope-

rette «Bruder Straubinger» von Edmund Eysler mit. Gegen Ende seiner Karriere wurde ihm dann ein großer Wunsch erfüllt: er konnte am Wiener Burgtheater in der Rolle des Fortunatus Wurzel in Ferdinand Raimunds «Bauer als Millionär» auftreten. In zweiter Ehe war er verheiratet mit Leoni Latinovicz de Borsód, einer Tochter des Wiener Klavierbauers Ludwig Bösendorfer.
Schallplattenaufnahmen des beliebten Künstlers sind auf G & T (Wien, 1903), auf Zonophone und auf HMV vorhanden, insgesamt 78 Titel.

Giraudeau, Jean; Schallplatten: Bourg Records («Lazare» von A. Bruneau), Disques Montaigne («Christophe Colomb» von D. Milhaud).

Girelli Aguillar, Maria Antonia; 1769 nahm er in Parma an der Uraufführung einer weiteren Gluck-Oper «Le feste d'Apollo» teil.

Gismondi, Celeste; die Künstlerin wirkte am 17. 3. 1733 am Londoner King's Theatre in der Uraufführung des Oratoriums «Deborah» von Händel mit.

Giudice, Maria 1891–92 sang sie am Teatro Tacón in Havanna die Amneris in «Aida» und die Azucena im «Troubadour». 1907–08 gastierte sie mit einer Operntruppe auf Kuba, der auch Nicola Zerola, Ferruccio Agostini und andere italienische Sänger angehörten.

Gjevang, Anne, * 1948 Oslo; Gastspiele am Opernhaus von Frankfurt a. M. und an der Staatsoper Dresden. Am Theater an der Wien wirkte sie 1980 in der umstrittenen Uraufführung der Oper «Jesu Hochzeit» von G. v. Einem mit. Sie sang die Erda im Ring-Zyklus 1983–89 in Bayreuth, 1987 an der Staatsoper München und debütierte in dieser Partie auch 1987 an der Metropolitan Oper New York (1987 und 1990 im «Rheingold», 1988 im «Siegfried»). Bei den Bayreuther Festspielen von 1988 sang sie dazu auch die erste Norn.
Schallplatten: RCA (Werke von J. S. Bach, 8. Sinfonie von G. Mahler), Ariola-Eurodisc (Norn und Schwertleite im Nibelungenring), CBS (Cieca in «La Gioconda» von Ponchielli).

Glade, Coë; man sagt, daß sie mehr als zweitausendmal in ihrer Glanzrolle, der Carmen, aufgetreten sei.

Gläser, John; er sang 1909–10 im Chor der Komischen Oper Berlin. Er wirkte in den deutschen Erstaufführungen der Mussorgsky-Opern «Boris Godunow» (1913 Berlin als Dimitrij) und «Khowantchina» (1924 Frankfurt a. M. als Galitzyn) mit.

Glawatsch, Franz; er trat nicht nur am Carl-Theater sondern auch am Theater an der Wien und an anderen Wiener Operettenbühnen auf. Er wirkte in einer Anzahl von Uraufführungen der Wiener Operetten seiner Zeit mit, so in «Die Landstreicher» von Ziehrer (29. 7. 1894), «Frühlingsluft» von Josef Strauß-Reiterer (1903), «Das Glücksmädel» von R. Stolz (1910), «Die tolle Therese» von Johann Strauß-

Vater (1913) und «Die goldne Meisterins von Edmund Eysler (13. 9. 1927).
Zahlreiche Schallplattenaufnahmen auf G & T, dazu Pathé-Zylinder (Wien, 1906) und -Platten (Wien, 1910–12).

Glawitsch, Rupert; erstes Bühnenengagement am Theater von Gablonz (Jablonec nad Nisou, ČSR) 1934–35.
Schallplatten: RCA («Boccaccio»), DGG-Polydor («Gräfin Mariza», «Czardasfürstin»).

Glaz, Herta; Schülerin von Rosa Papier-Paumgartner. Sie unternahm auch eine Konzerttournee durch Rußland. (In Glyndebourne ist sie nicht aufgetreten). 1937 hatte sie in Los Angeles im «Lied von der Erde» von Gustav Mahler und in der Matthäuspassion unter Otto Klemperer aufsehenerregende Erfolge. 1939 und 1944–51 war sie an der Oper von San Francisco in einer Vielzahl von Partien zu hören. 1942–56 sang sie an der Metropolitan Oper New York u. a. die Annina im «Rosenkavalier», den Nicklausse in «Hoffmanns Erzählungen» von Offenbach, die Marcellina in «Nozze di Figaro», die Magdalene in den «Meistersingern», aber auch kleinere Rollen. Sie war zeitweilig verheiratet mit dem Dirigenten Josef Rosenstock (1895–1985).
Schallplatten: Victor (Zwei Schubert-Lieder), Columbia («Meistersinger»-Quintett, Liebesduett aus «Tristan» mit Helen Traubel und Torsten Ralf als Brangäne).

Glenn, Wilfred; In dem Quartett «The Revellers» sang Lewis James (nicht James Lewis) den ersten und James Melton zeitweilig den zweiten Tenor. Große Tourneen führten dieses Vokalquartett durch Nordamerika wie durch Europa.

Gligor, Jovan, † 18. 9. 1979 Belgrad.

Glossop, Peter; nach seinem ersten Erfolg bei der Sadler's Wells Opera als Graf Luna im «Troubadour» sang er dort den Scarpia in «Tosca» und den Titelhelden im «Eugen Onegin» von Tschaikowsky. 1962 kam er an die Covent Garden Oper London, wo er das Publikum auch als Posa im «Don Carlos» und als Titelheld in «Simon Boccanegra» von Verdi begeisterte. Bei den Salzburger Festspielen hatte er einen besonderen Erfolg als Jago im «Othello», 1974 sang er bei den Festspielen in der Arena von Verona. Am eigentlichen Haus und als Ensemblemitglied der Metropolitan Oper in New York debütierte er 1971 als Scarpia in Puccinis «Tosca» (Gastspiel als Rigoletto 1967). Er sang dann dort Partien wie den Titelhelden im «Falstaff» von Verdi, den Don Carlos in «La forza del destino», den Wozzeck, den Balstrode in «Peter Grimes» und den Redburn in «Billy Budd» von Benjamin Britten.

Gluck, Alma; sie entstammte einer ganz armen jüdisch-rumänischen Familie. Im Alter von sechs Jahren wanderte sie mit ihren Eltern nach Nordamerika aus. Sie arbeitete zuerst als Stenotypistin, bevor sie ihre Stimme seit 1906 in New York ausbilden ließ.

Diese Ausbildung wurde möglich, nachdem sie 1906 den wohlhabenden New Yorker Immobilienhändler Bernard Gluck geheiratet hatte. Sie debütierte 1909 als Sophie in Massenets «Werther» im New Theatre New York, das vom Ensemble der Metropolitan Oper bespielt wurde. Im eigentlichen New Yorker Haus der Metropolitan Oper sang sie zuerst am 28. 11. 1909 in einem Konzert, einen Monat später als Ombre heureuse im «Orpheus» von Gluck. Bis 1912 hatte sie dann dort größte Erfolge zu verzeichnen, vor allem als Partnerin des berühmten Tenors Enrico Caruso in Opern wie «La Bohème» von Puccini, im «Bajazzo» und in «Rigoletto». Die Gilda im «Rigoletto» war ihre letzte Partie an diesem Operninstitut, die sie bei einem Gastspiel in Atlanta City am 27. 4. 1912 zusammen mit Caruso sang. Glanzvolle Konzerte in der Royal Albert Hall und in der Queen's Hall in London im Jahre 1913 bezeichnen weitere Höhepunkte in ihrer Karriere. Nach ihrem Europa-Aufenthalt ist sie an der Metropolitan Oper nicht mehr auf der Bühne sondern nur noch (bis 1918) in deren Sunday Night Concerts erschienen. Im New Yorker Haus der Metropolitan Oper hatte sie in sieben Spielzeiten 14 Partien in 57 Vorstellungen gesungen. Praktisch war jedoch ihre Karriere 1919 nach nur zehnjähriger Dauer abgeschlossen. 1925 gab sie nochmals (ohne nennenswerten Erfolg) ein Konzert im Manhattan Opera House New York. 1914 heiratete sie in zweiter Ehe den Violinisten Ephraim Zimbalist, nachdem sie sich 1912 von Bernard Gluck getrennt hatte. Aus der ersten Ehe stammte die Tochter Marcia Davenport, aus der zweiten die beiden Söhne Ogden Goelet und Efrem Zimbalist jr., die in den USA bekannte Fernsehdarsteller wurden. Alma Gluck entwickelte später vielseitige Aktivitäten; sie gründete die American Women's Organisation und war im Musicians Emergency Fund und der American Guild of Musical Artists tätig. Sie starb nach langer Krankheit im Alter von 52 Jahren.
Schallplatten: Von ihrer Stimme sind insgesamt 124 Victor-Aufnahmen vorhanden.

Gmür, Rudolf, † 16. 9. 1921 Weimar; gastierte auch an der Hofoper von München, am Hoftheater Schwerin, am Theater von Straßburg, in Zürich, Luzern und St. Gallen. In Weimar betätigte er sich auch als Regisseur.

Gmyrja, Boris; er begann seine Ausbildung 1934 am Konservatorium von Charkow und debütierte 1936 am dortigen Opernhaus als Sultan in der ukrainischen Oper «Die Saporosher Kosaken jenseits der Donau» von Gulak-Artemowski. Er war in besonderer Weise als Liedersänger bekannt. Dabei brachte er sowohl das russische wie das ukrainische Volkslied als auch eine Fülle von Kunstliedern (Werke von Schubert, R. Schumann, J. Brahms, A. Dvořák, E. Grieg und natürlich Lieder russischer Komponisten) zum Vortrag.
Schallplatten: Melodiya («Mozart und Salieri» und «Die Zarenbraut» von Rimsky-Korssakow). Unter seinen vielen Lied-Aufnahmen findet sich auch Schuberts «Winterreise».

Gobbi, Tito; sang seit 1937 an der Oper von Rom zuerst kleinere, dann immer größere Partien. Als erste Rollen sang er an der Covent Garden Oper London 1950 den Belcore in «Elisir d'amore» und den Ford in Verdis «Falstaff». 1951 bereiste er, zusammen mit dem berühmten Tenor Bejamino Gigli und dessen Tochter Rina Gigli, Südafrika. Weitere Gastspiele an der Königlichen Oper Stockholm (1947), am Teatro San Carlos Lissabon (1953) und in den Festspielsommern 1954–56 und 1962 in der Arena von Verona. An der Metropolitan Oper New York hat er in den Jahren 1956–76 (mit zahlreichen Unterbrechungen) insgesamt in zehn Spielzeiten 33 Vorstellungen gesungen, davon 22 als Scarpia (außerdem als Jago im «Othello», als Falstaff und einmal als Rigoletto). 1978 führte er dort in Puccinis «Tosca» Regie.
Schallplatten: Olympic-Laudis (Titelheld im «Don Giovanni», Salzburg, 1950).

Godfrey, Victor, * 10. 9. 1934 Deloraine im kanadischen Staat Manitoba. Er sang am 29. 5. 1962 in Coventry in der Uraufführung der Oper «King Priam» von M. Tippett.

Goeke, Leo; debütierte 1971 an der Metropolitan Oper New York als Gaston in «La Traviata». Später sang er dort den Tamino in der «Zauberflöte», den Don Ottavio im «Don Giovanni», den Edgardo in «Lucia di Lammermoor», den Ferrando in «Così fan tutte», den Alfredo in «La Traviata» und den Herzog im «Rigoletto».
Schallplatten: Pickwick-Video («Don Giovanni» aus Glyndebourne, 1977).

Göllnitz, Fritz; Schallplatten: Philips («Aufstieg und Fall der Stadt Mahagonny» von K. Weill).

Görlin, Helga; 1932 wirkte sie in der Stockholmer Uraufführung der Oper «Resan till Amerika» («Die Reise nach Amerika») von Hilding Rosenberg mit.

Götz, Werner; Schallplatten: MRF («Die Gezeichneten» von Franz Schreker, Frankfurt a. M., 1979).

Götze, Augusta, s. unter *Götze, Franz.*

Götze, Marie; von ihrer Stimme sind auch Pathé-Schallplatten vorhanden.

Goldberg, Albert, * 8. 6. 1847 Braunschweig.

Goldberg, Reiner; seit 1982 reguläres Mitglied der Staatsoper Berlin. 1982 sang er an der Covent Garden Oper London den Walther von Stolzing, 1981 und 1984 wirkte er bei den Festspielen in der Arena von Verona mit. 1987–88 gastierte er bei den Bayreuther Festspielen als Walther in den «Meistersingern», 1988–89 als Siegfried, nachdem er bereits 1986 dort kurzfristig als Tannhäuser eingesprungen war. 1983 hörte man ihn in New York in einer konzertanten Aufführung der Jugend-Oper von Richard Strauss «Guntram» in der Titelpartie. Am Grand Théâtre Genf 1988 als Max im «Freischütz»

zu Gast. In der Film-Version des «Parsifal» von Syberberg hörte man seine Stimme in dieser Partie.
Schallplatten: Capriccio (Szenen aus Wagner-Opern), HMV («Daphne» von R. Strauss), RCA («Fidelio», «Parsifal»), Ariola-Eurodisc (Arien-Platte), HMV-Electrola («Walküre»).

Goltz, Christel; sie wirkte in Dresden am 13. 4. 1940 in der Uraufführung der Oper «Romeo und Julia» von H. Sutermeister mit. 1950 wurde sie an die Wiener Staatsoper berufen und 1967 zu deren Ehrenmitglied ernannt. An der Metropolitan Oper New York ist sie nur während der Saison 1954–55 aufgetreten, und zwar als Salome und als Elektra von R. Strauss sowie als Marie im «Wozzeck».
Schallplatten: Preiser (Opernszenen).

Gombert, Wilhelm; er war zuerst 1909–10 am Belle-Alliance-Theater Berlin, dann an der Berliner Volksoper (1910–11), am Stadttheater von Mainz (1913–21) und 1921–26 am Opernhaus von Köln engagiert. Er gastierte am Teatro Liceo Barcelona, in Amsterdam (1930) und Brüssel (1931). 1924 wirkte er am Opernhaus von Köln in der Uraufführung der Oper «Irrelohe» von Franz Schreker mit, 1932 an der Städtischen Oper Berlin sowohl in der von F. Schrekers «Der Schmied von Gent» wie in «Die Bürgschaft» von Kurt Weill.
Schallplatten: Parlophon («Meistersinger»-Quintett mit Emmy Bettendorf, Michael Bohnen, Carl-Martin Oehmann und Luise Mark-Lüders).

Gomez, Jill; 1974 gastierte sie beim Wexford Festival als Thaïs von Massenet, an der Welsh Opera Cardiff als Jennifer in «The Midsummer Marriage» von M. Tippett. 1979 sang sie im englischen Rundfunk BBC in der Uraufführung der Oper Prokofieffs «Maddalena». Gastspiele in Zürich (1981), Genf (1981), Frankfurt a. M. und Bordeaux (1979 als Fiordiligi), an der Scottish Opera Glasgow (1982–83), bei der Kent Opera (1987 als Donna Anna) und an der Oper von Lyon (1982 als Teresa in «Benvenuto Cellini» von Berlioz); sie sang auch Partien in zeitgenössischen Opern, so die Elisabeth in «Elegy for Young Lovers» von H. W. Henze. Bedeutende Karriere auch als Konzert- und Oratoriensängerin. 1985 sang sie in Lausanne ein Solo in dem Oratorium «Belshazzar» von Händel.
Schallplatten: Decca (Marienvesper von Monteverdi), KRO Hilversum («Dialogues des Carmélites» von Poulenc), TIS (Cäcilien-Ode von Purcell), Unicorn (Songs und Lieder von Weill, Zemlinsky, Schönberg und Satie).

Gompertz-Bettelheim, Karoline von; sie galt als eine der besten Liedersängerinnen innerhalb ihrer künstlerischen Generation. Man schätzte zumal ihren Vortrag der Lieder von Johannes Brahms.

Gonzales, Carmen; 1975 zu Gast in der Arena von Verona, ebenso 1986 (als Ulrica in Verdis «Ballo in maschera»), 1987 am Teatro Comunale Bologna als Quickly in Verdis «Falstaff», 1988 an der Oper von

Rom als Sara in «Roberto Devereux» von Doni-
zetti.
Schallplatten: Fonit Cetra («Il Giuramento» von
Mercadante).

Gonzalez, Dalmacio, * 12. 5. 1945 Olot bei Gerona
(Katalanien); er sang 1977 am Teatro Liceo Barce-
lona den Ugo in Donizettis «Parisina» zusammen mit
Montserrat Caballé. 1980 debütierte er an der Me-
tropolitan Oper New York als Ernesto im «Don
Pasquale». An diesem Opernhaus hörte man ihn
auch als Grafen Almaviva, als Nemorino und als
Fenton in Verdis «Falstaff». 1985 zu Gast bei den
Festspielen in der Arena von Verona, 1986 an der
Staatsoper von Wien, 1988 beim Rossini Festival in
Pesaro in «Signor Bruschino» von Rossini.
Schallplatten: Philips («La Juive» von Halévy).

Gordon, Cyrena van; erstes öffentliches Auftreten
1912 in Cincinnati; noch im gleichen Jahr durch den
Dirigenten Cleofonte Campanini an die Oper von
Chicago verpflichtet. Dort sang sie am 4. 11. 1929 in
der Eröffnungsvorstellung des neuen Hauses die
Amneris in Verdis «Aida». An der Metropolitan
Oper New York trat sie 1933 nur in einer einzigen
Partie, der Amneris, in Erscheinung. Im Gegensatz
zu fast allen anderen bedeutenden amerikanischen
Sängerinnen ihrer Epoche ist sie nie in Europa auf-
getreten.

Gordon, Jeanne; der Dirigent Creatore übertrug ihr
bei seiner Operntruppe, der Creatore Opera Company, 1917 in New York die Partie der Azucena. An
der Metropolitan Oper New York hörte man sie als
Marina im «Boris Godunow» (mit Fedor Schaljapin), als Fatime im «Oberon» von Weber, als Hua-
Quee in «L'Oracolo» von Leoni, als Preziosilla in
«La forza del destino», als Laura in Ponchiellis «La
Gioconda», als Brangäne im «Tristan» und als Carmen. Am 31. 1. 1920 wirkte sie dort in der Uraufführung von «Cleopatra's Night» von Henry Hadley
mit. 1928–29 Gastspiel an der Oper von Monte
Carlo. Ein Konzert in Toronto 1930 bezeichnet den
Endpunkt ihrer Laufbahn als Sängerin. Seit 1930
hielt sie sich als Geisteskranke in der Anstalt Macon
auf.
Schallplatten: Columbia, eine Victor-Platte mit zwei
Arien aus «Carmen»; einige Vitaphone-Filme von
1927.

Gorin, Igor; am Wiener Konservatorium in erster
Linie Schüler von Victor Fuchs. In den USA ist er
nur selten auf der Bühne zu hören gewesen; so sang
er nur in einer einzigen Vorstellung am 10. 2. 64 an
der Metropolitan Oper New York den Germont-
père (mit Mary Costa und John Alexander) und war
zuvor im Herbst 1963 in fünf Aufführungen an der
New York City Centre Opera aufgetreten (als Rigoletto und ebenfalls als Germont-père). Er gastierte
an den Theatern von New Orleans und Cincinnati,
doch war er in erster Linie als Konzert- und Rundfunksänger von Bedeutung.

Gorin, Paolo; er begann seine Karriere 1938 am
Teatro Regio Parma in kleineren Partien. Seit 1965
Kantor an der Adam-Synagoge Amsterdam.

Gorina, Hanna, Sopran, * 18. 11. 1891 Basel,
† 15. 11. 1980 München; sie studierte am Konservatorium ihrer Heimatstadt Basel Klavierspiel, dann
Gesang bei Sawitch. Nachdem sie bereits in Zürich
als Operettensängerin aufgetreten war, kam sie 1924
nach Deutschland und war, ebenfalls als Operettensängerin, zuerst an der Komischen Oper Berlin
(1924–25), danach am Berliner Theater am Nollen-
dorf-Platz (1925–26) engagiert. Sie vollzog dann den
Übergang ins Opernfach und sang vor allem hochdramatische und Wagner-Partien. 1926–27 war sie
am Landestheater von Oldenburg, 1927–28 am
Stadttheater von Hagen (Westfalen), 1928–30 am
Opernhaus von Düsseldorf anzutreffen. In Düsseldorf hatte sie 1929 einen ihrer größten Erfolge als
Titelheldin in der Richard Strauss-Oper «Elektra».
1930–34 wirkte sie am Stadttheater von Mainz,
schließlich 1934–44 in einem zehnjährigen Engagement am Staatstheater von Kassel. Gastspiele führten die Künstlerin an die Oper von Frankfurt a. M.
(1929), an das Theater von Utrecht (1932), an das
Stadttheater von Basel (1932), an das Nationaltheater von Mannheim und an weitere Bühnen. Sie
wurde vor allem durch ihr Mitwirken in Opernsendungen der deutschen Rundfunkstationen bekannt.
Von ihren großen Rollen sind die Isolde im «Tristan», die Carmen, die Tosca, die Elektra wie die
Salome in den gleichnamigen Opern von R. Strauss
zu nennen. Nach Beendigung ihrer aktiven Sängerlaufbahn lebte sie in Neufahrn bei München, zuletzt
in einem Münchner Altenheim.
Kommerzielle Schallplatten sind nicht bekannt,
doch ist es möglich, daß Mitschnitte von Radiosendungen vorhanden sind. – (Neufassung) –.

Goritz, Otto, † 11. 4. 1929 Hamburg; er erhielt seine
erste Ausbildung durch seine Mutter, die Sängerin
Olga Nielitz. Während seines Hamburger Engagements 1900–03 sang er dort als Vater in der Premiere von Charpentiers «Louise». 1913 wirkte er bei
den ersten Festspielen in der Waldoper von Zoppot
als Kezal in Smetanas «Verkaufter Braut» mit. An
der Metropolitan Oper New York debütierte er 1903
als Klingsor in der von Bayreuth untersagten amerikanischen Erstaufführung des «Parsifal». Er hatte
dort vor allem als Wagner-Interpret Erfolge (Alberich, Beckmesser). Beim Eintritt der USA in den
Ersten Weltkrieg mußte er seine Karriere an der
Metropolitan Oper aufgeben, nachdem er dort in 14
Spielzeiten 23 Partien in 405 Vorstellungen (ohne
die Aufführungen während der jährlichen Gastspiel-
Tournee) gesungen hatte. Er wurde als Angehöriger
eines feindlichen Landes in ein Internierungslager
eingewiesen, wo er zwei Jahre verbrachte. Ein Versuch, 1919 nochmals in den USA aufzutreten, scheiterte an deutschfeindlichen Kundgebungen gegen
den ehemals beliebten Sänger. Enttäuscht verließ er
die USA, wohin er nie wieder zurückkehrte. In
Deutschland kam es nur noch zu einigen Gastspielen, vornehmlich in Hamburg und Berlin. So sang er
1922 an der Berliner Volksoper in der Premiere von
«Boris Godunow» den Warlaam. Von seinen Bühnenpartien seien der Papageno in der «Zauberflöte», der van Bett in «Zar und Zimmermann», der

Kezal, der Baculus in Lortzings «Wildschütz», der Pizarro im «Fidelio» und der Lampe in «Versiegelt» von Leo Blech nachgetragen.
Schallplatten: Odeon (Berlin, um 1906), Victor (aus den USA).

Gorkom, Jan van; verheiratet mit der Sopranistin *Lissie Riesterer,* die 1895–98 am Stadttheater von Bremen, 1898–99 am Stadttheater von Nürnberg und 1899–1900 am Opernhaus von Riga im Soubrettenfach auftrat. Sein Familienname erscheint auch in der Schreibweise van Gorkum.

Gorr, Rita; ihre Antrittsrolle an der Pariser Opéra-Comique war die Charlotte im «Werther» von Massenet, an der Covent Garden Oper London 1959 die Amneris in «Aida», eine ihrer größten Kreationen. Diese sang sie auch im Oktober 1962 bei ihrem Debüt an der Metropolitan Oper New York. In deren New Yorker Haus ist sie dann während vier Spielzeiten in 36 Vorstellungen aufgetreten, darunter als Santuzza in «Cavalleria rusticana», als Azucena im «Troubadour», als Eboli in Verdis «Don Carlos» und als Dalila in «Samson et Dalila» von Saint-Saëns. Noch in den Jahren um 1980 trat sie als Mutter in Charpentiers «Louise» (Théâtre de la Monnaie Brüssel), als Kabanicha in «Katja Kabanowa» von Janáček und in anderen geeigneten Partien auf.
Schallplatten: Melodram (Fricka im «Rheingold» und in der «Walküre», Bayreuth 1958, Ortrud im «Lohengrin», ebenfalls aus Bayreuth 1959).

Gottlieb, Anna, † 4. 2. 1856 Wien; auch ihre ältere Schwester hatte unter dem Namen *Josepha Doppler* (1767–1825) in Wien eine erfolgreiche Bühnenkarriere. Nach ihrem Rücktritt von der Bühne geriet Nannerl Gottlieb ganz in Vergessenheit. Sie erhielt nicht einmal eine Pension und lebte in ärmlichen Verhältnissen in Wien. Anläßlich der Einweihung eines Mozart-Denkmals in Salzburg im Jahre 1842 meldete sie sich in der Wiener Presse, wobei sie mitteilte, daß sie nicht einmal die Fahrt von Wien nach dort bestreiten könne. Sie wurde darauf als Ehrengast und einzige noch lebende Teilnehmerin an den Uraufführungen von «Figaros Hochzeit» und der «Zauberflöte» nach Salzburg eingeladen und dort geehrt. Sie erlebte auch noch den 100. Geburtstag Mozarts (* 27. 1. 1756), war jedoch bereits schwer erkrankt und starb wenige Tage später.

Gottlieb, Henriette; sie wurde vor allem als Wagner-Interpretin (Brünnhilde, Ortrud im «Lohengrin», Venus im «Tannhäuser», Kundry) bekannt, sang aber auch Partien wie die Leonore im «Fidelio», die Königin der Erdgeister in «Hans Heiling» von Marschner, die Rachel in Halévys «La Juive» und die Marion in der Berliner Premiere von E. d'Alberts «Liebesketten» (1918). 1927–30 sang sie bei den Bayreuther Festspielen die dritte Norn und eine der Walküren. Bei dem Gastspiel am Théâtre des Champs Élysées in Paris 1930 unter Franz von Hoesslin sang sie die Gerhilde in der «Walküre», übernahm aber bei den anschließenden Schallplat-

tenaufnahmen auf Pathé die Partie der Brünnhilde, da Frida Leider und Nanny Larsen-Todsen durch ihre vertraglichen Bindungen zu anderen Schallplattenfirmen nicht verfügbar waren. (Diese beiden Sängerinnen hatten alternierend die Brünnhilde gesungen.)
Weitere Schallplatten: Akustische HMV-Aufnahmen (1914), elektrische auf der gleichen Marke (Ensembleszenen aus «Fidelio»).

Gottlieb, Peter; er sang am 25. 10. 1962 in der Uraufführung von Gilbert Bécauds «Opéra d'Aran» am Pariser Théâtre des Champs Élysées.
Schallplatten: France-Records («H. H. Ulysse» von Prodromidès, deren Hauptpartie für ihn komponiert und in der Straßburger Uraufführung 1984 gesungen worden war), Sofea («La Traviata»).

Gougaloff, Peter; Schallplatten: Lévon (vollständige Oper «Aida»).

Goulancourt, Jeanne; studierte 1893–94 am Konservatorium von Brüssel bei Cornelis. Sie sang 1900 am Théâtre de la Monnaie Brüssel in der Erstaufführung der Oper «Thyll Uylenspieghel» von Jan Blockx (Uraufführung 1900 in Antwerpen).

Govoni, Marcello, Bariton/Tenor; er gastierte 1909 am Teatro Donizetti Bergamo in Mascagnis «Amico Fritz» und in «Elisir d'amore». 1912 übernahm er bei einem Gastspiel der Oper von Monte Carlo in Paris kleinere Baritonrollen. Als Tenor wirkte er an der Mailänder Scala unter Toscanini in der Partie des Valzacchi im «Rosenkavalier» mit. An der Covent Garden Oper London war er 1920 als Ernesto im «Don Pasquale» und als Alfredo in «La Traviata» zu Gast; 1925 hörte man ihn in Genua als Elvino in «La Sonnambula». Seine Tochter *Marcella Govoni* war eine bekannte Sängerin und Opernregisseurin.

Gozatégui, Josefa; debütierte 1904 als Altistin am Theater von Béziers als Lucinda in der Oper «Armida» von Gluck. 1914 sehr erfolgreich an der Oper von Lyon als Leonore im «Troubadour».
Schallplatten: Einige Aufnahmen auf der belgischen Marke Chantal-de-Luxe von 1925.

Grabczewski, Wiktor, Bariton, * 15. 3. 1863, † 14. 4. 1926 Warschau; er ergriff zunächst den Beruf eines Landwirts, ließ dann aber seine Stimme durch J. Quattrini in Warschau ausbilden. 1888 debütierte er als Konzertsänger in Warschau, ging dann aber zur weiteren Ausbildung nach Paris und wurde Schüler des berühmten Jean de Reszke. Nach ergänzenden Studien in Mailand debütierte er dort unter dem Künstlernamen Vittorio Edmondi als Germont-père in Verdis «La Traviata». Seit 1890 gab er, jetzt unter dem Namen Vittorio Gromzeski, Gastspiele an den führenden italienischen Theatern, darunter am Teatro Comunale Florenz, am Teatro Comunale Bologna und am Teatro San Carlo Neapel. Seit 1895 trat er vorübergehend als Tenor auf, kehrte aber bald wieder ins Baritonfach zurück. Er kam zu weiteren internationalen Erfolgen und war zu Gast an der

Covent Garden Oper London (1892, 1897 und 1903) und an der Hofoper von St. Petersburg (1904). 1892 gastierte er bei einer großen Nordamerika-Tournee in Chicago, Philadelphia, Boston und New York; in den Jahren 1893–95 war er Mitglied der New Yorker Metropolitan Oper. 1911 kam es zu einer Rußland-Tournee mit Auftritten in Moskau, Kiew und Odessa. Seit 1915 war er als Regisseur an der Nationaloper Warschau tätig, trat aber auch noch als Bühnen- wie als Konzertsänger in Erscheinung. 1924 sang er nochmals den Escamillo in «Carmen». Von seinen Bühnenrollen seien noch der Rigoletto, der Nevers in den «Hugenotten» von Meyerbeer, der Valentin im «Faust» von Gounod, der Silvio im «Bajazzo», der Alfonso in Donizettis «La Favorita» und, als besondere Glanzrolle, der Janusz in «Halka» von Moniuszko erwähnt.

Von seiner Stimme existieren Pathé-Zylinder (Warschau, 1905, Oper und Lied). – (Neufassung) –.

Graf, Emil; er war nacheinander engagiert am Stadttheater von Heidelberg (1912–14), am Stadttheater von Freiburg i. Br. (1914–15), am Theater am Gärtnerplatz München (1916–28) und seit 1928 bis zu seinem Abschied von der Bühne 1950 an der Staatsoper München. Hier sang er in den Uraufführungen der Opern «Der Friedenstag» von Richard Strauss (24. 7. 1938) und «Der Mond» von Carl Orff (5. 2. 1939) sowie in der deutschen Erstaufführung von E. Wolf-Ferraris «Il Campiello» (1936). Er war ein geschätzter Konzert- und Oratorientenor und trat u. a. in den Gewandhaus-Konzerten in Leipzig und 1922 in Köln in der Uraufführung des Te Deum von W. Braunfels auf. Ebenfalls 1922 unternahm er eine Konzert-Tournee durch die skandinavischen Länder. Seit 1942 war er pädagogisch am Trapp'schen Konservatorium München tätig.

Schallplatten: Auf DGG Ausschnitte aus «Die Zaubergeige» (nicht vollständige Aufnahme der Oper).

Graf, Uta; gastierte 1950–51 an der Covent Garden Oper London u. a. als Sophie im «Rosenkavalier».

Schallplatten: MMS (Ausschnitte aus «Lohengrin«), Music and Arts (8. Sinfonie von G. Mahler).

Gramatzki, Ilse; gastierte 1967 bei den Festspielen von Salzburg (3. Dame in der «Zauberflöte»). (Sie sang nicht in der Uraufführung von «Die Soldaten» und auch nicht auf Wergo in einer Aufnahme dieser Oper).

Schallplatten: HMV-Electrola (Chor-Balladen von R. Schumann, «Zigeunerbaron»), Philips (Nibelungenring).

Gramegna, Anna; 1906 sang sie in St. Petersburg auch die Maddalena im «Rigoletto». In den Jahren 1904 und 1909 hörte man sie am Theater von Bergamo als Preziosilla in Verdis «La forza del destino» bzw. als Adalgisa in «Norma», 1908 am Theater von Pola in «Nozze Istriane» von Antonio Smareglia. 1918 sang sie am Teatro Costanzi Rom in der italienischen (wie europäischen) Erstaufführung von Puccinis «Gianni Schicchi» die Zita. 1922 er-

schien sie im gleichen Haus als Brangäne im «Tristan», als Herodias in «Salome» von R. Strauss und als Maddalena im «Rigoletto», 1921 in der Uraufführung der Oper «Anima allegra» von Franco Vittadini. 1922–24 große Erfolge an der Mailänder Scala unter Toscanini. Hier wirkte sie in den Uraufführungen der Opern «Debora e Jaele» von Pizzetti (16. 12. 1922 als Mara) und «Belfagor» von Ottorino Respighi (23. 4. 1923) mit. 1930–31 trat sie bei den Festspielen in der Arena von Verona auf. Sie nahm auch Wagner-Partien in ihr Repertoire auf (Brangäne, Magdalene in den «Meistersingern», Fricka im Ring-Zyklus).

Schallplatten: ihre HMV-Aufnahmen erschienen 1914, die auf Pathé 1924.

Gramm, Donald; bis 1977 trat er immer wieder an der Oper von Santa Fé auf. 1958 sang er erstmals an der Oper von Boston. 1966 gestaltete er an der Metropolitan Oper New York in der Erstaufführung von A. Schönbergs «Moses und Aron» den Moses. Er ist praktisch bis zu seinem Tod Mitglied der Metropolitan Oper geblieben in deren New Yorker Haus er in 19 Spielzeiten zwanzig Partien in 157 Vorstellungen gesungen hat, darunter den Leporello, den Papageno in der «Zauberflöte», den Alfonso in «Così fan tutte», den Zuniga in «Carmen», den Waldner in «Arabella» von R. Strauss und den Balstrode in «Peter Grimes» von B. Britten.

Schallplatten: Pickwick-Video («Falstaff» aus Glyndebourne, 1976).

Granda, Alessandro; sang nach einer Deutschland-Tournee in Venedig, in Cento, in Cesena und dann 1928 in Genua sehr erfolgreich den Cavaradossi in «Tosca». 1929 gastierte er wieder in Genua als Faust in «Mefistofele» von Boito, 1931 als Herzog im «Rigoletto». 1929 sang er am Teatro Donizetti Bergamo den Alfredo in «La Traviata», 1933 am Teatro Massimo Palermo den Cavaradossi. 1936 trat er erneut an der Mailänder Scala auf, jetzt als Osaka in Mascagnis «Iris» und abermals als Herzog im «Rigoletto». 1939 hörte man ihn bei den Festspielen in der Arena von Verona.

Seine Columbia-Schallplatten erschienen in den Jahren 1928–30.

Grandi, Margherita; sie sang am 1. 4. 1922 an der Oper von Monte Carlo in der Uraufführung der Oper «Amadis» von Massenet (die dieser bereits 1895 komponiert hatte). 1940 sang sie an der Mailänder Scala die Aida zusammen mit Benjamino Gigli. Auch bei den Festspielen von Edinburgh übernahm sie 1949 die Lady Macbeth. 1940 kreierte sie in Venedig (nicht an der Mailänder Scala) die Maria im «Friedenstag» von Richard Strauss in der italienischen Erstaufführung dieser Oper, 1946 sang sie bei den Festspielen von Verona die Aida.

Schallplatten: Decca (Giulietta in vollständiger Oper «Hoffmanns Erzählungen» von 1950).

Granfelt, Hanna; sie war 1909–11 am Hoftheater von Mannheim engagiert, dann wieder 1912–13 am der Kurfürstenoper Berlin und 1915–21 an der Hofoper (Staatsoper) Berlin. Sie besuchte bei ihren Gastspielen u. a. Bulgarien, Rumänien, die Schweiz, Holland, Spanien, Schweden und Norwegen. 1932 erschien sie nochmals in Berlin in einem Konzert.

Granforte, Apollo, * 29. 7. 1886 Legnano bei Verona. Debütierte 1913 am Opernhaus (Teatro Politeamo) von Rosario (Argentinien) als Germont-père in «La Traviata». Während des Ersten Weltkrieges war er an der Piave-Front eingesetzt. 1922 sang er am Teatro Regio Turin u. a. in der Uraufführung der Oper «La Figlia del Re» von Lualdi. Ebenfalls 1922 kam es zu seinem Debüt an der Mailänder Scala (als Amfortas im «Parsifal») und zu Auftritten bei den Festspielen von Verona. Am Teatro Colón übernahm er am 12. 7. 1929 in der Uraufführung der Oper «El Matrero» von Felipe Boero die Partie des Don Liborio. Am 8. 2. 1936 sang er am Teatro Carlo Felice Genua in der Uraufführung von Maliperos «Giulio Cesare». 1943 nahm er von der Bühne Abschied. Einer seiner Schüler war der Bassist Raphael Arië.
Schallplatten: die ersten Aufnahmen erschienen auf der italienischen Marke Fonotecnica.

Grani, Lyana; sie war besonders beliebt in Bologna und in Genua. In Bologna hatte sie in der Saison 1937–38 große Erfolge als Philine in «Mignon» von A. Thomas. 1952 gastierte sie am Teatro Comunale Piacenza als Leila in «Pêcheurs de perles», 1947 am Teatro Comunale Florenz als Violetta in «La Traviata». Bereits in den dreißiger Jahren trat sie in Opernsendungen des italienischen Rundfunks EIAR auf, u. a. 1934 als Gilda im «Rigoletto».

Grant, Clifford; nach seinen ersten Erfolgen in Australien sang er seit 1966 in England bei der English National Opera Company, bei der Sadler's Wells Opera London und bei der Welsh Opera Cardiff. Bei den Festspielen von Glyndebourne sang er 1972 den Nettuno in Monteverdis «Il ritorno d'Ulisse in patria», ebenfalls 1972 an der Covent Garden Oper London den Bartolo in «Nozze di Figaro». 1967 war er an der Oper von San Francisco zu Gast. Von seinen Bühnenpartien seien der Sarastro in der «Zauberflöte», der König Philipp in Verdis «Don Carlos», der Silva in «Ernani», der Pogner in den «Meistersingern», der Hagen in der «Götterdämmerung» und der Trulove in «The Rake's Progress» von Strawinsky hervorgehoben.
Schallplatten: RCA (Ausschnitte aus Puccini-Opern), Philips (Mozart-Messen; Bonner in der australischen Oper «Voss» von Richard Meale).

Grassi, Cecilia; in London erzielte sie in den Uraufführungen des Oratoriums «Gioas» (1770) und der Kantate «Endiome» (1772) von Johann Christian Bach große Erfolge.

Grassi, Rinaldo, * 5. 10. 1885 Mailand, † 14. 10. 1946 Mailand. 1904 sang er am Teatro Dal Verme Mailand in Mascagnis Oper «Amica». Er trat als Gast am Teatro Costanzi Rom auf, darunter am 6. 3. 1920 in

der Uraufführung der Oper «L'Uomo che ride» von Arrigo Pedrollo. Gastspiele auch in St. Petersburg und am Teatro Real Madrid. 1924 sang er nochmals am Teatro Regio Turin in Puccinis «Fanciulla del West» und in Verdis «Falstaff». Er war verheiratet mit der Sopranistin *Bianca Tamagno-Grassi* (1883–1914), einer Nichte des großen Heldentenors *Francesco Tamagno* (1851–1906). Sie kam auf dem Höhepunkt ihrer Karriere am 3. 6. 1914 bei einem Autounfall ums Leben.

Grassini, Josefina (Giuseppina); ihre Eltern waren arme Bauern. 1794 sang sie vor Kaiser Napoleon I. auf der Isola Bella im Lago Maggiore in einem Konzert ihre großen Arien. In London sang sie 1804 auch die Titelpartie in «Il ratto di Proserpina» von Peter von Winter, während Mrs. Billington als Ceres brillierte; man hörte sie dort in Opernwerken von Nasolini und Fioravanti.

Graveure, Louis; seit etwa 1920 wirkte er als Pädagoge am Michigan State Institute of Music in East Lansing. Am 5. 2. 1928 gab er ganz überraschend ein Konzert als Tenor in der der New Yorker Town Hall, nachdem er noch eine Woche zuvor im Baritonfach aufgetreten war. Noch im gleichen Jahr kam er wieder nach Europa. Auch sein Äußeres hatte sich verändert; er sah viel jünger aus als bisher, sein großer, blonder Bart war verschwunden. Er betrat jetzt auch die Bühne und debütierte 1929 am Deutschen Opernhaus Berlin-Charlottenburg als José in «Carmen» mit Sigrid Onegin in der Titelrolle. 1935 sang er in Holland in der Operette «Gasparone» von Millöcker.
Schallplatten: Als Bariton sang er auf Columbia (USA, 1915), als Tenor ebenfalls auf Columbia (USA), Polydor (zumeist Operettentitel, in Deutschland aufgenommen), Telefunken und Ultraphon (Opernarien in deutscher Sprache, darunter ein Duett mit Margherita Perras).

Gray, Linda Esther; sang 1972 bei der Glyndebourne Touring Opera Company die Mimi in «La Bohème», 1974 beim Festival von Glyndebourne die Elettra in «Idomeneo» und kam 1975 an die Scottish Opera Glasgow. 1981 sang sie an der Oper von Dallas als Antrittsrolle die Sieglinde in der «Walküre».

Graziani, Francesco; 1859 hörte man ihn in Dublin als Macbeth in der Verdi-Oper gleichen Namens.

Graziani, Vincenzo, s. unter *Graziani*, Lodovico.

Greeff, Paul, * 3. 7. 1854 Köln, † 1923.

Greeff-Andriessen, Pelagie; sie sang am 12. 11. 1902 in Frankfurt a. M. in der Uraufführung der Märchenoper «Dornröschen» von Humperdinck. In dritter Ehe mit dem Bassisten *Paul Greeff* (1854–1923) verheiratet.
Schallplatten: Unter ihren G & T-Aufnahmen findet sich ein Lied von Hugo Wolf.

Green, Anna; 1986 sang sie am Teatro Liceo Barcelona die Brünnhilde in der «Götterdämmerung». Die Sängerin, die mit dem Tenor *Howard Vandenburg* (* 1918) verheiratet war, galt auch als eine hervorragende Interpretin moderner Vokalmusik.

Greenberg, Sylvia, * 1955 (?) Bukarest; 1964 wanderte sie mit ihrer Familie nach Israel aus, wo sie 1975–77 ihrer zweijährigen Dienstpflicht in der Israelischen Armee nachkam. 1982 sang sie im Vatikan in einem Konzert vor Papst Johannes Paul II. An der Mailänder Scala trat sie in der Uraufführung von «Doktor Faustus» von Giacomo Manzoni auf (13.5. 1989).
Schallplatten: Orfeo («Paride ed Elena» von Gluck, «Das Buch mit sieben Siegeln» von Franz Schmidt).

Greene, Harry Plunket; er kreierte 1892 beim Three Choirs Festival das Oratorium «Job» von Hubert Charles Parry.
Schallplatten: Bei den letzten Aufnahmen des fast 80jährigen Sängers auf Columbia von 1934 handelt es sich um irische Volkslieder und das Schubert-Lied «Der Leiermann».

Grefe, Gustav; er debütierte bereits 1933 am Stadttheater seiner Heimatstadt Hagen (Westfalen) als Silvio im «Bajazzo». 1983 verabschiedete er sich in Stuttgart als Bassa Selim in der «Entführung aus dem Serail» von seinem Publikum.

Greger, Emmy; Schallplatten: Auf HMV und Pathé-Marconi singt sie kleine Partien in «Manon Lescaut» von Auber und «Les Troyens» von Berlioz.

Gregor, Jozsef; 1986 Gastspiel an der Oper von Houston/Texas als Warlaam im «Boris Godunow», 1988 an der Oper von Monte Carlo in Cimarosas «Il Pittore Parigino».
Schallplatten: Hungaroton («Falstaff» von A. Salieri, «La Serva padrona» von Pergolesi, «Il Pittore Parigino» von Cimarosa, «Andrea Chénier» und «Fedora» von Giordano, «Der geduldige Sokrates» von Telemann).

Greindl, Josef; wirkte am 9. 8. 1949 in der Salzburger Uraufführung von Carl Orffs «Antigonae» mit. In der Saison 1952–53 war er an der Metropolitan Oper New York verpflichtet. Hier sang er als Antrittsrolle den König Heinrich im «Lohengrin» und trat im Lauf der Spielzeit dort auch als Pogner in den «Meistersingern» auf.
Schallplatten: Fonit-Cetra («Zauberflöte», Salzburg 1951).

Gresse, André; er wirkte an der Grand Opéra Paris am 2.5. 1909 in der Uraufführung von Massenets «Bacchus» mit. Während dreißig Jahren war er der große Mephisto im «Faust» von Gounod an der Pariser Opéra. Um 1930 kam seine Bühnenkarriere zum Ausklang. Einer seiner Schüler war der Bariton Martial Singher.

Greve, Franz; er war 1882–83 am Stadttheater von Zürich engagiert, sang 1883–84 am Stadttheater von Mainz, 1884–85 am Stadttheater von Basel, 1883–88 am Stadttheater von Bremen und seitdem am Stadttheater (Opernhaus) von Hamburg.

Grey, Madeleine, Mezzosopran; Schallplatten: Polydor («Trois Chansons hébraïques» von Ravel). .

Griebel, August, Baß-Bariton; gastierte in Holland 1934 und 1938 als Ochs im «Rosenkavalier», 1937 als Alberich im «Siegfried» und in der «Götterdämmerung». Einer Einladung an das Teatro Colón Buenos Aires konnte er nicht folgen. Seine großen Bühnenpartien waren der Leporello im «Don Giovanni», der Papageno in der «Zauberflöte», der Bartolo in «Figaros Hochzeit», der van Bett in «Zar und Zimmermann» von Lortzing, der Baculus in dessen «Wildschütz» und der Teufel in «Schwanda der Dudelsackpfeifer» von J. Weinberger.

Grienauer, Alois; Schallplatten der Marke G & T, 1906 in Wien aufgenommen.

Griffel, Kay, * 26. 12. 1940 Eldora (Iowa). 1982 Debüt an der Metropolitan Oper New York als Elettra in «Idomeneo» von Mozart. Sie sang dort im weiteren Verlauf ihrer Tätigkeit die Tatjana im «Eugen Onegin», die Gräfin in «Nozze di Figaro», die Rosalinde in der «Fledermaus» und die Arabella in der gleichnamigen Oper von R. Strauss. 1987 Teilnahme an einer Japan-Tournee der Deutschen Oper Berlin (Freia im «Rheingold»), 1988 Gastspiel in Santiago de Chile als Alice Ford, 1989 beim Maggio musicale Florenz als Elettra in «Idomeneo».
Schallplatten: Pickwick-Video («Falstaff», Glyndebourne 1976).

Grill, Moritz; sang 1858 den Lohengrin in der Münchner Premiere der gleichnamigen Wagner-Oper, 1862 den Titelhelden in der ersten Aufführung von Gounods «Faust» in der bayerischen Metropole.

Grilli, Umberto; Schallplatten: Melodram («Le Pescatrici» von J. Haydn).

Grillo, Joann, * 14. 5. 1936 New York; Debüt an der New York City Centre Opera 1962 als Gertrude in «Louise» von Charpentier. In der Spielzeit 1963–64 sang sie als Antrittspartie an der New Yorker Metropolitan Oper die Rosette in «Manon» von Massenet. Seitdem sang sie an diesem Operninstitut in einer langjährigen Karriere in 226 Vorstellungen u. a. Partien wie die Carmen, die Suzuki in «Madame Butterfly», die Meg Page in Verdis «Falstaff» und die Preziosilla in «La forza del destino». Gastspiele auch am Teatro Liceo Barcelona (1963 als Charlotte im «Werther»), am Opernhaus von Frankfurt a. M. (1967 als Amneris), an der Wiener Staatsoper (1978 als Carmen) und an der Grand Opéra Paris (u. a. 1981 als Carmen). 1988 gastierte sie in Rio de Janeiro als Amneris. Seit 1967 mit dem Tenor *Richard Kness* (* 1937) verheiratet.

Grischunow, Iwan, * 10. (22.) 4. 1879 Moskau. Er besuchte zuerst eine Handelsschule und war als

Bankangestellter tätig, trat aber bereits während dieser Zeit als Amateur-Sänger auf. Er wurde dann durch K. J. Krschischanowsky ausgebildet und debütierte 1903 am Eremitage Theater Moskau als Garin in der Operette «Camorra» von M. Esposito. 1903–04 sang er bei der Privatoper von Bedlevich und debütierte dann 1904 am Bolschoj Theater Moskau als Titelheld im «Eugen Onegin» (seine große Glanzrolle). Hier wirkte er 1906 in den Uraufführungen der beiden Opern von Rachmaninoff «Der geizige Ritter» und «Francesca da Rimini» mit. 1907 unternahm er eine sehr erfolgreiche Italien-Tournee. Seit 1915 kam es zu einem Nachlassen der Stimme, wohl bedingt durch die Übernahme zu schwerer Partien.
Schallplatten: Grammophone (fünf Aufnahmen von 1910, drei Opern- und zwei Lied-Titel).

Grisi, Giuditta; 1826 debütierte sie in Wien als Falliero in Rossinis «Bianca e Falliero». 1823 gastierte sie in Venedig, Paris und London in einer weiteren Glanzrolle, der Isoletta in Bellinis «La Straniera». Nach ihrer Heirat gab sie 1838 ihre Bühnenkarriere auf.

Grisi, Giulia; 1829 hatte sie ihre ersten großen Erfolge in Mailand. 1831 erreichte sie die Mailänder Scala, an der sie in der Oper «L'Ullà di Bassora» von Feliciano Strepponi debütierte. Sie wirkte am Pariser Théâtre-Italien auch in der Uraufführung der Oper «I Briganti» von Saverio Mercadante mit (22. 3. 1836). 1844 heiratete sie den berühmten Tenor *Giovanni Mario* (1810–13), mit dem sie erstmals 1839 in London zusammen gesungen hatte. (Zu einer formellen Heirat ist es wahrscheinlich nicht gekommen, da die Sängerin nicht die Auflösung ihrer ersten Ehe erreichen konnte.) Am 7. 1. 1842 sang sie im Théâtre-Italien in der Uraufführung des Stabat mater von Rossini das Sopransolo.

Grist, Reri; sie erschien 1957 am New Yorker Broadway in dem Musical «West Side Story». 1962 sang sie bei den Festspielen von Glyndebourne die Despina in «Così fan tutte» und die Zerbinetta in «Ariadne auf Naxos». 1966 debütierte sie an der Metropolitan Oper New York als Rosina im «Barbier von Sevilla». Während sechs Spielzeiten hörte man sie an diesem Haus in 50 Vorstellungen, darunter als Olympia in «Hoffmanns Erzählungen», als Page Oscar in Verdis «Ballo in maschera», als Gilda, als Zerbinetta, als Adina in «Elisir d'amore», als Norina im «Don Pasquale» und als Sophie im «Rosenkavalier».

Griswold, Putnam; er debütierte am 30. 5. 1901 an der Covent Garden Oper London als Leonato in der Uraufführung der Oper «Much Ado about Nothing» von Stanford. 1910 sang er an der Berliner Hofoper in der Uraufführung der Oper «Poia» des amerikanischen Komponisten Arthur Nevin. Er debütierte an der New Yorker Metropolitan Oper 1911 als Hagen in der «Götterdämmerung» und sang in den folgenden Jahren dort hauptsächlich Wagner-Partien wie den Wotan, den Pogner in den «Meistersingern» und

den Marke im «Tristan». Am 27. 2. 1913 kreierte er hier den De Guiche in der Uraufführung der Oper «Cyrano de Bergerac» von Walter Damrosch. Insgesamt hatte man ihn an der Metropolitan Oper während drei Spielzeiten in 62 Vorstellungen von elf Partien gehört.

Gritzinger, Leon, * 20. 2. 1852 Kotzman in der Bukowina.

Grob-Prandl, Gertrude; Schallplatten: Discocorp («Zauberflöte» aus Salzburg, 1949).

Grobe, Donald, * 16. 12. 1929 Ottawa bei Chicago (Illinois). 1965 Gastspiel mit dem Ensemble der Staatsoper München beim Festival von Edinburgh als Ferrando in «Così fan tutte». 1972 sang er an der Covent Garden Oper London den Flamand im «Capriccio» und den Henry Morosus in der «Schweigsamen Frau» von R. Strauss. 1968 sang er als einzige Partie an der New Yorker Metropolitan Oper den Froh im «Rheingold». Am 25. 9. 1984 wirkte er am Deutschen Opernhaus Berlin in der Uraufführung von Aribert Reimanns «Gespenstersonate» mit.

Gröbke, Adolf; 1902 sollte er an die Berliner Hofoper verpflichtet werden, doch kam es nicht zu diesem Engagement.
Schallplatten: Zonophone (Frankfurt a. M. 1905 bis 06, darunter auch Liedaufnahmen).

Grönroos, Walton; 1987 gastierte er beim Maggio musicale Florenz in «Capriccio» von R. Strauss, 1988 Nordamerika-Debüt an der Oper von Houston/Texas als Wolfram im «Tannhäuser». Seit 1986 künstlerischer Direktor der Festspiele von Savonlinna.
Schallplatten: HMV-Electrola (Chor-Balladen von R. Schumann).

Gröschel, Gerhard, * 22. 11. 1902 Aussig (Ustì nad Labem, CŠR); er wirkte an der Oper von Köln in der Uraufführung der Oper «Die Soldaten» von B. A. Zimmermann mit (15. 2. 1965).

Gröschel, Werner; war 1967–70 in Flensburg, 1970–72 am Stadttheater Würzburg und seit 1972 am Opernhaus von Zürich engagiert. Dort sang er 1977 in der Uraufführung von R. Kelterborns «Ein Engel kommt nach Babylon». Er gastierte an der Deutschen Oper am Rhein Düsseldorf-Duisburg, an den Staatsopern von München und Stuttgart, am Staatstheater Wiesbaden, in Basel, Lausanne, St. Gallen und Bremen. Mit dem Zürcher Ensemble war er beim Festival von Athen, bei den Festspielen von Berlin und Edinburgh, bei den Wiener Festwochen, an der Mailänder Scala und in Helsinki zu hören.
Weitere Schallplattenaufnahmen: Telefunken («Incoronazione di Poppea» und «Il ritorno d'Ulisse in patria» von Monteverdi).

Gromzeski, Vittorio, s. unter *Grabczewski*, Wiktor.

Grossi, Giovanni Francesco, s. unter *Siface*.

Großmann, Walter; sang 1935 an der Berliner Staatsoper in der Uraufführung von Paul Graeners Oper «Der Prinz von Homburg» mit Tiana Lemnitz und Max Lorenz als Partnern. Bei der Nordamerika-Tournee der von Johanna Gadski zusammengestellten German Opera Company hörte man ihn 1930 als Wotan im Nibelungenring und als Kurwenal im «Tristan». 1933 Gastspiel am Teatro Colón Buenos Aires.
Schallplatten: Preiser (Heerrufer im «Lohengrin», Berlin 1941), DGG (Kuno im «Freischütz»).

Gruber, Ferry; 1988 am Teatro Verdi Triest zu Gast; Schallplatten: Melodram («Intermezzo» von R. Strauss), Voce («Alessandro Stradella» von Flotow).

Gruberová, Edita; seit 1979 große Erfolge an der Metropolitan Oper New York, wo sie als Antrittspartie die Königin der Nacht sang und als Lucia di Lammermoor wie als Zerbinetta in «Ariadne auf Naxos» von R. Strauss Aufsehen erregte. An der Mailänder Scala debütierte sie als Konstanze in der «Entführung aus dem Serail»; an der Covent Garden Oper London als Gilda im «Rigoletto» und als Giùlia in Bellinis «I Capuleti ed I Montecchi» (1984); an der Bayerischen Staatsoper München als Titelheldin in «Manon» von Massenet erfolgreich. 1986 sang sie bei den Festspielen von Bregenz die Elvira in «I Puritani» von Bellini. Als Lucia di Lammermoor brillierte sie 1984 an der Scala, 1986 an der Oper von Chicago, 1987 am Teatro Liceo Barcelona. 1987 hörte man sie an der Scala als Donna Anna im «Don Giovanni», 1988 in Zürich als Marie in Donizettis «La Fille du régiment». Die Künstlerin, die ihren Wohnsitz in der Schweiz nahm, wurde 1988 zum Ehrenmitglied der Staatsoper von Wien ernannt, an der sie eine langjährige Karriere entfaltet hatte.
Schallplatten: DGG («Idomeneo» und «Zauberflöte» von Mozart, «Hänsel und Gretel», «Rigoletto»), Philips («Ariadne auf Naxos», «Maria Stuarda»), Orfeo (Lieder von J. Brahms, Dvořák und R. Strauss; Arien-Platte), Telefunken («Fledermaus» von J. Strauß, «Die Schöpfung» von Haydn, Donna Anna im «Don Giovanni»).

Grümmer, Elisabeth; sie wirkte am Deutschen Opernhaus Berlin (Städtische Oper Berlin) in den Premieren der Opern «Peter Grimes» von B. Britten (1947), «Romeo und Julia» von H. Sutermeister und «Troilus und Cressida» von Winfried Zillig mit. Gastspiel an der Mailänder Scala 1952 als Eva in den «Meistersingern» unter W. Furtwängler, 1951–52 in der gleichen Partie an der Covent Garden Oper London. Seit 1953 auch Mitglied der Staatsoper von Wien. 1952 gastierte sie mit dem Ensemble der Hamburger Staatsoper beim Festival von Edinburgh als Eva, als Pamina in der «Zauberflöte» und als Agathe im «Freischütz». Bei den Glyndebourner Festspielen hörte man sie 1956 als Gräfin in «Nozze di Figaro» und als Ilia in «Idomeneo» von Mozart. An der Metropolitan Oper New York sang sie nur eine Partie, die Elsa im «Lohengrin» (April 1966),

1967 Gastspiel an der City Centre Opera New York als Marschallin im «Rosenkavalier».
Schallplatten: Melodram (Freia im «Rheingold», Bayreuth 1958; Elsa im «Lohengrin», Bayreuth 1959), Movimento musica (Matthäuspassion von J. S. Bach).

Grüning, Wilhelm; Sohn eines Berliner Juweliers. Debütierte 1881 am Stadttheater von Danzig als lyrischer Tenor, doch wandelte sich seine Stimme um 1885 zum Heldentenor. In den Jahren 1891 und 1897 erschien er bei den Bayreuther Festspielen als Parsifal, als Tannhäuser, als Siegfried im Nibelungenring und als Walther von Stolzing in den «Meistersingern». Seine Gestaltung der Titelpartie in Wagners «Rienzi» galt zu seiner Zeit als unvergleichliche Leistung. 1899 wirkte er an der Berliner Hofoper in der Uraufführung der (nachgelassenen) Oper «Briseïs» von E. Chabrier mit, 1901 in der Premiere von «Samson et Dalila» von Saint-Saëns, 1902 in der von Max von Schillings Oper «Der Pfeifertag» (nach deren Uraufführung 1899 am Hoftheater von Schwerin). Er war der Titelheld in Gounods Faust in der Vorstellung, in der Geraldine Farrar in Berlin als Marguerite debütierte (15. 10. 1901). Verheiratet mit der dramatischen Sopranistin *Antonie Mielke* (1856–1907).
Schallplatten: Auch Aufnahmen auf Polyphon.

Gruhn, Nora; an der Covent Garden Oper London hörte man sie u. a. als Waldvogel im «Siegfried», als Papagena in der «Zauberflöte», als Rosina im «Barbier von Sevilla», als Musetta in «La Bohème» und als Adele in der «Fledermaus».

Grumbach, Raimund; Schallplatten: Decca («Freischütz»), Philips, («Tristan und Isolde»); HMV-Electrola («Intermezzo» von R. Strauss).

Grundheber, Franz; er studierte in den USA vor allem bei Margaret Harshaw. Bis 1988 Mitglied und darauf ständiger Gast der Hamburger Staatsoper. An der Grand Opéra Paris gastierte er als Mandryka in «Arabella» und 1984 als Titelheld in Verdis «Macbeth». Am Théâtre de la Monnaie Brüssel trat er als Marcello in «La Bohème», als Jago in Verdis «Othello», als Kurwenal im «Tristan», als Wozzeck und als Amfortas im «Parsifal» auf. 1984 hörte man ihn bei den Osterfestspielen von Salzburg als Heerrufer im «Lohengrin», 1988 als Scarpia in «Tosca», in Florenz als Donner im «Rheingold», als Gunther in der «Götterdämmerung» und als Escamillo in «Carmen». 1985–87 war er bei den Salzburger Festspielen als Olivier im «Capriccio» von R. Strauss erfolgreich, 1989 als Orest in «Elektra» von R. Strauss. Gastspiel an der Oper von Frankfurt a. M. als Jago. 1987 bewunderte man ihn an der Wiener Staatsoper als Wozzeck, eine seiner größten Kreationen, 1989 bei den Festspielen von Savonlinna als Fliegenden Holländer.
Schallplatten: DGG (Titelheld im «Wozzeck» von A. Berg), Decca (Mandryka in »Arabella»).

Guarrera, Frank; Studium am Curtis Institute Philadelphia bei Richard Bonelli. 1947 sang er an der New

York City Centre Opera den Silvio im «Bajazzo».
Bereits 1948 (nicht 1958) gastierte er an der Mailänder Scala als Zurga in «Pêcheurs de perles» von Bizet. Im Dezember 1948 fand dann auch sein Debüt an der Metropolitan Oper New York als Escamillo statt. In deren Haus in New York hat er in 28 Spielzeiten 34 Partien in 427 Vorstellungen gesungen, darunter den Figaro in Rossinis «Barbier von Sevilla», den Germont-père in «La Traviata», den Amonasro in «Aida», den Alfonso in «Così fan tutte», den Marcel in «La Bohème», den Gianni Schicchi in der gleichnamigen Puccini-Oper und den Ford im «Falstaff» von Verdi.
Schallplatten: RCA (Ford im «Falstaff» von Verdi unter Toscanini, 1950), Danacord (Heerrufer im «Lohengrin», Metropolitan Oper, 1950).

Guasco, Carlo; er wurde durch den Komponisten und Pädagogen Vittorio Panizza zur Sängerkarriere ermutigt und dann ausgebildet. 1837–38 erfolgreiches Auftreten am Teatro Cannobiana Mailand. Er sang darauf an den Opernhäusern von Marseille und Nizza und kam zu großen Erfolgen in Italien, u. a. in Piacenza, Pavia, Rom, Bologna, Ancona und Triest. 1842 war er in London zu Gast. Er sang in den Uraufführungen der Opern «La Sposa di Abido» und «Malek Adel» (1846 am Teatro Fenice Venedig), die der polnische Komponist Prinz Poniatowski für seine Stimme eigens komponiert hatte. Obwohl er damals auf dem Höhepunkt seiner Karriere angelangt war, unterbrach er diese in den Jahren 1848–50 und führte ein reines Privatleben. 1852 gastierte er am Théâtre-Italien in der Titelpartie von Verdis «Ernani».

Güden, Hilde, † 17. 9. 1988 Wien; eigentlicher Name Hilde Geiringer. Sie war an der Wiener Musikakademie Schülerin von Otto Iro im Gesang- und von Maria Wetzelsberger im Piano-Fach. Sie debütierte 1937 unter dem Namen Hulda Gerin an der Wiener Volksoper in der Operette «Herzen im Schnee» von Benatzky. Obwohl sie Jüdin war, kam sie 1941 auf Veranlassung des Dirigenten Clemens Krauss an die Staatsoper von München, mußte aber 1942 nach Italien ausweichen, wo sie weiter studierte. Erst nach Kriegsende konnte sie wieder an die Münchner Staatsoper zurückkehren. 1947 an die Staatsoper von Wien berufen, deren Ehrenmitglied sie seit 1973 war. In den Jahren 1951–65 sang sie an der New Yorker Metropolitan Oper in neun Spielzeiten 102 Vorstellungen von 13 Partien (ohne die Vorstellungen während der Gastspieltourneen des Ensembles). Geschätzte Lieder- und Oratoriensängerin. Sie lebte zuletzt, durch eine schwere Erkrankung behindert, in Klosterneuburg.
Schallplatten: Decca (Internationale Kinderlieder), Philips (9. Sinfonie von Beethoven), Electrola («Figaros Hochzeit», «Zigeunerbaron»), Ariola-Eurodisc («Wiener Blut», «Bettelstudent», Ausschnitte aus «Faust» von Gounod), LR («Rigoletto»), Melodram («Das Buch mit sieben Siegeln» von F. Schmidt).

Guelfi, Giangiacomo; trat in den Jahren 1955-56, 1958, 1960, 1962–69 und 1975 bei den Festspielen in der Arena von Verona, vor allem als Amonasro in «Aida», auf. Am 4. 12. 1954 wirkte er am Teatro San Carlo Neapel in der Uraufführung von «La figlia di Jorio» von Pizzetti mit. 1958 Gastspiel am Drury Lane Theatre London (Gérard in «Andrea Chénier»), 1975 an der Covent Garden Oper London als Scarpia, 1977 an der Mailänder Scala in «Cena delle beffe» vom Giordano. Beim Maggio musicale Florenz sang er 1971 in Meyerbeers «Africaine» und in «Agnese di Hohenstaufen» von Spontini.
Schallplatten: Melodram («Olimpia» von Spontini), GOP («I Vespri Siciliani» von Verdi).

Gümmer, Paul, † 24. 8. 1974 Lauterecken in der Pfalz.

Guénot, Louis, † 1968.

Günter, Horst; Schallplatten: Decca (Liebeslieder-Walzer von Brahms mit Irmgard Seefried, Kathleen Ferrier und Julius Patzak, Edinburgh Festival 1952), Urania («Aufstieg und Fall der Stadt Mahagonny» von K. Weill).

Günther, Carl; er wirkte in Hamburg am 7. 10. 1927 in der Uraufführung der Oper «Das Wunder der Heliane» von Korngold in der Partie des Fremden mit. 1926 hatte er dort großen Erfolg als Don Carlos in der gleichnamigen Oper von Verdi.

Günther, Mizzi; Schallplatten: Insgesamt sind rund 80 Aufnahmen ihrer Stimme vorhanden.

Guerrini, Adriana; sie debütierte 1940. Nachdem sie im italienischen Rundfunk auch die Giorgetta in einer Sendung von Puccinis «Il Tabarro» gesungen hatte, gastierte sie 1942 am Teatro Massimo Palermo als Leonore im «Troubadour», 1944 in Rom als Butterfly und als Maddalena in «Andrea Chénier» von Giordano, 1945 trat sie am Teatro Comunale Bologna als Traviata, 1950 als Aida auf, in Viareggio 1954 als Tosca, in Reggio Calabria 1959 als Santuzza und als Tosca, am Teatro Verdi Pisa 1948–49 wiederum als Maddalena und als Amelia in Verdis «Ballo in maschera», 1955 als Tosca. Mit dem Ensemble des Teatro San Carlo Neapel nahm sie 1946 an dessen Gastspiel in London teil. In den Jahren 1947 und 1949–50 war sie in der Arena von Verona zu hören; an der Mailänder Scala hatte sie großen Erfolg als Octavian im «Rosenkavalier».
Schallplatten: Columbia (vollständige «Traviata» von 1946 und zahlreiche Arien).

Guggenbühler, Wilhelm; bei den Bayreuther Festspielen der Jahre 1896–1902 wirkte er in kleinen Partien mit. In Karlsruhe sang er in der Uraufführung der Oper «Der Rubin» von E. d'Albert (1893). Zu seinen Schülern gehörte der Tenor Robert Hutt.

Guglielmetti, Anna-Maria, † 17. 9. 1982 Turin. Bereits 1920 sang sie in Ravenna die Leila in «Pêcheurs de perles» von Bizet. 1926 unternahm sie eine England-Tournee mit einer Operntruppe, der so bekannte Sänger wie Eva Turner und Maartje Offers angehörten. In Genf trat sie noch nach 1930, vor allem als Mimi in «La Bohème», in Erscheinung. 1946–75 wirkte sie als Pädagogin am Konservatorium von Genf. Verheiratet mit dem Genfer Impresario Henri Giovanna.

Guglielmi, Margherita; Schallplatten: BJR («Elisabetta regina d' inghilterra» von Rossini).

Guicciardi, Vincenzo; er wirkte 1926 am Teatro Donizetti von Bergamo in der Uraufführung der Oper «Ivania» von Pizzi mit. (In der italienischen Erstaufführung von «Wozzeck» sang er eine kleine Rolle, nicht den Titelhelden).

Guichandut, Carlos Maria, *4.11. 1915 Buenos Aires.

Guillaume, Edith; 1987 sang sie an der Kopenhagener Oper den Octavian im «Rosenkavalier». Gastspiele in Aarhus, Hamburg, Mannheim, Genf, Montpellier, Nancy, Metz, Lille und Lüttich. Weitere Partien aus ihrem Repertoire: Carmen, Orpheus von Gluck, Charlotte im «Werther», Santuzza, Maddalena im «Rigoletto», Concepcion in Ravels «L'Heure espagnole», Santuzza, Titelfigur in «Miss Julie» von Bibalo.

Guilleaume, Margot; sie war zunächst als Chorsängerin am Hamburger Schillertheater (1932–33), am Stadttheater von Lübeck (1933–34) und seit 1934 an der Staatsoper Hamburg tätig. Nach weiteren Studien wurde sie 1936 als Solistin in das Ensemble der Hamburger Staatsoper aufgenommen, der sie bis 1939 angehörte. 1939–40 war sie als Bühnensängerin am Stadttheater von Wilhelmshaven, 1940–44 am Staatstheater von Oldenburg engagiert. Bei den Bayreuther Festspielen von 1937 sang sie eine Soloblume im «Parsifal».
Weitere Schallplatten auf Vox (Kantaten von Buxtehude), Lyricord und Concerteum.

Guiot, Andrea; Schallplatten: Le Chant du monde («Le Roi d'Ys» von Lalo).

Guiraudon, Julia; sie sang 1898 an der Opéra-Comique Paris in der französischen Erstaufführung von Puccinis «La Bohème» die Mimi.

Gulak-Artemowsky, Semjon Stepanowitsch, *4. (16.) 2. 1813 in dem Dorf Gorodischtschi bei Tscherkassk; ursprünglich wollte er russisch-orthodoxer Geistlicher werden. Seine Stimme wurde im Chor des Priesterseminars in Kiew entdeckt. Der berühmte Komponist Michail Glinka bemühte sich um seine Ausbildung. In der Uraufführung seiner Oper «Die Saporosher Kosaken jenseits der Donau» am 26.4. 1863 in St. Petersburg sang er selbst die Partie des Karas. In seinen Konzerten brachte er immer wieder russische und ukrainische Volkslieder, aber auch seine eigenen Liedkompositionen und Lieder anderer russischer Meister, zum Vortrag.

Gulbranson, Ellen, *4.3. 1863 Stockholm. In der langen Zeitspanne von 1896 bis 1914 galt sie als eins der zuverlässigsten Mitglieder des Bayreuther Festspiel-Ensembles. Sie gastierte in den Jahren 1900 sowie 1907–08 an der Covent Garden Oper London.
Auch auf Edison-Zylindern zu hören.

Guldbaek, Ruth, *1.12. 1924 Frederikshaven (Dänemark).
Schallplatten: Danacorn (Mikal in «Saul og David» von C. Nielsen, 1960), CBS (Sinfonie von C. Nielsen).

Guljajew, Jurij (Alexandrowitsch), *9.9. 1930 Tjumen (West-Sibirien). Er gastierte in Ungarn, in der ČSSR, in Belgien, in der Schweiz, in Frankreich, in den USA, in Kanada und auf Kuba.

Gullino, Walter; wirkte 1975 bei den Festspielen in der Arena von Verona mit.

Gulyás, Dénes, *31.3. 1954 Budapest. Erster Bühnenauftritt 1978 an der Nationaloper Budapest als Alfredo in «La Traviata», 1984–85 sang er an der Covent Garden Oper London. Seit 1985 Mitglied der Metropolitan Oper New York (Debüt als italienischer Sänger im «Rosenkavalier»). Er sang 1986 an der Oper von San Francisco den Lenski in «Eugen Onegin» von Tschaikowsky, 1987 an der New Yorker Metropolitan Oper den des Grieux in Massenets «Manon» und, ebenfalls 1987, am Teatro Margherita Genua den Alfredo in «La Traviata». Bei den Festspielen von Wiesbaden hörte man ihn 1987 als Don Ottavio im «Don Giovanni». 1987 Gastspiel an der Covent Garden Oper London als Nemorino in Donizettis «Elisir d'amore», 1988 in San Francisco als Ferrando in «Così fan tute». Gelegentlich trat er in Budapest auch als Regisseur in Erscheinung.
Schallplatten: Hungaroton (Harmonie-Messe von J. Haydn).

Gungl, Virginia, s. unter *Naumann-Gungl,* Virginia.

Gunz, Gustav; er debütierte 1859 an der Hofoper von Wien als Arnoldo in Rossinis «Wilhelm Tell». 1862 wurde er als Nachfolger des berühmten Tenors Theodor Wachtel an das Hoftheater von Hannover berufen, dessen Mitglied er bis zur Aufgabe seiner Karriere 1888 blieb. Er wurde dann zum Ehrenmitglied des Hauses ernannt. Er absolvierte sehr erfolgreiche Gastspiele an den Hofopern von Berlin (1876, 1877), München (1875) und Dresden (1886), am Hoftheater Karlsruhe (1875, 1877), am Stadttheater von Hamburg (1875, 1876), am Opernhaus von Leipzig (1886) und am Deutschen Theater Rotterdam (1877).

Gura, Anita, Sopran/Mezzosopran; Schallplatten (Querschnitt «Vogelhändler»).

Gurney, John; seine Stimme wurde im Harvard Glee Club durch Dr. Davison entdeckt und 1926–27 am Oberlin College ausgebildet. 1928–29 trat er am

Stammbaum der Familie Gura

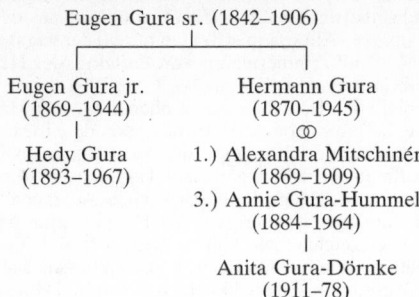

Eugen Gura sr. (1842–1906)

Eugen Gura jr.   Hermann Gura
(1869–1944)   (1870–1945)
                          ∞
Hedy Gura   1.) Alexandra Mitschinér
(1893–1967)   (1869–1909)
                       3.) Annie Gura-Hummel
                          (1884–1964)

                       Anita Gura-Dörnke
                          (1911–78)

Roxy Theatre, 1930 bei den Ziegfeld Folies in New York auf. Mit der National Music League sang er u. a. im New Yorker Lewisohn Stadium den Titelhelden in Borodins «Fürst Igor» in russischer Sprache. An der Metropolitan Oper New York trat er auch als Ferrando im «Troubadour» sowie in einer Anzahl kleinerer Rollen auf und wirkte am 12. 5. 1937 in der Uraufführung von W. Damroschs «The Man without a Country» mit. 1938 an der Chicago Opera als König Heinrich im «Lohengrin» zu Gast. 1940–41 bereiste er die USA mit Charles L. Wagner's Opera Company; 1942 sang er während einer Saison am Teatro Colón Buenos Aires.

Gusmeroli, Giovanni; 1982–84 sang er bei den Festspielen in der Arena von Verona den König in Verdis «Aida».

Guszalewicz, Alice; sie blieb bis 1916 Mitglied des Opernhauses von Köln. Sie unternahm zahlreiche Gastspiele an führenden Bühnen, so 1905 am Hoftheater Karlsruhe, 1907 am Opernhaus von Frankfurt a. M. und 1908 am Stadttheater von Bremen. 1908 gastierte sie an der Hofoper von Dresden als Titelheldin in «Salome» von R. Strauss und erzielte hier, wie auch an anderen Bühnen, in dieser Rolle einen sensationellen Erfolg. Es folgten Gastspiele am Opernhaus von Leipzig (1908), am Hoftheater Wiesbaden (1910 als Salome), an der Hofoper Berlin (1911 als Brünnhilde und als Isolde), in Brüssel, Paris und Madrid. 1905 kam sie in Köln als Titelheldin in der deutschen Erstaufführung von Isidore de Laras Oper «Messalina» ebenfalls zu einem grandiosen Erfolg (das Werk erlebte 27 Aufführungen!). Aus ihrem Bühnenrepertoire sind zu nennen: die Leonore im «Fidelio», der Adriano in «Rienzi», die Venus im «Tannhäuser», die Titelfigur in «Ingwelde» von Max von Schillings, die Elektra von R. Strauss, die Bertha im «Propheten» von Meyerbeer, die Santuzza in «Cavalleria rusticana», die Titelheldin in Mascagnis «Amica» und die Maria in «A basso porto» von Nicola Spinelli.

Guszalewicz, Eugen, * 1867 Lemberg (Lwów); Gesangstudium am Konservatorium von Lemberg bei Walery Wysocki; dann Schüler von Josef Gänsbacher in Wien.

Guszalewicz, Genia; sie sang an der Berliner Staatsoper, an der sie seit 1919 engagiert war, 1924 in der Premiere von Janáčeks «Jenufa», 1929 in der der Richard Strauss-Oper «Die Ägyptische Helena». Sie blieb bis 1929 Mitglied der Berliner Staatsoper, sang 1930–31 am Opernhaus von Breslau, 1932–33 am Nationaltheater Weimar sowie 1936–38 am Stadttheater von Plauen. Zwischendurch gastierte sie, vor allem am Theater von Chemnitz, 1928 auch bei den Festspielen von Zoppot. In diesem Abschnitt ihrer Karriere hörte man sie in dramatischen Partien wie der Sieglinde in der «Walküre», der Kundry im «Parsifal», auch als Octavian im «Rosenkavalier». Sie war eine geschätzte Konzert- und Liedersängerin. Während des Zweiten Weltkrieges gab sie Konzerte vor deutschen Soldaten.
Schallplatten: HMV (Ausschnitte aus «Tristan» mit Göta Ljungberg und Walter Widdop), Polydor (Preziosilla im Rataplan-Chor aus «La forza del destino»).

Gutheil-Schoder, Marie; 1924 führte sie A. Schönbergs «Pierrot lunaire» bei einer Aufführung in Berlin zum endgültigen Erfolg. Sie war eine der größten Darstellerinnen unter den Opernsängerinnen ihrer Epoche; aus ihrem Reptertoire für die Bühne verdienen noch die Frau Fluth in den «Lustigen Weibern von Windsor» von Nicolai, der Cherubino in «Figaros Hochzeit» und der Komponist in «Ariadne auf Naxos» von R. Strauss Erwähnung. 1926 nahm sie in Wien als Titelheldin in «Elektra» von R. Strauss von der Bühne Abschied. Sie war dann noch als Regisseurin wie als Gesangpädagogin tätig.

Guthrie, Frederick; Schallplatten: Westminster (Mozart-Requiem), Hunt Records (c-moll-Messe von Mozart).

Gutmann, Julius; in London gehörte der große englische Tenor Peter Pears zu seinen Schülern. Über den oft mit ihm verwechselten Bassisten *Wilhelm Guttmann,* s. weiter unten.

Gutstein, Ernst; seit 1966 ständig an der Wiener Staatsoper zu hören, seit 1952 Gastspiele am Opernhaus von Zürich. An der Komischen Oper Berlin gastierte er als Germont-père in «La Traviata» und als Jago im «Othello» von Verdi. 1987 übernahm er bei den Festspielen von Glyndebourne die Partie des La Roche im «Capriccio» von Richard Strauss, 1989 den Waldner in «Arabella» von R. Strauss.
Schallplatten: Decca (Waldner in «Arabella» von R. Strauss, 1987).

Guttmann, Arthur, s. unter *Zwerenz, Mizzi.*

Guttmann (Gutman), Igo, Tenor, * 1896 Wien, † 19. 5. 1966 New York; er studierte in Wien und begann seine Bühnenlaufbahn 1919–20 mit einem Engagement am Theater von Aussig (Ústí nad Labem). 1921–22 war er am Theater von Czernowitz anzutreffen und erschien in der Spielzeit 1925–26 am Theater von Graz. 1927–30 war er Mitglied der Hamburger Volksoper und sang an diesem Haus

u. a. 1929 den Gianetto in der deutschen Erstaufführung von «La cene delle beffe» («Das Mahl der Spötter») von Giordano. In den zwanziger Jahren gastierte er an der Berliner Staatsoper wie auch am Opernhaus von Köln. 1932–33 war er am Berliner Metropoltheater engagiert, mußte aber aus politischen Gründen Deutschland 1933 verlassen. Bis Mitte der dreißiger Jahre trat er dann mehrmals als Gast am Theater von Graz auf und war in der Spielzeit 1937–38 an der Wiener Volksoper tätig. In dieser Zeit sang er vorwiegend Operettenpartien. Er mußte dann auch Österreich verlassen und flüchtete nach Nordamerika. Dort hat er noch während der Jahre des Zweiten Weltkrieges gastiert und war zuletzt in New York im pädagogischen Fachbereich tätig. Auf dem Höhepunkt seiner Bühnenkarriere war er hauptsächlich in heldischen und Wagnerpartien zu hören: als Tannhäuser, als Lohengrin, als Siegmund in der «Walküre», als José in «Carmen», als Kaiser in der «Frau ohne Schatten» von Richard Strauss und als Herzog im «Rigoletto». In Nordamerika änderte er die Schreibweise seines Familiennamens in Gutman; sein Vorname wird manchmal auch als Ivo angegeben.
Schallplatten: Einige Polydor-Platten. – (Neufassung) –.

Guttmann, Wilhelm, Baß-Bariton, * 1. 1. 1886 Berlin, † 1939 Berlin; er wurde durch die Berliner Pädagogin Tilly Wolff-Erlenmeyer ausgebildet. Zuerst betätigte er sich als Konzertsänger und kam u. a. bei Konzerten in Hamburg (1913), Köln (1914) und Berlin (1918) zu Erfolgen. Er wandte sich dann auch dem Operngesang zu und wirkte bei den Göttinger Händel-Festspielen von 1920 (Garibald in Wiederaufführung von «Rodelinda») und 1928 mit. 1922–25 war er an der Berliner Volksoper, 1925–34 an der Städtischen Oper Berlin engagiert und wurde in der deutschen Hauptstadt sehr beliebt. Zugleich wirkte er seit 1926 als Dozent an der Staatlichen Akademie für Kirchen- und Schulmusik in Berlin. Zu Beginn der zwanziger Jahre trat er auch in einem «Berliner Vokalquartett» zusammen mit Rose Walter, Roland Hell und Th. Bardas auf. Er gastierte 1927 an der Berliner Staatsoper, 1931 an den Nationalopern von Zagreb und Belgrad. 1928 wirkte er in Aufführungen der Berliner Kroll-Oper mit, 1924, 1927 und 1930 war er als Gast am Hamburger Opernhaus zu finden. Er sang an der Städtischen Oper (Deutsches Opernhaus) Berlin in den Uraufführungen der Opern «Die Mondnacht» von J. Bittner (1928) und «Der Schmied von Gent» von F. Schreker (29. 10. 1932). Als Jude mußte er in der Zeit des Nationalsozialismus seine große Karriere aufgeben. Zwischen 1933 und 1939 war er als Konzert- und Opernsänger an den Aufführungen des «Jüdischen Kulturbundes» in Berlin beteiligt. Er starb in Berlin noch vor dem Beginn der schrecklichen Judenverfolgungen der Kriegsjahre. Sein Repertoire für die Bühne wie für das Konzertpodium besaß einen erstaunlichen Umfang. Er galt als großer Oratorien- und namentlich als Bach- und Händel-Sänger. Von seinen vielen Bühnengestalten seien genannt: der Titelheld in Donizettis «Don Pasquale», der Graf Luna im «Trouba-

dour», der Posa im «Don Carlos» von Verdi, der Ford in dessen «Falstaff», der Graf in «Figaros Hochzeit», der Osmin in der «Entführung aus dem Serail», der Alfonso in «Così fan tutte», der van Bett in «Zar und Zimmermann» von Lortzing, der Herr Fluth in den «Lustigen Weibern von Windsor» von Nicolai, der Heerrufer im «Lohengrin», der Marcello in Puccinis «La Bohème», der de Siriex in «Fedora» von Giordano, die vier Dämonen in «Hoffmanns Erzählungen», der Tio Lukas im «Corregidor» von Hugo Wolf, dazu auch Aufgaben in zeitgenössischen Opern wie der Herzog Adorno in «Die Gezeichneten» von F. Schreker, der Graf Brühl in «Friedemann Bach» von Paul Graener und der Wesener in «Die Soldaten» von Manfred Gurlitt. Er sollte nicht mit dem Bassisten *Julius Gutmann* (1889–1960) verwechselt werden, der an der Hamburger Oper wirkte, aber keine Schallplatten hinterlassen hat.
Schallplatten: Sang auf DGG Solopartien in Beethovens 9. Sinfonie (auf Pearl wieder veröffentlicht) und Missa solemnis, auf Homochord Arien sowie Aufnahmen mit dem «Berliner Vokalquartett» zusammen. – (Neufassung) –.

Guyla (nicht Guylat), Jeanne; sie wirkte bis etwa 1932 an der Opéra-Comique Paris und trat 1927, 1933 und 1934 auch an der Pariser Grand Opéra auf.

H

Haage, Peter; er sang an der Hamburger Staatsoper 1970 in der Uraufführung der Oper «Ein Stern geht auf aus Jakob» von Paul Burkhard. Am Théâtre de la Monnaie Brüssel gastierte er 1981 als Hauptmann im «Wozzeck» von A. Berg, an der Covent Garden Oper London 1986 als Monostatos. 1989 hörte man ihn in Hamburg als Jester in «Der Schatzgräber» von F. Schreker.
Schallplatten: Wergo (Ausschnitte aus der zeitgenössischen Oper «Le grand Macabre» von G. Ligeti), Capriccio («Der Traumgörge» von A. Zemlinsky), HMV (Mime in «Rheingold»).

Habereder, Agnes, * 1957 Kelheim a. d. Donau; Schülerin von Marianne Schech und Raimund Grumbach in München. 1986–87 erfolgreiche Gastspiele an den Opernhäusern von Köln und Düsseldorf, 1986 bei den Salzburger Festspielen als Leonore im «Fidelio». Große Erfolge auch als Marie im «Wozzeck» von A. Berg (u. a. 1987 Madrid), als Marietta in der «Toten Stadt» von Korngold und als Salome in der gleichnamigen Richard-Strauss-Oper. Angesehene Liedersängerin. Verheiratet mit dem italienischen Dirigenten Marco-Maria Canonica.

Haberl, Benno; er war in den Jahren 1909–32 am Theater von Weimar engagiert. Hier sang er mehrere Tenorpartien in den Premieren der entsprechenden Opern, darunter den Parsifal und den Bacchus in «Ariadne auf Naxos» von R. Strauss.

Habich, Eduard; 1914 übernahm er in der Berliner Premiere des «Parsifal» die Partie des Klingsor. 1911–12, 1914, 1924–31 sang er bei den Festspielen von Bayreuth den Alberich im Nibelungenring, 1912 und 1924–27 trat er dazu in Bayreuth als Klingsor im «Parsifal», 1927 als Kurwenal im «Tristan» auf. 1924–36 und nochmals 1938 gastierte er an der Covent Garden Oper London, an der er als Telramund im «Lohengrin» und als Beckmesser in den «Meistersingern» seine Erfolge hatte. 1930–32 sang er an der Oper von Chicago den Beckmesser, den Faninal im «Rosenkavalier», den Klingsor, den Papageno in der «Zauberflöte» und den Kruschina in Smetanas «Verkaufter Braut». 1935–37 Mitglied der Metropolitan Oper New York (Antrittsrolle: Vater in «Hänsel und Gretel»); dort als Alberich, als Telramund, als Beckmesser, als Klingsor und als Kurwenal aufgetreten. Noch 1944 sang er am Theater seiner Geburtsstadt Kassel den Bartolo in Rossinis «Barbier von Sevilla». Verheiratet mit der Sängerin *Mathilde Schrecker,* die an den Bühnen von Koblenz, Krefeld und Düsseldorf tätig war.

Hackett, Charles; er sang als Knabe im Worcester High School Glee Club, später war er Solist an einer Kirche in Boston. 1908 begleitete er Lillian Nordica auf einer Konzertreise. Gesangstudium bei Arthur J. Hubbard in Boston und bei Vincenzo Lombardi in Florenz. In der Saison 1915–16 erregte er am Teatro Carlo Felice von Genua Aufsehen; 1916 debütierte er an der Mailänder Scala als Wilhelm Meister in «Mignon» von A. Thomas. Am Teatro Colón Buenos Aires kreierte er 1917 für Südamerika den Ruggiero in Puccinis «La Rondine». Er blieb 1919–21 an der New Yorker Metropolitan Oper tätig und sang in der Saison 1922–23 an der Mailänder Scala den Grafen Almaviva im «Barbier von Sevilla». 1923–34 wirkte er an der Oper von Chicago (Debüt als Roméo in «Roméo et Juliette» von Gounod), seit 1920 sang er mehrfach bei den Opernaufführungen in Ravinia bei Chicago. 1926 zu Gast an der Covent Garden Oper London; hier hörte man ihn als Grafen Almaviva im «Barbier von Sevilla», als Fenton in Verdis «Falstaff» und in der Abschiedsvorstellung von Nellie Melba mit dieser zusammen am 8. 6. 1926 als Roméo in der Balkonszene aus «Roméo et Juliette». Diese Partie sang er auch, als er 1934 sein zweites Engagement an der Metropolitan Oper New York begann, das bis 1940 dauerte. Insgesamt ist er an diesem Haus in zwölf verschiedenen Partien aufgetreten, u. a. als Roméo, als Rodolfo in «La Bohème», als Pinkerton in «Madame Butterfly», als

Alfredo in «La Traviata» und als Lindoro in der Premiere von Rossinis «Italiana in Algeri» (1919). Schallplatten: Von seiner Stimme wurden bereits während seines Studiums 1912 Edison-Aufnahmen gemacht, seit 1919 kamen akustische, später elektrische Aufnahmen auf Columbia heraus.

Hadwiger, Aloys; am Stadttheater von Kaiserslautern, wo er seit 1927 wirkte, betätigte er sich auch als Oberspielleiter. In Schwerin ist er noch gelegentlich als Sänger aufgetreten, so 1939 als Loge im «Rheingold».
Schallplatten: HMV-Aufnahmen von 1912.

Häfliger, Ernst; 1969 sang er in Berlin in der Uraufführung der Oper «200 000 Taler» von Boris Blacher, 1946 in Bern in der des Oratoriums «Leiden Hiobs» von H. Studer, 1949 in «Golgotha» von Frank Martin, 1956 in Zürich im Requiem von H. Huber.
Aus der Vielzahl von Schallplatten, die er gesungen hat, seien noch genannt: Discocorp (9. Sinfonie von Beethoven), Claves («Schöne Müllerin» und «Winterreise» von Schubert).

Häggander, Mari Anne, *23. 10. 1951 Trökörna (Schweden). Schülerin von Ingalill Linden in Göteborg, Debüt 1977 an der Königlichen Oper Stockholm als Micaela in «Carmen». Gastspiele an den Staatsopern von Hamburg (seit 1982) und München (1983). An der Metropolitan Oper New York sang sie 1987 und 1990 die Freia im «Rheingold», 1988 in Stockholm die Marschallin im «Rosenkavalier». Ebenfalls 1988 gastierte sie am Teatro Margherita von Genua als Sieglinde in der «Walküre», in Wiesbaden als Amelia in Verdis «Ballo in maschera», 1989 in San Francisco als Elsa im «Lohengrin». Weitere Glanzrollen der Künstlerin waren die Pamina in der «Zauberflöte», die Elisabetta im «Don Carlos» und die Desdemona im «Othello» von Verdi.
Schallplatten: Capriccio (Deutsches Requiem von J. Brahms), BIS (Orchesterlieder von Sibelius), Musica Sveciae (Lieder von Emil Sjögren).

Hänisch, Natalie; eine ihrer Schülerinnen war die berühmte Sopranistin Elisabeth Schumann.

Häser, Charlotte; 1804 sang sie in Dresden in der Uraufführung der Oper «Leonora» von F. Paër die Partie der Marcelline. Zwei weitere Brüder der Sängerin, *Christian Wilhelm Häser* (1781–1867) und

Stammbaum der Familie Häser

Johann Georg Häser (1729–1808)

Karl Georg Häser (1777–1873)	August Ferdinand Häser (1779–1844)	Christian Wilhelm Häser (1781–1867)	Charlotte Häser (1784–1871) ∞ Giuseppe Vera
Karl Häser (1809–87)		Mathilde Häser-Lindner (* 1815)	Sophia Vera-Lorini

Karl Georg Häser (1777–1873) wurden als Bassisten bekannt. Auch die Tochter der Künstlerin *Sophia Vera-Lorini* kam zu einer erfolgreichen Karriere als Sängerin.

Häser, Christian Wilhelm; ein weiterer Bruder, *Karl Georg Häser* (*1777 Leipzig, †5.2. 1873 Ziegenhain) war als Bassist und Schauspieler in Würzburg und Wiesbaden im Engagement. Dessen Sohn, *Karl Häser* (*11.11. 1809 Amsterdam, †16.4. 1887 Kassel) gehörte seit 1833 für mehr als 50 Jahre dem Hoftheater von Kassel als Bassist, Schauspieler und Regisseur an.

Hafgren, Lilly; 1913 sang sie in der (späten) Erstaufführung von Verdis «Don Carlos» an der Berliner Hofoper die Elisabetta. Sie kreierte für Berlin die Titelfigur in der Richard Strauss-Oper «Ariadne auf Naxos» in den beiden Fassungen des Werks (1916 in der Zweitfassung).

Hagegård, Håkan; 1979 Debüt an der Metropolitan Oper New York (Malatesta im «Don Pasquale»). 1986 Gastspiel als Papageno an der Opéra-Comique Paris, 1987 an der Covent Garden Oper London, 1988 an der Oper von Chicago als Wolfram im «Tannhäuser», 1988 an der Metropolitan Oper New York als Guglielmo in «Così fan tutte».
Schallplatten: Decca (Graf in «Nozze di Figaro»), Virgin Classics Video (Titelheld im «Don Giovanni»), Erato (Papageno in der «Zauberflöte»).

Hagen, Mary, *27.5. 1867 Diez a. d. Lahn.
Schallplatten: Ihre Zonophone-Aufnahmen entstanden um 1902 in Wien.

Hagen, Otfried; er war engagiert: am Hoftheater von Altenburg in Thüringen 1897–99, am Stadttheater von Stettin 1899–1900, am Stadttheater von Magdeburg 1900–02, am Stadttheater von Freiburg i. Br. 1902–05. 1905–09 Mitglied der Hofoper von München, 1909–12 des Hoftheaters von Braunschweig, 1912–14 des Opernhauses von Frankfurt a. M. 1914–15 wieder des Braunschweiger Theaters. Es schlossen sich Engagements an den Stadttheatern von Mainz (1916–17) und Würzburg (1917–18) an. Im Lauf seiner Karriere gastierte er in Nürnberg (1898–1910), am Hoftheater Mannheim (1902, 1906), am Stadttheater Bremen (1905), an den Hoftheatern von Stuttgart (1907) und Hannover (1910) und am Deutschen Opernhaus Berlin (1919).

Hagen-William, Louis; der farbige Sänger, der über ein ungewöhnliches darstellerisches Talent verfügte, hatte 1987 große Erfolge am Theater von Metz in der komischen Partie der Agata in «Viva la mamma» von Donizetti.

Hager, Robert; 1927 wirkte er in München in der Uraufführung von E. Wolf-Ferraris Oper «Das Himmelskleid» mit.

Haizinger, Anton; der Tenor, dessen Name vor allem mit den Uraufführungen von Beethovens

9. Sinfonie und Missa solemnis 1824 verbunden ist, sang bei seinem Londoner Gastspiel 1833 auch den Florestan im «Fidelio» zusammen mit Wilhelmine Schröder-Devrient.

Hajóssyová, Magdaléna; seit 1978 reguläres Mitglied der Berliner Staatsoper. Dort sang sie 1986 in der Eröffnungsvorstellung des neu renovierten Hauses die Titelheldin in Webers «Euryanthe», 1987 die Iphigenie in Glucks «Iphigenie in Aulis». 1976 zu Gast an der Wiener Staatsoper, 1979 am Bolschoj Theater Moskau, 1981 an der Staatsoper München, 1983 an der Grand Opéra Paris, 1988 am Teatro Liceo Barcelona.
Schallplatten: Decca (Religiöse Vokalmusik von Schubert).

Haken, Eduard; aus seinem Bühnenrepertoire seien noch der Mumlal in «Zwei Witwen» von Smetana, der van Bett in «Zar und Zimmermann» von Lortzing, der Wassermann in «Rusalka» von Dvořák, der Rocco im «Fidelio», der Titelheld in Glinkas «Iwan Susanin», der Gremin im «Eugen Onegin» und der Mephisto im «Faust» von Gounod, an erster Stelle aber der Kezal in der «Verkauften Braut», erwähnt.

Halban, Desi; sie gab 1934 in Wien ihr erstes Konzert. 1935 kam es zu ihrem Bühnendebüt an der Nationaloper vom Budapest als Gilda im «Rigoletto». 1940 flüchtete sie aus Holland zunächst nach Kanada, seit 1942 lebte sie in den USA.

Haldas, Beatrice, *8.2. 1944 Genf, †3.12. 1987 Nyon am Genfer See; zunächst am Konservatorium von Bern Schülerin von Juliette Bise, dann von Arturo Merlini in Mailand. Sie blieb bis zu ihrem Tod Mitglied der Hamburger Staatsoper, wo sie auch die Ghita in der Premiere von Zemlinskys «Der Zwerg» («Der Geburtstag der Infantin») kreierte. Sie gastierte beim Festival von Edinburgh, an der Oper von Rom und in Amsterdam. Sie starb nach langer Krankheit auf dem Höhepunkt ihrer Karriere.
Schallplatten: Orfeo («Faust» von L. Spohr), Pelco («Roi David» von A. Honegger), RCA (Kantaten von J. Haydn und Cherubini).

Hale, Robert, Baß-Bariton, *22.8. 1943 San Antonio (Texas); sein Musik- und Gesangstudium fand an der Boston University bei Ludwig Bergmann, an der Oklahoma University und am New England Conservatory statt, wo er Schüler von Gladys Miller, Cloë Owen und Léopold Simoneau war. Er wurde auch durch Boris Goldovsky in New York unterrichtet. Nachdem er anfänglich die Laufbahn eines Gesangpädagogen einschlagen wollte, entschloß er sich zur Bühnenkarriere und debütierte an der New York City Centre Opera, an der er eine erfolgreiche Karriere aufbauen konnte und besonders als Partner der großen Primadonna Beverly Sills geschätzt wurde. Er sang an diesem Haus wie an den Opern von Denver, Philadelphia, Pittsburgh, San Antonio, San Diego und beim Festival von Las Palamas (auf den Kanarischen Inseln) Partien wie den Don Giovanni,

den Figaro, später auch den Grafen in «Nozze di
Figaro», den Titelhelden in «Mefistofele» von Boito,
die vier Dämonen in «Hoffmanns Erzählungen»,
den Escamillo in «Carmen» und übernahm Aufgaben aus dem Bereich der italienischen Belcanto-
Oper. Er verlegte dann seine Tätigkeit nach Europa.
Nachdem er 1978 am Opernhaus von Wuppertal
einen sensationellen Erfolg als Fliegender Holländer
gehabt hatte, wandte er sich mehr und mehr dem
Wagner-Gesang zu. Gastspiele an den Staatsopern
von München, Hamburg und Stuttgart, am Opernhaus von Zürich, an der Deutschen Oper am Rhein
Düsseldorf–Duisburg, am Deutschen Opernhaus
Berlin, an der Oper von Frankfurt a. M., am Staatstheater Wiesbaden und an vielen weiteren führenden Bühnen bestätigten seinen Ruf als Wagner-
Interpret. Neben dem Wagner-Repertoire behielt er
jedoch sein vielseitiges Rollenrepertoire bei; so gastierte er 1983 an der Oper von Köln als Escamillo.
Seine große Glanzrolle wurde der Wotan in den
Opern des Ring-Zyklus, den er erstmalig in Wiesbaden, dann an weiteren Theatern sang, und den er
1987 bei einer Tournee der Deutschen Oper Berlin
in Japan in den ersten dort gegebenen vollständigen
Aufführungen des Nibelungenrings zum Vortrag
brachte. 1989 wiederholte er diese Leistung bei einem Gastspiel der Deutschen Oper Berlin in Washington. Ebenfalls 1987 hörte man ihn an der Deutschen Oper Berlin als Scarpia in «Tosca», am Teatro
Massimo Palermo als Mephisto im «Faust» von Gounod, am Grand Théâtre Genf als Wotan in der
«Walküre». 1988 debütierte er an der Covent Garden Oper London als Jochanaan in «Salome» von
R. Strauss. Er trat bei den Festspielen von Ravinia,
Tanglewood, Cincinnati, Lausanne, Bordeaux und
Bregenz (1989 Fliegender Holländer) auf und war
ein international angesehener Konzert- und Oratoriensänger. Seine Konzerte, die u. a. in San Francisco, Boston, Philadelphia, in der New Yorker Carnegie Hall wie im Kennedy Center Washington in
Berlin, Wien und London stattfanden, trugen ihm
die gleichen Erfolge ein, die auch seine Bühnenlaufbahn kennzeichneten. Verheiratet mit der Sopranistin *Inga Nielsen* (* 1946).
Schallplatten: CRI, OPR (Requiem für Bellini von
Donizetti), Philips («Messias» von Händel). – (Neufassung) –.

Halem, Victor von; er trat als Gast an der Opéra du
Rhin Straßburg (1987 Mephisto im «Faust» von
Gounod) und an der Oper von Marseille auf. Beim
Festival von Spoleto hörte man ihn als Gurnemanz
im «Parsifal» (1987) und in der Oper «Antigone» von
Tommaso Traetta (1988). Am Deutschen Opern-
haus Berlin sang er 1987 den St. Bris in Meyerbeers
«Hugenotten».
Schallplatten: Harmonia mundi («Christus am Öl-
berg» von Beethoven), Voce («Der Vampyr» von
H. Marschner), Schwann («Von deutscher Seele»
von H. Pfitzner), Capriccio («Der Traumgörge» von
Zemlinsky).

Haljáková, Sidónia; sie ist auch unter dem Namen
Sidónia Haljáková-Gajdošová aufgetreten.

Haller, Valentin; eine seiner Glanzrollen war der
Chapelou im «Postillon de Lonjumeau» von Adam.

Hallin, Margareta; sie sang nochmals an der Stockholmer Oper am 15. 10. 1986 in der Uraufführung
der Oper «Christina» von Hans Gefors und 1987 bei
den Festspielen von Drottningholm die Marcellina
in «Nozze di Figaro».

Hallstein, Ingeborg; Schallplatten: Acanta («Lustige Witwe» von F. Lehár).

Halmos, Janós; er wurde 1928 als Nachfolger des
früh verstorbenen Tenors Béla Környei an die Budapester Nationaloper berufen. Seine großen Bühnenpartien waren der Titelheld im «Faust» von Gounod,
der Pollione in Bellinis «Norma», der José in «Carmen» und der Bánk Bán in der gleichnamigen Oper
von F. Erkel. Sehr volkstümlich war sein Auftreten
als Kálmán in der Operette «Hochzeit im Fasching»
von Poldini.
Schallplatten: Auf Qualiton-Hungaroton wurde
u. a. die Arie des Titelhelden aus dem 2. Akt der
Oper «Bánk Bán» herausgegeben.

Hamari, Julia; 1972 kam es zu ihrem Nordamerika-
Debüt bei einem Konzert mit dem Chicago Sym-
phony Orchestra. 1979 sang sie beim Glyndebourne
Festival die Celia in «La fedeltà premiata» von
J. Haydn; 1984 debütierte sie an der Metropolitan
Oper New York als Rosina im «Barbier von Sevilla»
von Rossini.
Schallplatten: RCA (9. Sinfonie von Beethoven),
DGG («Roméo et Juliette» von Berlioz), Telefun-
ken («Prima la musica» von A. Salieri).

Hamlin, George; debütierte 1886 zusammen mit der
St. Louis Choral Society in Mendelssohns «Lobgesang». An der Oper von Chicago sang er den Gennaro in Wolf-Ferraris «I gioielli della Madonna»,
den Pinkerton in «Madame Butterfly» und in den
Premieren von Buchhalters «A Lover's Knot»
(1915), von Attilio Parellis «Dispettosi Amanti»
(1915) und von Victor Herberts «Madeleine» (1917).
Seine Tochter *Anna Hamlin* hatte um 1930 in Nordamerika eine kurze Karriere, hauptsächlich als Konzertsolistin.
Schallplatten: Victor (1907–15), Edison (1922).

Hammes, Karl; seit 1935 gehörte er als ständiger
Gast dem Ensemble der Berliner Staatsoper an. Er
wurde zu Beginn des zweiten Weltkrieges als Luft-
waffenoffizier Kommandant eines Bombergeschwa-
ders und erlitt bei einem Bombenangriff auf Warschau eine tödliche Verwundung.

Hammond, Joan; sie hatte in ihrer Jugend auch
große Erfolge als Sportlerin, namentlich im Schwim-
men und im Golfspiel. Ihre Gesangausbildung
wurde teilweise durch ihre Golfkameraden finanziert. 1932 sang sie bei einem Gastspiel einer italienischen Operntruppe in Sydney die Giovanna im «Rigoletto». 1938 gastierte sie an der Wiener Volksoper
als Nedda im «Bajazzo». Bei der Carl Rosa Opera

Company hörte man sie 1942–45 als Traviata, als Tosca und als Butterfly. 1946 unternahm sie eine große Konzerttournee durch Australien und sang im australischen Rundfunk ABC, 1947 folgte eine ähnliche Tournee in Südafrika. 1948–51 trat sie an der Covent Garden Oper London auf (Antrittspartie: Leonore im «Troubadour»). 1949 erfolgte ihr Debüt an der New York City Centre Opera als Butterfly, 1957 Gastspiel am Bolschoj Theater Moskau als Aida.

Hammond-Stroud, Derek, * 10. 1. 1926 London, er war 1981 am Teatro Colón Buenos Aires, 1987 an der Staatsoper München als Gast zu hören. 1987 gastierte er in Amsterdam einmal mehr als Faninal.
Schallplatten: Savoy (Ausschnitte aus Operetten von Gilbert & Sullivan).

Hanak, Dorit; Schallplatten: Telefunken (Querschnitt durch Lehárs Operette «Der Zarewitsch» mit Giuseppe di Stefano als Partner).

Handt, Herbert, * 26. 5. 1926 Pittsburgh; er war ein Vetter des Dirigenten Otto Ackermann (1909–60). Ausbildung an der Juillard Music School New York, dann in Wien. Dort gab er 1949 seine ersten Konzerte. Er sang neben Belcanto-Partien auch solche in Werken zeitgenössischer Meister wie Malipiero, Alban Berg und Benjamin Britten, dazu den Don Ottavio im «Don Giovanni», den Titelhelden in «Orfeo ed Euridice» von J. Haydn und den Otello in der gleichnamigen Rossini-Oper. 1957 wirkte er in Florenz in der Uraufführung von Malipieros «Venere Prigioniera» mit, 1966 in Zürich in der des Oratoriums «Jeremia» von E. Hess. 1960 gründete er in Rom ein eigenes Vokal- und Instrumentalensemble, mit dem er selten gehörte und alte Musik zur Aufführung brachte, und mit dem er große Kunstreisen veranstaltete.

Hann, Georg; Schallplatten: Acanta («Zigeunerbaron»), Rodolphe Records («Fliegender Holländer», Bayreuth 1944).

Hanner, Barry; Schallplatten: Colosseum («Musik in Nürnberg»).

Hansen, Niels, Tenor, † 19. 9. 1969 Kopenhagen; debütierte 1909 an der Königlichen Oper Kopenhagen als Rodolfo in «La Bohème». 1914 sang er dort in der dänischen Erstaufführung des «Parsifal» die Titelpartie. 1932 gastierte er an der Nationaloper von Warschau. Von den vielen Partien, die er auf der Bühne vorgetragen hat, seien genannt: der Manrico im «Troubadour», der Alfredo in «La Traviata», der Radames in «Aida», der Canio im «Bajazzo», der Cavaradossi in «Tosca», der Turiddu in «Cavalleria rusticana», der Pinkerton in «Madame Butterfly», der Tamino in der «Zauberflöte», der Max im «Freischütz», der Lohengrin, der Walther von Stolzing in den «Meistersingern», der Tannhäuser, der Siegfried im Nibelungenring, der Florestan im «Fidelio», der Pedro in «Tiefland» von d'Albert, der Faust von

Gounod, der José in «Carmen», der Titelheld in «Hoffmanns Erzählungen», der Lenski im «Eugen Onegin», der Dimitrij im «Boris Godunow» und der David in «Saul og David» von C. Nielsen.

Hansen, Paul; seine Stimme ist auch durch Odeon- und Beka-Platten überliefert.

Harder, Lutz-Michael; 1987 Gastspiel an der Wiener Staatsoper in «Die weiße Rose» von Udo Zimmermann.
Schallplatten: Orfeo («Die weiße Rose» von U. Zimmermann), Laudate (Bach-Kantaten).

Harlacher, August; er führte in der Karlsruher Uraufführung von «Les Troyens» von H. Berlioz Regie. Auch seine Gattin *Elise Harlacher-Rupp* war an dieser denkwürdigen Aufführung (6.–7. 12. 1890) beteiligt.

Harper, Heather; 1962 debütierte sie an der Covent Garden Oper London als Helena in «A Midsummer Night's Dream» von Britten. 1969–72 Gastspiele am Teatro Colón Buenos Aires. 1969 unternahm sie eine ausgedehnte Nordamerika-Tournee. 1977 Debüt an der Metropolitan Oper New York als Gräfin in «Figaros Hochzeit»; dort sang sie auch die Ellen Orford in Benjamin Brittens «Peter Grimes». 1972 übernahm sie das Sopransolo in der Londoner Uraufführung der 3. Sinfonie von Michael Tippett. Die Uraufführung von B. Brittens «Owen Wingrave» fand am 16. 5. 1971 im Fernsehen (nicht Radio) der BBC statt, wobei sie die Rolle der Mrs. Coyle gestaltete. 1986 wurde sie zum Ehrendoktor (Hon. D. Mus.) der Queen's University Belfast ernannt. 1990 gab sie ihre letzten Konzerte.
Schallplatten: HMV (Vokalwerke von Vaughan Williams).

Harrell, Mack, * 8. 10. 1909 Celeste (Texas). 1938 gewann er einen von der New Yorker Metropolitan Oper ausgeschriebenen Gesang-Concours. Seit 1939 bis 1954 mit Ausnahme der Spielzeiten 1945–46 und 1948–49 Mitglied der Metropolitan Oper New York. An diesem Operninstitut sang er (im New Yorker Haus) während zwölf Spielzeiten 21 Partien in 112 Vorstellungen, darunter den Kothner in den «Meistersingern», den Amfortas im «Parsifal» und den Jochanaan in «Salome» von R. Strauss. 1944 sang er an der City Centre Opera New York den Germontpère in «La Traviata» als Antrittsrolle. Er wirkte dort auch 1951 in der Uraufführung der Oper «The Dybbuck» von Tamlin als Asraël mit. 1940 Gastspiel an der Oper von Chicago als Alfio in «Cavalleria rusticana» und als Ford im «Falstaff» von Verdi. 1950–51 sang er in New York in konzertanten Aufführungen von Ravels «L'Heure espagnole» und von A. Bergs «Wozzeck» (Titelpartie).
Schallplatten: Schöne Liedaufnahmen auf HMV (London, 1941), Remington- und Victor-Platten.

Harrold, Orville; er wurde durch Oscar Hammerstein im New Yorker Victoria Theatre entdeckt, debütierte 1910 an dem von diesem geleiteten Man-

hattan Opera House New York und hatte dort in der gleichen Saison einen grandiosen Erfolg als Herzog im «Rigoletto» mit der großen Primadonna Luisa Tetrazzini als Gilda. 1911–12 sang er wieder in Operetten, darunter in «Naughty Marietta» von V. Herbert; er gastierte am London Opera House unter Hammerstein 1911–12 in «La Traviata», «Rigoletto» und in Rossinis «Wilhelm Tell». In den USA trat er bei der Century Opera Company und bei den Sommer-Festspielen von Ravinia auf. An der Metropolitan Oper New York hörte man ihn 1919–24 als Faust von Gounod, als Rodolfo in «La Bohème», als José in «Carmen», als Turiddu in «Cavalleria rusticana», als Dimitrij im «Boris Godunow», als Lohengrin und in der Uraufführung der Oper «Cleopatra's Night» von Henry Hadley (31. 1. 1920). Sein Sohn *Jack Harrold* wurde ein bekannter Tenor-Buffo, der 1945 an der New York City Centre Opera als Wenzel in der «Verkauften Braut» debütierte.
Schallplatten: Edison, Columbia (1913–16) und Victor (1920–24), alle in akustischer Aufnahmetechnik.

Harry, Adelma; verheiratet mit dem Musikkritiker und Dramaturgen des Münchner Hoftheaters Wilhelm Buchholtz (1836–1904).

Harshaw, Margaret, * 12. 5. 1909 Narbeth (Pennsylvania). An der Metropolitan Oper New York hat sie (in deren Haus in New York) während 21 Spielzeiten 39 Partien in 286 Vorstellungen gesungen. 1944 gastierte sie an der Oper von San Francisco als Amneris in «Aida» und kam seitdem auch dort zu großen Erfolgen. 1955 sang sie beim Festival von Glyndebourne die Donna Anna im «Don Giovanni».

Hartfiel, Jürgen; 1989 Gastspiel an der Oper von Lüttich als Herzog im «Rigoletto».
Schallplatten: Eterna («Die schweigsame Frau» von R. Strauss), DGG (kleine Partie in «Eugen Onegin»).

Hartmann, Rudolf; er begann seine Karriere 1963–65 am Stadttheater von Augsburg (als Bassist), sang dann als Bariton 1965–72 in Nürnberg, seit 1972 am Opernhaus von Zürich. Gastspiele an den Staatsopern von München, Hamburg und Stuttgart, an der Deutschen Oper am Rhein Düsseldorf–Duisburg, am Münchner Theater am Gärtnerplatz, in Bern, Darmstadt und Graz. Mit dem Zürcher Ensemble gastierte er an der Mailänder Scala, beim Festival von Edinburgh, in Helsinki, bei den Festspielen von Wiesbaden und Schwetzingen. In Zürich wirkte er in den Uraufführungen der Opern «Ein Engel kommt nach Babylon» von R. Kelterborn (1977) und «Ein wahrer Held» von G. Klebe (1975) mit. 1987 sang er bei den Festspielen von Schwetzingen den Ali in Rossinis «Italiana in Algeri».
Schallplatten: Telefunken (Werke von Monteverdi, darunter «Orfeo» und «L'Incoronazione di Poppea»), DGG (kleine Partie in «Eugen Onegin»).

Harwood, Elizabeth, * 24. 5. 1938 Barton Seagrave (Northampton), † 21. 6. 1990 Ingatestone (Essex) nach langer Krankheit; 1986 Australien-Tournee.

Haselbeck, Olga, * 19. 2. 1888 Budapest, † 16. 10. 1961 Budapest. Sie ist bis 1952 an der Oper von Budapest aufgetreten und gastierte u. a. in Berlin. Anscheinend sind von der Stimme der Sängerin keine Schallplattenaufnahmen vorhanden, doch besteht immerhin die Möglichkeit, daß Mitschnitte von Radiosendungen zum Vorschein kommen.

Haseleu, Werner; war bis 1984 Mitglied der Staatsoper von Dresden. 1984 kam er an die Komische Oper Berlin, an der er bereits 1983 in der Premiere der Oper «Lear» von A. Reimann die Titelpartie gesungen hatte, die er auch 1988 am Opernhaus von Zürich übernahm. 1988 hörte man ihn an der Komischen Oper Berlin als Leporello in «Der steinerne Gast» von Dargomyshski.
Schallplatten: Eterna («Die schweigsame Frau» von R. Strauss, «Moses und Aron» von Schönberg, «Levins Mühle» von Udo Zimmermann).

Hass, Sabine; sie wuchs in München auf. Sie war 1970–77 Mitglied der Staatsoper von Stuttgart, band sich dann nicht mehr an ein Opernhaus, gastierte aber regelmäßig in Gelsenkirchen und in Karlsruhe. Sie erschien als Senta in Philadelphia und 1987 an der Oper von Rio de Janeiro. 1987 hörte man sie an der Oper von Frankfurt a. M. und am Teatro San Carlo Neapel als Leonore im «Fidelio», 1988 Gastspiel mit dem Ensemble der Kölner Oper in Tel Aviv in der gleichen Partie. Am Deutschen Opernhaus Berlin trat sie 1988 als Sieglinde in der «Walküre» auf, an der Oper von Seattle wie am Théâtre Châtelet Paris 1989 als Leonore im «Fidelio». Seit 1979 mit dem Bariton *Artur Korn* (* 1937) verheiratet.

Hasselgren, Marie-Louise; 1988 sang sie im Göteborger Scandinavium die Carmen.

Hasslo, Hugo; 1959 gastierte er mit dem Ensemble der Stockholmer Oper beim Festival von Edinburgh als Renato in «Un Ballo in maschera» und als Titelheld im «Rigoletto» von Verdi. Im gleichen Jahr sang er in London.

Haßloch, Christiane Elisabeth; seit 1793 verheiratet mit dem Tenor *Theodor Haßloch*.

Hatchard, Caroline; sie gewann u. a. in London den Melba-Prize. 1916 wirkte sie am Shaftesbury Theatre London in der Uraufführung der Oper «The Critic» von Sir Charles Stanford mit.

Haugan, Björn; Schallplatten: Caprice («Aniara» von Blomdahl, Erland in «Singoalla» von G. de Frumerie).

Haugland, Aage; gastierte oft am Stadttheater von Bremen. Seit 1973 große Erfolge an der Königlichen Oper Stockholm. Debütierte 1979 an der Covent Garden Oper London als Hagen in der «Götterdämmerung». Ebenfalls 1979 USA-Debüt an der St. Louis Opera. 1979 wurde er an die Metropolitan Oper New York berufen (Antrittsrolle: Ochs im «Rosenkavalier»). Hier kam er vor allem im Wag-

ner-Fach zu großen Erfolgen in Partien wie dem Hunding, dem Fafner, dem Klingsor und dem Marke, 1988 als Iwan Khovantsky in «Khovantchina» von Mussorgsky. 1981 erfolgte sein Debüt an der Mailänder Scala als König Heinrich im «Lohengrin», 1982 sang er bei den Festspielen von Salzburg den Rocco im «Fidelio», 1984 an der English National Opera London den Boris Godunow und den Ochs. Gastierte an der Niederländischen Oper Amsterdam (als Banquo in Verdis «Macbeth»), an der Grand Opéra Paris und an der Wiener Staatsoper. Zu seinen großen Partien gehörten noch der Warlaam im «Boris Godunow», der Gremin im «Eugen Onegin» und der Ochs im «Rosenkavalier», den er auch 1987 bei den Festspielen von Aix-en-Provence sang.
Schallplatten: DGG («Wozzeck»), Unicorn («Maskarade» von C. Nielsen), Fono (Messa per Rossini).

Hauk, Minnie; eigentlicher Name Amalia Mignon Hauck. 1890–91 sang sie an der Metropolitan Oper New York in fünf Vorstellungen die Selika in Meyerbeers «Africaine» und die Carmen.

Haunstein, Rolf; seit 1977 gleichzeitig auch Mitglied des Opernhauses von Leipzig. Hier sang er 1988 den Titelhelden in Verdis «Nabucco», ebenfalls 1988 in Wiesbaden den Telramund im «Lohengrin», eine weitere Glanzrolle in seinem Repertoire. 1989 Gastspiel bei den Schwetzinger Festspielen als Musiklehrer in «Ariadne auf Naxos».
Schallplatten: Eterna («Levins Mühle» von Udo Zimmermann), Ars Vivendi (Wagner-Recital mit Spas Wenkoff).

Hauser, Franz; am Hoftheater von Kassel sang er am 28. 7. 1823 in der Uraufführung von Spohrs Oper «Jessonda» die Partie des Tristan. Zu seinen Schülern gehörte der berühmte Bariton Hans Feodor von Milde.

Hauser, Joseph; verheiratet mit der Altistin *Maria Magdalene Hauser* (* 23. 1. 1829 Günzburg, † 16. 11. 1871 Karlsruhe; eigentlich Maria Magdalene Grashey), die eine Schülerin von Eduard Devrient und von Hausers Vater Franz Hauser war. Sie sang 1853–70 am Hoftheater Karlsruhe Partien wie den Orpheus von Gluck, die Fatime im «Oberon» von Weber und den Benjamin in «Joseph» von Méhul, war aber noch bekannter als Konzertsolistin.

Hauser, Maria Magdalene, s. unter *Hauser,* Joseph.

Hawkins, Osie; Schüler von Friedrich Schorr in New York. Nach seinem Debüt an der Metropolitan Oper New York 1942 gehörte er während 23 Spielzeiten diesem Institut an. Während dieser Zeit ist er in deren New Yorker Haus in 731 Vorstellungen von 53 verschiedenen Partien aufgetreten und arbeitete dort auch 1963–78 als Bühneninspizient. Er gastierte bei der Central City Opera (Colorado) und bei der Cincinnati Summer Opera.
Schallplatten: RCA (vollständige Oper «Macbeth» von Verdi).

Hayashi, Yasuko; sie sang 1983 und 1987 bei den Festspielen in der Arena von Verona die Butterfly; 1985 wirkte sie am Teatro Margherita Genua in der Premiere der ganz vergessenen Donizetti-Oper «Il Diluvio universale» in der Partie der Sela mit. 1987 sang sie am Teatro Donizetti Bergamo in einer weiteren Oper von Donizetti «Fausta»; 1988 in Tokio als Leonore im «Troubadour» zu Gast.
Schallplatten: Virgin-Video («Madame Butterfly»).

Hayden, Ethyl; Schallplatten: 1939 Aufnahme der Kaffee-Kantate von J. S. Bach auf der Marke Musicraft.

Haydter, Alexander; Höhepunkte in seinem umfangreichen Bühnenrepertoire waren weiter der Beckmesser in den «Meistersingern», der Alberich im Nibelungenring, der Baculus im «Wildschütz» von Lortzing, der Komtur im «Don Giovanni», der Pizarro im «Fidelio», der Landgraf im «Tannhäuser» und der König Heinrich im «Lohengrin».

Hayes, Catherine; sie trat bereits 1845 an der Mailänder Scala auf (Titelheldin in «Linda di Chamounix» von Donizetti). In London sang sie auch in den damals sehr beliebten Opern von S. Mercadante und von den Brüdern Ricci. 1849 kam eine triumphale Nordamerika-Tournee zustande. Man nannte sie allgemein «The Irish Jenny Lind». 1856 erschien sie in der ersten Opernsaison, die je im australischen Melbourne gegeben wurde, in Opern wie «The Bohemian Girl» von Balfe, «Maritana» von Wallace, «Norma» und «La Sonnambula» von Bellini, «Figaros Hochzeit» und «Der Barbier von Sevilla».

Hayes, Roland, † 1. 1. 1977, Boston. Erster Gesangunterricht durch Arthur Calhoun. Während seines Studiums an der Fisk University gehörte er dem Chor der Fisk Jubilee Singers an. 1914 kam es zu seiner ersten Begegnung mit dem Komponisten und Pianisten Harry T. Burleigh, der für ihn die bislang wenig beachteten Negro Spirituals arrangierte und ihn bei seinen Konzerten am Klavier begleitete. 1923–24 unternahm er eine triumphale Nordamerika-Tournee, bei der er über 80 Konzerte gab. In London war er so erfolgreich, daß 1920 sein erstes Konzert 14mal wiederholt werden mußte. Schließlich kam er als erster farbiger Sänger zu wirklichem Weltruhm. Auf der Bühne ist er nie, als Oratoriensolist nur selten aufgetreten. Er beherrschte neben dem Negro Spiritual das Liedwerk von Schubert, Schumann, Brahms und Hugo Wolf in Vollendung und war dazu ein hoch begabter Bach- und Händel-Interpret. 1950 veröffentlichte er seine Lebenserinnerungen; 1959 gab er seine Karriere auf.
Schallplatten: Vocalion (frühe, akustische Spiritual-Aufnahmen), Columbia (seit 1940), Vanguard (Album mit zwei Langspiel-Platten) sowie Aufnahmen auf eigenen Marken.

Haywood, Lorna, * 29. 1. 1939 Birmingham. 1972 großer Erfolg an der Covent Garden Oper London als Jenufa; seit 1970 bei der English National Opera London tätig («Die Sache Makropoulos», «Katja

Kabanowa»). Sie lebte später in Weybridge (Surrey).
Schallplatten: TER («Amahl and the Night Visitors» von G. C. Menotti) Telarc (War Requiem von B. Britten).

Heater, Claude; Mitte der fünfziger Jahre kam er nach Europa und sang als Bariton 1956–57 am Stadttheater von Basel, 1957–59 an der Städtischen Oper Berlin und 1959–61 an der Wiener Staatsoper. 1964–68 war er dann als Heldentenor Mitglied der Staatsoper von München. Er gastierte an der Staatsoper Dresden (1968), beim Festival von Spoleto (1968 als Tristan), am Teatro Liceo Barcelona (1968–69), an der Oper von Bordeaux (1969–70), am Grand Théâtre Genf (1969), an der Nationaloper Budapest (1970) und am Teatro Fenice Venedig (1970). 1966 hörte man ihn bei den Festspielen von Bayreuth als Siegmund in der «Walküre» und als Melot im «Tristan». Aus seinem Bariton-Repertoire für die Bühne vom Anfang der Karriere sind noch Partien wie der Escamillo in «Carmen», der Germont-père in «La Traviata», der Sharpless in «Madame Butterfly» und der Silvio im «Bajazzo» anzumerken.
Schallplatten: Frühe Aufnahme als Bariton auf HMV (Conte Cornaro im «Zigeunerbaron»).

Hedmont, Charles; auch seine Gattin *Marie Hedmont* (1861–1941) war eine hoch geschätzte Gesanglehrerin.

Héglon, Meyriane, *21. 6. 1867 Brüssel, †1942 Brüssel.

Heichele, Hildegard, *September 1947 Obernburg am Main. Gastspiele an den Staatstheatern von Hannover (1988 als Elsa im «Lohengrin») und Kassel (1988 als Elisabeth im «Tannhäuser»).
Schallplatten: Denon (8. Sinfonie von G. Mahler).

Heidersbach, Käthe; in erster Ehe mit dem Arzt Johannes Eppinger verheiratet. An der Kroll-Oper Berlin wurde sie auch als Agathe im «Freischütz» bewundert. 1933 sang sie an der Staatsoper Berlin in Wagners «Liebesverbot», 1935 die Zdenka in der Premiere von «Arabella» von R. Strauss, am 23. 1. 1937 in der Uraufführung der Oper «Rembrandt van Rijn» von Paul von Klenau. Sie gab Gastspiele an der Covent Garden Oper London (1934 als Eva in den «Meistersingern», als Freia und als Gutrune im Nibelungenring), am Teatro Liceo Barcelona, in Stockholm und Paris.
Schallplatten der Marke Odeon (1928), auf Discocorp Szenen aus der «Götterdämmerung» (Bayreuth, 1937).

Heilbronner, Rose; seit 1912 sang sie an der Opéra-Comique Paris Partien wie die Eurydice im «Orpheus» von Gluck, die Micaela in «Carmen», die Rosenn in «Le Roi d'Ys» von Lalo, die Pamina in der Zauberflöte» und die Donna Elvira im «Don Giovanni». 1911 Gastspiel am Teatro Colón Buenos Aires in Massenets «Grisélidis». An der Oper von

Brüssel hörte man sie 1919–22 als Gräfin in «Figaros Hochzeit» und in der Premiere der Oper «La Fille de Roland» von H. Rabaud. 1922 Gastspiel in Toulouse (Premiere der Oper «La Hulla» von Rousseau), in Vichy, San Sebastian und Deauville. Große Erfolge bei den Concerts Lamoureux in Paris und bei ihren Liederabenden. In den dreißiger Jahren zog sie sich auf ihr Landgut zurück.
Schallplatten: Odeon, HMV (In den USA unter dem Etikett von Victor publiziert), Edison-Zylinder. Es sind auch Hill-and-Dale-Platten der Marke Opera vorhanden.

Heim, Melitta; sie betätigte sich zuletzt in London als Gesanglehrerin. Ihre ältere Schwester *Edith Heim* war viele Jahre hindurch als Altistin im Chor der Wiener Staatsoper tätig.
Schallplatten: Odeon-Platten (in Frankfurt a. M. aufgenommen, darunter Duette mit Robert Hutt), Edison-Zylinder (London, 1912).

Heinefetter, Clara Maria; jüngere Schwester der berühmten *Sabine Heinefetter* (1809–72). Sie heiratete 1837 in Budapest den Tänzer und späteren Theaterdirektor Franz Xaver Stöckl (*1812 Budapest) und trat seither auch unter dem Namen Mme Stöckl-Heinefetter auf.

Heinefetter, Kathinka; ebenfalls eine Schwester der großen Primadonna *Sabine Heinefetter* (1809–72).

Heinefetter, Sabine; sie erhielt ihren ersten Gesangunterricht in Frankfurt. 1835–36 Gastspiel an der Hofoper von Dresden, 1838 bewunderte man sie in Lüttich als Norma, 1839 gastierte sie in Florenz.

Heldy, Fanny; seit 1920 auch an der Grand Opéra Paris gefeiert. Die Titelpartie in der Oper «L'Aiglon» von Honegger und Ibert war für sie komponiert worden und wurde durch sie an der Oper von Monte Carlo in der Uraufführung gesungen (11. 3. 1937). 1925 gastierte sie an der Mailänder Scala als Mélisande, 1927 am Teatro Colón Buenos Aires und an der Oper von Rio de Janeiro. 1926 und 1928 hörte man sie an der Covent Garden Oper London als Manon von Massenet, als Concepcion in «L'Heure espagnole» von Ravel und als Louise in der gleichnamigen Oper von Charpentier. Auf der Bühne wirkte sie nicht zuletzt durch ihre graziöse Erscheinung und durch ihr eminentes darstellerisches Talent.
Schallplatten: Mehrere ihrer Pathé-Aufnahmen wurden auch unter dem Etikett von Actuelle publiziert.

Helena, Edith; bei ihrer Europa-Tournee trat sie 1904 in Berlin und London, in Paris (Théâtre Marigny) und Nizza, in Italien, Spanien und Rumänien auf. Bei der Aborn Opera Company übernahm sie seit 1911 eine Vielzahl von Bühnenpartien, darunter die Marguerite im «Faust» von Gounod, die Leonore im «Troubadour», die Nedda im «Bajazzo», die Mariella in «I Gioielli della Madonna» von Wolf-Ferrari, die Thaïs von Massenet, die Butterfly, die Carmen, die Titelheldin in Flotows «Martha» und die Arline in «The Bohemian Girl» von Balfe. In den zwanziger Jahren sang sie unter dem Pseudonym «Mme Pompadour» in Rokoko-Kostümen in Kleinkunst- und Filmtheatern. Dann eröffnete sie in Mount Kiscoe ein Feinkostgeschäft und verlegte sich schließlich auf den Verkauf exklusiver Polstermöbel.

Helgers, Otto; in der Spielzeit 1912–13 gastierte er an der Hofoper von Dresden, 1914 wirkte er in Stuttgart als Gurnemanz in der Premiere des «Parsifal» mit. An der Covent Garden Oper London trug er seine Wagner-Heroen vor: den Hunding, den Hagen und den Fafner im Ring-Zyklus, den Marke im «Tristan», den Daland im «Fliegenden Holländer und den Gurnemanz im «Parsifal», dazu 1926 den Rocco im «Fidelio». 1937 wirkte er an der Staatsoper Berlin in der dortigen Premiere von Wolf-Ferraris «I quattri rusteghi» mit. Er war verheiratet mit der Sopranistin *Lilly Kassowitz,* die u. a. in Stuttgart engagiert war.
Schallplatten: Sang auch in den Kurzopern «Lohengrin» (auf Polydor als König Heinrich) und «Martha» (HMV als Plumkett).

Helletsgruber, Luise; 1922 sang sie als Antrittspartie an der Wiener Staatsoper den Hirtenknaben im «Tannhäuser». Ihren ersten großen Erfolg hatte sie in Wien als Amor im «Orpheus» von Gluck. Im Lauf ihrer Karriere sang sie dort neben dem Mozart-Repertoire Partien wie die Mimi in «La Bohème», die Liu in Puccinis «Turandot», die Marguerite im «Faust» von Gounod und die Eva in den «Meistersingern».

Hellmich, Wolfgang; bis 1981 Mitglied der Staatsoper von Dresden. Er gab jedoch auch danach noch Gastspiele, so u. a. in der Spielzeit 1988–89 an der Komischen Oper Berlin als Don Carlos in «Der steinerne Gast» von Dargomsyhski.
Schallplatten: Eterna («Die Kluge» von C. Orff).

Hellwig, Judith; 1927–29 am Theater von Saarbrükken 1929–37 in Zürich engagiert; sie sang am Opernhaus von Zürich in der Schweizer Erstaufführung der Oper «Massimilla Doni» von Othmar Schoeck die Titelpartie (13. 3. 1937).
Schallplatten: RAI-Electrola («Walküre», Rom 1953), HMV-Electrola (Mitschnitt einer zweiten Aufführung der «Walküre» von 1954 in Wien).

Helm, Hans; sang in Wien 1987 den Agamemnon in Glucks «Iphigenie in Aulis», 1989 in München den Faninal im «Rosenkavalier».
Schallplatten: Westminster (Heerrufer im «Lohengrin»), Capriccio («Notre Dame» von Franz Schmidt).

Helm, Karl; 1987 Gastspiel an der Staatsoper Berlin in «La Cenerentola» von Rossini.

Helvoirt Pel, Richard van; Schallplatten: Frühe Aufnahmen auf G & T (1903, ebenfalls in Holländisch).

Hempel, Frieda; zuerst Pianostudium am Konservatorium von Leipzig, seit 1902 Ausbildung der Stimme. Sie sang 1906 bei den Bayreuther Festspielen die Woglinde im Nibelungenring und ein Blumenmädchen im «Parsifal», 1908 den Waldvogel im «Siegfried». Am 27. 12. 1912 debütierte sie an der Metropolitan Oper New York als Marguerite de Valois in den «Hugenotten» von Meyerbeer mit Enrico Caruso und Emmy Destinn als Partnern. Als Partnerin von Caruso bewunderte man sie auch 1917–18 in «Elisir d'amore». An der Metropolitan Oper sang sie ein vielseitiges Repertoire: die Gilda im «Rigoletto», die Traviata, die Königin der Nacht in der «Zauberflöte», die Leila in «Pêcheurs de perles» von Bizet, die Marie in Donizettis «Regimentstochter», die Lucia di Lammermoor, die Susanna in «Figaros Hochzeit», die Ännchen im «Freischütz», die Eva in den «Meistersingern» und die Annetta in «Crispino e la comare» von Ricci. Insgesamt hat sie an der Metropolitan Oper (in deren Haus in New York) 17 Partien in 155 Vorstellungen zum Vortrag gebracht. Am Drury Lane Theatre London hörte man sie 1914 als Königin der Nacht und als Marschallin im «Rosenkavalier». 1921 gastierte sie (mit dem Ensemble der Chicago Opera) an der Oper von San Francisco. Ihr erstes Jenny-Lind-Konzert gab sie aus Anlaß des 100. Geburtstages der großen schwedischen Sängerin im Oktober 1920. Sie war eine hervorragende Liedersängerin; ihre Konzerttourneen führten 1935 in England, 1938 und nochmals 1950 in Holland zu grandiosen Erfolgen, die sich ähnlich in Frankreich und Belgien einstellten. Sie unterrichtete später in New York und San Francisco. Obwohl sie bereits schwer erkrankt war, unternahm sie anläßlich der Herausgabe ihrer Memoiren im Herbst 1955 eine Reise nach Berlin, wo sie dann starb.
Schallplatten: Odeon (früheste Aufnahmen bereits 1906 in Schwerin), HMV (seit 1911, darunter eine erste Serie aus Berlin und London, eine zweite 1924 aus London; dann noch 1935 zwei elektrische HMV-Aufnahmen aus Berlin), Victor (USA), Polydor (1923), Edison-Platten (akustische Aufnahmen von 1917, zwei elektrische Titel von 1928).

Hemsley, Thomas, * 12. 4. 1927 Coalville (Leicestershire); 1953–67 am Opernhaus von Zürich engagiert. 1953–71 wirkte er immer wieder bei den Glyndebourner Festspielen mit, u. a. als Masetto im «Don Giovanni», als Sprecher in der «Zauberflöte», als Minister im «Fidelio» und als Dr. Reischmann in «Elegy for Young Lovers» von H. W. Henze. 1986 gastierte er bei der Welsh Opera Cardiff als Alfonso in «Così fan tutte». Im Konzertsaal als Oratorien- wie als Liedersänger erfolgreich aufgetreten.
Schallplatten: Savoy (Gilbert & Sullivan-Operetten).

Henderson, Roy; er wurde u. a. an der Royal Academy of Music London während seines Studiums als «the most distinguished student of the year» ausgezeichnet. Bereits 1924 sang er im englischen Rundfunk BBC. 1928–29 hatte er seine ersten Erfolge an der Covent Garden Oper London (Debüt als Don-

ner im «Rheingold»). In den Jahren 1930–37 war er Dirigent der Nottingham Harmony Society und mehrerer Chöre; 1936 wirkte er in Huddersfield als Solist in der Uraufführung des Werks «Dona nobis pacem» von Vaughan Williams mit. 1940–74 Professor an der Royal Academy of Music London. Zu seinen Schülern gehörten auch die Sopranistin Jennifer Vyvyan und der Bariton John Shirley-Quirk. Nach dem Zweiten Weltkrieg setzte er sich in besonderer Weise für die Edinburgher Festspiele ein. Er war der Bruder der bekannten englischen Schauspielerin Anna Neagle.
Schallplatten: Decca, Columbia («Les Noces» von Strawinsky, «Serenade to Music» von Vaughan Williams).

Hendricks, Barbara; sang 1972 im American Opera Centre in «Lord Byron» von Virgil Thomas. 1975 Gastspiel an der Oper von Santa Fé in Janáčeks «Schlauem Füchslein». Nach ihrem Debüt 1982 an der Grand Opéra Paris hörte man sie dort auch als Nannetta im «Falstaff» von Verdi und als Titelheldin in «Pelleas et Mélisande». 1986 kam sie an die Metropolitan Oper New York und sang als Antrittsrolle die Sophie im «Rosenkavalier»; 1987 bewunderte man dort ihre Susanna in «Nozze di Figaro». (Schon 1973 hatte sie an deren Kleinem Haus, der Mini-Met, in «Four Saints in Three Acts» von V. Thomson gesungen). Als Susanna gastierte sie auch bereits 1978 an der Deutschen Oper Berlin und 1987 an der Mailänder Scala. 1987 als Gast an den Staatsopern von Berlin und Dresden aufgetreten. Am 13. 7. 1989 sang sie im Fest-Konzert zur Eröffnung der Bastille-Oper Paris. Große Oratorien- und Konzertsolistin.
Schallplatten: DGG (Amina in «La Sonnambula», 2. Sinfonie von Gustav Mahler, Mozart-Messen), HMV (Messe solennelle von Rossini, Nelson-Messe von Haydn, Negro Spirituals, Mozart-Arien, Lieder von Ravel und Duparc), Philips («Salomon» von Händel, «Pêcheurs de perles» von Bizet, Arien aus französischen Opern), Erato (Mimi in Puccinis «La Bohème», «Le Roi d'Ys» von Lalo).

Henius, Carla; 1978–86 leitete sie die «Musiktheater-Werkstatt» für die moderne Oper am Theater im Revier Gelsenkirchen, die 1986 an das Staatstheater Wiesbaden verlegt wurde. Verheiratet mit dem Regisseur Joachim Klaiber.

Henke, Waldemar; nach kurzem Studium bei dem Pädagogen Muschler in Berlin begann er seine Opernkarriere 1898 am Stadttheater von Posen (Poznań). Kaiser Wilhelm II., der ihn in Wiesbaden gehört hatte, soll für seine Berufung an die Berliner Hofoper 1911 eingetreten sein. Im Lauf seiner langjährigen Karriere sang er an diesem Haus Partien wie den David in den «Meistersingern», den Mime im Nibelungenring, den Pedrillo in der «Entführung aus dem Serail», den Monostatos in der «Zauberflöte», die Partien für Tenor-Buffo in den Opern von Lortzing und viele andere Rollen. Er schloß sich der German Opera Company an, die die berühmte Sängerin Johanna Gadski zusammengestellt hatte, und

trat bei deren USA-Tournee 1928 hauptsächlich als Mime auf. Er war neben seinem Wirken auf der Bühne ein hoch angesehener Konzert- und Oratoriensänger (Solist in der 9. Sinfonie von Beethoven). Seit 1936 arbeitete er als Bühnenmanager. So arrangierte er während des Zweiten Weltkrieges zusammen mit seinem Freund Cornelis Bronsgeest, mit dem er oft zusammen in Opernsendungen des deutschen Rundfunks aufgetreten war, Aufführungen von Kammeropern vor deutschen Frontsoldaten. Er verließ im Winter 1944–45 Königsberg und ging, bereits schwer erkrankt, zu seiner Schwester in dem ostpreußischen Badeort Zoppot (wo er oft bei den Festspielen in der Waldoper mitgewirkt hatte). Damit brechen alle Nachrichten über seinen Verbleib ab. Nachforschungen seiner Familie wie des Roten Kreuzes brachten kein Ergebnis.
Schallplatten: Auf Polydor erschienen die Kurzopern «Zar und Zimmermann», «Die lustigen Weiber von Windsor», «Fledermaus», «Bettelstudent» «Czardasfürstin», auf HMV die Kurzoper «Martha».

Henschel, Sir George, † 10. 9. 1934 auf seinem Landsitz Aviemore bei Inverness (Schottland). Er studierte Klavierspiel bei Moscheles, Gesang bei Franz Götze in Leipzig, dann in Berlin bei Adolf Schultze. 1862 trat er in Berlin als Pianist, 1866 in Hirschberg (Schlesien) als Sänger auf. Er sang unter der Leitung von Johannes Brahms den Christus in der Matthäuspassion von J. S. Bach (1875). Großer Erfolg beim Niederrheinischen Musikfest von 1874 sowie 1877 bei seinem ersten Auftreten in England, wo er während der Jahre 1877–81 tätig war. Beim Niederrheinischen Musikfest in Köln trug er 1877 das Solo im Verdi-Requiem unter der Leitung des Komponisten vor, der von seiner Leistung sehr beeindruckt war. Auch nach 1890 setzte er in England seine große Karriere als Sänger fort; so kam er 1891 und 1894 zu glänzenden Erfolgen beim Birmingham Festival. Er trat ein einziges Mal auf der Bühne in Erscheinung. Als er die von ihm komponierte Oper «Nubia» 1899 an der Hofoper von Dresden zur Uraufführung brachte, erkrankte der Bariton Karl Scheidemantel kurz vor der Vorstellung, worauf er selbst dann dessen Partie übernahm. In erster Ehe war er mit der Sopranistin *Lilian Bailey* verheiratet (* 18. 1. 1860 Columbus im amerikanischen Staat Ohio, † 4. 11. 1901 London). Nach deren Tod heiratete er 1907 die Sängerin *Amy Louis,* die, wie viele andere Sängerinnen und Sänger (Evangeline Florence, Roland Hayes, Gervase Elwes), zum Kreis seiner Schüler gehörte. Seine Tochter aus erster Ehe *Helen Henschel* ist als Konzertsopranistin aufgetreten, die aus zweiter Ehe stammende Tochter *Georgia Henschel* war ebenfalls Sängerin, in der Hauptsache aber Schauspielerin. 1931 besuchte der über 80jährige Künstler nochmals Boston und dirigierte das Boston Symphony Orchestra bei dessen 50jährigem Jubiläum.

Hensel, Heinrich; er wirkte am 23. 1. 1910 am Hoftheater von Karlsruhe in der Uraufführung von Siegfried Wagners «Banadietrich» mit. Während seines

Wirkens am Hoftheater von Wiesbaden (1906–11) wurde er von dem jungen Richard Tauber sehr bewundert. 1911–12 an der Metropolitan Oper New York engagiert (Debüt als Siegmund in der «Walküre»). 1911–12 erlebte man bei den Festspielen von Bayreuth seinen Parsifal und seinen Loge. Schallplatten: HMV-Grammophone (1908–14), Parlophon, Edison-Platten (London, 1912).

Hensel-Schweitzer, Elsa; 1909 und 1910 gastierte sie in Amsterdam, wo sie bei den Aufführungen des Wagner-Vereins die Gutrune in der «Götterdämmerung» und die Sieglinde in der «Walküre» sang. Schallplatten: Unter ihren Aufnahmen auf Berliner Records Duette mit ihrer Lehrerin Pelagie Greeff-Andriessen, auf G & T (1904, Frankfurt a. M.) Soli, auf HMV (1910) auch einige Szenen mit Heinrich Hensel.

Herincx, Raimund, * 23. 8. 1927 London; er hatte auch eine erfolgreiche Karriere bei der English Natinal Opera London, wo er u. a. als Wotan und als Hagen im Nibelungenring auftrat. 1977 an der Oper von Seattle zu Gast.

Herleroy, Marguerite; 1908 Bühnendebüt im Théâtre Gaité-Lyrique Paris mit dem Ensemble der Opéra-Comique als Frasquita in «Carmen». Während ihrer Gastspielreise durch Frankreich 1909 blieb sie «en disponibilité» mit der Opéra-Comique verbunden. An der Oper von Algier hatte sie einen ihrer größten Erfolge in der Oper «Phryné» von Saint-Saëns. 1921 sang sie als Antrittsrolle an der Pariser Grand Opéra die Marguerite im «Faust» von Gounod. 1930 Tournee mit einem ihrer Liedprogramme durch Belgien und Holland.

Hermann, Dagmar; Schallplatten: Discocorp (Partien im Nibelungenring aus der Scala unter W. Furtwängler, 1950).

Hermann, Roland; 1983 USA-Debüt mit den New Yorker Philharmonikern, 1986 Debüt an der Mailänder Scala. 1988 sang er bei den Salzburger Festspielen in der Uraufführung des Oratoriums «Symeon, der Stylit» von E. Křenek. 1983 in Hamburg in der europäischen Premiere von A. Schönbergs «Jakobsleiter». Am Opernhaus Zürich wirkte er 1983 in der Uraufführung der Oper «Der Kirschgarten» von R. Kelterborn mit; er gastierte an den Staatsopern von Hamburg, Stuttgart und Berlin, an der Deutschen Oper am Rhein Düsseldorf–Duisburg, in Helsinki, bei den Festspielen von Edinburgh und Wiesbaden und (mit dem Zürcher Ensemble) bei den Berliner Festwochen. 1989 sang er über Radio BBC London in «Der Prinz von Homburg» von H. W. Henze. Schallplatten: Electrola (h-moll-Messe von J. S. Bach, Schubert-Lieder), Orfeo («Die Feen» von R. Wagner), RCA («Carmina Burana» von C. Orff), Edition Schwann («Massimilla Doni» von Othmar Schoeck), Harmonia mundi (9. Sinfonie von Beethoven), Claves (Lieder von Chopin).

Herndon, Thomas, † 6. 1. 1981 Hamburg.

Herold, Vilhelm, * 19. 3. 1865 Hasle auf der dänischen Insel Bornholm. Erste Ausbildung durch Jerndorf und Rosenfeld in Kopenhagen. Er nahm seinen Bühnenabschied 1915 an seinem 50. Geburtstag in Kopenhagen. Als seine große Glanzrolle galt der Pedro in d'Alberts «Tiefland», den er an zahlreichen deutschen Bühnen gesungen hat. Seine Stimme wurde von der Kritik sogar mit der des großen Jean de Reszke verglichen. Einer seiner Schüler war der berühmte Wagner-Tenor Lauritz Melchior. Schallplatten: Bereits 1903 Berliner Records; fast alle seine Aufnahmen wurden in Dänemark hergestellt.

Herrmann, Josef, † 19. 11. 1955 Hildesheim; 1940–44 neben seinem Engagement in Dresden auch an der Wiener Staatsoper verpflichtet. 1950 Gastspiel an der Mailänder Scala als Wanderer und als Gunther im Nibelungenring unter W. Furtwängler. 1951 gastierte er als Wozzeck an der Wiener Staatsoper mit Christel Goltz als Partnerin. Er starb plötzlich am Tag nach einer Aufführung von Carl Orffs «Die Kluge», in der er den König, ebenfalls eine seiner Glanzrollen, gesungen hatte. In Dresden fand er seine letzte Ruhestätte.

Herrmann, Theo, Baß; 1948 sang er am Londoner Cambridge Theatre mit einer italienischen Operntruppe den Sparafucile im «Rigoletto» und den Basilio im «Barbier von Sevilla», 1952 bei den Festspielen von Edinburgh u. a. den Riedinger in «Mathis der Maler» von Hindemith.

Herschman, Mordechai, † 1943 New York.

Herzog, Colette, † November 1986 Paris; 1964 kam sie an die Grand Opéra Paris (Debüt als Zerline im «Don Giovanni»).

Herzog, Emilie; sie sang an der Hofoper München u. a. am 29. 6. 1888 in der Uraufführung der Jugendoper von Richard Wagner «Die Feen» die Partie der Drolla. Ihre Tochter *Eva Kötscher-Welti* (* 15. 2. 1896 Berlin, † 17. 8. 1964 Zürich) kam als Konzert- und Oratoriensopranistin in der Schweiz wie in Deutschland zu einer erfolgreichen Karriere.

Hesch, Wilhelm; als erste Partie auf der Bühne sang er 1880 in Brno (Brünn) den Kezal in Smetanas «Verkaufter Braut», seitdem seine große Glanzrolle. 1882 kam er an das Nationaltheater von Prag. 1887 sang er dort in der Aufführung einer Neu-Fassung von A. Dvořáks «König und Köhler» («Král a uhlíř»), 1889 den Filip in der Uraufführung von «Der Jakobiner» vom gleichen Komponisten. Sein internationales Ansehen wurde durch sein Wirken an der Wiener Hofoper unterstrichen die damals unter der Leitung von Gustav Mahler ein ungewöhnliches künstlerisches Niveau erreichte. 1899 sang er dort den Alfonso in «Così fan tutte» in Aufführungen, die einer Neu-Entdeckung dieser Oper gleich-

kamen. Sein Repertoire für die Bühne wie für den Konzertsaal war sehr umfangreich.
Schallplatten: Odeon-Aufnahmen (Wien, 1905), sehr viele HMV-Platten.

Hesse, Herbert, † 11. 6. 1985 Frankfurt a. M. Er sang am 20. 2. 1943 in der Frankfurter Uraufführung von Carl Orffs «Die Kluge».

Hesse, Ruth; 1988 beeindruckte sie an der Deutschen Oper Berlin als Klytämnestra in «Elektra» von R. Strauss.
Schallplatten: Westminster (Ortrud im «Lohengrin»).

Hey, Julius; aus der Vielzahl seiner Schülerinnen und Schüler seien genannt: Katharina Klafsky, Eva von der Osten, Louise Mulder, Rosa Olitzka, Elise Kutschera de Nyß, Georg Unger, Karl Perron und Leonhard Szpringer.

Heydrich, Bruno; am 2. 4. 1895 sang er am Stadttheater von Mainz in der Uraufführung von Hans Pfitzners «Der arme Heinrich». Sein Sohn Reinhard Heydrich (1904–42) spielte in der Zeit des Nationalsozialismus als Leiter der Geheimpolizei in Deutschland und in der ČSR (Reichsprotektorat Böhmen-Mähren) eine unheilvolle Rolle.

Heymann, Sophie; 1900–02 war sie am Berliner Theater des Westens engagiert. 1927 lebte sie noch in Berlin. Ihre Schwester *Louise Heymann* (* 1869 Amsterdam) wurde ebenfalls eine bekannte Sopranistin.
Von der Stimme der Sängerin sind auch Favorit-Platten vorhanden.

Hieber, Theodor; Schallplatten: Zonophone, HMV.

Hiedler, Ida; sie sang an der Hofoper Berlin am 14. 2. 1899 in der Uraufführung der nachgelassenen Oper «Briseïs» von E. Chabrier (in deutscher Sprache).

Hiestermann, Horst; sang am 25. 9. 1984 in der Uraufführung von A. Reimanns «Gespenstersonate» an der Deutschen Oper Berlin. 1987 Gastspiel an der Wiener Staatsoper als Herodes in «Salome» von R. Strauss. Auch Mitglied der Metropolitan Oper New York, an der er 1987–90 als Mime im Nibelungenring erfolgreich auftrat.
Schallplatten: Edition Schwann («Penthesilea» von O. Schoeck).

Hilgermann, Laura; sie war in Wien Schülerin von Karl Otto Wolf und von Siegfried Rosenberg, den sie dann heiratete. 1889 verließ sie das Deutsche Theater in Prag nach einer Auseinandersetzung mit dessen Intendanten Angelo Neumann und war dann 1890–1900 an der Budapester Oper engagiert. 1900–02 Mitglied der Wiener Hofoper, an der sie in der Folgezeit noch oft gastierte. Zu ihren Schülern gehörte auch die ungarische Sopranistin Maria Ne-

meth. Sie starb während der Belagerung von Budapest 1945 im Keller ihres zerstörten Hauses an einem Herzleiden.
Schallplatten: Unter ihren G & T-Aufnahmen (Wien 1902) finden sich auch einige Lieder.

Hill, Karl; als man nach dem Brand von 1882 das neue Schweriner Hoftheater am 3. 10. 1886 mit einer Gala-Vorstellung von Glucks «Iphgenie in Aulis» eröffnete, sang er die Partie des Agamemnon.

Hill, Martyn Geoffrey; er betrat dann auch die Bühne und sang in Zürich den Arbace in «Idomeneo» von Mozart unter N. Harnoncourt, bei den Festspielen von Glyndebourne 1985 den Idomeneo in der gleichen Oper. 1986 gastierte er bei der Scottish Opera Glasgow als Quint in «The Turn of the Screw» von B. Britten. Sein USA-Debüt erfolgte bei der New Hampshire Opera als Tom Rakewell in «The Rake's Progress»; am Theater von Metz sang er den Flamand im «Capriccio» von R. Strauss und den Ferrando in «Così fan tutte», 1988 in Glyndebourne den Belmonte in der «Entführung aus dem Serail». In Hannover trat er als Solist im War Requiem von B. Britten, in Los Angeles in dessen Spring Symphony, in Washington im «Messias», in London in einem Schubert-Konzert und 1989 im Magnificat von J. S. Bach auf.
Schallplatten: DGG («Acis and Galatea» von Händel, Requiem von Gilles), Erato-RCA (Mozart-Requiem, «Israel in Egypt» und «L'Allegro, il penseroso ed il moderato» von Händel), Meridian (Französische Lieder), Decca-L'Oiseau Lyre (Messen von J. Haydn), Virgin/Ariola («Les Illuminations» und Serenade und Nocturne von B. Britten).

Hillebrand, Nikolaus; Schallplatten: DGG («Madame Butterfly»), Edition Schwann (Requiem von M. Reger), CBS (Werke von J. S. Bach).

Hillebrandt, Oskar; 1986 gastierte er an der Oper von Marseille als Kaspar im «Freischütz», ebenfalls 1986 am Teatro Regio Turin als Donner im «Rheingold». In Paris sang er den Gunther in der «Götterdämmerung», in Hannover und Hamburg den Fliegenden Holländer und den Telramund, in Seattle den Kurwenal im «Tristan». In der Saison 1988–89 gastierte er an der Opéra de Wallonie Lüttich ebenfalls als Telramund. 1989 sang er beim Glyndebourne Festival den Mandryka in «Arabella», beim Maggio musicale Florenz den Faninal im «Rosenkavalier».
Schallplatten: Telefunken, Morgan Records (Titelheld in vollständiger Oper «Hamlet» von A. Thomas), DGG (Reinmar von Zweter im «Tannhäuser»).

Hillebrecht, Hildegard; seit 1954 für viele Jahre Mitglied der Städtischen Oper (Deutsches Opernhaus) Berlin. 1967 Gastspiel an der Covent Garden Oper London als Kaiserin in «Die Frau ohne Schatten» von R. Strauss.
Schallplatten: PLA (Maria in «Der Friedenstag» von R. Strauss).

Hinckley, Allan; Bühnendebüt 1903 am Stadttheater (Opernhaus) von Hamburg als König Heinrich im «Lohengrin». An der Metropolitan Oper New York trat er 1908–14 hauptsächlich in seinem Wagner-Repertoire auf, sang dort aber auch 1908 den Tommaso in der amerikanischen Erstaufführung von d'Alberts «Tiefland».

Hirte, Klaus; Schallplatten: HMV-Electrola («Die schweigsame Frau» von R. Strauss, «Zigeunerbaron»), Capriccio («Aufstieg und Fall der Stadt Mahagonny» von K. Weill).

Hirzel, Max; er wurde auch durch die Pädagogin *Melitta Seckbach* in Dresden ausgebildet, die er heiratete. In Dresden sang er am 3.10. 1930 in der Uraufführung von Othmar Schoecks Oper «Vom Fischer un syner Fru» die Rolle des Fischers. Gastspiele führten ihn an die Opernhäuser von Brüssel und Barcelona, von Budapest, Zagreb und Belgrad, an die Königliche Oper Kopenhagen und nach Paris (Théâtre Pigalle). Er setzte seine Gastspiele bis 1949 fort. Aus seinem Bühnenrepertoire seien genannt: der Idomeneo von Mozart, der Don Ottavio im «Don Giovanni», der Ferrando in «Così fan tutte», der Florestan im «Fidelio», der Max im «Freischütz», der Lyonel in Flotows «Martha», der Herzog im «Rigoletto», der Manrico im «Troubadour», der Radames in «Aida», der Faust von Gounod, der Canio im «Bajazzo», der Hans in der «Verkauften Braut», der Rodolfo in «La Bohème», der Cavaradossi in «Tosca», der José in «Carmen», der Achilles in Glucks «Iphigenie in Aulis», der Narraboth in «Salome» von R. Strauss und seine Wagner-Heroen (Tannhäuser, Tristan, Walther von Stolzing, Parsifal, Siegmund).

Hislop, Joseph; als erste Rolle sang er an der Covent Garden Oper London 1920 den Rodolfo in «La Bohème». An der Oper von Chicago hörte man ihn als Roméo in «Roméo et Juliette» von Gounod (zusammen mit Amelita Galli-Curci), als Rodolfo, als Cavaradossi in «Tosca» und als Radames in «Aida» (in den beiden letztgenannten Partien mit Rosa Raisa als Partnerin), als Pinkerton in «Madame Butterfly» (mit Rosina Storchio) und als Herzog im «Rigoletto». Er wirkte als Pädagoge zuerst in Göteborg, dann 1936–48 an der Stockholmer Musikakademie und an der Opernschule der Stockholmer Oper. Hier gehörten zu seinen Schülern Sänger wie Jussi Björling, Birgit Nilsson, Emil Sjøberg, Olle Sivall, Alf Alfer, Anders Näslund, Conny Söderström, Hugo Hasslo und Sven-Olof Sandberg. Seit 1951 pädagogische Tätigkeit an der Guildhall School London; während dieser Zeit studierten bei ihm u. a. Peter Glossop, William Mc Alpine, Noël Mangin und Anna Pollak.
Schallplatten: Zonophone (England 1914), HMV (seit 1918, akustische wie elektrische Aufnahmen), einige Pathé-Platten (Schweden, 1917).

Hitzelberger, Sabine; sie wurde auf Veranlassung des Fürstbischofs von Würzburg durch Domenico Steffani ausgebildet.

Hobarth, Elfriede; am Stadttheater von Bern war sie 1987 als Sophie im «Rosenkavalier» zu Gast.

Hodgson, Alfreda, * 7. 6. 1940 Morecambe (Lancashire, England). Sie trat ständig bei den großen Londoner Konzertveranstaltungen in Erscheinung. 1983–84 sang sie an der Londoner Covent Garden Oper in «L'Enfant et les sortilèges» von Ravel und in Strawinskys «Le Rossignol».
Schallplatten: HMV («The Pilgrim's Progress» von Vaughan Williams).

Hoeberg, Albert; Ausbildung durch Algot Lange und Lona Gyldenkrone in Kopenhagen. Aus seinem Repertoire sind noch der Hans Sachs in den «Meistersingern», der Telramund im «Lohengrin», der Eugen Onegin, der Boris Godunow und der Marcel in den «Hugenotten» von Meyerbeer zu nennen.
Schallplatten: Auf Odeon ein Duett aus «La forza del destino» mit Niels Hansen.

Höfermeyer, Walter; 1927–32 am Theater von Teplitz-Schönau engagiert, dann bis 1934 am Stadttheater von Ulm, 1936–38 am Landestheater Oldenburg und 1936–38 am Theater von Königsberg (Ostpreußen). 1939–44 und nochmals 1950–51 war er Mitglied der Bayerischen Staatsoper München. Hier wirkte er am 28. 10. 1942 in der Uraufführung der Richard Strauss-Oper «Capriccio» mit. Bis 1954 gehörte er der Wiener Staatsoper an. In Zürich, wo er häufig zu Gast war, sang er 1935 in der Uraufführung der Operette «Hopsa» von P. Burkhard, 1936 in der von «Kaiserin Josephine» von E. Kálmán.

Höffgen, Marga; Schallplatten: Movimento musica (Matthäuspassion von J. S. Bach), CR (Altsolo in der 9. Sinfonie von Beethoven).

Höiseth, Kolbjörn; 1974 gastierte er beim Festival von Edinburgh als Laça in Janáceks «Jenufa».

Hölle, Matthias; erster Unterricht durch den Konzertsänger Josef Sinz. Bei den Festspielen von Bayreuth sang er 1981–83 und 1988 den Nachtwächter in den «Meistersingern», 1988–89 den Titurel im «Parsifal» und den Fasolt im «Rheingold», 1983–85 und 1988–89 den Hunding in der «Walküre». Er widmete sich gern dem zeitgenössischen Musikschaffen und arbeitete eng mit dem Komponisten Karlheinz Stockhausen zusammen. Er wirkte in den Uraufführungen von dessen Bühnenwerken «Donnerstag aus Licht» (15. 3. 1981) und «Samstag aus Licht» (25. 5. 1984) durch die Mailänder Scala im Palazzo dello Sport in Mailand mit. 1987 gastierte er am Teatro Regio Turin, 1988 in Florenz als Marke im «Tristan».
Schallplatten: Philips («Die letzten Dinge» von L. Spohr), DGG («Donnerstag aus Licht» und «Samstag aus Licht» von Stockhausen), Accord (Mozart-Requiem).

Hölzke, Karl-Friedrich; Schallplatten: Eterna, Pergola (Lenski im «Eugen Onegin» mit Maria Croonen).

Hölzlin, Heinrich; sein Bruder *Ernst Hölzlin* (1903–48) war als Baß-Bariton u. a. in Bremen, an der Volksoper Wien und am Nationaltheater von Mannheim tätig. Ein weiterer Bruder Friedrich Hölzlin war Schauspieler und Regisseur.

Hoene, Barbara; Tourneen führten sie nach Italien (1982), Frankreich (1983) und Japan (1980, 1982). 1988 Gastspiel in Amsterdam als Fiordiligi in «Così fan tutte».

Höngen, Elisabeth; 1934 gastierte sie mit dem Ensemble von Wuppertal in Holland als Marcellina in «Figaros Hochzeit», 1938 war sie abermals dort, jetzt mit der Oper von Düsseldorf, als Fricka in der «Walküre». In der Saison 1951–52 sang sie an der New Yorker Metropolitan Oper auch die Waltraute im Nibelungenring und die Klytämnestra in «Elektra» von R. Strauss. In Wien wirkte sie 1965 in der Premiere von Strawinskys «The Rake's Progress» als Türken-Baba mit, in Bayreuth sang sie 1951 die Fricka und die Waltraute im Ring-Zyklus. 1971 nahm sie an der Wiener Staatsoper von der Bühne Abschied, nachdem sie an diesem Haus allein 44 verschiedene Partien zum Vortrag gebracht hatte.
Schallplatten: DGG (Liederzyklus «Frauenliebe und -leben» von R. Schumann), Columbia (Lieder), HMV-Electrola (9. Sinfonie von Beethoven), Seraphim («Hänsel und Gretel»), UORC («Die Frau ohne Schatten» von R. Strauss).

Höpfl, Josef, * 15. 2. 1873 Regensburg; 1899 kam er an das Hoftheater Kassel, ging aber schon wieder 1900 an die Hofoper von Dresden zurück. Dort sang er jetzt am 21. 11. 1901 in der Uraufführung der Richard Strauss-Oper «Feuersnot». 1910–11 war er am Opernhaus von Breslau engagiert. 1911 kam er durch Max von Schillings an die Berliner Hofoper, an der er als Sänger und seit 1919 als Dramaturg und Spielleiter wirkte.

Hoerner, Germaine; an der Grand Opéra Paris sang sie am 24. 4. 1931 in der Uraufführung der Oper «Guercoeur» von Albéric Magnard.
Schallplatten: Es kam ein Mitschnitt einer «Lohengrin»-Aufführung aus dem Teatro Colón von 1936 auf Melodram heraus, in dem sie die Elsa singt.

Hofbauer, Rudolf; er trat bereits 1882 in Kinderrollen auf. Am 20. 12. 1902 wirkte er am Theater an der Wien in der Uraufführung der Lehár-Operette «Der Rastelbinder» mit; seit 1903 kam er zu großen Erfolgen am Wiener Carl-Theater. An der Wiener Hofoper, deren Mitglied der Künstler 1910–16 war, sang er in der Uraufführung der Neufassung der Richard Strauss-Oper «Ariadne auf Naxos» (4. 10. 1916).

Hoff, Renate; Schallplatten: Electrola (Querschnitt durch «Carmen»).

Hoffmann, Baptist; er wirkte an der Berliner Hofoper in der Uraufführung der (nachgelassenen) Oper «Briseïs» von Emmanuel Chabrier (in deutscher Sprache) mit (14. 1. 1899).

Hoffman, Grace, * 14. 1. 1921 Cleveland; 1955 gastierte sie mit dem Ensemble der Stuttgarter Staatsoper in London. Ebenfalls 1955 kam es zu ihrem Debüt an der Mailänder Scala. An der Metropolitan Oper New York ist sie dagegen 1958 nur in einer einzigen Partie, der Brangäne im «Tristan», aufgetreten. 1957–70 hatte sie bei den Bayreuther Festspielen vor allem als Brangäne, aber auch als Fricka und als Waltraute im Nibelungenring große Erfolge. 1978 erhielt sie einen Ruf als Professorin an die Musikhochschule Stuttgart. Noch 1988 sang sie an der Opéra du Rhin Straßburg die Mutter Wesener in der modernen Oper «Die Soldaten» von B. A. Zimmermann.
Schallplatten: CBS («Das klagende Lied» von G. Mahler).

Hoffmann, Horst; 1987 Gastspiel an der Oper von Sydney als Lohengrin, ebenfalls 1987 am Teatro Regio Turin als Don Ottavio im «Don Giovanni», 1989 in Sydney als Siegmund in der «Walküre».

Hofmann, Ludwig, Baß-Bariton; er sang erstmals 1928 bei den Bayreuther Festspielen den Gurnemanz im «Parsifal» und ist dort bis 1942 in verschiedenen Wagner-Partien aufgetreten, u. a. als Landgraf im «Tannhäuser» und als Hagen in der «Götterdämmerung». 1932 sang er als Antrittspartie an der Metropolitan Oper New York den Hagen in der «Götterdämmerung» und hatte dort auch als Wotan im Ring-Zyklus, als Marke im «Tristan», als Fasolt im «Rheingold», als König Heinrich im «Lohengrin» wie als Hans Sachs in den «Meistersingern» große Erfolge. Er gastierte 1930 beim Wagner-Festival am Pariser Théâtre des Champs Élysées, an der Oper von San Francisco (1937), in Holland (Amsterdamer Wagner-Verein), Belgien und in den skandinavischen Ländern. 1938 trat er an der Berliner Staatsoper als Boris Godunow in Erscheinung. Noch 1955 hörte man ihn in Brüssel als Wotan.
Schallplatten: EJS (Marke im «Tristan» und Fasolt im «Rheingold» aus der Metropolitan Oper, 1935 bzw. 1938), UORC (König Heinrich im «Lohengrin», Metropolitan Oper 1937), Discocorp (Szenen aus der «Götterdämmerung», Bayreuth 1937), HMV (letzter Akt «Parsifal» mit Gotthelf Pistor unter Karl Muck, Bayreuth 1929).

Hofmann, Peter; Gesangstudium seit 1969 an der Musikhochschule Karlsruhe. Beginn der Opernkarriere 1972 am Stadttheater von Lübeck (Debüt als Tamino). Bei den Bayreuther Festspielen des Jahres 1988 hörte man ihn als Parsifal, als Siegmund und als Walther von Stolzing in den «Meistersingern», 1986–87 sang er dort den Tristan, 1989 den Siegmund. 1980 wurde er an die Metropolitan Oper New York berufen (Anrittsrolle: Lohengrin). An diesem Haus sang er als weitere Partien den Parsifal, den Siegmund und den Walther von Stolzing in den «Meistersingern», 1990 kam es zur Trennung von *Deborah Sasson.*
Schallplatten: HMV-Electrola (Erik im «Fliegenden Holländer»), Philips (Titelpartie in «Siegfried»).

Hofmann, Willy, *18.6. 1909 Frankfurt a. M. Schallplatten: Acanta («Gräfin Mariza» von E. Kálmán).

Holdorf, Udo; 1988 Gastspiel am Opernhaus von Zürich als Ägisth in «Elektra» von R. Strauss, auch am Opernhaus von Frankfurt a. M. als Gast aufgetreten. 1981 und 1988 sang er bei den Festspielen von Bayreuth den Balthasar Zorn in den «Meistersingern».

Holecek, Heinz; Schallplatten: Decca («Salome», «Fledermaus»), Amadeo-Polygram («Oratorisches Musikdrama» von Alfred Uhl), MMS, Telefunken (Querschnitt «Zarewitsch» von Lehár), Preiser («Land des Lächelns»).

Holl, Robert; wirkte 1988 am Theater an der Wien in der Premiere der Schubert-Oper «Fierrabras» mit. 1989 sang er in London in Beethovens 9. Sinfonie. Schallplatten: Decca (Schubert-Lieder), Telefunken («Die Jahreszeiten», h-moll-Messe von J. S. Bach), RCA-Erato (Deutsches Requiem von J. Brahms), Orfeo («Das Buch mit sieben Siegeln» von Franz Schmidt, «La finta semplice» von Mozart), Philips (Matthäuspassion und Weihnachtsoratorium von J. S. Bach), Ottavo («Vier ernste Gesänge» von J. Brahms).

Holloway, David; 1970 Debüt an der Oper von Chicago als Titelheld in Benjamin Brittens «Billy Budd», 1972 an der City Centre Opera New York als Guglielmo in «Così fan tutte». Er gastierte an den Opern von Dallas und Cincinnati und wurde 1973 an die Metropolitan Oper New York engagiert (Antrittsrolle: Yamadori in «Madame Butterfly»). Hier trat er in Partien wie dem Schaunard in «La Bohème», dem Lescaut in Puccinis «Manon Lescaut», dem Sharpless in «Madame Butterfly» und dem Ehemann in «Les Mamelles de Tirésias» von F. Poulenc auf. Seit 1981 Mitglied der Deutschen Oper am Rhein Düsseldorf–Duisburg.

Hollweg, Ilse, †9.2. 1990 Solingen; bereits 1939 sang sie das Sopransolo im Mozart-Requiem. Bühnendebüt 1943 in Saarbrücken als Blondchen in der «Entführung aus dem Serail». 1951–52 Gastspiel an der Covent Garden Oper London als Königin der Nacht. Schallplatten: Acanta («Zigeunerbaron»), Columbia (Musik zu «Peer Gynt» von E. Grieg).

Hollweg, Werner; gastierte 1988 am Teatro Liceo Barcelona als Titelheld in «La clemenza di Tito» von Mozart. Er arbeitete auch als Opernregisseur und inszenierte 1986 am Landestheater von Linz/Donau Mozarts «Idomeneo». 1989 sang er in einem Londoner Promenade Concert als Solist im «Psalmus Hungaricus» von Z. Kodály. Schallplatten: Philips («Zaïde» von Mozart), Telefunken («Fledermaus»), Schwann («Der Corregidor» von Hugo Wolf), Voce («Alessandro Stradella» von Flotow).

Holm, Emil, †2.11 1950; 1914 verließ er Deutschland und ging in seine dänische Heimat zurück. Hier begann er in den zwanziger Jahren eine zweite Karriere beim dänischen Rundfunk, dessen Direktor er in den Jahren 1926–37 war. Verheiratet mit der Sopranistin *Katharina Rosing* (* 1870), die ebenfalls in Stuttgart im Engagement war. Seine selbstbiographischen Erinnerungen erschienen unter dem Titel *«Erindringer og Tidsbilleder fra Midten af forrige Århundrede til vor tid»* (Kogenhagen, 1939).

Holm, Renate; Schallplatten: Eurodisc («Fledermaus», «Vogelhändler») HMV («Bettelstudent»).

Holm, Richard, †20.7. 1988 München; 1942–45 am Stadttheater von Nürnberg engagiert. Nach dem Zweiten Weltkrieg Mitglied der Staatsoper Hamburg, 1948 an die Bayerische Staatsoper München berufen. Er debütierte 1953 an der Covent Garden Oper London einmal mehr als David in den «Meistersingern». Weitere Höhepunkte in seinem umfangreichen Bühnenrepertoire waren der Rodolfo in «La Bohème», der Cassio in Verdis «Othello», der Robespierre in «Dantons Tod» von G. von Einem und der Aschenbach in B. Brittens «The Death in Venice» (München 1975). Schallplatten: Melodram («Ägyptische Helena» von R. Strauss), PLA («Der Friedenstag» von R. Strauss).

Holmgren, Ingeborg; sie sang bei den Bayreuther Festspielen 1924–31 Partien wie den Waldvogel im «Siegfried», die Helmwige, die Woglinde und eine der Nornen im Nibelungenring sowie ein Blumenmädchen im «Parsifal». 1933 war sie die Titelheldin in der Nürnberger Premiere der Oper «Arabella» von R. Strauss.

Holndonner, Ilonka; 1922 kamen Helge Roswaenge und Ilonka Holndonner-Roswaenge an das Landestheater von Altenburg (Thüringen, nicht Stadttheater Altona).

Holte, Alfons; Schallplatten: Garnet (Opernmelodien).

Holzmair, Wolfgang; er schloß sein wirtschaftswissenschaftliches Studium mit dem akademischen Grad eines Magisters ab. Ausbildung der Stimme durch Hilde Rössl-Majdan in Wien, Einführung in den Liedgesang durch Erik Werba. 1983–86 Mitglied des Stadttheaters von Bern, wo er auch den Schaunard in «La Bohème» gesungen hat. 1986 gastierte er am Opernhaus von Zürich wie an der Wiener Staatsoper in der zeitgenössischen Oper «Die weiße Rose» von Udo Zimmermann. 1987 Gastspiel in Innsbruck in der Barock-Oper «Semiramide» von Pietro Antonio Cesti als Ivreo. Große Erfolge auf dem Gebiet des Liedgesangs.

Homer, Louise; ihr Vater war ein presbyterianischer Geistlicher, der das Western Pennsylvania's College for Women gegründet hatte. Ausgebildet durch Mrs. Winnery und Mrs. Groff in Philadelphia, dann

am New England Conservatory Boston durch William L. Whithney und durch ihren späteren Gatten Sidney Homer; abschließende Studien in Paris. 1899–1900 sang sie an der Covent Garden Oper London die Lola in «Cavalleria rusticana» und die Ortrud im «Lohengrin». Sie gehörte der New Yorker Metropolitan Oper in den Jahren 1900–19 und 1927–29 an. In dieser langen Zeit hat sie dort 42 Partien aus allen Bereichen der Opernliteratur in 472 Vorstellungen gesungen, dazu eine Vielzahl von Vorstellungen bei den alljährlichen Gastspiel-Tourneen des Ensembles. Als Abschiedsrolle sang sie im November 1929 an der Metropolitan Oper die Azucena im «Troubadour». 1909 gastierte sie mit dem Ensemble der Metropolitan Oper am Théâtre du Chatelet Paris. Dabei kam es zu Auseinandersetzungen, die durch die französische Altistin Marie Delna organisiert worden waren. Diese hatte zuvor den Orpheus von Gluck an der Metropolitan Oper gesungen, dabei aber keinen Erfolg gehabt. Sie schrieb dies Louise Homer zu, die mit ihr in dieser Partie alternierte und sehr erfolgreich war. Es kam nun bei deren Auftreten in Paris zu Störversuchen, als diese die Amneris in «Aida» sang, doch erzielte Luise Homer schließlich einen glänzenden Erfolg. Seit 1895 war sie mit Sidney Homer verheiratet; aus dieser Ehe gingen sechs Kinder hervor. Nach 1930 gab sie noch vereinzelt Konzerte, u. a. zusammen mit ihrer Tochter *Louise Homer-Stires.*
Schallplatten: Die ersten Aufnahmen erschienen 1903 auf Victor; auf dieser Marke hat sie noch einige frühe elektrische Aufnahmen gesungen. Hier finden sich auch Duette mit ihrer Tochter Louise Homer-Stires.

Hooke, Emilie; Studium auch in Wien bei Leon Rosenstock und in Mailand bei Giannina Arangi-Lombardi. 1938–39 sang sie am Opernhaus von Zagreb. Sie trat bei zahlreichen Sendungen im englischen Rundfunk BBC auf.
Schallplatten der Marken HMV und Decca.

Hoose, Ellison van; 1897 sang er bei der New York Oratorio Society das Tenor-Solo im «Messias». Bei den Leipziger Gewandhauskonzerten hörte man ihn im Verdi-Requiem. 1911–12 war er an der Oper von Chicago tätig, wo er als Antrittsrolle den Manrico im «Troubadour» übernahm.

Hopf, Hans; Bühnendebüt am Bayerischen Landestheater als Pinkerton in «Madame Butterfly» 1936. 1942–44 am Deutschen Theater in Oslo engagiert, wo er seine Ausbildung bei R. Bjarne fortsetzte. 1946–48 und 1949–50 sang er an der Berliner Staatsoper, in der Spielzeit 1948–49 an der Staatsoper von Dresden. Er spezialisierte sich in den Nachkriegsjahren auf das heldische und das Wagner-Repertoire. 1952–55 sowie in den Spielzeiten 1960–61 und 1963–64 war er Mitglied der Metropolitan Oper New York. Er sang hier in 34 Vorstellungen ausschließlich Wagner-Partien. 1963 debütierte er an der Mailänder Scala als Siegfried im Nibelungenring. Bei den Festspielen von Bayreuth sang er 1951–52 den Walther von Stolzing in den «Meistersingern»,

1960–64 den Siegfried im Nibelungenring, 1965–66 den Tannhäuser. (Bei den Festspielen von Verona nicht aufgetreten).

Hopferwieser, Josef; nachdem er zuerst lyrische Partien gesungen hatte, ging er später mehr und mehr ins dramatische und Wagner-Fach über und sang Partien wie den Erik im «Fliegenden Holländer» (Wien 1988) und den Froh im «Rheingold» (München 1987). 1988 Gastspiel in Madrid als Alwa in «Lulu» von A. Berg, eine Partie, die er bereits 1986 am Grand Théâtre Genf gesungen hatte. 1990 großer Erfolg an der Wiener Staatsoper als Walther in den «Meistersingern».
Schallplatten: HMV («Troades» von A. Reimann).

Hoppe, Carl, † 7. 6. 1988 München. Ausbildung am Konservatorium von Duisburg. Ein bereits abgeschlossenes Engagement am Stadttheater von Chemnitz wurde durch den Ausbruch des Zweiten Weltkrieges 1939 verhindert. Er sang dann 1943–44 am Deutschen Theater in Oslo und nach Kriegsende 1947–48 am Stadttheater von Saarbrücken. Seit 1948 für mehr als dreißig Jahre Mitglied der Staatsoper München. Von den Partien seines Bühnenrepertoires sind noch der Papageno in der «Zauberflöte», der Silvio im «Bajazzo» und der Vater in «Hänsel und Gretel» zu nennen. Gastspiele u. a. beim Festival von Edinburgh (1965) und an der Wiener Staatsoper.
Schallplattenaufnahmen auch bei Bertelsmann.

Hoppe, Heinz; Gastspiele in München, Paris, Lissabon und Madrid; große Karriere als Rundfunksänger. Seit 1977 pädagogisch an der Musikhochschule Mannheim–Heidelberg tätig.
Schallplatten: Acanta («Lustige Witwe»).

Horáček, Jaroslav; 1986 großer Erfolg in Prag als Arkel in «Pelléas et Mélisande» von Debussy. In der Gala-Vorstellung zum 200. Jahrestag der Uraufführung von Mozarts «Don Giovanni» sang er 1987 am Smetana Theater Prag die Partie des Titelhelden. Von den vielen Partien, die er auf der Bühne gesungen hat, sind noch der Kezal in der «Verkauften Braut», der Beneš in der «Teufelswand» von Smetana, der Graf im «Jakobiner» von Dvořák, der Marbuelo in dessen «Teufelskäthe», der Figaro in «Figaros Hochzeit» und der König Philipp in Verdis «Don Carlos» hervorzuheben.

Horand, Theodor, † August 1973 Leipzig.
Schallplatten: Erste Aufnahmen erschienen bereits zu Beginn der dreißiger Jahre auf Odeon (Solo-Platten).

Horbowski, Mieczyslaw, * 23. 7. 1849 Dolek (Polen), † 26. 1. 1937 Wien; bei seinen Gastspielen, vor allem in Italien, trat er unter dem Namen Francesco Ranieri auf.

Horn, Charles Edward; am Park Theatre New York wirkte er 1828 in der amerikanischen Erstaufführung von Webers «Oberon» mit.

Horn, Heiner, *20. 6. 1918 Darmstadt.
Schallplatten: DGG («Parsifal»), Philips (religiöse Musik von Mozart), Vox (Utrechter Te Deum von Händel, Nelson-Messe von J. Haydn), HMV (Harmonie-Messe von Haydn).

Horn, Volker; er sang an der Deutschen Oper Berlín u. a. 1987 den Galba in «Die toten Augen» von E. d'Albert.
Schallplatten: Amadeo-Polygram («Oratorisches Musikdrama» von Alfred Uhl).

Horne, Marilyn; Debüt 1954 an der Oper von Los Angeles als Hata (Agnes) in der «Verkauften Braut» von Smetana. 1957–60 am Theater von Gelsenkirchen engagiert; als erste Rolle übernahm sie dort die Giulietta in «Hoffmanns Erzählungen». 1961 trat sie an der Oper von Chicago als Lora in Gianninis Oper «The Harvest» auf, ebenfalls 1961 bei der American Opera Society in New York als Agnese in Bellinis «Beatrice di Tenda» zusammen mit Joan Sutherland. 1969 große Erfolge an der Mailänder Scala als Jokaste in «Oedipus Rex» von Strawinsky und als Neocle in Rossinis Oper «L'Assedio di Corinto». 1970 begann sie eine glänzende Karriere an der Metropolitan Oper New York als Adalgisa in «Norma» und gehörte seitdem zu den führenden Kräften des Hauses, an dem sie in rund 150 Vorstellungen aufgetreten ist, darunter als Rosina im «Barbier von Sevilla», als Carmen, als Orpheus von Gluck, als Isabella in «L'Italiana in Algeri» von Rossini, als Eboli in Verdis «Don Carlos», als Fides in «Le Prophète» von Meyerbeer, als Titelheld in «Rinaldo» von Händel, als Amneris in «Aida» und als Dalila in «Samson et Dalila» von Saint-Saëns. 1987 gastierte sie beim Rossini Festival in Pesaro in dessen «Ermione», 1989 an der Covent Garden Oper London als Isabella in «L'Italiana in Algeri».
Schallplatten: Decca («Damnation de Faust» von Berlioz), CBS («Tancredi» von Rossini), RCA (9. Sinfonie von Beethoven), LR («Semele» von Händel), Italia («Tancredi»), HMV («Padmâvati» von Roussel).

Horne, William; er war bereits 1942 am New Yorker Broadway aufgetreten.
Schallplatten: Mercury (Lieder), MMS.

Hornik, Gottfried; 1987 sang er an der Covent Garden Oper London (Faninal im «Rosenkavalier») und bei den Festspielen von Aix-en-Provence, 1988 an der Deutschen Oper Berlin den Alberich im Nibelungenring. 1990 trat er an der Metropolitan Oper New York als Wozzeck auf.

Horvat, Anka, Alt, *21. 6. 1884 Kastel bei Zlatova (Kroatien), † 10. 7. 1948 Zagreb; Gesangstudium bei der Pädagogin Leonija Brück in Zagreb (Agram). Sie debütierte am dortigen Opernhaus 1904 als Carmen und blieb bis 1914 Mitglied der Oper von Zagreb. 1914–17 war sie als erste Altistin an der Hofoper von Dresden engagiert. Hier sang sie 1914 die Kundry in der Dresdner Premiere des «Parsifal». Zu

ihren weiteren Glanzrollen gehörten die Azucena im «Troubadour», die Carmen, die Charlotte im «Werther» von Massenet, die Ulrica in Verdis «Maskenball», die Amneris in «Aida» und die Brangäne im «Tristan». Sie trat als Gast 1918 an der Hofoper von Wien, 1920 an der Staatsoper von München auf. Sie ging dann wieder in ihre Heimat zurück, sang noch gastweise an der Oper von Zagreb und gab Konzerte. Auch als Oratorien- wie als Liedsängerin kam sie zu Ansehen.
Ihre Stimme ist durch drei schöne Aufnahmen auf Odeon erhalten, alle aus Verdis «Troubadour» stammend, darunter zwei Duette mit dem in Dresden sehr beliebten Tenor Tino Pattiera. – (Neufassung) –.

Horvátová, Gabriela, Sopran, *24. 12. 1877 Varaždin (Kroatien), † 1967 Prag.
Schallplattenaufnahmen auf Ultraphon und Supraphon.

Hotter, Hans; debütierte 1930 am Stadttheater von Troppau (Opava) als Sprecher in der «Zauberflöte». An der Hamburger Staatsoper trat er auch während seines Wirkens an der Münchener Staatsoper bis 1945 regelmäßig auf. In München ist er praktisch während 50 Jahren zu hören gewesen. Gastspiele in Antwerpen, Paris (seit 1939) und Amsterdam (1937 u. a. in konzertanten Aufführungen von Webers «Euryanthe» unter Bruno Walter) und seit 1940, vor allem in seinem Wagner-Repertoire, an der Mailänder Scala (Debüt als Wanderer im «Siegfried»). 1949 zu Gast am Teatro Colón Buenos Aires. 1950–54 Mitglied der Metropolitan Oper New York. Hier sang er 13 verschiedene Partien, zumeist aus dem Wagner-Repertoire, dazu den Großinquisitor im «Don Carlos» von Verdi, den Jochanaan in «Salome» und den Orest in «Elektra» von R. Strauss. Bei den Festspielen von Bayreuth sang er 1952–58, 1961, 1963 und 1966 den Wotan im Nibelungenring, 1955 und 1965 den Fliegenden Holländer, 1953–54 den Amfortas im «Parsifal», 1960–66 den Gurnemanz in der gleichen Oper, 1952 und 1957 den Kurwenal im «Tristan», 1956 den Hans Sachs und 1958 und 1960 den Pogner in den «Meistersingern», 1955 den Gunther in der «Götterdämmerung». Er inszenierte auch Opern in Wien und Hamburg.
Schallplatten: HMV (Lieder und Balladen von Hugo Wolf und Carl Loewe), Amadeo-Polygram («Der Besuch der alten Dame» von G. von Einem), Melodram («Palestrina» von H. Pfitzner, München 1952).

Howard, Ann, *22. 7. 1936 Norwood; sie debütierte 1964 bei der Welsh Opera Cardiff als Czipra im «Zigeunerbaron». Höhepunkte in ihrem Bühnenrepertoire waren die Carmen, die Azucena im «Troubadour», die Fricka im Nibelungenring, die Dalila in «Samson et Dalila», die Amneris in «Aida», die Eboli im «Don Carlos», die Cassandre in «Les Troyens» von Berlioz, die Klytämnestra in «Elektra», die Türkenbaba in «The Rake's Progress» von Strawinsky und die Old Lady in «Candide» von Bernstein, dazu Partien in klassischen Operetten.
Schallplatten: TER («Candide» von L. Bernstein).

Howard, Kathleen, Alt, * 17. 7. 1880 Niagara Falls (Ontario), † 15. 8. 1956 Los Angeles; als Kind verzog sie mit ihren Eltern nach Buffalo. Sie erhielt ersten Gesangunterricht durch ihren Vater, weitere Ausbildung durch Elizabeth Cronyn in Buffalo, dann durch Oscar Saenger in New York, durch Jacques Bouhy in Paris und in Berlin. Debütierte 1907 am Stadttheater von Metz als Azucena im «Troubadour». Dort sang sie in den folgenden zwei Jahren 30 verschiedene Partien. 1909–12 war sie am Hoftheater von Darmstadt engagiert und vervollständigte in dieser Zeit ihre Ausbildung bei Jean de Reszke in Paris. 1913 sang sie an der Covent Garden Oper London die Hexe in der Premiere von «Hänsel und Gretel» und trat dort in Wagner-Partien auf. 1914–15 bereiste sie mit der Century Opera Company Nordamerika. 1916 kam sie an die Metropolitan Oper New York, an der sie als dritte Dame in der «Zauberflöte» debütierte und bis 1928 mit glänzenden Erfolgen auftrat. Hier sang sie am 14. 12. 1918 in der Uraufführung von Puccinis «Gianni Schicchi» die Rolle der Zita, in der gleichzeitigen von «Il Tabarro» die Frugola (beide Opern Teile des «Trittico»). 1926 hörte man sie an diesem Haus in der Erstaufführung von Manuel de Fallas «La vida breve», bereits 1921 in «Andrea Chénier» von Giordano und 1922 in der Premiere von Rimsky-Korssakows «Snegourotchka». Sie wirkte in vielen weiteren Premieren mit und trat als Magdalene in den «Meistersingern», als Geneviève in «Pelléas et Mélisande» und in anderen Partien vor ihr New Yorker Publikum. Nach ihrem Weggang von der Metropolitan Oper betätigte sie sich in der Hauptsache beim Film und als Journalistin. So gehörte sie zu den Herausgebern der Zeitschrift «Harper's Bazaar». Sie veröffentlichte ihre Lebenserinnerungen unter dem Titel *Confessions of an Opera Singer* (New York, 1918).
Hervorragend schöner, dunkel timbrierter Alt; als besondere Glanzrollen der Künstlerin galten der Titelheld im «Orpheus» von Gluck sowie die dramatischen Partien des italienischen und des französischen Repertoires.
Schallplatten: Edison- und Pathé-Aufnahmen (1916 bzw. 1917). – (Neufassung) –.

Howell, Gwynne Richard; seit 1970 große Karriere an der Covent Garden Oper London. Dort wirkte er in der Urauffassung der Oper «Taverner» von Maxwell Davies mit (12. 7. 1972) und sang 1987 an diesem Haus den Rocco im «Fidelio» und den Landgrafen im «Tannhäuser». Bei der English National Opera hörte man ihn 1986 als Gurnemanz im «Parsifal», 1988 als Sarastro in der «Zauberflöte».
Schallplatten: Decca («Messias» von Händel, Missa solemnis und «Fidelio» von Beethoven, «Tristan und Isolde»), HMV (Stabat mater von Rossini), Harmonia mundi («Caterina Cornaro» von Donizetti), CBS (9. Sinfonie von Beethoven), Philips (8. Sinfonie von G. Mahler, «Un Ballo in maschera» von Verdi, Mozart-Messen), Chandos («The Dream of Gerontius» von E. Elgar).

Howells, Anne; sie wirkte bereits 1963 in Manchester in der englischen Erstaufführung der Gluck-

Oper «Paride ed Elena» mit. Professionelles Debüt 1964 bei der Welsh Opera Cardiff als Flora in «La Traviata». 1966 sang sie bei den Glyndebourner Festspielen den zweiten Knaben in der «Zauberflöte», 1967 die Erisbe in «L'Ormindo» von Cavalli, 1974 die Diana in «Calisto» vom gleichen Meister, 1989 die Türkenbaba in «The Rake's Progress» von Strawinsky. Gastspiele an der Wiener Staatsoper; 1975 kam sie an die Metropolitan Oper New York (Debüt als Dorabella in «Così fan tutte»). Am Grand Théâtre Genf wirkte sie in der Uraufführung von «La Forêt» von R. Liebermann mit (8. 4. 1987). 1987 gastierte sie beim Glyndebourne Festival als Clairon in «Capriccio» von R. Strauss, 1988 als Meg Page in Verdis «Falstaff»; 1988 sang sie in Los Angeles die Despina in «Così fan tutte». In erster Ehe mit dem Tenor *Ryland Davies* (* 1943), in zweiter mit dem Bariton *Stafford Dean* (* 1933) verheiratet.
Schallplatten: DGG («La clemenza di Tito»).

Howlett, Neil; 1987 Gastspiel am Teatro Colón Buenos Aires als Fliegender Holländer. Professor an der Guildhall School of Music London. Verheiratet mit der Sopranistin *Elizabeth Robson* (* 1939).

Hoza, Štefan, * 20. 10. 1906 Smižany (Slowakei).

Hrncirová, Zdenka, * 27. 1. 1913 Prag, † 1983 Prag; sie begann ihre Bühnenkarriere 1940 am Theater von České Budějovice (Budweis).

Huberdeau, Gustave; er gehörte bis 1908 dem Ensemble der Pariser Opéra-Comique an. Er war bis 1914 und, nachdem er im Ersten Weltkrieg drei Jahre in der französischen Armee gedient hatte, 1917–20 an der Oper von Chicago engagiert. Mit deren Ensemble unternahm er mehrere Gastspiele in den USA. In Chicago sang er 1918 auch in der Uraufführung von Sylvio Lazzaris «Le Sautériot», 1920 in den «Rip van Winkle» von R. de Koven. 1919–20 sang er bei der Beecham Opera London den Mephisto im «Faust» von Gounod, den Comte des Grieux in «Manon» von Massenet, den Colline in «La Bohème», den Ramphis in «Aida» und den Cieco in der englischen Erstaufführung von Mascagnis «Iris» (1919). An der Oper von Monte Carlo wirkte er am 27. 3. 1917 in der Uraufführung von Puccinis «La Rondine» mit. In Amsterdam hörte man ihn 1924 als Arkel in der holländischen Premiere von «Pelléas et Mélisande», als Zuniga in «Carmen» (beim Wagner-Verein) und in Konzerten. Er übernahm Charakterrollen in Stumm- und Tonfilmen.
Schallplatten: Edison-Zylinder (um 1910); im allgemeinen sind nur relativ wenige Aufnahmen vorhanden.

Huberty, Albert; am Théâtre de la Monnaie Brüssel hatte er 1920 einen besonderen Erfolg als Verdis Falstaff, später auch als König Marke im «Tristan». Er verbrachte seinen Lebensabend in seiner Villa in dem belgischen Badeort Nieuport-Bains.

Huder, Maria; sie war oft bei den Festspielen in der Arena von Verona zu Gast (1936, 1938–39, 1950, 1952).
Schallplatten: HMV (Kate Pinkerton in zwei Aufnahmen von «Madame Butterfly», Bersi in «Andrea Chénier», Priesterin in «Aida»), Columbia (Flora und Annina in «La Traviata»).

Hudson, Paul; Schallplatten: Savoy (Szenen aus Operetten von Gilbert & Sullivan).

Hübbenet, Adolf von; er sang am 26. 7. 1882 in der Bayreuther Uraufführung des «Parsifal» die Rolle des 4. Knappen. 1890 folgte er einem Ruf an die Metropolitan Oper New York, an der er dann auch wieder in der Saison 1896–97 anzutreffen war. Seine Gattin *Josefine von Hübbenet* sang 1886 in «Parsifal»-Aufführungen in Bayreuth die Partien des 2. Knappen und eines Blumenmädchens. Sie war die Lehrerin des Tenors William Miller.

Hübbenet, Josefine, s. unter *Hübbenet,* Adolf von.

Hübner, Fritz; sang 1987 bei einer Japan-Tournee der Berliner Staatsoper den Osmin in der «Entführung aus dem Serail».

Huehn, Julius, *12. 1. 1909 Revere (Massachusetts), †8. 6. 1971 Rochester (New Jersey); debütierte 1936 an der Metropolitan Oper New York als Heerrufer im «Lohengrin». Er hat in deren New Yorker Haus in zehn Spielzeiten zwanzig Rollen in 164 Vorstellungen gesungen, darunter den Wolfram im «Tannhäuser», den Telramund im «Lohengrin» den Wotan und den Gunther im Nibelungenring, den Amfortas im «Parsifal» und den Escamillo in «Carmen». 1937 Gastspiel an der Oper von San Francisco als Kurwenal im «Tristan».
Schallplatten: UORC (Telramund im «Lohengrin»).

Hülgert, Alfred, Tenor, *1908 Wien, †13. 11. 1953 Berlin; er begann seine Karriere in der Spielzeit 1935–36 am Theater von Gablonz (Jablonec nad Nisou), sang dann am Theater von Reichenberg (Liberec) und 1938–42 an der Wiener Volksoper. Darauf war er in den Jahren 1942–44 als Operettensänger am Wiener Raimund-Theater tätig. Nach dem Zweiten Weltkrieg folgte er 1947 einem Ruf an die Komische Oper Berlin und war gleichzeitig seit 1948 an der Staatsoper Berlin verpflichtet. An diesem Haus wirkte er am 17. 3. 1951 in der Uraufführung der Oper «Die Verurteilung des Lukullus» von Paul Dessau in der Titelpartie mit. Nachdem er zuerst im lyrischen Fach aufgetreten war, entwikkelte sich seine Stimme immer mehr zum Heldentenor. Von seinen vielen Bühnenpartien sind zu nennen: der Florestan im «Fidelio», der Walther von Stolzing in den «Meistersingern», der Lohengrin, der Pedro in «Tiefland» von E. d'Albert, der Turiddu in «Cavalleria rusticana», der Canio im «Bajazzo», der Pinkerton in «Madame Butterfly», der Mathias im «Evangelimann» von Kienzl, der Tonio in Donizettis «Regimentstochter», der Hans in der «Verkauften Braut» von Smetana, der Titelheld in

«Sadko» von Rimsky-Korssakow, dazu zahlreiche Operettenpartien. Die sich anbahnende internationale Karriere des Sängers wurde durch seinen zu frühen Tod (nach einer Operation) verhindert. – (Neufassung) –.

Hüni-Mihaczek, Felicie; sie begann ihrer Karriere in der Spielzeit 1916–17 am Stadttheater (Opernhaus) von Hamburg; 1919 debütierte sie an der Wiener Staatsoper. 1939 (nicht 1929) sang sie nochmals bei den Festspielen von Salzburg die Donna Anna im «Don Giovanni». 1927 gastierte sie am Opernhaus von Zürich, 1941 am Deutschen Theater Prag. 1935 hatte sie große Erfolge als Konzertsängerin in London und Budapest.
Fast ausschließlich Polydor-Aufnahmen, einige mit religiöser Vokalmusik auf der österreichischen Marke Christschall.

Hüsch, Gerhard; 1931 Gastspiel im Haag als Guglielmo in «Così fan tutte». Er gab glanzvolle Liederabende in den Musikzentren in Deutschland, England und Holland, wobei auch das Schubert-Lied im Mittelpunkt seiner Programme stand.
Schallplatten: Odeon-Parlophon (1930–33, hauptsächlich Opernmusik, darunter Duette mit Emmy Bettendorf und Herbert Ernst Groh), HMV (Liederzyklen «Schöne Müllerin», «Winterreise» von Schubert, «Dichterliebe» von R. Schumann, Hugo Wolf-Lieder, Lieder von Kilpinen und Liedkompositionen vieler anderer Meister), Columbia (Duett aus Nicolais «Lustigen Weibern von Windsor» mit Eugen Fuchs).

Huguet, Josefina; ihr Vater war der Chauffeur des reichen spanischen Industriellen Francisco Bonet, der sich zu seinem Vergnügen auch als Gesanglehrer betätigte (und später auch Maria Barrientos unterrichtete). Josefina Huguet wurde durch ihn und am Konservatorium von Barcelona ausgebildet. 1896 sang sie an der Mailänder Scala die Ophélie in «Hamlet» von A. Thomas, 1898 trat sie während ihrer USA-Tournee mit glänzendem Erfolg an der New Yorker Academy of Music auf. Bei dieser Gelegenheit verglich die Kritik sie mit der großen Primadonna Adelina Patti. Auch in Rußland ist sie als Gast aufgetreten. In Italien sang sie oft als Giuseppina Huguet. Um 1912 gab sie ihre Karriere auf. Während des spanischen Bürgerkrieges wurde ihr Tod nach einem Bombenangriff auf Barcelona gemeldet, was sich jedoch als Irrtum erwies.
Schallplatten: HMV (Nedda in vollständigem «Bajazzo» unter der Leitung des Komponisten R. Leoncavallo von 1908).

Hulst, Carel van; er sang bei seinen Gastspielen in London auch Partien aus der italienischen Opernliteratur. Während des Ersten Weltkriegs trat er als Carel Butter in Holland bei kleineren Operngesellschaften auf. So sang er 1918 bei der Residentie Opera-Vereeniging die Titelpartie in der holländischen Erstaufführung von Verdis «Falstaff». In der Saison 1915–16 trat er bei dem Ensemble der Italienischen Oper in Holland als Amonasro und als Escamillo auf. Alles in allem erreichte seine Karriere nicht die Weltgeltung, die man prophezeit hatte.

Hunold, Erich; Schallplatten: G & T (Prag, 1904).

Hunt, Arabella, * etwa 1645; der berühmte englische Maler Sir Godfrey Kneller hielt ihre Schönheit in einem berühmten Porträt fest.

Hunter, Rita; Debüt 1959 bei der Carl Rosa Opera Company als Inez im «Troubadour», 1960 kam sie, jetzt als Solistin, wieder an die Sadler's Wells Opera. 1970 trat sie bei der English Opera Company am Londoner Coliseum Theatre als Brünnhilde in der «Walküre» auf. Diese Partie sang sie auch 1972 als Antrittsrolle an der Metropolitan Oper New York. An diesem Haus hörte man sie auch als Aida und als Santuzza in «Cavalleria rusticana». 1973 sang sie bei der English National Opera Company abermals die Brünnhilde, jetzt im vollständigen Ring-Zyklus. 1981 Gastspiel an der Oper von Sydney. 1983 erhielt sie die Ehrendoktorwürde der Universität Liverpool.

Hurka, Friedrich; zu seinen zahlreichen Schülern gehörte die Sopranistin Katharina Brouwer-Braun.

Hurley, Laurel, * 14. 2. 1927 Allentown (Pennsylvania); sie erhielt ihre erste Ausbildung durch ihre Mutter, die Organistin an einer Kirche war. Weitere Studien am Hartford College of Music, wo sie bei einer Schüleraufführung die Norina im «Don Pasquale» sang. 1943 debütierte sie in New York in einem Musical und trat dann bei der Charles L. Wagner Opera Company auf. 1952 debütierte sie an der City Centre Opera New York als Zerline im «Don Giovanni», 1954 kam sie an die Metropolitan Oper New York. Sie blieb während zwölf Spielzeiten deren Mitglied und sang in ihrem New Yorker Haus 31 Rollen in 227 Vorstellungen, von denen noch die Fiakermilli in «Arabella» von R. Strauss, die Musetta in «La Bohème», die Despina in «Così fan tutte» und die Adele in der «Fledermaus» genannt seien.
Schallplatten: Nuova Era (Zerline im «Don Giovanni»).

Hussa, Maria; sie sang die Titelpartie in der Uraufführung der Oper «Das Wunder der Heliane» von Erich Wolfgang Korngold (7. 10. 1927 Hamburg).

Hutt, Robert; er sang 1906–11 am Opernhaus von Düsseldorf, 1911–16 an der Oper von Frankfurt a. M. Gastspiele 1911 in Budapest, 1914 beim Amsterdamer Wagner-Verein (als Walther von Stolzing in den «Meistersingern»), in Oslo, Helsinki und Brüssel. 1923–24 Gastspiel-Tournee mit der German Opera Company in den USA. Als erste Partie sang er bei dieser Gesellschaft 1923 in New York den Walther von Stolzing. Im Januar 1924 hörte man ihn dann in Chicago in der amerikanischen Erstaufführung von d'Alberts «Die toten Augen» in der Rolle des Aurelius Galba. 1921 trat er in Berlin als Hüon im «Oberon» von Weber auf. Weitere Höhepunkte

in seinem Bühnenrepertoire waren der Radames in «Aida», der Manrico im «Troubadour», der Herzog im «Rigoletto», der Raoul in den «Hugenotten» von Meyerbeer und der José in «Carmen»; hinzu kamen auch Mozart-Partien.
Schallplatten: Odeon (1914–15), Polydor (seit 1915), HMV (Walther in den «Meistersingern», 1928, bereits in elektrischer Aufnahmetechnik).

Huttenlocher, Philippe; verheiratet mit der Sopranistin *Danielle Borst* (* 1946).
Schallplatten: Telefunken («Il ritorno d'Ulisse in patria» von Monteverdi), CBS (Johannespassion und Magnificat von J. S. Bach), RCA (Matthäuspassion von J. S. Bach), Accent (Barock-Musik).

Hyde, Walter; er sang am Prince of Wales' Theatre London am 12. 1. 1906 in der Uraufführung von Liza Lehmanns «The Vicar of Wakefield» die Partie des Squire Thornhill. 1910 war er der Sali in der englischen Erstaufführung von «A Village Romeo and Juliet» von Delius (Covent Garden Oper London). Bei der British National Opera Company sang er 1922–28 u. a. den Tamino in der «Zauberflöte», den Samson in «Samson et Dalila» von Saint-Saëns und den Pelléas in «Pelléas et Mélisande» von Debussy.

Hynek, František; am 8. 10. 1882 wirkte er in der Prager Uraufführung von A. Dvořáks Oper «Dimitrij» mit. Von seinen großen Bühnenrollen sind noch der Eremit im «Freischütz» von Weber, der Selva in «La muette de Portici» von Auber, der Ferrando im «Troubadour» und der Vasco im «Nachtlager von Granada» von C. Kreutzer zu nennen.

Hynninen, Jorma; am 30. 11. 1978 sang er an der Oper von Helsinki den Topi in der Uraufführung der Oper «Der rote Strich» («Punainen viiva») von Aulis Sallinen. 1984 reguläres Mitglied der Metropolitan Oper New York (Antrittsrolle: Posa im «Don Carlos» von Verdi). Hier sang er zwei weitere seiner Glanzrollen, den Grafen Almaviva in «Nozze di Figaro» und den Wolfram im «Tannhäuser». 1986 trat er in einer viel beachteten Aufführung der Oper «Juha» von A. Merikanto in Helsinki auf, die 1987 beim Edinburgh Festival wiederholt wurde, bei dem er auch den Rigoletto sang. 1988 am Teatro Liceo Barcelona als Wolfram im «Tannhäuser» zu Gast, an der Oper von San Francisco als Amfortas im «Parsifal». 1989 an der Chicago Opera als Posa. Große Karriere als Konzert-, und namentlich als Liedersänger. Er gab Liederabende in Skandinavien, Deutschland, Österreich, Rußland, in Italien, Kanada und in den USA. Dabei trug er Liedzyklen von Schubert, R. Schumann («Dichterliebe»), J. Brahms (Magelonen-Lieder), Werke von Sibelius und Kilpinen vor. 1983 sang er in der Uraufführung des Requiem von Joonas Kokkonen. Am 17. 5. 1990 gestaltete er an der Oper von Helsinki die Titelpartie in der Uraufführung der Oper «Vincent» von Einojuhani Rautavaara.
Schallplatten: BIS (Opernszenen aus Savonlinna), HMV (Graf in «Nozze di Figaro»), Fuga («Schöne Müllerin» und «Winterreise» von Schubert), Philips («Elektra» von R. Strauss).

I

Ibos, Guilleaume, † 1952; Schallplatten: Gaumont-Zylinder.

Iffert, August; von seinen zahlreichen Schülern seien Frieda Langendorff und der große Heldentenor Erik Schmedes genannt.

Ihloff, Jutta-Renate; Schallplatten: Orfeo («La finta semplice» von Mozart).

Ilosfalvy, Robert; 1965 trat er an den Staatsopern von Stuttgart und München auf, 1968–69 und nochmals 1983 an der Covent Garden Oper London zu Gast. Seit 1964 gastierte er während acht Spielzeiten an der Oper von San Francisco. 1986 sang er den Walther von Stolzing beim Maggio musicale von Florenz.

Ilosvay, Maria von, † 16. 6. 1987 Hamburg. Schülerin von Laura Hilgermann, Felicie Kaschowska und Mária Budanovicz in Budapest.

Imalska, Aleksandra; Schallplatten: Auf Muza in «Das Gespensterschloß» von Moniuszko zu hören.

Imbart de la Tour, Georges; er besuchte nach einem wissenschaftlichen Studium die Militärakademie von St. Cyr. 1889 gewann er den Gesangwettbewerb des Conservatoire de Paris. Seit 1893 sang er an der Pariser Opéra-Comique Partien wie den José in «Carmen» und den Gérald in «Lakmé» von Delibes, 1899 nochmals in der Oper «Fervaal» von D'Indy. In Brüssel hörte man ihn seit 1897 als Tannhäuser, als Lohengrin, als Radames in «Aida», als Roméo in «Roméo et Juliette» von Gounod, als Samson in «Samson et Dalila» von Saint-Saëns und als Jean in «Hérodiade» von Massenet. An der Metropolitan Oper New York trat er 1900–01 nur als Radames und in zwei Sunday-Night Concerts auf. Anschließend war er wieder hauptsächlich in Brüssel tätig.
Seltene Aufnahmen auf Pathé-Zylindern (etwa 1902) und -Platten (1906–07).

Imdahl, Heinz; seit 1955 erfolgreiche Tätigkeit an der Deutschen Oper am Rhein Düsseldorf–Duisburg.
Schallplatten: Westminster (Telramund im «Lohengrin»), Melodram (Recital).

Incledon, Charles, getauft am 5. 2. 1763 St. Keverne (Cornwall); mit 16 Jahren ging er auf See.

Infantino, Luigi; bei dem Londoner Gastspiel des Teatro San Carlo 1946 sang er den Rodolfo in «La Bohème» (zusammen mit Onelia Fineschi) und den Herzog im «Rigoletto» (mit Lina Aimaro). 1962 wirkte er an der Oper von Rom in der Uraufführung der Oper «La Stirpe di Davide» von Franco Mannino mit. In den Jahren 1950–73 trat er in zahlreichen Opernsendungen des italienischen Rundfunks RAI auf (als letzte 1973 «Il Diavolo in giardino» von Mannino).

Inghilleri, Giovanni; Ausbildung der Stimme am Konservatorium von Rom und bei dem berühmten Bariton Mario Sammarco. Nach seinen ersten Erfolgen am Teatro Costanzi Rom gastierte er am Teatro Carlo Felice Genua, am Teatro Fenice Venedig und am Teatro Comunale Florenz. Am Teatro Massimo Palermo sang er u. a. 1922 den Tebaldo in der Premiere von Zandonais «Giulietta e Romeo», eine seiner Glanzrollen. Erst 1941 kam es zu seinem ersten Auftreten an der Mailänder Scala. An der Londoner Covent Garden Oper sang er in den Jahren 1928–35 eine Vielzahl von Rollen: den Gérard in «Andrea Chénier», den Amonasro in «Aida», den Germont-père in «La Traviata», den Jago im «Othello» von Verdi, den Marcello in «La Bohème», den Scarpia in «Tosca», den Tonio im «Bajazzo», den Barnaba in «La Gioconda» von Ponchielli und den Manfredo in Montemezzis «Amore dei tre Re». Er gastierte am Théâtre des Champs-Élysées Paris als Falstaff von Verdi, gab 1948 erfolgreich Konzerte in London und Birmingham und sang 1952 bei den Festspielen von Verona.

Ingle, William; sang am 2. 9. 1976 am Landestheater von Linz/Donau in der Uraufführung der Oper «Der Aufstand» von Nikolaus Eder.
Schallplatten: RCA.

Ionescu, George; er kam nach Ostdeutschland und wurde Mitglied der Komischen Oper Berlin. Dort wie bei regelmäßigen Gastspielen an der Staatsoper Dresden erfolgreich. Auch als Gast am Deutschen Opernhaus Berlin aufgetreten.

Ionitza, Alexandru; 1978 Preisträger beim Maria Callas-Wettbewerb in Athen. Er sang in Westdeutschland zuerst am Stadttheater von Münster (Westfalen), seit 1984 an der Deutschen Oper am Rhein Düsseldorf–Duisburg. An der Deutschen Oper Berlin wie an der Wiener Volksoper als Belmonte in der «Entführung aus dem Serail» gastweise aufgetreten, an der Staatsoper Stuttgart als Alfredo in «La Traviata», an der Oper von San Diego als Rodolfo in «La Bohème». 1987–88 sang er bei den Festspielen von Bregenz den Titelhelden in «Hoffmanns Erzählungen» von Offenbach, an der Opéra de Wallonie Lüttich den Faust von Gounod.
Schallplatten: Decca (Elemer in «Arabella» von R. Strauss), Ariola-Eurodisc (Beppe im «Bajazzo»).

Iretzkaya, Natalia Alexandrowna; zu ihren Schülern gehörten weiter die bekannten Sängerinnen Maria Slawina und Oda Slobodskaya.

Iro, Otto; weitere Schüler waren Josef von Manowarda und Felix Krenn.

Isalberti, Silvano; man bewunderte ihn zumal in den Partien der damals aktuellen italienischen veristischen Oper: als Turiddu in «Cavalleria rusticana», als Canio im «Bajazzo», als Cavaradossi in «Tosca», als Loris in «Fedora» von Giordano (1906 mit Gemma Bellincioni) und als Titelhelden in Mascagnis «Amico Fritz» (1907) in den holländischen Erstaufführungen der betreffenden Opern. Nach Auseinandersetzungen mit dem Direktor der Italienischen Oper M. de Hondt gastierte er 1908–09 bei einer holländischen Operntruppe im Amsterdamer Rembrandt-Theater. In Italien kam er, auch nach seinem Scala-Auftritt 1909, zu keinen besonderen Erfolgen. 1919 sang er nochmals in Amsterdam den Riccardo in Verdis «Ballo in maschera».

Ischierdo, Emmanuele; bereits 1901 sang er in Santiago de Chile und in Valparaiso Partien wie den Manrico im «Troubadour», den Radames in «Aida», den Edgardo in «Lucia di Lammermoor», den Alvaro in Verdis «La forza del destino», den Titelhelden in dessen «Othello», den Andrea Chénier in der gleichnamigen Oper von Giordano und den Vasco in Meyerbeers «Africaine». Um 1900 kam er nach Italien, wo man ihn 1901 am Teatro Verdi von Pisa als Othello und als Ernani hörte. 1907–08 sang er am Teatro Regio Turin den Andrea Chénier, den Faust in «La damnation de Faust» von Berlioz und in der Premiere der Oper «Rose rosse» von Lebegott. Im weiteren Fortgang seiner Karriere hörte man ihn 1908 in Montevideo und 1911 am Teatro Real Madrid als Canio im «Bajazzo».

Islandi, Stefano; in den fünfziger Jahren erschien er mehrfach als Gast am Theater von Reykjavik in seiner isländischen Heimat, wo man ihn als Herzog im «Rigoletto» und als Cavaradossi in «Tosca» begeistert feierte.

Ismaël, Jean Vital, † 1893 in der Nähe von Marseille.

Isnardon, Jacques, * 15. 2. 1860 Marseille, † 14. 11. 1930 Marseille; einer seiner Schüler war der Bariton Roger Bourdin.

Ito, Kyoko; Schallplatten: CBS (Sopran-Solo im Requiem von G. Fauré).

Ivogün, Maria, † 2. 10. 1987 Beatenberg (Schweiz). 1921–31 mit dem großen Tenor *Karl Erb* (1877–1958), seit 1933 mit dem nicht weniger bekannten Pianisten und Liedbegleiter Michael Räucheisen (1889–1984) verheiratet. Gastierte 1924 an der Covent Garden Oper London als Zerbinetta in «Ariadne auf Naxos» und als Gilda im «Rigoletto», 1927 als Konstanze in der «Entführung aus dem Serail». Sie nahm an der USA-Tournee der German Opera 1923 als Gastkünstlerin teil und sang in New York die Frau Fluth in den «Lustigen Weibern von Windsor» von Nicolai. Sie hatte sich bei ihrem Debüt vorgenommen, zwanzig Jahre und keinen Tag länger auf der Bühne aufzutreten, was sie dann auch durchführte. Sie war eine hoch begabte Konzert- und Liedersängerin, unübertroffen in der Interpretation von Koloraturwalzern und -kanzonen. Zu ihren Schülerinnen gehörten auch die Sopranistinnen Renate Holm und Michi Tanaka. Zuletzt lebte sie in Beatenberg am Thuner See.
Schallplatten: Akustische Aufnahmen auf Odeon (1916–19), Brunswick (1923), Polydor und DGG (1924–25), elektrische auf HMV und Electrola.

Iwanow, Alexej Petrowitsch, † 1982 Moskau; er begann 1932 seine Karriere am Kleinen Opernhaus (Maly Theater) Leningrad. Er gab mehrere pädagogische Schriften heraus, darunter *«Über die Kunst des Gesanges»* (Moskau, 1963) und *«Über die Vokalbildung»* (Moskau, 1968).
Schallplatten: Zahlreiche vollständige Opernaufnahmen auf Melodiya (Titelfigur in «Der Dämon» von Rubinstein, «Pique Dame» und «Mazeppa» von Tschaikowsky, «Snegourotschka» von Rimsky-Korssakow, Tonio im «Bajazzo», Escamillo in «Carmen»).

Iwanow, Andrej Alexejewitsch, † 1. 10. 1970 Moskau; er sang zu Beginn seiner Karriere 1926–28 am Opernhaus von Baku, 1928–31 an der Oper von Odessa, 1931–34 in Swerdlowsk.
Schallplatten: Melodiya («Tscherewitschki» von Tschaikowsky).

Iwanow, Nikolaj Kusmitsch, † 7. 7. (19. 7.) 1880 Bologna. Er ging 1830 zum Gesangstudium nach Italien. Er debütierte 1832 unter dem Namen Nicola Ivanoff (wie er sich in Italien immer nannte) am Teatro San Carlo Neapel in der Partie des Percy in Donizettis «Anna Bolena». Diese Rolle wiederholte er 1833 bei seinem sehr erfolgreichen Londoner Debüt. 1843 sang er am Teatro Real Palermo in der Uraufführung der Oper «Maria Tudor» von Giuseppe Pacini; 1844 Gastspiel in Wien als Titelheld in Donizettis «Roberto Devereux». Höhepunkte in seinem Repertoire waren Partien wie der Arnoldo in Rossinis «Wilhelm Tell», der Gianetto in dessen «La gazza ladra» und der Titelheld in Verdis «Ernani».

Izzo d'Amico, Fiamma, * 1964 Rom; ihr Vater war als Synchronisator beim italienischen Film beschäftigt, ihr Schwager ein bekannter Unterhaltungssänger. 1981 begann sie ihr Gesangstudium. 1984 trat sie in Turin und in Treviso als Mimi in Puccinis «La Bohème» auf. 1985 gastierte sie, wieder in Treviso, als Violetta in «La Traviata» und bei den Puccini-Festspielen in Torre del Lago als Mimi. Dann folgte ihre Entdeckung durch Herbert von Karajan. Bei den Salzburger Osterfestspielen 1988 trat sie als Tosca auf. 1988 Gastspiel an der Oper von Oslo als Mimi.
Schallplatten: Acanta (Opernszenen mit Peter Dvorsky), HMV (Arien).

J

Jacobo, Clara, * 1898, † 23. 6. 1966 Neapel; sie begann ihre Karriere etwa 1923 an italienischen Provinzbühnen, stammte aber aus den USA, wo sie seit 1928 an der Metropolitan Oper New York auftrat. 1932 und 1933 gastierte sie an der Oper von Monte Carlo als Aida, als Amelia in Verdis «Ballo in maschera» und als Titelheldin in «Lucrezia Borgia» von Donizetti; 1930 und 1932 trat sie sehr erfolgreich an der Mailänder Scala als Turandot in Puccinis gleichnamiger Oper auf. 1938 sang sie dort die Lady

Macbeth in «Macbeth» von Verdi, ebenfalls 1938 die Abigaille in «Nabucco» bei den Festspielen in der Arena von Verona. 1940 trat sie beim Maggio musicale Fiorentino wiederum als Turandot auf. 1933 war sie an der Staatsoper von Wien, 1941 am Opernhaus von Breslau zu Gast. Nach Aufgabe ihrer Karriere zog sie sich in den fünfziger Jahren in ein italienisches Kloster zurück.

Jacobs, René; Schallplatten: Harmonia mundi («Alessandro» von Händel, Alt-Solo in der Johannespassion von J.S. Bach), Telefunken (Bach-Kantaten).

Jacobsen, Marius; weitere Aufnahmen auf HMV.

Jacobsson, Sven-Erik, * 8.12. 1911 Sundsvall (Schweden).

Jacoby, Josephine; sie sang als Antrittsrolle an der Metropolitan Oper New York 1903 die Rossweisse in der «Walküre», als erste große Partie drei Tage später die Maddalena im «Rigoletto». Man hörte sie dort auch als Cieca in «La Gioconda» von Ponchielli, als Frédéric in «Mignon» von A. Thomas, als Siebel im «Faust» von Gounod, als Erda im «Siegfried» und 1907 als Principessa di Bouillon in der Premiere von «Adriana Lecouvreur» von Cilea (mit Enrico Caruso, Lina Cavalieri und Antonio Scotti als Partnern). Als letzte Partie wiederholte sie dort 1908 ihre Antrittsrolle, die Rossweisse.
Schallplatten: Victor (Sextett aus «Lucia di Lammermoor», Quartett aus Flotows «Martha»).

Jadlower, Hermann; seine Eltern waren strenggläubige Juden. Sein Vater Mosche Baruch Jadlowker erlaubte zunächst nur ein Gesangstudium bei dem Rigaer Synagogenkantor Leib Rossowski und willigte erst (im Einvernehmen mit seiner Familie) später in eine Sänger- und Bühnenkarriere ein. Er sang seit 1901 für fünf Jahre am Stadttheater (Opernhaus) seiner Heimatstadt Riga und war zugleich dort als Kantor an der Synagoge tätig. 1908 Gastspiel an der Hofoper von Wien, 1910 beim Beethoven Festival im Haag (Holland), wo er den Florestan im «Fidelio» sang. An der Berliner Hofoper übernahm er 1913 die Titelrolle in der (späten) Premiere von Verdis «Don Carlos». An der Metropolitan Oper New York sang er den Lohengrin, den Max im «Freischütz», den Turiddu in «Cavalleria rusticana», den Canio im «Bajazzo», den Rodolfo in Puccinis «La Bohème», den Cavaradossi in «Tosca», den Pinkerton in «Madame Butterfly» und wirkte in der Erstaufführung der Oper «Lobetanz» von Ludwig Thuille mit (1911). Insgesamt war er im New Yorker Haus der Metropolitan Oper in 60 Vorstellungen von 14 verschiedenen Rollen anzutreffen. 1924 gab er in Berlin ein glanzvolles Konzert zusammen mit Emmy Destinn. In Israel ist er, nachdem er 1938 nach dort emigriert war, nochmals in einer Aufführung von Verdis «Ballo in maschera» (in hebräischer Sprache) als Riccardo auf der Bühne zu hören gewesen. Im späteren Ablauf seiner Karriere wandte er sich mehr und mehr dem heldischen Re-

pertoire zu und sang Partien wie den Tannhäuser und gelegentlich sogar den Othello von Verdi.
Schallplatten: Odeon (1907–11), Victor (1911, USA), HMV; elektrische Aufnahmen auf Polydor (1927–28, fast ausschließlich Lieder), insgesamt über 200 Titel.

Jagel, Frederick; Gesangstudium bei William Brady und Vincenzo Portanova in New York, dann bei Corace Cataldi-Tassoni in Mailand. Seit 1927 sang er an der Metropolitan Oper New York neben dem italienischen Fach auch einige Wagner-Heroen wie den Lohengrin, den Tannhäuser und den Tristan. Als seine besondere Glanzrolle galt der Herodes in «Salome» von R. Strauss. Insgesamt sang er in 23 Spielzeiten 34 Partien in 217 Vorstellungen in deren Haus in New York, darunter in zahlreichen Erstaufführungen: in «La Notte di Zoraima» von Montemezzi (1931), «Madonna Imperia» von Alfano (1928), «In the Pasha's Garden» von Seymour (1935) und in «Il Dibuk» von L. Rocca (1936). 1950 nahm er dort als Rodolfo in «La Bohème» (also in seiner Antrittsrolle) von der Bühne Abschied. Er gastierte seit 1930 regelmäßig an der Oper von San Francisco; 1934 sang er an der Chicago Opera den Lohengrin, 1947 an der City Centre Opera New York den Herodes. Verheiratet mit der amerikanischen Sopranistin *Nancy Viarini*, mit der er auch zusammen Duette auf Schallplatten gesungen hat.

Jagemann, Caroline; sie debütierte 1793 in Mannheim und sang 1797 als Antrittsrolle am Hoftheater von Weimar den Oberon in der gleichnamigen Oper von Wranitzky.

Jahn, Gertrude; 1967 wurde sie Mitglied der Staatsoper von Wien, an der sie seitdem zu einer großen Karriere kam. Als erste Partie von Bedeutung sang sie in Wien den Octavian im «Rosenkavalier». Seit 1967 hatte sie auch bei den Salzburger Festspielen ihre Erfolge, bereits 1967 als Fedor im «Boris Godunow» unter Herbert von Karajan, dann als Titelheld in «Ascanio in Alba» von Mozart, als Margret im «Wozzeck» von A. Berg und am 15. 8. 1986 als Gräfin Laura in der Uraufführung der Oper «Die schwarze Maske» von Penderecki. 1988 gastierte sie in München als Adelaide in «Arabella» von R. Strauss, am Teatro Real Madrid als Gräfin Geschwitz in «Lulu» von A. Berg. Konzerttourneen führten sie in die Musikzentren in Deutschland, Österreich und Italien.
Schallplatten: Decca («Wozzeck»).

James, Carolyne; Schallplatten: FSM («A Christmas Carol» von Thea Musgrave), DGG («A Quiet Place» von Bernstein), RCA. Sie ist auch unter dem Namen Charity James aufgetreten.

James, Lewis, Tenor, * 1895 (?) Ypsilanti (Michigan); er erhielt seine Ausbildung am State Normal College und an der State University of Michigan und ergänzte sie am Institute of Musical Art in New York. Wie viele amerikanische Sänger begann er seine Tätigkeit als Solist in Kirchen. Seine Stimme

wurde dann bald als besonders geeignet für Schallplattenaufnahmen entdeckt, und seine gesamte Karriere wurde seitdem durch die Schallplatte und durch Rundfunkauftritte bestimmt. Dabei trat er vor allem als erster Tenor in Vokalquartetten auf, zuerst bei den «Shannon Four», dann bei den «Revellers» (zusammen mit Wilfred Glenn, dem Gründer und Bassisten des Quartetts und zeitweilig mit James Melton als zweitem Tenor). Durch ausgedehnte Tourneen, durch Radiosendungen und Schallplattenaufnahmen kamen die «Revellers» zu einer unvorstellbaren Popularität in den zwanziger und dreißiger Jahren unseres Jahrhunderts in Amerika wie in der ganzen Welt.
Von der Stimme des Sängers sind sehr viele Titel auf Schallplatten vorhanden. Seit etwa 1921 kamen diese, noch akustisch aufgenommen, bei Edison, dann auf Vocalion und Victor heraus. In der elektrischen Periode der Aufnahmetechnik erschienen dann hunderte von Platten der «Revellers» auf Victor und auf Brunswick (hier führte das Quartett auch den Namen «Merrymakers»). Fast alle Aufnahmen des Künstlers haben populäre Unterhaltungs- und Ballad-Musik zum Gegenstand, doch finden sich auf Vocalion zwei hervorragend schön gesungene Tenorarien aus Händels «Messias». (Irrtümlich bisher unter *Lewis*, James eingeordnet.)

Jankú, Hana; gastierte 1969, 1973 und 1975 bei den Festspielen in der Arena von Verona. Zu den großen Partien der Künstlerin gehörten auch die Lady Macbeth in Verdis «Macbeth» und die Milada in «Dalibor» von Smetana.

Janowitz, Gundula; seit 1981 Ehrenmitglied der Wiener Staatsoper. Sie sang 1964 beim Glyndebourne Festival die Ilia in «Idomeneo», 1967 an der Metropolitan Oper New York die Sieglinde in der «Walküre» unter Herbert von Karajan, ihre einzige Rolle an diesem großen Haus. Zu Gast an der Covent Garden Oper London 1976 als Donna Anna im «Don Giovanni», 1978 als Ariadne in «Ariadne auf Naxos» von R. Strauss. 1987 hörte man sie in Wien als Klytämnestra in Glucks «Iphigenie in Aulis» und im gleichen Jahr bei den Festspielen von Mörbisch am Neusiedler See in der Titelpartie der Operette «Gräfin Mariza» von E. Kálmán. 1990 wurde sie Operndirektorin am Theater von Graz.
Schallplatten: Philips («Paulus» von Mendelssohn).

Janowska, Maria; 1928 wirkte sie in Leipzig in der Uraufführung von Kurt Weills «Der Zar läßt sich photographieren» mit.

Jansen, Jacques; Schallplatten: Disques Montaignes, Bourg Records (Figaro im «Barbier von Sevilla»).

Janssen, Herbert; begann sein Gesangstudium nach dem Ende des Ersten Weltkrieges. Nachdem er zuerst an der Berliner Staatsoper kleinere Rollen gesungen hatte, kam er in tragenden Rollen dort zu großem Erfolg. Als erste Partien sang er 1926 an der Covent Garden Oper London den Kurwenal im

«Tristan» und den Gunther in der «Götterdämmerung» und gastierte dort bis 1939 u. a. als Titelheld in «Fürst Igor» von Borodin, als Orest in «Elektra» von R. Strauss und in zahlreichen Wagner-Rollen. 1938 Gastspiel am Teatro Colón Buenos Aires, 1939 an der Oper von Philadelphia als Wanderer im «Siegfried». An der Metropolitan Oper New York debütierte er 1939 als Wolfram im «Tannhäuser» und als Kothner in den «Meistersingern». Er sang dort in den folgenden 13 Jahren in erster Linie seine Wagner-Heroen, insgesamt 14 Rollen in 152 Vorstellungen (im New Yorker Haus). 1945–51 war er als ständiger Gast an der San Francisco Opera zu hören, auch Gastspiele in Los Angeles.
Schallplatten: Danacord (Telramund im «Lohengrin»), Acanta (Gunther in Szenen aus der «Götterdämmerung», London 1938).

Janulako, Wassilio; 1988 gastierte er beim Festival von Spoleto in «Jenufa» von Janáček, an der Oper von Philadelphia als Wassergeist in «Rusalka» von Dvořák.

Januschowsky, Georgine von; sie war die Lehrerin der berühmten Primadonna Margarethe Matzenauer.

Jarred, Mary; Ausbildung auch am Associate Royal College of Music London und bei Victor Beigel. Sie sang an der Londoner Covent Garden Oper u. a. die Mary im «Fliegenden Holländer» und 1917 in Amsterdam ein Solo in «The Dream of Gerontius» von E. Elgar.
Schallplatten: Decca («Dido and Aeneas» von Purcell).

Jasińska, Magdalena; sie sang 1784–85 (und wohl auch bereits vorher) in Opernaufführungen im Privattheater des polnischen Prinzen Radziwill auf dessen Schloß Nieświcz.

Jasper, Bella; Schallplatten: Westminister (Waldvogel im «Siegfried»).

Jaumillaut, Irène, * 16. 9. 1938 Algier.

Javor, Maria, s. unter *Yavor,* Maria.

Javoureck, Constance, * September 1803 Paris, † 8. 6. 1858 Brüssel.

Jay, Isabel; sie wirkte am 12. 1. 1906 in der Uraufführung von Liza Lehmanns Oper «The Vicar of Wakefield» am Londoner Prince of Wales' Theatre mit.

Jedlička, Dalibor; 1957–60 war er am Theater von Ostrava tätig und wurde 1960 an die Nationaloper Prag berufen. Er galt als großer Janáček-Interpret; so sang er u. a. 1988 an der Pariser Opéra-Comique in «Aus einem Totenhaus» von diesem Komponisten. Zu den großen Partien des Künstlers zählten der Figaro in «Figaros Hochzeit», der Papageno in der «Zauberflöte», der Titelheld im «Don Pasquale» und der Kaspar im «Freischütz».

Jedlička, Rudolf; auch als Figaro in «Nozze di Figaro» wie im «Barbier von Sevilla», als Don Giovanni (den er u. a. an der Staatsoper von Wien sang), als Posa in Verdis «Don Carlos», als Franček in «Maryša» von Burian und in der Oper «Vojček und Paleček» von Bořkovec erfolgreich aufgetreten. Gastierte auch an französischen Bühnen. Nach der Ablösung des kommunistischen Regimes in der ČSR im November 1989 wurde er Direktor des Opernensembles des Prager Nationaltheaters.
Schallplatten: RCA (Verdi-Arien).

Jehličková, Zora; Ausbildung am Konservatorium von Prag durch J. Rohan. Debütierte 1974 als Natascha in Prokofieffs «Krieg und Frieden» an der Prager Nationaloper. Dort hatte sie 1987 große Erfolge in der Titelpartie von A. Dvořáks «Armida». Auch am Nationaltheater Mannheim zu Gast.

Jelden, Georg, Tenor/Bariton; seine Stimme wandelte sich später zum Bariton, so daß er seit 1973 in dieser Stimmlage auftrat.
Schallplattenaufnahmen als Bariton auf Saphir (u. a. «Winterreise» von Schubert) und Calig (Weihnachtslieder).

Jeník, Miroslav, * 12. 9. 1884 Tochoviče (Tochowitz, ČSR), † 30. 10. 1944 Prag. Schüler von Emil Burian und B. Rosenkrancová in Prag. Gastierte erfolgreich in Zagreb, Bukarest und Stockholm und sang Partien wie den Lukaš in Smetanas «Hubička», den Jiří in «Der Jakobiner» von Dvořák, den Prinzen in «Rusalka», den Jirka in «Čertu a Káči» von Dvořák, den Stewa in Janáčeks «Jenufa», den Boris in «Katja Kabanowa», den Lenski im «Eugen Onegin», den Don Ottavio im «Don Giovanni», den Titelhelden im «Faust» von Gounod, den Florestan im «Fidelio» und den Julien in «Louise» von Charpentier.

Jennings, Jerry; auch als Konzert- und zumal als Oratoriensänger erfolgreich aufgetreten.
Schallplatten («Samson» und Brockes-Passion von Händel).

Jensen, Paul, † 22. 3. 1931 Karlsruhe.

Jepson, Helen, * 28. 11. 1904 Titusville (Pennsylvania). Sie verbrachte ihre Kindheit in Akron (Ohio) und sang dort frühzeitig in einem Kinderchor. Während sie die Akron High School besuchte, trat sie mit 13 Jahren bei einer Amateur-Operettengesellschaft auf. Erste Studien bei Horatio Connell in Chautauqua, dann in Philadelphia. Dort sang sie bereits am Opernhaus 1928 die Barbarina in «Nozze di Figaro» und sprang auch einmal als Nedda im «Bajazzo» ein. Ihr Engagement an die Metropolitan Oper New York kam zustande, nachdem sie als Solistin in einer Radiosendung des Deutschen Requiems von J. Brahms Aufsehen erregt hatte. Sie debütierte an diesem Haus am 24. 1. 1935 als Helene in der Uraufführung der Oper «In the Pasha's Garden» von

Seymour. Ihre großen Erfolge hatte sie an der Metropolitan Oper als Traviata und als Desdemona in Verdis «Othello», als Marguerite im «Faust» von Gounod und als Mélisande in «Pelléas et Mélisande», als Nedda und als Thaïs in Massenets gleichnamiger Oper, insgesamt im New Yorker Haus der Metropolitan Oper in 36 Vorstellungen von zehn verschiedenen Rollen. 1937 sang sie dort die Pompilia in der Erstaufführung der Oper «Caponsacchi» von Richard Hageman. 1935 Gastspiel an der Oper von San Francisco in der Titelpartie von Flotows «Martha».

Jerger, Alfred; er kreierte 1936 in Genua den Mandryka in «Arabella» für Italien mit Gilda Dalla Rizza in der Titelrolle (in italienischer Sprache). Er eröffnete nach dem Zweiten Weltkrieg am 1. 5. 1945 die Wiener Staatsoper erneut mit «Figaros Hochzeit» im Theater an der Wien (da das Haus der Staatsoper zerstört war). An der Wiener Oper hat er im Lauf seiner langen Karriere 149 Partien gesungen, darunter 1952 den Nick Shadow in der Erstaufführung von Strawinskys «The Rake's Progress». Zu seinen Schülern gehörte auch der englische Baß Michael Langdon.

Jeritza, Maria, * 6. 10. 1887 (nach anderen Quellen 1882) Brünn (Brno). Die Anfänge ihrer Karriere sind nie völlig geklärt worden. Bereits 1904 ist sie am Theater von Brünn als Choristin aufgetreten und sang dort auch in Operettenvorstellungen. 1906–07 war sie während einer Saison am Stadttheater von Dortmund im Engagement, studierte dann weiter in Prag; 1909 war sie als Operettensängerin am Münchener Künstlertheater anzutreffen; schließlich sang sie 1910 am Theater von Olmütz (Olomouc) die Elsa im «Lohengrin» und leitete damit ihre eigentliche Opernkarriere ein. An der Wiener Volksoper debütierte sie als Elisabeth im «Tannhäuser». 1912 hörte Kaiser Franz Joseph von Österreich sie in Bad Gastein (noch als Mizzi Jeritza) in der Strauß-Operette «Die Fledermaus» und sorgte für ihre Berufung an die Wiener Hofoper. 1921 kreierte sie für Wien die Marietta in «Die tote Stadt» von E. W Korngold, seitdem eine ihrer Glanzrollen. An der Metropolitan Oper New York sang sie in zwölf Spielzeiten 21 verschiedene Partien in 293 Vorstellungen (in deren New Yorker Haus); sie erschien dort auch in den Premieren der Opern «Die Ägyptische Helena» von R. Strauss (1928, Titelrolle) und «Madonna Imperia» von Alfano (1928, Titelrolle) und in einer glanzvollen Inszenierung der Operette «Boccaccio» von F. von Suppé (1931). 1919 heiratete sie in zweiter Ehe den Freiherrn Leopold von Popper (einen Sohn der Sängerin *Blanche Marchesi*), von dem sie sich aber wieder trennte. Aus ihrem umfassenden Rollenrepertoire für die Bühne seien noch die Carlotta in «Die Gezeichneten» von F. Schreker, die Senta im «Fliegenden Holländer» und die Elisabeth im «Tannhäuser» genannt.
Lit.: R. Werbe: «Maria Jeritza – Primadonna des Verismo» (Wien, 1987).
Schallplatten: Die ältesten Aufnahmen auf Pathé (1912 noch unter dem Namen Mizzi Jeritza), dann

Odeon- (1915–19) und Victor-Platten (akustische wie elektrische Aufnahmen, seit 1922).

Jerusalem, Siegfried, * 17. 4. 1940 Oberhausen. Bei den Festspielen von Bayreuth sang er 1987–88 wieder den Parsifal, 1988–89 den Siegfried. 1977–80 war er Mitglied der Deutschen Oper Berlin. Seitdem große internationale Karriere. Daraus ist noch ein Gastspiel bei der English National Opera London als Parsifal 1986 nachzutragen sowie 1989–90 sein Auftreten als Loge und als Siegfried im Nibelungenring an der Metropolitan Oper New York. Am Teatro Fenice Venedig gastierte er 1989 als Parsifal.
Schallplatten: HMV («Tannhäuser»), CBS, («Violanta» von Korngold, Mozart-Requiem).

Jessner, Irene, * 28. 8. 1901 Wien. An der Metropolitan Oper sang sie seit 1936 Partien wie die Donna Elvira im «Don Giovanni», die Eurydice im «Orpheus» von Gluck, die Amelia in Verdis «Simon Boccanegra», die Alice Ford in dessen «Falstaff», die Elsa im «Lohengrin», die Eva in den «Meistersingern», die Sieglinde in der «Walküre», die Tosca, die Chrysothemis in «Elektra» von R. Strauss und die Marschallin im «Rosenkavalier» (in dieser Partie sprang sie kurzfristig für Lotte Lehmann ein). Ihre letzte Partie an der Metropolitan Oper war 1952 die Gutrune in der «Götterdämmerung». An der San Francisco Opera gastierte sie während des Zweiten Weltkrieges als Sieglinde und als Alice Ford.
Schallplatten: Auf Columbia sang sie die Sieglinde im dritten Akt einer «Walküren»-Aufnahme (diese Opernaufnahme hatte man 1934 in Wien mit dem ersten Akt begonnen, wobei Lotte Lehmann die Sieglinde sang; erst 1946 konnte man den dritten Akt, jetzt in den USA, aufnehmen, und Irene Jessner übernahm diese Rolle).

Jindřak, Jindřich; Debüt 1958 an der Nationaloper Prag als Tomas in «Hubička» («Der Kuß») von Smetana. Man schätzte ihn sehr als Mozart-Sänger.
Schallplatten: Supraphon («Rusalka» von A. Dvořák).

Joachim, Irène; 1945 kam sie dann auch an die Grand Opéra Paris (Antrittsrolle: Mélisande in «Ariane et Barbe-Bleue» von Dukas zusammen mit Suzanne Juyol und Henri-Bertrand Etcheverry). 1949 wurde sie in ihrer Glanzrolle, der Mélisande in Debussys «Pelléas et Mélisande», an der Covent Garden Oper London bewundert. Man schätzte sie auch als große Interpretin des deutschen Kunstliedes, namentlich der Lieder von Johannes Brahms.

Jobin, Raoul, † 13. 1. 1974 Quebec; studierte zuerst an der Laval-Universität bei Louis Gravel und Émile Larochelle (1924–28) und trat bereits während dieser Zeit als Konzertsänger in Erscheinung. Weitere Ausbildung durch Mme d'Estainville-Rousset. Nach seinem Studium am Conservatoire de Paris trat er erstmals in Frankreich 1930 am Théâtre des Champs Élysées in Paris in dem Oratorium «Christus» von F. Liszt auf. Er debütierte, ebenfalls 1930, an der

Grand Opéra Paris als Tybalt in «Roméo et Juliette» von Gounod und wirkte dort am 24. 4. 1931 in der Uraufführung der Oper «Guercoeur» von Albéric Magnard mit. 1931 kehrte er aus familiären Gründen in seine Heimat Kanada zurück und blieb dort bis 1934, setzte aber seine Karriere als Konzert- und Opernsänger (San Carlo Opera Company) fort. Seit 1934 hatte er dann eine große Karriere an der Pariser Grand Opéra. An der Metropolitan Oper New York hat er (in deren New Yorker Haus) 1940–50 14 Partien in hundert Vorstellungen, darunter den Tonio in «La fille du régiment» von Donizetti, den Canio im «Bajazzo» und den Faust von Gounod, gesungen. Er gastierte an den Opern von Chicago (Debüt 1941 als José in «Carmen») und San Francisco (Debüt 1940 als Gérald in «Lakmé» von Delibes). 1957 hörte man ihn an der Opéra-Comique Paris in der Richard Strauss-Oper «Capriccio». 1958 sang er als letzte Partie in Vichy den Ulysses in «Pénélope» von Gabriel Fauré. Bis 1960 ist er in Kanada noch bei Konzerten aufgetreten. Verheiratet mit der Sopranistin *Thérèse Drouin;* auch sein Sohn *André Jobin* (* 1933) wurde ein bekannter Tenor.
Schallplatten: RCA (Querschnitt «Carmen»).

Jöken, Karl; als erste Partien sang er 1923 an der Berliner Staatsoper den Pinkerton in «Madame Butterfly» und den Eisenstein in der «Fledermaus». 1924 sang er dort in der Premiere von Janáčeks «Jenufa» den Stewa. Obwohl er Rollen wie den Tamino in der «Zauberflöte», den Cavaradossi in «Tosca» oder den Rodolfo in «La Bohème» in seinem Repertoire hatte, übernahm er gerne Buffo-Partien wie den Pedrillo in der «Entführung aus dem Serail», den Don Curzio und den Basilio in «Figaros Hochzeit», den David in den «Meistersingern» und den Mime im Nibelungenring.
Schallplatten: Auf Polydor sang er u. a. den Pedrillo im Finale der «Entführung aus dem Serail», auf Brillant-Special und Orchestrola hauptsächlich Szenen aus Operetten.

Jörn, Karl; er entstammte einer armen deutschbaltischen Familie. Er wurde durch den General Baron von Dellinghausen adoptiert, nachdem dessen Sohn gestorben war. 1902–08 Mitglied der Berliner Hofoper, an der er am 13. 12. 1904 in der (erfolglosen) Uraufführung von Leoncavallos «Roland von Berlin» mitwirkte. Er war der Lieblingssänger des Deutschen Kaisers Wilhelms II., der ihm mehrfach Souvenirs schenkte. Erfolgreiche Gastspielauftritte in Brüssel und Amsterdam. Er debütierte an der Metropolitan Oper New York im Januar 1909 als Walther von Stolzing in den «Meistersingern». Er verlor nach Aufgabe seiner Karriere durch Spekulationen und allerlei dubiose Erfindungen sein gesamtes Vermögen und lebte, ganz vergessen, als Gesanglehrer in Denver (Colorado). Dort wurde er 1929 von Johanna Gadski für das German Opera engagiert, bei der er jetzt den Tristan (eine Partie, die er nie zuvor gesungen hatte), als Siegmund und Siegfried erfolgreich auftrat. Zu seinen großen Rollen gehörten noch der José in «Carmen» und der Faust von Gounod.

Schallplatten: Columbia (1916), Edison-Zylinder und -Platten (1910–17, USA).

Joesten, Aga, * 4. 10. 1904 Remagen am Rhein; Ausbildung durch Hermann Abendroth und Gertrude Foerstel in Köln. Weitere Gastspiele führten die Künstlerin an die Staatsopern von Wien und München, an die Städtische Oper Berlin und an das Opernhaus von Köln. Auslandsgastspiele und -konzerte in Spanien, Italien und Holland. Zu ihren großen Bühnenrollen gehörten die Aida, die Marschallin im «Rosenkavalier», die Gräfin in «Figaros Hochzeit», die Donna Anna im «Don Giovanni», die Lady Macbeth in Verdis «Macbeth» und die Santuzza in «Cavalleria rusticana». Sie verbrachte ihren Ruhestand zeitweilig in Torremolinos an der spanischen Mittelmeerküste, schließlich dann wieder in Frankfurt a. M.

Johnson, Anthony Rolfe; Debüt bei der English Opera Group 1973 als Robert in Tschaikowskys Oper «Jolanthe». Er sang bei den Festspielen von Glyndebourne 1974–76 auch den Storch in «Intermezzo» von R. Strauss. Im Dezember 1988 kam es dann schließlich zu seinem Debüt an der Covent Garden Oper London in der Oper «Semele» von G. F. Händel. An der Mailänder Scala gastierte er in «Lucio Silla» von Mozart. 1987 sang er bei den Salzburger Festspielen ein Solo im «Buch mit sieben Siegeln» von F. Schmidt.
Schallplatten: Philips (Oratorien «Salomon» und «Athalia» von Händel, Messe c-moll von Mozart, Matthäuspassion), RCA (Matthäuspassion), Telefunken-Decca («Orfeo» von Monteverdi, Weihnachtsoratorium von J. S. Bach), Virgin-Classics («Gloriana» von B. Britten), Orfeo («La finta semplice» von Mozart).

Johnson, Edward; als Kind gehörte er bereits einer «Fife-and-Drum–Band» an, studierte dann Klavierspiel und sang im Universitätschor von Toronto. 1908 sang er am New Yorker Broadway Theatre den Niki in der amerikanischen Premiere der Operette «Ein Walzertraum» von Oscar Straus. An der Mailänder Scala hörte man ihn als Folco in Mascagnis Oper «Isabeau», als Walther in Catalanis «Loreley» und 1914 als Titelhelden in der Premiere des «Parsifal» (unter A. Toscanini). Am Teatro Costanzi Rom sang er in der italienischen Erstaufführung von Puccinis «Trittico» den Luigi in «Il Tabarro» und den Rinuccio in «Gianni Schicchi» (11. 1. 1919). Als erste Partie sang er an der Oper von Chicago 1919 den Loris in «Fedora» von Giordano. Eine seiner großen Kreationen an der Metropolitan Oper New York war sogleich seine Antrittspartie, der Avito in «L'Amore dei tre Re» von Montemezzi; er sang hier auch den Pelléas in der Premiere von Debussys «Pelléas et Mélisande» 1925. Nach dem plötzlichen Tod des neu ernannten Direktors der Metropolitan Oper Herbert Witherspoon, dessen Assistent er gewesen war, wurde er 1935 dessen Nachfolger.

Johnson, James; 1987 wirkte er bei den Festspielen von Bayreuth als Heerrufer im «Lohengrin» mit,

1988 an der Oper von Nizza als Wotan im Nibelungenring zu Gast. Diese Partie sang er im gleichen Jahr 1988 bei den Ring-Aufführungen am Théâtre des Champs-Élysées Paris.

Johnson, Patricia; sie debütierte 1953 bei der Sadler's Wells Opera London. 1960 wurde sie an das Stadttheater von Basel verpflichtet, 1962 kam sie an die Städtische Oper (Deutsches Opernhaus) Berlin. Dort wirkte sie am 7. 4. 1965 in der Uraufführung der Oper «Der junge Lord» von H. W. Henze mit. 1989 gastierte sie bei den Festspielen in Janáčeks «Katja Kabanowa».

Johnston, James, * 1910 Belfast; er sang 1945–50 an verschiedenen englischen Theatern, u. a. in Edinburgh, Glasgow und London, zumeist bei wandernden Operngesellschaften. 1984 sang er bei der Sadler's Wells Opera in der englischen Erstaufführung (89 Jahre nach der Uraufführung der Oper!) von Verdis «Simon Boccanegra» die Partie des Gabriele Adorno.
Schallplatten: HMV (darunter Ausschnitte aus «Simon Boccanegra» und irische Volkslieder), Columbia.

Jokl, Fritzi; am Opernhaus von Frankfurt a. M. hatte sie ihren ersten großen Erfolg als Rosina im «Barbier von Sevilla». 1923–24 Gastspielreise mit der Cornelis Bronsgeest-Oper in Holland. 1924 Gastspiel an der Covent Garden Oper London als Waldvogel im «Siegfried».
Schallplatten: Nur Parlophon-Aufnahmen (1928).

Joll, Phillip; sang in der Saison 1987–88 an der Metropolitan Oper New York den Donner im «Rheingold». An der Welsh Opera Cardiff hörte man ihn als Chorebeus in «Les Troyens» von Berlioz, 1988 als Jochanaan in der Richard Strauss-Oper «Salome». Diese Partie sang er anschließend auch an der Covent Garden Oper London und an der Queensland Oper in Australien. Bei den Festspielen von Bregenz gastierte er 1988–89 als Fliegender Holländer.

Jonášová, Jana; Schallplatten: Topaz-Video (Esmeralda in «Die verkaufte Braut»), Panton (8. Sinfonie von Miloslav Kabeláč), Supraphon (Arien).

Jones, Della; sie studierte auch im Centre Lyrique Genf. 1976 sang sie in Brighton in der Uraufführung der Oper «Tom Jones» von Stephen Oliver. 1987 übernahm sie bei der Welsh Opera Cardiff die Partie der Didon in «Les Troyens» von Berlioz. Im gleichen Jahr sang sie bei der English National Opera die Rosina im «Barbier von Sevilla» von Rossini, 1988 bei der Welsh Opera die Herodias in «Salome» von R. Strauss, die sie an der Covent Garden Oper London wiederholte. Sie gab Gastspiele in Bordeaux und Genf, am Teatre Fenice Venedig und in San Sebastian, in Los Angeles, San Francisco («Alcina» von Händel) und bei der Scottish Opera Galsgow. Sie wirkte bei den Festspielen von Aldeburgh, Athen, Orange und beim English Bach Festival mit.

Sie unternahm eine sehr erfolgreiche Tournee durch die Sowjetunion und durchreiste in ähnlicher Weise die USA und Deutschland.
Schallplatten: RCA-Erato («Cavalleria rusticana»), HMV («Alcina» und «Giulio Cesare» von Händel, «La Sonnambula» von Bellini), Decca («La Traviata», «Mefistofele» von Boito, Marcellina in «Nozze di Figaro»), Opera Rara («L'Assedio di Calais» von Donizetti; Arien).

Jones, Gwynneth; 1963 trat sie bei der Welsh Opera Cardiff als Lady Macbeth in Verdis «Macbeth» auf; an der Covent Garden Oper London war sie u. a. als Leonore im «Fidelio» und in der gleichnamigen Partie im «Troubadour» erfolgreich. Häufig an der Mailänder Scala zu Gast. Debüt an der Metropolitan Oper New York 1972 als Sieglinde in der «Walküre». Hier hatte sie in den folgenden 15 Jahren große Erfolge als Leonore im «Fidelio», als Brünnhilde, als Marschallin im «Rosenkavalier», als Isolde und als Salome von R. Strauss. 1979 am Opernhaus von Köln als Elisabetta im «Don Carlos» von Verdi, 1984–85 als Elektra von R. Strauss zu Gast. 1985 übernahm sie bei einem Gastspiel am Opernhaus von Zürich in der Richard Strauss-Oper «Die Frau ohne Schatten» gleichzeitig die beiden Hauptpartien der Kaiserin und der Färbersfrau. 1987 sang sie in der Eröffnungsvorstellung des neuen Opernhauses von Pittsburgh die Titelfigur in Puccinis «Turandot», 1986 an der Covent Garden Oper London die Salome. 1987 wurde ihr der Shakespeare-Preis der Hansestadt Hamburg verliehen.
Schallplatten: Capriccio («Notre Dame» von F. Schmidt).

Jones, Parry, * 14. 2. 1891 Blaina (Monmouthshire, Wales). Er war 1919–22 bei der Carl Rosa Opera Company engagiert, mit der er 1921 im Gebäude der Londoner Covent Garden Oper als Turiddu in «Cavalleria rusticana» gastierte. 1922–29 Mitglied der British National Opera Company London. Er wirkte in London in mehreren konzertanten Opernaufführungen mit, so 1934 in Alban Bergs «Wozzeck», 1937 in «Doktor Faust» von F. Busoni und 1939 in «Mathis der Maler» von P. Hindemith.
Schallplatten: Neben seinen Columbia-Platten einige wenige Aufnahmen auf Decca.

Jordis, Eelco van; eigentlicher Name Eelco Voet van Vormizeele. Er war u. a. Schüler von Dusolina Giannini und in der Opernschule der Mailänder Scala von Apollo Granforte. In der Spielzeit 1965–66 debütierte er in Graz als Mönch in Verdis «Don Carlos». 1967–69 sang er am Stadttheater von Ulm. Gastspiele an der Deutschen Oper am Rhein Düsseldorf–Duisburg, an der Staatsoper von Hamburg, am Staatstheater von Kassel wie am Theater von Graz. Auch an der Mailänder Scala, am Théâtre de la Monnaie Brüssel und an der Nationaloper von Zagreb als Gast aufgetreten. Seine großen Rollen auf der Bühne waren der Don Giovanni, der Alfonso in «Così fan tutte», der Sarastro in der «Zauberflöte», der Pizarro im «Fidelio», der Mephisto im «Faust» von Gounod, der Abul Hassan im «Barbier von

Bagdad» von Cornelius, der Bartolo im «Barbier von Sevilla» von Rossini, der Kezal in Smetanas «Verkaufter Braut», der Kaspar im «Freischütz», der König Philipp im «Don Carlos» von Verdi, der Ramphis in «Aida», der Pater Guardian in «La forza del destino», der Scarpia in «Tosca», der Boris Godunow, der Titelheld in «Fürst Igor» von Borodin, der Daland im «Fliegenden Holländer», der Landgraf im «Tannhäuser», der König Heinrich im «Lohengrin» und die vier Dämonen in «Hoffmanns Erzählungen».

Josefsson, Hans; er trat 1988 im Göteborger Scandinavium als Escamillo in «Carmen» auf.

Josephi, Josef; er sang auch am 10. 1. 1893 am Theater an der Wien in der Uraufführung der Johann Strauß-Operette «Fürstin Ninetta».
Schallplatten: Zahlreiche Aufnahmen auf G & T und HMV, auch Edison-Zylinder (Berlin, 1906).

Jouatte, Georges; Schallplatten: Columbia (Titelheld in vollständiger Oper «Faust» von Gounod).

Journet, Marcel, † 5. 9. 1933 Vittel (Departement Vosges). Seit 1900 sang er an der Pariser Opéra-Comique, seit 1908 auch an der Grand Opéra. Bereits 1897 debütierte er an der Covent Garden Oper London als Herzog von Mendoza in der Oper «Inez Mendo» von Frédéric d'Erlanger. An der Metropolitan Oper New York wirkte er 1903 in der von Bayreuth verbotenen amerikanischen Erstaufführung des «Parsifal» in der Partie des Titurel mit. Wenige Stunden vor dem großen Erdbeben vom 18. 4. 1906 gastierte er mit dem Ensemble der Metropolitan Oper in San Francisco zusammen mit Enrico Caruso und Olive Fremstad in «Carmen». Insgesamt ist er im New Yorker Haus der Metropolitan Oper in 225 Vorstellungen von 38 Rollen aufgetreten. Am Teatro Colón Buenos Aires war er 1916–18, 1923 und 1927 zu hören, 1920 am Teatro Liceo Barcelona. An der Mailänder Scala auch als Hans Sachs in den «Meistersingern», als Golo in «Pelléas et Mélisande» und als Vater in Charpentiers «Louise» zu Gast. 1912–20 sang er an der Oper von Monte Carlo. Er kreierte für Paris den Fafner im «Rheingold» (1909) und den Klingsor im «Parsifal» (1914). Als letzte Partie sang er im Juli 1933 an der Grand Opéra den Wotan in der «Walküre». Er starb während einer Kur in dem Badeort Vittel an einem akuten Nierenversagen.
Schallplatten: Pathé («Roméo et Juliette» von Gounod, 1913), auf Victor ganz frühe elektrische Aufnahmen von 1926.

Juarez, Nena; sie sang am 12. 7. 1929 in der Uraufführung von Felipe Boeros «El Matrero» am Teatro Colón Buenos Aires die Partie der Pontezuela. 1929 kreierte sie für Südamerika am gleichen Haus Giordanos «Il Re» und «Le preziose ridicole» von Lattuada. Höhepunkte in ihrem Repertoire für die Bühne waren noch die Maddalena im «Rigoletto» und die Pepa in «Goyescas» von Granados.

Juch, Emma; 1884–87 war sie Mitglied der von Theodore Thomas geleiteten American Opera Company. 1887–88 bereiste sie mit der National Opera Company die USA, 1888–91 unternahm sie ähnliche Gastspieltourneen mit einer eigenen Operntruppe, der Juch Grand Opera Company. Aus ihrem Wagner-Repertoire ist die Senta im «Fliegenden Holländer» zu erwähnen.

Judic, Anna; Schallplatten: Es sind Pathé-Zylinder der Künstlerin vorhanden (Paris, 1901–02, darunter Couplets aus Hervé-Operetten, die sie kreiert hatte).

Jülich, Elsa, * 1886 Köln; Ausbildung am Kölner Konservatorium. Sie debütierte 1907 am Stadttheater von Krefeld.

Jüten, Grit, van; 1987 Gastspiel am Nationaltheater Prag als Marguerite im «Faust» von Gounod.
Schallplatten: HMV-Electrola (vollständige Operetten «Im weißen Rössl», «Orpheus in der Unterwelt»).

June, Ava, * 23. 7. 1931 London; sie debütierte 1957 als Solistin an der Sadler's Wells Opera London (an der sie seit 1953 als Choristin tätig war) in der Partie der Leila in «Pêcheurs de perles» von Bizet. 1979 sang sie als erste Rolle an der Covent Garden Oper die Voce celeste in Verdis «Don Carlos», 1974 in San Francisco die Ellen Orford in «Peter Grimes».
Schallplatten: Philips, Decca (Mrs. Grose in «The Turn of the Screw»), HMV-Westminster (Nibelungenring).

Jung, Helene; sie wurde 1904–07 durch Karl Scheidemantel in Dresden ausgebildet. 1907 begann sie ihre Karriere am Hoftheater von Weimar, dessen Mitglied sie bis 1913 blieb. 1914–20 wirkte sie am Stadttheater (Opernhaus) von Hamburg. In Dresden sang sie auch in der Uraufführung der Oper «Hanneles Himmelfahrt» von Paul Graener (17. 2. 1927).

Jung, Manfred; bei den Salzburger Osterfestspielen hörte man ihn als Tristan und als Parsifal (1980). Gastierte 1987 am Staatstheater Kassel als Hermann in «Pique Dame» von Tschaikowsky, 1988 an der Nationaloper Warschau als Loge und als Siegmund in Aufführungen des Ring-Zyklus.

Jungbauer, Jenny; 1920 Gastspiel am Stadttheater (Opernhaus) von Hamburg als Königin der Nacht mit anschließender Verpflichtung an dieses Haus bis 1927. Dort wirkte sie in der Uraufführung der Oper «Scirocco» von E. d'Albert mit (1921).

Jungkurth, Hedwig; während der Nordamerika-Tournee der German Opera Company sang sie auch 1931 die Gutrune in der «Götterdämmerung», den Waldvogel im «Siegfried» und eine der Rheintöchter im Nibelungenring. Aus ihrem Bühnenrepertoire sind noch die Blondchen in der «Entführung aus dem

Serail», die Zerline im «Don Giovanni», die Marzelline im «Fidelio», die Ännchen im «Freischütz» und die Musetta in «La Bohème» erwähnenswert. Akustische Soloplatten auf Polydor (1924).

Jungwirth, Manfred; 1945–49 am Landestheater Innsbruck, 1949–54 und 1958–61 am Opernhaus von Zürich, 1956–57 am Staatstheater Wiesbaden, 1957–58 an der Deutschen Oper am Rhein Düsseldorf–Duisburg, 1960–68 in Frankfurt a. M., 1968–85 an der Wiener Staatsoper verpflichtet. Seit 1976 ständiger Gast an der Staatsoper München; er sang 1985–87 bei den Festspielen von Salzburg den La Roche in «Capriccio» von R. Strauss; in der gleichen Partie gastierte er 1987 beim Maggio musicale Fiorentino.
Schallplatten: Amadeo-Polygram («Der Besuch der alten Dame» von G. von Einem), DGG («Fidelio»).

Jungwirth-Ahnsjö, Helena; 1987 Gastspiel an der Staatsoper Berlin in der Titelpartie von Rossinis «La Cenerentola».

Junker-Giesen, Ellinor; 1957 nahm sie an der Stuttgarter Uraufführung von Werner Egks Oper «Der Revisor» teil. Ihr Gatte Hubert Giesen galt als einer der bedeutendsten Lied-Begleiter seiner Epoche.

Jurinac, Sena; studierte an der Musikakademie von Zagreb und bei Milka Kostrencić. 1942–44 sang sie an der Oper von Zagreb Partien wie die Gräfin in «Figaros Hochzeit», die Freia im «Rheingold», die Isabella in der Premiere von Werner Egks «Columbus» und zahlreiche Rollen in jugoslawischen Opern. 1948 debütierte sie an der Mailänder Scala als Cherubino, 1959 in San Francisco als Butterfly, 1963 in Chicago als Desdemona in Verdis «Othello». 1968 wurde sie zum Ehrenmitglied der Wiener Staatsoper ernannt.
Schallplatten: RCA (Komponist in «Ariadne auf Naxos»), HMV (Cherubino in «Figaros Hochzeit», Ilia in «Ideomeneo», Marzelline im «Fidelio», Gutrune in der «Götterdämmerung»), Philips (Donna Elvira im «Don Giovanni»), DGG (Donna Anna im «Don Giovanni»), Decca (Octavian im «Rosenkavalier»), Westminster (Mozart-Requiem), Acanta («Zigeunerbaron»), Amadeo-Polygram («Karl V.» von Křenek).

Juschin, David Christophorowitsch, * 1870; der ehemalige Opernsänger Dimitrij Slawjanskij überredete ihn die Sängerlaufbahn einzuschlagen. Er konnte schließlich seine Stimme mit Hilfe des Obersten Graf Gontscharow ausbilden lassen. Er war Schüler der Petersburger Pädagogen Cappelli, Sefferi und Frau Leonowa. Zu Beginn seiner Karriere sang er an den Opern von Charkow und Odessa, dann in St. Petersburg. 1905 bereiste er mit einer eigenen Operntruppe Rußland. Auch in Italien ist er bei Gastspielen aufgetreten. Seine großen Partien waren der Canio im «Bajazzo», der Radames in «Aida», der Alfredo in «La Traviata», der Raoul in Meyerbeers «Hugenotten», der Roméo in «Roméo et Juliette» von Gounod, der Eleazar in Halévys «La Juive» und der Enzo in «La Gioconda» von Ponchielli. Verheiratet mit der bekannten Sopranistin *Natalia Stepanowna Juschina-Plugovskaya* (* 1881).

K

Kabaiwanska, Raina; sie nahm 1967 ihren Wohnsitz in Modena. 1962 kam sie an die Metropolitan Oper New York, an der sie in zwölf Spielzeiten auftrat. 1970 und 1974 wirkte sie bei den Festspielen in der Arena von Verona mit, 1973 sang sie am Teatro Margherita Genua die Tosca. 1983 hörte man sie in Verona abermals als Butterfly. 1988 großer Erfolg an der Oper von Rom als Elisabetta in Donizettis «Roberto Devereux», 1989 als Adriana Lecouvreur von Cilea.
Schallplatten: RCA («Manon Lescaut» von Puccini, «Francesca da Rimini» von Zandonai, «Adriana Lecouvreur» von Cilea), Frequenz («Tosca», «Madame Butterfly»).

Kaidanoff, Konstantin; er gehörte 1927–33 dem Ensemble der Opéra Russe an. 1932 sang er als Partner von Fedor Schaljapin in der holländischen Erstaufführung des «Boris Godunow» in Amsterdam die Partie des Warlaam.

Kaiser, Josepha, s. unter *Ernst,* Heinrich.

Kales, Elisabeth; sie nahm auch an einer Japan-Tournee der Wiener Volksoper teil.
Schallplatten: Denon («Czardasfürstin» von E. Kálmán).

Kalisch, Paul; debütierte 1879 unter dem Namen Paolo Alberti als Edgardo in «Lucia di Lammermoor» am Theater von Varese und sang anschließend in Rom.

Kallab, Camilla, * 22. 10. 1910 Brüx (Most, Böhmen).
Schallplatten: Auf HMV-Electrola Mitschnitt einer Bayreuther «Meistersinger»-Aufführung von 1943.

Kálmán, Oskár; einer der bedeutendsten ungarischen Oratorien- und Liedersänger seiner künstlerischen Generation.

Kalmár, Magda; 1987 wirkte sie an der Nationaloper Budapest in der Uraufführung von S. Szokolays Oper «Ecce homo» mit.
Weitere Schallplattenaufnahmen auf Hungaroton: «Mosè in Egitto» von Rossini, «Ester» von K. Ditters von Dittersdorf.

Kalter, Sabine; 1911 sang sie an der Wiener Volksoper in der Premiere der «Königskinder» von E. Humperdinck. 1935 mußte sie als Jüdin Deutschland verlassen. Sie gastierte 1935 am Opernhaus von Antwerpen als Brangäne im «Tristan»; 1939 unternahm sie eine Konzerttournee durch Holland.

Kamann, Karl; Schallplatten: Von der bereits erwähnten Eröffnungsvorstellung der Wiener Staatsoper ist auf Frequenz-Divox ein Mitschnitt vorhanden (Minister in «Fidelio», 5. 11. 1955); auf Fonit-Cetra existiert ein Mitschnitt von Webers «Euryanthe» (Maggio musicale Florenz, 1954).

Kamiński, Mieczyslaw, * 1. 9. 1835 Lwów (Lemberg), † 24. 10. 1896 Lwów. Er sang am 7. 2. 1860 in Warschau in der Uraufführung der Oper «Hrabina» («Die Gräfin») von Moniuszko.

Kamionsky, Oscar Isajewitsch; er studierte 1888–91 bei Camillo Everardi, dann bei Stanislaw Gabel und Joseph Paletschek in St. Petersburg. Er debütierte 1891 am Teatro Bellini in Neapel. Höhepunkte in seinem Bühnenrepertoire waren noch der Don Giovanni, der Rigoletto, der Titelheld in «Der Dämon» von Rubinstein und namentlich der Figaro, sowohl in «Nozze di Figaro» wie im «Barbier von Sevilla».

Kannen, Günter von; er begann seine Bühnenkarriere in Kaiserslautern (1966–67) und war dann an den Theatern von Bielefeld (1967–69), Würzburg (1969–70), Bonn (1970–72) und Gelsenkirchen (1972–77), seit 1977 am Staatstheater Karlsruhe und seit 1979 zugleich am Opernhaus von Zürich engagiert. 1987 Gastspiel an der Staatsoper München als Alberich im «Ring des Nibelungen», den er dann auch 1988–90 bei den Festspielen von Bayreuth vortrug. Weitere Gastspiele bei den Festspielen von Schwetzingen (1987 in Rossinis «Italiana in Algeri»), beim Festival von Aix-en-Provence (1987 als Osmin in der «Entführung aus dem Serail») und an der Deutschen Oper Berlin (1988 als Ochs im «Rosenkavalier»).
Schallplatten: DGG («Ariadne auf Naxos» von R. Strauss), Aulos (Messias), MRF («Grisélidis» von Massenet).

Kaphahn, Hellmuth, † 14. 5. 1987 Berlin; 1957–72 Mitglied der Staatsoper Dresden, wo er vor allem als Verdi- und Wagner-Interpret zu großen Erfolgen kam.
Schallplatten: DGG («Tosca»).

Kappel, Gertrude; an der New Yorker Metropolitan Oper trat sie 1927–36 in 112 Vorstellungen von 15 verschiedenen Partien (in deren New Yorker Haus) auf. Hier sang sie auch 1932 die Titelrolle in der Premiere der Richard Strauss-Oper «Elektra» und war besonders erfolgreich als Ortrud im «Lohengrin» und als Marschallin im «Rosenkavalier». 1933 an der Oper von San Francisco als Isolde im «Tristan» zu Gast.

Karén, Inger; Schallplatten: Auf Acanta Amneris in «Aida».

Karl-Hysel, Marie, s. unter *Hysel,* Josef.

Kartousch, Louise; sie sang im einzelnen in den Uraufführungen der Operetten «Der Graf von Luxemburg» (12. 11. 1909), «Eva» (24. 11. 1911) und

«Endlich allein» (30. 1. 1914) von F. Lehár, «Die Rose von Stambul» von Leo Fall (2. 12. 1916), «Die Bajadere» von E. Kálmán (23. 12. 1921, diese im Carl-Theater, während alle anderen genannten Uraufführungen im Theater an der Wien stattfanden), ohne daß damit die Liste ihrer Kreationen erschöpft wäre.

Kaschmann, Giuseppe, * 14. 7. 1847 Lussimpiccolo (Mali Losinj, Istrien). 1883 sang er in der Eröffnungssaison der New Yorker Metropolitan Oper (zugleich als seine Antrittsrolle an diesem Haus) den Enrico in «Lucia di Lammermoor». Am 6. 10. 1892 wirkte er am Teatro Carlo Felice Genua in der Uraufführung der Oper «Cristoforo Colombo» von Alberto Franchetti als Titelheld mit. Diese Oper wurde von der Stadt Genua zur 400-Jahrfeier der Entdeckung Amerikas durch ihren großen Sohn Columbus in Auftrag gegeben. In der Saison 1895–96 sang er dann nochmals an der Metropolitan Oper New York.

Kaschowska, Felicie, * 12. 5. 1867 Warschau. Ihr Bühnenrepertoire hatte seine Höhepunkte in Partien wie der Leonore im «Fidelio», der Valentine in Meyerbeers «Hugenotten», der Rachel in «La Juive» von Halévy, der Titelfigur in Bellinis «Norma», der Carmen, der Aida und der Brünnhilde im Nibelungenring.

Kase, Alfred; er war der Sohn eines Graveurs und erlernte zuerst den Beruf eines Kupferstechers. Von den vielen Partien, die Bestandteil seines Repertoires waren, sind zu nennen: der Titelheld in «Figaros Hochzeit», der Don Giovanni, der Rigoletto, der Wolfram im «Tannhäuser», der Hans Sachs in den «Meistersingern», der Amfortas im «Parsifal», der Titelheld in «Hans Heiling» von H. Marschner, der Falstaff in Verdis gleichnamiger Oper, der Agamemnon in «Iphigenie in Aulis» von Gluck und der Titelheld in Rossinis «Wilhelm Tell». Er veröffentlichte auch lyrische Gedichte unter dem Titel *«Gereimtes und Ungereimtes».*

Kaskas, Anna; sie debütierte 1930 am Theater von Pavia in einer kleinen Partie in «Francesca da Rimini» von Zandonai. Nach Nordamerika zurückgekehrt, vervollständigte sie ihre Ausbildung bei Enrico Rosati in New York. An der Metropolitan Oper New York hörte man sie seit 1936 u. a. als Cieca in «La Gioconda» von Ponchielli, als Mamma Lucia in «Cavalleria rusticana», als Erda in den Opern des Ring-Zyklus, als Albine in «Thaïs» von Massenet, als Titelheldin im «Orpheus» von Gluck, dazu in vielen kleineren Partien.

Kasrashwili, Makwala (Filimonowna); 1985 Gastspiel bei den Festspielen in der Arena von Verona als Titelheldin in Verdis «Aida», 1987 bei den Festspielen von Wiesbaden als Tosca. 1988 große Erfolge als Konzertsängerin in Boston, am Bolschoj Theater Moskau als Voislava in «Mlada» von Rimsky-Korssakow.

Kastorsky, Wladimir (Iwanowitsch); Schüler von Stanislaw Gabel in St. Petersburg, nachdem er seine Dienstpflicht in der russischen Armee abgeleistet hatte. Er trat auch als Iwan Susanin in Glinkas gleichnamiger Oper, als Ruslan in «Ruslan und Ludmilla» vom gleichen Komponisten, als Dosifey in «Khovantchina» von Mussorgsky und als Sobakin in Rimsky-Korssakows «Zarenbraut» auf. Seit 1917 war er als Professor am Konservatorium von Leningrad (Petrograd) tätig.

Kastu, Matti, * 3. 2. 1943 Turku (Südfinnland). 1975 sang er an der Stockholmer Oper, an der er 1973 debütiert hatte, den Kaiser in der «Frau ohne Schatten» von R. Strauss zusammen mit Birgit Nilsson, Siv Wennberg und Walter Berry, den er auch 1981 bei der Welsh Opera Cardiff sang. Er gastierte in Frankfurt a. M., Düsseldorf und Berlin. Von weiteren Partien sind der Rodolfo in «La Bohème», der Bacchus in «Ariadne auf Naxos», der Florestan im «Fidelio», der Walther in den «Meistersingern» und der Parsifal zu nennen.

Katona, Julius; er sang 1942 im Berliner Admiralspalast in der Uraufführung der Operette «Marina» von Nico Dostal.

Katterfeld, Hannerose; Schallplatten: Philips (Ausschnitte aus Offenbachs «Orpheus in der Unterwelt»), HMV («Rigoletto»), Amiga.

Katulskaya, Elena (Klimentjewna); von ihren Bühnenrollen seien die Titelfigur in «Snegourotchka» von Rimsky-Korssakow, die Volkhova in «Sadko», die Marfa in «Die Zarenbraut», die Ludmilla in «Ruslan und Ludmilla» von Glinka, die Gilda im «Rigoletto», die Traviata und die Juliette in «Roméo et Juliette» von Gounod genannt. Einer ihrer Schüler war der berühmte Tenor Alexej Maslennikow, eine Schülerin die Sopranistin Tamara Milaschkina. Sie war auch schriftstellerisch tätig, verfaßte mehrere Essays über Opern und gab eine Kollektion von Vokalmusik heraus.

Katz, Eberhard; sang 1979 in Köln den Herodes in «Salome» als Partner von Gwynneth Jones.

Kaufmann, Julie, * 1953 im amerikanischen Staat Iowa; sie studierte auch an der Musikhochschule Hamburg bei Judith Beckmann. 1983 kam sie an die Staatsoper von München, wo sie u. a. 1988 als Aminta in der «Schweigsamen Frau» von R. Strauss auftrat. 1987 sang sie bei den Salzburger Festspielen die Blondchen in der «Entführung aus dem Serail», bei den Festspielen von Wiesbaden die Despina in «Così fan tutte», bei den Ludwigsburger Festspielen 1989 die Susanna in «Figaros» Hochzeit». 1987 gastierte sie an der Staatsoper Berlin in Rossinis «La Cenerentola», 1988 Gastspieltournee mit der Münchner Oper in Japan.
Schallplatten: Ariola-Eurodisc (Amor im «Orpheus» von Gluck), HMV (Stimme des Falken in «Die Frau ohne Schatten» von R. Strauss), Philips (Echo in «Ariadne auf Naxos»).

Kaulich-Lazarich, Louise, † 28. 4. 1939 Wien.

Kawahara, Yoko; ihren ersten großen Erfolg in Westdeutschland hatte sie 1969 in Bonn als Pamina.
Schallplatten: Aulos (Lieder von Max Reger).

Kawecka, Wiktoria; Schallplatten: Von ihrer Stimme existieren Pathé-Zylinder und -Platten (Warschau, 1904–05 mit Liedern und Opernarien) sowie Edison-Zylinder (Warschau, 1906).

Kedroff, Irene; sie sang auch in einem Vokalquartett zusammen mit Comtesse Marie-Blanche de Polignac, dem Tenor Hugues Cuénod und dem Bassisten Doda Conrad, von dem Aufnahmen auf HMV vorhanden sind.

Kehl, Sigrid; 1988 großer Erfolg an der Staatsoper Dresden als Herodias in «Salome» von R. Strauss.

Kélemen, Zoltán; auch an der New Yorker Metropolitan Oper ist er als Alberich aufgetreten.

Keller, Hans; er wirkte 1910 in Karlsruhe in der Uraufführung der Oper «Banadietrich» von Siegfried Wagner mit. Bei den Festspielen von Bayreuth sang er 1899, 1901 und 1904 den Fasolt im «Rheingold», 1901 dazu den Hunding in der «Walküre». 1911–15 leitete er das Theater von Luzern, dann eine Operettenbühne in Karlsruhe. 1917–25 war er Oberspielleiter in Kaiserslautern, wo er auch noch als Sänger aufgetreten ist. Eine seiner Schülerinnen war die Schweizer Sopranistin Maria Stader.

Keller, Jakob, Baß, * 23. 11. 1911 Herisau (Kanton Appenzell); er arbeitete zunächst einige Jahre als Friseur, bevor er zur Ausbildung seiner Stimme kam. Er studierte bei Gertrud Fehrmann in St. Gallen und an der Berliner Musikhochschule bei Paul Lohmann und Franziska Martienssen-Lohmann. 1940 debütierte er am Staatstheater Kassel, dem er bis 1942 angehörte. 1942–43 war er am Deutschen Theater Oslo engagiert und kam dann an das Stadttheater der Schweizer Bundeshauptstadt Bern, an dem er bis 1972 eine fast dreißigjährige erfolgreiche Karriere entfaltete. Er sang an diesem Haus wie bei Gastspielen am Opernhaus von Zürich, am Grand Théâtre Genf, an den Staatsopern von Berlin und München eine Vielzahl von Partien aus allen Bereichen der Opernliteratur seines Stimmfachs. Er stand allein in der Rolle des Sarastro in der «Zauberflöte» über tausendmal auf der Bühne. Weitere Höhepunkte in seinem Repertoire waren der König Philipp in Verdis «Don Carlos», der Zaccaria in dessen «Nabucco», der Pater Guardian in «La forza del destino», der Sparafucile im «Rigoletto», der Osmin in der «Entführung aus dem Serail», der Bartolo in «Nozze di Figaro», der Rocco im «Fidelio», der Kezal in Smetanas «Verkaufter Braut», der Gremin im «Eugen Onegin», der Riedinger in «Mathis der Maler» von Hindemith, der Daland im «Fliegenden Holländer», der Landgraf im «Tannhäuser», der König Heinrich im «Lohengrin», der Pogner in

den «Meistersingern», der Fafner wie der Hunding im Ring-Zyklus und der Titurel im «Parsifal». Er war acht Jahre lang als Pädagoge am Konservatorium von Biel tätig und setzte seine Lehrtätigkeit in Bern, wo er seinen Wohnsitz hatte, fort. Zu seinen Schülern gehörte der bekannte Bassist Jakob Stämpfli. Seine Tochter *Verena Keller* (* 1942) kam als Mezzosopranistin zu einer erfolgreichen Bühnen- wie Konzertkarriere. Jakob Keller machte 1943 in Berlin Schallplattenaufnahmen, die jedoch zerstört wurden. So ist lediglich eine Privataufnahme von vier Liedern mit Orgelbegleitung vorhanden. – (Neufassung) –.

Keller, Leo von; er war auch ein bekannter Operettensänger und wirkte am 30. 12. 1905 am Theater an der Wien in der Uraufführung von F. Lehárs «Lustiger Witwe» als Vicomte Cascada mit.

Kelley, Norman; Schallplatten: CRI («The Crucible» von Robert Ward).

Kellogg, Louise, † 13. 5. 1916 New Hartford (Connecticut).

Kelly, David; Schallplatten: RCA («Salome» von R. Strauss).

Kelly, Klesie; verheiratet mit dem Cellisten Rainer Moog.

Kelly, Michael, † 9. 10. 1826 Margate (Kent). Er wirkte 1789 am His Majesty's Theatre in London in der englischen Erstaufführung von Paisiellos Oper «Il Barbiere di Siviglia» mit.

Kemble, Adelaide; sie hielt sich 1837 in Deutschland auf, wurde 1838 durch die große Giuditta Pasta in deren Villa am Comer See unterrichtet und debütierte noch 1838 in Venedig als Norma. 1839 feierte man sie an der Mailänder Scala in der Premiere von Donizettis «Lucia di Lammermoor» in der Titelrolle dieses Werks. 1839–40 hatte sie in weiteren Partien und bei Konzerten in Mailand große Erfolge.

Kemlitz, Otto; er ging 1884 nach Nordamerika und sang dort 1884–88 und nochmals 1890–91 an der Metropolitan Oper New York. Über sein weiteres Lebensschicksal ist kaum etwas bekannt.

Kemp, Barbara; als erste Solopartie sang sie am Stadttheater von Straßburg 1903 die Priesterin in Verdis «Aida». An der Berliner Oper hörte man sie als Selika in Meyerbeers «Africaine», als Leonore im «Troubadour» von Verdi, als Donna Anna im «Don Giovanni», als Elisabeth im «Tannhäuser», als Elsa im «Lohengrin», als Elektra von R. Strauss, als Marschallin im «Rosenkavalier» und als Mona Lisa in der gleichnamigen Oper ihres Gatten Max von Schillings (u. a. 1915 in der Berliner Premiere des Werks). 1923–24 war sie an der Metropolitan Oper New York tätig. Neben der Mona Lisa sang sie dort die Kundry im «Parsifal», die Elsa und die Isolde. Da sie dort nicht die gleichen Erfolge wie in Europa

hatte, kündigte sie «aus gesundheitlichen Gründen» ihr Engagement auf, nachdem ihre zweite Spielzeit an der Metropolitan Oper bereits begonnen hatte. Einen ihrer letzten Erfolge als Sängerin hatte sie 1930 als Ortrud im «Lohengrin» in Berlin. Sie war in der Inszenierung von Opern so erfolgreich, daß man ihr in Berlin auch die Regie in Opern wie «Mona Lisa» und «Elektra» übertrug. Ihre Schwester *Josephine Kemp,* die als Soubrette wirkte, war mit dem Dirigenten Klaus Nettstraeter († 1952) verheiratet.
Schallplatten: HMV (1914–16), Polydor, Odeon (1918), elektrische Aufnahmen auf Parlophon und HMV (1928).

Kemter, Johannes; großer Erfolg an der Staatsoper Dresden als Knusperhexe in «Hänsel und Gretel». Er wurde schließlich zum Professor an der Musikhochschule Dresden ernannt.

Kenny, Yvonne; sie begann ihre Karriere an der Covent Garden Oper London mit ihrem Auftritt in der Uraufführung von H. W. Henzes «We come to the River» (1976); sie sang dort u. a. 1987 die Marzelline im «Fidelio» und die Adina in «Elisir d'amore». Seit 1977 trat sie an der English National Opera London, seit 1978 in Melbourne auf. 1988 gastierte sie beim Glyndebourne Festival als Alice Ford in Verdis «Falstaff».
Schallplatten: Opera Rara («Emilia di Liverpool» von Donizetti, Arien), HMV (Sopransolo in der 9. Sinfonie von Beethoven), DGG («Carmen»).

Keplinger, Ruth; seit 1953 gab sie mehr als hundert Liederabende.

Kern, Adele; sie war 1926–28 an der Oper von Frankfurt a. M. engagiert und wirkte 1928–35 als erste Koloratrice an der Staatsoper von Wien. Dort sang sie 1930 die Titelfigur in Rossinis «La Cenerentola» als Partnerin von Koloman von Pataky; bei den Salzburger Festspielen hörte man sie auch als Adele in der «Fledermaus», als Mimi in «La Bohème» und als Zerbinetta in «Ariadne auf Naxos». 1935–38 war sie Mitglied der Berliner Staatsoper, kam dann aber wieder in ihre Heimatstadt München zurück. Gastspiele führten sie u. a. nach Paris, Venedig und Rio de Janeiro; am Berliner Theater des Westens wirkte sie in der Uraufführung der Künnecke-Operette «Die lockende Flamme» mit (27. 12. 1933). 1947 mußte sie wegen eines Herzleidens ihre große Karriere aufgeben.

Kern, Patricia; sie sang 1966 in London in der Uraufführung der Oper «The Violins of St. Jacques» von Malcolm Williamson. 1969 erfolgte ihr USA-Debüt an der Washington Opera. 1974 wirkte sie bei der Scottish Opera in der Uraufführung von «The Catiline Conspiration» von Hamilton mit. Gastspiele an der City Centre Opera New York, an der Oper von Dallas, bei den Festspielen von Drottningholm (Ottone in «L'Incoronazione di Poppea») und Spoleto (Isabella in «Italiana in Algeri»), Konzertauftritte in Paris, Turin und Hongkong. 1987 Gastspiel an der

Oper von Chicago als Marcellina in «Figaros Hochzeit».
Schallplatten: Ariola-Eurodisc («Anna Bolena»), HMV («Manon» von Massenet «Hoffmanns Erzählungen»), Philips (Kantate von Strawinsky), Castle-Video («Incoronazione di Poppea»).

Kernic, Beatrice, † September 1947 Frankfurt a. M.

Kerns, Robert, *8. 6. 1933 Detroit, † 19. 2. 1989 Wien; er sang als Antrittsrolle an der City Centre Opera New York 1959 den Morales in «Carmen». 1960 Europa-Debüt beim Festival von Spoleto. 1963 gastierte er bei den Festspielen von Salzburg in Verdis «Simon Boccanegra». An der Covent Garden Oper London hatte er sein Debüt 1964 als Guglielmo in «Così fan tutte». 1973 wurde er Mitglied der Deutschen Oper Berlin. Seine großen Wagner-Partien, die er u. a. bei den Salzburger Osterfestspielen unter H. von Karajan sang, waren der Wolfram im «Tannhäuser», der Amfortas im «Parsifal», der Donner im «Rheingold» und der Heerrufer im «Lohengrin».
Schallplatten: HMV («Lohengrin»), HRE («Il Giuramento» von Mercadante).

Khanajew, Nikander, s. unter *Chanajew,* Nikander.

Kiepura, Jan; er gab 1923 ein erstes Konzert in Warschau. Nach seinem Debüt am Opernhaus von Lwów, sang er 1925 in Warschau und Poznań (Posen). An der Mailänder Scala debütierte er 1928 als Kalaf in Puccinis «Turandot» zusammen mit Bianca Scacciati und Rosetta Pampanini. 1934 gastierte er an der Opéra-Comique Paris als Rodolfo in «La Bohème» und als des Grieux in Massenets «Manon». Letztgenannte Partie sang er auch 1931 an der Mailänder Scala; in Südamerika trat er an Opernhaus von São Paulo auf. 1938–42 Mitglied der Metropolitan Oper New York, an der er als letzte Partie 1942 den José in «Carmen» sang. Er starb plötzlich nach einem Herzanfall. Der Bruder des berühmten Tenors, *Ladis Kiepura,* trat in Deutschland an der Hamburger Oper (unter dem Namen Wladislaw Ladis) auf und hat Schallplatten unter dem Etikett von Parlophon-Odeon besungen.

Killebrew, Gwendolyn, *26. 8. 1939 Philadelphia; 1971 sang sie an der City Centre Opera New York die Ulrica in Verdis «Ballo in maschera», 1973 in San Francisco die Marina im «Boris Godunow», 1975 an der Oper von Santa Fé als Carmen zu Gast; in dieser Partie hatte sie dann auch an der Metropolitan Oper New York großen Erfolg, an der sie auch eine kleinere Rolle in «Elektra» von Richard Strauss sang. Seit 1976 Gastspiele an der Deutschen Oper am Rhein Düsseldorf–Duisburg. 1981 Gastspiel am Opernhaus von Zürich als Quickly in Verdis «Falstaff».
Schallplatten: Philips («Walküre», «Götterdämmerung»).

Killitschky, Josefine, s. unter *Schulze,* Josefine.

Kinasz, Božena; Schülerin des Pädagogen Stephan Mikolajczak, den sie dann heiratete.

Kincszes, Veronica; sie gewann 1971 in Prag den A. Dvořák-Concours. 1981 gab sie drei Konzerte in Prag; 1985 Gastspiel an der Deutschen Oper Berlin, 1987 am Teatro Colón Buenos Aires als Silvana in «La Fiamma» von Respighi, 1989 in Pittsburgh als Butterfly.
Auf Hungaroton erschienen zahlreiche weitere Schallplattenaufnahmen der Sängerin, darunter «Christus» von F. Liszt, «Medea» von Cherubini, «Il Pittore Parigino» von Cimarosa und das Te Deum von Charpentier.

Kindermann, Lydia, * 1891 Wien, † Januar 1954 Wien (nach einer Operation); sie debütierte 1917 am Theater von Teplitz–Schönau (Teplice) und sang 1917–21 in Graz, 1927–31 an der Staatsoper Berlin. Am Teatro Colón Buenos Aires hörte man sie bis 1948 in Partien wie der Geneviève in «Pelléas et Mélisande» von Debussy, der Erda und der Waltraute im Nibelungenring und als La Haine in «Armide» von Gluck. 1949 gab sie in Innsbruck nochmals einen Liederabend. Sie wirkte dann als Pädagogin in Wien.
Unter ihren Telefunken-Aufnahmen finden sich das Quartett aus «Rigoletto» und das «Meistersinger»-Quintett.

King, James; er sang an der Covent Garden Oper London u. a. 1985 den Bacchus in «Ariadne auf Naxos» von R. Strauss, 1986 den Florestan im «Fidelio». Seit seinem Debüt 1966 an der Metropolitan Oper New York hat er (in deren New Yorker Haus) elf große Partien in 78 Vorstellungen gesungen, darunter den Cavaradossi in «Tosca», den José in «Carmen», den Walther in den «Meistersingern», den Siegmund in der «Walküre», den Bacchus in «Ariadne auf Naxos» und den Kaiser in der «Frau ohne Schatten» von R. Strauss. 1989 sang er bei den Festspielen von Salzburg den Ägisth in «Elektra» von R. Strauss.
Schallplatten: Capriccio («Notre Dame» von F. Schmidt).

King, Malcolm; Gastspiele an der Staatsoper von Wien und am Grand Théâtre Genf (1981).
Schallplatten: Decca («Un Ballo in maschera» von Verdi), RCA («La forza del destino» und «Othello» von Verdi).

King, Roxy; sie trat an der Berliner Hofoper wie am Theater des Westens Berlin als Partnerin von so berühmten Sängern wie Enrico Caruso und Francisco d'Andrade auf. Sie fügte dann auch einige Wagner-Partien in ihr Bühnenrepertoire ein, darunter die Senta im «Fliegenden Holländer», die Venus im «Tannhäuser» und die Elsa im «Lohengrin».
Schallplatten: Victor (1908, USA, darunter spanische Volkslieder).

Kingsley, Margaret; 1983–84 sang sie an der English National Opera London die Amneris in «Aida», die

Mrs. Grose in «The Turn of the Screw», die Marina im «Boris Godunow» und die Achrosimowa in «Krieg und Frieden» von Prokofieff. Sie lehrte als Professorin am Royal College of Music London.

Kingston, Morgan, Tenor, * 16. 3. 1881 Wednesbury (Grafschaft Staffordshire, England), † 4. 8. 1936 London. Bereits im Alter von 14 Jahren arbeitete er als Bergarbeiter. Seine Stimme wurde zufällig bei einem Kirchenkonzert entdeckt, als er bereits 27 Jahre alt war. 1909 debütierte er als Konzertsolist in London. 1913 trat er der Century Opera Company bei und debütierte mit dieser im New Yorker Lexington Theatre als Radames in «Aida». Er sang dort auch den Canio im «Bajazzo» und den Lohengrin und nahm 1915 an den ersten Aufführungen im Ravinia Park bei Chicago teil. Bis 1923 war er bei diesen Festspielen anzutreffen, u. a. als Raffaele in Wolf-Ferraris «I gioielli della Madonna», als Cavaradossi in «Tosca», als Rodolfo in «La Bohème», als Radames, als Milio in «Zazà» von Leoncavallo, als Araquil in «La Navarraise» von Massenet, als Loris in «Fedora» von Giordano und als Lohengrin. An der Oper von Chicago war er nur in der Saison 1916–17 engagiert. 1917–24 Mitglied der Metropolitan Oper New York (Antrittsrolle: Manrico im «Troubadour»). Hier sang er vor allem heldische Partien aus dem Bereich der italienischen Oper (Canio, Radames, Milio, Araquil, Hüon im «Oberon») und wirkte in der Uraufführung von John Adams «The Temple Dancer» mit. 1920–21 nahm er an einer USA-Tournee der Scotti Opera Company teil. Später trat er dann wieder hauptsächlich in England auf. Hier kam er an der Londoner Covent Garden Oper zu bedeutenden Erfolgen, namentlich 1924 als Canio, 1925 als Siegmund in der «Walküre». In Nordamerika wie in England war er gleichzeitig als hoch angesehener Konzert- und Oratoriensänger tätig.
Columbia-Platten, teils in England, teils in den USA aufgenommen. (Neufassung) –.

Kinorenko-Damansky, Jurij Stepanowitsch, s. unter (der richtigen Schreibweise des Familiennamens) *Kiporenko-Damansky,* Jurij Stepanowitsch.

Kipnis, Alexander; seit 1912 Musik- und Gesangstudium am Konservatorium von Warschau. Während des Ersten Weltkrieges wurde er als Russe in Berlin interniert, später wieder freigelassen, aber unter Polizeiaufsicht gestellt. Als erste Partie sang er in seinem Engagement bei der German Opera Company in den USA den Pogner in den «Meistersingern». Bei den Festspielen von Bayreuth gastierte er 1927–33 als Gurnemanz im «Parsifal», als Pogner, als Marke im «Tristan» und als Landgraf im «Tannhäuser». Bis 1938 trat er an der Staatsoper von Wien auf; als Jude mußte er 1935 Deutschland, 1938 Österreich verlassen. Bereits 1931 hatte er die amerikanische Staatsbürgerschaft angenommen. 1937 unternahm er eine große Nordamerika-Tournee zusammen mit Hilde Konetzni, Marta Krasová, Henk Noort und Joel Berglund. 1940–46 gefeiertes Mitglied der Metropolitan Oper New York. In deren

New Yorker Haus ist er in 74 Vorstellungen von 13 verschiedenen Partien aufgetreten, vor allem in seinen Wagner-Rollen, aber auch als Sarastro in der «Zauberflöte», als Arkel in «Pelléas et Mélisande» und als Ochs im «Rosenkavalier», aber nur 1943 zweimal in seiner Glanzrolle, dem Boris Godunow von Mussorgsky. Er verabschiedete sich 1946 vom Publikum der Metropolitan Oper in seiner Antrittsrolle, dem Gurnemanz. Zugleich als Konzert- und Oratoriensänger berühmt (Soli im Verdi-Requiem und im «Elias» von Mendelssohn). Großer Liedinterpret (Schumann, Brahms, Hugo Wolf, russische Komponisten).
Schallplatten: Melodram («Lohengrin», 1936), Toscanini Edition (Missa solemnis von Beethoven).

Kiporenko-Damansky, Jurij Stepanowitsch; Schallplatten der staatlichen sowjetrussischen Plattenproduktion (Melodiya). Richtige Schreibweise des Familiennamens Kiporenko-Damansky, nicht (wie im Hauptband) Kinorenko-Damansky.

Kirchhoff, Walter; 1910 wirkte er an der Berliner Hofoper in der Uraufführung der Oper «Poia» des amerikanischen Komponisten Arthur Nevin mit.

Kirchner, Alexander; Schallplatten: Auf Anker existiert eine Aufnahme aus dem «Parsifal» von 1914 zusammen mit Rudolf Moest als Gurnemanz.

Kirchner, Klaus; er wirkte am Staatstheater Karlsruhe am 6.3. 1986 in der Uraufführung der Oper «Der Meister und Margarita» von Rainer Kunad mit.

Kirkby, Emma; * 26. 2. 1949 Camberley (Surrey); sie wurde durch Jessica Cash ausgebildet. 1989 sang sie in London in Händels «Orlando». Sie trat auch mit dem Consort of Musicke auf; verheiratet mit dem Dirigenten Andrew Parrott (* 1947).
Schallplatten: Decca («Athalia» von Händel. Werke von Monteverdi, Stabat mater von Pergolesi), Harmonia mundi («Acis and Galatea» von Händel), Hyperion («The Triumph of Time and Truth» von Händel, Songs and Dialogues von Purcell, Barock-Arien), Capriccio («Cleofide» von J. A. Hasse), Virgin (Lauten-Lieder von J. Dowland).

Kirkby-Lunn, Louise; Studium bei J. H. Greenwood in Manchester, dann mit Hilfe eines Stipendiums bei Alberto Antonio Visetti in London. Debüt 1893 am Drury Lane Theatre London als Margaret in «Genoveva» von R. Schumann und in «Le Roi l'a dit» von Delibes. Eigentliches Bühnendebüt 1896 an der Londoner Opéra Comique als Nora in der Uraufführung der Oper «Shamus O'Brien» von Charles Stanford. An der Covent Garden Oper London nahm sie an den englischen Erstaufführungen der Opern «Hérodiade» von Massenet (1904), «Hélène» von Saint-Saëns (1904) und «Armide» von Gluck (1906) teil. 1902–04 hörte man sie an der Metropolitan Oper New York auch als Brangäne im «Tristan» und als Amneris in «Aida». 1906–08 trat sie am gleichen Haus u. a. als Fricka und als Erda im Nibelungenring

auf. An der Oper von Budapest gastierte sie als Amneris, als Orpheus, als Dalila und als Carmen. An der Covent Garden Oper bewunderte man 1914 ihre Quickly in Verdis «Falstaff». Als große Konzert- und Oratoriensolistin erwies sie sich in regelmäßigen Auftritten bei den großen englischen Musikfesten in Birmingham, Sheffield und Norwich wie bei einer Australien- und Neuseeland-Tournee.
Schallplatten: Berliner Records, G & T (London 1901), Columbia (1905), HMV (1910–23), Pathé-Zylinder und -Platten.

Kirsten, Dorothy, * 6.7. 1915 Montclair (New Jersey). Sie war die Enkelin von James J. Beggs, dem Dirigenten der Buffalo Bill's Band, und die Großnichte der bekannten irischen Sängerin *Catherine Hayes* (1825–61). Studium bei Astolfo Pescia in Rom. Bei Ausbruch des Zweiten Weltkrieges verließ sie Europa und kam in ihre amerikanische Heimat zurück. 1942 trat sie sehr erfolgreich in Milburn (New Jersey) in Lehárs «Lustiger Witwe» auf. 1941–42 hörte man sie an der Oper von Chicago als Micaela in «Carmen», als Nedda im «Bajazzo» und als Musetta in Puccinis «La Bohème». 1944 debütierte sie an der New York City Centre Opera als Violetta in «La Traviata», seit 1947 sang sie regelmäßig an der Oper von San Francisco. 1947 kam sie für 27 Spielzeiten an die Metropolitan Oper New York. 1975 gab sie dort als Tosca ihre Abschiedsvorstellung, trat aber dort noch gelegentlich später als Gast in Erscheinung, wobei man sie besonders als Puccini-Interpretin schätzte. Am 14.2. 1947 sang sie beim Begräbnis ihrer Freundin Grace Moore (nach deren Tod bei einem Flugzeugabsturz in Kopenhagen) in Chatanooga. Sie veröffentliche ihre Erinnerungen unter dem Titel *«A Time to Sing»* (1982).
Schallplatten: RCA-Victor, Columbia (Puccini-Arien, «Rose Marie» von R. Friml mit Nelson Eddy), Philips (Opernszenen mit Richard Tucker).

Kitchiner, John; er sang bei der English National Opera London in den englischen Erstaufführungen der Opern «War and Peace» («Krieg und Frieden», 1972) von Prokofieff und «Die Bassariden» von H. W. Henze (1974).

Kittay, Theodore; Schallplatten: Es existieren zwei weitere Aufnahmen seiner Stimme, die 1916 auf Lyrophone in den USA aufgenommen wurden (Entrée-Arie des Herzogs aus «Rigoletto», Blumenarie des José aus «Carmen»), die unter dem Namen Tobia Kittay herausgebracht wurden.

Kittel, Hermine; bei den Festspielen von Bayreuth sang sie auch die erste Norn im Nibelungenring, 1910 beim Salzburger Mozart-Fest die dritte Dame in der «Zauberflöte». Ihr Bruder, der Dirigent Karl Kittel, war u. a. 1904–39 als Assistent bei den Bayreuther Festspielen tätig.
Schallplatten: Auf Victor wurde das Schlußduett aus «Carmen» zusammen mit Leo Slezak veröffentlicht.

Kiurina, Berta; Schallplatten: Auf Pathé singt sie zwei Duette zusammen mit ihrem Gatten *Hubert*

Leuer (Wien, 1914; die einzigen Aufnahmen seiner Stimme).

Kjellgren, Ingeborg, * 18. 4. 1918 Stöde (schwedische Provinz Medelpad).

Klafsky, Katharina, * 19. 9. 1855 Mosonszentjános (Ungarn). Während ihres Engagements in Leipzig war sie dort als Venus im «Tannhäuser» sehr erfolgreich.

Klarmüller, Fritz, * 18. 5. 1875 Gablonz (Jablonec nad Nisou, Böhmen), † 26. 11. 1967 Weißenbach (Hessen).

Klarwein, Franz; er wirkte 1944 in Salzburg in der Generalprobe der Richard Strauss-Oper «Die Liebe der Danaë» mit (deren Uraufführung nicht mehr zustandekam und dann erst 1952 im Rahmen der Salzburger Festspiele nachgeholt wurde).

Klein, Peter; er wirkte bei den Salzburger Festspielen auch bei den Uraufführungen der Opern «Der Prozeß» von G. von Einem (17. 8. 1953) und «Penelope» von R. Liebermann (17. 8. 1954) mit. 1965 sang er überraschend in Wien die Baritonpartie des Beckmesser in den «Meistersingern».
Schallplatten: Bruno Walter Society-Discocorp («Zauberflöte» aus Salzburg, 1949), Fonit-Cetra («Zauberflöte», Salzburg 1951).

Klementyeff, Lew Michailowitsch; Schallplatten: 1909 wurden von seiner Stimme nochmals sechs Aufnahmen auf Grammophone hergestellt, es existiert auch eine Tonophone-Platte.

Kliment, Václav; er sang 1901 eine Solopartie in der Uraufführung des Oratoriums «Svata Ludmila» von A. Dvořák in Prag.

Klöpfer, Viktor; in der Spielzeit 1903–04 war er an der Metropolitan Oper New York engagiert. An der Münchner Hofoper sang er auch in den Uraufführungen der Opern «Der Bärenhäuter» (22. 1. 1899) und «Herzog Wildfang» (19. 3. 1901) von Siegfried Wagner.

Klomser, Herbert, † 21. 9. 1987 Salzburg.

Klose, Margarete; sie studierte auch bei dem Berliner Pädagogen Walter Bültemann († 1949), den sie heiratete. Bühnendebüt 1927 am Stadttheater Ulm als Manja in E. Kálmáns Operette «Gräfin Maritza». 1930 wirkte sie bei den Wagner-Festspielen im Théâtre des Champs Élysées Paris unter F. von Hoesslin mit und gastierte im gleichen Jahr im Haag als Waltraute in der «Götterdämmerung». 1938 debütierte sie mit sensationellem Erfolg an der Wiener Staatsoper als Ortrud im «Lohengrin», 1939 Gastspiel an der Oper von Rom. An der Covent Garden Oper London hörte man sie 1935 und 1937 als Ortrud, als Fricka, als Waltraute und als Brangäne. 1950 an der Mailänder Scala und im Haag als Fricka im Nibelungenring zu Gast; am Teatro Colón Bue-

nos Aires kreierte sie die Küsterin in der Premiere von Janáčeks «Jenufa» (1951). 1953 sang sie an der Oper von San Francisco die Ulrica in Verdis «Ballo in maschera». Neben ihren Wagner-Partien sind aus ihrem Bühnenrepertoire zu nennen: der Titelheld im «Orpheus» von Gluck, die Carmen, die Herodias in «Salome», die Amneris in «Aida», die Azucena im «Troubadour», die Eboli in Verdis «Don Carlos» und die Dalila in «Samson et Dalila» von Saint-Saëns.
Schallplatten: Erste Aufnahmen von den Pariser Wagner-Festspielen auf Pathé (Erdas Warnung, 1930), auf HMV (bereits 1939 2. Akt «Walküre» mit Hans Hotter), dann Aufnahmen auf DGG (Siemens Spezial) und Telefunken (1936). Dann wieder auf HMV vollständige Opern «Lohengrin», «Walküre», «Siegfried», «Götterdämmerung», auf Urania «Pique Dame» von Tschaikowsky, auf Preiser (Ortrud im «Lohengrin», Berlin 1941) und auf Acanta («Lohengrin», München 1952), auf DGG Titelheld im Gluck'schen «Orpheus» und Maddalena im «Rigoletto».

Kmentt, Waldemar; 1960 sang er bei den Festspielen von Salzburg in der Uraufführung von Frank Martins «Le Mystère de la Nativité».
Schallplatten: Philips (Mozart-Requiem), Melodram («Intermezzo» von R. Strauss), Telefunken («Fledermaus» als Dr. Blind, 1988).

Knepel, Elsa, * 1895 Stettin; ausgebildet durch Etelka Gerster, Mathilde Mallinger und durch den Berliner Pädagogen Genthe. Sie begann ihre Bühnenkarriere 1916 am Stadttheater von Bamberg, war 1917–21 am Opernhaus von Breslau engagiert und wirkte 1921–29 an der Berliner Staatsoper. Nach 1930 trat sie noch bei zahlreichen Gastspielen in Erscheinung (u. a. Uraufführung der Operette «Akrobaten des Glücks» von W. W. Goetze an der Komischen Oper Berlin 1933) und gab Konzerte. 1923–24 bereiste sie mit der Bronsgeest-Wanderoper Holland.

Kness, Richard; er war auch Schüler von Franco Corelli. In den Jahren 1968–78 gastierte er in aller Welt, so am Théâtre de la Monnaie Brüssel, in Frankfurt a. M., an der Nationaloper Belgrad, in Teheran und Tel Aviv. 1967 trat er erstmalig an der Metropolitan Oper New York auf, sang 1971 an der City Centre Opera New York, an beiden Häusern vor allem in dramatischen Partien. 1978 war er Mitbegründer des Ensembles «The Ambassador of Opera & Concert Worldwide Ltd.», mit dem er bis 1983 große Gastspielreisen unternahm, die u. a. in den Mittleren und den Fernen Osten und nach China führten.
Schallplatten: CBS (9. Sinfonie von Beethoven).

Knight, Gillian, * 1939 Redditch (Worcestershire, England); sie gastierte 1978 an der Grand Opéra Paris in der «Zauberflöte», 1979 erfolgte ihr USA-Debüt in Tanglewood als Olga im «Eugen Onegin» von Tschaikowsky. Sie nahm an Tourneen mit Gilbert & Sullivan-Operetten in den USA teil, sang

1986–87 an der Oper von Pittsburgh die Königin in «Hamlet» von A. Thomas und 1989 bei der Welsh Opera Cardiff die Amme in der «Frau ohne Schatten» von R. Strauss, 1990 an der Oper von Frankfurt a. M. die Ulrica in Verdis «Ballo in maschera». An der Londoner Covent Garden Oper wirkte sie in Aufführungen des Nibelungenrings mit und sang die Maddalena im «Rigoletto», die Olga im «Eugen Onegin» und in der Händel-Oper «Semele».
Schallplatten: Decca (Operetten von Gilbert & Sullivan), Philips (Messias, «Damnation de Faust» von Berlioz, Mozart-Messen), CBS («Moses und Aron» von Schönberg), RCA («La forza del destino» von Verdi).

Kniplová, Nadezda; in den Jahren 1959–65 sang sie am Opernhaus von Brno Partien wie die Libussa in Smetanas gleichnamiger Oper, die Kostelnička in «Jenufa» von Janáček, die Emilia Marty in dessen «Sache Makropoulos» und die Titelheldin in «Katarina Ismailowa» von Schostakowitsch.

Knote, Heinrich; er wirkte am 22. 1. 1899 an der Münchner Hofoper in der Uraufführung von Siegfried Wagners «Der Bärenhäuter» mit. Bei den Festspielen des Jahres 1900 übernahm er in München den Siegfried im Nibelungenring für den plötzlich verstorbenen großen Wagner-Tenor Heinrich Vogl. In der gleichen Partie bewunderte man ihn bei seinen Gastspielen an der Covent Garden Oper London. Während seines Engagements an der Metropolitan Oper New York trat er in deren New Yorker Haus 1904–08 in 53 Vorstellungen von neun Partien auf. Längere Gastspiele trugen ihm in Hamburg (1908) und am Hoftheater Wiesbaden wie an anderen Bühnen große Erfolge ein, doch blieb er Mitglied der Münchner Oper, deren Publikum ihm besonders zugetan war. Noch im Alter von 60 Jahren studierte er neue Partien ein, darunter den Herodes in «Salome» von R. Strauss. Nach seinem Bühnenabschied ist er noch in Wagner-Konzerten zu hören gewesen, so 1933 und 1935 in Berlin, 1934 in Weimar. In zweiter Ehe war er mit der Sopranistin *Katharina Feilner* (1880–1968) verheiratet, die vor allem in Wagner-Partien auftrat und 1919 am Deutschen Opernhaus Berlin, 1920 am Stadttheater von Basel die Brünnhilde sang.
Schallplatten: G & T (HMV, die ältesten von 1906, München), Anker (1914), Edison-Zylinder; elektrische Aufnahmen auf Odeon (1929–30).

Knüpfer, Paul, † 5. 11. 1920 Berlin; an der Berliner Hofoper sang er als erste Partie 1898 den van Bett in «Zar und Zimmermann» von Lortzing. Am 13. 12. 1904 sang er dort in der Uraufführung von Leoncavallos «Der Roland von Berlin» die Partie des Kurfürsten Friedrich. Bereits am 14. 1. 1899 hatte er dort in der Uraufführung der unvollendet hinterlassenen Oper «Briseïs» von E. Chabrier (in einer Bearbeitung von E. Klingenfeld), 1900 in der einer Neufassung von Aubers «Le Cheval de Bronze» (bearbeitet von E. Humperdinck) mitgewirkt. 1901 sang er bei den Festspielen von Bayreuth den Gurnemanz und den Titurel im «Parsifal», 1902 den Daland im «Flie-

genden Holländer», 1904 den Landgrafen im «Tannhäuser», 1906 den Marke im «Tristan», 1904, 1906 und 1912 den Hunding in der «Walküre», 1912 den Pogner in den «Meistersingern». 1913 war er in der (späten) Berliner Premiere von Verdis «Don Carlos» der König Philipp. Weitere Höhepunkte in seinem Bühnenrepertoire waren der Falstaff in den «Lustigen Weibern von Windsor» von Nicolai, der Sarastro in der «Zauberflöte», der Osmin in der «Entführung aus dem Serail», der Rocco im «Fidelio» (den er u. a. 1910 im Haag sang) und der Mephisto im «Faust» von Gounod. Als eine seiner letzten Partien übernahm er 1919 den Madruscht in der Berliner Premiere von H. Pfitzners «Palestrina». 1920 mußte er wegen einer schweren, unheilbaren Krankheit seine Karriere beenden.
Schallplatten: Erste Aufnahmen auf Berliner Records (1901); wahrscheinlich entstanden seine letzten Aufnahmen 1915 (später unter dem Etikett von Polydor veröffentlicht).

Knüpfer-Egli, Marie; debütierte 1893 am Hoftheater von Sondershausen als Marguerite im «Faust» von Gounod.

Knutson, David; gastierte 1986 beim Festival von Spoleto als Hexe in «Hänsel und Gretel» von Humperdinck.

Knyvett–Travis, Deborah, s. unter *Knyvett*, Charles.

Koch, Caspar; nach seiner Ausbildung, die in Köln stattfand, war er 1917–26 am Opernhaus von Köln engagiert. 1927–28 wirkte er am Opernhaus von Düsseldorf und war seitdem in Köln pädagogisch tätig.

Koch, Egmont; er begann seine Karriere 1932 am Stadttheater von Bremen, dem er bis 1936 angehörte. 1936–38 sang er am Landestheater Coburg, 1938–40 in Saarbrücken, dann bis 1944 am Stadttheater von Duisburg und am Deutschen Theater Prag.

Kochlow, Pawel Akinfejewitsch; debütierte 1879 am Bolschoj Theater Moskau als Valentin im «Faust» von Gounod.

Koči, Přemysl; debütierte 1939 am Theater von Ostrava (Mährisch Ostrau) als Escamillo in «Carmen». Weitere Bühnenpartien des Künstlers waren der Titelheld im «Eugen Onegin», der Boris Godunow, der Scarpia in «Tosca», der Don Manuel in «Die Braut von Messina» von Z. Fibich, der Tausendmark in Smetanas «Die Brandenburger in Böhmen», der Mojimir in «Svaetopluk» von Eugen Suchon und der Marbuelo in «Die Teufelskäthe» von A. Dvořák.

Koegel, Ilse; am Opernhaus von Leipzig wirkte sie in mehreren Opern-Uraufführungen mit: am 19. 1. 1930 in «Das Leben des Orest» von E. Křenek und am 28. 2. 1928 in «Der Zar läßt sich photographieren» von K. Weill. Verheiratet mit dem Schauspieler und Regisseur Harry Meyen (1896–1972).

Koegel, Josef; er übte zunächst den Beruf eines Lehrers aus, studierte dann Gesang bei Franz Hauser in München und debütierte 1863 an der Münchner Hofoper als Komtur im «Don Giovanni». 1863–66 war er am Theater von Regensburg, 1866–67 am Hoftheater von Darmstadt, 1867–68 in Basel und 1868–71 in Mannheim engagiert. Seine großen Erfolge kamen bei seinem Wirken am Stadttheater (Opernhaus) von Hamburg in den Jahren 1871–84 zustande. Seine Gattin, die Altistin *Minna Koegel-Boree* (* 8. 12. 1846 Elbingerode, † 18. 9. 1890 Gauting bei München), sang 1868–73 am Opernhaus von Leipzig, 1876–77 am Deutschen Theater Prag und 1877–84 sehr erfolgreich am Stadttheater Hamburg. Ihre großen Partien waren der Orpheus von Gluck, die Azucena im «Troubadour», die Fides im «Propheten» von Meyerbeer und die Ortrud im «Lohengrin».

Koegel-Boree, Minna, s. unter *Koegel,* Josef.

Köhler, Bernhard, † 1919 Berlin. Er sang am 20. 1. 1888 am Opernhaus von Leipzig in der Uraufführung der Oper «Die drei Pintos» von Weber in der Neu-Bearbeitung von Gustav Mahler. Bis 1907 wirkte er als erster Bassist am Opernhaus von Köln. Sein Sohn *Bernhard Köhler* jr. war als Bassist an den Theatern von Mainz und Elberfeld engagiert.

Köhler, Inez; auf EJS ist eine vollständige «Aida»-Aufnahme vorhanden.

Koenen, Tilly; zunächst studierte sie in Apeldoorn Klavierspiel, dann in Amsterdam Gesang bei Cornélie van Zanten, die sie für ihre beste Schülerin hielt. Am 12. 9. 1910 sang sie eine der Solopartien in der Uraufführung der 8. Sinfonie («Sinfonie der Tausend») von Gustav Mahler in München. Anfang der zwanziger Jahre gab sie ihre Karriere auf und lebte ganz zurückgezogen in England.

König, Klaus, * 26. 5. 1934 Beuthen (Bytom, Oberschlesien). Er debütierte 1970 am Stadttheater von Cottbus als Riccardo in «I quattro rusteghi» von E. Wolf-Ferrari. Er gastierte am Teatro San Carlos Lissabon (1986 als Florestan), am Opernhaus von Köln (1987 als Tannhäuser) und an der Covent Garden Oper London (1987). 1988 gab er sein USA-Debüt an der Oper von Houston/Texas in seiner Glanzrolle, dem Tannhäuser. An der Münchner Staatsoper hörte man ihn 1988 als Menelas in der «Ägyptischen Helena» von Richard Strauss, ebenfalls 1988 am Teatro Colón Buenos Aires als Florestan, an der Staatsoper Wien als Bacchus in «Ariadne auf Naxos».
Schallplatten: HMV (Faust-Sinfonie von F. Liszt), Orfeo («Kleider machen Leute» von Joseph Suder), Ariola-Eurodisc (Florestan im «Fidelio»).

Koernyei, Béla, † 28. 4. 1925 Budapest. 1919 sang er auch an der Budapester Oper den Bacchus in der

Premiere der Richard Strauss-Oper «Ariadne auf Naxos». Aus seinem Bühnenrepertoire verdienen noch der José in «Carmen», der Pedro in «Tiefland» von E. d'Albert, der Canio im «Bajazzo», der Turiddu in «Cavalleria rusticana», der Manrico im «Troubadour» und der Titelheld im «Othello» von Verdi Erwähnung.
Schallplatten: Auf Qualiton wurde das Trinklied des Turiddu wiederveröffentlicht.

Köster, Louise; zu ihren großen Partien gehörte auch die Valentine in den «Hugenotten» von Meyerbeer. Sie galt zugleich als hervorragende Oratoriensolistin, vor allem als Mendelssohn-Interpretin.

Köstlinger, Josef; Schallplatten: BM («König Ubu» von F. Hummel).

Köth, Erika, † 20. 2. 1989 Speyer; als Kind erkrankte sie an Poliomyelitis. Sie arbeitete zunächst als Handelslehrling in einer Kohlengroßhandlung und wurde während der zweiten Weltkrieges in einer Munitionsfabrik eingesetzt. 1953 kam sie an die Staatsoper von München, deren Mitglied sie bis zu ihrem Bühnenabschied 1978 blieb. 1953 debütierte sie an der Wiener Staatsoper als Königin der Nacht, 1956 sang sie die gleiche Partie an der Mailänder Scala. 1958 war sie in der Eröffnungsvorstellung des wieder aufgebauten Münchner Cuvilliés-Theaters die Susanna in «Figaros Hochzeit». Seit 1961 auch Mitglied der Deutschen Oper Berlin. Sie verabschiedete sich in München wie auch in Berlin von ihrem Publikum als Mimi in Puccinis «La Bohéme» (1978). Einem breiten Publikum in Deutschland wurde sie durch ihre Fernsehauftritte bekannt. Bei ihrer glanzvollen Rußland-Tournee (1961) trug sie auch Lieder in russischer Sprache vor. 1973 wurde sie Dozentin, später Professorin, an der Musikhochschule Köln, schließlich nahm sie eine Professur an der Musikhochschule Mannheim wahr. Seit 1953 verheiratet mit dem Regisseur und Schauspieler Ernst Dorn, lebte sie zuletzt in ihrem Landhaus in Königsbach bei Neustadt an der Weinstraße. Sie starb an einer schweren, langwierigen Krankheit und fand ihre letzte Ruhestätte in ihrer Heimatstadt Darmstadt.
Schallplattenaufnahmen, darunter mehrere vollständige Opern bei Columbia, Electrola («Freischütz»), Decca (Adele in der «Fledermaus»), Philips (Waldvogel im «Siegfried»), Eurodisc («Zar und Zimmermann» von Lortzing) und DGG («Entführung aus dem Serail», «Così fan tutte»), Operetten-Querschnitt auf Telefunken («Gasparone») und Eurodisc («Vogelhändler»). Auf Melodram als Königin der Nacht in der «Zauberflöte», als Sophie im «Rosenkavalier» und als italienische Sängerin in «Capriccio» von R. Strauss (Aufnahmen aus München von 1954, 1957 und 1960). Zahlreiche schöne Liedaufnahmen.

Koffmane, Robert; 1934 begann er als Chorist am Stadttheater (Opernhaus) von Essen; er setzte sein Wirken als Chorsänger 1936–38 am Stadttheater (Opernhaus) von Nürnberg, 1938–39 an der Hamburger Staatsoper fort. Seit 1945 war er, jetzt als

Solist, an der Städtischen Oper (Deutsches Opern-haus) Berlin tätig. Er ist dort auch als Graf Luna im «Troubadour», als Valentin im «Faust» von Gou-nod, als Wolfram im «Tannhäuser» und als Faninal im «Rosenkavalier», überwiegend jedoch in kleine-ren und Comprimario-Rollen, aufgetreten.

Kogel, Richard; sang als Knabe im Münchner Dom-chor, studierte Klarinette, trat aber dann doch in das väterliche Karosseriebau-Unternehmen ein. Ausbil-dung der Stimme durch F. Th. Reuter, Eichhorn und Hedwig Fichtmüller. 1951 gewann er in Nürnberg den Meistersinger-Wettbewerb. Im gleichen Jahr sprang er am Prinzregenten-Theater München als Schmied in «Peer Gynt» von Egk ein. 1952–54 war er am Stadttheater von Bern, bis 1957 am Staatstheater von Wiesbaden engagiert. 1959–61 trat er als ständi-ger Gast an der Staatsoper München auf, seit 1964 war er für mehr als 25 Jahre am Münchner Theater am Gärtnerplatz engagiert, bei dessen Publikum er besonders beliebt war. An der Berliner Komischen Oper gastierte er sehr oft und mit glänzendem Erfolg u. a. als Papageno in der «Zauberflöte», 1961 in Zürich als Alberich im «Siegfried».

Kohmann, Antoni; zu seinen Schülern gehörte die berühmte Sopranistin Tiana Lemnitz.

Kolassi, Irma; eigentlicher Name Irma Colassanti. In Paris sang sie, ebenfalls konzertant, in «La dam-nation de Faust» von Berlioz.
Schallplatten: Decca (Lieder von Debussy, Ravel und Chausson).

Koller, Dagmar; verheiratet mit dem österreichi-schen Kultusminister und späteren Wiener Oberbür-germeister Werner Zilk.
Schallplatten: Telefunken («Czardasfürstin»).

Kollo, René; sein Vater Willi Kollo (1904–88) kom-ponierte, wie sein Großvater, Operetten- und Un-terhaltungsmusik. 1979 hörte man ihn an der Metro-politan Oper New York als Bacchus in «Ariadne auf Naxos» von R. Strauss. 1985 Gastspiel an der Oper von San Francisco als Siegfried im Nibelungenring, 1986 großer Erfolg an der Staatsoper von München als Tannhäuser, 1987 bei einer Japan-Tournee der Deutschen Oper Berlin als Siegfried. 1988 sang er in Frankfurt a. M. den Titelhelden in Verdis «Othello», in San Francisco den Parsifal, 1989 an der Covent Garden Oper London den Siegmund und den Max im «Freischütz».
Schallplatten: HMV («Die Frau ohne Schatten» von R. Strauss), Acanta (Arien).

Kolniak, Angela, * 24. 4. 1894 Wien, † 1. 2. 1964 Dresden.

Komarek, Dora; bei den Festspielen von Salzburg sang sie 1935–41 die Barbarina in «Figaros Hoch-zeit» und die Papagena in der «Zauberflöte», die Zerline im «Don Giovanni» und die Berta in Webers «Euryanthe» (1937). 1951–53 trat sie an der Wiener Volksoper (jetzt unter dem Namen Dora Komor-

Somborn) auf. Sie wanderte dann nach Südamerika aus, wo sie in Brasilien lebte.
Eigentliche Schallplatten mit seriöser Musik hat sie nicht gesungen, auf Odeon kamen um 1941 Unter-haltungslieder heraus.

Komlóssy, Erzsébet; war 1955–58 an der Oper von Szeged engagiert und wurde 1958 als erste Altistin an die Nationaloper von Budapest berufen.

Kondratschew, Gennadij Petrowitsch, Baß-Bariton.

Konetzni, Anny, * 12. 2. 1902 Ungarisch-Weißkir-chen (Bela Crkva). Sie sang 1932 die Elena in der Berliner Premiere der «Sizilianischen Vesper» von Verdi. Sie debütierte 1934 an der Metropolitan Oper New York als Brünnhilde in der «Walküre», sang die Venus, die Ortrud und die Isolde, blieb aber nur während einer Spielzeit dort tätig. 1949 Gastspiel bei den Festspielen in der Arena von Verona als Ortrud, 1951 nochmals großer Erfolg in London als Brünn-hilde.

Konetzni, Hilde; sie sang zuerst 1931–32 am Theater von Gablonz (Jablonec nad Nisou), dann 1932–35 am Deutschen Theater Prag, wo sie als Leonore im «Troubadour» und als Agathe im «Freischütz» Auf-sehen erregte. Sie sang als erste Partie an der Londo-ner Covent Garden Oper 1938 die Chrysothemis in «Elektra» von R. Strauss. Mehrfach gastierte sie an der Mailänder Scala, u. a. nochmals 1951 in Boro-dins «Fürst Igor». Auch an der Oper von Rom und an der Grand Opéra Paris (1936, 1949) zu Gast. 1937 und 1939 Nordamerika-Tourneen zusammen mit Marta Krásová, Henk Noort, Josel Berglund und Alexander Kipnis. An der Hamburger Staatsoper wirkte sie 1949 in der Uraufführung der Oper «Köni-gin Elisabeth» von Fried Walter mit. Am 6. 8. 1961 sang sie bei den Salzburger Festspielen in der Urauf-führung der Oper «Das Bergwerk zu Falun» von Rudolf Wagner-Régeny eine kleine Partie.
Schallplatten: Fonit Cetra (Sieglinde in der «Wal-küre» aus der Scala, 1950), UORC (Szenen aus «Die Frau ohne Schatten» von R. Strauss).

Konsulov, Ivan; Schallplatten: Erato («Krieg und Frieden» von Prokofieff), Balkanton (Posa im «Don Carlos», Tomsky in «Pique Dame»).

Kónya, Sándor; neben dem Lohengrin sang er auch 1958 in Bayreuth den Froh im «Rheingold». Im New Yorker Haus der Metropolitan Oper hat er seit 1961 in 14 Spielzeiten 21 verschiedene Partien in 212 Vor-stellungen gesungen, darunter den Radames in «Aida», den Rodolfo in «La Bohème», den Pinker-ton in «Madame Butterfly», den Cavaradossi in «Tosca», den Kalaf in Puccinis «Turandot», den Edgardo in «Lucia di Lammermoor», den Max im «Freischütz», den Erik im «Fliegenden Holländer» und den Walther von Stolzing in den «Meisterin-gern».
Schallplatten: Melodram (Froh im «Rheingold», Bayreuth 1958; Lohengrin, Bayreuth 1959), Replica (Titelheld im «Lohengrin», Bayreuth 1958).

Kopacki, Tadeusz; 1987 Gastspiel an der Komischen Oper Berlin als Faust in «Mefistofele» von Boito.

Kopacsy-Karczag, Julie, * 13. 2. 1867 Komorn (Komáron, Ungarn).

Kopčák, Sergej; 1987 gastierte er an der Mailänder Scala als Commendatore im «Don Giovanni», in Amsterdam als Großinquisitor im «Don Carlos» von Verdi, 1988 an der Wiener Staatsoper als Wassermann in «Rusalka» von A. Dvořák, am Teatro Comunale Bologna als Hunding in der «Walküre», 1989 bei den Aufführungen von Borodins «Fürst Igor» in der Münchner Olympia-Halle als Galitzky. 1988 hörte man ihn an der Metropolitan Oper New York als Wurm in «Luisa Miller» von Verdi.

Kopka, Martha, * 11. 3. 1853 Berlin.

Kopp, Miroslav; er begann seine Karriere 1981 am Nationaltheater Prag. 1986 gastierte er in Wien als Hans in der «Verkauften Braut», 1988 Gastspiele an der Opéra-Comique Paris (in Janáčeks «Aus einem Totenhaus») und beim Wexford Festival.
Schallplatten: Supraphon («Der listige Bauer» von A. Dvořák).

Koppenhöfer, Marie; ihr Bruder *Hans Koppe* wirkte auch in der Uraufführung der Oper «Le donne curiose» von E. Wolf-Ferrari in München mit und war später als Inspizient an der Münchener Oper tätig. Von seiner Stimme sind Beka-Platten vorhanden.

Korb, Jenny; nachdem sie das Opernhaus von Leipzig verlassen hatte, sang sie am Theater von Graz und gab noch bis 1919 zahlreiche Gastspiele an der Wiener Hof- bzw. Staatsoper.

Koréh, Endre; während seiner Tätigkeit an der Wiener Staatsoper wirkte er dort 1956 in der Uraufführung der Oper «Der Sturm» von Frank Martin in der Partie des Caliban mit. An der Metropolitan Oper New York kam er als Ochs im «Rosenkavalier» 1953 zu großem Erfolg.
Schallplatten: Qualiton-Hungaroton («Herzog Blaubarts Burg» von B. Bartók).

Korjus, Miliza; sie verbrachte angeblich ihre Jugend als Tochter eines schwedischen Diplomaten und einer Polin in Kiew. Seit 1933 sang sie an der Berliner Staatsoper Partien wie die Königin der Nacht in der «Zauberflöte», die Titelheldin in «Lakmé» von Delibes, die Gilda in «Rigoletto» und – ganz überraschend – die Santuzza in «Cavalleria rusticana». 1938 kam es zu ihrem großen Film-Erfolg in dem Johann Strauß-Film «The Great Waltz». 1950 trat sie mit dem Ensemble der Metropolitan Oper New York bei einem Konzert in der Hollywood Bowl auf.

Korn, Artur, * 4. 12. 1937 Wuppertal. Er studierte Gesang in Köln, München und Wien. 1963 debütierte er in Köln als Sam in Verdis «Ballo in maschera»; 1965–68 am Landestheater Graz tätig. Bei den Festspielen von Glyndebourne sang er 1980 den Osmin in der «Entführung aus dem Serail», 1982–84 den Bartolo in «Figaros Hochzeit» und den Waldner in «Arabella» von R. Strauss. 1987 wirkte er bei den Festspielen von Salzburg in «Moses und Aron» von Schönberg mit, am Staatstheater Hannover sang er den Falstaff in Nicolais «Lustigen Weibern von Windsor», 1989 an der Oper von Seattle den Rocco im «Fidelio».
Schallplatten: Telefunken (Marienvesper von Monteverdi), Preiser («Das Buch mit sieben Siegeln» von F. Schmidt), HMV (Bartolo in «Figaros Hochzeit»).

Koroljewa, Glafira (Serafimowna); verheiratet mit dem Opernsänger *Jurij V. Koroljew,* der wie sie am Bolschoj Theater Moskau tätig war.

Koroljow, Denis (Alexandrowitsch); zu seinen großen Bühnenpartien gehörten der Don Ottavio im «Don Giovanni», der Graf Almaviva im «Barbier von Sevilla», der Herzog im «Rigoletto», der Alfredo in «La Traviata», der Gérald in «Lakmé» von Delibes und der Wassilij in «Khovantchina» von Mussorgsky.
Sang auf Melodiya (staatliche sowjetrussische Produktion) auch in den vollständigen Opern «Khovantchina» und «Lakmé».

Koroshetz, Latko; Schallplatten: Philips (Kezal in der «Verkauften Braut» von Smetana).

Korsoff, Lucette; ihr eigentlicher Familienname war Goehring. Ihr Vater hatte diesen Namen in Anlehnung an den Familiennamen seines Mailänder Lehrers Corsi in Korsoff geändert. Unter dem Namen *Bogomir Korsoff* (1845–1920; auch Korsow geschrieben) hatte er eine bedeutende Karriere an russischen Theatern und bereiste mit einer eigenen Wanderoper Rußland. Ihr Vater ließ sie 1893 in einer Saison an der Kaiserlichen Oper Moskau auftreten, die von ihm geleitet wurde. Dann folgten ergänzende Studien in Paris bei F. Boyer und bei Rosine Laborde. Bei einer Ägypten-Tournee wurde sie 1902 vor allem als Ophélie im «Hamlet» von A. Thomas gefeiert. 1903 kam sie für drei Jahre an die Opéra-Comique Paris, dann 1906 an das Théâtre de la Monnaie, die Oper von Brüssel. 1908 sang sie während einer Saison an der Oper von Algier, dann wieder 1908–10 an der Opéra-Comique. Dort erregte sie 1909 großes Aufsehen in der Rolle der Königin der Nacht in der «Zauberflöte». 1910–11 abermals in Brüssel tätig, dann bereiste sie die USA und hatte 1911–12 glänzende Erfolge am Opernhaus von New Orleans. 1912 trat sie gastweise an der Kaiserlichen Hofoper St. Petersburg auf. Durch den Ersten Weltkrieg wurde sie in Italien festgehalten. Zu ihren Schülern gehörten auch der russische Bassist Konstantin Youkovitch und der polnische Baß Thaddeus Wierszbicki.

Korsow, Bogomir Bogomirowitsch; er bereiste später als Impresario einer von ihm zusammengestellten Wanderoper die russischen Musikzentren und trat mit dieser u. a. 1893 in der Kaiserlichen Hofoper Moskau auf. Seine Tochter *Lucette Korsoff*

(1876–1955) wurde eine international gefeierte Koloratursopranistin.

Koshetz, Nina; Tochter des Tenors *Pawel Alexandrowitsch Koshitz* (1863–1904). Studierte zuerst Klavierspiel bei Igumnoff in Moskau, dann Gesang bei Sergej Tanjew und Masetti am dortigen Konservatorium. 1912 erregte sie erstes Aufsehen, als sie in Moskau einen Liederabend gab. 1913 debütierte sie bei der Zimin-Privatoper Moskau auf der Bühne in der Partie der Tatjana im «Eugen Onegin». Dort war sie noch 1919 tätig, gastierte aber auch 1917 an der Hofoper St. Petersburg. Seit 1920 kam es zu ihrer großen Karriere in Nordamerika. Sergej Rachmaninoff schätzte sie besonders und widmete ihr mehrere Lieder. 1927 gab sie zu ihrem 25jährigen Sängerjubiläum in New York einen glanzvollen Liederabend, bei dem sie nur Lieder vortrug, die ihr seitens berühmter Komponisten gewidmet worden waren, darunter auch Lieder des spanischen Meisters Joaquin Nin. In der Spielzeit 1942–43 trat sie bei der New Opera Company New York in Aufführungen von Mussorgskys «Jahrmarkt von Sorotchintsy» auf. In dem Film «Algiers» mit Charles Boyer war sie in einer kleinen Rolle zu sehen.
Schallplatten: Brunswick-Aufnahmen (von 1923); Schirmer-Album mit Liedern von Rachmaninoff (New York, 1939).

Koslowski, Iwan (Semjonowitsch), *11. (24.) 3. 1900 in dem Dorf Marjanowska (Gebiet Poltawa, Ukraine); als Antrittsrolle sang er 1926 am Bolschoj Theater Moskau den Alfredo in «La Traviata». Er trug bei seinen Liederabenden sogar zeitgenössische Kompositionen von Benjamin Britten vor. An seinem 90. Geburtstag, dem 24. 3. 1990, wurde er im Bolschoj Theater Moskau durch einen Gala-Abend geehrt.
Schallplatten: Insgesamt wirkte er in etwa 25 vollständigen Opernaufnahmen mit, von denen noch Glucks «Orpheus», «Faust» von Gounod, «La Bohème» und «Madame Butterfly» von Puccini, «Werther» von Massenet und «Lohengrin» von R. Wagner genannt seien.

Koszut, Urszula; sie wirkte im späteren Ablauf ihrer Karriere vor allem an den Opernhäusern von Köln und Stuttgart.

Koubatová, Maria, *10. 12. 1873 Oubenice (ČSR). Einige G & T-Aufnahmen, darunter ein Terzett aus «Hubička» von Smetana.

Kousnetzoff, Maria (Nikolajewna); sang die Fevronia in der Uraufführung von Rimsky-Korssakows «Legende der unsichtbaren Stadt Kitesh» (20. 2. 1907, Mariensky Theater St. Petersburg). Gastierte 1906 und 1908 an der Opéra-Comique Paris, ebenfalls 1908 in Berlin. 1916 hörte man sie in Chicago als Juliette in «Roméo et Juliette» von Gounod. Als Tänzerin ließ sie sich vom Stil der großen Isadora Duncan inspirieren.

Koussevitzky, Moshe. Er gab sehr erfolgreiche Konzerte in Palästina (1934), 1937 in Paris, Wien und Budapest, 1938 in der New Yorker Carnegie Hall. 1939 kam er in seine polnische Heimat zurück. Er wurde bei der deutschen Besetzung Polens verhaftet und in das berüchtigte Konzentrationslager Treblinka verschleppt. Er wurde durch polnische Partisanen befreit und entkam nach Rußland. Nach dem Zweiten Weltkrieg emigrierte er zuerst nach England, 1947 in die USA. Drei seiner Brüder waren ebenfalls berühmte Kantoren, darunter *Jacob Koussevitzky* (1903–59).

Kovach, Zdarvo; gastierte mit der Oper von Ljubljana 1956 auch in Paris in Prokofieffs «Liebe zu den drei Orangen».

Kovaříková, Jítka; ihre Gastspieltätigkeit erstreckte sich auch auf Österreich, die Schweiz, Frankreich, Spanien und die DDR.

Kováts, Kolos; Preisträger beim Wettbewerb von Rio de Janeiro (1973) und beim Moskauer Tschaikowsky-Concours (1974). 1987 Gastspiel in Brüssel als Zaccaria in Verdis «Nabucco». Sein Familienname kommt auch in der Schreibweise Kovacz vor.
Schallplatten: Hungaroton («Macbeth» von Verdi), CBC («Fedora» von Giordano).

Kozma, Lajos; er trat als Gast auch bei den Festspielen in der Arena von Verona auf (1970, 1976).

Kozub, Ernst; 1966 sang er an der Sadler's Wells Opera London den Kaiser in der englischen Erstaufführung der «Frau ohne Schatten» von R. Strauss. Von seinen Heldenpartien aus dem italienischen Fach seien der Radames in «Aida» und der Manrico im «Troubadour» genannt.

Kraemer, August, †1916 St. Paul in Kärnten. 1886 sang er in New York in einer konzertanten Aufführung des «Parsifal» die Titelrolle. 1900 gab er seine Karriere ganz auf.

Krämer, Hans, †8. 12. 1976 Leipzig; debütierte 1935 am Stadttheater von Hanau als Ferrando im «Troubadour» von Verdi. Bis 1976 war er am Opernhaus von Leipzig tätig; er gastierte auch in Paris, Belgrad und Ljubljana. Aus seinem reichhaltigen Bühnenrepertoire seien der Rocco im «Fidelio», der Sarastro in der «Zauberflöte», der Daland im «Fliegenden Holländer», der Landgraf im «Tannhäuser», der König Heinrich im «Lohengrin», der Marke in «Tristan», der Pogner in den «Meistersingern», der König Philipp im «Don Carlos» von Verdi, der Titelheld in dessen «Falstaff», der Iwan Susanin in der gleichnamigen Oper von Glinka und der Ochs im «Rosenkavalier» genannt.

Krämer, Toni; 1987 sang er am Deutschen Opernhaus Berlin den Siegfried und den Froh im Nibelungenring. 1988 hörte man an der Metropolitan Oper New York seinen Siegfried in der «Götterdämmerung».

Kraemer-Widl, Marie, * 3. 2. 1860 Znaim (Znojmo); verheiratet mit dem bekannten Tenor *August Kraemer* (1841–1916).

Kraft, Jean; sie debütierte 1960 an der City Centre Opera New York in der Oper «Six Characters» von Weisgall. 1970 kam sie an die Metropolitan Oper New York (Antrittsrolle: Flora in «La Traviata»), an der sie länger als 15 Jahre wirkte, wobei sie eine Vielzahl kleinerer wie großer Partien vortrug: die Herodias in «Salome» von R. Strauss, die Suzuki in «Madame Butterfly», die Ulrica in Verdis «Ballo in maschera», die Mrs. Sedley in «Peter Grimes» von B. Britten (die sie auch 1988 beim Maggio musicale von Florenz sang) und die Emilia im «Othello» von Verdi (Metropolitan Oper, 1987).
Schallplatten: RCA (Emilia in Verdis «Othello»), Melodram (Flora in «La Traviata»), DGG («A Quiet Place» von Bernstein).

Krahmer, Renate, * 17. 3. 1937 Hohenmölzen (Thüringen). Sie wirkte später an der Berliner Musikhochschule im pädagogischen Bereich.
Schallplatten: Eterna (Kantaten von J. S. Bach).

Krammer, Teresz, † 15. 6. 1936 Budapest. Sie begann ihre Bühnenkarriere 1888 am Opernhaus von Leipzig. 1898 debütierte sie an der Hofoper von Dresden als Micaela in «Carmen» und wirkte an diesem Haus in der Uraufführung der Oper «Manru» von Paderewski mit (29. 5. 1901).

Krasa, Rudolf; er wirkte am 13. 12. 1904 an der Berliner Hofoper in der Uraufführung von Leoncavallos «Der Roland von Berlin» und bereits davor in den Uraufführungen von zwei Opern von Wilhelm Kienzl mit, «Der Evangelimann» (4. 5. 1895) und «Don Quixote» (18. 11. 1898).

Krásová, Marta; noch 1964 gastierte sie mit dem Ensemble der Prager Oper bei den Festspielen von Edinburgh. Seit 1935 war sie mit dem Dirigenten und Komponisten Boleslav Jirák (1891–1972) verheiratet. Weitere Höhepunkte in ihrem Repertoire für die Bühne waren der Titelheld im «Orpheus» von Gluck, die Isabella in «Die Braut von Messina» von Fibich und die Kabanisha in «Katja Kabanowa» von Janáček.

Kraus, Adalbert; von den vielen Partien, die er auf der Bühne gesungen hat, seien genannt: der Titelheld in «Idomeneo» von Mozart, der Ferrando in «Così fan tutte», der Tamino in der «Zauberflöte», der Nemorino in «Elisir d'amore», der Titelheld in Rossinis «Le Comte Ory», der Nureddin im «Barbier von Bagdad» von Cornelius, der des Grieux in «Manon» von Massenet und der Florindo in Wolf-Ferraris «Le Donne curiose». Bis 1974 war er am Staatstheater Hannover im Engagement und ging dann einer intensiven Gastspieltätigkeit nach. Seit 1978 arbeitete er im pädagogischen Bereich an der Musikhochschule Würzburg.
Schallplatten: Calig-Verlag (Harmonie-Messe von J. Haydn), Melodram («Ali Baba» von Cherubini).

Kraus, Alfredo; bereits in der Saison 1959–60 erreichte er die Mailänder Scala, an der er als erste Partie den Elvino in Bellinis «La Sonnambula» sang. Seit 1962 (nach seinem Debüt als Nemorino) hatte er an der Oper von Chicago eine langjährige Karriere. Seit 1966 war er für über zwei Jahrzehnte Mitglied der Metropolitan Oper New York, an der er als Herzog im «Rigoletto» debütierte und in mehr als 80 Vorstellungen Partien wie den Edgardo in «Lucia di Lammermoor», den Nemorino, den Don Ottavio im «Don Giovanni», den Ernesto im «Don Pasquale», den Alfredo in «La Traviata», den Faust von Gounod, den Werther von Massenet, den Tonio in «La Fille du régiment» und den Roméo in «Roméo et Juliette» von Gounod sang. Am 13. 7. 1989 sang er in dem Eröffnungs-Konzert der neuen Bastille-Oper Paris.
Schallplatten: HMV («La Fille du régiment» von Donizetti, «La Muette de Portici» von Auber), Bongiovanni (Recital), Ariola-Nimbus (Barock-Arien).

Kraus, Ernst; 1893 Debüt am Hoftheater Mannheim, dem er drei Jahre lang angehörte. An der Berliner Hofoper sang er 1900 in den Premieren der Opern «Der Bärenhäuter» von Siegfried Wagner und «Der arme Heinrich» von Hans Pfitzner; am 9. 4. 1902 kreierte er dort in der Uraufführung der Oper «Der Wald» der englischen Komponistin Ethel Smyth die Partie des Heinrich; 1904 gestaltete er in der Berliner Premiere von Smetanas «Dalibor» den Titelhelden. In der Saison 1903–04 sang er an der Metropolitan Oper New York auch den Tannhäuser, den Lohengrin, den Tristan, den Siegfried und den Florestan im «Fidelio». Er war verheiratet mit der Schauspielerin Margarethe Hofmann, die vor allem am Hoftheater Mannheim auftrat.
Schallplatten: Vox- und Polydor-Aufnahmen (um 1920).

Kraus, Herold; seit 1965 wirkte er für 25 Jahre als Charakter- und Buffo-Tenor an der Staatsoper Stuttgart.

Kraus, Otakar; er war u. a. der Lehrer von Robert Lloyd, Gwynne Howell, Neil Howlett, Udo Reinemann, Elizabeth Connell, Michael Langdon, John Tomlinson und Lois Mc Donall.

Kraus-Osborne, Adrienne, † 15. 6. 1951 Zell am Ziller (Tirol).

Krause, Tom; sein Vater war Direktor einer Versicherungsgesellschaft. Bühnendebüt in der Spielzeit 1958–59 am Deutschen Opernhaus Berlin. 1962–75 Mitglied der Staatsoper Hamburg, an der er in der Uraufführung der Oper «Hamlet» von Humphrey Searle die Titelrolle sang (5. 3. 1968). 1967 debütierte er an der Metropolitan Oper New York als Graf Almaviva in «Figaros Hochzeit» und trat während sechs Spielzeiten an diesem großen Opernhaus auf, u. a. als Escamillo in «Carmen», als Malatesta im «Don Pasquale» und als Guglielmo in «Così fan tutte». Bei den Salzburger Festspielen sprang er kurzfristig 1968 für den erkrankten Nicolai Ghiau-

roff in der Partie des Don Giovanni ein und sang dort später auch den Grafen in «Figaros Hochzeit», den Guglielmo in «Così fan tutte» und den Fernando im «Fidelio». 1975 wirkte er bei den Festspielen von Verona mit. 1985 hörte man ihn bei den Festspielen von Savonlinna in der Baßpartie des Königs Philipp im «Don Carlos» von Verdi.
Schallplatten: Decca («Roméo et Juliette» von Gounod, Matthäuspassion, C-Dur-Messe von Beethoven), RCA-Erato («Christus» von F. Liszt), Telarc (Mozart-Requiem).

Krauss, Fritz; sang 1911–12 in Bremen, 1912–15 am Hoftheater Kassel, 1915–21 in Köln, seitdem in München. Gastierte an der Städtischen Oper Berlin-Charlottenburg, 1927 an der Staatsoper Berlin als Florestan im «Fidelio» und als Belmonte in der «Entführung aus dem Serail» sowie am Teatro Liceo Barcelona. Er galt als hervorragender Wagner- und Mozart-Interpret, ein besonderer Höhepunkt in seinem Bühnenrepertoire war die Titelrolle in Pfitzners «Palestrina». An seinem 60. Geburtstag sang er an der Münchner Staatsoper nochmals den Lohengrin.
Schallplatten: Akustische Vox- und Homochord-Aufnahmen (1920–25), HMV (elektrische Aufnahmen von 1928).

Krauss, Gabrielle; 1869 wirkte sie in Paris in der Uraufführung der Orchesterfassung der Petite Messe solennelle von Rossini mit. 1880 sang sie die Titelpartie in Verdis «Aida» bei der Premiere des Opernwerks an der Grand Opéra Paris. Sie war die Großtante des berühmten Dirigenten Clemens Krauss (1893–1954).

Krauss, Margaret; sie war die Lehrerin von so bedeutenden Sängern wie Margreta Elkins, Kiri Te Kanawa und John Serge.

Krauß, Siegmund; er war 1894–1904 am Hoftheater von Wiesbaden engagiert. 1904–21 sang er am Hoftheater von Dessau, wo er seit 1911 auch als Oberspielleiter tätig war.
Schallplatten: Frühe Berliner Records (Wiesbaden, 1901).

Krebs, Helmut; 1988 wirkte er am Deutschen Opernhaus Berlin nochmals in Aufführungen von Janáčeks Oper «Aus einem Totenhaus» mit.
Schallplatten: DGG (Mozart-Quartette), Voce («Die Gezeichneten» von F. Schreker).

Krejčík, Wladimir; Schallplatten: Supraphon-Eurodisc («Katja Kabanowa» von Janáček, Oratorium «Sancta Ludmila» von A. Dvořák).

Kremer, Martin; er sang in Dresden in den Uraufführungen der Richard Strauss-Opern «Arabella» (1. 7. 1933) den Matteo, «Die schweigsame Frau» (24. 6. 1935) den Henry, «Daphne» (15. 10. 1938) den Leukippos. Bei den Festspielen von Bayreuth gastierte er 1933–34 als David in den «Meistersingern» und als Froh im «Rheingold». 1959 beendete

er seine Karriere, die ihm auch auf dem Gebiet des Operettengesangs große Erfolge gebracht hatte.
Schallplatten: Orchestrola (1930), HMV-Electrola (u. a. David im 3. Akt «Meistersinger» unter Karl Böhm).

Krenn, Fritz, † 17. 7. 1963 Wien; er debütierte 1917 am Opernhaus von Triest als Heerrufer im «Lohengrin» und kam im gleichen Jahr an die Wiener Volksoper. Es folgten Engagements in Preßburg (1918–19), in Reichenberg (1919–20), an der Staatsoper Wien (1920–25), am Staatstheater Wiesbaden (1925–27), schließlich seit 1927 Mitglied der Berliner Staatsoper, der er bis 1943 angehörte. Seit 1934 gastierte er oft an der Wiener Staatsoper, deren Mitglied er 1938 wurde. Bis 1959 ist er an diesem Haus aufgetreten. An der Metropolitan Oper New York debütierte er in der Saison 1951–52 als Ochs im «Rosenkavalier». In dieser Glanzrolle ist er über 360mal aufgetreten, darunter 1957 auch an der Grand Opéra Paris. 1931 und 1946 zu Gast am Teatro Colón Buenos Aires. Verheiratet mit der Sopranistin *Luise Kornfeld,* die in Partien wie der Elisabeth im «Tannhäuser», der Elsa im «Lohengrin» und der Agathe im «Freischütz» ihre Erfolge hatte.
Schallplatten: Melodram («Lohengrin», Teatro Colón 1936).

Kreppel, Walter; Schallplatten: Westminster (König Heinrich im «Lohengrin»).

Kreyssig, Uwe; seit 1979 inszenierte er Opern am Stadttheater von Bonn und wirkte schließlich am Stadttheater von Hildesheim. Verheiratet mit der Sängerin *Hella Jansen,* die u. a. am Berliner Theater des Westens und an der Komischen Oper Berlin auftrat.
Schallplatten: Ariola-Eterna (Operettenaufnahmen, Ping in «Turandot» von Puccini).

Kriff, Edouard, * 5. 8. 1905 Algier, † 29. 3. 1966 Paris; eigentlicher Name Joseph Krihiff. Ausbildung durch Mme Carrère-Xanroff. Er debütierte 1935.

Krilovici, Marina; 1985–86 Gastspiel an der Opéra de Wallonie Lüttich.

Krismer, Giuseppe, * 10. 9. 1873 Neapel, † 7. 1. 1946 Pozzuoli bei Neapel; gastierte 1908 am Teatro San Carlos Lissabon als Paolo in «Paolo e Francesca» von Luigi Mancinelli.
Schallplatten: Zonophone-Aufnahmen von 1907.

Krössing, Adolf, Tenor, * 5. 1. 1848 Prag, † 28. 1. 1933 Prag; er war der Sohn eines deutschen Vaters und einer französischen Mutter und wuchs zunächst in einem ganz deutschen Milieu auf. Auf Wunsch des Vaters begann er das Jurastudium, fühlte sich jedoch zum Theater hingezogen und begann auf den Rat eines Freundes das Gesangstudium bei František Vogl in Prag. Während dieser Zeit trat er bereits an einem Theater in der Prager Altstadt auf und gastierte als Sänger am Theater von Pilsen (Plzeň). Er erregte die Aufmerksamkeit des Regisseurs des Provisorischen Nationaltheaters Prag František Saak, der ihn für sein Haus verpflichtete, wo er im Dezember 1870 in Donizettis «Lucrezia Borgia» debütierte und als Sänger für Buffopartien in Opern und Operetten engagiert wurde. 44 Spielzeiten hindurch trat er bis zu seinem Abschied (als Wenzel in der «Verkauften Braut», seiner großen Glanzrolle) 1914 dort auf. Er gehörte zu den meist beschäftigten Mitgliedern des Hauses, an dem er fast 300 größere und kleinere Partien in mehr als 4000 Vorstellungen gesungen hat; gelegentlich ist er sogar dort im Ballett aufgetreten. Auch nach seinem Bühnenabschied ist er noch gelegentlich am Prager Nationaltheater in Erscheinung getreten, zumeist als Wenzel. Er wirkte an diesem Haus in einer Anzahl von Uraufführungen mit: am 18. 9. 1878 in «Das Geheimnis» («Tajemství» als Skrivánek), am 29. 10. 1882 in «Die Teufelswand» («Čertova Štena» als Michálek) von Smetana, am 27. 1. 1878 in «Der listige Bauer» («Šelma Sedlák» als Jean), am 12. 2. 1889 in «Der Jakobiner» («Jakobín» als Benda, eine weitere Glanzrolle des Künstlers), am 31. 3. 1901 in «Rusalka» (als Heger) und am 25. 3. 1904 in «Armida», die vier letztgenannten Opern alle von A. Dvořák. Seine unvergessene Partie war der Wenzel (Vašek) in Smetanas «Verkaufter Braut», den er 1871 erstmals und dann bis 1913 600mal sang, darunter in den berühmten Aufführungen anläßlich der Wiener Weltausstellung von 1892, die den internationalen Durchbruch für die Oper bedeuteten. Seit 1890 war er auch als Opernregisseur in Prag tätig. Schallplattenaufnahmen auf Odeon und Parlophon, darunter Szenen des Wenzel von etwa 1906. – (Neufassung) –.

Krollmann, Karl; er erlernte zuerst den Beruf eines Drehers, ließ dann aber seine Stimme ausbilden. Er debütierte 1935 am Stadttheater von Augsburg als Riccardo in Verdis «Maskenball» und trat dort bis 1943 auf. Auch 1944 war er bei den Bayreuther Festspielen anzutreffen. 1953–54 gastierte er in kleineren Partien beim Maggio musicale von Florenz.

Kromer, Joachim; er sang 1897 in Mannheim auch in der Uraufführung der Oper «Gernot» von E. d'Albert.

Krüger, Emmy; am 11. 6. 1914 sang sie in Leipzig in der Uraufführung der Oper «Don Juans letztes Abenteuer» von Paul Graener. Am 28. 3. 1916 hörte man sie an der Hofoper München in der Uraufführung von Korngolds «Violanta» in der Titelpartie, am 12. 6. 1917 sang sie in der Uraufführung von Hans Pfitzners «Palestrina» (im Prinzregenten-Theater) den Silla. Sie setzte sich in besonderer Weise für das Liedschaffen des Schweizer Komponisten Othmar Schoeck ein.

Krüger, Gustav; er kam 1827 an das Hoftheater von Dessau (nicht Dresden) und blieb dort während seiner gesamten über 50jährigen Karriere engagiert. In Dessau verbrachte er auch seinen Lebensabend.

Krükl, Franz; am 18. 2. 1869 wirkte er in der Uraufführung der endgültigen Fassung des Deutschen Requiems von Johannes Brahms in Leipzig mit. Pädagogische Tätigkeit 1883–92 am Hoch'schen Konservatorium Frankfurt a. M.

Krug, Wilfried, † 25. 12. 1988 Karlsburg (Mecklenburg). 1960 sang er kleinere Partien, darunter den Kunz Vogelsang in den «Meistersingern», bei den Festspielen von Bayreuth.
Schallplatten: Eterna (Titelheld in Ausschnitten aus «Tannhäuser» mit Sena Jurinac als Partnerin).

Kruis, Theodor; 1865 ging er als Tenor-Buffo an das Stadttheater von Mainz, 1866–67 war er am Theater von Zürich engagiert, 1867–70 am Opernhaus von Breslau. Er wirkte in den Dresdner Uraufführungen der Richard Strauss-Opern «Feuersnot» (21. 11. 1901) und «Salome» (9. 12. 1905 als zweiter Nazarener) mit, bereits 1892 sang er dort in der Uraufführung der Oper «Herrat» von Felix Draesecke.

Krull, Annie; verheiratet mit dem Bassisten *Max Flor.*

Krumm, Hendrik, * 21. 12. 1934 Leijsi-Saremaa (Estland). 1957–60 war er als Chorist am Theater von Talinn beschäftigt, 1961 kam es dort zu seinem Solisten-Debüt als José in «Carmen». Er war auch bei den Festspielen von Savonlinna in Finnland zu Gast. Seit 1976 Pädagoge am Konservatorium von Tallinn.

Krumpholz, Sibylle, * 31. 8. 1910 Wien; Studium am Neuen Konservatorium Wien bei P. Gall; sie wirkte, ganz jung, bereits bei den Festspielen von Salzburg mit. Gastspiele und Konzerttritte in Zürich und Wien, in Lausanne und Genf, in Basel, Barcelona und Berlin. Nach ihrem Abschied von der Bühne Ende der vierziger Jahre setzte sie in der Schweiz ihre Konzertkarriere fort; letztes Auftreten 1965 in Bern im Verdi-Requiem.

Kruszelnicka, Salomea (Ambrosiwna); sie gehörte einer alten, angesehenen ukrainischen Familie an. 1897 bereiste sie mit der Padovani-Opera Chile, 1898 erregte sie in Parma als Elsa im «Lohengrin» und als Mimi in «La Bohème» Aufsehen. Bei einem Konzert in St. Petersburg sang sie in Anwesenheit des Zaren ukrainische Volkslieder, was man als patriotische antirussische Demonstration auffaßte, in Lemberg hielt sie eine Rede gegen den polnischen Teil der Bevölkerung. 1903 war sie in Italien wieder zu Gast am Teatro San Carlo Neapel, 1904 am Teatro Costanzi Rom. Sie war es, die die Puccini-Oper «Madame Butterfly» durch Vorstellungen in Brescia (1904), dann in Bologna (1905) und Turin (1906) zum endgültigen Erfolg führte. Als ihre großen Bühnenpartien galten die Aida, die Tosca, die Titelheldinnen in «Adriana Lecouvreur» von Cilea, in «La Gioconda» von Ponchielli und in Catalanis «Loreley», dazu ihre Wagner-Heroinen. In Buenos Aires kreierte sie die Diemuth in der Erstaufführung

der Oper «Feuersnot» von R. Strauss (1913 in italienischer Sprache).
Schallplatten: G & T (die ältesten Aufnahmen von
1903 aus Warschau, eine zweite Serie entstand 1907
in den USA), Fonotipia (Italien 1906 und 1910).

Kubiak, Teresa; 1973 sang sie als Antrittsrolle an der
Metropolitan Oper New York die Lisa in «Pique
Dame» von Tschaikowsky und blieb dann für
15 Spielzeiten Mitglied dieses Hauses. Man hörte sie
dort als Elisabeth im «Tannhäuser», als Tosca, als
Giorgetta in «Il Tabarro» von Puccini und als Jenufa
in der gleichnamigen Oper von Janáček, insgesamt
in 14 verschiedenen Partien.

Kucharský, Andrej, * 6. 1. 1932 Žilina (Sillein,
ČSR).

Kuchta, Gladys; 1954–58 am Staatstheater von Kassel, seitdem am Deutschen Opernhaus Berlin engagiert.

Kuebler, David; er sang 1987 beim Festival von
Glyndebourne den Flamand in «Capriccio» von
R. Strauss, 1989 den Matteo in «Arabella». 1987
hörte man ihn an der Metropolitan Oper New York
in «Dialogues des Carmélites» von Poulenc; 1988
Gastspiel bei den Festspielen von Schwetzingen als
Graf Almaviva im «Barbier von Sevilla», am Opern-
haus von Köln als Lindoro in Rossinis «Italiana in
Algeri», 1989 in Schwetzingen in Rossinis «Cam-
biale di matrimonio», in Rom und Madrid als Don
Ottavio im «Don Giovanni».

Kühne, Rolf; gehörte auch als Mitglied der Deutschen Oper Berlin an.
Schallplatten: HMV (vollständige Oper «Der Barbier von Sevilla» von Rossini).

Kuën, Paul; er war nacheinander engagiert an den
Theatern von Bamberg (1933–34), Giessen
(1934–36), Freiburg i. Br. (1937–38), Plauen in Sachsen (1938–40), Königsberg (Ostpreußen, 1940–42)
und Nürnberg (1942–44). Seit 1945 Mitglied der
Bayerischen Staatsoper München.

Kuhlmann, Kathleen, * 7. 12. 1950 San Francisco.
Ihr eigentliches Bühnendebüt erfolgte 1979 an der
Oper von Chicago als Maddalena im «Rigoletto».
1980 sang sie bereits an der Mailänder Scala die Meg
Page in Verdis «Falstaff», 1983 die Bersi in «Andrea
Chénier», am Teatro Regio Parma 1983 die Rosina.
1986 Gastspiel beim Wexford Festival in der Titel-
partie von Rossinis «Tancredi», 1987 am Teatro San
Carlo Neapel und 1988 in Bonn als Arsace in «Semi-
ramide», gleichfalls von Rossini. 1987 hörte man sie
am Teatro Regio Parma als Orpheus von Gluck,
dann auch in Rossinis «La Donna del Lago», an der
Oper von Sydney als Carmen, 1989 in Stuttgart als
Titelfigur in «La Cenerentola». An der Metropolitan
Oper New York gastierte sie als Charlotte in Massenets «Werther».
Schallplatten: HMV («Alcina» von Händel).

Kuhn, Alfred; er wirkte 1986 an der Deutschen Oper
am Rhein Düsseldorf–Duisburg in der Uraufführung der Oper «Belshazar» von V. D. Kirchner mit.
1987 Gastspiel am Teatro Liceo Barcelona in «Lulu»
von A. Berg.

Kuhse, Hanne-Lore; 1967 war sie an der Oper von
Philadelphia als Isolde im «Tristan» zu Gast. 1967
debütierte sie in England mit einem Konzert in der
Londoner Albert Hall. 1967 sang sie in der New
Yorker Philharmonic Hall in der amerikanischen
Premiere von Busonis Oper «Turandot», 1973 in
London die Mita in der englischen Erstaufführung
von «Der Friedensengel» von Siegfried Wagner.

Kullmann, Charles; er sang bereits mit acht Jahren
in einem Kirchenchor. Während seines Studiums an
der Yale University sang er ein Solo im dortigen
Glee Club und gewann einen Gesang-Concours.
Dann Gesangausbildung an der Juillard Music
School 1924–27 und erste Konzerte, anfänglich als
Bariton, dann jedoch als Tenor. Bereits 1928 gab er
ein Konzert in Berlin als Partner von Jarmila No-
votna. 1931 sang er als erste Partie an der Berliner
Kroll-Oper den Pinkerton. 1940 zu Gast an der Oper
von Chicago, 1936–54 immer wieder an der Oper
von San Francisco zu hören. 1931 wirkte er in Berlin
in der Uraufführung des Oratoriums «Das Unauf-
hörliche» von P. Hindemith mit. Im Ablauf von
25 Spielzeiten hat er im New Yorker Haus der Metropolitan Oper seit 1935 33 Rollen in 283 Vorstellungen (dazu noch 119 Vorstellungen bei deren
Gastspiel-Tourneen) gesungen.
Schallplatten: Columbia (viele Opern- und Liedtitel,
«Das Lied von der Erde» von Gustav Mahler).

Kunz, Erich; er sang bereits 1935 bei den Festspielen
von Glyndebourne im Festspielchor, dann 1948 den
Guglielmo in «Così fan tutte». Als erste Partie sang
er bei den Salzburger Festspielen 1941 den Masetto
im «Don Giovanni». 1952–54 an der Metropolitan
Oper New York engagiert (Antrittsrolle: Leporello
im «Don Giovanni»). Gastspiele auch an den Opernhäusern von Brüssel und Nizza. Verheiratet mit der
in Wien wirkenden Solotänzerin Friedl Kurz-
bauer.
Schallplatten: Columbia («Fledermaus», «Figaros
Hochzeit», «Zauberflöte», «Meistersinger»), Decca
(«Così fan tutte»), DGG («Don Giovanni»;
«Ariadne auf Naxos» von R. Strauss), Cetra («Figaros Hochzeit»), RCA («Fledermaus», «Lustige
Witwe»), Laudis («Don Giovanni» aus Salzburg,
1950).

Kupper, Annelies, † 8. 12. 1987 München. Als erste
Partie sang sie 1938 an der Staatsoper von Wien die
Eva im «Meistersingern». 1952–53 gastierte sie
an der Covent Garden Oper London. 1961 nahm sie
in München als Desdemona in Verdis «Othello» von
der Bühne Abschied. Bis 1966 gab sie noch gelegentliche Gastspiele.

Kurenko, Maria; studierte zunächst Jura an der
Universität von Moskau, gleichzeitig Gesang bei

dem dortigen Pädagogen Umberto Mazetti. Bei ihren Liederabenden wurde sie oft durch den russischen Komponisten Alexander Gretchaninoff am Klavier begleitet, der ihr mehrere seiner Lieder widmete.
Schallplatten: Capitol (Lieder von Rachmaninoff). Auf Victor kam je ein Album mit Liedern von Gretchaninoff (von diesem begleitet) und eins mit Tschaikowsky-Liedern heraus. 1950–51 publizierte Victor eine LP mit Liedern von Rachmaninoff und eine zweite mit Liedern von Strawinsky, letztere mit dessen Tochter Soulina Strawinsky als Begleiterin.

Kurt, Melanie; sie kam 1908 an die Berliner Hofoper. Hier hatte sie ihren ersten großen Erfolg als Donna Anna im «Don Giovanni» und sang dann dort Partien wie die Aida, die Amelia in Verdis «Maskenball», die Titelheldin in Glucks «Iphigenie in Aulis», die Leonore im «Fidelio», die Sieglinde und die Brünnhilde im Nibelungenring. Sie wirkte in der Berliner Premiere der Oper «Der Traum» von Joseph Gustav Mraczek mit (1912). Am Deutschen Opernhaus Berlin–Charlottenburg, wo sie 1912–15 wirkte, sang sie 1914 die Kundry in der Premiere des «Parsifal» und war besonders erfolgreich als Rachel in Halévys «La Juive». Beim Salzburger Mozart-Fest von 1910 übernahm sie die Partie der 1. Dame in der «Zauberflöte». An der Metropolitan Oper New York debütierte sie 1914 als Brünnhilde in der «Walküre». Dort erschien sie auch als Pamina in der «Zauberflöte», als Amelia in Verdis «Ballo in maschera», als Leonore im «Fidelio», als Iphigénie in Glucks «Iphigénie en Aulide», als Santuzza in «Cavalleria rusticana» und als Marschallin im «Rosenkavalier». Nachdem die USA 1916 in den Ersten Weltkrieg eintraten, mußte sie ihr Engagement an der Metropolitan Oper aufgeben und blieb während der folgenden Jahre untätig in Amerika. Erst 1920 kam sie wieder nach Europa zurück. 1923–24 sang sie an der Großen Berliner Volksoper die Titelpartie in «Rodelinda» von Händel. 1938 mußte sie als Jüdin Österreich verlassen und emigrierte in die USA.
Schallplatten: Älteste Aufnahmen auf Columbia, dann auf HMV (Berlin, 1908–14), Beka, amerikan. Columbia (1917), Polydor (Szenen aus dem «Fliegenden Holländer» mit Friedrich Schorr) und Parlophon (1924–25).

Kurz, Selma; ursprünglich hatte sie als Näherin gearbeitet. Sie studierte in Paris bei Mathilde Marchesi de Castrone und war dort auch Schülerin von Jean de Reszke. 1899 sang sie an der Wiener Hofoper in der Erstaufführung von Tschaikowskys «Jolanthe», 1900 war sie dort die Fiordiligi in einer Aufführung der Mozart-Oper «Così fan tutte», die eine Neu-Entdeckung des Werks bedeutete. 1907 kreierte sie für Wien die Titelrolle in «Madame Butterfly» von Puccini. 1904 debütierte sie an der Covent Garden Oper London als Gilda im «Rigoletto». 1924 sang sie dort nochmals die Traviata; 1908 an der Oper von Monte Carlo zu Gast. 1929 erkrankte sie an einer langwierigen, unheilbaren Krankheit. Die Stadt Wien ließ die sehr beliebte Künstlerin in einem Ehrengrab auf dem Zentralfriedhof beisetzen.

Schallplatten: Frühe Aufnahmen auf Zonophone (Wien, 1902), Edison-Zylinder (1910).

Kusche, Benno; er sang 1938 am Stadttheater Koblenz als erste Partie den Renato in Verdis «Maskenball». 1953 sang er bei einem Gastspiel der Münchner Staatsoper in der Covent Garden Oper London den La Roche in der englischen Erstaufführung der Oper «Capriccio» von R. Strauss. In der Saison 1971–72 war er an der Metropolitan Oper New York anzutreffen, wo er als Beckmesser in den «Meistersingern» debütierte.
Schallplatten: Electrola («Orpheus in der Unterwelt» von Offenbach); zusammen mit seiner Gattin Christine Görner in «Gräfin Mariza» von E. Kálmán und (auf Acanta) in «Schwarzwaldmädel» von L. Jessel.

Kutschera de Nyß, Elise; sie debütierte 1887 an der Berliner Kroll-Oper als Marguerite im «Faust» von Gounod.

Kuttner, Max; 1933 verließ er als Jude Deutschland und kam schließlich nach China. Dort ist er noch 1940–41 in Schanghai in Operetten aufgetreten. Damit endet dann seine Lebensspur. Er war mit der Opernsängerin *Nelly Bondy* verheiratet, die in Weimar und an der Komischen Oper Berlin gesungen hat.

Kutzner, Albert; debütierte 1901 am Stadttheater von Kaiserslautern, sang 1905–07 am Opernhaus von Köln und seit 1907 am Neuen Operettentheater Hamburg. Seit 1910 große Erfolge an Berliner Operettenbühnen (Theater des Westens, Metropoltheater). Verheiratet mit der Operettensängerin *Louise Obermaier*, die am Theater an der Wien, in Köln und Breslau und am Berliner Theater des Westens wirkte, und die auf Zonophone zahlreiche Aufnahmen mit Operettenausschnitten hinterlassen hat. Von Alfred Kutzner sind auch Parlophon-Platten vorhanden.

Kuusik, Tiit, Baß-Bariton; er sang 1938–39 unter dem Namen Dietrich Yanovich an der Wiener Volksoper, 1940–41 und 1942–44 am Staatstheater von Kassel. 1944 nahm er seine Karriere als erster Baß-Bariton am Theater der estnischen Metropole Tallinn (Reval) wieder auf und begann noch im gleichen Jahr auch seine Lehrtätigkeit am Konservatorium von Tallinn. Seine großen Bühnenpartien waren der Titelheld im «Boris Godunow», der Fürst Igor in der gleichnamigen Oper von Borodin, der Mephisto im «Faust» von Gounod, dazu zahlreiche Partien in estnischen und russischen Opern. Auch als Konzert- und Liedersänger kam er zu einer bedeutenden Karriere.
Schallplatten unter dem Etikett von Melodiya, darunter Ausschnitte aus estnischen Opern und Lieder («Winterreise» von Schubert, 1977).

Kwella, Patricia; ihre Familie war polnisch-italienischer Herkunft. Ausbildung der Stimme durch John Eliot Gardiner in London.

Schallplatten: Decca (h-moll-Messe von J. S. Bach), RCA-Erato (Bach-Kantaten, «Semele» und «L'Allegro, il penseroso ed il moderato» von Händel), Philips (Magnificat von J. S. Bach).

Kyriaki, Margarita; Schallplatten: DGG («Parsifal»), Preiser («Das Buch mit sieben Siegeln» von F. Schmidt).

L

Laakman, Willem; seit 1984 Mitglied des Landestheaters Coburg, wo er 1987 als Titelheld im «Boris Godunow» sehr erfolgreich auftrat.

Labatt, Richard; Richard Wagner soll sich mit dem Gedanken getragen haben, ihn in der ersten Nibelungenring-Aufführung in Bayreuth die Partie des Siegfried singen zu lassen.

Labbette, Dora, * 4. 3. Purley (Surrey), † 3. 9. 1984 in ihrem Heimatort Purley. Sie studierte bereits mit elf Jahren Klavierspiel und Gesang bei Herman Bearley in Purley. Sie wurde bei ihren Liederabenden mehrfach durch Sir Thomas Beecham am Klavier begleitet, u. a. 1929 beim Delius Festival. 1934 faßte sie den Entschluß, die Bühne zu betreten. Auf Vorschlag von Th. Beecham tat sie dies unter dem Künstlernamen Lisa Perli (nach dem Namen ihres Geburtsortes); als erste Partie sang sie 1934 in Oxford die Telaire in «Castor et Pollux» von Rameau. 1935 kam es dann zu ihrem ersten Auftritt an der Covent Garden Oper London als Mimi in «La Bohème».

Labia, Maria; sie wurde in einer Klosterschule in Pavia erzogen. Ihren ersten Musik- und Gesangunterricht erhielt sie durch ihre Mutter, die Contessa Cecilia Labia. Ihre große Glanzrolle, die Tosca, hat sie im Lauf ihrer Karriere über hundertmal gesungen. Für Berlin kreierte sie 1907 die Martha in «Tiefland» von d'Albert und wurde als Carmen begeistert gefeiert. Am Manhattan Opera House New York debütierte sie 1908 als Tosca; sie sang dort auch die Carmen und die Amelia in Verdis «Ballo in maschera». Nachdem man sie in Italien während des Ersten Weltkrieges wegen angeblicher Spionage für Deutschland verhaftet hatte, erwies sich diese Beschuldigung als völlig haltlos. Man ließ sie darauf wieder frei. 1919 konnte sie wieder in Stockholm, seit 1919 auch wieder in Italien auftreten. 1920 Gastspiel am Teatro Verdi Triest als Alice Ford in Verdis «Falstaff», 1921 am Teatro Real Madrid als Salome. 1922 hörte man sie an der Mailänder Scala als Alice Ford, 1923 als Cathérine in «Madame Sans-Gêne» von Giordano unter A. Toscanini. Um 1930 gab sie in Deutschland Konzerte und trat in Polen, u. a. als Carmen, aber auch in weiteren Bühnenpartien, auf. 1922 hatte sie an der Scala in der Erstaufführung von Wolf-Ferraris «I quattro rusteghi» die Rolle der Felicità gesungen, eine Partie, mit der sie gegen Ende ihrer Karriere geradezu identifiziert wurde.

Neben ihrem darstellerischen Talent wirkte sie auf der Bühne auch durch die aparte Schönheit ihrer Erscheinung.
Schallplatten: Ihre ersten Aufnahmen erschienen 1907–09 auf Odeon (Berlin, darunter Duette mit Hermann Jadlowker), es folgten Edison-Zylinder und -Platten sowie Victor-Aufnahmen. 1935 wurden in Berlin elektrische Telefunken-Aufnahmen hergestellt, die wahrscheinlich verlorengegangen sind.

Labinski, Andrej Markowitsch; Schüler von Stanislaw Gabel.

Lablache, Luigi; er wirkte in der Uraufführung der Oper «Bianca e Fernando» von Vincenzo Bellini am Teatro San Carlo Neapel mit (20. 5. 1826); er war an sehr vielen Uraufführungen der Opernwerke von Gaetano Donizetti beteiligt. Hier seien davon genannt: «Elvida» (1826), «L'Esule di Roma» (1828), «Il Giovedi grasso» (1828), «Il Paria» (1829), «I Pazzi per Progresso» (1830), «Il Diluvio universale» (28. 2. 1830) und «Sancio di Castiglia» (1832), diese alle in Neapel, dann am Théâtre-Italien Paris in «Marino Falliero» (12. 3. 1835).

Labò, Flaviano, * 1. 2. 1927 Borgonovo bei Piacenza. Seine Stimme wurde durch den Dirigenten Antonino Votto entdeckt. Gastspiele am Teatro Colón Buenos Aires, am Opernhaus von Zürich (1959 als Kalaf in Puccinis «Turandot»). Seit 1957 trat er während drei Spielzeiten an der Metropolitan Oper New York auf, an der er (in deren New Yorker Haus) 13 Partien in 59 Vorstellungen sang, darunter den Manrico im «Troubadour», den Alfredo in «La Traviata» und den Radames in «Aida». Noch 1987 gastierte er am Teatro Regio Turin als Ismaele in Verdis «Nabucco».

Lacy, John, † um 1765 in der englischen Grafschaft Devonshire.

Laczó, István, Tenor, * 16. 9. 1908 Szombathély (Steinamanger, Ungarn).

Lafitte, Léon; 1924 gab er seine Karriere auf.

Lafont, Jean-Philippe; gastierte 1985 an der Oper von Rom in «Démophon» von Cherubini, 1986 bei den Festspielen von Aix-en-Provence als Leporello im «Don Giovanni». 1986 sang er an der Grand Opéra Paris den Créon in «Médée» von Cherubini, 1989 in «Doktor Faust» von Busoni, 1987 am Teatro San Carlo Neapel und 1988 am Theater von Bonn den Assur in Rossinis «Semiramide». 1988 großer Erfolg an der Metropolitan Oper New York als Escamillo in «Carmen». Am 13. 7. 1989 wirkte er im Gala-Konzert zur Eröffnung der neu erbauten Pariser Bastille-Oper mit.
Schallplatten: HMV («La Muette de Portici» von Auber, Herzog in «Le Roi malgré lui» von E. Chabrier), Orfeo («Djamileh» von Bizet).

Lagger, Peter; er begann seine Karriere 1953 in Graz, sang 1955–57 am Opernhaus von Zürich,

1957–59 am Staatstheater Wiesbaden und 1959–63 am Opernhaus von Frankfurt a. M., seitdem bis zu seinem Tod an der Deutschen Oper Berlin.

Laghezza, Rosa; 1988 gastierte sie am Opernhaus von Zürich als Marquise in «La Fille du régiment» von Donizetti.

Laholm, Eyvind; debütierte 1924 am Stadttheater von Essen (als Canio), dessen Mitglied er bis 1928 blieb.
Schallplatten: Auf Parlophon-Odeon kam die Arie des Florestan aus dem «Fidelio» unter seinem wirklichen Namen Jon Edwin Johnson heraus. Aus der Wiener Staatsoper wurde ein Terzett aus den «Meistersingern» von 1935 veröffentlicht.

Laki, Krisztina; Schallplatten: HMV-Electrola («Lobgesang» von Mendelssohn), HMV-Harmonia mundi (Dettinger Te Deum von Händel, «Davidde penitente» von Mozart), Orfeo («Die Feen» von R. Wagner, «Paride ed Elena» von Gluck), Telefunken («Der Schauspieldirektor» von Mozart), CBS (Markus-Passion von Ph. E. Bach).

Lalande, Madeleine, * 9. 7. 1890 Perpignan; bereits im März 1921 sang sie an der Oper von Monte Carlo die Nella in «Gianni Schicchi», im Mai 1921 dann an der Opéra-Comique Paris aufgetreten.
Schallplatten: Auf Grammophone wirkt sie in einer Aufnahme der Walkürenszene aus der «Walküre» als eine der Walküren mit.

Lamandier, Esther; Schallplatten: Aliena (Chansons Andalouses et Tangos, Chants chrétiens Araméens).

Lamberti, Giorgio, s. unter *Casellato Lamberti, Giorgio.*

Lammers, Gerda, * 13. 2. 1915 Zeitz; 1939 Debüt als Konzertsängerin. 1940 trat sie zusammen mit ihrer Lehrerin Lula Mysz-Gmeiner in Berlin in Konzerten auf. Erst 1955 erschien sie auf der Bühne, und zwar sang sie bei den Bayreuther Festspielen 1955–57 die Partie der Ortlinde in der «Walküre». An der Metropolitan Oper New York debütierte sie sehr erfolgreich 1962 als Elektra von R. Strauss.
Schallplatten: Laudis (Ortlinde in der «Walküre», Bayreuth 1957).

Lammert, Minna, † 1921 Berlin.

Lamont, Forrest; 1918 wirkte er an der Oper von Chicago in der Uraufführung von Arthur Nevins «A Daughter of the Forest» mit. In den langen Jahren seiner Zugehörigkeit zur Chicago Opera sang er dort Partien wie den Rodolfo in «La Bohème», den Turiddu in «Cavalleria rusticana», den Canio im «Bajazzo», den Radames in «Aida», den Edgardo in «Lucia di Lammermoor», den Herzog im «Rigoletto», den Dimitrij im «Boris Godunow», den Pedro in «Tiefland» von E. d'Albert (1926) und den Folco in Mascagnis «Isabeau», seit 1922 auch Wagner-

Heroen wie den Siegmund in der «Walküre» und den Tannhäuser.

Lamperti, Francesco; weitere Schüler des großen Pädagogen waren Romilda Pantaleoni, Salvatore Marchesi, Franz Nachbaur und Nikolai Figner.

Lance, Albert, * 12. 7. 1925 Menindie (South Australia). Gesangstudium am Adelaide College of Music bei Greta Callow. Er wurde in Australien schnell bekannt, vor allem durch seine Auftritte im australischen Rundfunk ABC als «The Australian Street-Singer» und als «The Voice of 2 Millions». Nach weiteren Studien bei Dominique Modesti in Paris sang er 1959–60 an der Grand Opéra Paris (nach seinem Debüt an diesem Haus 1956) den José in «Carmen» als Partner von Jane Rhodes. Man hörte ihn in Paris auch als Rodolfo in «La Bohème», als Pinkerton in «Madame Butterfly» und als Titelhelden im «Werther» von Massenet. 1958 Debüt an der Covent Garden Oper London als Herzog im «Rigoletto» (mit Joan Sutherland als Gilda) und als Riccardo in Verdis «Ballo in maschera». Neben seinem Wirken als Sänger betätigte er sich als begabter Kunstmaler.
Schallplatten: HMV (Arien von Massenet und Gounod).

Land, Emmy, † 26. 11. 1955 Chattanooga (Tennessee). Ihr Bühnendebüt erfolgte 1912 am Theater von Mährisch-Ostrau (Ostrava), 1913–15 war sie am Stadttheater von Kiel und 1915–18 an der Volksoper von Wien engagiert. 1936 gab sie ein Konzert in Wien.
Einige Schallplatten auf Parlophon-Odeon vorhanden.

Landau, Leopold; 1888 sang er in der deutschen Erstaufführung von Verdis «Othello» in Hamburg den Cassio.

Landi, Bruno; Gesangstudium bei Maestro Vito Frazzi in Florenz. Debüt als Herzog im «Rigoletto» 1925 am Teatro Comunale von Campi Bisenzio. Er sang dann am Teatro della Pergola Florenz (1927), am Teatro Politeama Genua (1927–29), am Teatro Adriano Rom (1929, 1932), am Teatro San Carlo Neapel (1933), am Teatro Grande Brescia und an der Oper von Rom, an der er 1934 als Rinuccio in Puccinis «Gianni Schicchi» debütierte. 1936–39 trat er an der Mailänder Scala in Erscheinung (Debüt als Fenton im «Falstaff» von Verdi). 1936–47 wurde er am Teatro Colón Buenos Aires immer wieder begeistert gefeiert. Er gastierte in Rio de Janeiro, São Paulo und 1935 bereits in Oslo. 1951 gastierte er an der Metropolitan Oper New York nochmals als Graf Almaviva im «Barbier von Sevilla»; 1944–45 war er an der Oper von San Francisco tätig. Seit 1945 verheiratet mit der Sopranistin *Hilde Reggiani.* 1963 gab er ein letztes Konzert in Buenos Aires, wo er später seinen Wohnsitz nahm.
Schallplatten: Allegro Royale (Herzog in vollständiger «Rigoletto»-Aufnahme mit Hilde Reggiani, 1953).

Landi, Tonny; nach seinem Debüt 1966 an der Königlichen Oper Kopenhagen ist er länger als zwanzig Jahre an diesem Haus aufgetreten.
Schallplatten: Er sang auf Unicorn in den vollständigen dänischen Opern «Drot og Marsk» von P. Heise und «Maskarade» von C. Nielsen.

Lane, Gloria; im Lauf ihrer Karriere ist sie mehr als 300mal in ihrer großen Glanzrolle, der Carmen, aufgetreten.
Schallplatten: Melodram («Luisa Miller» von Verdi).

Langdon, Michael; 1976 sang er an der Covent Garden Oper London auch in der Uraufführung von H. W. Henzes «We come to the River». 1978–79 Direktor des National Opera Studio London.

Lange, Ruth; sie war 1939–41 an den Theatern von Karlsbad (Karlovy Vary) und Teplitz–Schönau (Teplice) verpflichtet.

Langebo, Karin; sie spielte zunächst im Orchester der Festspiele von Drottningholm Harfe und trat seit 1956 dort als Sängerin hervor.
Schallplatten: Grammofon ab Electra («Il maestro di musica»).

Langridge, Philip; gastierte seit 1984 am Opernhaus von Zürich in Werken von Monteverdi und 1987 als Don Ottavio im «Don Giovanni». 1986 erschien er an der Covent Garden Oper London als Laça in «Jenufa» von Janáček, 1987 bei den Festspielen von Salzburg als Aron in «Moses und Aron» von Schönberg, 1988 an der Mailänder Scala als Titelheld im «Oberon» von Weber. Verheiratet mit der bekannten englischen Mezzosopranistin *Ann Murray* (* 1949).
Schallplatten: Philips (Magnificat von J. S. Bach), Decca («Messias» von Händel), DGG (Andres in «Wozzeck» von A. Berg), Telefunken (Marienvesper von Monteverdi), Etcetera («Punch and Judy» von Birtwistle).

Lanigan, John; seine Mutter war unter dem Namen *Lucy Colahan* eine in Australien bekannte Sängerin gewesen. Im Zweiten Weltkrieg wurde er als Soldat eingezogen und gewann – noch im Militärdienst stehend – 1945 einen Gesangwettbewerb in Melbourne. Darauf weitere Ausbildung durch Horace Stevens in Melbourne. Am 12. 7. 1972 wirkte er an der Covent Garden Oper London in der Uraufführung der Oper «Taverner» von Maxwell Davies mit.

Lankow, Edward, * 1883 Tarrytown-on-the Hudson im amerikanischen Staat New York.

Lantieri, Rita; sie betätigte sich später als Regisseurin bei der Compagnia d'Opera Italiana di Milano, mit der sie große Tourneen unternahm.
Schallplatten: Bongiovanni («Zanetto» von Mascagni).

Lanza, Lina; sie sang am 20. 12. 1924 an der Mailänder Scala in der Uraufführung der Oper «La cena delle beffe» von Giordano. 1935 trat sie bei den Festspielen in der Arena von Verona auf.
Schallplatten: Auf Pathé existiert eine Aufnahme des Quartetts aus «Rigoletto» die nicht mit den Namen der Sänger sondern lediglich mit der Bezeichnung «Milan Grand Opera» versehen ist; es handelt sich dabei um die Stimmen von Anna Sassone-Soster, Lina Lanza, Giovanni Manuritta und Gino Lussardi.

Lapeyrette, Ketty, * 23. 7. 1884 Oloron-Ste. Marie (Departement Basses-Pyrénées). Sie sang an der Grand Opéra Paris am 14. 3. 1921 in der Uraufführung der Oper «Antar» von Dupont, am 1. 6. 1923 in der von «Padmâvati» von Albert Roussel und am 24. 4. 1931 in «Guercoeur» von Albéric Magnard. 1936 gastierte sie in Amsterdam, 1937 an der Londoner Covent Garden Oper als Amme in «Ariane et Barbe-Bleue» von Dukas. Außer den genannten Rollen beherrschte sie fast das gesamte Standardrepertoire ihres Stimmfachs. Neben der Tonfülle ihrer Stimme kamen auf der Bühne ihre aparte Schönheit und ihr eminentes darstellerisches Talent zur Wirkung.

Laplante, Bruno; Schallplatten: KRO Hilversum («Dialogues des Carmélites» von Poulenc), Calliope (Französische Kunstlieder).

Lappalainen, Kimmo; Schallplatten: Auch Aufnahmen bei Wergo.

Lappas, Ulysses, er sang 1917 an der Mailänder Scala in der Uraufführung der Oper «Il Macigno» von Victor de Sabata, 1918 am Teatro Reinach von Parma und am Teatro Grande von Brescia in Aufführungen von Puccinis «La Fanciulla del West». An der Oper von Monte Carlo begann er 1919 seine eigentliche internationale Karriere als Canio im «Bajazzo» mit Elvira de Hidalgo als Partnerin.
Schallplatten: Fast alle Aufnahmen in akustischer Aufnahmetechnik (exklusiv bei Columbia erschienen).

Larcén, Elsa, † 1985.

Larsén-Todsen, Nanny; 1925–27 an der Metropolitan Oper New York tätig, wo sie als Brünnhilde in der «Götterdämmerung» debütierte und als weitere Partien die Isolde, die Fricka, die Kundry im «Parsifal», die Leonore im «Fidelio» und die Rachel in «La Juive» von Halévy sang. Auch bei den Festspielen von Zoppot trat sie in ihren Wagner-Rollen auf. 1937 sang sie als eine ihrer letzten Partien in Paris die Isolde.

Larson, Sophia; 1987 gastierte sie in Turin als Sieglinde in der «Walküre», 1988 am Teatro Massimo Palermo als Titelheldin in der Oper «Fedra» von Pizzetti, 1990 als Katiusha in Alfanos «Risurrezione». Bei den Bayreuther Festspielen von 1987 trat sie als Venus im «Tannhäuser» auf, 1989 als Sieglinde in der «Walküre». 1987 Gastspiel in Toronto als Isolde, 1988 in Zürich als Turandot, in Nizza als

Senta, 1988 sang sie in der Carnegie Hall New York im War Requiem von B. Britten. 1988 war sie am Grand Théâtre Genf, 1989 in einer (konzertanten) Aufführung in Amsterdam als Renata in «L'Ange de feu» von Prokofieff zu hören, ebenso 1989 an der Oper von San Francisco als Senta im «Fliegenden Holländer».

Lashanska, Hulda; ihre Familie war russisch-jüdischer Abstammung. Sie studierte zuerst zwei Jahre lang bei Frieda Ashford in New York. Nach ihrem ersten New Yorker Konzert 1909 studierte sie noch für zwei Jahre in Europa. Dort trat sie nur zu Beginn ihrer Karriere 1909–10 in einigen Konzerten auf, sonst beschränkte sich ihr künstlerisches Wirken ganz auf Nordamerika. 1911 kam sie in einem von ihrer Lehrerin Marcella Sembrich arrangierten Konzert in der New Yorker Aeolian Hall zu einem sensationellen Erfolg und leitete damit eine große Konzertkarriere ein. Anschließend gab sie glanzvolle Konzerte mit dem New York Symphony Orchestra unter Walter Damrosch. 1918 hatte sie einen ihrer größten Erfolge, als sie in einem Sunday Night Concert der Metropolitan Oper New York auftrat. Man verglich immer wieder ihre Sopranstimme mit der der unvergessenen Alma Gluck.

Lassalle, Jean; er war der Sohn eines Seidenhändlers und sollte in dessen Unternehmen eintreten. Er verließ jedoch Lyon, ging nach Paris und wollte Maler werden. Man entdeckte hier seine Stimme, die am Conservatoire National und durch den Pädagogen Novelli in Paris ausgebildet wurde. Bei seinen Gastspielen an der Covent Garden Oper London (1879–81, 1888-93) sang er auch Wagner-Partien wie den Fliegenden Holländer, den Telramund und den Hans Sachs. Er sang als erste Partie im Januar 1892 an der Metropolitan Oper New York den Nelusco in «L'Africaine» von Meyerbeer. Man hörte ihn dort auch als Don Giovanni, als Titelhelden im «Hamlet» von A. Thomas, als Valentin im «Faust» von Gounod, als Escamillo in «Carmen», als Nevers in den «Hugenotten», als Telramund, als Hans Sachs und als Wolfram im «Tannhäuser», insgesamt in drei Spielzeiten in 79 Vorstellungen von 15 Partien (in deren New Yorker Haus). In der Eleganz seines Vortrags erwies er sich als ein Künstler der Art der beiden Brüder Jean und Edouard de Reszke, mit denen ihn eine persönliche Freundschaft verband. Sein Sohn *Robert Lassalle* (* etwa 1885) wurde ein bekannter Tenor, der durch seinen Vater und durch J. Isnardon ausgebildet wurde. 1910 sang er bereits an der Oper von Boston den Faust in «Mefistofele» von Boito (USA-Debüt). 1911 debütierte er an der Grand Opéra Paris als Herzog im «Rigoletto». Dort sang er regelmäßig bis 1914, u. a. in Roméo et Juliette» von Gounod, den Nicias in «Thaïs» von Massenet, den Samson in «Samson et Dalila» von Saint-Saëns, den Lohengrin und den Narraboth in «Salome» von R. Strauss. 1919 gastierte er am Teatro Real Madrid. Er sang auf Pathé-Platten den Fernando in «La Favorita» und den Herzog im «Rigoletto» (1912). Auf der gleichen Marke hatte sein Vater Jean Lasselle bereits 1902–03 23 Zylinder

aufgenommen, darunter Arien aus «Ascanio», «Le Roi de Lahore» und «Polyeucte», also Opern, die er kreiert hatte.

Lassalle, Robert, s. unter *Lassalle,* Jean.

Lasser, Ingeborg; Schallplatten: CBS («Wozzeck» von A. Berg), RCA (Querschnitt «Zigeunerbaron»).

Laszló, Magda; an der Oper von Rom sang sie 1950 die Asteria in Boitos «Nerone», 1954 in der Premiere der Oper «Boulevard Solitude» von H. W. Henze, beim Holland Festival 1958 in «Von heute auf morgen» von Schönberg. 1951 gastierte sie beim Zeitgenössischen Musik Festival in Frankfurt a. M.; in Nordamerika debütierte sie mit einem Konzert in der New Yorker Town Hall; sie trat bei den Musikfesten von Bergamo, Perugia und Venedig auf. Besonders intensiv war ihre Zusammenarbeit mit dem italienischen Rundfunk RAI, die von 1947 (erste Opernsendung als Isolde im «Tristan» mit Fiorenzo Tasso in der Titelpartie) bis 1968 dauerte. Dabei trat sie u. a. in den Titelpartien der Opern «Sakuntala» von Alfano und «Daphne» von R. Strauss, als Damara in «La Figlia del Re» von Lualdi, als Giselda in «I Lombardi» von Verdi, in den Titelpartien der Opern «Turandot» von Busoni und «Agrippina» von Händel, als Roxana in «König Roger» von Szymanowski, als Caterina in Giordanos «Madame Sans-Gêne», als Renata in «L'Ange de Feu» von Prokofieff und als Elena in «Paride ed Elena» von Gluck auf.

Lattermann, Theodor; seine Stimme wurde durch den bekannten Tenor Andreas Dippel ausgebildet. In Hamburg sang er 1914 den Gurnemanz in der Premiere des «Parsifal». Er gastierte auch in Madrid und Lissabon. Seit 1911 war er mit der Altistin *Ottilie Metzger-Lattermann* verheiratet. Bei der Tournee der German Opera Company 1922–24 in den USA sang er Partien wie den Telramund im «Lohengrin», den Figaro in «Figaros Hochzeit» und trat mit diesem Ensemble auch im Gebäude der Metropolitan Oper New York auf. Seine Karriere wurde im Herbst 1925 durch eine schwere, unheilbare Krankheit vorzeitig beendet.
Schallplatten: Als früheste Aufnahmen existieren Edison-Zylinder und Odeon-Platten, dann Pathé-, Parlophon- (1913–14) und Polydor-Platten (um 1920).

Lattuada, Emma; Schallplatten: Auf HMV wurde auch ein Terzett aus Verdis «Troubadour» zusammen mit Aureliano Pertile und Giuseppe Nessi veröffentlicht.

Laubenthal, Horst, R.; einziger Schüler und Adoptivsohn des berühmten Tenors *Rudolf Laubenthal* (1886–1971). Seit 1973 Mitglied des Deutschen Opernhauses Berlin. 1987 gastierte er wiederum am Teatro Regio Turin, jetzt als Don Ottavio im «Don Giovanni».
Schallplatten: Edition Schwann (Trauerkantate auf

den Tod Friedrichs d. Gr. von J. Fr. Reichardt), Capriccio («Notre Dame» von F. Schmidt).

Laubenthal, Rudolf; er trat zunächst als Konzertsänger auf und erregte 1912 beim Bach-Fest in Eisenach Aufsehen. Nachdem er auf der Bühne zuerst lyrische Partien gesungen hatte, kam er über das italienische heldische Fach schließlich zum Wagner-Gesang. Während seines Engagements an der Metropolitan Oper New York 1923–33 trat er als deren führender Wagner-Tenor in Erscheinung, sang dort aber keine Partien aus seinem italienischen Repertoire. Als seine Glanzrolle galt der Siegfried im Nibelungenring; weiter sang er an der Metropolitan Oper den Florestan im «Fidelio», den Max im «Freischütz» und den Tamino in der «Zauberflöte». 1932 war er dort der Ägisth in der (späten) Premiere der Oper «Elektra» von R. Strauss. 1929 sang er als Gast an der Berliner Staatsoper den Menelas in der Premiere der «Ägyptischen Helena». Er gab auch in Südamerika Gastspiele und war ein geschätzter Oratoriensänger. Sein einziger Schüler war der bekannte Tenor *Horst R. Laubenthal* (* 1939), den er als Sohn adoptierte.
Schallplatten: Akustische Aufnahmen auf Parlophon, elektrische auf HMV (1927–30, darunter die Schlußszene aus «Siegfried» mit Frida Leider).

Laufkoetter, Karl, * 18. 5. 1899 Düsseldorf; er begann seine Karriere 1924 am Stadttheater von Koblenz, sang 1925–26 am Stadttheater von Mainz, 1926–27 in Bremerhaven, 1927–30 am Staatstheater von Karlsruhe. 1930–33 war er Mitglied der Staatsoper Berlin, 1933–36 der Staatsoper Stuttgart.

Lauhöfer, Robert, * 22. 5. 1929 Steinheim am Main.

Laurenti, Maria; sie sang am Teatro San Carlo Neapel und kam vor allem an der Mailänder Scala zu bedeutenden Erfolgen. Dort sang sie in der Spielzeit 1935–36 die Vivetta in «L'Arlesiana» von Cilea und die Elisetta in «Il matrimonio segreto» von Cimarosa, 1940–44 die Eva in den «Meistersingern», die Musetta in «La Bohème» und die Lucieta in «I quattro rusteghi» von E. Wolf-Ferrari. 1942 hörte man sie an der Scala in «Les deux journées» von Cherubini. 1937 war sie bei der Italienischen Oper in Holland als Liu in Puccinis «Turandot» anzutreffen, 1943 an der Oper von Rom in «La farsa amorosa» von Zandonai.

Laurenti, Mario; er sang 1920–21 bei der Scotti Opera Company u. a. den Sharpless in «Madame Butterfly», den Valentin im «Faust» von Gounod, den Silvio im «Bajazzo» und den Enrico in «Lucia di Lammermoor».
Schallplatten: Seine frühen Edison-Platten von 1917 wurden teilweise auf Edison-Amberola-Zylinder überspielt.

Lauri-Volpi, Giacomo; während des Ersten Weltkrieges war er vier Jahre lang als Soldat eingesetzt und erreichte den Grad eines Capitano. Er studierte nach Kriegsende nochmals bei Enrico Rosati in Mai-

land. Er gastierte 1920 in Valencia und Saragossa und trat 1922 erstmalig am Teatro Colón Buenos Aires auf. An der Metropolitan Oper New York sang er seit 1923 in zehn aufeinander folgenden Spielzeiten und wurde vor allem als Partner der großen Primadonna Rosa Ponselle in Bellinis «Norma» und in «La Vestale» von Spontini gefeiert. Als seine größte Kreation galt während dieser Zeit der Manrico im «Troubadour»; 1923 sang er an der Metropolitan Oper den Pedro in der Premiere von Franco Vittadinis «Anima allegra», 1926 den Kalaf in der von Puccinis «Turandot» (mit Maria Jeritza). 1923–24 gastierte er bei den Festspielen von Ravinia, 1929 an der Oper von San Francisco, 1927–28 und 1932–39 am Teatro Colón Buenos Aires. 1929 gastierte er mit dem Ensemble der Mailänder Scala unter Toscanini in Berlin. 1934 verließ er wegen finanzieller Auseinandersetzungen mit der Direktion die Metropolitan Oper. Für die Spielzeit 1939–40 war er nochmals an diesem Haus verpflichtet, wurde aber durch den Ausbruch des Zweiten Weltkrieges an seinem Auftreten gehindert. 1939 hatte er die schwerste heldische Partie des italienischen Stimmfachs, den Othello von Verdi, in sein Repertoire aufgenommen und erzielte auch darin glänzende Erfolge.
Schallplatten: Frühe akustische Aufnahmen auf Fonotipia, dann auf Brunswick (um 1930, zumeist akustische, einige elektrische Aufnahmen), HMV, Victor (1929–33), Cetra («Troubadour», «Luisa Miller», um 1950), Remington («La Bohème», 1952), Replica («Hugenotten», 1956).

Laurich, Hildegard; Schallplatten: JSV (Requiem d-moll von Bruckner), CBS (8. Sinfonie von G. Mahler), Edition Schwann (Kantaten von Händel), Carus-Verlag (Werke von H. Schütz).

Lausmannová, Marie, † 25. 9. 1933 Prag; sie sang am 7. 11. 1876 in der Prager Uraufführung der Oper «Hubička» von Smetana die Partie der Barče.

Laute-Brun, Antoinette; Debüt an der Grand Opéra Paris 1904 als Helmwige in der «Walküre»; anschließend sang sie dort die Ines in Donizettis «La Favorita». In den ersten Jahren ihres Wirkens übernahm sie an diesem Opernhaus Partien wie den Jemmy in Rossinis «Wilhelm Tell», den Pagen Urbain in den «Hugenotten» von Meyerbeer, die Crobyle in «Thaïs» und die Eunoë in «Ariane» von Massenet. Sie sang dort in mehreren Uraufführungen, so 1908 in «La Catalane» von Le Borne, am 2. 5. 1909 in «Bacchus» von Massenet, 1910 in «La Fille de Soleil» von André Gailhard und am 14. 3. 1921 in «Antar» von Gabriel Dupont. Sie sang dort auch 1908 in der Premiere von Rameaus «Hyppolite et Aricie». Ihre großen Erfolge als Oratoriensolistin hatte sie in «Damnation de Faust» von Berlioz und in der «Schöpfung» von Haydn.
Schallplatten: G & T (Paris 1904–05 unter dem Namen Mlle Laute), Favorite (Paris, 1906), Disque Eden, Odeon, AGPA sowie Edison-Zylinder.

Lauters-Guéymard, Pauline, † 1908.

Laval, Jane; sie sang 1919 kleinere Partien am Teatro Colón Buenos Aires wie den Siebel im «Faust»
von Gounod, den Stéphano in «Roméo et Juliette»,
die Poussette in «Manon» von Massenet, die Frasquita in «Carmen» und die Ellen in «Lakmé» von
Delibes. 1921 debütierte sie an der Grand Opéra
Paris in der Oper «Rebecca» von César Franck. Sie
sang an der Grand Opéra in der Uraufführung von
Roussels Oper «Padmâvati» die Partie der Nakamti
(1. 6. 1923) und am 24. 4. 1931 in der von «Guercoeur» von Albéric Magnard. 1923 sang sie dort die
Emma in Mussorgskys «Khovantchina», 1926 die
Ännchen im «Freischütz», 1927 die Sophie in der
Premiere des «Rosenkavaliers». Später fügte sie
auch schwerere Partien wie die Elsa im «Lohengrin»
und die Sieglinde in der «Walküre» in ihr Repertoire
ein. 1924 Gastspiel an der Covent Garden Oper
London als Nedda im «Bajazzo». Sie ist auch an der
Pariser Opéra-Comique aufgetreten.
Schallplatten: Akustische Vocalion- (1922), elektri-
sche Columbia- und Pathé-Aufnahmen (um 1930).

Lawrence, Marjorie; erste Ausbildung bei Ivo Bou-
stead in Melbourne und seit 1928 bei Cécile Gilly in
Paris. 1933 kam sie an die Pariser Grand Opéra, an
der sie u. a. als Brunehild in «Sigurd» von Reyer, als
Salomé in «Hérodiade» von Massenet, als Donna
Anna im «Don Giovanni», als Brangäne im «Tristan» und als Brünnhilde in der «Walküre» auftrat.
An der New Yorker Metropolitan Oper hörte man
sie 1935–41 auch als Ortrud im «Lohengrin», als
Sieglinde in der «Walküre», als Rachel in «La Juive»
von Halévy, als Alceste von Gluck, insgesamt (im
New Yorker Haus) in elf Partien und 59 Vorstellungen. Seit 1935 gastierte sie an der Oper von Chicago,
1936 am Teatro Colón Buenos Aires als Kundry und
als Ortrud. 1939 unternahm sie eine triumphale
Australien-Tournee. In dem Film «Interrupted Melody» wurden die Gesangstücke durch Eileen Farrell
vorgetragen. Marjorie Lawrence lebte seit ihrer Erkrankung auf ihrer Ranch in Hot Springs (Arkansas).
Schallplatten: Auf Melodram singt sie die Ortrud im
«Lohengrin» (Aufnahme aus dem Teatro Colón
Buenos Aires von 1936), RCA-Victor-Platten,
Decca (Lieder von Brahms, Grieg und Rachmaninoff, 1947).

Lawrence, Martin; er gehörte einer orthodoxen jüdischen Familie an und sang als Knabe in einem Synagogenchor. In den fünfziger Jahren wandte er sich
mehr und dem Kommunismus zu und hielt sich
viel in Osteuropa auf. Er gab Gastspiele und Konzerte in der Sowjetunion (1952) und in China (1962).
Später betätigte er sich in London als jüdischer
Kultsänger; 1963–79 nahm er die Stelle eines Musikdirektors an der New London Synagogue wahr.
Schallplatten: Auf Columbia erschienen auch einige
Liedaufnahmen.

Lay, Theodor; er sang 1848 in Leipzig in der Uraufführung der Oper «Rolands Knappen» von Lortzing;
am 10. 3. 1875 wirkte er an der Wiener Hofoper in
der Uraufführung der Oper «Die Königin von Saba»
von Goldmark mit.

Lázaro, Hippólito, * 14. 9. 1887 Barcelona. Er sang
bereits als Chorknabe, war später in mehreren Berufen tätig und mußte sein erstes Gesangstudium bei
Carmen Bonaplata in Barcelona aus finanziellen
Gründen wieder aufgeben. 1907 sang er am Theater
von Olot bei Gerona in der Oper «Marina» von
Arrieta, nahm dann aber als Soldat 1908–11 am
Marokko-Krieg teil, wo er u. a. in einer Soldatenka-
pelle Saxophon spielte. Ohne weitere Studien debütierte er 1911 am Teatro Novidades Barcelona als
Operettensänger. Noch im gleichen Jahr ersetzte er
am Teatro Costanzi Rom den indisponierten Alessandro Bonci als Herzog im «Rigoletto». Diese Partie wiederholte er in Ferrara und bereiste 1912 mit
der Bracala-Opernkompanie Ägypten. Er studierte
dann nochmals kurz bei Ernesto Colli in Mailand.
1912 gab er unter dem Namen Antonio Manuele in
London und Manchester Konzerte mit volkstümlichen Liedern. Am 15. 3. 1913 sang er an der Mailänder Scala den Ugo in der Uraufführung von Mascagnis Oper «Parisina». Sein Wirken an der Metropolitan Oper New York (1918–20) stand im Schatten
des großen Enrico Caruso. 1922 wirkte er am Teatro
Real Madrid in der Uraufführung der Oper «Yo-
landa» von Arregui, im gleichen Jahr am Teatro
Liceo Barcelona in der von «El Estudiante de Salamanca» von Gaig mit. Seine große Glanzrolle, den
Herzog im «Rigoletto», hat er im Lauf seiner Karriere über 500mal gesungen. Er lebte mit seiner
Familie in den dreißiger Jahren auf Kuba, wurde
aber durch den spanischen Bürgerkrieg daran gehindert, Spanien zu verlassen und trat während der
Kriegszeit am Teatro Liceo Barcelona auf. Erst 1938
ging er nach Kuba zurück. 1945 sang er nochmals an
der Oper von Mexico City. Nachdem man 1953 sein
Vermögen auf Kuba beschlagnahmt hatte, kam er
schließlich wieder nach Spanien zurück.
Schallplatten: HMV (um 1913 in Italien entstanden), Columbia (akustische Aufnahmen aus den
Jahren 1916–20), in den USA aufgenommen;
spätere akustische wie elektrische Aufnahmen aus
Italien und Spanien, darunter die vollständige Oper
«Marina» von Emilio Arrieta.

Lazzari, Agostino; zu seinen weiteren Bühnenpartien gehörten der Rodolfo in Puccinis «La Bohème»
und der Pinkerton in «Madame Butterfly».
Schallplatten: Cetra («Le cantatrici villane» von Fioravanti).

Lazzari, Carolina; sie entstammte einer ursprünglich
italienisch-französischen Familie. Sie erhielt ihre
Ausbildung in einem Seminar in Bucksport (Maine)
und in einem Ursulinenkloster in Mailand. 1917
wurde sie durch den Dirigenten Cleofonte Campanini an die Oper von Chicago engagiert, wo sie ihre
großen Erfolge als Dalila in «Samson et Dalila» von
Saint-Saëns, als Pierotto in «Linda di Chamounix»
von Donizetti und als Cieca in «La Gioconda» von
Ponchielli hatte. 1918 gastierte sie mit dem Ensemble der Chicago Opera im Lexington Theatre New

York als Partnerin von Amelita Galli-Curci in «Dinorah» von Meyerbeer. 1921 sang sie als Antrittsrolle am Teatro Colón Buenos Aires die Amneris in «Aida», betätigte sich dann aber nur noch als Konzertsängerin und im pädagogischen Bereich.

Lazzari, Virgilio; er sang 1914–15 in Südamerika, 1916 trat er erstmals in Nordamerika, und zwar in St. Louis, auf, 1917 kam er an die Oper von Boston. Während seiner langen Karriere 1918–32 an der Oper von Chicago hörte man ihn u. a. als Leporello im «Don Giovanni», als Archibaldo in «Amore dei tre Re» von Montemezzi (zusammen mit Mary Garden), als Oroveso in «Norma», als Titelhelden in «Figaros Hochzeit» (1928–29), als Basilio wie als Bartolo im «Barbier von Sevilla» und als Warlaam im «Boris Godunow» (mit Fedor Schaljapin in der Titelpartie). Am 4. 10. 1929 sang er dort in der Eröffnungsvorstellung des neu errichteten Civic Opera House den Ramphis in «Aida». 1923–31 wirkte er bei den Opernfestspielen von Ravinia bei Chicago mit. 1932 sang er an der Mailänder Scala den Archibaldo in «Amore dei tre Re». Sehr beliebt war er auch an der Oper von Rom. An der Metropolitan Oper New York sang er seit 1933 in deren New Yorker Haus in 14 Spielzeiten 147 Vorstellungen von 20 Partien, u. a. den Archibaldo in «Amore dei tre Re», den Leporello, den Alvise, den Ramphis, den Bartolo wie den Basilio im «Barbier von Sevilla».
Schallplatten: offizielle Aufnahmen auf Edison (1917, 1919) und auf Vocalion (1923), alle akustisch aufgenommen; aus späterer Zeit Mitschnitte von Opernsendungen.

Lazzarini, Adriana; Schallplatten: Frequenz (Maddalena im «Rigoletto», RAI-Sendung von 1967).

Leanderson, Rolf; Schallplatten: Edition Schwann, Conifer.

Lear, Evelyn, * 8. 1. 1926 Brooklyn. Ihr Großvater war der bekannte Synagogenkantor *Zavel Kwartin* (1874–1952), ihre Mutter, die Koloratursopranistin *Nina Kwartin*, hatte einen Juristen namens Schulmann geheiratet. Nachdem die Künstlerin 1955 den Bariton *Thomas Stewart* geheiratet hatte, kam sie mit diesem 1957 nach Deutschland. 1959–64 war sie Mitglied der Städtischen Oper Berlin und gastierte später regelmäßig an diesem Haus; seit 1960 hörte man sie an der Staatsoper von Wien. 1965 sang sie bei den Salzburger Festspielen die Fiordiligi in «Così fan tutte». Sie gastierte auch in Brüssel und Lissabon. Ihre erste Partie sang sie in ihrer amerikanischen Heimat 1965 in Kansas City die Cleopatra in «Giulio Cesare» von Händel. Sie debütierte am 17. 3. 1967 an der Metropolitan Oper New York als Lavinia in der Uraufführung der Oper «Mourning Becomes Electra» von Levy. Sie hat an diesem Haus in 13 Spielzeiten zehn Partien in 67 Vorstellungen vorgetragen, darunter den Cherubino und später die Gräfin in «Nozze di Figaro», die Donna Elvira im «Don Giovanni», den Octavian wie die Marschallin im «Rosenkavalier» und die Marie im «Wozzeck». Als

eine ihrer größten Kreationen galt die Titelfigur in «Lulu» von A. Berg, die sie auch 1971 an der Mailänder Scala sang. (Sie wirkte nicht in der Schwetzinger Uraufführung von H. W. Henzes «Elegie für junge Liebende» 1961 mit). 1987 sang sie nochmals in Chicago die Gräfin Geschwitz in «Lulu».
Schallplatten: Voce («Die Gezeichneten» von F. Schreker).

Lebedeva, Nelya (Alexandrowna); Schallplatten: Melodiya (Mascha in «Pique Dame»), Gostelradio-Video (Xenia im «Boris Godunow»).

Lebedeva, Nina (Alexandrowna); Schallplatten: Melodiya, darunter auch vollständige Opern.

Lebrun-Danzi, Franziska; sie wirkte am 5. 1. 1777 in Mannheim in der Uraufführung der Oper «Günther von Schwarzburg» von Ignaz Holzbauer mit.

Lechleitner, Franz, † 31. 3. 1979 Hall (Tirol); er trat als Gast an der Wiener Staatsoper auf, gastierte mit dem Zürcher Ensemble bei den Maifestspielen von Wiesbaden und mit dem Ensemble der Covent Garden Oper London in Edinburgh, Manchester und Liverpool. 1952 wirkte er am Opernhaus von Zürich bei der Uraufführung der Neu-Fassung von Hindemiths «Cardillac» mit.

Lechner, Frederick, * 10. 6. 1904 Stettin.
Schallplatten: Auch einige Aufnahmen auf HMV und Concert Hall.

Lechner, Gabriele; 1987 hörte man sie am Opernhaus von Graz als Donna Elvira im «Don Giovanni», am Landestheater von Linz (Donau) als Elettra in «Idomeneo» von Mozart, am Opernhaus von Essen als Valentine in den «Hugenotten» von Meyerbeer. 1988 Gastspiel am Teatro Liceo Barcelona als Vitellia in Mozarts «La clemenza di Tito», in Berlin sang sie das Sopransolo im Verdi-Requiem, an der Wiener Staatsoper die Fürstin in «Rusalka» von A. Dvořák, 1989–90 in Klagenfurt und Graz die Desdemona in Verdis «Othello».

Lederer, José; 1868 wurde er als Nachfolger des großen Tenors Franz Nachbaur an das Hoftheater Darmstadt engagiert. Verheiratet mit der Sopranistin *Asminde Ubrich* (1837–90).

Lederer-Ubrich, Asminde, s. unter *Ubrich*, Asminde.

Lefèbvre, Constance-Caroline; sie sang auch am 7. 5. 1860 an der Pariser Opéra-Comique die Titelrolle in der Uraufführung der Oper «Rita» von Donizetti.

Leffler-Burckhard, Martha; sie sang 1889–90 in Breslau, 1891–92 am Opernhaus von Köln. Hatte ursprünglich Partien für Koloratursoubrette gesungen, so wechselte sie bald in das dramatische und das Wagner-Fach. 1909 sang sie in Bayreuth die Ortrud im «Lohengrin». Beim Amsterdamer Wagnerverein gastierte sie als Isolde (1908, 1913), als Brünnhilde (1909, 1910) und als Kundry (1912). Weitere Höhepunkte in ihrem Repertoire für die Bühne waren die Leonore im «Fidelio», die Titelfigur in Glucks «Armide» und die Rezia im «Oberon» von Weber. Schallplatten: Vier Titel auf G & T (Lieder und der Walkürenruf aus der «Walküre» mit Klavierbegleitung).

Legros, Joseph; er sang in Uraufführungen von Werken des Komponisten François Philidor und war ein hoch geschätzter Interpret von Partien in Opern von Rameau. 1783 gab er seine Bühnenkarriere auf (weil seine ungewöhnliche Korpulenz ein weiteres Auftreten unmöglich machte).

Lehmann, Lilli; 1869 gastierte sie an der Berliner Hofoper als Königin Marguerite in den «Hugenotten» und war seit 1870 Mitglied dieses Hauses. 1882–1910 kam sie als Gast an der Hofoper von Wien zu glänzenden Erfolgen. Insgesamt hat sie an der New Yorker Metropolitan Oper während sieben Spielzeiten in 203 Vorstellungen 25 Partien gesungen (ohne Berücksichtigung der Gastspiel-Tourneen des Ensembles). 1897 war sie bei der Damrosch Opera Company engagiert. Von ihren zahlreichen Schülern seien noch Rudolf Laubenthal, Edytha Fleischer, Res Fischer und Viorica Ursuleac genannt. Ein Neudruck ihrer Autobiographie *«Mein Weg»* erschien 1977.

Lehmann, Lotte; in Hamburg studierte sie noch weiter bei Alma Schadow. 1920 kreierte sie in der Wiener Erstaufführung der Puccini-Oper «Suor Angelica» die Titelpartie (wobei der anwesende Komponist Puccini zu Tränen gerührt wurde). Sie sang am 9. 11. 1924 in der Uraufführung der autobiographischen Oper «Intermezzo» von R. Strauss in Dresden die Partie der Christine. An der Covent Garden Oper London seit 1924 u. a. als Gräfin in «Figaros Hochzeit», als Elsa im «Lohengrin» (1925), als Eva in den «Meistersingern» und als Sieglinde in der «Walküre», als Titelheldin in «Ariadne auf Naxos», als Donna Elvira im «Don Giovanni» (1926), als Desdemona in Verdis «Othello» (1926 mit Giovanni Zenatello in der Titelpartie), als Elisabeth im «Tannhäuser» (1926), als Leonore im «Fidelio» (1934), vor allem aber seit 1924 als Marschallin im «Rosenkavalier» aufgetreten. Bei den Festspielen von Salzburg war sie 1927–28 und 1930–32 als Fidelio zu hören; diese Partie sang sie auch als Gast 1927 an der Grand Opéra Paris in einer Vorstellung zum 100. Todestag von Beethoven. 1930 debütierte sie an der Oper von Chicago als Sieglinde. An der Metropolitan Oper New York ist sie 1934–45 (in deren New Yorker Haus) in 54 Vorstellungen und in sechs verschiedenen Partien zu hören gewesen, darunter als Elisabeth, als Elsa, als Eva, als Sieglinde und als Tosca. 1945 sang sie an der Metropolitan Oper als Abschiedsrolle ihre unvergeßliche Marschallin im «Rosenkavalier». Aus der Reihe ihrer zahlreichen Schüler seien Rose Bampton, Grace Bumbry, Nan Merriman, Kay Griffel, Carol Neblett und Marilyn Horne genannt.

Lit.: A. Jefferson: «Lotte Lehmann, 1888–1976»; Beaumont Glass: «Lotte Lehmann. A Life in Opera and Song» (Santa Barbara, 1988). Schallplatten: Frühe akustische Aufnahmen auf DGG-Polydor (seit 1918), dann auf Odeon (1924–33, akustische wie elektrische Aufnahmen), HMV (seit 1934; hier Kurzfassung des «Rosenkavaliers» und I. Akt «Walküre»). RCA-Victor (seit 1938 in den USA erschienen, hauptsächlich Lieder), Columbia (seit 1940, Liedaufnahmen, darunter «Frauenliebe und -leben» von R. Schumann mit Bruno Walter am Klavier, «Dichterliebe», «Schöne Müllerin», «Winterreise» von Schubert); letzte Liedaufnahmen erschienen 1953 bei RCA-Victor.

Lehrberger, Thomas, Schallplatten: Capriccio («Aufstieg und Fall der Stadt Mahagonny» von K. Weill, «Der Zar läßt sich photographieren», ebenfalls von Weill).

Lehtinen, Matti; 1987 Gastspiel mit dem Ensemble der Nationaloper Helsinki beim Festival von Edinburgh.

Leib, Günther; Gesangstudium bei A. Brockhaus in Weimar. 1976 sang er an der Metropolitan Oper New York den Beckmesser in den «Meistersingern». 1964–76 Professor an der Carl Maria v. Weber-Musikhochschule Dresden, seit 1976 an der Musikhochschule Berlin.

Leider, Frida; in Halle (Saale) wie bei einem Gastspiel in Nürnberg als Brünnhilde in der «Walküre» erregte sie 1915 kein besonderes Aufsehen. 1919–23 sang sie in Hamburg ihre großen Wagner-Partien, die Gräfin in «Figaros Hochzeit», die Donna Anna im «Don Giovanni», die Aida und, bereits als Antrittsrolle, die Leonore im «Fidelio». 1923 bereiste sie mit einer deutschen Operntruppe unter Cornelis Bronsgeest Holland. Dort gastierte sie auch 1925 in Amsterdam in der holländischen Erstaufführung von «Ariadne auf Naxos» von R. Strauss. An der Mailänder Scala hörte man sie u. a. 1927–28 als Brünnhilde in Ring-Aufführungen in italienischer Sprache. 1930–32 gastierte sie an der Grand Opéra Paris, 1931 und 1934 am Teatro Colón Buenos Aires, 1928–32 an der Oper von Chicago (Debüt als Brünnhilde in der «Walküre», dann als Rachel in Halévys «La Juive», als Donna Anna, als Amelia in Verdis «Ballo in maschera», als Fidelio, in der Titelpartie der Oper «Mona Lisa» von Max von Schillings und in ihren großen Wagner-Partien). Bei den Festspielen von Bayreuth erschien sie auch als Kundry. An der Metropolitan Oper New York trat sie in der Saison 1933–34 in zwanzig Vorstellungen von fünf Wagner-Rollen auf. Nachdem man ihr in Deutschland weitere Bühnenauftritte untersagt hatte, gab sie vor allem Liederabende, darunter Duette mit der Altistin Magarete Klose. Nach dem Zweiten Weltkrieg inszenierte sie auch Opern, so bereits 1945 in Berlin Humperdincks «Hänsel und Gretel». Schallplatten: Polydor (akustische Aufnahmen 1923–1926, dann auch einige elektrische Aufnahmen) und HMV (alle Aufnahmen in elektrischer Aufnahmetechnik seit etwa 1930; nochmals Liedaufnahmen auf HMV-Electrola aus dem Jahr 1942).

Leisner, Emmy; mit 16 Jahren sprang sie in ihrer Heimatstadt Flensburg bei einem Konzert für eine indisponierte Sängerin ein. Sie wurde in Berlin durch den berühmten Chordirigenten Hugo Rüdel entdeckt. Sie sang in Konzerten mit dem Leipziger Thomanerchor unter Karl Straube und hatte ursprünglich vor, eine reine Konzertkarriere zu entwickeln. Man überredete sie jedoch 1912 bei den berühmten Aufführungen unter Jacques-Dalcroze in Hellerau bei Dresden die Titelpartie im «Orpheus» von Gluck zu übernehmen, die sie 1912 mit sensationellem Erfolg zum Vortrag brachte. Darauf schlug sie nun auch eine große Bühnenkarriere ein. An der Berliner Hofoper sang sie 1913 als Antrittsrolle die Dalila in «Samson et Dalila» von Saint-Saëns und wurde danach als Amneris in «Aida» bewundert. Zu den weiteren Partien, die sie an diesem Haus gesungen hat, gehören die Carmen, die Azucena im «Troubadour», die Nancy in Flotows «Martha» und Aufgaben aus dem Wagner-Repertoire. Bei den Festspielen von Bayreuth sang sie 1925 die Erda im Nibelungenring. Noch 1951 trat sie in ihren Liederabenden vor das Publikum.
Schallplattenaufnahmen auf Odeon, Polydor (akustisch wie elektrisch gefertigte Aufnahmen), HMV (seit 1914; 1932 nochmals die Szene der Fricka aus der «Walküre»; während des Zweiten Weltkrieges Lieder unter dem Etikett von HMV-Electrola), Pathé (wohl ihre ältesten Aufnahmen, vor 1914), DGG (Siemens Spezial); unveröffentlichte Edison-Platten.

Lejdström, Carl; 1903 kam er nach Deutschland und studierte nochmals in Dresden. 1912 gastierte er in Amsterdam als Klingsor im «Parsifal». Er wirkte später in Stockholm als Pädagoge; zu seinen Schülern gehörte die berühmte Sopranistin Nanny Larsén-Todsen.
Schallplatten: Auf Favorite auch drei Szenen aus «Tannhäuser», in deutscher Sprache gesungen.

Lejeune-Gilibert, Gabrielle, * 1870 (?) Lüttich; debütierte 1892 am Théâtre de la Monnaie Brüssel, wo sie bis 1895 blieb. In den Jahren 1895–1909 besuchte sie als Gast immer wieder die Covent Garden Oper London. 1903 kam sie an die Opéra-Comique Paris. 1911–12 trat sie an der Grand Opéra Paris auf.

Lejo, Lilli; 1893 wirkte sie am Theater an der Wien in der Uraufführung der Johann Strauß-Operette «Fürstin Ninetta» mit. Im November 1945 lebte die Künstlerin noch in Wien.
Schallplatten: Einige Zonophone-Aufnahmen (Wien, 1901).

Leliwa, Tadeusz; er sang im Ausland, vor allem in Italien, unter dem Namen Enzo de Leliwa.

Lemeshew, Sergej (Jakowlewitsch), † 26. 6. 1977 Moskau. Seine Eltern waren arme Tagelöhner, dazu starb sein Vater früh. So mußte er ganz jung in St.

Petersburg bei einem Schuster arbeiten. Er wollte jedoch Offizier werden und die Militärakademie in St. Petersburg besuchen. Der Architekt Nikolai Kwaschin und seine Gattin Shena Kwaschina entdeckten jedoch in Twer zufällig seine Stimme und erreichten seine Aufnahme am Konservatorium von Moskau. 1926 debütierte er am Theater von Swerdlowsk. 1927–29 sang er am Theater von Charbin in der Mongolei, 1929–31 am Opernhaus von Tblissi (Tiflis). 1931 kam er dann an das Bolschoj Theater Moskau. Von den Partien, die er dort gesungen hat, seien noch der Wladimir in Borodins «Fürst Igor», der Titelheld in «Dubrowskij» von Naprawnik, der Nadir in «Pêcheurs de perles» von Bizet, der Rodolfo in Puccinis «La Bohème», der Zar Berendej in «Snegourotchka» und der Mozart in «Mozart und Salieri» von Rimsky-Korssakow genannt. Er sang am 13. 11. 1956 den Lenski in der 500. Aufführung des «Eugen Onegin» am Bolschoj Theater.
Schallplatten: Zahlreiche weitere vollständige Opernaufnahmen unter dem Etikett von Melodiya («Ruslan und Ludmilla» von Glinka, «Fra Diavolo» von Auber, «Pêcheurs de perles», «Lakmé» von Delibes, «Snegourotchka», «Mozart und Salieri» von Rimsky-Korssakow, «Roméo et Juliette» von Gounod, «La Bohème), dazu schöne Aufnahmen von russischen Romanzen, Volks- und Kunstliedern.

Lemnitz, Tiana; sie war die Tochter eines Militärkapellmeisters. Seit 1919 Studium am Hoch'schen Konservatorium Frankfurt a. M. bei Antoni Kohmann. Ihren ersten großen Erfolg hatte sie an der Berliner Staatsoper als Elvira in Verdis «Ernani». 1937 wirkte sie dort in Aufführungen von Rimsky-Korssakows «Legende von der unsichtbaren Stadt Kitesh» mit, 1940 in «Dalibor» von Smetana und in «Die Zauberin» von Tschaikowsky. An der Covent Garden Oper London war sie 1936 und 1938 als Eva in den «Meistersingern», als Elsa im «Lohengrin», als Octavian im «Rosenkavalier» und als Pamina in der «Zauberflöte» zu Gast, 1935 gastierte sie in Amsterdam als Elsa. In den Jahren nach dem Zweiten Weltkrieg hörte man sie an der Berliner Staatsoper, deren Mitglied sie bis 1957 blieb, u. a. als Marie im «Wozzeck» von A. Berg und als Marschallin im «Rosenkavalier». Die als Lied-Interpretin hoch angesehene Künstlerin gab 1957 ihren letzten Liederabend in Berlin.

Lenhart, Renate; sie war 1963–64 am Landestheater Salzburg, 1964–67 an der Wiener Kammeroper und seit 1967 am Opernhaus von Zürich engagiert. Verheiratet mit dem Leiter des Internationalen Opernstudios am Opernhaus Zürich Marc Belfort.
Schallplatten: Telefunken («Incoronazione di Poppea» von Monteverdi).

Lenya, Lotte; eigentlicher Name Karoline Wilhelmine Blamauer. Die Ehe mit Kurt Weill wurde in den USA geschieden, doch kam es kurz darauf zu einer zweiten Heirat.
Schallplatten: CBS (Berliner und amerikanische Songs von Kurt Weill).

Lenz, Friedrich; sang als Antrittspartie am Opernhaus von Düsseldorf 1953 den Rossignol in Lehárs «Lustiger Witwe». Bei den Festspielen von Schwetzingen nahm er am 20. 5. 1961 an der Uraufführung der Oper «Elegie für junge Liebende» von Hans Werner Henze teil. 1963 wirkte er in der Eröffnungsvorstellung der wieder aufgebauten Staatsoper von München als David in den «Meistersingern» mit. Er arbeitete später im pädagogischen Bereich am Richard Strauss-Konservatorium München.

Leonard, Lotte; 1928 sang sie in den Concerti di Primavera an der Mailänder Scala das Sopransolo in «Israel in Egypt» von Händel.
Schallplatten: Pearl (9. Sinfonie von Beethoven unter Oskar Fried, 1928).

Leonhardt, Robert; er debütierte 1898 am Theater von Linz (Donau) und war 1899–1900 am Berliner Theater des Westens, 1900–1903 am Theater von Teplitz-Schönau (Teplice), 1904–05 wieder am Theater des Westens engagiert. An der Wiener Volksoper sang er 1911 den Spielmann in der Wiener Premiere der «Königskinder» von Humperdinck. An der Metropolitan Oper New York sang er letztmalig in der Eröffnungsvorstellung der Spielzeit 1922–23 eine Comprimario-Partie in Puccinis «Tosca».

Leprestre, Julien, † 1909 Paris. Debüt 1890 am Théâtre des Arts in Rouen als Faust von Gounod. Am Théâtre de la Monnaie Brüssel wirkte er in den Erstaufführungen der Opern «Werther» von Massenet (1893), «L'Attaque du moulin» (1894) und «Le Rêve» von Alfred Bruneau mit. 1894 debütierte er an der Opéra Comique als des Grieux in «Manon» von Massenet, der ihn in seinen Memoiren erwähnt. Am Théâtre Lyrique Paris ist er seit 1899 u. a. als Marcel in der Premiere von Leoncavallos «La Bohème» und in den Opern «Si j'étais Roi» von Adam, «Martha» von Flotow und «Manon» von Massenet aufgetreten.

Lerer, Norma; Schallplatten: Laudate (Bach-Kantaten).

Lesche, Karl Günther; Schallplatten: APM-Records («Schöne Müllerin» von Schubert).

Leskaya, Anna; um 1930 sang sie in Nordamerika u. a. bei der Hippodrome National Opera Company (unter der Direktion von Pasquale Amato) und bei der Brooklyn Civic Opera. Eine weitere große Partie der Sängerin war die Donna Anna im «Don Giovanni».

Lestelly, Louis; 1908 wurde er an das Théâtre de la Monnaie Brüssel berufen und trat hier u. a. als Titelheld in Rossinis «Wilhelm Tell», als Vater in «Louise» von Charpentier, als Hérode in Massenets «Hérodiade», als Hoherpriester in «Samson et Dalila» von Saint-Saëns, als Amonasro in «Aida» und als Wolfram im «Tannhäuser» auf.

Lev, Josef; er sang bereits am 5. 1. 1866 in Prag in der Uraufführung von Smetanas Oper «Die Brandenburger in Böhmen» («Braniboři v Čechav»). Am Prager Nationaltheater wirkte er später in den Uraufführungen mehrerer Opern von A. Dvořák mit: 1874 in «König und Köhler» («Král a uhlíř») und 1887 in der Neufassung des Werks, 1876 in «Vanda», 1878 in «Der Bauer ein Schelm» («Šelma Sedlán»), 1882 in «Dimitrij».

Levasseur, Nicolas, † 7. 12. 1871 Paris. In der Uraufführung von Rossinis «Il Viaggio a Reims» sang er am Pariser Théâtre-Italien den Don Alvaro (19. 6. 1825).

Leveridge, Richard; unter den von ihm komponierten Masques befindet sich auch »Pyramus and Thisbe» von 1716 nach Shakespeare.

Leveroni, Elvira, Alt, * 1885 Boston, † 1926 New York; sie debütierte 1909 an der Oper von Boston als Amneris in «Aida». Anschließend sang sie dort die Cieca in «La Gioconda» von Ponchielli und die Maddalena im «Rigoletto». 1911 gastierte sie mit dem Ensemble der Oper von Boston im Gebäude der Metropolitan Oper New York. 1915–17 war sie wieder an der Oper von Boston im Engagement. Als große Leistung galt vor allem ihre Suzuki in Puccinis «Madame Butterfly». Sie sang diese Partie oft zusammen mit der japanischen Sopranistin Tamaki Miura, die wegen ihrer «authentischen Gestaltung» der Butterfly-Rolle in aller Welt bekannt war. 1912–14 trat sie an der Londoner Covent Garden Oper auf. Auch hier hatte sie ihren größten Erfolg als Suzuki (1912). Sie sang dort 1914 die Maddalena im «Rigoletto» mit der großen Primadonna Nellie Melba in der Rolle der Gilda. 1920–21 war sie an der Metropolitan Oper New York tätig, wurde dort aber nur in Comprimario-Partien und nur einmal als Suzuki (mit Florence Easton als Partnerin) eingesetzt. Neben ihrem Wirken auf der Bühne war sie auch eine erfolgreiche Konzertsängerin.
Von ihrer Stimme sind zwei Edison-Platten von 1920 vorhanden. – (Neufassung) –.

Levko, Valentina (Nikolajewna); nachdem sie in Moskau einen Gesangwettbewerb gewonnen hatte, begann sie ihre Karriere 1957 dort am Akademischen Musiktheater. 1959 wurde sie an das Bolschoj Theater Moskau berufen. Sie wurde später zur verdienten Künstlerin der UdSSR ernannt.
Einige Schallplattenaufnahmen wurden auf Philips übertragen.

Lewis, Brenda, Sopran, * 2. 3. 1921 Harrisburg (Pennsylvania); sie studierte zunächst Medizin, nahm aber zugleich auch Gesangunterricht an der Pennsylvania University. Im Dezember 1941 debütierte sie an der Oper von Philadelphia als Marschallin im «Rosenkavalier». 1942 hatte sie am New Yorker Broadway ihren ersten großen Erfolg als Hanna Glawari in Lehárs «Lustiger Witwe» mit Jan Kiepura als Partner. 1943 debütierte sie an der New York City Centre Opera in Wolf-Ferraris «Il segreto di

Susanna» und durchlief an diesem Haus bis 1967 eine erfolgreiche Karriere. 1945–46 hörte man sie am Opernhaus von Montreal und am Teatro Municipal Rio de Janeiro; einen ihrer größten Erfolge erzielte sie 1947 an der City Centre Opera New York als Titelfigur in «Salome» von Richard Strauss; 1947 an der Oper von Chicago zu Gast. 1949 wirkte sie am New Yorker Broadway in Aufführungen von Benjamin Brittens «The Rape of Lucretia» und in «Regina» von Marc Blitzstein mit. 1950 sang sie erstmals an der Oper von San Francisco, 1954 bewunderte man in Cincinnati ihre Carmen. Diese Partie sang sie dann auch an der Wiener Volksoper, an der sie in dem Musical «Annie get your Gun» aufsehenerregende Erfolge hatte. In der Saison 1952–53 wurde sie an die Metropolitan Oper New York berufen (Antrittsrolle: Musetta in «La Bohème»). Sie sang dort die Donna Elvira im «Don Giovanni», die Carmen, die Rosalinde in der «Fledermaus», dann 1957–59 auch die Venus im «Tannhäuser», die Marina im «Boris Godunow» und die Vanessa in der Oper gleichen Namens von S. Barber, 1961–62 die Salome und die Musetta. Insgesamt hat sie am New Yorker Haus der Metropolitan Oper in acht Spielzeiten 27 Vorstellungen von acht verschiedenen Partien gesungen. Eine ihrer großen Partien war die Marie in A. Bergs «Wozzeck», in der sie 1965 in San Francisco und Chicago erschien. Auch als Konzertsopranistin trat sie in einem umfassenden Repertoire auf.
Schallplatten: Allegro Royale, Columbia («Regina» von Blitzstein), Desto («Lizzie Borden» von Beeson), MOR (Musetta in «La Bohème» aus der Metropolitan Oper 1953 mit Victoria de los Angeles und Jan Peerce). – (Neufassung) –.

Lewis, Keith; sang 1988 in Hamburg in «La damnation de Faust» von Berlioz, an der Berliner Staatsoper gastierte er als Don Ottavio im «Don Giovanni». Große Erfolge im Konzertsaal, u. a. in Berlin und Frankfurt a. M. («Schöpfung»), in Mailand, Madrid und Prag («Paradies und die Peri» von R. Schumann), in London, Bern und Toronto («The Dream of Gerontius»), in Paris (h-moll-Messe von J. S. Bach) und in London (9. Sinfonie von Beethoven).

Lewis, Mary, * 29. 1. 1897 Hot Springs (Arkansas); sie verlor ihre Eltern früh und wurde durch ihre Pflegeeltern, einen Methodistenprediger und seine Frau, mit größter Strenge erzogen. Sie trat zu Beginn ihrer Karriere u. a. als Primadonna der Greenwich Village Folies, einem Revuetheater, auf. 1924–25 war sie Mitglied der British National Opera Company. 1925 an der Opéra-Comique Paris als Manon wie als Thaïs in den gleichnamigen Opern von Massenet aufgetreten. 1926–30 hörte man sie an der Metropolitan Oper New York auch als Nedda im «Bajazzo», als Micaela in «Carmen», als Marguerite im «Faust» von Gounod und als Giulietta in «Hoffmanns Erzählungen». 1927 Gastspiel bei den Festspielen von Ravinia als Mimi. Sie gastierte zusammen mit Michael Bohnen in Berlin.
Schallplatten: HMV (darunter Szenen aus «Hugh

the Drover» von Vaughan-Williams, in London akustisch aufgenommen), Victor (USA).

Lewis, Richard; mit 16 Jahren nahm er eine Arbeit in einer Textilfabrik auf, studierte dann in Manchester und an der Royal Academy of Music London bei Norman Allin. Während des Zweiten Weltkriegs diente er beim Royal Corps of Signals und nahm an den Kämpfen in der Normandie, in Belgien und Deutschland teil. Noch als Soldat unternahm er eine Tournee in Belgien, sang dabei in Brüssel Soli im Magnificat von J. S. Bach und im «Messias» von Händel und gab Konzerte in Antwerpen und Lüttich. Erst 1946 wurde er aus der Armee entlassen. (Er wirkte nicht in der Uraufführung von B. Brittens «The Rape of Lucretia» 1947 mit). An der Covent Garden Oper London hörte man ihn 1949–50 als Alfredo in «La Traviata» und als Tamino in der «Zauberflöte». Gastspiele und Konzertauftritte auch in Dänemark, Schweden, Norwegen und Österreich. 1965 sang er an der Covent Garden Oper London den Aron in Schönbergs «Moses und Aron». Er übernahm das Tenorsolo in der Uraufführung des Werks «Canticum Sacrum ad honorem Sancti Marci nominis» von I. Strawinsky im Markus-Dom in Venedig (13. 9. 1956).
Schallplatten: HMV («Hiawatha's Wedding Feast» von Coleridge-Taylor), CBS (9. Sinfonie von Beethoven).

Lewis, William; debütierte an der New Yorker Metropolitan Oper 1958 als Narraboth in «Salome» von R. Strauss. An diesem traditionsreichen Operninstitut stand er in mehr als 200 Vorstellungen auf der Bühne. An der City Centre Opera New York hatte er bereits 1957 als Alfred in der «Fledermaus» seine Antrittsrolle gesungen. 1984–85 sang er in San Francisco den Loge im Nibelungenring. 1987 Gastspiel an der Mailänder Scala in der Oper «Riccardo III.» von Flavio Testi, 1989 beim Festival von Spoleto als Ägisth in «Salome».
Schallplatten: GGR («Guntram» von R. Strauss).

Lhérie, Paul; er wirkte am 4. 3. 1894 an der Oper von Monte Carlo in der Uraufführung der Oper «Hulda» von César Franck mit.

Licette, Miriam, * 9. 9. 1892 Chester (Cheshire); sie verlebte ihre Kindheit in ihrem Geburtsort Chester, in Paris und Mailand. Mit dem Ensemble der Beecham Opera sang sie im Haus der Londoner Covent Garden Oper 1919–20 auch die Jaroslawna in «Fürst Igor» von Borodin und die Marguerite im «Faust» von Gounod. Bei der British National Opera hörte man sie seit 1922 u. a. als Gräfin in «Figaros Hochzeit» und als Konstanze in der «Entführung aus dem Serail». 1928–29 erschien sie an der Covent Garden Oper als Butterfly, als Desdemona im «Othello», als Donna Elvira im «Don Giovanni» und als Gutrune in der «Götterdämmerung».
Schallplatten: HMV (Marguerite in vollständigem «Faust» von Gounod in englischer Sprache).

Lichtegg, Max, Tenor, * 17. 1. 1910 Buczacz (Polen); er absolvierte sein Gesangstudium am Neuen

Konservatorium Wien und begann seine Bühnenlaufbahn in der Spielzeit 1936–37 am Stadttheater
von Bern (Schweiz). 1937–40 war er durch einen
Gastvertrag mit dem Stadttheater von Basel verbunden und trat seit 1940 am Opernhaus von Zürich auf,
wo er noch 1971 auf der Bühne stand. Durch Gastspiele wurde seine Karriere weitgehend bestimmt.
So gastierte er an der Wiener Staatsoper und 1948 an
der Oper von San Francisco; er sang an den Staatsopern von München und Stuttgart, am Théâtre des
Champs Élysées Paris, am Grand Théâtre Genf, in
Los Angeles, Straßburg und Wiesbaden wie an der
Oper von Monte Carlo. Im Lauf seiner langen Kar-
riere nahm sein Bühnenrepertoire einen großen
Umfang an. So sang er den Belmonte in der «Entfüh-
rung aus dem Serail», den Don Ottavio im «Don
Giovanni», den Tamino in der «Zauberflöte», den
Grafen Almaviva in Rossinis «Barbier von Sevilla»,
den Titelhelden in «Fra Diavolo» von Auber, den
Lyonel in Flotows «Martha», den Ernesto im «Don
Pasquale», den Hoffmann in «Hoffmanns Erzählun-
gen», den Lenski im «Eugen Onegin», den Herzog
im «Rigoletto», den Alfredo in «La Traviata», den
Hans in der «Verkauften Braut», den Rodolfo in «La
Bohème», den Max im «Freischütz», den Lohengrin
und den Narraboth in «Salome» von R. Strauss. Am
Opernhaus von Zürich sang er 1942 in der Urauffüh-
rung von Paul Burkhards «Casanova in der
Schweiz», 1952 in der Neufassung von Hindemiths
«Cardillac», 1962 in der Uraufführung von Armin
Schiblers «Blackwood und Co». 1951 nahm er dort
an der deutschen Erstaufführung von Strawinskys
«The Rake's Progress» (als Tom Rakewell) teil. Mit
besonderem Erfolg widmete er sich der Interpreta-
tion zahlreicher Operettenpartien in Werken von
Offenbach, Johann Strauß, Franz von Suppé, Mil-
löcker, Zeller, Oscar Straus und namentlich auch in
Lehár-Operetten. Gleichzeitig war er ein angesehe-
ner Liedersänger, wobei er auch hier das deutsche
Kunstlied aus allen Epochen vortrug. Er trat als
Konzertsänger in Zürich und Basel, in London und
Buenos Aires, beim Israel Festival, in Belgien, Holland und in den USA hervor.
Schallplatten unter dem Etikett von Decca (Querschnitt «Lustige Witwe», Lieder von Mendelssohn
und Tschaikowsky, mehrere Operetten-Platten),
Electromusic Records (Lieder, Ausschnitte aus Jo-
hann Strauß-Operetten). – (Neufassung) –.

Lichtenstein, Eduard; Sohn des Tenors *Joseph Lichtenstein* (1860–1912; von seiner Stimme existieren
Schallplattenaufnahmen auf G & T, Pathé und –
unter dem Namen Horst Hoffmann – auf Edison-
Zylindern, Berlin 1903). 1912 wirkte er in Hamburg
in der Uraufführung von F. Busonis «Die Brautwahl» mit. An der Städtischen Oper Berlin kam er
1917 in der Operette «Der Feldprediger» von Millöcker zu einem derartigen Erfolg, daß ihn der Impresario Haller für seine Operettenaufführungen in
Berlin engagierte. Neben Richard Tauber, mit dem
er eng befreundet war, galt er als der beste Interpret
der Titelrolle in Lehárs Operette «Paganini». Er
wirkte in den Berliner Uraufführungen der Walter
Kollo-Operetten «Drei alte Schachteln» (1918),

«Der Vetter aus Dingsda» (1921) und «Die hell-
blauen Schwestern» (1925) mit. Er starb plötzlich in
Hamburg, eine Stunde nach einem Gedächtniskonzert für seinen Freund Richard Tauber. In erster Ehe
war er mit der Sängerin *Elisabeth Balzer,* in zweiter
mit der Schauspielerin Hilde Woerner verheiratet.
Schallplatten: Edison-Zylinder (seine ältesten Aufnahmen von 1910); alle Aufnahmen in akustischer
Aufnahmetechnik, ausgenommen einige Artiphon-
Platten.

Lieban, Adalbert, * 2. 7. 1877 Wien.
Schallplatten: Weitere Aufnahmen auf Zonophone-
HMV (etwa 1909); auf Lyrophon existiert eine interessante Aufnahme, auf der die vier Lieban-Brüder
zusammen singen.

Lieban, Adolf, * 5. 7. 1867 Olmütz (Olomouc).
Schallplatten: Lyrophon (Lieban-Quartett).

Lieban, Julius; mit 14 Jahren entfloh er aus seinem
Elternhaus. Er spielte als Geiger in einer Zigeuner-
kapelle, dann im Orchester des Theaters an der
Wien in Wien. Als er mit dem Wagner-Ensemble
von Angelo Neumann in Bologna gastierte, wurde er
bei einem Konzert durch die italienische Königin
Margherita besonders geehrt. Richard Wagner
selbst hatte ihn für den besten Mime gehalten, den er
je gehört hatte; seltsamerweise wurde er aber nie zu
den Bayreuther Festspielen eingeladen. An der Berliner Hofoper wirkte er am 15. 12. 1904 in der (erfolglosen) Uraufführung von Leoncavallos «Roland
von Berlin» mit. An seinem 75. Geburtstag sang er
an der Staatsoper Berlin nochmals seinen unvergleichlichen Mime. Zu seinen Schülern gehörte auch
Albert Reiss. Verheiratet war Julius Lieban mit der
Sopranistin *Helene Lieban-Globig,* die an der Berliner Hofoper aufgetreten ist und Odeon-Platten hinterlassen hat (Berlin, 1905).
Schallplatten: HMV (1907, 1914), G & T (Dancairo
in vollständiger «Carmen», 1908), Lyrophon (Quar-
tettaufnahme der vier Lieban-Brüder).

Lieban, Siegmund, * 2. 7. 1863 Oppeln (Schlesien).
Auch seine Stimme ist auf Lyrophon zusammen mit
seinen Brüdern in Form eines Quartetts zu hören.

Liebenberg, Eva; debütierte in der Spielzeit 1920–21
am Thalia-Theater Berlin. Sie gastierte als Erda in
den Opern des Nibelungenrings 1934 an der Staatsoper Dresden, 1936 in Königsberg (Ostpreußen),
1934–38 in Berlin, 1940 nochmals in Köln, doch
stand im Mittelpunkt ihrer Karriere ihr Wirken im
Konzertsaal. Wegen ihrer jüdischen Herkunft hatte
sie nach 1933 in Deutschland große Schwierigkeiten
und emigrierte schließlich nach Holland.

Liebeskind, Ernst, † 1918 Kassel. Er sang in Schwerin am 26. 2. 1899 in der Uraufführung der Oper
«Der Pfeifertag» von Max von Schillings. Verheiratet mit der Sopranistin *Antonie Liebeskind-Wize-
mann* († 1930).

Liebhardt, Louise, * 31. 7. 1828 Ödenburg (Sopron in Westungarn).

Liebl, Karl; 1959 folgte er einem Ruf an die Metropolitan Oper New York.
Schallplatten: Melodram («Tannhäuser», Rom 1957).

Liebling, Estelle; debütierte an der New Yorker Metropolitan Oper in der Spielzeit 1903–04 als Marguerite de Valois in den «Hugenotten» von Meyerbeer und sang dort u. a. die Musetta in Puccinis «La Bohème». Sie war die Lehrerin der großen Koloratrice Beverly Sills, ebenso von Lucy Monroe und Philip Modenos.

Liewehr, Fred; Schallplatten: Fonit-Cetra («Zauberflöte», Salzburg 1951).

Ligabue, Ilva; gastierte an der Covent Garden Oper London (1963, 1974) u. a. als Alice Ford im «Falstaff» von Verdi, als Donna Elvira im «Don Giovanni» und als Elisabetta in Verdis «Don Carlos». Sie gastierte auch an der Wiener Staatsoper und beim Holland Festival (nicht jedoch 1957–60 in Glyndebourne). An der Scala, an der sie immer wieder anzutreffen war, hatte sie einen ihrer größten Erfolge in der Spielzeit 1964–65 als Leonore in «La forza del destino». In zweiter Ehe mit dem Direktor des Teatro Massimo Palermo Pietro Diliberto verheiratet.
Schallplatten: MRF («Nerone» von Boito), Rodolphe Records («Francesca da Rimini» von Zandonai).

Ligendza, Catarina; eigentlicher Name Katarina Beyron. Seit 1971 mehrfache Gastspiele an der Staatsoper von Wien. 1987 sang sie nochmals bei den Festspielen von Bayreuth die Isolde. 1987 Gastspiel-Tournee mit dem Ensemble der Deutschen Oper Berlin in Japan mit Aufführungen des Nibelungenrings. 1988 gab sie ihren Rücktritt von der Bühne bekannt. Verheiratet mit dem Oboisten Peter Ligendza (* 1943).
Schallplatten: DGG (Eva in den «Meistersingern»).

Ligi, Josella; 1982–83 Gastspiele an der Opéra de Wallonie Lüttich, 1986 am Teatro Regio Parma als Alice Ford in Verdis «Falstaff». 1988 Nordamerika-Debüt bei der Newark Opera als Leonore im «Troubadour».

Lilowa, Margarita; sie sang 1986 am Teatro Regio Parma die Quickly im «Falstaff» von Verdi, 1988 an der Mailänder Scala die Mary im «Fliegenden Holländer».
Schallplatten: HMV-Electrola («Die Walküre»).

Lima, Luis; sang als Antrittsrolle an der Staatsoper München 1977 den Faust von Gounod, den er auch an der Mailänder Scala vortrug. Am Deutschen Opernhaus Berlin gastierte er als Cavaradossi in «Tosca», am Teatro San Carlo Neapel 1986 als José in «Carmen». Weitere Gastspiele an der Covent

Garden Oper London (1985, 1988) und am Opernhaus von Köln (1984 als José), 1988 bei den Salzburger Osterfestspielen als Cavaradossi.

Limonta, Napoleone; gastierte 1881 mit einer italienischen Opernstagione, deren Star der spanische Tenor Fernando Valero war, in Deutschland, u. a in Berlin, 1882 unternahm er eine ähnliche Deutschland-Tournee mit Ada Adini und Antonio Arámburo. An der Mailänder Scala trat er auch 1881 als Gessler in Rossinis «Wilhelm Tell», 1884 als Matthias im «Propheten» von Meyerbeer und 1898 in den «Meistersingern» unter A. Toscanini auf. 1888 war er am Teatro Argentina Rom anzutreffen.

Limpt, Adriaan, van, * 30. 6. 1940 Oss (Holland). Er sang 1987 in Amsterdam den Arrigo in «I Vespri Siciliani» und den Lerma in «Don Carlos» von Verdi sowie den Turiddu in «Cavalleria rusticana».

Lincke, Waldemar (richtige Schreibweise des Familiennamens, nicht Linke); von seiner Stimme existieren auch Pathé-Zylinder.

Lind, Eva, * 14. 6. 1965 Innsbruck. Sie war auch Schülerin von Xenia Vidali, nachdem sie zuerst in Wien ein Studium der Philosophie, der Publizistik und der Theaterwissenschaft begonnen hatte. Sie sang 1986–87 bei den Festspielen von Salzburg die italienische Sängerin in «Capriccio» von R. Strauss. Gastspiele an der Oper von Monte Carlo (1987 als Lucia di Lammermoor, 1988 als Blondchen in der «Entführung aus dem Serail»), am Theater von Bern (1987 als Amina in «La Sonnambula») und bei den Festspielen von Glyndebourne (1988 als Nannetta in Verdis «Falstaff»). Als Lucia di Lammermoor hörte man sie in St. Gallen, Rouen, Essen und Wien. In der Eröffnungsvorstellung des renovierten Théâtre des Champs-Elysées Paris sang sie 1987 die Königin der Nacht, 1989 in Zürich die Juliette in «Roméo et Juliette von Gounod.
Schallplatten: Philips (Najade in «Ariadne auf Naxos», Koloratur-Walzer).

Lind, Jenny, † 2. 11. 1887 Malvern Hills (Grafschaft Herfordshire, England). Die schwedische Königin Désirée, die selbst aus Frankreich stammte, erreichte über ihre Freundin, die Marschallin Soult, daß sie Schülerin von Manuel Garcia in Paris wurde. Nach ihrem Debüt in Stockholm 1838 sang sie dort Partien wie die Pamina in der «Zauberflöte» und die Euryanthe in der gleichnamigen Oper von Weber. 1847 debütierte sie am Her Majesty's Theatre London als Alice in «Robert le Diable» von Meyerbeer. In der Uraufführung von Verdis «I Masnadieri» kreierte sie am 22. 6. 1847 an diesem Haus die Partie der Amalia in Anwesenheit von Königin Victoria und Prinz Albert. Während ihrer großen Nordamerika-Tournee gab sie in den Jahren 1850–52 rund hundert Konzerte. Felix Mendelssohn schreibt über die große Sängerin: «In Jahrhunderten wird nicht eine Persönlichkeit gleich der ihrigen geboren».

Lind, Rosa, s. unter *Schirach*, Rosalind von.

Lindenstrand, Sylvia; 1987 sang sie in Stockholm den Paris in «Paride ed Elena» von Gluck, 1988 im Scandinavium Göteborg die Carmen, in Stockholm die Titelrolle der Oper «Singoalla» von Gunnar de Frumerie.
Schallplatten: Rainbow-Video («Così fan tutte», Glyndebourne 1975).

Lindermeier, Elisabeth; Schallplatten: Fonit-Cetra (Finale der «Götterdämmerung»).

Lindholm, Berit, *8. 10. 1934 Stockholm. An der Münchner Staatsoper sang sie als erste Partie 1967 die Brünnhilde. 1972 an der Oper von San Francisco zu Gast. 1975 Debüt an der Metropolitan Oper New York als Brünnhilde in der «Walküre», doch sang sie dort nur während einer Spielzeit. 1984 wurde sie Mitglied der Schwedischen Musikakademie Stockholm, 1988 mit dem Orden Litteris et artibus ausgezeichnet.

Lindi, Arnoldo; 1925 sang er am Teatro Regio Parma, 1926 am Teatro Carlo Felice Genua den Radames in «Aida», seine eigentliche Glanzrolle. An der Oper von Chicago hörte man ihn 1926–27 als Radames, als Turiddu in «Cavalleria rusticana» und als Manrico im «Troubadour», an der San Francisco Opera gleichzeitig als Manrico. 1938 gastierte er in Cincinnati als Tannhäuser. Er brach bei einer Vorstellung der San Carlo Opera Company in San Francisco am 8. 3. 1944, in der er den Canio im «Bajazzo» sang, nach einem Schlaganfall tot auf der Bühne zusammen, als er gerade «Vesti la giubba» vortrug.
Schallplatten: Columbia (vollständige «Aida» von 1929).

Lindlar, Josef; debütierte 1925 am Opernhaus von Köln als Tonio im «Bajazzo». Während seines Engagements in Düsseldorf (1931–41) sang er dort am 15. 11. 1936 die Titelrolle in der Uraufführung der Oper «Enoch Arden» von Ottmar Gerster.
Sein Bruder *Franz Lindlar* (1889–1931) war seit 1915 als Bassist am Kölner Opernhaus tätig.
Schallplatten: Auch Artiphon- und Orchestrola-Aufnahmen.

Lindner, Brigitte; Schallplatten: Orfeo («Kleider machen Leute» von Joseph Suder), HMV-Electrola (Chorballaden und Requiem für Mignon von R. Schumann, «Orpheus in der Unterwelt» von Offenbach).

Lindquest, Albert; nachdem er seit etwa 1924 eine zweite Karriere beim Musical und am amerikanischen Rundfunk begonnen hatte, sang er u. a. am New Yorker Broadway in «Rose-Marie» von R. Friml und in «The Student Prince» von S. Romberg.

Lindroos, Peter; große Erfolge namentlich in Wagner- und Richard Strauss-Opern. 1987 gastierte er in Lausanne als Bacchus in «Ariadne auf Naxos» von R. Strauss; am 26. 9. 1987 sang er in Graz in der Uraufführung von F. Cerhas «Der Rattenfänger»,

1988 wiederum an der Grand Opéra Paris. 1987 Gastspiel mit dem Ensemble der Nationaloper Helsinki beim Edinburgh Festival in der finnischen Oper «Juha» von Merikanto. 1988 hörte man ihn in München als Apollo in «Daphne» von R. Strauss, 1989 bei den Festspielen von Savonlinna als Radames in «Aida».

Lindsay, Julia; ihre Eltern, die aus St. Louis stammten, waren nach Frankreich ausgewandert. 1905 sang sie an der Grand Opéra Paris in der Premiere von Mozarts «Entführung aus dem Serail» (123 Jahre nach deren Uraufführung!) die Partie der Konstanze.
Schallplatten: HMV (Paris, 1907–10, alle in französischer Sprache gesungen).

Link, Antonie, †21. 5. 1931 Wien.

Link, Carl; er war der Großonkel des berühmten Dirigenten Karl Böhm (1894–1981).

Linke, Fritz; er sang bei den Festspielen von Schwetzingen in der Uraufführung der Oper «Der Revisor» von Werner Egk (9. 5. 1957).

Linkenbach-Hildebrand, Henny; verheiratet mit dem Dirigenten Camillo Hildebrand (1876–1953).

Linley, Elizabeth Ann; die großen englischen Maler Gainsborough und Reynolds haben Porträts der gefeierten, schönen Sängerin hinterlassen.

Linos, Glenys; weitere Ausbildung im Opera Center London (nicht in der Opernschule der Covent Garden Oper). Bis 1969 am Stadttheater Mainz, 1969–73 am Stadttheater Ulm, 1973–79 am Staatstheater Wiesbaden engagiert. 1977–82 Mitglied, seit 1984 ständiger Gast des Opernhauses Zürich. Gastierte an der Opéra de Wallonie Lüttich (1982–83), sang 1987 in Bologna die Clairon in «Capriccio» von R. Strauss, 1986 an der Oper von Rom die Ermengarda in «Agnese di Hohenstaufen» von Spontini. 1987 am Teatro Liceo Barcelona zu Gast.
Schallplatten: Telefunken («Jephtha» von Händel), Edition Schwann (Lieder von Alexander von Zemlinsky).

Lipkowska, Lydia (Jakowlewna); an der Covent Garden Oper sang sie im Juli 1911 in der englischen Erstaufführung der Oper «Il segreto di Susanna» als Partnerin von Mario Sammarco die Titelrolle. Sie debütierte 1910 an der Metropolitan Oper New York als Traviata zusammen mit Enrico Caruso und Pasquale Amato und sang dort in den folgenden zwei Spielzeiten auch die Gilda im «Rigoletto» und die Rosina im «Barbier von Sevilla». An der Wiener Volksoper sang sie die Carmen, an der Hofoper von St. Petersburg 1912 den Amor im «Orpheus» von Gluck zusammen mit Leonid Sobinoff und Maria Kousnetzoff. Sie flüchtete 1919 aus Rußland über China in die USA. Hier wurde ihr Auftreten an der Oper von Chicago für die Saison 1921–22 angekündigt, dies kam aber nicht zustande. Sie ging darauf

nach Paris; noch 1929 sang sie mit dem Ensemble der Opéra Russe die Volkhova in «Sadko» von Rimsky-Korssakow. Auf der Bühne wirkte ihre zierliche, aparte Erscheinung wie ihr bedeutendes schauspielerisches Talent in entsprechenden Partien (Snegourotchka) in besonderer Weise.
Schallplatten: HMV (Rußland, 1912–14), Columbia (USA, 1911).

Lipovček, Marjana, Mezzosopran, *3. 12. 1946 Ljubljana (Laibach); ihr Vater Marjan Lipovček (*1910) war Rektor der Musikhochschule Ljubljana. Sie studierte dort zuerst Musikpädagogik, dann das gleiche Fach in Graz. Ihre Stimme wurde durch Hilde Rössl-Majdan entdeckt und durch sie, durch Herma Handl und durch Gottfried Hornik in Graz ausgebildet. 1978 trat sie in das Opernstudio der Wiener Staatoper ein und wurde 1979 Ensemblemitglied dieses Hauses. 1979 hatte sie ihren ersten großen Erfolg in Graz als Brangäne im «Tristan». 1981 wirkte sie bei den Salzburger Festspielen in der Uraufführung der Oper «Baal» von F. Cerha mit. Seit 1981 Mitglied der Staatsoper Hamburg (Antrittsrolle: Federica in Verdis «Luisa Miller»). Hier sang sie 1982 in der Erstaufführung von «Les Troyens» von Berlioz die Rolle der Anna. 1983 kam ein Gastspielvertrag mit der Staatsoper München zustande. Hier sang sie 1987 u. a. die Fricka im Ring-Zyklus, 1988 die Gaea im «Daphne» von R. Strauss. Große Erfolge bei Konzerten und Gastspielen in ganz Europa. 1985 Gastspiel an der Wiener Staatsoper als Cornelia in «Giulio Cesare» von Händel. Bei den Festspielen von Salzburg sang sie am 15. 8. 1986 in der Uraufführung der Oper «Die schwarze Maske» von K. Penderecki. Bei den Festspielen von Bregenz trat sie 1988 als Dalila in «Samson et Dalila» von Saint-Saëns auf, 1989 sang sie bei den Aufführungen von Borodins «Fürst Igor» in der Münchener Olympia-Halle die Kontschakowna. 1986 gastierte sie am Opernhaus von Frankfurt a. M., 1987 beim Maggio musicale Florenz, 1989 bei den Festspielen von Savonlinna (als Amneris). Von ihren Bühnenpartien sind noch ergänzend zu nennen: die Ulrica in Verdis «Ballo in maschera», die Magdalene in den «Meistersingern», der Komponist in «Ariadne auf Naxos» von R. Strauss, die Marina im «Boris Godunow», der Titelheld im «Orpheus» von Gluck und die Marie im «Wozzeck» von A. Berg. Neben ihrem Wirken auf der Bühne war sie eine hoch angesehene Konzertsängerin, einmal im Bereich des Oratoriums (Bach, Händel), dann auch als Lied-Interpretin.
Sehr viele Schallplattenaufnahmen auf Telefunken («Messias» von Händel, «Fledermaus»), Philips («Faust» von Gounod, Weihnachtsoratorium von J. S. Bach, «Die letzten Dinge» von Spohr, Nelson-Messe von Haydn), Ariola-Eurodisc («Orpheus» von Gluck), Christophorus-Verlag («Il lutto dell' universo» von Kaiser Leopold I. von Österreich), Harmonia mundi-HMV (Dettinger Te Deum von Händel), HMV («Die Frau ohne Schatten» von R. Strauss), Fricka in «Rheingold»), Schwann («Penthesilea» von O. Schoeck). Orfeo (Lieder von Schubert), Intercord (h-moll-Messe von J. S. Bach). – (Neufassung)

Lipp, Wilma; Schallplatten: Auf BSW Hope wie auf Discocorp als Königin der Nacht in der «Zauberflöte» zu hören (zwei Mitschnitte von Aufführungen der Salzburger Festspiele).

Lipton, Martha, *6. 4. 1916 New York City. Nach erster Ausbildung durch ihre Mutter Gesangstudium mit Hilfe eines Stipendiums an der Juillard Music School New York als Schülerin von Paul Reimers und von Mme Gutmann-Rice. 1938 gewann sie den Mac Dowell-Preis und konnte einige Konzerte geben (u. a. in Cincinnati als Solistin im Verdi-Requiem). Bereits 1944 debütierte sie an der City Centre Opera New York als Nancy in Flotows «Martha». 1944–61 sang sie an der New Yorker Metropolitan Oper 36 verschiedene Partien in 298 Vorstellungen (ohne die Gastspiel-Tourneen des Ensembles), darunter auch die Amneris in «Aida», die Mercedes in «Carmen», die Emilia in Verdis «Othello», die Maddalena im «Rigoletto», den Hänsel in «Hänsel und Gretel», die Annina im «Rosenkavalier» und die Mrs. Sedley in «Peter Grimes» von B. Britten. 1946 unternahm sie eine Gastspiel-Tournee durch Südamerika. Sie wurde als Ehrengast zur letzten Vorstellung im alten Haus der Metropolitan Oper (16. 4. 1966) eingeladen.
Schallplatten: Music and Arts (8. Sinfonie von G. Mahler).

Lipuschek, Yanoz, †5. 12. 1967 Ljubljana; eigentlicher Name Janez Lipuščvek.

Lishner, Leon; Schallplatten: University of Washington Press (Jiddische Volksmusik).

Lisitzian, Pavel (Gerasimowitsch), *24. 10. (6. 11.) 1911 Wladikawkas (Ordshonikidse). Debüt 1940 am Bolschoj Theater Moskau als Jeletzky in Tschaikowskys «Pique Dame». Er gastierte an der Mailänder Scala in «Krieg und Frieden» von Prokofieff. Höhepunkte in seinem umfangreichen Bühnenrepertoire waren der Titelheld im «Eugen Onegin», der Robert in Tschaikowskys «Jolanthe», der Kommissar in «Die große Freundschaft» von Muradeli, der Valentin im «Faust» von Gounod, der Janusz in «Halka» von Moniuszko, der Germont-père in «La Traviata», der Titelheld in Tschaikowskys «Mazeppa», der Escamillo in «Carmen», der Grjaznoj in «Die Dekabristen» von Schaporin, der Napoleon in «Krieg und Frieden» von Prokofieff, der André in «Dschalil» von Ziganow, viele Partien in Opern von Rimsky-Korssakow und in modernen russischen Werken.
Schallplatten: Melodiya (vollständige Opern «Sadko», «Pique Dame», «La Traviata»; viele schöne Liedaufnahmen, darunter auch russische und armenische Volkslieder. Mit seinen drei Kindern zusammen singt er die Solopartien im Mozart-Requiem).

Lisowska, Hanna; ihre große Glanzrolle war die Titelpartie in «Halka» von Moniuszko. 1987 gastierte sie an der Staatsoper Berlin als Martha in «Tiefland» von d'Albert, 1990 an der Metropolitan

Oper New York als Sieglinde und als Gutrune im Nibelungenring.

Lissitschkina, Sinaida; sie arbeitete in New York als Pädagogin; eine ihrer Schülerinnen war die bekannte Sopranistin Gladys Kuchta.

Lissmann, Friedrich Heinrich; 1888 war er der Jago in der deutschen Erstaufführung von Verdis «Othello» in Hamburg. Seine Tochter *Eva-Katharina Lissmann* (* 1883) war eine bekannte Konzertsängerin.

Lissmann, Hans; seine Schwester *Eva-Katharina Lissmann* (* 1883) wirkte als Konzertsängerin. (Er nahm nicht an der Uraufführung des «Wozzeck» 1925 in Berlin teil.)

List, Emmanuel, * 22. 3. 1888 Wien; er sang bereits mit 17 Jahren im Chor des Theaters an der Wien. Der Intendant Max von Schillings berief ihn 1924 an die Berliner Staatsoper. Einen besonderen Erfolg hatte er dort 1932 als Procida in Verdis «Sizilianischer Vesper». Bei den Festspielen von Bayreuth sang er 1933 auch den Pogner in den «Meistersingern» und den Gurnemanz im «Parsifal». 1933–50 Mitglied der Metropolitan Oper New York (Debüt als Landgraf im «Tannhäuser»). Hier sang er in 16 Spielzeiten (in deren New Yorker Haus) 17 Rollen in 324 Vorstellungen, u. a. den Ochs im «Rosenkavalier», den Rocco im «Fidelio», dazu seine Wagner-Partien. Seit 1928 mehrfach in Holland zu Gast, zuletzt beim Holland Festival von 1950. An der Oper von San Francisco 1935–37 gastweise aufgetreten, bis 1947 zahlreiche Gastspiele am Teatro Colón Buenos Aires.

Liszewsky, Tilmann; gastierte 1913 in Amsterdam als Klingsor im «Parsifal». Von den vielen Partien, die er auf der Bühne gesungen hat, sind der Sebastiano in «Tiefland» von d'Albert, der Ford im «Falstaff» von Verdi, der Jochanaan in «Salome» von Richard Strauss und der Telramund im «Lohengrin» zu erwähnen. Sein jüngerer Bruder *Joseph Liszewsky* († 1922) hatte ebenfalls eine Bühnenkarriere im Heldenbariton-Fach.

Litassy, Georg, * 1912.

Little, Vera; seit 1951 sang sie hauptsächlich in Deutschland, in Italien, in Frankreich und in Israel. Seit 1958 für dreißig Jahre Mitglied der Deutschen Oper (bis 1963 Städtisches Opernhaus) Berlin.

Litvinne, Felia; bis 1896 hatte sie große Erfolge an der Mailänder Scala. An der Metropolitan Oper New York sang sie in der Saison 1896–97 als Antrittsrolle die Marguerite de Valois in den «Hugenotten» von Meyerbeer und übernahm in dieser einen Spielzeit neun Partien, die sie in 22 Vorstellungen vortrug. 1905 sang sie in Amsterdam gegen den Protest von Bayreuth die Kundry im «Parsifal».

Litz, Gisela; Schallplatten: Urania («Aufstieg und Fall der Stadt Mahagonny» von K. Weill), Melodram («Capriccio» von R. Strauss).

Livora, Fero; eigentlicher Name František Livora, unter dem er auch aufgetreten ist. 1988 an der Opéra-Comique Paris in Janáčeks Oper «Aus einem Totenhaus» zu Gast.

Ljungberg, Göta; sie sang bereits als Kind von acht Jahren vor der schwedischen Königin. Einen ersten großen Erfolg hatte sie 1920 in Stockholm als Myrtocle in der schwedischen Erstaufführung von d'Alberts «Die toten Augen». Sie debütierte mit sensationellem Erfolg 1924 an der Covent Garden Oper London als Salome von Richard Strauss. Als Konzertsolistin trat sie in Nordamerika, in den skandinavischen Ländern und 1928 in Holland in Erscheinung. Neben ihren Wagner-Gestalten bewunderte man in Berlin auch ihre Tosca und ihre Santuzza in «Cavalleria rusticana»; am Berliner Metropol Theater trat sie 1924 zusammen mit Herbert Janssen in der Operette «Die drei Musketiere» von Ralph Benatzky auf. Sie debütierte 1932 an der Metropolitan Oper New York als Sieglinde und wirkte dort in der Uraufführung von Howard Hansons «Merry Mount» als Lady Marigold Sandys mit (14. 2. 1934). 1932 sang sie in der (späten) Premiere der Richard Strauss Oper «Elektra» die Chrysothemis mit Gertrude Kappel in der Titelpartie, 1933 die Salome; insgesamt hat sie im New Yorker Haus der Metropolitan Oper in fünf Spielzeiten 13 Partien in 33 Vorstellungen gesungen, hauptsächlich aus ihrem Wagner-Repertoire. Nicht zuletzt wirkte sie auf der Bühne durch die Schönheit ihrer Erscheinung und durch die Intensität ihrer Darstellung. Schallplattenaufnahmen ausschließlich auf HMV (seit 1924), darunter Szenen aus «Tristan», «Rheingold», «Die Walküre» und «Götterdämmerung».

Llacer, Maria; eigentlicher Name Maria Llacer y Rodrigo. 1919 unternahm sie eine Italien-Tournee mit einer von ihr geleiteten Operntruppe.

Llewellyn, Redvers, * 4. 12. 1903 Briton Ferry (Wales).

Lloyd, David George, * 6. 4. 1912 in Wales.

Lloyd, Edward, * 7. 3. 1845 London. 1886 sang er beim Festival von Leeds in der Uraufführung von A. Dvořáks Oratorium «St. Ludmilla». Beim Festival von Birmingham sang er am 3. 10. 1903 das Tenorsolo in der Uraufführung von Elgars «The Dream of Gerontius».
Schallplattenaufnahmen auf G & T und HMV (1908), die uns aber wohl kaum eine gültige Vorstellung von seiner Stimme vermitteln können.

Lloyd, Powell, † 26. 9. 1967 Chilton (Grafschaft Buckinghamshire). Seit 1923 war er als Chorist am Old Vic Theatre London beschäftigt und sang dann als Solist bei der Sadler's Wells Opera London. 1955–65 war er bei der Welsh Opera Cardiff anzu-

treffen. Seit 1933 mit der Mezzosopranistin *Edith Coates* (1906–83) verheiratet, mit der er oft zusammen aufgetreten ist.
Schallplatten: Columbia («Meistersinger»-Mitschnitt aus der Covent Garden Oper, 1936).

Lloyd, Robert; er war in den Jahren 1963–66 bei der englischen Marine tätig und hatte die Absicht, dort Karriere zu machen. Seit 1970 sang er zunächst kleinere Rollen an der Covent Garden Oper London und war dann dort in großen Partien, vor allem im Wagner-Fach, erfolgreich tätig. 1987 Gastspiel am Teatro Comunale Florenz als Boris Godunow. Bedeutender Konzert-, Oratorien- und Liedersänger («Winterreise» von Schubert). In der Film-Version des «Parsifal» durch Syberberg erschien er als Gurnemanz, den er auch 1988 an der Covent Garden Oper London sang. 1988 debütierte er an der Metropolitan Oper New York. 1989 hörte man ihn bei den Festspielen von Schwetzingen als Basilio im «Barbier von Sevilla».
Schallplatten: HMV («The Dream of Gerontius» von Elgar, Messe KV 427 von Mozart), Orfeo («Acis and Galatea» von Händel, «La finta semplice» von Mozart).

Löbel, Hans; er sang eine kleine Rolle in der Uraufführung der Richard Strauss-Oper «Daphne» an der Dresdner Staatsoper (15. 10. 1938) und wirkte dort am 4.3. 1947 in der szenischen Uraufführung von Boris Blachers «Die Flut» mit.

Loeffel, Felix, † 31. 5. 1981 Münsingen (Kanton Bern); er gab auf dem Gebiet des Operngesangs Gastspiele am Opernhaus von Zürich, an den Theatern von Genf, Basel und St. Gallen und sang 1950 am Stadttheater Bern in der Uraufführung von Armin Schiblers «Der spanische Rosenstock». Er kreierte eine Anzahl von Liedern von Othmar Schoeck, darunter die Liedzyklen «Zwölf Hafis-Lieder» (1924, Bern) und «Unter Sternen» (1943, Zürich) sowie von Willy Burkhard den Zyklus «Frage» (1926, Colombier).

Löffler, Mathilde; während ihres zweiten Engagements an der Dresdner Hofoper 1886–98 wirkte sie hier in den Uraufführungen der Opern «Urrasi» von W. Kienzl (1886) und «Herrat» von Felix Draesecke (1892) mit.

Löhe, Jean, † 28. 8. 1990 Köln; an der Städtischen Oper Berlin sang er u. a. den Nadir in «Pêcheurs de perles» von Bizet und den Chapelou im «Postillon de Lonjumeau» von A. Adam.

Lövaas, Kari; sie sang 1964–65 am Opernhaus von Dortmund, 1965–66 am Stadttheater von Mainz.
Schallplatten: HMV-Electrola («Orpheus in der Unterwelt» von Offenbach), Obligat (c-moll-Messe von Mozart).

Loewe, Sophie, † 28. 11. 1866 Budapest.

Löwe-Destinn, Marie, * um 1846 Lwów (Lemberg), † 1921 Prag. Sie gastierte 1864 an der Covent Garden

Oper London. Eine weitere Schülerin von Marie Löwe-Destinn war die tschechische Sopranistin Ružena Maturová.

Loforese, Angelo; Schallplatten: Fonit-Cetra («Don Carlos» von Verdi).

Lo Giudice, Franco; er faßte den Entschluß Sänger zu werden, nachdem er Schallplatten des großen Tenors Enrico Caruso gehört hatte. Als Soldat gab er während des Ersten Weltkrieges Konzerte für italienische Frontsoldaten. 1922 kam er zu einem großen Erfolg am Teatro Costanzi Rom in der Titelrolle von Giordanos «Andrea Chénier». 1926 alternierte er an der Mailänder Scala in den ersten Vorstellungen von Puccinis «Turandot» mit Miguel Fleta in der Partie des Kalaf. An der Scala sang er auch den Ramirez in Puccinis «La Fanciulla del West», den Hagenbach in «La Wally» von Catalani, den Avito in Montemezzis «Amore dei tre Re» und den Gianetto in «La cena delle beffe» von Giordano.
Schallplatten: HMV (Ausschnitte aus «Nerone» von Boito, 1924; Verdi-Requiem, 1929).

Lohfing, Max; im Ablauf seiner langen Karriere seit 1898 am Stadttheater (Opernhaus) von Hamburg wirkte er dort in einer Anzahl von Opern-Uraufführungen mit, darunter «Tragaldabas» (1907), «Izeyl» (1909) und «Mareike von Nymwegen» von E. d'Albert, «Versiegelt» (4.11. 1908) und «Die Strohwitwe» (1920) von Leo Blech, «Die Brautwahl» von F. Busoni (13. 4. 1912), «Der Kobold» (1904), «Bruder Lustig» (1905) und «Sternengebot» (1908) von Siegfried Wagner. 1911 sang er den Ochs in der Hamburger Premiere des «Rosenkavaliers» und leitete damit eine große Karriere im Buffo-Fach ein. 1907 Gastspiel an der Covent Garden Oper London. Er wurde zum Ehrenmitglied der Hamburger Oper ernannt. Auch sein jüngerer Bruder *Robert Lohfing* (1876–1929) kam zu einer bedeutenden Karriere als Opernsänger, die sich vor allem an der Münchner Oper abspielte.
Schallplatten: Odeon (1906), dann Aufnahmen auf HMV, Parlophon und Pathé.

Lohfing, Robert; er wirkte in der Münchner Uraufführung der Oper «Palestrina» von Hans Pfitzner mit (12. 6. 1917).

Lohmann, Paul; er sang bereits im Alter von zehn Jahren im Stadtsingechor von Halle. Er studierte dann bei dem Pädagogen Frank in Halle, wurde aber bei Beginn des Ersten Weltkrieges zur deutschen Armee eingezogen und verlor bei den Kämpfen in Frankreich den rechten Arm. Er setzte darauf seine Ausbildung bei Clara Hartwig in Mühlhausen (Thüringen) und bei dem berühmten Bariton Karl Scheidemantel in Dresden fort. Durch seine schwere Kriegsverletzung war eine Bühnentätigkeit unmöglich, und so trat er seit 1924 als Konzertsolist, vor allem als Oratorien- und Liedersänger, auf. Seit 1926 widmete er sich, zusammen mit seiner Gattin *Franziska Martienssen-Lohmann,* mehr und mehr der Gesangpädagogik; mit ihr gemeinsam gab er

1949–69 alljährlich Gesangkurse in Luzern. Nach ihrem Tod heiratete er 1972 in zweiter Ehe die Altistin und Pädagogin *Hildegund Becker.*

London, George, † 24. 3. 1985 Armonk (New York). 1943 sang er an der Oper von San Francisco den Monterone im «Rigoletto». Seit 1945 war er an der Wiener Staatsoper u. a. als Escamillo in «Carmen», als Don Giovanni, als Titelheld im «Eugen Onegin» und in den vier dämonischen Partien in «Hoffmanns Erzählungen» zu hören. 1951–66 war er Mitglied der Metropolitan Oper New York, in deren New Yorker Haus er 22 Partien in 249 Vorstellungen gesungen hat, darunter 1966 nochmals mit besonderem Erfolg den Escamillo. 1952 sang er als Antrittsrolle an der Covent Garden Oper London den Pizarro im «Fidelio», 1962 an der Grand Opéra Paris den Don Giovanni. Seit 1956 gastierte er am Teatro Colón Buenos Aires. 1967 verlor er durch eine Teil-Stimmbandlähmung seine Singstimme.
Schallplatten: Frequenz («Don Giovanni»), Music and Arts (8. Sinfonie von G. Mahler).

Loose, Emmy, † 14. 10. 1987 Wien; 1953 sang sie beim Glyndebourne Festival die Blondchen in der «Entführung aus dem Serail». Später gehörte die Marianne Leitmetzerin im «Rosenkavalier» zu ihren bevorzugten Rollen. Am 23. 5. 1971 sang sie an der Wiener Staatsoper in der Uraufführung der Oper «Der Besuch der alten Dame» von G. von Einem. 1979 gab sie ihre Karriere auf und wirkte als Pädagogin an der Wiener Musikhochschule und an der Sommerakademie in Salzburg.

Lopez-Nuñez, Eugenia, s. unter *Nuñez-Lopez,* Eugenia.

Lorand, Colette; sie war durch Gastspielverträge den Staatsopern von München (1970–81) und Stuttgart (1969–75), der Deutschen Oper Berlin (1973–1978) und der Deutschen Oper am Rhein Düsseldorf-Duisburg (1973–78) verbunden und gastierte bei zahlreichen Gelegenheiten am Opernhaus von Zürich. Sie trat auch als Gast an der New York City Centre Opera, an der Oper von San Diego, am Nationaltheater Prag, an der Mailänder Scala, an der English National Opera London, am Théâtre de la Monnaie Brüssel und bei den Festspielen von Bregenz auf. Die Partie der Regan in A. Reimanns «Lear» sang sie auch 1982 an der Grand Opéra Paris.
Schallplatten: Melodram (Arien-Platte).

Lordmann, Peter; am Deutschen Opernhaus Berlin sang er 1914 in der Uraufführung von E. Humperdincks «Die Marketenderin».
Schallplatten: Älteste Aufnahmen auf Pathé, dann Odeon- und Parlophon-Platten, akustische Aufnahmen auf Polydor aus dem Beginn der zwanziger Jahre; kleine Partie in der Kurzfassung von «Der Bettelstudent» auf der gleichen Marke, aber elektrisch aufgenommen.

Lorengar, Pilar; studierte auch bei der berühmten spanischen Sopranistin Angeles Ottein in Madrid.

1955 wirkte sie bei den Festspielen von Aix-en-Provence in der Partie des Cherubino in «Nozze di Figaro» mit. Seit 1964 Gastspiele an der Oper von San Francisco, 1955 sang sie in New York in einer konzertanten Aufführung der Oper «Goyescas» von Granados, 1958 Gastspiel am Teatro Colón Buenos Aires als Pamina in der «Zauberflöte». 1966 Debüt an der Metropolitan Oper New York als Donna Elvira im «Don Giovanni». Sie sang dort während zwölf Spielzeiten Partien wie die Gräfin in «Figaros Hochzeit», die Pamina, die Agathe im «Freischütz», die Eva in den «Meistersingern» und die Butterfly, insgesamt (in deren Haus in New York) 16 Partien in 118 Vorstellungen. 1987 großer Erfolg an der Deutschen Oper Berlin als Valentine in den «Hugenotten» von Meyerbeer, 1989 in Straßburg und Lyon als Maddalena in Giordanos Revolutionsoper «Andrea Chénier».
Schallplatten: Melodram («Olimpia» von Spontini), Nuova Era (Donna Elvira im «Don Giovanni»).

Lorenz, Gerlinde, * 1939 Chemnitz; sie sang bereits sehr früh im Bayreuther Festspielchor. 1971 wurde sie Mitglied des Kölner Opernhauses (Debüt als Mimi in «La Bohème»), dem sie bis 1981 als Ensemblemitglied (danach als Gast) angehörte. Seitdem gab sie nur noch Gastspiele (u. a. 1989 in Mannheim und München) und trat im Konzertsaal auf.
Schallplatten: Supraphon (4. Sinfonie von G. Mahler).

Lorenz, Max; er studierte auch in Bayreuth bei Karl Kittel. Ein Angebot, dort kleinere Partien wie den Froh im «Rheingold» oder den Walther von der Vogelweide im «Tannhäuser» zu übernehmen, lehnte er als verfrüht ab. Ein Versuch, an die Berliner Staatsoper engagiert zu werden, scheiterte völlig. Erst 1933 wurde er deren reguläres Mitglied. Hier sang er 1940 in der Uraufführung von Paul von Klenaus «Die Königin». In den Jahren 1938–56 gastierte er mehrfach an der Mailänder Scala, u. a. 1950 als Siegfried. Bei den Bayreuther Festspielen feierte man ihn zunächst als Walther von Stolzing und als Parsifal, später als Siegfried und als Tristan. Er gastierte in Amsterdam und im Haag, wo er 1949 den Tristan als Partner von Kirsten Flagstad sang; 1949–53 an der Grand Opéra Paris zu Gast. An der Metropolitan Oper New York ist er insgesamt (in deren New Yorker Haus) in 40 Vorstellungen und elf Rollen aufgetreten, abgesehen von seinen Wagner-Partien auch als Herodes in «Salome» und als Babinsky in «Schwanda der Dudelsackpfeifer» von Weinberger.
Schallplatten: Erste akustische Aufnahmen auf Parlophon (1928), seit 1930 auf HMV (u. a. gekürzte «Meistersinger» von 1943), auf Polydor (um 1935), Telefunken (Aufnahmen aus Bayreuth, 1935) und auf DGG (um 1950). Zahlreiche Mitschnitte von Opernaufführungen auf Discocorp (zweimal Szenen aus «Götterdämmerung», Bayreuth 1937 bzw. Scala, 1950), auf Preiser (1. Akt «Walküre») und auf Acanta (Gala-Aufführung von «Ariadne auf Naxos» zum 80. Geburtstag von Richard Strauss 1944 an der Staatsoper Wien).

Lorenz, Siegfried, * 30. 8. 1945 Berlin. Er debütierte 1969 an der Komischen Oper Berlin in Prokofieffs «Amour des trois oranges» und blieb bis 1973 deren reguläres Mitglied. Seitdem gab er als Opernsänger nur noch Gastspiele, vor allem an der Staatsoper Berlin. Von seinen Bühnenpartien sind zu nennen: der Wolfram im «Tannhäuser», der Guglielmo in «Così fan tutte», der Graf in «Figaros Hochzeit», der Germont-père in «La Traviata», der Posa in Verdis «Don Carlos», der Agamemnon in Glucks «Iphigenie in Aulis» (Staatsoper Berlin, 1987) und der Graf in «Capriccio» von R. Strauss. Er wirkte in Weimar im pädagogischen Fach.
Schallplatten: Capriccio («Winterreise» von Schubert, «Ein Deutsches Requiem» von J. Brahms).

Lortzing-Ahles, Regina, s. unter *Lortzing, Albert.*

Lortzing-Seidel, Charlotte-Sofie, s. unter *Lortzing, Albert.*

Lott, Felicity, * 8. 4. 1947 Cheltenham (Gloucester). Sie studierte anfänglich Latein und Französisch und arbeitete ein Jahr als Pädagogin in Grenoble. Ausbildung der Stimme durch Flora Nielsen in London. In Glyndebourne sang sie 1987 auch die Gräfin in «Capriccio» von R. Strauss; die gleiche Partie trug sie 1987 beim Maggio musicale Florenz vor und sang in Chicago die Gräfin in «Nozze di Figaro». 1988 gastierte sie in München als Christine in der Richard Strauss-Oper «Intermezzo» und in Köln als Marschallin. 1989 hörte man sie an der Staatsoper Hamburg wieder als Gräfin in «Nozze di Figaro». Verheiratet mit dem englischen Schauspieler und Rezitator Gabriel Woolf.
Schallplatten: RCA-Erato (Messe KV 427 von Mozart, «The Kingdom» von E. Elgar, «Samson» von Händel, Werke von Purcell), DGG (Nelson-Messe von Haydn, Cäcilienode von Händel), HMV (4. Sinfonie von G. Mahler, Messias, Matthäuspassion), Chandos (Orchesterlieder von R. Strauss; Arien), Harmonia mundi (Arien).

Lous, Astrid, * 12. 4. 1876 Kristiansund (Norwegen). Die norwegische Künstlerin war zuerst Schauspielerin und trat als solche 1894–1900 in Kristiansund und Bergen auf. Sie entschloß sich dann zur Ausbildung ihrer Stimme, die in Berlin und Paris stattfand. Sie begann ihre Karriere als Opernsängerin 1904 am Stadttheater von Elberfeld. Ihre großen Partien waren neben den bereits genannten die Elisabeth wie die Venus im «Tannhäuser», die Elsa im «Lohengrin» und die Aida.

Lovano, Lucien, * 24. 12. 1901 Paris, † 23. 6. 1988 Paris; er absolvierte seine Ausbildung in Paris und debütierte dort 1922 am Théâtre Gaité Lyrique. Seit 1924 trat er als Radio- und Konzertsänger in Erscheinung. Erst 1972 beendete er seine Tätigkeit als Sänger.

Love, Shirley; sie kam 1963 an die Metropolitan Oper New York und hat insgesamt dort während zwanzig Spielzeiten gesungen.

Lowe, Thomas; die Uraufführungen der Oratorien von G. F. Händel, in denen er mitwirkte, fanden fast alle in der Covent Garden Oper London statt.

Lowelly, Berthe; Schülerin des Pädagogen M. Berthelier in Paris.

Luart, Emma; am Théâtre de la Haye im Haag kreierte sie für Holland die Mélisande in «Pelléas et Mélisande» (1916), die Tatjana im «Eugen Onegin» von Tschaikowsky (1916) und die Prinzessin in «Marouf» von Henri Rabaud (1917). 1918 ging sie an das Théâtre de la Monnaie Brüssel. In der Spielzeit 1923–24 hörte man sie an der Oper von Monte Carlo in der Uraufführung der Oper «La Hulla» von Samuel-Rousseau in der Partie der Dilara. Am 15. 1. 1930 kreierte sie an der Opéra-Comique Paris die Jeanneton in der Uraufführung von Jacques Iberts «Le roi d'Yvetot», am 5. 12. 1927 wirkte sie am gleichen Haus in der Uraufführung der Oper «Le bon Roi Dagobert» von Samuel-Rousseau mit. Aus ihrem Bühnenrepertoire seien noch die Titelfiguren in den Opern «Manon» und «Thaïs» von Massenet, die Louise in der gleichnamigen Oper von Charpentier, die Marie in «La fille du régiment» und die Mimi in «La Bohème» von Puccini genannt.
Schallplatten: Pathé (Aufnahmen aus Brüssel 1920 bis 22) und Odeon.

Lubin, Germaine, † 27. 10. 1979 Paris; sie sang an der Oper von Monte Carlo 1933 den Octavian im «Rosenkavalier». Weitere Schüler der Künstlerin waren Nadine Denize, Émile Belcourt, Pierre Fleta und Rachel Yakar.

Lublin, Éliane; Schallplatten: HMV («Roméo et Juliette» von Gounod, Melodien von Offenbach).

Lucazeau, Joseph-Paul, * 26. 10. 1873 Royan-sur-l'Océan (Departement Charente-Maritime), † 18. 12. 1962 Paris; Studium 1902–05 am Conservatoire National Paris.

Luccardi, Giancarlo; Schallplatten: RCA («Manon Lescaut» von Puccini).

Luccioni, José; er gastierte in den Jahren 1934–50 oft an der Oper von Monte Carlo, 1936 am Teatro Colón Buenos Aires. Nach dem Zweiten Weltkrieg wirkte er in mehreren Tonfilmen mit.
Schallplatten: Columbia-Pathé («Samson et Dalila» von 1947).

Luchetti, Veriano, * 12. 3. 1939 Viterbo; er sang 1986 an der Oper von Rom in «Agnese di Hohenstaufen» von Spontini. 1988 gastierte er an der Wiener Staatsoper als Foresto in Verdis «Attila» und bei den Festspielen in den römischen Thermen des Caracalla als Ramirez in Puccinis «La Fanciulla del West», 1989 an der Metropolitan Oper als José in «Carmen».
Schallplatten: Decca («Macbeth» von Verdi).

Lucini, Luisa, * 15. 12. 1902 Modena.

Ludgin, Chester; er sang an der New York City Centre Opera in der Uraufführung der Oper «The Crucible» von Robert Ward (26. 10. 1961), am 17. 6. 1983 an der Oper von Houston/Texas in der von Leonard Bernsteins «A Quiet Place». 1988 wirkte er in Boston in der amerikanischen Premiere der Oper «Tote Seelen» von R. Schtschedrin mit.
Schallplatten: Auf BJR Mitschnitt einer Aufführung von Ottorino Respighis «Belfagor» (New York, 1970).

Ludikar, Pavel, Baß-Bariton, sein Vater war Dirigent an der Prager Oper, seine Mutter eine Altistin, die auch auf der Opernbühne aufgetreten war. Er wurde zuerst Pianist und durchreiste 1901 als Klavierbegleiter Nordamerika. 1911 sang er an der Mailänder Scala den Ochs in der Erstaufführung des «Rosenkavaliers» und in der gleichen Saison den Spielmann in der Premiere von Humperdincks «Königskindern». Er trat dort auch als Falstaff in den «Lustigen Weibern von Windsor» von Nicolai, als Geronimo in Cimarosas «Matrimonio segreto», aber auch als Hans Sachs in den «Meistersingern» auf. In den Jahren vor dem Ersten Weltkrieg gastierte er in Rom, Triest und Turin, in Paris, Budapest und Havanna. 1911 und 1913 war er am Teatro Colón Buenos Aires zu Gast und kehrte 1920 wieder nach dort, jetzt als Wotan und als Marke im «Tristan», zurück. 1913–14 hörte man ihn an der Oper von Boston als Archibaldo in Montemezzis «Amore dei tre Re». 1926–32 war er Mitglied der Metropolitan Oper New York. Seine Antrittsrolle war hier der Timur in der amerikanischen Erstaufführung von Puccinis «Turandot» am 16. 11. 1926. 1930 wirkte er dort in der Premiere von Rimsky-Korssakows «Sadko» mit. Weitere Partien, die er an der Metropolitan Oper vortrug, waren der Figaro im «Barbier von Sevilla» und der Leporello im «Don Giovanni». Während der Jahre des Zweiten Weltkrieges gab er u. a. Meisterkurse am Salzburger Mozarteum. Nach dem Krieg lebte er ganz zurückgezogen in der Nähe von Prag; es wurde ihm untersagt, die ČSSR zu verlassen. Schließlich konnte er dann doch nach Österreich emigrieren. Er gehörte zu den großen Sänger-Darstellern seiner Generation und sang in zwölf Sprachen auf der Bühne wie im Konzertsaal ein Repertoire von größter Vielseitigkeit.
Schallplatten: HMV (hierbei handelt es sich um Duette mit einem seiner Schüler, dem reichen Seifenfabrikanten und Amateur-Tenor *Georg Schicht*, die 1934 in London aufgenommen wurden und als Weihnachtsgrüße an Freunde der beiden Sänger versandt wurden).

Ludwig, Christa; sie studierte auch bei der großen Sopranistin Felicie Hüni-Mihaczek in München. Ihr Nordamerika-Debüt erfolgte 1959 als Dorabella an der Oper von Chicago. Im Dezember 1959 debütierte sie dann an der Metropolitan Oper New York als Cherubino in «Figaros Hochzeit». Dort sang sie Partien wie die Charlotte im «Werther» von Massenet, die Färberin in der «Frau ohne Schatten» von R. Strauss, die Klytämnestra in «Elektra», den Octavian im «Rosenkavalier», die Dido in «Les Troyens»

von Berlioz, die Leonore im «Fidelio», die Fricka, die Ortrud und die Kundry und noch 1988 und 1990 die Fricka und die Waltraute in der «Götterdämmerung», insgesamt 14 verschiedene Rollen in 11 Spielzeiten. Bei den Bayreuther Festspielen sang sie 1966 die Brangäne im «Tristan», 1967 die Kundry im «Parsifal». 1976 Gastspiel an der Covent Garden Oper London als Carmen und als Amneris in «Aida». Ihre große Karriere dauerte mit unvermindertem Glanz für mehr als 40 Jahre. Von ihren Bühnenpartien sind noch die Lady Macbeth in Verdis «Macbeth», die Eboli in dessen «Don Carlos», die Brangäne, die Dorabella, die Herodias in «Salome» und die Gräfin in «Pique Dame» von Tschaikowsky nachzutragen.
Schallplatten: Decca (2. Sinfonie von G. Mahler), DGG (2. Sinfonie von G. Mahler, Fricka in der «Walküre», 1988), Amadeo-Polygram («Der Besuch der alten Dame» von G. von Einem), Philips («Elektra») von R. Strauss), Melodram («Rienzi»). Viele schöne Liedaufnahmen.

Ludwig, Hanna, * 10. 1. 1918 Lauterbach (Oberpfalz), sie war auch Schülerin von Franziska Martienssen-Lohmann. 1949 debütierte sie am Stadttheater von Koblenz. Von dort ging sie an das Stadttheater von Freiburg i. Br. (1952–53), dann an die Deutsche Oper am Rhein Düsseldorf–Duisburg. Sie gab Gastspiele an der Mailänder Scala, an der Staatsoper von Wien, am Teatro Fenice Venedig, in Amsterdam, Zürich, Barcelona, Dublin, Genf und Washington. Als international angesehene Liedersängerin unternahm sie Tourneen durch Nord- und Südamerika, Japan, die Philippinen und durch weitere asiatische Länder. 1968 zog sie sich von der Bühne zurück. Sie arbeitete als Pädagogin an der Musikhochschule von Ankara, dann als Dozentin, 1971–83 als Professorin am Salzburger Mozarteum. Noch 1987 gab sie gesangpädagogische Kurse in Manila und Hongkong.

Ludwig, Ilse; sang 1989 an der Staatsoper Dresden die Mary im «Fliegenden Holländer». Gastierte auch in Lausanne.
Schallplatten: Eterna (Emilia in Verdis «Othello»).

Ludwig, Walther; Medizinstudium an den Universitäten von Freiburg i. Br., München und Dorpat (Tartu, Estland). An der Städtischen Oper Berlin erregte er seit 1932 Aufsehen als Mozart-Interpret und als Nemorino in «Elisir d'amore». Nach dem Zweiten Weltkrieg sang er während zwei Spielzeiten an der Staatsoper von Hamburg, seit 1947 hauptsächlich an der Wiener Staatsoper, mit deren Ensemble er auch in Holland und England zu Gast war.
Schallplatten: HMV (erste Aufnahmen bereits während seiner Schweriner Zeit, 1932), Polydor (seit 1939, hier Tenorsoli im Mozart-Requiem, in der Matthäuspassion und in Beethovens 9. Sinfonie), Columbia (Mozart-Arien), Urania («Lustige Weiber von Windsor»), Discocorp («Zauberflöte», Salzburg 1949).

Lüdeke, Rainer; war 1952–55 am Sächsischen Landestheater Dresden-Radebeul tätig und kam 1957 an das Opernhaus von Leipzig.

Lugo, Giuseppe; sang als erste Partien 1930 an der Opéra-Comique Paris den Rodolfo in «La Bohème» und den Cavaradossi in «Tosca». 1933 zu Gast an der Oper von Monte Carlo, 1936 an der Covent Garden Oper London (als Cavaradossi). An der Mailänder Scala hörte man ihn auch als Rodolfo, als Cavaradossi, als Kalaf in «Turandot» und als Faust in «Mefistofele» von Boito.
Schallplatten: Polydor-Aufnahmen aus Frankreich, HMV-Aufnahmen aus Italien, auf Cetra einige populäre Lieder.

Lugt, Marijke van der, * 5. 1. 1922 den Helder (Holland).

Lukat, Hans-Joachim; er war bereits in der Spielzeit 1952–53 beim Landestheater Hannover engagiert und debütierte 1953 am Stadttheater von Hagen (Westfalen) als Ramphis in «Aida». Mitte der siebziger Jahre mußte er sein Engagement an der Berliner Staatsoper wegen einer Erkrankung aufgeben. Von seinen Bühnenpartien verdienen der Eremit im «Freischütz» von Weber, der Sparafucile im «Rigoletto», der Colline in «La Bohème», der Komtur im «Don Giovanni», der Hagen in der «Götterdämmerung» und der Eustache in «Die Bürger von Calais» von Wagner-Régeny besondere Erwähnung.
Schallplatten: Eterna, BASF (Dr. Grenvil in «La Traviata»), RCA (Szenen aus Verdi-Opern).

Lukes, Jan Ludvik, Tenor, * 22. 11. 1824 Ustí nad Orlicí (Wildenschwerdt in Mähren). Er war ein vielseitig begabter Künstler, studierte Sprachen und Kunstwissenschaft, bevor er seine Stimme ausbilden ließ. 1867 gastierte er an der Wiener Hofoper als Tannhäuser. Eine besondere Glanzrolle war für ihn der Titelheld in der tschechischen Oper «Drátnik» («Der Drahtbinder») von František Škroup. Neben seinem Wirken auf der Bühne war er ein großer Konzert- und vor allem Liedersänger, wobei er sich der Interpretation der Lieder von Beethoven, Schubert und Mendelssohn widmete.

Lunow, Horst, † 31. 7. 1974 Berlin.

Luria, Juan, † 1943 Auschwitz. Schüler von Baks in Berlin. An der Metropolitan Oper New York sang er in der Saison 1890–91 u. a. den Nevers in den «Hugenotten» von Meyerbeer, den Pizarro im «Fidelio», den Kurwenal, den Alberich, den Gunther und wirkte in der Premiere der Oper «Diana von Solange» des Herzogs Ernst II. von Coburg-Gotha (1891) mit. 1891 ging er nach Italien und sang dort während mehrerer Spielzeiten unter dem Namen Giovanni Luria an der Mailänder Scala. Hier kreierte er 1897 den Wotan in der italienischen Erstaufführung der «Walküre» (in italienischer Sprache). 1894 feierte man ihn in Genua als Titelhelden in Rossinis «Wilhelm Tell», worauf er diese Rolle an mehreren italienischen Theatern sang. Zu seinen

Schülern gehörten so bedeutende Sängerpersönlichkeiten wie Gotthelf Pistor, Käthe Heidersbach, Elfriede Marherr und (für kurze Zeit) Michael Bohnen.

Lussardi, Gino; Bühnendebüt 1907 in Turin in «Cavalleria rusticana» und im «Bajazzo». Er sang dann am Teatro Dal Verme Mailand, in Savona und 1911–15 am Teatro Colón Buenos Aires (u. a. als Sid in der Premiere von Puccinis «Fanciulla del West»). In Lissabon hörte man ihn als Beckmesser in den «Meistersingern» unter Tullio Serafin.
Schallplatten: Auf Pathé findet sich eine Aufnahme des «Rigoletto»-Quartetts, die als «Milano Grand Opera» bezeichnet wird (ohne Namensangabe der Sänger), es handelt sich hierbei um Anna Sassone-Soster, Lina Lanza, Giovanni Manuritta und Gino Lussardi.

Lustig, Rudolf, * 12. 3. 1906 Wien, † Oktober 1988 Wien.

Luxon, Benjamin; Bühnendebüt 1963 bei der English Opera Group. 1980 sang er als Antrittsrolle an der Metropolitan Oper New York den Eugen Onegin. Weitere große Bühnenpartien des Sängers waren der Papageno in der «Zauberflöte», der Posa in «Don Carlos» von Verdi, der Wolfram im «Tannhäuser», der Eisenstein in der «Fledermaus» und der Titelheld im «Wozzeck» von A. Berg, den er 1988 in Los Angeles sang. Großer Oratorien- und Liedersänger.
Schallplatten: Philips (8. Sinfonie von G. Mahler), Decca («Zauberflöte», «Samson» von Händel, «Elias» von Mendelssohn), Edition Schwann («Oedipus Rex» von Strawinsky), Picknick-Video («Falstaff» und «Don Giovanni» aus Glyndebourne), Telarc (War Requiem von B. Britten).

Lyne, Felice, † 1. 9. 1935 Allenstown (Pennsylvania). Nach ersten Studien in Allenstown (Pennsylvania) studierte sie in Paris. Sie debütierte 1911 am London Opera-House als Gilda im «Rigoletto» zusammen mit Maurice Renaud und sang dort 1912 in der Uraufführung der Oper «The Children of Don» von Joseph Holbrooke und – ebenfalls 1912 – in der Londoner Premiere von Massenets «Don Quichotte». Man hörte sie an diesem Haus als Marguerite im «Faust» von Gounod und als Oscar in Verdis «Ballo in Maschera». Sie war später Mitglied der vom Impresario Rabinoff geleiteten Boston Opera Company, bei der sie als Partnerin von Giovanni Zenatello die Nedda im «Bajazzo» und die Elvira in «La Muette de Portici» sang, während die große Tänzerin Anna Pawlowa (die gleichfalls dieser Truppe angehörte) die Titelrolle der Oper zur Darstellung brachte.

Lytton, Henry; seine großen Erfolge hatte er in den Operetten von Gilbert & Sullivan (jedoch nicht in den irrtümlich genannten Rollen).
Schallplatten: Auf G & T auch einige Duette mit seiner Gattin *Louise Henri.*

M

Macbeth, Florence, † 5. 5. 1966 Hyattsville (Minnesota). 1912 gab sie ein Konzert im Kursaal von Scheveningen, 1913 eins in London unter Thomas Beecham. Sie gastierte an der Hofoper von Dresden als Olympia in «Hoffmanns Erzählungen» (1913) und kam 1914 an die Oper von Chicago, deren Mitglied sie (mit einer Unterbrechung in den Jahren 1916–18) bis 1930 blieb. Sie debütierte dort als Rosina im «Barbier von Sevilla» und kam zu enormen Erfolgen in Rollen wie der Amina in «La Sonnambula» von Bellini, der Lucia di Lammermoor, der Gilda im «Rigoletto», der Adina in «Elisir d'amore», der Titelheldin in Flotows «Martha», der Ophélie im «Hamlet» von A. Thomas, der Micaela in «Carmen», der Mimi in «La Bohème», der Traviata, der Eudoxia in Halévys «La Juive», der Zerline in «Fra Diavolo» von Auber und in weiteren Koloraturpartien. Bis 1931 gastierte sie bei den Festspielen von Ravinia, u. a. 1928–29 sehr erfolgreich als Lisetta in Puccinis «La Rondine»; 1927–28 sang sie an der Oper von San Francisco die Martha, die Rosina im «Barbier von Sevilla» und die Zerline in «Fra Diavolo».
Ausschließlich Columbia-Platten (seit 1917, alle in akustischer Aufnahmetechnik).

MacDonald, Jeanette; große Erfolge hatte sie auch in Filmen wie «Love Parade», «Monte Carlo» und am New Yorker Broadway in Musicals wie «Naughty Marietta», «Rose-Marie», «Maytime», «Sweethearts» und «New Moon». Sie strebte jedoch eine Karriere als seriöse Sängerin an und unternahm 1938 eine erfolgreiche Coast-to-Coast-Konzerttournee. Ihre Schallplatten erschienen seit 1929 unter dem Etikett von Victor, seit 1930 auch RCA-Platten.

Macdonald, Kenneth; Schallplatten: RCA («Salome» von R. Strauss).

Macdonough, Harry, * 30. 5. 1871 Hamilton (Ontario, Kanada). Gelegentlich trat er als Solist bei Kirchenkonzerten in Erscheinung, beschränkte sich sonst aber nur auf die Schallplatte.

Machotková, Marcela; Schülerin von A. Pěničková, Olga Borová-Valousková und Zdeněk Otava in Prag. 1964–65 am Opernhaus von Plzeň (Pilsen), seitdem am Nationaltheater Prag tätig.
Schallplatten: Supraphon (Messe in D-dur und weitere religiöse Werke von A. Dvořák, auf Ariola-Eurodisc übernommen).

Mackiewicz-Olgina, Olga, s. unter *Olgina,* Olga.

MacNeil, Cornell; zu Beginn seiner Karriere trat er am New Yorker Broadway in Musicals auf. Er debütierte für den Bereich der Oper als John Sorel in der Uraufführung von Menottis «The Consul» in Philadelphia (1. 3. 1950). 1953–55 sang er an der New York City Centre Opera (Antrittsrolle: Germontpère in «La Traviata»). 1955 hatte er große Erfolge an der Oper von San Francisco als Escamillo in

«Carmen», als Sharpless in «Madame Butterfly» und als Heerrufer im «Lohengrin», in der Saison 1958–59 an der Mailänder Scala als Carlo in Verdis «Ernani». 1959 begann er eine dreißigjährige, große Karriere an der Metropolitan Oper New York (in deren Haus in New York er bis 1987 bereits 26 Partien in 460 Vorstellungen gesungen hatte). Von den Partien, die er dort vorgetragen hat, seien noch der Amonasro in «Aida», der Germont-père in «La Traviata», der Jago im «Othello», der Graf Luna im «Troubadour», der Barnaba in «La Gioconda», der Tonio im «Bajazzo», der Alfio in «Cavalleria rusticana», der Scarpia in «Tosca», der Michele in Puccinis «Il Tabarro», der Giancotto in «Francesca da Rimini» von Zandonai und der Trinity Moses in «Aufstieg und Fall der Stadt Mahagonny» von K. Weill genannt. 1964 gastierte er an der Londoner Covent Garden Oper als Macbeth von Verdi, 1987 an der Oper von New Orleans als Jago im «Othello». 1969 wurde er zum Präsidenten der American Guild of Musical Artists gewählt. Sein Sohn *Walter Mac Neil* wurde als Operntenor bekannt.
Schallplatten: Melodram («Luisa Miller» von Verdi).

Macurdy, John; 1959 debütierte er an der Oper von Chicago als Dr. Wilson in «Street Scene» von Kurt Weill. An der Metropolitan Oper New York sang er als Antrittsrolle 1962 den Sam in Verdis «Ballo in maschera» und trat dort (bis 1987) in 50 verschiedenen Partien und in insgesamt 650 Vorstellungen auf. Er wirkte dort in den Uraufführungen der Opern «Anthony and Cleopatra» (16. 9. 1966 zur Eröffnung des neuen Hauses im Lincoln Centre als Agrippa) und «Mourning Becomes Electra» von Levy (17. 3. 1967 als Ezra Mannon) mit. Von den vielen Partien, die er an diesem Haus gesungen hat, sind der Commendatore im «Don Giovanni», der Sarastro in der «Zauberflöte», der Rocco in «Fidelio», der Crespel in «Hoffmanns Erzählungen», der Fasolt im «Rheingold» (1987) und der König Heinrich im «Lohengrin» hervorzuheben. Er gastierte 1974 an der Mailänder Scala als Pizarro im «Fidelio», 1973 an der Grand Opéra Paris und 1976 bei den Festspielen von Aix-en-Provence als König Arkel in «Pelléas et Mélisande». 1986 übernahm er an der Oper von Seattle den Hunding und den Hagen im Nibelungenring.

Madeira, Jean; sie debütierte 1948 an der Metropolitan Oper New York und blieb deren Mitglied bis 1971. In dieser langen Zeit ist sie (in deren New Yorker Haus) in etwa 300 Vorstellungen in Erscheinung getreten, wobei unter den 41 Partien, die sie zum Vortrag brachte, sie ihre größten Erfolge als Carmen, als Klytämnestra in «Elektra» von R. Strauss und als Erda im Ring-Zyklus hatte. Bei den Salzburger Festspielen war sie auch 1955 als Silla in «Palestrina» von H. Pfitzner zu hören.

Madin, Viktor; er wirkte an der Wiener Hofoper am 4. 10. 1916 in der Uraufführung der Zweitfassung der Richard Strauss-Oper «Ariadne auf Naxos» mit. Am 20. 1. 1934 sang er an der Wiener Staatsoper in der Uraufführung der Lehár-Operette «Giuditta».

Madsen, Maria Madlen, † 23. 3. 1990 Frankfurt a. M.; in den sechziger Jahren trat sie auch als Schauspielerin in Frankfurt auf.

Maggi, Giuseppe, * 1865 (?) Alessandria; 1892 ist er am Teatro Grande Brescia als Titelheld in Verdis «Simon Boccanegra» aufgetreten, 1894 am Teatro Dal Verme Mailand als Rigoletto. 1900 gastierte er erneut in Brescia, jetzt als Telramund im «Lohengrin»; auch in Bukarest gastweise aufgetreten. 1913 sang er am Theater seiner Geburtsstadt Alessandria in der Oper «Andrea del Sarto» von Baravalle. Seit 1900 war er mit der englischen Sängerin *Gladys Dode* verheiratet.

Magini-Coletti, Antonio; er erhielt seine Ausbildung in Rom. Er debütierte 1880 (oder nach anderen Quellen 1882) am Teatro Costanzi Rom als Valentin im «Faust» von Gounod. 1887–89 und 1900–1903 war er an der Mailänder Scala engagiert; große Erfolge hatte er bei zahlreichen Auftritten am Teatro Costanzi Rom. An der Metropolitan Oper New York sang er während der Saison 1891–92 als Antrittsrolle den Capoulet in «Roméo et Juliette» von Gounod, dann den Nevers in den «Hugenotten» von Meyerbeer, den Telramund im «Lohengrin», den Pizarro im «Fidelio», den Amonasro in «Aida», den Grafen Luna im «Troubadour», den Alfio in «Cavalleria rusticana» und den Escamillo in «Carmen» (insgesamt 18 Vorstellungen).

Magliulo, Elvira; sie sang bereits in der Saison 1901–02 an der Mailänder Scala eine der Walküren in der «Walküre» und die Berta in «Euryanthe» von Weber. Am Teatro Massimo Palermo sang sie in der Uraufführung der Oper «Sperduti nel Buio» von Stefano Donaudy als Partnerin von Fiorello Giraud (1907). 1910 Gastspiel am Teatro Colón Buenos Aires als Brünnhilde in der «Walküre». 1920 hörte man sie am Teatro Donizetti Bergamo als Charlotte in Massenets «Werther».
Schallplatten: 1906–07 erschien auf Zonophone die erste komplette Aufnahme von Verdis «Aida». Dabei alternierten Teresa Chelotti und Elvira Magliulo in der Titelpartie.

Mahlknecht, Marie, † 10. 1. 1931 Leipzig.

Maier, Friedrich Sebastian, s. unter *Mayer,* Friedrich Sebastian.

Maikl, Georg; er wirkte am 20. 1. 1934 an der Wiener Staatsoper in der Uraufführung der Operette «Giuditta» von F. Lehár mit.

Maikl, Lieselotte; Schallplatten: Decca («Salome» von R. Strauss).

Mailhac, Pauline; sie sang 1891–94 bei den Festspielen von Bayreuth Partien wie die Venus im «Tannhäuser» und die Kundry im «Parsifal». 1889 wirkte sie am Hoftheater von Karlsruhe in der deutschen Erstaufführung der Oper «Gwendoline» von Emanuel Chabrier in der Titelpartie mit.

Maislerová-Saková, Ema, s. unter *Saková,* Ema.

Maison, René, * 24. 11. 1895 Frameries in der belgischen Provinz Hainaut. Nach seinem Debüt 1920 am Grand Théâtre in Genf sang er in Rennes, Gent, Toulouse und Bordeaux, dann an der Oper von Monte Carlo, an der er immer wieder als Gast in Erscheinung trat. 1927–31 war er an der Oper von Chicago engagiert, 1931 und 1936 trat er als Gast an der Covent Garden Oper London auf. Im New Yorker Haus der Metropolitan Oper sang er in den Jahren 1936–43 14 Partien in 84 Vorstellungen. Seit 1957 wirkte er als Pädagoge an der Chalof School in Boston.
Schallplatten: Melodram (vollständige «Lohengrin»-Aufnahme von 1936).

Majkut, Erich; er gehörte 1929–44 dem Chor der Wiener Staatsoper an. Bei den Festspielen von Salzburg sang er in den Uraufführungen der Opern «Romeo und Julia» von Boris Blacher (9. 8. 1950) und «Der Prozeß» von Gottfried von Einem (17. 8. 1953).

Makarowa, Eugenia, s. unter *Bronskaja,* Eugenia.

Malagù, Stefania, † 16. 1. 1989; bis 1980 ist sie immer wieder an der Mailänder Scala aufgetreten, wo sie 1956 als Käthchen in Massenets «Werther» debütiert hatte. Beim Wexford Festival sang sie 1965 den Ramiro in «La finta giardiniera» von Mozart. Gegen Ende ihrer Karriere verlegte sie sich auf den Vortrag von Buffo- und Charakterpartien, 1974 stellte sie in dem Ponnelle-Film «Il Barbiere di Siviglia» die Berta dar.
Schallplatten: DGG («Barbier von Sevilla», «Macbeth» von Verdi), Replica («Iphigenie auf Tauris» von Gluck, Scala 1957), Melodram («Fra Diavolo» von Auber).

Malaniuk, Ira; seit 1952 sang sie in München Partien wie den Titelhelden im «Orpheus» von Gluck (in einer Inszenierung durch Wieland Wagner), die Lady Macbeth in Verdis «Macbeth» und die Judith in «Herzog Blaubarts Burg» von B. Bartók, dazu dort wie in Wien viele andere Rollen aus dem Standardrepertoire. Sie gastierte an der Mailänder Scala in den Aufführungen des Ring-Zyklus unter W. Furtwängler (1950), an der Covent Garden Oper London (Adelaide in «Arabella» von R. Strauss, 1965), an der Oper von Monte Carlo (1955 Marina im «Boris Godunow» mit Nicola Rossi-Lemeni in der Titelrolle).
Schallplatten: Philips (Mozart-Requiem), Melodram («Walküre», Bayreuth 1952), Cetra Opera Live (Brangäne im «Tristan», Bayreuth 1952).

Malas, Spiro; 1959 sang er an der Oper von Baltimore den Marco in Puccinis «Gianni Schicchi». 1961 kam es zu seinem ersten Auftreten an der City Centre Opera New York (als Spinellocchio in «Gianni Schicchi»). 1965–66 begleitete er die große Primadonna Joan Sutherland auf einer Australien-Tournee. 1983 debütierte er an der Metropolitan

Oper New York als Sulpice in «La fille du régiment» von Donizetti. In den folgenden Jahren übernahm er an diesem Haus Partien wie den Sakristan in Puccinis «Tosca», den Zuniga in «Carmen», den Bartolo in «Figaros Hochzeit» und den Frank in der «Fledermaus». Er ist auch bei den Festspielen von Salzburg als Gast aufgetreten.

Malaspina, Giampiero; Ausbildung an der Accademia di Santa Cecilia Rom, Debüt 1944 in Mailand als Marcello in Puccinis «La Bohème». 1951 und 1953 sang er bei den Festspielen in der Arena von Verona den Amonasro in «Aida», 1953 auch den Grafen Luna im «Troubadour». 1952 gastierte er an der Mailänder Scala als Alfio in «Cavalleria rusticana», 1959–60 in den Opern «Francesca da Rimini» von Zandonai und «Fedra» von Pizzetti. 1952 hörte man ihn in Florenz in der Titelrolle der Oper «Don Chisciotte» von Vito Frazzi in deren Uraufführung. Er wirkte in einer Anzahl weiterer Opern-Uraufführungen mit: 1951 an der Oper von Rom in «Ecuba» von Rigacci, 1958 in Bologna in «L'Isola del tesoro» von Tosatti, 1961 an der Mailänder Scala in «Il Calzare d' argento» von Pizzetti. 1951 Gastspiel an der Staatsoper von Wien als Amonasro in «Aida». 1953 sang er am Teatro Petruzzelli von Bari den Wotan in der «Walküre».

Malatesta, Pompilio; er sang u. a. am Teatro Costanzi Rom (1910) und am Teatro Fenice Venedig (1915), bevor er 1915 an die Metropolitan Oper New York kam. Dort sang er auch am 14. 12. 1918 in der Uraufführung von Puccinis «Gianni Schicchi»; seine größten Erfolge hatte er an der Metropolitan Oper im Laufe seiner langen Karriere als Bartolo im «Barbier von Sevilla», der allgemein als seine beste Kreation galt. 1928–29 hörte man ihn an der Oper von San Francisco.
Schallplatten: HMV (zwei Duette mit Antonio Pini-Corsi von 1902).

Malchenko, Wladimir (Afanasjewitsch); Schallplatten: Melodiya (Lied-Aufnahmen).

Maleschi, Giorgio, * 1876 Palermo, † 1908 Florenz.

Malewicz-Madey, Anna; Schallplatten: Muza (Sinfonie G-Dur von O. Respighi).

Malfitano, Catherine; erste Ausbildung durch ihren Vater, den Pädagogen Joseph Malfitano, der Violinist im Orchester der New Yorker Metropolitan Oper war. 1974–79 hatte sie ihre ersten Erfolge an der New York City Centre Opera, an der sie als Mimi in «La Bohème» debütierte. 1979 folgte sie einem Ruf an die Metropolitan Oper New York (Antrittsrolle: Gretel in «Hänsel und Gretel»). Sie sang an diesem Haus in der Folgezeit u. a. die Konstanze in der «Entführung aus dem Serail», die Traviata, die Juliette in «Roméo et Juliette» von Gounod, die Micaela in «Carmen» und die Manon von Massenet. 1976 gastierte sie bei den Salzburger Festspielen als Servilia in «La clemenza di Tito» von Mozart, 1982 an der Wiener Staatsoper als Traviata,

1985 am Grand Théâtre Genf als Fiorilla in «Il Turco in Italia» von Rossini. An der Deutschen Oper Berlin hörte man sie 1987 als Butterfly, an der Opéra-Comique Paris 1988 als Thaïs in Massenets gleichnamiger Oper, an der Münchner Staatsoper als Titelfigur in «Daphne» von R. Strauss (1988), an der Covent Garden Oper London als Butterfly (1988). In Genf gastierte sie 1989 als Manon von Massenet und in Monteverdis «Incoronazione di Poppea».
Schallplatten: CBS («L'Incoronazione di Poppea»), DGG («La clemenza di Tito»).

Malibran, Maria-Felicia; sie heiratete 1826 den französischen Kaufmann François-Eugène Malibran.

Malipiero, Giovanni, * 21. 4. 1906 Padua. Als erste Partie sang er an der Oper von Rom 1935 den Lindoro in Rossinis «Italiana in Algeri». 1936 hörte man ihn am Teatro Regio Parma als Edgardo in «Lucia di Lammermoor», im italienischen Rundfunk EIAR sang er den Cavaradossi in «Tosca» zusammen mit Giuseppina Cobelli und Carlo Tagliabue. In der Saison 1936–37 erschien er dann erstmalig an der Mailänder Scala in «La Cenerentola» von Rossini. 1938 sang er dort den Jean in Massenets «Le Jongleur de Notre Dame», eine Partie, in der er nochmals 1948 am Teatro Fenice Venedig große Erfolge erzielte. 1949 gastierte er an der Scala in «Le pauvre matelot» von Darius Milhaud. Gegen Ende seiner Karriere sang er 1955 an der Oper von Rom den Beppe im «Bajazzo», 1961 in Bologna den Malatestino in Zandonais «Francesca da Rimini». 1962 trat er letztmalig in Neapel auf.

Maliponte, Adriana; sie studierte zuerst in Mulhouse (Elsaß), dann am Conservatoire de Paris. 1958 debütierte sie am Teato Nuovo Mailand als Mimi in Puccinis «La Bohème», 1962 an der Grand Opéra Paris als Micaela in «Carmen». An der Opéra-Comique Paris wirkte sie in der Uraufführung von Menottis «The Last Savage» in der Partie der Sardula mit (21. 10. 1962). 1977 Gastspiel an der Covent Garden Oper London als Nedda im «Bajazzo». 1985 großer Erfolg an der Metropolitan Oper New York, an der sie seit den siebziger Jahren nicht mehr aufgetreten war, als Alice Ford im «Falstaff» von Verdi. 1987 sang sie beim Festival von Bergamo die Titelrolle in Donizettis «Gemma di Vergy».

Malkin, Beate; sie sang bereits 1918–19 als Gast am Opernhaus von Riga. 1920–22 war sie am Nationaltheater Mannheim engagiert, 1924 Auftreten an der (kurzlebigen) Berliner Großen Volksoper. 1931 Gastspiel an der Staatsoper Wien.

Mallabrera, André; Schallplatten: HMV (Nathanael in «Hoffmanns Erzählungen»).

Mallinger, Mathilde; zu ihren Glanzrollen zählten die Donna Anna im «Don Giovanni», die Pamina in der «Zauberflöte», die Leonore im «Fidelio», die Agathe im «Freischütz» und die Sieglinde in der «Walküre». 1870 sang sie die Elsa in der Berliner «Lohengrin»-Premiere. Von ihren Schülerinnen sind noch Florence Wickham und Henny Trundt zu nennen.

Malm, Henning; 1901 kreierte er für Schweden den Froh in der Stockholmer Erstaufführung des «Rheingolds».

Malmborg, Gunilla af; Schallplatten: Swedish Society (4. Sinfonie von Hugo Alfvén).

Malone, Carol; 1988 sang sie an der Deutschen Oper Berlin die Zerline im «Don Giovanni».
Schallplatten: Philips (Clorinda in «La Cenerentola»).

Malta, Alexander; 1976 USA-Debüt an der Oper von San Francisco; gastierte dort wie an den Opern von Chicago («Ariadne auf Naxos») und Seattle (Osmin in der «Entführung aus dem Serail»), beim Maggio musicale Florenz (Fasolt, Landgraf), an der Staatsoper Hamburg (Golo, Osmin, vier Dämonen in «Hoffmann Erzählungen»), an der Grand Opéra Paris («La Bohème», «Fledermaus»), an der Deutschen Oper Berlin (Mephisto im «Faust» von Gounod, Rocco im «Fidelio», Falstaff in «Die lustigen Weiber von Windsor» von Nicolai), an der Münchner Staatsoper («Mosè» von Rossini, «Adriana Lecouvreur» von Cilea) und bei den Salzburger Festspielen («Carmen», «Don Giovanni»). 1988 sang er am Théâtre de la Monnaie Brüssel, an dem er 1979 erstmals aufgetreten war, in Aufführungen von A. Bergs «Lulu», bei den Salzburger Festspielen den Masetto im «Don Giovanni». An der Mailänder Scala gastierte er in «Ariodante» von Händel, an der Oper von Rom als Orest in «Elektra» von R. Strauss.
Schallplatten: Ariola-Eurodisc («Verkaufte Braut»), DGG («Carmen»), CBS («Schwanda der Dudelsackpfeifer» von J. Weinberger), Orfeo («La Bohème» von Leoncavallo), Vice («Alessandro Stradella» von Flotow).

Malten, Therese; 1884 zu Gast an der Hofoper von Wien, 1887 glanzvolle Konzerte in Amsterdam, 1889 bereiste sie mit Angelo Neumanns wanderndem Wagner-Theater Rußland. Im November 1905 sang sie letztmalig an der Dresdner Hofoper die Isolde.

Manacchini, Giuseppe; 1934 wirkte er bei einem Konzert im Rahmen der Salzburger Festspiele mit. An der Oper von Rom sang er am 22. 1. 1936 in der Uraufführung von Alfanos Oper «Cyrano de Bergérac». Seit 1938 war er an der Mailänder Scala zu hören, u. a. als de Siriex in «Fedora» von Giordano.
Schallplatten: Cetra («Orfeo» von Monteverdi, 1939).

Manca-Serra, Antonio; seit etwa 1950 war er an italienischen Theatern tätig, so 1950 am Teatro Comunale Treviso.

Manceau, Jeanne. Sie ist an der Grand Opéra Paris in zahlreichen Partien aufgetreten und wirkte dort am 24. 4. 1931 in der Uraufführung der Oper «Guercoeur» von Albéric Magnard mit.

Manchet, Eliane; Schallplatten: TIS («Pelléas et Mélisande» von Debussy), RAI («Louise» von Charpentier).

Mancini, Giovanni Battista; er studierte Gesang bei dem Pädagogen Bernacchi in Bologna.

Mandac, Evelyn, * 16. 8. 1945 Malaybalay auf Mindanao. Sie sang bereits 1968 in Mobile (Alabama) in C. Orffs «Carmina Burana». 1969 Tournee mit dem Juilliard-Streichquartett als Solistin im 2. Quartett von Schönberg. Debüt an der Metropolitan Oper New York 1975 als Lauretta in «Gianni Schicchi» von Puccini. 1977 übernahm sie im amerikanischen Fernsehen die Rolle der Lisa in «Pique Dame» von Tschaikowsky.
Schallplatten: Morgan (Inez in «L'Africaine» von Meyerbeer).

Mandini, Paolo; 1784 ist er am Hof des Fürsten Esterházy zu finden, wo er in der Uraufführung der Oper «Armida» von Joseph Haydn auf Schloß Esterház mitwirkte (26. 2. 1784).

Mandini, Stefano; (er nahm nicht 1792 an der Wiener Uraufführung von Cimarosas «Matrimonio segreto» teil).

Manfrini, Luigi; er sang am 4. 8. 1914 am Teatro Colón Buenos Aires in der Uraufführung der Oper «El Sueño de Alma» von Carlos Lopez Buchardo, ebenfalls 1914 den Titurel in der Premiere des «Parsifal». 1920 Gastspiel bei den Festspielen in der Arena von Verona als Ramphis in «Aida». An der Covent Garden Oper London sang er 1928–29 den Oroveso in Bellinis «Norma» mit Rosa Ponselle in der Titelrolle.

Mangelsdorff, Simone; sie begann ihre Bühnenkarriere 1960 am Landestheater von Coburg, wo sie als Titelheldin in «Rusalka» von Dvořák debütierte und bis 1962 im Engagement blieb. Über das Stadttheater von Basel und das Opernhaus von Nürnberg kam sie 1965 an die Oper von Köln. Gastspiele an den Staatsopern von Hamburg und München, am Staatstheater Hannover, an der Niederländischen Oper Amsterdam, in Kopenhagen, Venedig und Marseille. Verheiratet mit dem Jazzmusiker Emil Mangelsdorff.

Mangin, Noël, * 31. 12. 1932 Wellington (Neuseeland). 1958–60 war er bei der New Zealand Opera Company engagiert, bis 1961 bei der Australia Elizabethan Company. Seit 1963 trat er erfolgreich bei der Sadler's Wells Opera London auf, u. a. 1968 als Pogner in den «Meistersingern». Am Teatro Colón Buenos Aires gastierte er 1987 als Osmin in der «Entführung aus dem Serail».

Mann, Joseph; er studierte Rechtswissenschaften und promovierte zum Dr. jur. Er debütierte bei einer Amateurtruppe als Bassist in der Oper «Verbum nobile» von Moniuszko. Seine Stimme wandelte sich jedoch bald zum Tenor, und es kam zu einem zweiten Debüt 1909 in Lwów (Lemberg) als Jontek in Moniuszkos «Halka». Er blieb bis 1911 am Opernhaus von Lemberg tätig und war dann 1912–15 an der Wiener Volksoper engagiert. 1915–17 Mitglied des Hoftheaters Darmstadt. Hier sang er am 15. 10. 1916 in der Uraufführung der Oper «Das Höllisch Gold» von Julius Bittner die Partie des Teufels. 1918 wurde er an die Berliner Staatsoper berufen. (Wie man annahm, sollte er an der Metropolitan Oper den gerade verstorbenen großen Tenor Enrico Caruso ersetzen, was dann durch seinen eigenen plötzlichen Tod verhindert wurde).

Manna, Valeria; zu ihren Schülern gehörte der bekannte Tenor Gianni Poggi.

Mannarini, Ida; 1924–31 war sie ständig an der Mailänder Scala anzutreffen; hier wirkte sie in der Uraufführung der Oper «Sly» von E. Wolf-Ferrari am 29. 12. 1927 mit. 1923 und 1933 gastierte sie bei den Festspielen in der Arena von Verona. Ihre große Partie war die Suzuki in Puccinis «Madame Butterfly».

Manners, Charles, † 3. 5. 1935 Dundrum bei Dublin. Gesangstudium an der Royal Academy of Music London bei William Shakespeare.

Manowarda, Josef von; er sang bei den Bayreuther Festspielen Partien wie den Daland im «Fliegenden Holländer», den Pogner in den «Meistersingern», den Marke im «Tristan», den Gurnemanz im «Parsifal» und den Hagen in der «Götterdämmerung».

Manski, Dorothea, † 24. 2. 1967 Atlanta City (Georgia). Sie trat an der Metropolitan Oper New York in der langen Zeit von 1927 bis 1941 in kleineren Sopran- wie Mezzosopranrollen auf, hatte aber auch als Elsa im «Lohengrin», als Venus im «Tannhäuser», als Chrysothemis in «Elektra» von E. Strauss, als Herodias in dessen «Salome», als Giulietta in «Hoffmanns Erzählungen» und als Marianne Leitmetzerin im «Rosenkavalier» dort ihre Erfolge. Ihre große Partie blieb jedoch die Hexe in «Hänsel und Gretel». 1930, 1935 und 1936 war sie an der Oper von San Francisco zu Gast, 1938 am Opernhaus von Chicago.

Mansueto, Gaudio, s. unter *Gaudio,* Mansueto.

Mantelli, Eugenia; sie studierte am Konservatorium von Mailand Gesang und Klavierspiel und erwarb 1877 in beiden Kategorien ihr Diplom. Bereits 1883 gastierte sie in Italien, wo sie u. a. in Treviso als Kaled in «Le Roi de Lahore» von Massenet auftrat. In Buenos Aires trat sie 1889 zusammen mit Mattia Battistini auf. An der Metropolitan Oper New York debütierte sie 1894 als Amneris in «Aida» und sang dort bis 1900 Partien wie die Azucena im «Troubadour», die Emilia in Verdis «Othello», die Ortrud im «Lohengrin», die Maddalena im «Rigoletto», die

Lola in «Cavalleria rusticana», die Fides im «Propheten» von Meyerbeer, die Leonora in Donizettis «La Favorita», die Nancy in Flotows «Martha», die Königin im «Hamlet» von A. Thomas, die Königin Guinevere in «Elaine» von Herman Bemberg (Premiere 1894) und die Dalila in «Samson et Dalila» (eine weitere Metropolitan-Premiere 1895). Sie nahm an einer USA-Tournee mit der Grand Opera Company (unter der Leitung von Pietro Mascagni) teil und gastierte 1908 am Teatro Politeama Genua als Carmen.

Mantius, Eduard; 1837 erregte er in der Berliner Erstaufführung von Adolphe Adams «Le Postillon de Lonjumeau» in der Bravourpartie des Chapelou größte Bewunderung. Er war u. a. der Lehrer der Sopranistin Antonie Mielke und des Tenors Benno Stolzenberg.

Mantler, Ludwig; in Frankfurt a. M. sang er 1899 in der deutschen Erstaufführung von Mascagnis Oper «Iris» die Partie des Kyoto. In zweiter Ehe verheiratet mit der Sopranistin *Drusilla Mantler* († 6. 4. 1909 Berlin).
Schallplatten: Edison-Zylinder (um 1910), Orchestrola-Platten.

Manuguerra, Matteo; Schüler von Umberto Landi in Buenos Aires. Er debütierte in Argentinien 1959, inzwischen bereits 35 Jahre alt geworden. 1965 sang er als erste Partie an der Grand Opéra Paris den Rigoletto. Sein Nordamerika-Debüt fand 1968 an der Oper von Seattle als Gérard in «Andrea Chénier» von Giordano statt. An der Metropolitan Oper sang er seit 1971 während einer Reihe von Spielzeiten den Amonasro in «Aida», den Carlo in Verdis «La forza del destino», den Alfio in «Cavalleria rusticana» und andere Partien aus dem italienischen Repertoire. In der Spielzeit 1982–83 hörte man ihn dort als Barnaba in «La Gioconda» von Ponchielli. 1987 am Staatstheater Hannover als Carlos in «La forza del destino» zu Gast.
Schallplatten: RCA («Francesca da Rimini» von Zandonai).

Manuritta, Giovanni; Schallplatten: Auf Pathé existiert eine Aufnahme des «Rigoletto»-Quartetts, die auf dem Etikett lediglich als «Milan Grand Opera» bezeichnet wird. Die Sänger sind als Anna Sassone-Soster, Lina Lanza, Giovanni Manuritta und Gino Lussardi identifiziert worden.

Mara, Gertrud Elisabeth; ihre Stimme wurde eigentlich entdeckt, als sie 1759 in London, gerade zehn Jahre alt, unter dem Namen Betty Smeling auftrat. Bei der Leipziger Messe des Jahres 1767 machte die Kurfürstinmutter Maria Antonia Walpurgis von Sachsen, selbst hoch musikalisch gebildet und als Komponistin angesehen, die Bekanntschaft der Künstlerin und vermittelte ein Engagement an der Hofoper von Dresden. Wahrscheinlich erteilte sie ihr auch weiteren Unterricht. 1774 gab sie in London zwölf Konzerte für die (damals enorme) Summe von 1100 Pfund; 1776 sang sie vor dem russischen Großfürsten (und späteren Zaren) Paul in Berlin, der ihr die Grüße seiner Mutter, der Zarin Katharina II., überbrachte. 1805 sang sie dann in St. Petersburg vor dem Zaren Alexander I., der sie sehr verehrte. Ihr Landsitz bei Moskau wurde 1812 durch Brand völlig zerstört. Ihr schriftlicher Nachlaß, darunter eine (handschriftliche) Autobiographie, wird in Tallinn (Reval) aufbewahrt.

Mařák, Ottokar; 1903 sollte er durch Gustav Mahler an die Wiener Hofoper engagiert werden, doch kam dieses Engagement nicht zustande, und er blieb in Prag. Als sein Prager Direktor Hans Gregor 1906 die Leitung der Berliner Volksoper übernahm, folgte er ihm an dieses Haus (die Uraufführung der Oper «Der Schmuck der Madonna» fand nicht dort, sondern an der Kurfürsten-Oper Berlin statt; Ottokar Mařák war daran nicht beteiligt). Am 13. 4. 1912 sang er in der Hamburger Uraufführung von Ferruccio Busonis Oper «Die Brautwahl». In der Londoner Premiere der Richard Strauss-Oper «Ariadne auf Naxos» 1913 sang er den Bacchus.
Schallplatten: HMV (vor 1914), Ultraphon (Prag, um 1924), Polydor (deutsche Aufnahmen, zum Teil unter dem Namen Otto Mascha).

Marcel, Lucille, * 1877 New York; 1911 heiratete sie den Dirigenten Felix von Weingartner (1863–1942). Ihr USA-Debüt kam im Februar 1911 an der Oper von Boston als Tosca zustande. 1914 Gastspiel am Théâtre des Champs-Élysées Paris als Desdemona in Verdis «Othello» und als Eva in den «Meistersingern».
Schallplatten: Unter ihren HMV-Aufnahmen befindet sich auch ein Lied ihres Gatten Felix von Weingartner.

Marcelin, Émile; 1908 nahm er an dem Musica-Gesangwettbewerb für Amateursänger in Frankreich teil, der zur Entdeckung von Paul Franz führte (obwohl dieser nur zweiter Preisträger wurde). Émile Marcelin konnte dabei zwar keinen Preis gewinnen, ließ aber darauf seine Stimme ausbilden. Am 9. 1. 1919 sang er an der Opéra-Comique den Werther in der 500. Aufführung von Massenets Oper.

Marchesi, Blanche; studierte anfänglich Violinspiel, wurde dann aber durch ihre Mutter zur Sängerin ausgebildet. (Diese hatte ihr ursprünglich von einer Sängerlaufbahn abgeraten). Sie half dieser dann als Assistentin. Erst im Alter von 32 Jahren debütierte sie 1895 in Berlin, danach in Brüssel, als Konzertsängerin. 1902 gastierte sie an der Covent Garden Oper London als Elisabeth im «Tannhäuser», als Elsa im «Lohengrin» und als Isolde im «Tristan». Königin Victoria von England zeichnete sie mit der Diamond Commemoration Medal und mit dem Victoria House Order aus. Als gefeierte Konzertsängerin bereiste sie England, Deutschland, Frankreich und Nordamerika. Zu ihren Schülerinnen gehörte die schwedische Wagnersängerin Ellen Gulbranson, über die es zu Differenzen mit ihrer Mutter kam (die deren Stimme für einen Alt hielt, während Blanche

Marchesi sie zu einem dramatischen Sopran ausbildete). Weitere Schülerinnen waren Muriel Brunskill, Phyllis Archibald, Blanche Tomlin und Joy Mc Arden. Nach dem Ersten Weltkrieg unterrichtete sie in Paris, kam aber 1930 wieder nach London zurück.
Schallplatten: Unter den HMV-Aufnahmen, die 1936 in London entstanden, finden sich Didos Klage aus «Dido and Aeneas» von Purcell, eine Arie aus Händels «Heracles» und sechs Lieder, darunter «Nun wandre Maria» von Hugo Wolf und «Mariä Wiegenlied» von Max Reger.

Marchesi, Luigi (Lodovico); während seiner Ausbildung sang er bereits in Mailand im Chor der dortigen Kathedrale. Der englische Kritiker Mount Edgcumbe schreibt über ihn: «... incomparable in recitative and scenes of energy and passion ... had he been less lavish of ornaments, which were not always appropriate, and possesive of a more pure and simple taste, his performance would have been faultless.»

Marchesi, Mathilde, * 24. 3. 1821 Frankfurt a. M.; 1844 trat sie erstmalig in Frankfurt a. M. als Konzertsolistin auf. Zu ihren zahlreichen Schülerinnen gehörten auch Estelle Liebling, Jane Osborn-Hannah und Miriam Licette.

Marchesi, Salvatore, Cavaliere di Castrone; erste Ausbildung durch Maestro Raimondi in Palermo. Er gastierte 1852 an der Londoner Covent Garden Oper als Leporello im «Don Giovanni» und als Mephisto in der englischen Premiere der Oper «Faust» von Louis Spohr (4. 4. 1852, zugleich eine völlige Neu-Bearbeitung des 1816 uraufgeführten Werks).

Marchetti-Fantozzi, Maria; auch als Konzertsängerin stand sie in hohem Ansehen. So sang sie noch 1803 am Mecklenburgischen Hof in Schwerin in einem Hofkonzert eine Mozart-Arie.

Marchisio, Barbara; ihr Vater war Besitzer einer Klavierfabrik in Turin. Gesangstudium bei Luigi Fabbrica in Turin. 1861 sangen die beiden Schwestern Marchisio auch in Antwerpen und Gent. Barbara Marchisio lebte später als Pädagogin in ihrer Villa in Mira bei Venedig.

Marchisio, Carlotta; sie wurde auch durch die Pädagogen Marchionni und Fabbrica in Turin ausgebildet. 1859–60 trat sie zusammen mit ihrer Schwester *Barbara Marchisio* am Teatro Regio Parma auf. Das Ende der großen Sängerin gestaltete sich tragisch. Im Juni 1877 starb ihr Sohn Gioacchino im Alter von neun Jahren, zehn Tage später sie selbst bei der Geburt ihrer Tochter.

Marconi, Francesco; an der Mailänder Scala hörte man ihn als Enzo in «La Gioconda» von Ponchielli, als Faust von Gounod und in «Mefistofele» von Boito (1881), als Arturo in Bellinis «I Puritani» (1885, 1897) und als Raoul in den «Hugenotten» von

Meyerbeer (1899). 1883 gastierte er während einer einzigen Saison an der Covent Garden Oper London als Enzo, als Faust von Gounod, als Arturo in «I Puritani», als Alfredo in «La Traviata», als Radames in «Aida» und als Faust in Boitos «Mefistofele». Sehr beliebt war er auch in Südamerika.

Marcoux, Vanni; der Vater des Sängers besaß in Turin ein Café. 1900 sang er am Teatro Carignano seiner Geburtsstadt Turin den Colline in Puccinis «La Bohème». Große Erfolge an der Covent Garden Oper London in den Jahren 1905–14 als Basilio im «Barbier von Sevilla» und als Arkel in «Pelléas et Mélisande». 1937 hörte man ihn an diesem Haus als Golo in der letztgenannten Oper. Eine seiner großen Kreationen war der Don Giovanni, eine weitere der Titelheld in «Don Quichotte» von Massenet.

Marcucci, Maria; an der Mailänder Scala sang sie auch die Mercedes in «Carmen», die Javotte in «Manon» von Massenet und die Maddalena im «Rigoletto» (1940 unter Pietro Mascagnis Leitung). 1935 wirkte sie bei Radio Turin (RAI) in einer Sendung der Oper «Primavera fiorentina» von Arrigo Pedrollo mit.

Mardones, José; er war zuerst Chorsänger im Chor der Kathedrale von Palencia. Am Konservatorium von Madrid wurde er bald als «völlig unbegabt» abgewiesen und bildete sich großenteils autodidaktisch aus. Wahrscheinlich trat er zuerst in Madrid als Oratoriensänger auf. 1891 kam es dann in Südamerika zu seinen ersten Bühnenauftritten. 1909–10 und wieder 1913–16 sang er an der Oper von Boston, u. a. mit großem Erfolg den Titelhelden in «Mefistofele» von Boito. 1916–17 unternahm er zusammen mit Max Rabinoffs Boston National Opera Company eine große Nordamerika-Tournee, bei der er als Mefistofele wie als Archibaldo in Montemezzis «Amore dei tre Re» zu aufsehenerregenden Erfolgen kam. 1917–26 war er Mitglied der Metropolitan Oper New York (Antrittsrolle: Ramphis in «Aida»). Insgesamt war er an der Metropolitan Oper während neun Spieljahren in 264 Vorstellungen von 21 Partien (ohne die alljährlichen Gastspielauftritte des Ensembles) zu hören, darunter als Sparafucile im «Rigoletto», als Basilio im «Barbier von Sevilla», als Titelheld in «Mefistofele» von Boito, als Raimondo in «Lucia di Lammermoor», als Pater Guardian in Verdis «La forza del destino» und als Alvise in «La Gioconda» von Ponchielli, den er 1926 als letzte Partie dort sang. 1920 Gastspiel am Opernhaus von Havanna. Nach seinem Abschied von der Metropolitan Oper setzte er noch für einige Jahre seine Bühnen- und Konzertkarriere in seiner spanischen Heimat fort. Neben dem unerschöpflichen Volumen seiner Stimme wurde seine ausgefeilte Gesangtechnik immer wieder bewundert.
Schallplatten: Columbia (1910–14 und 1923–25 akustische Aufnahmen aus den USA, später spanische Aufnahmen in elektrischer Aufnahmetechnik, darunter die vollständige Zarzuela «Marina» von Emilio Arrieta mit Mercedes Capsir und Hipolito Lázara), Victor (1923–24).

Maréchal, Adolphe; debütierte 1895 an der Opéra-Comique Paris als José in «Carmen». 1898 sang er dort den Gérald in «Lakmé» von Delibes als Partner von Emma Nevada. Jules Massenet schätzte seine Stimme besonders und übertrug ihm große Aufgaben in seinen Opern.

Marheineke, Regina; sie debütierte 1958 am Stadttheater von Regensburg und sang 1963–65 am Staatstheater von Oldenburg, 1965–67 am Opernhaus von Wuppertal. Sie gastierte an der Wiener Staatsoper und 1974 an der Grand Opéra Paris.

Marherr, Elfriede, * 1888 Laimbach bei Mansfeld in Sachsen. Während der langen Karriere an der Berliner Hof- (seit 1918 Staats)-Oper trat sie dort u. a. in den Premieren der Opern «La finta giardiniera» von Mozart (1917), «Notre Dame» von Franz Schmidt (1918 als Esmeralda), «Rappelkopf» von Leo Blech (1918), «Palestrina» von Hans Pfitzner (1919 als Silla) und «Ritter Blaubart» von E. N. von Reznicek (1920) auf. Sie sang dort Partien wie die Eva in den «Meistersingern», die Elisabeth im «Tannhäuser», die Butterfly, die Antonia in «Hoffmanns Erzählungen» und die Agathe im «Freischütz». Bis 1950 ist sie an der Berliner Staatsoper, zuletzt in kleineren Partien, aufgetreten.
Schallplatten: Polydor (sang in den dort publizierten Kurzopern u. a. die Agathe im «Freischütz» und die Anne in Nicolais «Lustigen Weibern von Windsor»), HMV (zweite Dame in vollständiger «Zauberflöte» unter Sir Thomas Beecham).

Mariani, Luciano, † 10. 6. 1859 Castell' Arquato bei Piacenza.

Mariategui, Suso; er sang 1987 am Teatro Liceo Barcelona in der spanischen Erstaufführung der Mozart-Oper «Lucio Silla».

Marié de l'Isle, Jeanne; sie wirkte am 24. 5. 1899 an der Opéra-Comique Paris in der Uraufführung der Oper «Cendrillon» von Massenet, am 2. 2. 1900 in der von Charpentiers «Louise» mit.

Marignan, Jane; sie debütierte 1895 an der Pariser Opéra-Comique in der Titelpartie der Oper «Galathée» von Victor Massé.

Marini, Luigi; 1916 sang er am Teatro Donizetti Bergamo den Cavaradossi, 1915 als Antrittsrolle an der Mailänder Scala den Enzo in «La Gioconda» von Ponchielli. 1922 übernahm er dort den Rinuccio in Puccinis «Gianni Schicchi» und den Hagenbach in «La Wally» von Catalani; 1924 und 1925 war er an der Scala als Andrea Chénier in Giordanos gleichnamiger Oper sehr erfolgreich.

Marinkovič, Alexander, † 17. 6. 1973 Cavtat bei Ragusa. Bis 1969 Mitglied der Nationaloper Belgrad.

Mario, Giovanni, * 17. 10. 1810 Cagliari (Sardinien). (Zu einer Heirat im juristischen Sinn ist es zwischen ihm und Giulia Grisi wohl nicht gekommen, da die berühmte Sängerin nicht die Ehescheidung von ihrem ersten Mann erreichen konnte). Während der Wintermonate gab er gern Gastspiele an der Hofoper St. Petersburg (1849–53, 1866–70), auch am Teatro Real Madrid (1859, 1864) und in New York (1854) war er zu Gast, konnte sich aber nicht zu offiziellen Auftritten in seiner italienischen Heimat entschließen. Am 7. 1. 1847 sang er das Tenorsolo in der Uraufführung des Stabat mater von Rossini am Théâtre-Italien in Paris.

Mario, Queena, † 28. 5. 1951 New York. 1922 sang sie als Antrittsrolle an der Metropolitan Oper New York die Micaela in «Carmen». Dort trat sie bis 1939 u. a. als Nedda im «Bajazzo», als Antonia in «Hoffmanns Erzählungen», als Marguerite im «Faust» von Gounod, als Juliette in dessen «Roméo et Juliette», als Gilda im «Rigoletto» und als Sophie im «Rosenkavalier» auf. In der ersten Radioübertragung einer Oper aus der Metropolitan Oper sang sie am 25. 12. 1931 die Gretel in «Hänsel und Gretel». Gastspiele an den Opern von Chicago und San Francisco (1923–32). 1938 wurde sie als Nachfolgerin von Marcella Sembrich Professorin am Curtis Institute in Philadelphia, dann an der Juilliard Music School New York.

Marion, Georg, * 4. 5. 1858 Burglengenfeld (Bayern), † 1. 6. 1935 Leipzig; eigentlicher Name Georg Meyer. 1881–82 sang er am Stadttheater von Stettin, 1881–1921 am Opernhaus von Leipzig (nur unterbrochen durch ein kurzes Engagement am Hoftheater von Hannover 1885), wo er auch seit 1902 als Regisseur tätig war. Gastspiele führten ihn an die Hofopern von Dresden, Berlin und Wien und an das Opernhaus von Frankfurt a. M.

Marischka, Hubert, Tenor (nicht Bariton, obwohl manchmal als solcher bezeichnet).

Marková, Jiřina; ihr umfassendes Bühnenrepertoire enthielt Partien in Opern von Mozart, Donizetti, Weber, Smetana, A. Dvořák, Janáček und vieler anderer, auch zeitgenössischer, Meister. Sie gastierte auch an Bühnen in Westdeutschland und Österreich. In der Gala-Aufführung zur Zweihundertjahrfeier der Prager Uraufführung des «Don Giovanni» sang sie 1987 die Zerline.

Markwort, Peter; an der Hamburger Staatsoper sang er auch in den Uraufführungen der Opern «Schwarzer Peter» (1936) von Norbert Schulze und «Das Opfer» von Winfried Zillig (1952).
Schallplatten: Philips («Aufstieg und Fall der Stadt Mahagonny» von K. Weill), Metronome (Querschnitte «Fledermaus» und «Zigeunerbaron»).

Marny, Jean, * 2. 11. 1885, † (?); als Antrittsrolle sang er 1917 an der Opéra-Comique Paris den Titelhelden im «Werther» von Massenet.

Marová, Libuše; Bühnendebüt 1965 am Opernhaus von Plzeň (Pilsen); gastierte auch in Amsterdam.

Schallplatten: Soli Deo Gloria (Bach-Kantaten), Aris (8. Sinfonie von G. Mahler).

Marr, Graham; Schallplatten: Vier weitere Aufnahmen kamen 1917 in den USA auf Lyrophone heraus, darunter die Marseillaise und «Star-spangled Banner».

Marsh, Calvin, * 11. 2. 1921 Renovo (Pennsylvania).

Marsh, Jane, * 25. 6. 1944 San Francisco.
Schallplatten: Voce («Der Vampyr» von H. Marschner), RCA, Schwann («Penthesilea» von O. Schoeck).

Marsh, Lucy Isabelle; die Künstlerin, die mit einem Arzt verheiratet war, starb nach einer langwierigen Krankheit.
Es ist mit Sicherheit anzunehmen, daß von ihrer Stimme unter dem Etikett von Victor Ensemble-Aufnahmen vorhanden sind, in denen ihr Name nicht genannt wird.

Marshall, Charles; er sang am 4. 11. 1929 in der Eröffnungsvorstellung des neuen Opernhauses von Chicago den Radames.

Marshall, Eric; es ist möglich, daß er an italienischen Bühnen unter dem Künstlernamen Silvio Sideli aufgetreten ist.
Unter dem Namen Silvio Sideli sind Schallplatten auf Vocalion und Columbia vorhanden.

Marshall, Everett; er sang an der Metropolitan Oper New York auch 1929 in der Premiere der Oper «Fra Gherardo» von Pizzetti die Partie des Bischofs. Trotz großer Erfolge am New Yorker Broadway in Musicals gab er seine Karriere bald ganz auf. Er wirkte u. a. in dem Tonfilm «Dixiana» mit.

Marshall, Lois, * 29. 1. 1924 Toronto (Kanada).
Schallplatten: RCA (9. Sinfonie von Beethoven unter A. Toscanini), Columbia («Salomon» von Händel).

Marshall, Margaret, * 4. 1. 1949 Stirling (Schottland). Bühnendebüt 1977. 1979 sang sie beim Maggio musicale Florenz die Euridice im «Orpheus» von Gluck, 1980 an der Covent Garden Oper London die Gräfin in «Nozze di Figaro». 1982 sang sie als Antrittsrolle an der Mailänder Scala die Fiordiligi in «Così fan tutte», 1984 die Ilia in Mozarts «Idomeneo». 1980 gab sie in den USA Konzerte mit dem Boston Symphony Orchestra. 1988 Gastspiel an der Staatsoper Wien als Gräfin in «Nozze di Figaro».
Schallplatten: Philips («L'Incontro improviso» von Haydn), HMV («Saul» von Händel, «Così fan tutte»), RCA (Matthäuspassion von J. S. Bach), Telefunken (Marienvesper von Monteverdi).

Martapoura, Jean; an der Metropolitan Oper New York sang er während seines Engagements 1891–94 Partien wie den Valentin im «Faust» von Gounod, den Nevers in den «Hugenotten» von Meyerbeer, den Oberthal in «Le Prophète» vom gleichen Komponisten, den Escamillo in «Carmen», den Frédéric in «Lakmé» von Delibes und den Alfio in «Cavalleria rusticana». Während der alljährlichen Tournee der Metropolitan Oper gastierte er in Chicago und in anderen amerikanischen Großstädten. Gegen Ende seiner Karriere trat er in Operettenaufführungen auf.

Martelli, Edith; Schallplatten: Replica (kleine Partie in Glucks «Iphigénie en Tauride» aus der Scala von 1957).

Marten, Heinz; 1938 trat er in Wien, 1942 beim Maggio musicale Florenz als Konzertsänger auf. Er sang auch in einem Vokalquartett zusammen mit Helene Fahrni, Hildegard Hennecke und Fred Drissen.
Schallplatten: Die Kantorei (etwa 1931), DGG (Magnificat von J. S. Bach), Imperial, Vox, Oiseau-Lyre (Weihnachtsoratorium von J. S. Bach), Mercury (Lieder von J. Brahms).

Martikke, Sigrid; Schallplatten: Alpha-Records (Operetten-Recital).

Martin, Janis, Mezzosopran/Sopran; sie debütierte 1962 an der Metropolitan Oper New York als Flora in «La Traviata». Sie sang dort während drei Spielzeiten als Mezzosopranistin. 1973 kam sie erneut, jetzt als Sopranistin, an dieses Haus und sang als erste Sopran-Partie die Marie in Alban Bergs «Wozzeck». Hier übernahm sie dann Partien wie die Sieglinde in der «Walküre» und die Kundry im «Parsifal». An der Oper von San Francisco gastierte sie nach ihrem Debüt im Jahre 1960 als Venus im «Tannhäuser», als Marina im «Boris Godunow» und als Quickly im «Falstaff» von Verdi; an der City Centre Opera New York sang sie 1962 als erste Partie die Mrs. Grose in Benjamin Brittens «The Turn of the Screw». 1968–69 hörte man sie bei den Bayreuther Festspielen auch als Fricka im Nibelungenring, 1971 an der Oper von Chicago als Tosca, 1973 an der Covent Garden Oper London als Marie im «Wozzeck» (die sie auch an der Scala übernahm). 1980 sang sie an der Mailänder Scala den dramatischen Monolog «Erwartung» von Schönberg, 1987 am Teatro Regio Turin und 1989 bei den Festspielen von Bayreuth die Brünnhilde in der «Walküre», 1988 am Opernhaus von Köln die Färberin in der Richard Strauss-Oper «Die Frau ohne Schatten».

Martin, Riccardo; er war an der Columbia University Schüler von Edward Mac Dowell in Komposition, später in Berlin von Irrgang in Harmonielehre. 1905 gastierte er in Mailand und Verona, 1906 sang er mit der Operntruppe von Henry Russel in New Orleans u. a. den Canio im «Bajazzo», durchreiste mit dieser Wanderoper die USA und trat längere Zeit mit ihr in Boston auf. An der Metropolitan Oper New York sang er 1907–12 Partien wie den Pinkerton in «Madame Butterfly», den des Grieux in «Manon Lescaut» von Puccini, den Faust von Gounod, den José in «Carmen», den Turiddu in «Caval-

leria rusticana», den Cavaradossi in «Tosca», den Manrico im «Troubadour», den Radames in «Aida» und den Rodolfo in «La Bohème». Er sang dort auch den Christian in der Uraufführung von Damroschs «Cyrano de Bergérac» (27. 2. 1913). 1916–17 gehörte er dem Ensemble der Boston National Opera Company unter Max Rabinoff an, mit dem er eine Amerika-Tournee unternahm. Dabei hatte er im New Yorker Lexington Theatre einen besonderen Erfolg als Avito in Montemezzis «Amore dei tre Re». Mit dem Ensemble der Chicago Opera gastierte er nochmals 1922 im New Yorker Gebäude der Metropolitan Oper als Jean in Massenets «Hérodiade» zusammen mit Mary Garden, mit der er oft in Chicago in Opern aus dem französischen Repertoire auftrat.
Schallplatten: Victor-Platten von 1910.

Martinelli, Caterina; da sie vor der Uraufführung von Monteverdis «Arianna» starb, übernahm Adriana Basile Baroni die ihr zugedachte Partie und sang diese in der Uraufführung am 28. 5. 1608 (und damit auch das berühmte Lamento d'Arianna). Der Dichter Scipione Agnelli schrieb Sestinen auf den frühen Tod der großen Sängerin, die Monteverdi vertonte und zusammen mit einer fünfstimmigen Madrigalversion des Lamento d'Arianna in seinem VI. Madrigal-Buch veröffentlichte.

Martinelli, Germaine, † 8. 4. 1964 Paris; sie debütierte 1908 in Paris unter ihrem Mädchennamen Germaine Jobert. Sie heiratete dann den Schauspieler Charles Martinelli und trat seitdem unter diesem Namen auf. 1936 hatte sie an der Grand Opéra Paris als Marguerite in «La damnation de Faust» von Berlioz einen glänzenden Erfolg; sie hat diese Partie im Lauf ihrer Karriere dann 150mal gesungen. Ihr Sohn Jean Martinelli wirkte lange als Schauspieler an der Comédie Française Paris.
Schallplatten: Columbia (u. a. Wagner-Szenen mit Georges Thill), Pathé.

Martinelli, Giovanni; er war das älteste von 14 Kindern seiner Eltern. Nach seiner Ausbildung durch Giuseppe Mandolini in Mailand debütierte er dort 1910 als Konzertsänger im Stabat mater von Rossini, Ende Dezember 1910 am Teatro Dal Verme Mailand als Bühnensänger (Titelrolle in «Ernani»). 1911 sang er am Teatro Costanzi Rom die Partie des Dick Johnson in den drei letzten Aufführungen von Puccinis «La Fanciulla del West» (nachdem Amedeo Bassi sie in der eigentlichen Premiere am 12. 6. 1911 für Italien kreiert hatte). In dieser Partie erregte er größtes Aufsehen; er sang sie in den Premieren der Oper in Neapel, Brescia und Genua, an der Oper von Monte Carlo und an der Covent Garden Oper London (an der ebenfalls Amedeo Bassi sie 1911 als erster vorgetragen hatte), wo er 1912 als Cavaradossi in «Tosca» debütiert hatte. An der Covent Garden Oper sang er auch den Canio im «Bajazzo», den Rodolfo in «La Bohème» (mit Nellie Melba), den Pinkerton und den Riccardo in Verdis «Ballo in maschera». An der Mailänder Scala wirkte er am 13. 11. 1912 in der Uraufführung der Oper «Melenis» von Riccardo Zandonai mit. An der Metropolitan Oper New York trat er auch 1916 in der Premiere von Zandonais «Francesca da Rimini» in der Partie des Paolo auf. 1916 und 1921 gab er glänzende Gastspielauftritte am Teatro Colón Buenos Aires, in der Saison 1928–29 an der Oper von Rom (u. a. in «La Campana sommersa» von Respighi), 1929 am Teatro Dal Verme Mailand. 1937 gastierte er in Paris, dann auch an den Opern von Chicago und San Francisco, als Othello. 1942 sang er während einer Saison an der Oper von Rio de Janeiro. An der Metropolitan Oper New York hat er während der langen Jahre seines dortigen Wirkens seit 1913 und in 32 Spielzeiten 36 verschiedene Partien in 603 Vorstellungen (in deren New Yorker Haus) gesungen. 1967 sang er, inzwischen 82jährig, an der Oper von Seattle (nicht an der Metropolitan Oper) den Kaiser in Puccinis «Turandot».

Schallplatten: Edison (seine frühesten Platten von 1912 aus London, elektrische Aufnahmen von 1928), dann sehr viele Aufnahmen auf Victor (die meisten vor 1930, eine Serie von 1937), späte LP-Aufnahmen auf Continental (1950) und Allegro Royale (1955). Aus den Jahren 1928–29 existieren einige Vitaphone-Filme mit Opernszenen. (Er war nicht der Partner von Maria Callas in der «Troubadour»-Aufnahme auf Cetra, sondern G. Lauri-Volpi).

Martini, Adolf, * 1887.

Martini, Nino, *7. 8. 1902 Verona, †9. 12. 1976 Verona; bei einem Konzertauftritt in Paris wurde er durch den Filmproduzenten Jesse L. Laksy entdeckt, der ihn für einige Kurzfilme (Sprechrollen in italienischer Sprache) engagierte. 1929 ging er in die USA, wo er ähnliche Aufgaben übernahm und in dem Film «Paramount on Parade» mitwirkte. Mitte der dreißiger Jahre trat er in mehreren Tonfilmen in Hollywood auf, so in «Here's to Romance» (in dem auch Ernestine Schumann-Heinck mitwirkte), «Music for Madame» und «The Gay Desperado». Sein Nordamerika-Debüt als Opernsänger erfolgte 1931 in Philadelphia. An der Metropolitan Oper New York sang er seit 1933 Partien wie den Rodolfo in «La Bohème», den Grafen Almaviva im «Barbier von Sevilla», den Alfredo in «La Traviata» und den Edgardo in «Lucia di Lammermoor». Nach seinem Abschied von der Metropolitan Oper 1946 war er noch oft in Radiosendungen zu hören.

Schallplatten: amerikan. Columbia, Victor.

Martinis, Carla, * 1922 Danculovice (Jugoslawien). 1942 Debüt an der Oper von Zagreb als Mimi in «La Bohème». 1951–62 war sie, jetzt unter dem Namen Carla Martinis, Mitglied der Staatsoper Wien. 1952 gastierte sie an der Mailänder Scala als Elena in «Mefistofele» von Boito, in Neapel als Tosca (mit Ferruccio Tagliavini als Partner) und in Florenz als Turandot in der gleichnamigen Puccini-Oper. Als Antrittsrolle sang sie 1954 an der Oper von San Francisco die Leonore in «La forza del destino» von Verdi. 1956 gastierte sie am Teatro Verdi Triest als Titelheldin in «La Gioconda» von Ponchielli.

Martinucci, Nicola; 1988 sang er den Kalaf in «Turandot» am Teatro Fenice Venedig und bei den Festspielen von Verona; 1987 und 1989 war er auch bei den Festspielen in den Thermen des Caracalla in Rom als Cavaradossi in «Tosca» zu Gast und sang an der Oper von Rom den Titelhelden in «Poliuto» von Donizetti.

Schallplatten: Nuova Era («Poliuto» von Donizetti, Kalaf in «Turandot»).

Marton, Eva; Ausbildung durch Endre Rösler und Jenö Sipos in Budapest. Nach ihrem Debüt 1968 an der Nationaloper Budapest sang sie dort u. a. die Tosca, die Titelrolle in «Rodelinda» von Händel, die Gräfin in «Nozze di Figaro» und die Tatjana im «Eugen Onegin». 1972 gastierte sie beim Maggio musicale Florenz als Mathilde in Rossinis «Wilhelm Tell», 1974 in München als Donna Elvira im «Don Giovanni». 1973 debütierte sie an der Wiener Staatsoper als Tosca, 1978 an der Mailänder Scala als Leonore im «Troubadour». 1976 sang sie an der Metropolitan Oper New York als Antrittsrolle die Eva in den «Meistersingern». 1987 Debüt an der Covent Garden Oper London als Turandot, eine Partie, die sie auch 1988 in der Arena von Verona sang. 1985 übernahm sie an der Oper von San Francisco die Brünnhilde in einer vollständigen Ring-Aufführung. 1989 sang sie bei den Salzburger Festspielen, 1990 an der Covent Garden Oper London die Elektra von R. Strauss. Sie ging ihrer weltweiten Karriere von ihrem Wohnsitz Hamburg aus nach. 1989 mit der höchsten Auszeichnung der Ungarischen Republik, dem Stern in Gold, dekoriert.

Schallplatten: Früheste Aufnahmen auf Hungaroton von 1971; CBS («Herzog Blaubarts Burg» von B. Bartók, Puccini-Arien), Hungaroton («Andrea Chénier», Lied-Aufnahmen), RCA («Tiefland» von d'Albert, «La Gioconda» von Ponchielli), HMV-Electrola (Brünnhilde in der «Walküre»), Legendary Recordings («La Traviata»).

Marturano, Ugo; 1914 trat er bei der Italienischen Oper in Holland auf.

Schallplattenaufnahmen auch auf Artiphon (hier u. a. ein Duett mit Giuseppe Krismer).

Martyl, Nellie; nach ihrem Debüt an der Grand Opéra Paris 1907 sang sie dort die Rafaële in «Patrie» von Paladilhe und in der Premiere der Oper «La Catalane» von Le Borne. An der Opéra-Comique Paris sang sie 1912 die Juana in der Uraufführung der Oper «La Sorcière» von Camille Erlanger. Von den weiteren Rollen, die sie an diesem Haus gesungen hat, seien die Rosenn in «Le Roi d'Ys» von Lalo, die Micaela in «Carmen», die Sophie im «Werther» von Massenet, die Fatima in «Le Caïd» von A. Thomas, die Laurette in «Richard Coeur-de-Lion» von Grétry, der Amor im «Orpheus» von Gluck, die Mimi in «La Bohème» und die Titelheldin in Massenets «Manon» genannt. Verheiratet mit dem bekannten Militär-Maler Georges Scott.

Marvini, Robert, Baß, * 1885(?); erstmals erscheint der Name des Künstlers, als er im Januar 1909 an der

Oper von Monte Carlo den Fasolt im «Rheingold» singt. Seitdem blieb sein Wirken eng mit der Oper von Monte Carlo verbunden. Er sang hier 1910–11, 1914, 1923 und 1928–38. Dabei trat er dort in größeren Partien wie dem Hunding in der «Walküre», dem Hagen in der «Götterdämmerung», dem Sparafucile im «Rigoletto», dem Ramphis in «Aida», dem Conte Rodolfo in «La Sonnambula» von Bellini, dem Alvise in Ponchiellis «La Gioconda» und dem Colline in «La Bohème», aber auch in kleineren Partien auf. Von diesen seien der Zuniga in «Carmen», der Schlemihl in «Hoffmanns Erzählungen», der Monterone im «Rigoletto», der Roucher in «Andrea Chénier» von Giordano, der St. Bris in den «Hugenotten» von Meyerbeer, der Tristan in Flotows «Martha» und der Geronte in «Manon Lescaut» von Puccini genannt. Später sang er Buffo-Partien (Bartolo im «Barbier von Sevilla», Sakristan in «Tosca») und wirkte auch in Operetten-Aufführungen mit. Er sang in Monte Carlo in mehreren Uraufführungen von Opern: 1914 als Ennius in «Cléopâtre» von Massenet, ebenfalls 1914 in «Béatrice» von Messager, 1914 auch in der nachgelassenen Oper «I Mori di Valenza» von Ponchielli, 1923 in «Lysistrata» von R. Gunsbourg, 1929 in «La Femme nue» von H. Fevrier, 1937 als Marmont in «L'Aiglon» von Honegger-Ibert. 1934 wirkte er in der französischsprachigen Erstaufführung von «Arabella» von R. Strauss in Monte Carlo als Lamoral mit. An der Grand Opéra Paris trat er zwischen 1909 und 1913 auf (Debüt in «Le vieil Aiglon» von R. Gunsbourg). 1927 sang er am Théâtre Fémina Paris mit der Operntruppe von Mme Marguerite Bériza in der Uraufführung von Iberts «Angélique» die Partie des Negers, die er 1930–34 auch an der Opéra-Comique Paris vortrug. 1913 gastierte er an der Covent Garden Oper London als Mephisto im «Faust» und als Frère Laurent in «Roméo et Juliette» von Gounod. Bei den meisten Auftritten wird er als «Mr Marvini», ohne Nennung eines Vornamens, angekündigt.
Schallplatten: Er wirkt in zwei frühen Gesamtaufnahmen von Opern bei Pathé mit: als Ferrando im «Troubadour» und als Baldassare in Donizettis «La Favorita»; auf der gleichen Marke existieren mehrere Solo-Aufnahmen, auf Idéal-Aspir Auszüge aus «Quo vadis?» von Noguès von 1913. – (Neufassung) –.

Marx, Karl; am 7. 6. 1896 sang er am Mannheimer Hoftheater in der Uraufführung von Hugo Wolfs «Der Corregidor» die Partie des Repela. 1901 ging er für einige Zeit an die Münchner Hofoper, kam aber bald wieder nach Mannheim zurück. 1888 gastierte er an der Berliner Kroll-Oper, 1904 nochmals in München, weiter an den Hofopern von Berlin und Stuttgart, an der Oper von Frankfurt a. M. und am Stadttheater von Basel, schließlich 1907 an der Covent Garden Oper London. 1912–27 war er in Mannheim auch als Regisseur tätig.

Mas, Margaret, * 17. 8. 1924; sie studierte bei Madeleine Mathieu in Paris. Bis 1969 ist sie an der Grand

Opéra Paris aufgetreten. In Italien hatte sie große Erfolge in der Oper «Djamileh» von Bizet.

Mascherini, Enzo; er wirkte nach Abschluß seiner Bühnenkarriere als Pädagoge in Florenz und war u. a. der Lehrer von Alexander Malta.
Schallplatten: Cetra («Don Sebastiano» und «La Favorita» von Donizetti).

Masetti-Bassi, Anna; 1922 sowie 1924–25 sang sie an der Mailänder Scala.
Ihre Columbia-Aufnahmen entstanden um 1930.

Masini, Angelo; wegen der Armut seiner Eltern konnte er seine Ausbildung nur unter großen Schwierigkeiten durchsetzen. Er sang im Ablauf seiner Karriere oft in Spanien, Portugal und Südamerika. In den Jahren 1875, 1877 und 1888 war er an der Wiener Hofoper zu Gast. Neben den Tenorpartien in den Opern von Verdi waren der Faust von Gounod und der Vasco in Meyerbeers «Africaine» Höhepunkte in seinem Bühnenrepertoire. Seine Stimme, deren Mezzavoce-Vortrag als unvergleichlich galt, ist nicht durch Schallplattenaufnahmen überliefert.

Masini, Galliano, * 7. 2. 1896 Livorno; Bühnendebüt 1930 in Rom als Pinkerton in «Madame Butterfly». 1930, 1932, 1940 und 1947 war er als Gast am Teatro Colón Buenos Aires anzutreffen. Er sang den Radames in «Aida» bei den ersten Festspielen in den römischen Thermen des Caracalla nach dem Zweiten Weltkrieg im Juli 1945.

Masini-Sperti, Cesare; er sang 1941–42 und 1947–48 an der Mailänder Scala und ist noch 1960 in seinen kleinen Partien aufgetreten.

Maslennikow, Alexej (Dimitrijewitsch), * 9. 9. 1929 Wojeikowo bei Nowotscherkask. Noch 1987 trat er als Gast bei den Festspielen von Wiesbaden und bei einer anschließenden Westdeutschland-Tournee des Bolschoj Theaters auf. 1988 sang er an der Oper von Boston in der amerikanischen Erstaufführung der Oper «Tote Seelen» von Schtschedrin.

Maslennikowa, Leokadija, * 3. 6. 1918 Saratow.
Schallplatten: Melodiya, darunter zahlreiche integrale Opern (Micaela in «Carmen» mit Irina Archipowa und Mario del Monaco, Gilda in «Rigoletto», Marzelline im «Fidelio», Juliette in «Roméo et Juliette» von Gounod, Nedda im «Bajazzo», Zofia in «Halka» von Moniuszko).

Mason, Edith, † 26. 11. 1973 San Diego (Kalifornien). Sie verbrachte ihre Kindheit in Bryn Mawr (Pennsylvania) und in Cincinnati. Als sie in einer Opernaufführung Geraldine Farrar und Enrico Caruso hörte, faßte sie den Entschluß Sängerin zu werden. Debütierte 1912 an der Oper von Boston als Nedda im «Bajazzo» und sang dort in der gleichen Saison die Musetta in «La Bohème» und die Zerline im «Don Giovanni». 1915 kam sie an die Metropolitan Oper New York, blieb aber nur während zwei

Spielzeiten im Engagement. Man hörte sie dort als Page Oscar in Verdis «Ballo in maschera», als Marzelline im «Fidelio», als Samaritana in der amerikanischen Premiere der Oper «Francesca da Rimini» von Zandonai (1916), als Waldvogel im «Siegfried» und in weiteren Rollen. Bei den Festspielen von Ravinia trat sie seit 1917 u. a. als Mimi, als Butterfly, als Marguerite im «Faust» von Gounod, als Micaela in «Carmen», als Titelheldin in Flotows «Martha» und als Gilda im «Rigoletto» auf. Sie gastierte an der Grand Opéra Paris 1920 als Marguerite im «Faust», als Juliette in «Roméo et Juliette» von Gounod, als Gilda und als Salomé in Massenets «Hérodiade». Als Antrittsrolle sang sie an der Oper von Chicago 1921 die Butterfly und brachte in den langen Jahren ihrer Zugehörigkeit zu diesem Opernhaus fast alle Partien ihres umfassenden Repertoires dort zum Vortrag. 1923 sang sie an der Mailänder Scala die Mimi in «La Bohème», später trat sie dort auch als Nannetta in Verdis «Falstaff» auf. In der Saison 1935–36 sang sie an der Metropolitan Oper New York nochmals die Butterfly und die Marguerite im «Faust» und trat in einem Sunday Night Concert auf. Nachdem sie 1938 den amerikanischen Millionär William Ragland geheiratet hatte, gab sie 1939 ihre Karriere auf, sang aber 1941 nochmals in Chicago, wo sie ihren Wohnsitz hatte, die Mimi in «La Bohème».
Einige wenige Brunswick-Aufnahmen (1925–27).

Massard, Robert; er studierte in Paris bei Madeleine Mathieu. 1957 sang er an der Pariser Opéra-Comique in der Richard Strauss-Oper «Capriccio».
Schallplatten: Disques Montaigne («Christophe Colomb» von D. Milhaud), Chant du monde («Le Roi d'Ys» von Lalo, «Le Comte Ory» von Rossini).

Massary, Fritzi; 1912 sang sie am Berliner Theater am Schiffbauerdamm in der Uraufführung der Neufassung von Leo Falls Operette «Der liebe Augustin». Oscar Straus schrieb für sie die Hauptrollen in seinen Operetten «Die Pompadour», «Teresina» und «Der letzte Walzer» (1920), deren Uraufführungen in Berlin zu glänzenden Erfolgen wurden ebenso wie die Premiere der Operette «Die Rose von Stambul» von L. Fall am Metropoltheater Berlin.
Schallplatten: G & T (Berlin, 1907), Polydor (hier ihre großen Operettenerfolge in Aufnahmen aus den Jahren 1925–27) und HMV (elektrische Aufnahmen, darunter ein Duett mit Max Pallenberg).

Massol, Jean-Étienne-August, * 23. 8. 1802 Lovève (Departement Hérault).

Massue, Nicholas, Tenor, * 31. 7. 1903 Varennes bei Montreal (Kanada), † 1. 7. 1974 Varennes; er verbrachte seine Kindheit großenteils in Italien und in der Schweiz. Erst mit 24 Jahren begann er das Gesangstudium, u. a. bei Mario Ancona in Florenz und in Mailand. Er debütierte 1931 in Lecce als Herzog im «Rigoletto», trat dann in Catania, Syracus und Legnano, später in Triest und Venedig, auf. 1932 sang er am Teatro Fenice Venedig in der Uraufführung von «La Favola d'Orfeo» von Alfredo Casella,

1933 an der Oper von Rom in «La Farsa amorosa» von Zandonai. Er trat 1934 an der Mailänder Scala als Lorenzo in «Fra Diavolo» von Auber auf. 1936 folgte er einem Ruf an die Metropolitan Oper New York (Debüt als Herzog im «Rigoletto»). In den folgenden fünf Spielzeiten sang er an diesem Haus Partien wie den Cassio im «Othello», den Narraboth in «Salome», den italienischen Sänger im «Rosenkavalier» und den Astrologen in Rimsky-Korssakows «Le Coq d'or». Auch als Konzert- und Oratoriensänger war er erfolgreich tätig. 1942 ging er nach Kanada zurück und lebte auf seinem Familienbesitz in Varennes.
Schallplatten: Seine einzige Aufnahme sind auf Victor Fragmente aus Verdis «Othello» (1939 mit Giovanni Martinelli in der Titelpartie und ihm als Cassio); später kam ein Mitschnitt der gesamten Oper aus der Metropolitan Oper auf EJS heraus. – (Neufassung) –.

Masterson, Valerie; sie sang seit 1974 bei den Festspielen von Aix-en-Provence Partien wie die Morgana in «Alcina» von Händel (1978), die Gräfin in «Nozze di Figaro», die Fiordiligi in «Così fan tutte» und die Titelheldin in Rossinis «Elisabetta Regina d'Inghilterra». 1985 hörte man sie bei der English National Opera London als Romilda in «Serse» von Händel, 1987 an der Covent Garden Oper London als Leila in «Pêcheurs de perles» von Bizet und in der Erstaufführung der Oper «The King Goes Forth to France» des finnischen Komponisten A. Sallinen. 1987 an der Grand Opéra Paris als Cleopatra in «Giulio Cesare» von Händel zu Gast.
Schallplatten: HMV («Giulio Cesare» von Händel).

Mastilović, Daniza; seit 1970 war sie dem Opernhaus Zürich verbunden. 1975 kam sie in den USA auch zu Erfolgen als Konzertsängerin. Bei den Bayreuther Festspielen sang sie in den Jahren 1965–67 die Gerhilde in der «Walküre» (nicht seit 1956).

Mastio, Cathérine, * 1875 Paris. Gesangstudium am Conservatoire National Paris bei Piffarelli. Sie debütierte am Théâtre de la Monnaie Brüssel als Inez in Meyerbeers «Africaine» und blieb dort bis 1898 tätig.

Mastromei, Giampiero; zu seinen großen Partien zählte auch der Amonasro in «Aida», den er u. a. 1987 bei den Aufführungen dieser Oper im ägyptischen Luxor sang.

Masurok, Juri (Antonowitsch), * 18. 7. 1931 Krasnik bei Lublin (Polen). Studium in Moskau bei S. Migai und O. Sweschnikowa. Als erste Partie sang er 1964 am Moskauer Bolschoj Theater den Eugen Onegin. 1979 Gastspiel an der Wiener Staatsoper als Escamillo in «Carmen», 1975 an der Covent Garden Oper London als Renato in Verdis «Maskenball», 1983 als Graf Luna im «Troubadour», 1986 als Germont-père in «La Traviata». 1975 mit dem Ensemble des Bolschoj Theaters an der Metropolitan Oper New York zu Gast, 1977 Gastspiel an der Oper von San Francisco. 1987 sang er bei den Festspielen von

Wiesbaden den Scarpia in «Tosca» und in Budapest bei einem Gastspiel des Bolschoj-Ensembles den Robert in Tschaikowskys «Jolanthe».
Schallplatten: Gostelradio-Video (Schtelkalow in «Boris Godunow»).

Materna, Amalie; sie verabschiedete sich am 30. 12. 1894 als Brünnhilde in der «Götterdämmerung» von ihrem Wiener Publikum, das sie ungewöhnlich verehrte. Am 10. 3. 1875 kreierte sie an der Wiener Hofoper die Titelheldin in der Uraufführung der «Königin von Saba» von Goldmark; am 19. 11. 1886 wirkte sie dort in einer weiteren Opern-Uraufführung eines Werks dieses Meisters, «Merlin», mit. Bei den Festspielen von Bayreuth hat sie bis 1891 die Partie der Kundry vorgetragen. 1884 sang sie als Antrittsrolle an der New Yorker Metropolitan Oper die Elisabeth im «Tannhäuser». Sie gab Gastspiele in Rotterdam (1886), Paris (1889, 1894), Budapest, Brünn (Brno) und am Deutschen Theater Prag (1875); 1881–83 nahm sie an der Europa-Tournee mit Angelo Neumanns wanderndem Wagner-Theater teil, 1887 an einer Spanien-Portugal-Tournee. Vier Wochen vor seinem Tod schrieb Richard Wagner aus Venedig an sie: «Haben Sie Dank für ihre große und grandiose Natur, die wie ein erfülltes Bedürfnis in mein Leben getreten ist, – Gott, wenn ich der letzten Kundry-Abende gedenke: Adieu: Liebe, Gute, Beste . . .» 1913 trat sie, jetzt fast 70 Jahre alt, nochmals in Wien in einem Wagner-Konzert zu dessen 100. Geburtstag auf und sang den Monolog der Kundry. Auch ihre Nichte *Hedwig Materna* (* 1871) hatte eine erfolgreiche Sängerkarriere.

Mathes, Rachel, als Antrittsrolle sang sie an der Metropolitan Oper New York 1974 die Donna Anna im «Don Giovanni».
Schallplatten: HMV (Querschnitt «Don Giovanni»).

Matheson-Bruce, Graeme, * 19. 7. 1949 Dundee; 1986–88 Mitglied des Staatstheaters Darmstadt. Hier sang er u. a. den Werther von Massenet, den José in «Carmen», den Radames in «Aida», den Peter Grimes von B. Britten, den Gabriele Adorno in «Simon Boccanegra» und den Hermann in «Pique Dame» von Tschaikowsky. USA-Debüt an der Oper von Houston/Texas, 1987 Gastspiel in San Diego als Florestan im «Fidelio». Erfolgreicher Konzertsolist (9. Sinfonie von Beethoven, «Das Klagende Lied» von G. Mahler, «Gurrelieder» von A. Schönberg).

Mathieu, Madeleine, * 15. 6. 1891 Arcis-sur-Aube (Departement Aube); sie studierte auch in Paris bei Gailhard. Erst 1951 nahm sie von der Bühne Abschied. Sie wirkte in Paris als angesehene Pädagogin und war u. a. die Lehrerin von Robert Massard, Margaret Mas und R. Gardes. Verheiratet mit dem Operndirektor Georges Hirsch. Weitere Aufnahmen ihrer Stimme sind auf Edison-Zylindern festgehalten.

Mathieu-Lutz, Geneviève; sie blieb bis 1915 an der Opéra-Comique Paris tätig und sang dort auch in den Uraufführungen der Opern «Aphrodite» von Camille Erlanger (27. 3. 1906) und «Le Chemineau» von Xavier Leroux (6. 11. 1907).

Mathis, Edith; bei den Salzburger Festspielen trat sie zunächst in Konzertveranstaltungen, dann auch in Opernpartien auf. 1970 kam sie an die Metropolitan Oper New York; sie sang dort in den folgenden sechs Spielzeiten Partien wie die Ännchen im «Freischütz», die Zerline im «Don Giovanni», die Sophie im «Rosenkavalier» und die Marzelline im «Fidelio». Weltweite Konzertkarriere. Verheiratet mit dem Pianisten und Dirigenten Bernhard Klee, der in Düsseldorf als Generalmusikdirektor wirkte. Die Künstlerin nahm später ihren Wohnsitz in Zuzwil (Kanton St. Gallen).
Schallplatten: Orfeo («Acis and Galatea» von Händel), Schwann («Massimilla Doni» von O. Schoeck).

Mátray, Desider; er war der Sohn eines Beamten der ungarischen Staatsbahn. Zunächst wurde er Offizier in der österreichisch-ungarischen Armee, entschloß sich dann aber zur Ausbildung der Stimme, die u. a. durch Adolf Robinson in Wien erfolgte. 1899–1901 war er am Opernhaus von Leipzig, 1901–03 in Düsseldorf und seitdem in Breslau engagiert, wo er bis 1905 blieb. 1906–07 und 1909–10 gehörte er dem Hoftheater von Karlsruhe an. Er gastierte 1900 an der Hofoper von Berlin, an den Opernhäusern von Brünn (Brno, 1900) und Frankfurt a. M. (1901).

Matters, Arnold; Nellie Melba war auf ihn aufmerksam geworden, als er 1927 in Ballarat einen Concours gewonnen hatte. Mit dieser großen Primadonna zusammen gab er bereits 1928 in Melbourne ein Konzert und begleitete sie im gleichen Jahr auf ihrer Neuseeland-Tournee. Nicht zuletzt auf ihren Rat hin ging er 1929 nach England. Seit 1930 war er Chorist im Chor der Westminster Abbey London und trat im englischen Rundfunk BBC auf. Während des Zweiten Weltkrieges gab er Konzerte vor australischen und amerikanischen Soldaten, 1941 unternahm er eine Südafrika-Tournee, 1944 gastierte er in Sydney. Nach Abschluß seiner Bühnenkarriere wirkte er als Pädagoge am Elder Conservatory Adelaide und inszenierte Opern bei der Elizabethan Opera Company. † 21. 9. 1990 Adelaide.

Mattfeld, Marie; 1894 kam sie nach Nordamerika und schloß sich der Damrosch Opera Company an, bei der sie als erste Partie den Hirtenknaben im «Tannhäuser» sang. Sie blieb bis 1896 bei dieser Truppe tätig. In der Spielzeit 1900–1901 wurde sie an die Metropolitan Oper New York verpflichtet, wurde aber erst in der letzten Vorstellung der Saison Ende April 1901 als eine der Walküren in der «Walküre» eingesetzt. Bei ihrem erneuten Engagement an diesem Haus sang sie 1906 als erste Partie den Hänsel in «Hänsel und Gretel»; 1907 übernahm sie dort kleine Partien in den Premieren von «Salome» von R. Strauss und «Adriana Lecouvreur» von Cilea, 1908 in «Tiefland« von E. d'Albert.

Maturová, Ružena; in der Uraufführung der Oper «Hedy» von Zdeněk Fibich (12. 2. 1896) alternierte sie in der Titelrolle mit Anna Veselá.

Matuszewski, Sigmund; am Stadttheater von Freiburg i. Br. sang er am 18. 2. 1932 in der Uraufführung der Oper «Caponsacchi» von dem holländischen Komponisten Richard Hageman; bereits 1925 hatte er an diesem Haus in der Uraufführung von Julius Weismanns «Leonce und Lena» mitgewirkt.

Matzenauer, Margarethe; sie studierte auch in München bei dem Pädagogen Ernst Preuse, den sie dann heiratete. Vor ihrem Debüt in Straßburg hatte sie mit Sicherheit bereits in Graz gesungen. 1904–11 war sie unter dem Namen Margarethe Preuse-Matzenauer ein hoch angesehenes Mitglied der Münchner Hofoper. 1906 gastierte sie an den Hofopern von Berlin und Wien, 1907 in Brüssel und am Deutschen Theater Prag, 1911 und 1920 an der Grand Opéra Paris, 1914 sang sie an der Covent Garden Oper London die Kundry im «Parsifal». 1905, 1907–08 und 1910–11 trat sie bei den Aufführungen des Amsterdamer Wagner-Vereins als Brangäne, als Ortrud und als Fricka auf, 1910 am Théâtre des Champs-Élysées Paris als Isolde im «Tristan». In zweiter Ehe seit 1912 (bis 1917) mit dem Tenor *Edoardo Ferrari-Fontana* verheiratet. Bereits in ihrer ersten Saison an der New Yorker Metropolitan Oper (1911–12) übernahm sie dort 14 große Partien, darunter 1912 die Kundry im «Parsifal» ohne vorherige Probe. In 19 Spielzeiten hat sie im New Yorker Haus der Metropolitan Oper 31 verschiedene Partien in 315 Vorstellungen gesungen, darunter ihre großen Wagner-Heroinen. In den Jahren 1911–21 trat sie an der Oper von Chicago in zahlreichen Rollen auf. 1934 konnte man sie im New Yorker Lewisohn Stadium nochmals als Dalila in «Samson et Dalila» von Saint-Saëns, 1938 in einem Konzert hören. Sie war überhaupt eine große Konzert- und Oratoriensängerin und beherrschte auch hier, wie auf der Bühne, ein geradezu unerschöpfliches Repertoire. 1929 unternahm sie eine glanzvolle Konzerttournee durch Deutschland, Österreich und Holland; in New York sang sie das Alt-Solo in Gustav Mahlers «Lied von der Erde» unter Willem Mengelberg. Sie wirkte in den USA in mehreren Filmen mit und ist noch 1942 am New Yorker Broadway aufgetreten. Zu ihren Schülern gehörte u. a. Blanche Thebom.
Schallplatten: G & T (ihre ältesten Aufnahmen, noch unter dem Namen Preuse-Matzenauer, München, 1907), HMV, Columbia (1915), Edison-Platten (1915); 1912–15 und seitdem ausschließlich Aufnahmen auf Victor; seltsamerweise existiert auf Schallplatten kein Duett mit Eduardo Ferrari-Fontana.

Maubourg, Jeanne; sie wurde durch ihren Vater und durch Mme Labarra in Brüssel ausgebildet. Sie trat zuerst als Konzertsängerin auf, 1895 Bühnendebüt am Théâtre des Galéries Brüssel. Seit 1897 kam sie am Théâtre de la Monnaie Brüssel zu großen Erfolgen. An der Metropolitan Oper New York sang sie seit 1909 Partien wie den Siebel im «Faust» von

Gounod, den Nicklausse in «Hoffmanns Erzählungen», die Meg Page in Verdis «Falstaff», die Mlle Lange in «La fille de Mme Angot» von Lecocq, die Javotte in «Manon» von Massenet und die Angella in der amerikanischen Premiere von Montemezzis «Amore dei tre Re». In der Premiere von Wolf-Ferraris «Le Donne curiose» (1912) sang sie die Beatrice, in der des «Boris Godunow» (1913) die Wirtin. 1915–16 war sie an der Oper von Chicago anzutreffen, an der sie als erste Rolle die Mutter in «Louise» von Charpentier übernahm.
Ihre Edison-Aufnahmen datieren von 1914.

Maugeri, Carmelo, † 23. 12. 1986 Catania. Ausgebildet am Conservatorio Tartini in Triest. Wurde nach Gastspielen an süditalienischen Bühnen, in Lissabon und am Teatro Colón Buenos Aires im Ersten Weltkrieg Soldat. 1920 sang er am Teatro Petruzzelli Bari, 1921 am Teatro Regio Parma den Escamillo in «Carmen», den Barnaba in «La Gioconda» von Ponchielli, den Jack Rance in Puccinis «La Fanciulla del West» und den Giancotto in «Francesca da Rimini» von Zandonai. Die letztgenannte Partie hat er fast an allen großen italienischen Bühnen, darunter an der Mailänder Scala, gesungen. Dort hörte man ihn auch als Dandini in Rossinis «La Cenerentola», als Thoas in Glucks «Iphigenie auf Tauris» und als Boniface in «Le Jongleur de Notre Dame» von Massenet. Er nahm an mehreren Opern-Uraufführungen teil, darunter «La Farsa amorosa» von Zandonai (Rom, 1935), «Cecilia» von Licinio Refice (Rom, 15. 2. 1934) und «L'Oro» von I. Pizzetti (Mailänder Scala, 2. 1. 1947).

Mauran, Jean, † 2. 8. 1983.

Maurane, Camille; 1939 wurde er bei seinem Abgang vom Conservatoire Paris mit zwei Preisen ausgezeichnet. An der Opéra-Comique, deren Mitglied er seit 1940 war, sang er Partien wie den Albert im «Werther» von Massenet, den Marcello in «La Bohème», den Silvio im «Bajazzo», dazu eine Vielzahl kleinerer Rollen, vor allem aber seinen unvergeßlichen Pelléas. Er wirkt dort in mehreren Uraufführungen von Opern mit: «Neele Doryn» von Mariotte (1940), «Ginevra» von Delannoy (1942), «Le Oui des Jeunes Filles» von Reynaldo Hahn (1949 mit Gabrielle Ritter-Ciampi, Denise Duval und Roger Bourdin) und «Dolorès» von Lévy (1952).
Schallplatten: Disques Montaigne («Le Rossignol» von Strawinsky), Philips (Pelléas in «Pelléas et Mélisande»), Barclay (eine zweite Aufnahme von «Pelléas et Mélisande»).

Maurel, Victor; er wollte ursprünglich Architekt werden, ließ sich dann aber zum Sänger ausbilden und debütierte 1867 in Marseille als Titelheld in Rossinis «Wilhelm Tell». An der Mailänder Scala sang er in den Uraufführungen der Opern des brasilianischen Komponisten Carlos Gomes «Il Guarany» den Cacique (19. 3. 1870) und «Fosca» den Cambro (16. 2. 1873). Er trat als Gast an den Hofopern von Wien (1893) und Berlin (1897) und an der Oper von Monte Carlo (1882–83, 1897) auf. Im

Dezember 1894 sang er als Antrittsrolle an der Metropolitan Oper New York den Jago im «Othello». Er trat dort bis 1899 in drei Spielzeiten und (in deren New Yorker Haus) in 60 Vorstellungen von 12 Partien auf, darunter als Falstaff, als Don Giovanni, als Nevers in Meyerbeers «Hugenotten», als Rigoletto, als Amonasro, als Telramund, als Escamillo, als Valentin im «Faust» von Gounod und als Nelusco in «L'Africaine» von Meyerbeer.

Maurick, Ludwig; ausgebildet durch die berühmte holländische Pädagogin Cornélie van Zanten. Er gab Gastspiele an der Hofoper von München (1906) und am Stadttheater von Bremen (1909).

Mauro, Ermanno, *20.1. 1939 Triest; er kam 1958 nach Kanada und lebte in Edmonton (Alberta). Nach seiner Ausbildung durch George Lambert und Herman Geiger-Torel in Toronto debütierte er 1962 bei der Canadian Opera Company, die in seiner Heimatstadt Edmonton gastierte, als Manrico im «Troubadour». 1969 hatte er an der Covent Garden Oper London einen sensationellen Erfolg als Macduff in Verdis «Macbeth» und leitete damit eine glänzende internationale Karriere ein. 1974 USA-Debüt an der Oper von San Diego als Cavaradossi in «Tosca». 1978 sang er an der Mailänder Scala und an der Oper von Rom, seit 1982 Gastspiele an der Oper von San Francisco. 1978 erreichte er die Metropolitan Oper New York (Antrittsrolle: Canio im «Bajazzo»), an der er als Manrico im «Troubadour», als Ernani, als Paolo in «Francesco da Rimini» von Zandonai, als Pinkerton, als Cavaradossi in «Tosca» (1986) und als Turiddu in «Cavalleria rusticana» (1989) auftrat. 1987 Gastspiel an der Deutschen Oper Berlin als Kalaf in «Turandot», 1988 an der Oper von Miami, 1989 in San Francisco als Titelheld in Verdis «Othello», am Teatro Liceo Barcelona als Enzo in «La Gioconda».
Schallplatten: CBC (Opernarien), Privat-Mitschnitt einer Aufführung von Donizettis «Belisario» (mit Montserrat Caballé als Partnerin).

Maxakowa, Maria Petrowna; zu ihren großen Partien gehörten vor allem der Titelheld im «Orpheus» von Gluck, weiter die Ljubascha in «Die Zarenbraut» und die Hanna in der «Mainacht» von Rimsky-Korssakow, die Marfa in «Khovantchina» von Mussorgsky und die Charlotte im «Werther» von Massenet. Sie wirkte später im pädagogischen Bereich und war u.a. die Lehrerin von Valentina Levko.

Mayer, Frederic David; 1964–65 am Stadttheater von Ulm engagiert. 1965–66 war er an der Oper von Chicago tätig, 1966–68 bei der American Opera Society. Seit 1968 für mehr als zwanzig Jahre Mitglied des Theaters am Gärtnerplatz München. Er wirkte in vielen Sendungen des Deutschen Fernsehens mit.
Schallplatten: Erato, Ottavo, Philips, Polydor.

Mayer, Friedrich Sebastian; am Theater an der Wien sang er am 20.11. 1805 in der Uraufführung von

Beethovens «Fidelio» die Partie des Pizarro, die er auch am gleichen Haus in der Uraufführung der zweiten Fassung dieser Oper am 29.3. 1806 wiederholte. Der Familienname des Künstlers kommt auch in den Schreibweisen Maier oder Meier vor.

Mayer, Karl; 1881 Gastspiel an der Hofoper von Wien, 1899 am Stadttheater (Opernhaus) von Hamburg, 1897 als Konzertsänger in Amsterdam. Bis 1913 ist er noch auf der Bühne aufgetreten, gelegentlich auch als Schauspieler (Mephisto im «Faust» von Goethe).

Mayer, Theodor, †24.9. 1909 München. Er war bis 1902 Mitglied der Münchener Hofoper, an der er auch in den Uraufführungen der Opern «Der Bärenhäuter» (1899) und «Herzog Wildfang» (1901) von Siegfried Wagner mitwirkte.

Mayerhofer, Carl; 1899 sang er in der Wiener Premiere der Oper «Die drei Pintos» von Weber (in der Neu-Bearbeitung von Gustav Mahler).

Mayerhofer, Elfie, *15.3. 1920 Marburg an der Drau (Maribor). Sie trat bereits in der Spielzeit 1937–38 am Berliner Theater der Jugend auf. Seit 1940 hatte sie große Erfolge am Berliner Metropoltheater wie am Theater am Gärtnerplatz in München. 1950–61 wirkte sie hauptsächlich an der Wiener Volksoper, seit 1946 auch an der Staatsoper von Wien aufgetreten. 1961–64 war sie am Opernhaus von Köln engagiert und setzte ihre Karriere mit Gastspielen bis 1970 fort.
Schallplattenaufnahmen auf Polydor, Austrophon, Decca und Columbia.

Maynor, Dorothy; ursprünglich hatte sie die Absicht Musiklehrerin zu werden, doch wurde ihre Stimme durch die Pädagogen Wilfred Klamroth und John Alan Houghton ausgebildet. Seit 1950 kam sie auch in Europa (u.a. auch in den skandinavischen Ländern) zu einer großen Konzertkarriere. 1951 trat sie beim Wiener Festival für moderne Musik auf; sie galt als unübertroffene Interpretin des Negro Spirituals.
Schallplattenaufnahmen, seit 1940 exklusiv auf RCA, darunter Negro Spirituals, Arien aus Opern und Oratorien, religiöse Vokalmusik und Lieder (Liedkompositionen von Duparc, 1951).

Mayr, Richard; während seines Medizinstudiums war er Mitglied des Wiener Akademischen Gesangvereins. 1900 sang er in Bozen das Baß-Solo in der Missa solemnis von Beethoven, dann in Wien im Requiem von A. Dvořák. Als Antrittsrolle übernahm er an der Wiener Hofoper 1902 den Silva in Verdis «Ernani». Bei den Bayreuther Festspielen sang er im Sommer 1902, einen Monat vor seinem Wiener Debüt, und dann nochmals 1904 und 1908 und schließlich 1924 den Hagen in der «Götterdämmerung» (nachdem ihn ein Konzertmeister der Wiener Oper Cosima Wagner empfohlen hatte), dann den Pogner in den «Meistersingern» und 1910–14 den Gurnemanz im «Parsifal». Er sang den Ochs im

«Rosenkavalier» bei der Wiener Premiere der Oper 1911, später auch in London (jedoch dort nicht in der Premiere), wo er auch als Figaro in «Figaros Hochzeit», als Daland, als Pogner, als Marke und als Gurnemanz bei seinen Gastspielen an der Covent Garden Oper 1924–31 in Erscheinung trat. In der Wiener Premiere der Richard Strauss-Oper «Arabella» sang er 1933 den Waldner. Während seines Engagements an der New Yorker Metropolitan Oper hörte man ihn 1927–30 dort als Landgrafen im «Tannhäuser», als Hunding in der «Walküre», vor allem aber als Ochs.

Lit.: O. Kunz: «Richard Mayr» (Vorwort von Lotte Lehmann, Wien 1933); Maria Mayr: «Erinnerungen an Richard Mayr» (Salzburg, 1953).

Schallplatten: G & T (Wien, 1905), Odeon (1914), Polydor, Christschall (Krönungsmesse und Requiem von Mozart).

Mayr-Olbrich, Antonie; sie begann ihre Bühnenkarriere 1862 am Theater von Breslau. Sie gastierte an den Hoftheatern von Stuttgart, Wiesbaden und Mannheim.

Mazura, Franz; er wirkte am 24. 2. 1979 an der Grand Opéra Paris in der Uraufführung einer (dreiaktigen) Neu-Fassung von Alban Bergs Oper «Lulu» in der Partie des Dr. Schön mit. Seit 1980 Mitglied der Metropolitan Oper New York (Antrittsrolle: Dr. Schön in «Lulu»), wo er als Klingsor und als Gurnemanz im «Parsifal», als Alberich im Ring-Zyklus, als Rangoni im «Boris Godunow», als Creon in «Oedipus Rex» von Strawinsky, als Doktor im «Wozzeck» von A. Berg und als Frank in der «Fledermaus» erfolgreich auftrat. Bei den Bayreuther Festspielen des Jahres 1988 war er als Klingsor (auch 1989) und als Wanderer im «Siegfried» zu hören.

Mazzini, Guido; Schallplatten: Melodram («L'Ajo nell'imbarazzo» von Donizetti).

Mazzoleni, Ester, † 17. 5. 1982 Palermo. 1907 sang sie als Antrittsrolle an der Mailänder Scala die Isabella in «Cristoforo Colombo» von Franchetti. 1915 trat sie am Teatro Costanzi Rom als Valentine in den «Hugenotten» von Meyerbeer auf.

Mazzucato, Daniela; auch an der Deutschen Oper Berlin als Gast aufgetreten.

Schallplatten: RCA («Zauberflöte»).

McAlpine, William, * 1925 in Schottland; debütierte 1951 an der Covent Garden Oper London. Seit 1955 auch erfolgreiche Karriere an der Sadler's Wells Oper London. 1958–61 Mitglied der Städtischen Oper Berlin. Gastspiele an der City Centre Oper New York (1965), in Japan und Israel.

Schallplatten: Decca (Psalmus Hungaricus von Kodály).

McCormack, John; die beiden Eltern des Künstlers stammten aus Schottland. 1902 gewann er einen Gesangwettbewerb in Dublin; beim gleichen Con-

cours gewann seine spätere Gattin *Lily Foley* den Preis für Sopranistinnen. Auf der Weltausstellung von St. Louis 1904 sang er zusammen mit der Sopranistin Marie Narelle im Irish Village. 1907 gab er Konzerte in London und debütierte im Herbst diesen Jahres an der Covent Garden Oper London als Turiddu. Anschließend sang er dort den Don Ottavio im «Don Giovanni» und den Herzog im «Rigoletto». Bis 1914 fügte er an diesem Haus große Triumphe als Faust von Gounod, als Roméo in «Roméo et Juliette», als Gérald in «Lakmé» von Delibes und als Pinkerton in «Madame Butterfly» hinzu. 1908 hörte man ihn beim Birmingham Festival als Solisten im «Elias» von Mendelssohn. Am Manhattan Opera House New York debütierte er als Alfredo in «La Traviata» mit Luisa Tetrazzini als Partnerin (1909), an der Metropolitan Oper New York 1910 in der gleichen Rolle, jetzt zusammen mit Nellie Melba. An der Metropolitan Oper ist er in fünf Spielzeiten nur sechsmal aufgetreten. Viel öfter war er dagegen an den Opern von Chicago und Boston zu hören. Nach dem Ersten Weltkrieg kehrte er in seine irische Heimat zurück. Dort ist er noch während des Zweiten Weltkrieges gelegentlich in Rundfunksendungen aufgetreten. Er galt auch als großer Interpret des deutschen (Hugo Wolf) wie des französischen Kunstlieds.

Lit.: G. R. Ledbetter: «The Great Irish Tenor» (London, 1977).

Schallplatten: Pathé (älteste Aufnahmen um 1904), G & T (London, 1904), Odeon (London, 1906–08), HMV-Victor (seit 1910 akustische, seit 1928 elektrische Aufnahmen), Edison-Zylinder. Bei seinen Liedaufnahmen wurde er zuerst durch Edwin Schneider, später durch Gerald Moore, am Klavier begleitet. Vier Titel auf Zonophone erschienen unter dem Namen O. Reilly.

McCormick, Mary; 1923 ist sie wahrscheinlich (unter dem Namen Wanda Galska) an der Grand Opéra Paris als Gilda aufgetreten. In der Saison 1926–27 war sie wieder, jetzt aber unter ihrem wirklichen Namen, an der Grand Opéra anzutreffen.

McCracken, James, † 30. 4. 1988 New York. 1953–57 war er als Eleve an der Metropolitan Oper New York engagiert (Debüt als Parpignol in Puccinis «La Bohème»). 1960 sang er erstmals den Othello von Verdi in Washington, dann, ebenfalls 1960, in Zürich und Wien, 1963 an der Metropolitan Oper New York, 1964 in London. Gastspiele in Paris und Rom, in Berlin und Hamburg wie an der Oper von Boston. 1963 wurde er erneut an die Metropolitan Oper verpflichtet und hatte dort 1977 einen seiner größten Erfolge als Tannhäuser. 1978 verließ er wieder die Metropolitan Oper, kam aber 1983 nach dort zurück, wo er noch wenige Wochen vor seinem Tod den Manrico im «Troubadour» sang. Insgesamt ist er im New Yorker Haus der Metropolitan Oper in 410 Vorstellungen aufgetreten, u. a. auch als Samson in «Samson et Dalila» von Saint-Saëns mit seiner Gattin Sandra Warfield in der Rolle der Dalila. Mit ihr zusammen veröffentlichte er seine Memoiren «*A Star in the Family*» (New York, 1971).

Schallplatten: Philips («Gurrelieder» von Schönberg), Foyer («Ernani»).

McCray, James; gastierte auch an der Opéra de Wallonie Lüttich.

McDaniel, Barry, * 18. 10. 1930 Lyndon bei Topeka (Kansas). 1953 gab er sein erstes Konzert in Stuttgart. 1964 gastierte er bei den Festspielen von Bayreuth als Wolfram im «Tannhäuser». Auch als Gast an der Oper von Frankfurt a. M. aufgetreten.
Schallplatten: Columbia, CS («Winterreise» von Schubert), Capriccio («Der Zar läßt sich photographieren» von K. Weill).

McDonall, Lois, * 7. 2. 1939 Larkspur (Alberta); seit 1970 sang sie bei der English National Opera London Partien wie die Titelfigur in «Semele» von Händel, die Gräfin in «Nozze di Figaro», die Konstanze in der «Entführung aus dem Serail», die Fiordiligi in «Così fan tutte», die Manon in der gleichnamigen Oper von Massenet und die Marschallin im «Rosenkavalier».

McDonnell, Thomas (Tom); am 28. 9. 1973 sang er in der Eröffnungsvorstellung des neu erbauten Opernhauses von Sydney den Andrej Bolkonsky in «Krieg und Frieden» von Prokofieff. 1974 wirkte er am Londoner Coliseum Theatre in der englischen Erstaufführung von H. W. Henzes «Die Bassariden» mit. An der Covent Garden Oper London sang er in der Uraufführung der Oper «Ice Break» von M. Tippett (7. 7. 1977). Seine großen Partien waren der Papageno in der «Zauberflöte» und die Titelfigur im «Eugen Onegin».

McEachern, Malcolm, * 1883 im australischen Staat New South Wales, † 1945 London. 1916 heiratete er die australische Pianistin Hazel Doyle, die ihn bei seinen Liederabenden begleitete. Mit ihr zusammen unternahm er 1916–18 eine große Konzert-Tournee durch die Länder des British Commonwealth, darunter Südafrika und Indien, und durch die USA. Seit 1925 trat er oft zusammen mit dem Komponisten B. Hilliam in Schlagern und Unterhaltungsliedern auf; dabei nannte sich das Duo «Flotsam and Jetsam». Schließlich wandte er sich mehr und mehr dieser populären Kleinkunst zu.
Auch Schallplattenaufnahmen auf Vocalion und Aeolian.

McIntyre, Donald; 1975 debütierte er an der Metropolitan Oper New York als Wotan im «Rheingold». Seitdem sang er dort seine Wagner-Heroen, aber auch den Pizarro im «Fidelio» und den Orest in «Elektra» von R. Strauss. In Bayreuth übernahm er 1987–88 die Partie des Amfortas im «Parsifal». Auch an der Deutschen Oper Berlin regelmäßig aufgetreten.

McLaughlin, Marie, * 2. 11. 1954 Hamilton bei Glasgow. Bereits als Studentin sang sie die Susanna in «Nozze di Figaro» und die Lauretta in «Gianni Schicchi». Seit 1978 übernahm sie bei der English National Opera Partien in «The Consul» von G. C. Menotti, in «Dido and Aeneas» von Purcell, in «Rigoletto» (Gilda) und in «Eine Nacht in Venedig» von J. Strauß. 1980 debütierte sie an der Covent Garden Oper London. Dort hatte sie 1987, 1988 an der Wiener Staatsoper große Erfolge als Susanna in «Figaros Hochzeit». Bei den Festspielen von Glyndebourne gastierte sie 1987 als Violetta in «La Traviata»; auch bei den Festspielen von Salzburg aufgetreten. 1986 sang sie an der Metropolitan Oper New York die Marzelline im «Fidelio», an der Oper von Chicago 1988 die Despina in «Così fan tutte», im gleichen Jahr an der Mailänder Scala die Adina in Donizettis «Elisir d'amore».
Schallplatten: RCA (Werke von Händel, c-moll-Messe von Mozart), Erato («L'Allegro, il penseroso ed il moderato» von Händel), SL-Video («La Traviata»), Thames-Video («Rigoletto»).

Meader, George, † 19. 12. 1963 Hollywood. An der Universität von Minnesota zeichnete er sich auch als Sportler aus und sang im University Glee Club. 1907–08 war er am Opernhaus von Leipzig engagiert (Debüt als Steuermann im «Fliegenden Holländer»). 1910 wurde er an die Stuttgarter Hofoper verpflichtet. Er sang in Amsterdam wie in Hamburg das Tenorsolo im «Lied von der Erde» von Gustav Mahler. 1913 wirkte er als Solist in Berlin in einer glanzvollen Aufführung der «Schöpfung» von Haydn in Anwesenheit des deutschen Kaisers Wilhelms II. mit. 1913 sang er dort das Tenorsolo in der Matthäuspassion. Obwohl er Amerikaner war, konnte er auch nach dem Eintritt der USA in den Ersten Weltkrieg seine Karriere in Deutschland fortsetzen. Bis 1918 blieb er an der Stuttgarter Hofoper im Engagement und ging dann nach Nordamerika zurück. 1919 debütierte er dort in einem Konzert in der Aeolian Hall in New York, 1920 sang er in einem Gala-Konzert der Beethoven-Association zum 150. Geburtstag des Meisters. 1924 sang er beim Gastspiel der Metropolitan Oper New York in Baden-Baden den Ferrando in «Così fan tutte»; er gastierte bei den Mozart Festivals in Paris und Hamburg. 1926 gab er Liederabende in Berlin. An der Metropolitan Oper hörte man ihn in den zehn Jahren seines dortigen Wirkens (1921–31) vor allem auch in Buffo-Partien wie dem David in den «Meistersingern» und dem Mime im Nibelungenring. Später hatte er am New Yorker Broadway große Erfolge in dem Musical «The Cat and the Fiddler» von J. Kern. Er wirkte in Hollywood in dem Film «The Great Caruso» mit, trat auch in Sprechstücken auf und sang noch lange als Solist in der St. Thomas Church New York.
Schallplatten: HMV (Aufnahmen aus Deutschland um 1915), Columbia (nur akustische Aufnahmen).

Medus, Henri; 1949 Gastspiel mit dem Ensemble der Pariser Opéra-Comique an der Mailänder Scala. 1974 nahm er in der Rolle des Sarastro in der «Zauberflöte» am Opernhaus von Lille seinen Abschied von der Bühne.
Schallplatten: Pathé-Aufnahmen (um 1940).

Meer, Rud van der; Preisträger bei den Gesangwettbewerben von s'Hertogenbosch, Barcelona und Toulouse. Er gab erfolgreiche Konzerte in London, New York, Berlin und Wien, in Warschau und beim Holland Festival, bei den Festspielen von Bregenz und beim English Bach Festival. Zusammen mit der bekannten holländischen Sopranistin Elly Ameling brachte er in London und New York Hugo Wolfs Italienisches und Spanisches Liederbuch zum Vortrag. 1988 gab er Konzerte in Moskau 1989 unternahm er eine große Rußland-Tournee.
Weitere Schallplatten: Ottavo (Lieder von Johannes Brahms).

Meghor, Camillo; 1958–60 am Landestheater von Linz (Donau) tätig, 1960–61 an der Deutschen Oper am Rhein Düsseldorf–Duisburg, 1961–63 am Landestheater Darmstadt, 1963–64 am Staatstheater Wiesbaden, seit 1964 am Opernhaus von Köln. Gastspiele an der Opéra de Wallonie Lüttich und am Théâtre de la Monnaie Brüssel (1988 in «Der ferne Klang» von Franz Schreker).

Meier, Johanna, * 13. 2. 1938 Chicago. Als Antrittsrolle sang sie an der New York City Centre Opera 1969 die Gräfin in «Figaros Hochzeit». Dort sang sie weiter die Gräfin im «Capriccio» von R. Strauss, die Donna Anna, die Senta, die Tosca und die Louise von Charpentier. 1976 wurde sie an die Metropolitan Oper New York berufen, an der sie als Marguerite im «Faust» von Gounod debütierte. Sie ist dort auch als Ariadne in «Ariadne auf Naxos», als Senta, als Marschallin, als Leonore im «Fidelio», als Ellen Orford in B. Brittens «Peter Grimes», als Chrysothemis in «Elektra», als Elisabeth im «Tannhäuser», als Brünnhilde in der «Walküre» und als Isolde aufgetreten. 1987 Gastspiel am Teatro Liceo Barcelona als Elisabeth im «Tannhäuser», ebenfalls 1987 am Teatro Colón Buenos Aires als Chrysothemis, an der Oper von Dallas als Turandot in Puccinis gleichnamiger Oper. 1988 gastierte sie am Teatro Verdi Triest als Ariadne auf Naxos, in New Orleans als Turandot.

Meier, Waltraud; sie sang als erste Solo-Partie 1976 am Stadttheater von Würzburg die Lola in «Cavalleria rusticana». Die Fricka sang sie auch 1987 als Antrittspartie an der Metropolitan Oper New York. 1988 an der Covent Garden Oper London wie am Opernhaus von San Francisco, 1989 bei den Bayreuther Festspielen (dort auch als Waltraute) und in Venedig als Kundry im «Parsifal» zu Gast, an der Staatsoper von Wien als Venus im «Tannhäuser». Seit 1985 Mitglied der Staatsoper Stuttgart. 1989 sang sie in München die Titelrolle in Tschaikowskys «Jungfrau von Orléans».
Schallplatten: HMV (Brangäne im «Tristan», Mozart-Requiem, Missa solemnis von Beethoven), Erato («Kindertotenlieder» von G. Mahler, Wesendonck-Lieder), DGG (Alt-Rhapsodie von J. Brahms, Fricka in der «Walküre»), HMV-Electrola (Fricka in der «Walküre»).

Meili, Max; 1933 gehörte er zu den Gründern der Schola Cantorum Basiliensis. 1955 rief er das Collegium Cantorum Turicense ins Leben, das sich unter seiner Leitung auf internationaler Ebene für die Musik von Monteverdi und Schütz einsetzte. Er galt als Spezialist für mittelalterliche Vokalmusik (Ars nova, Troubadours, Trouvères, Minnesinger). Er trat nur gelegentlich als Opernsänger in Erscheinung. 1936 und 1937 wirkte er in Konzerten bei den Salzburger Festspielen mit. 1932–37 gastierte er in Berlin, 1947 am Opernhaus von Zürich. Am 17. 5. 1931 wirkte er in der Münchner Uraufführung der Oper «Die Mutter» von A. Hába mit.
Schallplatten: Weitere Aufnahmen auf Discophile Français, Nixa, Le Chant du Monde, HMV, Französ. Grammophone.

Meinig, Irmgard; sie begann 1946 ihre Laufbahn im Mezzosopran-Fach an der Volksoper von Dresden und sang dann 1948–50 am Landestheater von Altenburg (Thüringen), seit 1950 am Staatstheater von Wiesbaden. Seit 1956 am Opernhaus von Köln tätig. Bei den Bayreuther Festspielen sang sie 1952 die Gerhilde in der «Walküre».

Meinl, Carl, s. unter *Meinl-Weise,* Rita.

Meinl-Weise, Rita, * 14. 11. 1898 Libau (Kurland), † November 1987 Weimar. Studierte in Berlin bei Margarethe Bärwinkel, in Paris bei Anna El-Tour und O. Carmazzini. Sie begann ihre Karriere 1927 als Konzertsängerin. 1932–34 war sie am Stadttheater von Münster (Westfalen) und zuvor in Osnabrück engagiert. Am 17. 5. 1931 sang sie in München in der Uraufführung der Oper «Die Mutter» von Aloys Hába, in deren Partitur der Komponist ein experimentelles Vierteltonsystem anwandte. Neben ihrem Leipziger Engagement war sie seit 1941 auch Mitglied der Staatsoper von Dresden. Ihre großen Bühnenpartien waren die Gräfin in «Figaros Hochzeit», die Pamina in der «Zauberflöte», die Agathe im «Freischütz», die Lisa in «Pique Dame», die Leonore im «Troubadour», die Mimi in «La Bohème», die Butterfly und die Titelfigur in «Daphne» von R. Strauss. 1951–59 wirkte sie als Professorin an der Musikhochschule Leipzig, dann an der Musikhochschule Berlin.
Schallplatten: Eterna (Liedaufnahmen).

Meisle, Kathryn; 1915 gewann sie den nationalen Gesangwettbewerb, der von der National Federation of Music Clubs veranstaltet wurde und entschloß sich zum Gesangstudium, das sie in Philadelphia begann. 1923 sang sie an der Oper von Chicago auch die Maddalena im «Rigoletto», die Preziosilla in Verdis «La forza del destino» und die Madelon in «Andrea Chénier» von Giordano, später hatte sie dort als Azucena im «Troubadour» und als Cieca in «La Gioconda» von Ponchielli große Erfolge. 1926 sang sie als erste Partie an der Oper von San Francisco die Amneris in «Aida». 1935–38 hörte man sie an der Metropolitan Oper New York u. a. als Azucena, als Fricka, als Erda und als Waltraute im Nibelungenring. Große Konzertkarriere, namentlich als Oratoriensängerin. Sie trat bei den Festivals von Cincinnati, Worcester, Springfield und Newark

auf und wurde vor allem als Solistin in der Matthäus-passion von J. S. Bach wie als Lied-Interpretin geschätzt; 1950 kreierte sie am New Yorker Broadway das Musical «Roberta» von J. Kern.
Schallplatten: Brunswick (1930, darunter Duette mit Marie Tiffany), HMV (akustische Ballad-Aufnahmen um 1924, elektrische Aufnahme der Matthäus-passion unter Koussevitzky), einige Columbia- und Decca-Platten.

Meitschik, Anna,* 25. 10. 1875 Minsk. Sie gastierte zu Beginn ihrer Karriere auch in Spanien und am Teatro San Carlos Lissabon. Ihre weiteren Rollen an der Metropolitan Oper New York in der Saison 1909–10 waren die Maddalena im «Rigoletto», die Azucena im «Troubadour», die Erda im «Rheingold» und die Hexe in «Hänsel und Gretel». Verheiratet mit dem Komponisten Salomon Rosowsky (* 1878).
Schallplatten: Noch 1934 erschienen elektrisch aufgenommene Titel auf Brunswick.

Melandri, Antonio; bei der Italienischen Oper in Holland sang er u. a. 1938 den Turiddu in «Cavalleria rusticana» unter der Leitung von Pietro Mascagni. 1928 sang er an der Mailänder Scala in der Uraufführung der Oper «La Maddalena» von Vincenzo Michetti; er trat an diesem Haus auch als Canio im «Bajazzo», als Kalaf in «Turandot», als Paolo in Zandonais «Francesca da Rimini», als Julien in «Louise» von Charpentier und als Guidon in Rimsky-Korssakows «Märchen vom Zaren Saltan» auf. 1934 sang er an der Scala in Ponchiellis «Il Figliuol prodigo». 1927–31 trat er am Teatro Colón Buenos Aires auf, 1933 und 1936 gastierte er am Teatro Massimo Palermo, während drei Spielzeiten am Teatro Fenice Venedig, weiter in Bologna, Triest und am Teatro San Carlo Neapel. Er nahm an einer Belgien-Tournee der Operntruppe Carro di Tespi teil.

Melani, Atto; die Pariser Aufführung der Oper «Orfeo» von Luigi Rossi fand am 2. 3. 1647 unter einem unglaublichen Aufwand im Palais Bourbon statt. König Ludwig XIV. und Königinmutter Anna wohnten der sechsstündigen Vorstellung bei, von der der junge König sich begeistert zeigte.

Melba, Nellie; ihr Vater David Mitchell war 1852 nach Australien ausgewandert. Mit sechs Jahren sang sie bei einem Konzert zwei Ballads in schottischem Dialekt. Sie erhielt ersten Unterricht bei Mme Ellen Christians und bei dem italienischen Pädagogen Pietro Cecchi in Melbourne. Bereits 1882 heiratete sie den Captain Charles Porter Armstrong, der eine Zuckerrohrfarm in North Queensland betrieb; aus dieser Ehe stammte ein Sohn. Ihr erstes Konzert in London 1886 brachte keinerlei Erfolg. Sie wurde dann Schülerin der berühmten Mathilde Marchesi de Castrone. Als diese erstmalig ihre Stimme hörte, soll sie ihrem Gatten zugerufen haben: «Salvatore, enfin j'ai trouvé une étoile!» Sie debütierte 1887 in Brüssel als Gilda und sang anschließend dort die Traviata, die Lucia di Lammer-

moor, die Lakmé von Delibes und die Ophélie im «Hamlet» von A. Thomas. Ihr sensationeller Erfolg an der Londoner Covent Garden Oper 1889 als Juliette in Gounods «Roméo et Juliette» machte sie für ihre weitere, fast 40jährige Karriere zur Primadonna assoluta dieses Hauses. 1889 gastierte sie als Juliette und als Ophélie an der Grand Opéra Paris; bei einem Gastspiel in St. Petersburg 1893 schenkte Zar Alexander III. von Rußland ihr ein Diamanten-Halsband im Wert von 100 000 Dollars. An der Mailänder Scala sang sie als Antrittsrolle 1893 die Lucia di Lammermoor. Puccini selbst hatte die Partie der Mimi in seiner Oper «La Bohème» mit ihr einstudiert. Am Manhattan Opera House New York debütierte sie im Januar 1907 als Traviata und war in den Spielzeiten 1906–07 und 1907–08 Mitglied dieses Ensembles. 1902, 1909, 1911 und 1924 unternahm sie triumphale Tourneen in ihrer australischen Heimat; 1928 stellte sie eine eigene Operntruppe, die Melba-Williamson Company, zusammen, mit der sie Australien durchreiste. Während des Ersten Weltkrieges lebte sie auf ihrem Landsitz Lilydale bei Melbourne, gab zahlreiche Wohltätigkeitskonzerte und unterrichtete am Albert Street Conservatory von Melbourne. 1918 wurde sie in den Adelsstand erhoben; am 8. 6. 1928 nahm sie in einer Gala-Vorstellung an der Covent Garden Oper London ihren Abschied von der Bühne. 1928 gab sie ein letztes Konzert in Geelong (Australien). 1931 erkrankte sie bei ihrer Rückreise von England an Bord des Schiffs und starb kurz nach ihrer Ankunft in Sydney.
Lit.: W. R. Moran: «Nellie Melba. A Contemporary Review» (Westport, Conn., 1885).
Schallplatten: Victor (New York, 1907–09, darunter ein Duett aus «La Bohème» mit Enrico Caruso), HMV (erste Aufnahmen von 1904; hier auch die Aufnahme ihrer Abschiedsvorstellung 1928 in London; auch HMV-Victor-Ausgaben), Mapleson-Zylinder (früheste Aufnahmen aus der Metropolitan Oper von 1901).

Melbye, Mikhael; debütierte 1978 in Kopenhagen als Guglielmo in «Così fan tutte». Er gastierte an der Staatsoper von Wien und an der Covent Garden Oper London, an der er 1985 den Figaro in Rossinis «Barbier von Sevilla», 1987 den Papageno in der «Zauberflöte» sang und in der englischen Erstaufführung von A. Sallinens «The King Goes Forth to France» mitwirkte. 1988 größte Erfolge an der Oper von Kopenhagen als Don Giovanni und am Teatro Fenice Venedig als Danilo in Lehárs «Lustiger Witwe».

Melchert, Helmut; 1943–77 Mitglied der Staatsoper Hamburg; hier sang er auch am 28. 5. 1960 in der Uraufführung der Oper «Der Prinz von Homburg» von H. W. Henze. Man schätzte ihn allgemein als großen Interpreten zeitgenössischer Vokalwerke.

Melchior, Lauritz, † 18. 3. 1973 Santa Monica (Kalifornien). Er sang als Knabe im Chor der englischen Kirche in Kopenhagen. Im Oktober 1918 debütierte er in Kopenhagen als Tenor in der Partie des Tann-

häuser. 1924–39 war er (mit Ausnahme der Saison 1925–26) Jahr für Jahr an der Covent Garden Oper London zu hören. Als erste Partie sang er 1924 bei den Festspielen von Bayreuth den Parsifal und hat dann, abgesehen vom Lohengrin und vom Walther von Stolzing in den «Meistersingern» (den er wie den Rienzi nicht in seinem Repertoire hatte), bis 1931 alle großen Tenor-Partien in den Opern von Wagner dort zum Vortrag gebracht. 1931–33 Gastspiele an der Grand Opéra Paris, zwischen 1931 und 1943 trat er in vier Spielzeiten am Teatro Colón Buenos Aires auf, 1934–41 an der Oper von Chicago, 1934–45 an der Oper von San Francisco. An der Metropolitan Oper New York erschien er seit 1926 in 24 Spielzeiten und sang in deren New Yorker Haus in 387 Vorstellungen (insgesamt mit dem Ensemble in 499 Aufführungen, darunter 112 während der alljährlichen Gastspieltournee). An der Metropolitan Oper ist er nur in seinen Wagner-Partien aufgetreten (obwohl er auch als Florestan im «Fidelio», als Titelheld in Verdis «Othello» und in anderen heldischen Partien sehr geschätzt wurde); nur in der Abschiedsvorstellung für den Direktor Gatti Casazza sang er 1935 in einem «Spectacle coupé» den Othello im 4. Akt dieser Verdi-Oper.
Lit.: H. Hansen: «Lauritz Melchior» (Kopenhagen, 1965).
Schallplatten: Als erste Aufnahmen, noch als Bariton, kamen in Dänemark einige Odeon-Platten heraus. Dann viele Platten auf Polydor, Parlophon (1921), HMV (seit 1928), Brunswick und Victor-RCA. Auf UORC vollständige Oper «Lohengrin» (Metropolitan Oper, 1943), auf Acanta Ausschnitte aus der «Götterdämmerung» (London, 1938).

Melchissèdec, Léon; er sang am 21. 3. 1899 an der Oper von Monte Carlo in der Uraufführung der Oper «Messaline» von Isidore de Lara und war dort auch 1902 zu hören.
Schallplatten: Einige Pathé-Platten (Paris, 1905).

Melis, Carmen; 1910–11 und 1915–16 sang sie an der Oper von Chicago. 1913 wirkte sie mit der Western Metropolitan Opera in San Francisco in der Premiere der Oper «I Zingari» von Leoncavallo (unter Leitung des Komponisten) mit. An der Oper von San Francisco gastierte sie als Tosca, als Butterfly und in der Titelrolle von «Zazà» von Leoncavallo. 1920 trat sie während einer Saison an der Oper von Havanna als Partnerin von Enrico Caruso auf; in der Uraufführung von Giordanos «La cena delle beffe» (Scala, 1924) sang sie unter A. Toscanini die Ginevra. Neben Renata Tebaldi gehörten auch Orianna Santunione, Rita Orlandi Malaspina und Adriana Maliponte zu ihren Schülerinnen.
Schallplatten: Zonophone (1906–07), G & T (Mailand, 1907), Fonotipia (1914), Columbia (1922), HMV (komplette Oper «Tosca», 1930 elektrisch aufgenommen), Edison-Platten und -Zylinder.

Melis, György; beim Festival von Edinburgh gastierte er 1973 in «Herzog Blaubarts Burg» von B. Bartók. 1987 sang er bei den Festspielen von

Wiesbaden (bei einem Gastspiel mit der Nationaloper Budapest) den Don Giovanni.

Melnikow, Iwan Alexandrowitsch; an der Petersburger Hofoper sang er am 24. 4. 1874 auch in der Uraufführung der Tschaikowsky-Oper «Opritschnik» («Der Leibwächter», nicht aber 1876 in der der «Jungfrau von Orléans»).

Melton, John; er studierte an den Universitäten von Florida und Georgia. Er unternahm dann Tourneen in Nordamerika wie in Europa mit dem allgemein bekannten Quartett «The Revellers», das der Bassist Wilfred Glenn gegründet hatte, und in dem er den zweiten Tenor sang. 1938–39 war er bei der San Carlo Opera Company engagiert. 1940–42 sang er bei der Chicago Opera u. a. den Edgardo in «Lucia di Lammermoor» (mit Lily Pons), den Lyonel in Flotows «Martha» und den Pinkerton in «Madame Butterfly» (seine besondere Glanzrolle mit Helen Jepson). An der Metropolitan Oper New York hörte man ihn 1942–50 als Pinkerton, als Alfredo in «La Traviata», als Wilhelm Meister in «Mignon» von A. Thomas und als Don Ottavio im «Don Giovanni».
Schallplatten: RCA-Victor, darunter als erste Aufnahmen mit dem Revellers-Quartett (diese auch auf Brunswick), dann ein Album mit Opernarien.

Menescaldi, Piero; er wirkte in der Uraufführung der Oper «Il Diavolo nel campanile» von Adriano Lualdi am 22. 4. 1925 an der Mailänder Scala mit.

Mengozzi Bernardo, † März 1800 Paris; unter seinen Opern findet sich eine nach Molière mit dem Titel «Pourceaugnac».

Menkes, Sara: 1948 gastierte sie an der Oper von San Francisco als Leonore in Verdis «La forza del destino» und als Titelheldin in «La Gioconda» von Ponchielli.
Ihre ersten Schallplattenaufnahmen erschienen 1951 in London auf HMV.

Menotti, Tatiana; seit 1936 sang sie während mehrerer Spielzeiten an der Mailänder Scala (Antrittsrolle: Carolina in «Il matrimonio segreto» von Cimarosa). 1935 Gastspiel an der Staatsoper von Wien, 1937 an der Königlichen Oper Stockholm und am Opernhaus von Zürich (hier in «Nerone» von Mascagni). 1952 sang sie als Abschiedsrolle an der Mailänder Scala die Blondchen in der «Entführung aus dem Serail», während Maria Callas als Konstanze auf der Bühne stand.

Menzinsky, Modest; Ausbildung der Stimme durch Walery Wysocki in Lwów (Lemberg). 1901 Bühnendebüt am Opernhaus von Frankfurt a. M. als Lyonel in Flotows «Martha». 1902–04 am Stadttheater von Elberfeld engagiert. 1926 sang er als Abschiedspartie am Kölner Opernhaus den Eleazar in «La Juive» von Halévy. Er war ein bekannter Konzert- und vor allem Liedersänger.

Mercuriali, Angelo, * 1909 Ferrara; 1941 erstes Auftreten an der Mailänder Scala in «Boris Godunow» von Mussorgsky.

Meredith, Morley, * 8. 2. 1922 Winnipeg (Manitoba, Kanada); eigentlicher Name Morley Margolis. Im Januar 1962 sang er als erste Partie an der Metropolitan Oper New York die vier Dämonen in «Hoffmanns Erzählungen» von Offenbach, und blieb deren Mitglied für mehr als 25 Jahre. Er trat dort in über 400 Vorstellungen von 35 verschiedenen Partien (ohne die Vorstellungen bei der alljährlichen Gastspieltournee des Ensembles) auf, darunter als Zuniga in «Carmen», als Klingsor im «Parsifal», als Faninal im «Rosenkavalier», als Kaiser von China in Strawinskys «Le Rossignol», als Doktor in «Wozzeck» von A. Berg, als Sprecher in der «Zauberflöte» und in zahlreichen kleineren Partien.

Merentié, Marguerite; 1905 kam sie für etwa acht Jahre (wenigstens bis 1913) an die Grand Opéra Paris, an der sie als Chimène in «Le Cid» von Massenet debütierte. 1909 sang sie als Antrittspartie an der Pariser Opéra-Comique die Carmen. Dort ist sie letztmalig 1919 aufgetreten, als sie die Mme Lange in «La Fille de Mme Angot» von Lecocq sang. 1918 hatte sie an der Opéra-Comique in der 100. Aufführung von Massenets Oper «Sapho» die Rolle der Fanny Legrand übernommen. 1908 gastierte sie am Théâtre de la Monnaie Brüssel; am 26. 4. 1906 wirkte wie am Théâtre Nouveau Paris in der Uraufführung der Oper «Le Clown» von Camondo mit. Nach 1919 scheint sie nicht mehr aufgetreten zu sein.

Merey, Jane; 1894–96 war sie am Théâtre de la Monnaie Brüssel engagiert, wo sie u. a. 1895 in der Uraufführung der Oper «Evangéline» von Xavier Leroux mitwirkte. 1894 ist sie an der Oper von Monte Carlo in der Uraufführung der Oper «Aréthuse» von de Montgomery aufgetreten.

Mergler, Betty; sie begann ihre Bühnenlaufbahn 1919 in Luzern. Sie wirkte am 17. 7. 1927 in Baden-Baden in der Uraufführung von P. Hindemiths «Hin und zurück» mit.

Merguiller, Cécile; an der Opéra-Comique Paris hatte sie einen ihrer größten Erfolge 1885 als Javotte in «Le Roi l'a dit» von Delibes. Der Familienname der Künstlerin kommt auch in der (wohl richtigeren) Schreibweise Merguillier vor.

Méric-Lalande, Henriette-Clémentine, † 7. 9. 1867 Chantilly bei Paris. Ihr Vater Jean-Baptiste Lalande war Dirigent und Komponist und leitete Opernunternehmen in der französischen Provinz. 1822 studierte sie in Italien bei Bonfichi und Bandeali. Sie ist im Lauf ihrer Karriere auch an der Opéra-Comique Paris aufgetreten, 1830 gastierte sie am King's Theatre London als Imogine in Bellinis «Il Pirata». Seit 1823 war sie mit dem Hornisten im Orchester der Pariser Opéra-Comique Mr. Méric verheiratet.

Meriggioli, Ileana (nicht Merriggioli).

Merighi, Giorgio; er sang 1987 an der Staatsoper von München, 1988 am Teatro Massimo Palermo den Maurice in «Adriana Lecouvreur» von Cilea.
Schallplatten: Melodram («Fra Diavolo» von Auber, 1965).

Merker, Rose; sie begann ihre Karriere 1911–13 mit einem Engagement am Theater von Reichenberg (Liberec); 1913–23 war sie am Stadttheater von Stettin, 1923–26 in Graz und 1926–28 in Darmstadt engagiert. Seit 1929 gastierte sie regelmäßig bis 1940 an der Wiener Staatsoper, gehörte aber in den Jahren 1930–34 dem Ensemble des Deutschen Theaters Prag an. 1942–44 war sie reguläres Mitglied der Staatsoper von Wien.

Merli, Francesco; 1914 nahm er an einem Concours für Tenöre in Parma teil, den Benjamino Gigli gewann, während er zweiter Preisträger wurde. Bühnendebüt 1914 in Mailand als Elisero in Rossinis «Mosè in Egitto». 1916–17 sang er am Teatro Colón Buenos Aires, u. a. in der Uraufführung der argentinischen Oper «Huemac» von Pascual de Rogatis (22. 7. 1917). 1920–32 war er an diesem Haus (mit Unterbrechungen) anzutreffen, in den Jahren 1926–27 und 1930 gastierte er an der Covent Garden Oper London als Faust in «Mefistofele» von Boito, als Kalaf in Puccinis «Turandot», als Enzo in «La Gioconda» von Ponchielli, als Gennaro in «I Gioielli della Madonna» von Wolf-Ferrari, als Dimitrij im «Boris Godunow» und als des Grieux in «Manon Lescaut» von Puccini. Seine großen Partien bei seinen zahlreichen Auftritten an der Mailänder Scala waren der Lohengrin, der Kalaf, der des Grieux, der Dimitrij im «Boris Godunow», der Radames in «Aida», der Turiddu in «Cavalleria rusticana», der Manrico im «Troubadour», der Vassilij in «Siberia» von Giordano, der Canio im «Bajazzo», der Florestan im «Fidelio» und seit 1935 der Titelheld im «Othello» von Verdi. Den Kalaf in Puccinis «Turandot» sang er bei den Premieren des Werks an der Oper von Rom (1926) wie an der Covent Garden Oper London (1927). Am 26. 4. 1923 wirkte er an der Mailänder Scala in der Uraufführung der Oper «Belfagor» von O. Respighi mit. Während seines kurzen Engagements an der Metropolitan Oper New York, an der er 1932 als Radames in «Aida» debütierte, sang er den Edgardo in «Lucia di Lammermoor», den Pinkerton in «Madame Butterfly» und den Gabriele Adorno in «Simon Boccanegra», kam aber nach einem Monat wieder nach Italien zurück. 1935 gastierte er an der Grand Opéra Paris als Pollione in «Norma», weitere Gastspiele an der Oper von Kopenhagen, am Théâtre des Champs-Élysées Paris; Tournee mit der Opernuppe Carro di Tespi in Belgien. Von seinen großen Partien seien neben dem Othello noch der José in «Carmen», der Walther in den «Meistersingern» und der Samson in «Samson et Dalila» von Saint-Saëns genannt.
Schallplatten: Erste Aufnahmen auf Columbia noch akustisch aufgenommen, später dort elektrische Aufnahmen, darunter auch integrale Opern.

Merrem-Nikisch, Grete; gastierte 1914 an der Covent Garden Oper London als Eva in den «Meistersingern», 1919 am Deutschen Theater Prag. 1917 sang sie in Dresden die Titelpartie in einer Neu-Bearbeitung von Hans Pfitzners «Christelflein», 1920 die Gertraude in der Uraufführung der Oper «Schirin und Gertraude» von Paul Graener. 1930 nahm sie an der Staatsoper Dresden als Veronika in der Oper «Die Schneider von Schönau» von Brandts-Buys von der Bühne Abschied und wurde zum Ehrenmitglied des Hauses ernannt. Verheiratet mit dem Juristen Arthur Nikisch jun. (1888–1968).

Merrill, Robert; er finanzierte seine Ausbildung durch sein Baseballspiel und war in New York noch Schüler von Angelo Canarutti, Renato Bellini und Armando Agnini. Am amerikanischen Rundfunk trat er u. a. in «Frank Black's Radio Programm» auf. Bühnendebüt 1944 in Trenton (New Jersey). In drei-ßig Spielzeiten sang er an der Metropolitan Oper New York in 551 Vorstellungen (dazu bei der alljähr-lichen USA-Tournee des Ensembles in weiteren 221 Vorstellungen) eine Vielzahl von Partien, zumeist aus dem italienischen und dem französischen Reper-toire, darunter allein 85mal den Germont-père in «La Traviata» (in welcher Rolle er auch im Dezem-ber 1945 an der Metropolitan Oper debütiert hatte). Seit 1960 sang er an der Oper von Chicago (Debüt als Amonasro), seit 1957 an der Oper von San Francisco (Debüt als Germont-père). 1960–61 glanzvolle Gast-spiele in Mailand und Venedig.
Schallplatten: RCA-Victor (älteste Aufnahmen noch vor Beginn seiner Opernkarriere mit Duetten aus dem Musical «Up in Central Park» mit Jeannette Mac Donald).

Mertens, Hubert; er sang am Opernhaus von Köln in den deutschen Erstaufführungen der Opern «Katja Kabanowa» von Janáček (1922) und «Meister Pe-dros Puppenspiel» von M. de Falla (1927).

Mesplé, Mady; sie debütierte in der Saison 1972–73 an der New Yorker Metropolitan Oper als Gilda im «Rigoletto».
Schallplatten: Pathé («Mélodies» von Roussel), Bar-clay («La maître de chapelle» von Paër).

Messal, Lucine; Schallplatten: Zonophone-Aufnah-men.

Messchaert, Johannes; auch die berühmte holländi-sche Konzertsopranistin Aaltje Noordewier-Red-dingius war seine Schülerin.

Meßthaler, August; Schallplatten: Telefunken (Lie-der), Camerata (Bach-Kantaten, Werke von H. Schütz), Christophorus-Verlag (Messen von Mozart und Schubert).

Meta, Johanna; bei den Bayreuther Festspielen von 1882 wirkte sie in der «Parsifal»-Uraufführung mit.

Metcalfe, Susan; 1903 gab sie einen Liederabend in New York, bei dem sie mit großem Erfolg ein sehr vielgestaltiges Programm präsentierte. 1914 heira-tete sie den berühmten Cellisten Pablo Casals

(1876–1973). Sie beherrschte das deutsche, das fran-zösische wie das spanische (Lieder von Granados) Lied-Repertoire.
Schallplatten: Die erwähnten HMV-Aufnahmen ka-men 1937 zustande; sie singt hier, am Flügel von Gerald Moore begleitet, Lieder von Schubert, R. Schumann und Gabriel Fauré.

Metternich, Josef; 1941 sang er am Deutschen Opernhaus (Städtische Oper) Berlin den Heerrufer im «Lohengrin» und übernahm dort weitere kleinere Partien in den folgenden Spielzeiten. Nach dem Zweiten Weltkrieg begann er am gleichen Haus 1945 mit dem Tonio im «Bajazzo» seine eigentliche große Karriere, wobei er durch Michael Bohnen gefördert wurde. 1950 sang er als erste Partie an der Covent Garden Oper London den Fliegenden Holländer, 1952 gastierte er mit dem Ensemble der Hamburger Staatsoper beim Festival von Edinburgh als Pizarro im «Fidelio». Als Antrittsrolle sang er 1953 an der Metropolitan Oper New York den Carlos in Verdis «La forza del destino». Im New Yorker Haus der Metropolitan Oper ist er in acht Partien, die er in 22 Vorstellungen sang, aufgetreten, u. a. als Amonasro in «Aida», als Tonio im «Bajazzo», als Renato in Verdis «Ballo in maschera», als Wolfram im «Tann-häuser» und als Kurwenal im «Tristan». Immer wie-der wurde auch sein eminentes darstellerisches Ta-lent bewundert.
Schallplatten: Urania («Lieder eines fahrenden Ge-sellen» von Gustav Mahler).

Metzger-Lattermann, Ottilie, Studium in Berlin bei Selma Nicklass-Kempner, Georg Vogel und Ema-nuel Reicher. Am Hamburger Stadttheater sang sie in den Uraufführungen der Opern «Versiegelt» von Leo Blech (1908), «Izeyl» von E. d'Albert (1909) und bereits 1905 in «Bruder Lustig» von Siegfried Wagner. Man feierte sie in Hamburg als Carmen zusammen mit dem großen Tenor Enrico Caruso. Sie gastierte an der Wiener Hofoper (1901) wie an der Covent Garden Oper London (Debüt 1902), an den Hoftheatern von Wiesbaden (1903) und Mün-chen (1903). Bei den Festspielen von Bayreuth, bei denen sie erstmals 1901 mitwirkte, sang sie 1904 die Erda, 1904 und 1912 die Waltraute im Nibelungen-ring. 1914–15 unternahm sie eine große Konzert-tournee in Nordamerika, 1916 gastierte sie in Am-sterdam als Brangäne im «Tristan». 1916–21 gehörte sie der Hofoper (Staatsoper) Dresden an. 1922–24 nahm sie an der Nordamerika-Tournee der German Opera teil. Dabei sang sie 1923 am Great Northern Theatre Chicago die Magdalena in der amerikani-schen Erstaufführung von W. Kienzl's «Evangeli-mann»; sie wiederholte diese 1924 in New York, wo sie auch die Maria von Magdala in der Premiere von d'Alberts «Die toten Augen» sang. Sie ging 1935 nach Brüssel, wo ihre Tochter lebte.
Schallplatten: G & T (früheste Aufnahmen von 1904), Odeon (1906–08), HMV (1908–12), Parlo-phon (zahlreiche Aufnahmen seit 1913), Edison-Amberola-Zylinder (1913); unveröffentlichte Ho-mochord-Platten (1929 elektrisch aufgenommen, wahrscheinlich verlorengegangen).

Meven, Franz; seit 1964 für über 25 Jahre Mitglied der Deutschen Oper am Rhein Düsseldorf–Duisburg. In der Spielzeit 1976–77 debütierte er an der Metropolitan Oper New York als Pogner in den «Meistersingern». Er gastierte am Teatro Regio Turin 1986 als Fasolt im «Rheingold», 1988 als Hagen in der «Götterdämmerung», in Genua 1988 als Hunding in der «Walküre».
Schallplatten: HMV-Electrola (Nelson-Messe von J. Haydn, Chor-Balladen von R. Schumann), Editon Schwann (Sinfonie Nr. 14 von Schostakowitsch), TIS («Pelléas et Mélisande»).

Meyen, Sabine; sie wirkte am 6. 5. 1930 an der Berliner Staatsoper in der Uraufführung der Oper «Christophe Colomb» von Darius Milhaud (in deutscher Sprache) mit.

Meyer, Kerstin; 1959–64 war sie Mitglied der Deutschen Oper Berlin. An der Covent Garden Oper London gastierte sie seit 1960 u. a. als Dido in «Les Troyens» von Berlioz, als Octavian im «Rosenkavalier» und als Klytämnestra in «Elektra» von R. Strauss. 1960 sang sie als Antrittsrolle an der New Yorker Metropolitan Oper die Carmen. In den folgenden drei Spielzeiten hatte sie dort große Erfolge als Titelheld im «Orpheus» von Gluck und als Komponist in «Ariadne auf Naxos» von R. Strauss. Sie gastierte bei den Festspielen von Aix-en-Provence und 1974 beim Edinburgh Festival (als Küsterin in «Jenufa» von Janáček). Bei den Festspielen von Glyndebourne sang sie 1961–76 eine Vielzahl von Partien, darunter die Ottavia in Monteverdis «Incoronazione di Poppea», die Geneviève in «Pelléas et Mélisande» und wirkte dort 1961 in der englischen Erstaufführung von H. W. Henzes «Elegy for Young Lovers» mit. 1978 sang sie in der Stockholmer Uraufführung der Oper «Le Grand Macabre» von György Ligeti.

Meyer-Welfing, Hugo; 1938–40 war er am Theater von Königsberg engagiert, 1940–43 am Stadttheater von Stettin. Zu seinen großen Partien zählten der Don Ottavio im «Don Giovanni» und der Titelheld in «Hoffmanns Erzählungen», doch übernahm er auch kleinere Partien.
Weitere Schallplattenaufnahmen auf Amadeo, Haydn-Society, Vanguard und Columbia.

Meyerhoff, Hermine, † 24. 2. 1926 Waltendorf bei Graz. Seit 1876 war sie für einige Spielzeiten am Theater an der Wien im Engagement und sang dort in den Uraufführungen der Johann-Strauß-Operetten «Blindekuh» (18. 12. 1878) und «Das Spitzentuch der Königin» (1. 10. 1880).

M'Guckin, Barton, † 17. 4. 1913 Stoke Poges (Grafschaft Buckinghamshire).

Michaelis, Ruth, † Dezember 1989 Santa Barbara (Kalifornien).
Schallplatten: Fonit-Cetra (Finale der «Götterdämmerung»).

Michailow, Maxim Dormidontowitsch; weitere Höhepunkte in seinem Bühnenrepertoire waren der Kontschak in «Fürst Igor» von Borodin und der Gremin im «Eugen Onegin».
Schallplatten: Vollständige Opern «Boris Godunow» (als Pimen), «Fürst Igor», «Ruslan und Ludmilla» von Glinka, «Eugen Onegin» (als Gremin).

Michailow-Stojan, Konstantin; Schallplatten: Pathé-Platten (vier Liedaufnahmen, Sofia 1909).

Michailowa, Maria Alexandrowna, * 3. 6. 1866 Charkow (nach anderen Quellen 1864), † 18. 1. 1943 Perm (damals Molotow) im Ural. (Wahrscheinlich war sie bei der Belagerung von Leningrad nach dort evakuiert worden).

Michalek, Margarethe, Mezzosopran/Sopran, * 5. 5. 1875 Döbling bei Wien. Sie debütierte 1897 an der Wiener Hofoper als Siebel im «Faust» von Gounod. Sie sang auch Partien aus dem Soubrettenfach wie die Ännchen im «Freischütz» und die Marie in der «Verkauften Braut» von Smetana. 1901 sang sie in München das Solo in der Uraufführung der 4. Sinfonie von Gustav Mahler, worauf dieser ihr die gleiche Partie bei der Premiere des Werks 1902 in Wien übertrug.
Schallplatten: Es sind insgesamt fünf Aufnahmen ihrer Stimme auf G & T (Wien, 1902) zum Vorschein gekommen, alle von größter Seltenheit.

Michalowski, Alexander; auch sein Sohn *Konstanty Michalowski* (1923–59) war als Sänger tätig.
Schallplatten: Odeon- und Parlophon-Aufnahmen; auch auf Syrena-Elektro vertreten. Hier u. a. eine vollständige Aufnahme von Moniuszkos «Halka» (um 1930).

Michalski, Aenne, * 19. 7. 1901 Prag, † 7. 11. 1986 Wien.

Michalski, Raimond; an der Metropolitan Oper New York hatte er einen seiner größten Erfolge als Leporello im «Don Giovanni».

Micheau, Janine; 1937 gastierte sie mit dem Ensemble der Opéra-Comique Paris beim Maggio musicale von Florenz als Mélisande in «Pelléas et Mélisande». 1939 sang sie am Teatro Colón Buenos Aires und in Rio de Janeiro, seit 1938 an der Oper von San Francisco (bis 1957). 1960 gab sie ihre Karriere an der Opéra-Comique auf; letzter Bühnenauftritt 1968 an der Oper von Rouen als Pamina in der «Zauberflöte».
Schallplatten: Pathé («Le Rossignol» von Strawinsky), Disques Montaigne («Christophe Colomb» von D. Milhaud).

Michel, Solange; 1942–43 sang sie unter ihrem eigentlichen Namen Solange Boulesteix an der Pariser Grand Opéra einige Comprimario-Rollen. 1945 wurde sie – jetzt als Solange Michel – ein führendes Mitglied der Pariser Opéra-Comique. Eine ihrer großen Kreationen war die Titelfigur in «Mignon»

von Thomas, die sie auch in der 2000. Aufführung der Oper an der Opéra-Comique vortrug. An diesem Haus sang sie in den Uraufführungen der Opern «Marion» von Wissmer (1951) und «The Last Savage» von G. C. Menotti (2. 4. 1963). 1978 trat sie nochmals am Theater von Besançon auf der Bühne in Erscheinung.
Schallplatten: MRF (Geneviève in «Pelléas et Mélisande»).

Micheletti, Gaston; an der Opéra-Comique Paris wirkte er in mehreren Uraufführungen von Opern mit, darunter «Angelo» von Bruneau (1928), «Le Chevalier de Mauléon» von Fournier, «Savati le terrible» von Bousquet und «Le Joueur de Viole» von Laparra (1926).

Mickler, Wilhelm, s. unter *Mickler, August.*

Middleton, Arthur, Baß-Bariton; während seines Engagements an der New Yorker Metropolitan Oper sang er dort 1914–17 den König in «Euryanthe» von Weber, den Donner im «Rheingold» und den Minister im «Fidelio». An der Oper von Chicago wirkte er in der Uraufführung der Oper «Azora» von Henry Hadley mit (26. 12. 1917). Er betätigte sich in Chicago später als Gesanglehrer.

Midgley, Walther; sang 1947 in Glyndebourne den Macduff in Verdis «Macbeth». Höhepunkte in seinem Bühnenrepertoire waren der Manrico im «Troubadour», der Alfredo in «La Traviata» und der Cavaradossi in «Tosca».

Mieli, Oreste; er sang am 17. 1. 1901 in einer der sechs gleichzeitigen (und ohne Ausnahme erfolglosen) Uraufführungen von Mascagnis «Le Maschere» in Turin im Florindo. 1900 hörte man ihn am Teatro Sociale von Rovigo in der Titelrolle von Giordanos «Andrea Chénier». In der Uraufführung von Alfanos Oper «Risurrezione» sang er am 30. 11. 1904 am Teatro Vittorio Emanuele in Turin den Prinzen Dimitrij.

Mielke, Antonie; sie war 1888–89 am Opernhaus von Köln engagiert und ging dann nach Nordamerika. Nach Deutschland zurückgekehrt, sang sie bis 1895 am Stadttheater von Breslau, dann 1895–96 am Stadttheater von Danzig, 1896–98 am Stadttheater von Elberfeld, 1899–1900 wieder in Köln. Wahrscheinlich hat sie als letzte Partie im März 1900 am Theater von Straßburg die Selika in Meyerbeers «Africaine» gesungen.

Mierczwiński, Wladyslaw; er wurde in Warschau durch den Pädagogen F. Ciaffei ausgebildet und ging dann zu weiteren Studien nach Paris. Während seiner Ausbildung wechselte er vom Baß- ins Tenorfach. 1874 debütierte er an der Grand Opéra Paris als Raoul in den «Hugenotten» von Meyerbeer. 1884–86 war er als Gast an der Wiener Hofoper zu hören, 1885 an der Hofoper Berlin, an der Hofoper Dresden wie am Hoftheater von Dessau. Weitere Gastspiele in Madrid (1881–82), an der Oper von

Monte Carlo (1884), an der Mailänder Scala (1881–82, hier vor allem als Arnoldo gefeiert), in Budapest (1886), New York (1882), St Petersburg (1883), Moskau (1884, 1893), in Prag (1884), Neapel (1892) und 1887 bei einer glanzvollen Rußland-Tournee. In Warschau trat er in den Jahren 1881–91 in der Oper wie im Konzertsaal auf. Auftritte in Polen und in der Ukraine, die er bis 1896 fortsetzte, brachten ihm dann jedoch keine Erfolge mehr.

Migénes, Julia, *13. 3. 1949 Manhattan (New York). Sie trat bereits 1965 an der City Centre Opera New York in «The Saint of Bleecker Screet» von Menotti auf. Sie studierte weiter in Köln bei Gisela Ultmann und war 1973–78 an der Wiener Volksoper engagiert. Hier sang sie die Blondchen in der «Entführung aus dem Serail», die Despina in «Così fan tutte», die Susanna in «Figaros Hochzeit», die Esmeralda in «Notre Dame» von F. Schmidt, die Olympia in «Hoffmanns Erzählungen» und die Sophie im «Rosenkavalier». Sie debütierte dann 1978 an der Oper von San Francisco als Musetta in Puccinis «La Bohème». 1979 wurde sie an die Metropolitan Oper New York verpflichtet. Hier sang sie als Antrittspartie die Jenny in «Aufstieg und Fall der Stadt Mahagonny» von K. Weill und hatte 1981 große Erfolge als Lulu in der gleichnamigen Oper von A. Berg. Sie sang dort auch die Nedda im «Bajazzo» und die Musetta in «La Bohème». 1987 debütierte sie an der Covent Garden Oper London als Titelheldin in «Manon» von Massenet. 1990 gastierte sie an der Oper von Monte Carlo in dem Monodrama «La Voix humaine» von F. Poulenc.
Schallplatten: Acanta (Operetten-Ausschnitte), Preiser (Musical «The Fiddler on the Roof» von J. Bock), Ariola-Eurodisc («Carmen»), CBS («Die sieben Todsünden» von K. Weill).

Mikorey, Karl, *1. 1. 1903 Berlin, †5. 6. 1987 Nürnberg. Er debütierte 1932 am Opernhaus von Nürnberg und ist während seiner gesamten Karriere bis zu seinem Bühnenabschied 1971 Mitglied dieses Hauses geblieben. An der Stuttgarter Staatsoper wirkte er in der Uraufführung der Operette «Die ungarische Hochzeit» von Nico Dostal mit (4. 2. 1939). Er trat als Gast auch an der Staatsoper (1962) und an der Volksoper von Wien (1941) auf. Verheiratet mit der Sopranistin *Anny Coty* (*3. 4. 1906, †7. 2. 1985 Nürnberg).
Schallplatten: Melodram (vollständige Oper «Hans Sachs» von Lortzing).

Mikorey, Max; er sang an der Hofoper von München am 29. 6. 1888 in der Uraufführung von Richard Wagners Jugendoper «Die Feen» die Partie des Arindal. 1905 verabschiedete er sich als Melot im «Tristan» von seinem Münchner Opernpublikum. Sein Sohn Franz Mikorey (1873–1947) war ein bekannter Dirigent und komponierte mehrere Bühnenwerke; seine Tochter Carla Mikorey (*1884) war eine geschätzte Pianistin.

Miková, Alena; Schallplatten: Pan (Vokalmusik von B. Martinù).

Miladinowitsch, Militza, *21.2. 1924 Belgrad. Sie debütierte 1949 am Opernhaus von Ljubljana (Laibach) und kam 1950 an die Nationaloper von Belgrad.

Milanov, Zinka, †30.5. 1989 New York. Sie war Schülerin von Maria Kostrencić in Zagreb und von Fernando Carpi in Prag. Auch ihr Bruder, der Komponist und Pianist Borislaw Kunc (1903–1964) trug zu ihrer Ausbildung bei. Dieser begleitete sie bei ihren Konzerten oft am Flügel und brach während eines solchen Konzertes 1964 in Detroit tot auf dem Podium zusammen. Seit 1928 war sie an der Oper von Zagreb tätig, wo sie bis 1935 blieb. Während dieser Zeit gab sie erste Gastspiele in Dresden, Prag und Hamburg. Hatte sie dort noch unter ihrem wirklichen Namen Zinka Kunc (oder auch Kunz) gesungen, so nahm sie für ihre internationale Karriere den Künstlernamen Zinka Milanov an. In den Jahren 1937–66 absolvierte sie an der Metropolitan Oper New York ihre große Karriere, an der sie während dieser langen Zeitspanne nur in den Spielzeiten 1941–42 und 1947–50 nicht auftrat. Insgesamt sang sie in deren New Yorker Haus in 24 Spielzeiten 13 Partien in 298 Vorstellungen (dazu noch 123 Vorstellungen im Rahmen der jährlichen Tournee durch die USA). Allein 52mal stand sie dabei als Aida auf der Bühne; ihre weiteren großen Kreationen an der Metropolitan Oper waren die Amelia in Verdis «Ballo in maschera», die Leonore im «Troubadour», die Elvira in «Ernani», die Amelia in «Simon Boccanegra», die Norma, die Gioconda, die Donna Anna im «Don Giovanni», die Tosca und die Santuzza in «Cavalleria rusticana». 1940–42 gastierte sie am Teatro Colón Buenos Aires (wo sie auch die Rezia im «Oberon» von Weber sang); an der Oper von Chicago debütierte sie 1940 als Aida, an der San Francisco Opera 1943 als Leonore in «La forza del destino». Ihre Antrittsrolle an der Covent Garden Oper London war 1956 die Tosca. Nach ihrer Heirat mit einem jugoslawischen Diplomaten kehrte sie 1947 in ihre Heimat zurück, verließ diese aber wieder 1949 und setzte ihre Karriere an der Metropolitan Oper weiter fort.
Schallplatten: Music and Arts (Missa solemnis von Beethoven).

Milaschkina, Tamara (Andrejewna), *13.9. 1934 Astrachan. 1961–62 ergänzte sie ihre Ausbildung in der Opernschule der Mailänder Scala. Dort sang sie dann 1962 die Lida in Verdis Oper «La battaglia di Legnano». Gastspiele und Konzerte in Ungarn, Jugoslawien, Belgien, Finnland, Norwegen, Dänemark, in Österreich und in der Schweiz. 1975 sang sie bei einem Gastspiel des Bolschoj Theaters Moskau an der Metropolitan Oper New York. Verheiratet mit dem bekannten Tenor *Wladimir Atlantow* (*1939).
Schallplatten: Melodiya (Tatjana im «Eugen Onegin»).

Milcheva-Nonova, Alexandrina; Schülerin von G. Tscherkin in Sofia. Sie gewann 1965 den Internationalen Concours von Toulouse. Seit 1976 war sie durch einen Gastspielvertrag mit der Staatsoper von Wien, seit 1983 auch mit der von München verbunden. 1982 sang sie an der Mailänder Scala in der Uraufführung von «La vera storia» von Luciano Berio. 1981–82 Gastspiele an der Oper von Lüttich, 1988 am Teatro Comunale Bologna und an der Königlichen Oper Kopenhagen. 1986 sang sie in Florenz, 1987 in Chicago die Laura in «La Gioconda» von Ponchielli. Große Oratorien- und Liedersängerin.
Schallplatten: Balkanton («Vera Scheloga» von Rimsky-Korssakow, Amneris in «Aida»), RCA («Adriana Lecouvreur» von Cilea), Orfeo («Peer Gynt» von W. Egk, «Le Cinesi» von Gluck, Verdi-Requiem), Sony Records («Fürst Igor» von Borodin).

Milder-Hauptmann, Pauline Anna, †29.5. 1838 Berlin. Sie war die Tochter eines Kuriers im österreichischen diplomatischen Dienst. Sie sang am 25.2. 1806 am Theater am Kärntnertor in Wien in der Uraufführung der Oper «Faniska» von Cherubini die Titelrolle, die der Meister für sie komponiert hatte. Schubert schrieb für sie «Der Hirt auf dem Felsen» mit obligater Klarinettenbegleitung, sein letztes Werk, das im Oktober 1828, einen Monat vor seinem Tod entstand.

Mildmay, Audrey; sie heiratete 1931 den englischen Orgelbauer, Kunst- und Musikliebhaber, den Grundbesitzer John Christie (1882–1962). Aus dieser Ehe ging ein Sohn, George Christie (*1934) hervor, der nach seinem Vater die von diesem begründeten Festspiele von Glyndebourne leitete.

Milinković, Georgine von; sie debütierte 1935 am Opernhaus von Zagreb als Erda in der jugoslawischen Erstaufführung von R. Wagners «Rheingold». 1937 kam sie an das Opernhaus von Zürich, dem sie bis 1940 angehörte.

Miljaković, Olivera, *26.4. 1934 Belgrad. Seit 1960 sang sie, zumeist kleinere Partien, an der Nationaloper von Belgrad. 1963 wurde sie an die Staatsoper von Wien engagiert; 1987 Gastspiel beim Festival von Aix-en-Provence. Verheiratet mit dem Bassisten *Herbert Lackner,* der wie sie an der Wiener Staatsoper wirkte.
Schallplatten: Amadeo-Polygram.

Mill, Arnold van; 1959–61 war er an der Staatsoper von Wien engagiert; 1959 und 1963 sang er an der Mailänder Scala in Aufführungen des Nibelungenrings. 1958 trat er an der Oper von San Francisco auf; auch am Teatro Fenice Venedig war er zu Gast, ebenso 1961 bei den Festspielen von Aix-les-Bains, bei denen er den Sarastro in der «Zauberflöte» sang. An der Hamburger Staatsoper sang er in der Uraufführung von K. Pendereckis Oper «Die Teufel von Loudun» (20.6. 1969).
Schallplatten: Auch Aufnahmen auf Columbia.

Miller, Lajos; gastierte 1982 und 1984 an der Oper von Brüssel, 1987 am Teatro Colón Buenos Aires und an der Oper von Rom (Grigor in Rimsky-

Korssakows «Zarenbraut»). 1989–90 hörte man ihn
an der New Yorker Metropolitan Oper als Grafen
Luna im «Troubadour».

Miller, Mildred; sie studierte zuerst am Cleveland
Institute of Music, dann am New England Conservatory Boston. 1946–49 war sie Mitglied der New
England Opera Company, 1946 wirkte sie beim Tanglewood Festival in der USA-Erstaufführung von
Benjamin Brittens «Peter Grimes» mit. 1949 kam sie
an die Staatsoper von Stuttgart. Seit 1951 hat sie
während 24 Spielzeiten an der New Yorker Metropolitan eine Vielzahl von Partien gesungen, darunter
den Siebel im «Faust» von Gounod, den Nicklausse
in «Hoffmanns Erzählungen», die Magdalene in den
«Meistersingern», die Suzuki in «Madame Butterfly» und die Meg Page im «Falstaff» von Verdi,
insgesamt (im New Yorker Haus der Metropolitan
Oper) 21 Partien in 253 Vorstellungen.
Schallplatten: Auch Aufnahmen unter den Etiketten von Columbia und Desto.

Miller, Reed. Zusammen mit seiner Gattin, der
Altistin *Nevada Van der Veer* (1870–1958), der Sopranistin Agnes Kimball und dem Baß-Bariton
Frank Croxton bildete er das Croxton-Quartett, das
(zum Teil anonym) auf Edison-Zylindern zu hören
ist. Auf Victor erschienen u. a. Duette mit Reinald
Werrenrath; seine letzten Aufnahmen auf Vocalion
datieren von 1923. Einige Platten wurden unter dem
Pseudonym James Reed publiziert.

Miller, William; er begann seine Bühnenkarriere am
Opernhaus von Düsseldorf, an dem er in den Jahren
1904–10 sang. Hier studierte er noch bei der Pädago-
gin Josephine von Hübbenet. Bereits 1902 hatte er
an der Hofoper von Wien, 1903 an der Hofoper von
München als Gast gesungen. Am 1. 4. 1914 kreierte
er an der Hofoper Wien in der Uraufführung der
Oper «Notre Dame» von Franz Schmidt die Partie
des Gringoire. 1910 zu Gast an der Hofoper von
Dresden, 1911 am Hoftheater Hannover, 1912 an
der Kurfürstenoper Berlin, 1920 nochmals in Wien.
Danach sang er noch während einer Spielzeit an der
Budapester Oper, bevor er in seine amerikanische
Heimat zurückkehrte.

Miller, Wladyslaw, Baß, * 23. 3. 1830 Warschau,
† 1. 8. 1896 Warschau; er wurde zuerst durch Quattrini in Warschau zum Sänger ausgebildet und war
1848–50 als Chorist am Theater Wielki (Opernhaus)
von Warschau beschäftigt. 1850 kam er an das Warschauer Rozmaitosci-Theater und sang hier als erste
Solopartie den Justinian in Donizettis «Belisario».
Dann ging er zur weiteren Ausbildung nach Mailand, wo er Schüler des berühmten Pädagogen Francesco Lamperti wurde. 1852–62 kam er dann am
Theater Wielki in Warschau zu einer glänzenden
Karriere; er zeichnete sich jetzt vor allem als hervorragender Interpret von Buffo-Partien aus. Seit 1862
entfaltete er eine große internationale Karriere.
Seine Gastspielreisen trugen ihm in aller Welt glänzende Erfolge ein. 1865 hörte man ihn in Nordamerika an den Opernhäusern von New York, Chicago,

Philadelphia und San Francisco, 1866 bewunderte
man ihn an der Oper von Havanna, bereits 1862 in
Rio de Janeiro. Große Erfolge hatte er auch bei
Gastspielauftritten an den führenden Operntheatern in Italien, Spanien und namentlich in Portugal.
Der König von Portugal ernannte ihn nach einem
triumphalen Auftreten in Lissabon zum Hofsänger.
In den Jahren 1868 und 1879 gastierte er nicht weniger erfolgreich an der Mailänder Scala, 1870 und
1879 am Teatro San Carlo Neapel. 1881 unternahm
er eine große Rußland-Tournee, 1891 eine Tournee
durch Italien. Seit 1888 war er in der polnischen
Hauptstadt als Pädagoge tätig. Sein Sohn, Wladyslaw Miller jr. (* 1862 Monte Albano während eines
Italien-Aufenthalts seines Vaters, † 1929 Warschau), war ein beliebter Operettenkomponist. –
(Neufassung) –.

Milligan, James; Schallplatten: Sang auf HMV in
mehreren Gesamtaufnahmen von Gilbert & Sullivan-Operetten.

Millo, Aprile; sie debütierte 1980 in Salt Lake City
als Aida. 1985 sang sie an der Metropolitan Oper
New York die Amelia in Verdis «Simon Boccanegra», 1987 war sie dort sehr erfolgreich als Aida und
als Liu in Puccinis «Turandot»; sie trat an diesem
Haus auch als Elvira in Verdis «Ernani», als Elisabetta in dessen Oper «Don Carlos» und 1989 als
Imogine in Bellinis «Il Pirata» auf. 1987 übernahm
sie in einer konzertanten Aufführung von Verdis
«La battaglia di Legnano» in der New Yorker Carnegie Hall die Rolle der Lida und sang bei den Festspielen von Bregenz die Elvira in «Ernani». 1988 gastierte sie bei den Festspielen in der Arena von
Verona als Aida, am Teatro Comunale Bologna als
Elisabetta im «Don Carlos», 1989 in den Thermen
des Caracalla Rom wieder als Aida.
Schallplatten: Polyphon.

Milnes, Sherrill; 1960 debütierte er mit der Tanglewood Truppe in Boston als Masetto im «Don Giovanni», 1961 sang er in Baltimore den Gérard in
«Andrea Chénier» von Giordano. An der City
Centre Opera New York sang er als Antrittsrolle den
Valentin im «Faust» von Gounod. Er war für mehr
als 22 Jahre Mitglied der Metropolitan Oper New
York, in deren New Yorker Haus er (bis 1987)
dreißig Partien in über 375 Vorstellungen sang. Seit
1971 gastierte er an der Covent Garden Oper Lon-
don wie an der Oper von Chicago (Débüt als Posa in
Verdis «Don Carlos»). 1982 hatte er große Erfolge
an der City Centre Opera New York in der Titelpar-
tie der Oper «Hamlet» von A. Thomas. Von seinen
Bühnenpartien sind noch der Jago im «Othello» von
Verdi, der Scarpia in «Tosca», der Carlos in «La
forza del destino» und der Scindia in «Le Roi de
Lahore» von Massenet zu nennen.
Schallplatten: Decca (Requiem von G. Fauré), CBS
(«La Gioconda»).

Milon, Jeanne, s. unter *Trial,* Antoine.

Milona, Costa, † 27. 3. 1949 London. Ausgebildet
durch Borghi in Mailand. Es ließen sich einige Gast-

spiele an der Wiener Volksoper in den Jahren 1938–40 als Riccardo in Verdis «Maskenball», als Canio im «Bajazzo» und als Rodolfo in «La Bohème» sowie am Stadttheater von Frankfurt a. d. Oder (1935) ermitteln. Wahrscheinlich gab er nach seinem Weggang von Berlin noch Konzerte; im Anschluß an ein Konzert in London soll er an einem Herzschlag gestorben sein.

Mindszenti, Ödön, *9. 5. 1908 Mindszent, †9. 9. 1955 Budapest.

Minghetti, Angelo; 1920 sang er am Teatro Massimo Palermo den Ruggiero in Puccinis «La Rondine». An der Oper von Chicago trat er u. a. als Herzog im «Rigoletto», als Rodolfo in «La Bohème», als Pinkerton in «Madame Butterfly», als Faust in «Mefistofele» von Boito und als Léopold in «La Juive» von Halévy auf. Nach seinem Debüt an der Mailänder Scala 1923 ist er dort bis 1935 immer wieder in Erscheinung getreten. Bei seinen Gastspielen an der Covent Garden Oper London hörte man ihn in seiner großen Glanzrolle, dem Rodolfo in «La Bohème» (den er an allen italienischen Theatern von Bedeutung sang), als Herzog im «Rigoletto», als Alfredo in «La Traviata», als Pinkerton und als Cavaradossi. 1933 war er an der Städtischen Oper Berlin zu Gast; am 23. 1. 1934 sang er an der Oper von Rom in der Uraufführung von Respighis Oper «La Fiamma».

Minghini-Cattaneo, Irene; sie studierte zuerst bei Maestro Cicognani, dann bei Ettore Cattaneo, den sie 1920 heiratete. 1925–27 und 1931 wirkte sie bei den Festspielen in der Arena von Verona mit. Seit 1928 hatte sie an der Mailänder Scala in einer langjährigen Karriere große Erfolge. 1928–30 gastierte sie an der Covent Garden Oper London als Amneris in «Aida» (zusammen mit Dusolina Giannini und Aureliano Pertile), als Partnerin von Fedor Schaljapin in «Boris Godunow» und mit Rosa Ponselle in «La Gioconda» von Ponchielli. 1931 trat sie als Gast in Zürich, 1935 an der Grand Opéra Paris auf; an der Mailänder Scala wirkte sie in der Uraufführung der Oper «Fra Gherardo» von I. Pizzetti mit (16. 5. 1929). Dagegen ist sie nicht in Nordamerika aufgetreten. 1941 nahm sie an der Mailänder Scala in der Rolle der Cieca in «La Gioconda» von der Bühne Abschied. Bis 1920 ist sie auch unter dem Namen Irene Minghini-Boschi (ihrem eigentlichen Namen) aufgetreten.
Schallplatten: Fonotipia-Aufnahmen, bereits elektrisch aufgenommen.

Mingolfi, Regina; nach dem frühen Tod ihres Vaters wurde sie bei ihrem Onkel, dann in einem Ursulinen-Konvent in Graz erzogen. Sie erhielt ihre Ausbildung u. a. durch Nicola Porpora und debütierte 1743 in Hamburg. Sie lebte seit 1787 bei ihrem Sohn, dem Forstinspektor Samuel von Buckinghem, in Neuburg a. d. Donau.

Minton, Yvonne; an der Covent Garden Oper London sang sie als weitere Partien die Dorabella in «Così fan tutte», die Brangäne im «Tristan», den Orpheus von Gluck, den Sesto in «La clemenza di Tito» von Mozart und die Waltraute im Nibelungenring. 1973 sang sie in einer einzigen Vorstellung an der Metropolitan Oper New York den Octavian im «Rosenkavalier». Am 24. 2. 1979 wirkte sie an der Grand Opéra Paris in der Welturaufführung der dreiaktigen Fassung der Oper «Lulu» von A. Berg (in der Bearbeitung durch F. Cerha) mit. 1988 Gastspiel am Teatro Regio Turin als Waltraute in der «Götterdämmerung». 1980 wurde sie mit dem Titel eines Commander of the British Empire ausgezeichnet.
Schallplatten: HMV («The Kingdom» von E. Elgar).

Miolan-Carvalho, Marie; am 14. 12. 1894 nahm Mme Miolan-Carvalho als Ehrengast an der 1000. Aufführung von Gounods «Faust» an der Grand Opéra Paris teil.

Mion, Irma; sie sang in der Saison 1912–13 bei der Italienischen Oper in Holland. 1924 sang sie die Lucieta in Wolf-Ferraris «I quattro rusteghi» am Teatro Sociale von Como. 1932 trat sie am Teatro Fenice Venedig auf.

Miranda, Ana-Maria; an der Opéra de Wallonie Lüttich sang sie 1983 die Musetta in «La Bohème», 1985–86 die Infantin in «Le Cid» von Massenet.
Schallplatten: FSM (Venezianische Lieder).

Miranda, Lalla; ihre Mutter, *Annetta Hirst,* war Opernsängerin gewesen, ihr Vater *David Miranda* hatte u. a. 1866 als Tenor an der Covent Garden Oper London gesungen. 1891–94 sang Lalla Miranda in England bei der Turner Concert and Opera Group. 1895 fand ihr professionelles Konzertdebüt in Dundee statt. In der Saison 1900–01 war sie an der Covent Garden Oper London auf (Debüt als Gilda im «Rigoletto»), 1907–11 war sie wiederum am gleichen Opernhaus erfolgreich tätig. 1908 gastierte sie an der Grand Opéra Paris, 1910 am Manhattan Opera House New York als Lucia di Lammermoor; 1913 bereiste sie Australien. Seit 1918 sang sie während mehrerer Spielzeiten in England bei der Carl Rosa Opera Company. Anfang der zwanziger Jahre absolvierte sie noch Auftritte in Paris und in der französischen Provinz. Auch ihre jüngere Schwester *Beatrice Miranda* (1884–1964) wurde eine bekannte Opernsängerin.

Mirassou, Pedro; er sang 1925 in Parma den Canio im «Bajazzo» und in der Oper «La Monecella della Fontana» von Giuseppe Mulè. Am 12. 7. 1929 sang er am Teatro Colón Buenos Aires die Titelrolle in der Uraufführung der Oper «El Matrero» von Felipe Boero. 1926 und 1931 gastierte er an der Mailänder Scala (1926 in der Uraufführung der Oper «Delitto e Castigo» von Pedrollo), 1928 in Rio de Janeiro. In Holland trat er Anfang der dreißiger Jahre ebenfalls als Opernsänger (Canio im «Bajazzo», Andrea Chénier von Giordano) auf. Aus seinem Opernrepertoire sind noch der José in «Carmen», der Radames

in «Aida», der Cavaradossi in «Tosca», der Pollione in «Norma», der Kalaf in Puccinis «Turandot» und der Dimitrij im «Boris Godunow» zu nennen, dazu Partien in Opern argentinischer Komponisten.
Schallplatten: Victor («El Matrero», 1929; spanische Lieder).

Mirate, Raffaele; erstes Aufsehen als großer Donizetti-Interpret erregte er bereits in Venedig in der Partie des Edgardo in «Lucia di Lammermoor».

Misciano, Alvinio; er sang am 25. 10. 1962 am Théâtre des Champs Élysées Paris in der Uraufführung der «Opéra d'Aran» von Gilbert Bécaud. Er trat auch beim Maggio musicale Fiorentino in Erscheinung.
Schallplatten: Melodram (Cavaradossi in «Tosca»).

Missenhardt, Günter; er ergriff zunächst den Beruf eines Textilkaufmanns, den er bis zu seinem 27. Lebensjahr ausübte. Er sang 1987 an der Opéra du Rhin Straßburg den Doktor im «Wozzeck» von A. Berg, 1988 in Brüssel den Schigolch in «Lulu», in Düsseldorf seine große Glanzrolle, den Ochs im «Rosenkavalier», den er auch 1989 am Théâtre des Champs Élysées Paris vortrug. Höhepunkte in seinem Bühnenrepertoire waren der Kezal in der «Verkauften Braut», der Osmin in der «Entführung aus dem Serail», der van Bett in «Zar und Zimmermann», der Masetto im «Don Giovanni», der Figaro in «Figaros Hochzeit» und der Warlaam im «Boris Godunow». Der Künstler, der seit 1974 mit der berühmten Mezzosopranistin *Agnes Baltsa* (* 1944) verheiratet war, galt als Darsteller von ungewöhnlicher Begabung.

Mitchell, Leona, * 13. 10. 1948 Enid (Oklahoma). Sie debütierte 1973 an der Oper von San Francisco als Micaela in «Carmen» und sang 1975 die gleiche Partie bei ihrem Debüt an der Metropolitan Oper New York (mit Placido Domingo als Partner). Dort hatte sie 1987 großen Erfolg als Liu in Puccinis «Turandot». 1976 gastierte sie am Grand Théâtre Genf, 1980 an der Covent Garden Oper London (Antrittsrolle: Liu); 1982 bewunderte man an der Oper von Sydney ihre Leonore in Verdis «Troubadour». 1987 sang sie an der Oper von Nizza die Salomé in Massenets «Hérodiade», an der Opéra-Comique Paris die drei Hauptrollen in Puccinis «Trittico» (Giorgietta, Suor Angelica, Lauretta). Bei den Festspielen in der Arena von Verona trat sie 1988 als Aida in Erscheinung.

Mitchinson, John, * 31. 3. 1932 Blackrod (Lancashire); Schüler von Frederick Cox, Heddle Nash und Boriska Gereb. Er gastierte in Basel, Prag und an der Scottish Opera Glasgow. Dabei sang er Partien wie den Peter Grimes, den Tristan, den Idomeneo, den Dalibor von Smetana, den Florestan, den Siegmund, den Ägisth in «Elektra» und den Manolios in der «Griechischen Passion» von B. Martinù.
Schallplatten: CBS (Mahler-Sinfonien).

Mitschinér, Alexandra, s. unter *Gura,* Hermann.

Mittelhauser, Albert; sang an der Metropolitan Oper New York 1899 in den Premieren der Wagner-Opern «Der Fliegende Holländer» den Steuermann und «Rheingold» den Froh.

Mittelmann, Norman; er war 1960–64 an der Deutschen Oper am Rhein Düsseldorf–Duisburg und 1965–82 am Opernhaus von Zürich tätig. 1969–77 bestand ein Gastspielvertrag mit der Hamburger Staatsoper.

Mittermayr, Georg, * 1783 München. In München, wo er überaus beliebt war, trat er auch als Titelheld in «Figaros Hochzeit», als Don Giovanni, als Scherasmin im «Oberon» von Weber, gelegentlich auch als Max im «Freischütz» und als Florestan im «Fidelio» auf. Er mußte 1830 seine Karriere vorzeitig wegen des Verlustes seiner Stimme aufgeben. Seine Tochter, die Sopranistin *Maria Viala,* war am Hoftheater von Meiningen engagiert und gastierte 1849–50 in München.

Mitterwurzer, Anton; er war ein Neffe des Wiener Domkapellmeisters, Komponisten und Pädagogen Johann Baptist Gänsbacher, der ihn ausbildete. Sein Sohn Friedrich Mitterwurzer (1844–97) wurde ein berühmter Schauspieler.

Miura, Tamaki, * 22. 2. 1884 Tokio. Sie sang auch in Messagers «Madame Chrysanthème» bei der Aufführung dieser Oper am Lexington Theatre New York. Bei ihren Auftritten als Butterfly war ihr Partner sehr oft der amerikanische Tenor *Theodore Kittay.* Man nahm allgemein an, daß die beiden verheiratet seien. Noch wenige Tage vor ihrem Tod sang sie in einer für die USA bestimmten Radiosendung aus Tokio Fragmente aus «Madame Butterfly».
Schallplatten: Columbia (1917, darunter das Liebesduett aus «Madame Butterfly» mit Theodore Kittay und japanische Volkslieder).

Mixová, Ivana; nach einem Gastspiel als Carmen am Smetana-Theater Prag (1955) wurde sie an das Prager Nationaltheater berufen. Zu ihren Bühnenrollen gehörten der Cherubino in «Figaros Hochzeit», die Olga im «Eugen Onegin», die Eboli in Verdis «Don Carlos» und der Titelheld im «Orpheus» von Gluck.
Schallplatten: Supraphon («Der Jakobiner» von Dvořák, «Die Teufelswand» von Smetana).

Modenos, John Philip; 1962–63 Mitglied der National-Oper Athen; seit 1963 bis 1973 am Opernhaus von Zürich tätig. 1961 sang er bei den Festspielen im Theater des Herodes Atticus in Athen in der Uraufführung der Oper «Nausicaa» von Peggy Glanville-Hicks den Odysseus, 1962 bei den gleichen Festspielen in der von «Konstantin Palaiologos» des griechischen Komponisten Manolis Kalomiris den Harkousis. 1980–83 Direktor der Oper von Athen.
Schallplatten: Joker (Querschnitte durch die Opern «Madame Butterfly», «Barbier von Sevilla», «Rigoletto»), Guilde (Querschnitt durch Verdis «Othel-

lo»), Composer Recordings (Ausschnitte aus «Nausicaa» von Glanville-Hicks).

Modesti, Giuseppe; er debütierte in der Spielzeit 1940–41 an der Mailänder Scala als König in «Aida». Nachdem seine Karriere durch Kriegsdienst unterbrochen worden war, kam er 1943 an die Scala zurück, an der er in den folgenden zwanzig Jahren immer wieder auftrat.
Schallplatten: Urania («La forza del destino»), Angelicum, HMV, DGG («La Bohème»).

Modestow, Alexander; wurde in den Jahren 1925–30 am Konservatorium von Leningrad ausgebildet und debütierte an der Oper von Leningrad 1929 als Shaklowitij in Mussorgskys «Khovantchina».

Mödl, Martha, Mezzosopran/Sopran; sie sang bei den ersten Bayreuther Festspielen nach dem Zweiten Weltkrieg 1951 die Kundry im «Parsifal», die dritte Norn und die Gutrune im Nibelungenring; sie trat dort als Brünnhilde 1953–56 und 1958, als Kundry 1951–57 und 1959–60, dazu in ihren weiteren großen Wagner-Partien, auf. 1948 gastierte sie erstmals an der Wiener Staatsoper; 1950–72 fast regelmäßig an der Covent Garden Oper London zu Gast. 1957 sang sie als Antrittsrolle an der Metropolitan Oper New York die Brünnhilde im «Siegfried». In den folgenden drei Spielzeiten erschien sie dort in zwölf Vorstellungen, und zwar als Isolde, als Kundry und als Brünnhilde. 1968 wirkte sie am Stadttheater von Hagen (Westfalen) in der deutschen Erstaufführung von Benjamin Brittens Oper «Gloriana» mit. Bei den Festspielen von Salzburg sang sie in der Uraufführung der Oper «Baal» von F. Cerha (7. 8. 1981). Noch 1988 trat sie am Opernhaus von Köln in der Partie der alten Gräfin in «Pique Dame» von Tschaikowsky auf.

Mödlinger, Josef; er war 1890–1910 als erster Bassist an der Berliner Hofoper engagiert und sang dort am 13. 12. 1904 in der Uraufführung von Leoncavallos «Roland von Berlin». Ein weiterer Bruder des Künstlers, *Anton Mödlinger* (1854–1921), wirkte als Schauspieler und Sänger in Wien (Carl-Theater, Theater in der Josefstadt) und in Graz.

Möller, Ida, † 10. 8. 1947 Frederiksberg bei Kopenhagen.

Möller-Siepermann, Käthe; sie war bis 1959 Mitglied des Opernhauses von Köln und trat dort noch bis 1964 als Gast auf. 1957 sang sie in Köln in der deutschen Erstaufführung der Oper «Dialogues des Carmélites» von F. Poulenc die Partie der Blanche.
Schallplatten: Polydor (Operetten von L. Jessel und E. Kálmán).

Mörner, Marianne, * 14. 5. 1895 Örebro (Schweden).

Mörwald, Oskar; er begann seine Karriere 1924–25 in Salzburg. Dann war er Chorist am Corso-Theater

von Zürich und am Stadttheater von Augsburg, an dem er seit 1929 als Solist auftrat. 1931–33 war er am Theater von Reichenberg (Liberec), 1933–35 in Bern und 1935–40 am Opernhaus von Zürich engagiert. Hier sang er am 2. 6. 1937 in der Uraufführung von Alban Bergs «Lulu» die Partie des Prinzen.
Schallplatten: Telefunken («Meistersinger»-Quintett).

Moes, Jules, * 6. 11. 1879 Maastricht, † 30. 12. 1961 Amsterdam.
Schallplatten: Es existieren einige Privataufnahmen unter dem Namen Julius Peeters, darunter die Bildnis-Arie aus der «Zauberflöte» (in deutscher Sprache).

Moest, Rudolf; weitere Gastspiele führten ihn an die Berliner Hofoper (1903–10), an die Hofoper von Dresden (1906), an das Deutsche Theater Prag (1907, 1909), an die Opernhäuser von Frankfurt a. M. (1900) und Köln (1905–08) und an das Hoftheater Karlsruhe (1902).

Moffo, Anna; im eigentlichen New Yorker Haus der Metropolitan Oper sang sie seit 1959 in 17 Spielzeiten 18 Partien in 130 Vorstellungen, darunter die Lucia di Lammermoor, die Pamina in der «Zauberflöte», die Gilda, die Adina in «Elisir d'amore», die Marguerite im «Faust» und die Juliette in «Roméo et Juliette» von Gounod, die Nedda im «Bajazzo», die Manon von Massenet, die Mélisande in «Pelléas et Mélisande» und die Liu in «Turandot» von Puccini. 1957 debütierte sie an der Oper von Chicago als Mimi in «La Bohème». Auf der Bühne kam die aparte Schönheit ihrer Erscheinung nicht weniger zur Geltung wie ihr temperamentvolles Spieltalent.

Mohwinkel, Hans, * 16. 5. 1858 Hannover, † 27. 4. 1922 Hamburg; Ausbildung durch Otto Lange in Hannover. Er debütierte 1889 am Stadttheater Regensburg (unter dem Pseudonym Henry Mohwinkel), studierte dann aber noch weiter bei Alberto Selva in Mailand. Er sang darauf 1892–94 am Theater von Breslau, 1895–97 am Opernhaus von Riga, 1897–98 in Königsberg (Ostpreußen), 1898–1901 am Hoftheater Mannheim und seit 1901 am Stadttheater (Opernhaus) von Hamburg. 1907–17 wirkte er am Hoftheater von Schwerin als Sänger wie als Regisseur. Gastspiele führten ihn an die Hofopern von Berlin (1901, 1903), Dresden (1899), München (1900) und Stuttgart (1899), an das Hoftheater Wiesbaden (1899), an das Berliner Theater des Westens (1903), an das Stadttheater Bremen (1903, 1906) und in den Jahren 1901–11 oft an das Opernhaus von Köln. Dazu war er ein geschätzter Konzert- und Oratoriensolist. Zuletzt wirkte er in Hamburg im pädagogischen Bereich.

Mojica, José; er sang anfänglich an der Oper von Chicago kleinere Partien wie den Rodrigo in Verdis «Othello» oder den Beppe im «Bajazzo»; dann erlebte man ihn dort als Corentin in Meyerbeers «Dinorah» (zusammen mit Amelita Galli-Curci, 1923), als Narraboth in «Salome» von R. Strauss, als Léopold in Halévys «La Juive», als Grafen Almaviva im «Barbier von Sevilla» (mit Toti dal Monte), als Schuiskij im «Boris Godunow», als Cassio in Verdis «Othello» und als Rinuccio in «Gianni Schicchi» von Puccini. Jahr für Jahr war er bei den Sommerfestspielen in Ravinia bei Chicago zu hören, u. a. als Paco in «La Vida breve» von de Falla, als Araquil in «La Navarraise» von Massenet und in «Le Chemineau» von Xavier Leroux. 1963 veröffentlichte er eine Autobiographie unter dem Titel *«I, a Singer»*.

Schallplatten: Seine ältesten Aufnahmen erschienen bereits um 1920 auf Edison- und Victor-Platten.

Moldoveanu, Eugenia; durch Gastspielverträge war sie den Staatsopern von Wien und Hamburg und der Deutschen Oper Berlin verbunden. 1987 gastierte sie an der Mailänder Scala wiederum als Gräfin in «Figaros Hochzeit» und bei den Festspielen von Verona als Butterfly, am Teatro Regio Turin als Donna Anna im «Don Giovanni».

Moldoveanu, Vasile; seit 1972 Mitglied der Staatsoper von Stuttgart. An der Staatsoper von Hamburg trat er u. a. 1978 als Don Carlos in der gleichnamigen Verdi-Oper auf. Seit 1976 oftmals an der Münchner Staatsoper zu Gast. Im Februar 1979 sang er als Antrittsrolle an der Metropolitan Oper New York den Pinkerton in «Madame Butterfly». Von den weiteren Rollen, die er an diesem Haus in den folgenden Spielzeiten gesungen hat, seien noch der Turiddu in «Cavalleria rusticana», der Gabriele Adorno in Verdis «Simon Boccanegra», der Enrico in dessen «Vespri Siciliani», des Grieux in «Manon Lescaut» und der Luigi in «Il Tabarro» von Puccini nachgetragen. 1979 gastierte er an der Covent Garden Oper London als Don Carlos von Verdi. 1988 trat er an der Stuttgarter Staatsoper als Cavaradossi in «Tosca», an der Oper von Nizza als Ramirez in Puccinis «La Fanciulla del West» auf.

Molese, Michele, * 29. 8. 1928 New York, † 5. 7. 1989 Stradella-Broni bei Piacenza; er begann seine Studien in seiner Heimatstadt New York und setzte diese in Mailand fort. 1956 sang er am Teatro Nuovo Mailand den Beppe im «Bajazzo», im gleichen Jahr debütierte er an der Piccola Scala in Mailand als Titelheld in Mascagnis «Amico Fritz». Er trat auch in «L'Amour des trois oranges» von Prokofieff und in der zeitgenössischen Oper «König Hirsch» von H. W. Henze auf. Verheiratet mit der Mezzosopranistin *Zoë Papadaki*.

Molinari, Enrico; bereits 1911 sang er am Teatro Regio Parma den Grafen in Cimarosas «Matrimonio segreto» und wahrscheinlich 1914 an der Mailänder Scala den Heerrufer im «Lohengrin». Am Teatro Costanzi Rom wirkte er am 30. 4. 1917 in der Uraufführung der Oper «Lodoletta» von Mascagni mit; 1919 sang er dort den Figaro im «Barbier von Sevilla», den Scarpia in «Tosca», den Amonasro in «Aida» und nahm an der Premiere der Oper «Jacquerie» von Gino Marinuzzi teil. In der Saison 1923–24 hörte man ihn am Teatro Costanzi als Rigo-

letto, als Nelusco in Meyerbeers «Africaine» und als Gunther in der «Götterdämmerung». Bis 1948 ist er immer wieder an der Mailänder Scala aufgetreten. Als Lunardo in Wolf-Ferraris «I quattro rusteghi» gastierte er an der Scala, am Teatro Massimo Palermo, am Teatro Verdi Triest, an der Oper von Rom und an weiteren großen italienischen Bühnen.

Moll, Kurt; er war engagiert am Stadttheater von Mainz (1964–65), am Opernhaus von Wuppertal (1965–67) und am Opernhaus von Köln (1967–70). 1972 gastierte er an der Grand Opéra Paris als Bartolo in «Figaros Hochzeit» und als Gurnemanz im «Parsifal». Seit 1977 oftmalige Gastspiele an der Covent Garden Oper London (Debüt 1977 als Kaspar im «Freischütz»), so 1987 als Osmin in der «Entführung aus dem Serail». 1978 folgte er einem Ruf an die Metropolitan Oper New York (Antrittsrolle: Landgraf im «Tannhäuser»); hier sang er Partien wie den Sparafucile im «Rigoletto», den Rocco im «Fidelio», den Ochs im «Rosenkavalier», den Osmin und den Gurnemanz. In der letztgenannten Partie war er 1988 an der Oper von San Francisco zu Gast.

Schallplatten: DGG (Hunding in der «Walküre»), Edition Schwann («Der Corregidor» von Hugo Wolf), Capriccio («Notre Dame» von F. Schmidt).

Mollet, Pierre; seine Lehrer waren Carl Rehfuß in Neuchâtel, Charles Panzéra in Lausanne und Paul Sandoz in Basel. Er sang am Grand Théâtre Genf 1963 in der Uraufführung der Oper «Monsieur de Pourceaugnac» von Frank Martin, 1959 in Genf in der Uraufführung des Oratoriums «Mystère de la Nativité» vom gleichen Komponisten und 1958 in Basel in der des «Gilgamesch-Epos» von B. Martinù. Er gastierte an der Oper von Monte Carlo, am Teatro San Carlos Lissabon und 1967 als Konzertsolist in Köln. 1967 sang er in Genf in der Uraufführung einer Neu-Bearbeitung der Oper «Der Sturm» von Frank Martin. 1957–68 war er als Pädagoge am Konservatorium von Genf tätig, 1968 wurde er als Professor an das Konservatorium von Montreal (Kanada) berufen.

Schallplatten: Telefunken («Roi David» von A. Honegger), Columbia (Cantate de Noël von Honegger), Erato («Golgotha» von Frank Martin), Vogue («Chanson de l'Alpe» von Jaques-Dalcroze), Decca («In terra pax» von F. Martin), HMV-Pathé («Armide» von Gluck).

Molnár, András, * 1948; er sang 1987 in Budapest in der Uraufführung der Oper «Ecce Homo» von S. Szokolay. 1987 gastierte er am Teatro Colón Buenos Aires als Donzello in «La Fiamma» von O. Respighi, den er auch 1989–90 in Budapest sang.

Schallplatten: Hungaroton (Titelheld im «Parsifal», «Hunyadi László» von F. Erkel, Orchesterlieder von F. Liszt).

Moltke, Carl Melchior Jakob; 1809 debütierte er am Hoftheater von Weimar als Tamino in der «Zauberflöte». Seine großen Rollen auf der Bühne waren der Achilles in Glucks «Iphigenie in Aulis», der Tamino, der Graf Almaviva in Rossinis «Barbier von Sevilla», der Georges in «Jean de Paris» von Boieldieu, der Titelheld in «Fernand Cortez» von Spontini und der Max im «Freischütz». Sein Sohn Gustav Carl Moltke (1806–87) wurde ein bekannter Schauspieler.

Mombelli, Anna, s. unter *Mombelli,* Domenico.

Mombelli, Domenico, * 17. 2. 1751 Villanova di Vercelli. 1780 debütierte er am Teatro San Benedetto Venedig in der Oper «Nitteti» von Anfossi. 1783 sang er am Teatro San Carlo Neapel in der Uraufführung von Cimarosas Oper «Oreste», 1785 in «Enea e Lavinio» von Paisiello; 1790–91 und 1794 war er ebenfalls am Teatro San Carlo anzutreffen. 1791 und 1796 hatte er große Erfolge bei Auftritten in Venedig, 1796 sang er am Teatro Comunale Bologna in Nasolinis Oper «Merope», 1800 in «I Orazi ed i Curiazi» von Cimarosa. 1801 war er dann abermals am Teatro San Carlo Neapel zu Gast. 1786 und 1806 gastierte er in Wien. Am 18. 5. 1812 sang er am Teatro Valle Rom (nicht in Neapel) in der Uraufführung von Rossinis erster Oper «Demetrio e Polibio». 1810 wirkte er in der Eröffnungsvorstellung des neu erbauten Teatro Grande Brescia in der Oper «I sacrifici di Ifigenia» von Simone Mayr mit. 1814–15 trat er am Teatro Re in Mailand auf. Seit 1791 war er in zweiter Ehe mit der Sängerin und Tänzerin *Vincenza Vignanò-Mombelli* verheiratet. Seine Tochter *Ester Mombelli* sang am 19. 6. 1825 am Théâtre-Italien Paris in der Uraufführung von Rossinis «Il Viaggio a Reims» die Rolle der Madame Cortese. Rossini hatte für sie auch die Kantate «La morte di Didone» komponiert. Nachdem sie 1827 den Impresario Conte Gritti geheiratet hatte, gab sie ihre Karriere auf. Ihre Schwester *Anna Mombelli* hatte sich bereits 1817 nach ihrer Heirat mit dem Musikschriftsteller Angelo Lambertini von der Bühne zurückgezogen.

Mombelli, Ester, s. unter *Mombelli,* Domenico.

Mombelli-Laschi, Luisa (Luigia), s unter *Mombelli,* Domenico.

Monachesi, Walter; Schallplatten: Melodram («I Capuleti ed I Montecchi» von Bellini).

Monk, Allan; Gesangstudium bei Elgar Higgin in Calgary (Kanada). Seit 1976 Mitglied der Metropolitan Oper New York, an der er als Schaunard in Puccinis «La Bohème» debütierte und (in deren Haus in New York) in elf Spielzeiten in über 325 Vorstellungen eine Vielzahl von kleineren und größeren Partien übernahm, darunter den Wolfram im «Tannhäuser», den Posa in Verdis «Don Carlos», den Ford in dessen «Falstaff», den Titelhelden in «Wozzeck» und den Malatesta im «Don Pasquale». 1986 sehr erfolgreiches Gastspiel in Toronto als Titelheld in Verdis «Macbeth» (mit Sylvia Sass) und als Carlo in «La forza del destino», 1988 in Montreal als Don Giovanni.

Monrad, Cally, † 1950 Oslo. Sie debütierte 1903 in Oslo als Gretel in «Hänsel und Gretel». 1907–11 war sie an der Berliner Hofoper engagiert. 1930 gab sie ihre Karriere auf.

Monreale, Leonardo; er war in der Spielzeit 1961–62 an der Mailänder Scala tätig; 1961 wirkte er bei den Festspielen von Aix-en-Provence mit. Auch an der Wiener Staatsoper als Gast aufgetreten.

Montagnana, Andrea, * um 1700 Montagna bei Venedig. Er ist auch in Opern von J. A. Hasse aufgetreten.

Montarsolo, Paolo; er debütierte 1975 an der Metropolitan Oper New York als Titelheld im «Don Pasquale» und sang dort Partien wie den Basilio im «Barbier von Sevilla», den Bartolo in «Nozze di Figaro» und den Mustafà in Rossinis «Italiana in Algeri». Diese Partie sang er auch 1981 bei einem Gastspiel am Grand Théâtre Genf und 1988 bei seinem Debüt an der Covent Garden Oper London. 1987 Gastspiel an der Berliner Staatsoper als Don Magnifico in «Le Cenerentola» von Rossini, 1988 bei den Festspielen von Salzburg als Bartolo in «Nozze di Figaro», 1989 als Don Magnifico in «La Cenerentola» von Rossini.

Monteil, Denise; 1957 Gastspiel an der Mailänder Scala als Louise in der gleichnamigen Oper von Charpentier.
Schallplatten: Philips («L'Africaine» von Meyerbeer).

Montes, Aida; 1913–19 war sie am Stadttheater von Bremen engagiert. 1925 war sie die Concepcion in der deutschen Erstaufführung von Ravels «L'Heure espagnole» in Hamburg, 1931 gastierte sie im Haag. Zu Beginn ihrer Karriere ist sie auch unter dem Namen Aida Hölzer-Montes aufgetreten. Bis 1935 blieb sie Mitglied der Hamburger Oper, trat dort aber 1941–42 nochmals auf.

Montesanto, Luigi; bereits 1913 sang er an der Mailänder Scala den Escamillo in «Carmen». Bei der USA-Tournee der Western Metropolitan Company sang er unter der Leitung von Leoncavallo in dessen Opern «Bajazzo» und «Zazà» und 1913 in San Francisco in der Premiere von Leoncavallos «I Zingari», weiter den Amonasro in «Aida» und den Athanaël in «Thaïs» von Massenet. Am Teatro Colón Buenos Aires sang er auch in der Premiere der Oper «Pêcheurs de perles» von Bizet und den Guglielmo in der Uraufführung von Gino Marinuzzis «Jacquerie» (1918). 1918 kam er für eine Saison an die Metropolitan Oper New York. In Italien wurde er namentlich als Falstaff in der bekannten Verdi-Oper gefeiert. 1937 gastierte er in Zürich und unternahm eine große Deutschland-Tournee. An der Mailänder Scala trat er 1942 als Titelheld in Puccinis «Gianni Schicchi» auf, beendete dann aber seine Karriere. 1957 war er nochmals an der Scala in «Louise» von Charpentier zu hören. Er war verheiratet mit der Sopranistin *Gemma Zauner* (1882–1952).

Schallplatten: Fonotipia (1913), HMV (hier u. a. Duette mit Toti Dal Monte).

Monti, Anna Maria; sie hatte bis etwa 1735 an den verschiedenen Opernhäusern von Neapel eine bedeutende Karriere. Ihre Schwester *Laura Monti* (* nach 1704 in Rom, † 1760 Neapel) kreierte 1738 in Neapel die Oper «La Locandiera» von Pietro Auletta.

Monti, Hilda; 1933 Gastspiel am Stadttheater von Basel.
Schallplatten: Elektrische Fonotipia-Aufnahmen.

Monti, Nicola: Beim Wexford Festival trat er 1952–55 als Ernesto im «Don Pasquale», als Nemorino in «Elisir d'amore» und als Elvino in «La Sonnambula» auf. In der ersten Opernsendung des italienischen Fernsehens sang er im April 1954 den Grafen Almaviva in Rossinis «Barbier von Sevilla».
Schallplatten: Melodram («Alcina» von Händel), Mercury («Il Barbiere di Siviglia» von Paisiello, «La cambiale di matrimonio» von Rossini).

Monticelli, Angelo Maria; am Londoner King's Theater sang er in den Uraufführungen der Opern «Caduti de' giganti» (7. 1. 1746) und «Artamene» (4. 3. 1746) von Gluck sowie in der Oper «Antigono» von Galuppi.

Monticone, Rita; 1936 sang sie am Teatro Regio Parma in «Andrea Chénier» von Giordano. Sie wirkte in vielen Opernsendungen des italienischen Rundfunks EIAR mit, so 1931 in «L'Uomo che ride» von Arrigo Pedrollo, «Fedra» von Pizzetti und «Il Re» von Giordano, 1933 in «Il gobbo del califfo» von Franco Cosavola und 1936 in «Il Diavolo nel campanile» von Adriano Lualdi.

Moore, Grace, * 5. 12. 1898 Nough (Tennessee); sie sang als Kind in einem Kirchenchor, studierte dann in Nashville und an der Wilson-Green Music School in Washington, schließlich bei Marafiori in New York. Sie trat 1921–26 in den USA in Operetten und Revuen auf («Up in the Clouds», «Hitchy-Koo», «Music Box-Revue» und ähnliche Auftritte am New Yorker Broadway), die begeistert aufgenommen wurden. Sie begann 1928 an der Metropolitan Oper New York ihre eigentliche Karriere als Opernsängerin. Im New Yorker Haus dieses traditionsreichen Instituts sang sie zehn Partien in insgesamt 74 Vorstellungen. Während der Saison 1932–33 unterbrach sie ihre Tätigkeit an der Metropolitan Oper und sang am New Yorker Broadway in dem Musical «Madame Dubarry» (nach der Operette von Millöcker-Mackeben). Dann blieb sie seit 1934 bis zu ihrem Tod Mitglied der Metropolitan Oper. Sie gastierte 1929, 1938 und 1946 an der Opéra-Comique Paris, debütierte 1935 an der Covent Garden Oper London (als Mimi in «La Bohème»), 1937 an der Oper von Chicago (als Manon von Massenet) und 1941 an der Oper von San Francisco (als Fiora in «L'Amore dei tre Re» von Montemezzi). In einem (wenig geglückten) Film «A Lady's Morals» stellte sie die große

schwedische Sängerin Jenny Lind dar. Eigenartig ist, daß sie in mehreren ihrer Filme Opernpartien sang, in denen sie nie auf der Bühne erschienen ist. Nach dem Zweiten Weltkrieg unternahm sie große Konzerttourneen in Frankreich, Italien, England und den skandinavischen Staaten. Ihr letztes Konzert fand am 25. 1. 1947 in Kopenhagen statt, einen Tag bevor sie beim Absturz eines holländischen Flugzeuges, mit dem sie nach Stockholm fliegen wollte, umkam; in der Maschine fand auch der Sohn des damaligen schwedischen Kronprinzen und späteren Königs Gustav VI. Adolf von Schweden den Tod.

Morales de los Angeles, Maria; sie sang 1951 bei den Festspielen von Aix-en-Provence die Konstanze in der «Entführung aus dem Serail». 1952 gastierte sie an der Grand Opéra Paris als Gilda im «Rigoletto» und als Violetta in «La Traviata».

Moran-Olden, Fanny; sie war in den Spielzeiten 1888–89 und 1900–1901 an der Metropolitan Oper New York engagiert. Sie gastierte an der Oper von Budapest (1889) und am Deutschen Theater Prag (1901). In erster Ehe war sie mit dem Tenor *Coloman Moran* (1845–1940) verheiratet. 1902 sang sie als letzte Partie am Opernhaus von Breslau die Santuzza in «Cavalleria rusticana». Ihre Tochter *Dora Moran-Olden* († 1930 Berlin) trat als Konzert-, vor allem als Liedersängerin, in Erscheinung.

Morandi, Rosa, * 1782; sie hieß eigentlich Rosa Morolli. 1804 begann sie ihre Bühnenkarriere, die in den Jahren nach 1810 ihren Höhepunkt erreichte. Am 3. 1. 1810 kreierte sie am Teatro San Moisè in Venedig in der Uraufführung von Rossinis Oper «La Cambiale di matrimonio» die Partie der Fanny.

Moreau-Sainti, Théodore-Étienne-François; er wirkte am 28. 1. 1830 an der Opéra-Comique Paris in der Uraufführung von Aubers «Fra Diavolo» als Lorenzo mit.

Morel, Marisa, Sopran, * 13. 12. 1914 Turin; sie war die Tochter des Malers Enrico Merlo und der Pianistin Irma Brun; ihr eigentlicher Name war Marisa Merlo. Sie erhielt ihre Ausbildung durch Virginia Ferni-Germani in Turin und in Mailand. Sie debütierte, noch als Marisa Merlo, bereits 1934 an der Mailänder Scala als Musetta in Puccinis «La Bohème». 1937 gastierte sie zusammen mit dem Ensemble der Scala in Berlin. 1937–38 nahm sie – jetzt als Marisa Morel – an der Nordamerika-Tournee der Salzburg Opera Guild teil und sang dabei u. a. in New York in der amerikanischen Premiere der Oper «Angélique» von Ibert und in der von Rossinis Oper «Cambiale di matrimonio» (8. 11. 1937). 1938 wurde sie an die Metropolitan Oper New York verpflichtet, an der sie als Musetta debütierte und während der folgenden Spielzeit blieb. 1939 gründete sie die Mozart Opera Company, deren Tätigkeit jedoch durch den Ausbruch des Zweiten Weltkrieges unterbrochen wurde. Sie lebte dann in der Schweiz. 1942 gastierte sie an der Opéra-Comique Paris, 1946 am Grand Théâtre Genf, 1948 bei

den Festspielen von Aix-en-Provence als Fiordiligi in «Così fan tutte». 1951 stellte sie eine eigene Operntruppe, die Marisa Morel Opera Company, zusammen, mit der sie Tourneen durch ganz Europa unternahm und Mozart-Opern zur Aufführung brachte. Vor allem in Frankreich kam dieses Unternehmen zu großen Erfolgen. Zu dieser Operntruppe gehörten so bedeutende Sänger wie Suzanne Danco, Giulietta Simionato, Fernando Corena, Marcello Cortis, Petre Munteanu, Marko Rothmüller und Heinz Rehfuß, die unter Dirigenten wie Otto Ackermann, Karl Böhm und Alexander Krannhals musterhafte Beispiele der Beherrschung des Mozartstils boten. 1962 unternahm sie mit einer Gruppe junger amerikanischer Sänger eine Tournee durch den Mittleren Osten mit Benjamin Brittens Oper «The Rape of Lucretia». Auf der Bühne hatte Marisa Morel ihre Glanzrollen in Partien aus dem Koloraturfach wie dem Amor in Glucks «Orpheus», der Musetta in «La Bohème», der Sophie im «Rosenkavalier» und natürlich vor allem in zahlreichen Mozart-Partien. 1944–55 war sie als Professorin am Konservatorium von Lausanne tätig. Dort rief sie 1952 den Internationalen Gesangwettbewerb von Lausanne ins Leben.
Offizielle Schallplattenaufnahmen der verdienten Künstlerin sind seltsamerweise bisher nicht zum Vorschein gekommen. Es ist jedoch sicher, daß von ihren Bühnenauftritten Bandmitschnitte vorhanden sind, von denen einige Fragmente bereits auf EJS übertragen wurden. – (Neufassung) –.

Morell, Barry; debütierte 1955 an der New York City Centre Opera als Pinkerton in «Madame Butterfly». In der gleichen Partie debütierte er 1958 an der Metropolitan Oper New York, deren Mitglied er zunächst bis 1969 blieb. Nach einer Unterbrechung seiner Tätigkeit an diesem Haus kam er während der siebziger Jahre wieder dorthin zurück; im New Yorker Haus der Metropolitan Oper ist er in über 170 Vorstellungen aufgetreten.
Schallplatten: Westminster (Recital).

Morelli, Carlo; 1925 sang er als Antrittspartie an der Mailänder Scala den Germont-père in «La Traviata» und ist bis 1934 erfolgreich an diesem Haus aufgetreten, 1928 und 1930 gastierte er an der Königlichen Oper Kopenhagen, 1929 unternahm er eine Deutschland-Tournee mit der Operngesellschaft von Max Sauter.

Morena, Berta; seit 1903 gastierte sie oft am Opernhaus von Riga, seit 1904 am Theater von Brünn (Brno); 1911 Gastspiel am Opernhaus (Stadttheater) von Zürich. 1931 betrat sie letztmalig an der Königlichen Oper Kopenhagen als Isolde die Bühne.

Moreschi, Alessandro; seine G & T-Aufnahmen wurden als LP auf der englischen Marke Pearl neu herausgegeben.

Moriani, Napoleone; an der Mailänder Scala sang er in der Saison 1839–40 in der Premiere von Donizettis

«Lucia di Lammermoor» als Partner von Adelaide Kemble.

Morison, Elsie; 1946 kam sie nach England und schloß ihre Ausbildung am Royal College of Music in London ab. Seit 1953 trat sie auch an der Covent Garden Oper London auf; 1954 sang sie bei der Welsh Opera in der Uraufführung der Oper «Menna» von Arwel Hughes. An der Covent Garden Oper hörte man sie u. a. als Mimi in «La Bohème», als Susanna in «Nozze di Figaro», als Pamina in der «Zauberflöte» und als Micaela in «Carmen». 1957, 1960 und 1964 unternahm sie Gastspiel- und Konzertreisen in ihre Heimat Australien.

Morlet, Jane; Schallplatten: Pathé (u. a. Violetta in «La Traviata» und Leonore im «Troubadour» in französischer Sprache von 1912).

Morosow, Boris (Michailowitsch); 1987 gastierte er bei den Festspielen von Wiesbaden, an der Covent Garden Oper London und an mehreren deutschen Bühnen, u. a. als Warlaam im «Boris Godunow». 1988 Gastspiel an der Oper von Boston in der amerikanischen Premiere der Oper «Tote Seelen» von R. Schtschedrin. 1989 sang er in Rom in einer konzertanten Aufführung von Rachmaninoffs «Aleko».

Morris, James; auch Schüler von Anton Guadagno in New York. 1969 sang er an der City Centre Opera New York den Crespel in «Hoffmanns Erzählungen». Seine Antrittsrolle an der Metropolitan Oper New York war 1971 der König in Verdis «Aida». Er sang dort zunächst kleinere Partien, kam aber 1975 als Don Giovanni zu einem entscheidenden Erfolg. Seitdem hörte man ihn an der Metropolitan Oper u. a. als König Philipp und als Großinquisitor in Verdis «Don Carlos», als Susanna in «Nozze di Figaro», als Pater Guardian in «La forza del destino», als Baldassare in «La Favorita» von Donizetti, als die vier Dämonen in «Hoffmanns Erzählungen», als Titelheld in «Nozze di Figaro», als Claggart in «Billy Budd» von Benjamin Britten, insgesamt in deren New Yorker Haus in mehr als 350 Vorstellungen. 1972 gastierte er bei den Festspielen von Glyndebourne als Banquo in Verdis «Macbeth»; 1982 sang er bei den Salzburger Festspielen den Guglielmo in «Così fan tutte», 1989 den Scarpia in «Tosca», 1984 in Houston/Texas den Fliegenden Holländer, nachdem er nochmals 1984 bei Hans Hotter in München den Wagner-Gesang studiert hatte. 1987 bewunderte man ihn an der Münchner Staatsoper, am Deutschen Opernhaus Berlin und an der Metropolitan Oper New York (ebenso 1989–90) als Wotan in Aufführungen des Nibelungenrings. 1987 Gastspiel an der Oper von San Francisco in «Hoffmanns Erzählungen», 1988 an der Mailänder Scala als Fliegender Holländer. 1989 an der Covent Garden Oper London als Wotan. Verheiratet mit der bekannten Mezzosopranistin *Susan Quittmeyer*.
Schallplatten: Decca («Hamlet» von A. Thomas), auf DGG wie auf HMV-Electrola als Wotan im «Rheingold» und in der «Walküre» und als Guglielmo in «Così fan tutte» zu hören, auf DGG im

Mozart-Requiem und in Beethovens 9. Sinfonie, auf Telarc im Requiem von Gabriel Fauré, auf Pickwick-Video in Verdis «Macbeth» aus Glyndebourne.

Morrisey, Marie, * 1892 Wilkes-Barre (Pennsylvania).

Morrison, Louis; seit 1921 Gastspiele an der Opéra-Comique Paris (nicht an der Grand Opéra).

Morro, Mattia; 1911 trat er am Teatro Petruzzelli von Bari als Don Carlos in «La forza del destino» von Verdi auf.

Morturier, Louis, † 12. 5. 1969. Schallplatten: Akustische Aufnahmen auf Columbia und Pathé; elektrische HMV-Aufnahmen (u. a. Zuniga in «Carmen» und Brander in «La damnation de Faust» von Berlioz in vollständigen Aufnahmen dieser Opern).

Moscona, Nicola; 1937 erhielt er ein Stipendium der griechischen Regierung für seine weitere Ausbildung in Italien. 1937 kam er an die Metropolitan Oper New York, an der er eine große Karriere hatte und u. a. Partien wie den Mephisto im «Faust» von Gounod, den Colline in «La Bohème», den Raimondo in «Lucia di Lammermoor», den Sparafucile im «Rigoletto» und den Ferrando im «Troubadour» sang und in 25 Spielzeiten (in deren New Yorker Haus) 33 Partien in insgesamt 485 Vorstellungen vortrug. Noch 1960 war er als Gast an der Oper von Philadelphia zu hören. Nach Beendigung seiner Bühnenlaufbahn nahm er einen Lehrauftrag an der Academy of Vocal Arts in Philadelphia wahr.
Schallplatten: Melodram («Boris Godunow»), BJR («Troubadour», 1941).

Moser, Anton; 1903 kam er an die Wiener Hofoper. 1900 Gastspiel an der Hofoper von Dresden. 1906 sang er beim ersten Salzburger Mozart-Fest den Masetto im «Don Giovanni».
Auch Pathé-Aufnahmen seiner Stimme sind vorhanden (Wien, 1905).

Moser, Edda, * 27. 10. 1938 Berlin. 1971 wirkte sie in Wien in der Uraufführung des Oratoriums «Das Floß der Medusa» von Hans Werner Henze mit. An der Metropolitan Oper New York sang sie als weitere Partien die Donna Anna im «Don Giovanni», die Konstanze in der «Entführung aus dem Serail», die Musetta in «La Bohème» und die Liu in «Turandot» von Puccini. 1988 Gastspiel in Rio de Janeiro als Titelheldin in «Ariadne auf Naxos» von R. Strauss.
Schallplatten: Electrola (Mozart-Arien).

Moser, Thomas, * 1950 Richmond (Virginia); 1976 Gastspiel an der Staatsoper München als Belmonte in der «Entführung aus dem Serail». Debütierte 1977 an der Staatsoper Wien als Tamino und sang dort den Don Ottavio im «Don Giovanni», die Titelhelden in «La clemenza di Tito» und «Idomeneo», den Flamand im «Capriccio» und den Henry Morosus in

der «Schweigsamen Frau» von R. Strauss. 1985 gastierte er an der Mailänder Scala als Tamino. Im Konzertsaal hörte man ihn in der 9. Sinfonie von Beethoven, in dessen Missa solemis, im Mozart-Requiem, in den Passionen von J. S. Bach, im «Buch mit sieben Siegeln» von Franz Schmidt und im War Requiem von B. Britten. 1987 sang er an der Opéra-Comique Paris die Titelrollen in den Mozart-Opern «Idomeneo» und «La clemenza di Tito». Im gleichen Jahr hörte man ihn an der Wiener Staatsoper als Achill in Glucks «Iphigenie in Aulis».
Schallplatten: Philips («Tristan», Mozart-Messen), DGG (Mozart-Arien), Preiser («Das Buch mit sieben Siegeln» von F. Schmidt), HMV («Fliegender Holländer»), Orfeo («La finta semplice» von Mozart, «Le Cinesi» von Gluck), Amadeo (Arien), Saphir/Intercord (Glagolitische Messe von Janáček).

Mottl-Standthartner, Henriette, † 15. 4. 1933 München. 1893 heiratete sie den großen Dirigenten Felix Mottl. Als Antrittsrolle sang sie 1893 am Hoftheater Karlsruhe in der Uraufführung der Oper «Fürst und Sänger» von Felix Mottl die Partie der Suleika. Da man zuvor der in Karlsruhe sehr beliebten Sopranistin Luise Reuss-Belce ihren Vertrag gekündigt hatte, kam es bei dieser Aufführung zu Protestkundgebungen im Publikum. In Karlsruhe sang sie dann am 6. 2. 1898 in der Uraufführung der Oper «Lobetanz» von Ludwig Thuille die Rolle der Prinzessin, am 12. 1. 1902 in der von «Till Eulenspiegel» von N. von Rezniczek die Gertrude. Weitere Uraufführungen, in denen sie in Karlsruhe mitwirkte, waren «Der Drache» von Hillemacher (1896) und die damals recht erfolgreiche Oper «Das Unmöglichste von allem» von Anton Urspruch (5. 11. 1897). 1889 gastierte sie am Theater von Brünn (Brno), 1905 am Opernhaus von Düsseldorf, 1907 an der Wiener Volksoper (wohl ihre letzten Auftritte auf der Bühne). Bis 1904 blieb sie in Karlsruhe im Engagement. Durch ihre Weigerung, einer Auflösung ihrer Ehe mit Felix Mottl zuzustimmen, konnte dieser erst auf dem Sterbebett seine zweite Gattin, die Sopranistin *Zdenka Faßbender,* heiraten.

Moulton, Dorothy, † 2. 4. 1974 Essex.

Mrawina (Mravina), Eugenia Konstantinowna; da sie eine Ausbildung als Ballettänzerin erhalten hatte, ist sie an der Petersburger Hofoper auch sehr erfolgreich als Primaballerina aufgetreten.

Mráz, Ladislav; Höhepunkte in seinem Repertoire für die Bühne waren auch der Kezal in der «Verkauften Braut», der Leporello im «Don Giovanni» und der Titelheld in «Svaetopluk» von E. Suchon.
Schallplatten: Supraphon (Kantate «Die Geisterbraut» von A. Dvořák).

Mroz, Leonhard; auch als Stolnik in Mussorgskys «Jahrmarkt von Sorotchintsy» erfolgreich aufgetreten.
Schallplatten: Polskie Nagrania (Baß-Solo im Requiem von Verdi).

Mühle, Anne-Marie; 1986 Gastspiel bei der Welsh Oper Cardiff als Carmen.
Schallplatten: HMV («Thamos in Ägypten» von Mozart).

Müller, Charlotte; 1931–34 Mitglied der Städtischen Oper Berlin. Hier sang sie u. a. in den Uraufführungen der Opern «Die Bürgschaft» von Kurt Weill (10. 3. 1932) und «Der Schmied von Gent» von Franz Schreker (29. 10. 1932). 1934 folgte sie einem Ruf an das Opernhaus von Breslau, an dem sie bis 1942 wirkte. In den Jahren 1927–28 und nochmals 1931 trat sie bei den Festspielen von Bayreuth als eine der Walküren wie als Floßhilde im Nibelungenring und als Blumenmädchen im «Parsifal» auf.
Schallplatten: Columbia (Rheintöchter-Terzett und Walkürenritt, hier jedoch ohne Nennung des Namens, aus Bayreuth, 1928), HMV (Blumenmädchen in «Parsifal»-Aufnahme).

Müller, Georg; 1863 sang er am Opernhaus von Frankfurt a. M. in der Uraufführung der letzten Oper von H. Marschner «Sangeskönig Hiarne». 1867–68 war er am Hoftheater von Kassel tätig. Er gab sehr erfolgreiche Gastspiele am Deutschen Theater Prag (1874), am Hoftheater Karlsruhe (1875), an der Stuttgarter Hofoper (1887) und seit 1875 oft am Theater von Brünn (Brno). 1891 sang er an der Mailänder Scala den Lohengrin.

Müller, Hajo; seit 1981 Leiter des Nachwuchsstudios der Staatsoper Dresden.
Schallplatten: Eterna (vollständige Opern «Enoch Arden» von O. Gerster, «Der Schuhu und die fliegende Prinzessin» von Udo Zimmermann).

Müller, Louise (Ludovika); sie sang die Marzelline im «Fidelio» auch bei der Uraufführung der zweiten Fassung der Oper am 29. 3. 1806 am Theater an der Wien.

Müller, Maria; sie verbrachte ihre Jugend in Leitmeritz. Während ihres elfjährigen Wirkens an der Metropolitan Oper New York seit 1925 hat sie (in deren Haus in New York) 19 Partien in 167 Vorstellungen gesungen, neben den bereits erwähnten die Elisabeth im «Tannhäuser», die Elsa, die Freia im «Rheingold», die Agathe im «Freischütz», die Donna Elvira im «Don Giovanni», die Aida, die Butterfly, den Octavian im «Rosenkavalier» und die Marie in Smetanas «Verkaufter Braut»; sie wirkte dort auch in den Premieren der Opern «Giovanni Gallurese» von Montemezzi (1925) und «Madonna Imperia» von Alfano (1928) mit. An der Staatsoper Berlin trat sie in den Premieren der Opern «Die Ägyptische Helena» von Richard Strauss (1928) und «Schwanda der Dudelsackpfeifer» von J. Weinberger (1929) auf und beeindruckte in besonderer Weise 1929 als Desdemona in Verdis «Othello» unter Bruno Walter. Bei den Salzburger Festspielen hörte man sie 1931 als Eurydice im «Orpheus» von Gluck, 1932 als Rezia im «Oberon», auch als Agathe im «Freischütz» von Weber. Zum Schluß ihrer Karriere sang sie in den Jahren 1950–52 an der Städti-

schen Oper Berlin die Aida, die Butterfly und die Donna Elvira im «Don Giovanni». Auf der Bühne wirkte sie durch ihre charmante Erscheinung wie auch durch ihr darstellerisches Talent.
Schallplatten: DGG (nahezu vollständige «Freischütz»-Aufnahme, Berlin, 1943; letzte Aufnahmen von 1950), Preiser (Elsa im «Lohengrin», Berlin, 1941).

Müller-Marion, Henriette; am 26. 6. 1870 wirkte sie, gleichfalls an der Münchner Hofoper, in der Uraufführung von Richard Wagners «Walküre» in der Partie der Ortlinde mit.

Münchow, Anny, * 6. 11. 1888 Berlin; ihr eigentlicher Name war Anny Münchmeier. Sie begann ihre Karriere am Theater von Teschen (Cieszyn), an dem sie 1910–11 sang. 1911 war sie in Breslau, 1912–13 in Meran, 1913–14 in Nürnberg engagiert. Zu Beginn ihrer Karriere sang sie vornehmlich Operettenpartien und Rollen aus dem Soubrettenfach. 1914–20 war sie am Theater von Graz, seit 1920 am Stadttheater (Opernhaus) von Hamburg tätig.

Muff, Alfred, * 31. 5. 1949 Luzern; 1988 erfolgreiches Auftreten als Wotan in der «Walküre» am Opernhaus von Zürich, 1989 im Zürcher Hallenstadion als Zaccaria in Verdis «Nabucco». 1988 sang er an der Staatsoper von München (und 1989 in San Francisco) den Barak in der «Frau ohne Schatten» von R. Strauss, in Zürich den Titelhelden in «Mefistofele» von Boito, am Teatro Liceo Barcelona den Fliegenden Holländer. Als Oratorien- wie als Liedersänger hatte er eine große, internationale Karriere.
Schallplatten: HMV (Barak in der «Frau ohne Schatten»), Erato (Sprecher in der «Zauberflöte»).

Mulder, Louise; 1892 sang sie bei den Bayreuther Festspielen die Eva in den «Meistersingern». 1899–1901 am Hoftheater von Coburg engagiert. 1901 Gastspiel am Opernhaus von Breslau.

Mullings, Frank; 1916 wirkte er am Londoner Shaftesbury Theatre in der Uraufführung der Oper «The Critic» von Charles Stanford mit. Seine großen Wagner-Partien waren der Tristan, der Siegfried und der Parsifal.

Mummery, Browning; er war zuerst als Mechaniker tätig und studierte nur nebenbei Gesang. Er debütierte bei einer italienischen Wandertruppe in seiner australischen Heimat als Faust von Gounod. Weitere Ausbildung seiner Stimme in London. 1928 bereiste er mit der Melba-Williamson Company Australien. Er unternahm dann eine USA-Tournee und sang dort 1929–31 als Radiosänger bei der National Broadcasting Company (NBC) New York. Weihnachten 1931 wurde eins seiner Konzerte drahtlos in das Forschungslager von Admiral Byrd am Südpol übertragen. Es folgten zwei Jahre ähnlicher Tätigkeit im englischen Rundfunk BBC und eine Teilnahme an einem Musikfilm «Evensong» mit Evelyn Laye. 1934 ging er nach Australien zurück.

Hier war er als Konzertsänger tätig und sang 1934 noch bei der Fuller Grand Opera Company. Dazu wirkte er im pädagogischen Bereich in Melbourne, später in Canberra.
Schallplatten: Viele Aufnahmen in elektrischer Aufnahmetechnik auf HMV.

Mund, Georg; 1967–76 wirkte er als Leiter der Abteilung Oper-Operette-Musical bei der Zentralen Bühnenvermittlung Frankfurt a. M.

Munsel, Patrice, * 14.5. 1925 Spokane (Washington). Gesangstudium 1938–40 an der Lewis & Clark School in Spokane und seit 1940 bei dem Pädagogen William Hermann, später noch bei G. Spandoni in New York. 1943 gewann sie den Gesangwettbewerb der Metropolitan Oper New York Auditons of the Air und debütierte darauf im Dezember 1943 an diesem Opernhaus als Philine im «Mignon» von A. Thomas. Eine Woche später hatte sie dort große Erfolge als Olympia in «Hoffmanns Erzählungen», 1956 in der Offenbach-Operette «La Périchole». Auch als Musetta in «La Bohème» dort aufgetreten. Sie gastierte an der Oper von Kopenhagen und gab Konzerte in Schweden und Norwegen; 1953 stellte sie im Film die große australische Primadonna Nellie Melba dar.

Munteanu, Petre, † 18.7. 1988 Mailand. 1947 debütierte er an der Oper von Rom als Don Ottavio im «Don Giovanni». Im gleichen Jahr sang er an der Mailänder Scala als Antrittspartie den Ferrando in «Così fan tutte». 1954 wirkte er in Rom in der Erstaufführung von Rimsky-Korssakows Märchenoper «Snegourotchka» in italienischer Sprache mit. Gastspiele in Madrid, in Skandinavien und Australien (1958). 1969 trat er in Turin erstmalig als Dirigent in Erscheinung. Zu seinen großen Bühnenpartien gehörten der Tamino in der «Zauberflöte», der Pedrillo in der «Entführung aus dem Serail», der Fenton in Verdis «Falstaff», der Cassio im «Othello», der Graf Almaviva im «Barbier von Sevilla», der Pylades in Glucks «Iphigénie en Tauride» und der Filipeto in Wolf-Ferraris «I quattro rusteghi». Er wirkte später als Pädagoge am Conservatorio Giuseppe Verdi in Mailand.
Schallplatten: Westminster (9. Sinfonie von Beethoven, «Winterreise» von Schubert), Angelicum, Hunt Records (Messe c-moll von Mozart).

Muratore, Lucien; als Schauspieler stand er in Paris gelegentlich zusammen mit der großen Tragödin Sarah Bernhardt auf der Bühne. An der Grand Opéra Paris wirkte er auch am 5.5. 1909 in der Uraufführung der Oper «Bacchus» von Massenet mit. 1913 übernahm er in der Pariser Premiere der Oper «Pénélope» von Gabriel Fauré am Théâtre des Champs-Élysées die Partie des Ulysse. Bis 1924 trat er an der Grand Opéra, bis 1931 an der Opéra-Comique Paris auf.

Murphy, Lambert; 1908 schloß er sein wissenschaftliches Studium an der Harvard University ab und ließ auf Rat des Tenors Riccardo Martin seine

Stimme durch Isadore Luckstone und Herbert Witherspoon ausbilden. Er war Solist an der St. Bartholome's Church New York und trat bereits 1908 im Konzertsaal mit dem Boston Festival Orchestra und mit der Händel- und Haydn-Society auf. An der Metropolitan Oper New York wurden ihm 1911–14 zumeist nur kleinere Partien übertragen. Um 1940 gab er nach einer Kehlkopfoperation seine Karriere auf und wirkte als Pädagoge am Malkin Conservatory Boston.
Schallplatten: Einige elektrische Victor-Aufnahmen wurden unter dem Pseudonym Raymond Dixon veröffentlicht.

Murray, Ann; 1976 sang sie an der Covent Garden Oper London den Siebel im «Faust» von Gounod; seit 1979 Gastspiele an der Hamburger Staatsoper. 1981–82 hörte man sie bei den Festspielen von Salzburg als Nicklausse in «Hoffmanns Erzählungen» und in der «Zauberflöte». 1984 debütierte sie an der Metropolitan Oper New York als Sesto in «La clemenza di Tito»; sie sang dort den Annio in der gleichen Oper und die Dorabella in «Così fan tutte». 1985 gastierte sie bei den Salzburger Festspielen als Minerva in Monteverdis «Ulisse» (in einer Neu-Bearbeitung des Werks durch H.W. Henze), 1988–89 als Angelina in Rossinis «La Cenerentola». An der Mailänder Scala hörte man sie 1987 als Cherubino in «Nozze di Figaro» und als Donna Elvira im «Don Giovanni», an der Wiener Staatsoper 1988 als Charlotte im «Werther» von Massenet, als Komponist in «Ariadne auf Naxos» und als Rosina im «Barbier von Sevilla», an der Oper von Köln 1988 als Idamante in «Idomeneo». Verheiratet mit dem bekannten englischen Tenor *Philip Langridge* (* 1939).
Schallplatten: HMV (Cherubino in «Nozze di Figaro», Nicklausse in «Hoffmanns Erzählungen»), Philips («Die Schuldigkeit des ersten Gebots» von Mozart), DGG (Così fan tutte»), Virgin-Classics («Lieder eines fahrenden Gesellen» von G. Mahler).

Mustafà, Domenico, * 14.4. 1829 Sterpara bei Foligno. Zusammen mit Alessandro Moreschi war er der letzte Kastrat, der im Chor der Sixtinischen Kapelle sang.

Musy, Louis, * 22.10. 1902 Oran, † 19.10. 1981 Paris. Ausbildung am Conservatoire National de Paris bei E. Lorrain, Carré und M. Gallon. Er debütierte 1925 an der Opéra-Comique Paris, an der er auch am 15.1. 1930 in der Uraufführung der Oper «Le Roi d'Yvetot» von Jacques Ibert mitwirkte, und zu deren Ensemble er länger als 25 Jahre gehörte.
Schallplatten: Bourg Records (Bartolo im «Barbier von Sevilla»).

Muszely, Melitta; sie debütierte 1950 am Stadttheater von Regensburg, sang 1952–53 am Theater von Kiel und war 1953–68 Mitglied der Staatsoper Hamburg. Zugleich war sie 1964–69 an der Wiener Staatsoper engagiert. 1959 Gastspiel an der Komischen Oper Berlin. Sie hatte auch eine große Konzertkarriere und war vor allem als Liedersängerin bekannt. Noch 1980 gab sie in Wien einen Liederabend. Schallplatten: Somerset, Eurodisc, Vogue, Telefunken.

Muzio, Claudia; sie studierte zuerst Harfenspiel, dann Gesang bei Annetta Casaloni in Turin und bei Elettra Callery-Viviani in Mailand. An der Mailänder Scala sang sie 1914 die Mariela in der Uraufführung der Oper «Abisso» von Smareglia. Im eigentlichen Haus der New Yorker Metropolitan Oper hörte man sie 1916–21 in 15 verschiedenen Partien, die sie in 152 Vorstellungen präsentierte. Am Teatro Colón Buenos Aires stand sie in 23 verschiedenen Partien und in 232 Vorstellungen auf der Bühne; hier sang sie auch in der Uraufführung der argentinischen Oper «Ollantay» von C. Gaito (23. 7. 1926). Am 15. 2. 1934 kreierte sie an der Oper von Rom die Titelrolle in der Oper «Cecilia» von Licinio Refice. 1932 sang sie zur Eröffnung des neu erbauten Opernhauses von San Francisco (wo sie auch bereits 1924–26 aufgetreten war) die Titelpartie in Puccinis «Tosca».

Myers, Raymond; bei der Eröffnung des neu erbauten Opernhauses von Sydney mit Prokofieffs «Krieg und Frieden» am 28. 9. 1973 wirkte er in dieser Festaufführung mit.

Mysz-Gmeiner, Lula; ihre Schwester Luise Gmeiner (1885–1951) wirkte als Pianistin in Berlin. Lula Mysz-Gmeiner debütierte im November 1896 in Berlin als Oratoriensängerin. 1899 erregte sie mit ihren ersten Liederabenden in Berlin großes Aufsehen. Noch 1940 gab sie in Berlin, zusammen mit ihrer Schülerin Gerda Lammers, Duett-Abende. Diese wie auch die berühmte Sopranistin Elisabeth Schwarzkopf wurden durch sie ausgebildet. Seit 1905 führte sie den Titel einer österreichisch-ungarischen Kammersängerin.

Myszuga, Aleksander; Debüt 1880 am Opernhaus von Lwów (Lemberg) als Stefan in Moniuszkos «Gespensterschloß». Er ging dann zur weiteren Ausbildung nach Italien. Gastspiele führten ihn an die Hofoper von Wien (1885 unter dem Namen Alexander Filippi), an das Nationaltheater Prag (1887, 1900), nach Paris (1887, 1892) und St. Petersburg (1903). Bis 1905 trat er noch als Gast an der Oper von Lwów in Erscheinung.

N

Nadolovitch, Jean; er gastierte 1911 an der Wiener Hofoper, auch am Deutschen Theater Prag als Gast aufgetreten. Er wirkte in mehreren Stummfilmen mit.

Nador, Magda, * 16. 12. 1955 Dorog bei Budapest. 1979 debütierte sie an der Budapester Nationaloper als Konstanze in der «Entführung aus dem Serail». 1981–82 gastierte sie an der Staatsoper von Dresden,

1987 an der Staatsoper Stuttgart (als Königin der Nacht) und am Opernhaus von Graz. Schallplatten: Telefunken («Der Schauspieldirektor» von Mozart).

Nafé, Alicia; erste Ausbildung am Konservatorium Manuel de Falla und bei dem Dirigenten Ferruccio Callusio in Buenos Aires. Sie gwann drei Gesangwettbewerbe in Argentinien und den Concours Francesco Viñas in Barcelona und debütierte in Toledo 1971 als Solistin im Verdi-Requiem. 1973 kam es zu ihrem Bühnendebüt am Teatro Real Madrid; 1974 sang sie am Staatstheater Darmstadt ihre erste Carmen, 1976 an der Oper von São Paulo die Charlotte im «Werther» von Massenet. 1980, 1983 und 1987 gastierte sie an der Opéra de Wallonie Lüttich, 1982 am Théâtre de la Monnaie Brüssel. 1985 Gastspiel an der Wiener Staatsoper als Cherubino in «Nozze di Figaro». 1985 und 1989 trat sie an der Mailänder Scala in glanzvollen Liederabenden auf. An der Oper von Frankfurt a. M. hörte man sie seit 1988 u. a. als Sesto in «La clemenza di Tito» und als Ramiro in «La finta giardiniera» von Mozart, an der Deutschen Oper Berlin als Carmen, an der Covent Garden Oper London als Adalgisa in «Norma» von Bellini (1987), in Brüssel als Orpheus von Gluck (1988). In Nordamerika war sie an den Opern von San Francisco und Chicago (Carmen mit Placido Domingo als José) zu Gast. 1988 debütierte sie sehr erfolgreich an der Metropolitan Oper New York als Carmen (während der berühmte Tenor Placido Domingo diesmal die Vorstellung dirigierte). Schallplatten: Decca (Cherubino in «Nozze di Figaro», «Rodelinda» von Händel), Sony-CBS («Elias» von Mendelssohn).

Nagano, Yonako, Schülerin von Michiko Tanaka-De Kowa in Berlin.

Nagy, Janos B., * 1940 Pocsay bei Debrecen (Ungarn). Gastspiele auch an der Opéra de Wallonie Lüttich und 1985 an der Oper von Boston. Schallplatten: Hungaroton («Aida»).

Nagy, Robert; seit 1957 hatte er eine über dreißigjährige Karriere an der Metropolitan Oper New York, an der er mehr als 900mal auf der Bühne stand. Er gastierte auch an der City Centre Opera New York (Debüt 1969 als Luigi in Puccinis «Il Tabarro»). Höhepunkte in seinem Bühnenrepertoire waren u. a. der Florestan im «Fidelio», der Herodes in «Salome» von Richard Strauss und der Kaiser in dessen «Frau ohne Schatten».

Naldi, Giuseppe; ursprünglich sollte er Jurisprudenz studieren, wandte sich dann aber der Musik zu. 1811 sang er am His Majesty's Theatre London in der englischen Premiere von «Così fan tutte» den Alfonso, 1817 am gleichen Haus den Leporello in der des «Don Giovanni».

Namara, Marguerite, † 3. 11. 1974 Marbella (Spanien); eigentlicher Name Margret Banks. 1905 sang

sie im Ebell Club in Los Angeles. Zeitweilig begleitete sie die berühmte Tänzerin Isadora Duncan als Vokalistin bei deren Tourneen. Dazwischen kam es dann immer wieder zu Operetten-Auftritten. 1910 trat sie in New York als Operettensängerin auf (u. a. in «Madame Troubadour»). An der Oper von Chicago sang sie 1918–22 Partien wie die Micaela in «Carmen», die Olga Sukarow in Giordanos «Fedora», die Thaïs in der gleichnamigen Oper von Massenet und die Mimi in «La Bohème». Sie gastierte in dieser Zeit an der Oper von New Orleans. 1923–25 hörte man sie an der Opéra-Comique Paris als Mimi, als Tosca, als Thaïs und als Traviata. Sie studierte mit Manuel de Falla das spanische, mit Albert Wolff das französische Repertoire. Auch beim Tonfilm kam sie zu einer erfolgreichen Karriere («Stolen Moment» mit Rudolph Valentino, «Peter Ibbetson» mit Gary Cooper). 1944 gab sie Konzerte in New York und in anderen amerikanischen Städten.
Schallplatten: eine Edison-Aufnahme (Lied von Buzzi-Peccia, 1918); 1947 sang sie auf IRCC die Seguidilla aus «Carmen» und spanische Lieder von de Falla, 1948 auf Martin Records spanische Volkslieder.

Napier, Marita; 1973–74 am Staatstheater Hannover engagiert; später Mitglied des Deutschen Opernhauses Berlin.
Schallplatten: DGG (Gerhilde in der «Walküre»), Capriccio («Der Zar läßt sich photographieren» von K. Weill), Philips («Elektra» von R. Strauss).

Narçon, Armand, * 13. 10. 1875, † (?); Ausbildung am Conservatoire National Paris. Er begann seine Karriere 1891 als Chorist an der Grand Opéra Paris und wurde 1894 als Solist in deren Ensemble übernommen. Für rund 50 Jahre blieb er Mitglied dieses Hauses, an dem er noch 1940 aufgetreten ist. Er sang dort auch in weiteren Opern-Uraufführungen, so in «Le Marchand de Venise» von Reynaldo Hahn (21. 3. 1935) und in «Oedipe» von Georges Enescu (10. 3. 1936).
Schallplatten: Bereits vor 1914 Odeon-Platten (Ensembleszenen, religiöse Musik in Solo-Aufnahmen), später akustische wie elektrische HMV- und Columbia-Aufnahmen, darunter auch Soli.

Narelle, Marie, Sopran, * 1870 bei Tremora (New South Wales, Australien), † 25. 1. 1941 London; eigentlicher Name Maria Ryan. Nach ihrer frühzeitigen Heirat führte sie den Namen Marie Narelle. Sie war Schülerin von Mme Christian in Sydney. Nachdem ihr Ehemann bald verstorben war, begann sie ihre Sängerlaufbahn als Solistin in Kirchenkonzerten in Sydney. Sie unternahm dann eine Australien-Tournee und setzte ihre Ausbildung bei Siegfried Steffani in Sydney fort. 1902 kam sie nach London und erregte dort 1904 bei einem Konzert in der Albert Hall Aufsehen. In Nordamerika wurde sie bekannt, als sie während der Weltausstellung von St. Louis 1904 im Irish Village zusammen mit dem damals noch ganz unbekannten irischen Tenor John Mc Cormack auftrat, mit dem sie dann 1908 eine

USA-Tournee unternahm. 1906 bereiste sie ihre australische Heimat, 1910 den Nahen Osten und Frankreich, 1911 abermals die USA. In London nahm sie an Aufführungen von Musical Comedies teil. 1911 heiratete sie in zweiter Ehe Harry Currie, Chef-Ingenieur der New York Central Railroad, und trat seitdem nur noch selten auf. 1925 gab sie nochmals Konzerte in Australien. Sie gab später auch zusammen mit ihren Töchtern, der Pianistin Kathleen Narelle und der Sängerin *Rita Narelle,* einer Schülerin von Dinh Gilly, Konzerte. Auf der Opernbühne ist sie nicht in Erscheinung getreten.
Schallplatten: Edison-Zylinder (nach 1904 entstanden, vor allem mit irischen Liedern und Balladen), spätere Edison-Platten. – (Neufassung) –.

Narké, Victor de, s. unter *de Narké,* Victor.

Nash, Heddle; er nahm im Ersten Weltkrieg als Soldat an den Kämpfen in Frankreich, in Saloniki, in Ägypten und Palästina teil. Nach Kriegsende weitere Studien in Mailand. Am Old Vic Theatre London sang er als Antrittsrolle 1925 den Herzog im «Rigoletto» bei der British National Opera Company den Roméo in «Roméo et Juliette» von Gounod. 1932 sang er am His Majesty's Theatre London in der Operette «Die Dubarry» von Millöcker-Mackeben. Als Oratoriensolist kam er namentlich beim Three Choirs Festival zu großen Erfolgen. Während des Zweiten Weltkrieges gab er Konzerte vor englischen Soldaten.
Schallplatten: Columbia (1926–36), HMV («The Dream of Gerontius» von E. Elgar, Lieder und Arien).

Nast, Minnie; ihr Vater war Konzertmeister am Hoftheater von Karlsruhe. Sie studierte u. a. bei Hermann Rosenberg in Karlsruhe und bei Bianca Bianchi in Salzburg. Weitere Uraufführungen, in denen sie in Dresden mitwirkte, waren «Barfüßele» von Heuberger (1905), «Die Schneider von Schönau» von Jan Brandts-Buys (1. 4. 1916), «Das war ich» von Leo Blech (6. 10. 1902) und die Operette «Coeur As» von Künneke (1913). Sie kreierte für Dresden die Titelrolle in «Madame Butterfly». Gastspiele in Amsterdam (1902, 1910 sowie 1917 als Sophie in der «Rosenkavalier»-Premiere), an der Hofoper Berlin (1906), an der Wiener Volksoper (1906, 1908) und am Deutschen Theater Prag (1903). Ihr Gatte, der Generalkonsul Karl von Frenckell, war in Helsinki tätig; dadurch kamen Gastspiele der Künstlerin in Finnland zustande. 1919 nahm sie in Dresden als Mimi in «La Bohème» von der Bühne Abschied.
Auch Polyphon-Schallplatten; unter ihren HMV-Platten finden sich Fragmente aus dem «Rosenkavalier» mit Margarethe Siems und Eva Plaschke von der Osten, der Besetzung der Uraufführung.

Nathan, Isaac; einer seiner Nachkommen ist der australische Dirigent Sir Charles Mackerras (* 1925).

Natzke, Oscar, * 15. 6. 1907 Neuseeland, † 5. 11. 1951 New York; studierte seit 1932 am Trinity Col lege London als Schüler von Albert Garcia und debütierte 1938 an der Londoner Covent Garden Oper als Wagner im «Faust» von Gounod. Am 31. 3. 1949 wirkte er an der City Centre Opera New York in der Uraufführung der Oper «Troubled Island» von William Grant Still mit. Am 23. 10. 1951 brach er auf der Bühne dieses Hauses während einer «Meistersinger»-Aufführung, in der er den Pogner sang, an einem Herzkollaps zusammen und starb 13 Tage später in einem New Yorker Krankenhaus. Neben seinem Wirken auf der Bühne war er ein bedeutender Konzert- und Oratoriensänger.

Nau, Hans-Martin; war als ständiger Gast an der Staatsoper Berlin zu hören. 1988 sang er an der Komischen Oper Berlin den Gremin in Tschaikowskys «Eugen Onegin».
Schallplatten: Ariola (Minister im «Fidelio»).

Nau, Maria; sie sang 1846 die Lucia di Lammermoor in der Premiere der gleichnamigen Donizetti-Oper an der Grand Opéra Paris. (Bei der Oper «Robert Bruce», die sie 1846 am gleichen Haus kreierte, handelte es sich um eine Zusammenstellung von Rossini-Melodien durch Louis Niedermayer).

Naudin, Emilio; er kam zu ersten Erfolgen an italienischen Bühnen, namentlich in Genua und Rom, wo er in den Verdi-Opern «I due Foscari» und «Luisa Miller» Aufsehen erregte. Es schlossen sich Gastspiele in Wien, an den Opern von St. Petersburg und Odessa an. 1858 kam es zu sehr erfolgreichen Auftritten an der Mailänder Scala.

Naumann-Gungl, Virginia', † 28. 8. 1915 Frankfurt a. M. Tochter des Komponisten und Dirigenten Josef Gungl (1810–89). Sie gab Gastspiele an der Hofoper von München (1875), am Opernhaus von Leipzig (1889), an den Hoftheatern von Karlsruhe (1874) und Hannover (1877). 1892 verabschiedete sie sich am Hoftheater von Weimar als Isolde im «Tristan» von der Bühne.

Naval, Franz, * 20. 10. 1865 Laibach (Ljubljana); an der Berliner Hofoper sang er 1897 den Rodolfo in der deutschen Erstaufführung von Puccinis «La Bohème», 1903 kreierte er zusammen mit Geraldine Farrar für Berlin Massenets «Manon». Bis 1903 blieb er Mitglied der Wiener Hofoper in deren Glanzzeit unter der Leitung von Gustav Mahler. Hier wirkte er in der Premiere von Tschaikowskys «Jolanthe» (1900) mit und sang in den denkwürdigen Aufführungen von «Così fan tutte» 1899 den Ferrando. Gastspiele an der Hofoper Dresden (1901, 1902), am Stadttheater Hamburg (1903), an den Theatern von Brünn (Brno, 1892), Zagreb (1900), Zürich (1906) und Graz (1911), an der Königlichen Oper Stockholm (1902) und am Berliner Theater des Westens (1902). Nach 1910 entfaltete er eine große Karriere als Konzert-, namentlich als Liedersänger. An der Metropolitan Oper New York sang er 1903–04 den José in «Carmen», den Faust von Gounod, den Roméo in «Roméo et Juliette» und den Georges Brown in «La Dame blanche» von Boieldieu (als

«Die weiße Dame» in deutscher Sprache mit Johanna Gadski).

Navarini, Francesco; an der Mailänder Scala sang er in den Uraufführungen der Opern ·«Condor» von Carlos Gomes (21. 2. 1891) und «Fior d'Alpe» von Alberto Franchetti (15. 3. 1894); ebenfalls 1894 wirkte er an der Scala in der Uraufführung der Neu-Fassung von Verdis «Don Carlos» mit. Am Teatro Carlo Felice Genua hörte man ihn in der Uraufführung der Oper «Cristoforo Colombo» von Franchetti (6. 10. 1892). Er sang bereits Wagner-Heroen wie den Hunding, den Pogner und den Hagen. Gastierte auch an der Oper von Monte Carlo (1900) und am Deutschen Theater Prag (1901).

Nave, Maria Luisa; Schülerin von Iris Adami-Corradetti in Padua. 1976 Gastspiel am Opernhaus von Frankfurt a. M. als Lady Macbeth in Verdis «Macbeth», 1988 an der Staatsoper Hamburg als Eboli im «Don Carlos», am Teatro Regio Turin als Titelfigur in «La Gioconda» von Ponchielli. Als besonderer Höhepunkt in ihrem Bühnenrepertoire galt die Partie der Giovanna in Donizettis «Anna Bolena».

Nawe, Izabella; abschließende Studien bei Dagmar Freiwald-Lange. 1987 nahm sie an der Gastspiel-Tournee der Berliner Staatsoper in Japan als Konstanze in der «Entführung aus dem Serail» teil. Auch die Blondchen in der gleichen Oper und die Zerbinetta in «Ariadne auf Naxos» gehörten zum Bühnenrepertoire der Künstlerin.

Nawiasky, Eduard; 1887 sang er an der Oper von Frankfurt a. M. in der deutschen Erstaufführung von Massenets Oper «Le Cid». Gastspiele an der Hofoper Dresden (1885), am Stadttheater Basel (1889), am Opernhaus von Köln (1887), an den Hoftheatern von Weimar (1900) und Wiesbaden (seit 1889). 1904 trat er bei den Festspielen von Bayreuth als Alberich im Nibelungenring auf.
Schallplatten: Von seiner Stimme ist eine einzige HMV-Platte vorhanden, auf der er ein Lied von R. Schumann singt.

Neagu, Aurelian; bis 1955 an der Nationaloper Bukarest tätig. 1960–61 am Stadttheater von Freiburg i. Br., 1961–62 an der Deutschen Oper Berlin, 1962–65 an der Deutschen Oper am Rhein Düsseldorf–Duisburg und 1965–77 am Opernhaus von Zürich engagiert.

Neate, Ken; 1940 ging er in die USA, wo er bei Emilio de Gogorza und Charles Kullman weiter studierte. 1941 sang er beim Montreal Festival unter Sir Thomas Beecham und trat am amerikanischen wie am kanadischen Rundfunk auf. 1941–45 war er im Kriegseinsatz bei der Canadian Royal Airforce. An der Covent Garden Oper London sang er 1946 als erste Partie den José in «Carmen». 1955 gastierte er an der Grand Opéra Paris als Roméo in «Roméo et Juliette» von Gounod, 1956 an der Opéra-Comique Paris als Cavaradossi in «Tosca». 1955 und 1960 nahm er an Gastspielreisen von Operntruppen in

Australien teil. Er spezialisierte sich dann mehr und mehr auf das Wagner-Repertoire und war 1958 am Staatstheater Karlsruhe als Tannhäuser, als Lohengrin und als Florestan im «Fidelio» zu hören. Auch am Teatro Verdi Triest trat er als Wagner-Sänger hervor.

Nebe, Carl; Sohn des Schauspielers Eduard Nebe (1820–88), der am Hoftheater von Karlsruhe wirkte. Bei den Festspielen von Bayreuth sang Carl Nebe 1892 den Beckmesser, seit 1896 mehrmals den Alberich im Nibelungenring. Am 13. 12. 1904 wirkte er an der Berliner Hofoper in der Uraufführung von Leoncavallos «Roland von Berlin» mit. 1894–1902 gab er Gastspiele an der Hofoper von München, 1885 am Opernhaus Leipzig, seit 1889 sehr oft an der Hofoper von Stuttgart, 1888 an der Kroll-Oper Berlin, 1900 am Stadttheater von Zürich, 1905 an der Oper von Köln. Er starb plötzlich nach einer fieberhaften Grippe-Erkrankung.
Auch Edison-Schallplatten (Berlin 1904–08).

Neblett, Carol, *1. 2. 1946 Modesto (Kalifornien). Debütierte in der Spielzeit 1978–79 an der Metropolitan Oper New York als Senta im «Fliegenden Holländer». Weitere Partien, die sie an der Metropolitan Oper übernahm, waren die Tosca, die Amelia in Verdis «Ballo in maschera», die Alice Ford in dessen «Falstaff», die Manon in «Manon Lescaut» von Puccini und die Musetta in «La Bohème». 1977 trat sie an den Opern von Seattle und San Francisco auf, 1976 debütierte sie an der Staatsoper von Wien als Minnie in «La Fanciulla del West» von Puccini. 1987 sang sie am Teatro Regio Turin die Titelrolle in der vergessenen Oper «Semirama» von O. Respighi, 1988 in Nizza die Minnie.
Schallplatten: RCA (Marietta in der «Toten Stadt» von Korngold), DGG (Sopransolo in der 2. Sinfonie von G. Mahler), «La clemenza di Tito» von Mozart).

Nebuschka, Franz; er blieb bis 1913 Mitglied der Dresdner Hofoper. Dort wirkte er in kleineren Partien in den Uraufführungen der Richard Strauss-Opern «Feuersnot» (21. 11. 1901), «Salome» (9. 12. 1905) und «Elektra» (25. 1. 1909) mit. 1901 sang er in Dresden in der deutschen Erstaufführung von Puccinis «Tosca» den Angelotti. 1897 Gastspiel am Deutschen Theater Prag.

Negri, Adelaida; 1982 Debüt an der Metropolitan Oper New York als Titelheldin in Bellinis «Norma»; im gleichen Jahr an der Wiener Staatsoper zu Gast.
Schallplatten: Mitschnitt einer Aufführung der Oper «Jone» von Petrella aus Caracas.

Negrini, Carlo; bei Gastspielen in London bewunderte man ihn als Manrico im «Troubadour». Am Teatro Fenice Venedig wirkte er in der Uraufführung der Oper «L'Ebreo» von Giuseppe Apolloni mit (23. 1. 1855).

Neidl, Franz; 1890 wurde er Mitglied der Hofoper von Wien. Nach Aufgabe seiner Sängerkarriere wurde er Direktor der Poschacher Granitwerke.

Neidlinger, Gustav; an der Stuttgarter Oper sang er 1951 den Nick Shadow in der deutschen Erstaufführung von Strawinskys «The Rake's Progress». In den Jahren 1953–67 gastierte er wiederholt an der Grand Opéra Paris. Seit 1956 auch Mitglied der Staatsoper von Wien, an der er bereits 1941 erstmals gastiert hatte. 1958 hörte man ihn beim Edinburgh Festival als Lysiart in «Euryanthe» von Weber und als Kurwenal im «Tristan». Bei den Bayreuther Festspielen sang er neben dem Alberich (1952–57, 1965–75) auch den Kurwenal im «Tristan», den Hans Sachs in den «Meistersingern» (1956–57), den Telramund im «Lohengrin» und den Klingsor im «Parsifal» (1960–66). 1973 sang er sehr erfolgreich den Alberich im «Siegfried» an der Metropolitan Oper New York, ist dort aber nur in dieser einen Partie in vier Vorstellungen aufgetreten.
Schallplatten: Vox, Westminster, Elite, Melodram («Lohengrin» aus Bayreuth, 1960).

Nelepp, Georgij; neben den großen Tenor-Partien des russischen Repertoires sang er den Radames in «Aida», den Manrico im «Troubadour», den Florestan im «Fidelio», den Eleazar in «La Juive» von Halévy und den José in «Carmen».
Schallplatten: Melodiya (vollständige Opern «Das Mädchen von Pskow» von Rimsky-Korssakow, «Die verkaufte Braut» von Smetana).

Nelli, Herva, *9. 1. 1909 Florenz. Sie kam im Alter von zwölf Jahren in die USA und studierte am Pittsburgh Music Institute, dann bei verschiedenen Pädagogen in San Francisco. 1937 erregte sie erstes Aufsehen, als sie mit der Salmaggis Opera Company im New Yorker Hippodrome die Santuzza in «Cavalleria rusticana» sang. 1946 bereiste sie mit der San Carlo Opera Company Nordamerika; 1948 gastierte sie an der Mailänder Scala als Aida. 1952 folgte sie einem Ruf an die Metropolitan Oper New York, an der sie 1953 als Aida debütierte. Hier sang sie bis 1961 Partien wie die Maddalena in «Andrea Chénier» von Giordano, die Donna Anna im «Don Giovanni», die Santuzza, die Amelia in Verdis «Ballo in maschera», die Leonore in dessen «Troubadour» wie in «La forza del destino».

Nelson, Howard; 1960–66 unterrichtete er am Trinity College in Deerfield (Illinois). Gastspiele führten den Künstler auch an die Staatsopern von Hamburg und München, an das Stadttheater von Bern, an die Deutsche Oper am Rhein Düsseldorf–Duisburg, an die Opéra du Rhin Straßburg, an die Deutsche Oper Berlin, an die Opern von Köln, Rouen und Chicago. Mit dem Ensemble des Zürcher Opernhauses gastierte er in Dresden, Bordeaux, bei den Festspielen von Wiesbaden und Athen. Ebenso erfolgreich gestaltete sich seine internationale Konzertkarriere, die ihm auf den Gebieten des Oratoriums wie des Liedgesangs große Erfolge eintrug. Seit 1980 pädagogische Tätigkeit in Zürich. 1986 erhielt er eine Gastprofessur an der University of Indiana Bloomington.
Schallplatten: Pick-Records («Liebeslieder» und «Neue Liebeslieder» von J. Brahms), Turicaphon

(Magnificat von J. S. Bach), Pan («Media in Vita» von A. Schibler), Concert Hall (Querschnitte durch Operetten und Musicals).

Nelson, Judith; sie studierte zuerst Klavierspiel, dann Gesang bei Thomas Wickham in Chicago bei James Cunningham in Berkeley und bei Martial Singher in Santa Barbara (Kalifornien). 1973 erfolgte ihr Konzertdebüt in Paris. Sie wurde namentlich durch Radio- und Fernsehauftritte bekannt, die in Frankreich, Belgien, Holland, Deutschland, Österreich, England (BBC London) und in den skandinavischen Ländern erfolgten. 1977 kam es am Théâtre de la Monnaie Brüssel zu ihrem ersten Bühnenauftritt als Drusilla in Monteverdis «Incoronazione di Poppea».
Schallplatten: Decca (Messen von Haydn, Madrigale von Monteverdi).

Németh, Maria; auch Schülerin von Laura Hilgermann in Budapest. Wahrscheinlich ist sie bereits 1920 am Teatro Dal Verme Mailand als Marguerite im «Faust» von Gounod aufgetreten. 1924–42 hatte sie eine glänzende Karriere an der Staatsoper von Wien; als ihre großen Partien galten die Turandot und die Norma in den Opern gleichen Namens von Puccini und Bellini. 1930 Gastspiel an der Mailänder Scala, 1931 an der Covent Garden Oper London (als Turandot), weitere Gastspiele an der Oper von Monte Carlo, an der Oper von Budapest (1934–35), an der Staatsoper Dresden (1927–28) und am Stadttheater von Basel (1932). In Amsterdam gastierte sie als Konzertsängerin unter Willem Mengelberg. Sie wurde zum Ehrenmitglied der Wiener Staatsoper ernannt, an der sie als Gast noch nach 1945 aufgetreten ist.
Schallplatten: HMV (darunter Szenen aus Goldmarks «Königin von Saba»), Qualiton (Titelrolle in «Anna Karenina» von Jenö Hubay).

Némethy, Ella; Schallplatten: Hungaroton (darunter Szenen aus «Lohengrin», in denen sie die Ortrud singt).

Nentwig, Franz Ferdinand; 1987 nahm er an der Japan-Tournee der Berliner Staatsoper teil und hatte dabei als Hans Sachs in den «Meistersingern» große Erfolge. Bei den Salzburger Festspielen von 1987 wirkte er in Schönbergs «Moses und Aron» mit. 1987 gastierte er am Teatro Regio Turin als Wotan in der «Walküre», an der Oper von San Francisco als Pizarro im «Fidelio». 1988 hörte man ihn am Théâtre de la Monnaie Brüssel als Dr. Schön in «Lulu» von A. Berg und als Dr. Vigilius in «Der ferne Klang» von Franz Schreker, 1989 an der Nationaloper Warschau als Wotan im Nibelungenring. Diese Partie sang er auch 1988 mit dem Ensemble des Staatstheaters Kassel bei der Eröffnung des neu erbauten Theaters von Rotterdam.

Nentwig, Käthe; sie war 1939–40 am Stadttheater von Plauen (Sachsen), 1940–41 am Stadttheater von Wilhelmshaven und 1941–43 am Nationaltheater Weimar engagiert. 1943–57 Mitglied der Bayeri-

schen Staatsoper München. Seit 1957 trat sie, jetzt unter dem Namen Käthe Schmitt-Nentwig, als ständiger Gast am Opernhaus von Köln auf.
Von ihrer Stimme sind auch Vox-Aufnahmen vorhanden.

Neralic, Tomislav; sein Vater wirkte als Bariton an der Kroatischen Nationaloper Zagreb. Er selbst sang bereits mit 18 Jahren im jugoslawischen Rundfunk. 1955 wurde er an die Städtische Oper (seit 1963 Deutsche Oper) Berlin berufen, der er während 34 Jahren angehörte. Er gastierte auch an der Oper von Rom, am Teatro Fenice Venedig, am Teatro Regio Turin, in Bologna und Genua.

Neri, Giulio; im Juli 1945 wirkte er in den denkwürdigen «Aida»-Aufführungen in den Thermen des Caracalla mit.
Schallplatten: Cetra Opera Live (Großinquisitor in Verdis «Don Carlos»).

Neshdanowa, Antonina (Wassiljewna), *16. 6. (28. 6.) 1873 Kryvoje Balka bei Odessa, † 26. 6. 1950 Moskau. Sie wurde in Moskau durch den Pädagogen Umberto Mazetti ausgebildet, den sie dann heiratete. 1912 gastierte sie an der Grand Opéra Paris als Gilda im «Rigoletto» zusammen mit Enrico Caruso und Titta Ruffo; auch an der Oper von Monte Carlo ist sie als Gast aufgetreten. 1928 wurde sie zur Volkskünstlerin der UdSSR ernannt. Zu ihren Glanzrollen gehörten auch die Antonida in Glinkas «Iwan Susanin», die Ludmilla in «Ruslan und Ludmilla» von Glinka und die Titelrolle in «Snegourotchka» von Rimsky-Korssakow.
Schallplatten: Es sind auch Aufnahmen in elektrischer Aufnahmetechnik aus den Jahren um 1930 vorhanden.

Nespoulos, Marthe; 1923 hörte man sie am Théâtre Trianon-Lyrique Paris in der Operette «Sylvie» von Fred Barlow. 1931 gastierte sie am Teatro San Carlo Neapel als Titelheldin in «Louise» von Charpentier und als Mélisande in «Pelléas et Mélisande». 1929 sang sie in der Erstaufführung von Respighis «La Campana sommersa» für Südamerika am Teatro Colón Buenos Aires die Partie der Rautendelein, 1931 bewunderte man sie dort als Manon von Massenet mit Tito Schipa als Partner.
Schallplatten: Zahlreiche Arien- und Lied-Titel auf Columbia.

Nessi, Giuseppe; an der Mailänder Scala wirkte er auch in den Uraufführungen von Giordanos «Il Re» (12. 1. 1929) und von Mascagnis «Nerone» (16. 1. 1935) mit. In der erwähnten Uraufführung von Puccinis «Turandot» sang er den Pong (26. 4. 1926). Am Teatro Colón Buenos Aires war er 1917, 1919–20, 1925 und 1930 zu Gast, 1935 an der Grand Opéra Paris. Es war bei seiner engen Verbundenheit mit der Mailänder Scala fast selbstverständlich, daß er am 11. 5. 1946 in dem glanzvollen, von A. Toscanini dirigierten Konzert mitwirkte, mit dem das Haus nach seiner Zerstörung im Zweiten Weltkrieg wieder eröffnet wurde.

Schallplatten: Fonotipia («Il Re» von Giordano, 1929).

Nesterenko, Jewgenij (Jewgenjewitsch); seit 1974 trat er als Gast an der Staatsoper von Wien auf (Debüt als Boris Godunow), u. a. 1987 in «Rusalka» von Dvořák. An der Mailänder Scala sang er 1973, an der Metropolitan Oper New York 1975 zusammen mit dem Ensemble des Bolschoj Theaters Moskau den Titelhelden im «Boris Godunow». 1978 hörte man ihn an der Covent Garden Oper London als König Philipp in Verdis «Don Carlos» und als Basilio im «Barbier von Sevilla». 1984 gastierte er am Teatro Liceo Barcelona als Zaccaria in Verdis «Nabucco». 1987 sang er bei den Festspielen von Wiesbaden und anschließend an verschiedenen Bühnen in Westdeutschland und Dänemark den Boris Godunow, der ein besonderer Höhepunkt in seinem Repertoire war. Ebenfalls 1987 gastierte er bei den Festspielen von Savolinna als Dosifey in «Khovantchina» von Mussorgsky und, mit dem Bolschoj-Ensemble zusammen, in Budapest. 1989 sang er in den Aufführungen von Borodins «Fürst Igor» in der Münchner Olympia-Halle den Kontschak, in Rom wirkte er in einer konzertanten Aufführung von Rachmaninoffs «Aleko» mit. 1989 Gastspiel mit dem Bolschoj-Ensemble an der Mailänder Scala als Iwan Susanin.

Nettesheim, Konstanze; sie war Schülerin von Julius Raatz-Brockmann. 1932–44 war sie am Deutschen Opernhaus Berlin tätig. 1942 wirkte sie bei den Festspielen in der Waldoper von Zoppot mit, 1938 und 1939 gastierte sie an der Staatsoper Wien.

Neudörffer, Julius; 1899–1912 Mitglied der Hofoper Stuttgart; an diesem Haus trat er noch bis in die zwanziger Jahre gastweise auf. Er gastierte auch an den Hofopern von München (seit 1900) und Berlin (1901–02), am Hoftheater Hannover (1901) und am Hoftheater Wiesbaden (1902–11).

Neugebauer, Helmuth; 1914–16 am Opernhaus von Frankfurt a. M. engagiert, 1916–21 am Hof- bzw. Landestheater Karlsruhe. In Karlsruhe sang er in den Uraufführungen von «Die Rauhensteiner Hochzeit» von H. von Waltershausen (1919) und «François Villon» von Noelte (1920). 1923–33 wirkte er am Nationaltheater Mannheim, an dem er in den deutschen Erstaufführungen der Opern «Die Rückkehr» von D. Milhaud (1929) und «Aus einem Totenhaus» von L. Janáček (1930) teilnahm. 1933–34 war er am Stadttheater von Danzig, 1934–41 an der Berliner Volksoper im Engagement. Sein Sohn war der Sänger und Regisseur *Hans Neugebauer* (* 1916 Karlsruhe).

Neumann, Angelo, Tenor, † 20. 12. 1910 Prag; mit seinem wandernden Wagner-Theater gab er auch Vorstellungen in Belgien und in Österreich. Seinem Ensemble gehörten so bedeutende Sänger wie Hedwig Reicher-Kindermann, Heinrich und Therese Vogl, Auguste Seidl-Kraus, Katharina Klafsky, Julius Lieban, zeitweilig auch Emil Scaria, Amalie

Materna, Anton Schott und Marianne Brandt an. Er war in erster Ehe mit Paula von Mihalovic, in zweiter mit der Schauspielerin Johanna Buska (1848–1922) verheiratet. Seine Tochter war die Schauspielerin Isolde Milde (1887–1950).

Neumann, Günter; er sang fünf Jahre lang im Chor der Armee der DDR und wurde dann Chorist an der Berliner Staatsoper. 1962–65 war er Mitglied der Solisten-Vereinigung des Berliner Rundfunks. 1965 kam es dann zu seinem Bühnendebüt am Theater von Potsdam. Gastspiele am Opernhaus von Zürich, an der Nationaloper Budapest, in Rio de Janeiro und Tokio. Sehr oft war er an der Staatsoper von Dresden zu Gast. An der Staatsoper Hamburg hörte man ihn als Walther von Stolzing in den «Meistersingern», als Boris in «Katja Kabanowa» von Janáček und 1990 als Tannhäuser, in Köln in der letztgenannten Rolle und als Aron in «Moses und Aron» von Schönberg. 1988 sang er am Staatstheater Braunschweig den Othello in Verdis gleichnamiger Oper. In Amsterdam gastierte er als Florestan und als Herodes in «Salome» von R. Strauss, an der Oper von Marseille als Tannhäuser.
Schallplatten: Eterna (u. a. Florestan im «Fidelio»).

Neumann, Karl August, † 18. 9. 1947 Berlin (nach einer Operation). Enkel des Sängers und Impresarios *Angelo Neumann* (1838–1910). Nach seiner Ausbildung durch Carl Beines sang er 1917–18 am Stadttheater von Mainz, 1918–20 am Stadttheater von Elberfeld und 1920–21 am Stadttheater von Halle (Saale). 1921–23 wirkte er an der Wiener Volksoper, 1924–28 in Breslau, 1928–33 am Opernhaus von Leipzig und seit 1933 an der Staatsoper Berlin. Er gastierte 1921–22, 1927 und 1936 an der Wiener Staatsoper, 1922 am Stadttheater von Basel. Er wirkte in mehreren Opern-Uraufführungen mit: «Das Leben des Orest» von E. Křenek (19. 1. 1930 Leipzig als Titelheld), «Die schwarze Orchidee» von E. d'Albert (1. 12. 1928 Leipzig), «Das Lied der Nacht» von H. Gal (Breslau, 1926), «Schneider Wibbel» von Mark Lothar (12. 5. 1938 Staatsoper Berlin in der Titelrolle). Er sang in den deutschen Erstaufführungen von Mussorgskys «Jahrmarkt von Sorotchintsy» (Breslau, 1925) und von Rimsky-Korssakows «Sadko» (Staatsoper Berlin, 1947).

Neumann, Wolfgang; sang 1970–71 als Chorist am Theater von Oberhausen, seit 1971 als Solist am Stadttheater von Bielefeld. Seit 1981 vertraglich der Staatsoper München, 1982–85 auch der Staatsoper Hamburg, 1982–83 und 1988–89 der Staatsoper Wien verpflichtet. Gastspiele am Opernhaus von Zürich (1980), an der Oper von Oslo (1981 als Titelheld in der norwegischen Erstaufführung von Wagners «Tristan»), an der Deutschen Oper Berlin (1983), am Teatro San Carlos Lissabon (1982), am Teatro Liceo Barcelona (1984–86, u. a. in der Premiere von Schönbergs «Moses und Aron»), an den Opern von Dallas (1984–85 als Siegfried im Nibelungenring), Santiago de Chile (1986), Marseille (1986) und Montreal (1986). 1988 debütierte er an der

Metropolitan Oper New York als Titelheld im «Siegfried».
Schallplatten: Capriccio («Aufstieg und Fall der Stadt Mahagonny» von Kurt Weill).

Neumeyer, Johanna; 1899–1910 war sie am Stadttheater (Opernhaus) von Hamburg tätig. Bei den Bayreuther Festspielen sang sie 1889 das Alt-Solo im «Parsifal», 1896 die Helmwige und 1902–04 die Schwertleite in der «Walküre». Sie gab Gastspiele an der Hofoper Berlin (1908), an den Hoftheatern von Karlsruhe (1899, 1906), Weimar (1900) und Wiesbaden (seit 1889) und am Opernhaus von Frankfurt a. M. (1900). In Hamburg wirkte sie in den Uraufführungen der Opern «Der Kobold» (1904) und «Sternengebot» von Siegfried Wagner (1908) und in «Versiegelt» von Leo Blech (1908) mit.
Schallplatten: HMV (zwei Lieder, etwa 1904 aufgenommen).

Nevada, Emma; 1881 sang sie als Antrittsrolle an der Mailänder Scala die Amina in «La Sonnambula» von Bellini; in der Spielzeit 1883–84 an der Opéra-Comique Paris anzutreffen (Debüt in «La Perle de Brézil» von Félicien David). Im Oktober 1885 heiratete sie den aus London stammenden Arzt Dr. Raymond Palmer. Bei ihrer Konversion zur römisch-katholischen Kirche war der berühmte Komponist Charles Gounod ihr Taufpate. Sehr beliebt war sie in Holland; hier sang sie am Théâtre de la Haye im Haag und noch 1906 bei der Italienischen Oper. Als man sie 1899 in Sevilla (wegen des spanisch-amerikanischen Kuba-Krieges) auspfiff, entschuldigte sich die spanische Königin-Regentin persönlich in einer Sonderaudienz wegen der Vorfälle. Auf dem Bellini-Denkmal in Neapel zeigt ein Medaillon sie als Amina (die beiden anderen Maria Malibran als Norma und Giuditta Pasta als Elvira).
Schallplatten: Im Edison-Katalog wurden um 1902 drei Zylinder der Sängerin mit Liedern angekündigt, die aber offensichtlich nie erschienen sind. So ist nur ihre Sprechstimme in der Einleitung zu einer Liedaufnahme ihrer Tochter *Mignon Nevada* auf IRCC von 1938 erhalten.

Nevada, Mignon; ihr Vater war der englische Arzt Dr. Raymond Palmer, ihre Mutter die berühmte Sängerin *Emma Nevada* (1859–1940). Bühnendebüt 1907 am Teatro Costanzi Rom als Rosina im «Barbier von Sevilla» von Rossini. 1910 sang sie als Antrittsrolle an der Covent Garden Oper London die Ophélie in «Hamlet» von A. Thomas mit Clarence Whitehill in der Titelrolle. Sie sang dort in mehreren Spielzeiten zahlreiche Partien, darunter die Gilda im «Rigoletto» und die Lakmé von Delibes, 1919 die Nedda im «Bajazzo». 1922 trat sie im Ensemble der National Opera Company London auf. 1928 gastierte sie an der Mailänder Scala als Desdemona in Verdis «Othello».
Schallplatten: Es haben sich später noch zufällig einige weitere unveröffentlichte Probeaufnahmen der Künstlerin gefunden, zwei in akustischer, eine (die Juwelenarie aus Gounods «Faust») in elektrischer Aufnahmetechnik, die dann ebenfalls auf IRCC publiziert wurden.

Neville, Margaret, * 3. 4. 1939 Southhampton; 1967 sang sie im englischen Rundfunk BBC in der Barock-Oper «L'Erismena» von Cavalli. Zu ihren großen Partien zählten die Leila in «Pêcheurs de perles» von Bizet, der Page Oscar im «Maskenball» von Verdi, die Gilda im «Rigoletto», die Nannetta im «Falstaff» von Verdi, der Amor in Glucks «Orpheus», die Anne Trulove in «The Rake's Progress» von Strawinsky, die Mimi in «La Bohème» und die Adele in der «Fledermaus». Geschätzte Konzertsolistin.

Neway, Patricia; studierte am Mannes College und bei ihrem späteren Ehegatten Morris Gesell in New York. Debüt an der City Center Opera New York als Leah in der Uraufführung der Oper «The Dybbuk» von Tamkin (4. 10. 1951). In der Uraufführung von Menottis Oper «Maria Golovine» (20. 8. 1958) sang sie die Partie der Mutter (nicht die Titelrolle).

Ney, David; Gastspiele an der Wiener Hofoper (1881), am Opernhaus von Leipzig (1885), an der Kroll-Oper Berlin (1885, 1887); Konzerte in Berlin (1888) und Brünn (1887).
Schallplatten: Auch Aufnahmen auf Columbia und Favorit.

Nezadál, Maria; in München sang sie die Titelpartie in der Premiere von Korngolds Oper «Das Wunder der Heliane». Bei den Festspielen von Bayreuth wirkte sie 1927 als Woglinde und als Ortlinde im Nibelungenring wie als Blumenmädchen im «Parsifal» mit. Nach dem Zweiten Weltkrieg gab sie wieder Gastspiele an der Staatsoper München, u. a. 1948 als Tosca.

Nicholls, Agnes; begann 1894 ihr Gesangstudium. 1901 sang sie als erste Partie an der Covent Garden Oper das Taumännchen in «Hänsel und Gretel», trat später aber vor allem dort in Wagner-Partien auf, jedoch auch als Nannetta in Verdis «Falstaff». 1925 sang sie bei der English Opera London die Brünnhilde in der «Walküre» unter Sir Thomas Beecham.
Wenige HMV-Platten aus den Jahren 1909–14, darunter «In a Persian Garden» von Liza Lehmann.

Nicklass-Kempner, Selma, † 22. 12. 1928 Berlin. Sie gastierte bis 1898 und dann nochmals 1904 in einem Konzert in Berlin. In Wien betätigte sie sich als hoch angesehene Gesangpädagogin. Zu ihren Schülerinnen gehörte dort die österreichische Kronprinzessin Stephanie, die Gattin des unglücklichen Kronprinzen Rudolf; diese erhielt die Nachricht von dessen Selbstmord am 31. 5. 1889 während einer Gesangstunde bei Selma Nicklass-Kempner. Von ihren vielen Schülerinnen sind noch zu nennen: Gertrude Förstel, Louise Ehrenstein, Mary Hagen, Rita Fornia, Estelle Liebling, Ottilie Metzger-Lattermann, Rachel Morton, Ida Salden, Margarethe Parbs und Roxy King. Ihr Sohn Siegfried Nicklass-Kempner war Operettenkomponist und emigrierte 1933 in die USA.

Nicolai, Claudio; eigentlicher Name Klaus Brennecke. 1954 debütierte er am Theater am Gärtnerplatz München. 1955–56 sang er am Stadttheater von Ulm, 1957–58 am Landestheater von Linz (Donau) und 1959–64 wieder am Gärtnerplatztheater in München. 1964–83 Mitglied des Opernhauses von Köln. Er gastierte mehrfach an der Wiener Staatsoper, vor allem als Don Giovanni, und seit 1976 auch an der Staatsoper Berlin. 1977–78 trat er bei den Salzburger Festspielen in Konzertveranstaltungen auf. 1988 war er an der Metropolitan Oper New York zu hören.

Nicolai, Elena, Mezzosopran, * 24. 1. 1905 Cerevo (Distrikt Pazordžik, Bulgarien); eigentlicher Name Elena Stoianka Nikolova. Sie studierte bei Ivan Vulpe in Sofia, dann am Konservatorium von Mailand bei Maestro Pintorno und debütierte unter ihrem wirklichen Namen erfolglos an der Oper von Rom als Maddalena im «Rigoletto». Nach weiteren Studien kam es – jetzt unter dem Namen Elena Nicolai – 1938 zu einem zweiten Debüt am Teatro San Carlo Neapel als Annina im «Rosenkavalier» von R. Strauss. Jetzt hatte sie in Italien eine schnelle, erfolgreiche Karriere. 1941 sang sie als Antrittsrolle an der Mailänder Scala die Principessa de Bouillon in «Adriana Lecouvreur» von Cilea und blieb für viele Jahre dort tätig. In den fünfziger Jahren war sie an der Scala in acht aufeinander folgenden Spielzeiten zu hören. Seit 1946 bewunderte man bis 1954 Jahr für Jahr ihre Stimme bei den Festspielen in der Arena von Verona, u. a. als Amneris in «Aida», als Laura in «La Gioconda» von Ponchielli, als Ortrud im «Lohengrin» und 1950 als Brünnhilde in der «Walküre». Sie nahm mehrere Partien für dramatischen Sopran in ihr Repertoire auf, neben der Brünnhilde die Santuzza in «Cavalleria rusticana» und die Titelheldin in «Fedora» von Giordano. Beim Maggio musicale von Florenz erregte sie 1950 Aufsehen als Statira in «Olympia» von Spontini, 1951 in der szenischen Uraufführung von Ildebrando Pizzettis «Ifigenia». 1950 sang sie bei den Festspielen von Pompeji die Cornelia in «Giulio Cesare» von G. F. Händel. An der Oper von Rom kam sie 1948 als Marfa in Mussorgskys «Khovantchina» zu einem besonderen Erfolg; dort wie am Teatro Fenice Venedig, in Bologna (Amneris, Titelfigur in Giordanos «Fedora»), in Bari (Amneris, Azucena) und am Teatro San Carlo Neapel gab sie Gastspiele. Am letztgenannten Haus sang sie die Leonora in Donizettis «La Favorita» und wirkte in der Uraufführung der Oper «La Figlia di Jorio» von I. Pizzetti mit (4. 12. 1955). Am Teatro Massimo Palermo trat sie als Adalgisa in Bellinis «Norma» auf. Sie gastierte am Londoner Stoll Theatre, am Théâtre des Champs-Élysées Paris, am Teatro Liceo Barcelona, an der Oper von Rio de Janeiro (1950), am Opernhaus von Bordeaux (1951), an der Oper von Kairo, an großen Bühnen in Deutschland und in der Schweiz. 1963 sang sie als Abschiedspartie an der Mailänder Scala die Hexe in «Hänsel und Gretel». Hohes Ansehen genoß sie als Oratoriensängerin, zumal als Solistin im Verdi-Requiem und als Interpretin von Vokalwerken aus der Barockepoche (Monteverdi, Scarlatti, Vivaldi).
Schallplatten: Decca («Cavalleria rusticana»), Colosseum («Adriana Lecouvreur»), HMV («Orfeo» von Monteverdi, «Don Carlos» von Verdi), Cetra («La Vestale» von Spontini, «Oberto» von Verdi 1951), HRE («Lohengrin» in italienischer Sprache). Eine «Troubadour»-Aufnahme auf Remington kam nicht zur Ausgabe. – (Neufassung) –.

Nicolescu, Antonius; seit 1984 am Opernhaus von Essen engagiert; gastierte u. a. am Stadttheater Heidelberg.

Nicolini, Ernest; seit 1862 große Erfolge an italienischen Theatern, darunter auch an der Mailänder Scala. Er wirkte in Paris als Solist in der Uraufführung der Petite Messe solennelle von Rossini in deren Orchesterfassung mit (24. 2. 1869).

Niedzielski, Stanislaw, Bariton, * 13. 7. 1842 Rudki bei Sambor (Galizien), † 4. 3. 1895 Warschau; er studierte Gesang und Musik in Warschau und debütierte 1861 dort in der Oper «Szlachte czyshzowa» von F. Blotnicki. Dann ging er zur weiteren Ausbildung nach Wien. Er sang anschließend am Theater von Graz, kam aber 1866 nach Polen zurück und debütierte an der Oper von Krakau als Janusz in «Halka» von Moniuszko. Bis 1886 hatte er an diesem Haus, das er 1875–86 als Direktor leitete, eine große Karriere, wobei er namentlich als Valentin im «Faust» von Gounod und als Nevers in den «Hugenotten» von Meyerbeer brillierte. Dann ging er als Pädagoge nach Warschau; dort ist er noch gelegentlich im Konzertsaal aufgetreten. In seiner polnischen Heimat wurde er als Komponist volkstümlicher Lieder weithin bekannt, von denen einige allgemein verbreitet waren. – (Neufassung) –.

Nielsen, Alice; als sie mit einer Church Concert Company eine Tournee unternahm, brach dieses Unternehmen unterwegs in St. Joseph (Missouri) finanziell zusammen. Um die Heimreise nach San Francisco finanzieren zu können, sang sie dort im Eden Musée. 1892 heiratete sie, ganz jung, den Organisten Benjamin Nentwig aus Kansas City. 1893 kam es zu ihrem eigentlichen Bühnendebüt bei der Burton Opera Company als Yum-Yum in der Sullivan-Operette «The Mikado». Nach kurzem Studium bei Max Dessi wirkte sie 1898 in New York in der Uraufführung von V. Herberts Operette «The Fortune Teller» und 1901 in der Premiere dieses Werks am Londoner Fortune Theatre mit. Sie sang dann auch in der Operette «The Singing Girl» vom gleichen Komponisten. 1904 sang sie am Teatro San Carlo Neapel die Violetta in «La Traviata», ebenfalls 1904 an der Covent Garden Oper London die Zerline im «Don Giovanni» und die Mimi in «La Bohème» (mit Enrico Caruso). An der Metropolitan Oper New York kam sie auch als Norina und als Nedda zu großen Erfolgen.
Schallplatten: Columbia (1911–15, 1924), Victor (1907–08).

Nielsen, Flora, *28. 8. 1900 Esquinault (Vancouver Island, Kanada). Als sie ein Jahr alt war, verzogen ihre Eltern nach England. Sie war auch Schülerin von Florence Easton. Ende der zwanziger Jahre sang sie in England unter ihrem eigentlichen Namen Sybil Crawley in Konzerten und trat auch in Holland und Frankreich als Konzertsolistin auf. 1930 kam es zu ihrem Bühnendebüt an der Oper von Monte Carlo. Dort sang sie die Marina im «Boris Godunow» (mit Fedor Schaljapin), die Elsa im «Lohengrin», die Marschallin im «Rosenkavalier» und die Brangäne im «Tristan». Sie kam dann nach England zurück und trat dort (jetzt als Flora Nielsen) an der Covent Garden Oper 1931 in der «Zauberflöte», 1938 als Brangäne im «Tristan» auf. Nach dem Zweiten Weltkrieg sang sie bei der Uraufführung von B. Brittens «The Rape of Lucretia» in Glyndebourne alternierend mit Joan Cross den Female Chorus (1946). Sie kreierte die Partie der Mrs. Peachum in der Uraufführung einer Neu-Bearbeitung der Beggar's Opera durch B. Britten (24. 5. 1948).

Nielsen, Inga; ihr Vater war Däne, ihre Mutter Österreicherin. Als Kind lebte sie mit ihrer Familie zeitweilig in den USA, wo sie bereits als Kinderstar in Radiosendungen zu hören war. Zu ihren Lehrern gehörten Hilde Güden, Julia Hamari und der ungarische Pädagoge Jenö Sipo. Gastspiele an den Opern von Pittsburgh und Oslo als Lucia di Lammermoor, an der Königlichen Oper Kopenhagen und an der Staatsoper Hamburg (1984, 1987). 1986 sang sie beim Wexford Festival die Amenaide in Rossinis «Tancredi», 1987 am Teatro Massimo Palermo die Marguerite im «Faust» von Gounod, 1987–89 bei den Salzburger Festspielen wie an der Covent Garden Oper London die Konstanze in der «Entführung aus dem Serail». 1989 gastierte sie in Köln als Ilia in «Idomeneo», an der Opéra du Rhin Straßburg als Fiordiligi in «Così fan tutte». 1990 sang sie am Teatro Comunale Bologna die Christine in der italienischen Erstaufführung der Richard Strauss-Oper «Intermezzo».
Schallplatten: Wergo («Le grand Macabre» von G. Ligeti), Aris (8. Sinfonie von G. Mahler), BIS (Recital), Philips («Die Schuldigkeit des ersten Gebots» und «L'Oca del Cairo» von Mozart).

Niemann, Albert; er studierte mit Hilfe eines Stipendiums des Königs von Hannover bei dem berühmten Tenor Gilbert Duprez in Paris. Er gastierte an den Hofopern von Wien (1868–86) und München (1864–1885), am Stadttheater von Hamburg (1875–85), an den Opernhäusern von Riga (1875) und Leipzig (1877). 1874 war er der Radames in der deutschen Erstaufführung von Verdis «Aida» an der Hofoper Berlin. 1886–88 bewunderte man ihn an der Metropolitan Oper New York (Antrittsrolle: Siegmund in der «Walküre», November 1886). Man hörte ihn in zwei Spielzeiten dort als Siegfried, als Tristan, als Lohengrin, als Tannhäuser, als Florestan, als Eleazar in «La Juive» von Halévy und als Titelhelden im «Propheten» von Meyerbeer. Nach seinem Bühnenabschied trat er noch als Konzert- und Liedersänger (vor allem mit Schumann-Liedern) auf, so u. a. 1888

in London. 1892 erschien er, zusammen mit Rosa Sucher, in Berlin in einer konzertanten Aufführung des I. Aktes «Walküre». 1909 sang er am Berliner Schauspielhaus in einer Aufführung von «Wallensteins Lager» das Reiterlied. Sein interessanter Briefwechsel mit Richard Wagner wurde 1924 veröffentlicht.

Niemann, Oscar; nahm 1889 an der Tournee mit Angelo Neumanns Wagnertheater in Rußland teil.

Nienstedt, Gerd; Debüt 1954 als König Heinrich im «Lohengrin» am Stadttheater von Bremerhaven. In Köln wirkte er in der Uraufführung der Oper «Die Soldaten» von Bernd-Alois Zimmermann mit (15. 2. 1965). Gastspiele führten ihn auch an die Oper von Rom; 1977 bei den Osterfestspielen von Salzburg aufgetreten. 1985–87 Intendant des Landestheaters Detmold.
Schallplatten: Wergo («Die Soldaten» von B. A. Zimmermann).

Nieto, Ofelia; 1922 wirkte sie am Teatro Colón Buenos Aires in der Premiere der Oper «La Dolores» von Tommaso Bretón mit, wobei Hippólito Lazáro ihr Partner war. Mit diesem zusammen sang sie auch die Titelrolle in Mascagnis «Isabeau» unter der Leitung des Komponisten und die Tosca mit Miguel Fleta als Cavaradossi. 1923–24 gastierte sie in Havanna als Aida, als Tosca und in der Titelpartie der Oper «La Gioconda» von Ponchielli. An der Mailänder Scala trat sie 1926–27 als Elsa im «Lohengrin» und als Agathe im «Freischütz» auf.

Niewiarowska, Kazimiera, *1890 Warschau. Ihr Bühnendebüt fand 1911 am Theater von Kalisch (Kalisz) statt. Dann ging sie nach Warschau und trat dort 1911–12 am Maly-Theater, dann am Theater Nowosci in Soubrettenpartien auf. Sie gastierte in Kiew und 1916 in Odessa, 1921 nochmals in Prag.

Nikolaidi, Elena; 1930 kam es zu ihrem Debüt am Opernhaus von Athen, 1935 hatte sie dort große Erfolge bei einem Konzert zusammen mit dem Staatsorchester unter Dimitri Mitropoulos. 1937–48 war sie Mitglied der Staatsoper von Wien. 1942 sang sie bei den Festspielen von Zoppot die Erda im Nibelungenring. 1941–44 auch Mitglied der Volksoper Wien. 1952 unternahm sie eine Australien-Tournee. Nach ihrem Abschied von der Bühne war sie seit 1964 Pädagogin an der Florida State University in Tallahassee, später in Houston/Texas. Ihre großen Bühnenrollen waren die Amneris in «Aida», die Eboli in Verdis «Don Carlos» und die Klytämnestra in «Elektra» von R. Strauss.

Nilsson, Birgit; sie sang 1951 in Florenz die Donna Anna im «Don Giovanni». 1958 glänzender Erfolg an der Mailänder Scala als Titelheldin in Puccinis «Turandot». Seit 1957 zahlreiche Gastspiele an der Covent Garden Oper London, u. a. als Brünnhilde, als Isolde, als Turandot und als Elektra. In Bayreuth hörte man sie (neben ihren bereits genannten Partien) 1957–58, 1962–63 und 1970 als Isolde (die sie im

Lauf ihrer Karriere über 200mal gesungen hat). An der Oper von San Francisco debütierte sie 1956 als Brünnhilde in der «Walküre». An der New Yorker Metropolitan Oper trat sie 1959–75 und nochmals 1979–82 (jetzt auch als Elektra in der gleichnamigen Oper von R. Strauss) auf. Sie gastierte mit dem Ensemble der Mailänder Scala 1964 in Moskau als Turandot, mit dem Bayreuther Festspiel-Ensemble 1967 bei der Weltausstellung von Osaka als Isolde. 1968 sang sie an der Pariser Grand Opéra ihre Turandot, 1971 und 1979 am Teatro Colón Buenos Aires die Isolde bzw. die Färberin in der «Frau ohne Schatten» von R. Strauss. 1973 gab sie Konzerte in Australien. 1982 stand sie letztmalig auf der Bühne; 1983 sang sie bei einem Gala-Konzert anläßlich der Hundertjahrfeier der Metropolitan Oper New York, wie sie überhaupt noch gelegentlich als Konzertsolistin auftrat.
Schallplatten: Liedaufnahmen auf den schwedischen Marken Bell, BIS und Gramofon ab Electra.

Nilsson, Christine; 1869 erzielte sie einen besonderen Erfolg an der Covent Garden Oper London als Lucia di Lammermoor. 1871–74 sang sie ständig an der New Yorker Academy of Music. In der Eröffnungssaison der Metropolitan Oper New York 1883–84 trat sie dort auch als Donna Elvira im «Don Giovanni», als Mignon in der Oper gleichen Namens von A. Thomas, als Valentine in den «Hugenotten» von Meyerbeer, als Elsa im «Lohengrin» und (gleichzeitig) als Margherita und als Elena in «Mefistofele» von A. Boito auf.

Nilsson, Sven; 1930 debütierte er an der Staatsoper Dresden als Heerrufer im «Lohengrin». Hatte er anfänglich dort Bariton-Partien übernommen, so wurde er bald erster Bassist des Hauses. In der Uraufführung der Richard Strauss-Oper «Daphne» in Dresden sang er den Peneios (15. 10. 1938). Bei den Festspielen von Zoppot wurde vor allem sein Pogner in den «Meistersingern» bewundert. Beim Amsterdamer Wagnerverein gastierte er als Marke im «Tristan» (mit Kirsten Flagstad als Isolde) und als Hunding in der «Walküre»; 1936–37 Gastspiel mit dem Dresdner Ensemble an der Covent Garden Oper London. An der Metropolitan Oper New York trat er auch als Marke im «Tristan» erfolgreich auf.

Nimsgern, Siegmund; 1978 debütierte er an der Metropolitan Oper New York als Pizarro im «Fidelio». 1981 trat er an diesem Haus als Jochanaan in «Salome» von R. Strauss auf. Ständiger Gast an der Staatsoper von Hamburg; an der Oper von Chicago u. a. 1988 als Scarpia in «Tosca» zu hören.
Schallplatten: Eurodisc («Il Tabarro» von Puccini), Decca («Lohengrin»), Italia (Lyrische Sinfonie von A. von Zemlinsky), Bayer Records («Winterreise» von Schubert), Wergo («Cardillac» von P. Hindemith).

Nissen, Geertje, s. unter *Nissen,* Hanns-Heinz.

Nissen, Hanns-Heinz; seine Tochter *Geertje Nissen* wurde als Sopranistin bekannt. Sie begann 1969 ihre

Theaterlaufbahn am Stadttheater von Koblenz, wo sie als Susanna in «Figaros Hochzeit» debütierte. Sie sang dann in Münster (Westfalen) und lange Jahre hindurch in Kaiserslautern Partien aus dem Soubrettenfach und aus Operetten.

Nissen, Hans Hermann, * 20. 5. 1893 Zippnow bei Danzig. Bühnendebüt 1924 an der Großen Volksoper Berlin. 1930 Gastspiel an der Oper von Chicago; 1928 (als Wotan und als Hans Sachs) und 1934 an der Covent Garden Oper zu Gast (1934 als Wotan im Nibelungenring). Erstes Auftreten bei den Salzburger Festspielen 1930. Er debütierte in der Spielzeit 1938–39 an der Metropolitan Oper New York als Wotan in der «Walküre» und sang dort weiter den Wolfram im «Tannhäuser» und den Telramund im «Lohengrin».
Schallplatten: Homochord-Aufnahmen (1928), auf Siemens-Special/Polydor sang er Ausschnitte aus den «Meistersingern» (Zoppot, 1942).

Nissen, Helge; weitere Aufnahmen auf den Marken Beka und Polyphon, dazu Columbia- und Pathé-Zylinder.

Noë, Marcel; er debütierte 1911 am Wiener Bürgertheater und hatte einen ersten großen Erfolg 1913 an der Wiener Volksoper als David in den «Meistersingern». Bis 1917 war er an der Wiener Volksoper engagiert, 1917–19 am Deutschen Theater Prag. 1919–33 Mitglied der Staatsoper Berlin. Hier wirkte er in der Uraufführung von Alban Bergs «Wozzeck» mit (14. 12. 1925). Gastspiele an den Hofopern von Wien (1917, 1920–21) und München (1915).
Schallplatten: Auf HMV auch Duette aus der Operette «Der lachende Ehemann» von Eysler mit Emmy Petko.

Nöcker, Hans Günter; sang 1952–53 am Stadttheater von Münster (Westfalen), 1953–54 am Stadttheater von Gießen und seit 1954 an der Staatsoper von Stuttgart. Seit 1965 Mitglied der Staatsoper von München, an der er auch 1965 in der Uraufführung der Oper «Aucassin und Nicolette» von Günter Bialas mitwirkte.
Schallplatten: DGG (Mozart-Quartette, 1956).

Noeldechen, Bernhard; Gastspiele am Hoftheater Karlsruhe (1875), an den Hofopern von München (1902) und Berlin (1909), in Leipzig (1885) und Bremen (1901).

Nolen, Timothy; 1981 gastierte er in Genf als Dandini in «La Cenerentola», 1986 bei den Festspielen von Glyndebourne als Titelheld in Verdis «Simon Boccanegra» und an der Oper von Chicago als Papageno in der «Zauberflöte». 1988 sang er beim Maggio musicale Florenz den Ned Keene in Benjamin Brittens «Peter Grimes».

Noli, Rosetta; 1952 trat sie an der Mailänder Scala auf; 1954 wirkte sie bei den Festspielen in der Arena von Verona als Liu in Puccinis «Turandot» mit. Im gleichen Jahr sang sie beim Festival von Aix-en-Provence die Donna Elvira im «Don Giovanni».

Noni, Alda; 1942–46 war sie Mitglied der Staatsoper von Wien. 1949 sang sie als erste Partie an der Mailänder Scala die Musetta in Puccinis «La Bohème»; sie hatte dort einen ihrer größten Erfolge als Carolina in Cimarosas «Matrimonio segreto». 1951 bewunderte man an der Scala ihre Zerline im «Don Giovanni». 1947 am Teatro Colón Buenos Aires zu Gast. 1958 sang sie an der Oper von Oslo die Adina in «Elisir d'amore». Während ihrer ganzen Karriere wurde ihr brillantes Bühnenspiel, namentlich in Soubrettenpartien, bewundert. Ihre Tochter *Tiziana Sojat* hatte ebenfalls eine erfolgreiche Bühnenkarriere, sang an der Kroatischen Nationaloper von Zagreb und wurde durch Gastspiele bekannt.

Noordewier-Reddingius, Aaltje; sie trat auch in den Jahren nach 1890 zusammen mit dem Amsterdamer Madrigalchor unter Daniel De Lange auf, mit dem sie in Wien, in Paris und in deutschen Städten gastierte. Zusammen mit Pauline de Haan-Manifargues, Jacques Urlus und Thom Denijs war sie das Solistenquartett, das zwanzig Jahre hindurch die großen Konzertveranstaltungen in Amsterdam prägte. 1901 und 1911 sang sie in Berlin u. a. in der Missa solemnis von Beethoven, 1908 und 1910 in Wien, 1914 in Leipzig. In England erschien sie beim Leeds Festival. Höhepunkt ihrer Amerika-Tournee bildete 1926 eine Aufführung der Matthäuspassion in New York unter Willem Mengelberg. Bis wenige Tage vor ihrem Tod erteilte sie Gesangunterricht.

Noort, Henk; 1928–29 war er am Stadttheater von Koblenz, 1929–31 in Wuppertal engagiert, 1931–32 am Städtischen Opernhaus Berlin. 1932–39 gehörte er zum Ensemble des Opernhauses von Düsseldorf. Gastspiele vor allem an der Wiener Staatsoper (1935–37). 1946 trat er in Brüssel als Oratoriensänger auf. Er wirkte in den Uraufführungen der Opern «Die Bürgschaft» von Kurt Weill (10. 3. 1932 Städtische Oper Berlin) und «Enoch Arden» von Ottmar Gerster (15. 11. 1936 Düsseldorf) mit.

Norbert, Karl; eigentlicher Name Karel Novotný. 1917 Gastspiel an der Hofoper von Dresden. Er wirkte 1922 und dann wieder in den Jahren 1931–35 bei den Festspielen von Salzburg mit.

Nordenová, Ada, * 14. 9. 1891 Prag; sie gastierte an den Opernhäusern von Stockholm (1928) und Bukarest (1929). Nach Abschluß ihrer Bühnenkarriere erhielt sie eine Professur am Staatlichen Konservatorium in Prag.

Nordica, Lillian; sie war die Tochter eines Predigers. Ausbildung durch John O'Neill am New England Conservatory Boston. 1874 sang sie das Sopransolo im «Messias» und gab dann Konzerte mit der Handel and Haydn Society unter Theodore Thomas. Bei ihrem Debüt in Italien nahm sie 1879 den Namen Lillian Nordica an. 1880 sang sie in St. Petersburg auch noch die Philine in «Mignon» von A. Thomas,

die Königin Marguerite de Valois in den «Hugenotten» von Meyerbeer und die Amelia in Verdis «Ballo in maschera». 1882 kam es zu glanzvollen Auftritten an der Pariser Grand Opéra. 1883 sang sie als Antrittsrolle an der New Yorker Academy of Music die Marguerite im «Faust». Nachdem ihr Gatte 1895 mit einem Ballon bei einem Absturz über dem Ärmelkanal den Tod gefunden hatte, begann sie 1885 an der Oper von Boston einen neuen Abschnitt in ihrer Karriere. 1887 debütierte sie an der Covent Garden Oper London, an der sie bis 1902 fast alljährlich sang, als Traviata; 1889 sang sie dort ihre erste Wagner-Rolle, die Elsa im «Lohengrin». An der Covent Garden Oper hörte man sie auch als Lucia di Lammermoor, als Aida, als Donna Anna, als Isolde und als Brünnhilde. 1893 kreierte sie für London die Zelika in «The Veiled Prophet» von Stanford. 1887–88 war sie an der Berliner Kroll-Oper zu Gast, 1894 unternahm sie eine ausgedehnte Gastspielreise durch Deutschland. 1896 heiratete sie den ungarischen Bariton *Zoltan Döme* (1869–1933), von dem sie sich wieder trennte. (Ebenso scheiterte eine dritte, 1909 geschlossene Ehe). Weitere Gastspiele an den Hofopern von München (1901, 1903) und Berlin (1911 als Isolde) und an der Oper von Monte Carlo (1891). Letztmalig stand sie 1913 in Boston auf der Bühne. An der Metropolitan Oper New York sang sie in den Jahren 1891–1910 in elf Spielzeiten 19 Partien in 194 Vorstellungen (dazu noch 180 Vorstellungen während der alljährlichen Tournee durch die USA). Ihre Antrittsrolle an der Metropolitan Oper war die Valentine in den «Hugenotten» von Meyerbeer. Bereits vor ihrem Engagement an diesem Haus hatte sie dort 1888–89 mit dem Ensemble der Henry Abbey Company als Aida und als Leonore im «Troubadour» gesungen. Bei ihrer Abschiedstournee 1913 kam es zum Schiffbruch der «Taskin», auf der sie reiste, vor Neu-Guinea. Dabei zog sie sich eine Pneumonie zu und wurde in ein behelfsmäßiges australisches Hospital gebracht. Sie verließ dieses im April 1914 um sich in Batavia einer besseren medizinischen Behandlung zu unterziehen, starb aber bald nach ihrer Ankunft. Ihre Asche wurde in den USA an einem geheim gehaltenen Ort beigesetzt.

Nordin, Birgit; 1963 und 1965 wirkte sie beim Wexford Festival mit.
Schallplatten: Virgin Classics-Video (Donna Elvira im «Don Giovanni»).

Nordmo-Lövberg, Aase; 1951 sang sie an der Oper von Oslo in der Uraufführung der Oper «Cymbeline» von Arne Eggen die Rolle der Imogen. 1959–61 trat sie an der Metropolitan Oper New York auf, an der sie u. a. die Eva in den «Meistersingern», die Sieglinde in der «Walküre» und die Leonore im «Fidelio» vortrug. 1978–79 Direktor der Oper von Oslo.

Nordsjö, Eigil; 1932 debütierte er in Oslo als Konzertsänger. Am Opernhaus der norwegischen Hauptstadt hörte man ihn u. a. als Sarastro in der «Zauberflöte», als Landgrafen im «Tannhäuser», als

König Marke im «Tristan» und als Hunding in der «Walküre». Im wesentlichen war jedoch seine Karriere dem Konzertgesang gewidmet.

Norejka, Virgilius; seit 1975 Direktor des Opernhauses von Vilnius (Wilna).

Norena, Eidé; sie studierte in Oslo bei Ellen Gulbranson. Auf Empfehlung von Nina Grieg-Hagerup wurde sie nochmals in London Schülerin von Raimund von zur Mühlen. 1924 sang sie als Antrittsrolle an der Covent Garden Oper London die Gilda im «Rigoletto». 1925 trat sie erstmals an der Grand Opéra Paris auf. 1932 hatte sie dort einen besonderen Erfolg als Mathilde in Rossinis «Wilhelm Tell». Seit 1930 gastierte sie regelmäßig an der Oper von Monte Carlo. 1935–39 sang sie bei den Festspielen von Salzburg in den Domkonzerten, 1935 gab sie Konzerte in München, 1936 und 1937 in Kopenhagen. 1933–38 Mitglied der Metropolitan Oper New York. Sie debütierte dort als Mimi in «La Bohème» und erschien als Marguerite im «Faust» von Gounod, als Juliette in «Roméo et Juliette», als Gilda, als Traviata und als Antonia in «Hoffmanns Erzählungen» auf der Bühne dieses Operninstituts.

Norman, Jessye; an der Howard University of Michigan wurde sie durch Carolyn Grant, an der Michigan University durch Elizabeth Mannion, am Peabody Conservatory Boston durch Pierre Bernac und Alice Duschak ausgebildet. Am Deutschen Opernhaus Berlin wie bei den Festspielen von Aix-en-Provence, an der Covent Garden Oper London und an vielen anderen Bühnen als Titelheldin in «Ariadne auf Naxos» von R. Strauss gefeiert, an der Covent Garden Oper auch als Cassandre in «Les Troyens» von Berlioz. Seit 1983 hörte man sie an der Metropolitan Oper New York als Jokaste in «Oedipus Rex» von Strawinsky, als Elisabeth im «Tannhäuser», als Judith in «Herzog Blaubarts Burg» von B. Bartók und als Mme Lidoine in «Dialogues des Carmélites» von F. Poulenc. 1988 gestaltete sie an der Metropolitan Oper den dramatischen Monolog «Erwartung» von Schönberg. Die Howard University verlieh der Künstlerin die Ehrendoktorwürde, ebenso das Boston Conservatory und die University of the South; 1984 ernannte man sie in Paris zum «Commandeur de l'Ordre des Arts et des Lettres».
Schallplatten: Philips («Gurrelieder» von Schönberg, «A Child of our Time» von Tippett, Negro Spirituals, «Ariadne auf Naxos», «Carmen»), DGG (Sieglinde in der «Walküre»). Decca (Elsa im «Lohengrin», 9. Sinfonie von Beethoven) HMV («Roméo et Juliette» von Berlioz, Giulietta in «Hoffmanns Erzählungen»).

Norrie, Anna; Schallplatten auf Grammophon (Aufnahmen aus ihrem Operetten- und Kabarett-Repertoire).

Norup, Bent; Studium u. a. bei Rita Sperber in New York; seit 1981 war er auch Mitglied des Staatstheaters Hannover. Er gab Gastspiele in San Antonio

(1985), Wien, London, Paris, Hamburg, Berlin und an der Deutschen Oper am Rhein Düsseldorf–Duisburg, in Frankreich, Spanien, Holland, Irland und in den USA.

Nossek, Carola; sie sang als Antrittsrolle 1972 an der Staatsoper Dresden die Nanette im «Wildschütz» von Lortzing.
Schallplatten: Eterna («Die schweigsame Frau» von R. Strauss).

Noté, Jean; er sang 1886 am Opernhaus von Gent, 1887–89 an der Oper von Antwerpen; 1888–91 war er in Lyon, 1892–93 an der Oper von Marseille engagiert. Seit 1887 hörte man ihn am Théâtre de la Monnaie Brüssel, wo er auch in der Uraufführung der Oper «Messidor» von Alfred Bruneau mitwirkte (19. 2. 1897). An der New Yorker Metropolitan Oper sang er als Antrittspartie in der Saison 1908–09 den Valentin im «Faust» von Gounod. Von seinen Bühnenpartien seien ergänzend noch der Titelheld in Rossinis «Wilhelm Tell», der Scindia in «Le Roi de Lahore» von Massenet und der Telramund im «Lohengrin» genannt.
Schallplatten: Chantal de Luxe Belge; auf Pathé singt er den Titelhelden im «Rigoletto» und den Grafen Luna im «Troubadour» in vollständigen Aufnahmen dieser Opern von 1912.

Noto, Giuseppe; sang 1922 an der Mailänder Scala den Michele in Puccinis «Tabarro». 1935 wirkte er in einer Radiosendung von Puccinis «Gianni Schicchi» über den italienischen Rundfunk EIAR in der Titelrolle mit.

Novák, Richard, * 2. 10. 1931 Roseč (ČSR). 1970–71 war er am Opernhaus von Graz engagiert.
Schallplatten: Supraphon («Die heilige Ludmilla» von Dvořák), Topaz-Video (Kezal in der «Verkauften Braut»).

Noval, Thorkild; er erregte bereits 1928 bei Konzerten in Kopenhagen erstes Aufsehen. Er ging zur weiteren Ausbildung nach Berlin und war dort Schüler von Hermann Gura. 1931 debütierte er als Baß-Bariton an der Städtischen Oper Berlin. Er wurde dann durch Ivo Ross in Berlin zum Tenor umgeschult und sang als solcher 1933–35 an der Staatsoper Berlin, 1935–36 am Stadttheater Kiel und 1936–44 an der Staatsoper von Hamburg. 1938–41 wirkte er bei den Festspielen von Zoppot u. a. als Froh im «Rheingold» und als Steuermann im «Fliegenden Holländer» mit. 1935 sang er an der Berliner Volksoper in der Uraufführung der Operette «Schach dem König» von W. W. Goetze.

Novelli, Giulia, s. unter *Vignas,* Francesco.

Novelli, Ugo; 1942 nahm er an einer Gastspiel-Tournee des Teatro Comunale Florenz durch Deutschland teil. In den USA sang er 1947 am Opernhaus von Philadelphia; 1948 und in den folgenden Jahren bereiste er als Mitglied der San Carlo Opera Company und anderer Wanderopern die

USA. 1955 und 1960 hörte man ihn an der Mailänder Scala; er trat oft am Teatro Verdi von Pisa in Erscheinung und war nicht zuletzt auch als Konzertsolist angesehen.

Novello, Clara; 1832–33 begann sie ihre Karriere als Konzertsopranistin beim Worcester Festival und in London; dort sang sie 1832 das Sopransolo in der ersten Aufführung von Beethovens Missa solemnis in der englischen Metropole.

Novoa, Salvador; Gastspiele an der Oper von Philadelphia (Erik im «Fliegenden Holländer») und an der New York City Centre Opera (José in «Carmen», Cavaradossi in «Tosca», Faust in «Mefistofele» von Boito, Edgardo in «Lucia di Lammermoor»). Aus seinem Repertoire sind noch zu nennen: der Macduff in Verdis «Macbeth», der Radames in «Aida», der Pollione in «Norma», die Titelrollen in «Faust» von Gounod, «Andrea Chénier» von Giordano und in «Don Rodrigo» von Ginastera, der Turiddu in «Cavalleria rusticana» und der Samson in «Samson et Dalila» von Saint-Saëns. Im Konzertsaal sang er u. a. Soli in Beethovens 9. Sinfonie und im Verdi-Requiem.

Novotná, Jarmila; 1924 begann sie ihre Karriere als Konzertsängerin. Nach ergänzenden Studien in Mailand war sie 1929–33 an der Staatsoper Berlin tätig. In Berlin wirkte sie auch in den Max Reinhardt-Inszenierungen von Offenbachs «Schöner Helena» und «Hoffmanns Erzählungen» mit. 1935 Gastspiel an der Grand Opéra Paris, 1937 an der Mailänder Scala in Verdis «Falstaff», 1942 am Teatro Colón Buenos Aires. 1939 kam es zu ihrem USA-Debüt an der Oper von San Francisco als Butterfly. Im New Yorker Haus der Metropolitan Oper ist sie seit 1940 während 16 Spielzeiten in 142 Vorstellungen von 14 Partien aufgetreten. Als 1942 die Nachricht von der Vernichtung des tschechischen Ortes Lidice während des Zweiten Weltkrieges kam, sang sie in den USA eine Reihe von Wohltätigkeitskonzerten mit tschechischen Volksliedern, bei denen sie der spätere Außenminister der ČSSR Jan Masaryk am Flügel begleitete. Die aparte Schönheit ihrer Erscheinung und ihre ungewöhnliche schauspielerische Begabung ließen sie auch beim Film zu einer großen Karriere kommen. Bereits während ihrer Berliner Zeit kamen Opernfilme wie «Die verkaufte Braut» und «Der Bettelstudent» heraus.

Nowakowski, Marian; 1939 trat er an der Oper von Warschau auf. Er wirkte später als Pädagoge in London, dann auf Jamaika, wo er die Stimme von Willard White entdeckte.
Schallplatten: Decca (Recital).

Nucci, Leo, * 16. 4. 1942 Castiglione dei Pepoli bei Bologna. Nach seinem erfolgreichen Auftreten an der Mailänder Scala war er oftmals an der Staatsoper von Wien zu Gast, seit 1981 auch an der Grand Opéra Paris (Debüt als Renato). Seit 1980 Mitglied der Metropolitan Oper New York. Hier debütierte er als Renato in Verdis «Ballo in maschera» und sang

Partien wie den Carlo in «La forza del destino», den Vater Miller in «Luisa Miller» von Verdi, den Germont-père in «La Traviata», den Posa im «Don Carlos», den Amonaso in «Aida», den Sharpless in «Madame Butterfly», den Figaro im «Barbier von Sevilla» und den Titelhelden im «Eugen Onegin» von Tschaikowsky. 1986 Gastspiel an der Hamburger Staatsoper als Rigoletto, 1989 bei den Salzburger Festspielen als Renato.
Schallplatten: Fonit-Cetra («Maria di Rohan» von Donizetti), CBS («Barbier von Sevilla», «Maria di Rudenz» von Donizetti), Decca («Macbeth» und «Simon Boccanegra», Amonasro in «Aida» von Verdi, «Idomeneo» von Mozart), HMV («Un Ballo in maschera» und «Macbeth» von Verdi).

Nuibo, Augustin; Debüt 1904 an der Grand Opéra Paris als Fischer in Rossinis «Wilhelm Tell». An der Metropolitan Oper New York hatte er in der Saison 1904–05 vor allem in den Sunday Night Concerts Erfolge. Am Théâtre des Champs Élysées Paris sang er 1913 in der Oper «Les trois Masques» von Isidore de Lara. Mit einer von ihm zusammengestellten Operntruppe unternahm er eine Gastspielreise nach Französisch-Indochina und gab vor allem in Saigon Vorstellungen.

Nunez-Lopez, Eugenia; da sie Jüdin war, hat sie ihre Karriere (und wohl auch ihren Aufenthalt) in Deutschland nach 1933 beenden müssen. Über ihr weiteres Schicksal ist jedoch bislang nichts bekannt geworden.

Nurmela, Kari; er war Schüler von Arturo Merlini in Mailand. 1962–63 war er am Landestheater Detmold, 1963–66 am Stadttheater Freiburg i. Br., 1966–67 am Staatstheater Braunschweig, 1967–70 an der Staatsoper Stuttgart engagiert. Gastspiele führten ihn auch an die Staatsoper von Wien, an die Grand Opéra Paris und an die Oper von Chicago.
Schallplatten: Bongiovanni (Arien, Mitschnitt eines Konzerts in Ferrara).

O

Obbergh, Lucien van, * 2. 2. 1887 Schaerebeke (bei Brüssel), † 5. 10. 1959 Brüssel. 1914 kam er an das Théâtre des Galéries in Brüssel, an dem er bis 1918 blieb. 1918 wurde er dann Mitglied des Théâtre de la Monnaie Brüssel. Hier sang er auch 1932 in der belgischen Erstaufführung von Alban Bergs «Wozzeck» die Titelpartie. Als seine große Glanzrolle galt der Mephisto im «Faust» von Gounod, den er in seiner langen Bühnenkarriere 600mal gesungen hat.

Oberhauser, Rudolf, † Mai 1929 Wien.

Oberländer, Alfred; 1893–95 war er am Hoftheater von Karlsruhe, 1895–97 am Opernhaus von Breslau engagiert. Weitere Gastspiele an den Hofopern von Wien (1883), Berlin (1899), Dresden (1898), seit 1885 mehrfach in Frankfurt a. M., in Hamburg

(1898), Riga (1899) und am Deutschen Theater Prag (1886). 1903 sang er als letzte Bühnenpartie am Berliner Theater des Westens den Faust von Gounod. Seine Tochter *Anita Oberländer* (* 1900) kam zu einer beachtlichen Bühnen- und Konzertkarriere.

Oberlin, Russel; er sang 1953–59 mit der New Yorker Pro Musica Antiqua Group, die er zusammen mit dem Dirigenten Noah Greenberg begründet hatte. Ziel dieser Gruppe, mit der auch zahlreiche Schallplatten aufgenommen wurden, war an erster Stelle die Wiederaufführung mittelalterlicher Vokal- und Instrumentalmusik. Bühnengastspiele auch beim Edinburgh Festival und an der Oper von Vancouver.

Obholzer-Schneider, Berta (nicht *Oberholzer-Schneider*).

Obouhhova, Nadeshda (Andrejewna); sie gab Gastspiele und Konzerte in den russischen Musikzentren.
Schallplatten: Melodiya (vollständige Opern «Snegourotchka» von Rimsky-Korssakow, «Fürst Igor» von Borodin, «Pique Dame» von Tschaikowsky).

Obraztsova, Jelena (Wassiljewna), Mezzosopran/ Alt, * 7. 7. 1937 Leningrad. 1964 sang sie als Antrittsrolle am Moskauer Bolschoj Theater die Marina im «Boris Godunow». 1976 großer Erfolg an der Mailänder Scala als Charlotte im «Werther» von Massenet. Seit 1976 auch an der Metropolitan Oper Moskau aufgetreten, u. a. als Charlotte im «Werther», als Carmen, als Adalgisa in «Norma», als Santuzza in «Cavalleria rusticana», als Ulrica in Verdis «Ballo in maschera» und als Eboli im «Don Carlos». 1985 gastierte sie an der Covent Garden Oper London als Azucena im «Troubadour», 1987 in Budapest und bei den Wiesbadener Festspielen, 1989 am Teatro Colón Buenos Aires als Amneris. Sie führte auch in Opernaufführungen Regie, u. a. 1986 am Bolschoj Theater Moskau in «Werther» von Massenet. Seit 1984 mit dem litauischen Dirigenten Agis Schuvaitis verheiratet.

Ochman, Wieslaw; an der Metropolitan Oper New York sang er als Antrittsrolle 1975 den Enrico in Verdis «Vespri Siciliani» und dann Partien wie den Dimitrij im «Boris Godunow», den Lenski im «Eugen Onegin» und den Andrej in «Khovantchina» von Mussorgsky. 1987 gastierte er an der Oper von San Francisco als Hermann in «Pique Dame», in Houston/Texas als Herodes in «Salome» von R. Strauss, 1988 am Théâtre de la Monnaie als Fritz in «Der ferne Klang» von F. Schreker, 1989 in San Francisco als Idomeneo.
Schallplatten: Muza (Verdi-Requiem), Erato (Pierre in «Krieg und Frieden» von Prokofieff), CPO («Halka»).

Ódry, Lehel, † 1920; 1875 gastierte er unter dem Namen Ludwig von Odry an der Wiener Hofoper.

Ödmann, Arvid, * 18. 10. 1850 Karlstad (Schweden).

Oeggl, Georg; zuerst war er Chorsänger am Münchner Theater am Gärtnerplatz (1920–22), dann am Theater zu Luzern (1923–25) und am Opernhaus von Zürich (1925–28), wo er seit 1928 als Solist ins Ensemble übernommen wurde und bis 1936 blieb. 1936–38 sang er am Landestheater von Coburg, 1938–39 am Stadttheater von Würzburg, um dann seit 1939 an der Wiener Volksoper seine eigentliche künstlerische Heimstätte zu finden. 1939 und 1942–44 gab er Gastspiele an der Wiener Staatsoper.
Schallplatten: Amadeo, Columbia (Solopartie in Gustav Mahlers 8. Sinfonie).

Öhman, Carl Martin, * 4. 9. 1887 Floda (Södermanland, Schweden). Schüler von Carl Gentzel in Stockholm. 1921 gastierte er als Solist eines schwedischen Studentenchors in Berlin und erregte dabei die Aufmerksamkeit von Bruno Walter, der ihm eine Solopartie in «Samson» von Händel übertrug. An der Metropolitan Oper New York debütierte er am 6. 12. 1924 als Laça in der amerikanischen Erstaufführung von Janáčeks «Jenufa» (mit Maria Jeritza als Partnerin), sang dort aber in der Saison 1924–25 nur noch den Samson in «Samson et Dalila» von Saint-Saëns sowie in einigen Sunday Night Concerts. 1926, 1929 und 1934 sang er seine großen Wagner-Partien bei den Festspielen von Zoppot, 1927 und 1929 zu Gast an der Wiener Staatsoper, 1931 in Budapest. 1928 hörte man ihn an der Covent Garden Oper London als Tannhäuser und als Walther in den «Meistersingern». Erfolgreiche Konzertauftritte in Paris (1927, 1929) und Amsterdam (1935). Seine Tochter *Marianne Öhman* trat als Konzert- und Liedersängerin auf und sang auf Polydor-Schallplatten.
Schallplatten: Parlophon (1925–28), Ultraphon (um 1930).

Oehme-Foerster, Elsa, † 21. 9. 1987 Köln. 1924–44 wirkte sie als erste Sopranistin am Opernhaus von Köln. Hier sang sie u. a. in der europäischen Premiere von Porkofieffs «Liebe zu den drei Orangen» (1925), in der Uraufführung der Oper «Schwanhild» von Paul Graener (1942) und in einer Neufassung von Siegfried Wagners «Der Heidekönig» (1933). 1949–52 war sie nochmals am Stadttheater von Hagen (Westfalen) engagiert. Ihre großen Bühnenrollen waren die Agathe im «Freischütz», die Elsa im «Lohengrin», die Senta im «Fliegenden Holländer», die Irene in Wagners «Rienzi», die Micaela in «Carmen», die Titelheldin in Charpentiers «Louise» und die Martha in «Tiefland» von E. d'Albert.

Oelke, Alice; sie begann ihre Bühnentätigkeit 1941 als Chorsängerin am Theater von Reichenberg, sang dann an der Wiener Volksoper (1942–44) und, immer noch als Choristin, an der Staatsoper Berlin. 1950 begann sie ihre Solistenkarriere am Stadttheater von Stralsund und sang dann 1951–52 am Staatstheater Hannover, 1952–53 am Opernhaus von Zürich, 1953–55 am Staatstheater Karlsruhe und 1955–56 am Stadttheater Augsburg. Seit 1956 Mitglied der Städtischen Oper (Deutsches Opernhaus)

Berlin. Verheiratet mit dem Komponisten Werner Thärichen, der als Solopauker bei den Berliner Philharmonikern wirkte.
Schallplatten: Telefunken.

Oestvig, Karl Aagard; in Wien feierte man ihn als Partner der großen Primadonna Maria Jeritza in «Die tote Stadt» von Korngold (1921) und in «Ariadne auf Naxos», außerdem als Tamino in der «Zauberflöte», als José in «Carmen», als Lohengrin und als Parsifal. 1926 kam es zu einem Konflikt zwischen ihm und der Direktion der Wiener Staatsoper, weil er am Wiener Carl-Theater in einer Operette auftreten wollte, worauf er Wien verließ. Er gab Gastspiele am Stadttheater von Basel (1917), an der Staatsoper von München (1919), an der Oper von Budapest, in Hamburg (1926) und nochmals an der Städtischen Oper Berlin (1933). In zweiter Ehe verheiratet mit der Sopranistin *Maria Rajdl* (1900–1972). Mit ihr zusammen war er später in Oslo als Gesangpädagoge tätig. Die Tochter des Ehepaars *Lillemari Oestvig* wurde eine bekannte Konzertsopranistin, die auf DGG skandinavische Lieder gesungen hat.

Offenberg, Helene; sie sang 1897–99 am Stadttheater von Königsberg (Ostpreußen), 1899–1900 am Opernhaus von Brünn (Brno) und seit 1900 am Opernhaus von Köln. 1904–09 war sie dann am Stadttheater (Opernhaus) von Hamburg, 1910–11 am Theater von Graz, 1913–14 am Stadttheater von Lübeck engagiert. Sie trat als Gast an den Hofopern von Dresden (1900), Berlin (1906, 1908) und München (1903), an den Hoftheatern von Hannover (1901–06) und Wiesbaden (1903) und an der Oper von Frankfurt a. M. (1902) auf. Nach ihrer Heirat führte sie auch den Namen Helene Offenberg-Wolfsson.
Schallplatten: Auf HMV singt sie Duette mit Paul Knüpfer (Berlin, etwa 1910).

Offermann, Sabine; 1921 gab sie ihr erstes Konzert in Köln. 1925–26 am Stadttheater von Münster (Westfalen), 1926–28 am Stadttheater von Chemnitz, 1928–30 am Opernhaus von Düsseldorf engagiert. 1930–35 Mitglied der Bayerischen Staatsoper München, 1935–36 der Staatsoper von Hamburg, 1936–37 des Staatstheaters Wiesbaden und 1937–38 der Berliner Volksoper. Sie gastierte 1927 an der Staatsoper von Dresden, 1937–38 an der Oper von Monte Carlo (als Isolde im «Tristan»). 1931 gab sie ein Wagner-Konzert in Paris, 1934 in Bukarest. Sie lebte später in Wiesbaden.

Offermanns, Peter; am Opernhaus von Essen wirkte er 1953 in der deutschen Erstaufführung von Alban Bergs «Lulu» (zusammen mit Carla Spletter) mit.

Offers, Maartje, Mezzosopran, * 27. 2. 1892 Koudekerke (auf der Insel Walcheren, Holland). 1936 sang sie nochmals in Amsterdam die Fricka in der «Walküre», 1940 gab sie ein letztes Konzert in Scheveningen. Sie fand ihre letzte Ruhestätte im Haag.
Schallplatten: Eine akustisch aufgenommene Arti-phone-Platte unter dem Namen Maartje van der Meer-Offers (in Holland entstanden), akustische wie elektrische Aufnahmen auf HMV, darunter die Szene Brünnhilde-Waltraute aus der «Götterdämmerung» zusammen mit Florence Austral.

Oger, Maurice; Ausbildung der Stimme durch René Lambert in Paris. An der Opéra-Comique Paris wirkte er am 15. 1. 1930 in der Uraufführung der Oper «Le Roi d'Yvetot» von J. Ibert mit.

Ognizew, Alexander; Schallplatten: Melodiya-Eurodisc («Aleko» von Rachmaninoff).

Ohanesian, David; Schallplatten: Sang auf Legendary Recordings den Telramund im «Lohengrin».

Ohlhoff, Elisabeth; 1927 unternahm sie eine Skandinavien-Tournee und bereiste Estland und Lettland, 1928 die Türkei. 1934 gab sie ihre letzten Liederabende in Berlin. Sie betätigte sich später auch als Journalistin und Musikkritikerin.

Ohms, Elisabeth; sie sang 1921–23 am Stadttheater Mainz, seit 1923 an die Staatsoper von München, an der sie eine große, zehnjährige Karriere hatte. 1927–28 gastierte sie an der Mailänder Scala als Leonore im «Fidelio», 1929 als Kundry im «Parsifal» und als Isolde im «Tristan» unter Toscanini; 1929 Gastspiel an der Oper von Rom. An der Metropolitan Oper New York debütierte sie 1929 als Brünnhilde und sang dort bis 1932 auch die Ortrud im «Lohengrin» und die Marschallin im «Rosenkavalier». 1932–33 wirkte sie bei den Festspielen in der Waldoper von Zoppot mit. Auch im Konzertsaal hatte sie eine große Karriere; so gab sie 1939 glanzvolle Liederabende in Berlin. Verheiratet mit dem Bühnenmaler Leo Pasetti (1882–1937).

Okamura, Takao; 1969 wirkte er bei den Festspielen in der Arena von Verona mit.

Oke, Allan; 1989 sang er in Glasgow in der englischen Erstaufführung von «Street Scene» von K. Weill.

Olbertz, Josef; Schallplatten: Eterna.

Olczewska, Maria, s. unter *Olszewska,* Maria.

Olejnitschenko, Galina (Wassiljewna).

Olgina, Olga, * 1904; eine ihrer Schülerinnen war die polnische Sopranistin Teresa Zylis-Gara.

Olitzka, Rosa; bereits 1889 gab sie in Berlin ein Konzert. Nach ihrem Debüt 1892 am Theater von Brünn war sie 1892–93 am Hoftheater von Hannover, 1893–94 am Stadttheater von Hamburg engagiert; 1894 gastierte sie an der Hofoper von Dresden. 1894–97, 1901, 1905 und 1907 war sie an der Covent Garden Oper London anzutreffen, wo namentlich ihre Fricka in der «Walküre» bewundert wurde. 1902 sang sie in der französischen Erstaufführung der

«Götterdämmerung» am Pariser Théâtre Château d'Eau die Waltraute, eine Partie, in der sie auch an der Grand Opéra aufgetreten ist. 1903 gastierte sie am Théâtre de la Monnaie Brüssel, 1904 sang sie an der Mailänder Scala die Amneris in «Aida». 1895–1901 hörte man sie an der Metropolitan Oper in einer Vielzahl größerer wie kleinerer Partien, u. a. als Fricka, als Brangäne im «Tristan», als Ortrud im «Lohengrin», als Maddalena im «Rigoletto», als Amneris, als Stefano in «Roméo et Juliette» von Gounod und als Lola in «Cavalleria rusticana». 1894 nahm sie an der USA-Tournee der Damrosch Opera Company teil.
Schallplatten: Es wurde behauptet, die Künstlerin habe elektrisch aufgenommene Brunswick-Platten besungen; es sind jedoch nie derartige Aufnahmen zum Vorschein gekommen.

Olitzki, Walter; er sang auch 1946–48 an der Oper von San Francisco.

Olivero, Magda, *25. 3. 1910 Saluzzo (Piemont). 1933 und 1938–39 trat sie an der Mailänder Scala auf. Bis 1941 hatte sie große Erfolge an italienischen Theatern, u. a. am Teatro San Carlo Neapel und am Teatro Verdi Triest, sang dann aber nach ihrer Heirat nur noch gelegentlich bei Wohltätigkeitskonzerten und in Hospitälern. 1951 kam es dann zu ihrem zweiten Debüt als Titelheldin in «Adriana Lecouvreur» von Cilea am Teatro Grande Brescia. 1954 hörte man sie am Teatro San Carlos Lissabon als Suor Angelica von Puccini, 1959–60 am Teatro San Carlo Neapel, wo sie auch bereits in der Uraufführung von Renzo Rossellinis Oper «La Guerra» gesungen hatte (25. 2. 1956). 1960 Gastspiele an der Staatsoper von Wien und bei den Festspielen in den Thermen des Caracalla in Rom, 1966 an der Oper von Antwerpen. Noch im September 1983 gab sie ein Konzert.
Schallplatten: HRE («Tosca»), Melodram («Adriana Lecouvreur», «Tosca»), Nuova Era («La Fanciulla del West»).

Ollendorff, Fritz; 1951 gastierte er an der Oper von San Antonio (Texas).
Schallplatten: Odeon, Parlophon, Ariola («Schwarzwaldmädel» von L. Jessel).

Olszewska, Maria; sie erlangte auch als Konzertsängerin hohes Ansehen. So sang sie in Berlin am 27. 1. 1922 ein Solo in der Uraufführung der Kantate «Von deutscher Seele» von Hans Pfitzner. Sie war vertraglich auch der Städtischen Oper Berlin verbunden. 1923 und 1928 gab sie Gastspiele am Teatro Colón Buenos Aires. 1930 sang sie in Paris wie in London den Orlowsky in der «Fledermaus» unter Bruno Walter. An der Covent Garden Oper London sang sie 1924 als Antrittsrolle die Herodias in «Salome» von R. Strauss. Im Januar 1933 trug sie als erste Partie an der New Yorker Metropolitan Oper die Brangäne im «Tristan» vor und sang dort bis 1935 neben ihren Wagner-Rollen die Amneris in «Aida», die Azucena im «Troubadour», die Klytämnestra in «Elektra» und den Octavian im «Rosenkavalier»

von R. Strauss. 1951–55 trat sie nochmals an der Wiener Volksoper auf, u. a. 145mal als Agricola in der Johann Strauß-Operette «Eine Nacht in Venedig». Allgemein wurde ihr großes schauspielerisches Talent bewundert.

Oltrabella, Augusta; Schülerin von Alberto Bavagnoli und Alberto Caffo in Mailand. Sie sang 1924 am Teatro Sociale Mantua, 1926 am Teatro Carlo Felice Genua und im gleichen Jahr am Teatro Donizetti Bergamo die Liu in der dortigen Premiere von Puccinis «Turandot». An der Metropolitan Oper New York hörte man sie 1929–31 als Nedda im «Bajazzo» und als Liu, doch trat sie im allgemeinen dort nur selten auf. An der Mailänder Scala hatte sie ihre größten Erfolge als Butterfly (1933) und als Marie in Smetanas «Verkaufter Braut» (1935); sie wirkte dort in den Uraufführungen der Opern «Il Dibuk» (7. 3. 1934) und «La Morte di Frine» (26. 4. 1937) von Lodovico Rocca mit. 1937 sang sie an der Oper von Rom in der Uraufführung der Oper «Ginevra degli Almieri» von Mario Peragallo.
Schallplatten: Ihre ältesten Aufnahmen auf HMV datieren von 1923–24.

O'Mara, Joseph, *16. 7. 1864 (nach anderen Quellen 1861) Limerick (Irland).

Onegin, Sigrid; Tochter eines deutschen Vaters und einer französischen Mutter; sie verbrachte ihre Kindheit in Wiesbaden. Verheiratet mit dem russischen Pianisten und Komponisten Eugen B. Onegin (1883–1919; eigentlicher Name Jewgenij Lwow, Großneffe des russischen Komponisten Alexis F. Lwow, 1798–1870). Eugen Onegin starb 1919 an Lungentuberkulose. 1922–24 Mitglied der Metropolitan Oper New York, an der sie aber neben der Amneris nur noch die Fricka in der «Walküre» und die Brangäne im «Tristan» sang. Gastierte an der Oper von Brüssel (1914), in Stockholm (1934) und sang in Stuttgart 1912 die Carmen als Partnerin von Enrico Caruso. 1934 gastierte sie abermals mit der Cosmopolitan Opera im New Yorker Hippodrome als Dalila. Bis 1939 unternahm sie mehrere Coast-to-Coast-Tourneen in den USA. Bis 1940 gab sie noch Gastspiele in Berlin und in anderen deutschen Städten, im September 1942 trat sie nochmals in einem Konzert in Zürich auf.
Schallplatten: Auf der Schallplatte singt sie auch die schwierigen Belcanto-Arien für Koloratur-Kontralto, die sie nicht auf der Bühne gesungen hat. Mit Hilfe ihrer phänomenalen Gesangstechnik sang sie sogar die Vokalfassung eines Klavier-Impromptus von Chopin.

O'Neill, Dennis, Tenor, *1950(?) in Süd-Wales; seine Stimme wurde durch Frederic Cox in London, durch Ettore Campogalliani in Mantua und durch Luigi Ricci in Rom ausgebildet. Er begann seine Karriere in seiner englischen Heimat, wo er 1972–73 an Bühnen in Schottland (Scottish Opera For All als Herzog von Rothesay in «La jolie Fille de Perth» von Bizet), dann 1977 an der Oper von Süd-Australien in Perth sang. 1978 wurde er an die Scottish Opera

Glasgow verpflichtet und sang dann im Lauf einer langen Karriere an der Covent Garden Oper London Partien wie den Rodolfo in «La Bohème», den Herzog im «Rigoletto», den Pinkerton in «Madame Butterfly», den Edgardo in «Lucia di Lammermoor» (1987), den Macduff in Verdis «Macbeth» (1987), den Riccardo (Gustavus) in «Un Ballo in maschera» und den Titelhelden in «Don Carlos» (1989). Gastspiele an der Welsh Opera Cardiff (1985 Macduff, 1986 Riccardo, 1987 Rodolfo in «La Bohème», 1988 Cavaradossi in «Tosca»), bei der English National Opera London, bei der Scottish Opera Glasgow, bei der Opera North Leeds (José in «Carmen», 1988), bei den Festspielen von Glyndebourne (Italienischer Sänger im «Rosenkavalier», 1980) und bei der Glyndebourne Touring Opera. 1987 sang er als Antrittsrolle an der Metropolitan Oper New York den Rodolfo und war dort dann auch als Alfredo in «La Traviata» und als Herzog im «Rigoletto» (1989) zu hören. In Nordamerika gastierte er an den Opern von Dallas, Chicago und San Antonio, beim Cincinnati Festival, an den Opern von Vancouver (1987 als Rodolfo) und San Francisco (1989–90 Eröffnung der Saison als Faust in «Mefistofele» von Boito). In Europa trat er an der Deutschen Oper Berlin, an den Staatsopern von Wien und Hamburg, am Théâtre de la Monnaie Brüssel (1987 als Macduff), am Opernhaus von Zürich (1989–90 Faust in «Mefistofele»), am Teatro Liceo Barcelona, an der Königlichen Oper Kopenhagen, in Paris und Marseille auf. Bei den Festspielen von Wiesbaden sang er 1988 mit dem Ensemble der Opera North den Macduff in Verdis «Macbeth». Auch im Konzertsaal entwickelte er eine große Karriere; so sang er in Berlin und Paris das Tenor-Solo im Verdi-Requiem, in Paris und Philadelphia im konzertanten Aufführungen von «La Damnation de Faust» von Berlioz. In England wurde er durch mehrere Fernseh-Serien («Dennis O'Neill sings») bekannt.
Schallplatten: HMV (Borsa im «Rigoletto», 1978, kleine Partie in «I Puritani» von Bellini; Arien-Aufnahmen), Video-Aufzeichnungen auf englischen Marken («Rosenkavalier», «Fledermaus», «Mefistofele», «Macbeth»). – (Neufassung) –.

Oostwoud, Roelof; vertraglich den Opernbühnen von Essen und Wuppertal verbunden. Am 9. 3. 1982 wirkte er an der Mailänder Scala in der Uraufführung der Oper «La vera storia» von Luigi Berio mit. 1987 sang er in Düsseldorf in der Oper «Die Gezeichneten» von F. Schreker, 1988 in Wuppertal den Jason in Cherubinis «Medea», in Düsseldorf den Ismaele in Verdis «Nabucco».

Opie, Alan; 1987 sang er den Beckmesser bei den Festspielen von Bayreuth. Bei der English National Opera London bewunderte man 1987 seinen Figaro im «Barbier von Sevilla», 1988 seinen Germont-père in «La Traviata», an der Covent Garden Oper London 1988 seinen Falke in der «Fledermaus».
Schallplatten: Decca («Hugenotten» von Meyerbeer), Virgin-Video (Cecil in «Gloriana» von B. Britten), CBS («Die sieben Todsünden» von K. Weill).

Opthof, Cornelius; er sang u. a. 1988–89 an der Oper von New Orleans den Hohenpriester in «Samson et Dalila» von Saint-Saëns und den Amonasro in «Aida», 1988 an der San Francisco Opera den Barnaba in «La Gioconda» von Ponchielli.

Oravez, Edith; sie ergänzte ihre Ausbildung durch Studien bei Salvatore Salvati in Basel, bei Margarethe Haeser und Armin Weltner in Zürich. Sie gastierte bei den Festspielen von Schwetzingen, in Neapel, Palermo, Reggio Emilia, an der Opéra du Rhin Straßburg und, mit dem Ensemble der Staatsoper Wien, in Tokio und Osaka. Ihre Konzerttätigkeit setzte sie bis 1972 fort. Sie war verheiratet mit dem Rechtsanwalt und Verwaltungsratspräsidenten des Opernhauses von Zürich Hans Sulzer (1904–1986).
Schallplatten: Cetra (Papagena in der «Zauberflöte», Mitschnitt einer Salzburger Aufführung unter W. Furtwängler).

Orda, Tadeusz, Baß-Bariton; er debütierte 1910 in Rußland als Escamillo in «Carmen», sang dort an den Opern von Tiflis und Odessa, bis 1918 an der Zimin-Privatoper Moskau und 1918–19 am Opernhaus von Baku. Dann unternahm er eine große Balkan-Tournee, die ihn bis nach Ägypten führte. 1921 ging er nach Italien, wo er gastierte, kehrte aber 1922 in seine polnische Heimat zurück. 1922–23 und wieder 1925–27 war er am Opernhaus von Warschau tätig. (Nicht an der Grand Opéra Paris aufgetreten).
Schallplatten: Es sind neun seltene Aufnahmen auf der polnischen Marke Syrena vorhanden.

Orda-Wdowczak, Alfred; Schallplatten: Muza.

Orelio, Joseph, * 10. 4. 1854 s'Hertogenbosch, † 25. 3. 1926 Den Haag. Er war zuerst als Lehrer tätig, bevor er seine Stimme ausbilden ließ. 1895 und 1901 gab er Konzerte in Berlin, 1899 gastierte er am Hoftheater Hannover.

Orgéni, Aglaja, * 17. 12. 1841 Rima Szombat (Ungarn). An der Münchner Hofoper hatte sie 1873–78 ihre großen Erfolge als Agathe im «Freischütz», als Valentine in den «Hugenotten» von Meyerbeer, als Marguerite im «Faust» von Gounod und als Leonore im «Troubadour». Von ihren Schülerinnen sind noch Berta Morena, Margarethe Siems, Gertrude Förstel und Sophie Wolf zu nennen.

Orlandi Malaspina, Rita; Schallplatten: Melodram (Elisabetta im «Don Carlos», Scala 1968).

Orofino, Ruggiero; er war 1960–62 als Chorist an der Mailänder Scala tätig; debütierte als Solist 1963 am Teatro Bonci in Cesena als Turiddu. 1976 erreichte er die Metropolitan Oper New York.
Schallplatten: Philips (Arien-Aufnahmen).

Orth, Norbert; 1988 sang er in Kassel den Tannhäuser, in Hannover und in Wiesbaden den Lohengrin. In der Eröffnungsvorstellung des neu erbauten

Opernhauses von Essen hörte man ihn als Walther von Stolzing in den «Meistersingern» (25. 9. 1988).
Schallplatten: Orfeo («La Bohème» von Leoncavallo, «Die Feen» von R. Wagner), London («Das Telefon» von G. C. Menotti), Philips («Meistersinger»).

Ortica, Mario, * 22. 7. 1928 Treviso.

Osswald, Max; debütierte bereits 1923 als Konzertsänger, 1927 Bühnendebüt am Stadttheater von Heidelberg. 1936 Gastspiel an der Wiener Staatsoper.

Ostapiuk, Jerzy; 1988–89 sang er an der Oper von Warschau den Hunding in der «Walküre».
Schallplatten: CPO («Halka» von Moniuszko).

Osten, Eva von der; nachdem sie zuerst in Dresden kleine Partien gesungen hatte, erregte sie 1908 großes Aufsehen als Tatjana im «Eugen Onegin» (nicht die deutsche Erstaufführung der Oper). 1911 heiratete sie den Bariton *Friedrich Plaschke* (1875–1952). Den Octavian im «Rosenkavalier» sang sie auch in der holländischen Erstaufführung im Haag (1911) und an verschiedenen deutschen Bühnen, in der Saison 1908–09 Leoncavallos «Zazà» auch an der Komischen Oper Berlin. Gastspiele an der Hofoper Berlin (1902, 1907), am Théâtre de la Monnaie Brüssel (1913, 1914) und an der Oper von Boston (1912–13). Am Théâtre des Champs-Élysées Paris sang sie 1914 die Isolde, beim Amsterdamer Wagnerverein 1918 die Brünnhilde in der «Walküre». Bei der Nordamerika-Tournee der German Opera 1923–24 hörte man sie als Isolde im «Tristan» wie als Sieglinde in der «Walküre». In Dresden wirkte sie 1926 in der Uraufführung der Oper «Die Hochzeit des Mönchs» von Schlagmann mit. Kurz nach der Uraufführung der Richard Strauss-Oper «Arabella», in der sie Regie führte, erlitt sie nach einem Schlaganfall ausgedehnte Lähmungen.
Schallplatten: Unter ihren HMV-Aufnahmen Ausschnitte aus dem «Rosenkavalier» in der Besetzung der Uraufführung, die auch auf Odeon zur Ausgabe kamen.

Ostenburg, Lothar, * 1927 Paullina (Iowa), † 10. 4. 1971 Wien. Er sang 1956–58 am Stadttheater von Flensburg, gastierte dann 1959 in München und war 1959–62 am Stadttheater von Bielefeld engagiert. 1962–64 sang er an der Deutschen Oper am Rhein

Düsseldorf–Duisburg und dann seit 1964 an der Wiener Volksoper.
Schallplatten: Ariola-Eurodisc (Lieder von Schubert), Supraphon, Bärenreiter-Verlag.

Ostertag, Karl, † 26. 12. 1979 München. Ausgebildet durch die Pädagogin Anna Henneberg in München. Sang nacheinander am Landestheater von Neustrelitz (1928–30), am Opernhaus von Zürich (1930–32), am Stadttheater von Bremen (1932–36) und seit 1936 bis 1947 an der Staatsoper München. Nachdem er 1947–49 am Opernhaus von Düsseldorf und 1949–50 am Staatstheater von Kassel aufgetreten war, kam er 1950 wieder an die Bayerische Staatsoper München zurück und blieb dort bis 1969. In München wirkte er in den Uraufführungen der Opern «Der Friedenstag» von Richard Strauss (14. 7. 1938) und «Der Mond» von Carl Orff (5. 2. 1939) mit. Er gastierte an der Wiener Staatsoper (1939, 1942) und, mit dem Ensemble der Münchner Oper, 1938 an der Mailänder Scala, 1956 an der Covent Garden Oper London.

Ostrowski, Adam; Ausbildung durch Witold Alessandrowicz in Warschau, wo er 1898 als Ramphis in «Aida» debütierte. Er trat bei einem Gastspiel am Teatro Comunale Bologna und bei einer Südamerika-Tournee (um 1905) in Buenos Aires und Montevideo als Gast in Erscheinung. Verheiratet mit der Sopranistin *Maria Ferderberg,* die 1898–1903 an der Oper von Warschau engagiert war.

O'Sullivan, John; Gesangstudium am Conservatoire de Paris bei Masson. 1913 sang er als Antrittsrolle an der Grand Opéra Paris den Raoul in den «Hugenotten» von Meyerbeer. 1918–20 war er an der Oper von Chicago als Jean in Massenets «Hérodiade», als Prinzivalle in «Monna Vanna» von H. Février, als José in «Carmen», hier mit Mary Garden als Partnerin, anzutreffen. 1921–22 war er wieder an der Grand Opéra Paris tätig. Er sang dann an führenden italienischen Theatern, am Teatro Fenice Venedig, am Teatro San Carlo Neapel, am Teatro Politeama Florenz, am Teatro Regio Parma, am Teatro Grande Brescia und am Teatro Comunale Modena. 1923 hörte man ihn am Teatro Costanzi Rom als Raoul, 1925 als Radames in «Aida». 1926 sang er bei den Festspielen von Verona den Manrico im «Troubadour». In Südamerika trat er auch in Montevideo, Cordoba, Rosario und Rio de Janeiro auf, 1928–29 und 1932–34 wieder an der Grand Opéra Paris. 1930 bereiste er sein Heimatland Irland in einer großen

Stammbaum der Familie von der Osten-Windgassen

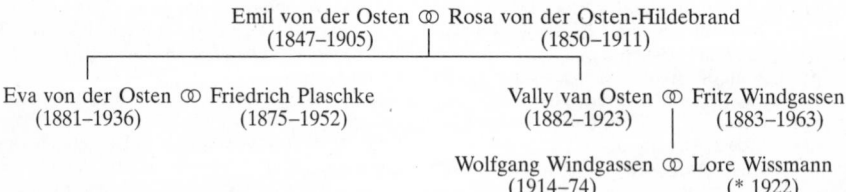

Emil von der Osten ∞ Rosa von der Osten-Hildebrand
(1847–1905)   (1850–1911)

Eva von der Osten ∞ Friedrich Plaschke   Vally van Osten ∞ Fritz Windgassen
(1881–1936)   (1875–1952)   (1882–1923)   (1883–1963)

Wolfgang Windgassen ∞ Lore Wissmann
(1914–74)   (* 1922)

Konzerttournee und gastierte nochmals in Marseille, Barcelona und Genua.

Otava, Zdeněk, *11.3. 1902 Vitějeves bei Polička (ČSR); er war neben seinem Wirken auf der Bühne ein angesehener Konzert- und vor allem Liedersänger, wobei das tschechische Volkslied einen breiten Raum in seinem Liedprogramm einnahm.

Ots, Georg, *21.3. 1920 Petrograd (Leningrad); am Konservatorium von Tallinn Schüler von Tiit Kuusik. Er bereiste mehrere europäische Länder und ist auch in Nordamerika aufgetreten. Auch als Operettensänger bekannt geworden.

Ots, Kaarel; Schallplattenaufnahmen der staatlichen sowjetrussischen Produktion, sowohl Lied- als Opernplatten.

Ott, Karin, *13.12. 1945 Wädenswil im Kanton Zürich; studierte am Konservatorium von Winterthur. Sie gastierte an der Deutschen Oper am Rhein Düsseldorf–Duisburg, in Frankfurt a. M. und Karlsruhe, in Bordeaux und Brüssel und in Atlanta City. Hinzu trat eine sehr ausgedehnte Tätigkeit als Konzert-, Oratorien- und Liedersängerin, wobei sie sich namentlich als Bach-Interpretin auszeichnete. Zusammen mit ihrem Gatten, dem Regisseur Eugen Ott, entfaltete sie auch eine rege musikwissenschaftliche Tätigkeit und gab im Schweizer wie im westdeutschen Rundfunk Sendereihen über Interpretationsprobleme. Sie hatte ihren Wohnsitz in Spreitenbach (Kanton Zürich) und in Ponte Capriasca (Kanton Tessin).
Schallplatten: Ex Libris (Konzertarien von C. M. von Weber, «Frauenliebe und -leben» von R. Schumann).

Ottein, Angeles; debütierte 1914 in Madrid in der Zarzuela «Marina» von Pascual Arrieta. 1922–23 sang sie an der Metropolitan Oper New York auch die Lucia di Lammermoor und die Gilda im «Rigoletto». 1924–25 bereiste sie mit einer Kammeroper, die von dem Dirigenten und Impresario Carlos del Pozo geleitet wurde, Spanien und Südamerika. Eine weitere Schülerin von ihr war Maria Luisa Naché.

Otter, Anne-Sofie von; 1987 Gastspiel an der Mailänder Scala als Ismene in Glucks «Alceste». In Lyon sang sie 1987 in einer konzertanten Aufführung von «La damnation de Faust» von Berlioz. 1987 glänzendes Gastspiel an der Staatsoper München als Cherubino in «Figaros Hochzeit». In der gleichen Partie debütierte sie 1989 an der Metropolitan Oper New York.
Schallplatten: Caprice («Singoalla» von G. de Frumerie), DGG (Olga in «Eugen Onegin», «Dido and Aeneas» von Purcell), Philips (Mozart-Messen, Weihnachtsoratorium von J. S./ Bach), Erato («L'Enfance du Christ» von Berlioz), Musica Sveciae (Lieder von Emil Sjögren), Decca (Matthäuspassion von J. S. Bach).

Ottiker, Ottilie 1880–87 war sie Mitglied des Opernhauses von Köln, 1887–88 sang sie an der Deutschen

Oper Rotterdam, 1888–89 am Stadttheater von Halle (Saale). Gastspiele führten sie an die Berliner Hofoper (1877), seit 1876 an das Hoftheater Karlsruhe, an die Opernhäuser von Frankfurt a. M. (1879) und Zürich (1877) und an das Hoftheater Hannover (1888). Sie war eine angesehene Konzert- und Liedersängerin und kreierte mehrere Lieder von Johannes Brahms.

Ottmann, Marie. Am Theater an der Wien sang sie in der Uraufführung der Operette «Der Opernball» von Heuberger (1898). Noch in der Saison 1912–13 trat sie am Hauptstadt-Operettentheater in Amsterdam auf.
Schallplatten: G & T, HMV (Valencienne in Gesamtaufnahme von Lehárs «Lustiger Witwe»).

Otto, Karl, *25.6. 1904 Frankfurt a. M.–Höchst, †3.1. 1990 Hamburg.

Otto, Lisa; studierte 1938–40 zuerst Klavierspiel, dann Gesang an der Musikhochschule Dresden. Am Deutschen Opernhaus Berlin sang sie Partien wie die Blondchen in der «Entführung aus dem Serail», den Cherubino in «Figaros Hochzeit», die Papagena in der «Zauberflöte», die Marzelline im «Fidelio», die Zerline im «Don Giovanni» wie in «Fra Diavolo» von Auber. 1951 hörte man sie in der Premiere der Oper «Versiegelt» von Leo Blech unter Leitung des Komponisten.
Schallplatten: HMV (Ausschnitte aus der «Entführung aus dem Serail» und aus «Carmen»), DGG (Papagena in der «Zauberflöte»), Columbia (Najade in «Ariadne auf Naxos», Despina in «Così fan tutte»).

Otto, Wilhelm, *16.4. 1907 Münster (Westfalen). Studierte 1928–33 in Köln und sang 1933–34 am Stadttheater von Ulm, 1934–36 am Stadttheater von Lübeck, 1936–38 am Staatstheater Schwerin und 1938–43 an der Staatsoper Stuttgart.
Schallplatten: Privataufnahmen mit Ausschnitten aus «Bluthochzeit» von W. Fortner.

Ottolini, Luigi; Schallplatten: Eterna (Tenor-Solo im Verdi-Requiem).

Oudin, Eugène; er brachte sein Studium der Rechtswissenschaften an der Yale University zum Abschluß. Nachdem man während eines Ferienaufenthaltes in London seine schöne Stimme entdeckt hatte, ließ er diese in New York ausbilden.

Owen, Lynn; zuerst Studium an der Northwestern University, wo sie den akademischen Grad eines Master of Music erwarb, seit 1960 an der Wiener Musikakademie. Gastspiele an den Opern von Frankfurt a. M., Mexico City (Isolde im «Tristan»), im kanadischen Calgary, in Caracas (Leonore im «Troubadour») und in Central City (Minnie in Puccinis «La Fanciulla del West»). Im New York Art Park sang sie die Brünnhilde im «Siegfried». Diese Partie sang sie auch 1965 an der Metropolitan Oper New York, ebenso wie die Minnie in der erwähnten Puccini-Oper. In Zürich hörte man sie als Jaroslawna in Borodins «Fürst Igor», als Elisabetta im «Don Carlos» und als Leonore in den beiden Verdi-Opern «Der Troubadour» und «La forza del destino». Schallplatten: Vanguard.

P

Paalen, Bella; eigentlicher Name Izabella Pollak. 1911 sang sie an der Wiener Hofoper die Annina in der dortigen Erstaufführung des «Rosenkavaliers». 1910 und 1912 gastierte sie beim Amsterdamer Wagnerverein als Fricka in der «Walküre». 1925 Gastspiel an der Covent Garden Oper London als Ortrud im «Lohengrin», als Magdalene in den «Meistersingern», als Mary im «Fliegenden Holländer», als Fricka und als Annina im «Rosenkavalier».
Schallplatten: Akustische Pathé-Aufnahmen (1910).

Pacchierotti, Gasparo; er war Chorsänger an der Kathedrale von Forli, dann am Markusdom in Venedig unter Ferdinando Bertoni. Im späteren Ablauf seiner Karriere ist er immer wieder in Opern dieses Komponisten («Olimpiade», «Artaserse», «Quinto Fabio», «Armida»), zum Teil auch in deren Uraufführungen, aufgetreten.

Pacetti, Iva; debütierte 1920 am Teatro Metastasio von Prato als Aida. 1922 große Erfolge am Teatro Carlo Felice Genua als Elena in «Mefistofele» von Boito. 1925 Debüt am Teatro Costanzi Rom als Minnie in Puccinis «Fanciulla del West». Sie sang dort in der gleichen Saison auch die Titelheldin in «Francesca da Rimini» von Zandonai unter der Leitung des Komponisten. 1928 nahm sie an einer Deutschland-Tournee mit der Operngesellschaft von Max Sauter teil. 1933 sang sie bei den Festspielen von Verona die Leonore im «Troubadour». 1936 gastierte sie an der Oper von Monte Carlo als Norma. Seit 1927 war sie eine der großen Primadonnen der Mailänder Scala (nachdem ein erstes Auftreten 1922 an diesem Haus als Elena in «Mefistofele» erfolglos geblieben war). Sie sang an der Scala u. a. die Leonore im «Troubadour», die Aida, die Desdemona in Verdis «Othello», die Manon Lescaut von Puccini, die Titelheldin in «Fedra» von Pizzetti, die Färbersfrau in der Premiere der «Frau ohne Schatten» von R. Strauss (1940) und als letzte Partie 1942 die Constance in der italienischen Erstaufführung von Cherubinis «Les deux journées» (142 Jahre nach der Uraufführung des Werks in Paris!). 1930–31 trat sie an der Covent Garden Oper London als Tosca, als Desdemona und als Leonore in Verdis «La forza del destino» auf, 1938 nur als Tosca. An der Oper von Chicago sang sie 1931–32 die Tosca, die Aida und die Leonore im «Troubadour». Neben ihrer Kunst der Darstellung rühmte man die Schönheit ihrer Erscheinung auf der Bühne.
Schallplatten: Columbia (Kurzfassung von Verdis «Ernani», Solo-Aufnahmen), HMV («Bajazzo» mit Benjamino Gigli, 1934).

Pacheco, Assis; als seine besondere Glanzrolle galt der Peri in «Il Guarany» von Carlos Gomes, den er 1951–53, 1955 und 1960–70 in Rio de Janeiro, 1964 und 1972 in São Paulo und 1951–52, 1966, 1968 und 1970 in Belo Horizonte sang.

Paci, Leone; 1918–19 sang er am Teatro Massimo Palermo den Lescaut in «Manon» von Massenet, den Alfio in «Cavalleria rusticana», den Enrico in «Lucia di Lammermoor», den Marcello in «La Bohème» und wirkte in der Premiere von Mascagnis «Lodoletta» mit; 1922 sang er dort die Titelpartie in der Premiere von Puccinis «Gianni Schicchi». Von den vielen Rollen, die er an der Mailänder Scala gesungen hat, seien genannt: der Ford in Verdis «Falstaff», der Fra Melitone in «La forza del destino», der Sharpless in «Madame Butterfly», der Kyoto in «Iris» von Mascagni, der Heerrufer im «Lohengrin», der Alberich im Nibelungenring und der Sanculotto in «Andrea Chénier» von Giordano. Am 24. 3. 1934 sang er an der Scala in der Uraufführung der Oper «Il Dibuk» von Lodovico Rocca; er wirkte dort auch in der Premiere der Oper «Madonna Imperia» von Alfano mit.

Pacini, Adolfo; debütierte 1904 am Teatro Dal Verme Mailand als Sanculotto Mathieu in «Andrea Chénier» von Giordano. 1910 sang er als erste Partie an der Mailänder Scala den Paolo Albani in Verdis «Simon Boccanegra». Hier wirkte er in der Saison 1910–11 auch in der Premiere der Oper «Fior di Neve» von Filiasi mit. Er soll an 217 verschiedenen Bühnen insgesamt 62 verschiedene Partien gesungen haben.
Schallplatten: Seine ältesten Aufnahmen auf Pathé kamen bereits vor 1914 heraus.

Pacini, Regina; Schallplatten: Fonotipia (Mailand, 1905–06), Phono (1905–06).

Padilla y Ramos, Mariano, † 15. 11. 1906 Auteuil bei Paris. 1876, 1878 und 1885 war er an der Wiener Hofoper zu Gast, 1874 an der Hofoper Berlin, 1888 an der Kaiserlichen Hofoper St. Petersburg, 1870 und 1874 am Opernhaus von Frankfurt a. M., 1881 am Opernhaus von Leipzig. 1888 unternahm er eine glanzvolle Skandinavien-Tournee.

Page, Paula; 1983 Gastspiel am Stadttheater von Bern (Schweiz).

Pagin, Ferdinand; Schallplatten: Drei sehr seltene Aufnahmen auf G & T (etwa 1904 entstanden).

Pagin, Louise, s. unter *Pagin, Ferdinand.*

Pagliughi, Lina, † 2. 10. 1980 Rubicone bei Cesena. Sie wuchs in einem derart italienischen Milieu in San Francisco heran, daß sie nicht einmal perfekt Englisch sprechen lernte. Luisa Tetrazzini nahm das zwölfjährige Mädchen mit nach Italien, wo ihre Stimme ausgebildet wurde. Bereits zu dieser Zeit bewunderte man den Stimmumfang des Kindes, der drei und eine halbe Oktave umfaßte. Nach ihrem

Debüt feierte man sie noch im gleichen Jahr 1928 am Teatro Vittorio Emanuele Turin als Lucia di Lammermoor. An der Mailänder Scala hörte man sie 1937 sehr erfolgreich als Sinaida in Rossinis «Mosè in Egitto». Für rund 25 Jahre blieb sie eine der führenden Koloratricen; 1938 unternahm sie ihre erste Nordamerika-Tournee. Dort trat sie jedoch nicht auf der Bühne auf, hatte aber glänzende Erfolge bei ihren Konzerten, die sie zum Teil in viktorianischen Kostümen gab. Sie wirkte in interessanten Sendungen des italienischen Rundfunks im Verdi-Jahr 1951 mit. Zu ihren großen Partien gehörten auch die Königin der Nacht in der «Zauberflöte» und die Titelpartie in Strawinskys «Rossignol».
Schallplatten: HMV (vollständige Oper «Rigoletto» von 1928, der einige Solo-Platten folgten).

Paige, Norman; er sang 1961–65 am Opernhaus von Köln. 1965–67 war er an der Metropolitan Oper New York engagiert, 1967–68 an der City Centre Opera New York, 1969–82 in einer langjährigen Karriere an der Oper von Chicago. Er wurde als Professor an die University of Kansas berufen. Noch 1985 trat er beim Festival von Istanbul auf.

Paikin, Louella; Schülerin von Marie Brema in Manchester. 1927 Gastspiel an der Opéra-Comique Paris als Titelfigur in «Lakmé» von Delibes. In der Spielzeit 1932–33 war sie am Opernhaus von Düsseldorf engagiert.

Painter, Eleanor, * 1886 Waterville (Iowa), † 3. 11. 1947 Cleveland (Ohio). Ihr Gesangstudium fand in Deutschland statt. Sie heiratete den Tenor *Louis Graveure* (1888–1968), von dem sie sich jedoch 1930 wieder trennte. 1916 trat sie in dem Musical «Princess Pat» auf, das Victor Herbert für sie komponiert hatte. Auf der Bühne begeisterte sie das Publikum sowohl durch die Schönheit ihrer Erscheinung als auch durch ihr temperamentvolles darstellerisches Talent.
Schallplatten: Eine einzige akustische Columbia-Aufnahme von 1916.

Palacio, Ernesto; Schallplatten: Philips («Maometto II.» von Rossini, Mozart-Messen), CBS («Tancredi» von Rossini), RCA-Erato («Ermione» von Rossini, «La caduta di Adamo» von Galuppi), Fonit Cetra («Tancredi» und «Aureliano in Palmira» von Rossini, «L'Esule di Roma» von Donizetti), Nuova Era («Rinaldo» von Händel).

Palai, Nello; er sang u. a. 1922 am Teatro Colón Buenos Aires den italienischen Sänger im «Rosenkavalier».

Palay, Elliot; Gastspiele in Los Angeles und an der Jütländischen Oper Aarhus (1987 als Siegfried im Nibelungenring).

Palcsó, Sándor, * 1929; nachdem er zuvor als Solist in einem Chor aufgetreten war, wurde er 1957 an der Nationaloper Budapest berufen, an der er als Borsa im «Rigoletto» debütierte.

Palet, José; war am Konservatorium von Barcelona Schüler von Juan Goula. Debütierte 1901 dort am Teatro Lirico als Fernando in «La Favorita». 1915 sang er in der Eröffnungsvorstellung des Teatro Nacional Havanna den Radames in «Aida» (zusammen mit Juanita Cappella, Maria Gay, Titta Ruffo und Mansueto Gaudio unter Tullio Serafin) und in der folgenden Saison den Enzo in «La Gioconda» von Ponchielli, den Canio im «Bajazzo», den Riccardo in Verdis «Ballo in maschera» und den Cavaradossi in «Tosca». 1921 Gastspiel in Madrid als Gérald in «Lakmé» von Delibes zusammen mit Maria Barrientos. Er soll ein Bühnenrepertoire von rund hundert Partien beherrscht haben.
Schallplatten: Fonotipia (älteste Aufnahmen), HMV-Victor (seit 1920, jedoch nur wenige elektrische Aufnahmen von 1929).

Paller, Ingrid; eigentlicher Name Ingrid Petschaller. Unter diesem Namen debütierte sie 1948 am Theater von Klagenfurt als Zerline im «Don Giovanni». 1961 großer Erfolg am Alhambra Theater Paris in der «Fledermaus». Nach Abschluß ihrer Bühnenkarriere wirkte sie als Professorin am Salzburger Mozarteum.

Pallo, Imré, * 23. 10. 1892 Mattisálva (Ungarn). Debütierte 1917 an der Oper von Budapest als Alfio in «Cavalleria rusticana». 1935 gastierte er an der Oper von Rom, 1947 am Bolschoj Theater Moskau.
Schallplatten: HMV (in den Jahren vor dem Zweiten Weltkrieg aufgenommen).

Palmay, Ilka von, † 17. 2. 1945 Budapest.

Palmer, Felicity; studierte in England und in München und begann ihre Karriere 1970 in England als Konzertsängerin. Bühnendebüt 1971 bei der Kent Opera als Dido in «Dido and Aeneas» von Purcell. Dann sang sie bei der English National Opera London die Pamina in der «Zauberflöte» und die Donna Elvira im «Don Giovanni». Erstes Auftreten in Nordamerika 1983 an der Oper von Dallas als Gräfin in «Nozze di Figaro». 1987 Gastspiel an der Mailänder Scala in der Oper «Riccardo III.» von Flavio Testi, an der Oper von Chicago in «Katja Kabanowa» von Janáček, 1988 beim Festival von Glyndebourne in Verdis «Falstaff». 1977 unternahm sie eine große Tournee durch Osteuropa, Asien und Australien, 1987 eine weitere Australien-Tournee, 1973, 1977 und 1984 Europa-Tourneen. Große Erfolge in Rundfunksendungen der BBC London.
Schallplatten: Vanguard (Messias, Johannespassion von J. S. Bach), HMV (Marienvesper von Monteverdi), Philips («Figaros Hochzeit»), Telefunken (Utrechter Te Deum von Händel, Marienvesper von Monteverdi).

Palombini, Vittoria, * 1903, † 1968 Mailand. Sie ist in dem langen Zeitraum von 1933 bis 1963 immer wieder an der Mailänder Scala aufgetreten. 1949–52 sang sie regelmäßig am Londoner Stoll Theatre. Eine ihrer großen Partien war die Hexe in «Hänsel und Gretel» von Humperdinck, die sie seit 1949 mehrfach an der Scala und 1946 auch an der Oper von Rom sang. Sie wirkte in mehreren Opernsendungen des Italienischen Rundfunks EIAR Turin mit, u. a. in der «Verkauften Braut» von Smetana (1934), in «Fra Gherardo» von Pizzetti (1938) und in Verdis «Falstaff» (1938).

Paltrinieri, Giordano, † 18. 3. 1970 Mailand. Er sang bereits in den Jahren 1912–17 an der Mailänder Scala. 1911 übernahm er an der Oper von Rom in der italienischen Erstaufführung von Puccinis «La Fanciulla del West» die Rolle des Nick. 1914 zu Gast an der Covent Garden Oper London, 1923 bei der San Francisco Opera. Seine Antrittsrolle an der Metropolitan Oper war am 15. 11. 1918 der Mastro Trabucco in Verdis «La forza del destino» mit Enrico Caruso und Rosa Ponselle (die in dieser Vorstellung ihr Debüt hatte) zusammen. Im März 1940 sang er als letzte Partie an der Metropolitan Oper den Offizier in Rossinis «Barbier von Sevilla».

Pampanini, Rosetta; ausgebildet durch Frau Emma Molajoli in Mailand. 1924 gastierte sie in Padua als Desdemona in Verdis «Othello» und in Bergamo in der Titelpartie von Mascagnis «Iris». An der Mailänder Scala wirkte sie auch in der Uraufführung der Oper «Delitto e Castigo» von Arrigo Pedrollo mit (16. 11. 1926). An der Covent Garden Oper London debütierte sie 1928 als Nedda im «Bajazzo», im gleichen Jahr kreierte sie am Teatro Colón Buenos Aires die Liu in der dortigen Erstaufführung von Puccinis «Turandot». In der Saison 1931–32 war sie an der Oper von Chicago als Nedda, als Butterfly und als Mimi in «La Bohéme» zu hören; dies blieb jedoch ihr einziges Auftreten in Nordamerika. Belgien bereitse sie in einer italienischen Operntruppe. Seit 1944 leitete sie eine von ihr eingerichtete Gesangschule in Mailand. Sie galt vor allem als große Puccini-Interpretin.
Schallplatten: Cetra (Arien-Platte).

Pampuch, Helmut; er begann zunächst eine Lehre als Schlosser, bevor es zur Ausbildung seiner Stimme kam. 1963–64 war er am Stadttheater in Regensburg, 1964–66 am Staatstheater Braunschweig, 1966–71 am Landestheater Saarbrücken, 1971–73 am Staatstheater Wiesbaden engagiert. Seit 1973 Mitglied der Deutschen Oper am Rhein Düsseldorf–Duisburg. Auch 1988–89 sang er bei den Festspielen von Bayreuth den Mime, ebenso 1987 an der Staatsoper von München.
Schallplatten: Philips («Meistersinger»), CBS («Lohengrin»).

Pandolfini, Angelica; Tochter des bekannten Baritons *Francesco Pandolfini* (1836–1916). Sie sang am 29. 3. 1906 an der Mailänder Scala in der Uraufführung der Oper «La figlia di Jorio» von Alberto Franchetti.

Pandolfini, Francesco, * 22. 11. 1836 Termini Imerese bei Palermo.

Pane, Tullio; Schallplatten: Ariola-Eurodisc (Gherardo in «Gianni Schicchi»), CBS («Andrea Chénier» von Giordano), Nuova Era (Pang in «Turandot»).

Panerai, Rolando; 1952 kam er an die Mailänder Scala und ist nach seinem Debüt (als Hoherpriester in «Samson et Dalila» von Saint-Saëns) dort immer wieder, insgesamt 26 Jahre lang, aufgetreten. Im April 1954 sang er in der ersten Opernsendung des italienischen Fernsehens den Figaro im «Barbier von Sevilla». Bei den Festspielen von Salzburg trat er 1958 und 1960–61 als Guglielmo in «Così fan tutte» auf. Seine große Karriere dauerte sehr lange. 1985 feierte man ihn am Teatro Comunale von Bologna als Dulcamara in «Elisir d'amore», 1988 sang er beim Maggio musicale Florenz den Titelhelden in Puccinis «Gianni Schicchi».
Schallplatten: Ariola-Eurodisc (Titelheld in «Gianni Schicchi»), Decca («Elisir d'amore»).

Pantaleoni, Romilda; sie wirkte am Teatro Carlo Felice Genua in der Uraufführung der Oper «Salvator Rosa» von Carlos Gomes mit (21. 3. 1874). Verdi war durch den Dirigenten Franco Faccio auf die Künstlerin hingewiesen worden, sodaß er ihr die Partie der Desdemona in der «Othello»-Uraufführung an der Mailänder Scala übertrug, die durch Faccio dirigiert wurde (5. 2. 1887). Erstmalig war sie 1884 an der Scala aufgetreten, und zwar als Marguerite de Valois in den «Hugenotten» von Meyerbeer. Ebenfalls 1884 gab sie ein Gastspiel an der Hofoper von Wien.

Panzéra, Charles; er kreierte am 13. 5. 1922 in Paris den Liederzyklus «L'Horizon chimérique» von Gabriel Fauré. 1924 sang er in der Pariser Kirche Ste. Madeleine das Tenor-Solo im Requiem von Gabriel Fauré beim Trauergottesdienst für diesen Komponisten. Er war auch ein großer Interpret des deutschen Kunstliedes von Schubert bis Hugo Wolf und sang klassische Vokalwerke von Lully, Rameau, Händel, J. S. Bach und anderen Meistern. Seit 1926 gab er alljährlich Liederabende in Holland und England, bereiste jedoch Nordamerika erst 1947. 1956 beendete er seine Konzert-Laufbahn, seit 1946 wirkte er als Pädagoge in Paris und war u. a. der Lehrer von Jacques Jansen.
Alle seine Schallplattenaufnahmen erschienen bei HMV, darunter «Dichterliebe» von R. Schumann, Lieder von Debussy, Ravel, Duparc und Gabriel Fauré («La bonne Chanson») und «Danse des Morts» von A. Honegger.

Paoli, Antonio, * 14. 4. 1871 Ponce bei San Juan (Porto Rico), † 24. 8. 1946 San Juan. Sein Vater Domingo Paoli stammte aus Korsika, seine Mutter aus Venezuela (nach anderen Quellen soll sein eigentlicher Name Ermogene Imleghi Bascaran gewesen sein). 1902–03 Gastspieltournee in den USA mit einer Wanderoper unter der Leitung von Pietro Mascagni. Noch 1921 gastierte er an der Oper von Kairo als Manrico und als Samson, zwei seiner großen Glanzrollen.

Papier-Paumgartner, Rosa; sie eröffnete ihre Karriere 1880 mit einem Konzert in Wien. Sie trat als Gast an der Hofoper München (1885), an der Berliner Kroll-Oper (1884–85), an den Hoftheatern von Mannheim und Stuttgart, am Opernhaus von Leipzig (1886) und in Konzerten in Dresden (1884) auf. Weitere Schülerinnen waren Rose Pauly, Charlotte von Seeböck und Lucie Weidt.
Wenn auch die Gesangstimme von Rosa Papier-Paumgartner nicht durch Aufnahmen erhalten ist, so hat sie 1906 einige ergreifende Sätze auf einer Aufnahme gesprochen, die das österreichische Phonogrammarchiv herausgebracht hat.

Pappas, Georgio; 1988 Gastspiel an der Oper von Boston als Creon in Cherubinis «Medea».

Pappenheim, Eugenie; sie sang 1876 an der Academy of Music Philadelphia (nicht in New York) in der amerikanischen Erstaufführung von Richard Wagners «Fliegendem Holländer» (in italienischer Sprache). 1877–78 (nicht erst 1888) bereiste sie mit einer von ihr zusammengestellten Operntruppe, der Adams-Pappenheim Company, die USA und veranstaltete während dieser Zeit die erwähnten amerikanischen Premieren der Wagner-Opern «Rienzi» und «Die Walküre» in der New Yorker Academy of Music. 1875 war sie zu Gast an der Berliner Hofoper, 1881 am Opernhaus von Frankfurt a. M. 1883 sang sie an der Mailänder Scala das Sopran-Solo im Requiem von Verdi.

Paprocki, Bogdan, * 23. 9. 1919 Torún (Thorn). Schallplatten: HMV (Schuiskij im «Boris Godunow»).

Paquot-d'Assy, Jeanne, * 1878 Brüssel, † 6. 10. 1952 Ixelles bei Brüssel. Sie studierte an der St. Josse-ten-Noode Schule in Schaerbeek und am Konservatorium von Brüssel. Debüt 1901 am Théâtre de la Monnaie Brüssel als Donna Anna im «Don Giovanni». Seit 1936 wirkte sie als Professorin am Konservatorium von Brüssel.

Parazzini, Maria, * 18. 12. 1940 Montegridolfo (Provinz Forli); 1972 Gastspiel beim Edinburgh Festival als Odabella in Verdis «Attila», 1976 an der Staatsoper München als Traviata, 1979 an der Scala in Rossinis «Mosè in Egitto». 1987 sang sie bei den Festspielen in der Arena von Verona die Titelrolle in Verdis «Aida».

Parepa-Rosa, Euphrosyne; debütierte 1852 auf Malta als Amina in «La Sonnambula» von Bellini.

Pareto, Graziella; 1908 sang sie am Teatro Regio von Parma die Amina in Bellinis «La Sonnambula», 1910–11 am Teatro Colón Buenos Aires die Gilda im «Rigoletto», die Adina in «Elisir d'amore» und die Rosina im «Barbier von Sevilla». 1911 Gastspiel am Opernhaus (Teatro Payret) in Havanna. 1921 gastierte sie an der Oper von Monte Carlo als Partnerin von John Mc Cormack im «Barbier von Sevilla» und sang dort weiter die Marguerite de Valois in den

«Hugenotten» von Meyerbeer und die Königin der Nacht in der «Zauberflöte». In den Sommern 1922–24 hörte man sie bei den Festspielen von Ravinia bei Chicago in zahlreichen Rollen: als Lucia di Lammermoor, als Lakmé, als Adina, als Rosina, als Gilda, als Titelheldin in Wolf-Ferraris «Segreto di Susanna», als Traviata, als Juliette in «Roméo et Juliette» von Gounod, als Martha und als Zerline in «Fra Diavolo» von Auber.
Schallplattenaufnahmen auf HMV, von denen die ersten bereits 1908 erschienen, dann zwei weitere Serien von 1919 und 1921. Es ist eine einzige elektrisch aufgenommene Platte von ihrer Stimme vorhanden (zwei katalanische Volkslieder, 1930 in Spanien aufgenommen).

Parker, Elizabeth; an der Covent Garden Oper London sang sie 1904–07 die Musetta in «La Bohème», den Siebel im «Faust» von Gounod und ersetzte die indisponierte Primadonna Nellie Melba als Marguerite in der gleichen Oper. Nach 1907 ist sie nicht mehr aufgetreten. Sie starb nach langer Krankheit an ihrem 50. Geburtstag.

Parker, George; Schallplatten: HMV (Liedaufnahmen, etwa 1911).

Parker, William; Schallplatten: Centur Records (Lieder von J. Brahms und A. Copland), Harmonia mundi («La serva padrona»).

Parlamagni, Antonio; seine Tochter *Annetta Parlamagni* trat noch 1835 in Siena als Rosina im «Barbier von Sevilla» auf.

Parly, Ticho; 1964 sang er bei den Bayreuther Festspielen den Kunz Vogelsang in den «Meistersingern». 1966 debütierte er an der Metropolitan Oper New York als Tannhäuser. 1969 Gastspiel an der Staatsoper Dresden, 1970 an der Staatsoper Berlin, in Budapest und Madrid. 1987 trat er an der Oper von Köln als Ägisth im «Elektra» auf.

Parmeggiani, Ettore; bis 1942 trat er immer wieder an der Mailänder Scala auf, wo er zunehmend Wagner-Partien (u. a. den Walther in den «Meistersingern») übernahm und am 24. 2. 1937 in der Uraufführung der Oper «Lucrezia» von O. Respighi mitwirkte. 1937 gastierte er am Teatro Reale Rom als Dimitrij im «Boris Godunow» von Mussorgsky, 1935 in Holland als Lohengrin.

Parr, Gladys, † 4. 11. 1988 London. Sie sang zuerst bei der Carl Rosa Opera Company und mit dieser 1920 in der Covent Garden Oper London die Suzuki in «Madame Butterfly», den Siebel im «Faust» von Gounod und den Nicklausse in «Hoffmanns Erzählungen». 1921 trat sie der British National Opera Company bei. An der Londoner Covent Garden Oper sang sie 1930 die Magdalene in den «Meistersingern» unter Bruno Walter, 1932 die gleiche Partie unter Sir Thomas Beecham. Eine weitere große Rolle der Künstlerin war die Quickly in Verdis «Falstaff». Nachdem sie 1933 am gleichen Haus sehr erfolgreich als Annina im «Rosenkavalier» aufgetreten war, übernahm sie dort 1934 in der englischen Erstaufführung der Richard Strauss-Oper «Arabella» die Rolle der Kartenaufschlägerin. Mit der berühmten englischen Sopranistin Eva Turner verband sie eine lebenslängliche Freundschaft.

Parsi-Pettinella, Armida; erstmalig trat sie 1895 an der Mailänder Scala als Anna Bolena in «Henry VIII.» von Saint-Saëns auf. (Sie wirkte dort nicht in der Uraufführung von Mascagnis «Guglielmo Ratcliff» 1895 mit sondern erst im Februar 1896 in einer Reprise des Werks). 1903 hatte sie an der Scala großen Erfolg als Ulrica in Verdis «Maskenball», 1910 nochmals als Dalila. Diese Partie sang sie auch 1902 am Teatro Verdi von Pisa. 1896 gastierte sie an der Academy of Music New York in der amerikanischen Erstaufführung von Giordanos «Andrea Chénier» als Madelon. 1906 Gastspiel an der Oper von Monte Carlo als Eboli in Verdis «Don Carlos», 1908 am Teatro Real Madrid als Königin in «Hamlet» von A. Thomas. 1909 wirkte sie in einem Konzert am italienischen Königshof mit, das zu Ehren des russischen Zaren Nikolaus II. gegeben wurde.

Partridge, Ian; im Konzertsaal (nicht an der Covent Garden Oper) trat er als Solist in dem Werk «On Wenlock Edge» von Vaughan Williams auf. 1977 sang er im Thames TV die Titelrolle in B. Brittens «St. Nicholas».
Schallplatten: DGG (Marienvesper von Monteverdi), CBS (Lieder von Schönberg), Philips (Mozart-Arien), Edition Schwann (Werke von A. Scarlatti).

Parvis, Taurino, † 9. 5. 1957 Barcelona. Studium der Rechtswissenschaften an der Universität Turin, dann Ausbildung der Stimme durch Maestro Vanni und Bühnendebüt 1901 am Teatro Comunale von Cesena. Noch 1901 sang er am Teatro Carignano Turin den Marcello in Puccinis «La Bohème». 1902 zu Gast am Teatro Vittorio Emanuele Turin, später am Teatro Carlo Felice Genua, am Teatro Rossini Pesaro und an anderen italienischen Theatern. An der Mailänder Scala hat er auch in der Saison 1926–27 gesungen. 1929 ließ er sich als Rechtsanwalt in Turin nieder und war als Repräsentant italienischer Filmgesellschaften in Spanien tätig. In zweiter Ehe war er mit der Witwe des Tenors und Architekten *Peppino Rosselini* verheiratet, der Mutter des Komponisten Renzo Rosselini und des berühmten Filmregisseurs Roberto Rosselini; aus dieser Ehe ging eine Tochter hervor.

Pasero, Tancredi; debütierte 1917 am Teatro Chiarella Turin als König in Verdis «Aida» und gastierte 1918 am Teatro Ereteneo von Vincenza als Conte Rodolfo in «La Sonnambula». Nach Auftritten in Modena, Bologna, Triest, Turin, am Teatro Dal Verme Mailand (1920) und am Royal Theatre von Malta (1921–22) hatte er seit 1923 große Erfolge am Teatro Costanzi Rom. 1926 sang er an der Mailänder Scala als Antrittsrolle den König Philipp in Verdis «Don Carlos» unter A. Toscanini. Bis 1951 ist er als

erster Bassist immer wieder an der Scala aufgetreten. Hier wirkte er auch in den Uraufführungen der Opern «Il Re» von Giordano (12. 1. 1929) und «Margherita di Cortona» von Licinio Refice (1. 1. 1938) mit. An der Scala feierte man ihn als Hohenpriester in «La Vestale» von Spontini (1933), als Leporello im «Don Giovanni» (1934), als Titelhelden in Rossinis «Mosè in Egitto» (1935), als Conte Walter in «Luisa Miller» von Verdi (1937), als Ramphis in «Aida» (1938) und als Sarastro in der «Zauberflöte». Als erste Buffo-Rolle übernahm er 1950 an der Scala den Don Pasquale in der gleichnamigen Donizetti-Oper. 1929–33 trat er an der Metropolitan Oper New York auf (Antrittsrolle: Alvise in «La Gioconda» von Ponchielli), in deren New Yorker Haus er 19 Partien in 81 Vorstellungen sang. Besonders erfolgreich gestalteten sich hier seine Auftritte als Ferrando im «Troubadour», als Pater Guardian in «La forza del destino» und als Ramphis in «Aida». 1935 gastierte er an der Grand Opéra Paris, 1937 mit dem Ensemble der Scala in Berlin und München, 1938 in Amsterdam, 1941 am Deutschen Opernhaus Berlin, 1946 in Zürich, 1947–48 am Teatro Liceo Barcelona.
Schallplatten: 1927–28 erschienen erste Aufnahmen auf Odeon-Fonotipia, bereits (wie alle Schallplatten des Sängers) elektrisch aufgenommen.

Pasini, Laura; debütierte 1921 am Teatro Eden Mailand als Zerline in «Fra Diavolo» von Auber und als Norina in «Elisir d'amore». 1922 große Erfolge am Teatro Costanzi Rom als Nannetta in Verdis «Falstaff», am Teatro Regio Parma als Marguerite de Valois in den «Hugenotten» von Meyerbeer.

Paskalis, Kostas, * 1. 9. 1929 Livadia bei Delphi (Griechenland). Er debütierte 1951 an der Oper von Athen als Rigoletto. 1958 wurde er nach einem Gastspiel als Renato in Verdis «Maskenball» an die Staatsoper von Wien verpflichtet. Gastspiele an den Staatsopern von Berlin und München. 1987 sang er als Gast am Théâtre de la Monnaie Brüssel den Titelhelden in Verdis «Nabucco», 1988 bei der New Jersey Opera den Don Giovanni. 1988 wurde er zum Direktor der Oper von Athen ernannt.
Schallplatten: Fonit Cetra (Fleville in «Andrea Chénier»), Pickwick-Video («Macbeth» von Verdi).

Paskuda, Georg; er sang nacheinander am Stadttheater von Lübeck (1952–54), am Stadttheater von Bielefeld (1954–55), am Opernhaus von Wuppertal (1955–58) und am Staatstheater von Wiesbaden (1958–61), bevor er 1961 an die Bayerische Staatsoper München berufen wurde. Bei den Bayreuther Festspielen von 1960 sang er auch den Steuermann im «Fliegenden Holländer». 1969 wirkte er in München in der Uraufführung der Oper «Aucassin und Nicolette» von Günter Bialas, 1986 in der von V. D. Kirchners «Belshazar» mit.

Pasqua, Giuseppina; sie debütierte am Teatro Morlacchi von Perugia als Page Oscar in Verdis «Ballo in maschera».

Passy-Cornet, Adele; 1881–92 wirkte sie als Professorin an der Musikakademie von Budapest; zu ihren Schülern gehörten die Mezzosopranistin Maria Waldmann und der Bariton Desider Zador.

Pasta, Giuditta; sie entstammte einer italienisch-jüdischen Familie und hieß eigentlich Angiola Maria Costanza Negri. Ihren ersten Musikunterricht erhielt sie durch ihren Onkel Filippo Ferranti. 1815 sang sie in Paris zusammen mit dem Tenor *Giuseppe Pasta* (u. a. in der Oper «Il Principe di Taranto» von F. Paër). In der Uraufführung von Rossinis «Il Viaggio a Reims» sang sie am Théâtre-Italien Paris die Partie der Corinna (19. 6. 1825).

Pastori, Antonietta; im April 1954 sang sie in der ersten Opernsendung des italienischen Fernsehens die Rosina im «Barbier von Sevilla» von Rossini.

Pataky, Koloman; sein eigentlicher Name war Kálmán Pataky de Déstalva. 1922 Debüt an der Städtischen Oper (Városí Szinház) Budapest als Herzog im «Rigoletto». Er kam dann an die Nationaloper Budapest. 1926–39 (auf Veranlassung des Dirigenten Franz Schalk) Mitglied der Staatsoper Wien. Als erste Partien sang er in Wien den Herzog im «Rigoletto» und den Rodolfo in «La Bohème», dann den italienischen Sänger im «Rosenkavalier», den Alvaro in «La forza del destino» und den Masaniello in «La Muette de Portici». 1927 Gastspiel an der Staatsoper Dresden, 1932–35 auch an der Städtischen Oper Berlin engagiert. Als erste Partie sang er am Teatro Colón Buenos Aires 1937 den Fenton im «Falstaff» von Verdi, 1936 bei den Festspielen von Glyndebourne den Don Ottavio im «Don Giovanni». In der Spielzeit 1939–40 hatte er an der Mailänder Scala große Erfolge als Hüon im «Oberon», 1940–41 trat er an der Oper von Rom auf. Große Karriere auch als Konzert- und Oratoriensänger.
Schallplatten: Erste Aufnahmen seiner Stimme erschienen bereits 1927 in Ungarn unter dem Etikett von Radiola.

Patierno, Antonio, s. unter *Patierno,* Filippo.

Paton, Mary Ann, † 21. 7. 1864 Bulcliffe Hall bei Chapelthorpe (Yorkshire). Bereits 1810 trat sie in Edinburgh, seit 1811 in London als Harfen-, Klavier- und Violinspielerin wie als Sängerin auf. Seit 1824 war sie mit Lord William Pitt Lennox verheiratet, doch wurde diese Ehe wieder aufgelöst.

Patrick, Julian; er sang 1970 an der Oper von Seattle in der Uraufführung der Oper «Of Mice and Men» von Carlisle Floyd die Partie des George.

Patti, Adelina; eigentlicher Name Adela Juana Maria Patti. Ihre Mutter, *Catarina Chiesa Barilli* (auch *Barili* geschrieben) soll noch am Vorabend ihrer Geburt in Madrid die Norma gesungen haben. Mit 16 Jahren debütierte sie an der New Yorker Academy of Music (unter dem Namen «The Little Florinda») als Lucia di Lammermoor. Auf einer anschließenden Nordamerika-Tournee sang sie neben anderen Koloraturpartien die Marguerite de Valois in Meyerbeers «Hugenotten». In Paris debütierte sie 1862 am Théâtre-Italien als Amina und kam dort später zu triumphalen Erfolgen am Théâtre Lyrique wie an der Grand Opéra. In 23 aufeinanderfolgenden Spielzeiten begeisterte sie das Publikum der Covent Garden Oper London. In England trat sie auch gerne als Oratoriensolistin, vor allem bei den zahlreichen Music Festivals, auf. Der polnische Komponist Józef Fürst Poniatowski widmete ihr die Partitur seiner Oper «Gelmina», die sie dann in London in der Uraufführung kreierte (4. 6. 1872). Letztmalig hörte man sie 1894 an der Covent Garden Oper. An der Mailänder Scala glänzte sie 1877–78 und nochmals 1893 in Partien wie der Marguerite im «Faust», der Rosina im «Barbier von Sevilla», der Leonore im «Troubadour», der Traviata und der Amina in «La Sonnambula». 1883–85 trat sie an der Academy of Music New York auf. Nachdem sie bereits 1887 und 1890 als Gast an der Metropolitan Oper New York erschienen war, war sie in der Saison 1892–93 Mitglied dieses Hauses. Sie sang dort als Antrittsrolle die Titelfigur in Flotows «Martha» und danach die Rosina im «Barbier von Sevilla» und die Lucia di Lammermoor. 1906–07 unternahm sie eine große Farewell-Tournee durch die USA. 1914 sang sie letztmals in einem Wohltätigkeitskonzert in der Londoner Albert Hall. Nachdem sie in einem Skandalprozeß ihre Scheidung von ihrem ersten Gatten, dem Marquis de Caux, durchgesetzt hatte,

Stammbaum der Familie Patti

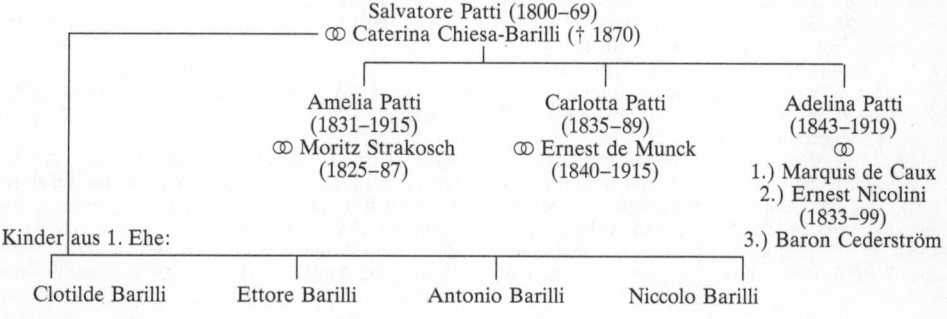

heiratete sie 1886 den österreichischen Tenor *Ernest Nicolini* (eigentlich Ernst Nicolaus, 1834–98) und nach dessen Tod 1899 den Baron Rolf Ceder-ström.
Schallplatten: Bei ihrer ersten Serie von G & T-Aufnahmen wurde sie durch Landon Ronald, bei der zweiten durch ihren Neffen Alfredo Barilli am Klavier begleitet. Auf IRCC wurde eine private Zylinderaufnahme mit dem «Éclat de rire» aus «Manon Lescaut» von Auber veröffentlicht.

Patti, Amelia, † 1. 1. 1915 Paris.

Patti, Carlotta; ihr Vater war der Tenor *Salvatore Patti* (1800–1869), ihre Mutter die Sopranistin *Caterina Barilli* (auch Barili geschrieben, † 1870). Carlotta Patti bereiste 1868 Schweden, 1880 Australien.

Patti, Salvatore; 1849 sang er in der amerikanischen Erstaufführung der Donizetti-Oper «Roberto Devereux» in New York. Später lebte er hauptsächlich in Paris, wo er auch pädagogisch tätig war.

Pattiera, Tino, * 27. 6. 1890 Cavtat bei Ragusa (Dubrownik), † 24. 4. 1966 Cavtat; nachdem er 1911–12 je ein Semester Medizin und Jura studiert hatte, wurde seine Stimme 1912–14 an der Wiener Musikakademie durch de Ranieri ausgebildet. 1923 war er an der Dresdner Staatsoper der Dimitrij in Aufführungen des «Boris Godunow», die dieses Opernwerk für Deutschland entdeckten, 1926 sang er an der Staatsoper Berlin, 1927 in Dresden den Alvaro in den Premieren von Verdis «La forza del destino». 1921–22 trat er an der Oper von Chicago auf. Als einzige Wagner-Partie übernahm er 1934 in Dresden den Tannhäuser. 1919–27 mit Hedwig Gräfin Schaffgotsch, 1935–36 mit der Schauspielerin Erika von Thellmann (* 1902) verheiratet. 1951 und 1953 gab er nochmals sehr erfolgreiche Konzerte in Dresden.
Schallplatten: Odeon (akustische Aufnahmen 1919–20), Parlophon (1926–32, akustische wie elektrische Aufnahmen), HMV, Brunswick (1921–22), Vox-Kristall (Neapolitanische Lieder).

Patzak, Julius; 1928–47 gefeiertes Mitglied der Staatsoper München, 1945–59 der Staatsoper Wien. 1938 gastierte er mit dem Ensemble der Münchner Oper an der Mailänder Scala. Weitere Gastspiele an den Opern von Kopenhagen (1934, 1939) und Stockholm (1931), in Amsterdam (1932, 1934), Antwerpen (1939), Budapest, Zürich und Prag (1937). Bei den Salzburger Festspielen trat er in den Jahren 1938–53 immer wieder als Konzertsänger in Erscheinung. 1961–62 wirkte er dort in der Sprechrolle des Spielansagers in «Jedermann» mit. Bis 1966 ist er noch als Sänger aufgetreten.
Schallplatten: Decca (Liebesliederwalzer von J. Brahms mit Irmgard Seefried, Kathleen Ferrier und Horst Günter), Columbia (9. Sinfonie von Beethoven), Vox, Remington, Melodram («Palestrina», München 1952), Rococo (9. Sinfonie von Beethoven). Seine Wiener Heurigenlieder erschienen auf Preiser.

Paul, Karl, † 20. 5. 1969 Crimmitschau. Ausbildung am Konservatorium von Leipzig. Er sang 1934–36 am Theater von Altenburg (Thüringen), 1936–49 am Nationaltheater Weimar und seit 1949 an der Staatsoper Dresden. Gastierte vor allem an der Staatsoper Berlin (seit 1951), an der Staatsoper (1942, 1946) und an der Volksoper Wien (1950).
Schallplatten: Supraphon (9. Sinfonie von Beethoven), Eterna (Arien-Aufnahmen).

Pauli, Piero, * 7. 5. 1898 Barcelona; seit 1928 vollendete er seine Ausbildung in Mailand und debütierte 1929 am Teatro Politeama Rossi von Triest als Faust in «Mefistofele» von Boito. Dann sang er in Pavia den Rodolfo in «La Bohème». Am Neujahrstag 1930 sang er als Antrittsrolle an der Mailänder Scala ebenfalls den Rodolfo. Auch 1932 und 1935 kam er bei seinen Auftritten an der Scala zu großen Erfolgen. 1932 gastierte er an der Oper von Monte Carlo als Faust in «Mefistofele», als Pinkerton in «Madame Butterfly» und als Herzog im «Rigoletto». Seit 1937 kam er zu weiteren Erfolgen an der Oper von Rom. Im italienischen Rundfunk EIAR wirkte er in sehr vielen Opernsendungen mit, darunter «Oceana» von Antonio Smareglia, «Il Diavolo nel campanile» von Adriano Lualdi, «La Fiamma» von O. Respighi, «Turandot» von Ferruccio Busoni, «Lucrezia» von Respighi, «Primavera fiorentina» von Arrigo Pedrollo, «La morte di Frine» von Lodovico Rocca, «Il volto della vergine» von Ezio Camezzi, «La vida breve» von M. de Falla (als Paco), «Der Jahrmarkt von Sorotchintsy» von Mussorgsky (als Gritzko), «Notturno romantico» von Riccardo Pick Mangiagalli, «Monte Ivnor» von L. Rocca und «Anima allegra» von Franco Vittadini (die Sendungen fanden in dem Jahrzehnt 1934–43 statt). Die Kritik begrüßte ihn als «neuen Caruso». 1942 trat er beim Maggio musicale Florenz als Eumete in Monteverdis «Il ritorno d'Ulisse in patria» auf. Nach 1946 erkrankte er schwer und zog sich zu seiner Tochter zurück, die als Ärztin in Pisa arbeitete.

Paulus, Alfred; 1926 sang er in Dessau in der deutschen Erstaufführung der Oper «Marouf» von H. Rabaud. Gastspiele führten ihn an die Staatsopern von Berlin und Dresden und an das Opernhaus von Riga (1930). 1929 sang er beim Wagner Festival in Paris unter F. von Hoesslin den Donner im «Rheingold» und den Gunther in der «Götterdämmerung». Als großer Konzertsänger erwies er sich bei Konzertauftritten in Wien (1930), München (1931), Hamburg (1931) und Berlin (1930–31). 1930 sang er in Leipzig in der Uraufführung der Kantate «Das dunkle Reich» von Hans Pfitzner. 1946–58 wirkte er als Professor an der Musikhochschule Stuttgart.

Pauly, Rose, * 15. 3. 1894 Eperjes (Prešov, Ostslowakei), † 14. 12. 1975 Kfar Schmarjahu bei Tel Aviv. 1918–19 trat sie an der Hamburger Oper u. a. als Aida auf. An der Berliner Kroll-Oper wirkte sie in der Uraufführung der Oper «Neues vom Tage» von P. Hindemith mit (8. 6. 1929). 1930 Gastspiel an der Grand Opéra Paris als Salome von Richard Strauss.

Da sie seit 1933 in Deutschland als Jüdin nicht mehr auftreten konnte, nahm sie 1933–36 ein Engagement am Deutschen Theater Prag an. An der Metropolitan Oper New York sang sie in drei Spielzeiten 1938–40 nach ihrem Debüt als Elektra in neun Vorstellungen die Venus im «Tannhäuser» und die Ortrud im «Lohengrin». 1938 gastierte sie am Teatro San Carlo Neapel.

Pavarotti, Luciano; an der Staatsoper Wien debütierte er 1963 als Rodolfo in «La Bohème», eine seiner besonderen Glanzrollen, die er auch als Antrittsrolle an der Covent Garden Oper London (1963), am Teatro San Carlo Neapel (1964) und an der Mailänder Scala (1965), wiederholte. USA-Debüt 1965 in Miami zusammen mit Joan Sutherland in «Lucia di Lammermoor». 1967 zu Gast an der Oper von San Francisco (wieder als Rodolfo), 1968 großer Erfolg in Catania als Arturo in Bellinis «I Puritani», 1969 an der Oper von Rom als Oronte in «I Lombardi» von Verdi. Nachdem er im November 1968 – einmal mehr als Rodolfo – an der Metropolitan Oper New York debütiert hatte, hörte man ihn dort in den folgenden zwanzig Jahren fast in jeder Spielzeit in mehr als 15 großen Partien. Seit 1971 große Karriere an der Oper von Philadelphia, seit 1973 an der Oper von Chicago. Glänzende Konzerttourneen bestätigten seinen Weltruhm als führender Tenor seiner Generation. 1981 stiftete er einen Gesangwettbewerb (Concours Pavarotti) in Zusammenarbeit mit der Philadelphia Lyric Opera.
Lit.: M. Mayer & G. Fitzgerald: «Grandissimo Pavarotti» (New York, 1986).
Schallplatten: Decca («Idomeneo», Radames in «Aida», «Norma» mit Joan Sutherland und Montserrat Caballé), HRE (Cavaradossi in «Tosca»).

Payan, Paul; Studium bis 1906 in Paris und Debüt im gleichen Jahr in einer kleinen Partie in Charpentiers «Louise» an der Opéra-Comique Paris. An diesem Haus wirkte er in mehreren Uraufführungen von Opern mit, so in «La Habanéra» von Raoul Laparra (26. 2. 1908), in «Macbeth» von Ernest Bloch (30. 11. 1910), «La Lépreuse» von Sylvio Lazzari (7. 2. 1912) und «Marouf» von Henri Rabaud (15. 5. 1914). 1928 gastierte er an der Covent Garden Oper London als Zuniga in «Carmen», in «Louise» von Charpentier und als alter Hebräer in «Samson et Dalila» von Saint-Saëns.

Payne, Patricia, * 1942 Dunedin; sie sang bei den Bayreuther Festspielen von 1977 die Schwertleite in der «Walküre». 1987 sang sie wiederum an der Mailänder Scala, 1988 auch an der Oper von New Orleans ihre Glanzrolle, die Ulrica in Verdis «Ballo in maschera», 1989 beim Edinburgh Festival in Prokofieffs «Amour des trois oranges».

Pazofsky, Hilda; 1897 folgte sie einem Ruf an die Hofoper von München, an der sie bis 1902 blieb. 1902–03 sang sie am Hoftheater von Mannheim, 1903–05 nochmals in Köln. Sie gastierte an der Stuttgarter Hofoper (1897, 1902), an den Hoftheatern von Wiesbaden (1898), Hannover (1898) und Karls-

ruhe (1902) wie auch an der Wiener Volksoper (1905).

Peacock, Lucy; 1987–88 hörte man sie bei den Festspielen von Bayreuth als Eva in den «Meistersingern». 1987 Gastspiel am Teatro Bellini Catania als Mathilde in Rossinis «Wilhelm Tell». An der Deutschen Oper Berlin war sie auch als Marie in Smetanas «Verkaufter Braut» und als Myrtocle in «Die toten Augen» von E. d'Albert erfolgreich.
Schallplatten: Wergo (Vokalmusik von P. Hindemith).

Pears, Peter, † 3. 4. 1986 Orford (Suffolk). Schüler von Elena Gerhard, Dawson Freer und Lucie Manen in London. In den USA weitere Studien bei Therese Schnabel-Behr und bei Clythie Hine Mundie, schließlich später noch in London bei Julius Guttmann und Mme de Reuss. Seit 1937 bestand seine lebenslange Freundschaft mit dem großen englischen Komponisten Benjamin Britten. 1951 sang er zusammen mit Kathleen Ferrier in Nottingham in der Uraufführung von dessen Kantate «Abraham and Isaac», die er für die beiden Sänger komponiert hatte. Peter Pears wirkte auch in den Uraufführungen der Opern «Troilus and Cressida» von Walton (3. 12. 1954 Covent Garden Oper als Pandarus) und «A Midsummer Night's Dream» von B. Britten (11. 6. 1960 Aldeburgh als Flute, nicht als Lysander) und in denen der Konzertwerke «Novae de infinito Laudae» von H. W. Henze (24. 4. 1963 Venedig) und «Paroles tissées» von Lutoslawski (20. 6. 1965 Aldeburgh Festival) mit. An der Metropolitan Oper New York hörte man ihn 1978 als Captain Vere in B. Brittens «Billy Budd». Er unternahm auch sehr erfolgreiche Tourneen mit dem englischen Lautenvirtuosen Julian Bream.
Schallplatten: London («The Burning Fiery Furnace» von Britten).

Pease, James, † 26. 4. 1967. 1952–58 Mitglied der Staatsoper von Hamburg, 1960–63 am Opernhaus von Zürich engagiert.

Pechner, Gerhard; er studierte hauptsächlich in Italien und begann seine Bühnenlaufbahn 1924–25 an der Berliner Volksoper. Seit 1925 sang er am Deutschen Opernhaus Berlin–Charlottenburg. Dieses Engagement mußte er wegen seiner jüdischen Abstammung 1933 aufgeben. Er trat seitdem noch am Theater des Jüdischen Kulturbundes in Berlin auf, emigrierte dann aber nach Prag, wo er am Deutschen Theater auftrat. 1939 konnte er in die USA entkommen und debütierte dort 1940 an der Oper von San Francisco als Bartolo im «Barbier von Sevilla». 1941 kam er an die Metropolitan Oper New York (Antrittsrolle: Notar im «Rosenkavalier» von R. Strauss). Insgesamt ist er in deren Haus in New York in 25 Spielzeiten in über 500 Vorstellungen von 33 Partien aufgetreten. Er war zu Gast an den Opernhäusern von Rio de Janeiro, Santiago de Chile und Mexico City. Man rühmte sein darstellerisches Talent, vor allem im Buffo-Fach. Auch als Oratoriensolist geschätzt.

Pecile, Mirna; Schallplatten: MRF (Irene in «Belisario» von Donizetti).

Pederzini, Gianna, † 12. 3. 1988 Rom. 1928 sang sie an der Oper von Rom in Mascagnis «Zanetto», 1932 den Cherubino in «Nozze di Figaro». Ihre Antrittsrolle an der Mailänder Scala war 1930 die Nancy in Flotows «Martha». 1935 gastierte sie an der Grand Opéra Paris, 1938–39 an der Berliner Staatsoper. In der Uraufführung von Poulencs «Les Dialogues des Carmélites» an der Mailänder Scala sang sie am 26. 1. 1957 die Partie der Mme de Croisy. Gegen Ende ihrer Karriere war eine ihrer großen Rollen die Mme Flora (nicht die Titelpartie) in Menottis «The Medium», die sie 1956 am Teatro Colón Buenos Aires sang, und in der sie sich 1960 an der Oper von Rom von der Bühne verabschiedete.
Schallplatten: HMV (älteste Aufnahmen von 1930), Cetra (einige davon in England unter dem Etikett von Parlophon erschienen).

Pedrini, Maria; Schülerin von Edvige Ghibaudo in Rom. Gastspiele am Teatro Liceo Barcelona, an den Opern von Rio de Janeiro und São Paulo, wobei die Tosca, die Mathilde in «Wilhelm Tell» von Rossini und die Titelheldin in Donizettis «Lucrezia Borgia» weitere Höhepunkte in ihrem Repertoire darstellten.
Schallplatten: Melodram (Titelfigur in «Norma»).

Pedroni, Gina; 1928 nahm sie an der Deutschland-Tournee der Operngesellschaft von Max Sauter teil, 1929 an einer weiteren Gastspieltournee in Deutschland mit dem Ensemble der Mailänder Scala. 1931 trat sie bei den Festspielen von Salzburg als Berta im «Barbier von Sevilla» auf. Sie hatte auch an Theatern in der italienischen Provinz ihre Erfolge, so 1931 am Teatro Verdi Triest.

Peerce, Jan; schon mit 15 Jahren trat er als Geiger und Refrainsänger in einer Unterhaltungskapelle auf. Er wurde durch den Pädagogen Giuseppe Boghetti ausgebildet. Als Radiosänger soll er in 2370 Sendungen vor insgesamt 15 Millionen Hörern gesungen haben (!). 1938 sang er als erste Bühnenpartie in Baltimore (mit dem Ensemble der Columbia Opera Company im dortigen Shubert Theatre) den Herzog im «Rigoletto». 1939 gab er sein erstes Konzert in New York. 1941 debütierte er an der Oper von San Francisco als Herzog im «Rigoletto», in der gleichen Partie erfolgte auch 1944 sein Debüt an der Oper von Chicago. Im November 1941 begann er seine große Karriere an der New Yorker Metropolitan Oper als Alfredo in «La Traviata». Hier wurde er durch den großen Dirigenten Arturo Toscanini gefördert, der ihn bereits 1938 für eine Rundfunk-Aufführung von Wolf-Ferraris «Arlecchino» ausgewählt hatte. 1956 trat er als erster amerikanischer Sänger nach dem Zweiten Weltkrieg in Rußland auf und hatte, namentlich am Moskauer Bolschoj Theater, große Erfolge zu verzeichnen. 1959 gab er Konzerte in London. Bis 1966 sang er an der Metropolitan Oper New York in 26 Spielzeiten elf große Partien in 205 Vorstellungen (dazu noch 119 Vorstel-

lungen im Rahmen der jährlichen Gastspieltournee des Ensembles). 1971 trat er nochmals am New Yorker Broadway in dem Musical «Fiddler on the Roof» auf.
Schallplatten: RCA-Victor (Tenor-Solo in der 9. Sinfonie von Beethoven, jüdische Gesänge).

Peeters, Harry; seit 1987 Mitglied der Deutschen Oper am Rhein Düsseldorf–Duisburg. 1987 gastierte er in Amsterdam als König Philipp in Verdis «Don Carlos», in Düsseldorf sang er den Adorno in «Die Gezeichneten» von Franz Schreker. 1988 Gastspiel am Théâtre des Champs-Élysées Paris als Fasolt im «Rheingold», 1989 in Genf als Seneca in Monteverdis «Incoronazione di Poppea», 1987 als Titelheld in «Ariane et Barbe-Bleue» von Dukas.
Schallplatten: CBS («Poliuto» von Donizetti).

Pélissier, Marie; 1733 mußte sie wegen einer Skandalaffäre die französische Metropole verlassen, kam aber zwei Jahre später wieder nach Paris zurück und setzte ihre glänzende Karriere fort.

Pellegrini, Felice, * 1774, † 20. 9. 1832 Paris. 1806 sang er an der Mailänder Scala. Dort wirkte er in mehreren Uraufführungen von heute vergessenen Opern mit und trat in Cimarosas «Il matrimonio segreto» auf. 1816 wirkte er in Neapel in den Uraufführungen der Rossini-Opern «La Gazetta» und «Il matrimonio per concorso» mit. 1819 ging er an das Théâtre-Italien in Paris und debütierte in der Oper «I fuorisciti di Firenze» von Paisiello. Am 19. 6. 1825 sang er dort in der Uraufführung der Oper «Il Viaggio a Reims» (Zur Krönung König Charles X. von Frankreich) die Partie des Don Profondo. Bis 1826 blieb er am Théâtre-Italien in Paris. 1828–29 war er in London tätig. 1829 erhielt er eine Professur am Conservatoire National Paris, die er bis zu seinem Tod wahrnahm.

Pellegrini, Maria, * 15. 7. 1943 Pescara (Italien).

Pellegrini, Valeriano, s. unter *Valeriano*.

Peltenburg, Mia, † 28. 6. 1975 Bern; sie wirkte 1930 in Leipzig in der Uraufführung der Kantate «Das dunkle Reich» von Hans Pfitzner mit. 1928, 1931 und 1935 gab sie glanzvolle Konzerte in Berlin, 1930 und 1933 in München, 1933 auch in Basel. 1933 sang sie an der Mailänder Scala das Sopransolo im Verdi-Requiem. Sie trat als gefeierte Konzertsolistin in Frankfurt a. M., Bremen, Hannover, Hamburg, Mannheim, Jena, Wiesbaden und Bonn, in Brüssel, Antwerpen und Paris, in Amsterdam, Utrecht, Groningen und Rotterdam, in Straßburg und Zürich, in Barcelona, Rom und Neapel auf. Sie widmete sich dabei auch der Interpretation zeitgenössischer Werke von Ravel, A. Schönberg, P. Hindemith, Vincent d'Indy, Arthur Honegger, Othmar Schoeck, E. Tinel und E. Křenek (Liederabend, von diesem begleitet, 1934 Zürich). Gelegentlich übernahm sie auch Partien in konzertanten Opernaufführungen (Senta im «Fliegenden Holländer», Waldvogel im «Siegfried», Idamante in «Idomeneo» von

Mozart, Jaroslawna in «Fürst Igor» von Borodin). Noch 1947 hörte man sie bei einem Liederabend in Luzern. Mutter der Sängerin *Catharina Brun* und der Pianistin Janka Brun-Wyttenbach.

Penkova, Reni; Schallplatten: Balkanton («Krieg und Frieden» von Prokofieff), Pickwick-Video («Falstaff» aus Glyndebourne).

Pennarini, Aloys, *21.6. 1870 Neudorf bei Wien, †23.5. 1927 Aussig (Ustí nad Labem, Böhmen). 1897–98 am Theater an der Wien, 1898–1900 in Graz engagiert. 1899 sang er bei den Festspielen von Bayreuth kleine Partien in den «Meistersingern» und im «Parsifal». Während seines Engagements in Hamburg (1900–1913) wirkte er 1902 in den deutschen Erstaufführungen der Opern «Le Jongleur de Notre Dame» von Massenet (als Jean) und «Adriana Lecouvreur» von Cilea (als Maurizio) mit. Er gastierte an den Hofopern von Wien (1900, 1903) und Berlin (seit 1900 bis 1912), seit 1900 oft an der Münchner Hofoper wie an der Hofoper von Stuttgart, 1908 an der Hofoper von Dresden.

Penno, Gino; seit 1944 Gesangstudium bei Campogalliano in Mantua.

Peper, Uwe; 1987 zu Gast an der Staatsoper von Stuttgart, an der Deutschen Oper Berlin, an den Opernhäusern von Zürich und Frankfurt a. M.

Perard-Petzl, Louise, *1884 bei Kloster Melk; 1907–13 war sie am Stadttheater (Opernhaus) von Hamburg engagiert und gastierte bereits 1908 an der Covent Garden Oper London. 1913–20 wirkte sie dann an der Hof- bzw. Staatsoper von München. Sie trat als Gast an der Berliner Hofoper (1909), an den Opernhäusern von Frankfurt a. M. (1911), Brüssel (1914), Zürich (1914) und Oslo (1920) auf.

Perea, Emilio, *25.5. 1884 Mailand. 1907 sang er am Teatro Costanzi Rom in der Premiere von Giordanos «Marcella»; 1911 am Teatro San Carlo Neapel anzutreffen. 1916 hörte man ihn an der Mailänder Scala als Graf Almaviva im «Barbier von Sevilla» und in dem Oratorium «Les Béatitudes» von César Frank. – Auf eine Anfrage teilte seine Familie 1940 mit: «He has disappeared».

Perea-Labia, Gianna; sie sang 1937 an der Oper von Rom in der Oper «Lucrezia» von Respighi, 1941 an der Mailänder Scala in Wolf-Ferraris «Il Campiello». 1935 gab sie erfolgreiche Konzerte in Berlin. 1940 wirkte sie im italienischen Rundfunk EIAR u. a. in einer Sendung der Oper «Giocondo e il suo Re» von L. Jachina mit.
Schallplatten: Cetra (Lucieta in «I quattro rusteghi» von E. Wolf-Ferrari).

Perelli, Lucy, Mezzosopran; sie debütierte 1920 an der Opéra-Comique Paris und trat im Ablauf ihrer Karriere nur selten außerhalb von Frankreich auf. 1929 wirkte sie an der Oper von Monte Carlo in der Uraufführung der Oper «La Femme nue» von Henri

Férrier mit, 1927 war sie zu Gast am Théâtre de la Monnaie Brüssel. Ihre Stimme war vom Typ her eine «Galli-Marié» (eine Bezeichnung nach dem Namen der ersten Carmen).

Perini, Flora; als erste Partie sang sie am Teatro Colón Buenos Aires 1910 die Amme in «Boris Godunow» mit Adamo Didur in der Titelrolle. Am 4. 8. 1914 wirkte sie dort in der Uraufführung der Oper «Il Sueño d'Alma» des argentinischen Komponisten Carlos López Buchardo mit. 1913 sang sie am Teatro Colón die Herodias in der Erstaufführung der «Salome», 1915 die Annina im «Rosenkavalier» von R. Strauss. 1923 kreierte sie für dieses Haus die Debora in «Debora e Jaele» von Pizzetti, 1925 die Commandante in Zandonais «I Cavalieri di Ekebù». 1920 sang sie, zusammen mit Enrico Caruso, in Havanna die Nancy in Flotows «Martha». Am Teatro Costanzi Rom hörte man sie als Maddalena im «Rigoletto», als Laura in «La Gioconda», als Fricka in der «Walküre» und als Amneris in «Aida». Sie gastierte in Nizza, Venedig, Triest, Turin, Bologna, in Madrid, Barcelona, Rio de Janeiro und Montevideo und zu Beginn ihrer Karriere auch in St. Petersburg.
Schallplatten: Victor («Rigoletto»-Quartett von 1917).

Perli, Lisa, s. unter *Labbette,* Dora.

Permann, Adolf; er sang 1917–20 am Opernhaus von Graz, 1920–34 am Opernhaus von Frankfurt a. M., 1934–36 am Landestheater Coburg und 1936–39 am Stadttheater von Osnabrück. Gastspiele an den Hofopern von Berlin (1910) und Wien (1914). Zuletzt wirkte er als Gesanglehrer in Freiburg i. Br.
Schallplatten: Mehrere Aufnahmen auf Polydor, eine HMV-Platte.

Pernerstorfer, Alois; 1947–48 am Stadttheater (Opernhaus) von Zürich verpflichtet, wo er auch später noch gastierte. Bei den Festspielen von Glyndebourne und Edinburgh hörte man ihn 1951 als Figaro in «Nozze di Figaro» und als Leporello im «Don Giovanni». An der Mailänder Scala gastierte er 1950 als Alberich im Nibelungenring unter W. Furtwängler. Verheiratet mit der Sopranistin *Henny Herze* (*1909), die vor allem als Operettensängerin bekannt war.

Pernet, André; debütierte 1921 an der Oper von Nizza als Vitellius in «Hérodiade» von Massenet.

Perotti, Giulio; 1872 Gastspiel an der Mailänder Scala als Max im «Freischütz». In den Spielzeiten 1888–90 und nochmals 1899–1900 war er an der Metropolitan Oper New York engagiert.

Perras, Margherita, sie trat bereits als Kind öffentlich in Konzerten auf. An der Städtischen Oper Berlin sang sie seit 1927 zunächst kleinere Partien, wurde dann aber in großen Aufgaben herausgestellt, u. a. als Königin der Nacht in der «Zauberflöte», als

Philine in «Mignon» von A. Thomas, als Gilda im
«Rigoletto», als Konstanze in der «Entführung aus
dem Serail», als Cherubino in «Figaros Hochzeit»,
als Nedda im «Bajazzo», als Rosalina in «Il Re» von
Giordano und als Mimi in «La Bohème». 1938 gastierte sie am Teatro Colón Buenos Aires als Konstanze, als Waldvogel im «Siegfried» und als Sophie
im «Rosenkavalier». 1936 sang sie an der Covent
Garden Oper London die Gilda, 1946 an der Wiener
Staatsoper die Traviata. 1949 und 1951 gab sie Konzerte in Holland. Sie widmete sich in besonderer
Weise der Interpretation der Lieder des Schweizer
Komponisten Othmar Schoeck.
Schallplatten: Einige Aufnahmen auf Ultraphon,
dabei Mozart-Arien (1930), andere auf HMV (darunter Arien von J. S. Bach und Lieder von O.
Schoeck).

Perriers, Danièle; wirkte 1972–73 und 1975–76 bei
den Festspielen von Glyndebourne mit.
Schallplatten: Rainbow-Video (Despina in «Così fan
tutte», Glyndebourne 1975).

Perron, Karl; sein Vater war ein bekannter Kunst-
händler und Numismatiker. An der Hofoper Dresden wirkte er in weiteren Uraufführungen von
Opern mit: am 10. 3. 1892 in «Herrat» von Felix
Draeseke, am 10. 1. 1903 in Leo Blechs «Alpenkönig
und Menschenfeind» und am 8. 12. 1906 in «Moloch» von Max von Schillings. Bei den Festspielen
von Bayreuth sang er 1889, 1897, 1902 und 1904 den
Amfortas im «Parsifal», 1896–97 den Wotan im
Ring-Zyklus, 1902 den Gunther in der «Götterdämmerung» (nicht aber den Marke und den Daland).
Er gastierte 1896 und 1899 an der Hofoper Berlin,
1895 und 1905 an der Hofoper München, 1899 am
Opernhaus von Riga und 1907 am Deutschen Theater Prag. Sein Neffe *Fritz Perron* wurde als Heldentenor bekannt.

Perry, Janet; Schallplatten: DGG (9. Sinfonie von
Beethoven, Mozart-Messen), Ariola-Eurodisc («Verkaufte Braut»).

Persiani, Fanny; Schülerin ihres Vaters, des Tenors
Nicola Tacchinardi (1772–1859), in dessen Privattheater sie bereits mit elf Jahren auftrat. In den
Jahren 1837–44 stellte sie sich in regelmäßigen Gastspielen dem begeisterten Wiener Publikum vor. Seit
1830 war sie mit dem Komponisten Giuseppe Persiani (*11. 11. 1799 Recanati, †14. 8. 1869 Paris)
verheiratet. Die erste, künstlerisch ungewöhnlich
hochstehende Saison der Royal Italian Opera Company in London, zu deren Gründung sie beigetragen
hatte, endete mit einem finanziellen Desaster. Donizetti hatte auch die Titelpartien in seinen Opern
«Rosmonda d'Inghilterra» (Uraufführung am 27. 2.
1834 Teatro della Pergola Florenz) und «Pia de'Tolomei» (15. 2. 1837 Teatro Fenice Venedig) für sie
komponiert. Als sie 1842 am Pariser Théâtre-Italien
die Titelfigur in der Premiere seiner Oper «Linda di
Chamounix» kreierte, schrieb er für sie die Kaba-
letta «O luce di quest'anima», die in der Originalpar-
titur nicht vorkommt.

Pertile, Aureliano; er war zuerst Lehrling bei einem
Silberschmied, bevor seine Stimme durch Vittorio
Orefice entdeckt und ausgebildet wurde. Nach seinem Debüt 1911 in Vicenza sang er an den Theatern
von Asti, Brescia, Genua und in Neapel. 1914 gastierte er am Teatro Massimo Palermo als Herodes
in «Salome» von R. Strauss und in der Premiere von
Zandonais «Conchita» zusammen mit Tarquinia
Tarquini. An der Metropolitan Oper New York
debütierte er 1921 als Cavaradossi in «Tosca» und
sang während der Saison 1921–22 dort sieben große
Partien, darunter den Radames in «Aida» und den
Dimitrij im «Boris Godunow». Seit 1922 war er dann
der große erste Heldentenor der Mailänder Scala,
mit deren Ensemble er auch 1929 unter Toscanini in
Berlin gastierte. 1927 sang er als Antrittsrolle an der
Covent Garden Oper London den Radames, 1937 zu
Gast in Zürich. Am Teatro Colón Buenos Aires sang
er am 11. 8. 1918 in der Uraufführung der Oper
«Jacquerie» von Marinuzzi die Partie des Mazurec,
1923 in der Premiere von Alfanos «La Leggenda di
Sakuntala», 1926 die Titelpartie in der Erstauffüh-
rung von A. Boitos «Nerone» und am 23. 7. 1926 den
Titelhelden in der Uraufführung der argentinischen
Oper «Ollantay» von Constantino Gaito. Gegen
Ende seiner Karriere wurde der Titelheld in Verdis
«Othello» seine besondere Glanzrolle.
Schallplatten: Pathé (älteste, akustische Aufnah-
men), Fonotipia-Columbia-Platten (ebenfalls noch
akustisch aufgenommen), Columbia (elektrische
Aufnahmen, darunter vollständige «Carmen»),
Odeon (Duette mit Irene Minghini-Cattaneo),
HMV («Troubadour», «Aida»).

Peschka-Leutner, Minna; sie gastierte bereits 1863
an der Wiener Hofoper. 1881–83 war sie in London
in Konzerten zu hören. Weitere Gastspiele an der
Hofoper von München (1876) und am Deutschen
Opernhaus Rotterdam (1873, 1877).

Peschken, Maria, Mezzosopran, * 1902 (?) Krefeld;
sie erhielt ihre Ausbildung an der Musikhochschule
Berlin. Sie begann ihre Karriere als Konzertsängerin
und hatte namentlich als Oratorien- und als Liedersängerin große Erfolge. In Berlin trat sie in diesen
Fachbereichen 1928–43 regelmäßig auf. Seit 1928
nahm sie dann auch eine Bühnentätigkeit auf. Bei
den Festspielen von Bayreuth hörte man sie 1928–31
in der Partie der Grimgerde in der «Walküre». 1929
gastierte sie beim Wagner Festival in Paris unter F.
von Hoesslin. 1934–35 war sie am Städtischen
Opernhaus Berlin, 1935–38 am Nationaltheater
Weimar, 1938–40 am Stadttheater von Görlitz engagiert. Ihre hauptsächliche Karriere spielte sich jedoch im Konzertsaal ab. 1932 gab sie Konzerte in
Hamburg, 1934 im Haag. Seit 1934 wirkte sie als
Gesangpädagogin am Rott'schen Konservatorium in
Berlin. In den dreißiger Jahren wirkte sie oft in
Opernsendungen des deutschen Rundfunks mit.
Von ihren Bühnenpartien sind die Fricka im Nibelungenring, die Frau Reich in den «Lustigen Wei-
bern von Windsor» von Nicolai, die Suzuki in «Madame Butterfly» und die Rosalia in «Tiefland» von
d'Albert zu nennen.

Schallplatten: Solo-Aufnahmen auf Parlophon, Columbia («Walküre», Bayreuth 1928), Pathé (Walkürenritt, Paris 1929), Musica Sacra (1930). (Schreibweise des Familiennamens Peschken, nicht Peschgen). – (Neufassung) –.

Pessina, Arturo; nach seinen ersten Auftritten am Teatro Dal Verme Mailand folgte eine Gastspielreise durch Brasilien, Argentinien und Peru. Auch in der Saison 1892–93 war er an der Mailänder Scala als Rigoletto, als Enrico in «Lucia di Lammermoor» und als Germont-père in «La Traviata» zu hören. 1901 sang er am Teatro Costanzi Rom in einer der sechs gleichzeitigen Uraufführungen von Mascagnis «Le Maschere» (17. 1. 1901).

Pester-Prosky, Bertha, Sopran, *7. 9. 1866 Frankfurt a. M., †27. 12. 1922 Krefeld; nach ihrem Studium bei M. Dessoff debütierte sie 1884 am Stadttheater von Würzburg als Soubrette und hatte dann 1886–89 erste Erfolge als Operettensängerin am Friedrich Wilhelmstädtischen Theater Berlin. Sie setzte ihre Ausbildung bei Frau Elisabeth Dreyschock in Berlin fort, die sie zur dramatischen Sopranistin umschulte. Als solche kam sie 1891 an das Stadttheater von Halle (Saale). 1891–95 war sie am Stadttheater von Zürich tätig, 1895 kam sie an das Opernhaus von Köln, als dessen Primadonna sie bis 1902 wirkte. Seitdem gab sie nur noch Gastspiele. 1899 gastierte sie an der Berliner Hofoper als Isolde im «Tristan», wo sie 1907–08 nochmals auftrat, 1901 an der Wiener Hofoper als Aida, weiter an den Hoftheatern von Hannover (1890–1907), Wiesbaden (ständig seit 1890), Karlsruhe (seit 1904), Mannheim (1900–1902) und Stuttgart (1905), in Frankfurt a. M. (1895, 1902), Breslau (1905) und Bremen (1903, 1905). Seit 1894 war sie mit dem Harfenvirtuosen Reinhold Pester (1870–1928) verheiratet, der 1906 Direktor des Stadttheaters von Krefeld wurde.
Von ihrer Stimme existieren vier ebenso seltene wie schöne Schallplattenaufnahmen auf G & T (Köln, 1907). – (Neufassung) –.

Peters, Roberta; ihre Familie stammte aus Österreich und betrieb in New York ein Schuhgeschäft. Seit ihrem 13. Lebensjahr wurde sie durch William Hermann in New York ausgebildet. Debütierte 1950 an der Metropolitan Oper New York, als sie in der Partie der Zerline in «Don Giovanni» für die erkrankte Nadine Conner einsprang. Sie blieb länger als dreißig Jahre Mitglied dieses großen Opernhauses, in dessen New Yorker Theater sie in 35 Spielzeiten 23 Partien in 351 Vorstellungen gesungen hat. 1971 unternahm sie eine Israel-Tournee, 1972 Gastspiel an der Staatsoper Stuttgart und am Bolschoj Theater Moskau. Auch in Operetten und Musicals feierte sie ihre Triumphe, so sang sie 1973 am New Yorker Broadway in «The King and I». 1989 gastierte sie bei der Newark Opera als Adina in «Elisir d'amore». Im pädagogischen Bereich wirkte sie an der Ithaca University. In zweiter Ehe heiratete sie den Immobilienhändler Bertram Fields; aus dieser Ehe gingen zwei Söhne hervor. Ihre Autobiographie

erschien unter dem Titel «*A Debut at the Met*» (New York, 1967).
Schallplatten: RCA («Figaros Hochzeit»).

Peterson, Barr; Schallplatten: MMS-Concert Hall (Baß-Solo im Verdi-Requiem).

Peterson, Glade; gastierte auch an der Staatsoper von Wien; er war 1960–76 Mitglied des Opernhauses von Zürich und wirkte dort 1961 in der Uraufführung der Oper «Griechische Passion» von B. Martinù mit.
Schallplatten: MMS (Tenor-Solo im Verdi-Requiem), Fonit-Cetra («Il Pirata» von Bellini mit Maria Callas).

Peterson, May; sie sang an der Metropolitan Oper New York auch die Mimi in «La Bohème» als Partnerin von John Mc Cormack. 1923 unternahm sie eine Europa-Tournee als Solistin des Harvard Glee Clubs.

Petina, Ira; in den USA sang sie zuerst im Konzertsaal und an der Oper von Philadelphia, bevor sie 1933 an die Metropolitan Oper New York berufen wurde. Dort debütierte sie als Schwertleite in der «Walküre» und blieb bis 1950 Mitglied dieses Hauses. In dieser langen Zeit sang sie dort 50 Partien, große und kleine, darunter die Maddalena im «Rigoletto», die Marcellina in «Nozze di Figaro», die Berta im «Barbier von Sevilla», die Suzuki in «Madame Butterfly» (nicht aber in der Uraufführung von «Merry Mount»), und ihre eigentliche Glanzrolle, die Carmen. Diese sang sie auch 1947 als Antrittsrolle an der New York City Centre Opera. 1935 gastierte sie in Berlin, 1936 in Montevideo. 1956 wirkte sie am New Yorker Broadway in der Uraufführung von L. Bernsteins «Candide» mit.
Schallplatten: Columbia (Recital), CBS («Candide» von Bernstein).

Petkoff, Dimiter; er sang 1969 in der Arena von Verona den König Philipp im «Don Carlos», 1981 den Zaccaria in «Nabucco», 1986 den Ramphis in «Aida». 1981 und 1984 sang er an der Mailänder Scala, 1972–86 an der Staatsoper von Wien, 1984–85 am Opernhaus von Zürich, 1978–86 in Barcelona und Madrid. Gastspiele am Teatro Comunale Bologna (1980–83), in Florenz (1986–89) und Neapel (1984), in Paris (1986, 1988) und Monte Carlo (1981, 1984, 1986) wie an der Oper von Dallas (1989). Der Künstler, der seit 1975 in Genf lebte, gastierte 1987 an der Oper von Rom als Sobakin in der «Zarenbraut» von Rimsky-Korssakow, 1988 an der Deutschen Oper Berlin als Boris in «Katerina Ismailowa» von Schostakowitsch.
Schallplatten: RCA-Erato («Krieg und Frieden» von Prokofieff), DGG («Pique Dame»).

Petrauskas, Kipras; Schüler von Stanislaw Gabel in St. Petersburg. Nach Beendigung seiner Tätigkeit bei der Opéra Russe lebte er wieder in seiner litauischen Heimat und gastierte an den Opernhäusern von Kaunas und Wilna.

Petrella, Clara, † 19. 11. 1987 Mailand. Auch Schülerin von Alessandro Barastro in Mailand. An der Mailänder Scala wurde sie nach ihrem Debüt 1941 zunächst nur in Comprimaria-Partien eingesetzt; später sang sie dort auch in der Premiere von Menottis «Maria Golovin» und in der Uraufführung der Opern «Cagliostro» (24. 1. 1953) und «La figlia di Jorio» (4. 12. 1954) von Pizzetti. An der Oper von Rom kam sie in den Jahren 1950–72 zu einer großen Karriere.

Petri, Elisa; Schallplatten: Es sind auch G & T-Aufnahmen von 1907 vorhanden.

Pétri, Frantz; zunächst Gitarrestudium, worauf er während sieben Jahren als Gitarrist, vor allem bei Radio Luxemburg, in Erscheinung trat. Dann erst kam es zur Ausbildung seiner Stimme. 1963–65 am Theater von Mulhouse engagiert. Er gastierte an der Oper von Chicago als Golo in «Pelléas et Mélisande» von Debussy, am Grand Théâtre Genf als Fasolt, Wanderer und Gunther im Ring-Zyklus. 1969 wirkte er bei den Salzburger Festspielen in Cavalieris «Rappresentazione di Anima e di Corpo» mit. Schallplatten: Video-Rainbow («Così fan tutte» Glyndebourne, 1975).

Petri, Mario; Schallplatten: TIS («Lucrezia Borgia» von Donizetti), Melodram («I Capuleti ed I Montecchi» von Bellini), Morgan Records («Nerone» von Boito).

Petrini, Märta, † 2. 7. 1932 Höstsol bei Stockholm. Sie trat als Gast an den Hofopern von Stuttgart (1898) und Dresden (1903), in Rom (1905) und St. Petersburg auf. Sie ging dann nach Indien, wo sie bis 1919 in Madras lebte, dann aber doch wieder nach Schweden zurückkehrte.

Petroff, Iwan, * 1897 in Bulgarien. Nachdem er 1937 nach Nordamerika ausgewandert war, sang er dort seit 1938 bei der San Carlo Opera Company, dann 1943–46 an der Oper von San Francisco. Bis 1954 trat er bei der Pacific Opera Company auf. Er gastierte an der Oper von Chicago wie an der Wiener Staatsoper. Schallplatten: Remington (Titelheld in vollständiger «Rigoletto»-Aufnahme).

Petrow, Iwan (Iwanowitsch); 1950 Gastspiel an der Königlichen Oper Stockholm. 1962 gastierte er nochmals an der Grand Opéra Paris. 1960 unternahm er eine Gastspieltournee durch Westdeutschland, die ihm, namentlich an der Staatsoper von Stuttgart, große Erfolge eintrug. 1960 bewunderte man am Opernhaus von Helsinki seinen Boris Godunow. Er bereiste auch die USA und Japan. Schallplatten: Melodiya (weitere vollständige Opern «Sadko» und «Das Märchen vom Zaren Saltan» von Rimsky-Korssakow, «Mazeppa» von Tschaikowsky, «Roméo et Juliette» von Gounod).

Petrow, Ossip Afanasjewitsch; der in St. Petersburg wirkende italienische Komponist und Dirigent Caterino Cavos bemühte sich um seine weitere Ausbildung.

Petrow, Wassilij; nahm 1914 an der Russian Season im Drury Lane Theatre London unter Sergej Diaghilew und Sir Thomas Beecham teil. Eine seiner großen Partien war der Titelheld in «Iwan Susanin» («Das Leben für den Zaren») von Glinka. Schallplatten: Pathé-Zylinder (St. Petersburg, 1904).

Petrow, Wladimir (Nikolajewitsch), * 6. 2. 1926 Moskau.

Petrowa, Anna Jakowlewa; sie war, wie ihr späterer Gatte Ossip Petrow, Schülerin von Caterino Cavos in St. Petersburg. Am 9. 12. 1836 sang sie in der Uraufführung von Glinkas Oper «Das Leben für den Zaren» («Iwan Susanin») in St. Petersburg die Partie des Wanja.

Petrowa, Faina (Sergejewna), * 1. (13.) 1. 1896 Dalnejewa-Konstantinowo bei Gorki, † 4. 4. 1975 Moskau. 1929–33 war sie an der Metropolitan Oper New York engagiert. Sie sang dort als Antrittsrolle die Azucena im «Troubadour», später die Amneris in «Aida», die Edvige in Rossinis «Wilhelm Tell», die Cieca in «La Gioconda» von Ponchielli, die Agnes in Smetanas «Verkaufter Braut» und den Njetascha in «Sadko» von Rimsky-Korssakow. Dazu trat sie an der Metropolitan Oper in mehreren Sunday Night Concerts auf.

Petrowa-Zwaitsewa, Vera; einige seltene Aufnahmen auf HMV (1909, St. Petersburg, darunter eine Arie aus Tschaikowskys «Jungfrau von Orleans») und auf Pathé-Zylindern (1905, St. Petersburg).

Petru, Josie von; Schallplatten: Odeon (Wien, 1906–07), Pathé-Zylinder (Wien, 1904, darunter Aufnahmen in Serbisch und Kroatisch).

Petter, Franz; nach einem ersten Versuch 1895 an der Berliner Hofoper nahm er 1896 ein Engagement am Deutschen Theater Prag an. 1897–99 sang er am Opernhaus von Frankfurt a. M., seit 1899 an der Hofoper von Dresden, schließlich 1904–11 am Opernhaus von Köln. Gastspiele an den Hoftheatern von Wiesbaden (1897), Karlsruhe (1909) und Hannover (1906–07), in Leipzig (1900, 1911) und Riga (1911), in Rotterdam und Kopenhagen. Noch 1921 ist er in Köln im Konzertsaal aufgetreten. Schallplatten: Sechs Aufnahmen auf G & T (Dresden, 1902), zumeist Lieder.

Petzl, Luise, s. unter *Perard-Petzl,* Luise.

Pewny, Irene, * 17. 4. 1866 in Ungarn, † 29. 12. 1916 Budapest. Ihr eigentlicher Name war Irene Zimony. Sie gastierte 1888 an der Wiener Hofoper. 1897–1902 war sie am Opernhaus von Budapest engagiert.

Pewny, Olga; sie wurde durch ihre ältere Schwester *Irene Pewny* (1866–1916) ausgebildet. Sie gastierte im Lauf ihrer Karriere an den Hoftheatern von

Stuttgart (1896, 1898), Wiesbaden (1898) und Mannheim (1896, 1898) sowie am Opernhaus von Frankfurt a. M. (1898). Nachdem sie 1904 den Breslauer Rechtsanwalt Schäfer geheiratet hatte, gab sie ihre Karriere auf, war aber noch 1928 in Breslau als Pädagogin tätig.
Schallplatten: G & T (um 1904), aus der gleichen Zeit stammt eine französische HMV-Aufnahme.

Pfahl, Margret; sie debütierte 1918 am Opernhaus von Breslau in der kleinen Partie der Modistin im «Rosenkavalier» von R. Strauss. Sie wirkte bis 1924 an diesem Haus, sang 1924–25 am Stadttheater von Dortmund und war seit 1925 am Deutschen Opernhaus Berlin–Charlottenburg tätig. Noch in den Jahren 1950–52 war sie in Berlin als Operettensängerin zu hören. Sie gastierte an der Opéra-Comique Paris (1941) wie am dortigen Théâtre Pigalle (bereits 1930 in der «Fledermaus»), an der Staatsoper Berlin (1930) und an der Oper von Antwerpen (1934).
Schallplatten: Telefunken (Querschnitt «La Traviata»), HMV.

Pfeifle, Alfred, † 9. 4. 1986 Stuttgart. 1941–42 sang er am Opernhaus von Düsseldorf. Dort wirkte er 1941 in der Uraufführung der Oper «Die Hexe von Passau» von O. Gerster mit. 1942–49 war er an der Staatsoper Hamburg engagiert, wo er 1947 in der deutschen Erstaufführung von B. Brittens «Peter Grimes» auftrat. 1949 Mitglied der Staatsoper Stuttgart, an der er bis 1976 wirkte. Gastspiele bei den Festspielen von Bayreuth (1955–56 kleine Partie im «Parsifal»), an der Grand Opéra Paris (1955 mit dem Stuttgarter Ensemble als Jacquino im «Fidelio»), am Théâtre de la Monnaie Brüssel (1956), bei den Festspielen von Salzburg (1966–68 als Don Curzio in «Figaros Hochzeit») und Schwetzingen (Uraufführung von «Der Revisor» von W. Egk 9. 5. 1957).

Pflanzl, Heinrich; er ist bis 1961 an der Berliner Staatsoper aufgetreten. Bei den Festspielen von Bayreuth sang er 1951 den Alberich im Nibelungenring und den Kothner, 1953 den Beckmesser in den «Meistersingern». 1953 wirkte er bei den Festspielen von Salzburg mit. Er nahm an den Uraufführungen der Opern «Die Hochzeit des Jobs» von Joseph Haas (2. 7. 1944 Staatsoper Dresden) und «Der arme Konrad» von J. K. Forest (9. 10. 1959 Staatsoper Berlin) teil.
Schallplatten: Telefunken, Eterna.

Pfretzschner, Brigitte; Schallplatten: Christophorus-Verlag (Geistliche Musik von J. A. Hasse).

Philipp, Robert; er begann seine Karriere als Schauspieler 1870 am Walhalla-Theater Berlin, sang 1883–84 als Operettentenor am Wallner Theater, 1884–87 wieder am Walhalla-Theater Berlin. 1882 unternahm er zusammen mit der Hasse-Operettengesellschaft eine Rußland-Tournee. An der Berliner Hofoper übernahm er seit 1890 neben lyrischen Partien auch Aufgaben aus dem Buffo-Fach (Lortzing-Opern). Er wirkte dort am 15. 12. 1904 in der (erfolglosen) Uraufführung von Leoncavallos «Roland

von Berlin» mit. An seinem 75. Geburtstag sang er in einer Gala-Vorstellung an der Berliner Staatsoper den Eisenstein in der «Fledermaus». Er gab Gastspiele an den Hoftheatern von Dresden (1900, 1903), Wiesbaden (1899), Weimar (1906), Schwerin (1897) und München (1916), an der Oper von Frankfurt a. M. (1902) und am Theater des Westens Berlin (1899, 1901). Verheiratet mit der Sopranistin *Marie Dietrich* (1865–1940), doch trennten sich die beiden Künstler später wieder.

Philippi, Maria; 1901, 1925 und 1926 gab sie Konzerte in Berlin, 1907 in Wien, 1927 in Paris. 1912 kreierte sie für Prag Gustav Mahlers «Lied von der Erde». Sie galt als hervorragende Interpretin der Lieder des Schweizer Komponisten Othmar Schoeck, von denen sie einige zur Uraufführung brachte. 1924 sang sie in Basel ein Solo in der Uraufführung von H. Suters «Le Laudi di San Francesco d'Assisi». Zu ihren Schülern gehörte die Sopranistin Walburga Wegner.

Phillipps, Adelaide, * 26. 10. 1833 Stratford-on-Avon (Mittelengland).

Piavko, Wladislaw (Iwanowitsch), * 4. 2. 1941 Norilsk (Dolgano-Nenjetzkij-Territorium); studierte abschließend 1968–69 bei Renato Pastorino in Mailand. 1987 wirkte er bei den Festspielen von Savonlinna in Mussorgskys Oper «Khovantchina» mit.
Schallplatten: Boris Godunow in einer Video-Aufnahme auf Gostelradio-TV.

Piazza, Luigi, * 19. 9. 1884 Borgo San Pietro bei Bologna. Studium am Konservatorium von Bologna bei Alberoni. Debütierte 1908 als Enrico in «Lucia di Lammermoor». An Auslandsgastspielen lassen sich nur einige Auftritte in Frankreich und Spanien und 1916 am Teatro Colón Buenos Aires nachweisen. 1935 gab er seine Karriere auf.

Piccaluga, Nino; debütierte 1918 am Teatro Coccia von Novara als des Grieux in «Manon Lescaut» von Puccini und sang dann am Teatro Carlo Felice Genua und am Teatro Regio Parma. 1921 wirkte er am Teatro Verdi Triest in der Premiere der Oper «In Alto» von Gallignani mit. An der Mailänder Scala sang er seit 1922 u. a. den Dimitrij im «Boris Godunow», den des Grieux in Puccinis «Manon Lescaut», den Hagenbach in «La Wally» von Catalani und in der Premiere von Alfanos «Leggenda di Sakuntala». (Zuvor hatte er mit Augusta Concato zusammen am 10. 12. 1921 in Bologna in der Uraufführung dieser Oper gesungen). Am Teatro Colón Buenos Aires hörte man ihn in der Uraufführung der Oper «Frenos» von R. H. Espoile (19. 6. 1928). An der Scala kam er immer wieder zu erfolgreichen Auftritten, so 1932 in der Uraufführung von Zandonais Oper «La Partita», 1933 in «Khovantchina» von Mussorgsky. 1936 mußte er seine Karriere krankheitshalber aufgeben.
Schallplatten: Fonotipia (älteste Aufnahmen in akustischer Technik), Parlophon (ebenfalls akustische

Aufnahmen), Columbia (akustische wie elektrische Aufnahmen), Pathé und Homochord.

Piccaver, Alfred, * 15. 2. 1884 Long Sutton bei Spalding (Lincolnshire). Als er zwei Jahre alt war, wanderten seine Eltern nach Albany im amerikanischen Staat New York aus. In Prag erkannte der große Bariton Mattia Battistini seine Begabung, der darauf bestand, daß er als sein Partner im «Rigoletto» und in Verdis «Ballo in maschera» eingesetzt wurde. Einen weiteren großen Erfolg hatte er in Prag als Titelheld in Flotows «Alessandro Stradella». Er gastierte fast alljährlich an der Berliner Staatsoper (Antrittsrolle: Fenton in den «Lustigen Weibern von Windsor» von Nicolai) sowie 1924 an der Covent Garden Oper London als Cavaradossi in «Tosca» und als Herzog im «Rigoletto». Zu seinen Glanzrollen zählten auch der Radames in «Aida», der Faust von Gounod, der Florestan im «Fidelio», der Lohengrin und der Walther in den «Meistersingern».
Schallplatten: Odeon (seine ältesten Aufnahmen, Wien 1912) Polydor-DGG (seit 1918; 1928 erste elektrische Aufnahmen seiner Stimme), Vocalion, Decca.

Picchi, Mirto; 1952–53 Gastspiel an der Covent Garden Oper London als Pollione in «Norma». Man schätzte ihn auch als Interpreten zeitgenössischer Komponisten (Casto, Lizzi, Pizzetti, Testi, Benjamin Britten).
Schallplatten: Morgan Records («Nerone» von Boito).

Piccioli, Leo; er war auch in den Spielzeiten 1941–42 und 1943–44 an der Mailänder Scala zu hören. 1932 gastierte er in Amsterdam als Ford in Verdis «Falstaff», 1946 an der Oper von Zürich, 1947 am Grand Théâtre Genf.

Picco, Millo; er sang 1916–19 und nochmals 1921 bei den Festspielen von Ravinia bei Chicago Partien wie den Marcello in «La Bohème», den Alfio in «Cavalleria rusticana», den Tonio im «Bajazzo» und den Escamillo in «Carmen».
Schallplatten: Unter seinen Emerson Records findet sich eine Aufnahme des Prologs zum «Bajazzo».

Pichler, Max; 1890–1901 war er am Opernhaus von Frankfurt a. M. engagiert. Hier sang er 1892 die Titelpartie in der deutschen Erstaufführung von Mascagnis «Amico Fritz» und am 20. 10. 1898 in der Uraufführung von d'Alberts Oper «Die Abreise». Gastspiele an den Hofopern von Stuttgart (seit 1898) und München (1898–1901), an den Hoftheatern von Wiesbaden (1899–1904) und Hannover (1901) und am Berliner Theater des Westens (1902). Später wirkte er in Frankfurt a. M. als Pädagoge.

Pick-Hieronimi, Monica; 1987 gastierte sie an der North Opera Leeds als Norma und sang am Mannheimer Nationaltheater wie auch später am Opernhaus von Zürich die Mathilde in Rossinis «Wilhelm Tell». Gastspiel- und Konzertauftritte in Berlin, Frankfurt a. M., Stuttgart, Mailand und London. Sie

wirkte bei den Festspielen von Bregenz mit und sang 1989 an der Opéra de Wallonie Lüttich die Donna Anna im «Don Giovanni».
Schallplatten: Harmonia mundi («Christus am Ölberge» von Beethoven).

Pierot, Laurenz, s. unter *Pirot,* Laurenz.

Pierotti, Raquel, * 1955 (?) in Uruguay. Nach ihrer Ausbildung in Spanien debütierte sie 1980 am Teatro Liceo Barcelona, wo sie seither immer wieder auftrat. Seit 1983 erschien sie an der Mailänder Scala. 1987 sang sie am Teatro Liceo Barcelona in der spanischen Erstaufführung der Mozart-Oper «Lucio Silla». 1987 gastierte sie am Teatro Regio Turin als Zerline im «Don Giovanni». 1988 wirkte sie am Teatro Liceo Barcelona in der Uraufführung der katalanischen Oper «Llibre Vermell» («Das rote Buch») von Xavier Benguerel mit. 1987–88 auch zu Gast an der Staatsoper Wien und beim Rossini Festival in Pesaro (Emilia in Rossinis «Otello»). 1983 hörte man sie am Grand Théâtre Genf, 1985 in Bordeaux, an der Oper von Rom, am Teatro Regio Parma und am Teatro San Carlo Neapel. Sie wurde vor allem bekannt als Interpretin der schwierigen Partien für Koloraturalt in den Opern von Rossini (Rosina im «Barbier von Sevilla», Isabella in «Italiana in Algeri», Clarice in «La Pietra del paragone», Emilia in «Otello»).
Schallplatten: Philips («Le Comte Ory» von Rossini).

Pierozyńska, Franciszka, * 1763, † 19. 9. 1816 Warschau. Sie debütierte 1778 in Lublin und wirkte seit 1786 in Warschau. Auch als Schauspielerin kam sie in Rollen wie der Emilia Galotti von Lessing und der Ophelia im «Hamlet» zu großen Erfolgen.

Pierson, Bertha; gastierte 1881 an der Wiener Hofoper und in Budapest. Als ihr Gatte Henry Georg Pierson (1851–1902), den sie 1882 geheiratet hatte, 1896 zum Generalintendanten der Königlichen Schauspiele in Berlin ernannt wurde, gab sie auf dessen Wunsch ihre Bühnenkarriere auf. Als Santuzza in «Cavalleria rusticana» verabschiedete sie sich vom Publikum der Berliner Hofoper. 1940 lebte sie noch in Berlin.

Pietarinen, Riita; 1986 sang sie in Helsinki in einer viel beachteten Einstudierung der Oper «Juha» von Aarre Merikanto, die 1987 beim Festival von Edinburgh wiederholt wurde, wo sie auch als Gräfin Ceprano im «Rigoletto» auftrat.

Pilarczyk, Helga; 1965 debütierte sie an der Metropolitan Oper New York als Marie in «Wozzeck» von A. Berg, hat aber dort keine weiteren Partien gesungen. Auch als Interpretin von Schönbergs «Pierrot lunaire» bekannt geworden.

Pilinsky, Sigismund, † 9. 12. 1957 Budapest. Eigentlicher Name Zsigmond Pilinszky. Er debütierte 1912 am Theater von Miskolc und sang seit 1913 an der Nationaloper von Budapest. Auch während seines

Engagements an der Städtischen Oper Berlin blieb er als Gast der Budapester Oper verbunden. Schallplatten: Auf der ungarischen Marke Qualiton ist er als Lohengrin zu hören.

Pilou, Jeannette, * Juli 1937 (nach anderen Quellen 1931) Fayoum (Ägypten). Sie debütierte 1958 am Teatro Smeraldo in Mailand als Titelheldin in «La Traviata». Sie sang dann beim Wexford Festival und erregte Aufsehen bei einem Gastspiel an der Wiener Staatsoper als Mimi in «La Bohème» (1965). 1967 Debüt an der Metropolitan Oper New York als Juliette in «Roméo et Juliette» von Gounod. Bis 1986 sang sie in deren New Yorker Haus in acht Spielzeiten elf Partien in 71 Vorstellungen.

Piltti, Lea; sie war in Paris Schülerin von Gabrielle Ritter-Ciampi, in Berlin von Olga Eisner. Sie gab Gastspiele an der Berliner Staatsoper (1939), an den Opern von Rom (1942) und Budapest (1940), in Amsterdam (1941) und Kopenhagen (1941), in Helsinki (1941) und Göteborg (1942). Bei den Festspielen von Zoppot wirkte sie 1942 als Waldvogel im «Siegfried» mit. 1948–49 unternahm sie eine große Nordamerika-Tournee. Seit 1961 wirkte sie am Konservatorium von Turku (Åbo), seit 1966 am Konservatorium von Lahti. Zu ihren Schülern gehörten u. a. Anita Välkki und Usko Viitanen.
Ihre ältesten HMV- und Electrola-Platten stammen noch aus ihrer Weimarer Zeit (1934–38).

Pini, Amalia; sie sang in den Spielzeiten 1941–42 und 1942–43 an der Mailänder Scala, u. a. den Beppe in «Amico Fritz» von Mascagni.

Pini-Corsi, Antonio, * Juni 1858 Zara (Zadar in Dalmatien), † 22. 4. 1918 Mailand. In der Saison 1892–93 sang er an der Mailänder Scala den Rigoletto zusammen mit der großen Primadonna Nellie ·Melba. An der Covent Garden Oper London übernahm er in der englischen Erstaufführung von Puccinis «Manon Lescaut» den Lescaut (14. 5. 1894), fünf Tage später in der von Verdis «Falstaff» den Ford (19. 5. 1894). 1899 sang er an der Metropolitan Oper New York als erste Partie den Bartolo im «Barbier von Sevilla». Insgesamt hat er im New Yorker Gebäude der Metropolitan Oper in sieben Spielzeiten und 180 Vorstellungen 23 Partien vorgetragen. 1904–05 und 1907 war er wieder an der Mailänder Scala anzutreffen. Er gastierte an der Hofoper von Wien (1893, 1908), in Berlin (1907) und vor allem an der Oper von Monte Carlo (1895–96, 1903, 1907, 1909). Er wandte sich mehr und mehr dem Buffo-Fach zu, wobei seine äußere Erscheinung ganz der allgemeinen Vorstellung von einem Buffo-Sänger entsprach. Noch 1915 gastierte er am Teatro Regio Parma als Titelheld im «Don Pasquale» und als Dulcamara in «Elisir d'amore».

Pini-Corsi, Gaetano; war während der Jahre 1892–1906 an der Mailänder Scala tätig. 1899 hatte er dort als David in den «Meistersingern» einen seiner größten Erfolge. Er wirkte an der Scala am

19. 12. 1903 in der Uraufführung der Oper «Siberia» von Giordano mit.

Pinkert, Regina; sie debütierte bereits 1886 an der Oper von Warschau als Marguerite de Valois in den «Hugenotten» von Meyerbeer. 1889 ging sie zur weiteren Ausbildung nach Italien. Dort kam sie seit 1892 zu großen Erfolgen. Sie gastierte 1904 am Deutschen Theater Prag, 1902 an der Oper von Warschau, 1904 an der Hofoper von Dresden, in Paris und am Opernhaus von Lwów (Lemberg, 1906–07). In Südamerika hatte sie bereits 1897 am Teatro Colón Buenos Aires gesungen. Weitere Gastspiele an der Oper von Monte Carlo (1895, 1898, 1900–1901), am Teatro Real Mádrid (1894), am Teatro San Carlos Lissabon (1890), am Teatro Costanzi Rom (1893, 1896, 1906), am Teatro San Carlo Neapel (1899–1903) und am Teatro Regio Turin (1895).

Pinza, Ezio; eigentlicher Name Fortunato Pinza. 1919–20 sang er am Teatro Costanzi Rom. Hier übernahm er in den folgenden Spielzeiten Partien in Opern wie Verdis «La forza del destino», in «La Gioconda» von Ponchielli, im «Barbier von Sevilla», in «Aida», im «Rigoletto», in «Thaïs» von Massenet, in «Salome» von R. Strauss und den Marke im «Tristan». 1921 war er auch am Teatro Politeama Giocosa Neapel zu Gast. Später hatte er in Neapel grandiose Erfolge als Titelheld in «Mefistofele» von Boito. 1924 sang er in Turin den Oroveso in «Norma» und bereiste mit der Operntruppe von Max Sauter Deutschland und die Schweiz. Seit 1921 kam es zu seiner großen Karriere an der Mailänder Scala; hier sang er in den Uraufführungen von Pizzettis «Debora e Jaele» (16. 12. 1922 als Blinder) und «Nerone» von A. Boito (1. 5. 1924 als Tigellino). 1926 wurde er an die Metropolitan Oper New York berufen, an der er (in deren New Yorker Haus) in 22 Spielzeiten 51 verschiedene Partien in 587 Vorstellungen zum Vortrag brachte (dazu 246 Vorstellungen bei den Jahres-Gastspieltourneen). An der Covent Garden Oper London sang er als erste Partie 1930 den Oroveso, 1933 gastierte er in Florenz, an der Grand Opéra Paris 1936 als Don Giovanni. Am Teatro Colón Buenos Aires, wo er in den Jahren 1925–32 auftrat, wirkte er in der Uraufführung der argentinischen Oper «Ollantay» von Constantino Gaito mit (23. 7. 1926). 1935 bewunderte man nochmals an der Mailänder Scala seinen Mefistofele. 1927–48 gastierte er immer wieder an der Oper von San Francisco, 1934–45 am Opernhaus von Chicago. Auch in Musicals und in Tonfilmen hatte er große Erfolge; so sang er am New Yorker Broadway u. a. in den Musicals «South Pacific» (1949 mit unglaublichem Erfolg) und «Fanny».
Schallplatten: HMV (frühe akustische Aufnahmen aus Italien, 1922–25), Victor (1927–41, USA), Columbia (1945), RCA (letzte Aufnahmen von 1950). Auf Melodram hört man ihn in einer weiteren Aufnahme des «Boris Godunow» von 1947.

Pirazzini, Miriam; sie sang bei den Festspielen von Verona 1959 die Preziosilla in Verdis «La forza del

destino», 1957 beim Festival in den römischen Thermen des Caracalla die Amneris in «Aida». Bereits 1948 wirkte sie im italienischen Rundfunk RAI in einer Sendung der Oper «Adriana Lecouvreur» von Cilea mit. 1955 gastierte sie am Teatro San Carlos Lissabon als Amneris, 1961 in Dublin als Adalgisa in «Norma», 1964 in Belfast als Azucena im «Troubadour».
Schallplatten: Columbia (Suzuki in «Madame Butterfly» mit Victoria de los Angeles), Cetra (Viclinda in «I Lombardi» von Verdi).

Pirker, Marianne; nach den erfolgreichen Auftritten in Italien 1744–47 folgten Franz Joseph Karl und Marianne Pirker einer Einladung des Impresarios Lord Middlesex nach London. Dort hatte die Sängerin zwar auch große Erfolge, doch erwies sich der Impresario als zahlungsunfähig. Dadurch entstanden Schulden, und schließlich mußte das Künstlerehepaar England fluchtartig verlassen. Man floh nach Hamburg und schloß sich der Mingotti'schen Truppe an. Erst als die beiden Kaiserinnen Maria Theresia von Österreich und Katharina II. von Rußland beim Herzog von Württemberg energische Schritte unternahmen, wurde die unglückliche Künstlerin im November 1764 aus der Haft entlassen.

Pirogoff (Pirogow), Alexander (Stepanowitsch), * 22. 6. (4. 7.) 1899 Nowoselki-Rjasan. 1922–24 Mitglied der Zimin-Privatoper Moskau. Er stellte auch den Boris Godunow in einem russischen Tonfilm dar. Auch als Konzert-, und namentlich als Liedsänger, kam er zu einer großen Karriere.
Schallplatten: Melodiya (vollständige Opern «Rusalka» von Dargomyshski, «Mozart und Salieri» und «Das Mädchen von Pskow» von Rimsky-Korssakow, «Faust» von Gounod).

Pirogoff (Pirogow), Grigorij (Stepanowitsch), * 12. (24.) 1. 1885 Rjasan.
Schallplatten: 1907 entstanden zwei Aufnahmen für Grammophone, im gleichen Jahr wurden sieben Titel auf Pathé aufgenommen; weitere Aufnahmen scheinen nicht vorhanden zu sein.

Pirot, Laurenz, Baß, * 16. 8. 1876 Koblenz, † 16. 8. 1936 Koblenz; er begann seine Tätigkeit als Opernsänger 1904 am Stadttheater von Essen. Er sang dann nacheinander als erster Bassist am Stadttheater von Dortmund (1906–08), am Opernhaus von Breslau (1908–15), in Zürich (1915–25) und Nürnberg (1925–27). 1913 sang er in der deutschen Erstaufführung des «Boris Godunow» in Breslau die Partie des Rangoni, am 11. 5. 1917 in Zürich in der Uraufführung von Busonis «Turandot» den Altoum. 1927–29 trat er an der Staatsoper wie an der Volksoper von Wien auf. Als Johanna Gadski 1929 die German Opera Company ins Leben rief, mit der sie die Nordamerika durchreiste und hauptsächlich Wagner-Opern zur Aufführung brachte, nahm der Künstler 1929–31 an dieser Tournee teil. 1933–34 betätigte er sich in der Verwaltung des Bühnennachweises in München als Leiter der Abteilung für die Oper. Sein Familienname kommt auch in der Schreibweise Pie-

rot vor; in der Schweiz nannte er sich Laurenz Saeger-Pierrot. – (Neufassung) –.

Pisaroni, Benedetta; Rossini war ein großer Bewunderer ihrer Gesangkunst und schätzte sie als Interpretin seiner Opernpartien besonders. 1827 gastierte sie in Paris als Arsace in «Semiramide», als Titelheld in «Tancredi» und als Isabella in «L'Italiana in Algeri» von Rossini.

Pišek, Johann Baptist; seit 1845 gastierte er in England als Opern-, Oratorien- und Liedersänger. Bis 1853 war er dort mehrfach als Gast zu hören.

Piso, Jon; 1970 zu Gast an der New York City Centre Opera, 1973 an der Oper von Nizza. Er bereiste die ČSSR, Belgien und die Türkei. Später betätigte er sich als Opernregisseur, wobei er von seiner Gattin Livia Piso als Bühnenausstatterin unterstützt wurde.
Schallplatten: Eurodisc, Intercord.

Pissarenko, Galina (Alexejewna); sie wirkte später als Pädagogin am Konservatorium von Moskau.
Schallplatten: Ariola (4. Sinfonie von G. Mahler).

Pistocchi, Francesco Antonio; seit 1661 lebte seine Familie in Bologna.

Pistor, Gotthelf, Tenor, * 17. 10. 1887 Berlin, † 4. 4. 1947 Köln; er war als Schauspieler 1913–16 am Stadttheater von Brandenburg engagiert und nahm dann als Soldat am Ersten Weltkrieg teil. Als er 1919 in einer Aufführung von «Wallensteins Lager» in Berlin ein Lied sang, wurde seine Stimme durch Juan Luria entdeckt und dann ausgebildet. 1919 sang er am Neuen Operettentheater Berlin, 1920–22 am Operettentheater von Hamburg. Als Opernsänger debütierte er 1923 am Stadttheater von Nürnberg. Weitere Engagements: 1924–25 Stadttheater Würzburg, 1925–27 Staatstheater Darmstadt, 1928–29 Stadttheater Magdeburg, 1929–30 Stadttheater (Opernhaus) Hamburg. 1930–32 wirkte er als erster Heldentenor am Opernhaus von Köln, schließlich 1932–44 an der Städtischen Oper (Deutsches Opernhaus) Berlin, wo er seit 1939 auch als Regisseur in Erscheinung trat. Er wurde vor allem als Wagnersänger bekannt. Bereits 1925 sang er bei den Bayreuther Festspielen den Froh im «Rheingold», dann hörte man ihn in Bayreuth als Tristan (1927–28, 1931), als Siegmund (1928, 1930), als Siegfried (1931) und als Parsifal (1927–28). 1930–38 trat er fast alljährlich bei den Festspielen von Zoppot auf. Gastspiele auf internationaler Ebene führten ihn an die Oper von San Francisco (1931), an das Teatro Colón Buenos Aires (1934, 1936), an die Staatsopern von Wien (1930–32, 1935), Dresden (1931) und Berlin (seit 1933), an das Teatro Liceo Barcelona (1934, 1937), an das Deutsche Theater Prag (1934), an das Théâtre de la Monnaie Brüssel (1934–35) und an die Oper von Budapest (1932, 1935). 1932 nahm er in Paris an einem glanzvollen Wagner-Konzert teil. 1930 gastierte er im Haag, 1931 und 1937 an der Covent Garden Oper London als Tristan. Gegen

Ende seiner Karriere nahm er auch den Titelhelden in Verdis «Othello» in sein Repertoire auf. Er wirkte später im pädagogischen Fachbereich in Köln. Schallplatten: HMV (u. a. vollständiger 3. Akt «Parsifal» unter Karl Muck von 1928), Parlophon (Szenen aus Wagner-Opern, in den USA unter dem Etikett von Decca veröffentlicht). Auf Danacord wurde eine Szene aus «Tristan» herausgebracht (Mitschnitt einer Sendung des Kopenhagener Rundfunks von 1931). – (Neufassung) –.

Pitzinger, Gertrude; sie studierte den Liedgesang u. a. in Kursen bei der berühmten Julia Culp. Sie gab Konzerte in Österreich (1939 Wien), Dänemark (1935 Kopenhagen), Italien, Norwegen, Holland (1935 Amsterdam) und Belgien (1936 Brüssel). Bis 1940 hörte man sie regelmäßig in Berlin bei Konzerten und Liederabenden, 1937 und 1940 gastierte sie im Konzertsaal in Prag, 1941 bereiste sie Holland. 1959–73 Professorin an der Musikhochschule von Frankfurt a. M. Verheiratet mit dem Konzertsänger *Otto Dupont* (* 1911 Fredericia in Dänemark). Auch Schallplattenaufnahmen auf Amadeo und Quadrigafon.

Plançon, Pol, * 12. 6. 1854 (nach anderen Quellen 1851) Fumay (Departement Ardennes). 1880 sang er am Théâtre Gaîté-Lyrique Paris den Colonna in der Oper «Petrarque» von Duprat. An der Metropolitan Oper New York wirkte er auf dem Höhepunkt seiner Karriere in den Spielzeiten 1893–97 (Antrittsrolle: Jupiter in «Philémon et Baucis» von Gounod), 1898–1901 und 1903–08; er sang in deren Haus in New York 33 Partien in 279 Vorstellungen (plus 154 Vorstellungen bei den Gastspieltourneen des Ensembles), darunter auch bereits Wagner-Partien und den Sarastro in deutscher Sprache. 1906 sang er dort den Mephisto in der amerikanischen Erstaufführung von «La damnation de Faust» von Berlioz. Man bewunderte ihn vor allem als Mephisto in Gounods «Faust», den er in grandioser Weise zur Darstellung brachte. Er gastierte auch in weiteren amerikanischen Großstädten, so in San Francisco am Abend vor dem verheerenden Erdbeben vom 18. 4. 1906. Schallplattenaufnahmen auf Victor von 1908.

Planel, Paul, † 14. 5. 1986 Montélimar (Departement Drôme); er wirkte in den Uraufführungen der Opéras-Minutes von Darius Milhaud mit: am 17. 7. 1927 in Baden–Baden «L'Enlèvement d'Europe», am 20. 4. 1928 in Wiesbaden «L'Abandon d'Arianne» und «La délivrance du Thésée». Diese drei Kurzopern wurden unter Leitung des Komponisten auf Columbia aufgezeichnet, wobei Jane Bathori und Paul Planel die Hauptrollen (wie bei den Uraufführungen) übernahmen.

Plank, Fritz; am Hoftheater von Mannheim sang er 1877 in der Uraufführung der Oper «Francesca da Rimini» von H. Goetz, 1893 in Karlsruhe in der von E. d'Alberts «Der Rubin». 1888 war er in Wien als Konzertsänger erfolgreich. Bei den Festspielen von Bayreuth hörte man ihn 1886 und 1891–92 als Kur-

wenal im «Tristan», 1892 als Hans Sachs wie als Pogner in den «Meistersingern». 1895 und 1897 war er zu Gast an der Hofoper von München, 1897 in Leipzig; auch in Amsterdam aufgetreten. Sein Sohn *Fritz Plank* jr. war vor allem als Konzertbassist erfolgreich.

Plaschke, Friedrich, † 4. 2. 1952 Prag. Er sang in Dresden in mehreren weiteren Uraufführungen: am 8. 12. 1906 in «Der Moloch» von Max von Schillings, am 28. 4. 1920 in «Schirin und Gertraude» von Paul Graener, am 8. 1. 1927 in «Penthesilea» von Othmar Schoeck, am 29. 9. 1932 als Titelheld in «Mister Wu» von Eugen d'Albert. Seit 1901 gastierte er während vieler Jahre an der Berliner Hofoper, 1901–32 am Nationaltheater Prag, 1914 am Théâtre de la Monnaie Brüssel, 1918 in Budapest, 1922 in Zürich. 1925 wurde er zum Ehrenmitglied der Staatsoper von Dresden ernannt. Bis 1937 ist er in Dresden aufgetreten.

Plaschke-von der Osten, Eva, s. unter *Osten,* Eva von der.

Plate, Wilfried; Schallplatten: Orfeo («Kleider machen Leute» von Joseph Suder).

Plaut, Joseph; er sang auf HMV das Couplet des Franz aus «Hoffmanns Erzählungen» (um 1914); von seiner Gattin *Maria Plaut-Schneider* sind auch Beka-Platten vorhanden.

Plaut-Schneider, Maria, s. unter *Plaut,* Joseph.

Plishka, Paul; 1965–67 nahm er an Tourneen der Metropolitan National Opera Company teil. 1967 debütierte er an der New Yorker Metropolitan Oper als Mönch in «La Gioconda» von Ponchielli. In deren New Yorker Haus brachte er in einer über zwanzigjährigen Karriere 50 Partien in mehr als 500 Vorstellungen zum Vortrag, darunter den Leporello im «Don Giovanni», den Procida in Verdis «Vespri Siciliani», den Banquo in dessen «Macbeth», den Marke im «Tristan» und den Warlaam im «Boris Godunow». 1974 erfolgte sein Debüt an der Mailänder Scala als Mephisto in «La damnation de Faust» von Berlioz. 1984 sang er sehr erfolgreich an der Oper von San Francisco den Silva in Verdis «Ernani», 1987 Gastspiele an der Staatsoper Hamburg und bei den Festspielen von Orange (Phanuël in «Hérodiade» von Massenet). Schallplatten: HMV (Pater Guardian in «La forza del destino»), DGG («La Bohème»), RCA (Lodovico in Verdis «Othello»), CBS («Le Cid» von Massenet), Telarc (Verdi-Requiem).

Plowright, Rosalind; während ihres Studiums sang sie in Manchester in der Oper «Temistocle» von Johann Christian Bach (1968). 1983 hatte sie an der Covent Garden Oper London als Donna Anna im «Don Giovanni», 1984 als Maddalena in Giordanos «Andrea Chénier», 1986 als Senta im «Fliegenden Holländer» große Erfolge. Bereits 1977 war sie bei der Glyndebourne Touring Opera Company als

Donna Elvira im «Don Giovanni» aufgetreten. 1987 gastierte sie an der Mailänder Scala als Titelheldin in «Alceste» von Gluck, in Lyon und in Santiago de Chile als Norma, 1984 beim Buxton Festival, 1988 in Lausanne und 1989 an der Covent Garden Oper als Médée von Cherubini. Weitere Gastspiele am Teatro Colón Buenos Aires (1987), in Genf und Bonn (1988) und am Teatro San Carlos Lissabon (1989). Zu ihren großen Kreationen gehörten weiter die Amelia in Verdis «Ballo in maschera», die Leonore in «La forza del destino» und die Danaë in der Richard Strauss-Oper «Die Liebe der Danaë».
Schallplatten: HMV (Antonia in «Hoffmanns Erzählungen»), DGG (Leonore in «La forza del destino»).

Plümacher, Hetty, * 3. 12. 1919 Solingen. Sie debütierte 1943 am Deutschen Theater in Oslo, begann aber ihre eigentliche Karriere 1946 an der Staatsoper Stuttgart, deren Mitglied sie bis 1976 geblieben ist. Große Erfolge auch als Konzert- und Oratoriensängerin.
Schallplatten: DGG («Madame Butterfly»), Period («Così fan tutte», «La finta giardiniera» von Mozart).

Pockh, Hans; er war zuerst am Stadttheater von Chemnitz (1866–67), dann 1867–73 am Hoftheater von Darmstadt und schließlich 1873–1902 an der Stuttgarter Hofoper engagiert.

Podenaite, Veronika; sie sang 1930 in Paris zusammen mit Fanny Anitua, Giacomo Lauri Volpi und Benvenuto Franci.

Podhorsky, Katharina, † 28. 11. 1889 Prag; sie wurde durch ihre Tante *Thekla Batková-Podleská* (1765–1822) ausgebildet, die eine berühmte Sopranistin und Hofsängerin der Herzogin von Kurland gewesen war. Seit 1827 mit dem Bariton *Mathias Podhorsky* (* 15. 2. 1800 Vrsovice bei Prag, † 5. 12. 1849 Prag) verheiratet.

Podhorsky, Mathias, s. unter *Podhorsky,* Katharina.

Poell, Alfred; Schallplatten: Rococo (9. Sinfonie von Beethoven unter W. Furtwängler), Laudis (Masetto im «Don Giovanni», Salzburg 1950).

Pölzer, Julius; Ausbildung der Stimme durch Theo Lierhammer in Wien und durch Anna Bahr-Mildenburg in München. 1930 kam er bis zum Ende des Zweiten Weltkrieges an die Staatsoper München. 1947–48 war er an der Wiener Staatsoper und nochmals 1951–53 an der Wiener Volksoper im Engagement. 1936 sang er bei den Festspielen von Zoppot den Parsifal, 1935 an der Grand Opéra Paris den Tristan, 1936 die gleiche Partie bei einem Gastspiel der Dresdner Oper an der Covent Garden Oper London. 1947 gastierte er am Grand Théâtre Genf; 1949 sang er den Loge im «Rheingold» in einer interessanten Aufführung des Ring-Zyklus im österreichischen Rundfunk.

Poggi, Gianni, † 16. 12. 1989 Piacenca. 1948 debütierte er an der Scala als Riccardo in Verdis «Ballo in maschera» und trat dort bis 1960 in zehn Spielzeiten auf. 1948–49, 1952 und 1957–59 wirkte er bei den Festspielen in der Arena von Verona mit. Zu seinen Glanzrollen gehörten der Herzog im «Rigoletto», der Alfredo in «La Traviata», der Rodolfo in «La Bohème», der Pinkerton in «Madame Butterfly» und der Cavaradossi in «Tosca».

Pohl, Carla; 1987 großer Erfolg an der deutschen Oper am Rhein als Rezia im «Oberon» von Weber. Gastspiele am Opernhaus von Köln, am Deutschen Opernhaus Berlin (1988 als Chrysothemis), an der Oper von Bordeaux (1987) und am Opernhaus von Santiago de Chile (1988 als Elsa im «Lohengrin»). Verheiratet mit dem Tenor und Gesanglehrer *Michael Grabow.*
Schallplatten: Capriccio («Der Zar läßt sich photographieren» von K. Weill).

Pohl, Henny; sie debütierte unter dem Namen Henny Pollini als Azucena im «Troubadour» am Stadttheater von Stettin, sang 1890–91 am Stadttheater von Rostock, 1891–95 am Opernhaus von Köln. 1895 wurde sie an die Berliner Hofoper berufen, an der sie u. a. am 13. 12. 1904 in der Uraufführung von Leoncavallos «Der Roland von Berlin» mitwirkte. Als sie 1905 den Berliner Zeitungsverleger Adolf Stückrath heiratete, gab sie ihre Karriere auf.

Pohlner, Jenny; sie wirkte am Theater an der Wien auch in den Uraufführungen der Operetten «Der Obersteiger» von Karl Zeller (5. 1. 1894) und «Waldmeister» von Johann Strauß (4. 12. 1895) mit.
Schallplatten: Odeon (zwei Terzette aus der «Zauberflöte» und aus der «Götterdämmerung» mit Elise Elizza und Hermine Kittel, Wien etwa 1905), Pathé (Wien 1910, u. a. Rheintöchter-Terzette aus «Rheingold» und «Götterdämmerung» mit Gertrude Foerstel und Bella Paalen).

Póka, Balácz; Gastspiele in Ungarn wie auf internationaler Ebene, u. a. beim Wexford Festival 1988.

Pola, Arrigo; 1949 trat er an der Mailänder Scala als Titelheld im «Faust» von Gounod auf. 1956 gastierte er in England.
Schallplatten: Cime (Recital).

Pola, Bruno; er spielte mehrere Instrumente und sang in der folkloristischen Kapelle seines Vaters. Noch vor Abschluß seines Gesangstudiums sprang er an der Königlichen Oper Kopenhagen für einen erkrankten Kollegen als Germont-père in «La Traviata» ein. Sein eigentliches Debüt erfolgte 1967 in Kaiserslautern als Escamillo. Gastspiele an der Staatsoper München, an der Grand Opéra Paris (Debüt 1980 als Gérard in «Andrea Chénier» von Giordano), in Amsterdam, Madrid und Lissabon. Seit 1976 ständiges Mitglied des Opernhauses Zürich (seit 1987 als ständiger Gast). 1985 debütierte er an

der Mailänder Scala in seiner großen Glanzrolle, dem Figaro in Rossinis «Barbier von Sevilla», den er auch an der Wiener Staatsoper und 1989 an der Metropolitan Oper New York sang. 1986 Gastspiel am Teatro Regio Turin als Ford in Verdis «Falstaff», 1987 als Figaro. Den Ford sang er auch 1988 am Opernhaus von Santiago de Chile, 1989 an der Oper von Rom. Bei den Festspielen von Verona hörte man ihn als Grafen Luna im «Troubadour», als Ezio in «Attila» von Verdi und als Sharpless in «Madame Butterfly», in Montreal als Leporello im «Don Giovanni».
Schallplatten: Nuova Era («Barbier von Sevilla»), Fono («Barbier von Sevilla»).

Polaski, Deborah; am College-Conservatory of Music Ohio Schülerin von Italo Tajo. 1981–83 am Staatstheater Hannover engagiert. Sie gastierte 1986 am Opernhaus von Essen als Amelia in Verdis «Maskenball», 1987 am Deutschen Opernhaus Berlin als Brünnhilde in der «Walküre». 1987 hörte man sie in Amsterdam als Isolde, 1988 an der Mailänder Scala als Senta im «Fliegenden Holländer». Bei den Bayreuther Festspielen sang sie 1988 die Brünnhilde im Nibelungenring. Diese Partie übernahm sie auch, als 1988 das neu erbaute Theater von Rotterdam mit Aufführungen des Ring-Zyklus eröffnet wurde sowie 1990 an der Oper von Köln. 1986–87 war sie am Nationaltheater Mannheim, seitdem an der Staatsoper Stuttgart tätig. Dort hatte sie 1989 großen Erfolg als Elektra von R. Strauss.

Polese, Giovanni; er gastierte bereits 1900 an der Hofoper von Wien und hatte in Italien einen aufsehenerregenden Erfolg 1904 am Teatro Donizetti von Bergamo als Telramund im «Lohengrin». Während seiner langen Tätigkeit an der Oper von Chicago wurde er dort vor allem als Scarpia, als Rigoletto, als Amonasro in «Aida», als Graf Luna im «Troubadour» und – überraschend – 1926 als Faninal im «Rosenkavalier» bewundert. Seit etwa 1930 wirkte er als Pädagoge in Boston, kam aber nach zwanzig Jahren wieder in seine italienische Heimat zurück.

Poli, Afro, Bariton, * 22. 12. 1902 Pisa, † 28. 2. 1988 Rom; Gesangstudium in Pisa und Mailand, nachdem er zuerst im Pisaner Domchor gesungen hatte. Er debütierte 1927 am Teatro Verdi von Pisa als Germont-père in «La Traviata» und kam seit etwa 1930 zu einer erfolgreichen Karriere in Italien. In den Jahren 1937–55 ist er immer wieder an der Mailänder Scala aufgetreten, wo er u. a. in der Uraufführung von E. Wolf-Ferraris «La Dama boba» sang (1. 2. 1939). 1937 gastierte er mit dem Scala-Ensemble an den Staatsopern von Berlin und München; 1946 in Genf, 1953 beim Wexford Festival, 1959 in Dublin, 1968 in Amsterdam zu Gast. Im übrigen sang er an den führenden italienischen Opernhäusern von Turin bis Venedig, von Como bis Palermo und nahm an vielen Opernsendungen des italienischen Rundfunks teil. Besonders erfolgreich gestalteten sich seine Auftritte an der Oper von Rom. Bereits 1938 sang er bei der Italienischen Oper in Holland den Don Giovanni. 1947 gastierte er am Cambridge Theatre London, 1946 und 1950–55 am Teatro San Carlos Lissabon, in Madrid (1946), am Théâtre des Champs-Élysées Paris (1956 als Bartolo im «Barbier von Sevilla») und bei Reisen in Spanien, in Südamerika, in Australien (1955), in Deutschland und in der Schweiz. Auch im Tonfilm ist er aufgetreten; so stellte er in einer Verfilmung von Verdis «Aida» mit Sophia Loren den Amonasro dar, während Gino Bechi im Play back-Verfahren diese Partie sang. Erst 1969 gab er seine Karriere auf, in der er zuletzt im Charakterfach aufgetreten war. Er wirkte dann als Pädagoge in Ankara, danach lange Zeit in Australien. Hier unterrichtete er in Melbourne. 1978 übernahm er dort nochmals am Theater von Adelaide die Partie des Conte Rodolfo in «La Sonnambula» von Bellini. Seine ausdrucksvolle, große Stimme wurde von der Kritik immer gerne mit der von Mariano Stabile verglichen.
Schallplatten: Erste Aufnahmen erschienen auf HMV, darunter Duette mit Adelaide Saraceni und die vollständigen Opern «Don Pasquale» (1933) und «La Bohème» (1938). Während des Zweiten Weltkrieges kamen Telefunken-Platten heraus, später Aufnahmen auf Cetra (Ping in «Turandot», «Il trionfo dell'onore» von A. Scarlatti), Urania («Don Pasquale»), HRE («Fernand Cortez» von Spontini), Rodolphe Records (Giancotto in «Francesca da Rimini» von Zandonai), Decca («Bajazzo»). – (Neufassung) –.

Poli, Liliana; Bühnendebüt 1959 in Florenz als Micaela in «Carmen»; ihr Konzertdebüt erfolgte 1960 am Westdeutschen Rundfunk Köln.
Schallplatten: Italia (Mutter in «Il Prigioniero» von Dallapiccola, 1971), RCA (Annina in «La Traviata»).

Poli-Randaccio, Tina; Ausbildung am Liceo Rossini und bei Gaetano Ortisi in Pesaro. Gastspiele 1905 am Opernhaus von São Paulo, 1912 mit dem Ensemble der Oper von Monte Carlo an der Pariser Grand Opéra. Pietro Mascagni engagierte sie für eine Nordamerika-Tournee. 1910 sang sie als Antrittspartie an der Mailänder Scala die Brünnhilde im «Siegfried», 1912 die Minnie in der Premiere von Puccinis «La Fanciulla del West», am 15. 12. 1913 in der Uraufführung der Oper «Parisina» von Mascagni. Weitere Uraufführungen, in denen sie an der Scala mitwirkte waren «L'Abisso» von Smareglia (1914), «L'Ombra di Don Giovanni» von Alfano (2. 4. 1914) und «Madonna di Challand» von Guarino. 1916 zu Gast an der Oper (Teatro Nacional) von Havanna, 1920 am Teatro Liceo Barcelona. 1924 sang sie die Aida in Aufführungen von Verdis Oper in der Berliner Autohalle zusammen mit Giovanni Zenatello und Maria Gay.
Schallplatten: HMV (1920–24), Odeon (elektrische Aufnahmen von 1929), Fonotipia.

Polińska-Levicka, Mathylda, † 1968 in Kanada. Nach dem Zweiten Weltkrieg lebte sie in Kanada.
Schallplattenaufnahmen der polnischen Marke Syrena, darunter eine vollständige Aufnahme der Oper «Halka», in der sie die Titelrolle singt.

Pollak, Anna, * 1.5. 1912 Manchester; zu Beginn ihrer Karriere spezialisierte sie sich auf Travestie-Rollen wie den Hänsel in «Hänsel und Gretel», den Orlowsky in der «Fledermaus» und den Lehl in «Snegourotchka» von Rimsky-Korssakow. 1968 verabschiedete sie sich am Londoner Coliseum Theatre als Öffentliche Meinung in Offenbachs «Orphée aux Enfers» von ihrem Publikum.

Pollert, Emil, * 20.1. 1877 Liblice (ČSR), † 23.10. 1935 Prag; Schüler von František Pivoda und Maurice Wallerstein in Prag. Er nahm 1926 an der Prager Erstaufführung von A. Bergs «Wozzeck» teil und gastierte in Wien, Warschau und Bukarest.
Schallplatten: Seine ersten Columbia-Aufnahmen datieren von 1905.

Polster, Hermann Christian; als erste Bühnenpartie sang er 1966 am Opernhaus von Leipzig den Lord Syndham in «Zar und Zimmermann» von Lortzing. Schwerpunkt seiner künstlerischen Tätigkeit blieb jedoch der Konzert- und in erster Linie der Oratoriengesang. Als Pädagoge nahm er eine Professur an der Musikhochschule von Leipzig wahr.
Schallplatten: Philips («Paulus» von Mendelssohn, Messen und geistliche Musik von Mozart), Capriccio («Symphoniae Sacrae» von H. Schütz), HMV-Electrola («Gianni Schicchi» von Puccini, «Meistersinger», «Moses und Aron» von Schönberg).

Poncet, Tony, * 23.12. 1918 Bagnères-de-Bigorre (Hautes-Pyrénées), † 13.11. 1979 Bagnères-de-Bigorre. 1953 Debüt als Konzertsänger, 1955 in Avignon als Opernsänger. Im gleichen Jahr trat er am Opernhaus von Lüttich auf. 1957 sang er an der Grand Opéra Paris als erste Partie den italienischen Sänger im «Rosenkavalier», 1965 dort großer Erfolg als Arnoldo in Rossinis «Wilhelm Tell». 1967 zu Gast an der Oper von Antwerpen, 1968 in Gent.
Schallplatten: Melòdram («La Juive» von Halévy, 1964).

Ponchard, Charles-Marie-Auguste; debütierte 1847 an der Grand Opéra Paris in der Oper «L'Âme en peine» von Friedrich von Flotow. An der Opéra-Comique Paris wirkte er in mehreren Uraufführungen mit, so am 29.12. 1864 in «Le Capitaine Henriot» von F. A. Gevaert.

Pons, Juan; er erlernte zunächst das Schuhmacherhandwerk und entschloß sich dann erst zur Ausbildung der Stimme. Er sang darauf als Chorist am Teatro Liceo Barcelona und wurde dort auch in kleineren Baß-Partien eingesetzt. So debütierte er als Solist 1971 im Baß-Fach, dann schließlich, auf Anraten der großen spanischen Sängerin Montserrat Caballé, 1978 als Bariton. 1981 war er an der Oper von Mexico City als Gérard in «Andrea Chénier» von Giordano sehr erfolgreich. Weitere Gastspiele an der Deutschen Oper Berlin, an der Münchner Staatsoper (1987 als Titelheld in Verdis «Falstaff»), an der Oper von San Francisco, an der Oper von Rom (1989 als Falstaff). Am Teatro Comunale Bolo-

gna und 1988 an der Oper von Chicago (als Germont-père in «La Traviata»).
Schallplatten: DGG (Sharpless in «Madame Butterfly», Fra Melitone in «La forza del destino»), Rodolphe Records («Andrea Chénier»), RCA («Falstaff» von Verdi, Duette mit Montserrat Caballé, spanische Lieder), CBS («Iris» von Mascagni, «Poliuto» von Donizetti).

Pons, Lily; sie kam durch die Vermittlung des berühmten Sängerehepaars Giovanni Zenatello/Maria Gay direkt 1931 an die Metropolitan Oper New York, wo sie als Lucia di Lammermoor (mit Benjamino Gigli als Partner) debütierte. In 28 Spielzeiten sang sie in deren New Yorker Haus zehn Partien in 198 Vorstellungen. 1932 und 1934 gastierte sie am Teatro Colón Buenos Aires, 1936–41 an der Oper von Chicago, 1932–51 an der Oper von San Francisco; in ihrer letzten Saison an diesem Haus hörte man sie 1951 erstmals in der Rolle der Violetta in «La Traviata». Auch an der Oper von Monte Carlo gastweise aufgetreten. In zweiter Ehe verheiratet mit dem Dirigenten André Kostelanetz (1901–80). Sie wirkte auch in amerikanischen Tonfilmen wie «That Girl from Paris» und «I dream too much» mit.

Ponselle, Carmela; sie sang 1916–17 zusammen mit ihrer Schwester *Rosa Ponselle* als «Ponzillo Sisters» in New Yorker Varietétheatern. 1925–34 sang sie an der Metropolitan Oper New York neben ihrer Antrittsrolle, der Amneris, nur noch die Laura in «La Gioconda» und die Santuzza in «Cavalleria rusticana».

Ponselle, Rosa, † 25.5. 1981 Green Spring Valley bei Baltimore. 1916–17 sang sie mit ihrer Schwester *Carmela Ponselle* als «Ponzillo Sisters» in New Yorker Kinos und Varietétheatern. Sie erhielt nur eine kurze Ausbildung bei dem Pädagogen Enrico Rosati in New York. Im New Yorker Haus der Metropolitan Oper stand sie während 19 Spielzeiten in 22 Partien in 258 Vorstellungen (und in weiteren 107 Vorstellungen bei den alljährlichen Gastspieltourneen des Ensembles) auf der Bühne. In ihrer letzten Saison an der Metropolitan Oper 1935–36 nahm sie die Carmen als neue Partie in ihr Repertoire auf. An der Covent Garden Oper London war sie 1929–31 als Norma, als Traviata, als Gioconda und als Fiora in «Amore dei tre Re» von Montemezzi zu Gast. Allgemein galt sie als eine der bedeutendsten Sängerpersönlichkeiten ihrer Epoche. 1937 zog sie sich ganz von der Bühne zurück. Sie betätigte sich später als Pädagogin und war u. a. die Lehrerin von Beverly Sills, Sherill Milnes, William Warfield und James Morris.
Schallplatten: Columbia (1919–23), RCA-Victor (seit 1924, zuerst akustische, dann elektrische Aufnahmen).

Ponzio, Léon; er debütierte 1910 am Théâtre de la Monnaie Brüssel und blieb bis 1914 an diesem Haus tätig, dessen Mitglied er wieder in den Jahren 1920–22 war. 1932 war er an der Opéra-Comique Paris zu Gast.

Popoff, Michail, † 1978.

Popović, Dušan; er begann seine Karriere 1949 als Konzert- und Radiosänger. 1951–53 war er am Komödientheater von Belgrad engagiert. 1953 wurde er an die Nationaloper Belgrad berufen, deren Mitglied er bis 1960 blieb. 1964 ging er an das Staatstheater von Braunschweig, wo er bis 1970 sang, 1970–72 war er am Theater von Graz, 1972–76 am Landestheater Saarbrücken engagiert. Er wirkte dann in Saarbrücken als Gesangpädagoge.
Schallplatten: Auf Decca sang er in weiteren vollständigen Aufnahmen der Opern «Pique Dame» von Tschaikowsky und «Snegourotchka» von Rimsky-Korssakow.

Popovici, Demeter, * 23. 7. 1859 Jassy (Rumänien), * 6. 4. 1927. 1890 begann er am Deutschen Theater Prag seine Karriere als Wagner-Sänger und blieb dort bis 1895 tätig. 1895 sang er bei der Damrosch Opera Company in Nordamerika seine Wagner-Heroen (nicht jedoch an der Metropolitan Oper New York). 1897 gastierte er an der Wiener Hofoper, 1899–1900 an der Hofoper von München, 1896 an der Hofoper Berlin, 1898 am Stadttheater (Opernhaus) von Hamburg. 1905 erhielt er eine Professur am Konservatorium von Bukarest, später wurde er Direktor des Theaters von Cluj (Klausenburg). Seine Tochter Lilli Popovici war eine bekannte rumänische Schauspielerin.

Popp, Lucia; an der Covent Garden Oper London sang sie 1966 als Antrittsrolle den Pagen Oscar in Verdis «Maskenball». An der New Yorker Metropolitan Oper hörte man sie auch als Zerline im «Don Giovanni», als Ilia in «Idomeneo», als Pamina in der «Zauberflöte» und als Sophie im «Rosenkavalier». Diese Partie sang sie auch 1976 an der Grand Opéra Paris. 1986 bewunderte man sie an der Londoner Covent Garden Oper in der Titelrolle der Richard Strauss-Oper «Arabella». Im Konzertsaal stellte sie sich als große Mozart-, Gustav Mahler- und Carl Orff–Interpretin vor.
Schallplatten: HMV-Electrola (Petite Messe solennelle von Rossini), Eurodisc (Eurydike im «Orpheus» von Gluck), Decca («Idomeneo»), Orfeo («Frauenliebe und -leben» von R. Schumann), Acanta («Lustige Witwe» von F. Lehár), DGG (Titelfigur in «Lou Salomé» von G. Sinopoli, die sie 1981 in der Münchner Uraufführung der Oper kreiert hatte).

Porter, Walter, * etwa 1588. Es ist möglich, daß er Schüler von Monteverdi war.

Pos-Carloforti, Maria, * 1889 Leipzig; sie war die Tochter des Malers Gabriel Carloforti. Sie erhielt ihre Ausbildung bei Marie Hedmont in Leipzig und hatte in den Jahren von 1912 bis 1918 eine erfolgreiche Bühnenkarriere. 1912–13 sang sie am Hoftheater von Braunschweig, 1913–14 an der Neuen Oper Hamburg, 1915–17 an der Hamburger Volksoper und schließlich 1917–18 am Stadttheater von Stralsund. Danach gab sie nur noch einzelne Bühnengast-

spiele und widmete sich dem Konzertgesang. Sie trat als Konzertsolistin in Amsterdam (1920, 1927) und München (1920), in Hamburg (1920, 1929) und Dresden (1920, 1926), in Mailand (1927, 1928), Oslo (1921) und London (1928) auf und bereiste 1926 Dänemark und Schweden. Bei den Göttinger Händel-Festspielen sang sie 1926–28 in dessen Oper «Radamisto», an der Städtischen Oper Berlin 1928 in Händels «Ezio». Seit 1921 wirkte sie als Pädagogin am Bernuth'schen Konservatorium Berlin.

Posemkowskij, Georges, s. unter *Pozemkovsky,* Georges.

Pounds, Courtice, * 30. 5. 1862 London, † 21. 12. 1927 London.

Power, Stella; sie wurde durch Mme Elsa Wiedermann und später durch Mary Campbell in Melbourne ausgebildet. Nach einigen Konzertauftritten in den USA wie in Australien reiste sie 1918 wieder zu Nellie Melba nach London, wo sie gleichfalls im Konzertsaal auftrat. Später war sie noch manchmal im australischen Rundfunk ABC zu hören; 1940 gab sie ihre Karriere endgültig auf.
Schallplatten: Erste Aufnahmen auf Edison (1918).

Powers, Marie, * 1900 (?) Mount Carmel (Pennsylvania); sie studierte an der Cornell University und debütierte nach weiterer Ausbildung durch Giannina Russ in Florenz unter dem Namen Maria Crescentini an italienischen Theatern. In ihre Heimat zurückgekehrt, studierte sie nochmals bei Ernestine Schumann-Heink und bei Paul Althouse in New York. 1951 sang sie an der Grand Opéra Paris die Fricka im Nibelungenring, 1952 an der Opéra-Comique die Quickly in Verdis «Falstaff». 1951 kreierte sie die Partie der Mutter in «The Consul» von Menotti an der Mailänder Scala. Sie gastierte an den Opern von Stockholm und Monte Carlo und trat in Tonfilmen auf.
Schallplatten: Decca («The Consul»).

Powers, William, * 22. 9. 1941 Chicago.

Prandelli, Giacinto; erregte erstes Aufsehen 1938 in einem Verdi-Konzert in Busseto und sang bereits 1940 am Teatro Donizetti Bergamo in der Oper «Il Mito de Caino» von Margola. Eigentliches Debüt 1942 an diesem Haus als Rodolfo in «La Bohème». 1943 trat er an der Oper von Rom, 1944 am Teatro Lirico Mailand (das nach der Zerstörung der Scala durch deren Ensemble bespielt wurde) auf. 1951 debütierte er an der Metropolitan Oper New York als Alfredo in «La Traviata» mit Delia Rigal als Partnerin. 1954 zu Gast an der Oper von San Francisco (des Grieux in «Manon» von Massenet) und, ebenfalls 1954, an der Oper von Chicago (Rodolfo in «La Bohème»). Während der fünfziger Jahre war er mehrfach am Teatro Liceo Barcelona zu Gast. 1957 sang er am Stoll Theatre London den Edgardo in «Lucia di Lammermoor» und in der Royal Festival Hall das Tenor-Solo im Verdi-Requiem. 1958 wirkte er in Rom in der Uraufführung der Oper «Il Tesoro» von Napoli mit. 1970 sang er, wohl als letzte Partie, am Teatro Grande Brescia den Paolo in «Francesca da Rimini» von Zandonai.

Predit, Mascia, * 21. 12. 1912 Dwinsk (Lettland). In der Rundfunk-Premiere von Bejamin Brittens «Peter Grimes» im italienischen Rundfunk RAI Rom sang sie die Partie der Ellen Orford (1946).

Preger, Kurt, Bariton/Tenor; er debütierte 1933 am Deutschen Theater Prag, dessen Mitglied er 1934–36 war. 1936–38 sang er an der Wiener Volksoper, 1938–46 am Stadttheater von Basel, 1947–48 am Theater von St. Gallen. Während der Kriegsjahre gastierte er in Zürich, Bern und Luzern und wirkte 1946 in der Schweiz in den ersten deutschsprachigen Aufführungen von Benjamin Brittens «Peter Grimes» in der Titelpartie mit. Er hat auch Tenor-Partien wie den Hans in der «Verkauften Braut», den Barinkay im «Zigeunerbaron» und den Elemer in «Arabella» von Richard Strauss gesungen. Seit 1946 gehörte er wieder bis zu seinem Tod dem Ensemble der Wiener Volksoper an.
Schallplatten: Columbia («Eine Nacht in Venedig»), Decca («Fledermaus»).

Prein, Johann-Werner; gastierte 1988 am Staatstheater von Wiesbaden. Auch als Konzert- und Liedersänger geschätzt.

Prenzlow, Gertraud; sie wurde zum Ehrenmitglied der Staatsoper Berlin ernannt. 1958–67 war sie gleichzeitig auch an der Komischen Oper Berlin engagiert. Sie sang an der Berliner Staatsoper in den Uraufführungen der Opern «Das Verhör des Lukullus» von P. Dessau (14.5. 1951) und «Der arme Konrad» von Jean Kurt Forest (4. 10. 1959). Bei den Bayreuther Festspielen war sie 1958 als Soloblume im «Parsifal» anzutreffen.
Schallplatten: Eterna (Irmentraud im «Waffenschmied» von Lortzing).

Preobrashenskaja, Sofia (Petrowna); Schallplatten: Melodiya (Marfa in «Khovantchina»).

Preuss, Arthur; er wurde durch Gustav Mahler 1899 an die Wiener Hofoper engagiert. Das Ende des Künstlers gestaltete sich tragisch. Er brach während eines Gestapo-Verhörs in Wien (bei dem es sich um seinen Sohn handelte, der als Widerstandskämpfer im Untergrund wirkte) tot zusammen. Wenige Wochen später wurde sein Haus in Wien bei einem Bombenangriff zerstört, wobei seine Gattin umkam.
Schallplatten: HMV (1905–13).

Prevedi, Bruno, * 21. 12. 1928 Revere bei Mantua, † 12. 1. 1988 Rom. Sein Debüt als Tenor erfolgte 1959 wieder am Teatro Nuovo Mailand in der Partie des Turiddu in «Cavalleria rusticana». An der Metropolitan Oper New York sang er als Antrittsrolle 1965 den Cavaradossi in «Tosca» und ist in deren New Yorker Haus während fünf Spielzeiten in acht Partien und 44 Vorstellungen aufgetreten. 1964

Gastspiel mit dem Ensemble der Mailänder Scala am Bolschoj Theater Moskau als Kalaf in Puccinis «Turandot».
Schallplatten: MRF (Titelrolle in «Nerone» von Boito).

Prevosti, Franceschina; sie gab Gastspiele an der Hofoper von Dresden (1896), in Hamburg (seit 1897), Zürich (1899), Rotterdam (1890), Zagreb (1899), am Wiener Theater an der Wien (1896), am Deutschen Theater Prag (seit 1897), in Brünn (Brno, 1897) und an der Oper von Riga (seit 1892). Auch zu Gast in Venedig, Florenz, Rom, Neapel, Barcelona, Madrid, Lissabon, Bukarest und Mexico City. 1912 beendete sie ihre große Bühnenkarriere. Eine ihrer Schülerinnen war Beate Malkin.

Prey, Hermann; er sang als Kind im Berliner Mozart-Chor. An der Metropolitan Oper New York ist er seit 1960 in sieben Spielzeiten aufgetreten und wirkte dort nochmals 1987 in Aufführungen der Richard Strauss-Oper «Ariadne auf Naxos» mit.
Schallplatten: DGG («Ariadne auf Naxos»), Melodram («Intermezzo» von R. Strauss). Liedaufnahmen auf Capriccio und Denon («Winterreise» von Schubert, Lieder von R. Schumann, Solo in der 8. Sinfonie von G. Mahler).

Přibyl, Vilém, † 21. 7. 1990 Brno; in Brno (Brünn) hatte er seit 1961 große Erfolge als Laça in Janáčeks «Jenufa» und als Titelheld in «Dalibor» von Smetana. Zu seinen großen Bühnenpartien gehörten der Radames in «Aida», der Titelheld im «Othello» von Verdi, der Lohengrin sowie Aufgaben in Werken von Prokofieff und Schostakowitsch.

Price, Janet, * 1938 Abersychan-Pontipool (Süd-Wales); ihre Lehrer waren Olive Groves, Isobel Baillie und Hervey Alan. Das französische Repertoire studierte sie mit Nadia Boulanger ein. Bei der Kent Opera sang sie die Hecuba in «King Priam» in einer Gala-Vorstellung zum 80. Geburtstag des Komponisten Michael Tippett (1985). Sie trat bei der Welsh Opera Cardiff, bei der Handel Opera Society, bei der Kent Opera und an der Oper von San Antonio auf.

Price, Leontyne; studierte zuerst am Central State College Ohio, dann 1949–52 an der Juilliard Music School New York. Während des Studiums sang sie in einer Schüleraufführung von Verdis «Falstaff» die Alice Ford. 1952–72 mit dem Bassisten *William Warfield* verheiratet. 1958 wirkte sie in der amerikanischen Erstaufführung von Carl Orffs «Die Kluge» in San Francisco in der Titelpartie mit. Seit 1959 gastierte sie an der Oper von Chicago. Als Antrittsrolle sang sie 1958 an der Wiener Staatsoper, 1960 an der Mailänder Scala die Aida. An der Metropolitan Oper New York debütierte sie im Januar 1961 als Leonore im «Troubadour». In deren New Yorker Haus hat sie 16 Partien in insgesamt 164 Vorstellungen vorgetragen.
Schallplatten: RCA (9. Sinfonie von Beethoven).

Price, Margaret; in der Spielzeit 1962–63 debütierte sie bei der Welsh Opera Cardiff als Cherubino und sang 1963 die gleiche Partie (als Ersatz für Teresa Berganza) an der Covent Garden Oper London. 1976 nahm sie an der USA-Tournee der Grand Opéra Paris teil, bei der sie im Haus der New Yorker Metropolitan Oper als Gräfin in «Nozze di Figaro» und als Desdemona in Verdis «Othello» auftrat. 1985 sang sie die letztgenannte Partie bei ihrem Debüt im Ensemble dieses Operninstituts. 1987 hörte man sie an der Covent Garden Oper London als Norma. 1982 wurde sie mit dem Titel «Commander of the British Empire» ausgezeichnet.
Schallplatten: HMV («Nozze di Figaro», «The Kingdom» von E. Elgar). Sie sang auf DGG die Isolde im «Tristan», obwohl ihr Bühnenrepertoire keine Wagner-Partien enthielt.

Priew, Uta, * 3. 8. 1944 Karlovy Vary (Karlsbad) in Böhmen (ČSR). Debüt 1970 am Nationaltheater Weimar als Marjutka in «Der letzte Schuß» von Siegfried Matthus. Gastspiele an der Komischen Oper Berlin, an der Deutschen Oper am Rhein Düsseldorf–Duisburg (1987 als Ortrud im «Lohengrin») und an der Staatsoper Dresden (1988 Kundry im «Parsifal»). Bei den Bayreuther Festspielen 1988 wirkte sie als Grimgerde in der «Walküre», 1989 als Waltraute und als erste Norn mit. Weitere Höhepunkte in ihrem Bühnenrepertoire waren die Carmen, die Emilia in Verdis «Othello», die Dorabella in «Così fan tutte», die Amneris in «Aida» und der Komponist in «Ariadne auf Naxos» (Festspiele Schwetzingen, 1989).
Schallplatten: Ariola-Eurodisc (Roßweisse in der «Walküre»).

Proebstl, Max; studierte u. a. bei Paul Bender in München und debütierte 1941 am Stadttheater von Kaiserslautern. 1942–43 sang er am Stadttheater von Augsburg, 1943–44 am Opernhaus von Dortmund und, nachdem er als Soldat eingezogen gewesen war, 1947–49 wieder in Augsburg. 1949 gastierte er am Opernhaus von Zürich, 1965 beim Festival von Wexford in Irland. 1961–67 hörte man ihn bei Konzerten im Rahmen der Salzburger Festspiele.
Schallplatten: MMS (Hohe Messe von J. S. Bach), Vox (Bach-Motetten), MGM (Bach-Werke).

Pröll, Rudolf, † 1937; er blieb bis 1904 Mitglied des Opernhauses von Frankfurt a. M. und sang dann 1904–05 am Theater des Westens Berlin, 1905–07 am Berliner Lortzing-Theater, 1907–08 an der Komischen Oper Berlin und 1908–09 am Stadttheater von Nürnberg. Gastspiele führten ihn an die Hoftheater von München (1904), Karlsruhe (1898), Mannheim (seit 1897) und Wiesbaden (seit 1895). Bei den Bayreuther Festspielen von 1891 wirkte er als Steuermann im «Tristan» mit. 1903 sang er in Frankfurt a. M. die Titelpartie in der Uraufführung der Oper «Goetz von Berlichingen» von K. Goldmark.
Schallplatten: Einige Aufnahmen auf G & T (Frankfurt, 1904).

Prohaska, Jaro; debütierte 1922 am Stadttheater von Lübeck als Titelheld in «Hans Heiling» von Marschner. 1933–44 ist er bei den Bayreuther Festspielen aufgetreten. Zahlreiche Gastspiele auf internationaler Ebene, u. a. an der Staatsoper von Wien (1934–37), am Teatro Colón Buenos Aires (1935, 1937), am Teatro San Carlos Lissabon, an den Opern von Rom, Budapest und Warschau, in Amsterdam (seit 1935), am Deutschen Theater Prag, an der Komischen Oper Berlin (1949–50) und beim Maggio musicale von Florenz (1938).
Schallplatten: Discocorp (Szenen aus der «Götterdämmerung», Bayreuth, 1937).

Protero, Dodi, * 13. 3. 1933 Toronto. Verheiratet mit dem Tenor *Alan Crofoot* (1929–79).

Protschka, Josef; er sang 1987 bei den Festspielen von Bregenz den Titelhelden in «Hoffmanns Erzählungen» von Offenbach und hatte im gleichen Jahr am Opernhaus von Köln als Hermann in Tschaikowskys «Pique Dame», beim Maggio musicale Florenz als Flamand im «Capriccio» von R. Strauss große Erfolge. 1988 wirkte er am Theater an der Wien in der Premiere von Schuberts vergessener Oper «Fierrabras» mit. In Hamburg hörte man ihn 1989 als Elis in «Der Schatzgräber» von F. Schreker und als Idomeneo von Mozart.
Zahlreiche weitere Schallplattenaufnahmen: Telefunken («Die Jahreszeiten» von Haydn, Krönungsmesse von Mozart, «Fledermaus»), HMV-Electrola («Zigeunerbaron»), DGG («Ariadne auf Naxos»), Philipps («Die letzten Dinge» von Spohr), Wergo («Cardillac» von Hindemith), Edition Schwann («Von deutscher Seele» von H. Pfitzner, «Massimilla Doni» von O. Schoeck), Capriccio («Der Traumgörge» von Zemlinsky).

Protti, Aldo; verheiratet mit der japanischen Sopranistin *Masako Tanaka*.
Schallplatten: Melodram («Rigoletto»).

Pruett, Jerome; 1982 sang er am Theater von Bern die Titelpartie in «Orfeo ed Euridice» von Haydn. 1988 hörte man ihn in Amsterdam als Boris in «Katja Kabanowa» von Janáček, an der Grand Opéra Paris als Faust von Gounod.
Schallplatten: BJR (Ugo in «Parisina d'Este» von Donizetti), Cascavelle Records («Boulevard Solitude» von H. W. Henze).

Pruša, Karel, * 5. 1. 1931 Pchery (ČSSR).
Schallplatten: Supraphon («Der listige Bauer» und «Der Jakobiner» von Dvořák, Lieder von Z. Fibich).

Pták, Bohumil, † 4. 2. 1933 Prag; er debütierte 1890 am Theater von Brünn (Brno) als Hans in Smetanas «Verkaufter Braut» und blieb bis 1896 an diesem Haus tätig.

Pütz, Ruth-Margret; sie sang bei den Bayreuther Festspielen 1959–60 eine Soloblume im «Parsifal». 1960–65 war sie durch einen Gastspielvertrag der Wiener Staatsoper verbunden.

Puglisi, Lino; Schallplatten: Melodram («Samson et Dalila»), Nuova Era («La Fanciulla del West»).

Pujol, Victor, *22. 4. 1884, †26. 10. 1987.

Puma, Salvatore; Schallplatten: Cetra («Il Tabarro» von Puccini, «Un Ballo in maschera» von Verdi).

Pustelak, Kazimierz; Schallplatten: Muza («König Roger» von Szymanowski).

Putnam, Ashley; Gesangstudium bei Elizabeth Mosher und Willis Patterson. 1976 debütierte sie bei der Virginia Opera in Norfolk (Virginia) als Lucia di Lammermoor. 1977 sang sie bei der gleichen Operntruppe die Mary in der zeitgenössischen Oper «Mary Queen of Scots» von Thea Musgrave. An der New York City Centre Opera sang sie die Titelheldin in Donizettis «Maria Stuarda», die Elvira in «I Puritani» von Bellini und die Ophelia im «Hamlet» von A. Thomas. 1983 hörte man sie bei der Tournee der Metropolitan Oper New York als Lucia di Lammermoor. Im September 1986 sang sie die Alice Ford in Verdis «Falstaff» in der Eröffnungsvorstellung des Muziektheaters Amsterdam, 1986 an der Covent Garden Oper London und 1987 in Brüssel die Titelrolle in «Jenufa» von Janáček, in Brüssel auch die Donna Anna im «Don Giovanni». 1988 gastierte sie in Straßburg als Elettra in «Idomeneo» von Mozart, am Opernhaus von Köln als Marguerite im «Faust» von Gounod, in Philadelphia als Titelfigur in «Rusalka» von Dvořák. 1990 debütierte sie im eigentlichen Haus der Metropolitan Oper New York als Marguerite im «Faust» von Gounod.
Schallplatten: Novello («Mary Queen of Scots» von Thea Musgrave).

Puttar, Nada; 1956–61 war sie an der Städtischen Oper Berlin, 1961–64 am Opernhaus von Frankfurt a. M. engagiert.
Schallplatten: Bourg Records («Le Comte Ory» von Rossini).

Py, Gilbert; seit 1986 trat er unter dem Künstlernamen Max Eggert auf. Unter diesem Namen sang er 1987 an der Oper von Nizza wie bei den Festspielen von Orange den Jean in «Hérodiade» von Massenet.
Schallplatten: Aris (vollständige Oper «Carmen»).

Q

Quartararo, Florence; sie schloß ihr Musikstudium mit dem akademischen Grad eines Honorary Musical Bachelor ab. 1945 kam es zu ihrem Bühnendebüt in der Redlands Bowl (Kalifornien) als Leonore im «Troubadour». 1947 sang sie in Central City (Colorado) die Traviata; in San Francisco hörte man sie (seit 1947) u. a. als Gräfin in «Figaros Hochzeit» und als Donna Elvira im «Don Giovanni», in Philadelphia als Titelheldin in «Thaïs» von Massenet. Die Kritik verglich dabei ihre Stimme mit der der unver-

gessenen Rosa Ponselle. Seit 1951 mit dem bekannten Bassisten *Italo Tajo* (*1915) verheiratet.
Schallplatten: RCA-Victor, darunter Duette mit Ramon Vinay.

Quilico, Gino; gastierte auch an der Covent Garden Oper London und sang beim Festival von Aix-en-Provence 1986 den Don Giovanni.
Schallplatten: RCA-Erato (Marcello in «La Bohème»), TIS («Saffo» von Pacini).

Quilico, Louis, *14. 1. 1925 Montreal; 1961–62 große Erfolge an der Covent Garden Oper London als Rigoletto. In der Spielzeit 1971–72 wurde er an die Metropolitan Oper New York berufen, an der er im Februar 1972 als Golo in «Pelléas et Mélisande» debütierte. Er sang dort auch den Rigoletto, den Renato in Verdis «Ballo in maschera», den Posa im «Don Carlos», den Jago im «Othello», den Titelhelden in Verdis «Macbeth», den Tonio im «Bajazzo» und den Scarpia in «Tosca». 1987 gastierte er am Staatstheater Hannover als Scarpia. Verheiratet mit der Pianistin Anna Pizzolongo (*1930).
Schallplatten: CBC (Verdi-Arien).

Quilling, Anna; 1899–1905 war sie am Hoftheater von Dessau engagiert.
Schallplatten: Zwei seltene Aufnahmen auf G & T von 1902.

Quinzi-Tapergi, Giuseppe, *1883 (?), † (?); er trat auch an der Mailänder Scala auf. Hier hörte man ihn 1911 als Geronimo in Cimarosas «Matrimonio segreto» und in der Uraufführung der Oper «Fior di Neve» von Filiasi. In der Saison 1922–23 sang er dort in Aufführungen von Puccinis «Gianni Schicchi».

Quitral, Rayén, *7. 11. 1916 Iloca in Süd-Chile, †10. 10. 1979 Santiago de Chile. Sie hieß eigentlich Maria Georgina Quitral Espinoza. 1941 erschien die ganz unbekannte junge Sängerin am Teatro Colón Buenos Aires, wo sie als Königin der Nacht einen sensationellen Erfolg hatte.

R

Raaff, Anton; 1750 und 1751 trat er in Italien auf. Dabei wirkte er am Teatro Regio Turin in der Uraufführung der Oper «La vittoria d'Imenee» von Baldassare Galuppi in der Partie des Marte mit, die am 7. 6. 1750 zur Hochzeit des Herzogs Amedeo von Piemont mit der spanischen Infantin Maria Antonia stattfand.

Raatz-Brockmann, Julius von; seine Tätigkeit beschränkte sich fast ausschließlich auf den Konzertsaal, doch hat er gelegentliche Bühnengastspiele gegeben. So sang er bereits 1905 am Hoftheater von Dessau die Titelpartie in «Hans Heiling» von Marschner. Auch bei anderen Gelegenheiten kam es zu einem Erscheinen auf der Bühne. Seine großen Erfolge erzielte er jedoch im Konzertbereich; man

hörte ihn in Wien (1912) und Kopenhagen (1922), in Turin (1923) und Oslo (1923), bei einer Holland-Tournee (1923) wie in Zürich (1923), in Riga und Reval (1925), in Basel (1925), in Stockholm und Göteborg (1925–26). Allgemein bewundert wurde sein Vortrag der Balladen von Carl Loewe. Er galt als einer der bedeutendsten Gesangpädagogen seiner Generation; zu seinen Schülern gehörten so große Sänger wie Arno Schellenberg, Else Schürhoff, Konstanze Nettesheim, Hans-Hermann Nissen und Henny Wolff.
Schallplatten: Anker (Lieder von Schubert und anderen Komponisten, um 1910), Odeon (Loewe-Balladen, 1908). Obwohl er ein großer Oratoriensänger war, ist auf seinen Schallplatten keine Oratorienmusik anzutreffen.

Radaelli, Giuseppe; 1919 sang er am Teatro Costanzi Rom den José in «Carmen», 1926 wirkte er am Teatro Donizetti Bergamo in der Uraufführung der Oper «Ivania» von Pizzi mit.

Radev, Gregor, s. unter *Radev,* Marianna.

Radev, Marianna; 1950 und 1954 gastierte sie beim Maggio musicale von Florenz. 1959–61 war sie Mitglied der Bayerischen Staatsoper München. 1965–67 wirkte sie bei den Salzburger Festspielen mit. Weitere Gastspiele an der Staatsoper Stuttgart (1952), am Théâtre de la Monnaie Brüssel (1959), am Teatro Colón Buenos Aires (1962), in Zürich, Kopenhagen und an der Staatsoper Berlin. Der Bruder der Sängerin *Gregor Radev* (* 13. 1. 1910 Konstanza) wurde als Baß-Bariton bekannt. Nach seiner Ausbildung in Brno (Brünn), Triest und Zagreb debütierte er 1939 am Opernhaus von Brno als Figaro im «Barbier von Sevilla» und war seit 1939 für viele Jahre Mitglied der kroatischen Nationaloper Zagreb.

Radford, Robert; bei den zahlreichen englischen Musikfesten erwies er sich als großer Oratorensolist. 1910 sang er am His Majesty's Theatre London u. a. den Osmin in der «Entführung aus dem Serail».

Raeder-Woltereck, Karoline, s. unter *Raeder,* Gustav.

Stammbaum der Familie Raeder

Christian Raeder (1742–1817)
∞ Amalie Raeder-Niebuhr († 1832)
|
Karl Friedrich Balthasar Raeder (1781–1861)
∞ Florentine Gildner (1790–1865)
|
Gustav Raeder (1810–68)
∞ Karoline Raeder-Woltereck (* 1818)
|
Marie Raeder (1844–85)

Rafanelli, Flora, † 17. 1. 1990 Florenz; in den Jahren 1960 bis 1988 war sie immer wieder am Teatro Comunale ihrer Heimatstadt Florenz zu hören, u. a. als Azucena im «Troubadour» und als Preziosilla in

Verdis «La forza del destino», meistens jedoch in kleineren Partien wie der Suzuki in «Madame Butterfly», der Maddalena im «Rigoletto», der Madelon in «Andrea Chénier» von Giordano und der Mercedes in «Carmen».
Schallplatten: Melodram («Luisa Miller» von Verdi, 1966).

Raffanelli, Luigi, * 21. 3. 1752 bei Lecce.

Raffanti, Dano, * 5. 4. 1948 Lucca. Auch in Dallas gastierte er 1980 in Vivaldis «Orlando furioso». In der Saison 1980–81 wurde er an die Metropolitan Oper New York berufen, wo er als Antrittsrolle den Alfredo in «La Traviata» sang. Man hörte ihn in den folgenden Jahren an diesem Haus als Herzog im «Rigoletto», als Rodolfo in «La Bohème», als Edgardo in «Lucia di Lammermoor», als italienischen Sänger im «Rosenkavalier» und 1987 wieder als Alfredo. 1985 trat er an der Mailänder Scala als Tebaldo in «I Capuleti ed I Montecchi» von Bellini auf, 1989 beim Maggio musicale Florenz als Titelheld in «Idomeneo» von Mozart.

Raffell, Anthony; 1988 und in der Saison 1989–90 sang er an der Metropolitan Oper New York den Gunther in der «Götterdämmerung». Gastspiele am Teatro Liceo Barcelona und an der Königlichen Oper Kopenhagen.

Ragon, Marcelle; sie erwarb das Bachelauréat de Littérature. Am Théâtre Lyrique Paris sang sie in den Jahren nach dem Ersten Weltkrieg u. a. die Octavie in «Cléopâtre» von Massenet. 1930–31 hörte man sie dort in Rossinis «Wilhelm Tell», in «La Dame blanche» von «Boieldieu» und als Eunice in «Quo vadis» von Nouguès. 1930–32 trat sie an der Opéra-Comique Paris auf, u. a. in «Le joueur de viole» von Laparra und in «Angélique» von Ibert.

Raimondi, Gianni, * 13. 4. 1923 Bologna. 1952 trat er beim Maggio musicale Fiorentino als Rinaldo in «Armida» von Rossini auf. 1953 sang er am Stoll Theatre London den Alfredo in «La Traviata» und trug die gleiche Partie in der Saison 1955–56 an der Mailänder Scala als Partner von Maria Callas vor. An der Covent Garden Oper London gastierte er als Lord Percy in «Anna Bolena». Im Mittelpunkt seiner künstlerischen Arbeit blieb jedoch die Mailänder Scala. Besondere Erfolge erzielte er hier in den Rossini-Opern «Mosè in Egitto» (1958) und «Semiramide» (1962).
Schallplatten: Melodram («Faust» von Gounod, Mailänder Scala 1962).

Raimondi, Ruggero; auch Schüler von Ettore Campogalliano in Mantua und von Antonio Piervenanzi in Rom. 1964 ersetzte er den erkrankten Nicola Rossi-Lemeni an der Oper von Rom als Procida in Verdis «Vespri Siciliani». 1968 sang er als erste Partie an der Mailänder Scala den Timur in Puccinis «Turandot». 1987 hörte man ihn in Chicago als Grafen in «Figaros Hochzeit». Als eine besondere Glanzrolle des vielseitigen Sängers galt der Don

Giovanni, den er auch in einer Verfilmung der Mozart-Oper sang. Er nahm an den Premieren von Rossinis «Il Viaggio a Reims» bei den Festspielen von Pesaro (1985), an der Scala und an der Wiener Staatsoper in der Rolle des Don Profondo teil. Er war auch als Opernregisseur tätig. Am 13. 7. 1989 wirkte er im Eröffnungskonzert der Bastille-Oper Paris mit.
Lit.: M. J. Ankenbrand: «Ruggero Raimondi, Mensch und Maske» (München, 1988).
Schallplatten: Philips (Don Magnifico in «La Cenerentola»).

Rains, Léon; er sang als Knabensopran in den Chören der Calvary Church wie der Church of the Incarnation in New York. Mit zwölf Jahren trat er auf der Bühne des New Yorker Star Theatre auf. Er debütierte bei der Damrosch-Ellis Opera Company bei deren Auftreten im Haus der New Yorker Metropolitan Oper. 1898 unternahm er eine USA-Tournee zusammen mit der großen Primadonna Nellie Melba. 1899–1910 war er an der Hofoper von Dresden engagiert. Hier sang er u.a. in der Uraufführung der Oper «Salome» von R. Strauss die Partie des 5. Juden (5. 12. 1905) und wirkte in der Uraufführung der Oper «Manru» von Paderewski (29. 5. 1901) und in der Premiere von E. d'Alberts «Die Abreise» mit. Er gab Gastspiele an den Hofopern von Berlin (1908) und Wien (1902), am Deutschen Theater Prag (1904) und an der Oper von Frankfurt a. M. (1901). Er betätigte sich auch als Kunst-Möbelschreiner.

Raisa, Rosa; ihre Familie flüchtete nach einem Judenpogrom 1907 aus ihrer galizischen Heimat nach Italien. 1912–13 trat sie in Konzerten in Rom und Neapel (noch unter ihrem eigentlichen Namen Rosa Burchstein) auf. 1913 kam es zu ihrem Bühnendebüt. In der Saison 1913–14 war sie bereits an der Oper von Chicago tätig (Antrittsrolle: Aida), 1913 gastierte sie auch in Mexico City. 1913–14 sang sie am Philadelphia Opera House u. a. die Donna Anna im «Don Giovanni». 1914 Gastspiel an der Grand Opéra Paris. 1915–16 kam sie am Teatro Colón Buenos Aires zu bedeutenden Erfolgen. Seit 1916 war sie dann auch an der Mailänder Scala zu hören (nicht bereits 1913), an der sie als erste Partie die Aida vortrug. Seit 1916 war sie die große Primadonna der Oper von Chicago. Hier sang sie auch am 4. 11. 1929 in der Eröffnungsvorstellung des neuen Hauses die Aida. Von Chicago aus gastierte sie an den führenden Operntheatern in aller Welt, vor allem an der Mailänder Scala. Dort wirkte sie 1933 nochmals in der Uraufführung der Oper «Una Partita» von Zandonai mit. 1933 sang sie gastweise an der Städtischen Oper Berlin und bei den Festspielen in der Arena von Verona. Als letzte Partien übernahm sie 1937 in Chicago die Santuzza in «Cavalleria rusticana» und die Rachel in «La Juive» von Halévy. Sie lebte später in Kalifornien, hielt sich aber auch viel in ihrer Villa San Floriano am Gardasee auf. Nach ihrem Tod veranstaltete man die Eröffnungsvorstellung der Saison 1963–64 an der Oper von Chicago mit Verdis «Nabucco» in ergreifender

Weise als Gedächtnis an die unvergessene große Sängerin.
Schallplatten: Auch elektische Aufnahmen auf Brunswick.

Raithel, Ute; sang seit 1969 zwanzig Jahre lang am Landestheater von Kiel, u. a. auch als Nicolette in der zeitgenössischen Oper «Aucassin und Nicolette» von Günter Bialas.

Raitscheff, Petar, * 21. 3. 1887 Varna (Bulgarien). 1924–25 Mitglied der Städtischen Oper Berlin. 1931–33 gehörte er dem Ensemble der Opéra Russe an, mit dem er große Gastspielreisen unternahm. 1933–35 war er an der Nationaloper von Zagreb engagiert. 1936 gastierte er am Staatstheater Hannover, 1942 an der Wiener Volksoper. 1950–58 war er am Konservatorium von Sofia als Pädagoge tätig.

Rakowska, Elena; 1915 Gastspiel an der Oper von Havanna als Titelheldin in «La Gioconda» von Ponchielli.

Ralf, Torsten; er sang 1931–33 am Stadttheater von Chemnitz, 1933–35 am Opernhaus von Frankfurt a. M. 1936 hörte man ihn an der Covent Garden Oper London bei einem Gastspiel des Dresdner Ensembles als Bacchus in «Ariadne auf Naxos» von R. Strauss. Als Antrittsrolle sang er an der New Yorker Metropolitan Oper 1945 den Lohengrin und trat in den folgenden Spielzeiten dort in Wagner-Partien, aber auch als Radames in «Aida» und als Othello in der Verdi-Oper gleichen Namens auf. 1948 nochmals an der Covent Garden Oper als Radames zu Gast.
Schallplatten: HMV (hier u. a. ein Wagner-Album unter F. Busch und das Liebesduett aus «Tristan» mit Helen Traubel), Columbia (9. Sinfonie von Beethoven), auf UORC erschienen Szenen aus «Die Frau ohne Schatten» von R. Strauss mit Hilde Konetzni.

Ralph, Paula, † 1922 Frankfurt a. M. 1903–07 war die Künstlerin an der Metropolitan Oper New York engagiert. Sie wirkte nach Abschluß ihrer Karriere als Pädagogin in Frankfurt a. M. (Schreibweise des Familiennamens Ralph, nicht Ralphs).

Rambaud, Edmond, * 23. 2. 1887, † 16. 10. 1960 Paris; er sang an der Grand Opéra Paris am 11. 3. 1921 in der Uraufführung der Oper «Antar» von Gabriel Dupont die Partie des Meurtrier aveugle.

Ramey, Samuel, * 28. 3. 1942 Colby (Kansas). An der New York City Centre Opera hatte er einen sensationellen Erfolg als Titelheld in Boitos «Mefistofele», ebenso als Mephisto im «Faust» von Gounod und als Don Giovanni. 1978 Gastspiel an der Hamburger Staatsoper als Arkel in «Pelléas et Mélisande»; 1981 debütierte er an der Wiener Staatsoper wie an der Mailänder Scala als Titelheld in «Figaros Hochzeit». Nachdem er 1984 als erste Partie an der Metropolitan Oper New York den Argante in Händels «Rinaldo» übernommen hatte, sang er an die-

sem Haus den Lord Walton in Bellinis «I Puritani», den Escamillo in «Carmen» und 1989 den Titelhelden in «Herzog Blaubarts Burg» von B. Bartók. 1986 gastierte er beim Rossini Festival von Pesaro in «Maometto II.», 1989 in «La gazza ladra», 1988 an der Staatsoper München als Mephisto im «Faust» von Gounod, 1988 am Grand Théâtre Genf als Mefistofele und als König Philipp in Verdis «Don Carlos». Bei den Salzburger Festspielen wurde sein Don Giovanni (1987–88) bewundert.
Schallplatten: Philips («Tosca», Arien-Platte, «Rodelinda» von Händel), Decca («Macbeth» von Verdi, «Norma»), CBS («Barbier von Sevilla», «Herzog Blaubarts Burg» von Bartók), HMV (Titelheld in «Attila von Verdi, Baß-Solo im Verdi-Requiem), CBS («La Gioconda»), LR («Semele» von Händel).

Ramirez, Alejandro; 1987 sang er in Rom in einer konzertanten Aufführung von Webers «Euryanthe» die Partie des Adolar, in Zürich den Hans in der «Verkauften Braut», 1989 in München den König in Tschaikowskys «Jungfrau von Orléans». Verheiratet mit der Sängerin *Gerda Hagner*. 1988 Debüt an der Mailänder Scala in «Daphne» von R. Strauss.
Schallplatten: Schwann («Euryanthe» von Weber), HMV (Don Basilio in «Figaros Hochzeit»).

Ramírez, Carlos Julio, * 4. 8. 1916 Tocaima (Kolumbien), † 14. 12. 1986 Miami (Florida). Er debütierte in seiner Heimat Kolumbien am Tetro Coló der Landeshauptstadt Bogotà. 1937 gastierte er erstmals am Teatro Colón Buenos Aires und kam dort wie auch am Opernhaus von Mexico City zu großen Erfolgen.

Ranalow, Frederick; studierte neben Gesang auch Cellospiel. 1903 sang er zusammen mit Ruth Vincent in London in der Musical Comedy «The Medal and the Maid». Bei der Beecham Opera Company sang er auch am 14. 1. 1916 in der Uraufführung der Oper «The Critic» von Ch. Stanford; man hörte ihn dort als Figaro in «Nozze di Figaro», als Marke im «Tristan», als Vater in Charpentiers «Louise», als Warlaam im «Boris Godunow», als Falstaff in den «Lustigen Weibern von Windsor» von Nicolai und als Colline in «La Bohème».
Schallplatten: HMV (Beggar's Opera, 1920).

Ranczak, Hildegard; † Februar 1987 München. Sie war in Wien Schülerin von Irene Schlemmer-Ambros. 1919 debütierte sie am Opernhaus von Düsseldorf als Pamina in der «Zauberflöte». Sie blieb bis 1944 Mitglied der Münchner Staatsoper, an der sie auch später noch gastweise auftrat und sich 1950 als Carmen von der Bühne verabschiedete. Sie gastierte an den Staatsopern von Wien (1931, 1943) und Dresden (1927).

Randová, Eva; sie begann ihre Bühnenkarriere 1962 am Theater von Ostrava (Mährisch Ostrau), 1981 sang sie als Antrittsrolle an der Metropolitan Oper New York die Fricka in der «Walküre»; 1987 hörte man sie dort als Venus im «Tannhäuser». Seit 1977

trat sie als Gast an der Covent Garden Oper London auf, dabei sang sie Partien wie die Ortrud im «Lohengrin», die Venus und die Marina im «Boris Godunow», 1986–87 mit großem Erfolg die Küsterin in Janáčeks «Jenufa». An der Wiener Staatsoper gastierte sie u. a. 1987 in Dvořáks «Rusalka».
Schallplatten: Supraphon (Marfa im «Dimitrij» von Dvořák), Decca (Ortrud im «Lohengrin»).

Ranieri, Francesco, s. unter *Horbowski*, Mieczyslaw.

Raninger, Walter, * 14. 6. 1926 Wieselburg an der Erlauf. Zu Beginn der achtziger Jahre wurde er als Professor für Lied- und Oratoriengesang an das Salzburger Mozarteum berufen.

Rankin, Nell; seit 1951 hat sie an der Metropolitan Oper New York (in deren Haus in New York) in 19 Spielzeiten 17 Partien in insgesamt 143 Vorstellungen vorgetragen, darunter auch die Azucena im «Troubadour», die Ulrica in Verdis «Ballo in maschera», die Marina im «Boris Godunow» und die Laura in «La Gioconda» von Ponchielli. 1953–54 gastierte sie an der Covent Garden Oper London, 1958 am Teatro Colón Buenos Aires (Amneris in «Aida»), 1957 in Mexico City, 1955 an der Oper von San Francisco (Debüt als Carmen). 1960 hörte man sie nochmals an der Mailänder Scala als Cassandre in «Les Troyens» von Berlioz.

Ranzow, Maria; sie wirkte als angesehene Pädagogin in Stuttgart (wo sie u. a. die Lehrerin von Wolfgang Windgassen war) und in Wien und emigrierte dann in die USA.

Raphanel, Ghilaine, * 19. 4. 1952 Rouen. Sie erhielt auch Unterricht durch die bekannte deutsche Sopranistin Elisabeth Grümmer. 1988 gastierte sie bei den Festspielen in der Grange de Mézières als Amor im «Orpheus» von Gluck, 1989 in Nancy als Susanna in «Nozze di Figaro».
Schallplatten: HMV («Les Brigands» von Offenbach).

Rappe, Signa von; Schülerin von Thekla Hofer in Stockholm (1899–1903), dann von Therese Schnabel-Behr in Berlin (1904–05) und von Etelka Gerster in Bologna (1905–06). Sie sang bereits 1902 ein Solo in Händels Oratorium «Samson». Bühnendebüt an der Stockholmer Oper 1906 als Pamina in der «Zauberflöte». 1906–08 war sie am Hoftheater von Mannheim tätig. 1912–13 war sie nochmals an der Königlichen Oper Stockholm im Engagement; seitdem erschien sie nur noch als Gast auf der Bühne. 1912–13 und 1924–25 unternahm sie sehr erfolgreiche Konzerttourneen durch die USA.

Rappold, Marie; während ihres Auftretens in Bukarest wurde sie 1910 durch die kunstbegeisterte rumänische Königin Carmen Sylva mit einem hohen Orden dekoriert. An der Metropolitan Oper New York hat sie in 15 Spielzeiten eine Vielzahl von Partien gesungen, darunter die Leonore im «Troubadour»,

die Desdemona in Verdis «Othello», die Aida, die
Euridice im «Orpheus» von Gluck, die Elsa im «Lohengrin», die Freia im «Rheingold» und wirkte in
den Premieren der Opern «Iphigenie auf Tauris»
von Gluck (1916) und «Der Widerspenstigen Zähmung» von H. Goetz (1916) mit. In den zwanziger
Jahren unternahm sie Gastspielreisen mit der San
Carlo Opera Company (nicht am Teatro San Carlo
Neapel) durch Nordamerika, 1923 gastierte sie in
Havanna, 1925 sang sie die Aida bei Aufführungen
dieser Verdi-Oper im Yankee Stadion New York.
1929 Konzerttournee durch Europa, bei der sie vor
allem in Deutschland und Holland auftrat. Nachdem
sie sich bereits 1906 von ihrem ersten Gatten getrennt hatte, heiratete sie 1913 den deutschen Tenor
Rudolf Berger (1874–1915).

Rasi, Francesco, * 4. 5. 1574 Arezzo. Er entstammte
einer vornehmen Familie. In der Uraufführung der
Oper «Euridice» von Jacopo Peri hat er den Orfeo
gesungen (6. 10. 1600). Er war auch an der Uraufführung von Caccinis «Il Rapimento di Cefalo» am
9. 10. 1600, ebenfalls im Palazzo Pitti in Florenz,
beteiligt. Es ist durchaus möglich, daß er in der
Uraufführung von Monteverdis «La Favola d'Orfeo» 1607 in Mantua mitgewirkt hat (jedoch nicht in
der Titelrolle); jedenfalls sang er dort am 24. 5. 1608
in der Uraufführung von dessen Oper «Arianna»,
deren Partitur bis auf das berühmte Lamento d'Arianna verlorengegangen ist. 1612 besuchte er Wien
und den kunstliebenden Erzbischof Marcus Sitticus
in Salzburg, dem er seine «Musica di camera e
chiesa» widmete. Er wird letztmalig 1620 erwähnt.

Raskin, Judith, * 21. 6. 1928 Bronx (New York).
1956 sang sie in Central City (Colorado) die Titelpar-
tie in der Uraufführung der Oper «The Ballad of
Baby Doe» von Douglas Moore. 1959 hörte man sie
an der New York City Centre Opera als Despina in
«Così fan tutte». Im amerikanischen Fernsehen trat
sie in Opern von Mozart und Poulenc auf. An der
Metropolitan Oper New York sang sie seit 1962 in elf
Spielzeiten bis 1974 88 Vorstellungen von sieben
Rollen, darunter die Pamina in der «Zauberflöte»,
die Nannetta in Verdis «Falstaff» und die Sophie im
«Rosenkavalier».

Rasp, Philipp; er studierte am Konservatorium von
Kaiserslautern und debütierte 1930 am Stadttheater
von Heilbronn. 1935–40 war er am Opernhaus von
Köln, 1940–44 an der Staatsoper Dresden im Engagement. Nach dem Zweiten Weltkrieg sang er
1948–53 am Opernhaus von Wuppertal, 1953–59 am
Landestheater Saarbrücken. In den Jahren 1942–44
trat er als Gast an der Wiener Volksoper auf, auch in
Budapest und Helsinki gastweise aufgetreten.

Rasponi, Romano; in der Spielzeit 1908–09 wirkte er
an der Mailänder Scala in Aufführungen von Charpentiers «Louise» und von Mussorgskys «Boris Godunow» mit. 1910 trat er am Teatro Colón Buenos
Aires als de Brétigny in Massenets «Manon», als
Donner im «Rheingold» und als Mercutio in «Ro-

méo et Juliette» von Gounod auf. 1916 zu Gast am
Teatro Liceo Barcelona.

Ratti, Eugenia; 1952 sang sie erstmals an der Mailänder Scala, und zwar die Adina in Donizettis «Elisir
d'amore». 1958 und 1960 gastierte sie an der Oper
von Dallas. 1956 hörte man sie beim Festival von
Aix-en-Provence als Rosina im «Barbier von Sevilla».

Rauch, Alf; war 1933–35 am Opernhaus von Zürich,
1935–40 am Staatstheater Kassel, 1940–44 am
Opernhaus von Frankfurt a. M. und gleichzeitig
1942–44 an der Staatsoper von Stuttgart engagiert.
1940 sang er als Antrittspartie an der Mailänder
Scala den Lohengrin. Weiter zu Gast an der Staatsoper (1939–40, 1942) und an der Volksoper von
Wien (1941) wie auch am Teatro Liceo Barcelona
(1941). Bis 1950 ist er noch gastierend in Erscheinung getreten. In Kassel wirkte er in den Uraufführungen der Opern «Tobias Wunderlich» von J. Haas
(24. 11. 1937) und «Elisabeth von England» von Paul
von Klenau (19. 3. 1939) mit.

Rautawaara, Aulikki, Gesangstudium in Berlin und
Wien. 1938 Gastspiel in Amsterdam als Gräfin in
«Figaros Hochzeit». Während und nach dem Zweiten Weltkrieg lebte sie in Finnland und setzte dort
wie in Schweden ihre Konzerttätigkeit fort. Man
schätzte sie in besonderer Weise als Interpretin des
nordischen Liedes, namentlich der Lieder von Sibelius.
Schallplattenaufnahmen auf skandinavischen Marken, u. a. auf Rytmi (Lieder), Swedish Society und
Finnish Electro (Lieder von Sibelius). Auf Discocorp (Bruno Walter Society) Gräfin in «Figaros
Hochzeit».

Rauzzini, Venanzio; getauft 19. 12. 1746 Camerino
(Provinz Macerata). Seit 1778 hielt er sich zumeist in
dem englischen Badeort Bath auf. Auch die Susanna
der Uraufführung von «Nozze di Figaro», Nancy
Storace, war seine Schülerin. Sein Bruder *Matteo
Rauzzini*, Sänger und Komponist, brachte 1772 in
München seine erste Oper zur Uraufführung.

Ravazzi, Gabriella; Schallplatten: DGG (Werke
von L. Nono).

Raveau, Alice, † 1951 Paris. Neben dem Orpheus
von Gluck war die Charlotte im «Werther» von
Massenet eine ihrer Glanzrollen. An der Pariser
Opéra-Comique galt sie allgemein als die Nachfolgerin der berühmten Altistin Marie Delna. 1929 glänzender Erfolg an der Grand Opéra Paris als Dalila in
«Samson et Dalila» von Saint-Saëns. Große Lied-
Interpretin, namentlich der Liedwerke von Ernest
Chausson, Henri Duparc, Gabriel Fauré und weiterer französischer Komponisten. Gegen Ende ihrer
Karriere trat die von Figur her kleine Künstlerin bei
ihren Konzerten in männlicher Kleidung und mit
kurz geschnittenem grauem Haar auf.

Ravelli, Willem, * 31. 5. 1892 im Haag.

Ravenna, Pia; 1927 gastierte sie an der Oper von Budapest und gab Konzerte in Berlin.
Schallplatten: Auch akustische Fonotipia-Platten vorhanden.

Rawnsley, John, * 14. 12. 1942 Grafschaft Lancashire; beim Glyndebourne Festival sang er 1987 den Paolo in Verdis «Simon Boccanegra», bei der English National Opera 1988 den Papageno in der «Zauberflötes». 1987 sang er an der Mailänder Scala den Tonio im «Bajazzo»; Gastspiele an der Staatsoper Wien am Teatro Liceo Barcelona und an der Oper von San Diego.
Schallplatten: Pickwick-Video («Don Giovanni» aus Glyndebourne, 1977), Thames-Video («Rigoletto»).

Rayam, Curtis; 1986 sang er beim Wexford Festival den Werther in Massenets Oper gleichen Namens, 1987 bei den Festspielen im Barocktheater von Schloß Drottningjolm den Titelhelden in «Idomeneo» von Mozart. Ebenfalls 1988 hörte man ihn am Opernhaus von Frankfurt a. M. als Achilles in Glucks «Iphigenie in Aulis», 1988 an der Mailänder Scala als Orcane in «Fetonte» von Niccolò Jommelli; beim Festival von Spoleto wirkte 1988 er in der Oper «Antigone» von Tomaso Traetta mit.
Schallplatten: Decca («Rodelinda» von Händel).

Razador, José, * 15. 3. 1935 Châtelineau bei Charleroi (Belgien). Er entstammte einer italienischen Familie. Zuerst Ausbildung am Konservatorium von Namur, dann 1962–64 am Konservatorium von Mons. Gastierte an den Opernhäusern von Nantes, Rouen und Marseille, in Polen, Rumänien und Kanada. Er wirkte bei den Festspielen von Aix-en-Provence mit und war ein beliebter Operettensänger.

Razavet, Paul; er machte den Ersten Weltkrieg vom Beginn bis zum letzten Tag mit und leistete seinen Kriegsdienst bei der 1. Infanteriedivision ab. Zu seinen Glanzrollen gehörten der Ferrando in «Così fan tutte» und der Paolo in Zandonais «Francesca da Rimini», den er in der französischen Premiere der Oper sang. Mit seiner eleganten Erscheinung war er der Liebling des Brüsseler Opernpublikums in den Jahren nach dem Ersten Weltkrieg.

Reale, Marcella, * 1934 (?) in Kalifornien. Sie begann ihre Bühnenkarriere mit einem Engagement am Stadttheater von Heidelberg (1957–58) und sang dann an den Theatern von Essen (1958–59) und Krefeld (1959–62).

Reardon, John, † 16. 4. 1988 Santa Fé. Ursprünglich wollte er einen kaufmännischen Beruf ergreifen, entschloß sich dann jedoch zum Gesangstudium. Zu Beginn seiner Bühnentätigkeit trat er neben seinem Wirken auf der Opernbühne auch am New Yorker Broadway in Musicals auf. 1965 sang er als Antrittsrolle an der Metropolitan Oper New York den Tomsky in «Pique Dame» von Tschaikowsky. In elf Spielzeiten ist er in 16 Partien dort aufgetreten, darunter als Escamillo in «Carmen», als Mercutio in

«Roméo et Juliette» und als Albert in Massenets «Werther». Er wirkte in einer Anzahl von Uraufführungen mit: «Mourning Becomes Electra» von Marvin David Levy (17. 3. 1967 Metropolitan Oper), «Summer and Smoke» von Holby (1971 St. Paul), «The Seagull» von Pasatieri (1974 Houston/Texas), «The Labyrinth» von G. C. Menotti (1963 amerikanisches Fernsehen NBC).

Rébel, Anne-Renée, getauft 6. 12. 1663 Paris, † 5. 5. 1722 Versailles.

Rebroff, Iwan; Schallplatten: CBS (Ausschnitte aus «Boris Godunow»), Intercord (Lieder russischer Komponisten), Elisor (Opernszenen).

Ree, Jean van; seit 1967 Mitglied des Opernhauses von Köln. 1987 gastierte er an der Wiener Staatsoper wie am Teatro Liceo Barcelona als Alwa in «Lulu» von A. Berg. Auch an der Metropolitan Oper New York aufgetreten (1978 als Nicias in «Thaïs» von Massenet).

Reece, Arley; 1974 sang er an der City Centre Opera New York den Bacchus in «Ariadne auf Naxos». Weitere Gastspiele in Madrid (1987) und am Stadttheater von Bern. 1987 bewunderte man ihn in seiner Glanzrolle, dem Othello von Verdi, an der Staatsoper von Wien. Im gleichen Jahr gastierte er am Teatro Liceo Barcelona als Tannhäuser. An der Nationaloper Warschau trat er 1988–89 sehr erfolgreich als Siegmund in der «Walküre» auf, an der Oper von Lüttich als Kalaf in «Turandot».

Reeh, Heinz; seit 1983 Dozent an der Musikhochschule Berlin.
Schallplatten: Eterna («Esther» von Robert Hanell, «Puntila» von P. Dessau, «Meistersinger», «Zauberflöte», «La Traviata»), Philips (Szenen aus Wagner-Opern).

Reeves, Sims, * 26. 9. 1818 Shooters Hill bei Woolwich (Grafschaft Kent). Sein Vater *John Reeves* war Bassist und Musiker in der Royal Artillery. Er selbst debütierte 1838 in Newcastle-on-Tyne.

Reggiani, Hilde, * 26. 11. 1911 Modena. Sie sang 1935 am Teatro Reale Rom zusammen mit Benjamino Gigli in «Elisir d'amore». 1938–39 erschien sie an der Oper von Chicago als Lucia di Lammermoor und als Gilda im «Rigoletto». An der New Yorker Metropolitan Oper hatte sie einen ihrer größten Erfolge in ihrer besonderen Glanzrolle, der Rosina im «Barbier von Sevilla». Diese Partie sang sie auch bei der USA-Tournee der Operngesellschaft von Charles L. Wagner (1940–41) und am Teatro Colón Buenos Aires, an dem man sie auch als Gilda und als Adina in «Elisir d'amore» feierte. Gastspiele am Royal Theatre Malta und 1948 nochmals an der Mailänder Scala, wo sie abermals als Rosina brillierte.
Schallplatten: Victor («Barbier von Sevilla» mit Bruno Landi als Partner), Allegro Royale (um 1955 aufgenommen).

Rehfuß, Carl; verheiratet mit der Altistin *Florentine Rehfuß-Peichert;* sein Sohn und Schüler *Heinz Rehfuß* (1917–88) wurde ein bekannter Opernsänger und Pädagoge.

Rehfuß, Heinz, † 27. 6. 1988 Buffalo (New York). Beim Maggio musicale Florenz sang er 1950 in der Oper «Armida» von Lully, 1958 in der Uraufführung von Dallapiccolas «Job», 1963 das Baß-Solo in der 9. Sinfonie von Beethoven. An der Mailänder Scala war er in großen Konzertveranstaltungen zu hören, so 1959 in dem Oratorium «Israel in Egypt» von Händel, 1961 in «Roméo et Juliette» von Berlioz, 1962 in der 8. Sinfonie von Gustav Mahler. Zu seinen Bühnenpartien gehörte auch der Golo in «Pelléas et Mélisande» von Debussy.

Reich, Cäcilie, † 30. 10. 1965 München. Ausbildung an der Musikhochschule Berlin. Sie debütierte 1928 am Stadttheater von Görlitz und war dann am Stadttheater von Bremen im Engagement. 1937 und 1940–41 zu Gast an der Wiener Staatsoper, 1938 am Théâtre de la Monnaie Brüssel. 1938 gastierte sie mit dem Ensemble der Münchner Staatsoper an der Mailänder Scala als Gutrune in der «Götterdämmerung».

Reich, Günter, † 15. 1. 1989 Heidelberg; seine Familie mußte wegen ihrer jüdischen Herkunft 1934 Deutschland verlassen und wanderte nach Israel aus. Dort arbeitete er in verschiedenen Berufen und begann dann mit dem Gesangstudium. Zunächst glaubte er, eine Tenorstimme zu besitzen; seit 1958 wurde er jedoch an der Musikhochschule Berlin durch H. Sengeleitner zum Bariton ausgebildet. Seit 1968 gehörte er bis zu seinem Tod dem Ensemble der Staatsoper von Stuttgart an. An der Deutschen Oper Berlin wirkte er in der Uraufführung der Oper «200 000 Taler» von Boris Blacher mit (25. 9. 1969). Am 16. 6. 1961 sang er in Wien eine Solopartie in der Uraufführung des Oratoriums «Die Jakobsleiter» von A. Schönberg (nach der Vollendung des Werks durch W. Zillig). Bei den Salzburger Festspielen gastierte er am 15. 8. 1986 in der Uraufführung der Oper «Die schwarze Maske» von K. Penderecki, 1988 sang er dort in einer konzertanten Aufführung von «Der Prozeß» von G. von Einem. (An der Uraufführung von B. A. Zimmermanns «Die Soldaten» in Köln hat er nicht teilgenommen.) 1983 Gastspiel an der Covent Garden Oper London als Hans Sachs. 1988 hörte man ihn in München in Janáčeks «Sache Makropoulos», an der Covent Garden Oper London und am Teatro Real Madrid als Dr. Schön in «Lulu» von A. Berg. Im November 1988 übernahm er, bereits schwer erkrankt, in Frankfurt a. M. nochmals ein Solo in der Kantate «Ein Überlebender aus Warschau» von A. Schönberg.
Schallplatten: Saphir/Intercord (Glagolitische Messe von Janáček).

Reichenberg, Franz von; Bühnendebüt 1873 am Hoftheater von Mannheim. Es folgten Engagements am Stadttheater von Stettin (1875–76), am Opernhaus von Frankfurt a. M. (1876–78) und am Hof-

theater von Hannover (1878–84). Gastspiele an den Hoftheatern von München (1877) und Wiesbaden (1891), an den Opern von Budapest (1888) und Brünn (1887). Während seines Wiener Engagements wirkte er auch in der Uraufführung der Oper «Merlin» von K. Goldmark mit (19. 11. 1886).

Reichhardt, Poul; (die Aufführung von Benatzkys Operette «Im weißen Rössl» fand nicht 1950 an der Oper von Kopenhagen sondern an einem dortigen Operettentheater statt; er ist auch nicht in C. Nielsens «Maskarade» aufgetreten).
Schallplatten: Polygram (Künstlerporträt), Aufnahmen auf HMV, Tono, Polyphon und Philips.

Reichová, Irma, * 14. 3. 1859 Krivokláte (ČSR); sie wirkte in Prag auch in der Uraufführung der Oper «Dimitrij» von A. Dvořák mit (8. 10. 1882). 1888–91 war sie an der Oper von Budapest engagiert, kam dann aber wieder nach Prag zurück.

Reimers, Paul; einerseits brachte er die Lieder der französischen Impressionisten, vor allem die von Claude Debussy, dem deutschen Publikum zur Kenntnis, anderseits führte er deutsche Lieder (Hugo Wolf) in Frankreich und Belgien durch seine Liederabende ein. Seit 1924 Professor und Direktor der Vokalklasse an der Juilliard School of Music New York.
Schallplatten: Victor (deutsche Volkslieder in Duetten mit Alma Gluck; noch 1927 Duette mit Hulda Lashanska).

Reinecke, Paul; er kam 1920 als Repetitor an das Landestheater Schwerin. 1922 ging er an das Thüringische Landestheater in Altenburg, 1923 als Tenor-Buffo an das Stadttheater von Rostock. 1924–25 war er am Stadttheater (Opernhaus) von Hamburg, 1925–27 in Nürnberg, 1927–30 in Breslau, 1933–35 am Opernhaus von Frankfurt a. M. tätig. Durch einen Gastspielvertrag war er dem Deutschen Opernhaus Berlin verbunden.

Reinemann, Udo; Schallplatten: Globe (Lieder von Richard Strauss).

Reinhard, Johann; 1901–03 war er am Stadttheater (Opernhaus) von Hamburg tätig. 1903 ging er an das Stadttheater von Stralsund, 1904–09 war er an der Wiener Volksoper engagiert. 1909–11 gehörte er zum Ensemble der Oper von Riga, 1911–12 zu dem der Komischen Oper Berlin.

Reinhardt, Delia, † 3. 10. 1974 Arlesheim bei Basel. Debüt 1913 am Opernhaus von Breslau als Friedensbote in «Rienzi» von R. Wagner. Bruno Walter engagierte sie von dort 1916 an die Münchner Hofoper. Hier sang sie eine kleine Partie in der Uraufführung von Hans Pfitzners «Palestrina» (12. 6. 1917). 1922 Gastspiel am Teatro Costanzi Rom als Elisabeth im «Tannhäuser». 1922–24 Mitglied der Metropolitan Oper New York (Debüt als Sieglinde in der «Walküre»). An der Berliner Staatsoper sang sie in den Uraufführungen der Opern «Der singende

Teufel» von F. Schreker (10. 12. 1928), «Das Herz» von Hans Pfitzner (12. 11. 1931 als Helge) und «Christophe Colomb» von D. Milhaud (5. 5. 1930). 1928 sang sie in der Eröffnungsvorstellung des neu renovierten Hauses der Berliner Staatsoper in Anwesenheit des Reichspräsidenten von Hindenburg die Pamina in der «Zauberflöte». In zweiter Ehe war die Künstlerin mit dem aus Ungarn stammenden Dirigenten Georges Sebastian (1903–89) verheiratet. Bis 1935 war sie Mitglied der Berliner Staatsoper, trat aber nur noch selten auf der Bühne sondern als Konzertsängerin in Erscheinung. Zu ihren großen Partien zählten auch die Fiordiligi in «Così fan tutte», die Mimi in «La Bohème», die Butterfly und die Micaela in «Carmen».
Schallplatten: DGG (Arien aus «Tannhäuser» und «Walküre»).

Reinhardt-Kiss, Ursula, * 3. 11. 1938 Letmathe (Sauerland). Sie gab Gastspiele an der Staatsoper wie an der Komischen Oper Berlin, an der Staatsoper Dresden und am Opernhaus von Leipzig. Am 23. 9. 1987 sang sie am Opernhaus von Graz in der Uraufführung der Oper «Der Rattenfänger» von F. Cerha.
Schallplatten: Pelca («Roi David» von A. Honegger).

Reining, Maria; 1931–33 sang sie an der Wiener Staatsoper Comprimario- und kleine Soubrettenrollen; dann begann sie dort ihre große Karriere. Ihre Tätigkeit an der Wiener Staatsoper dauerte bis 1958. Hier sang sie auch anläßlich des 80. Geburtstages von Richard Strauss 1944 die Titelpartie in dessen «Ariadne auf Naxos». 1934 und 1939–40 hörte man sie bei den Festspielen von Zoppot. 1940 und 1944 gastierte sie in Amsterdam als Gräfin in «Figaros Hochzeit», 1937 an der Oper von Antwerpen, 1948 am Opernhaus von Zürich, 1949 an der Grand Opéra Paris, 1952 am Teatro Colón Buenos Aires. An der New York City Centre Opera hörte man 1949 ihre Marschallin im «Rosenkavalier», auch am Teatro Liceo Barcelona als Gast erschienen. Die Wiener Staatsoper ernannte sie zu ihrem Ehrenmitglied.
Schallplatten: Telefunken (früheste Aufnahmen von etwa 1938), HMV-Electrola, Acanta (Mitschnitt der oben erwähnten Aufführung von «Ariadne auf Naxos», Wien 1944).

Reinl, Josefine; sie sang 1888–90 am Stadttheater von Koblenz, dann in Würzburg, bis 1892 am Opernhaus von Königsberg (Ostpreußen), 1892–94 am Opernhaus von Düsseldorf. Seit 1896 gastierte sie mehrfach am Stadttheater von Hamburg, seit 1897 an der Hofoper von Dresden, seit 1899 am Opernhaus von Leipzig, in Frankfurt a. M. (1903), am Deutschen Theater Prag (1902) und am Hoftheater Hannover (1899). In den Jahren 1903–07 war sie alljährlich als Gast an der Covent Garden Oper London anzutreffen, wo sie ihre großen Wagner-Partien sang. 1909 stand sie letztmals auf der Bühne der Berliner Hofoper.

Schallplatten: Zwei sehr seltene Aufnahmen auf Berliner Records (1901).

Reinmar, Hans; er sang 1956 an der Komischen Oper Berlin den Morosus in der «Schweigsamen Frau» von R. Strauss.
Schallplatten: DGG-Polydor (Szene aus «Aida», 1949).

Reisen, Mark (Ossipowitsch); sein Vater war Direktor eines Steinkohle-Bergwerks in der Ukraine. Er nahm als Soldat am Ersten Weltkrieg teil, wurde aber nach einer Verwundung aus der Armee entlassen. Bühnendebüt 1921 am Opernhaus von Charkow als Pimen im «Boris Godunow». An der Oper von Leningrad hatte er 1928 als Titelheld im «Boris Godunow» einen sensationellen Erfolg. Seit 1930 war er bis 1964 reguläres Ensemblemitglied des Bolschoj Theaters Moskau, trat aber auch später dort immer wieder als Gast auf. Bereits 1930 gastierte er an der Oper von Monte Carlo als Mefistofele von Boito (wie der Mephisto im «Faust» von Gounod eine seiner Glanzrollen) und als Basilio im «Barbier von Sevilla». 1965–70 wirkte er als Gesangpädagoge am Konservatorium von Moskau. Bei seinen Konzerttourneen in Rußland wie auch im Ausland zeichnete er sich vor allem als Interpret des russischen Volks- und Kunstliedes aus. Er wirkte in mehreren russischen Tonfilmen mit.
Schallplatten: Melodiya (Basilio im «Barbier von Sevilla», Mephisto im «Faust» von Gounod). Von seiner Stimme existiert eine Test-Aufnahme auf HMV, die 1929 angefertigt wurde.

Reiss, Albert; er war als Schauspieler 1890–96 an verschiedenen Berliner Theatern und in Straßburg (nicht in Hamburg) tätig. Er debütierte im Dezember 1901 an der Metropolitan Oper New York als Hirt im «Tristan». 1902 hatte er dort seine ersten großen Erfolge als David in den «Meistersingern» und als Mime im Nibelungenring. Am 14. 12. 1918 wirkte er in der Uraufführung von Puccinis Oper «Il Tabarro» mit. Als der Erste Weltkrieg ausbrach, hielt er sich gerade in Nizza auf. Er wurde inhaftiert und in ein Arbeitslager eingewiesen. Erst nach Intervention des Direktors der Metropolitan Oper Gatti-Casazza konnte er nach New York zurückkehren und dort seine Karriere wieder aufnehmen. Auch nach dem Eintritt der USA in den Ersten Weltkrieg wurde es ihm, im Gegensatz zu den anderen Sängern deutscher und österreichischer Staatsangehörigkeit, gestattet, seine Karriere an der Metropolitan Oper fortzusetzen. Er sang in deren New Yorker Haus 54 Partien in 736 Vorstellungen. Nach Deutschland zurückgekehrt, war er 1923–25 an der Berliner Volksoper, 1925–30 an der Städtischen Oper Berlin tätig. An der Covent Garden Oper London sang er als Gast den David, den Mime und den Valzacchi im «Rosenkavalier». Gastspiele in München (Wagner-Festspiele 1902–07), Hamburg (1904), an der Grand Opéra Paris (1910) und an der Oper von Chicago (1911–12). 1930 beendete er seine Karriere und zog sich in seine Villa nach Nizza zurück.
Schallplatten: Victor (seit 1911), HMV (hier um

1927, bereits elektrisch aufgenommen, die Szene Mime-Siegfried aus dem «Siegfried» mit Lauritz Melchior), Polydor (Kilian in Kurzoper «Freischütz», 1929), Edison-Zylinder.

Remedios, Albert; 1960 kam er an der Sadler's Wells Oper London als Alfredo in «La Traviata» zu einem besonderen Erfolg. 1976 wurde er an die Metropolitan Oper New York verpflichtet, an der er als Bacchus in «Ariadne auf Naxos» von R. Strauss debütierte. 1983 sang er bei der Scottish Opera Glasgow den Walther in den «Meistersingern», 1989 den Oedipus in «Oedipus Rex» von Strawinsky. An der Oper von Sydney hörte man ihn als Othello, als Siegmund, als Florestan und als Radames, in Melbourne in den «Gurreliedern» von Schönberg, in Adelaide im «Lied von der Erde» von G. Mahler.

Renard, Ella; die Künstlerin sang 1907–08 am Deutschen Theater Prag, 1908–10 am Opernhaus von Riga.

Renard, Marie; sie kreierte an der Wiener Hofoper in der Uraufführung der Oper «Das Heimchen am Herd» von K. Goldmark die Partie der Frau Dot (21. 3. 1896). 1900 verabschiedete sie sich als Carmen von ihrem Wiener Opernpublikum.

Renaud, Maurice; studierte nach seiner Ausbildung in Paris noch bei Dupont und Gevaert in Brüssel. Er begann seine Karriere 1884 am Théâtre de la Monnaie Brüssel, wo er als Antrittsrolle in der Uraufführung der Oper «Sigurd» von Ernest Reyer die Partie des Odinspriesters sang (7. 1. 1884). Am 10. 2. 1890 wirkte er am gleichen Haus in der Uraufführung einer weiteren Oper von Reyer, «Salammbô», als Hamilcar mit. Ebenfalls 1890 sang er in der Brüsseler Premiere der «Meistersinger» den Beckmesser. An der Grand Opéra Paris sang er 1891 als erste Partie den Nelusco in Meyerbeers «Africaine». Er gastierte an den Hofopern von St. Petersburg (1889) und Berlin (1907) und sang bereits 1893 in Nordamerika am Opernhaus von New Orleans. Große Erfolge hatte er an der Oper von Monte Carlo; hier sang er in den Uraufführungen der Opern «Amica» von Mascagni (18. 3. 1905) und «L'Ancêtre» von Saint-Saëns. Am Manhattan Opera House New York übernahm er als Antrittspartie 1906 den Rigoletto. 1910 kam er schließlich doch noch an die New Yorker Metropolitan Oper; hier debütierte er als Rigoletto mit Nellie Melba als Partnerin. 1919 sang er nochmals in Paris zusammen mit Mary Garden in der Oper «Cléopâtre» von Massenet. Um 1920 wirkte er in einem französischen Stummfilm mit. Schallplatten: HMV (1906–08).

Rendall, David; 1978 Debüt an der City Centre Opera New York als Rodolfo in «La Bohème». 1980 kam er an die New Yorker Metropolitan Oper (Antrittsrolle: Ernesto im «Don Pasquale»). Dort hatte er auch als Don Ottavio im «Don Giovanni», als Belmonte in der «Entführung aus dem Serail», als Lenski im «Eugen Onegin», als Alfred in der «Fledermaus» und als Matteo in «Arabella» von

R. Strauss großen Erfolg. 1987 sang er in der Eröffnungsvorstellung des Théâtre des Champs-Élysées Paris den Tamino in der «Zauberflöte», 1988 in Glyndebourne den Belmonte und 1989 den Tom Rakewell in «The Rake's Progress» von Strawinsky und, ebenfalls 1988, beim Festival von Aix-en-Provence den Titelhelden in «La clemenza di Tito» von Mozart.
Schallplatten: DGG (Religiöse Musik von A. Bruckner).

Rennert, Karl; er begann seine Karriere am Theater von Olmütz (Olomouc, 1909–10) und sang 1910–11 in Graz, bevor er 1911 an das Opernhaus von Köln verpflichtet wurde.

Rennyson, Gertrude; 1908 Gastspiel an der Wiener Hofoper als Elisabeth im «Tannhäuser»; 1908–09 an der Hofoper von Dresden, 1910 an der Covent Garden Oper London zu Gast. Bei den Bayreuther Festspielen sang sie 1909–11 auch eine Soloblume im «Parsifal».

Renzi, Emilio; 1946 zu Gast am Grand Théâtre Genf, 1949 sang er bei den Festspielen von Aix-en-Provence den Don Ottavio im «Don Giovanni». 1948 und 1950 sang er an der Oper von Rom, beendete aber bald darauf seine Karriere.

Renzi, Emma; im zweiten Teil ihrer Karriere wirkte sie viele Jahre hindurch an den Opernhäusern von Johannesburg und Kapstadt.

Reppel, Carmen; 1987 Gastspiel an der Mailänder Scala in der Oper «Riccardo III.» von Flavio Testi. Schallplatten: HMV («Troades» von A. Reimann).

Reschiglian, Vincenzo; am 17. 1. 1901 wirkte er am Teatro Regio Turin in einer der sechs gleichzeitigen Uraufführungen von Mascagnis «Le Maschere» mit, die alle ohne Erfolg waren. An der Metropolitan Oper New York sang er in den Uraufführungen von Puccinis «La Fanciulla del West» (10. 12. 1910 als Bello) und «Madame Sans-Gêne» von Giordano (25. 1. 1915 als De Brigode), 1913 in der Premiere des «Boris Godunow» (als Tschelkalow).

Resnik, Regina; sie entstammte einer ukrainischen Familie, die in die USA eingewandert war. Sie debütierte 1942 bei der New Opera Company New York, als sie bei einer Aufführung von Verdis «Macbeth» kurzfristig die Partie der Lady Macbeth übernahm. 1943 Gastspiel an der Oper von Mexico City als Leonore im «Fidelio» und als Micaela in «Carmen». 1944 sang sie an der City Centre Opera New York und kam im Dezember des gleichen Jahres an die New Yorker Metropolitan Oper. Hier war sie u. a. die Ellen Orford in der Premiere von B. Brittens «Peter Grimes» (1948); 1946 gastierte sie in Philadelphia als Tosca, 1953 an der Oper von Chicago (Female Chorus in der amerikanischen Erstaufführung von B. Brittens «The Rape of Lucretia»). An der Metropolitan Oper sang sie (in deren Haus in New York) in dreißig Spielzeiten und 242 Vorstellungen

38 verschiedene Partien. An der Covent Garden Oper London auch als Marina im «Boris Godunow» und als Klytämnestra in «Elektra» von R. Strauss zu Gast. 1982 beging sie an der Oper von San Francisco ihr vierzigjähriges Bühnenjubiläum mit einer Festaufführung von Tschaikowskys «Pique Dame», in der sie die alte Gräfin sang. Bei dieser Gelegenheit wurde sie mit der Medaille der Stadt San Francisco ausgezeichnet.

Ress, Louise, * 11. 6. 1841 Prag; sie hieß eigentlich Věcoslawa Blažek und war die Tochter des Prager Musiktheoretikers Franz Blažek. Ihre musikalische Begabung zeigte sich früh, wobei ihre erste Ausbildung durch den Vater stattfand. Sie sang zuerst am Theater von Temesvar, dann in Augsburg (1864) und Würzburg (1865–67), am Opernhaus von Leipzig (1867–68) und am Hoftheater von Braunschweig. 1868 ging sie für einige Jahre an das Tschechische Nationaltheater Prag, ist dort aber auch am Deutschen Theater aufgetreten. (Seit ihrer Heirat mit dem Opernsänger *Ress* sang sie unter diesem Familiennamen). Ihre besondere Bedeutung liegt jedoch auf dem Gebiet der Gesangpädagogik.

Retchitzka, Basia; sie gab Konzerte in Berlin, London, Brüssel, Lüttich, Paris, Straßburg und Lyon, in Rom, Venedig, Turin, Bologna, Mailand, beim Maggio musicale Florenz, bei den Festspielen von Perugia, an der Mailänder Scala (u. a. 1970 Uraufführung der «Passio Domini nostri Jesu Christi» von F. Testi), in Warschau, Krakau und Poznań (Posen). Sie wirkte in mehreren Uraufführungen und Premieren zeitgenössischer Kompositionen mit. Schwester des in Genf lebenden Schweizer Komponisten Marcel Retchitzky.
Weitere Schallplatten: Accord (Vokalwerke von Monteverdi), Ars Nova, Erato (Stabat mater von D. Scarlatti), Disco Jecklin.

Rethberg, Elisabeth; sie zeigte bereits im Kindesalter eine erstaunliche musikalische Begabung und trug mit sieben Jahren Schubert-Lieder vor. An der Oper von Dresden sang sie 1919 in der Premiere der Richard Strauss-Oper «Die Frau ohne Schatten» die Partie der Kaiserin; am 11. 12. 1917 wirkte sie an diesem Haus in der Uraufführung von Hans Pfitzners «Christelflein» mit. Sie gastierte während ihres Engagements in Dresden in Berlin und Wien und kam zu großen Erfolgen bei den Leipziger Gewandhauskonzerten. In den USA trat sie oft bei den Festspielen von Ravinia bei Chicago in Erscheinung, in den Jahren 1928–40 gastierte sie immer wieder in San Francisco, 1934–41 an der Oper von Chicago. An der New Yorker Metropolitan Oper, deren Mitglied sie seit 1922 war, sang sie in zwanzig Spielzeiten dreißig große Partien in 270 Vorstellungen (ohne die Vorstellungen im Ablauf der alljährlichen USA-Tournee des Ensembles). 1934 gastierte sie an der Oper von Rom, bereits 1929 hatte sie an der Mailänder Scala die Aida unter A. Toscanini gesungen. An der Londoner Covent Garden Oper wurde sie 1936 als Marschallin im «Rosenkavalier» bewundert. Ein letztes Konzert gab die Künstlerin 1944 in der New Yorker Town Hall. Neben ihrer Aida (die sie allein an der Metropolitan Oper 51mal gesungen hat) galten als ihre großen Partien die Donna Anna im «Don Giovanni», die Elisabeth im «Tannhäuser», die Elsa im «Lohengrin», die Sieglinde in der «Walküre», die Gräfin in «Figaros Hochzeit», die Leonore im «Troubadour», die Amelia in Verdis «Simon Boccanegra», die Desdemona im «Othello», die Tosca, die Butterfly, die Agathe im «Freischütz» und die Maddalena in «Andrea Chénier» von Giordano.
Schallplatten: Odeon (früheste Aufnahmen, 1920), Brunswick (1924–29 akustische wie elektrische Aufnahmen aus den USA), HMV (1928; Hugo Wolf-Lieder von 1935), Victor (1930–33, 1940–41), EJS (komplette Oper «Lohengrin»).

Réthy, Ester; eigentlicher Name Violet Esther Réthy. Sie war Schülerin der Budapester Pädagogin Magda Rigó. Debüt an der Nationaloper Budapest 1935 als Micaela in «Carmen». Die Künstlerin war verheiratet mit Dr. Vincent Imre († 1968); ihr Sohn Laszló Imre wurde ein bekannter Dirigent.

Rettich, Henriette, * 10. 6. 1817 Přelovč (Böhmen); eigentlicher Name Jíndřiška Rettigová. Sie war in den Jahren 1834–39 am Kralovské Stavovské Theater in Prag engagiert.

Rettich-Pick, Sarolta von, † 18. 2. 1948 Wien; eigentlicher Name Karoline Krippel. Bis 1907 trat sie am Theater an der Wien auf, u. a. am 20. 2. 1903 in der Uraufführung der Operette «Bruder Straubinger» von E. Eysler.

Rettore, Aurora; sie trat 1925 am Teatro Donizetti Bergamo in der Oper «Anna Karenina» von Igino Rubbiani auf. Am Teatro Colón Buenos Aires hörte man sie 1930 als Jemmy in Rossinis «Wilhelm Tell», als Fedor im «Boris Godunow» (zusammen mit Fedor Schaljapin), als Norn wie als Rheintochter in der «Götterdämmerung», als Amor im «Orpheus» von Gluck und als Marianne Leitzmetzerin im «Rosenkavalier». Neben Partien für Koloratursopran übernahm sie auch kleinere Rollen aus dem Mezzosopranfach.

Réty, József; Schallplatten: Hungaroton («Juditha triumphans» von Vivaldi, Cantata profana von B. Bartók, Mozart-Arien, Arien-Recital).

Reuland, Christoph, † 1983 Völkersbach bei Karlsruhe. Er begann seine Bühnenlaufbahn 1926 am Stadttheater von Oberhausen und sang dann nacheinander am Stadttheater von Halberstadt (1927–1928), an den Stadttheatern von M. Gladbach-Rheydt (1929–30), Stettin (1930–33), Aachen (1934–1938) und Gießen (1938–40). 1940–42 war er in Nürnberg, 1942–44 am Deutschen Theater in Oslo engagiert. 1948–51 sang er am Opernhaus von Düsseldorf, schließlich 1951–57 am Staatstheater Karlsruhe und gleichzeitig 1951–53 auch am Opernhaus von Zürich.

Reuss-Belce, Luise; 1889 trat sie bei den Festspielen von Bayreuth als Eva in den «Meistersingern» auf.

Während ihrer Tätigkeit am Hoftheater von Karlsruhe (1881–96) wirkte sie dort in den Uraufführungen der Opern «Der Rubin» von E. d'Albert (12.10. 1893) und «Ingwelde» von Max von Schillings (13.11. 1894 in der Titelrolle) mit. 1899 Gastspiel in Amsterdam. Ihre Tochter *Elisabeth Reuss* († 1940 Berlin) war in Berlin als Konzertsängerin und Pädagogin tätig, ihr Sohn war der Dirigent Wilhelm Franz Reuss (1886–1944).

Reuter, Franz Theo; er sang in München in den Uraufführungen der Opern «Der Friedenstag» von R. Strauss (14.7. 1938) und «Der Mond» von Carl Orff (5.2. 1939 als erster Bursche).

Reuther, Louise; sie war in den Jahren 1872–74 am Hoftheater von Weimar tätig, wo sie ihre Karriere begonnen hatte. Nachdem der Dresdner Hofkapellmeister Julius Rietz auf ihre Begabung aufmerksam gemacht worden war, konnte sie 1874 an der Dresdner Hofoper als Pamina in der «Zauberflöte» debütieren.

Révy, Aurelie; 1902–03 war sie am Theater des Westens in Berlin engagiert, 1906–08 am Stadttheater (Opernhaus) von Zürich. Sie gastierte am Opernhaus von Frankfurt a. M. (1903), an den Hoftheatern von Wiesbaden (1905), Weimar (1905) und Mannheim (1906). In der Spielzeit 1911–12 leitete sie die Berliner Komische Oper und trat dort auch als Sängerin auf. 1912–13 war sie an der Berliner Kurfürsten-Oper als Sängerin tätig.

Reynolds, Anna, * 4.10. 1936 Canterbury. Sie betätigte sich später als Pädagogin.
Schallplatten: Nimbus Records («Das klagende Lied» von G. Mahler).

Rhodes, Jane, Sopran/Mezzosopran; Schallplatten: Le chant du monde (Margared in «Le Roi d'Ys» von Lalo).

Rialland, Louis; debütierte 1944 an der Opéra-Comique Paris als Parpignol in Puccinis «La Bohème» und blieb seither an diesem Haus tätig, seit 1948 sang er dann auch an der Grand Opéra Paris.
Schallplatten: HMV («Dialogues des Carmélites» von Poulenc).

Riavez, José, * 10.2. 1890 Gradisca (Istrien), † 30.12. 1959 Belgrad. Debüt 1916 an der Oper von Zagreb als italienischer Sänger im «Rosenkavalier». Am Teatro Colón Buenos Aires sang er 1931 u. a. den Gérald in «Lakmé» von Delibes, den Walther von Stolzing in den «Meistersingern» und den Narraboth in «Salome» von R. Strauss. 1932–37 war er am Deutschen Theater Prag im Engagement. Hier wurde er vor allem als Manrico im «Troubadour» gefeiert. Er gastierte an der Staatsoper Dresden (1927) und am Nationaltheater Prag (1929). Konzerte trugen ihm in Paris (1929), Hamburg (1936, 1937), Kopenhagen (1932) und Budapest Erfolge ein; man schätzte ihn im Konzertsaal vor allem als Solisten in Beethovens 9. Sinfonie, im Verdi-Re-

quiem und im «Lied von der Erde» von Gustav Mahler. Sein Sohn Mario Rijavec (* 1911) wurde als Dirigent bekannt.

Ribbing, Maria, * 5.4. 1911 Wien.

Ribetti, Elda; in Italien sang sie vor allem am Teatro Comunale Florenz (1942, 1944–45), in Deutschland und Holland kam sie 1942 als Gilda im «Rigoletto» zu Erfolgen. An der Mailänder Scala sang sie in den Uraufführungen der Opern «L'Orso Re» von Ferrari-Trecate (1950) und «La Gita in Campagna» von Peragallo (1954). Sie war dort in den Jahren 1950–56 immer wieder anzutreffen. Sie wirkte auch in Opernsendungen des italienischen Rundfunks RAI mit, u. a. 1950 in «Hänsel und Gretel».

Ribla, Gertrude; sie gewann 1936 einen Gesangwettbewerb für Amateursänger in New York. Bereits 1941 sang sie über die Radiostation NBC. 1943 trat sie dort in einem Konzert unter Toscanini auf. Es schlossen sich ähnliche Konzerte mit Szenen aus Opern in Cincinnati, Washington und Chicago an. 1941–45 war sie bei der San Carlo Opera Company engagiert. 1949 erfolgte ihr Debüt an der Metropolitan Oper New York als Aida. Sie sang seit 1951 an den Opern von Chicago und New Orleans, 1950 gastierte sie in Havanna als Aida mit Hippólito Lázaro und Robert Weede als Partnern. 1958 sang sie im italienischen Rundfunk RAI in einer Sendung der Oper «Schwanda der Dudelsackpfeifer» von Weinberger.
Schallplatten: Mitschnitte von Radiosendungen der NBC wie der RAI, auch auf EJS vertreten.

Ricciarelli, Katja; ihre Familie stammte ursprünglich aus der Toskana. 1972–73 Gastspiel an der Oper von Chicago als Lucrezia in Verdis «I due Foscari», in Los Angeles als Mimi in «La Bohème». Die letztgenannte Partie sang sie 1974 bei ihrem Debüt in Paris. An der Metropolitan Oper New York sang sie als Antrittsrolle 1975 wieder die Mimi in «La Bohème» und trat dort als Desdemona in Verdis «Othello», als Amelia in «Un Ballo in maschera», als Titelheldin in «Luisa Miller» und als Micaela in «Carmen» auf. Gastspiele auch an der Wiener Staatsoper und am Grand Théâtre Genf (1975 als Donna Anna im «Don Giovanni»). 1987 sang sie die Aida bei den Aufführungen der Verdi-Oper im ägyptischen Luxor; bei den Festspielen von Bregenz wie an der Staatsoper Stuttgart war sie 1987 der Titelheldin in «Anna Bolena» von Donizetti, am Teatro San Carlo Neapel die Elisabetta in «Roberto Devereux» von Donizetti; 1988 an der Staatsoper München als Marguerite im «Faust» von Gounod zu Gast. Ebenfalls 1988 sang sie am Théâtre du Châtelet Paris die Titelpartie in «Iphigénie en Tauride» von Niccolò Piccinni, beim Rossini Festival von Pesaro die Ninetta in «La gazza ladra».
Schallplatten: Fonit-Cetra (Elvira in «I Puritani» von Bellini), CBC («Poliuto» von Donizetti).

Richter, Karl; 1917 Gastspiel am Stadttheater (Opernhaus) von Hamburg; als Konzertsänger trat er u. a. 1922 in Dresden, 1927 in Wien auf.

Richter, Traute; sang 1955–56 am Opernhaus von Frankfurt a. M., 1956–57 am Opernhaus von Zürich und 1959–62 an der Wiener Staatsoper. 1962–63 gastierte sie in Berlin.

Ricquier, Odette, Sopran/Mezzosopran; sie sang seit 1933 an der Grand Opéra Paris, seit 1944 auch an der dortigen Opéra-Comique.

Ridderbusch, Karl; Schüler von Clemens Kaiser-Breme in Essen. Als Antrittsrolle sang er an der Metropolitan Oper New York 1967 den Hunding in der «Walküre». Dort gestaltete er dann auch den Fafner im «Rheingold» und 1976 den Hans Sachs in den «Meistersingern». Erfolgreiche Auftritte als Solist in Oratorien und geistlichen Vokalwerken.

Rider-Kelsey, Corinne; obwohl man sie für drei Spielzeiten an die Covent Garden Oper London engagiert hatte und sie dort als Mimi in «La Bohème» und als Zerline im «Don Giovanni» große Erfolge hatte, gab sie diese Laufbahn nach der ersten Saison auf und widmete sich ganz dem Konzertgesang.

Riedinger, Gertrud; sie sang 1925–26 am Stadttheater von Aachen, 1926–31 in Dortmund, 1931–34 in Frankfurt a. M., 1934–35 in Braunschweig und schließlich 1935–41 an der Staatsoper von München. Die Sängerin, die mit dem Chorleiter der Münchner Staatsoper Josef Kugler verheiratet war, arbeitete seit 1942 als Pädagogin am Trapp'schen Konservatorium in München.

Riegel, Kenneth, * 19. 4. 1938 West Hamburg bei Womelsdorf (Pennsylvania). 1969–74 an der New York City Centre Opera zu hören (Debüt als Gonzalve in «L'Heure espagnole» von Ravel). Im Oktober 1973 debütierte er an der Metropolitan Oper New York als Iopas in «Les Troyens» von Berlioz. Er trat dort auch als Tamino, als Titelheld in «La clemenza di Tito» von Mozart, als Hoffmann, als David in den «Meistersingern» und als Alwa in «Lulu» von A. Berg auf. Diese Partie hatte er am 24. 2. 1979 an der Grand Opéra Paris in der Uraufführung der Neu-Bearbeitung des Opernfragments «Lulu» durch F. Cerha gesungen. 1985 gastierte er in London in Zemlinskys «Der Zwerg», 1988 an der Staatsoper München als Albert Gregor in «Die Sache Makropoulos» von Janáček. Gerühmter Oratorien- und Lied-Interpret.
Schallplatten: CBS (Nelson- und Harmonie-Messe von J. Haydn, Carmina Burana von C. Orff), Philips (8. Sinfonie von G. Mahler), Vox-Turnabout (Stabat mater von Rossini), Denon (8. Sinfonie von G. Mahler), Cybelia-IMS («Saint François d'Assise» von O. Messiaen).

Riese, Lorenz; 1855 ging er zum Gesangstudium nach Köln und debütierte 1861 am Kölner Opernhaus.

Righetti-Giorgi, Geltrude; vielleicht übernahm sie die Partie der Rosina in der Uraufführung des «Bar-

biers von Sevilla» am 20. 2. 1816 anstelle der zunächst von Rossini dafür vorgesehenen Primadonna Elisabetta Gafforini. Seit 1822 trat sie (angeblich wegen ihrer angegriffenen Gesundheit) nur noch selten auf. Nach ihrem Rücktritt von der Bühne trafen sich in ihrem Salon in Bologna die vornehme Gesellschaft und die bedeutendsten Künstler ihrer Epoche. Ihre Erinnerungen erschienen unter dem Titel *«Cenni di una donna già cantante sopra il maestro Rossini»* (1823).

Righini-Kneisel, Mme, s. unter *Kneisel,* Rosine Eleonore Elisabeth.

Rimini, Giacomo; debütierte 1910 am Theater von Desenzano als Albert im «Werther» von Massenet. 1914 sang er am Teatro Regio Turin, 1915 am Teatro Massimo Palermo, 1915 am Teatro Dal Verme Mailand. 1915 auch am Teatro Costanzi Rom zu Gast. Dabei erregte er vor allem als Falstaff von Verdi Aufsehen. 1916 debütierte er an der Oper von Chicago als Amonasro in «Aida». 1924 Gastspiel am Teatro Colón Buenos Aires, 1925 bei den Festspielen von Ravinia bei Chicago. Weitere Gastspiele am Teatro Carlo Felice Genua, am Teatro Donizetti Bergamo, am Teatro Verdi Triest (1934 als Don Giovanni), am Teatro Regio Parma (1936) und beim Maggio musicale von Florenz. 1933 hörte man ihn als Gast an der Städtischen Oper Berlin, 1935 an der Nationaloper von Budapest. 1937 sang er in Chicago in einer Abschiedsvorstellung den Plumkett in Flotows «Martha» mit Edith Mason und Tito Schipa als Partnern.
Schallplatten: Auf Columbia auch Duette mit seiner Gattin *Rosa Raisa.*

Rinaldi, Alberto; sein Vater war ein angesehener Musiklehrer. Gesangstudium bei Armando Piervenanzi an der Accademia di Santa Cecilia Rom. 1966 debütierte er an der Mailänder Scala in Monteverdis «Incoronazione di Poppea». 1987 gastierte er mit dem Ensemble der Scala an der Staatsoper Berlin (als Dandini in Rossinis «La Cenerentola»). Am Opernhaus von Köln hörte man ihn 1987 in einer weiteren Rossini-Oper, «L'Italiana in Algeri». 1988 sang er bei den Rossini-Festspielen von Pesaro in Rossinis «Il Signor Bruschino», 1989 in Köln und bei den Schwetzinger Festspielen in «Il cambiale di matrimonio», ebenfalls von Rossini.
Schallplatten: Capriccio («Madame Butterfly»).

Rinaldi, Margherita, * 12. 1. 1933 Turin. Sie debütierte 1958 in Spoleto als Lucia di Lammermoor. 1981 nahm sie von der Bühne Abschied.
Schallplatten: EJS («Linda di Chamounix» von Donizetti), Melodram («I Capuleti ed I Montecchi» von Bellini), Frequenz («Rigoletto» mit Luciano Pavarotti als Partner von 1967).

Rinaudo, Mario; 1988 Gastspiel am Stadttheater von Bonn als Oroe in «Semiramide» von Rossini.

Ringart, Anna; sie sang 1988 an der Opéra-Comique Paris die Amme im «Boris Godunow» von Mussorgsky.

Rintzler, Marius; 1987 gastierte er an der Oper von Santa Fé als Morosus in der «Schweigsamen Frau» von R. Strauss.
Schallplatten: HMV (Mozart-Requiem), Picknick-Video (Bartolo in «Figaros Hochzeit» aus Glyndebourne).

Rio, Anita; 1912 großer Erfolg am Teatro Costanzi Rom als Amina in «La Sonnambula» zusammen mit Alessandro Bonci. In den folgenden Jahren bis 1914 trat sie an zahlreichen italienischen Bühnen auf.

Ripley, Gladys, †21. 12. 1955 Chichester (Hampshire).
Schallplatten: HMV («Dido and Aeneas» von Purcell, «The Dream of Gerontius» und «Sea Pictures» von E. Elgar, nicht jedoch Alt-Solo im «Messias»), RCA (Szenen aus Wagner-Opern unter W. Furtwängler), Columbia (Alt-Solo im «Messias», «Elias» von Mendelssohn, Lieder und Balladen).

Rippon, Michael; er debütierte 1967 in der Londoner Town Hall in der (konzertanten) Premiere von Puccinis «Edgar».
Schallplatten: RCA (kleine Rolle in «Tosca»), Decca (»Vespro della beata Maria Vergine» von Monteverdi), DGG («Israel in Egypt» von Händel), Cäcilienode von Purcell), Vanguard (h-moll-Messe von J. S. Bach, Bachkantaten, Mozart-Requiem), HMV («Moses und Aron» von A. Schönberg), Argo («This Worlds Joie» von Mathias).

Ritch, Theodore; 1929–32 trat er an der Oper von Chicago in größeren Partien auf, wobei er als Léopold in «La Juive» von Halévy besonderes Aufsehen erregte (mit Rosa Raisa und Alexander Kipnis als Partnern). 1932 sang er an der Oper von Rom in Borodins «Fürst Igor». 1929 gastierte er mit dem Ensemble der Opéra Russe am Teatro Colón Buenos Aires. Gegen Ende seiner Karriere übernahm er zumeist kleinere und Comprimario-Rollen.
Von der schönen Stimme des Künstlers existieren einige wenige Columbia-Aufnahmen von etwa 1928.

Ritchie, Margaret; seit 1943 trat sie bei der Sadler's Wells Opera unter dem Namen Margaret Ritchie auf. 1944 hatte sie dort große Erfolge als Dorabella in «Così fan tutte». 1949 Gastspiel beim Bath Festival als Konstanze in der «Entführung aus dem Serail». Bekannt wurde die Künstlerin vor allem, als sie im 3. Programm des englischen Rundfunks BBC Sendungen mit selten gehörten Vokalwerken des 17. und 18. Jahrhunderts veranstaltete (Purcell, Händel, Haydn).
Schallplatten: HMV-Aufnahmen, die aber alle erst nach 1940 erschienen sind, darunter eine vollständige Aufnahme von Brittens «The Rape of Lucretia», in der sie, wie bei der Uraufführung, die Lucia singt. Auf Decca Solistin in der 4. Sinfonie von G. Mahler.

Ritter, Josef; am 21. 3. 1896 sang er an der Wiener Hofoper in der Uraufführung von K. Goldmarks Oper «Das Heimchen am Herd» die Partie des John.

1909 nahm er am gleichen Haus seinen Abschied von der Bühne.

Ritter, Rudolf; Debüt 1913 an der Wiener Volksoper als Hoffmann in «Hoffmanns Erzählungen». 1929–31 bereiste er mit der (zweiten), von Johanna Gadski ins Leben gerufenen German Opera Company die USA. 1927 gastierte er bei den Festspielen in der Waldoper von Zoppot als Siegfried in der «Götterdämmerung», 1921–22 an der Wiener Staatsoper, 1931 im Haag zu Gast.
Schallplatten: Auf Zonophone ist er in einer Aufnahme des Sextetts aus «Lucia di Lammermoor» anzutreffen.

Rivoli, Ludwika, s. unter *Rivoli*, Paulina.

Rivoli, Paulina; sie war die jüngere Schwester der Sopranistin *Ludwika Rivoli* (* 3. 3. 1814 Warschau, † 16. 10. 1878 Leszyca bei Warschau), die ebenfalls eine bekannte Sängerin an der Oper von Warschau war und dort bis 1851 als Koloratursopranistin wirkte, deren Karriere aber im Schatten ihrer berühmten Schwester stand, die fast das gleiche Repertoire wie sie sang.

Rizzoli, Bruna; 1961 sang sie an der Mailänder Scala die Partie der Glauce in Cherubinis «Medea», 1959 gastierte sie bei den Festspielen von Aix-en-Provence in «Il mondo della luna» von Haydn.
Auch Schallplattenaufnahmen bei Cetra und Angelicum.

Roar, Leif, * 1939 Kopenhagen; debütierte an der Metropolitan Oper New York 1982 als Pizarro im «Fidelio». 1986 sang er an der Oper von Kopenhagen den Orest in «Elektra» von R. Strauss, 1987 an der Jütländischen Oper Aarhus den Wotan im Nibelungenring.

Roberti, Margherita, * 1928 Davenport (Iowa). 1948 trat sie bereits in St. Louis in Operetten auf. 1958 erreichte sie die Mailänder Scala, an der sie bis 1961 in Erscheinung trat. 1962 debütierte sie an der Metropolitan Oper New York als Tosca. Im weiteren Verlauf ihrer Karriere gab sie Gastspiele an der Wiener Staatsoper, in Mexico City (1960) und in Israel (1970).

Roberts, Brenda; auch dem Stadttheater Mainz verbunden. 1990 sang sie am Landestheater Kiel die Elektra von R. Strauss wie auch die Titelpartie in der Uraufführung der Oper «Medea» von Friedhelm Döhl.

Robeson, Paul; während seines Jurastudiums an der Rutgers University und an der Columbia University erwarb er sich großen Ruf als Sportler. 1925 gab er sein erstes Konzert im Greenwich Village Theatre, 1929 kam dann sein sensationeller Erfolg in dem Musical «Show Boat». Nachdem er sich seit 1929 zumeist in London aufgehalten hatte, kam er 1935 in die USA zurück und hatte dort jetzt in mehreren Hollywood-Filmen (darunter «Tales of Manhattan») großen Erfolg. Nach Beendigung des Zweiten Weltkrieges war er dann wieder in England. 1947 erklärte er, daß er seine künstlerischen Aktivitäten aufgeben wolle, um sich nur noch politisch im Sinne des Kommunismus zu betätigen. Darauf wurde er daran gehindert, die USA zu verlassen. 1952 wurde er mit dem Stalin-Preis ausgezeichnet. Eine Karriere im Bereich der Oper oder des Oratoriums ist nicht zustandegekommen.

Schallplatten: Victor (seit 1928), Columbia (seit 1940).

Robinson, Adolf, † 27. 8. 1920 Wien. Zu seinen Schülern gehörten weiter die Sänger Alexander Kirchner, Frances Rose und Joseph Schwarz. Seine Gattin *Leonore Robinson* war Schülerin von Frau Marschner am Konservatorium von Wien und debütierte 1869 an der Wiener Hofoper. Sie trat später am Stadttheater (Opernhaus) von Hamburg auf und begleitete ihren Gatten auf dessen Gastspielreisen. Sie nahm auch 1882–83 an der Tournee mit Angelo Neumanns wanderndem Wagner-Theater teil. Die beiden Töchter aus dieser Ehe, *Ada von Westhofen-Robinson* und *Luise Robinson* († 1934 Wien), waren bekannte Sängerinnen.

Robinson, Anastasia, * 1692 (?), vielleicht in Italien.

Robinson, Faye; 1974–75 sang sie in Jackson (Florida) die Desdemona in Verdis «Othello» und die Adina in «Elisir d'amore», 1975 bei den Festspielen von Aix-en-Provence in Mozarts «Schauspieldirektor» und in «La serva padrona» von Pergolesi. 1980 Gastspiel in Buenos Aires in «Hoffmanns Erzählungen», 1981 bei den Festspielen von Schwetzingen als Elettra in «Idomeneo», 1982 an der Grand Opéra Paris und in Bordeaux als Juliette in «Roméo et Juliette» von Gounod und als Luisa Miller von Verdi. Sie wirkte am 5. 4. 1984 in Boston in der Uraufführung der Oper «The Mask of Time» von M. Tippett mit; auch dem Opernhaus von Köln verbunden, wo sie 1988 die Konstanze in der «Entführung aus dem Serail» sang.

Schallplatten: Denon, HMV («The Mask of Time» von M. Tippett).

Robinson, Forbes, † 13. 5. 1987 London. Debütierte 1953 an der Covent Garden Oper als Monterone im «Rigoletto» und ist bis 1983 an diesem Haus aufgetreten. 1967 sang er im englischen Rundfunk BBC in der Premiere der Barock-Oper «L'Erismena» von Cavalli. Zu seinen großen Bühnenpartien gehörte auch der Claggart in «Billy Budd» von B. Britten.

Robinson, Leonore, s. unter *Robinson,* Adolf.

Rocchi, Manlio; er gewann 1962 den Gesangwettbewerb von Spoleto. 1985 sang er am Teatro Margherita von Genua in der ganz in Vergessenheit geratenen Donizetti-Oper «Il Diluvio universale». Zahlreiche Rundfunk- und Fernsehaufnahmen.

Rocke, Leopold; auch Schüler von A. Polenz in Leipzig. 1844–45 am Hoftheater von Weimar,

1845–46 in Aachen und Düsseldorf engagiert, 1846–78 am Hoftheater von Mannheim tätig. Von seinen Bühnenpartien sind noch der Veit in Lortzings «Undine» und der Peter Iwanow in «Zar und Zimmermann» zu nennen. Seine Schwiegertochter war die bekannte Sopranistin *Anna Rocke-Heindl* (1867–1963).

Rocke-Heindl, Anna, † 31. 7. 1963 Hamburg. Sie war 1892–1902 am Hof- und Nationaltheater Mannheim engagiert, 1902–05 an der Hofoper von Dresden, 1906–08 am Hoftheater von Dessau. Gastspiele führten sie an die Hoftheater von Stuttgart (seit 1898), Wiesbaden (seit 1894) und Karlsruhe (seit 1900), an die Opernhäuser von Frankfurt a. M. (seit 1894) und Leipzig (1907) wie an das Deutsche Theater Prag (1905). Auch nach 1908 war sie noch als Gast am Mannheimer Theater zu hören, wo sie sich auch als Pädagogin betätigte (nicht in Meiningen). Sie war mit einem Sohn des bekannten Tenors *Leopold Rocke* (1818–89) verheiratet. Ihre Tochter Annemarie Marks-Rocke (* 1901) wurde eine bekannte Schauspielerin, die mit dem nicht weniger bekannten Schauspieler Eduard Marks (1901–81) verheiratet war. Anna Rocke-Heindl verbrachte ihren Lebensabend bei ihrer Tochter in Hamburg.

Rodde, Anne-Marie; 1986 Gastspiel an der Oper von Marseille als Ännchen im «Freischütz».
Schallplatten: Edition Schwann (Lieder von Debussy).

Röhr-Brajnin, Sofie, Sopran, * 1861 in Polen, † (?); sie studierte bei F. Koziorowski in Warschau, dann bei der berühmten Mathilde Marchesi in Wien. 1883 debütierte sie an der Oper von Warschau als Aida. Dann ging sie nach Italien und sang in den Jahren 1883–85 u. a. in Messina, Livorno, Mailand und Rom. 1885 kam sie in Warschau als Norma von Bellini zu einem sensationellen Erfolg. Sie ging dann zur weiteren Ausbildung nach Paris, wo sie Schülerin der großen Pauline Viardot-Garcia wurde. Nach ersten Erfolgen an der Berliner Kroll-Oper im Sommer 1887 sang sie 1887–88 an der Hofoper Berlin. Dann gastierte sie in Königsberg (Ostpreußen) und war bis 1891 am Theater von Nürnberg im Engagement. 1891–92 hörte man sie am Opernhaus von Breslau. Dort heiratete sie den Dirigenten Hugo Röhr (1866–1937), der zuerst in Augsburg, dann in Prag und Breslau und seit 1894 am Hoftheater von Mannheim wirkte. Seit 1896 war er Hofkapellmeister in München. Sofie Röhr-Brajnin war während der Spielzeit 1892–93 am Opernhaus von Düsseldorf tätig, nahm dann aber kein festes Engagement mehr an. Sie gastierte 1898–99 nochmals an der Münchner Hofoper und gab bereits zuvor Gastspiele an den Hoftheatern von Mannheim (seit 1887) und Wiesbaden (seit 1887), in Leipzig, Budapest und Basel (1888). 1901 trat sie nochmals in einem Konzert in Berlin auf. Auf der Bühne hatte sie ihre größten Erfolge im dramatischen wie im Wagner-Fach, im Konzertsaal beherrschte sie ein umfangreiches Repertoire. Sie wirkte später in München als geschätzte Gesanglehrerin; zu ihren Schülern gehörte die be-

kannte Sopranistin Berta Morena. Eine letzte Le-
bensnachricht der Künstlerin stammt von 1928. –
(Neufassung) –.

Röhrl, Manfred; er war 1958–60 am Stadttheater
von Luzern, 1960–62 am Staatstheater Karlsruhe
und seit 1962 an der Deutschen Oper (Städtisches
Opernhaus) Berlin engagiert.

Roeseler, Marcella; Ausbildung am Stern'schen
Konservatorium Berlin. Sie debütierte 1910 am Hoftheater von Wiesbaden als Santuzza in «Cavalleria
rusticana». 1911 kam sie an das Hoftheater von
Kassel und sang dann bis 1918 am Hoftheater von
Dessau. Hier wirkte sie in der Uraufführung der
Oper «Der heilige Berg» von Christian Sinding mit
(1914). Sie heiratete während dieser Zeit den Bassisten *Rudolf Sollfrank* (1883–1939), der lange in Dessau engagiert war, doch trennten beide Künstler sich
wieder. Eine ihrer Schülerinnen war die Filmschau-
spielerin Hildegard Knef.

Rösler, Endre; 1935 trat er als Konzertsolist beim
Maggio musicale Florenz, 1939 in Leipzig und München auf.
Schallplatten: Frühe Aufnahmen auf Odeon entstanden bereits in den dreißiger Jahren.

Rössl-Majdan, Hilde; Schallplatten: RAI-Electrola
(vollständige «Walküre», Rom 1953).

Rössler, Herbert, * 28. 1. 1926 Wünschendorf (Sudetenland, ČSR). Er begann seine Karriere 1946–48
als Chorsänger an der Volksoper Dresden.
Schallplatten: Eterna («Acis and Galatea» von Händel).

Roether, Julius; er sang zuerst an den Stadttheatern
von Koblenz (1906–07) und Elberfeld (1908–10),
dann 1910–12 in Essen und 1912–22 an der Deutschen Oper (Städtisches Opernhaus) Berlin. 1914
war er an der Wiener Hofoper zu Gast.

Rogatschewsky, Joseph, * 7. (20.) 11. 1891 Mirgo-
rod (Ukraine). Er brachte sein Gesangstudium am
Conservatoire de Paris zum Abschluß. Als erste
Partie sang er 1922 an der Pariser Opéra-Comique
den Cavaradossi in «Tosca». 1934 gab er in Holland
erfolgreiche Konzerte mit dem Concertgebouw Orchest Amsterdam unter Pierre Monteux.
Columbia-Aufnahmen, alle in elektrischer Aufnahmetechnik, darunter die vollständige Oper «Manon»
von Massenet von 1930.

Rogers, Nigel; Bühnendebüt 1969 in Amsterdam.
1974 sang er in London in der Premiere der Oper
«Arden must die» von Alexander Goehr. Seit 1985
trat er auch als Dirigent in Erscheinung. 1980 zum
Ehrenmitglied des Royal College of Music London
ernannt.
Schallplatten: Telefunken (Matthäuspassion von
J. S. Bach, geistliche Musik von Purcell), Virgin
Classics (Lieder von Dowland mit Lautenbeglei-
tung).

Roggero, Maria; sie war zuerst als Konzertsängerin
tätig. 1909 Bühnendebüt in Vicenza als Mignon.
1910 sang sie am Teatro Regio Turin in der Premiere
der Richard Strauss-Oper «Salome». Bis 1925 ist sie
immer wieder an diesem Haus aufgetreten. 1911
gastierte sie am Teatro Politeama Genua in der
Titelrolle von Puccinis «Manon Lescaut». Am Teatro Dal Verme Mailand wie an der Covent Garden
Oper London kam sie als Mimi in «La Bohème» zu
bedeutenden Erfolgen. Sie gab Gastspiele und Konzerte in Frankreich, Spanien, Portugal und in Südamerika. Nach ihrem Rücktritt von der Bühne
wirkte sie als Pädagogin am Liceo musicale von
Como.

Rogner, Eva Maria, Sopran, * 31. 5. 1928 Zürich; sie
entstammte einer sehr musikalischen Familie und
sang bereits als Kind. Nach erster Ausbildung durch
ihren Vater Hans Rogner studierte sie 1947–51 am
Konservatorium von Zürich bei Sylvia Gähwiller,
dann bei Gerbert in Tübingen, bei Frau Pringsheim
in München und schließlich 1962–65 nochmals bei
Margarethe von Winterfeldt in Freiburg i. Br. Ihr
Bühnendebüt fand 1955 am Stadttheater Luzern
statt, dem sie bis 1957 angehörte. 1956 erhielt sie den
ersten Preis beim Internationalen Gesangwettbewerb in Genf. 1957–60 war sie am Opernhaus von
Zürich verpflichtet, wo sie auch noch später gastierte. Bereits frühzeitig hatte sie Erfolge als Kon-
zert- und Rundfunksängerin. 1958–66 war sie Mitglied der Bayerischen Staatsoper München, gleichzeitig in den Jahren 1958–67 durch einen Gastspielvertrag mit der Hamburger Staatsoper verbunden,
ebenso seit 1963 mit der Wiener Volksoper. Gastspiele an der Covent Garden Oper London (1959 als
Königin der Nacht in der «Zauberflöte»), an den
Staatsopern von Wien und Stuttgart, am Opernhaus
von Graz (1964), an der Deutschen Oper am Rhein
Düsseldorf–Duisburg, am Deutschen Opernhaus
Berlin und an der Opéra du Rhin Straßburg. Bei den
Salzburger Festspielen trat sie 1960 als Konzertsängerin in Erscheinung, 1959 gastierte sie in Rom. Am
20. 5. 1961 sang sie bei den Festspielen von Schwetzingen in der Uraufführung von H. W. Henzes «Elegie für junge Liebende» die Partie der Hilda Mack.
1970 gab sie ihre Karriere auf und lebte seitdem in
Zürich. Ihr Bühnenrepertoire war umfangreich und
enthielt zahlreiche Partien aus dem Koloraturfach:
die Konstanze in der «Entführung aus dem Serail»,
die Susanna in «Figaros Hochzeit», die Despina in
«Così fan tutte», die Königin der Nacht (eine ihrer
größten Kreationen), die Lucia di Lammermoor, die
Norina im «Don Pasquale», die Madeleine in «Le
Postillon de Lonjumeau» von Adam, die Rosina im
«Barbier von Sevilla», die Olympia in «Hoffmanns
Erzählungen», die Gilda im «Rigoletto», die Adele
in der «Fledermaus», die Musetta in Puccinis «La
Bohème», die Sophie im «Rosenkavalier», die Zerbinetta in «Ariadne auf Naxos», die Aminta in der
«Schweigsamen Frau» von R. Strauss und die Fiakermilli in dessen «Arabella». Im Konzertsaal erwies sie sich als vielseitige Oratorien- und Liedersängerin, die auf diesen Gebieten eine große internationale Karriere absolvierte. 1960 sang sie in Paris in

der Uraufführung des Werks «Strophen» von K. Penderecki, 1958 im Westdeutschen Rundfunk in der der Solokantate «Omnia habent tempus» von B. A. Zimmermann, 1968 in Zürich in «Lobgesang» von Oboussier.
Schallplatten: DGG (Fiakermilli in «Arabella»), Ariola (Querschnitt «Hoffmanns Erzählungen»). – (Neufassung) –.

Rohr, Otto von; er wirkte 1954 an der Staatsoper Stuttgart in der deutschen Erstaufführung von Hindemiths «Mathis der Maler» mit.

Rohs, Martha; sang 1933–34 am Stadttheater von Heidelberg, 1934–37 am Opernhaus von Zürich und gehörte 1938–44 der Staatsoper Dresden an. Seit 1938 war sie gleichzeitig an der Staatsoper von Wien engagiert, deren Mitglied sie bis 1959 blieb (obwohl sie aus gesundheitlichen Gründen in den letzten Jahren kaum noch aufgetreten ist).

Rokitansky, Hans Freiherr von; zu seinen Schülern gehörten die große Koloratursopranistin Marcella Sembrich und der Bassist Josef Staudigl jr.

Rokitansky, Viktor, Freiherr von, s. unter *Rokitansky, Hans Freiherr von.*

Rolfe Johnson, Anthony, s. unter *Johnson, Anthony Rolfe.*

Rolland, Jane, *7.5. 1908 Toulouse; Gesangstudium am Konservatorium von Toulouse, dann am Conservatoire National Paris.

Romaine, Margaret; sie studierte zuerst Cellospiel, ließ dann aber in London und Paris ihre Stimme ausbilden. Sie trat in kleinen Partien an der Pariser Opéra-Comique auf, ging aber 1915 in ihre amerikanische Heimat zurück und wurde eine bekannte Sängerin auf den Gebieten der Musical Comedy und des Unterhaltungsliedes, auf denen ihre Schwester *Hazel Dawn* ein allgemein bekannter Star war. An der Metropolitan Oper New York ist sie während ihres Engagements in den Jahren 1918–24 nur selten aufgetreten.
Schallplatten: Akustische Aufnahmen auf amerik. Columbia, vier Titel auf Victor, davon aber nur zwei aus Opern.

Roman, Stella; sie sang 1939 beim Maggio musicale Florenz in der zeitgenössischen Oper «Re Lear» von Vito Frazzi. Sie debütierte an der Metropolitan Oper New York als Aida in einer Aufführung am Neujahrstag 1940. Sie blieb während zehn Spielzeiten Mitglied dieses Hauses und trat dort als Leonore im «Troubadour», als Desdemona in Verdis «Othello», als Amelia in dessen «Ballo in maschera», als Titelheldin in «La Gioconda» von Ponchielli und als Tosca auf, alles in allem sang sie in deren New Yorker Haus zwölf Partien in 75 Vorstellungen.
Schallplatten: BJR (Desdemona in Verdis «Othello» mit Giovanni Martinelli in der Titelrolle).

Romelli, Linda; 1920 sang sie als Antrittsrolle am Teatro Colón Buenos Aires die Gerhilde in der «Walküre». Seit etwa 1927 hatte sie an diesem Theater in großen Partien während vieler Jahre ihre Erfolge. Man hörte sie dort als Adina in «Elisir d'amore», als Ophélie im «Hamlet» von A. Thomas, als Lucia di Lammermoor, als Sophie im «Rosenkavalier», als Rosina im «Barbier von Sevilla», als Gretel in «Hänsel und Gretel» und in weiteren Partien aus dem Koloraturfach.
Schallplatten: Einige akustische Columbia-Aufnahmen, um 1925 in Italien aufgenommen; dazu in Südamerika entstandene Aufnahmen.

Romer, Emma; sie sang am Drury Lane Theatre London am 27.11. 1843 in der Uraufführung der Oper «The Bohemian Girl» von M. Balfe.

Romero, Angelo; 1988 gastierte er am Teatro Fenice Venedig als Raimbaud in Rossinis «Le Comte Ory».
Schallplatten: Nuova Era («Elisir d'amore» und «Gianni di Parigi» von Donizetti).

Romito, Felipe; er gastierte mit dem Ensemble der Opéra Russe auch in Deutschland. 1934 wirkte er an der Mailänder Scala in der italienischen Erstaufführung von M. de Fallas «La Vida breve» mit. 1946 Gastspiel an der Opéra-Comique Paris.

Ronconi, Domenico, *11.7. 1772 Lendinara bei Rovigo. Sein Sohn *Felice Ronconi* (1811–75) wurde ein hoch geschätzter Gesanglehrer, der in Würzburg, Frankfurt a. M., London und St. Petersburg unterrichtete.

Stammbaum der Familie Ronconi

Domenico Ronconi (1772–1839)

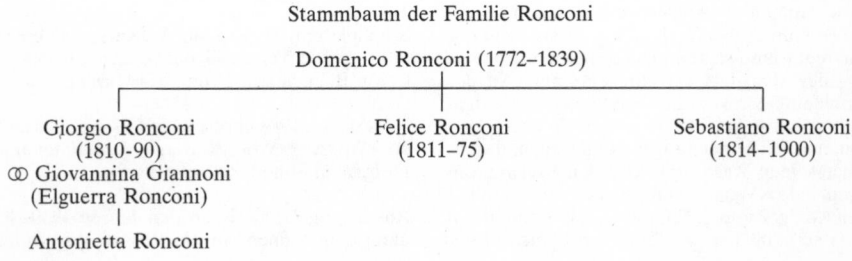

| Giorgio Ronconi (1810-90) ⊙ Giovannina Giannoni (Elguerra Ronconi) | Felice Ronconi (1811–75) | Sebastiano Ronconi (1814–1900) |

Antonietta Ronconi

Ronconi, Giorgio; er sang 1839 an der Mailänder Scala den Enrico in der Premiere von Donizettis Oper «Lucia di Lammermoor».

Roni, Luigi; 1987 sang er an der Mailänder Scala den Lodovico in der Gala-Vorstellung zur Hundertjahrfeier der Uraufführung von Verdis «Othello». 1988 wirkte er bei den Festspielen von Macerata mit.
Schallplatten: DGG («Barbier von Sevilla»), Philips (Gessler in Rossinis «Wilhelm Tell»), Decca (König in «Aida»).

Ronzi-De Begnis, Giuseppina; ihre großen Partien in Rossini-Opern waren die Rosina im «Barbier von Sevilla», die Titelheldin in «Mathilde di Shabran» und die Elena in «La Donna del lago».

Rootering, Jan-Hendrik, * 18. 3. 1950 bei Flensburg. Nach anfänglicher Tätigkeit als Exportkaufmann Gesangstudium in Hamburg. Eigentliches Bühnendebüt 1979 bei den Festspielen von Eutin als Eremit im «Freischütz». 1987 Gastspiel an der Grand Opéra Paris als Orest in «Elektra» von R. Strauss, ebenfalls 1987 an der Covent Garden Oper London als Sarastro in der «Zauberflöte». An der Deutschen Oper Berlin sang er 1987 den Marcel in den «Hugenotten» von Meyerbeer. 1987 folgte er einem Ruf an die Metropolitan Oper New York, an der er als erste Partie den Landgrafen im «Tannhäuser» sang, 1989 den Claggart in «Billy Budd» von B. Britten und den Sparafucile im «Rigoletto», 1990 den Fasolt im «Rheingold». 1987 gastierte er in Amsterdam als Marke im «Tristan», 1988 an der Staatsoper von Wien als Sarastro, 1989 sang er in München den Riedinger in «Mathis der Maler» von Hindemith und den Ochs im «Rosenkavalier», 1988 in Chicago den Landgrafen im «Tannhäuser», 1990 an der Mailänder Scala den Pogner in den «Meistersingern».
Schallplatten: Orfeo («Kleider machen Leute» von J. Suder, «Die Feen» von R. Wagner, Requiem von Donizetti), Calig-Verlag (Lieder von R. Strauss und Hugo Wolf).

Rooy, Anton van; zunächst arbeitete er in einem kaufmännischen Beruf. Sein Bayreuther Debüt soll Cosima Wagner mit den Worten kommentiert haben: «Das hätte der Meister hören müssen!» Seinen unvergleichlichen Wotan wiederholte er bei den Bayreuther Festspielen der Jahre 1899, 1901 und 1902. 1898 trat er erstmals als Gast an der Berliner Hofoper auf und war dann bis 1914 regelmäßig in den deutschen Musikzentren auf der Bühne wie im Konzertsaal anzutreffen. An der Metropolitan Oper New York sang er als Antrittsrolle 1898 den Wotan in der «Walküre». Am 25. 12. 1903 wirkte er in der von Bayreuth untersagten amerikanischen Erstaufführung des «Parsifal» als Amfortas mit. An der Metropolitan Oper ist er in neun Spielzeiten aufgetreten und hat dabei in deren New Yorker Haus 13 Partien in 183 Vorstellungen vorgetragen, darunter neben seinen Wagner-Heroen den Escamillo in «Carmen», den Valentin im «Faust» von Gounod und den König Salomon in Goldmarks «Königin von Saba» (1905). 1898 sang er sehr erfolgreich in der

Londoner St. James' Hall Schumanns «Dichterliebe». Seit etwa 1910 ließ seine Stimme erheblich nach.
Schallplatten: Columbia (USA, 1906–07).

Rose, Elisabeth; sie wurde zum Ehrenmitglied der Berliner Staatsoper ernannt.

Rose, Frances; 1901 erfolgte ihr Debüt am Opernhaus von Breslau, an dem sie bis 1906 blieb. 1906 folgte sie einem Ruf an die Hofoper Berlin. Sie absolvierte erfolgreiche Gastspiele an den Hofopern von München (1905) und Dresden (1907), am Hoftheater Wiesbaden (seit 1907) und am Théâtre de la Monnaie Brüssel (1914).

Roselle, Anne; 1927–35 war sie Mitglied der Staatsoper von Wien, 1930–32 auch an der Nationaloper Budapest engagiert. 1929 gastierte sie an der Mailänder Scala als Turandot. 1929 an der Grand Opéra Paris als Aida anzutreffen. Sie war auch an der Berliner Staatsoper und am Opernhaus von San Francisco zu Gast.

Rosenberg, Hermann; er wirkte später als Pädagoge am Konservatorium von Karlsruhe und war dort u. a. der Lehrer der Sopranistin Minnie Nast.

Rosing, Wladimir, * 11. (23.) 1. 1890 St. Petersburg. Nach seinem Debüt in St. Petersburg sang er dort 1912 den Dimitrij im «Boris Godunow» und den Walther von Stolzing in den «Meistersingern». 1913 gab er ein glanzvolles Konzert in der Londoner Albert Hall zusammen mit Alice Verlet und dem Geiger Mischa Elman. 1915–16 war er Regisseur und Sänger am London Opera House. 1921 sang er bei der Carl Rosa Opera Company in London den Cavaradossi in «Tosca». Im gleichen Jahr trat er in Paris und Madrid auf.
Schallplattenaufnahmen auch auf HMV (1915).

Rosner, Franz; 1829 gastierte er in London, anschließend sang er wieder in Amsterdam und 1830 in Brüssel, das er aber bei Ausbruch der belgischen Revolution verließ. Sein Sohn *Wilhelm Rosner* (* 19. 2. 1826 Braunschweig, † 7. 2. 1882 Stuttgart) war seit 1865 bis zu seinem Tod am Hoftheater Stuttgart engagiert.

Ross, Elinor; Bühnendebüt 1958 an der Oper von Cincinnati als Leonore im «Troubadour» mit Jussi Björling, Giulietta Simionato und Ettore Bastianini als Partnern. 1970 und 1973 bewunderte man sie an der Metropolitan Oper in ihrer Glanzrolle, der Tosca.
Schallplatten: Es ist eine Aufzeichnung einer Aufführung von Verdis «Troubadour» aus dem Teatro Colón Buenos Aires von 1974 vorhanden.

Ross, Elise; 1988 Gastspiel in Los Angeles als Marie im «Wozzeck» von A. Berg. Verheiratet mit dem Dirigenten Simon Rattle (* 1955).

Rossi, Angela; sie ist in den Jahren 1930–40 auch unter dem Namen Angela Rossini aufgetreten.

Rossi, Arcangelo; debütierte nach seiner Ausbildung am Konservatorium von Neapel 1887 am Teatro Nuovo Neapel als Masetto im «Don Giovanni».

Rossi, Carlo, s. unter *Rossi,* Napoleone.

Rossi, Francesco; er ist bereits 1839 am Teatro Ravviati in Pisa anzutreffen. Dort war er sehr beliebt und trat in den Jahren 1841–44 und 1849–51 an diesem Theater immer wieder in Erscheinung. Am gleichen Haus sang der Tenor *Felice Rossi* in der Saison 1833 den Elvino in Bellinis «La Sonnambula», den Grafen Almaviva im «Barbier von Sevilla», Partien in den Rossini-Opern «Semiramide» und «L'Assedio di Corinto». 1849 hörte man ihn nochmals am Teatro Ravviati Pisa als Gennaro in Donizettis «Lucrezia Borgia».

Rossi, Tino; eigentlicher Name Constantin Rossi.

Rossi-Lemeni, Nicola; während des Zweiten Weltkrieges diente er in der italienischen Armee. 1947 sang er bei den Festspielen von Verona in den Aufführungen von «La Gioconda», die für Maria Callas den Durchbruch zum Weltruhm brachten. An der Mailänder Scala hörte man ihn 1950–51 als Alfonso in «Lucrezia Borgia» von Donizetti und im Baß-Solo des Verdi-Requiems, 1955 als Kaspar im «Freischütz», an der Oper von Rom als Titelhelden in Rossinis «Mosè in Egitto» (1948–49) und als Zaccaria in Verdis «Nabucco» (1950–51), beim Maggio musicale von Florenz 1951 in Rossinis «Wilhelm Tell». 1952 sang er an der Oper von San Francisco die Titelfigur in «Mefistofele» von Boito. In der Saison 1953–54 trat er an der Metropolitan Oper New York in elf Vorstellungen auf, darunter als Don Giovanni und als Boris Gondunow. Den Boris Godunow sang er auch am Teatro Colón Buenos Aires (1949) und an der Covent Garden Oper London (1952); die Kritik bezeichnete ihn als den größten Interpreten dieser Partie seit Fedor Schaljapin. Nach der Uraufführung der Oper «L'Assassinio nella cattedrale» von Pizzetti sang er die Partie des Thomas Becket an der Oper von Rom (1958), in Genua (1960) und in einer Sondervorstellung vor Papst Johannes XXIII. im Vatikan.
Schallplatten: GOP («I Vespri Siciliani» von Verdi).

Rossi-Morelli, Luigi; er sang 1914 am Teatro Massimo Palermo den Amfortas in der Premiere des «Parsifal», ebenfalls 1914 den Jochanaan in «Salome». In der Saison 1920–21 hörte man ihn am Teatro Costanzi Rom als Kurwenal im «Tristan», als Escamillo in «Carmen», als Jack Rance in Puccinis «Fanciulla del West», als Amonasro in «Aida» und als Jochanaan in «Salome» von R. Strauss. An der Mailänder Scala hat er Partien wie den Pizarro im «Fidelio», den Boris Godunow, den Telramund im «Lohengrin» und als letzte Rolle 1935 nochmals den Amfortas gesungen. Er wirkte dort in Aufführungen von Mussorgskys «Khovantchina» (1926) und Wolf-Ferraris Oper «Sly» mit.
Von seiner Stimme sind nur vier Columbia-Schallplatten erhalten.

Rossini, Angela, s. unter *Rossi,* Angela.

Roswaenge, Helge, † 19. 6. 1972 München. Seine Stimme wurde zufällig entdeckt, als er in Schwerin im Freundeskreis sang. 1927 debütierte er an der Wiener Staatsoper als José in «Carmen», 1933–39 wirkte er bei den Salzburger Festspielen mit, 1933 glanzvolles Gastspiel in Kairo als Radames in «Aida». Er trat gerne in Operetten auf und kreierte u. a. am 31. 12. 1935 an der Berliner Staatsoper Künneckes «Die große Sünderin». Er wurde zum Ehrenmitglied der Berliner Staatsoper ernannt. 1963 und 1964 sang er sehr erfolgreich in Konzerten in der Carnegie Hall wie im Madison Square Garden New York. Während er in Wien als Direktor einer Operettenbühne tätig war, ist er dort auch als Sou-Chong in Lehárs «Land des Lächelns» aufgetreten. Sein Familienname erscheint auch in der Schreibweise Rosvaenge.

Rota, Camilla; debütierte 1920 am Teatro Dal Verme Mailand als Page Urbain in den «Hugenotten» von Meyerbeer und sang anschließend dort die Lola in «Cavalleria rusticana» und die Maddalena im «Rigoletto». 1921 gastierte sie am Teatro Carcano Mailand als Preziosilla in «La forza del destino». In der Saison 1923–24 hörte man sie an der Mailänder Scala u. a. als Mercedes in «Carmen». 1924 und 1926–27 sang sie bei der Italienischen Oper in Holland. 1927–28 war sie am Teatro Carlo Felice Genua, 1931 am Teatro Massimo Palermo tätig. Sie gastierte in Venedig, Mantua, Triest, Lucca, Padua, Modena und Verona und sang in der Spielzeit 1937–38 nochmals an der Mailänder Scala die Mutter in «Hänsel und Gretel». Verheiratet mit dem Tenor *Luigi Marletta* (* 1895).
Schallplatten: Einige Aufnahmen auf HMV; auf TIS in «Roberto Devereux» von Donizetti anzutreffen.

Roth, Max; er begann seine Karriere 1915 am Stadttheater von Koblenz, dem er drei Jahre lang angehörte, sang dann 1919–22 am Opernhaus von Breslau und 1923–24 am Staatstheater Wiesbaden, wo er auch später noch als Gast auftrat. 1924–31 war er Mitglied der Staatsoper Berlin, zugleich auch 1929–34 an der Deutschen Oper Berlin tätig. 1932–55 (und noch bis 1959 als Gast) gehörte er der Stuttgarter Staatsoper an (jedoch nicht als deren Intendant tätig gewesen). Später Leiter eines von ihm begründeten Industrieunternehmens.

Roth, Siegmund; er war Schüler des großen Bassisten Paul Bender.
Schallplatten: Philips («Aufstieg und Fall der Stadt Mahagonny» von Weill).

Roth-Ehrang, Peter; er sang 1952–54 am Opernhaus von Leipzig und war in der Spielzeit 1952–53 auch in Dessau engagiert. Seit 1955 große Erfolge an der Städtischen Oper Berlin. 1960–63 sang er bei den Bayreuther Festspielen den Fafner im Nibelungenring. Seit 1961 Mitglied der Staatsoper Hamburg. Er gastierte an der Grand Opéra Paris (1963), am Opernhaus von Lyon und in England. Neben seinem

Wirken auf der Bühne kam er zu einer nicht weniger bedeutenden Karriere als Konzert- und Oratoriensolist.
Auch Schallplattenaufnahmen auf HMV.

Rothauser, Therese; sie kreierte in Leipzig einige Lieder von Gustav Mahler. 1890 ließ Kaiser Wilhelm II. ihr nach einer «Carmen»-Aufführung in Berlin eine Saphirbrosche überreichen.

Rothenberger, Anneliese; nach ihrem Debüt an der Metropolitan Oper New York sang sie dort seit 1960 in sechs aufeinander folgenden Spielzeiten die Susanna in «Figaros Hochzeit», die Sophie im «Rosenkavalier», die Adele in der «Fledermaus», den Pagen Oscar in Verdis «Maskenball», insgesamt in deren New Yorker Haus sieben Partien in 47 Vorstellungen. Große Verdienste erwarb sie sich durch ihren Einsatz für junge Sänger in ihren zahlreichen Fernseh- und Rundfunksendungen.

Rothier, Léon, *26. 12. 1874 Reims, †6. 12. 1951 New York; er studierte zunächst Violinspiel und war Mitglied des Philharmonischen Orchesters Reims. Er entschloß sich dann zur Sängerlaufbahn und wurde am Conservatoire de Paris durch Paul Lhérie ausgebildet. Debüt 1889 an der Opéra-Comique Paris als Jupiter in «Philémon et Baucis» von Gounod. Dort sang er am 11. 4. 1900 eine kleine Rolle in der Uraufführung der Oper «Le Juif Polonais» von Camille Erlanger. Bis 1907 wirkte er an der Opéra-Comique und sang dann an den Opern von Marseille und Nizza. 1910 folgte er einem Ruf an die Metropolitan Oper New York, an der er als Mephisto im «Faust» von Gounod debütierte. In seiner dreißigjährigen Karriere hat er an diesem Haus 53 Rollen in 807 Vorstellungen gesungen (hinzu kommen fast 400 weitere Vorstellungen im Rahmen der alljährlichen USA-Tournee der Metropolitan Oper). 1911 sang er dort in der Premiere von «Ariane et Barbe-Bleue» von Dukas, 1913 den Pimen in der des «Boris Godunow». Er wirkte in den Uraufführungen der Opern «L'Oiseau Bleu» von Albert Wolff (27. 12. 1920) und «Peter Ibbetson» von Deems Taylor (7. 2. 1931) mit. In den Jahren 1918–31 gastierte er oft an der Oper von San Francisco. 1939 sang er als letzte Partie an der Metropolitan Oper den Comte des Grieux in «Manon» von Massenet. Seit 1916 unterrichtete er am De Volpe Institute in New York. 1949 gab er in der Town Hall New York nochmals ein glanzvolles Konzert. Im Alter von 76 Jahren ging er eine dritte Ehe ein, starb aber wenige Monate später.

Rothmühl, Nikolaus; an der Stuttgarter Hofoper sang er 1899 in der Uraufführung der Oper «Ein Fest auf Solhaug» des schwedischen Komponisten Wilhelm Stenhammar. Bis 1907 ist er noch am Berliner Theater des Westens aufgetreten.
Leider existieren von der Stimme des großen Sängers keine Schallplattenaufnahmen.

Rothmüller, Marko; Debüt 1932 als Rigoletto an der Hamburger Oper im Schillertheater. Am 28. 5. 1938

wirkte er in Zürich in der Uraufführung von Paul Hindemiths Oper «Mathis der Maler» (als Truchsess von Waldburg) mit. 1946 übernahm er in Zürich in der deutschen Erstaufführung von B. Brittens «Peter Grimes» die Partie des Balstrode. Bei dieser Gelegenheit wurde der bekannte englische Kritiker Desmond Shawe Taylor von seiner Stimme begeistert. 1939 erstes Gastspiel an der Covent Garden Oper London als Kruschina in der «Verkauften Braut» von Smetana; dort hatte er später große Erfolge als Escamillo in «Carmen» und als Wotan im «Rheingold». In den Jahren 1958–60 und 1964–65 war er an der Metropolitan Oper New York engagiert (Debüt als Kothner in den «Meistersingern»). 1954 gastierte er an der Berliner Staatsoper als Titelheld in Verdis «Nabucco» zusammen mit Christel Goltz, 1956 beim Wexford Festival in Irland als Plumkett in Flotows «Martha».
Schallplatten: Erste HMV-Aufnahmen aus der Schweiz mit Schubert-Liedern und einigen Opern-Titeln, Bartók Edition («Cantata profana» von B. Bartók), Decca. Private Mitschnitte von Opernaufführungen der «Götterdämmerung» und von Verdis «Ballo in maschera».

Rott, Helena; zuerst trat sie im Rheinland als Konzertsängerin auf (etwa ab 1934). Seit 1937 war sie als erste Altistin am Stadttheater von Münster (Westfalen) engagiert, seit 1940 an der Staatsoper von Dresden. Hier sang sie am 2. 7. 1944 in der Uraufführung von «Die Hochzeit des Jobs» von Joseph Haas.

Rotzsch, Hans-Joachim; 1976 wurde er mit dem Nationalpreis der DDR ausgezeichnet, 1983 Präsident des Bach-Komtees der DDR.
Schallplatten: Eterna (Johannespassion und zahlreiche Kantaten von J. S. Bach, «Acis and Galatea» von Händel, Weihnachtslieder).

Rouleau, Joseph; eine seiner großen Partien war auch der Dosifey in «Khovantchina» von Mussorgsky.
Schallplatten: Decca («Hamlet» von A. Thomas).

Rounseville, Robert, †6. 8. 1974 New York. Er war Schüler des Pädagogen William Herman in New York und sang zuerst Unterhaltungsmusik unter dem Namen Robert Field. 1948 kam es zu seinem Debüt als Opernsänger als Pelléas an der City Centre Opera New York. Gegen Ende seiner Karriere kehrte er wieder zum Musical und zur Unterhaltungsmusik zurück und sang am New Yorker Broadway u. a. 1956 in der Uraufführung des Musicals «Candide» von L. Bernstein.
Schallplatten: Auf Columbia Aufnahmen aus Musicals, auf CBS in dem vollständigen Musical «Candide» von Bernstein.

Rouquetty, Camille, *18. 7. 1910. Bis etwa 1961 sang er seine kleinen Partien an der Pariser Opéra-Comique; seit 1941 trat er in ähnlichen Rollen an der Grand Opéra Paris auf.
Schallplatten: Eine Solo-Platte auf HMV.

Rousseau, Émile, † 1979. In der Spielzeit 1922–23 erschien er an der Metropolitan Oper New York nur in zwei Sunday Night Concerts. Von den zahlreichen Uraufführungen, in denen er an der Pariser Opéra-Comique mitwirkte, seien «Le bon Roi Dagobert» von Samuel-Rousseau (5. 12. 1927) und «Madame Bovary» von E. Bondeville (1. 6. 1951) genannt.

Rousselière, Charles; bereits im September 1900, noch vor seinem Debüt an der Grand Opéra Paris, sang er in der Arena von Béziers den Andros in der Uraufführung von Gabriel Fauré's «Prométhée». 1906–07 an der Metropolitan Oper New York engagiert (Antrittsrolle: Roméo). Er sang dort den Titelhelden im «Faust» von Gounod, den Gérald in «Lakmé» von Delibes, den José in «Carmen» und den Canio im «Bajazzo». 1909 Gastspiel an der Mailänder Scala in der Premiere der Oper «Theodora» von Xavier Leroux. 1914 sang er am Teatro Colón Buenos Aires den Titelhelden in der «Parsifal»-Premiere wie er sich überhaupt seit 1910 auch dem Wagner-Gesang widmete. 1925 gab er seine Theaterkarriere auf.
Schallplatten: G & T (Paris, 1903, darunter auch einige Duette mit seiner Gattin, der Sopranistin *Jeanne Rousselière*).

Roux, Michel, * 1. 9. 1924 Angoulême (Departement Charente). An der Opéra-Comique Paris hörte man ihn 1956 in «Capriccio» von R. Strauss.
Schallplatten: MRF («Pelléas et Mélisande»).

Roy, Will, * 9. 10. 1937 Schenectady bei New York.

Royer, Jacqueline; am Teatro Colón Buenos Aires wirkte sie am 22. 7. 1916 in der Uraufführung der Oper «Huemac» des argentinischen Komponisten P. de Rogatis mit.

Royer, Joseph, * 1884 Quebec City (Kanada); bereits als Kind kam er in den amerikanischen Staat New Hampshire. Seit 1916 trat er oft im Ensemble der San Carlo Opera Company auf.

Roze, Marie; 1873–81 war sie in jeder Saison am Her Majesty's Theatre London anzutreffen. 1892 Gastspiel an der Berliner Kroll-Oper als Carmen.

Rózsa, Lajos, * 4. 7. 1877 Körmend im ungarischen Komitat Vas, † 26. 12. 1922 Detroit. Er sang zuerst als Chorist an der Budapester Volksoper, dann als Solist in der Operntruppe von I. Krecsanyi, danach am Theater von Temesvar. 1916 gastierte er an der Wiener Hofoper. Nach seiner Emigration in die USA war er in der Saison 1921–22 an der Metropolitan Oper New York engagiert. Er starb plötzlich in Detroit nach einer Lebensmittelvergiftung.
Schallplatten: Neu-Ausgaben seiner Aufnahmen auf Hungaroton zeigen eindrucksvoll die Schönheit seiner Stimme.

Rozsos, Istvan; er sang am 25. 1. 1987 in Budapest in der Uraufführung der Oper «Ecce homo» von S. Szokolay.

Schallplatten: Hungaroton («Madame Butterfly», «Fedora» und «Andrea Chénier» von Giordano).

Rubadi, Emilia; sehr beliebt scheint sie am Teatro Verdi von Pisa gewesen zu sein. Dort hörte man sie 1912 und 1919 als Ulrica in Verdis «Ballo in maschera», 1915 als Amneris und als Azucena, 1921 als Ortrud im «Lohengrin».
Schallplatten: Columbia (hier im Quintett aus Verdis «Ballo in maschera»).

Rubinelli, Giovanni; er taucht zuerst im Dienst des Herzogs von Württemberg auf und debütierte 1771 in Stuttgart in der Oper «Calliroë» von Antonio Sacchini. 1786–87 wurde er in London vor allem dadurch bekannt, daß er in Opern von Händel auftrat, die man damals wieder zur Aufführung brachte. Um 1800 gab er seine Karriere auf und zog sich in seine Heimatstadt Brescia zurück.

Rubini, Giovanni Battista, † 3. 3. 1854 Romano. Er debütierte 1814 in Pavia in der Oper «Le lagrime di una vedova» von Generali. In den folgenden zehn Jahren hatte er glänzende Erfolge am Teatro San Carlo Neapel, an dem er 1815 als Lindoro in Rossinis «L'Italiana in Algeri» debütierte. Dort wirkte er auch bereits in der Uraufführung der ersten Oper von Bellini «Bianca e Fernando» mit (30. 5. 1826). 1827 feierte man ihn an der Mailänder Scala als Giacomo in Rossinis «La Donna del Lago», in der Spielzeit 1829–30 brillierte er dort in einer Anzahl von Rossini-Partien. 1843 unternahm er, zusammen mit dem berühmten Franz Liszt, eine große Konzerttournee durch Deutschland und Holland und gastierte daran anschließend wieder in St. Petersburg, wohin er dann bis 1847 regelmäßig zurückkehrte. 1819 heiratete er die Sopranistin *Adelaide Chaumel* (auch Chomel genannt), die als *Adelaide Rubini-Comelli* wie auch unter dem Namen *La Comelli* auftrat. Ein von Édouard Manet gemaltes Porträt des Sängers ist im Besitz des Kröller-Müller-Museums in Otterloo in Holland.

Rudenko, Bella (Andrejewna), * 18. 8. 1933 Bolowo-Antrazit (Ukraine).

Rudenko, Larissa, * 15. (28.) 1. 1918 Makejewka im damaligen Distrikt Jusowka (heute Donezk).

Rudolph, Tresi, * 1907 (?); sie studierte bei Ernst Grenzebach in Berlin und begann ihre Karriere mit einem Engagement am Landestheater Sachsen in Döbeln 1931–32. 1933–37 wirkte sie an der Berliner Staatsoper; 1937 wechselte sie an die Deutsche Oper Berlin, deren Mitglied sie bis zum Ende des Zweiten Weltkrieges 1944 blieb; an der Oper von Leipzig trat sie nur gastweise auf. Nach Kriegsende war sie noch bis 1957 als Gast an der Hamburger Staatsoper wie an anderen Bühnen zu finden.

Rübsam, Friedrich, s. unter *Rübsam*, Richard.

Rübsam, Richard, † 22. 9. 1931 Berlin. Er sang nacheinander am Stadttheater von Aachen (1891–92),

am Hoftheater von Sondershausen in Thüringen (1892–95), am Stadttheater von Posen (1895–97) und 1897–1902 an der Hofoper Dresden. 1902–03 war er am Theater von Reichenberg (Liberec), 1903–04 am Stadttheater von Halle (Saale), 1904–07 am Theater von Königsberg (Ostpreußen), 1907–11 in Essen und zuletzt 1913–22 am Städtischen Opernhaus Berlin–Charlottenburg engagiert. Noch 1927 gab er Liederabende. Er war verheiratet mit der Sopranistin *Edeltraud Andres* (1885–1910), die in Königsberg und Essen sang, aber bereits im Alter von nur 25 Jahren starb.
Schallplatten: Von seiner Stimme sind zwei sehr seltene G & T-Aufnahmen vorhanden (Dresden, 1902).

Rübsam-Veith, Franziska, s. unter *Rübsam,* Richard.

Rüdiger, Hans; er sang als Operettensänger in Köslin (1885–86), Stralsund (1886–87), Bremerhaven (1887–88) und Lübeck (1888–89). Als Opernsänger war er zuerst 1889–90 am Opernhaus von Düsseldorf engagiert. Von dort kam er 1890 an das Hoftheater Mannheim. An der Dresdner Hofoper wirkte er in der Uraufführung von Leo Blechs «Alpenkönig und Menschenfeind» mit (1. 10. 1903). Bis 1922 blieb er an der Dresdner Oper, an der er in zahlreichen Buffo- und Charakterpartien bewundert wurde, u. a. auch als Monostatos in der «Zauberflöte», als Jacquino im «Fidelio» und als Wenzel in der «Verkauften Braut» von Smetana, vor allem als Mime im Ring-Zyklus. Er gastierte am Hoftheater Wiesbaden (seit 1899), am Deutschen Theater Prag (1904, 1911), an der Wiener Hofoper (1908), an der Hofoper Berlin (1908 und 1910 als Mime) und am Opernhaus von Frankfurt a. M. (1911).
Von seiner Stimme sind zwei Ensemble-Aufnahmen auf HMV vorhanden, die eine aus «Fidelio», die andere aus Lortzings «Wildschütz».

Rünger, Gertrud; sie sang zuerst als Choristin an den Theatern von Stralsund (1922–23) und Erfurt (1923–24), wo sie bereits Solo-Partien übernahm. 1924–26 war sie als Solistin am Landestheater von Gera, 1926–28 am Stadttheater Magdeburg, 1928–29 am Opernhaus von Köln, 1929–30 in Nürnberg engagiert. 1930–35 war sie Mitglied der Wiener Staatsoper, gleichzeitig war sie 1934–48 an der Staatsoper Berlin tätig. Gastspiele führten die Künstlerin an das Teatro San Carlo Neapel (1942), an die Opernhäuser von Rom (1938), Bukarest (1937), Antwerpen (1937–38) und Budapest. 1938 gastierte sie beim Maggio musicale Florenz. Sie wirkte in den deutschen Erstaufführungen der Opern «I Cavalieri di Ekebù» von Zandonai (Nürnberg, 1930) und «La Fiamma» von O. Respighi (Berlin, 1936) mit.

Rüsche-Endorf, Cäcilie; sie blieb bis 1915 Mitglied des Opernhauses von Leipzig. 1907–09 Gastspiele an der Hofoper Berlin, 1910–18 an der Münchner Hofoper, in Amsterdam, Rotterdam (1910), am Théâtre de la Monnaie Brüssel (1913, 1914), am Deutschen Theater Prag (1911) und an der Hofoper von Dresden (1911).
Auch Aufnahmen auf Favorit.

Ruffo, Titta; sein Bruder Cafiero Titta (1875–1956) war ein angesehener Komponist, seine Schwester *Fosca Titta* (1879–1957) wurde als Sängerin bekannt. Nach seinem Debüt 1898 in Rom sang er an den Theatern von Livorno und Pisa und 1900 in Santiago de Chile wie in Valparaiso, 1901 an der Oper von Kairo. 1905 gastierte er an der Covent Garden Oper London als Enrico in «Lucia di Lammermoor» und als Figaro im «Barbier von Sevilla». 1904 sang er als erste Partie an der Mailänder Scala den Rigoletto und unternahm im gleichen Jahr eine Gastspiel-Tournee durch Rußland. Dort hatte er dann in den Jahren 1905–07 grandiose Erfolge an den Opernhäusern von St. Petersburg und Moskau, von Odessa, Charkow und Kiew, 1907 auch an der Oper von Warschau. 1905 gehörte er zu den Stars der Sonzogno-Saison in Paris; ebenfalls 1905 kreierte er am Teatro Lirico Mailand den Boniface in der italienischen Erstaufführung von Massenets Oper «Le jongleur de Notre Dame». 1906 bereiste er Polen und Spanien. Am Teatro Colón Buenos Aires wirkte er 1908 in der Uraufführung der Oper «Aurora» von Ettore Panizza mit, 1911 sang er dort in der Erstaufführung von Puccinis «Fanciulla del West» in Südamerika. 1912 kam es zu seinem Nordamerika-Debüt an der Oper von Philadelphia als Rigoletto. 1914–15 war er bei der Canadian National Opera engagiert. 1916–19 leistete er Kriegsdienst bei der italienischen Armee, wurde aber 1916 für Gastspiele in Paris beurlaubt. 1919 gastierte er in Mexico City, 1920 an der Oper von Boston. Er sang in Chicago in der Uraufführung der Oper «Edipo Re» von Leoncavallo (13. 12. 1920), die der Komponist für ihn geschrieben hatte. Als Antrittsrolle sang er an der New Yorker Metropolitan Oper 1921 den Figaro im «Barbier von Sevilla», eine Partie, in der er (wie auch in der Rolle des Rigoletto) als unübertroffen galt. Er sang hier auch den Tonio im «Bajazzo», den Amonasro in «Aida», den Don Carlos in Verdis «Ernani», den Barnaba in «La Gioconda» und wirkte 1926 in der Premiere von Giordanos «Cena delle beffe» mit; insgesamt trat er im New Yorker Haus der Metropolitan Oper in 46 Vorstellungen auf. In den Jahren um 1930 gab er einige Konzerte in Paris, Monte Carlo, Berlin und Amsterdam; 1931 sang er als wohl letzte Partien am Teatro Colón Buenos Aires den Hamlet von A. Thomas und den Scarpia in «Tosca».
Schallplatten: G & T (Mailand, 1907, darunter ein Terzett mit seiner Schwester Fosca Titta und dem Tenor Emanuele Ischierdo aus dem «Troubadour»), Victor (u. a. ein Duett aus Verdis «Othello» mit Enrico Caruso).

Ruhlmann, Elsa; ihr Vater François Ruhlmann (1868–1948) wirkte lange Jahre als Dirigent an der Grand Opéra Paris. Die Künstlerin wurde vor allem als Solistin in den Concerts Colonne in Paris bekannt.

Ruk-Focič, Božena; Schallplatten: Frequenz («Macbeth» von Verdi).

Rumford, Kennerly R., 1903 sang er ein Solo in der Uraufführung von E. Elgars Oratorium «The Apostles». Er begleitete seine berühmte Gattin *Clara Butt* oft bei deren Konzertreisen und trat dabei zusammen mit ihr auf. Seinen Kriegsdienst im Ersten Weltkrieg leistete er beim British Intelligence Department ab.

Rundgren, Bengt; Schallplatten: RCA («Rigoletto», «Troubadour», «La Traviata»), Virgin Classics-Video (Commendatore im «Don Giovanni»).

Runge, Gertrud, * 30. 11. 1880 Brandenburg; Gesangstudium bei Frau Danker-Dreyschock und bei Felix Schmidt in Berlin. 1902 debütierte sie am Stadttheater von Kiel und kam 1903 an das Hoftheater Weimar, dem sie bis 1913 angehörte. 1913–18 war sie am Hoftheater von Mannheim engagiert. Sie gastierte, vor allem als Carmen und als Traviata, an verschiedenen deutschen Theatern, u. a. 1904 am Hoftheater von Wiesbaden, seit 1905 mehrmals in Leipzig, 1908 am Hoftheater Schwerin und 1920 nochmals in Weimar. 1925–26 war sie Mitglied der Volksoper Berlin. Sie war dann eine jener Künstlerinnen, die sich dem in den zwanziger Jahren aufkommenden Rundfunk zuwandten und dort in vielen Opern- und Konzertsendungen auftrat. Zuletzt war sie als Journalistin tätig.
Weitere Schallplattenaufnahmen auf Polyphon, Homochord, Favorit und Goldava. Dabei spiegeln diese Aufnahmen ein Repertoire von einer unglaublichen Vielseitigkeit wieder, so daß sich ihre Sopranstimme keiner Fachrichtung zuordnen läßt.

Runge, Peter-Christoph; 1987 sang er an der Deutschen Oper am Rhein Düsseldorf–Duisburg in «Die Gezeichneten» von F. Schreker. Verheiratet mit der Sopranistin *Judith Wilkinson.*
Weitere Schallplattenaufnahmen auf Intercord und Da Camera.

Ruohonen, Seppo; er sang 1987 bei der Scottish Opera Glasgow den Pinkerton in «Madame Butterfly», 1988 am Staatstheater Darmstadt den Radames in «Aida».
Schallplatten: Finnlevy (Operetten-Aufnahmen), BIS (Opernszenen aus Savonlinna).

Rupf, Konrad; 1958–80 am Opernhaus von Karl-Marx-Stadt (Chemnitz) engagiert. 1988 Gastspiel an der Oper von Leipzig als Zaccaria in Verdis «Nabucco». Am 14. 7. 1989 sang er an der Staatsoper Berlin in der Uraufführung der Oper «Graf Mirabeau» von S. Matthus den Napoleon.
Schallplatten: Eterna («Der zerbrochene Krug» von Z. Vostřák).

Rus, Marjan, † 28. 8. 1974 Kranj. Debüt 1932 am Opernhaus von Ljubljana als Basilio im «Barbier von Sevilla». Gastierte auch in Lissabon und Monte Carlo (1955). 1943 sang er an der Mailänder Scala

den Orest in «Elektra» von R. Strauss. Er wirkte später als Gesangpädagoge in Ljubljana.

Ruske-Leopold, Minnie; Schülerin von Emmy Burg-Raabe in Berlin. 1912–13 sang sie am Theater von Nürnberg, 1913–14 am Stadttheater von Heidelberg, 1914–24 am Hof- und Nationaltheater Mannheim. 1925 wurde sie Mitglied der Städtischen Oper Berlin. Gastspiele am Théâtre de la Monnaie Brüssel (1913), an den Staatsopern von Berlin (1927) und Dresden (1927) und am Grand Théâtre Genf (1930).

Russ, Giannina; sie gastierte 1904 an der Covent Garden Oper London. 1904 sang sie an der Oper von Monte Carlo als Partnerin von Enrico Caruso, 1908 Gastspiel an der Wiener Hofoper. Bis 1918 trat sie an der Mailänder Scala in Erscheinung. Eine ihrer Schülerinnen war die Sopranistin Clara Petrella.

Russell, Ella; sie gastierte 1884 an der Mailänder Scala als Bertha im «Propheten» von Meyerbeer, 1887 an der Hofoper von St. Petersburg, in Nizza und Warschau.

Ruszkowska, Elena; Schallplatten: In Polen kamen 1923 einige Odeon-Aufnahmen heraus.

Ruysdael, Basil: er kam 1907 zur weiteren Ausbildung nach Europa. Hier sang er in der Spielzeit 1907–08 am Theater von Teplitz-Schönau in Böhmen und gastierte 1908 am Stadttheater von Aachen.

Ruzdak, Vladimir, † 9. 10. 1987 Zagreb. In Hamburg wirkte er am 22. 5. 1960 in der Uraufführung der Oper «Der Prinz von Homburg» von Hans Werner Henze mit. An der Metropolitan Oper New York sang er in der Spielzeit 1963–64 den Amonasro in «Aida» und den Lescaut in «Manon Lescaut» von Puccini. An der Covent Garden Oper London hörte man ihn als Grafen in «Figaros Hochzeit». Weitere Höhepunkte in seinem Bühnenrepertoire waren der Rigoletto, der Renato in Verdis «Ballo in maschera» und der Titelheld im «Eugen Onegin» von Tschaikowsky. Verheiratet mit der Sopranistin *Nada Siriščević* (* 1934 Zagreb).

Ruzdak-Siriščević, Nada, s. unter *Siriščević,* Nada.

Ruzek, Maria; sie sang nacheinander am Hoftheater von Darmstadt (1884–85), an den Opernhäusern von Düsseldorf (1885–86) und Breslau (1886–88). Es folgten Engagements am Stadttheater von Mainz (1888–89 und nochmals 1892–95) und am Hoftheater von Schwerin (1889–92). Nach einem kurzen Auftreten in Zürich wurde sie 1895 an das Deutsche Theater Prag verpflichtet, dem sie bis 1902 angehörte. 1902–05 war sie am Hoftheater von Braunschweig im Engagement. Gegen Ende ihrer Bühnenkarriere sang sie auch schwerere Partien wie die Agathe im «Freischütz», die Eva in den «Meistersingern» und die Sieglinde in der «Walküre». Sie trat im Lauf ihrer Karriere oft als Gast auf, so am Opernhaus von Frankfurt a. M. (1886–92), an den Hoftheatern von

Mannheim (1887), Karlsruhe (1894) und Hannover (1906), am Stadttheater Hamburg (1908) und 1911–12 nochmals am Hoftheater Braunschweig.

Ruziczka, Elsa (Else Tegetthoff); sie begann ihre Bühnenkarriere 1919 am Opernhaus von Düsseldorf als Marcellina in «Figaros Hochzeit». Seit 1934 nannte sie sich (nach einer Intervention der NS-Regierung) Else Tegetthoff. Sie gastierte 1938 an der Staatsoper von München, 1937 mit dem Ensemble der Berliner Staatsoper am Théâtre des Champs-Élysées Paris. 1946 gastierte sie in Braunschweig als Dorabella in «Così fan tutte». 1952–64 war sie als Schauspielerin am Frankfurter Theater am Roßmarkt tätig.

Rydl, Kurt; bei den Salzburger Festspielen sang er 1987–89 den Osmin in der «Entführung aus dem Serail», an der Oper von Monte Carlo 1987 wie beim Maggio musicale Florenz 1989 den Ochs im «Rosenkavalier».
Schallplatten: HMV-Electrola (Crespel und Luther in «Hoffmanns Erzählungen»), Orfeo («Dantons Tod» von G. von Einem), Philips (Monterone im «Rigoletto»), HMV («Frau ohne Schatten» von R. Strauss, Fafner in «Rheingold»), DGG («Figaros Hochzeit», «La clemenza di Tito», «Nabucco» von Verdi, «Ariadne auf Naxos» von R. Strauss, «Tannhäuser»), CBS («Turandot» von Puccini).

Rysanek, Leonie; ihr Vater war tschechischer Abstammung. 1954 kam sie an die Wiener Staatsoper (Debüt als Senta im «Fliegenden Holländer»). 1954 sang sie bei den Festspielen von Aix-en-Provence die Gräfin in «Figaros Hochzeit». An der Mailänder Scala war ihre Antrittspartie 1954 die Chrysothemis in «Elektra» von R. Strauss. An der Metropolitan Oper New York sang sie seit ihrem Debüt 1959 als Lady Macbeth seitdem fast in jeder Spielzeit zahlreiche Partien aus dem italienischen wie dem deutschen Repertoire (insgesamt zwanzig Rollen in mehr als 280 Vorstellungen in deren New Yorker Haus), u. a. 1960 die Abigaille in der Premiere von Verdis «Nabucco». 1988 Gastspiel an der Pariser Opéra-Comique in «Katja Kabanowa» von Janáček.

Rysanek, Lotte; sang 1950–51 am Theater von Klagenfurt, 1951–53 am Stadttheater von Freiburg i. Br. und seit 1955 an der Wiener Staatsoper. 1955 zu Gast am Opernhaus von Marseille; 1957–58 wirkte sie bei den Festspielen von Bayreuth mit.

Rywacka, Ludwika, Sopran, *9. 4. 1817 Warschau, †19. 2. 1858 bei Warschau. Sie debütierte bereits in Kinderrollen, war dann Choristin und sang 1833 als erste Solopartie in Warschau die Elvira in «La Muette de Portici» von Auber. 1836 hatte sie dort großen Erfolg bei ihrem professionellen Debüt als Agathe im «Freischütz». 1841–42 gab sie in Italien an verschiedenen Bühnen Gastspiele, kam dann aber wieder in ihre Heimat zurück und war in Warschau als Lucia di Lammermoor, als Lucrezia Borgia und als Maria di Rohan in den gleichnamigen Donizetti-Opern und als Isabella in «Robert le Diable» von

Meyerbeer zu hören. 1852 verließ Ludwika Rybacka Warschau und ging an das Opernhaus von Lwów (Lemberg). Dort eröffnete sie später eine Gesangschule. Sie starb während einer Reise von Kiew nach Warschau in der Nähe der polnischen Hauptstadt, in der sie ihre letzte Ruhestätte fand. – (Neufassung) –.

S

Sabanieva, Thalia; nachdem sie vorher bei einigen kleineren Operngesellschaften aufgetreten war, kam sie 1923 an die Metropolitan Oper New York (bei ihrem Debüt 1923 als Butterfly ersetzte sie die indisponierte Delia Reinhardt). Von den Partien, die sie dort sang, sind die Königin im «Goldenen Hahn» von Rimsky-Korssakow, die Philine in «Mignon» von A. Thomas, die Olympia in «Hoffmanns Erzählungen», die Micaela in «Carmen», die Juliette in «Roméo et Juliette» von Gounod, die Musetta in «La Bohème», die Gretel in «Hänsel und Gretel», die Beatrice in «Boccaccio» von F. von Suppé, die Manon von Massenet und der Waldvogel im «Siegfried» zu nennen.
Die Etiketten auf ihren Victor-Platten tragen griechische Titelaufschriften; es ist möglich, daß weitere derartige Platten aufgenommen worden sind.

Sabel, Jakob; war bis 1944 am Opernhaus von Frankfurt a. M. engagiert. In den letzten Kriegsmonaten wurde er zur kämpfenden Truppe eingezogen und geriet in russische Kriegsgefangenschaft, die vier Jahre dauerte. 1949–50 war er wieder gastweise an der Frankfurter Oper tätig. In der Spielzeit 1949–50 gastierte er erfolgreich in Stuttgart, Wiesbaden und Hannover. Er starb nach einer Blinddarmoperation.

Sacchi, Franca; sie sang 1948–49 an der Mailänder Scala neben den genannten Partien auch die Leonore im «Troubadour». Sie trat als Gast in Paris (1947), Bordeaux (1949) und Lissabon auf. 1959 gastierte sie an der Oper von Kairo als Amneris in Verdis «Aida».

Saccomani, Lorenzo; er gastierte 1984 an der Staatsoper Hamburg, 1986–87 an der Oper von Lüttich als Enrico in «Lucia di Lammermoor».

Sack, Erna; sie sang zu Beginn ihrer Karriere 1928–30 an der Berliner Staatsoper kleine Mezzosopran- und Soubrettenpartien. Gastspiele 1935 und 1936 an der Staatsoper Wien, 1937 an der Oper von Rom, 1938 am Opernhaus von Zürich, 1938 und 1942 in Kopenhagen. Bis 1941 war sie an der Staatsoper Dresden im Engagement.
Ihre Stimme war sogar in der Lage Töne über dem viergestrichenen C zu singen. Besonders beliebt war in ihren Konzertprogrammen (und auf Schallplatten) ihr «Lied der Jenny Lind» («Fjorton or tror visst att jag va», ein schwedisches Volkslied aus dem Repertoire der großen Sängerin).

Sadoven, Helene; sie trat als Gast 1926 in Kairo, 1929 in Madrid und 1928 in Berlin auf. 1938 war sie am Théâtre de la Monnaie Brüssel anzutreffen. Auf der Bühne galt sie als große Schönheit und als begabte Darstellerin.
Schallplatten: Elektrische HMV-Aufnahmen, in Frankreich publiziert; auf Polydor Aufnahmen aus ihrem russischen Repertoire.

Saedén, Erik; er sang bei den Bayreuther Festspielen 1958 den Kurwenal im «Tristan» und den Donner im «Rheingold». 1959 und 1974 gastierte er beim Edinburgh Festival. Noch 1989 sang er bei den Festspielen von Savonlinna den Vater Henrik in der Oper «Singoalla» von de Frumerie.
Schallplatten: Melodram («Rheingold», Bayreuth 1958), Virgin Classics-Video (Leporello im «Don Giovanni»), Caprice («Singoalla» von Gunnar de Frumerie).

Saenger, Oscar; er war während seiner kurzen Karriere mehr als Konzert- und Oratoriensänger denn als Opernsänger tätig. Von seinen zahlreichen Schülerinnen und Schülern seien als wichtigste Mabel Garrison, Paul Althouse, Kathleen Howard, Allen Hinckley, Marie Rappold, Lila Robeson, Orville Harrold, Josephine Jacoby, Elsie Baker, Henry Scott und Bernice de Pasquali genannt.

Sagi-Barba, Emilio; er sang bereits 1895 in Buenos Aires. Er komponierte selbst mehrere Zarzuelas. Seine Gattin *Louisa Vela* war nicht nur als Zarzuela- und Opernsängerin bekannt, sie war zugleich eine begabte Liedersängerin. Sie kreierte u. a. die «Sieben spanischen Lieder» von Manuel de Falla (1915). Ein Sohn des Sängerehepaars, *Louis Sagi-Vela* (*1914 Madrid) wurde ein erfolgreicher Tenor und brillierte wie seine Eltern namentlich in Zarzuelas. Er debütierte 1933 in Barcelona und hatte bis zu seinem Abschied von der Bühne 1957 in Spanien eine beachtliche Karriere. Von seiner Stimme sind zahlreiche Aufnahmen, u. a. auf der spanischen Marke Montilla, vorhanden.

Sagi-Vela, Louis, s. unter *Sagi-Barba,* Emilio.

Sagi-Vela, Louise, s. unter *Sagi-Barba,* Emilio.

Saint-Huberty, Antoinette Cécile; sie gehörte dem Kreis emigrierter französischer Royalisten an und befreite ihren späteren Gatten, den Comte d'Entraigues, unter abenteuerlichen Umständen 1797 aus seinem Gefängnis in Mailand. Darauf flüchteten beide nach St. Petersburg, wo der Graf in russische Dienste trat. Der Doppelmord an dem Ehepaar in London ist nie bis in die letzten Einzelheiten geklärt worden.

Sainton-Dolby, Charlotte; sie sang 1842 erstmals in einem Philharmonic Concert in London. Sie komponierte die Kantaten «The Legend of St. Dorothea» (1876) und «The Story of a Faithful Soul» (1879).

Saková, Ema, *11. 5. 1850 Budapest, †8. 2. 1925 Prag; sie kam nach ihrer Ausbildung durch F. Pvioda

in Prag 1867 an die Tschechische Nationaloper Prag. Sie wirkte hier (am Prozatímní divadlo) auch in den Uraufführungen der Opern «Der König und der Köhler» («Král a uhlíř», 24. 11. 1874) und «Wanda» (als Božena, 17. 4. 1876), beide von A. Dvořák, mit. Ihr Sohn František Maisler war ein bekannter Cellist und Dirigent.

Salemka, Irene; sie kam zu ihren großen Erfolgen an europäischen Bühnen. 1956-57 war sie am Stadttheater von Basel verpflichtet, 1957–64 sang sie am Opernhaus von Frankfurt a. M. und trat gastweise in München und Stuttgart und an vielen weiteren Theatern auf.

Saléza, Albert; an der Oper von Monte Carlo kreierte er am 4. 3. 1894 in der Uraufführung der Oper «Hulda» von César Franck die Partie des Eiolf. 1900 sang er an der Metropolitan Oper New York in der ersten Aufführung von Puccinis «La Bohème» an diesem Haus die Partie des Rodolfo. Insgesamt hat er im New Yorker Haus der Metropolitan Oper in vier Spielzeiten 52 Vorstellungen von 14 Partien gesungen.

Salignac, Thomas, *19. 3. 1867 Générac bei Nîmes (Departement Gard). An der Metropolitan Oper New York hörte man ihn in den Jahren 1896–1904 u. a. als Don Ottavio im «Don Giovanni», als Grafen Almaviva im «Barbier von Sevilla», als Ernesto im «Don Pasquale», als Faust von Gounod, als Roméo in «Roméo et Juliette» vom gleichen Komponisten, als Edgardo in «Lucia di Lammermoor», als Alfredo in «La Traviata» und als Canio im «Bajazzo».

Salimbeni, Felice, †August 1751 Laibach (Ljubljana); er starb auf der Rückreise nach Dresden von einem Kuraufenthalt in Torre del Greco wohl an einer Lungentuberkulose. Sein Freund Pietro Metastasio beschreibt seine gewinnende äußere Erscheinung und rühmt den süßen Klang seiner Stimme. Er war der Lehrer des Kastraten Bellino.

Sallaba, Richard; 1927–31 trat er am Volkstheater Wien als Schauspieler auf und sang dann bei der Hirsch-Operettentruppe. 1933–34 war er als Opernsänger am Theater von Solothurn engagiert, 1934–35 am Stadttheater von Bern (Schweiz); 1935 bis zum Ende des Zweiten Weltkrieges Mitglied der Wiener Staatsoper. Bei den Festspielen von Salzburg sang er 1939 auch den Pedrillo in der «Entführung aus dem Serail». 1941–42 war er am Berliner Metropoltheater als Operettensänger tätig. Seit 1946 gehörte er dem Ensemble der Wiener Volksoper an.
Von seiner Stimme sind auch Schallplattenaufnahmen mit Unterhaltungsliedern vorhanden.

Salminen, Matti; er arbeitete zunächst als Tischler. Ausbildung am Musikinstitut von Turku und später bei Luigi Ricci in Rom. 1969 debütierte er in Helsinki in seiner ersten großen Partie, dem König Philipp im «Don Carlos», nachdem er an der dortigen Oper 1966–69 als Chorist tätig gewesen war. Seit 1974 Mitglied der Oper von Zürich, auch der Wiener

Staatsoper verbunden. 1974 sang er als erste Partie an der Covent Garden Oper London den Fasolt im «Rheingold». 1976 hörte man ihn bei den Festspielen von Bayreuth als Hunding in der «Walküre» (nicht als Daland). Er wirkte bei den Festspielen von Salzburg u. a. 1986 als Großinquisitor in Verdis «Don Carlos» mit. 1986 Gastspiel als Boris Godunow am Teatro Liceo Barcelona. An der Metropolitan Oper New York hatte er große Erfolge als Sarastro in der «Zauberflöte», als Rocco im «Fidelio», als Landgraf im «Tannhäuser», als Fafner, Hunding und Hagen im Ring-Zyklus (1989–90) und 1988 als Osmin in der «Entführung aus dem Serail».
Schallplatten: RCA (9. Sinfonie von Beethoven), Decca (Sarastro in der «Zauberflöte»), HMV-Electrola (Hunding in der «Walküre»), BIS (Opernszenen aus Savonlinna), DGG («Tannhäuser»).

Salomon, Marius, * 16. 11. 1846 Côte Saint-André (Departement Isère), † (?); er war Schüler von Jean-Baptiste Faure in Paris. 1874 gastierte er am Théâtre de la Monnaie Brüssel.

Salter, Richard; er sang in Hamburg in der Uraufführung der Oper «Jakob Lenz» von W. Rihm die Titelpartie (8. 3. 1979). 1987 trat er am Theater am Gärtnerplatz München als Lord Ruthven in «Der Vampyr» von Marschner und als Rigoletto auf.
Schallplatten: CPO («Unreveiled» von A. Reimann).

Saltzmann-Stevens, Minnie; sie begann das Gesangstudium bereits als Kind, mußte es jedoch aufgeben, als ihr Vater starb, und sie erst 14 Jahre alt war. Sie sang dann noch in Kirchen und in Chicago als Altistin in einem Vokalquartett. Erst nach ihrer Heirat mit Dr. M. Stevens konnte sie nach Europa gehen und ihre Ausbildung beenden. Nachdem sie dort 1909 als Brünnhilde an der Covent Garden Oper London unter Hans Richter debütiert hatte, sang sie die Brünnhilde in den Jahren 1910–13 in den Aufführungen des Nibelungenrings an diesem Haus. 1910 trat sie in der gleichen Partie bei einer vollständigen Ring-Aufführung am Teatro San Carlos Lissabon auf. Siegfried Wagner lud sie nach Bayreuth ein, wo sie 1911–13 auftrat. 1914–16 hörte man sie an der Oper von Chicago als Brünnhilde, als Sieglinde, als Kundry und in der Oper «Noël» von Frédéric d'Erlanger.

Salvador, Ines; Schallplatten: 1907–08 erschienen einige G & T-Aufnahmen, darunter u. a. ein Duett mit dem Tenor Emanuele Ischierdo.

Salvaneschi, Attilio; 1914 Gastspiel am Teatro Corso Bologna als Graf Almaviva im «Barbier von Sevilla». 1921 sang er in der Eröffnungsvorstellung des wieder aufgebauten Teatro Verdi in Padua den Herzog im «Rigoletto» zusammen mit so großen Künstlern wie Toti Dal Monte und Mattia Battistini.

Salvarezza, Antonio, * 14. 5. 1902 Bosco Marengo bei Alessandria; er arbeitete zunächst in Buenos Aires in einem kaufmännischen Beruf. Er studierte

dort bei dem Pädagogen Filippo Florio. 1942 kam er zu seinem ersten großen Erfolg an der Mailänder Scala als Arturo in «I Puritani». 1943 Gastspiel an der Staatsoper von Wien. 1959 nahm er an der Oper von Rom als Cavaradossi seinen Bühnenabschied.
Schallplatten: Es sind auch Aufnahmen auf Odeon vorhanden.

Salvati, Salvatore; er sang 1925 an der Mailänder Scala den Florindo in «Le Donne curiose» von E. Wolf-Ferrari. 1929 trat er in Berlin, 1935 in Budapest, 1938 in Wiesbaden (Tenor-Solo im Verdi-Requiem) als Konzertsolist auf. Er war der Gründer des Salvati-Vokalquartetts (mit Leni Neuenschwander, Paula Koelliker und Karl Theo Wagner), das in zahlreichen europäischen Städten Konzerte gab. Seit Beginn der dreißiger Jahre verlegte er sich mehr und mehr auf den Konzertgesang, ist aber doch noch gelegentlich auf der Bühne aufgetreten, so noch 1941 am Stadttheater von Bern. 1943 wirkte er an der Mailänder Scala als Solist in einer Aufführung der Matthäuspassion von J. S. Bach mit.
Schallplatten: Aufnahmen auf den Marken Artiphon (aus den zwanziger Jahren), Odeon, Phonychord, Musiche Italiane antiche; akustische und elektrische HMV-Aufnahmen.

Salvatini, Mafalda, Sopran, * 17. 10. 1888 Baia bei Neapel, † 13. 6. 1971 Lugano; ihr Vater war Offizier der Neapolitanischen Armee und rettete bei der Belagerung der Festung Gaeta durch die Truppen Garibaldis der Königin von Neapel das Leben. Mit vier Jahren war sie bereits verwaist und wurde in Internaten der Sacré-Coeur-Schwestern zuerst in Portici, dann in Paris erzogen. Sie war in Paris Schülerin von Jean de Reszke und von Pauline Viardot-Garcia. 1908 erregte sie bei einem Gastspiel an der Berliner Hofoper als Aida erstes Aufsehen und war 1911–14 Mitglied dieses Opernhauses, an dem sie große Erfolge hatte. 1912 gastierte sie an der Hofoper von München, 1913 an der Grand Opéra Paris, wo sie als Valentine in den «Hugenotten» von Meyerbeer auftrat. 1914–23 war sie am Deutschen Opernhaus (Städtische Oper) Berlin–Charlottenburg engagiert, und an diesem Haus erreichte ihre Karriere ihren Höhepunkt. Zwar sang sie 1924–26 nochmals an der Staatsoper (der ehemaligen Hofoper) Berlin, kam aber 1926 wieder an das Deutsche Opernhaus zurück, wo sie jetzt bis 1932 ihre große Karriere fortsetzte. 1926 kreierte sie für Berlin die Titelheldin in der Puccini-Oper «Turandot», wobei sie einen ihrer größten Erfolge erzielte. 1927 war sie zu Gast an der Staatsoper Dresden, 1922 und 1928 an der Wiener Staatsoper, 1928 am Opernhaus von Riga; sie ist auch in Holland und Belgien, jedoch nie in ihrer italienischen Heimat aufgetreten. Ihre großen Partien auf der Bühne waren die Aida, die Santuzza in «Cavalleria rusticana», die Tosca, die Butterfly, die Carmen und die Amelia in Verdis «Maskenball». Sie heiratete zu Beginn der dreißiger Jahre den litauischen Botschafter in Deutschland Dr. Saulys und lebte nach Aufgabe ihrer Karriere im Schweizer Kanton Tessin. Neben dem großen Tonumfang ihrer Stimme rühmte man die intensive Dra-

matik ihres Vortrags und ihr eminentes darstellerisches Talent in dramatischen Sopranpartien aus der italienischen Opernliteratur und in mehreren französischen Partien.
Schallplatten: Seit 1916 akustische Aufnahmen auf DGG und Polydor, ab 1924 akustische wie elektrische Aufnahmen auf Fonotipia (darunter Duette mit Pasquale Amato), Odeon und Homochord. – (Neufassung) –.

Salvi, Margherita, * 26. 5. 1897 Getafe bei Madrid; sie hieß eigentlich Margarita Iglesias Escuder. Sie sang 1926 am Teatro Coliseo (nicht am Teatro Colón) Buenos Aires. Sie gastierte 1931 an der Oper von Budapest, 1934 am Théâtre de la Monnaie Brüssel. Auf einer Victor-Platte singt sie, von ihrem Gatten Federico Longás begleitet, das von diesem für sie komponierte Lied «El Piropo».
Von ihrer Stimme existieren auch akustische wie elektrische Fonotipia-Aufnahmen.

Salvini-Donatelli, Fanny; 1842 gastierte sie in Wien als Abigaille in Verdis «Nabucco». Ihr Repertoire hatte seine Höhepunkte in den Partien der Belcanto-Meister Rossini, Donizetti, Bellini und anderer, heute kaum mehr bekannter Komponisten dieser Stilrichtung aus der ersten Hälfte des 19. Jahrhunderts.

Sammarco, Mario; Ausbildung in Palermo, dann durch Antonio Cantelli und Franz Americh in Mailand. Nach seinem Debüt in Palermo trat er in Mailand u. a. als Titelheld im «Hamlet» von A. Thomas auf. 1903 war er an der Oper von Odessa zu Gast, 1901 an der Berliner Hofoper und am Deutschen Theater Prag, 1909 am Théâtre de la Monnaie Brüssel. Als Antrittsrolle sang er an der Covent Garden Oper London 1904 den Scarpia in «Tosca». 1907 folgte er einem Ruf an das Manhattan Opera House New York, an dem er als Tonio im «Bajazzo» debütierte. Er hatte an diesem Haus bis 1910 große Erfolge als Rigoletto, als Germont-père in «La Traviata», als Enrico in «Lucia di Lammermoor» und in der amerikanischen Erstaufführung von Giordanos «Siberia», in der er 1908 den Gleby sang. 1911 hörte man ihn an der Covent Garden Oper in Wolf-Ferraris «Il Segreto di Susanna» mit Lydia Lipkowska als Partnerin. 1913–14 sang er an der Mailänder Scala den Titelhelden im «Falstaff» und den Jago im «Othello» von Verdi. Er war später als Pädagoge tätig, und zwar zuerst in Chicago, seit 1928 in Mailand. Zu seinen Schülern gehörten der Bariton Giovanni Inghilleri und der Bassist Alexander Sved.
Schallplatten: G & T (Mailand, 1902–04), Fonotipia (Mailand, 1905), HMV (um 1910), Victor (USA, 1910).

Sanchioni, Nunu; sie sang 1932 am Teatro San Carlo Neapel und in Cremona. In Spanien gastierte sie u. a. in San Sebastian.

Sanden, Aline; sie war durch den berühmten Dirigenten Arthur Nikisch nach Leipzig berufen worden. Sie sang dort die Elektra in der Premiere der gleichnamigen Richard Strauss-Oper und die Agnes in der von H. Pfitzners «Der arme Heinrich» (1909), ebenso den Octavian in der Leipziger Premiere des «Rosenkavaliers». Eine ihrer großen Kreationen war die Grete Graumann in «Der ferne Klang» von F. Schreker. Auch als Tosca, als Martha in «Tiefland» von d'Albert, als Santuzza in «Cavalleria rusticana», als Salome von R. Strauss, als Marguerite im «Faust» von Gounod, als Carmen, als Senta im «Fliegenden Holländer» und als Kundry im «Parsifal» bekannt geworden.

Sanderson, Sibyl; an der Metropolitan Oper New York ist sie nur in zwei Partien, der Manon von Massenet (Antrittsrolle im Januar 1895) und der Juliette in «Roméo et Juliette» von Gounod, zu hören gewesen, insgesamt in fünf Vorstellungen.

Sandor, Erzsi; sie ist im Lauf ihrer Karriere allein 97mal in den Sopranpartien in «Hoffmanns Erzählungen» aufgetreten.
Schallplatten: Qualiton-Hungaroton (Violetta in «La Traviata»).

Sandor, John; Schallplatten: Philips («I Masnadieri» von Verdi).

Sandoz, May, * 25. 6. 1936 Luzern; sie war engagiert 1964–66 am Staatstheater Braunschweig, 1966–67 am Landestheater Detmold, 1967–69 am Stadttheater Bremerhaven, 1969–74 an Opernhaus von Dortmund. Seit 1972 war sie durch einen Gastvertrag dem Opernhaus von Köln, wo sie auch ihren Wohnsitz hatte, verbunden. Weitere Gastspiele am Teatro Liceo Barcelona, an der Deutschen Oper am Rhein Düsseldorf–Duisburg, am Nationaltheater Prag, in Israel und mit dem Ensemble der Staatsoper Berlin in Japan. Sie wirkte bei Konzerten im Rahmen der Salzburger Festspiele (1976 Uraufführung «Divertimento für Koloratursopran und Orchestergruppen» von H. Eder) mit und arbeitete in Köln im pädagogischen Bereich.
Schallplatten: CT («Fêtes des Vignerons» von G. Doret).

Sandoz, Paul; internationale Konzertkarriere mit Auftritten in der Schweiz, in Mailand, Straßburg, Paris und Bologna. 1938 sang er in Basel in der (oratorischen) Uraufführung von Arthur Honeggers «Jeanne d'Arc au bûcher», 1942 ebenfalls in Basel in der 7. Sinfonie von Felix Weingartner. Hoch geschätzter Lied-Interpret.
Schallplatten: HMV (Arien von J. S. Bach und G. F. Händel, vier ernste Gesänge von J. Brahms, «Dichterliebe» von R. Schumann, Lieder von Othmar Schoeck, Lieder von Schubert) Philips («Fête des Vignerons» von G. Doret, 1955).

Santana, Huc, † 21. 1. 1982 Paris; sein eigentlicher Name war André Huc-Santana.

Sante, Sophia van; Schallplatten: Telefunken (Marthe in «Mefistofele» von Boito).

Santley, Sir Charles; er war Choirboy und trat später als Amateursänger auf, entschloß sich dann aber zur Sängerkarriere. Seit 1855 studierte er bei Gaetano Nava in Mailand, dann bei Manuel Garcia in London. Im November 1857 hörte man ihn erstmals in London, und zwar als Adam in der «Schöpfung» von Haydn. 1859 sang er an der Covent Garden Oper London den Hoël in der englischen Erstaufführung von Meyerbeers «Dinorah» mit Mme Miolan-Carvalho als Partnerin. 1864 wirkte er am Her Majesty's Theatre London in der englischen Erstaufführung von Nicolais «Die lustigen Weiber von Windsor» (in italienischer Sprache) mit. Er galt als der bedeutendste englische Oratoriensänger seiner Epoche; seine Interpretation der Titelpartie in Mendelssohns «Elias» galt als unvergleichlich. Seit 1858 sang er beim Leeds-Festival, seit 1861 beim Festival von Birmingham, 1863–1906 bei jedem Three Choirs Festival, seit 1862 auch beim Handel Festival in London. 1890 bereiste er Australien und Neuseeland, 1893 und 1903 Südafrika. Zu seinem 50jährigen Sängerjubiläum wurde er als «Sir Charles Santley» 1907 in den Adelsstand erhoben. Seine Tochter *Edith Santley* (* 1860) begann eine zunächst sehr erfolgreiche Karriere als Konzertsängerin (Sopran), die sie aber nach ihrer Heirat bereits 1884 völlig aufgab.
Alle Schallplattenaufnahmen des großen Sängers sind erst nach seinem 70. Lebensjahr entstanden, besitzen aber einen hohen Dokumentarwert.

Šára, Jan, † 17. 9. 1894 Prag; er sang in drei Uraufführungen von Opern Smetanas; am 18. 9. 1878 war er am Prozatímní divadlo Prag auch in «Tajemství» von Smetana zu hören. Er sang an diesem Haus weiter in den Uraufführungen der Opern «Der König und der Köhler» («Král a uhliř», 24. 11. 1874) und «Der listige Bauer» («Šelma sedlák», 27. 1. 1878 als Václav) von A. Dvořák.

Saraceni, Adelaide; sie studierte zuerst in Argentinien Gesang, Piano- und Violinspiel. 1927 gastierte sie in Holland. 1933 sang sie bei den Festspielen von Verona die Marguerite de Valois in den «Hugenotten» von Meyerbeer. An der Mailänder Scala hörte man sie 1929 als Susanna in «Nozze di Figaro» mit Richard Strauss als Dirigenten. Hier sang sie 1927 die Butterfly, 1930 die Rautendelein in der Premiere von O. Respighis «La Campana sommersa» (unter der Leitung des Komponisten). 1931 hatte sie an der Scala großen Erfolg in der Titelpartie von Puccinis «Suor Angelica», als Gilda und in Lualdis «Furie d'Arlecchino», 1932 als Violetta in «La Traviata». Sie gastierte in Bergamo und Brescia und bereiste Deutschland und die Schweiz mit italienischen Operntruppen.
Schallplatten: Auf HMV sind auch Solo-Aufnahmen sowie Duette der Sängerin mit Piero Pauli und Apollo Granforte vorhanden.

Sardinero, Vincenzo; Schallplatten: Rodolphe Records («Gemma di Vergy» von Donizetti).

Sarfaty, Regina; 1958 wirkte sie an der City Centre Opera New York in der amerikanischen Erstaufführung der «Schweigsamen Frau» von R. Strauss mit, zugleich ihre Antrittsvorstellung an diesem Haus, an dem sie bis 1962 auftrat.

Sari, Ada, † 12. 7. 1968 Ciechocinek (Polen); sie sang 1912–14 während ihres Italien-Aufenthalts auch an den Theatern von Brescia und Lucca; 1914 Gastspiel an der Hofoper von St. Petersburg. Während einer Nordamerika-Tournee gab sie sehr erfolgreiche Konzerte in der New Yorker Carnegie Hall und in Chicago. Sie gastierte in Zürich (1924), Köln (1925), an den Königlichen Opern von Stockholm (1926) und Kopenhagen (1929) und mehrfach an der Wiener Staatsoper. Großes Ansehen genoß sie als Konzert- und Oratoriensopranistin, vor allem als Solistin in Beethovens 9. Sinfonie. Sie trat u. a. in Konzerten in Berlin (1924, 1927, 1931) und in Budapest (1927) auf.
Schallplatten: Akustische Aufnahmen auf Polydor (1924–25), später dort auch elektrische Aufnahmen; elektrische HMV-Platten (Wien, um 1932, darunter Lieder von Rachmaninoff).

Sarobe, Celestino; 1925 nahm er an der Deutschland-Tournee einer italienischen Operntruppe teil. Bis 1940 gab er zahlreiche Konzerte, darunter auch Liederabende, in denen er das deutsche Kunstlied zum Vortrag brachte. 1929 Gastspiele an der Oper von Hamburg und an der Königlichen Oper Stockholm, 1941 nochmals an der Berliner Volksoper.

Sarroca, Suzanne; an der Pariser Grand Opéra sang sie 1957 den Octavian im «Rosenkavalier» mit Régine Crespin, 1966 mit Elisabeth Schwarzkopf als Marschallin.

Sass, Sylvia; 1977 debütierte sie an der Metropolitan Oper New York als Tosca, blieb dort aber nur für eine Spielzeit und hat nur die Tosca gesungen. 1986 Gastspiel an der Oper von Toronto als Lady Macbeth in Verdis «Macbeth», 1989 in Budapest als Salome. 1989 sang sie die Judith in «Herzog Blaubarts Burg» von B. Bartók in Montpellier, in Metz und im englischen Fernsehen BBC. Sie gab Konzerte mit Wagner- und Richard Strauss-Programmen und trug auch moderne Werke vor. 1989 sang sie in der Londoner Wigmore Hall Lieder von F. Liszt und R. Strauss.
Schallplatten: Hungaroton (vollständige Oper «I Lombardi» von Verdi, Wesendonck-Lieder von R. Wagner), Philips («Norma», «Herzog Blaubarts Burg», «Trittico» von Puccini), Decca (Lieder von B. Bartók).

Sasse, Marie, † 8. 11. 1907 Auteuil bei Paris. Sie sang an der Mailänder Scala am 10. 3. 1870 die Cecilia in der Uraufführung der Oper «Il Guarany» von Carlos Gomes.

Sasson, Deborah; sie wirkte 1982–89 bei den Festspielen von Bayreuth als Blumenmädchen im «Parsifal» mit. Ihre Ehe mit Peter Hofmann wurde 1990 wieder aufgelöst.

Schallplatten: Philips (Blumenmädchen im «Parsifal», Bayreuth 1985).

Sassone-Soster, Anna; sie sang 1920 am Teatro Colón Buenos Aires die Anna in Catalanis «Loreley», die Lauretta in «Gianni Schicchi» und die Partie der La Schiava in der Erstaufführung der Oper «Fedra» von Pizzetti. In der Saison 1921–22 wirkte sie in Pavia in der Premiere von Vittadinis «Anima allegra» mit. 1923 Gastspiel an der Oper von Rom als Lucieta in «I quattro rusteghi» und als Musetta in «La Bohème». Sie sang im Laufe ihrer Karriere auch Partien wie die Traviata, die Liu in «Turandot», die Gilda und das leichtere lyrische Repertoire.
Schallplatten: Pathé (das Quartett aus «Rigoletto» erschien in England anonym unter der Bezeichnung «Milan Grand Opera Company»; die Sänger sind neben Anna Sassone-Soster Lina Lanza, Giovanni Manuritta und Gino Lussardi).

Sattler, Joachim; er stand in Darmstadt als junger Seemann im «Tristan» erstmals auf der Bühne. 1939–41 Mitglied der Staatsoper Dresden, 1941–44 der Wiener Staatsoper. 1929 wirkte er beim Wagner Festival am Théâtre des Champs-Élysées in Paris mit, 1938 und 1941 sang er den Siegfried in Aufführungen des Ring-Zyklus an der Grand Opéra Paris. Bei den Festspielen von Zoppot trat er 1941–42 als Walther von Stolzing in den «Meistersingern» und als Siegfried auf. 1931 Gastspiel in Amsterdam als Melot im «Tristan» (mit Jacques Urlus in der Titelpartie), 1934 als Heinrich der Schreiber im «Tannhäuser»; 1937 an der Budapester Oper zu Gast. Nach dem Zweiten Weltkrieg war er 1947–50 an der Hamburger Staatsoper engagiert. 1950 gastierte er an der Mailänder Scala als Loge im «Rheingold».
Schallplatten: BASF (Szene aus «Parsifal» mit Kurt Böhme).

Sauer, Franz, * 16. 6. 1884 Frankfurt a. M.; Ausbildung am Hoch'schen Konservatorium (1903–06), dann bei E. Bellwidt in Frankfurt a. M. 1915 Gastspiel an der Dresdner Hofoper. 1925–27 Mitglied der Städtischen Oper Berlin. Bei den Festspielen von Bayreuth sang er 1933–34 und 1943–44 den Hans Schwarz in den «Meistersingern», 1934 auch den Titurel im «Parsifal». (Die Mitteilung über einen Freitod des Künstlers erwies sich als unzutreffend).
Schallplatten: HMV-Electrola («Meistersinger», Bayreuth 1943).

Sauerbaum, Heinz; 1933–37 war er als Chorist am Theater von Königsberg, 1937–38 an der Stuttgarter Staatsoper tätig. 1938 Solisten-Debüt am Stadttheater von Halle (Saale) als Steuermann im «Fliegenden Holländer». 1948–51 Mitglied der Komischen Oper Berlin. 1951–57 war er am Nationaltheater von Mannheim engagiert, wo er noch bis 1963 als Gast auftrat. 1954–57 war er zugleich Mitglied der Hamburger Staatsoper.
Schallplatten: Es existieren auch Mitschnitte von Aufführungen in Mannheim («Carmen»); auf BASF Duette mit der Sopranistin Elfriede Trötschel.

Saunders, Arlene, * 5. 10. 1935 Cleveland (Ohio); debütierte 1958 bei der National Opera Company in New York als Rosalinde in der «Fledermaus». 1961 sang sie als Antrittsrolle an der City Centre Opera New York die Giorgietta in Puccinis «Il Tabarro». Seit 1967 Gastspiele an der Oper von San Francisco (Debüt als Louise in Charpentiers Oper). Sie sang am 14. 3. 1971 in Washington in der Uraufführung der Oper «Beatrix Cenci» von Ginastera. 1966 hörte man sie beim Glyndebourne Festival als Pamina in der «Zauberflöte». 1976 debütierte sie an der Metropolitan Oper New York als Eva in den «Meistersingern». 1980 gastierte sie an der Covent Garden Oper London als Minnie in «La Fanciulla del West» von Puccini. 1985 nahm sie am Teatro Colón Buenos Aires ihren Abschied von der Bühne als Marschallin im «Rosenkavalier». Sie wirkte als Pädagogin an der Rutgers University New Jersey, seit 1987 an der Abraham Goodman School New York.
Schallplatten: Legendary Records (Elsa im «Lohengrin»).

Sauvageaut, Maurice; Schallplatten: Neben der erwähnten «Manon»-Aufnahme bestehen auch Solo-Titel auf HMV (Lieder von Chausson, Godard, G. Fauré, Duparc, dazu eine Arie aus «Sigurd» von Reyer), auf Opéra (1921) und auf Arion (1922).

Saville, Frances; nach ihrem Debüt in Brüssel trat sie in London mit der Carl Rosa Opera Company auf. An der Metropolitan Oper New York sang sie als erste Partie 1895 die Juliette in «Roméo et Juliette» von Gounod. Sie sang dort in zwei Spielzeiten zehn Partien in insgesamt 28 Vorstellungen, von denen die Zerline im «Don Giovanni», die Marguerite im «Faust» von Gounod, die Micaela in «Carmen», die Manon von Massenet, die Elisabeth im «Tannhäuser», die Elsa im «Lohengrin» und die Gutrune in der «Götterdämmerung» genannt seien.

Sayao, Bidú; am Teatro Costanzi Rom hatte sie nach ihren Debüt 1926 als Rosina große Erfolge als Gilda im «Rigoletto» und als Carolina im Cimarosas «Matrimonio segreto». Sie heiratete dann den Impresario Walter Mocchi (1870–1955), der in erster Ehe mit der berühmten Sopranistin *Emma Carelli* (1877–1928) verheiratet gewesen war und als Manager am Teatro Costanzi Rom wie am Teatro Coliseo und am Teatro Colón Buenos Aires eine sehr einflußreiche Stellung einnahm. 1930 gastierte sie an der Mailänder Scala, 1931 an der Opéra-Comique Paris als Rosina im «Barbier von Sevilla». 1936 große Erfolge in Rio de Janeiro in «Il Guarany» von Carlos Gomes. 1935 erregte sie Aufsehen bei ihrem Nordamerika-Debüt in einem Konzert in der New Yorker Carnegie Hall, ebenso 1936, als sie in New York «La Damoiselle élue» von Debussy unter Toscanini sang. Im New Yorker Haus der Metropolitan Oper wirkte sie in 155 Vorstellungen (und in 71 weiteren bei deren Tourneen) mit. 1941–45 und nochmals 1954 sang sie an der Oper von Chicago, 1946–52 an der Oper von San Francisco. 1947 heiratete sie in zweiter Ehe den Bariton *Giuseppe Danise* (1883–1963).

Schallplatten: Erste Victor-Aufnahmen wurden bereits 1934 in Brasilien hergestellt.

Sbriglia, Giovanni; zu seinen Schülern gehörte auch der amerikanische Bass-Bariton Clarence Whitehill.

Scacciati, Bianca; 1920 sang sie am Teatro Comunale Bologna die Maddalena in Giordanos «Andrea Chénier», am Teatro San Carlo Neapel die Titelheldin in «Manon Lescaut» von Puccini, am Teatro Adriano Rom die Margherita in «Mefistofele» von Boito. 1921 hörte man sie am Teatro Carcano Mailand wie am Teatro Regio Parma als Desdemona in Verdis «Othello», 1922 am Teatro Carlo Felice Genua abermals als Margherita in «Mefistofele». Sie sang immer wieder in Rom, Neapel, Genua, Verona und Bari und hatte 1926–34 große Erfolge bei ihren Auftritten an der Mailänder Scala. Hier übernahm sie als Antrittsrolle 1926 die Elisabetta im «Don Carlos» von Verdi. An der Covent Garden Oper London sang sie 1926–27 gleichzeitig die Margherita und die Elena in A. Boitos «Mefistofele». 1928 Gastspiel am Teatro Colón Buenos Aires; 1932 hörte man sie an der Oper von Rom als Lady Macbeth in Verdis «Macbeth». Einer ihrer letzten Auftritte war 1942–43 am Teatro Grande Brescia als Tosca.
Schallplatten: Ihre frühesten Columbia-Platten von 1926 noch in akustischer Aufnahmetechnik.

Scalchi, Sofia; 1887 unternahm sie eine Nordamerika-Tournee mit einer Operntruppe, die die große Primadonna Adelina Patti zusammengestellt hatte. 1882 zu Gast an der Oper von Monte Carlo. 1885, 1891–92 und 1894 trat sie an der Oper von Chicago auf, 1879 am Teatro Grande Brescia. 1881 sang sie an der Mailänder Scala den Arsace in Rossinis Oper «Semiramide», 1889 am Teatro Bellini Neapel den Titelhelden im «Orpheus» von Gluck. 1891 gastierte sie am Teatro Carignano Turin. Ihre einzige größere Premierenrolle scheint der Wanja in Glinkas «Iwan Susanin» gewesen zu sein, den sie 1887 für England an der Covent Garden Oper London kreierte. Nach ihrer Heirat ist sie auch unter dem Namen Sofia Scalchi-Lolli aufgetreten.

Scampini, Augusto; 1912 sang er am Teatro Costanzi Rom den Manrico im «Troubadour», 1915 am Teatro Politeama Pisa den Radames in «Aida».

Scandiani, Angelo; er sang 1903 in einer konzertanten Aufführung des 3. Aktes des «Parsifal» an der Mailänder Scala den Amfortas.

Scaramberg, Émile; er erhielt eine sehr sorgfältige musikalische Ausbildung am Institute Sainte-Marie Paris (bis 1877) und bei dem Tenor É. Pellin. In der Saison 1896–97 sang er an der Oper von Nizza als Partner der großen Primadonna Nellie Melba. 1897 gastierte er am Opernhaus von Antwerpen als Tannhäuser, 1898–99 am Théâtre de la Monnaie Brüssel. An der Oper von Lyon kam er als Werther in der gleichnamigen Oper von Massenet zu einem sensationellen Erfolg. In Bordeaux hörte ihn der Direktor der Grand Opéra Paris Pedro Gailhard und ver-

pflichtete ihn für die Saison 1903–04 an sein Haus. 1907 verlor er seine Stimme. Zu seinen Schülern in Besancon gehörten u. a. Louis Guénot und Renée Camia.

Scaria, Emil; er studierte 1862 nochmals bei Manuel Garcia in London und trat dort bereits in einem Konzert im Crystal Palace auf. 1881 wirkte er am Berliner Victoria-Theater in der Premiere des Ring-Zyklus mit, die durch Angelo Neumann veranstaltet wurde. Mit dessen wanderndem Wagner-Theater unternahm er dann Tourneen durch ganz Europa (1882–83).

Scattola, Carlo; 1912 trat er an der Mailänder Scala in Mascagnis Oper «Isabeau» auf. Seit 1922 hatte er dort Erfolge im Buffo-Fach. 1930 gastierte er an der Grand Opéra, 1932 an der Opéra-Comique Paris, jedesmal zusammen mit Conchita Supervia. Bis 1944 war er immer wieder an der Mailänder Scala zu hören. 1937 Gastspiel mit dem Scala-Ensemble in Berlin und München. Auch in Opernsendungen des italienischen Rundfunks EIAR wirkte er mit, u. a. 1937 in «Il gobbo del Califfo» von Franco Casavola.
Schallplatten: Auf HMV ein Duett mit Benjamino Gigli, elektrische Odeon-Parlophon-Aufnahmen (1927 mit Conchita Supervia).

Schaaf, Wilfried; Schallplatten: Philips (Valentin im «Faust» von Gounod).

Schachtschneider, Herbert; studierte auch bei Hans Nachod in London. Er wirkte an der Oper von Köln bis 1984 als Mitglied des Ensembles und auch später noch als Gast. Neben seinem Engagement in Köln war er Mitglied der Opernhäuser von Frankfurt a. M. (1958–63) und Hannover (1963–67). Beim Holland Festival sang er 1958 in Schönbergs «Von heute auf morgen» (Wiederholung in konzertanter Form 1963 in der Royal Festival Hall London). 1956 zu Gast an der Städtischen Oper Berlin, 1955 und 1960 am Opernhaus von Zürich, 1967 am Teatro Colón Buenos Aires (als Loge im «Rheingold»), 1968 am Théâtre de la Monnaie Brüssel (als Walther in den «Meistersingern»), seit 1969 mehrfach an der Staatsoper von Wien. Gastspiele an den Staatsopern von München und Stuttgart sowie 1963 an der Mailänder Scala in einer seiner größten Kreationen, dem Loge.
Schallplatten: Westminster (Titelheld im «Lohengrin»), DGG («Gurrelieder» von Schönberg), Columbia («Von heute auf morgen»).

Schack, Benedikt; sein Vater war als Schullehrer in seinem Geburtsort tätig. Während er in der Uraufführung der «Zauberflöte» (30. 11. 1791) den Tamino kreierte, sang seine Gattin, die Altistin *Elisabeth Weinhold,* die Partie der dritten Dame. Im Lauf seiner Karriere ist Benedikt Schack 116mal als Tamino aufgetreten. Seine Tochter *Antonia Schack* (1784–1851) war in den Jahren 1800–1806 Mitglied der Münchner Hofoper, an der sie vor allem Partien aus dem Soubretten-Fach sang.

Schacko, Hedwig; am 20. 10. 1898 sang sie in Frankfurt a. M. in der Uraufführung der Oper «Die Abreise» von E. d'Albert die Luise, am 12. 11. 1902 die Titelrolle in der von E. Humperdincks «Dornröschen». 1912 verabschiedete sie sich von ihrem Frankfurter Publikum, trat aber noch bis 1915 als Gast dort auf. Sie gab im Lauf ihrer Karriere eine Reihe von Gastspielen, so 1888 und 1889 an der Berliner Kroll-Oper, 1893 und 1895 am Stadttheater von Basel, 1895 und 1898–99 an der Wiener Hofoper, an den Hofopern von Dresden (1896–97) und Berlin und am Hoftheater Hannover. Sie wurde Pädagogin am Hoch'schen Konservatorium in Frankfurt und war u. a. die Lehrerin von Delia Reinhardt. Ihre Tochter *Maria Schacko* (* 1905) trat als Konzert- und Liedersängerin auf und war zeitweilig mit dem Dirigenten Maurice Abravanel (* 1905) verheiratet.
Die Stimme von Hedwig Schacko ist durch einige Odeon-Platten erhalten.

Schädle, Lotte, Sopran, * 23. 11. 1926 Füssen im Allgäu; ihre Stimme wurde bei mehreren Gesangwettbewerben entdeckt, worauf sie an der Münchner Musikhochschule bei Maria Pringsheim studierte. 1955 debütierte sie als Elevin an der Staatsoper von München. 1957 wurde sie an das Opernhaus von Nürnberg verpflichtet, dem sie bis 1962 angehörte. 1962 wurde sie erneut Mitglied der Staatsoper München, an der sie jetzt bis 1980 eine große Karriere hatte. 1957–58 sang sie bei den Bayreuther Festspielen eins der Blumenmädchen im «Parsifal». Sie hatte ihre Erfolge vor allen Dingen in Partien aus dem Fachgebiet der Soubrette. Als ihre Glanzrolle galt allgemein die Blondchen in der «Entführung aus dem Serail». Sie gastierte an der Wiener Staatsoper, an großen Bühnen des deutschen Sprachraums und 1965 bei den Festspielen von Salzburg. Bei den Edinburger Festspielen von 1965 war es wieder die Partie der Blondchen, in der sie bewundert wurde. Beliebte Operettensängerin. Im Konzertsaal hatte sie namentlich als Bach-Interpretin ihre Erfolge.
Schallplatten: DGG (Blondchen in der «Entführung aus dem Serail», Bach-Kantaten), Electrola («Der Waffenschmied» von Lortzing), Eurodisc («Der Zigeunerbaron», Querschnitt «Freischütz»), Ariola (Querschnitt «Schwarzwaldmädel» von L. Jessel). Spätere Liedaufnahmen bei Intercord. – (Neufassung) –.

Schaefer, Wilhelm; Schallplatten: Opera-Eurodisc (nicht Masetto in Querschnitt «Don Giovanni»); DGG.

Schärtel, Elisabeth; sie debütierte 1942 am Stadttheater von Gießen und war dann an den Stadttheatern von Trier (1943–44) und Regensburg (1946–50) engagiert. 1950–51 sang sie am Stadttheater von Freiburg i. Br., 1951–57 am Staatstheater Braunschweig, 1957–59 am Opernhaus von Nürnberg und seit 1959 in Köln. Bei den Bayreuther Festspielen ist sie in elf verschiedenen Partien aufgetreten. Sie gastierte 1957 an der Grand Opéra Paris, 1965 in

Bordeaux, 1957 beim Maggio musicale Florenz und seit 1964 vielfach am Opernhaus von Zürich. Bis 1967 war sie Ensemblemitglied der Kölner Oper, trat dort aber noch lange Zeit als Gast auf. Am 15. 2. 1965 sang sie in Köln in der Uraufführung der Oper «Die Soldaten» von B. A. Zimmermann. Sie wirkte später als Pädagogin am Konservatorium von Nürnberg, trat aber noch bis 1973 im Konzertsaal in Erscheinung.
Schallplatten: DGG, Wergo («Die Soldaten» von B. A. Zimmermann).

Schaljapin, Fedor (Iwanowitsch); er arbeitete in seiner Jugend u. a. als Straßenkehrer und als Lastträger. Mit dem Dichter Maxim Gorki blieb er seit ihrer Begegnung in einer Bühnen-Wandertruppe freundschaftlich verbunden. 1896 kam er an die Privatoper von S. Mamontow in Moskau; dieser hatte ihn in der Truppe der Intendantin Klavdija Winter in Nishnij Nowgorod kennengelernt. Aus seiner Ehe mit der Tänzerin la Tornaghi (Giulia Tornaghi – Le Presty, † 1913) gingen fünf Kinder hervor, von denen der Sohn Fedor Schaljapin jr. später ein angesehener Maler wurde. 1906 bewunderte man an der Oper von Monte Carlo seinen König Philipp in Verdis «Don Carlos»; er gastierte in dieser Partie mit dem Ensemble der Oper von Monte Carlo dann in Berlin. 1909 wirkte er in Monte Carlo in der Uraufführung der Oper «Le vieil Aigle» von Raoul Gunsbourg mit. 1921–29 sang er, jetzt mit glänzenden Erfolgen, wieder an der Metropolitan Oper New York. Hier bewunderte man vor allem 1921 seinen unvergleichlichen Boris Godunow, 1926 seinen Titelhelden in der Premiere von Massenets «Don Quichotte». Weiter Gastspiele an den Staatsopern von Wien (1927) und Berlin (1928), an den Opern von Riga (1931) und Kopenhagen (1931). 1935–36 unternahm er von Marseille aus eine große Tournee, die ihn bis Japan und China führte, und die ihm abermals triumphale Erfolge eintrug. Er wurde zunächst auf dem Battignol-Friedhof in Paris beigesetzt, dann aber am 29. 10. 1986 in einem Ehrengrab auf dem Nowodjewitschkij-Friedhof in Moskau feierlich zur letzten Ruhe bestattet. In dem Haus, das er in Moskau bewohnt hatte, wurde ein Schaljapin-Museum eingerichtet. Seine Tochter *Lydia Schaljapin* trat als Mezzosopranistin in Konzerten auf und hat einige Pathé-Schallplatten gesungen.
Schaljapins erste Schallplattenaufnahmen erschienen 1901 auf G & T in Moskau, eine zweite Serie von G & T-Platten 1908 in St. Petersburg; später sehr viele Aufnahmen auf HMV (Mailand, 1912, auch noch elektrische Aufnahmen auf dieser Marke aus den zwanziger Jahren). Seit 1923 entstanden akustische wie elektrische Victor-Aufnahmen, die letzten 1936 in Japan. Zu seinen besten Aufnahmen gehören Platten mit russisch-orthodoxer Kirchenmusik.

Schaposchnikow, Sergej Nikolajewitsch; Schallplatten: Melodiya-Ultraphon (Robert in «Jolanthe» von Tschaikowsky).

Scharley, Denise; bis 1973 an der Grand Opéra Paris aufgetreten, sang aber auch noch später, so 1979 in Avignon.

Schary, Elke; sie war 1967–69 am Stadttheater von Bielefeld, 1969–70 am Stadttheater von Mainz, 1970–72 am Opernhaus von Dortmund und 1972–74 an der Bayerischen Staatsoper München engagiert. Sie sang auch an den Staatstheatern von Hannover, Kassel und Wiesbaden, an der Stuttgarter Staatsoper, am Opernhaus von Essen und am Deutschen Opernhaus Berlin.
Schallplatten: Decca («Madame Butterfly»), Acanta («Eine Nacht in Venedig»).

Schauler, Eileen; 1965 sang sie an der City Centre Opera New York in der amerikanischen Erstaufführung von Prokofieffs Oper «The Fiery Angel» («Der feurige Engel») die Partie der Renata.

Schebesta, Adalbert; eigentlicher Name Vojtěch Šebesta. Er erhielt seine Ausbildung durch den berühmten Prager Pädagogen F. Pivoda. Schon 1866 sang er in der Uraufführung von Smetanas «Verkaufter Braut» am Prozatímní divadlo Prag die Rolle des Micha.

Schech, Marianne; sie war 1939–41 am Stadttheater von Münster (Westfalen) engagiert, sang 1941–44 am Opernhaus von Düsseldorf und war nach dem Zweiten Weltkrieg seit 1946 Mitglied der Staatsoper München. Nach Beendigung ihrer Bühnenkarriere war sie als geschätzte Pädagogin in München tätig.

Schechner-Waagen, Anna (Nanette), Sopran.

Scheele-Müller, Ida von; Gastspiele führten die Sängerin an die Hoftheater von Wiesbaden (1901) und Hannover (1903), an die Dresdner Hofoper (1906) und an das Stadttheater von Hamburg (1905). Sie wirkte in der deutschen Erstaufführung der Opern «La Cenerentola» von E. Wolf-Ferrari (Bremen, 1902) und «Königskinder» von Humperdinck (Berlin, 1911) mit. (An der Uraufführung des «Wozzeck» war sie nicht beteiligt).
Auf Grammophon (G & T) Orlowsky in vollständiger «Fledermaus» (1907). Auch Odeon- und Homochord-Platten.

Scheff, Fritzi; weitere Gastspiele 1899 an der Berliner Hofoper, 1900 am Opernhaus von Frankfurt a. M., 1902 bei den Münchner Wagner-Festspielen.

Scheidemantel, Karl, † 26. 6. 1923 Weimar; 1888 sang er bei den Festspielen von Bayreuth den Amfortas und den Hans Sachs, 1886 und 1888 den Klingsor im «Parsifal», 1886 den Kurwenal im «Tristan», 1891–94 den Wolfram im «Tannhäuser» und den Amfortas. Er gab Gastspiele an den Hofopern von Wien (1890), München (1882) und Berlin sowie seit 1899 am Deutschen Theater Prag, 1888 am Stadttheater von Zürich. Weitere Uraufführungen, in denen er in Dresden mitwirkte, waren «Alpenkönig und Menschenfeind» von Leo Blech (1. 10. 1903) und «Moloch» von Max von Schillings (8. 12. 1906). Im übrigen beherrschte er ein nahezu unerschöpfliches Bühnen- und Konzertrepertoire; insgesamt soll er in 170 Partien auf der Bühne erschienen sein. 1911

sang er als Abschiedspartie an der Hofoper von Dresden den Hans Sachs.
Schallplatten: Zehn seltene Titel, darunter Lieder und Arien, auf G & T (Dresden, 1901 und 1907–08).

Scheidl, Theodor; bei den Bayreuther Festspielen sang er 1914 den Klingsor und den Donner, 1924, 1928 und 1930 den Amfortas, 1927 den Kurwenal. Bei den Festspielen von Zoppot erregte 1926 sein Telramund im «Lohengrin» Aufsehen. Gastspiele in Paris (1936), Stockholm (1929, 1930) und an der Staatsoper von Wien (1936). 1932–36 sang er am Deutschen Theater Prag, trat aber auch noch weiter als Gast auf. So hörte man ihn 1938 an der Staatsoper Stuttgart, 1939 an der Wiener Volksoper und 1940 an der Oper von Köln. 1955 sang er nochmals anläßlich seines 75. Geburtstages an der Staatsoper Stuttgart den Scarpia in «Tosca». In Berlin wirkte er 1931 an der Staatsoper in der deutschen Erstaufführung von E. Wolf-Ferraris «La Vedova scaltra» («Die schalkhafte Witwe») mit. Er war verheiratet mit der Altistin *Emma Haußer,* die 1912–21 an der Stuttgarter Oper engagiert war.

Scheidt, Robert vom, * 16. 4. 1881 Elberfeld; er sang am 14. 11. 1926 am Opernhaus von Frankfurt a. M. in der Uraufführung von d'Alberts Oper «Der Golem» den Rabbi Loew, 1924 in der deutschen Erstaufführung von Mussorgskys «Khovantchina». Er wurde später zum Ehrenmitglied der Frankfurter Oper ernannt, an der er länger als 25 Jahre gewirkt hatte. In den Jahren vor dem Ersten Weltkrieg Gastspiele an der Hofoper von Dresden (1905), in Leipzig (1910) und am Théâtre de la Monnaie Brüssel (1911, 1912 und 1914 in Aufführungen des Nibelungenrings), 1916 an der Hofoper von Stuttgart.

Scheidt, Selma vom; sie sang 1891–94 am Stadttheater von Elberfeld, 1894–96 am Opernhaus von Düsseldorf, 1896–98 am Stadttheater von Essen. Seit 1900 Mitglied des Hoftheaters Weimar. In Weimar sang sie u. a. die Desdemona in der Premiere von Verdis «Othello» (1908) und 1911 bei den Liszt-Jahrhundertfeiern in dessen «Legende der heiligen Elisabeth». Sie blieb bis 1912 in Weimar im Engagement, gab aber auch später dort noch Gastspiele und trat als Konzertsängerin auf. 1899 und 1910 gastierte sie am Opernhaus von Köln, 1900, 1902 und 1903 am Opernhaus von Leipzig, 1904 am Hoftheater von Kassel, 1905 in Hamburg. 1901 sang sie mit ihren beiden Brüdern zusammen am Stadttheater von Bremen in «Das goldene Kreuz» von I. Brüll. 1924–26 wirkte sie als Gesangsmeisterin am Stadttheater von Lübeck, blieb seitdem aber in Weimar, wo sie als hoch angesehene Pädagogin tätig war.
Schallplattenaufnahmen auch auf Beka.

Schéle, Märta; Schallplatten: BIS (Brahms- und Schubert-Lieder).

Schellenberg, Arno; er war 1929–30 in Düsseldorf, 1930–31 in Köln, 1932–33 in Königsberg (Ostpreußen) engagiert, kam dann 1933 an die Staatsoper von Dresden, deren Mitglied er bis 1969 geblieben ist.

Seit 1968 war er Ehrenmitglied des Hauses. Er gastierte auch in Amsterdam (1931), an der Oper von Antwerpen (1939), in Oslo, am Teatro San Carlos Lissabon und am Opernhaus von Helsinki (1951). 1936 war er mit dem Dresdner Ensemble zu Gast an der Covent Garden Oper London, wobei er als Masetto im «Don Giovanni», als Melot im «Tristan» und in der Richard Strauss-Oper «Ariadne auf Naxos» auftrat. Er war verheiratet mit der Opernsängerin *Renate Behrens*. Einer seiner Schüler war der Heldentenor Reiner Goldberg.
Weitere Schallplatten der Marken Eterna (Lieder) und Historia.

Schelper, Otto; 1860 debütierte er als Schauspieler in Rostock in Raimunds «Der Verschwender». Seit 1861 sang er als Chorist am Theater von Bremen, seit 1862 in Würzburg, 1863–64 am Hoftheater von Mannheim, wo er bereits Solopartien übernahm. Es folgten Engagements in Köln (1864–66), Aachen (1866–67), nochmals in Bremen, jetzt aber als Solist (1867–70), an der Berliner Hofoper (1870–71), wiederum in Bremen (1871–73) und nochmals in Köln (1873–76). Seit 1876 Mitglied des Opernhauses von Leipzig. Er wirkte in Leipzig in der Uraufführung der Oper «Orestes» von F. von Weingartner in der Partie des Agamemnon mit (15.2. 1902) und sang in den deutschen Erstaufführungen von «Doubrowsky» von Naprawnik (1897) und «Much Ado about Nothing» von Stanford (1902). Seit 1884 zahlreiche Gastspiele an der Hofoper von Dresden, 1896 an der Hofoper Berlin, 1900–1901 am Stadttheater Bremen, 1902 am Deutschen Theater Prag. Er war auch ein großer Konzertsänger und kreierte u. a. 1875 in Köln für Deutschland das Baß-Solo im Verdi-Requiem.

Schenck, Richard von; er begann seine Karriere 1902–04 mit einem Engagement am Stadttheater von Kaiserslautern und sang dann 1904–08 am Hoftheater von Altenburg (Thüringen), 1908–12 am Stadttheater von Lübeck, 1912–17 am Hoftheater von Wiesbaden, seitdem in Frankfurt a. M. Dort hörte man ihn auch in den Uraufführungen der Opern «Die Gezeichneten» (15.4. 1918) und «Der Schatzgräber» (21.1. 1920) von Franz Schreker. Er gab Gastspiele an den Hoftheatern von Karlsruhe (1907) und Schwerin (1912) und an der Münchner Hofoper (1916).

Schenk, Manfred, *23.1. 1930 Stuttgart; Schüler von Karl-Heinz Jarius in Frankfurt a. M. 1960 wurde er an das Stadttheater von Regensburg verpflichtet, sang dann 1963–65 am Stadttheater von Gelsenkirchen, 1965–69 am Opernhaus von Zürich. Seit 1967 zugleich Mitglied des Opernhauses von Frankfurt a. M. 1969 sang er in der deutschen Erstaufführung von Prokofieffs «Krieg und Frieden» in Recklinghausen die Partie des Kutusow. Bei den Bayreuther Festspielen hörte man ihn 1981 sowie 1986–88 als Pogner in den «Meistersingern», 1983–84 als Fasolt im «Rheingold», 1989 als König Heinrich im «Lohengrin» und als Landgrafen im «Tannhäuser».
Schallplatten: DGG (Te Deum von O. Nicolai), Co-

losseum (Wagner-Szenen, Lieder russischer Meister).

Schenneberg, Eliette, *1912 Drôle (Jura); Ausbildung am Conservatoire National de Paris, wo sie bei der Abschlußprüfung mit einem ersten Preis ausgezeichnet wurde. Sie kam sogleich 1934 an die Grand Opéra Paris, an der sie in «L'Étranger» von d'Indy debütierte. Sie ist im Lauf ihrer Karriere auch an der Opéra-Comique Paris aufgetreten, u. a. 1942 in der Uraufführung von M. Delannoys «Ginevra». 1948 Gastspiel an der Mailänder Scala in «L'Enfant et les sortilèges» von Ravel.
Schallplatten: HMV (Werke von A. Honegger), Columbia (Lieder).

Scheppan, Hilde; Schülerin von Emmy von Stetten in Berlin. Sie sang zuerst im Chor der Berliner Staatsoper, wurde aber nach ihrem Debüt in Darmstadt (1934) bereits 1934 als Solistin an die Berliner Staatsoper verpflichtet. Bei einem Gastspiel dieses Hauses sang sie 1938 in Paris die Marianne Leitmetzerin im «Rosenkavalier» und die Najade in «Ariadne auf Naxos» von R. Strauss. Einen ihrer größten Erfolge hatte sie 1943 bei den Bayreuther Festspielen als Eva in den «Meistersingern». Sie wirkte am 12.5. 1942 an der Berliner Staatsoper in der Uraufführung von Mark Lothars «Schneider Wibbel» mit und sang dort im gleichen Jahr als Partnerin von Franz Völker in Aufführungen der Jugend-Oper «Guntram» von Richard Strauss.
Schallplatten: Polydor (Querschnitt «Freischütz»), HMV (erste Dame in der «Zauberflöte» unter Sir Thomas Beecham, 1937–38).

Scherler, Barbara; Schallplatten: Erato (Mozart-Requiem).

Scherz-Meister, Elsa, *3.7. 1901 Langenthal (Kanton Bern); sie trat als Gast u. a. in Wien (1937, 1938), Berlin (1937), Brüssel (1946) und Genf (1946) auf. In ihren Konzertprogrammen fanden sich auch Werke von Komponisten wie Othmar Schoeck, Willy Burkhardt und anderer zeitgenössischer Meister. Verheiratet mit dem Schweizer Verleger Alfred Scherz († 1956).
Auch Schallplatten der Firmen Elite (Werke von W. Burkhard und A. Moeschinger), HMV (Lieder von A. Honegger), Nixa und Concert Hall.

Scheuten, Heinrich, † 18.10. 1948 Hannover. 1898–1902 war er Mitglied des Hoftheaters Hannover, an dem er noch bis 1910 als Gast auftrat. Er gastierte an den Hoftheatern von Braunschweig (seit 1892), Wiesbaden (1897, 1899) und Mannheim (1909), an der Oper von Frankfurt a. M. (1901) und sang in den Jahren 1891, 1894 und 1897 kleinere Partien bei den Festspielen von Bayreuth.

Schey, Hermann; 1929 sang er in Amsterdam die «Kindertotenlieder» von Gustav Mahler mit dem Concertgebouw Orchester unter Willem Mengelberg und hinterließ dabei einen so nachhaltigen Eindruck, daß er seitdem dort alljährlich auftrat, vor

allem als Solist in den Aufführungen der Matthäus-passion von J.S. Bach. 1930 unternahm er eine große Tournee durch Polen, Rußland und die Balkanstaaten. 1932 gab er Konzerte in Paris, 1933 in Zürich. Er kreierte mehrere Lieder von Othmar Schoeck und das Baß-Solo in der Uraufführung der Kantate «Das dunkle Reich» von Hans Pfitzner (Berlin, 1930). 1968 bereiste er nochmals Israel in einer triumphalen Konzert-Tournee.
Schallplatten: Frühe akustische Aufnahmen auf Odeon; auch Aufnahmen auf DGG, Tri-Ergon, Christschall und Concert Hall (Magnificat von J.S. Bach).

Scheyrer, Gerda; sie sang nach ihrem Debüt 1948 am Theater von Steyr 1950–51 am Stadttheater von Salzburg, dann 1951–56 an der Wiener Volksoper und seit 1956 an der Staatsoper von Wien, deren Mitglied sie bis 1981 blieb. Sie gastierte an der Deutschen Oper Berlin und 1954 wie 1963 am Théâtre de la Monnaie Brüssel. Sie wurde als Professorin an das Konservatorium der Stadt Wien berufen.
Schallplatten: HMV-Electrola («Walküre», Rom 1953), RAI («Walküre», Wien 1954), Vox.

Schiasetti, Adelaide; sie sang in der Uraufführung der Oper «Il Viaggio a Reims» von Rossini (19.6. 1825 am Théâtre-Italien Paris) die Partie der Marchesa Melibea.

Schiavazzi, Piero, † 25.6. 1949 Rom. Er nahm 1924 in Palermo in Giordanos «Fedora» von der Bühne Abschied und eröffnete dann in Rom ein Gesangstudio.

Schiavi, Felice; zu seinen Hauptrollen gehörte der Sir Richard in Bellinis «I Purtitani».

Schikaneder, Emanuel; ein Bruder von ihm, *Urban Schikaneder* (* 2.11. 1746 Regensburg, † 1.4. 1818 Wien) war Baß-Buffo und wirkte ebenfalls in der Uraufführung der «Zauberflöte» am 30.9. 1791 mit.

Schilp, Marie-Luise, * 1904 Düsseldorf; sie debütierte 1924 am Opernhaus von Düsseldorf als erste Norn in der «Götterdämmerung» und blieb dort bis 1932 engagiert. 1932–33 sang sie am Stadttheater von Cottbus, dann 1933–34 am Deutschen Theater Prag, 1934–35 am Stadttheater von Stettin. 1935–44 Mitglied des Deutschen Opernhauses Berlin. 1938 Gastspiel an der Covent Garden Oper London als Magdalene in den «Meistersingern» und als Annina im «Rosenkavalier».
Auch Schallplattenaufnahmen auf Odeon.

Schiml, Marga; Beginn der Bühnenkarriere 1967 am Stadttheater von Basel als Policare in «Tigrane» von A. Scarlatti. 1981 sowie 1986–88 gastierte sie bei den Festspielen von Bayreuth als Magdalene in den «Meistersingern». 1986 am Teatro Regio Turin als Fricka im «Rheingold» zu Gast, 1989 beim Maggio musicale Florenz als Annina im «Rosenkavalier». Ihr Wirken im Konzertsaal, namentlich in Oratorien

und Werken der religiösen Vokalmusik, war ebenso bedeutend wie ihre Bühnentätigkeit.
Schallplatten: Orfeo («Faust» von L. Spohr, «Le Cinesi» von Gluck).

Schimon-Regan, Anna; die berühmte Altistin *Caroline Sabatier-Unger* (1803–77), eine der großen Primadonnen ihrer Epoche, war ihre Tante und Lehrerin. Mit ihr zusammen gastierte sie auch 1869 in London. Sie selbst war später die Lehrerin des berühmten Heldentenors Ernst Kraus.

Schindler, Helmut; er debütierte in der Spielzeit 1938–39 an der Volksoper Berlin und sang 1939–40 am Stadttheater von Troppau (Opava). 1941–45 war er am Nationaltheater Weimar, 1945–48 am Stadttheater von Erfurt, seitdem an der Staatsoper Dresden, engagiert. Seit 1950 bestand ein Gastspielvertrag mit der Komischen Oper Berlin; 1956 Gastspiel an der Staatsoper Stuttgart.

Schiøtz, Aksel, † 19.4. 1975 Kopenhagen. Bei den Festspielen von Glyndebourne 1946 sang er, alternierend mit Peter Pears, in den Aufführungen von B. Brittens «The Rape of Lucretia» den Male Chorus. Seit 1968 Professor an der Universität von Kopenhagen. Er war vielseitig begabt, trat auch im ersten Teil seiner Karriere als Schlager- und Jazzsänger, in Tonfilmen und Operetten auf.
Schallplatten: Die ersten Aufnahmen erschienen bereits 1929 mit Unterhaltungsmusik, die meisten davon unter Pseudonymen.

Schipa, Tito, * 2.1. 1889 Lecce; nach seinem Debüt 1910 am Stadttheater von Vercelli sang er im März 1910 in Messina den Herzog im «Rigoletto» mit Claudia Muzio als Partnerin. 1912 hörte man ihn am Teatro Dal Verme Mailand als Cavaradossi in «Tosca». Glanzvolle Konzerte kamen in Paris (1929), Berlin (1929), in Dresden (1938) und Kopenhagen zustande. Weitere Gastspiele an der Wiener Staatsoper (1932), an den Opernhäusern von Zürich (1952) und Stockholm (1947), an der Opéra-Comique Paris (1946) und am Théâtre de la Monnaie Brüssel (1938). Einen besonderen Erfolg hatte er an der Metropolitan Oper New York als Don Ottavio im «Don Giovanni». Er ist an deren New Yorker Haus seit 1932 während vier Spielzeiten in 28 Vorstellungen von acht Rollen aufgetreten, u.a. als Alfredo in «La Traviata», als Fenton, als Graf Almaviva im «Barbier von Sevilla», als Gérald in «Lakmé» von Delibes und als Carlo in «Linda di Chamounix» von Donizetti. An der Oper von Chicago ist er in der Zeit von 1919 bis 1932 immer wieder erschienen. Bis 1941 hatte er seinen Wohnsitz in den USA, kam dann aber in seine italienische Heimat zurück. Als letzte Partie sang er an der Mailänder Scala 1950 den Paolino in «Il matrimonio segreto» von Cimarosa. Er wirkte später als Pädagoge in Rom; einer seiner Schüler war der Tenor Cesare Valletti.

Schipper, Emil; nach seinem Debüt am Deutschen Theater Prag 1910 als Telramund sang er 1910–11 am

Theater von Teplitz-Schönau (Böhmen), 1911–12 am Stadttheater von Linz (Donau), 1912–15 an der Wiener Volksoper, wo er 1912 in der deutschen Erstaufführung von Mascagnis «Isabeau» mitwirkte und in der «Parsifal»-Premiere 1914 die Partie des Amfortas übernahm. In der Saison 1915–16 war er an der Wiener Hofoper engagiert, 1916–22 an der Hof- bzw. Staatsoper München. 1921 folgte er einem Ruf an die Wiener Staatsoper, der er bis 1938 angehörte. Gleichzeitig war er 1925–27 auch an der Deutschen Oper Berlin engagiert. Er wirkte in den Uraufführungen der Opern «Das Spielwerk» (Neufassung von «Das Spielwerk und die Prinzessin») von Franz Schreker (München, 1920) und «Die Vögel» von Walter Braunfels (München, 4. 12. 1920 als Prometheus) mit. 1923 sang er am Teatro Colón Buenos Aires in der dortigen Erstaufführung der Richard Strauss-Oper «Elektra» unter der Leitung des Komponisten den Orest, dazu den Jochanaan in «Salome», den Telramund und den Kurwenal.
Schallplatten: Akustische und elektrische Aufnahmen auf Polydor, Odeon- (akustische Aufnahmen von 1924) und HMV-Platten (1928–30 in Wien elektrisch aufgenommen).

Schirach, Rosalind; ihr Vater Karl Baily von Schirach war 1909–18 Intendant des Hoftheaters Weimar, 1935–43 des Staatstheaters Wiesbaden. Sie war unter dem Namen Rosa Lind zuerst in Leipzig (1920–25), dann in Mannheim (1925–28) als Koloratursopranistin engagiert. Dann ging sie ins lyrische und jugendlich-dramatische Fach über und war 1930–35 Mitglied der Städtischen Oper (Deutsche Oper) Berlin. Sie gastierte 1935 an der Covent Garden Oper London als Gutrune in der «Götterdämmerung». Weitere Gastspiele an der Münchner Staatsoper (1935), am Opernhaus von Köln (1935) und am Nationaltheater Mannheim (1936), zumeist als Elsa im «Lohengrin», als Eva in den «Meistersingern» oder als Sieglinde in der «Walküre». Auch als Konzert- und Liedersängerin hatte sie eine erfolgreiche Karriere.

Schirp, Wilhelm; 1939 zu Gast an den Opern von Antwerpen und Brüssel. Bei den Festspielen von Zoppot sang er 1939 den Landgrafen im «Tannhäuser» und Partien im Ring-Zyklus. 1949–52 und 1956–61 war er Mitglied des Opernhauses von Köln, 1952–56 an der Staatsoper von Stuttgart engagiert. 1959 Gastspiel am Opernhaus von Graz.
Schallplatten: Acanta (Szenen aus der «Götterdämmerung», London 1938).

Schirrmacher, Ursula; begann 1952 ihre Karriere am Theater von Flensburg und sang 1953–55 am Stadttheater Mainz, 1955–56 wieder in Flensburg, 1956–57 am Stadttheater Bremen und war dann 1957–61 an der Städtischen Oper Berlin im Engagement. Seit 1961 gastierte sie, vor allem an Berliner Theatern.
Schallplatten: Eurodisc («Hänsel und Gretel»); auch Aufnahmen bei Philips.

Schittenhelm, Anton, † 14. 3. 1923 Wien. Er blieb bis 1903 an der Wiener Hofoper im Engagement.

Dort hatte er auch in der Uraufführung der Oper «Ritter Pazman» von Johann Strauß mitgewirkt (1. 1. 1892). Er starb nach langer schwerer Krankheit.

Schläger, Toni; während ihrer Tätigkeit am Wiener Carl-Theater wirkte sie dort in Uraufführungen von Werken des Operettenkomponisten Franz von Suppé mit. Als Opernsängerin gastierte sie 1889 an der Covent Garden Oper London (als Valentine in den «Hugenotten» von Meyerbeer und als Leonore im «Troubadour»), an den Opernhäusern von Leipzig (1885, 1900), Riga (1892), Budapest (1890) und an der Hofoper von München (1898).
Schallplatten: Von ihrer Stimme ist eine einzige G & T-Aufnahme (Wien, 1905) vorhanden.

Schlemm, Anny; ihr Vater *Franz Schlemm* war Chorist an der Frankfurter Oper. Sie debütierte 1948 als Bastienne in «Bastien und Bastienne» von Mozart am Stadttheater von Halle (Saale). 1949 kam sie an die Staatsoper Berlin, deren Mitglied sie bis 1961 blieb. Sie trat als Gast am Deutschen Opernhaus Berlin und am Staatstheater Hannover auf. An der Komischen Oper Berlin sang sie in den berühmten Inszenierungen durch Walter Felsenstein die Desdemona in Verdis «Othello» und die Boulotte in «Ritter Blaubart» von Offenbach (1959 bzw. 1963). 1957 wirkte sie an der Oper von Köln in der Uraufführung der Oper «Bluthochzeit» von W. Fortner in der Partie der Mutter mit. 1954 sang sie bei den Festspielen von Glyndebourne die Zerline im «Don Giovanni». Ausgedehnte Gastspieltätigkeit am Teatro San Carlo Neapel (1954), an der Staatsoper Stuttgart (seit 1964), am Grand Théâtre Genf, beim Holland Festival, an der Grand Opéra Paris, an der Wiener Staatsoper, an der Staatsoper von Dresden (1986) und mit dem Ensemble der Berliner Komischen Oper in Moskau, Stockholm und Prag. 1988 großer Erfolg in Frankfurt, 1989 in Stuttgart als Klytämnestra in «Elektra», 1990 an der Volksoper Wien als Palmatica im «Bettelstudenten» von Millöcker. Zeitweilig verheiratet mit dem Dirigenten Wolfgang Rennert (* 1922).
Schallplatten: Capriccio («Aufstieg und Fall der Stadt Mahagonny» von K. Weill), Video-Thorn (Madelon in «Andrea Chénier»).

Schlick, Barbara; seit 1966 war sie Mitglied des Barock-Ensembles Adolf Scherbaum. 1971 unternahm sie eine große Rußland-Tournee, 1972 eine Tournee durch die USA und Kanada mit dem Kammerorchester und -chor von Paul Kuentz. 1975–76 bereiste sie Israel und die USA mit dem Monteverdi-Chor. 1982 Gastspiel am Stadttheater von Bern in «Orfeo ed Euridice» von J. Haydn.
Schallplatten: Harmonia mundi (Matthäus- und Johannespassion von J. S. Bach), Carus-Verlag (Werke von Telemann, Bach-Kantaten), Helikon (Matthäuspassion).

Schlösser, Josef; am Mannheimer Hoftheater wirkte er in der Uraufführung der Oper «Die Loreley» von Max Bruch mit (14. 6. 1863).

Schloss, Lotte; sie war 1896–1901 Mitglied der Hofoper von München und dann 1901–09 des Stadttheaters Hamburg. Sie wirkte an beiden Häusern in Uraufführungen von Opernwerken mit: 1902 in München in «Theuerdank» von Ludwig Thuille, bereits 1899 in München in «Der Bärenhäuter» von Siegfried Wagner und in Hamburg in zwei weiteren Opern von Siegfried Wagner, «Der Kobold» (1904) und «Bruder Lustig» (1905). Sie gastierte in Frankfurt a. M. (1900) und Bremen (1900), in Leipzig (1901–02) und Schwerin (1909), in Hannover (1911) und an der Hofoper Berlin (1903).
Schallplatten: Drei frühe Berliner Records, 1899–1900 in München aufgenommen.

Schlosser, Karl (nicht Max); er nahm 1882–83 an der Tournee mit Angelo Neumanns wanderndem Wagner-Theater in mehreren europäischen Ländern teil.

Schlosser, Vera, * 25. 7. 1929 Karlsbad. 1947–53 war sie Choristin und Elevin am Stadttheater von Regensburg. 1953–57 als Solistin am Staatstheater Wiesbaden, dann bis 1969 am Opernhaus von Zürich engagiert. 1963 gastierte sie an der Mailänder Scala als Wellgunde im Nibelungenring. Auch zu Gast an den Staatsopern von Hamburg, München und Stuttgart, am Teatro Comunale Bologna und der Oper von Rom. Sie lebte später in Feldbach im Kanton Zürich.

Schlott, Theodor; bereits seit 1933 trat er als Konzertsänger in Erscheinung. Er trat als Gast u. a. an der Städtischen Oper Berlin, am Teatro Liceo Barcelona (1955) und an deutschen Bühnen auf.
Schallplatten: HMV (Szenen aus der «Verkauften Braut» und aus «Arabella» von R. Strauss); auf Foyer «Armida» von Gluck mit Montserrat Caballé, 1961 in Bremen aufgenommen.

Schlüter, Erna; gastierte 1936 und 1940 am Teatro Liceo Barcelona. 1941 sang sie beim Maggio musicale von Florenz, 1942 an der Mailänder Scala die Isolde im «Tristan». 1946 brachte ihr ein Auftreten am englischen Rundfunk BBC London unter Sir Thomas Beecham als Elektra von R. Strauss einen sensationellen Erfolg. Bereits 1939 hatte sie mit dem Ensemble des Düsseldorfer Opernhauses in Holland als Brünnhilde und als Leonore in der Originalfassung des «Fidelio» gastiert. An der Metropolitan Oper New York debütierte sie 1946–47 als Isolde und sang dort dann auch die Marschallin im «Rosenkavalier». Sie war jedoch als Deutsche in den ersten Nachkriegsjahren einem derartigen Widerstand, vor allem seitens der Presse, ausgesetzt, daß sie nur in zwei Vorstellungen auftrat. 1954 erschien sie nochmals als Gast an der Staatsoper Berlin.
Schallplatten: HMV (Ausschnitte aus «Elektra», BBC London 1946).

Schlusnus, Heinrich, † 19. 6. 1952 Frankfurt a. M. Bereits 1912 gab er in Frankfurt ein Konzert. 1917 wurde er an die Berliner Hofoper berufen (Antrittsrolle: Wolfram im «Tannhäuser»). Im Rahmen der Verdi-Renaissance der zwanziger Jahre hatte er in

Partien wie dem Rigoletto, dem Grafen Luna im «Troubadour», dem Germont-père in «La Traviata», dem Carlos in «La forza del destino» und dem Posa im «Don Carlos» große Erfolge. 1919, 1932 und 1934 gastierte er in Amsterdam, 1925 in Budapest, 1923 an der Staatsoper von Wien, 1938 und 1948 in Zürich, 1932 in Stockholm. 1931 und 1937 gab er Konzerte in Paris, 1925 in Sofia, 1940 in Kopenhagen. 1951 trat er am Theater von Koblenz nochmals als Germont-père in «La Traviata» auf.

Schmalnauer, Rudolf; ausgebildet durch Franz Haböck in Wien und durch Ludwig Schrauff in Dresden. Er wirkte in Dresden auch in den Uraufführungen der Richard Strauss-Opern «Arabella» (1. 7. 1933) und «Die schweigsame Frau» (24. 6. 1935 als Morbio) mit. Man sagt, daß er rund 300 größere und kleinere Partien beherrscht habe. Er war auch als Konzert- und Liedersänger tätig.

Schmedes, Erik; studierte auch noch bei Mariano Padilla y Ramos in Paris. 1924 nahm er an der Wiener Staatsoper als Mathias im «Evangelimann» von Kienzl von der Bühne Abschied. Eine seiner Schülerinnen war die große Sopranistin Maria Müller. Seine Tochter *Dagmar Schmedes* sang Schallplatten unter dem Etikett von Columbia sowie auf Discocorp wie auf HMV eine der Walküren in Gesamtaufnahmen der «Walküre». Sein Bruder *Paul Schmedes* (1869–1930) wirkte als Tenor, hauptsächlich als Konzertsänger, in Dänemark und hinterließ Aufnahmen auf G & T (Kopenhagen, seit 1904), Pathé-Platten und -Zylinder und auf HMV-Platten u. a. den Liederzyklus «Schöne Müllerin» von Schubert.

Schmedes, Paul, s. unter *Schmedes,* Erik.

Schmezer, Friedrich, * 3. 1. 1807 Wertheim (Baden); durch Vermittlung des Direktors des Wiener Theaters am Kärntnertor Duport konnte er seine Karriere bei einer reisenden Operngesellschaft beginnen, mit der er u. a. 1827 in Preßburg den Max im «Freischütz» sang. Er war dann längere Zeit hindurch in Graz engagiert und ergänzte dort seine Ausbildung durch Studien bei Frau Czeka. Außer in London gab er Gastspiele in Berlin, Wien, Prag und Budapest, in Straßburg, Bremen, Hamburg und Amsterdam, in Leipzig, Köln, Nürnberg und München. Er fand seine letzte Ruhestätte auf dem Braunschweiger Domfriedhof. Zeitweilig verheiratet mit der Sängerin *Elise Kratky,* die eine begabte Komponistin war und eine Oper komponierte.

Schmid, Carl, † 25. 4. 1873 Wien; er nahm grundsätzlich keine Buffo- oder Charakterpartien in sein Repertoire auf.

Schmidt, Erika; sie studierte zuerst Klavierspiel, dann Ausbildung der Stimme in Frankfurt a. M. und in Mannheim. 1936–38 war sie am Stadttheater von Essen, 1938–44 am Nationaltheater Mannheim engagiert. 1946 begann sie dann ihre langjährige Karriere am Opernhaus von Frankfurt a. M. Sie wieder-

holte die Aufführung von Schönbergs «Von heute auf morgen» 1963 in einer konzertanten Wiedergabe des Werks in der Londoner Royal Hall. Nach Beendigung ihrer Bühnenlaufbahn wurde sie Dozentin an der Musikhochschule von Frankfurt a. M.
Schallplatten: Columbia («Von heute auf morgen»).

Schmidt, Franz, s. unter *Krammer, Teresz.*

Schmidt, Helga; 1988 Gastspiel am Teatro Massimo Palermo. 1989 wirkte sie in Hannover bei der Dreihundertjahrfeier der dortigen Opernaufführungen in «Enrico Leone» von Agostino Steffani mit.

Schmidt, Joseph; als er 1928–29 in Berlin in der Revue-Operette «Die drei Musketiere» auftrat, wurde seine Stimme durch Cornelis Bronsgeest, der die Opernsendungen von Radio Berlin leitete, entdeckt. In den folgenden drei Jahren sang er dann in zahlreichen Rundfunksendungen von Opern, darunter in Deutschland selten gehörten Werken wie «I Masnadieri» von Verdi, «L'Africaine» von Meyerbeer, «Mefistofele» von A. Boito, aber auch den Tamino in der «Zauberflöte» unter Bruno Walter. 1936–37 bereiste er Nordamerika in einer großen Konzerttournee. Im Januar 1939 kam es zu einem seiner seltenen Bühnenauftritte, als er am Théâtre de la Monnaie Brüssel den Rodolfo in «La Bohème» sang. 1940 wurde er als illegal in die Schweiz eingereiste Person dort in ein Internierungslager eingewiesen. Auf dem Friedhof der jüdischen Gemeinde Friesenberg fand der so tragisch dahingegangene große Sänger seine letzte Ruhestätte.
Auch Schallplatten der Marke Estona vorhanden.

Schmidt, Manfred; er sang 1959–61 am Stadttheater von Bielefeld und seit 1961 am Opernhaus von Köln.
Schallplatten: DGG, Eurodisc («Die Kluge» von Carl Orff), Columbia, Voce («Der Vampyr» von H. Marschner), HMV-Electrola («Mathis der Maler» von Hindemith, «Bajazzo»), CBS; zahlreiche Opern- und Operettenquerschnitte auf Ariola-Eurodisc und HMV-Electrola.

Schmidt, Trudeliese; Teilnahme an der Japan-Gastspielreise der Wiener Staatsoper 1986. Gastierte 1987 an der Opéra-Comique Paris in den Mozart-Opern «Idomeneo» und «La clemenza di Tito». In Düsseldorf sang sie 1987 die Carlotta in «Die Gezeichneten» von F. Schreker, an der Mailänder Scala 1989 die Fatime im «Oberon» von Weber.
Schallplatten: HMV-Electrola («Die schweigsame Frau» von R. Strauss).

Schmidt, Walter; er wandte sich im späteren Ablauf seiner Karriere dem Charakterfach zu.

Schmiege, Marilyn; sie gastierte 1987 in Catania als Fatime im «Oberon» von Weber, 1988 am Teatro Liceo Barcelona als Annio in «La clemenza di Tito» von Mozart, 1989 in Köln als Titelheldin in «Katarina Ismailowa» von Schostakowitsch, in München als Octavian im «Rosenkavalier».

Schmitt-Walter, Karl; er debütierte 1927 am Stadttheater von Nürnberg in einer kleinen Partie in Verdis «Don Carlos». 1963 nahm er am Staatstheater Wiesbaden, in seiner Glanzrolle, dem Beckmesser in den «Meistersingern», von der Bühne Abschied.
Schallplatten: Acanta («Zigeunerbaron»), ANNA-Records («Eine Nacht in Venedig» von J. Strauß), Amiga (italienische Lieder).

Schnabel-Behr, Therese; eine ihrer Schülerinnen war die bekannte Konzertsopranistin Lotte Leonard, ebenfalls die Schweizer Sopranistin Maria Stader und der englische Tenor Peter Pears. Der Sohn des Künstlerehepaars Ulrich Schnabel wurde wie sein Vater Pianist und ist mit diesem zusammen auch als Duo aufgetreten.
Eine Aufnahme (ein Lied von E. d'Albert) auf G & T von 1904; elektrische HMV-Platten von 1934, also zu einem Zeitpunkt aufgenommen, als die Künstlerin bereits ihre Karriere beendet hatte.

Schnapka, Georg; nach seinem Debüt 1954 in Heidelberg sang er 1955–58 am Stadttheater von Lübeck, 1958–59 am Stadttheater von Oberhausen, 1959–64 an der Deutschen Oper am Rhein Düsseldorf–Duisburg. Gleichzeitig war er 1963–65 am Kölner Opernhaus engagiert. Seit 1964 wirkte er für mehr als zwanzig Jahre an der Wiener Volksoper.
Schallplatten: Preiser (zwei Platten mit Opernarien und Unterhaltungsliedern).

Schnaut, Gabriele, * 1951; sie wuchs in Mainz auf, studierte dort zuerst Violinspiel, und nebenbei Liedgesang. Seit 1971 Gesangstudium an der Musikhochschule von Frankfurt a. M. Sie war bis 1988 am Nationaltheater Mannheim tätig und folgte dann einem Ruf an die Deutsche Oper am Rhein Düsseldorf–Duisburg. Sie gastierte 1987 in Genf als Sieglinde in der «Walküre», 1985 in Dortmund, 1987 in Köln und 1988 in Hamburg sehr erfolgreich als Isolde im «Tristan»; 1989 in Düsseldorf als Lady Macbeth in Verdis «Macbeth» bewundert. In Hamburg sang sie 1989 die Els in F. Schrekers «Der Schatzgräber». Bei den Bayreuther Festspielen hörte man sie 1987–89 als Ortrud im «Lohengrin», 1989 Debüt an der Covent Garden Oper London als Sieglinde. Nicht weniger von Bedeutung als Konzertsängerin.
Schallplatten: CBS («Cardillac» von Hindemith), Capriccio («Der Schatzgräber» von F. Schreker).

Schneider, Hortense; ihre Affären und amourösen Skandalgeschichten beschäftigten die Öffentlichkeit wie die Presse der damaligen Zeit immer wieder, ob es sich nun um ihre Beziehungen zum Vizekönig von Ägypten, zu einem indischen Maharadscha oder zu weniger exotischen Persönlichkeiten handelte. Während der Pariser Weltausstellung von 1867 kursierte das boshafte Bonmot: «C'est le passage des Princes, que la Snédèr». Dabei kam sie zu einem märchenhaften Wohlstand. Ihre Kunstsammlungen sollten sich mit denen der Familie Rothschild vergleichen lassen; sie hinterließ ein Vermögen von mehr als drei Millionen Francs.

Schneider, Louis; er war der Sohn des Komponisten und Kapellmeisters Georg Abraham Schneider (1770–1834) und der Sängerin *Caroline Schneider-Portmann* (* 1774 Darmstadt, † 1850 Potsdam), die auf der Bühne von Schloß Rheinsberg in den Opernaufführungen des preußischen Prinzen Heinrich und später in Berlin und am Theater von Reval sang und 1818 ihre Karriere aufgab.

Schneider, Walter; er sang am Opernhaus von Frankfurt a.M. in mehreren Opern-Uraufführungen: in «Der ferne Klang» (18.8. 1912) und «Die Gezeichneten» (25. 4. 1918) von Franz Schreker, in «Fennimore und Gerda» von F. Delius (21. 10. 1919) und in «Der Golem» von E. d'Albert (14. 11. 1926).

Schneider, Willy, † 12. 1. 1989 Köln. Mitte der dreißiger Jahre wurde er durch die Rundfunksendung «Der frohe Samstagnachmittag» vom Reichssender Köln unglaublich bekannt, die bis in die Kriegsjahre populär blieb, und in deren Mittelpunkt sehr oft der Sänger stand. Tourneen führten ihn durch Belgien, Österreich, nach Rumänien und in die Schweiz. In Nordamerika trat er bei Konzerten in der New Yorker Carnegie Hall auf.
Schallplatten: Auf Acanta vollständige «Zigeunerbaron»-Aufnahme wie auch die Lehár-Operette «Paganini».

Schnorr von Carolsfeld, Ludwig; er hinterließ als Tristan einen unvergeßlichen Eindruck, obwohl seine äußere Erscheinung, die von einer ungewöhnlichen Korpulenz gekennzeichnet war, kaum dem Bild des Opernhelden entsprach. Wie sein Vater war er auch ein begabter Maler.

Schnorr von Carolsfeld, Malvina, s. unter *Schnorr von Carolsfeld, Ludwig.*

Schob-Lipka, Ruth; Schallplatten: Amadeo-Polygram («Orpheus in der Unterwelt» von Offenbach).

Schöffler, Paul, * 15. 9. 1897 Dresden; am 9. 11. 1926 sang er in Dresden in der Uraufführung von Hindemiths Oper «Cardillac». Bei den Festspielen von Aix-en-Provence sang er 1962 und 1964 den Musiklehrer in «Ariadne auf Naxos» von R. Strauss. Er gab Gastspiele am Teatro Fenice Venedig (1957), am Teatro San Carlo Neapel (1949), an der Oper von Budapest (1947) und am Teatro San Carlos Lissabon (1959). 1949–51, 1954–56 und nochmals 1962–64 war er an der Metropolitan Oper New York zu hören (Antrittsrolle im Januar 1950 Jochanaan in «Salome» von R. Strauss). In den neun Spielzeiten, in denen er an diesem Operninstitut wirkte, sang er in New York 91 Vorstellungen von 14 verschiedenen Partien. Er gastierte an den Opern von San Francisco (1953 als Wotan in der «Walküre») und Chicago (1956). Noch mit 70 Jahren ist er auf der Bühne erschienen; 1970 sang er an der Wiener Staatsoper den Großinquisitor in Verdis «Don Carlos».

Schallplatten: Acanta («Ariadne auf Naxos», Mitschnitt einer Wiener Festaufführung zum 80. Geburtstag des Komponisten, 1944), Melodram (Scarpia in «Tosca», «Rienzi»), Discocorp (9. Sinfonie von Beethoven), EJS («Guntram» von R. Strauss).

Schöller, Pauline; in der Saison 1890–91 war sie an der Metropolitan Oper New York engagiert. Bis 1901 gehörte sie dem Ensemble der Münchner Hofoper an, wo sie nochmals 1904–05 als Gast auftrat. Sie ist auch unter dem Namen Pauline Schöller-Haag aufgetreten.

Schönberger, Johanna; sie blieb bis 1928 Mitglied der Stuttgarter Oper und wurde zu deren Ehrenmitglied ernannt. Sie gastierte an den Opernhäusern von Hamburg (1896–97), Frankfurt a. M. (1910), und Leipzig (1912), an den Hoftheatern von Dresden (1899, 1903), Hannover (1897) und Wiesbaden (1911). In Stuttgart wirkte sie in einer Anzahl von Uraufführungen mit: «Ein Fest auf Solhaug» von W. Stenhammar (1899), «Die Kronbraut» («Kronbruden») von T. Rangström (1919), «Prinzessin Brambilla» von W. Braunfels (1909), «An allem ist Hütchen schuld» von Siegfried Wagner (1917) sowie in der deutschen Erstaufführung von Othmar Schoecks «Don Ranudo» (1919).
Schallplatten: Edison-Aufnahmen (Berlin, 1905).

Schöne, Lotte; 1922–25, 1928 und 1930–35 wirkte sie bei den Festspielen von Salzburg mit (u. a. als Cherubino, nicht als Susanna, in «Figaros Hochzeit»). An der Städtischen Oper Berlin sang sie 1927 die Liu in der Premiere von Puccinis «Turandot», dort erregte sie auch als Mélisande Aufsehen. 1927 gastierte sie an der Londoner Covent Garden Oper als Liu und als Marzelline im «Fidelio». 1933–34 sang sie während einer Saison in Wien. Seit 1938 gab es nur noch Konzerte, vor allem Liederabende. Nach Beendigung des Zweiten Weltkrieges nahm sie ihre Karriere wieder auf und gab glänzende Liederabende und Konzerte, u. a. in Paris und in Genf. Sie ist nie in Amerika aufgetreten.
Schallplatten der Marken Vox (später als Siemens-Kristall herausgegeben), Odeon und HMV (seit 1928).

Schöne, Sonja, * 1929 Berlin; die Künstlerin war seit 1948 Mitglied der Komischen Oper Berlin, wo sie an dem von Walter Felsenstein geleiteten Haus als Adele in der «Fledermaus» debütierte. Sie gastierte regelmäßig an der Berliner Staatsoper und war auch am Theater am Gärtnerplatz in München gastweise zu hören. 1962 kam sie nach Westdeutschland und sang 1962–68 am Opernhaus von Frankfurt a. M. 1960 unternahm sie eine große Tournee mit Liederabenden durch die Sowjetunion.

Schöne, Wolfgang, * 9. 12. 1940 Bad Gandersheim; 1970 erfolgte sein Operndebüt bei den Festspielen von Eutin als Ottokar im «Freischütz». Er war durch Gastspielverträge der Staatsoper Stuttgart (1973–82), der Wiener Staatsoper (seit 1974) und der Staatsoper Hamburg (seit 1975) verbunden und sang am Opernhaus von Wuppertal wie am Stadttheater

von Lübeck. 1987 gastierte er beim Maggio musicale Florenz als Graf im «Capriccio» von R. Strauss, 1988 am Teatro Regio Turin als Gunther in der «Götterdämmerung». Ebenfalls 1988 hörte man ihn bei den Salzburger Festspielen als Alidoro in Rossinis «La Cenerentola», an der Oper von Köln in «Die Frau ohne Schatten» von R. Strauss, 1990 in Hamburg als Wolfram im «Tannhäuser».
Schallplatten: HMV («Die schweigsame Frau» von R. Strauss).

Schoepflin, Adolf; nach seinem Debüt 1909 in Olmütz sang er 1910–12 am Stadttheater von Posen, 1912–17 am Deutschen Theater Prag, 1917–19 am Stadttheater von Essen und 1919–23 am Deutschen Opernhaus (Städtische Oper) Berlin. 1925–29 war er Mitglied der Staatsoper Dresden und sang hier am 9. 11. 1926 in der Uraufführung der Oper «Cardillac» von P. Hindemith. Verheiratet mit der Altistin *Elfriede Haberkorn* (1895–1974).

Scholz, Albin; er war 1898–1902 an der Hofoper von München engagiert. Hier wirkte er am 27. 1. 1899 in der Uraufführung von Siegfried Wagners «Der Bärenhäuter» mit. 1902–04 sang er am Stadttheater von Magdeburg.

Schopper, Michael; Schallplatten: Telefunken (Werke von Heinrich Schütz), Carus-Verlag (Bach-Kantaten), Aulos (Markus-Passion von Keiser).

Schorr, Friedrich; er war der Sohn eines jüdischen Kantors; sein Vater *Meyer Schorr* wurde 1891 an die Große Wiener Synagoge berufen und dort u. a. von Gustav Mahler sehr geschätzt. Friedrich Schorr wurde durch A. Robinson in Brünn und in Wien ausgebildet. Im Haus der New Yorker Metropolitan Oper hat er in zwanzig Spielzeiten 356 Vorstellungen von 18 Partien gesungen (dazu 71 Vorstellungen bei der Jahres-Tournee des Ensembles). Neben seinen Wagner-Heroen sang er dort auch den Pizarro im «Fidelio», den Joachanaan in «Salome», den Faninal im «Rosenkavalier» und den Orest in der (späten) Premiere von «Elektra» (1932). 1931–32, 1935–36 und 1938 gastierte er an der Oper von San Francisco. An der Berliner Staatsoper sang er in den Premieren der Opern «Doktor Faust» von Busoni (1927) und «Die Ägyptische Helena» von R. Strauss (1928). 1924 und 1930–31 an der Covent Garden Oper London zu Gast (Debüt als Wotan im «Rheingold»), 1926 am Teatro Colón Buenos Aires. 1943 sang er als letzte Partie an der Metropolitan Oper den Wanderer im «Siegfried». Er war der Lehrer u. a. von Cornell Mac Neill, Ezio Flagello, Arturo Sergi, Marilyn Tyler, Grace Hoffman und Carlos Alexander. Verheiratet mit der Sopranistin *Anna Scheffler-Schorr* († 1951).
Schallplatten: («Liederkreis» von R. Schumann), HMV (h-moll-Messe von J. S. Bach).

Schott, Albert, s. unter *Schott,* Anton.

Schott, Anton, † 6. 1. 1913 Stuttgart; seit 1881 gab er sehr erfolgreiche Liederabende, bei denen er vor allem Lieder von Schubert und R. Schumann vortrug. 1882 und 1889 nahm er an den Tourneen des wandernden Wagner-Theaters von Angelo Neumann teil, wobei die letztgenannte Gastspielreise durch Rußland führte. Bis 1891 gab er noch Gastspiele, u. a. an der Münchner Hofoper (1890), an den Hoftheatern von Dessau (1891) und Schwerin (1891). Sein Neffe und Schüler *Albert Schott* wurde ein bekannter Tenor. Er debütierte zusammen mit seinem Onkel bei einem Liederabend in Düsseldorf. Er war an deutschen Theatern (Kiel, Dortmund, Trier) engagiert, muß sich aber auch in den USA aufgehalten haben, da dort seine Stimme in Washington auf Schallplatten der Marke Symphonion aufgenommen wurde.

Schpiller, Natalia (Natascha), s. unter *Spiller,* Natalia.

Schrader, Lotte; sie war eine Enkelin des Bassisten *Wilhelm Eichberger* (1830–1904). 1942 gastierte sie an der Mailänder Scala als Isolde. 1942–43 Gastspiele an der Staatsoper Wien. 1936 sang sie als Gast am Opernhaus von Brno (Brünn), 1937 in Köln, 1939 an den Opernhäusern von Brüssel und Lüttich. 1936 gab sie Konzerte in Paris. Noch bis 1952 ist sie gastweise aufgetreten so am Landestheater Coburg im Nibelungenring.

Schram, Peter; bereits 1936 wurde der erwähnte Zylinder (auf dem auch ein Teil der Leporello-Arie «Notte e giorno faticar» zu hören ist) auf Schallplatten übertragen, fand aber erst 50 Jahre später allgemeine Beachtung.

Schramm, Amalie; sie sang die Anna (nicht die Marguerite) in «La Dame blanche» von Boieldieu.

Schramm, Ernst Gerold; Schallplatten: Schwann-Verlag (Stabat mater von Schubert).

Schramm, Hermann; am Frankfurter Opernhaus soll er etwa 5000mal in 235 Partien aufgetreten sein. Weitere Gastspiele führten ihn an die Hofopern von Berlin (1897), Dresden (1898–99) und München (1898), an die Hoftheater von Hannover (1899), Wiesbaden (seit 1900), Karlsruhe (seit 1906) und Mannheim (1900), seit 1900 auch an das Stadttheater von Zürich. 1923–24 nahm er an der Nordamerika-Tournee der German Opera teil. Eine Glanzrolle des Sängers war auch der Titelheld im «Corregidor» von Hugo Wolf. Sein Sohn Friedrich Schramm war verheiratet mit der Sopranistin *Olga Schramm-Tschörner* (1897–1967).

Schreier, Peter, * 29. 7. 1935 Meissen (Sachsen); er verbrachte seine Jugend in dem Ort Gauernitz bei Meissen. Er war 1954–56 Schüler von F. Polster, seit 1956 an der Musikhochschule Dresden von H. Winkler. Er debütierte 1957 an der Staatsoper Dresden als erster Gefangener im «Fidelio» und hatte kurz danach einen ersten Erfolg als Paolino in «Il matrimonio segreto» von Cimarosa. Nach einem Gastspiel an der Berliner Staatsoper als Belmonte in der «Entfüh-

rung aus dem Serail» (1962) wurde er 1963 deren Mitglied. 1967 kam er für zwei Spielzeiten an die Metropolitan Oper New York, an der er den Tamino und den Don Ottavio sang. 1989 gab er ein großes Konzert in der Londoner Wigmore Hall.
Schallplatten: Eurodisc (Matthäuspassion von J. S. Bach), CBS (Markuspassion von Ph. E. Bach), Orfeo («Das Buch mit sieben Siegeln» von F. Schmidt), Denon («Das Lied von der Erde» von G. Mahler), Philips (Weihnachtsoratorium von J. S. Bach).

Schreker-Binder, Maria; 1923 und 1924 gastierte sie am Opernhaus von Köln, 1924 in Hannover. 1932 trat sie in Wien nochmals in einem Konzert auf.

Schröder, Karl, * 1886 Elberfeld, † 21. 3. 1923 Köln; Schüler von Senff in Düsseldorf. 1910–11 begann er seine Karriere mit einem Engagement am Stadttheater von Elberfeld, 1911–13 sang er am Stadttheater von Bremen und seit 1913 am Opernhaus von Köln. Bereits 1911–12 übernahm er bei den Festspielen von Bayreuth kleinere Partien, 1914 den Steuermann im «Fliegenden Holländer». Er nahm später schwerere Partien in sein Repertoire auf: den Max im «Freischütz», den Lohengrin, den Parsifal, den Loge, den Bacchus in «Ariadne auf Naxos» von R. Strauss und den Kaiser in dessen «Frau ohne Schatten».

Schröder-Devrient, Wilhelmine; ihre Mutter war die berühmte Schauspielerin Antoinette Sophie Schröder-Bürger (1781–1868). Als sie 1822 in Wien als Leonore im «Fidelio» zu triumphalen Erfolgen kam, saß in der Vorstellung vom 22. 11. 1822 der völlig ertaubte Komponist Beethoven in den Kulissen der Bühne und verfolgte mit Begeisterung ihre Darstellung. (Sie wirkte nicht in der Uraufführung der Oper «Jessonda» von Spohr mit). Sie fand ihre letzte Ruhestätte auf dem Trinitatis-Friedhof in Dresden.

Schröder-Feinen, Ursula, * 21. 7. 1936 Gelsenkirchen. Bei den Festspielen von Edinburgh sang sie 1975 die Salome in der gleichnamigen Oper von R. Strauss. Nach einer Stimmkrise mußte sie ihre vielversprechende Karriere längere Zeit unterbrechen.
Schallplatten: Voce («Hans Heiling» von Marschner, Mitschnitt einer Rundfunksendung); die genannte Aufnahme von «Violanta» mit ihr kam nicht zustande.

Schröder-Hanfstaengl, Marie; Gastspiele an der Wiener Hofoper (1872, 1873, 1881). An der Metropolitan Oper New York war sie in den Spielzeiten 1884–85 und 1888–89 anzutreffen. Weitere Gastspiele an der Hofoper München (1873), an den Opern von Budapest (1887–89) und Riga (1884); großer Erfolg bei Konzerten in Paris 1884. In Frankfurt sang sie in den deutschen Erstaufführungen der Opern «Lakmé» von Delibes (1883 als Titelfigur) und «Le Cid» von Massenet (1887 als Chimène). Die Künstlerin, die auch eine große Konzertsängerin war, verabschiedete sich 1887 in den «Jahreszeiten» von Haydn in Frankfurt aus ihrer Karriere.

Schrödter, Fritz; wollte zunächst Maler werden und besuchte die Kunstakademie Düsseldorf. Dann Gesangstudium in Köln. An der Wiener Hofoper sang er u. a. in drei Uraufführungen von Opernwerken des Komponisten Karl Goldmark: am 19. 11. 1886 in «Merlin», am 21. 3. 1896 in «Das Heimchen am Herd» und am 2. 1. 1908 in «Ein Wintermärchen». 1884 gastierte er am Deutschen Theater Prag, 1890 am Theater von Brünn (Brno), 1901 an der Hofoper München als David in den «Meistersingern», 1911 in Köln als Eisenstein in der «Fledermaus». Auch als Konzert- und Oratoriensänger genoß er hohes Ansehen. So wirkte er in Wien in der Uraufführung von «Das klagende Lied» von Gustav Mahler mit (17. 2. 1901).

Schröter, Gisela, Mezzosopran/Sopran; 1987 sang sie an der Berliner Staatsoper die Herodias in «Salome» von R. Strauss. Seit 1971 Gastspiele an der Wiener Staatsoper. In Nordamerika gastierte sie mit dem Ensemble der Staatsoper Berlin als Sieglinde in der «Walküre», als Kundry im «Parsifal», als Komponist in «Ariadne auf Naxos» und als Marie im «Wozzeck» von A. Berg.
Schallplatten: RCA (Kundry im «Parsifal»), HMV («Aida»), Philips («Elias» von Mendelssohn).

Schtokolow, Boris (richtigere Schreibweise des Familiennamens Stokolow); Schallplatten: Auf Melodiya u. a. russische Volkslieder, die auf Ariola-Eurodisc übertragen wurden.

Schubert, Betty; Gastspiele an den Hofopern von Wien (1908–09), Berlin (1907, 1910), Dresden (1906–07 und 1915–16) und München (1906–07 und 1910), in Hamburg (1909), Leipzig (1908), Mannheim (1909) und Karlsruhe (1910) sowie am Deutschen Theater Prag (1905, 1909).

Schuch-Proska, Clementine, † 8. 6. 1932 Kötzschenbroda (Sachsen). Debüt 1873 an der Hofoper von Dresden als Norina in Donizettis «Don Pasquale». Bis 1895 gehörte sie dem Ensemble der Dresdner Hofoper als Mitglied an und gastierte dort noch bis 1898. Sie gab Gastspiele an der Hofoper von Wien (1875, 1881, 1882), an der Berliner Hofoper (1881) und am Stadttheater von Zürich (1880). Als Abschiedspartie sang sie an der Hofoper Dresden 1898 nochmals die Rolle der Norina, in der sie auch debütiert hatte. Aus ihrer Ehe mit Ernst Schuch stammten zwei Töchter, die bekannte Sängerinnen wurden, *Liesel von Schuch* (1891–1990) und *Käthe von Schuch* (* 1885). Letztere war um 1910 am Hoftheater von Dessau engagiert.

Schürhoff, Else, † 17. 3. 1960 Hamburg; ihre jüngere Schwester *Lotte Schürhoff* war Sopranistin und sang Soubrettenpartien an den Theatern von Wuppertal (1933–35), Essen (1935–38), am Opernhaus von Leipzig (1938–44) und an der Berliner Komischen Oper (1948–49).

Schürhoff, Lotte, s. unter *Schürhoff,* Else.

Schütz, Hans; er sang bei den Festspielen von Bayreuth 1899 und 1901 den Amfortas im «Parsifal», 1899–1902 den Donner im «Rheingold» und 1901–02 den Klingsor im «Parsifal». Gastspiele an den Hofopern von Wien (1905, 1908), Dresden (seit 1897) und Stuttgart (1899, 1901), am Hoftheater Schwerin (1899), an den Opernhäusern von Frankfurt a. M. (1905) und Köln (1911). Er sang in der Uraufführung der Oper «Orestes» von F. von Weingartner (15. 2. 1902) und in der deutschen Erstaufführung von Naprawniks «Dubrowski» (1897) am Opernhaus von Leipzig.

Schützendorf, Alfons, † August 1946 Weimar; er war Schüler von Felix von Kraus in München und von Giuseppe Borgatti in Mailand. Er debütierte 1904 am Opernhaus von Düsseldorf, dem er bis 1908 angehörte. 1908–10 unternahm er von München aus Gastspiele. 1910–12 Mitglied der Wiener Volksoper, 1912–15 des Deutschen Theaters Prag, 1915–22 des Stadttheaters (Opernhaus) Hamburg. Er trat als Gast 1909, 1911 und 1914 an der Wiener Hofoper, 1908 und 1910 an der Hofoper von München, 1909 am Opernhaus von Frankfurt a. M. auf. 1910 zu Gast am Théâtre de la Monnaie Brüssel und am Theater von Brünn (Brno). 1927 unternahm er eine Tournee durch die Schweiz. Er galt als großer Liedersänger und gab noch 1937–38 in Berlin, 1939 in Leipzig Liederabende. 1927–31 Pädagoge an den Folkwang-Schulen in Essen, seit 1932 in Berlin. In erster Ehe war er mit der Sängerin *Clara Bellwidt*, in zweiter mit *Julia Koerner* (* 1883), ebenfalls einer bekannten Sängerin, verheiratet.

Schützendorf, Guido; ausgebildet am Konservatorium von Köln. Er begann seine Karriere mit einem Engagement 1904–06 am Stadttheater von Straßburg und sang dann 1906–07 am Hoftheater von Coburg, 1908–10 am Stadttheater von Elberfeld, 1910–1911 am Opernhaus von Gent in Belgien. 1911–14 war er am Stadttheater von Bremen, 1914–16 am Hoftheater Braunschweig, 1916–18 am Stadttheater von Magdeburg und dann nochmals 1925–26 am Stadttheater von Bielefeld engagiert. 1929–30 nahm er an der USA-Tournee der von Johanna Gadski zusammengestellten German Opera Company teil. Er lebte später als Pädagoge in Celle. Er war verheiratet mit der Opernsängerin *Olga an der Mahr*.

Schützendorf, Gustav, † 28. 4. 1937 Berlin; er debütierte 1905 am Opernhaus von Düsseldorf und sang 1907–08 am Stadttheater von Krefeld, 1908–11 am Stadttheater von Basel, 1911–14 am Stadttheater von Straßburg und kam dann an die Hofoper von München. 1914 zu Gast an der Wiener Hofoper, 1920–21 an der Staatsoper Berlin, 1921–22 am Opernhaus von Leipzig, 1921 am Teatro Liceo Barcelona. Auch während seines Engagements an der New Yorker Metropolitan Oper gab er Gastspiele, so 1930 an der Staatsoper München, 1932 an der Berliner Staatsoper. An der Metropolitan Oper sang er in deren New Yorker Haus in 13 Spielzeiten 34 Partien in 321 Vorstellungen, darunter den Beckmesser, den Alberich, den Klingsor und den Papa-

geno. Er starb plötzlich an einem Herzschlag, drei Wochen nach seiner Rückkehr aus New York nach Berlin.

Schützendorf, Leo, † 18. 12. 1931 Berlin; sang nach seinem Debüt 1908 in Düsseldorf 1909–10 am Stadttheater von Münster (Westfalen), 1910–12 am Stadttheater von Krefeld, 1912–17 am Hoftheater von Darmstadt, 1917–19 am Hoftheater von Wiesbaden, 1919–20 an der Staatsoper Wien, an der er auch 1922–23 gastierte. 1920 wurde er an die Berliner Staatsoper berufen. 1923 bereiste er mit einem Ensemble, das der holländische Bariton Cornelis Bronsgeest zusammengestellt hatte, die Niederlande. An der Berliner Staatsoper sang er neben seinen Buffo-Typen auch den Boris Godunow, den Kaspar im «Freischütz», den Sebastiano in «Tiefland» und verschiedene Wagner-Partien. In der Spielzeit 1924–25 gehörte er dem Ensemble der Großen Volksoper Berlin an. 1929 sang er bei den Festspielen von Zoppot den Beckmesser in den «Meistersingern». Noch zwei Tage vor seinem Tod trat er am Großen Schauspielhaus Berlin als Crespel in der Max Reinhardt-Inszenierung von «Hoffmanns Erzählungen» auf (nicht als Mephisto).
Schallplatten: Auch Aufnahmen auf Christschall.

Schuler, Franz; (wirkte nicht bei den Bayreuther Festspielen mit).

Schulthess, Claire, * 31. 7. 1887 La Ferté-les-Jouarre (Departement Seine et Marne, Frankreich), † (?); Schülerin von Sophie Röhr-Brajnin in München. Sie debütierte 1908 am Stadttheater von Augsburg, dessen Mitglied sie bis 1911 war. 1911–14 sang sie am Hoftheater von Weimar und war dann 1914–30 am Opernhaus von Leipzig tätig. Gastspiele an den Hofopern von Berlin (1911) und München (1909), am Opernhaus von Frankfurt a. M. (1910), an der Wiener Staatsoper (1927), insbesondere aber an der Dresdner Oper (seit 1915). 1953 lebte sie noch in London. Sie ist auch unter den Namen Claire Hansen-Schulthess und Claire Gerhardt-Schulthess aufgetreten.

Schulz-Dornburg, Marie; sie wirkte an den Stadttheatern von Kiel (1916–18) und Chemnitz (1919–21) und dann bis 1924 in Hannover. Sie sang u. a. die Federica in Verdis «Luisa Miller».

Schulze, Josefine; die österreichische Kaiserin Maria Ludovika Beatrix (Gattin Kaiser Franz I.) finanzierte ihre Ausbildung. An der Berliner Hofoper bewunderte man sie als Giulia in Spontinis «La Vestale», als Amazily in dessen «Fernand Cortez», als Constantia in «Agnese di Hohenstaufen», als Statira in «Olympia» und als Namuna in «Nurmahal», alles Partien in Spontini-Opern, als Gräfin in «Figaros Hochzeit», als Königin der Nacht in der «Zauberflöte» und als Vitellia in «La clemenza di Tito». Sie gab 1831 ihre Bühnenkarriere auf, nachdem es bei einer Aufführung des «Don Giovanni» zu Mißfallensäußerungen des Berliner Publikums gegen sie gekommen war, das gleichzeitig der großen

Primadonna Henriette Sontag, die die Donna Elvira sang, eine Ovation darbrachte. Seit 1812 war sie mit dem preußischen Justizkomissar Schulze verheiratet.

Schumann, Elisabeth, * 13. 6. 1888 Merseburg (Provinz Sachsen); zu ihren direkten Vorfahren gehörte die große Primadonna Henriette Sontag. 1912 erregte sie am Opernhaus von Hamburg als Cherubino in «Figaros Hochzeit» Aufsehen, später sang sie dort die Susanna in der gleichen Oper. An der Metropolitan Oper New York hörte man sie in der Spielzeit 1914–15 in zehn verschiedenen Partien, darunter als Musetta in «La Bohème», als Gretel in «Hänsel und Gretel» und als Marzelline im «Fidelio». Bei ihrer USA-Tournee 1921 wurde sie von Richard Strauss am Flügel begleitet. 1931 gab sie ein glanzvolles Konzert in der New Yorker Town Hall. 1937 erfolgte ihre Ernennung zum Ehrenmitglied der Wiener Staatsoper. Seit 1938 lebte sie in New York, zeitweilig auch in Philadelphia, und betätigte sich am Curtis Institute of Music als hoch angesehene Pädagogin (u. a. Lehrerin von Claire Watson). 1944 nahm sie die amerikanische Staatsbürgerschaft an. Sie war mit dem Dirigenten Karl Alwin (1891–1945) verheiratet, der sie bei ihren Liederabenden in den zwanziger Jahren begleitete, von dem sie sich aber später wieder trennte.
Schallplatten: HMV (seit 1927 bis 1940, akustische wie elektrische Aufnahmen), Odeon (1919), Victor, Allegro; ihre frühesten Aufnahmen kamen 1915–16 auf Edison-Platten heraus. Noch 1950 sang sie, bereits auf LP, Lieder von Mendelssohn und von französischen Komponisten.

Schumann, Patricia, * 4. 2. 1954 Los Angeles; 1988 Gastspiel an der Staatsoper von Wien als Pamina in der «Zauberflöte», 1987 am Opernhaus von Zürich als Donna Elvira im «Don Giovanni». 1988 zu Gast in Amsterdam.
Schallplatten: Erato (Religiöse Vokalwerke von Ferdinando Giuseppe Bertoni).

Schumann-Heink, Ernestine; 1897 gab sie Konzerte in Amsterdam. Seit 1892 oftmals zu Gast an der Berliner Hofoper, 1902–03 am Deutschen Theater Prag, 1903 auch an der Hofoper von München und in Zürich. 1903 gab sie Konzerte in Paris, 1909 Liederabende in Wien. An der Metropolitan Oper New York sang sie (in deren Haus in New York) seit 1899 in 14 Spielzeiten 17 Partien (zumeist Wagner-Rollen) in 157 Vorstellungen. 1925 hatte sie als Erda dort einen sensationellen Erfolg, der sich 1929 und 1932 (für die damals 70jährige Sängerin) wiederholte. 1911–16 sang sie bei der Chicago Opera. 1928 unternahm sie eine triumphale Japan-Tournee. 1908 hatte sie die amerikanische Staatsbürgerschaft angenommen. Während des Ersten Weltkrieges gab sie zahlreiche Konzerte vor amerikanischen Soldaten, die sie «Mother Schumann-Heink» nannten (obwohl einer ihrer Söhne aus erster Ehe bei der deutschen Armee diente). Insgesamt hatte sie aus ihren beiden Ehen 13 Kinder.
Schallplatten: Victor (1905–30, darunter auch elek-

trisch aufgenommene Titel), Mapleson-Zylinder aus der Metropolitan-Oper (1901–03).

Schumskaja, Elisaweta (Wladimirowna); Schallplatten: Vollständige Opern auf Melodiya (Micaela in «Carmen», Marguerite im «Faust» von Gounod, Mimi in «La Bohème», Juliette in «Roméo et Juliette», Titelpartie in «Madame Butterfly», Elsa im «Lohengrin», «Die Mainacht» von Rimsky-Korssakow).

Schunk, Robert; 1986 sang er an der Metropolitan Oper New York den Florestan im «Fidelio» als Partner von Hildegard Behrens, die gleiche Partie auch 1987 am Teatro San Carlo Neapel. 1988 Gastspiel am Teatro Liceo Barcelona als Erik im «Fliegenden Holländer». 1987 sang er an der Staatsoper von München (und 1989 an der Metropolitan Oper) den Siegmund in der «Walküre», 1988 den Kaiser in der «Frau ohne Schatten», 1988 den Wladimir bei den Aufführungen von Borodins «Fürst Igor» in der Münchner Olympia-Halle.
Schallplatten: Decca (9. Sinfonie von Beethoven), Wergo («Cardillac» von Hindemith).

Schuster, Friedel; Ausbildung an der Musikhochschule Berlin. Sie debütierte 1930 mit einem Liederabend in Berlin. 1931 wirkte sie am Großen Schauspielhaus Berlin in den Max Reinhardt-Inszenierungen von Offenbachs «Schöner Helena» und «Hoffmanns Erzählungen» mit. Einen ihrer großen Operettenerfolge hatte sie 1938 in Paul Linckes «Frau Luna».
Schallplatten: Solo-Aufnahmen auf Odeon.

Schuster-Wirth, Hermine; verheiratet mit dem Dirigenten und Komponisten Bernhard Schuster (1870–1934).

Schwaiger, Rosl; 1952–63 Mitglied der Bayerischen Staatsoper München, wo sie auch seit 1952 ständig am Theater am Gärtnerplatz auftrat. 1946 zu Gast am Stadttheater von Basel, 1963 bei den Festspielen von Bregenz. 1968 gab sie eine Serie von Liederabenden in Griechenland und in der Türkei.
Schallplatten: Haydn Society, Véga, Ariola, Polydor, Telefunken, Amadeo, MMS, Columbia.

Schwanbeck, Bodo; Schüler von Karl Heinz Jarius. Debütierte 1958 am Bayerischen Städtetheater Landshut, sang dann am Landestheater Detmold (1959–61), am Landestheater Saarbrücken (1961–62), am Stadttheater Augsburg (1962–65), am Opernhaus von Zürich (1965–69) und seit 1969 am Opernhaus von Frankfurt a. M. Er gastierte auch in Wien, 1986 am Grand Théâtre Genf, 1988 in Madrid (in «Lulu» von A. Berg).

Schwarz, Franz; er studierte auch in Italien bei Galliera und A. Selva. 1880 begann er seine Karriere sogleich an der Wiener Hofoper, sang dann in Berlin, Frankfurt a. M. (1881–82), Bremen (1882–83), Mannheim (1884–85) und am Hoftheater Weimar (1886–96). Hier wirkte er in der Uraufführung der

ersten Oper von Richard Strauss «Guntram» mit (10. 5. 1894). Nach seinem Aufenthalt in den USA war er nacheinander am Opernhaus von Breslau (bis 1899), am Stadttheater (Opernhaus) von Hamburg (1899–1904), am Stadttheater Mainz (1905–06), an der Dresdner Hofoper (1908–10), am Stadttheater von Halle a. d. Saale (1910–15) und zuletzt am Stadttheater von Magdeburg (seit 1915) tätig. Er gastierte in den Jahren 1904–08 oft an der Hofoper von Wien, 1887–1912 immer wieder in Leipzig, auch an der Berliner Hofoper (1888, 1897, 1906), am Hoftheater Hannover (1901), an der Kroll-Oper Berlin (1892) und am Theater von Graz (1904).
Es ist möglich, daß von seiner Stimme Schallplattenaufnahmen vorhanden sind, von denen allerdings bis jetzt keine Exemplare zum Vorschein gekommen sind.

Schwarz, Hanna; nachdem sie 1969 in Berlin einen Gesangwettbewerb gewonnen hatte, debütierte sie 1970 am Staatstheater Hannover als Siegrune in der «Walküre»; dann hatte sie dort ihren ersten Erfolg als Maddalena im «Rigoletto». 1975 sang sie bei den Festspielen von Bayreuth eine Rheintochter, später neben den genannten Partien auch die Brangäne im «Tristan». In Paris wirkte sie am 24. 2. 1979 an der Grand Opéra in der Uraufführung der von F. Cerha vollendeten Oper «Lulu» von A. Berg in deren Neufassung mit. 1987 gastierte sie dort als Cornelia in «Giulio Cesare» von Händel.
Sehr viele Schallplattenaufnahmen, u. a. auf DGG («Rigoletto», Missa solemnis und 9. Sinfonie von Beethoven), HMV («Frau ohne Schatten» von R. Strauss, «Paulus» von Mendelssohn), Amadeo («Karl V.» von Křenek), Philips (Lieder von G. Mahler), HMV-Electrola («Zigeunerbaron»), Hänssler-Verlag (Bach-Kantaten).

Schwarz, Joseph, * 10. 10. 1881 Riga; zuerst Studium bei Alexander Heinemann in Berlin, dann am Konservatorium der Stadt Wien. Nach seinem Debüt in Linz/Donau (als Amonasro in «Aida») und Gastspielen mit Wanderbühnen, u. a. zu Beginn unseres Jahrhunderts in seiner Geburtsstadt Riga, war er 1906–09 Mitglied der Wiener Volksoper. Er kam 1909 an die Hofoper von Wien, wo er als Graf Luna im «Troubadour» debütierte und große Erfolge im italienischen wie im Wagner-Repertoire hatte. Nachdem er 1915 an die Berliner Hofoper berufen worden war, wirkte er dort in den Premieren der Opern «Rappelkopf» von Leo Blech (1917) und «Notre Dame» von Franz Schmidt (1918) mit. 1920–21 und 1924–25 war er an der Oper von Chicago engagiert. Hier trat er als Rigoletto, als Germont-père in «La Traviata», als Jago im «Othello», als Tonio im «Bajazzo» und in den Dämonen-Partien in «Hoffmanns Erzählungen» auf. 1924 Gastspiel an der Covent Garden Oper London als Rigoletto. 1926 sang er in San Francisco in der Uraufführung der Oper «Fay-Yen-Fah» von Joseph Redding, deren Textbuch von einem amerikanischen Multimillionär verfaßt worden war. Seit 1922 war er in zweiter Ehe mit Clara Sielcken, der Witwe des reichen Kaffee-Großhänd-

lers Hermann Sielcken, verheiratet. Er starb plötzlich nach einer Operation.

Schwarz, Paul; er wirkte in mehreren Opern-Uraufführungen mit: «Der Kuhreigen» von W. Kienzl (23. 11. 1911 Volksoper Wien), «Das Wunder der Heliane» von Korngold (7. 10. 1927 Hamburg) und «Die versunkene Glocke» («La Campana sommersa») von O. Respighi (18. 11. 1927 Hamburg). In Hamburg sang er auch in den deutschen Erstaufführungen von Ravels «L'Heure espagnole» (1925 als Gonzalve) und von Pizzettis «Debora e Jaele» (1928).

Schwarz, Therese; sie debütierte 1844 am Deutschen Theater Prag unter dem Intendanten Stöger als Orsini in «Lucrezia Borgia» von Donizetti. 1846 kam sie dann an das Kärntnertor-Theater in Wien. Aus ihrem reichhaltigen Bühnenrepertoire sind zu nennen: der Romeo in «I Capuleti ed I Montecchi» von Bellini, der Annio in «La clemenza di Tito» von Mozart, die Isabella in Rossinis «Italiana in Algeri», die Rosina im «Barbier von Sevilla», der Arsace in «Semiramide» von Rossini und der Pierotto in «Linda di Chamounix» von Donizetti. Mit Hilfe ihrer brillanten Gesangtechnik war sie in der Lage, auch die schwierigen Partien für Koloratur-Contralto zu meistern.

Schwarz, Vera, Sopran, * 10. 7. 1888 Agram (Zagreb), † 4. 12. 1964 Wien; sie studierte in Wien bei Philipp Forstén und debütierte 1908 am Theater an der Wien in einer kleinen Operettenpartie, noch zusammen mit dem unvergeßlichen Alexander Girardi. 1908–12 war sie in Graz, seit 1911 (bis 1913) am Wiener Johann Strauß-Theater engagiert. Hier hatte sie einen glänzenden Erfolg als Rosalinde in der «Fledermaus» und entschloß sich darauf zu einer Opernkarriere. 1914 kam sie an das Opernhaus (Stadttheater) von Hamburg, an dem sie bis 1918 blieb. 1918 wurde sie an die Berliner Staatsoper berufen, 1922 ging sie von dort an die Staatsoper von Wien. Hier hörte man sie u. a. als Tosca mit Alfred Piccaver als Partner, als Carmen, als Eva in den «Meistersingern», als Sieglinde in der «Walküre», als Gräfin in «Figaros Hochzeit» und als Rachel in «La Juive» von Halévy, wobei sie auch als glänzende Darstellerin Aufsehen erregte. Bis 1930 blieb sie im Ensemble der Wiener Oper und war dann 1931–33 wieder Mitglied der Staatsoper Berlin. 1927 sang sie am Deutschen Künstlertheater Berlin zusammen mit Richard Tauber in der Uraufführung der Operette «Der Zarewitsch» von Franz Lehár und kam dabei zu einem sensationellen Erfolg. Jetzt wurde sie einer der großen Operettenstars der zwanziger Jahre und feierte am Berliner Metropol-Theater, dessen Mitglied sie 1929–33 war, ihre Triumphe. Sie erlangte als Interpretin der Operetten von Lehár und als Partnerin von Richard Tauber einen legendären Ruf. Gleichzeitig setzte sie aber auch ihre Opernkarriere fort. So sang sie bei den Salzburger Festspielen von 1929 den Octavian im «Rosenkavalier», 1928 gastierte sie an der Opéra-Comique Paris als Tosca, 1934–36 und 1938 an der Staatsoper von Wien, 1934

an der Oper von Budapest, wo sie auch bereits 1925 zu Gast gewesen war, ebenso an der Nationaloper von Belgrad. Sie sang in London, Amsterdam, Paris und München, teils in ihren Operettenpartien, teils auch in Opern. Bei den Festspielen von Glyndebourne trat sie 1938 in der Partie der Lady Macbeth in Verdis «Macbeth» auf. 1938 mußte sie als Jüdin Österreich verlassen und flüchtete nach England. Seit 1939 lebte sie in Nordamerika, wo sie noch an den Opernhäusern von Chicago und San Francisco, wie auch bei Opernaufführungen in Hollywood auftrat, sich in der Hauptsache aber als Konzertsopranistin betätigte. Nach dem Zweiten Weltkrieg kehrte sie wieder nach Wien zurück, arbeitete als Gesangpädagogin und leitete seit 1948 alljährlich Meisterkurse am Salzburger Mozarteum.
Schallplatten: Bereits 1911–12 erschienen auf HMV Operettentitel, darunter Duette mit Alexander Girardi; es folgten Aufnahmen auf den Marken Parlophon, Odeon, Polydor und Homochord. – (Neufassung) –.

Schwarzenberg, Elisabeth; 1956–66 an der Deutschen Oper am Rhein Düsseldorf–Duisburg, seit 1966 für mehr als zwanzig Jahre Mitglied der Volksoper Wien. 1962–72 war sie bei den Bayreuther Festspielen anzutreffen.
Schallplatten: Melodram (Marzelline im «Fidelio», Genf 1964).

Schwarzkopf, Elisabeth; den Liedgesang studierte sie u. a. bei Michael Raucheisen in Berlin. 1947 Gastspiel mit dem Ensemble der Wiener Staatsoper in London als Donna Elvira im «Don Giovanni». 1951 sang sie bei den Bayreuther Festspielen neben der Eva in den «Meistersingern» die Woglinde im Nibelungenring und das Sopransolo in Beethovens 9. Sinfonie. Sehr beliebt war sie an der Grand Opéra Paris und an weiteren französischen Bühnen. Seit 1959 trat sie für 14 Jahre an der Covent Garden Oper London auf. Neben der Marschallin sang sie an der Metropolitan Oper New York in den Jahren 1964–66 auch die Donna Elvira und ist dort in neun Vorstellungen zu hören gewesen. Nach dem Tod von Walter Legge (1906–79) lebte sie in Zürich. Der schwedische König Gustaf VI. Adolf verlieh ihr den Orden «Litteris et artibus».
Schallplatten: Erste Aufnahmen von etwa 1940 auf Telefunken; Discocorp (9. Sinfonie von Beethoven), Laudis («Don Giovanni», Salzburg 1950).

Schweebs, Hellmuth; * 23. 2. 1897; er begann seine Bühnenlaufbahn am Theater von Aschaffenburg (1923–25), sang dann in Ulm (1925–27), 1926–27 an der Volksoper Berlin, 1927–33 am Stadttheater von Cottbus, 1933–34 am Opernhaus von Wuppertal und seit 1934 bis zu seinem Tod an der Oper von Frankfurt a. M.

Schweighofer, Felix; er wirkte in weiteren Uraufführungen von Operetten in Wien mit: am 18. 12. 1878 in «Blindekuh» und am 1. 10. 1880 in «Das Spitzentuch der Königin», beide von Johann Strauß am Theater an der Wien, am 25. 1. 1884 als Nasoni in «Gasparone» von Karl Millöcker, ebenfalls am Theater an der Wien.

Schwer, Stefan, † 12. 1. 1990 Düren; Gesangstudium in Köln und 1930–31 an der Musikhochschule Berlin. 1928–30 am Opernhaus von Essen, 1932–39 an der Hamburger Staatsoper engagiert. 1939–49 wurde er am Staatstheater von Kassel in großen Aufgaben im Heldentenorfach herausgestellt. Er gastierte u. a. 1934 in Amsterdam (in «Arabella» von R. Strauss), 1939 und mehrfach nach 1945 an der Staatsoper von Wien, 1933 beim Maggio musicale von Florenz, 1963 und 1967 am Théâtre de la Monnaie Brüssel. Bei den Bayreuther Festspielen sang er 1963–644 in den «Meistersingern». In Stuttgart wirkte er am 14. 5. 1950 in der Uraufführung der Oper «Don Juan und Faust» von H. Reutter mit. Bis 1955 Mitglied der Staatsoper Stuttgart, an der er noch bis 1978 gastierte. Er verbrachte seinen Lebensabend in seiner Heimatstadt Düren.
Schallplatten: Telefunken (Szene aus «Halka» von Moniuszko), Decca («Salome» von R. Strauss).

Schymberg, Hjördis; sie wurde auch im Studio der Stockholmer Oper durch John Forsell sowie durch Renata Bellini in Mailand ausgebildet. Bereits 1940 erhielt sie einen Ruf an die Metropolitan Oper New York, doch wurde sie durch die Kriegsereignisse in Schweden festgehalten. 1947 sang sie dann an der Metropolitan Oper als Antrittsrolle die Susanna in «Nozze di Figaro».
Schallplatten: HMV (darunter Duette mit Jussi Björling), Olympic (9. Sinfonie von Beethoven unter W. Furtwängler).

Scio, Julie-Angélique; sie sang am 19. 2. 1798 am Théâtre Feydeau in Paris in der Uraufführung der Oper «Léonore ou l'Amour conjugale» von Pierre Gaveaux (einer Oper, die den gleichen Stoff wie Beethovens «Fidelio» behandelt) die Leonore, während der Komponist Pierre Gaveaux als Florestan auf der Bühne stand.

Sciroletto (Scirolino), s. unter *Aprile,* Giuseppe.

Sciutti, Graziella; 1954 wirkte sie in der Eröffnungsvorstellung des Teatro di Corte Neapel in Paisiellos Oper «Don Chisciotte» mit. Sie hatte besondere Erfolge in den Vorstellungen in denen sie an der Piccolo Scala auftrat, u. a. bereits im Dezember 1955 in der Eröffnungsvorstellung als Carolina in Cimarosas «Matrimonio segreto», 1958 in Rossinis «Le Comte Ory» und 1957 in der Uraufführung von R. Malipieros «La donna è mobile». 1961 erfolgte ihr USA-Debüt an der Oper von San Francisco (nicht als Sängerin an der Metropolitan Oper New York aufgetreten). Sie kam zu großem Ansehen auf dem Gebiet der Opernregie und inszenierte u. a. Opern an der Metropolitan Oper New York («Così fan tutte»), an der Covent Garden Oper London («Dido and Aeneas» von Purcell, «Elisir d'amore»), an den Opernhäusern von San Francisco, Chicago, Dallas, Toronto und am Teatro Comunale Bologna.

Scotney, Evelyn; ausgebildet am Konservatorium von Melbourne durch Mme Elise Wiedermann. 1910 wurde ihre Stimme durch die große Primadonna Nellie Melba entdeckt. Deren Lehrerin Mathilde Marchesi stellte eine besondere Ähnlichkeit zwischen den Stimmen der beiden Sängerinnen fest. Sie heiratete den ebenfalls in Boston engagierten Tenor *Howard White* († 1918) und unternahm mit ihm zusammen Konzert- und Gastspielreisen in Nordamerika wie in Australien. An der Metropolitan Oper New York sang sie u. a. die Lucia di Lammermoor, die Königin von Shemakan im «Goldenen Hahn» von Rimsky-Korssakow und die Norina im «Don Pasquale» als Partnerin von Enrico Caruso (1919–21). Sie war auch eine begabte Pianistin und entwickelte ein beachtliches Talent als Malerin.

Scott, Henri; er sang am Manhattan Opera House New York 1909 den alten Hebräer in der Premiere von «Samson et Dalila» von Saint-Saëns. Seit 1913 sang er bei der Chicago-Philadelphia Opera Company in drei aufeinander folgenden Spielzeiten u. a. den Leporello im «Don Giovanni», den Sparafucile im «Rigoletto», den Ramphis in «Aida», den Colline in «La Bohème», den Hunding in der «Walküre», den Marke im «Tristan», den Titurel im «Parsifal» und wurde in den Premieren der Opern «Natoma» von Victor Herbert und «Das Heimchen am Herd» von K. Goldmark eingesetzt.

Scott, Norman, * 30. 11. 1921 New York; sein Debüt fand 1946 bei der New England Opera Company in Boston statt. Dann sang er in New Orleans, Pittsburgh und Havanna und 1948–51 an der Coty Centre Opera New York. Er trat 1956 gastweise an der Wiener Staatsoper, 1959 in Chile auf.
Schallplatten: MGM, Philips.

Scotti, Antonio; Schüler von Frau Ester Trifari-Paganini (einer Nichte des großen Geigers Niccolo Paganini) und von Vincenzo Lombardi in Neapel. 1888 gab er ein erstes Konzert in Neapel. 1890 trat er am Teatro Manzoni in Mailand, 1891 am Teatro Adriano in Rom, 1891–92 am Teatro Real Madrid auf. 1894 Gastspiel am Teatro de la Opera Buenos Aires, 1898 in Valparaiso (Chile). An der Mailänder Scala bewunderte man ihn 1899 als Nevers in Meyerbeers «Hugenotten» und als Titelhelden im «Falstaff» von Verdi, den er dort 1913–14 nochmals sang. 1899 sang er an der Covent Garden Oper London den Don Giovanni als Partner von Lilli Lehmann und Edouard de Reszke. In der gleichen Partie debütierte er 1899 an der Metropolitan Oper New York. 1907 wirkte er an diesem Haus in der Premiere von Puccinis «Madame Butterfly», 1912 in «Le Donne curiose» von E. Wolf-Ferrari, 1915 in «L'Oracolo» von F. Leoni mit. Beim Gastspiel der Metropolitan Oper in Paris 1910 sang er den Scarpia in «Tosca». Bereits 1904 war er zu Gast an der Opéra-Comique Paris (als Scarpia), 1908 an der Berliner Hofoper; 1910–11 und 1915–16 trat er an der Oper von Chicago auf. 1919–21 durchreiste er mit einer von ihm zusammengestellten Wanderoper (Scotti Grand Opera Company) Nordamerika; zwar enga-

gierte er hervorragende Sänger und brachte künstlerisch hochwertige Aufführungen zustande, doch endete schließlich alles in einem finanziellen Desaster. Als er sich 1933 an der Metropolitan Oper von der Bühne verabschiedete, hatte er dort in 34 Spielzeiten 36 Partien in 832 Vorstellungen gesungen (hinzu kamen noch rund 350 Vorstellungen bei deren alljährlichen Gastspieltourneen). Er starb, verarmt und ganz vergessen, in seiner Heimatstadt Neapel.

Scotto, Renata; sie begann als Mezzosopran, wurde aber durch Mercedes Llopart in Mailand zum Sopran umgeschult. 1950 debütierte sie an der Mailänder Scala als Walter in «La Wally» von Catalani. 1956 kam sie zu einem großen Erfolg am Teatro Fenice Venedig als Micaela in «Carmen». 1964 Gastspiel mit dem Ensemble der Scala in Moskau. Seit 1961 trat sie oft bei den Festspielen in der Arena von Verona auf (1964–68, 1970, 1973–74 und 1981 nochmals als Titelheldin in «Madame Butterfly», wobei sie gleichzeitig Regie führte). 1987 verabschiedete sie sich als Butterfly vom Publikum der Metropolitan Oper New York, wo sie auch ihren Wohnsitz hatte. Seit ihrem Debüt hatte sie in diesem Haus 23 Partien in mehr als 230 Vorstellungen gesungen. Sie veröffentlichte ihre Selbstbiographie unter dem Titel *More Than a Diva* (New York, 1984).
Schallplatten: Melodram («Fra Diavolo» von Auber), BJR («Zaira» von Bellini), Movimento musica («Elisir d'amore», «Faust» von Gounod), Nuova Era («Lucia di Lammermoor»).

Scovotti, Jeanette, * 5. 12. 1933 New York; nachdem sie in Musicals und als Konzertsängerin aufgetreten war, begann sie 1959 ihre eigentliche Opernkarriere an der City Centre Opera New York in Menottis «The Medium». 1960 kam sie zur weiteren Ausbildung in das Opernstudio der Metropolitan Oper New York. Ihr Solistendebüt an diesem Haus erfolgte 1962 als Adele in der «Fledermaus». Gastspiele an den Opernhäusern von Santa Fé (1960, 1967) und San Francisco sowie an der Staatsoper von Wien.
Schallplatten: Hungaroton-Acanta («Eine Nacht in Venedig»).

Scuderi, Sara, † 24. 12. 1987 Mailand; sie debütierte 1925 am Teatro Coccia von Novara als Desdemona in Verdis «Othello». Sie sang erstmals 1932 an der Mailänder Scala, an der sie bis 1945 auftrat. 1935 gastierte sie beim Maggio musicale Fiorentino als Sinaide in Rossinis «Mosè in Egitto», 1936 am Teatro San Carlo Neapel als Maddalena in «Andrea Chénier» von Giordano, 1937 bei den Festspielen in den römischen Thermen des Caracalla als Tosca. 1938 Gastspiel am Théâtre de la Monnaie Brüssel. 1948 sang sie am Cambridge Theatre London die Tosca und die Mimi in «La Bohème». Von ihren Glanzrollen sind noch zu nennen: die Gräfin in «Nozze di Figaro», die Jaroslawna in «Fürst Igor» von Brorodin, die Santuzza in «Cavalleria rusticana», die Giorgietta in Puccinis «Il Tabarro», die Titelheldinnen in «La Wally» von Catalani und «Manon Lescaut» von Puccini, die Eva in den «Meister-

singern», die Elsa im «Lohengrin» und die Marschallin im «Rosenkavalier».
Schallplatten: Decca (Amsterdam 1934), HMV (einige Aufnahmen aus Italien, andere, darunter Duette mit Aldo Ferracuti, entstanden 1946 in London).

Secunde, Nadine, * 1954 (?) Independence (Ohio); 1987 hörte man sie an der Staatsoper von München als Freia im «Rheingold». Bei den Bayreuther Festspielen 1987–88 große Erfolge als Elsa im «Lohengrin», 1989 auch als Sieglinde in der «Walküre». Am Opernhaus von Köln trat sie 1987 als Lisa in Tschaikowskys «Pique Dame» auf, in Zürich als Sieglinde. 1988 Gastspiel an der Covent Garden Oper London als Elsa, an der Chicago Opera als Elisabeth im «Tannhäuser».
Schallplatten: Philips (Chrysothemis in «Elektra» von R. Strauss).

Sedlmair, Sophie; sie begann ihre Karriere als Operettensängerin 1978 am Carolatheater von Leipzig unter dem Namen Sophie Offeney.
Schallplatten: Es existieren 13 seltene Titel auf G & T (Wien, 1903–04), drei auf der Marke Parsifal, zahlreiche weitere auf Janus.

Seebach, Paul; er debütierte als Solist bereits 1903 am Hoftheater von Wiesbaden als Alfonso in «Così fan tutte». Er war dann 1904–06 am Stadttheater von Straßburg, 1906–07 in Klagenfurt, 1907–08 an der Below-Oper Berlin, 1908–11 am Stadttheater Magdeburg engagiert. 1911–12 sang er in Königsberg, 1911–15 am Stadttheater von Chemnitz, 1915–20 am Stadttheater von Danzig. Nach dem Ersten Weltkrieg trat er bis 1934 bei Gastspielen an verschiedenen deutschen Bühnen, vor allem aber als Konzertsänger hervor. 1934–50 wirkte er dann als erster Bassist am Staatstheater von Schwerin. Er war u. a. zu Gast an den Hoftheatern von Karlsruhe (1905), Hannover (1910) und Stuttgart (1915).
Von seiner Stimme sind auch Odeon-Schallplatten vorhanden.

Seeböck, Charlotte von, * 11. 4. 1886 Satoraljaujhely (Ungarn), † 24. 7. 1952 Budapest; sie gehörte bis 1929 dem Ensemble der Budapester Nationaloper an. Von ihren Bühnenpartien verdienen die Norma in Bellinis gleichnamiger Oper, die Ortrud im «Lohengrin», die Isolde im «Tristan», die Brünnhilde in den Opern des Nibelungenrings und die Konstanze in der «Entführung aus dem Serail» besondere Erwähnung. Sie hatte auch als Konzertsopranistin eine erfolgreiche Laufbahn.

Seefried, Irmgard, † 24. 11. 1988 Wien; an der Mailänder Scala debütierte sie 1949 als Susanna in «Figaros Hochzeit». Bei den Salzburger Festspielen sang sie ebenfalls die Susanna in «Figaros Hochzeit» (1946–48, 1952–53), die Fiordiligi in «Così fan tutte» (1947, 1953, 1956–60), die Pamina in der «Zauberflöte» (1949–51), die Zerline im «Don Giovanni» (1950) und den Komponisten in «Ariadne auf Naxos» (1954). An der Metropolitan Oper New York trat sie in der Saison 1953–54 lediglich fünfmal als Susanna auf. Beim Festival von Aix-en-Provence hörte man sie 1963 als Komponist in «Ariadne auf Naxos», an der Stuttgarter Staatsoper 1966 als Marie im «Wozzeck» von A. Berg. 1961 und 1964 zu Gast an der Oper von Chicago. 1976 sang sie als letzte Partie an der Wiener Staatsoper die Titelheldin in Janáčeks «Katja Kabanowa». Seit 1948 war sie mit dem bekannten Violinisten Wolfgang Schneiderhan (* 1915) verheiratet. Von den beiden Töchtern des Ehepaars wurde Mona Seefried-Schneiderhan als Schauspielerin bekannt.
Schallplatten: HMV (Arien und Lieder, «Hänsel und Gretel»), Discocorp (Pamina in der «Zauberflöte», 9. Sinfonie von Beethoven), Fonit-Cetra («Zauberflöte»).

Seeger, Gertrud; 1882 gastierte sie erstmals an der Wiener Hofoper. Dort wie an weiteren Theatern des deutschen Sprachraums erfolgreich aufgetreten.

Seguin, Arthur; er wie seine Gattin *Ann Seguin-Childe* sangen am Chestnut Street Theatre Philadelphia in der Uraufführung der ersten von einem Amerikaner komponierten Oper «Leonora» von William Henry Fry (4. 6. 1845).

Seguin-Childe, Ann, s. unter *Seguin,* Arthur.

Seidemann, Wladyslaw, † 8. 2. 1919 Berlin.

Seider, August, † 18. 11. 1989 Gräfelfing bei München; er erhielt seine Ausbildung an der Kölner Musikhochschule und debütierte 1926 beim Bühnenvolksverein Köln in Cimarosas «Il matrimonio segreto». 1935 und 1937–40 war er als Gast an der

Stammbaum der Familie Seguin

Elizabeth Seguin
(1815–70)
∞ Demetrius Parepa,
Baron de Boyescu

Euphrosyne Parepa-Rosa
(1836–74)
∞ Carl Rosa (1842–89)

Arthur Seguin
(1809–52)
∞ Ann Seguin-Childe
(1814–88)

William Henry Seguin
(1814–50)

Staatsoper von Wien anzutreffen; 1938 sang er bei den Festspielen von Salzburg den Walther in den «Meistersingern». 1947–67 gehörte er der Bayerischen Staatsoper München an.1939 hörte man ihn beim Maggio musicale Florenz als Erik im «Fliegenden Holländer», 1937 an der Staatsoper Berlin, 1940 und 1943 am Teatro Liceo Barcelona, 1941 in Zürich und seit 1936 oft an der Staatsoper Dresden. Weitere Gastspiele am Teatro San Carlos Lissabon (1949, 1954), am Teatro Massimo Palermo (1954), an der Oper von Rio de Janeiro (1957) und an der Grand Opéra Paris (1963).
Erste Schallplattenaufnahmen auf Odeon, seit 1933 auf DGG-Polydor.

Seiffert, Marie, * 18. 11. 1869 (oder nach anderen Quellen 24. 6. 1871) Budapest; Bühnendebüt 1892 am Theater von Bratislava (Preßburg). 1893–94 sang sie in Brünn (Brno). In den Jahren 1900–1905 am Stadttheater von Bremen im Engagement. Gastspiele u. a. auch an den Hoftheatern von Dresden (1904), Hannover (1901–06), Gotha (1908) und Stuttgart (1905–06) und am Opernhaus von Breslau (1905). Die Sängerin, die sich nach ihrer Heirat auch Marie Kuntner-Seiffert nannte, lebte bis 1932 in Zürich. 1934 hielt sie sich noch in Weimar auf.

Seinemeyer, Meta; Bühnendebüt 1918 am Deutschen Opernhaus Berlin als Eurydike im «Orpheus» von Gluck. Bei der Gastspieltournee der German Opera in den USA hörte man sie dort in Partien wie der Eva in den «Meistersingern» und der Elisabeth im «Tannhäuser» (1923). Die Elisabeth sang sie auch bei den Festspielen in der Waldoper von Zoppot 1925. In Dresden sang sie 1926 die Maddalena in der Premiere (nicht der deutschen Erstaufführung) von Giordanos «Andrea Chénier». 1929 gastierte sie an der Covent Garden Oper London als Elsa, als Eva und als Sieglinde in der «Walküre». Im gleichen Jahr trat sie bei den Wagner-Festspielen in Paris (Théâtre des Champs-Élysées) und im Haag auf. Am Teatro Colón Buenos Aires hörte man sie 1926 als Agathe im «Freischütz», als Eva und als Elisabeth.
Von ihrer Stimme sind mehr als 80 Schallplattenaufnahmen vorhanden.

Sekar-Roschansky, Anton Wladislawowitsch; er sang nach der Jahrhundertwende als erster Tenor bei der Zimin-Privatoper Moskau. Dort hörte man ihn 1910 in einer wichtigen Aufführung von Mussorgskys «Khovantchina» in der Partie des Prinzen Galitzyn. In den Jahren 1910–14 trat er an Operntheatern in Sibirien auf. Dann wandte er sich in der Hauptsache dem pädagogischen Bereich zu.

Sellier, Henri, * 26. 3. 1849 Châtel-Censoir (Departement Yonne); er sang nach seiner Ausbildung am Conservatoire de Paris seit 1878 an der Pariser Grand Opéra. Dieses Engagement gab er 1887 auf und war dann 1889–90 am Théâtre de la Monnaie Brüssel und 1890–91 an der Oper von Marseille tätig. In Brüssel wirkte er am 10. 2. 1890 in der Uraufführung der Oper «Salammbô» von Ernest Reyer mit.

In der Saison 1891–92 war er dann nochmals an der Grand Opéra Paris anzutreffen.

Sembach, Johannes; unter seinem eigentlichen Namen Johannes Semfke sang er in den Jahren 1900–04 Operettenpartien für Bariton am Berliner Apollo-Theater. Hier wirkte er auch in dieser Zeit in den Uraufführungen der Operetten «Lysistrata» (1902) und «Nakiris Hochzeit» von Paul Lincke mit. Damals entstanden Schallplattenaufnahmen aus diesem Bereich auf G & T (Berlin, 1902–04). Dann entschloß er sich jedoch zur Karriere eines Opernsängers, studierte nochmals in Wien und bei Jean de Reszke in Paris. Im Oktober 1904 debütierte er, jetzt als Tenor, an der Wiener Hofoper, an der er bis 1907 wirkte. 1907–13 gehörte er der Dresdner Hofoper an. In Dresden sang er auch in der Uraufführung der Oper «Die Schönen von Fogaras» von Alfred Grünfeld (7. 9. 1907). Als Antrittsrolle sang er 1914 an der Metropolitan Oper New York den Parsifal. An diesem Operninstitut ist er u. a. als Loge wie als Siegmund im Nibelungenring, als Tristan, als Tamino in der «Zauberflöte» und als Adolar in «Euryanthe» von Weber (unter A. Toscanini) aufgetreten. In fünf Spielzeiten hat er im New Yorker Haus der Metropolitan Oper 14 Rollen in 91 Vorstellungen gesungen. 1930–31 nahm er an der USA-Tournee der German Opera teil. 1927 gastierte er nochmals an der Dresdner Staatsoper, und noch 1932 trat er in Sendungen des deutschen Rundfunks auf.
Schallplatten: Nach den bereits erwähnten G & T-Aufnahmen kamen 1908 HMV-Platten heraus, darunter Duette aus «Madame Butterfly» mit Minnie Nast, dann akustische Columbia- und Vox-Aufnahmen, elektrische unter dem Etikett «Deutscher Bücher-Verband» (Klangor, 1932 erschienen).

Sembrich, Marcella; ihre musikalische Begabung wurde durch ihren Vater Kasimir Kochański, der ein bekannter Violinist war, erkannt und gefördert. 1877 heiratete sie ihren Klavierlehrer, den Pianisten Wilhelm Stengel (1846–1917). Sie studierte Gesang u. a. bei dem berühmten Pädagogen Francesco Lamperti wie auch bei dessen Sohn Giovanni Battista Lamperti und bei Richard Löwy in Wien. Sie gab Gastspiele an den Hofopern von St. Petersburg (1880–82) und Moskau (1881, 1882), am Teatro Real Madrid (1882, 1884–85), am Teatro San Carlos Lissabon (1885), am Théâtre de la Monnaie Brüssel (1887), an den Opern von Budapest (1887) und Monte Carlo (1893–94). 1884 hatte sie in Paris triumphale Erfolge im Konzertsaal. 1897 unternahm sie eine nicht weniger erfolgreiche USA-Tournee. An der Metropolitan Oper New York in den Jahren 1883–84 und 1898–1909 in insgesamt zwölf Spielzeiten aufgetreten, wobei sie in deren New Yorker Haus 25 Partien in 253 Vorstellungen zum Vortrag brachte (dazu 185 weitere Vorstellungen im Rahmen der alljährlichen Tournee des Ensembles). 1884 sang sie zum Ende der Saison an der Metropolitan Oper in einem Sunday Night Concert mehrere Arien aus ihrem Repertoire, spielte dann zwei Sätze aus einem Violinkonzert von Bériot und Klavierstücke von Chopin. 1900 bewunderte man sie an der

Metropolitan Oper als Königin der Nacht in der «Zauberflöte». In einer Gala-Vorstellung verabschiedete sie sich am 6. 2. 1909 von ihrem New Yorker Opernpublikum. Im Frühjahr 1909 unternahm sie eine große Konzert- und Gastspieltournee durch Europa und trat dabei wiederum an den Hofopern von Berlin und Wien auf. Wohl als letzte Bühnenpartie sang sie im Mai 1909 an der Oper von Warschau die Rosina im «Barbier von Sevilla». 1911 gab sie in Wien nochmals einen Liederabend. Sie galt auch als führende Konzert- und Oratoriensolistin («Jahreszeiten» und «Schöpfung» von Haydn, «Paradies und die Peri» von R. Schumann). Nach dem Tod ihres Gatten 1917 beschränkte sie sich ganz auf ihre pädagogische Tätigkeit. Zu ihren Schülerinnen gehörten Alma Gluck, Hulda Lashanska, Dusolina Giannini und Queena Mario.

Sénéchal, Michel; er war der Altsolist des Knabenchors Chapelle de Taverny. 1950–51 sang er am Théâtre de la Monnaie Brüssel. An der Oper von Marseille gastierte er 1963 in «Lulu» von A. Berg; beim Holland Festival (1967), an der Hamburger Staatsoper (1966) und 1980 am Opernhaus von Köln als Gast zu hören. Seit 1977 erfolgreiche Auftritte bei den Salzburger Osterfestspielen, 1988 sang er bei den Sommerfestspielen von Salzburg den Basilio in «Figaros Hochzeit». Im Mai 1982 kam es zu seinem Debüt an der New Yorker Metropolitan Oper in den vier Charakterpartien in «Hoffmanns Erzählungen». Später hatte er dort als Basilio in «Figaros Hochzeit» und 1987 als Guillot in «Manon» von Massenet große Erfolge. Seit 1961 war er der führende Buffo- und Charakter-Tenor der Grand Opéra Paris.
Schallplatten: Rodolphe Records («Francesca da Rimini» von Zandonai, «Le Comte Ory» von Rossini) Erato («Krieg und Frieden» von Prokofieff), DGG (Mr. Triquet im «Eugen Onegin»).

Senesino, † etwa 1758 Siena; seit 1717 trat er als gefeierter Sänger in Dresden auf, wo Georg Friedrich Händel ihn 1719 hörte und für sein Londoner Opernunternehmen verpflichtete.

Senger-Bettaque, Katharina; nach ihrem Debüt in Berlin 1879 schlossen sich Engagements am Stadttheater von Mainz (1880–83), am Opernhaus von Leipzig (1883–84), am Deutschen Theater Rotterdam (1885–87), am Stadttheater von Bremen (1887–92) und am Stadttheater (Opernhaus) von Hamburg (1892–93) an. In Hamburg sang sie 1892 die Tatjana in der deutschen Erstaufführung von Tschaikowskys «Eugen Onegin». 1894–1906 war sie an der Hofoper von München tätig, 1906–10 an der Hofoper von Stuttgart. Sie gab zahlreiche Gastspiele, u. a. an den Hoftheatern von Hannover (1900) und Mannheim (1900), in Frankfurt a. M. (1883), Riga (1904), Brünn (Brno, 1905), Leipzig (1900) und Köln (1902), an der Berliner Kroll-Oper (1881, 1885) und an der Hofoper Berlin (1898, 1900). Seit 1897 begann sie damit, auch hochdramatische Partien in ihr Repertoire aufzunehmen. In erster Ehe mit dem Schauspieler Alexander Senger (1840–1902), dann

mit dem Theatermaschinendirektor der Berliner Hofoper Professor Rudolf Klein (1879–1954) verheiratet. 1921 (wahrscheinlich auch noch 1927) lebte sie in Berlin.
Schallplatten: Insgesamt sechs Aufnahmen auf Berliner Records bzw. G & T (München, 1900–1901), davon vier Liedtitel.

Senius, Felix; 1905–11 trat er alljährlich in Konzerten in Wien auf, 1906 in Brünn (Brno), 1911 in Prag. In England bewunderte man ihn vor allem in Debussys «L'Enfant prodigue» und in «The Dream of Gerontius» von E. Elgar. 1910 wirkte er in München in der Uraufführung der 8. Sinfonie («Sinfonie der Tausend») von Gustav Mahler mit. Er war mit der Sopranistin *Clara Senius-Erler* (* 1882) verheiratet, die später als Dozentin am Konservatorium von Leipzig wirkte und noch 1918 Konzerte gab. Sein Bruder *Rudolf Senius* (* 23. 5. 1865 Königsberg, † 10. 2. 1924 Berlin) war als Operettensänger und Regisseur in Königsberg tätig.
Unter seinen Anker-Schallplatten finden sich auch einige Arien aus Mozart-Opern.

Serena, Clara, * 1890 Barossa Valley (Süd-Australien, ursprünglich als Siedlung deutscher Pioniere Lobethal genannt). Noch vor dem Ersten Weltkrieg studierte sie in London bei Henry Blower und am Royal College of Music bei Visetti. Während der Kriegsjahre sang sie in Australien u. a. in Wohltätigkeitskonzerten zusammen mit der berühmten Primadonna Nellie Melba. 1922 unternahm sie mit ihrem Gatten Roy Mellish und mit Ada Crossley eine große Australien-Tournee. Seit 1923 erfolgreiche Karriere an der Covent Garden Oper London, wo sie auch die Erda und die Waltraute im Nibelungenring sang. Als Oratoriensolistin war sie namentlich im «Messias» von Händel und im «Elias» von Mendelssohn erfolgreich. Während des Zweiten Weltkrieges lebte sie in England.

Sereni, Mario; an der Metropolitan Oper hatte er eine sehr lange Karriere und sang (in deren New Yorker Haus) insgesamt 26 Partien in rund 380 Vorstellungen, darunter den Germont-père in «La Traviata», den Amonasro in «Aida», den Marcello in «La Bohème», den Sharpless in «Madame Butterfly» und den Belcore in «Elisir d'amore».

Sergi, Arturo; sein Vater war Amerikaner, seine Mutter Italienerin. Studium bei Sergio Nazor und bei Angelo Minghetti in Rom. 1958–68 Mitglied der Staatsoper Hamburg, zugleich 1957–60 des Opernhauses von Frankfurt a. M. Bis 1971 auch am Opernhaus von Köln tätig. 1963 sang er als Antrittsrolle an der New Yorker Metropolitan Oper den Dimitrij im «Boris Godunow» und ist bis 1981 an diesem Haus in einer Anzahl von Partien aufgetreten. Er gastierte 1957–62 an der Covent Garden Oper London, in Paris, Amsterdam, Rio de Janeiro (1969), Barcelona, Budapest (1969), an den führenden deutschen Opernhäusern (München, Stuttgart, Deutsche Oper Berlin), an der Wiener Staatsoper und in Nordamerika. Aus seinem Opernrepertoire sind noch zu nen-

nen: der Florestan im «Fidelio», der Cavaradossi in «Tosca», der Bacchus in «Ariadne auf Naxos» von R. Strauss und der Rodolfo in «La Bohème». Auch als Konzert- und Oratoriensänger angesehen («Gurrelieder» von Schönberg).
Schallplatten: TIP (italienische Lieder), Musica et Litera.

Serkoyan, Gérard; Schallplatten: Erato («Krieg und Frieden» von Prokofieff).

Seroen, Berthe, † 17. 4. 1957 Amsterdam.

Serra, Luciana, * 1942 Genua; Ausbildung durch Michele Casato in Genua; sie debütierte mit einer reisenden in Genua zusammengestellten Operntruppe 1966 in Budapest in Cimarosas «Il Convito». 1968–76 an der Oper von Teheran engagiert. Seit 1974 gastierte sie wieder in Italien, 1976 kam sie ganz dahin zurück. Seit 1980 hatte sie große Erfolge an der Covent Garden Oper London (Debüt als Olympia in «Hoffmanns Erzählungen»). Beim Rossini Festival von Pesaro sang sie 1987 die Berenice in dessen Oper «L'occasione fa il ladro». Seit 1983 große Erfolge an der Mailänder Scala, u. a. 1988 in der Rolle der Teti in «Fetonte» von N. Jommelli. 1986 bewunderte man an der Oper von Chicago, an der sie 1983 erstmals aufgetreten war, ihre Königin der Nacht in der «Zauberflöte»; 1988 sang sie diese Partie an der Wiener Staatsoper. Im gleichen Jahr 1988 trat sie am Teatro San Carlo Neapel als Euridice im «Orpheus» von Gluck, bei den Festspielen von Pesaro als Giulia in Rossinis «La scala di seta» auf, 1989 in Florenz als Elvira in «I Puritani», in Bologna wie in Lissabon als Marie in der «Regimentstochter» von Donizetti.
Schallplatten: Fonit-Cetra («Aureliano in Palmira» von Rossini), Nuova Era («Don Pasquale» und «Gianni di Parigi» von Donizetti), Fono («Barbier von Sevilla»).

Servais, Tilkin; seine Familie stammte aus Lüttich. Er begann mit 14 Jahren das Violinstudium, war aber auch als Bildhauer begabt und absolvierte gleichzeitig eine Ausbildung als solcher an der Académie des Beaux Arts in Brüssel. Als Konzertsänger bereiste er seit 1910 bereits frühzeitig Frankreich, Holland, Spanien, Portugal und Brasilien. 1926 und 1928 war er an der Covent Garden Oper London zu Gast; dort sang er als Partner von Maria Jeritza in «Thaïs» von Massenet und außerdem den Grandprêtre in «Samson et Dalila» von Saint-Saëns. Weitere Partien, in denen man ihn in Brüssel hörte, waren der Rigoletto, der Amonasro in «Aida», der Cinna in «La Vestale» von Spontini, der Faninal im «Rosenkavalier» und der Giovanni in «Francesca da Rimini» von Zandonai, den er 1923 in der französischen Erstaufführung dieser Oper sang. Nach dem frühen Tod seines einzigen Sohnes gab er seine Karriere auf.

Settekorn, Robert; er war 1884–1902 am Hoftheater von Braunschweig engagiert und sang dort noch bis 1908 als Gast. Er gastierte an der Hofoper von Wien

(1885), an den Hoftheatern von Weimar (1891) und Hannover (1902), am Opernhaus von Leipzig (1904) und am Theater des Westens Berlin (1904). Angesehener Konzert- und Oratoriensänger.

Seubert-Hausen, Helene, Sopran/Mezzosopran; sie war länger als dreißig Jahre Mitglied des Hoftheaters Mannheim. Dort wirkte sie auch in der Uraufführung der Oper «Der Corregidor» von Hugo Wolf mit (7. 6. 1896). Sie galt als hervorragende Liedersängerin und kreierte mehrere Lieder von Johannes Brahms.

Severina, Barbara; am Manhattan Opera House New York hörte man sie u. a. 1908 als Fee in «Crispino e la Comare» von F. und L. Ricci zusammen mit Luisa Tetrazzini.

Seydel, Carl, † 7. 8. 1947 Hallturm bei Bad Reichenhall (Bayern); an der Münchner Oper wirkte er in weiteren Uraufführungen mit: am 15. 11. 1924 in «Don Gil von den grünen Hosen» von Walter Braunfels, am 5. 2. 1939 in «Der Mond» von Carl Orff; im Juni 1936 sang er dort in der deutschen Erstaufführung von «Il Campiello» von E. Wolf-Ferrari. 1929 gastierte er in Genf im Nibelungenring; 1938 und 1939 sang er an der Mailänder Scala seinen berühmten Mime. In München wurde er auch als Regisseur eingesetzt.

Sgourda, Antigone, * 6. 8. 1938 Saloniki. 1960–62 hatte sie ihr erstes Bühnenengagement am Stadttheater von Bonn, 1962–66 Mitglied des Opernhauses von Essen. 1966–82 trat sie am Opernhaus von Zürich auf. 1968–82 zugleich Mitglied der Oper von Frankfurt a. M. Sie gastierte an der Staatsoper von Stuttgart, seit 1974 als ständiger Gast an der Deutschen Oper am Rhein Düsseldorf–Duisburg. 1974 bereiste sie Israel. 1982 ging sie in ihre griechische Heimat zurück, wo sie noch 1985 an der Oper von Athen auftrat.
Schallplatten: Fonit-Cetra («Beatrice di Tenda» von Bellini).

Shacklock, Constance; 1950 großer Erfolg an der Covent Garden Oper London als Octavian im «Rosenkavalier». 1957 Gastspiel am Bolschoj Theater Moskau als Amneris in «Aida» zusammen mit Joan Hammond. Im Konzertsaal namentlich als Solistin im «Messias» von Händel und in «The Dream of Gerontius» von E. Elgar aufgetreten.

Shade, Nancy, * 1949 Rockford (Illinois); Debüt bei der Kentucky Opera in Louisville 1969 als Leonore im «Troubadour». 1971 sang sie als erste Partie an der City Centre Opera New York die Musetta in «La Bohème». Beim Festival von Spoleto hörte man sie 1973 als Titelheldin in Puccinis «Manon Lescaut». 1987 war sie in Chicago als Katja Kabanowa in der Oper gleichen Namens von Janáček sehr erfolgreich, 1988 sang sie an der Staatsoper Stuttgart und an der Opéra du Rhin Straßburg die Marie in «Die Soldaten» von B. A. Zimmermann.

Shane, Rita, * 1940 New York; als Antrittsrolle sang sie 1965 an der City Centre Oper New York die Donna Elvira im «Don Giovanni». 1973 wurde sie Mitglied der Metropolitan Oper New York, an der sie als Königin der Nacht in der «Zauberflöte» debütierte und in den folgenden acht Spielzeiten u. a. die Bertha in «Le Prophète» von Meyerbeer, die Traviata, den Pagen Oscar in Verdis «Maskenball», insgesamt in 46 Vorstellungen, sang. 1979 wirkte sie an der New York City Centre Opera in der Uraufführung von Dominick Argentos «Miss Havisham's Fire» mit. Sie wurde Professorin an der Eastman School of Music in Rochester.

Sharp, Frederick, † 20. 4. 1988; er sang in den ersten Aufführungen von B. Brittens «The Rape of Lucretia» alternierend mit Edmund Donleavy die Partie des Junius (Glyndebourne 12. 7. 1946); am 20. 6. 1947 kreierte er dort den Sid in der Uraufführung von «Albert Herring». 1947 debütierte er bei der Sadler's Wells Opera London als Silvio im «Bajazzo» und sang dann dort Partien wie den Valentin im «Faust» von Gounod, den Grafen in «Figaros Hochzeit», den Don Giovanni, den Guglielmo in «Così fan tutte», den Simon Boccanegra in Verdis gleichnamiger Oper (einer seiner größten Erfolge 1948), den Scarpia in «Tosca», den Albert in «Werther» von Massenet, den Eugen Onegin, den Grafen Luna im «Troubadour», den Germont-père in «La Traviata» und den Ford in Verdis «Falstaff».
Schallplatten: HMV («The Rape of Lucretia», jedoch in der Partie des Tarquinius; Ratsszene aus «Simon Boccanegra»), Conifer Records (Marti in «A Village Romeo and Juliet» von Delius unter T. Beecham).

Sharp, Norma, * 1947 (?) Shawnee (Oklahoma); erste Studien an der Kansas University bei Wilkens, dann in Deutschland. 1970 fand sie ihr erstes Engagement am Stadttheater von Regensburg. 1971–73 am Stadttheater von Augsburg, 1973–77 am Staatstheater Karlsruhe, seit 1977 am Opernhaus von Frankfurt a. M. verpflichtet. Sie sang als Gast an der Mailänder Scala (Debüt als Gräfin in «Nozze di Figaro») und an der Oper von Rom. 1988 Gastspiel am Theater von Bern (Schweiz) als Desdemona in Verdis «Othello».
Schallplatten: HMV-Electrola («Rodrigo» von Händel), Moro (Elisabeth im «Tannhäuser»).

Sharpe, Terence, Baß-Bariton; 1988 sang er bei der Operngesellschaft Forum in Enschede in Holland den Titelhelden im «Rigoletto».
Schallplatten: HMV («La Traviata»), RCA (Andrea Chénier» von Giordano, «I Vespri Siciliani» von Verdi).

Shaw, Mary; sie war an der Royal Academy of Music London Schülerin von George Smart. 1834 gab sie ihr Debüt. 1835 heiratete sie den Maler Alfred Shaw.

Sheppard, Honor, * 1931 Leeds.
Schallplatten: Harmonia mundi-HMV («Amfiparnasso» von Orazio Vecchi).

Sheridan, Margaret; an der Royal Academy of Music Schülerin von William Shakespeare. 1911 sang sie unter dem Namen Margaret Burke-Sheridan in Dublin das Sopransolo im «Messias» von Händel. An der Mailänder Scala kam sie auch zu großen Erfolgen in Partien wie der Titelheldin in «La Wally» von Catalani und der Maddalena in «Andrea Chénier» von Giordano. 1924 überwarf sie sich mit A. Toscanini, der ihre Karriere an der Scala gefördert hatte, aus politischen Gründen. 1930 sang sie als Partnerin von Benjamino Gigli an der Londoner Covent Garden Oper die Mimi in «La Bohème», die Titelfigur in Puccinis «Manon Lescaut» und die Liu in «Turandot». Nach Beendigung ihrer Karriere arbeitete sie als Pädagogin in Dublin.
Schallplatten: HMV («Madame Butterfly» von 1930).

Shicoff, Neil, * 2. 6. 1949 New York; er erhielt seine erste Ausbildung durch seinen Vater, der in New York Synagogenkantor war. 1981 Gastspiel an der Grand Opéra Paris als Roméo in «Roméo et Juliette» von Gounod; an der Covent Garden Oper London sang er 1987 den des Grieux in «Manon» von Massenet, 1988 den Herzog im «Rigoletto». Er gastierte bei den Festspielen von Aix-les-Bains (1979 als Hoffmann in «Hoffmanns Erzählungen»), an den Opern von Chicago (Debüt 1979 als Rodolfo in «La Bohème») und San Francisco (Debüt 1981 als Edgardo in «Lucia di Lammermoor»). 1987 hörte man ihn an der Oper von Seattle als José in «Carmen».
Schallplatten: HRE («La Bohème»), HMV (Hoffmann in «Hoffmanns Erzählungen», Foresto in «Attila» von Verdi), DGG (Lenski im «Eugen Onegin»).

Shirai, Mitsuko; sie sang zusammen mit großen Orchestern in aller Welt, darunter den Berliner Philharmonikern, dem Orchester der Wiener Sinfoniker, dem Nouvel Orchestre Philharmonic Paris, dem Atlanta Symphony Orchestra und eröffnete die Suntory Hall in Tokio mit Prokofieffs «Alexander Newsky». Bühnendebüt 1987 in Frankfurt a. M. als Despina in «Così fan tutte». Zusammen mit Hartmut Höll unterrichtete sie in Meisterkursen (Savonlinna, Aldeburgh, Schweiz, USA, Israel).
Schallplatten: Philips («Die letzten Dinge» von L. Spohr), HMV («Lobgesang» von Mendelssohn), Signum-Helikon (Lieder verschiedener Komponisten), Capriccio (Lieder von Schubert, R. Schumann und J. Brahms).

Shirley, George, * 18. 4. 1934 Indianapolis/Indiana); er war auch Schüler von Thelmy Georgi in Washington und von Cornelius Reid in New York, außerdem studierte er an der Wayne State University. 1961 gewann er den Gesangwettbewerb der Metropolitan Oper New York. 1961 sang er als erste Partie an der City Centre Opera New York den Rodolfo in «La Bohème». Seit der Spielzeit 1961–62 trug er während zwölf Spielzeiten an der New Yorker Metropolitan Oper 27 verschiedene Partien vor. An der Covent Garden Oper London gastierte er seit 1967 als Don Ottavio, als Pelléas in «Pelléas et

Mélisande», als David in den «Meistersingern» und als Loge im «Rheingold». 1977 Gastspiel an der Niederländischen Oper Amsterdam, 1976 an der Oper von Monte Carlo; 1977 sang er an den Opern von San Francisco und Chicago, 1983 an der Deutschen Oper Berlin. Auch an der Mailänder Scala aufgetreten. Seit 1981 Professor an der School of Music der Michigan University. Er wurde durch mehrere amerikanische Universitäten mit der Ehrendoktorwürde ausgezeichnet.

Shirley-Quirk, John; er sang zunächst im Chor der Londoner St. Pauls-Kathedrale. Bei der Scottish Opera trat er auch als Golo in «Pelléas et Mélisande», als Graf in «Figaros Hochzeit» und als Gregor Mittenhofer in «Elegy for Young Lovers» von H. W. Henze auf. 1974 debütierte er an der Metropolitan Oper New York in Benjamin Brittens «Death of Venice» und sang dort während zwei Spielzeiten auch den Sprecher in der «Zauberflöte» und den Musikmeister in «Ariadne auf Naxos» von R. Strauss.
Schallplatten: Decca (Marienvesper von Monteverdi), Philips («A Child of Our Time» von Tippett), London («The Burning Fiery Furnace» von B. Britten), HMV («The Kingdom» von E. Elgar).

Shuard, Amy; 1961 sang sie an der Covent Garden Oper London in Schönbergs Monodrama «Erwartung», 1972 hörte man sie am Grand Théâtre Genf als Isolde im «Tristan». Zu ihren großen Partien gehörte auch die Tatjana im «Eugen Onegin» von Tschaikowsky.
Schallplatten: Decca («Elektra», Mitschnitt einer Londoner Aufführung).

Sibille, Madeleine, * 25. 2. 1895, † 19. 7. 1984 Paris; ihre großen Partien waren die Santuzza in «Cavalleria rusticana», die Charlotte im «Werther» von Massenet, die Carmen, die Margared in «Le Roi d'Ys», die Carmen und die Tosca.
Schallplatten: Unter ihren HMV-Aufnahmen von 1933 findet sich eine Szene aus «La Lépreuse» von Sylvio Lazzari.

Sibirjakow, Leo (Lew Michailowitsch); er studierte u. a. in Mailand bei dem Pädagogen Rossi. Er begann 1895 seine Karriere an italienischen Bühnen und sang dort auch an der Mailänder Scala und an der Oper von Monte Carlo. Nach Rußland zurückgekehrt, kam er zunächst an den Opern von Tiflis, Charkow, Kiew und Baku zu Erfolgen und wurde 1909 an das Marienskij Theater, die Kaiserliche Hofoper St. Petersburg, verpflichtet. 1932 gastierte er nochmals an der Oper von Monte Carlo in «Aida» und «La Favorita» von Donizetti.

Siebert, Dorothea; sie war 1956–64 Mitglied der Deutschen Oper am Rhein Düsseldorf-Duisburg und sang in den Jahren 1964–75 am Opernhaus von Zürich.

Sieglitz, Georg; in der Spielzeit 1886–87 war er an der Metropolitan Oper New York verpflichtet (An-

trittsrolle: Hunding in der «Walküre»). 1886 Gastspiel an der Hofoper von Dresden, 1908 am Stadttheater von Bern (Schweiz), 1912 am Opernhaus von Köln. Er sang am 14. 3. 1901 an der Münchner Oper in der Uraufführung von Siegfried Wagners Oper «Herzog Wildfang».

Siehr, Gustav; er wirkte an der Hofoper von München in der Uraufführung von Richard Wagners Jugendoper «Die Feen» mit (29. 6. 1888), fünf Jahre nach dem Tod des Komponisten.

Siems, Margarethe, † 13. 4. 1952 Dresden; sie war auch Schülerin des großen Baritons Mattia Battistini. 1902–08 wirkte sie am Deutschen Theater Prag. Hier sang sie die Mimi in «La Bohème» und die Titelrolle in «Madame Butterfly» in den Premieren der beiden Puccini-Opern. Seit 1904 zahlreiche Gastspiele an der Berliner Hofoper, 1904–16 an der Hofoper von München, 1911 und 1921 an der Hof- bzw. Staatsoper von Wien, 1906 an der Wiener Volksoper. Sie wurde zum Ehrenmitglied der Dresdner Oper ernannt. Eine ihrer Schülerinnen war die große Altistin Sigrid Onegin.

Siepi, Cesare; an der New Yorker Metropolitan Oper sang er in 23 Spielzeiten 18 Partien in 379 Vorstellungen (in deren New Yorker Haus). Davon sind besonders der Don Giovanni, der Figaro in «Nozze di Figaro», der Basilio im «Barbier von Sevilla», der Titelheld in «Mefistofele», der Pater Guardian in «La forza del destino», der Ramphis in «Aida», der Oroveso in «Norma», der Zaccaria im «Nabucco», der Boris Godunow, der Colline in «La Bohème», der Fiesco in Verdis «Simon Boccanegra» und der Alvise in «La Gioconda» zu nennen. 1970 sang er als erste Partie in deutscher Sprache an der Metropolitan Oper den Gurnemanz im «Parsifal». Seit 1954 gab er auch Gastspiele an der Oper von San Francisco (Debüt als Pater Guardian). 1984 hörte man ihn an der Oper von Seattle als Conte Rodolfo in Bellinis «La Sonnambula», 1985 am Teatro Regio Parma in Verdis «I Lombardi».

Siewert, Hans; 1899 debütierte er am Opernhaus von Köln, dem er bis 1903 angehörte. 1903–08 war er am Opernhaus von Breslau tätig, 1909–11 am Stadttheater (Opernhaus) von Hamburg, 1911–16 am Hoftheater von Karlsruhe, 1916–17 am Stadttheater von Essen. 1919–23 trat er am Stadttheater von Königsberg (Ostpreußen), jetzt vor allem im Charakterfach, auf. Später war er noch als Regisseur tätig. Er gastierte an den Hofopern von München (1901), Wien (1904), Dresden (1905) und Stuttgart (1916), in Frankfurt a. M. (1901) und Leipzig (1903) wie am Berliner Theater des Westens (1903). Geschätzter Konzert- und Oratorientenor, vor allem als Solist im «Lied von der Erde» von G. Mahler, das er u. a. 1912 in Leipzig sang.

Siewert, Ruth; sie ist zu Beginn ihrer Karriere auch unter dem Namen Ruth Siewert-Schnaudt aufgetreten.

Siface; er wird 1687 als Solist der Kapelle des englischen Königs Jakobs II. erwähnt.

Sighele, Mietta; sie sang 1987 bei den Puccini-Festspielen in Torre del Lago die Mimi in «La Bohème», 1989 an der New Yorker Metropolitan Oper die Micaela in «Carmen».

Signorini, Francesco; 1898 gastierte er an der Oper von Odessa, 1902 am Deutschen Theater Prag. In Südamerika ist er u. a. als Gast am Teatro Coliseo Buenos Aires aufgetreten.
Von seiner Stimme existieren auch Pathé-Aufnahmen.

Silja, Anja; bereits 1950 gab sie in Berlin im Titania-Palast ein Konzert. In Paris gastierte sie 1958 als Marie im «Wozzeck» von A. Berg. 1968 erfolgte ihr Nordamerika-Debüt an der Oper von Chicago als Senta im «Fliegenden Holländer». An der Metropolitan Oper New York debütierte sie als Leonore im «Fidelio» (Februar 1972) und sang dort in der gleichen Spielzeit die Salome und die Marie im «Wozzeck». In dieser Partie trat sie auch 1985 an der Grand Opéra Paris auf. 1987 Gastspiel am Théâtre de la Monnaie Brüssel als Lady Macbeth in Verdis «Macbeth» und als Küsterin in Janáčeks «Jenufa», 1988 als Grete in «Der ferne Klang» von F. Schreker. Beim Glyndebourne Festival 1989 übernahm sie wiederum die Küsterin in «Jenufa», 1989 an der San Francisco Opera die Amme in der «Frau ohne Schatten» von R. Strauss. Sie galt als eine der größten Darstellerinnen innerhalb ihrer Sängergeneration.
Schallplatten: Capriccio («Aufstieg und Fall der Stadt Mahagonny» von K. Weill).

Silk, Dorothy, *4. 5. 1884 Alvechurch (Grafschaft Worcestershire). Erste Studien in Birmingham. Sie sang die Titelpartie in der szenischen Uraufführung der Oper «Sâvitri» von Gustav Holst am 23. 6. 1921 am Lyric Theatre London.

Sillich, Aristodemo, *11. 2. 1852 Triest, †1943 Triest; Ausbildung durch H. Friedrich in Triest. Er debütierte am Teatro Manzoni Mailand. 1887 trat er am Teatro Verdi von Pisa in Puccinis «Le Villi» auf. 1889 am Teatro San Carlo Neapel anzutreffen; er sang auch am Teatro Fenice Venedig, am Teatro Comunale Bologna und in Turin. In den Jahren 1890–1906 gastierte er mehrfach in Rußland und Polen, u. a. sang er 1899 an der Hofoper von St. Petersburg. Auch in Buenos Aires sind Auftritte des Künstlers nachzuweisen. Über den späteren Verlauf seiner Karriere wie seines Lebens ist nur wenig bekannt.

Sills, Beverly; eigentlicher Name Miriam Silbermann. Sie war die Tochter rumänisch-russischer Emigranten, beide Eltern waren als Kinder in die USA gekommen. Als dreijähriges Kind sang sie unter dem Namen «Bubbles» in Radiosendungen. Debüt 1946 an der Oper von Philadelphia als Frasquita in «Carmen». An der New Yorker City Centre

Opera hatte sie auch 1966 große Erfolge als Cleopatra in «Giulio Cesare» von Händel. An der Wiener Staatsoper erregte sie 1967 als Königin der Nacht Aufsehen. 1959 wirkte sie an der City Centre Opera in der Uraufführung von Hugo Weisgalls «Six Characters on Search of an Author» mit. Bereits 1966 sang sie mit dem Ensemble der Metropolitan Oper New York im New Yorker Lewisohn Stadium die Donna Anna im «Don Giovanni», wurde aber erst acht Jahre später (1974) an dieses Haus als Mitglied verpflichtet. Sie ist dann dort in fünf Spielzeiten aufgetreten und sang in deren New Yorker Haus fünf Partien in 46 Vorstellungen, u. a. die Traviata, die Lucia di Lammermoor, die Thaïs von Massenet und die Norma. An der Oper von San Francisco trat sie 1971 als Titelheldin in Massenets «Manon» auf. 1970 unternahm sie eine große Konzerttournee durch Israel. An der Oper von Boston war sie immer wieder zu hören. 1979 nahm sie an der City Centre Opera New York, an der sie fast 25 Jahre lang gesungen hatte, ihren Bühnenabschied in der Oper «La Loca», die Gian Carlo Menotti für sie komponiert hatte, und die sie zuvor in deren Uraufführung am Opernhaus von San Diego (1979) kreiert hatte. Sie veröffentlichte ihre Erinnerungen unter dem Titel *«Beverly: an Autobiography»* (New York, 1988).

Silva, Roberto; 1941 sang er an der Mailänder Scala den König in Verdis «Aida»; auch 1952 und 1953 trat er an der Scala auf. 1943 gastierte er an der Oper von San Francisco, auch am Opernhaus von Mexico City als Gast erschienen.
Schallplatten: Cetra Opera Live (König in «Aida» mit Maria Callas in der Titelpartie, Aufführung aus Mexico City von 1951).

Silveri, Paolo; er wurde 1933 zur italienischen Armee eingezogen. Dann wurde er bei den Kämpfen in Äthiopien und bei der Besetzung von Albanien eingesetzt und nahm schließlich am Zweiten Weltkrieg teil, sodaß ihm rund zehn Jahre seiner Karriere verlorengingen. Erst nach einer Verwundung konnte er 1942 seine Studien fortsetzen. An der Covent Garden Oper London sang er 1947–49 sehr erfolgreich den Rigoletto, den Escamillo in «Carmen» und den Boris Godunow. 1949–55 war er an der Mailänder Scala zu hören. Bei den Festspielen von Glyndebourne und Edinburgh bewunderte man 1948 seinen Don Giovanni. An der Metropolitan Oper New York sang er als Antrittsrolle 1950 ebenfalls den Don Giovanni. In deren Haus in New York hat er dann in drei Spielzeiten 13 Partien in 34 Vorstellungen gesungen, darunter den Germont-père in «La Traviata», den Posa in Verdis «Don Carlo», den Rigoletto, den Amonasro in «Aida», den Jago im «Othello», den Grafen Luna im «Troubadour», den Figaro im «Barbier von Sevilla», den Escamillo in «Carmen» und den Scarpia in «Tosca».
Schallplatten: Nuova Era («Falstaff», Scala 1951).

Simándy, Josef, *18. 9. 1916 Budapest.
Schallplatten: Qualiton-Hungaroton («Bánk Bán»

von F. Erkel, Turiddu in «Cavalleria rusticana», Psalmus Hungaricus von Kodály).

Simionato, Giulietta; 1928 semiprofessionelles Debüt in Montagnana als Lola in «Cavalleria rusticana». 1936 debütierte sie an der Mailänder Scala als Maddalena im «Rigoletto» und war dort seit 1939 in einer langjährigen Karriere bis 1966 immer wieder als erste Altistin zu hören. 1948 sang sie hier die Rubria (nicht die Asteria) in Boitos «Nerone» unter Toscanini, 1950 die Charlotte in Massenets «Werther» mit Tito Schipa als Partner. 1954 bewunderte man sie dort (und beim Holland Festival) in Rossinis «La Cenerentola», 1955 als Isabella in «L'Italiana in Algeri»; 1962 sang sie an der Scala die Valentine (nicht die Königin Marguerite) in Meyerbeers «Hugenotten». 1954–61 gastierte sie an der Oper von Chicago, 1953 in San Francisco, 1952 in Rio de Janeiro. 1959–62 war sie in drei Spielzeiten an der Metropolitan Oper New York engagiert, an der sie (in deren Haus in New York) vier Partien in zwanzig Vorstellungen sang (Azucena, Amneris, Santuzza, Rosina). 1960 sang sie an der Scala in der dortigen Premiere von «Les Troyens» von Berlioz.
Schallplatten: Melodram («Adriana Leouvreur» von Cilea, «Troubadour»).

Simon-Girard, Juliette, * 8. 5. 1859 Paris.
Schallplatten: G & T (Paris, 1900–03 mit Ausschnitten aus Operetten).

Simoneau, Léopold, * 3. 5. 1918 St. Flavien bei Quebec (Kanada). Gesangstudium bei Émile La Rochelle und bei Salvator Issaurel in Montreal. Erster Konzertauftritt 1941 in Montreal. Er ging zusammen mit seiner Gattin *Pierrette Alarie* 1949 an die Opéra-Comique Paris, wo er als Vincent in «Mireille» von Gounod debütierte. 1951–54 große Erfolge beim Glyndebourne Festival. 1956–59 war er an der Staatsoper von Wien tätig. 1956 Gastspiel am Teatro Colón Buenos Aires. In der Saison 1963–64 sang er an der Metropolitan Oper New York in fünf Vorstellungen den Don Ottavio im «Don Giovanni». Seit 1973 wirkte er als Pädagoge in San Francisco.
Schallplatten: Frequenz («Don Giovanni»), Disques Montaigne («Oedipus Rex» von Strawinsky).

Simonsen, Niels Juel; seine Mutter *Catharina Simonsen* (1816–49) war eine bekannte Sängerin, sein Vater Hans Simonsen (1810–57) erster Violinist an der Königlichen Oper Kopenhagen. Debüt 1868 an der Oper von Kopenhagen als Titelheld in «Hans Heiling» von H. Marschner. Er war beim Publikum der dänischen Metropole besonders beliebt.

Simzis, Olga; 1909 sang sie am Teatro Regio Parma den Waldvogel im «Siegfried» mit Giuseppe Borgatti in der Titelrolle. Mit der Western Metropolitan Opera Company sang sie in San Francisco u. a. die Gilda im «Rigoletto», die Musetta in «La Bohème» und die Micaela in «Carmen». Am Teatro Colón Buenos Aires beeindruckte sie 1919 als Butterfly. Verheiratet mit dem Dirigenten Arturo de Angelis (* 1879).

Sinclair, Monica, * 1925 Evercreech (Somerset); sie studierte auch am Royal College of Music London. An der Covent Garden Oper London wirkte sie am 27. 1. 1955 in der Uraufführung der Oper «The Midsummer Marriage» von Michael Tippett mit, beim Aldeburgh Festival in der von William Waltons «The Bear» (3. 6. 1967). Bei den Festspielen von Glyndebourne wurde sie 1954–60 vor allem in Mozart-Opern bewundert. Sie gab Gastspiele in Bordeaux, Marseille und Lyon, in Venedig, Turin, an der Oper von Dallas und beim Wexford Festival.
Schallplatten: Columbia («A Mass of Life» von Delius), RCA («Messias» von Händel unter Sir Thomas Beecham).

Singher, Martial, † 9. 3. 1990 Santa Barbara (Kalifornien); er erwarb einen akademischen Grad in der Philosophie, studierte dann aber Gesang bei André Gresse und bei Juliette Forrestier. Seine Antrittsrolle an der Grand Opéra Paris war im Dezember 1930 der Athanaël in «Thaïs» von Massenet. 1944–45 gastierte er an der Oper von Chicago. 1947 sang er als erste Partie an der Oper von San Francisco den Mercutio in Gounods «Roméo et Juliette». Am Teatro Colón Buenos Aires, an dem er 1936–43 Jahr für Jahr auftrat, hörte man ihn in seinem Wagner-Repertoire, aber auch als Grafen in «Figaros Hochzeit», als Hamlet in der gleichnamigen Oper von A. Thomas, als Valentin im «Faust» von Gounod und 1937 in der Erstaufführung von Raoul Laparras «Illustre Fragona». In der Saison 1952–53 übernahm er an der Metropolitan Oper New York statt des Pelléas jetzt den Golo in «Pelléas et Mélisande». Insgesamt hat er an deren New Yorker Haus seit 1943 in zwölf Spielzeiten 19 Partien in 149 Vorstellungen vorgetragen. Er war auch ein großer Oratorien- und Liedersänger, vor allem berühmt als Solist in Werken von Berlioz und Gabriel Fauré. Aus dem Kreis seiner Schüler sind zu nennen: Joseph Rouleaux, Louis Quilico, Judith Nelson, Donald Gramm, Judith Blegen, James King, John Reardon, Norman Mittelmann und Howard Nevison.
Schallplatten: HMV (neben Opernarien eine Bach-Kantate und der Liederzyklus «Don Quichotte à Dulcinée» von Ravel).

Sinjawskaya, Tamara (Iljitschnina). Den Ratmir in «Ruslan und Ludmilla» sang sie auch 1973 bei einem Gastspiel an der Mailänder Scala. 1987 sang sie bei den Festspielen von Wiesbaden und bei einer anschließenden Westdeutschland-Tournee des Bolschoj Theaters Moskau die Marina im «Boris Godunow»; bei den Festspielen in der Arena von Verona gastierte sie 1987 als Kontschakowna in Borodins «Fürst Igor».
Schallplattenaufnahmen der staatlichen sowjetrussischen Plattenproduktion (Melodiya), darunter die vollständigen Opern «Der steinerne Gast» von Dargomyshski und «Boris Godunow» (letztere Oper auch auf Gostelradio-Video) sowie Lieder von Tschaikowsky und A. Glasunow (auf Eurodisc übernommen).

Sinnek, Hilde; sie begann ihre Bühnenkarriere am Stadttheater von Münster in Westfalen (1925–27),

sang dann am Staatstheater Wiesbaden (1927–28), am Stadttheater Dortmund (1928–29) und am Opernhaus von Köln. 1928 wirkte sie in Dortmund in der Uraufführung der Oper «Doge und Dogaresse» von Roselius mit. 1936–38 war sie nochmals am Opernhaus von Graz im Engagement.
Von ihrer Stimme sind auch Odeon-Schallplatten vorhanden.

Sinnone, Aldo, s. unter *Sinnone,* Ileana.

Sinnone, Ileana; sie war die Tochter des Tenors *Aldo Sinnone,* der an der Mailänder Scala gesungen hat (1936. 1940, 1947) in Paris (1937) und Zürich (1946) gastierte und auf Columbia Liedaufnahmen hinterlassen hat.

Siriščević, Nada, * 26. 11 1934 Zagreb; zuerst war sie als Schauspielerin und Sängerin am Komödientheater von Zagreb engagiert. Sie studierte dann jedoch weiter bei dem bekannten Bariton *Vladimir Ruzdak* (1922–87), den sie heiratete. 1965–80 war sie Mitglied der Nationaloper von Zagreb und trat danach noch am Theater von Maribor (Marburg a. d. Drau) auf. Sie ist auch unter dem Namen Nada Ruzdak-Siriščević aufgetreten.
Schallplatten: Jugoton («Die Liebe des Don Perlimplin» von Belamarić).

Sistermans, Anton; in den Jahren 1891–1914 gab er in Berlin ständig Konzerte, 1902–12 auch in Wien, 1897 in Hamburg, 1904 in Scheveningen, 1906 in Brünn (Brno). Auch in Paris, in Moskau und St. Petersburg kam er zu Konzerterfolgen. Am 16. 3. 1896 sang er in Berlin die Solopartie in der Uraufführung der «Lieder eines fahrenden Gesellen» von Gustav Mahler. Er beherrschte ein breites Konzert- und Oratorienrepertoire, das Solopartien in der «Schöpfung» wie in den «Jahreszeiten» von Haydn, dem Verdi-Requiem, in der Missa solemnis von Beethoven, in der Matthäus- wie der Johannespassion von J. S. Bach, im «Messias» von Händel, im «Paradies und die Peri» von R. Schumann und in vielen weiteren Werken aufzuweisen hatte. Komponisten wie Hans Pfitzner und Eugen d'Albert widmeten ihm Lieder, die er zur Uraufführung brachte.

Sittová, Marie Žofie; sie war die Tochter des bekannten Prager Geigenbauers Anton Sitt (1819–78) und trat nach einer späteren Heirat auch unter dem Namen Marie Sittová-Petzoldová auf (war also nicht mit dem Dirigenten Anton Sitta verheiratet). Debüt 1869 in Prag als Gilda im «Rigoletto». Am 24. 11. 1874 wirkte sie am Prager Interimstheater in der Uraufführung der Oper «Der König und der Köhler» («Král a uhlíř»), am 8. 10. 1882 in einer weiteren Oper von Dvořák «Dimitrij» als Marina mit. Als Abschiedspartie wählte sie 1898 an der Prager Oper die Titelheldin in Bellinis «Norma» aus.

Sivall, Olle; Schallplatten: Philips («Aniara»), Telefunken, HMV, Odeon.

Sjøberg, Erik, † 8. 11. 1973 Kopenhagen; er gastierte u. a. an der Wiener Staatsoper (1952) und an der Königlichen Oper Stockholm (1954).
Weitere Schallplattenaufnahmen auf Decca und Polydor.

Sjöstedt, Margarete, * 17. 11. 1928 Stockholm; ihre Lehrer waren Joseph Hislop, Anna Bomann, A. von Hillern-Dunbar und Ragnar Hultén in Stockholm, Elisabeth Rado und Erik Werba in Wien.

Skilondz, Adelaide von; an der Berliner Hofoper sang sie 1910–14 u. a. die Königin der Nacht, die Gilda im «Rigoletto», die Traviata, die Elvira in «La Muette de Portici» von Auber und die Zerbinetta in «Ariadne auf Naxos» von R. Strauss. Während ihres Stockholmer Engagements (1914–20) trug sie alle Partien in schwedischer Sprache vor. Sie trat als Konzertsängerin in Belgien und Holland, in London und New York auf.
Schallplatten: HMV (akustische und zwei elektrische Aufnahmen, letztere aus Schweden stammend).

Skram, Knut; in Frankreich gastierte er in Paris, Bordeaux, Nizza und beim Festival von Aix-en-Provence, 1985 an der Staatsoper München, 1987 mit der Berliner Staatsoper in Tokio (als Jochanaan). 1987 sang er im italienischen Rundfunk RAI den Orest in «Elektra» von R. Strauss, 1988 Gastspiel mit dem Ensemble der Kölner Oper in Tel Aviv als Pizarro im «Fidelio». Diese Partie sang er auch 1988 am Teatro Colón Buenos Aires, ebenfalls 1988 an der Berliner Staatsoper den Kurwenal im «Tristan», 1989 beim Festival von Spoleto den Jochanaan in «Salome», ebenfalls 1989 an der Staatsoper Hamburg den Mandryka in «Arabella» von R. Strauss.

Slach, Anna, s. unter *Birrenkoven,* Willi.

Slatinaru, Maria; sie gastierte am Deutschen Opernhaus Berlin und sang 1988 als Nordamerika-Debüt an der Oper von Dallas die Titelfigur in «Turandot» von Puccini.

Slawina, Maria Alexandrowna; über ihr Leben nach der Revolution von 1917 sind keine genaueren Einzelheiten bekannt.

Slezak, Leo; als erste Partie sang er 1900 an der Covent Garden Oper London den Lohengrin. 1901–12 und dann wieder 1917 bis 1934 war er Mitglied der Hof- bzw. Staatsoper von Wien. Hier sang er auch am 2. 1. 1903 den Leontes in der Uraufführung von Karl Goldmarks «Ein Wintermärchen». Seine große Glanzrolle, den Titelhelden in Verdis «Othello», hatte er 1909 erstmalig an der Wiener Volksoper gesungen. Bereits im Sommer 1909 sang er ihn dann mit dem Ensemble der New Yorker Metropolitan Oper bei deren Gastspiel im Théâtre du Châtelet Paris. An deren New Yorker Haus sang er im Januar 1910 als Antrittsrolle den Tannhäuser. 1911 hatte er dann auch dort als Othello mit Frances Alda in der Partie der Desdemona einen grandiosen

Erfolg. Hier sang er (ohne die Gastspiele während der jährlichen Tournee des Ensembles) in vier Spielzeiten zehn Rollen in 72 Vorstellungen, darunter 18mal den Othello, dann den Manrico im «Troubadour», den Radames in «Aida», den Tamino, den Faust von Gounod, den Walther von Stolting in den «Meistersingern», den Lohengrin und den Titelhelden in «Alessandro Stradella» von Flotow. Er beherrschte auch das lyrische Rollenrepertoire und wurde als Tamino in der «Zauberflöte», als Julien in Charpentiers «Louise», als Faust und als Georges Brown in «La Dame blanche» von Boieldieu gefeiert. 1929 große Erfolge in Berlin in der Offenbach-Operette «Barbe-Bleue».1905 gastierte er an der Mailänder Scala als Tannhäuser, 1910 sang er an der Oper von Boston den Othello und den Manrico. Weitere Gastspiele am Deutschen Theater Prag (1901), am Theater von Brünn (Brno, seit 1905), an der Hofoper von Dresden (1916), in Budapest (1918), Stockholm (1920–21) und Kopenhagen (1920), am Stadttheater von Basel (1922), an der Oper von Lemberg (Lwów, 1907), in Amsterdam und Rotterdam. 1932 begann er seine zweite Karriere beim Film, wobei er dort auch gelegentlich sang. Im September 1933 verabschiedete er sich von seinem Wiener Opernpublikum als Canio im «Bajazzo».
Schallplatten: Polydor (hier auch elektrische Aufnahmen), letzte Aufnahmen auf Odeon.

Slezak, Margarethe; zunächst wollte sie Violinistin werden, studierte dann aber Gesang bei Vera Schwarz in Wien. Sie begann ihre Karriere 1926 am Theater an der Wien, wo sie in der Operette «Die goldne Meisterin» von Eysler debütierte. Sie trat dann als Operettensängerin am Stadttheater Wien und 1928–29 am Theater am Gärtnerplatz München auf. Nach nochmaliger Ausbildung durch Astolfo Pescia und Hedwig Francillo-Kaufmann debütierte sie als Opernsängerin am Theater von Brünn (Brno) 1929 als Eudoxia in «La Juive» von Halévy. Sie gab in den folgenden Jahren Gastspiele in Opern wie in Operetten und wirkte 1935 an der Berliner Volksbühne in der Uraufführung der Operette «Schach dem König» von W. W. Goetze mit. Ebenfalls 1935 sang sie in Berlin in einer weiteren Operettenuraufführung, «Wenn die Zarin lächelt» von Clemens Schmalstich. In den Jahren 1935–44 sang sie am Theater von Graz. Sie war verheiratet mit dem Schauspieler und Operettenbuffo *Paul Winter*.

Slezak, Walter, *3. 5. 1902 Wien; er wollte ursprünglich Bankkaufmann werden, ergriff dann jedoch den Beruf eines Schauspielers und Operettensängers. Er debütierte 1925 am Zentraltheater Berlin und war dann viel am Berliner Metropoltheater in Operetten anzutreffen. Hier wirkte er u. a. 1932 in der Uraufführung der Oscar Straus-Operette «Eine Frau, die weiß, was sie will» als Partner von Fritzi Massary mit. Den Zsupan im «Zigeunerbaron» sang er auch 1964–65 am Wiener Theater an der Wien. In den USA trat er in einer Anzahl von Tonfilmen auf.

Slobodskaya, Oda, *28. 11. (10. 12.) 1895 Wilna (nach anderen Quellen 1888); sie kam 1921 nach Paris. 1921 und 1929 hatte sie große Erfolge bei Konzerten in Berlin. Am Londoner Drury Lane Theatre sang sie 1931 in der englischen Erstaufführung von Dargomyshskis «Rusalka» als Partnerin von Fedor Schaljapin. 1933–34 gastierte sie an der Mailänder Scala in Rimsky-Korssakows Oper «Das Märchen von der unsichtbaren Stadt Kitesh», 1942–43 am Savoy Theatre London in «Der Jahrmarkt von Sorotchintsy» von Mussorgsky. In einer Sendung der Oper «Pique Dame» von Tschaikowsky durch die BBC London hinterließ sie in der Partie der alten Gräfin einen tiefen Eindruck. Sie wirkte später als Pädagogin an der Guildhall-School of Music in London.
Schallplatten: Decca (russische Lieder, mehrere Serien seit 1940).

Sluis, To van der; sie ist nicht nur in den Niederlanden aufgetreten, sondern gab auch Konzerte in Paris, Brüssel und Basel, in Dresden und in Berlin (unter W. Furtwängler).

Smiljanić, Radmila; Schülerin von Brunay Spiler in Sarajewo. Sie wirkte bis 1968 am Theater von Sarajewo und wurde dann an die Nationaloper Belgrad berufen, an der sie eine langjährige Karriere entfaltete. Sie gastierte u. a. am Teatro Liceo Barcelona (1967), an der Staatsoper von Wien, an der Oper von Rom (1976) und, zusammen mit dem Belgrader Ensemble, 1969 und 1977 in Lausanne. Auch als Konzert- und Liedersängerin stand sie in hohem Ansehen.

Smirnoff, Dimitri (Alexejewitsch), *7. (19.) 11. 1881 Moskau; in den Jahren 1907–14 und wieder seit 1919 war er ständig an der Oper von Monte Carlo anzutreffen. An der New Yorker Metropolitan Oper blieb er seit 1910 nur für zwei Spielzeiten; man hörte ihn dort als Herzog im «Rigoletto», als Roméo in «Roméo et Juliette» von Gounod, als Rodolfo in «La Bohème» und als Alfredo in «La Traviata», alles in allem jedoch nur in zwölf Vorstellungen. 1911 bereiste er Südamerika in einer großen Konzerttournee. Er trat auch zusammen mit seiner Gattin, der Sopranistin *Lydia Smirnova-Malzeva*, im Konzertsaal auf.
Schallplatten: Neben den akustischen HMV-Aufnahmen ist auch eine elektrische Platte mit russischen Liedern vorhanden; elektrische Parlophon-Platten, wahrscheinlich 1928–29 in Brüssel aufgenommen.

Smith, Carol; sie wirkte zwölf Jahre hindurch als Solistin der «Bach Aria Group». 1979–84 lehrte sie an der Musikhochschule Zürich, seit 1984 Professorin an der Indiana University Bloomington.
Schallplatten; MMS («El amor brujo» von M. de Falla).

Smith, Malcolm; nachdem er 1965–70 an der City Centre Opera New York aufgetreten war, wurde er 1975 an die New Yorker Metropolitan Oper berufen. 1986 sang er am Teatro Regio Turin den Fafner im «Rheingold»; am 15. 8. 1986 wirkte er bei den

Salzburger Festspielen in der Uraufführung der Oper «Die schwarze Maske» von K. Penderecki mit. Schallplatten: 8. Sinfonie von G. Mahler, «Krieg und Frieden» von Prokofieff, Requiem von Penderecki «Oedipus Rex» (teils Mitschnitte) auf verschiedenen Marken.

Smolenskaja, Eugenia (Fedorowna); aus ihrem Bühnenrepertoire sind die Lisa in «Pique Dame», die Jaroslawna in «Fürst Igor» von Borodin, die Maria in «Mazeppa» von Tschaikowsky, die Kuma in «Die Zauberin» vom gleichen Meister und die Santuzza in «Cavalleria rusticana» zu nennen. Schallplatten: Melodiya (weitere vollständige Opern «Fürst Igor» und «Rusalka» von Dargomyshski).

Sobinoff (Sobinow), Leonid (Witaljewitsch); bereits während eines Jurastudiums nahm er Gesangunterricht, entschloß sich aber erst 1897 zur Sängerkarriere. 1902 hatte er in St. Petersburg als Lenski im «Eugen Onegin» einen sensationellen Erfolg. 1904 sang er als Antrittsrolle an der Mailänder Scala den Nemorino in «Elisir d'amore», 1908 Gastspiel in Madrid als Nadir in «Pêcheurs de perles» von Bizet. 1918–21 wurde er durch die Kriegsereignisse in Südrußland zurückgehalten und sang in Kiew und Jalta wie auch als Gast an der Oper von Sofia. Von April bis Dezember 1921 leitete er dann wieder als Direktor das Bolschoj Theater Moskau. Er starb auf der Rückreise von einem Kuraufenthalt in Lettland in Riga; er wurde auf dem Moskauer Nowodewitschij-Friedhof beigesetzt, wo ein Schwan aus weißem Marmor sein Grab schmückt, in dessen unmittelbarer Nähe auch Fedor Schaljapin 1986 seine letzte Ruhestätte fand. Schallplatten: G & T (Moskau, 1900–04), HMV (1909–14); mit Sicherheit sind auch spätere Aufnahmen der staatlichen sowjetrussischen Plattenherstellung vorhanden.

Söderman, Greta; in den Jahren 1919–22 gab sie Gastspiele in der ČSR, in Rumänien und Italien. Schallplatten: Akustische wie elektrische Aufnahmen auf HMV.

Söderström, Conny; 1953 sang er an der Stockholmer Oper den Tannhäuser als Partner von Birgit Nilsson. An der Staatsoper Wien gastierte er ebenfalls als Tannhäuser; er wirkte 1959 bei den Festspielen von Edinburgh mit und gastierte in Kopenhagen, in Holland und in Italien.

Söderström, Elisabeth, *7.5. 1927 Stockholm; sie studierte auch an der Königlichen Musikakademie Stockholm. Sie sang oft bei den Festspielen im Barock-Theater von Schloß Drottningholm und trat seit 1957 bei den Festspielen von Glyndebourne auf. Dort hörte man sie als Komponisten in «Ariadne auf Naxos», als Octavian in «Rosenkavalier», als Gräfin im «Capriccio» und als Christine im «Intermezzo» von R. Strauss wie auch als Susanna in «Figaros Hochzeit», als Elisabeth Zimmer in «Elegy for Young Lovers» und als Leonore im «Fidelio». 1960 Gastspiel mit dem Ensemble der Stockholmer Oper

an der Covent Garden Oper London. Sie trat in den Jahren 1959–64 und nochmals 1983–87 (jetzt als Gräfin in «Figaros Hochzeit», als Marschallin und als Ellen Orford in «Peter Grimes») an der Metopolitan Oper New York auf. 1974 sang sie beim Edinburgh Festival die Titelheldin in Janáčeks «Jenufa». 1988 wirkte sie an der Oper von Dallas in der Uraufführung der Oper «Aspern Papers» von Dominick Argento mit. Schallplatten: Decca (15. Sinfonie von Schostakowitsch), HMV («Das klagende Lied» von G. Mahler), Edition Schwann (Lyrische Sinfonie von A. von Zemlinsky), Unicorn («Saul og David» von C. Nielsen).

Sönnerstedt, Bernhard, *26.7. 1911 Nottebäk bei Norrhult in der schwedischen Provinz Smaland.

Soffel, Doris; 1986 sang sie den Octavian in der Eröffnungsvorstellung des renovierten Théâtre de la Monnaie Brüssel. 1987 Gastspiel mit dem Ensemble der Staatsoper München an der Berliner Staatsoper als Angelina in Rossinis «La Cenerentola». Schallplatten: HMV-Electrola («Troades» von A. Reimann), DGG («Parsifal»), HMV (2. Sinfonie von G. Mahler, Missa solemnis von Beethoven), Schwann («Der Corregidor» von Hugo Wolf), Hänssler-Verlag (Bach-Kantaten).

Sola, Wäinö, †12.4. 1961 Helsinki; er übersetzte zahlreiche Opernlibretti ins Finnische. Von seiner Stimme existiert eine akustische Schallplatenaufnahme auf HMV von 1926 («Elégie» von Massenet).

Solari, Cristy; während des Ersten Weltkrieges erhielt er an der Front mehrere Auszeichnungen. Seit Beginn der zwanziger Jahre trat er, zuerst an italienischen Provinztheatern (Bari, Catania, Cremona), dann in Turin und Venedig, auf. In den Spielzeiten 1935–37 war er an der Mailänder Scala tätig. Er nahm an einer Gastspieltournee der Operntruppe von Max Sauter in Deutschland teil. 1937 große Erfolge am Teatro Carlo Felice Genua als Edgardo in «Lucia di Lammermoor» mit Toti Dal Monte in der Titelrolle. Schallplatten: Unter seinen Columbia-Aufnahmen finden sich die Kurzopern «Don Pasquale», «Elisir d'amore» und «La Favorita» von Donizetti.

Solari, Fidelia, *1884 Genua; †(?); jüngere Schwester der Sopranistin *Francesca Solari* (1884–1969).

Soldh, Anita, *26.9. 1949 Stockholm; 1987 Gastspiel an der Oper von Nizza als Donna Elvira im «Don Giovanni». Bei den Festspielen im Barock-Theater auf Schloß Drottningholm sang sie 1987–88 die Elettra in «Idomeneo» von Mozart und die Vitellia in «La clemenza di Tito», 1988 in Stockholm die Senta im «Fliegenden Holländer», in Montreal die Donna Elvira. Schallplatten: HMV-Electrola («Walküre»), auf Virgin Classics im «Don Giovanni».

Solié, Jean-Pierre; er wurde durch seinen Vater zum Cellisten ausgebildet und spielte dieses Instrument in verschiedenen Theaterorchestern in Südfrankreich.

Sólyom-Nagy, Sándor, *21.12. 1941 Siklós (Ungarn); debütierte 1964 an der Nationaloper Budapest. Gastierte auch an der Staatsoper München, in Brüssel, Rotterdam, Paris, Rio de Janeiro und São Paolo. Seit 1977 Volkskünstler der Republik Ungarn. 1985–89 wirkte er bei den Bayreuther Festspielen mit (u. a. als Hermann Ortel in den «Meistersingern»). 1987 sang er an der Budapester Oper in der Uraufführung der Oper «Ecce homo» von S. Szokolay.
Schallplatten: Hungaroton («Mosè in Egitto» von Rossini, «Kindertotenlieder» und «Lieder eines fahrenden Gesellen» von Gustav Mahler, «Meistersinger»).

Somigli, Franca, *17.3. 1901 Chicago; 1929 Gastspiel an der Chicago Opera als Maddalena in Giordanos «Andrea Chénier». 1936–37 und 1939 sang sie bei den Salzburger Festspielen die Alice Ford in Verdis «Falstaff». Sie kam 1937 an die Metropolitan Oper New York, ist dort aber nur in zwei Vorstellungen als Butterfly aufgetreten.

Sommer, Karl Marcel, †9.10. 1900 Bleiburg in Kärnten; er wirkte 1882 an der Wiener Hofoper in der Premiere der Schubert-Oper «Alfonso und Estrella» mit. Er gastierte im Lauf seiner Karriere u. a. am Deutschen Theater Prag (1884), am Theater von Brünn (Brno, 1887), am Stadttheater von Hamburg (1898), an den Hofopern von Dresden (1898) und München (1898). 1899 ging er an das Opernhaus von Breslau, ist dort aber kaum noch aufgetreten.

Sommer, Kurt; nach seinem Debüt in Königsberg 1889 sang er 1890–92 am Opernhaus von Köln, 1892–93 nochmals in Königsberg und wurde 1893 Mitglied der Berliner Hofoper. An diesem Haus sang er auch 1902 die Titelpartie in der Uraufführung der Oper «Der Improvisator» von E. d'Albert. 1904–06 trat er (mit Genehmigung der Berliner Intendanz) am Hoftheater von Wiesbaden auf. Eine ausgedehnte Gastspieltätigkeit führte ihn an die Hoftheater von Dresden (seit 1896), Karlsruhe (1905) und Weimar (1904), an die Theater von Frankfurt a. M. (1900, 1904) Hamburg (1900, 1909), Bern (1907), an die Opern von Riga (1901) und Stockholm (1901), nach Holland und Belgien. Auch als Konzertsänger bekannt geworden.

Sontag, Henriette; ihre Mutter gab ihre Karriere als Schauspielerin 1817 auf, um sich ihren Kindern zu widmen. Henriette Sontag sang in der berühmten Wiener Akademie vom 7.5. 1824 die Sopransoli in den Uraufführungen von Beethovens 9. Sinfonie und Teilen seiner Missa solemnis. In Paris wie in London wählte sie als Antrittspartie (1826 bzw. 1828) die Rosina im «Barbier von Sevilla» von Rossini. Eine weitere Glanzrolle im Repertoire der gro-

ßen Sängerin war die Carolina in «Il matrimonio segreto» von Cimarosa.
Lit.: H. Stümke: «Henriette Sontag» (Berlin, 1919).

Soomer, Walter; nach seinem Debüt 1902 am Theater von Colmar sang er 1903–06 am Stadttheater von Halle (Saale). 1906–10 und dann wieder in den Jahren 1914–27 war er Mitglied des Opernhauses von Leipzig; 1911–14 gehörte er dem Ensemble der Dresdner Hofoper an. Bei den Bayreuther Festspielen sang er 1908–14 den Wotan und den Hans Sachs, 1908 den Klingsor, 1909 den Amfortas im «Parsifal». 1908–11 war er Mitglied der Metropolitan Oper New York (Debüt Februar 1909 als Wolfram im «Tannhäuser»). 1924–25 hörte man ihn wiederum bei den Festspielen von Bayreuth, jetzt als Hunding und Hagen im Nibelungenring, 1925 auch als Gurnemanz im «Parsifal». 1919 sang er in Leipzig in der Uraufführung von Eugen d'Alberts Oper «Die Revolutionshochzeit».

Soot, Fritz; er wirkte am 25. 1. 1909 an der Hofoper von Dresden in der Uraufführung der Richard Strauss-Oper «Elektra» in einer kleinen Partie mit. 1924 sang er an der Berliner Staatsoper den Laça in der Erstaufführung von Janáčeks «Jenufa». An der Berliner Kroll-Oper hörte man ihn 1931 in der Premiere der Oper «Aus einem Totenhaus», ebenfalls von Janáček. An der Berliner Staatsoper wirkte er in den Uraufführungen der Opern «Der singende Teufel» von Franz Schreker (10. 12. 1928), «Christoph Columbus» von Darius Milhaus (5. 5. 1930) und «Das Herz» von Hans Pfitzner (12. 11. 1932) mit. 1924–25 gastierte er an der Covent Garden Oper London als Walther von Stolzing, als Tristan und als Siegfried. 1924–31 hörte man ihn bei den Festspielen von Zoppot als Siegfried, als Siegmund, als Parsifal und als Lohengrin. 1921 zu Gast an der Staatsoper Wien, 1927 an der Dresdner Staatsoper. Im Konzertsaal galt er als hervorragender Interpret der Partie des Waldemar in den «Gurreliedern» von Schönberg.

Sooter, Edward; 1980 wurde er an die Metropolitan Oper New York engagiert (Antrittsrolle: Florestan im «Fidelio») Hier trat er vor allem in seinen Wagner-Partien (Tannhäuser, Lohengrin, Walther von Stolzing, Tristan) auf, aber auch als Titelheld im «Othello» von Verdi und als Énée in «Les Troyens» von Berlioz.

Sordello, Enzo; zu seinen Lehrern gehörten der berühmte Bariton Carlo Tagliabue und M. Frigerio. Bis 1975 war er immer wieder an der Mailänder Scala zu finden. Gastspiele am Deutschen Opernhaus Berlin (1970) und in Nordamerika an den Theatern von Montreal, Vancouver, Boston, Philadelphia, New Orleans, Dallas, Los Angeles, Houston/Texas und Pittsburgh.

Sorokina, Tamara; Schallplatten: Melodiya (u. a. vollständige Opern «Boris Godunow» von Mussorgsky und «Jolanthe» von Tschaikowsky, auf Ariola-Eurodisc übernommen).

Sotin, Hans; nach seinem Debüt an der Metropolitan Oper 1972 sang er dort in den folgenden Spielzeiten den Gurnemanz im «Parsifal», den Wotan wie den Hunding in der «Walküre» und den Fafner im Nibelungenring; 1988 hörte man ihn als Lodovico in Verdis «Othello». Bei den Bayreuther Festspielen gastierte er 1976–89 als Gurnemanz; diese Partie und den Hunding sang er auch als Gast 1974 an der Covent Garden Oper London. An der Staatsoper Hamburg war er am 20. 6. 1961 an der Uraufführung von K. Pendereckis Oper «Die Teufel von Loudun» beteiligt. 1976 an der Mailänder Scala wie an der Grand Opéra Paris, 1986 an der Covent Garden Oper London als Ochs im «Rosenkavalier» zu Gast.
Schallplatten: Decca («Lohengrin», 9. Sinfonie von Beethoven).

Souez, Ina; unter ihren entfernteren Vorfahren befanden sich Angehörige der Cherokee-Indianer. Debüt 1928 am Theater von Ivrea (Piemont) als Mimi in «La Bohème». An der Covent Garden Oper London sang sie 1929 die Liu in «Turandot» als Partnerin von Eva Turner, 1935 die Micaela in «Carmen» mit Conchita Supervia in der Titelpartie. Gastspiele an den Staatsopern von Wien (1937) und München (1937) und am Théâtre de la Monnaie Brüssel (1938).

Soukupová, Vera; Schallplatten: Supraphon (Oratorium «Sancta Ludmilla» von Dvořák).

Soulacroix, Gabriel; debütierte 1878 am Théâtre de la Monnaie Brüssel in «Mireille» von Gounod. Als Antrittspartie sang er 1885 an der Opéra-Comique Paris den Bellamy in «Les Dragons de Villars» von Maillart. 1898 Gastspiel an der Mailänder Scala als Beckmesser in den «Meistersingern». In den Jahren 1889–1904 war er fast ständig an der Covent Garden Oper London zu Gast. An der Oper von Monte Carlo hatte er bereits am 21. 3. 1899 in der Uraufführung der Oper «Messaline» von Isidore de Lara als Partner von Francesco Tamagno und Meyriane Héglon gesungen.

Souliotis, Elena; 1965–66 Gastspiele an den Opern von Chicago und Mexico City. 1968 debütierte sie für England in London in einer konzertanten Aufführung von Verdis «Nabucco». Seit 1986 übernahm sie wieder Charakterpartien im Mezzosopranfach. So sang sie in Florenz in Pokofieffs Oper «Der Spieler» und beim Maggio musicale Fiorentino 1988 die Principessa in Puccinis «Suor Angelica».
Schallplatten: Melodram («Luisa Miller» von Verdi), Nuova Era («Nabucco», «Loreley» von Catalani).

Sounová, Daniela; bei der Prager Jubiläumsaufführung zur 200. Wiederkehr der Uraufführung von Mozarts «Don Giovanni» sang sie 1987 die Donna Elvira. Sie ist (nach ihrer Heirat) auch unter dem Namen Daniela Sounová-Brouková aufgetreten.
Schallplatten: Supraphon (Donna Elvira im «Don Giovanni», «Rusalka» von Dvořák), Ariola-Eurodisc (8. Sinfonie von G. Mahler).

Souzay, Gérard; 1965 wurde er an die Metropolitan Oper New York berufen. Er debütierte dort als Graf in «Figaros Hochzeit» und sang diese Partie im gleichen Jahr bei den Festspielen von Glyndebourne. Am 13. 9. 1956 kreierte er im Markus-Dom von Venedig Strawinskys «Canticum sacrum (ad honorem Sancti Marci nominis)». Er wurde zum Ritter der Französischen Ehrenlegion ernannt.

Soyer, Roger, *1. 9. 1939 Paris; er wirkte am Théâtre des Champs-Élysées Paris in der Uraufführung von Gilbert Bécauds «L'Opéra d'Aran» mit (25. 10. 1962). Seit 1965 trat er bei den Festspielen von Aix-en-Provence auf. 1972 wurde er an die Metropolitan Oper New York engagiert, wo er wieder in seiner Glanzrolle, dem Don Giovanni, auftrat, aber keine weiteren Partien übernahm.
Schallplatten: HMV («L'Opéra d'Aran»), Erato-RCA (Mozart-Requiem).

Spada, Enrico; die Columbia Grand Opera Company, bei der er in Nordamerika auftrat, gab hauptsächlich ihre Vorstellungen in San Francisco. 1931 sang er im italienischen Rundfunk EIAR Turin in Mascagnis Oper «Iris».

Spani, Hina; als Antrittsrolle sang sie 1915 am Teatro Colón Buenos Aires die Samaritana in der Südamerika-Erstaufführung von Zandonais «Francesca da Rimini». In den folgenden Jahren hörte man sie an diesem Haus als Micaela in der (späten) Premiere von «Carmen» (1919), als Nedda im «Bajazzo» mit Enrico Caruso als Partner und 1918 in der Uraufführung der argentinischen Oper «Tucuman» von Leopoldo Diaz. 1919 gastierte sie am Teatro Regio Turin in Mascagnis «Zanetto», 1921 am Teatro Dal Verme Mailand, 1922 am Teatro San Carlo Neapel als Sieglinde in der «Walküre»; am Teatro Regio Parma trat sie als Elsa im «Lohengrin» auf. Am 26. 7. 1923 sang sie am Teatro Colón Buenos Aires in der Uraufführung der Oper «Raquela» des argentinischen Komponisten Felipe Boero und am gleichen Abend in der Erstaufführung von Manuel de Fallas «La vida breve». Sie sang an diesem Haus auch die Mathilde in Rossinis «Wilhelm Tell» und 1923 die Titelpartie der Jaele in der Erstaufführung von Pizzettis «Debora e Jaele». 1924–25 kam sie zu großen Erfolgen an der Mailänder Scala und gastierte 1930 mit dem Scala-Ensemble in Paris. 1925 hörte man sie an der Oper von Rom, 1925–29 oft am Teatro Liceo Barcelona wie auch in Madrid. 1928 nahm sie an einer Australien-Gastspieltournee mit einer Operntruppe teil, die die große Primadonna Nellie Melba zusammengestellt hatte. 1936 sang sie am Teatro Colón in der Uraufführung der Oper «La Sangre de las Guitarras» von Constantino Gaito und in der Oper «Maria Egiziaca» von O. Respighi (jedoch nicht in deren Uraufführung). Sie gab noch Gastspiele in Santiago de Chile und wirkte seit 1936 im pädagogischen Bereich in Buenos Aires. Es ist kaum zu begreifen, daß sie fast ausschließlich in Südamerika, Italien und Spanien, aber nie in Nordamerika und in England gesungen hat.
Schallplatten: Akustische Columbia-Aufnahmen.

bia, elektrische auf HMV; nach 1931 ist keine Aufnahme ihrer Stimme mehr gemacht worden.

Specht, Renate; sie sang 1938 in Dortmund in der deutschen Erstaufführung der Oper «Gloria» von Cilea.

Speigler, Karl, † 17. 10. 1889 Karlsruhe; er war zuerst Chorist am Hoftheater von Karlsruhe, dann am Opernhaus von Frankfurt a. M. und kam anschließend wieder, immer noch als Chorist, an das Hoftheater Karlsruhe zurück. Ab 1867 wurden ihm dort Solopartien übertragen. (Schreibweise des Familiennamens Speigler, nicht Speichler).

Speiser, Elisabeth; 1972–73 sang sie bei den Festspielen von Ludwigsburg die Pamina, 1975 die Eurydike im «Orpheus» von Gluck, die sie auch 1982 bei den Festspielen von Glyndebourne vortrug. 1974 Gastspiel an Theater von St. Gallen als Mélisande.
Schallplatten: Jecklin-Disco (Lieder von A. Schönberg, F. Schreker und A. Berg).

Speranski, Nikolai; Schallplatten: Zwei Serien von Pathé-Platten (Opern- und Liedtitel, St. Petersburg, 1909 und 1913).

Spiegel, Magda; sie wurde durch den berühmten Impresario und Intendanten des Deutschen Theaters Prag Angelo Neumann entdeckt und debütierte 1907 unter dem Namen Felici Spiegel an diesem Opernhaus. 1907–08 war sie am Theater von Mährisch Ostrau (Ostrava) engagiert. 1910 kam sie an das Opernhaus von Düsseldorf, dem sie bis 1917 angehörte. In Frankfurt a. M. sang sie 1924 die Marfa in der deutschen Erstaufführung der Oper «Khovantchina» von Mussorgsky.

Spielmann, Julius; er war seit 1885 Chorist an der Nationaloper Prag. Am Wiener Carl-Theater wirkte er als Graf Zedlau in der Uraufführung der Johann Strauß-Operette «Wiener Blut» mit (25. 10. 1899). Während seines Engagements in St. Petersburg 1900–02 trat er dort auch als Canio im «Bajazzo» auf. 1902–03 sang er am Theater am Gärtnerplatz München, 1907–08 am Neuen Operettenhaus Berlin, 1909–10 am Königlichen Stadttheater Amsterdam, 1910–11 am Hamburger Carl Schultze-Theater. 1913–14 hörte man ihn an der Komischen Oper Berlin und am Berliner Monti-Theater, 1915 am dortigen Theater am Nollendorfplatz. Zwischenzeitlich war er auch als Theaterleiter tätig.
Schallplatten: Zahlreiche Aufnahmen, zumeist auf G & T und HMV, darunter eine Gesamtaufnahme des «Zigeunerbarons» von etwa 1910, in der er den Barinkay singt.

Spiess, Ludovico; er sang zuerst in Rumänien an kleineren Theatern und an Operettenbühnen. 1967 erregte er bei den Salzburger Festspielen Aufsehen, als er den Dimitrij im «Boris Godunow» unter H. von Karajan sang. 1971 wurde er an die Metropolitan Oper New York berufen.

Spilga, Maria, * 15. 1. 1904 Memel (Klaipeda, Ostpreußen), † März 1971 Stockholm.

Spiller, Natalia (Dimitrijewna); ausgebildet am Konservatorium von Kiew durch A. N. Schperling. 1934 begann sie ihre Bühnenkarriere am Theater von Samara (Kuibyschew) und war dann 1935–58 am Bolschoj Theater Moskau engagiert. Hier sang sie neben den bereits genannten Partien auch die Gräfin in «Figaros Hochzeit», die Marguerite im «Faust» von Gounod und eine Anzahl weiterer Rollen aus der russischen wie der italienischen Opernliteratur. Seit 1950 wirkte sie als Pädagogin, seit 1976 als Professorin am Musikpädagogischen Institut in Moskau.
Schallplatten: Melodiya («Die Zarenbraut» von Rimsky-Korssakow).

Spivak, Juan; er war bereits 1907–09 an der Wiener Volksoper engagiert und sang dann 1909–10 an der Hofoper Wien. 1910–11 trat er am Opernhaus von Düsseldorf, 1911–12 am Theater von Olmütz (Olomouc), 1912–15 am Stadttheater von Bremen auf. 1915–22 wirkte er am Stadttheater von Nürnberg, wo er auch als Regisseur hervortrat. In ähnlicher Stellung arbeitete er 1923–25 am Stadttheater von Danzig, 1927–28 an der Berliner Komischen Oper. Er gastierte 1909 an der Hofoper von Stuttgart, 1911 am Hoftheater von Wiesbaden. Der Familienname kommt auch in der Schreibweise Spiwak vor.
Auch Odeon-Schallplatten vorhanden (Berlin, 1909).

Spletter, Carla; sie debütierte 1932 bei der Deutschen Musikbühne, einer Wanderoper, und kam noch im gleichen Jahr an das Deutsche Opernhaus Berlin. An der Berliner Staatsoper sang sie in der Uraufführung der Operette «Die große Sünderin» von Eduard Künnecke (31. 12. 1935), in der Uraufführung der Oper «Peer Gynt» von W. Egk (24. 11. 1938) und 1936 in der deutschen Erstaufführung von O. Respighis «Die Flamme» («La Fiamma»). 1941 gastierte sie am Teatro Fenice Venedig in der «Entführung aus dem Serail». Am Berliner Admiralspalast wirkte sie am 28. 11. 1942 in der Uraufführung der Operette «Marina» von Nico Dostal mit. Auch beim Tonfilm kam sie zu einer bedeutenden Karriere.
Schallplatten: HMV («Zauberflöte»), DGG («Freischütz»), ANNA-Records («Eine Nacht in Venedig» von J. Strauß).

Spoorenberg, Erna, * 11. 4. 1926 Djokjakarta (Java).

Springer, Ingeborg; 1964–68 Mitglied der Staatsoper Dresden. Seit 1968 an der Berliner Staatsoper engagiert. Später wirkte sie in Berlin als geschätzte Pädagogin.
Schallplatten: Electrecord (Querschnitt «Carmen»).

Sramek, Alfred; Schallplatten: Decca («Lohengrin», «Wozzeck» von A. Berg), DGG («Ariadne auf Naxos»).

Šrubar, Teodor; 1942 wurde er durch den Dirigenten Václav Talich an die Nationaloper von Prag berufen. Zu seinen großen Partien gehörten auch der Tomes in «Hubička» von Smetana, der Vok in «Die Teufelswand» («Čertova Štena»)und der Titelheld in Borodins «Fürst Igor».

Stabile, Mariano; er entstammte einer sehr angesehenen, wohlhabenden Familie, sein Großvater war Oberbürgermeister der Stadt Palermo gewesen. Nach seinem Debüt 1909 am Teatro Biondo in Palermo sang er bereits vor dem Ersten Weltkrieg in Italien und in Südamerika. An der Mailänder Scala trat er erstmals im Dezember 1921 als Titelheld im «Falstaff» von Verdi auf und wurde mit einem Schlag als unvergleichlicher Interpret dieser Partie bekannt. Bei den Festspielen von Glyndebourne sang er 1936–39 den Titelhelden in «Nozze di Figaro», den Alfonso in «Così fan tutte» und den Malatesta in Donizettis «Don Pasquale». Bei den Salzburger Festspielen trat er auch 1937 als Graf in «Nozze di Figaro» auf. 1959 gab er am Teatro Regio Turin seine Abschiedsvorstellung als Falstaff.
Schallplatten: Nuova Era («Falstaff», Scala 1951).

Stade, Frederica von, * 1. 6. 1945 Somerville (New Jersey). Ausbildung durch Otto Guth, Paul Berl und Sebastian Engelberg in New York. Sie sang den Cherubino in «Figaros Hochzeit» 1973 an der Grand Opéra Paris und in Glyndebourne, 1974–75 bei den Salzburger Festspielen. 1975 Gastspiel an der Covent Garden Oper London als Rosina im «Barbier von Sevilla», 1985 als Elena in Rossinis «La donna del lago». 1980 sang sie an der Pariser Grand Opéra in «Dardanus» von Rameau. Sie gab Gastspiele an der Oper von Santa Fé (1972 als Mélisande), an der New York City Centre Opera (seit 1976), in Houston/Texas und in Los Angeles (1987 als Angelina in «La Cenerentola»). 1979 gastierte sie beim Glyndebourne Festival in Monteverdis «Il ritorno d'Ulisse in patria», 1988 an der Mailänder Scala wie an der Wiener Staatsoper als Charlotte im «Werther» von Massenet. 1988 sang sie in Dallas in der Uraufführung der Oper «Aspern Papers» von Dominick Argento.
Schallplatten: mehrere Arien-Platten bei RCA, Harmonie-Messe von Haydn bei Philips; auf HMV in dem Musical «Show Boat» von J. Kern zu hören.

Stader, Maria; sie war auch Schülerin von Ilona Durigo in Zürich. 1934 gab sie in Zürich ihr erstes Konzert. Bereits 1940 trat sie in Berlin im Konzertsaal auf, wurde aber erst nach dem Zweiten Weltkrieg international bekannt. Sie gastierte als Königin der Nacht auch 1944–45 an der Staatsoper von Wien und später am Opernhaus von Zürich. 1947–62 große Erfolge bei Konzerten im Rahmen der Salzburger Festspiele. Letztes öffentliches Auftreten 1969 in New York als Solistin im Mozart-Requiem. Bis 1971 wirkte sie als Dozentin an der Musikakademie von Zürich und gab Meisterkurse in den USA. Sie veröffentlichte ihre Memoiren unter dem Titel *«Nehmt meinen Dank»* (München, 1979).
Schallplatten: HMV (früheste Aufnahmen aus den Kriegsjahren, in der Schweiz entstanden; seit 1950 hauptsächlich Mozart-Arien), MMS (Magnificat von J. S. Bach).

Staegemann, Helene, s. unter *Staegemann,* Max.

Staegemann, Max. Sein Sohn *Waldemar Staegemann* (1879–1958) wurde im gleichen Stimmfach wie sein Vater bekannt. Seine Tochter *Helene Staegemann* (1877–1923) war um die Jahrhundertwende eine bekannte Konzertsopranistin, die in Berlin, Wien und Prag auftrat. Sie war mit dem Grafen Botho zu Eulenburg (1884–1915) verheiratet, der unter dem Namen Botho Sigwart als Komponist (u. a. von Opern und Liedern) tätig war.

Staegemann, Waldemar; Sohn des berühmten Baritons und Theaterdirektors *Max Staegemann* (1843–1905), Bruder der Konzertsopranistin *Helene Staegemann* (1877–1923). Seit 1912 war er an der Hofoper von Dresden tätig, wo er vor allem im Charakterfach auftrat, seit 1929 wirkte er an diesem Haus als Regisseur und später als Oberspielleiter. 1926 übernahm er an der Dresdner Oper in der deutschen Erstaufführung von Puccinis «Turandot» die Partie des Kaisers. Noch bis 1939 ist er als Konzert- und vor allem als Liedersänger in Erscheinung getreten. Seit 1940 Pädagoge an der Musikhochschule Berlin, nach dem Zweiten Weltkrieg in Hamburg, wo er auch noch als Schauspieler auftrat.

Stämpfli, Jakob; er übte eine umfangreiche pädagogische Tätigkeit aus, unterrichtete 1960–63 am Konservatorium von Biel, seit 1960 am Konservatorium von Bern. 1963–69 Professor an der Musikhochschule Saarbrücken, 1969–76 an der Musikhochschule Hamburg, seit 1976 an der Folkwang-Musikhochschule Essen. Er hatte seinen Wohnsitz in Hünibach im Kanton Bern.
Schallplatten: DGG (Brockes-Passion von Händel), Erato (zahlreiche Bach-Kantaten, Konzertarien von Haydn), Claves (Lieder), Cantate (Kantaten von Bach, «Gesicht Jesajas», von W. Burkhard, Nelson-Messe von J. Haydn), HMV (Lieder von Brahms), Decca («In Terra Pax» von F. Martin).

Stagno, Roberto; er gab Gastspiele an der Hofoper von Wien (1893, 1894), an den Opernhäusern von Frankfurt a. M. (1893), Zagreb (1894), Brünn (Brno, 1894) und an der Berliner Kroll-Oper (1892). Seine Tochter *Bianca Stagno-Bellincioni* (1888 bis 1981) wurde wie ihre Eltern eine bekannte Sängerin.

Stahlmann, Sylvia; erste Ausbildung durch Frau Malona in Nashville, dann bei dem Tenor Palestrina in New York. 1950 debütierte sie in Havanna als Juliette in «Roméo et Juliette» von Gounod. 1959–70 an der Oper von Frankfurt a. M. engagiert. Sie war zu Gast an der Wiener Staatsoper, in Mexico City (1950), bei den Festspielen von Aix-en-Provence (1967) und sang bei den Bayreuther Festspielen 1963 eine Soloblume im «Parsifal».

Stajnc, Jaroslaw; gastierte auch an der Staatsoper von Wien.

Schallplatten: Christophorus-Verlag («Il lutto dell'universo» von Kaiser Leopold I. von Österreich).

Stamm, Harald; 1968–70 am Theater von Gelsenkirchen, 1970–72 am Staatstheater von Kassel engagiert. Seit 1973 Mitglied des Opernhauses von Frankfurt a. M., bis 1983 auch des Kölner Opernhauses (und seitdem dort als Gast verpflichtet), ebenso dem Deutschen Opernhaus Berlin verbunden. 1988 Gastspiel am Stadttheater von Basel.
Schallplatten: Orfeo («Faust» von Louis Spohr), Denon (8. Sinfonie von Gustav Mahler), Schwann («Massimilla Doni» von O. Schoeck).

Stammer, Emil; 1890–1901 Mitglied der Hofoper Berlin. 1903–07 war er am Berliner Theater des Westens im Engagement und ist noch bis 1922 an Operettenbühnen in Berlin aufgetreten. Er betätigte sich auch als Darsteller in einigen Stummfilmen. Schallplatten der Marke Odeon.

Stanley, Helen; sie hatte 1915–16 an der Oper von Chicago große Erfolge als Donna Elvira im «Don Giovanni».

Stapp, Olivia, Sopran, * 30. 5. 1940 New York. 1972 sang sie als Antrittsrolle an der City Centre Opera New York die Carmen. An der Metropolitan Oper New York kam sie 1982 zu ihrem Debüt als Lady Macbeth in Verdis «Macbeth». Sie sang dort auch die Tosca. Gastspiele an den Opernhäusern von San Francisco und Chicago wie an der Staatsoper von Hamburg. 1983 sang sie an der Mailänder Scala die Titelfigur in Puccinis «Turandot», 1984 die Elettra in «Idomeneo». Gastierte 1986 in Genua wie am Teatro Fenice Venedig als Lady Macbeth von Verdi, 1988 an der Oper von Frankfurt a. M. als Elektra in der Oper gleichen Namens von R. Strauss, 1989 im Zürcher Hallenstadion als Abigaille in Verdis «Nabucco».

Staudenmeyer, Emil; 1923–24 nahm er an der Nordamerika-Tournee der German Opera teil. Er wirkte auch in Frankfurt a. M. in der Uraufführung der Oper «Die Zaubergeige» von W. Egk mit (22. 5. 1935).

Staudigl, Gisela; 1901–04 war sie an der Hofoper von Dresden engagiert und sang dort am 21. 11. 1901 in der Uraufführung der Richard Strauss-Oper «Feuersnot». 1911–12 sang sie bei den Festspielen von Bayreuth nochmals die Magdalene in den «Meistersingern». Sie wirkte später als Pädagogin am Konservatorium von Karlsruhe.

Staudigl, Joseph; er kreierte am 26. 8. 1846 beim Birmingham Festival das Baß-Solo in der Uraufführung des Oratoriums «Elias» von Mendelssohn. 1857 mußte er in der geschlossenen Anstalt Michaelbeuerngrund untergebracht werden.

Stavenhagen, Agnes; sie debütierte 1886 am Hoftheater von Weimar als Marguerite im «Faust» von Gounod. Sie gab u. a. Gastspiele an den Hofopern

von Wien (1889, 1900) und München (1899), am Hoftheater von Kassel (1908) und am Opernhaus von Leipzig (1898). 1940 lebte sie noch in Berlin.

Steber, Eleanor, * 17. 7. 1916 Wheeling (West Virginia); erstes Auftreten 1936 bei der Commonwealth Opera Boston als Senta im «Fliegenden Holländer». 1948 und 1953 wirkte sie beim Festival von Edinburgh mit. 1954 sang sie an der Oper von Chicago die Donna Anna im «Don Giovanni». 1955 hörte man sie beim Maggio musicale Florenz in der Titelpartie von «Arabella» von R. Strauss. An der Metropolitan Oper New York hatte sie in Partien wie der Gräfin in «Nozze di Figaro», der Donna Anna, der Pamina in der «Zauberflöte», der Desdemona in Verdis «Othello», der Elsa im «Lohengrin», der Eva in den «Meistersingern» und der Tosca ihre Erfolge. Sie trat in deren New Yorker Haus während 22 Spielzeiten in 287 Vorstellungen von 33 Rollen auf.
Schallplatten: Ihre ersten Aufnahmen erschienen anonym unter einem Etikett «World's Greatest Operas, Philharmonic Transcriptions». Dann folgten Aufnahmen auf Victor und auf weiteren Marken.

Stecchi, Mario; weitere Gastspiele in Amsterdam (1968–69), Dijon (1979) und an der Oper von Seattle (1987).

Stefani, Karolina, * 1785 Warschau, † 25. 4. 1803 Warschau; sie debütierte 1802 in Warschau in der dortigen Erstaufführung der «Zauberflöte» unter der Leitung ihres Vaters als Pamina und hatte dabei einen glänzenden Erfolg, starb aber ganz unerwartet bereits im folgenden Jahr. Ihr Bruder Jozef Stefani (1800–1876) war ein bekannter Dirigent, ihre Schwester Eleonora Stefani (1802–39) kam als Schauspielerin zu einer großen Karriere.

Steffek, Hanny; Gesangstudium an der Wiener Musikakademie bei Riza Eibenschütz. Erster Bühnenauftritt 1950 bei den Salzburger Festspielen als erster Knabe in der «Zauberflöte». Sie war 1951–53 am Staatstheater Wiesbaden, 1953–55 am Opernhaus von Graz, 1955–57 am Opernhaus von Frankfurt a. M. und 1957–72 an der Bayerischen Staatsoper München tätig. Gleichzeitig war sie 1964–73 auch Mitglied des Staatsoper von Wien. Sie gastierte oft an der Wiener Volksoper, weitere Gastspiele beim Maggio musicale Florenz (1954), am Teatro San Carlos Lissabon (1955), an der Oper von Rio de Janeiro (1954) und seit 1961 mehrfach am Théâtre de la Monnaie Brüssel.
Schallplatten: Vanguard (Amor im «Orpheus» von Gluck, «Das Buch mit sieben Siegeln» von Franz Schmidt), Fonit-Cetra («Zauberflöte», Salzburg 1951), Melodram («Intermezzo» von R. Strauss).

Steffenone, Bina, † Dezember 1896 Neapel. Schülerin von Teresa Bertinotti in Bologna. 1842 Debüt am Teatro Comunale von Macerata als Lucia di Lammermoor. Sie wirkte am 2. 6. 1846 am Teatro d'Angennes in Turin in der Uraufführung der Oper «Cellini a Parigi» von Lauro Rossi mit. 1856–57 trat sie am Théâtre-Italien in Paris auf.

Stéger, Xavér Ferenc, † 1. 4. 1914 Szent Endré; wahrscheinlich debütierte er bereits 1846 in Zagreb in der Oper «Ljubov i zloba» von Lisinski. In den Jahren 1865–67 sang er an der Mailänder Scala den Vasco in Meyerbeers «Africaine», den Pollione in «Norma», den Eleazar in Halévys «La Juive» und den Manrico im «Troubadour». 1866 gastierte er am Teatro Comunale Triest, in der Karnevalssaison 1870–71 in Mantua. 1871 gastierte er unter dem Namen Franz Steger an der Hofoper Wien. 1879 zog er sich aus dem Musikleben zurück.

Stehle, Adelina; sie debütierte 1881 am Theater von Broni als Amina in Bellinis «La Sonnambula». Sie sang am 21. 2. 1891 an der Mailänder Scala in der Uraufführung der Oper «Condor» von Carlos Gomes die Partie des Adin, am 25. 3. 1895 am gleichen Haus die Mathilde in der Uraufführung von Mascagnis «Silvano». Zu ihren großen Partien gehörten die Titelheldin in «Manon Lescaut» von Puccini, die Mimi in dessen «La Bohème», die Adriana Lecouvreur wie die Fedora in den gleichnamigen Opern von Cilea und Giordano.

Stehle, Sophie, † 4. 10. 1921 Harkerode bei Hannover; sie war die Tochter eines Lehrers. Sie blieb bis zu ihrem Abschied von der Bühne 1874 Mitglied der Hofoper München. Sie lebte dann lange auf Schloß Harkerode bei Hannover.

Stehmann, Gerhard, Baß-Bariton; er war in den USA bis 1897 bei der Damrosch Opera Company tätig. Bei den Salzburger Mozartfesten von 1906 und 1910 sang er den Komtur im «Don Giovanni».

Steier, Harry, Tenor, * 23. 1. 1878 Frankfurt a. M., † 16. 1. 1936 Berlin; er durchlief zunächst eine Ausbildung an der Kunstgewerbeschule von Frankfurt, studierte dann am Raff'schen Konservatorium, ebenfalls in Frankfurt, bei Maximilian Fleischer Gesang und betätigte sich dort als Dirigent von Männerchören. 1910 Debüt als Opernsänger am Stadttheater von Kiel. Es folgten Verpflichtungen an den Stadttheatern von Bern (1912–14), Freiburg i. Br. (1914–15) und Augsburg (1915–16). Seit 1916 bis zu seinem Tod wirkte er dann sehr erfolgreich an der Städtischen Oper (Deutsches Opernhaus) Berlin-Charlottenburg. Er sang dort eine Vielzahl von Partien aus dem Buffo- und Charakterfach: den Pedrillo in der «Entführung aus dem Serail», den Monostatos in der «Zauberflöte», den David in den «Meistersingern», den Mime in den Opern des Nibelungenrings und viele andere Rollen. 1923–24 nahm er an der Nordamerika-Tournee der German Opera teil. 1926 gastierte er am Teatro Colón Buenos Aires als Mime. Bei den Bayreuther Festspielen von 1933 sang er den Ulrich Eißlinger in den «Meistersingern». An der Städtischen Oper Berlin wirkte er 1919 in der deutschen Erstaufführung von Montemezzis «L'Amore dei tre Re», am 29. 10. 1932 in der Uraufführung von «Der Schmied von Gent» von

Franz Schreker mit. Auch als Konzerttenor und vor allem als Operettensänger, kam er zu bedeutenden Erfolgen.
Von seiner Stimme sind eine Anzahl von Schallplattenaufnahmen auf Odeon, Beka, Artiphon, Gloria, Favorit und auf ABC Grand Records vorhanden. Fast ausschließlich handelt es sich dabei jedoch um Unterhaltungslieder, die der Künstler im Lauf seiner Karriere gerne vortrug. – (Neufassung) –.

Steiner, Elisabeth; sie wirkte am Theater an der Wien in der Uraufführung der Oper «Jesu Hochzeit» von Werner Egk mit (18. 9. 1980).

Steiner, Siegmund, † 16. 9. 1900 Wien; er wirkte am Theater an der Wien in der Uraufführung der Johann Strauß-Operette «Blinde Kuh» mit (18. 12. 1878). Am 3. 10. 1884 sang er am Friedrich Wilhelmstädtischen Theater Berlin den Herzog von Urbino in der Uraufführung der Operette «Eine Nacht in Venedig» von J. Strauß, am 29. 7. 1899 am Sommertheater Venedig in Wien in der Uraufführung von Ziehrers «Die Landstreicher».

Steingruber, Ilona; sie gehörte in den Jahren 1948–51 und 1959–62 als Mitglied der Wiener Staatsoper an. 1950 gastierte sie an der Mailänder Scala und gab Konzerte in Palermo; 1951–57 war sie als Gast auf der Bühne wie im Konzertsaal in Frankreich zu hören, 1948 in Budapest. Auch in Belgien, in Holland und in der ČSSR (1948) als Konzertsolistin erfolgreich aufgetreten.
Schallplatten: HMV, Discocorp-Murray Hill («Walküre» aus der Scala, 1950), Mercury («Das klagende Lied» von G. Mahler), Remington (Verdi-Requiem).

Steinhoff, Ernst-August, * 28. 2. 1918 Bentierode bei Bad Gandersheim; Gesangstudium bei Wilhelm Rabot und bei Hans Winkelmann in Hannover. 1939 debütierte er am Staatstheater von Hannover als Nando in «Tiefland» von d'Albert. 1941–42 sang er am Theater von Posen (Poznań), 1942–44 am Theater von Gera (Thüringen). 1946 nahm er seine Karriere wieder am Stadttheater von Göttingen auf. Er sang dann 1947–49 am Staatstheater Kassel, 1949–53 am Stadttheater Krefeld, 1953–55 am Staatstheater Braunschweig, 1955–56 am Stadttheater Freiburg i. Br. Seit 1956 Mitglied des Opernhauses Zürich.
Schallplatten: Concert Hall (Monostatos in der «Zauberflöte»).

Stella, Antonietta; 1953 sang sie erstmals, und dann bis 1964 fast alljährlich bei den Festspielen in der Arena von Verona. 1954 debütierte sie an der Mailänder Scala (als Desdemona in Verdis «Othello»), an der sie bis 1963 und auch im weiteren Ablauf ihrer Karriere zu großen Erfolgen kam, u. a. als Tosca, als Traviata und als Elisabetta im «Don Carlos» von Verdi. 1956 folgte sie einem Ruf an die Metropolitan Oper New York (Antrittsrolle: Aida). In deren New Yorker Haus trug sie in vier Spielzeiten bis 1960 acht Partien in 54 Vorstellungen vor, darunter die Leonore im «Troubadour», die Butterfly, die Tosca, die

Amelia im «Maskenball» von Verdi, die Traviata und die Elisabetta im «Don Carlos».

Sten, Suzanne; 1933 wurde sie als Jüdin aus ihrem Breslauer Engagement entlassen. Sie sang darauf bis 1935 am Theater des Jüdischen Kulturbundes Berlin, emigrierte dann aber in die USA. 1940 trat sie an der Oper von San Francisco als Amneris in «Aida», als Ulrica in Verdis «Ballo in maschera» (mit Elisabeth Rethberg in der Rolle der Amelia), als Hänsel in «Hänsel und Gretel», als Annina im «Rosenkavalier» und als Nancy in Flotows «Martha» auf. Die Nancy sang sie auch in der Spielzeit 1943–44 an der City Centre Opera New York. Auch an der Oper von Chicago als Gast aufgetreten sowie 1946 an den Opern von New Orleans und Miami. Nach 1945 gab sie noch ein Gastspiel an der Wiener Staatsoper.

Štěpánová, Štěpánka, Mezzosopran; sie debütierte 1930 am Theater von Ostrava (Mährisch Ostrau) als Carmen, die während ihre gesamten Karriere ihre Glanzrolle blieb. Aus ihrem Bühnenrepertoire seien die Rosa in Smetanas «Das Geheimnis», die Žariš in «Die Teufelswand», die Kontschakowna in Borodins «Fürst Igor», die Amneris in «Aida», die Azucena im «Troubadour» und die Katarina in «Zúzana Vojířova» von J. Pauer genannt.

Stephens, Catherine; als ihre großen Bühnenpartien galten die Zerline im «Don Giovanni» und die Susanna in «Figaros Hochzeit» (die sie noch in englischer Sprache sang). Carl Maria von Weber widmete der von ihm hoch geschätzten Künstlerin 1826 seine letzte Komposition.

Sterling, Antoinette; auch ihr Sohn, der Bariton *Sterling Mac Kinley,* absolvierte eine erfolgreiche Karriere.

Stern, Georg; 1960 Gastspiel an der Mailänder Scala als Klingsor im «Parsifal», 1960 und 1967 am Teatro San Carlo Neapel, 1963 an der Oper von Rom und am Teatro Comunale Bologna, 1966 in Florenz, 1967 an der Deutschen Oper Berlin, 1970 am Teatro Fenice Venedig. 1963 gastierte er mit dem Frankfurter Ensemble an der Londoner Covent Garden Oper. 1964–65 sang er bei den Salzburger Festspielen in «Ariadne auf Naxos»; 1972 war er in Paris im Konzertsaal zu hören. Ergänzend sind von seinen Bühnenpartien noch der Leporello im «Don Giovanni», der van Bett in «Zar und Zimmermann» von Lortzing wie weitere Buffo-Rollen zu nennen.
Schallplatten: CBS (Opernszenen), Elite Special; zahlreiche Aufnahmen bei Buchklubs wie Bertelsmann, Donauland.

Stern, Jean; nach seiner Ausbildung durch Carl Beines begann er seine Karriere mit einem Engagement am Theater von Graz (1910–11) und sang dann 1911–14 am Stadttheater von Nürnberg, 1914–16 am Stadttheater von Hamburg, 1916–19 am Hoftheater von Kassel und 1919–23 am Stadttheater von Basel, seit 1923 an der Oper von Frankfurt a. M. 1927 gastierte er in Barcelona, 1931 im Haag und seit 1932

oft an der Staatsoper von München. Gastspiele an den Staatsopern von Wien (1927) und Berlin (1928). An der Mailänder Scala hörte man ihn 1938 und 1939 als Alberich im Nibelungenring, 1939 in der gleichen Partie an der Covent Garden Oper London. Er gastierte an der Oper von Rio de Janeiro und am Teatro San Carlos Lissabon. In Frankfurt wirkte er in den deutschen Erstaufführungen der Opern «Khovantchina» von Mussorgsky (1924) und «Die Sache Makropoulos» von Janáček (1928) mit. Er wurde zum Ehrenmitglied der Frankfurter Oper ernannt.
Schallplatten: Bei seinen Odeon-Platten von 1928–29 handelt es sich um frühe elektrische Aufnahmen.

Sterneck, Berthold, * 1890 (?); er begann seine Karriere 1913 am Theater von Saaz (Zatec, ČSR), war 1916–20 in Graz und 1920–23 am Deutschen Theater Prag engagiert, seit 1923 Mitglied der Staatsoper München. 1935 sang er bei den Salzburger Festspielen den Osmin in der «Entführung aus dem Serail» (den Ochs hat er bei vielen Gastspielen, aber nicht in Salzburg gesungen). 1926 und 1934 zu Gast in Amsterdam, 1931, 1936 und 1937 an der Wiener Staatsoper. In Florenz hörte man ihn 1935 als Osmin, 1938 Gastspiel an der Oper von Bordeaux.
Schallplatten: Eine kurze Passage aus dem «Rosenkavalier» wurde 1987 auch auf Belvedere veröffentlicht (aus einer Wiener Aufführung von 1936).

Stevens, Horace, * 26. 10. 1876 Windsor im australischen Staat Victoria. Er studierte zunächst Zahnmedizin und war vor dem Ersten Weltkrieg in Melbourne als Zahnarzt tätig. Auf Anraten von Sir Henry Wood ließ er sich zum Solisten ausbilden. Die Titelpartie im «Elias» trug er erstmals 1919 in Birmingham vor. Er unternahm mehrere Konzerttourneen durch die USA, u. a. 1927. 1934 kam er wieder nach Melbourne zurück, wo er noch als Konzertsänger und gelegentlich auch auf der Bühne auftrat. Seit 1938 war er Dozent an der dortigen Universität, 1939–59 auch Dirigent der Royal Victoria Liedertafel.
Schallplatten: Weitere Decca-, Vocalion- und Aco-Platten, fast ausnahmslos akustische Lied- und Oratorienaufnahmen, einige auch unter Pseudonymen wie «Gerard Maine» oder «Stephan Langley».

Stevens, Risë; sie sang bereits als zehnjähriges Kind im amerikanischen Rundfunk. Sie studierte drei Jahre lang bei Anna Schoen-Rene in New York. Sie erregte bei einer Schüler-Aufführung als Titelheld im «Orpheus» von Gluck erstes Aufsehen, sang als Choristin am Little Theatre New York, wo sie auch eine Partie in Smetanas «Verkaufter Braut» übernahm (1931). Man bot ihr dann ein Engagement an der Metropolitan Oper New York an, das sie aber ausschlug und zunächst einmal in Europa ihre Karriere begann, nachdem sie dort weitere Studien (u. a. auch bei Schick in Prag) betrieben hatte. 1939–61 war sie dann an der Metropolitan Oper tätig. Hier hatte sie 1940 als Dalila in «Samson et Dalila» von Saint-Saëns und 1946 erstmalig als Car-

men (ihre große Glanzrolle) besondere Erfolge. Insgesamt sang sie in deren New Yorker Haus in 23 Spielzeiten 15 Partien in 220 Vorstellungen. 1975–78 Präsidentin des Mannes College of Music New York.
Schallplatten: Erste Aufnahmen auf Columbia 1945; Melodram (Marina im «Boris Godunow» von 1947).

Stewart, Thomas; 1954 sang er als Antrittsrolle an der New York City Centre Opera den Commendatore im «Don Giovanni», 1957 an der Oper von Chicago den Enrico in «Lucia di Lammermoor» zusammen mit Maria Callas. Bei seinen Gastspielen an der Covent Garden Oper London hörte man ihn als Wotan, als Gunther, als Amfortas und als Fliegenden Holländer. Er ist in 14 Spielzeiten (seit seinem Debüt 1966) an der Metropolitan Oper New York aufgetreten und hat dort 23 Partien in 169 Vorstellungen (ohne die Vorstellungen während der Tourneen des Ensembles) gesungen. An der Oper von San Francisco gastierte er 1981 in der Premiere der zeitgenössischen Oper «Lear» von Aribert Reimann in der Titelrolle des Werks. 1988 sang er beim Maggio musicale Florenz den Balstrode in «Peter Grimes» von Benjamin Britten.
Schallplatten: Voce («Die Gezeichneten» von Franz Schreker).

Stich-Randall, Teresa; in der langen Zeitspanne von 1953 bis 1972 sang sie bei den Festspielen von Aix-en-Provence eine Vielzahl von Rollen. 1961 folgte sie einem Ruf an die New Yorker Metropolitan Oper, an der sie als Fiordiligi debütierte und während vier Spielzeiten in 17 Vorstellungen (als Fiordiligi und als Donna Anna) zu hören war.
Schallplatten: Philips (Mozart-Requiem), Rodolphe Records («Idomeneo»), Melodram («Rienzi»).

Stig, Asger; er war in Berlin Schüler von Edith Lukaschik. 1930–31 sang er (nach seinem Debüt 1929 in Gera) am Stadttheater von Allenstein (Ostpreußen), 1931–32 in Halle (Saale), dann 1932–34 am Stadttheater von Magdeburg. Während seines Engagements am Opernhaus von Düsseldorf wirkte er in der Uraufführung der Oper «Die Hexe von Passau» von O. Gester mit (11. 10. 1941).

Stigler-Staeven, Wilhelm, † 1918 Roschwitz bei Dresden; er lebte später als Konzertsänger und Pädagoge in Wien.

Stignani, Ebe; 1927 gastierte sie am Teatro Colón Buenos Aires als Hänsel in «Hänsel und Gretel», 1933 als Marfa in «Khovantchina» von Mussorgsky. 1937–38 sang sie an der Oper von San Francisco, 1937 beim Maggio musicale Florenz in Verdis «Nabucco» und in «La Vestale» von Spontini. In den Thermen des Caracalla in Rom hörte man sie 1937 bei den dortigen Festspielen als Amneris. 1948 war sie wieder an der Oper von San Francisco, 1955 an der Oper von Chicago anzutreffen. Am 24. 2. 1937 hatte sie an der Mailänder Scala in der Uraufführung der Oper «Lucrezia» von Ottorino Respighi gesungen.

Stilinović, Branka; sie blieb bis 1979 an der Nationaloper von Zagreb tätig. Sie ist auch unter dem Namen Branka Stilinović-Oblak aufgetreten.

Stilwell, Richard, * 6. 5. 1942 St. Louis; an der New Yorker Metropolitan Oper sang er seit 1975 in einer lang dauernden Karriere Partien wie den Figaro im «Barbier von Sevilla», den Grafen in «Figaros Hochzeit», den Malatesta im «Don Pasquale», den Marcello in «La Bohème», den Pelléas in «Pelléas et Mélisande» und den Titelhelden in «Billy Budd» von B. Britten. An der Grand Opéra Paris wirkte er 1977 in Aufführungen von Monteverdis «Incoronazione di Poppea» mit. Er sang auch in den Uraufführungen der Opern «The Seagull» von Pasatieri (1974, Houston/Texas) und «Aspern Papers» von Dominick Argento (1988, Dallas).
Schallplatten: HMV («Figaros Hochzeit»).

Stockhausen, Julius; sein erstes größeres Konzert fand 1848 in Basel statt. Im Mai 1856 sang er in Wien erstmals an einem Abend für sein Konzertpublikum den gesamten Liederzyklus «Die schöne Müllerin» von Schubert. Am Karfreitag, dem 10. 4. 1868, sang er im Dom von Bremen das Solo in der Uraufführung des Deutschen Requiems von Johannes Brahms. Aus dem Kreis seiner zahlreichen Schüler sind Mathilde Weckerlin, Hermine Spies, Therese Schnabel-Behr, Raimund von zur Mühlen, Clarence Whitehill, Carl Perron, Anton van Rooy, Anton Sistermans, Karl Scheidemantel und Modest Menzinsky zu nennen.

Stockmann, David; 1928 gab er Konzerte in Berlin.
Schallplatten: Auch Aufnahmen auf Odeon und Pathé vorhanden.

Störring, Willi, † 28. 11. 1979 Düsseldorf; er arbeitete zuerst als Schmiedegeselle, bevor er seine Stimme ausbilden ließ. Bis 1935 sang er an der Berliner Staatsoper. 1933–34 trat er in kleineren Partien bei den Bayreuther Festspielen auf. 1935 sang er bei den Festspielen von Zoppot den Titelhelden in «Rienzi», 1940 Gastspiel an der Staatsoper Wien. 1936–44 Mitglied des Nationaltheaters Weimar. 1952 sang er in seiner Abschiedsvorstellung am Stadttheater von Hagen (Westfalen) den Canio im «Bajazzo».
Schallplatten: Telefunken (Schmiedelieder aus «Siegfried»).

Stokolow, Boris, s. unter *Schtokolow,* Boris.

Stolte, Adele; 1968 gab sie Konzerte im Rahmen der Wiener Festwochen, 1969 in Zürich. Auch in Italien ist sie als Konzertsolistin aufgetreten.

Stoltz, Rosina; sie war in Paris Schülerin von Alexandre Choron. Am 10. 9. 1938 sang sie an der Grand Opéra Paris in der Uraufführung der Oper «Benvenuto Cellini» von Berlioz den Ascanio (nicht die Teresa).

Stolz, Teresa, * 2. 6. 1834 Kostelec nad Labem (El-bekosteletz); 1865 sang sie als Antrittsrolle an der Mailänder Scala die Titelheldin in Verdis «Giovanna d'Arco.» Als sie 1872 an der Scala für Italien die Aida kreierte, fügte Verdi für sie die Szene der Aida «O cieli azzurri» im 3. Akt der Oper ein, die in der ursprünglichen Partitur nicht enthalten war.

Stolze, Gerhard; bei den Festspielen von Bayreuth sang er 1957–58 und 1968–69 den Mime, 1952 wie auch 1956–61 den David in den «Meistersingern», dazu kleinere Partien (u. a. 1951–52 den Augustin Moser in den «Meistersingern»). 1960–63 an der Covent Garden Oper London als Mime zu hören. An der Metropolitan Oper New York debütierte er 1968 als Loge im «Rheingold» und sang dort bis 1971 auch den Herodes in «Salome» von R. Strauss und seine Glanzrolle, den Mime.

Stolzenberg, Hertha, * 13. 2. 1889 Köln, † 18. 3. 1960 Oberstdorf (Allgäu). Sie debütierte 1910 an der Komischen Oper Berlin und sang 1911–12 am Stadt-theater von Kiel, 1912–24 am Deutschen Opernhaus (Städtische Oper) Berlin. 1919 kreierte sie dort die Fiora in der deutschen Erstaufführung von Monte-mezzis «Amore dei tre Rei». 1924–32 wirkte sie am Opernhaus von Hannover, wo sie in der Uraufführung der damals sehr erfolgreichen Oper «Herrn Dürers Bild» von J. G Mraczek auftrat (1927).

Storace, Nancy, * 27. 10. 1765 London; Tochter eines italienischen Kontrabassisten und einer englischen Flötistin. Sie sang u. a. 1789 am Londoner King's Theatre in der englischen Premiere von Paisiellos «Il Barbiere di Siviglia». Ihr Bruder Stephen Storace (1762–96) war mit Mozart befreundet.

Storchio, Rosina; sie sang in der Uraufführung der Oper «La Bohème» von Leoncavallo am 6. 5. 1897 am Teatro Fenice Venedig die Partie der Musetta. Mit Arturo Toscanini hatte sie einen behinderten Sohn Giovannino (1903–19). In den Jahren 1904–14 gastierte sie regelmäßig in Buenos Aires, zuerst am Teatro de la Opera, wo sie bereits in der Saison 1904–05 die Butterfly kreierte, später am Teatro Colón und an anderen Bühnen in Südamerika. 1900 war sie in Frankfurt a. M. und Graz zu Gast, 1899 am Opernhaus von Zagreb, 1907 an der Berliner Hof-oper und an der Oper von Monte Carlo, 1917 an der Opéra-Comique Paris. Sie galt allgemein als große Darstellerin.

Stosch, Anny von, * 3. 5. 1895 Bremen; Gesangstu-dium bei Otto Daniel und Jacques Stückgold in Berlin. Seit 1921 gab sie Konzerte. 1924 debütierte sie am Opernhaus von Königsberg (Ostpreußen); sang dann am Stadttheater von Lübeck (1927–28), am Theater von Darmstadt (1928–32), am Opern-haus von Düsseldorf (1932–33), am Stadttheater von Nürnberg (1933-35) und seit 1935 am Staatstheater Kassel. Dort wirkte sie am 24. 11. 1937 in der Urauf-führung der Oper «Tobias Wunderlich» von Joseph Haas mit. 1936–38 trat sie bei den Bayreuther Fest-

spielen auf, 1938 an der Oper von Antwerpen zu Gast.
Schallplatten auch auf Orchestrola; auf Acanta in Szenen aus der «Götterdämmerung» zu hören (London, 1938).

Stoska, Polyna; sie studierte bereits mit sieben Jahren Violinspiel und war schließlich in Boston Schülerin des Gesangpädagogen Frank E. Doyle. Sie wirkte in Schüler-Aufführungen an der Juilliard School mit und sang in Chautauqua die Gräfin in «Nozze di Figaro». Sie debütierte 1939 am Deut-schen Opernhaus Berlin als Euryanthe von Weber. 1941 empfahl die amerikanische Botschaft in Berlin ihr, Deutschland zu verlassen. Sie debütierte dann 1944 an der City Centre Opera New York als Saffi im «Zigeunerbaron», sang dort die Senta im «Fliegen-den Holländer», die Marie in der «Verkauften Braut» und, besonders erfolgreich, den Komponi-sten in «Ariadne auf Naxos» von R. Strauss. Im Zweiten Weltkrieg gab sie zahlreiche Konzerte vor amerikanischen Soldaten in Westeuropa, im Pazifik und in Island. An der Metropolitan Oper New York war ihre Antrittsrolle 1947 die Donna Elvira im «Don Giovanni». Sie sang dort auch die Eva in den «Meistersingern», die Pamina in der «Zauberflöte», die Gräfin in «Figaros Hochzeit», die Elisabeth im «Tannhäuser», die Sieglinde in der «Walküre» und die Ellen Orford in «Peter Grimes» von B. Britten. Im New Yorker Lewisohn Stadium und in Cincinnati sang sie die Tove in de «Gurreliedern» von Schön-berg mit dem Minneapolis Orchestra.

Stracciari, Riccardo; ursprünglich sollte er Elektro-ingenieur werden, sang jedoch auch im Chor eines Operettentheaters. Die Marquesa de Tallon hörte ihn, war von seiner Stimme begeistert und finan-zierte seine Ausbildung, die u. a. bei Ulisse Nasetti in Bologna stattfand. Bühnendebüt 1899 am Teatro Duse Bologna als Marcello in «La Bohème». Er sang anschließend u. a. in Livorno, Spezia, Rovigo und Triest. 1905 sang er als Antrittsrolle an der Mailän-der Scala den Amonasro in «Aida». Er wirkte dort 1906 in den Premieren von Tschaikowskys «Pique Dame» und von Alfanos Oper «Risurrezione» mit. An der Metropolitan Oper New York ist er 1906–08 als Enrico in «Lucia di Lammermoor», als Amo-nasro, als Valentin im «Faust» von Gounod, als Rigoletto, als Sharpless in «Madame Butterfly», als Tonio im «Bajazzo» und als Nelusco in Meyerbeers «Africaine» aufgetreten. 1909–10 gastierte er am Teatro Real Madrid. Bereits 1906 war er am Teatro de la Opera, seit 1913 immer wieder am Teatro Colón Buenos Aires zu Gast. Hier sang er in den Premieren der Opern «Un Ballo in maschera» von Verdi (1913), «Feuersnot» von R. Strauss (1913 in italienischer Sprache) und «Loreley» von Catalani (1913). 1916 hörte man ihn wieder an der Scala als Gérard in «Andrea Chénier» von Giordano und als Figaro im «Barbier von Sevilla», 1923 in Giordanos «Madame Sans-Gêne». 1924 trat er an der Oper von Rom auf; Gastspiele am Teatro Liceo Barcelona und am Teatro Carlo Felice Genua. 1920 war er bei der Bracala Opera Company engagiert, die in Havanna

auftrat. In einer «Aida»-Vorstellung am 8. 6. 1920, in der auch Enrico Caruso mitwirkte, kam es zur Explosion einer Bombe im Zuschauerraum, die große Verwüstungen anrichtete. 1921 bereiste Mario Sammarco mit der Scotti Grand Opera Company Nordamerika und trat bei den Festspielen von Ravinia bei Chicago auf.
Schallplatten: Älteste Aufnahmen auf Fonotipia 1905–06, denen viele weitere folgten; seit 1917 auf Columbia anzutreffen (1917–21 in den USA, dann in Italien entstanden, darunter auch schon Aufnahmen in elektrischer Aufnahmetechnik).

Strack, Magda, * 17. 6. 1894 Frankfurt a. M., † 9. 12. 1988 Balve-Garbeck (Sauerland); sang nach ihrem Debüt in Freiburg i. Br. 1920 am Stadttheater von Bern (Schweiz, 1921–25), am Landestheater Karlsruhe (1925–30), an der Staatsoper Stuttgart (1930–1933), am Landestheater Darmstadt (1933–34) und am Opernhaus von Frankfurt a. M. (1934–37), seit 1937 am Staatstheater von Kassel. 1930 gastierte sie am Théâtre Pigalle Paris als Orlowsky in der «Fledermaus», 1935 an der Pariser Grand Opéra als Brangäne im «Tristan». 1938 war sie an der Oper von Antwerpen, 1939 am Théâtre de la Monnaie Brüssel als Gast zu hören. 1969 verabschiedete sie sich als Hexe in «Hänsel und Gretel» von ihrem Kasseler Opernpublikum, das die Künstlerin sehr verehrte.

Strakosch, Ludwig; verheiratet mit der Sopranistin *Irma Czerwinska* (1864–1931), die u. a. an den Theatern von Straßburg, Danzig und Hamburg engagiert war.

Stralendorf, Carl; er konnte erst nach seiner Entlassung aus dem Kriegsdienst 1919 am Stadttheater von Bremen debütieren. Dort blieb er bis 1922 und sang dann am Stadttheater von Elberfeld (1922–23), am Theater von Königsberg (Ostpreußen 1926–29) und 1929–31 als erster lyrischer Bariton am Landestheater Darmstadt. Seit 1931 wirkte er am Staatstheater von Schwerin, wo er sich auch als Regisseur erfolgreich betätigte. Seit 1950 war er Dozent an der Musikhochschule Schwerin. Verheiratet mit der Sängerin *Hermine Hüsing* (* 1899).

Stralia, Elsa; sie wurde auch am Albert Street Conservatory in Melbourne durch Mme Elise Wiedermann und bei dem Dirigenten und Impresario Gustav Slapoffski in Sydney ausgebildet. 1910 kam sie nach London, gab dort einige Konzerte unter dem Namen Miss Else Adela, ging dann aber zu weiteren Studien nach Mailand, wo sie Schülerin von Frau Falchi wurde. In Italien debütierte sie, jetzt unter dem Namen Elsa Stralia, am Teatro Carlo Felice Genua. 1913 sang sie als erste Partie an der Covent Garden Oper London die Donna Elvira im «Don Giovanni». Im folgenden Jahr hörte man sie dort als Elsa im «Lohengrin», als Elisabeth im «Tannhäuser», als Leonore im «Troubadour», als Amelia in Verdis «Maskenball» und als Santuzza in «Cavalleria rusticana». Während des Ersten Weltkrieges gab sie viele Konzerte in England und Irland. 1920 trat sie in den Concerts Lamoureux in Paris auf. 1933 heiratete

sie während einer Neuseeland-Tournee Adolphe Christensen und lebte dann 1933–43 in Auckland. In ihren letzten Jahren kam sie nach Melbourne zurück. Sie stiftete dort am Albert Street Conservatory eine Elsa Stralia-Scholarship zur Ausbildung begabter junger Sängerinnen.

Stratas, Teresa, * 26. 5. 1938 Toronto; sie wurde für die Saison 1959–60 an die Metropolitan Oper New York engagiert und debütierte dort als Poussette in «Manon» von Massenet. Als erste große Partie sang sie an diesem Haus die Micaela in «Carmen» und kam dann 1961 zu einem glänzenden Erfolg als Liu in «Turandot» von Puccini. Sie sang dort (bis 1986) rund 35 Partien in über 250 Vorstellungen (ohne die Vorstellungen im Rahmen der Tourneen des Ensembles). Bei den Salzburger Festspielen bewunderte man 1969 ihre Despina in «Così fan tutte», 1972–73 ihre Susanna in «Figaros Hochzeit». Am 24. 2. 1979 sang sie an der Grand Opéra Paris die Titelheldin in «Lulu» von A. Berg in der ergänzenden Bearbeitung des Opernfragments durch F. Cerha und erzielte dabei einen sensationellen Erfolg. Sie galt allgemein als große Sänger-Schauspielerin. 1984 unterbrach sie ihre Karriere und widmete sich weitgehend einer sozialen Tätigkeit u. a. in den Elendsvierteln von Kalkutta bei Mutter Teresa und ihren Schwestern. 1988 trat sie dann wieder am Théâtre de la Monnaie sehr erfolgreich als Lulu auf. 1989 Gastspiel in Boston als Mimi in «La Bohème». Schallplatten: HMV («Showboat» von J. Kern).

Strauss, Isabel; sie war die Tochter der Bühnenbildnerin Annemarie Strauss-Keim (* 1901). Sie debütierte 1958 am Stadttheater von Bern in der Titelrolle von Puccinis «Manon Lescaut». 1959–60 Mitglied des Landestheaters von Darmstadt, 1961–65 des Opernhauses von Köln. 1962 und 1967 große Erfolge bei Gastspielen an der Pariser Grand Opéra, 1962 an der Oper von Bordeaux, 1965 am Grand Théâtre Genf, 1968 in Toulouse. 1960 gastierte sie in Mexico City als Marie im «Wozzeck» von Alban Berg.

Strawinsky, Fedor Ignatjewitsch, † 21. 11. (4. 12.) 1902 St. Petersburg. Er debütierte 1873 an der Oper von Kiew als Conte Rodolfo in «La Sonnambula» von Bellini. Am 4. 11. 1890 wirkte er an der Petersburger Hofoper in der Uraufführung von Borodins «Fürst Igor» mit.

Streckfuß, Walter, * 3. 10. 1900 Mannheim; Beginn seiner Bühnenkarriere 1925 am Stadttheater von Remscheid; er sang dann an den Theatern von Bamberg (1926–28) und Kaiserslautern (1928–29), am Landestheater von Gera (1929–31), am Stadttheater von Halle/Saale (1931–32) und 1932–44 am Opernhaus von Leipzig. Nach dem Zweiten Weltkrieg war er seit 1947 am Stadttheater von Lübeck im Engagement, seit 1953 am Nationaltheater Mannheim.

Streich, Rita, † 20. 3. 1987 Wien (nach langer Krankheit); 1953–72 wirkte sie an der Wiener Staatsoper, an der sie in mehr als zwanzig Partien auftrat. An der

Mailänder Scala bewunderte man ihre Blondchen in der «Entführung aus dem Serail», an der Oper von Chicago 1960 ihre Susanna in «Figaros Hochzeit». Beim Festival von Glyndebourne gastierte sie 1958 als Zerbinetta in «Ariadne auf Naxos» von R. Strauss, an der Oper von San Francisco 1957 als Sophie im «Rosenkavalier». 1958 am Teatro Colón Buenes Aires zu Gast. Sie unternahm Tourneen durch Japan, Australien und Neuseeland und trat gegen Ende ihrer Karriere vor allem in Frankreich in Liederabenden auf.
Schallplatten: Pathé («Figaros Hochzeit»), Urania («Hoffmanns Erzählungen»), Electrola («Bettelstudent» von Millöcker), RCA («Boccaccio» von F. von Suppé, 1949).

Streitmann, Karl; die Liste der Operetten-Uraufführungen, in denen er mitwirkte, ist überaus umfangreich: »Simplizius» (1887), «Fürstin Ninetta» (1895), «Waldmeister» (1895) und «Die Göttin der Vernunft» (1896), alle von Johann Strauß und am Theater an der Wien, «Der Obersteiger» von Karl Zeller (5.1.1894, Theater an der Wien), «Der Rastelbinder» (20.12.1902, Carl-Theater) und «Der Göttergatte» (20.1.1904, Carl-Theater) von Franz Lehár, «Der Schätzmeister» (1904, Carl-Theater) von M. Ziehrer. In der Saison 1900–01 war er am Friedrich Wilhelmstädtischen Theater Berlin engagiert, seit 1901 wieder am Theater an der Wien (1901–02), dann 1902–1905 am Carl-Theater und schließlich 1906–10 abermals am Theater an der Wien. Auch später gastierte er noch an Wiener Bühnen, so 1921–22 am Wiener Bürgertheater. Gastspiele führten ihn an die Hofopern von Berlin (1899) und Stuttgart (1910), an die Wiener Volksoper (1911), nach Amsterdam (1907–08) und an das Deutsche Theater Prag (1915).
Schallplatten: Zahlreiche G & T- und HMV-Aufnahmen seiner Stimme sind vorhanden, darunter Ausschnitte aus dem «Zigeunerbaron», aber auch Operntitel.

Streitmann, Rosa; sie wirkte in den Uraufführungen der Johann Strauß-Operette «Der lustige Krieg» (25.11.1881, Theater an der Wien) und der beiden Operetten von Millöcker «Der Feldprediger» (31.10.1884) und «Gasparone» (25.1.1884 als Sora), beide am Theater an der Wien, mit.

Strepponi, Giuseppina; sie wirkte am 11.2.1841 am Teatro Valle in Rom in der Uraufführung der Oper «Adelia» von Donizetti mit.

Stricker, Frieder; Schallplatten: Hungaroton-Acanta («Eine Nacht in Venedig»).

Strienz, Wilhelm, † 10.5. 1987 Frankfurt a. M. 1923–24 war er am Stadttheater von Kaiserslautern, 1924–25 am Staatstheater von Wiesbaden engagiert. Seit 1933 lebte er in Berlin und ging einer ausgedehnten Gastspiel- und Konzerttätigkeit nach; vor allem gastierte er an der Berliner Staatsoper. An der Covent Garden Oper London sang er 1938 als Gast den Sarastro in der «Zauberflöte», den König Heinrich

im «Lohengrin» und den Fafner im «Siegfried». Anfang der sechziger Jahre verabschiedete er sich aus seiner Karriere.
Schallplatten: Kristall, Elite Special, Decca (Lieder von Beethoven), zuletzt noch Aufnahmen auf HMV-Electrola (Querschnitt «Don Pasquale» 1957, Mesner in «Tosca», 1959).

Stritar, Bogdana, * 1.9. 1911 Solkami-Goricia (Solkau, Slowenien). Seit 1941 Mitglied der Oper von Ljubljana (Laibach), wo sie bis zu ihrem Bühnenabschied 1964 wirkte.

Stritt, Albert; er trat als Gast u. a. an den Hofopern von Wien (1882), Dresden (1889) und München (1885) auf. 1888 sang er in Hamburg den Titelhelden in Verdis «Othello» in der deutschen Erstaufführung dieser Verdi-Oper. Seit 1879 mit der Schauspielerin Marie Bacon († 1928) verheiratet.

Strong, Susan; Debüt 1895 bei der Hedmont Opera Company in London als Sieglinde. 1897 und 1899–1900 hörte man sie an der Covent Garden Oper London als Brünnhilde in der «Walküre», als Venus im «Tannhäuser» und als Donna Anna im «Don Giovanni». Bei ihrem Debüt an der Metropolitan Oper New York 1899 als Sieglinde ersetzte sie die erkrankte Emma Eames in dieser Rolle. Sie sang dort in der Spielzeit 1899-1900 auch die Elsa, die Venus und die Gutrune in der «Götterdämmerung».

Stropnicky, Leopold; Gesangstudium bei Anna Labler in Prag. Er war 1872–74 und wieder 1876–84 an der Nationaloper von Prag engagiert. Hier sang er auch in den Uraufführungen der Opern «Wanda» von A. Dvořák (1876), «Die Dickschädel» («Turdé palice», 1881), ebenfalls von Dvořák, und «Die Braut von Messina» von Zdeněk Fibich (28. 3. 1884 als Manuel). 1884 gab er seine Bühnenkarriere auf, trat aber noch bis 1887 im Konzertsaal in Erscheinung.

Stryczek, Karl-Heinz; eigentliches Bühnendebüt 1964 beim Sächsischen Landestheater Dresden-Radebeul als Germont-père. Aus seinem Bühnenrepertoire sind auch Wagner-Partien wie der Telramund im «Lohengrin» und der Klingsor im «Parsifal» (Dresden 1988), auch der Jochanaan in «Salome» von R. Strauss, zu nennen.
Schallplatten: Eterna («Lohengrin»), Capriccio (9. Sinfonie von Beethoven).

Studer, Cheryl, Sopran, * 24. 10. 1955 Midland (Michigan); sie begann ihre Ausbildung im Alter von 12 Jahren an der Interlochen Arts Academy; dann während drei Jahren am Berkshire Music Centre in Tanglewood Schülerin von Phyllis Curtin. 1978 gewann sie einen Gesangwettbewerb der Metropolitan Oper New York und setzte dann ihre Ausbildung an der Wiener Musikakademie, u. a. bei Hans Hotter, fort. 1980 erhielt sie ihr erstes Bühnenengagement an der Staatsoper von München (Debüt als erste Dame in der «Zauberflöte»). 1981 hatte sie dort einen ersten Erfolg als Marie in Smetanas «Verkauf-

ter Braut». 1982–84 war sie Mitglied des Staatstheaters von Darmstadt, 1984–86 der Deutschen Oper Berlin. Es kam dann zur Ausbildung einer großen, internationalen Karriere. 1985 hatte sie bei den Festspielen von Bayreuth einen sensationellen Erfolg als Elisabeth im «Tannhäuser». Diese Partie wiederholte sie dort 1986 und 1989, 1988–89 wurde sie in Bayreuth als Elsa im «Lohengrin» gefeiert. 1986 zu Gast an der Grand Opéra Paris als Pamina in der «Zauberflöte»; an der Covent Garden Oper London hörte man sie 1987 als Elisabeth, 1988 als Elsa; an der Münchner Staatsoper 1987 als Sieglinde in der «Walküre», als Kaiserin in der «Frau ohne Schatten» von R. Strauss. An der Oper von Rom wirkte sie 1987 in einer konzertanten Aufführung von Webers «Euryanthe» mit, an der Mailänder Scala sang sie das Sopransolo im Verdi-Requiem. 1988 erschien sie wieder an der Grand Opéra Paris, jetzt als Elsa. Ebenfalls 1988 kam es zu ihrem Debüt an der Metropolitan Oper New York in der Partie der Micaela in «Carmen». 1989 übernahm sie an der Staatsoper von Wien wie bei den Salzburger Festspielen die Chrysothemis in «Elektra» von R. Strauss. Sie gastierte am Teatro Liceo Barcelona, am Theater von Bonn und an den großen amerikanischen Bühnen, war aber nicht weniger erfolgreich als Konzertsopranistin. Auf der Bühne lagen Schwerpunkte ihres Repertoires im Mozart- und im Wagner-Fach, dazu in Partien wie der Mathilde in Rossinis «Wilhelm Tell» (Mailänder Scala), der Elena in Verdis «Vespri Siciliani», der Marguerite im «Faust» von Gounod und der Titelpartie in Rossinis «Semiramide». 1989 übernahm sie in Philadelphia mit der Lucia di Lammermoor eine der großen klassischen Koloraturpartien.
Schallplatten: Ariola-Eurodisc (Walküre im Ring-Zyklus), Orfeo («Die Feen» von R. Wagner, Requiem von Donizetti), HMV-Electrola (Verdi-Requiem, 9. Sinfonie von Beethoven, Kaiserin in «Die Frau ohne Schatten» von R. Strauss, «Attila» von Verdi, Sieglinde in der «Walküre»), DGG (Elisabeth im «Tannhäuser», Gutrune in der «Götterdämmerung»), Schwann («Der Geburtstag der Infantin» von Zemlinsky). – (Neufassung) –.

Stückgold, Grete; 1922–26 war sie Mitglied der Städtischen Oper Berlin-Charlottenburg. Sie gastierte 1926–29 regelmäßig an der Staatsoper von Dresden; 1927 am Teatro Liceo Barcelona zu Gast. 1926 unternahm sie eine große England-Tournee, bei der sie sehr erfolgreich in Liederabenden auftrat. In erster Ehe mit ihrem Lehrer, dem Pädagogen *Jacques Stückgold* (1877–1953) verheiratet.

Stutzmann, Christiane; sie wurde im Konzertsaal in einem umfassenden Repertoire, vor allem als Liedersängerin, bekannt. Ihre Tochter *Natalie Stutzmann* trat, von ihrer Mutter ausgebildet, ebenfalls als Konzert- und Liedersängerin, aber auch auf der Bühne in Erscheinung (u. a. 1989 beim Maggio musicale Florenz als Geneviève in «Pelléas et Mélisande»).
Schallplatten: Pathé-Marconi («Évocations» von A. Roussel).

Sucher, Rosa; in Hamburg sang sie 1888 in der deutschen Erstaufführung von Verdis «Othello» die Desdemona mit Albert Stritt in der Titelrolle. 1884–86 gab sie Gastspiele an der Hofoper von Wien, 1893 an der Hofoper von München, 1891 am Opernhaus von Frankfurt a. M. und in Zürich, 1896 am Théâtre de la Monnaie Brüssel, 1898 an der Hofoper Dresden, 1899 und 1902 am Deutschen Theater Prag, 1897 und 1899 in Amsterdam. Seit 1889 war sie Mitglied der Hofoper Berlin. An der Covent Garden Oper London gastierte sie 1892 unter Gustav Mahler. Mit der Damrosch Opera Company hörte man sie 1895 im New Yorker Haus der Metropolitan Oper als Isolde.

Suddaby, Elsie, † 1980 Radlett (Grafschaft Hertshire). Sehr beliebt war sie auch in Holland, wo sie u. a. 1928 in Utrecht im «Messias» von Händel auftrat.
Schallplatten: HMV (Sopransolo in der 9. Sinfonie von Beethoven), Victor («Messias»).

Süß, Reiner; er war in Leipzig Schüler von E. Lindner und von Hans Lissmann.

Sukis, Lilian, *26. 9. 1939 Kaunas (Litauen), sie debütierte 1964 in Toronto als Lady Billows in «Albert Herring» von Benjamin Britten und kam bereits 1965 an die Metropolitan Oper New York.

Sullivan, John, s. unter *O'Sullivan*, John.

Sulzer, Salomon; er studierte in Wien bei Xaver von Seyfried. In seine Sammlung «Shir Ziyyon» nahm er auch die Vertonung des Psalms Nr. 92 von Franz Schubert für Baritonsolo und Chor auf (wobei der Komponist eine Übertragung des Textes von Moses Mendelssohn benutzt hatte). Aus seiner Ehe mit Fanny Hirschfeld, die er ganz jung in Hohenems geheiratet hatte, gingen 16 Kinder hervor, von denen die Töchter *Marie Henriette Sulzer* und *Sophie Sulzer* als Sängerinnen bekannt wurden.

Summers, Jonathan; *2. 10. 1946 Melbourne; erste Ausbildung durch Bettina McCaughan in Melbourne. An der Covent Garden Oper London sang er auch den Papageno in der «Zauberflöte» (1986), den Sharpless in «Madame Butterfly», den Agamemnon in «Iphigénie en Aulide» von Gluck (1987), den Figaro in «Nouzzi di Figaro», den Albert in Massenets «Werther», den Ford im «Falstaff» von Verdi, den Balstrode in «Peter Grimes» von B. Britten und den Marcello in «La Bohème». Große Erfolge bei der English National Opera London als Don Giovanni, als Eugen Onegin und als Rigoletto, beim Glyndebourne Festival als Falstaff von Verdi. Er gastierte an der Scottish Opera Glasgow (Don Giovanni, Graf in «Nozza di Figaro»), an der Opera North Leeds (Nabucco, Eugen Onegin), an der Oper von Sydney (seit 1981), an den Opernhäusern von Hamburg und Frankfurt a. M., an der Mailänder Scala (Debüt als Marcello), an der Grand Opéra Paris (Germont-père in «La Traviata»), am Grand Théâtre Genf, an der Staatsoper München (1987)

und am Opernhaus von Santiago de Chile (Titelheld in «Nozze di Figaro», 1987). 1988 debütierte er an der Metropolitan Oper New York als Marcello in Puccinis «La Bohème».
Schallplatten: CBS («Madame Butterfly»), Decca («La Traviata»), Video-Thorn («Andrea Chénier»).

Sundelius, Marie; sie sang zuerst als Solistin in einer Kirche in Somerville (Massachusetts). Sie sang am 14. 12. 1918 in den Uraufführungen der Puccini-Oper «Suor Angelica» (als Zelatrice) und «Gianni Schicchi» (als Ciesca) an der Metropolitan Oper New York. Ebenfalls 1918 wirkte sie in der dortigen Premiere von Rimsky-Korssakows «Der goldene Hahn» mit und erregte großes Aufsehen als Meermädchen im «Oberon» von Weber, auch 1919 in Rossinis «Italiana in Algeri». In der Saison 1926–27 war sie nicht an der Metropolitan Oper sondern an der Königlichen Oper Stockholm engagiert. Später wirkte sie als Pädagogin am Malkin Conservatory in Boston.
Schallplatten: Edison-Aufnahmen aus den Jahren 1916–18.

Supervia, Conchita, † 30. 3. 1936 London. Sie debütierte 1910 in Buenos Aires mit einer reisenden spanischen Operntruppe. Bereits 1911 trat sie in Bari als Carmen auf. 1915–16 begeisterte sie das Publikum der Chicago Opera als Charlotte im «Werther», als Carmen und als Mignon. Nach ihrer Heirat verlegte sie zu Beginn der dreißiger Jahre ihren Wohnsitz nach London.

Surjan, Giorgio, Baß, * 21. 10. 1954 Rijeca (Fiume) in Jugoslawien; eigentlicher Name Dordo Surjan. Er begann sein Gesangstudium am Konservatorium von Ljubljana (Laibach) bei N. Auer-Rebba und setzte es in Italien bei so großen Sängern wie Gina Cigna und Tito Gobbi in der Opernschule der Mailänder Scala fort. Er debütierte 1977 am Theater von Rijeca als Sulejman in der Oper «Nikola Šubić Zrinski» von Ivan Zajc. Er hatte dann große Erfolge an den Opern von Ljubljana und Zagreb, vor allem aber an italienischen Theatern wie in Opernsendungen des jugoslawischen Rundfunks. 1984 wirkte er in Pesaro in der denkwürdigen Premiere der wieder neu entdeckten Rossini-Oper «Il Viaggio a Reims» mit und gastierte im gleichen Sommer bei den Festspielen in der Arena von Verona. 1985 hörte man ihn an der Mailänder Scala als Lorenzo in Bellinis «I Capuleti ed I Montecchi», 1987 beim Rossini-Festival in Pesaro in dessen Oper «Ermione», bei den Festspielen von Valle d'Istria in Bellinis «Il Pirata». Gastspiele an der Wiener Staatsoper (1988) und am Opernhaus von Zürich. 1988 sang er bei den Festspielen von Aix-en-Provence den Publio in Mozarts «La clemenza di Tito» und den Astarotte in «Armida» von Rossini. Zu seinen großen Partien auf der Bühne gehörten der Basilio im «Barbier von Sevilla», der Dulcamara in «Elisir d'amore», der Silva in Verdis «Ernani», der Ernesto in «Il Pirata» von Bellini, der Giorgio in dessen «I Puritani» (Bologna 1988) und der Pater Guardian in «La forza del destino». Auch als Konzertsänger angesehen, wobei

er sich auf diesem Gebiet vor allem als Mozart-Interpret auszeichnete.
Schallplatten: Fonit-Cetra («Maria di Rudenz» von Donizetti), HMV («La forza del destino»), Decca («Anna Bolena»), Philips («Wilhelm Tell» von Rossini), CBS («Salammbô» von Mussorgsky). – (Neufassung) –.

Suthaus, Ludwig; Schüler von Julius Lenz in Köln. 1928–31 am Stadttheater von Aachen, 1931–32 in Essen, 1932–41 an der Staatsoper Stuttgart engagiert. Hier sang er 1940 den Federico in der deutschen Erstaufführung der Oper «L'Arlesiana» von Cilea. Er wurde durch den großen Dirigenten Wilhelm Furtwängler in seiner Karriere gefördert. So kam er 1942 an die Staatsoper Berlin, deren Mitglied er bis 1950 blieb. 1949–65 gehörte er der Städtischen Oper (Deutsche Oper) Berlin an. Er gastierte an der Grand Opéra Paris (1953 und 1956 als Tristan und als Loge), an der Mailänder Scala (1954, 1958), am Teatro San Carlos Lissabon (1954), am Théâtre de la Monnaie Brüssel (1952, 1960), an der Oper von Marseille (1950) und am Teatro Colón Buenos Aires. Einem Ruf an die Metropolitan Oper New York für die Spielzeit 1950–51 konnte er leider nicht Folge leisten. Noch 1970 ist er in Wien aufgetreten.

Sutherland, Joan; ihr Vater war Schneider, ihre Mutter eine Amateursängerin. Zunächst arbeitete sie als Sekretärin. Bereits 1947 sang sie in Sydney in «Dido und Aeneas» von Purcell. Seit 1951 weitere Studien am Royal College of Music London. 1962 sang sie in Vancouver ihre erste Norma, die sie neben der Traviata und der Adriana Lecouvreur selbst als ihre Lieblingsrolle bezeichnete. 1978 wurde sie mit dem Titel «Dame of the British Empire» ausgezeichnet. 1987 feierte man ihr 25jähriges Wirken an der New Yorker Metropolitan Oper mit einem Gala-Abend. Sie hatte dort 13 Partien in 215 Vorstellungen (in deren New Yorker Haus) gesungen. Seit 1954 war sie mit dem Dirigenten und Pianisten Richard Bonynge (* 1930) verheiratet.
Lit: Norma Major: «Joan Sutherland» (London, 1987); B. Adams: «La Stupenda» (Sydney, 1981).
Schallplatten: Decca («Rodelinda» und «Athalia» von Händel, zweimal «Norma», davon eine Aufnahme von 1987 mit Montserrat Caballé als Adalgisa, «Anna Bolena» und «La Fille du régiment» von Donizetti).

Sutter, Anna; debütierte 1892 am Stadttheater von Augsburg, dem sie bis 1895 angehörte. 1895 kam sie an die Stuttgarter Hofoper. Gastierte an den Hoftheatern von Karlsruhe (1898) und München (1907 als Sieglinde in der «Walküre»), an den Opernhäusern von Frankfurt a. M. (1903) und Leipzig (1897), seit 1896 oftmals in Zürich. 1896 sang sie in Stuttgart in der deutschen Erstaufführung von Mascagnis «Zanetto» die Titelpartie. Auch ihre Tochter *Thilde von Entreß-Sutter* trat als Sängerin auf.

Sutter-Kottlar, Beatrice; debütierte 1907 am Stadttheater von Straßburg als Santuzza in «Cavalleria rusticana». Sie war in den folgenden drei Jahren in

Straßburg engagiert und wirkte dann 1910–17 am Hoftheater von Karlsruhe, seit 1917 in Frankfurt a. M. Gastspiele an den Hofopern von Wien (1908, 1912), Berlin (1909) und München (1911), am Teatro Colón Buenos Aires (1928 als Isolde, Brünnhilde und Marschallin) und am Teatro Liceo Barcelona (1928). 1932 verabschiedete sie sich mit einem Liederabend von ihrem Frankfurter Publikum, das sie sehr verehrte. In Frankfurt war sie bereits seit den zwanziger Jahren einer pädagogischen Tätigkeit am Hoch'schen Konservatorium nachgegangen.

Svärdström, Valborg; Gastspiele am Deutschen Theater Prag (1906), am Stadttheater Bremen (1906–07), am Hoftheater Hannover (1908) und an der Wiener Hofoper (1908). 1907, 1909 und 1914 gab sie in Wien sehr erfolgreiche Konzerte. Sie ist auch zusammen mit ihren drei Schwestern *Olga, Sigrid* und *Astrid Svärdström* in einem Damen-Vokalquartett aufgetreten.

Svanholm, Set, † 4. 10. 1964 Saltsjö-Duvnäs bei Stockholm. Als erste Tenor-Partie sang er 1937 in Stockholm den Radames. 1938–43 war er Mitglied der Staatsoper Berlin. In Bayreuth sang er 1942 den Erik im «Fliegenden Holländer» und den Siegfried. Am 16. 3. 1940 übernahm er in der Stockholmer Uraufführung der Oper «Singoalla» von Gunnar de Frumerie die Partie des Erland. An der New Yorker Metropolitan Oper hat er 1946–56 (in deren Haus in New York) in zehn Spielzeiten 17 Partien in 105 Vorstellungen gesungen, neben seinen Wagner-Heroen den Herodes in «Salome» von R. Strauss, den Ägisth in dessen «Elektra», den «Florestan im «Fidelio» und den Eisenstein in der «Fledermaus». Seit 1946 sang er auch an den Opern von Chicago und San Francisco, wo er 1951 sehr erfolgreich auftrat. An der Oper von Rio de Janeiro hörte man ihn 1946 als Tristan und als Siegmund. 1956–63 war er Direktor der Königlichen Oper Stockholm.

Svéd, Alexander, * 28. 5. 1904 Budapest, † 9. 6. 1979 Budapest; er studierte auch bei Fritz Feinhals in Berlin. 1931 kam es zu einem ersten Gastspiel des Künstlers in Wien als Alfio in «Cavalleria rusticana» und als Tonio im «Bajazzo». 1938 sang er beim Maggio musicale Florenz und am italienischen Rundfunk EIAR in den Opern «L'Arlesiana» von Cilea und «La Favorita» von Donizetti, 1939 wieder in Florenz und an der Mailänder Scala den Titelhelden in Rossinis «Wilhelm Tell». In Italien trat er zu dieser Zeit unter dem Namen Alessandro De Sved auf. An der New Yorker Metropolitan Oper, an der er 1940 als Renato im «Maskenball» von Verdi debütierte, sang er während acht Spielzeiten zwölf Partien in insgesamt 60 Vorstellungen, darunter den Scarpia in «Tosca», den Alfio in «Cavalleria rusticana», den Escamillo in «Carmen», den Amonasro in «Aida» und den Telramund im «Lohengrin». In Nordamerika gastierte er an den Opern von Cincinnati und Washington, in Cleveland und bei Aufführungen im New Yorker Lewisohn-Stadium. 1947–48 trat er dann wieder an der Mailänder Scala auf (Hans Sachs, Amfortas), gastierte am Teatro Fenice Vene-

dig, beim Maggio musicale Fiorentino und bei den Festspielen in den Thermen des Caracalla in Rom. Schallplatten: Cetra (Szenen aus «Rigoletto» mit Lina Pagliughi), Hungaroton (Altitalienische Arien).

Švehla, Zdeněk; Schüler von Bohumil Soběský in Brno (Brünn).

Švorc, Antonín; 1988 Gastspiel in Paris in der Oper «Aus einem Totenhaus» von L. Janáček.

Swarthout, Gladys, * 15. 12. 1900 Deepwater (Missouri), † 7. 7. 1969 Florenz; sie sang bereits im Alter von 13 Jahren zusammen mit ihrer Schwester *Roma Swarthout* in Kansas City in Kirchenkonzerten. An der New Yorker Metropolitan Oper wirkte sie seit 1929 in 13 Spielzeiten und brachte dabei in deren New Yorker Haus 22 Partien in 162 Vorstellungen zum Vortrag. 1939 war sie an der Oper von Chicago, 1941 an der von San Francisco zu Gast und kam dabei in ihrer Glanzrolle, der Carmen, zu großen Erfolgen.
Ihre Schallplatten erschienen exklusiv bei Victor (RCA), darunter auch Szenen aus «Carmen» und schöne Lied-Aufnahmen.

Swoboda, Albin; in erster Ehe war er mit der Sopranistin *Friederike Fischer* verheiratet (* 18. 6. 1844 Budapest, † 1. 10. 1898 Dresden). In zweiter Ehe heiratete er die Schauspielerin Gretchen Swoboda (* 1872 Wien, † 29. 3. 1921 München).

Sylva, Eloi; schloß seine Studien bei Gilbert Duprez in Paris ab. 1887–88 war er Mitglied der American National Opera Company New York. 1892 sang er an der Hofoper Berlin den Canio in der Berliner Premiere des «Bajazzo». Als Abschiedspartie wählte er 1902 in Berlin den Florestan im «Fidelio».

Sylva, Marguerite; ihr Name findet sich erstmalig 1898 bei der New Yorker Uraufführung der Operette «The Fortune Teller» von Victor Herbert und dann 1901 bei Aufführungen dieser Operette in London. 1906 kam es dann zu ihrer Verpflichtung an die Opéra-Comique Paris. 1906–07 war sie am Théâtre de la Monnaie Brüssel anzutreffen. 1906–12 trat sie regelmäßig am Stadttheater von Bern auf, 1908 und 1909 am Stadttheater von Zürich, 1913 am Stadttheater von Basel. 1913–14 sang sie am Theater von Essen die Carmen, die Nedda im «Bajazzo» und die Santuzza in «Cavalleria rusticana». 1917 Gastspiel an der Pariser Grand Opéra und 1924 nochmals in Brüssel. Sie ist angeblich über 600mal als Carmen aufgetreten.

Symonette, Randolph; 1953–54 am Stadttheater von Mainz engagiert.
Schallplatten: Opera-Eurodisc (Komtur im «Don Giovanni», nicht auf HMV); in den USA erschienen auf Colosseum 1950 Liedaufnahmen.

Synek, Hilde; sie war zuerst am Stadttheater von Würzburg (1951–52), dann 1952–54 am Opernhaus von Wuppertal und seit 1954 am Staatstheater von

Wiesbaden engagiert. 1959–71 war sie gleichzeitig Mitglied der Staatsoper Berlin, 1962–75 des Opernhauses von Köln. 1965–71 trat sie in kleineren Partien bei den Festspielen von Bayreuth auf. Zahlreiche Gastspiele, vor allem an der Wiener Staatsoper, 1963 an der Mailänder Scala als Sieglinde in der «Walküre»; beim Maggio musicale Florenz 1964 in Schönbergs Monodrama «Erwartung» sehr erfolgreich aufgetreten. Weitere Gastspiele 1962–63 an der Oper von Rom, in Turin und Parma, 1965 am Teatro Comunale Bologna und am Teatro Fenice Venedig, 1967 an den Staatsopern von München und Dresden, 1963 an der Oper von Bordeaux, 1968 am Grand Théâtre Genf, an den Opern von Budapest und Sofia (1970) und an der Warschauer Nationaloper (1974).
Schallplatten: Philips («Die Walküre»).

Szabó, Ilonka, * 1911 Budapest, † Januar 1945 Budapest; nach ihrem ersten Auftreten als Solistin in einer Messe von F. Liszt erregte sie Aufsehen in der Uraufführung eines bei einem Wettbewerb preisgekrönten Werks, der «Szegeder Messe» von Dezsö Demény. Bereits 1934 debütierte sie auf der Bühne der Budapester Staatsoper als Rosina im «Barbier von Sevilla». Sie kam im Januar 1945 durch die Kriegsereignisse in Ungarn ums Leben.
Schallplatten: Qualiton (u. a. als Saffi im «Zigeunerbaron»).

Szabo, Luisa; sie debütierte 1927 an der Nationaloper Budapest als Königin der Nacht in der «Zauberflöte». Auch ihre jüngere Schwester *Gizella Szabo* (* 1910) kam als Sopranistin an der Budapester Oper zu einer erfolgreichen Bühnenkarriere.

Szabó, Miklós, * 27. 11. 1909; Gesangstudium an der F. Liszt-Musikakademie Budapest. 1939 debütierte er an der Budapester Nationaloper als Beppe im «Bajazzo». Er ist auch gastweise in der Sowjetunion, in der ČSSR und in Holland aufgetreten.

Szamosi, Elza, * 8. 3. 1884, † 14. 7. 1924 Budapest; eigentlicher Name Elza Szamek. Sie war Schülerin des Pädagogen Quirino Merli. In den Jahren 1904 und 1905 gastierte sie an der Hofoper von Wien. Am 16. 10. 1906 sang sie in der amerikanischen Erstaufführung von Puccinis «Madame Butterfly» in Washington durch die Savage Opera Company die Titelrolle.

Szantho, Enid; 1928 wirkte sie bei den Salzburger Festspielen mit. Große Erfolge als Konzertsolistin beim Maggio musicale von Florenz (1935), in Berlin (1936) und Paris (1937).
Schallplatten: Aufnahmen auf Columbia (9. Sinfonie von Beethoven unter E. Ormandy), auf HMV und RCA-Victor, dazu die bereits erwähnten Privataufnahmen.

Szczurowski, Jan Nepomucen, * 16. 5. 1771 Pińczów (Polen), † 30. 10. 1849 Warschau; er war bis 1838 als erster Bassist an der Oper von Warschau engagiert. Als Seneschall in «Jean de Paris» von Boieldieu

nahm er 1839 von seinem Warschauer Opernpublikum Abschied, trat aber noch weiter im Konzertsaal auf.

Székely, Mihály; in den Jahren 1957–61 wirkte er bei den Festspielen von Salzburg mit. Als Antrittsrolle sang er im Januar 1947 an der Metropolitan Oper New York den Hunding in der «Walküre» und trat dort in drei Spielzeiten in Partien wie dem Sparafucile im «Rigoletto», dem Fiesco in Verdis «Simon Boccanegra», dem König Marke in «Tristan» und dem Fafner in den Opern des Nibelungenrings auf. Im New Yorker Haus der Metropolitan Oper konnte man ihn in 29 Vorstellungen von sieben Partien hören.
Schallplatten: DGG (Osmin in der «Entführung aus dem Serail», Daland im «Fliegenden Holländer»).

Székelyhidi, Ferenc, * 4. 4. 1885 Tövis (Ungarn), † 27. 6. 1954 Budapest; er debütierte 1909 an der Budapester Oper in der Oper «Hunyadi László» von F. Erkel und blieb bis 1935 an diesem Haus tätig.

Szemere, László, † 2. 9. 1963 Budapest; er studierte zuerst an der Technischen Hochschule Brünn (Brno), ließ dann aber seine Stimme an der Budapester Musikakademie und am Konservatorium der Stadt Wien ausbilden.

Szende, Ferenc, * 5. 4. 1887 Kakasd (Ungarn), † Dezember 1955 (nach anderen Quellen 1962) Buenos Aires. Nach dem Zweiten Weltkrieg ist er nach Südamerika ausgewandert; über sein weiteres Leben dort besteht keine verläßliche Klarheit.

Szika, Jani; er ließ seine Stimme in Wien durch den bekannten Pädagogen Carl Maria Wolf ausbilden. 1878 sang er am Theater an der Wien in der Uraufführung der Operette «Das verwunschene Schloß» von Millöcker. Er wirkte in Wien in den Uraufführungen der Volksstücke «Der Pfarrer von Kirchfeld» und «Der Meineidbauer» von Ludwig Anzengruber mit. 1883–87 sang er am Friedrich Wilhelmstädtischen Theater Berlin, 1887–90 am Berliner Walhalla-Theater. Am Friedrich Wilhelmstädtischen Theater Berlin wirkte er in der weiteren Uraufführung einer Johann Strauß-Operette mit, und zwar am 3. 10. 1883 in «Eine Nacht in Venedig» als Caramello. 1890–1912 trat er am Stadttheater von Frankfurt a. M. hauptsächlich in Sprechrollen auf. Zuletzt lebte er wieder in Wien.

Szirovatka, Karl; 1898–1902 war er am Opernhaus von Riga tätig, 1902–03 am Theater von Graz, 1903–04 am Stadttheater von Posen (Poznań). Er änderte dann seinen Namen in Carl Balta um und war als solcher noch an den Theatern von Bern und Basel engagiert.

Szönyi, Olga; Schallplatten: Hungaroton (Krönungsmesse und Grazer Messe von F. Liszt).

Szostek-Radkowa, Krystina; 1988 großer Erfolg an der Oper von Warschau als Fricka in den Aufführun-

gen des Nibelungenrings. 1989 Gastspiel mit dem Warschauer Ensemble an der Wiener Staatsoper in «Das verwunschene Schloß».
Schallplatten: Polskie Nagranie/Schwann (Lieder von Szymanowski).

Szymanowska-Korwin, Stanislawa; Schallplatten: Um 1930 erschienen auf Parlophon Aufnahmen mit Liedern ihres Bruders.

T

Taccani, Giuseppe; nach seinem Debüt 1905 in Bologna gastierte er in Mexiko und Mittelamerika und 1905–06 in Havanna auf Kuba. 1908 hörte man ihn am Teatro Regio Turin und am Teatro San Carlo Neapel; sehr beliebt war er am Teatro Dal Verme Mailand. 1906 sang er in Genua in der Uraufführung der Oper «Hermes» von Attilio Parelli. Gastierte 1908 am Teatro Politeama Buenos Aires, 1910 an der Oper von Kairo und 1911 am Teatro Regio von Parma als Walther in den «Meistersingern» und als Enzo in «La Gioconda» von Ponchielli. 1924 hörte man am Teatro San Carlo Neapel seinen Tannhäuser, 1928 an der Oper von Rom seinen Radames in «Aida», seinen José in «Carmen», seinen Alfredo in «La Traviata» und seinen Pinkerton in «Madame Butterfly». 1927 war er bei der Italienischen Oper in Holland tätig, 1933 Gastspiele an der Nationaloper von Budapest und am Stadttheater von Basel. Trotz seiner glänzenden Erfolge an allen großen Bühnen in Italien konnte er zunächst nicht an die Mailänder Scala kommen. Erst in der Saison 1930 sang er dort, alternierend mit Francesco Merli, den Radames in «Aida». Im zweiten Abschnitt seiner Karriere trat er auch in Wagner-Partien (Tannhäuser, Siegfried) auf. So hörte man ihn 1928 in Genua als Siegfried in der «Götterdämmerung».
Schallplatten: Bereits 1906 Aufnahmen auf Fonotipia, dann auf G & T (1907) und Victor. Eine HMV-Platte («O sommo Carlo» aus «Ernani» mit Mattia Battistini). Auf Columbia Herzog in vollständigem «Rigoletto» (1910); auf dieser Marke auch elektrische Aufnahmen.

Tacchinardi, Niccolò, † 14. 3. 1859 Florenz. Er begann 1794 seine Sängerkarriere und hatte vor allem in den damals sehr bekannten Opern von Paër, Morlacchi und Zingarelli seine Erfolge. Am Théâtre-Italien Paris feierte man ihn 1811 als Don Giovanni und in Opern von Paisiello, Pucitta und Cimarosa. Gegen Ende seiner Karriere trat er in den Opernwerken Rossinis vor sein Publikum. Seine Tochter *Fanny Persiani-Tacchinardi* (1812–67) wurde die erste Lucia di Lammermoor in Donizettis gleichnamiger Oper und eine international gefeierte Primadonna.

Taddei, Giuseppe; er erhielt seine Ausbildung in Rom. 1948–51 und 1955–61 hatte er an der Mailänder Scala eine erfolgreiche Karriere. Er gastierte 1960–67 regelmäßig an der Covent Garden Oper London (u. a. als Rigoletto, als Macbeth von Verdi und als Jago im «Othello»), 1959 an der Oper von Chicago. Erst 1985 kam es zu einem späten, aber triumphalen Debüt an der Metropolitan Oper New York in der Titelrolle von Verdis «Falstaff». Zu seinem 70. Geburtstag sang er 1986 an der Wiener Staatsoper den Scarpia in «Tosca», 1987 bei den Festspielen von Torre del Lago den Titelhelden in «Gianni Schicchi» von Puccini.
Schallplatten: Melodram («Luisa Miller» von Verdi).

Tadeo, Giorgio; Schallplatten: HMV (Tom in «Ballo in maschera»), Decca («La Traviata», «Andrea Chénier»), HRE-Rodolphe Records («Idomeneo» von Mozart).

Tadolini, Eugenia, *9. 7. 1808 Forlì, †11. 7. 1872 Paris; eigentlicher Name Eugenia Savorani. 1830 gastierte sie erstmals am Théâtre-Italien Paris in «Ricciardo e Zoraide» von Rossini, 1831 gab sie ein Konzert am französischen Hof. Bereits 1838 trennte sie sich von Giovanni Tadolini. In Italien sang sie u. a. am Teatro Fenice Venedig, am Teatro Argentina Rom, am Teatro della Pergola Florenz und 1842 am Teatro San Carlo Neapel in «Maria Padilla» von Donizetti; 1848 letztmals an der Scala, an der sie in 223 Vorstellungen aufgetreten war, 1850 am Teatro San Carlo Neapel zu hören. Nach dem Sturz der Bourbonenkönige in Neapel verlegte sie 1861 ihren Wohnsitz nach Paris, wo sie ganz zurückgezogen zusammen mit ihrem Gefährten, dem Adeligen Vincenzo Capece Zurla, lebte.

Tänzler, Hans, * 23. 9. 1879 Berlin; er war zuerst im Geschäft seines Vaters, eines Berliner Weinhändlers, tätig. Schließlich Gesangstudium bei Teresa Emrich, Jacques Stückgold und H. Schmidt in Berlin. 1913–14 gastierte er von Karlsruhe aus, 1914–18 war er am Hoftheater von Braunschweig engagiert. Er gab Gastspiele an der Hofoper von Dresden (1903), an den Stadttheatern von Hamburg (1905) und Frankfurt a. M. (1907–08), am Deutschen Theater Prag (1910), am Hoftheater Wiesbaden (1911), in Spanien und Rußland. 1927–29 lebte er in Berlin und trat dort als Gast an der Staatsoper auf, u. a. als Tristan und als Titelheld im «Evangelimann» von Kienzl (1927).

Tagger, Nicola, * 30. 5. 1930 Pazarjic (Bulgarien). In Tel Aviv war R. Rosenstein sein Lehrer. 1957 sang er an der Oper von Rom den Pinkerton in «Madame Butterfly», 1958 in der Oper «L'Assassinio nella Cattedrale» von I. Pizzetti. Diese Oper sang er auch 1960 in Genua und in einer Sondervorstellung im Vatikan vor Papst Johannes XXIII. 1965 wirkte er am Teatro San Carlo Neapel in Aufführungen der wieder entdeckten Rossini-Oper «Zelmira» mit. Er sang auch in der Uraufführung der Oper «Kean» von Mario Zafred. Beim Maggio musicale Florenz hörte man ihn 1960 in «Salome» von R. Strauss und in «Wozzeck» von A. Berg. Er widmete sich gern dem zeitgenössischen Musikschaffen und hatte in Werken von Busoni, Pizzetti, Prokofieff, Penderecki und B. A. Zimmermann große Erfolge. Im Vatikan sang er vor Papst Paul VI. in einer Aufführung von Pendereckis «Paradise Lost». 1973 und 1976 trat er in Opernsendungen des italienischen Rundfunks RAI auf.

Tagliabue, Carlo; 1924 hatte er am Teatro Carlo Felice Genua große Erfolge als Escamillo in «Carmen» (mit Conchita Supervia als Partnerin) und als Kurwenal im «Tristan». Er gastierte dann auch am Teatro San Carlos Lissabon und debütierte 1931 an der Mailänder Scala als Alfio in «Cavalleria rusticana». Seit 1934 war er oft am Teatro Colón Buenos Aires zu hören. 1937 sang er als Antrittspartie an der New Yorker Metropolitan Oper den Amonasro in «Aida». In den folgenden zwei Spielzeiten trat er an diesem Haus als Rigoletto, als Graf Luna im «Troubadour», als Jago im «Othello», als Enrico in «Lucia di Lammermoor», als Germont-père in «La Traviata» und als Tonio im «Bajazzo» auf. An der Covent Garden Oper London sang er 1938 als erste Partie den Rigoletto; in Berlin gastierte er ebenfalls als Rigoletto und als Renato im «Maskenball» von Verdi. 1938 war er an der Oper von San Francisco zu Gast (Gérard in «Andrea Chénier» von Giordano). Weitere Gastspiele in Belgien und in Südamerika.

Tagliana, Emilia; sie debütierte für Italien in Neapel und gastierte 1873 an der Wiener Hofoper, deren Mitglied sie in der folgenden Spielzeit 1874–75 wurde. 1878 folgte sie einem Ruf an die Berliner Hofoper, an der sie bis 1883 engagiert blieb und u. a. als Lucia di Lammermoor, als Violetta in «La Traviata», als Juliette in «Roméo et Juliette» von Gounod und in der Titelpartie von Meyerbeers «Dinorah» große Erfolge hatte. 1910 lebte die Künstlerin noch in Italien.

Tagliavini, Ferruccio; ursprünglich wollte er Ingenieur werden, doch wurde sein Vater auf seine schöne Stimme aufmerksam und sorgte für deren Ausbildung. Bühnendebüt 1939 am Opernhaus von Florenz, nachdem er dort einen Gesangwettbewerb gewonnen hatte. An der Mailänder Scala war er in den Jahren 1942–53 ständig zu hören. Während des Zweiten Weltkrieges hatte er dort wie an der Oper von Rom glänzende Erfolge. 1940 hörte man ihn beim Maggio musicale Fiorentino in Rossinis «Semiramide» zusammen mit Ebe Stignani. Gastspiele in Rio de Janeiro (1946), an der Oper von Chicago (Debüt 1946 als Herzog im «Rigoletto») und an der San Francisco Opera (1948–49 und 1952 als Faust in «Mefistofele»). Weitere Gastspiele an der City Centre Opera New York (1954), in Mexico City (1946), am Teatro San Carlos Lissabon (1954), an den Opernhäusern von Stuttgart (1955) und Antwerpen (1962). 1947–54 und nochmals 1961–62 hatte er an der Metropolitan Oper New York große Erfolge. Er galt dort als der führende Tenor für das italienische lyrische Repertoire und sang an der Metropolitan Oper Partien wie den Grafen Almaviva im «Barbier von Sevilla», den Edgardo in «Lucia di Lammermoor», den Nemorino in «Elisir d'amore», den Herzog im «Rigoletto», den Alfredo in «La

Traviata» und den Titelhelden in Mascagnis «Amico Fritz» (den er bereits 1939 in Florenz unter der Leitung des Komponisten gesungen hatte, und der seitdem eine seiner Glanzrollen war).
Schallplatten; Supraphon («Elisir d' amore»), Melodram («Tosca»).

Tagliavini, Franco; er entstammte einer armen Familie, die große Opfer bringen mußte, um ihm eine Ausbildung zum Sänger zu ermöglichen. Nach seinem Debüt 1961 sang er bereits im Herbst des gleichen Jahres an der Oper von Rom den Cavaradossi in «Tosca». 1965 debütierte er an der Mailänder Scala als Amenofi in Rossinis «Mosè». Er sang dort auch in «Madame Sans-Gêne» von Giordano und in «Olympia» von Spontini (1966), den Gabriele Adorno in «Simon Boccanegra» und den Macduff in Verdis «Macbeth». Seit 1965 (Debüt als Alfredo in «La Traviata») trat er für mehr als zwanzig Jahre an der Deutschen Oper Berlin auf. Am Teatro Comunale Bologna gastierte er 1972 als Lohengrin, an der Oper von Chicago 1969–73 als Riccardo in Verdis «Ballo in maschera», als Pinkerton in «Madame Butterfly», als Turiddu, als Alfredo und als Kalaf in «Turandot» von Puccini, bei den Festspielen von Verona als José in «Carmen» und als Enzo in «La Gioconda» von Ponchielli (1980). 1969 kam er an die New Yorker Metropolitan Oper, an der er als Pollione in «Norma», als Riccardo, als Macduff, als Cavaradossi und als Arrigo in Verdis «Vespri Siciliani» auftrat. 1982 Gastspiel in Brüssel in Verdis «Luisa Miller». 1989 gab er seine Karriere auf. Nicht verwandt mit dem Tenor Ferruccio Tagliavini.
Schallplatten: Melodram («Olimpia» von Spontini, Scala 1966), Orfeo («Olympie» von Spontini in der originalen französischen Fassung).

Taillon, Jocelyne, * 19. 5. 1941 Doudeville; sie war Schülerin von Suzanne Balguerie und von Germaine Lubin in Paris. 1977 wirkte sie an der Grand Opéra Paris in Aufführungen der Monteverdi-Oper «L'Incoronazione di Poppea» mit. Auch an dem zweiten großen Pariser Opernhaus, der Opéra-Comique, kam sie zu bedeutenden Erfolgen. 1979 folgte sie einem Ruf an die Metropolitan Oper New York, an der sie als Cieca in Ponchiellis «La Gioconda» debütierte. In den folgenden Spielzeiten hörte man sie dort als Geneviève in «Pelléas et Mélisande», als Anna in «Les Troyens» von Berlioz, als Quickly in Verdis «Falstaff» und als Erda im Nibelungenring.
Schallplatten: HMV (Stimme der Mutter in «Hoffmanns Erzählungen»).

Tajo, Italo; er debütierte 1935 am Teatro Vittorio Emanuele Turin als Fafner im «Rheingold» unter Fritz Busch. Dieser engagierte ihn für die Festspiele von Glyndebourne des gleichen Jahres, bei denen er im Chor sang und auch bereits einmal als Bartolo in «Figaros Hochzeit» auftrat. Beim Maggio musicale von Florenz erregte er 1942 als Leporello im «Don Giovanni» Aufsehen und trat bis 1954 dort in vielen Rollen auf. Seit 1948 sang er für mehrere Spielzeiten an der Metropolitan Oper New York Partien wie den Figaro in «Nozze di Figaro», den Dulcamara in

«Elisir d'amore» und den Titelhelden in «Gianni Schicchi» von Puccini. 1976 kam er nochmals an die Metropolitan Oper, wo er jetzt den Alcindoro in «La Bohème», den Mesner in «Tosca» und den Don Pasquale sang. 1946–50 trat er an der Oper von Chicago auf, 1948–50 an der Oper von San Francisco (Debüt als Colline in «La Bohème»). 1952–53 beim Holland Festival zu Gast (Figaro in «Nozze di Figaro»). An der Scala wirkte er 1956 in der italienischen Erstaufführung von «Troilus and Cressida» von W. Walton mit. Seit 1951 mit der Sopranistin *Florence Quartararo* (* 1922) verheiratet.
Schallplatten: HMV (bei den Glyndebourner Aufnahmen von «Figaros Hochzeit» sang er bereits 1935 die Arie des Bartolo, während der Rest der Rolle von Norman Allin gesungen wurde), Telefunken (1942), Decca («Manon Lescaut» von Puccini, 1988).

Takács, Klara; sie gastierte mehrfach an der Wiener Staatsoper und nahm 1986 an deren Japan-Tournee teil. 1987 hörte man sie am Teatro Colón Buenos Aires als Charlotte im «Werther» von Massenet und als Eudossia in «La Fiamma» von O. Respighi.
Schallplatten: Hungaroton (Krönungsmesse von F. Liszt, «Andrea Chénier» von Giordano, Messe solennelle von Rossini).

Takács, Mihály, * 19.9. 1861 Nagybanya (Ungarn); bei den Bayreuther Festspielen des Jahres 1894 sang er den Biterolf im «Tannhäuser». Sein Familienname kommt auch in der Schreibweise Takats vor.

Takács, Paula, * 1913 Palermo; Bühnendebüt 1941 am Opernhaus von Cluj als Melinda in «Bánk Bán» von F. Erkel.
Schallplattenaufnahmen auch auf DGG.

Talarico, Rita; Schallplatten: Nuova Era («Loreley» von Catalani).

Talazac, Jean-Alexandre; 1883, 1887 und 1888–89 zu Gast an der Oper von Monte Carlo, 1887 am Teatro San Carlos Lissabon, 1889 am Théâtre de la Monnaie Brüssel.

Talén, Björn; 1925 und 1929 gastierte er an der Staatsoper Dresden, 1923–24 durchreiste er mit der Bronsgeest-Wanderoper Holland. Weitere Gastspiele in Madrid und Turin. Ein besonderer Höhepunkt in seinem Bühnenrepertoire war der Nureddin im «Barbier von Bagdad» von P. Cornelius, den er 1922 in einer Neu-Inszenierung des Werks an der Berliner Staatsoper sang.
Schallplatten: Homochord (Berlin, 1923).

Talifert, Anna, * 1900 Paris; sie debütierte nach ihrem Studium, das in Paris erfolgte, 1919 am Théâtre Trianon Lyrique Paris, sang 1920–25 am Opernhaus von Nancy und kam 1925 an das Théâtre de la Monnaie Brüssel. Dort sang sie 1926 die Liu in der französischsprachigen Premiere von Puccinis «Turandot». Gastspiele führten sie an die Opernhäuser

von Lüttich, Bordeaux und Marseille. 1940 nahm sie von der Bühne Abschied.

Talley, Marion; sie zeigte als Kind eine erstaunliche Begabung im Klavier- und Violinspiel. Ihr Debüt an der Metropolitan Oper wurde durch die Presse noch vor seinem Zustandekommen als große Sensation angekündigt; aus dem heimatlichen Kansas City wurde ein eigener Sonderzug zu diesem Ereignis nach New York eingesetzt. Bei ihrem Debüt als Gilda (am 17.2. 1926) waren Giacomo Lauri-Volpi und Giuseppe de Luca ihre Partner. Sie sang neben den erwähnten Partien an der Metropolitan Oper auch die Lucia di Lammermoor, die Olympia in «Hoffmanns Erzählungen» und die Philine in «Mignon» von A. Thomas, insgesamt bis 1929 sieben Partien in 53 Vorstellungen (in deren New Yorker Haus). 1929 zog sie sich auf ihre Farm im Staat Kansas zurück und trat bis 1933 nicht mehr auf.

Talvela, Martti, † 22.7. 1989 Juva (Südfinnland); am Konservatorium von Lahti Schüler von Taunokaivela. Sang als Antrittsrolle 1961 an der Oper von Stockholm den Commendatore im «Don Giovanni». 1970 und 1972–73 an der Covent Garden Oper London zu Gast. 1972–79 künstlerischer Direktor der Opernfestspiele von Savonlinna. Mehrfache Gastspiele an den Staatsopern von München und Hamburg, in Köln und Bonn. An der Metropolitan Oper New York sang er 1974 mit grandiosem Erfolg den Titelhelden in der Originalfassung von Mussorgskys «Boris Godunow». Insgesamt hat er in einer zwanzigjährigen Karriere an diesem Haus über hundert Vorstellungen gesungen. 1969 hörte man ihn an der Oper von Chicago als Daland im «Fliegenden Holländer», 1987 in Los Angeles als Marke im «Tristan». Er sang beim Finnland Festival 1978 in der Oper «Die letzten Versuchungen» («Viimeiset Kiukaukset») von Joonas Kokkonen (die Uraufführung hatte bereits 1975 an der Oper von Helsinki stattgefunden). Er starb plötzlich nach einem Herzinfarkt am Vorabend der Hochzeit seiner ältesten Tochter.
Schallplatten: Decca («Entführung aus dem Serail»).

Tamagno, Francesco; er arbeitete zunächst als Bäckerlehrling, dann als Schlosser und wurde schließlich Chorist am Teatro Regio Turin. Er sang an der Mailänder Scala den Fabiano in der Uraufführung der Oper «Maria Tudor» von Carlos Gomes (27.3. 1879), 1892 am Teatro Carlo Felice Genua in der von «Gualterio Swarten» von Andrea Gnaga, am Teatro Dal Verme Mailand in der von Leoncavallos «I Medici» (9.11. 1893). 1899 begeisterte er das Publikum der Scala als Arnoldo in Rossinis «Wilhelm Tell». Er gastierte in Barcelona und Buenos Aires (seit 1879), in Rio de Janeiro, am Teatro Costanzi Rom, in Venedig, Neapel und in den übrigen Zentren des italienischen Musiklebens. Bereits 1891 hatte er mit der Abbey Opera Company bei einem Gastspiel im Haus der New Yorker Metropolitan Oper seinen Othello gesungen (mit Emma Albani als Desdemona), wurde aber erst 1894 an dieses

Opernhaus als Mitglied verpflichtet (Debüt als Arnoldo in «Wilhelm Tell»). Er trat dort in der Spielzeit 1894–95 dann insgesamt in 24 Vorstellungen (darunter auch als Othello) auf. 1897 Deutschland-Tournee mit Gastspielen in Berlin, Dresden, München, Köln und am Deutschen Theater Prag. 1901 sang er an der Covent Garden Oper London nochmals den Radames und den Hélion in «Messaline» von de Lara. Sein Bruder *Giovanni Tamagno* (1859–1910) wurde als Bariton bekannt, gab aber seine Karriere früh auf und ging in Buenos Aires Handelsgeschäften nach. Eine Nichte des großen Sängers *Bianca Tamagno-Grassi* (1883–1914) schlug eine erfolgreiche Laufbahn als Koloratursopranistin ein, kam aber jung bei einem Verkehrsunfall ums Leben.
Schallplatten: Von 1903 existiert eine Victor-Platte mit «Di quella pira» aus Verdis «Troubadour», auf der er das hohe C acht Sekunden lang anhält.

Tamberlik, Enrico; er wollte ursprünglich Rechtswissenschaften studieren, aber entschloß sich dann zum Gesangstudium. 1841 trat er am Teatro Fondo Neapel als Tybalt in «I Capuleti ed I Montecchi» auf. 1857 sang er in der Eröffnungsvorstellung des (alten) Teatro Colón Buenos Aires den Alfredo in Verdis «La Traviata». Er ist im Lauf seiner großen Karriere relativ selten an italienischen Opernhäusern in Erscheinung getreten.

Tamburini, Antonio, † 8. 11. 1876 Nizza; er lernte zunächst Hornspiel, wandte sich dann aber dem Gesangfach zu. Er wirkte in einer kaum aufzählbaren Menge von Uraufführungen mit: am 20. 5. 1826 am Teatro San Carlo Neapel in «Bianca e Fernando» von Bellini, am 9. 10. 1826 an der Grand Opéra Paris in «Le Siège de Corinthe» von Rossini, am 27. 10. 1827 an der Mailänder Scala in Bellinis «Il Pirata» (als Ernesto), am 14. 2. 1829, gleichfalls an der Scala, in «La Straniera» von Bellini (als Valdeburgo), dazu in vielen Opern von Donizetti wie «Chiara e Serafino» (1822), «L'Ajo nell imbarazzo» (4. 2. 1824 Teatro Valle Rom), «Alina regina di Golconda» (12. 5. 1828 Genua), «Gianna di Calais» (2. 8. 1828 Teatro Fondo Neapel), «Francesca de Foix» (1831), «La Romanziera e l'uomo nero» (1831) und «Fausta» (12. 1. 1832 Teatro San Carlo Neapel). Am Théâtre-Italien Paris hörte man ihn in der Uraufführung der Oper «I Briganti» von S. Mercadante. Dort wirkte er auch am 7. 1. 1842 in der Uraufführung von Rossinis Stabat mater mit. Zehn Jahre lang trat er als umjubelter Gast an der Hofoper von St. Petersburg auf.

Tanaka, Michi, * 15. 7. 1910 Tokio, † 1988 München; sie studierte in Wien bei Maria Ivogün. 1930 heiratete sie den österreichischen Kaffeegroßhändler Julius Meinl, von dem sie sich später wieder trennte. Nach ihrer Heirat mit Victor de Kowa gab sie ihre Bühnenkarriere auf. Zuletzt lebte sie, schwer erkrankt, in einem Münchener Altenheim.

Tangeman, Nell; sie sang am 12. 6. 1952 an der Brandeis University Walton (Massachusetts) in der Uraufführung von Leonard Bernsteins «Trouble in Tahiti» die Rolle der Dinah. 1952–53 bei den Festspielen von Aix-en-Provence zu Gast.
Schallplatten: Vox («Gurrelieder» von A. Schönberg unter R. Leibowitz). Mitschnitte von Rundfunksendungen.

Tango, Viorica, * 20. 12. 1892 Bukarest, † 1. 6. 1974 Humblebaek bei Kopenhagen; eigentlicher Name Viorica Vasilescu.

Tappolet, Siegfried; studierte bei Cairati in Zürich und bei Johann Baptist Hoffmann in Berlin. Er begann seine Karriere 1924 als Volontär an der Oper von Stuttgart. 1930–31 war er an der Staatsoper Berlin verpflichtet (Debüt als Raimondo in «Rienzi»); 1933–41 wirkte er am Opernhaus von Köln. 1941–43 bestand ein Gastspielvertrag mit der Berliner Volksoper. 1944 wurde er Mitglied des Opernhauses von Zürich. 1929–32 war er an der Metropolitan Oper New York engagiert. Er gastierte 1934 an der Staatsoper von Wien, 1935 am Teatro Liceo Barcelona, 1937 an der Oper von Monte Carlo und 1948 am Grand Théâtre Genf. 1940 wirkte er in Köln in der deutschen Erstaufführung der Oper «Orseolo» von Pizetti mit.
Schallplatten: Concert Hall («Julius Cäsar» von Händel).

Tappy, Eric; an der Covent Garden Oper London sang er 1973–74 u. a. als Titelheld in «La clemenza di Tito» von Mozart. Am Grand Théâtre Genf, an dem er 1963–80 als ständiger Gast auftrat, wirkte er in den Uraufführungen der Opern «Monsieur Pourceaugnac» von Frank Martin (1963) und «La Mère coupable» von Darius Milhaud (1966) mit. Er sang Solopartien in den Uraufführungen von Frank Martins Requiem (Lausanne, 1973) und «Mystère de la Nativité (Genf, 1959) und in dem Oratorium «Flut» von R. Kelterborn (Basel, 1965).
Schallplatten: Melodram (Jacquino in «Fidelio», Genf 1964), Philips («Enfance du Christ» von Berlioz), DGG («La clemenza di Tito» von Mozart).

Tariol-Baugé, Anna, s. unter *Baugé,* André.

Tarrès, Enriqueta; 1958–60 sang sie am Teatro Liceo Barcelona.
Schallplatten: HRE-Rodolphe Records (Elettra in «Idomeneo» aus Glyndebourne, 1964).

Tartakow, Joakim Wiktorowitsch, * 14. 11. (26. 11.) 1860 Odessa. 1882 debütierte er bei einer Wanderoper und sang dann zwei Jahre an verschiedenen russischen Theatern, darunter am Opernhaus von Odessa. In den Jahren 1884–94 gastierte er mehrmals an Bühnen in Deutschland, Frankreich und England, u. a. in Berlin, Liverpool und Kopenhagen und nahm 1887–88 an einer Europa-Tournee mit einer russischen Wanderoper teil. Er kam bei einem Autounfall ums Leben.
Schallplatten: G & T (St. Petersburg 1903 und 1907–09), Pathé, alles in allem nur wenige und technisch mangelhafte Aufnahmen.

Taskin, Emile-Alexandre; er war ein Enkel des Organisten und Komponisten Henri-Joseph Taskin (1779–1852), ein Urenkel von Pascal-Joseph Taskin (1750–1829), der den Königlichen Instrumentenfundus verwaltete, ein Ur-Urenkel des Instrumentenbauers Pascale Taskin (1723–93). Seit 1891 wirkte er als Professor am Conservatoire National Paris. Seine Tochter *Arlette Taskin* (*1881) trat als Konzert-Altistin und als Liedersängerin auf.

Taskova, Slavka; sie sang am 4.5. 1975 am Teatro Lirico Mailand (nicht an der Scala) in der Uraufführung von Luigi Nonos «Al gran sole carico d'amore». Sie ist auch unter dem Namen Slavka Taskova-Paoletti aufgetreten.

Tassinari, Pia; nach ihrem Debüt 1929 folgten Gastspiele am Teatro Fenice Venedig und am Teatro Lirico Mailand. 1931 kam sie bereits an die Mailänder Scala, an der sie in den Jahren 1931–37 und 1945–56 große Erfolge erzielte. 1943 gastierte sie zusammen mit Ferruccio Tagliavini in Amsterdam wie im Haag. Seit 1946 traten beide oft am Teatro Colón Buenos Aires auf. 1947–48 an der Metropolitan Oper New York engagiert, wo sie als Tosca (ihre Antrittsrolle) und als Mimi in «La Bohème» zu hören war.
Schallplatten: Columbia (Alice Ford in vollständigem «Falstaff» von Verdi, 1932), Cetra (Suzel in Mascagnis «Amico Fritz» mit Ferruccio Tagliavini als Partner).

Tasso, Fiorenzo; in den Jahren 1940–48 durchlief er an der Mailänder Scala eine sehr erfolgreiche Karriere. Er sang als Antrittsrolle den Titelhelden im «Parsifal» und trat auch dort vor allem in seinem Wagner-Repertoire hervor.

Tattermuschová, Helena, *28.6. 1933 Prag.
Schallplatten: Supraphon («Das schlaue Füchslein» von Janáček).

Tauber, Richard; 1923 sang er am Theater an der Wien in der Uraufführung der Oscar Straus Operette «Die Perlen der Kleopatra». 1926 gastierte er an der Staatsoper von Dresden in der deutschen Erstaufführung von Puccinis Oper «Turandot», bei der er für den erkrankten Curt Taucher die Partie des Prinzen Kalaf kurzfristig übernahm. (Die Uraufführung der Lehàr-Operette «Der Zarewitsch» war am 21.2. 1927 am Deutschen Künstlertheater Berlin). 1928 sang er in der Eröffnungsvorstellung der renovierten Berliner Staatsoper in Anwesenheit des deutschen Reichspräsidenten von Hindenburg den Tamino in der «Zauberflöte». 1938–39 hörte man ihn an der Covent Garden Oper London in Mozart-Partien und als Hans in der «Verkauften Braut». 1940 nahm er die englische Staatsbürgerschaft an. 1946 trat er am New Yorker Broadway in der Lehár-Operette «Land des Lächelns» auf. Eine Woche nach seinem Auftritt an der Covent Garden Oper im September 1947 mußte ihm ein Lungenflügel wegen einer bösartigen Geschwulst operativ entfernt wer-

den. Wenige Monate später verstarb der große Sänger.

Tauberová, Maria; ihre Hauptrollen waren die Karolina in Smetanas «Zwei Witwen», die Barče in «Hubička» («Der Kuß»), die Gilda im «Rigoletto», die Rosina im «Barbier von Sevilla», die Susanna in «Figaros Hochzeit», die Marguerite im «Faust» von Gounod und die Titelfigur in «Mirandolina» von B. Martinù.

Taubmann, Horst; debütierte 1933 am Stadttheater von Chemnitz als Lyonel in Flotows «Martha». Er sang dann 1935–37 an der Staatsoper Stuttgart, 1937–40 am Stadttheater Freiburg i. Br. und seit 1940 an der Staatsoper München. Am 16.8. 1944 wirkte er bei den Festspielen von Salzburg in der Generalprobe (zu der nicht mehr erfolgten Uraufführung) der Richard Strauss-Oper «Die Liebe der Danaë» mit. 1946–50 war er an der Wiener Volksoper, 1952–53 am Staatstheater Kassel engagiert.
Schallplatten: Haydn Society (Tenor-Solo in der Nelson-Messe).

Taucher, Curt; am 5.3. 1916 sang er in Dresden in der Uraufführung der Oper «Die toten Augen» von Eugen d'Albert den Galba. 1928 gastierte er am Teatro Liceo Barcelona, 1930 an der Wiener Staatsoper, 1931 am Grand Théâtre Genf. Bei den Festspielen von Salzburg sang er 1931 das Tenorsolo im «Lied von der Erde» von Gustav Mahler.

Tear, Robert; seit 1970 hörte man ihn an der Covent Garden Oper London u. a. als Lenski im «Eugen Onegin», als Peter Grimes von Benjamin Britten und als Paris in «King Priam» von Tippett. Neben dem Herodes in «Salome» war der Loge im «Rheingold» eine seiner Glanzrollen, die er an der Grand Opéra Paris (1976), in London und München (1987) sang. An der Pariser Grand Opéra wirkte er auch am 24.2. 1974 in der Uraufführung der von F. Cerha neu bearbeiteten und vollendeten Oper «Lulu» von A. Berg mit. Er trat auch als Dirigent auf.
Schallplatten: HMV («The Mask of Time» von M. Tippett), London («The Burning Fiery Furnace» von Britten), CBS («Die sieben Todsünden» von K. Weill).

Tebaldi, Renata; 1950 Gastspiel mit dem Ensemble der Mailänder Scala in London als Aida. Seit 1959 glanzvolle Gastspiele an der Wiener Staatsoper, seit 1962 am Deutschen Opernhaus Berlin. 1950 fand ihr Nordamerika-Debüt an der Oper von San Francisco als Aida statt. An der Metropolitan Oper New York sang sie (in deren New Yorker Haus) seit 1955 in 27 Spielzeiten 210 Vorstellungen von 14 Partien. 1976 unternahm sie eine Rußland-Tournee, die ihr große Triumphe brachte. 1961 war sie in Tokio und Osaka zu Gast. Aus ihrem Bühnenrepertoire verdient auch die Eva in den «Meistersingern» Erwähnung.
Schallplatten: Nuova Era (Alice Ford in Verdis «Falstaff», Scala 1951).

Tedeschi, Alfredo; in der Saison 1923–24 sang er an der Mailänder Scala den Arturo in «Lucia di Lammermoor». 1928 hörte man ihn am Teatro Colón Buenos Aires als Nicias in «Thaïs» von Massenet, in der Uraufführung der argentinischen Oper «Chrysantheme» von Peacan del Sar und in der Erstaufführung von «Le Rossignol» von Strawinsky. Während seines Engagements an der Metropolitan Oper New York (1926–35 unter dem Namen Alfio Tedesco) ist er auch als italienischer Sänger im «Rosenkavalier», als Elvino in «La Sonnambula», als Graf Almaviva im «Barbier von Sevilla» und 1930 in der Premiere von Rimsky-Korssakows «Sadko» aufgetreten. Bei den Salzburger Festspielen wirkte er 1936–39 mit. 1942–46 sang er an der Mailänder Scala Partien aus dem Buffo- und Charakterfach, 1942 gastierte er an der Staatsoper von Wien.

Tedesco, Alfio, s. unter *Tedeschi,* Alfredo.

Tedesco, Fortunata; 1856 hörte man sie am Teatro Riccardi von Bergamo als Leonora in Donizettis «La Favorita». Sie sang nach ihrer Heirat auch unter dem Namen Fortunata Tedesco-De Franco.

Tedesco, Sergio; Schallplatten: HMV (kleine Partien in «La Traviata» und «Ernani» von Verdi), CBS («Iris» von Mascagni).

Tegani, Emma; 1942 sang sie als Antrittsrolle an der Mailänder Scala die Liu in «Turandot» von Puccini. Dort ist sie noch 1954 aufgetreten.

Tegetthoff, Else, s. unter *Ruziszka,* Else.

Te Kanawa, Kiri, * 6. 3. 1944 Gisborne bei Auckland (Neuseeland). Sie stammte väterlicherseits aus der Bevölkerungsgruppe der Maori. Sie debütierte 1968 bei der Northern Opern in Newcastle-upon-Tyne. 1971 kam sie in Nordamerika zu ihren ersten großen Erfolgen als Gräfin in «Nozze di Figaro», die sie an den Opern von Santa Fé und San Francisco sang. 1976–77 gastierte sie an der Oper von Sydney als Mimi in «La Bohème» und als Amelia in Verdis «Simon Boccanegra», 1977 an der Oper von Houston/Texas als Arabella. 1978 sang sie als Antrittsrolle an der Mailänder Scala ebenfalls die Amelia in «Simon Boccanegra». An der Metropolitan Oper New York war sie in den Jahren 1974–76 und wieder ab 1982 mit großem Erfolg tätig. Sie gastierte am Opernhaus von Köln, sang 1982 an der Grand Opéra Paris die Titelheldin in Puccinis «Tosca» und unternahm 1978–79 eine große Recital-Tournee durch Europa und Nordamerika. 1987 bewunderte man an der Oper von Chicago ihre Fiordiligi in «Così fan tutte». Zu ihren großen Partien gehörten auch die Arabella in der gleichnamigen Oper von Richard Strauss und die Marguerite im «Faust» von Gounod. 1983 wurde sie durch die Universität Oxford mit dem Ehrendoktortitel geehrt.
Schallplatten: Philips (Marguerite im «Faust» von Gounod), Decca («Simon Boccanegra» von Verdi, Sopransoli in der Matthäuspassion von J. S. Bach und im Requiem von Gabriel Fauré), HMV (Vokal-

musik von Gershwin, 9. Sinfonie von Beethoven), DGG (Fiordiligi in «Così fan tutte»). Auch Aufnahmen auf der neuseeländischen Marke Kiwi.

Telasko, Ralph; 1935–36 war er an der Staatsoper Wien engagiert, 1936–39 in Linz (Donau). Während der Jahre des Zweiten Weltkrieges hielt er sich in Amerika auf. Dort sang er 1940–43 u. a. in Rio de Janeiro und 1944–53 an der City Centre Opera New York, in Chicago, Philadelphia und New Orleans. Er kam dann wieder nach Europa zurück, sang 1952–54 am Landestheater Darmstadt, 1954–55 am Stadttheater Basel, 1955–61 am Landestheater Saarbrücken und schließlich seit 1961 bis zur Aufgabe seiner Karriere 1976 am Opernhaus von Zürich. Bei den Bayreuther Festspielen übernahm er 1964 den Hans Foltz in den «Meistersingern». Weitere Gastspiele am Théâtre de la Monnaie Brüssel (1963, 1965) und am Teatro Comunale Florenz.
Schallplatten: Telefunken (Querschnitt «Zigeunerbaron»), Concert Hall (Szenen aus «Tristan»).

Teleky, Emmy; nach ihrer Heirat ist sie 1902 nochmals am Berliner Theater des Westens aufgetreten.
Einige seltene Schallplattenaufnahmen auf Favorit (1905).

Telva, Marion; insgesamt hat sie an der New Yorker Metropolitan Oper in deren Haus in New York in zwölf Spielzeiten 55 Partien in 455 Vorstellungen gesungen, darunter die Maddalena im «Rigoletto», die Brangäne im «Tristan», die Laura wie die Cieca in «La Gioconda» von Ponchielli, die Magdalene in den «Meistersingern», die Madelon in Giordanos «Andrea Chénier», die Quickly in Verdis «Falstaff» (1925), die Dulcinée in «Don Quichotte» von Massenet (mit Fedor Schaljapin 1926), die Marina im «Boris Godunow» (1926–27), die Venus im «Tannhäuser» und die Ortrud im «Lohengrin». 1928 gastierte sie an der San Francisco Opera. Als Konzertsängerin trat sie u. a. beim Ann Arbor Festival 1930 unter A. Toscanini als Solistin in Beethovens 9. Sinfonie auf.

Temple, Richard; am 12. 6. 1906 nahm er am Prince of Wales' Theatre London an der Uraufführung von «The Vicar of Wakefield» von Liza Lehmann teil.

Templeton, John, * 30. 7. 1802 Riccarton (Grafschaft Kilmarnock, Schottland). Er erregte bereits als Knabensopran in Edinburgh Aufsehen.

Tenducci, Giusto Ferdinando; er trat 1784 beim Westminster Abbey Festival auf, das er auch als Direktor leitete. 1785 stand er am Drury Lane Theatre London letztmalig als Orpheus auf der Bühne. Er kehrte schließlich wieder in seine italienische Heimat zurück, wo er aber bald verstarb.

Terkal, Karl; Schallplatten: Auch Aufnahmen auf DGG.

Termer, Helga, nach weiterer Ausbildung 1959–61 im Opernstudio der Berliner Staatsoper kam ihr

eigentliches Bühnendebüt 1961 am Staatstheater von Schwerin zustande. Höhepunkte in ihrem Bühnenrepertoire bildeten Partien wie die Frau Fluth in Nicolais «Lustigen Weibern von Windsor», die Ännchen im «Freischütz», die Baronin im «Wildschütz» von Lortzing, die Nedda im «Bajazzo», die vier Frauenrollen in «Hoffmanns Erzählungen», die Adina in «Elisir d'amore» (1982 Staatsoper Berlin) und die Gilda im «Rigoletto». Seit 1980 Lehrtätigkeit im Opernstudio der Staatsoper Dresden. Sie ist auch unter dem Namen Helga Termer-Zimmer aufgetreten.
Schallplatten: Eterna («Der zerbrochene Krug» von Z. Vostrák), Philips (Matthäuspassion).

Ternina, Milka, * 19. 12. 1863 Vezicze (Doljnij, Kroatien), † 18. 5. 1941 Zagreb. Sie begann ihr Gesangstudium mit zwölf Jahren. 1890–99 war sie an der Hofoper von München engagiert, an der sie noch ständig bis 1906 als Gast auftrat. Weitere Gastspiele an der Hofoper Berlin (1887), am Stadttheater Hamburg (1901) und in großem Ausmaß an der Covent Garden Oper London (1898–1906), an der sie 1898 als Antrittsrolle die Isolde im «Tristan» vortrug. Bereits 1890 kam es zu ihrem Nordamerika-Debüt, als sie an der Oper von Boston die Elsa im «Lohengrin» sang. 1899 begann sie ihre Tätigkeit an der Metropolitan Oper New York mit der Partie der Elisabeth im «Tannhäuser». In vier Spielzeiten ist sie bis 1906 in deren Haus in New York in 74 Vorstellungen von 15 Partien zu hören gewesen, darunter als Isolde, als Brünnhilde, als Sieglinde, als Elsa, als Santuzza in «Cavalleria rusticana» und als Leonore im «Fidelio». Neben ihrem Wirken auf der Bühne entfaltete sie eine ausgedehnte Konzerttätigkeit auf internationalem Niveau. 1909–12 war sie als Pädagogin am College of Music New York beschäftigt, seit 1933 wirkte sie als Professorin am Konservatorium von Zagreb.

Terranova, Vittorio; 1971 gastierte er an der Niederländischen Oper Amsterdam als Graf Almaviva im «Barbier von Sevilla», 1983–84 als Arturo in «I Puritani» von Bellini.
Schallplatten: Philips («Wilhelm Tell» von Rossini, Gesamtaufnahme).

Terzian, Anita; Schallplatten: RCA-Erato (Siebel im «Faust» von Gounod).

Teschemacher, Margarethe; 1923 debütierte sie an der Oper von Köln als Ruth in «Die toten Augen» von E. d'Albert. 1924 hatte sie dort ihren ersten größeren Erfolg als Micaela in «Carmen». 1925–26 am Stadttheater von Aachen, 1926–28 am Stadtteater von Dortmund, 1928–30 am Nationaltheater Mannheim, 1930–35 an der Staatsoper Stuttgart, seit 1935 an der Staatsoper Dresden engagiert. 1931 und 1936 an der Londoner Covent Garden Oper als Gräfin in «Figaros Hochzeit», als Donna Elvira im «Don Giovanni», als Elsa im «Lohengrin» und als Eva in den «Meistersingern» zu Gast. Sie gastierte 1939 und 1942 beim Maggio musicale Florenz (nicht an der Mailänder Scala). Bis 1944 blieb sie Mitglied

der Staatsoper Dresden und war 1937–40 gleichzeitig der Staatsoper Hamburg verbunden. Nach dem Zweiten Weltkrieg gehörte sie 1947–52 dem Ensemble des Opernhauses von Düsseldorf an, wo sie jetzt auch Partien wie die Kundry im «Parsifal» und die Küsterin in «Jenufa» von Janáček sang. Zu ihren großen Partien gehörten noch die Senta im «Fliegenden Holländer» und die Titelheldin in «Francesca da Rimini» von Zandonai. Sie starb plötzlich nach einem Schlaganfall.
Schallplatten: Preiser (erster Akt «Walküre»).

Teschler, Fred; Schallplatten: Eterna (Lodovico in Verdis «Othello»), Pergola (Saretzki im «Eugen Onegin»).

Tesi-Tramontini, Vittoria; sie fand ihre großen Partien in erster Linie in den Opern von Jommelli, Lotti, Domenico Sarro und Gluck.

Tess, Giulia; einer ihrer Schüler war auch der Tenor Mirto Picchi.

Tessmer, Heinrich, er war seit 1922 für 28 Jahre als Tenor-Buffo an der Staatsoper Dresden tätig. 1926 wirkte er dort in der deutschen Erstaufführung von Puccinis «Turandot» mit; er sang in Dresden in den Uraufführungen der Opern «Massimilla Doni» von Othmar Schoeck (2. 3. 1937) und «Romeo und Julia» von H. Sutermeister (13. 4. 1940). 1930–32 und 1936 trat er als Gast an der Londoner Covent Garden Oper auf. Aus seinem Bühnenrepertoire sollten noch der Valzacchi im «Rosenkavalier» und der Basilio in «Figaros Hochzeit» hervorgehoben werden. Bis 1950 ist er als Sänger aufgetreten.
Schallplatten: Auch Polydor-Aufnahmen.

Tetrazzini, Luisa, * 29. 6. 1871 Florenz; nach erster Ausbildung durch ihre Schwester *Elvira Tetrazzini* studierte sie am Liceo musicale Florenz bei Contrucci und Ceccherini. Debütierte 1890 am Teatro Pagliano Florenz als Inez in Meyerbeers «Africaine». 1892 ging sie nach Südamerika und debütierte in Buenos Aires als Lucia di Lammermoor. Sie hatte dabei große Erfolge und trat während der folgenden fünf Jahre in Argentinien auf. Sie unternahm von dort aus Gastspiele in Uruguay und Brasilien. Schließlich bereiste sie Südamerika mit einer von ihr ins Leben gerufenen Wanderoper, für die sie namhafte italienische Sänger verpflichtete. 1896 kam sie wieder nach Italien, gastierte in Mailand, Florenz, dann in Berlin und während einer Saison in St. Petersburg. 1898 war sie in Mexico City zu Gast, wo sie auch in der Folgezeit oft auftrat. Während dieser Zeit bestand eine Verbindung der Künstlerin mit dem Bassisten *Giulio Rossi*, die etwa 1906 endete. 1904 trat sie sehr erfolgreich in Havanna auf. Im Januar 1905 erfolgte ihr USA-Debüt an der Oper von San Francisco als Gilda im «Rigoletto». Damit begann ihr eigentlicher Weg zum Weltruhm. Seit ihrem Debüt am Manhattan Opera House New York 1908 hatte sie dort bis 1910 in drei Spielzeiten in ihren großen Koloraturpartien triumphale Erfolge. 1911–13 sang sie an der Oper von Chicago,

1911–24 am Opernhaus von Boston. In der Spielzeit 1910–11 war sie wieder in San Francisco anzutreffen. An der Metropolitan Oper New York war sie während der Saison 1911–12 im Engagement und trat dort nur in acht Vorstellungen von drei Partien auf. Sie gab glanzvolle Konzerte in Wien, Berlin und Paris (1919), in London (1920) und im Rahmen einer großen USA-Tournee (1920–21), trat aber seit 1914 (wohl auch wegen ihrer erheblichen Korpulenz) nicht mehr als Bühnensängerin in Erscheinung. Ein Konzert im Londoner Palladium Theatre am 4.3. 1934 bezeichnete das Ende ihrer großen Sängerkarriere. Sie verlor ihr riesiges Vermögen, nachdem sie 1929 einen wesentlich jüngeren Mann Pietro Venati heiratete, der den ganzen Besitz verschleuderte und sie verließ. Ihre Lebenserinnerungen erschienen 1977 in London unter dem Titel *My Life of Song* in einem Neudruck.

Teyber, Elisabeth; ihre große Gastspielreise durch Italien 1768–70 unternahm sie zusammen mit ihrem Bruder Anton Teyber. Bis 1784 war sie noch gelegentlich bei Konzerten zu hören.

Teyber, Therese; sie war verheiratet mit dem aus Wien stammenden Tenor *Ferdinand Arnold,* der u. a. in Hamburg, Berlin, Warschau und seit 1792 in Riga sang.

Teyte, Maggie; sie studierte zuerst in London Klavierspiel, dann Gesang bei Jean de Reszke in Paris. 1907 kam sie (als jüngste je dort engagierte Sängerin) an die Opéra-Comique Paris. Dort sang sie als Antrittsrolle die Glycère in der Uraufführung der Oper «Circé» von Paul und Théodore Hillemacher. An der Londoner Covent Garden Oper hörte man sie 1910 als Cherubino in «Nozze di Figaro». In dieser Partie debütierte sie auch 1911 an der Oper von Philadelphia. Ebenfalls 1911 erregte sie in New York großes Aufsehen, als sie in ihren Liederabenden das zeitgenössische französische Lied vorstellte. 1914 gastierte sie am Théâtre des Champs-Élysées Paris als Susanna in Wolf-Ferraris «Il segreto di Susanna» und als Page Oscar in Verdis «Ballo in maschera». 1915–17 trat sie an der Oper von Boston auf, in Chicago wirkte sie auch in der Premiere von Massenets «Cendrillon» mit. Gegen Ende der zwanziger Jahre erreichte ihre Karriere einen neuen Höhepunkt. Jetzt sang sie an der Covent Garden Oper London neben den bereits erwähnten Partien die Butterfly, den Hänsel in «Hänsel und Gretel» und die Eva in den «Meistersingern». 1945 gab sie ein triumphales Konzert in New York. 1947–48 sang sie nochmals an der City Centre Opera New York ihre berühmte Mélisande. 1955 gab sie ihr letztes Konzert in der Londoner Wigmore Hall. Sie wurde 1958 in den Adelsstand erhoben. Sie galt als die große Interpretin des französischen Kunstlieds in Werken von Debussy, Ravel, Gabriel Fauré, Ernest Chausson, Henri Duparc und Reynaldo Hahn.
Schallplatten: Edison Diamond (1917), Columbia, Decca (seit 1934), HMV (akustische wie elektrische Aufnahmen, darunter Lieder, von Alfred Cortot am Klavier begleitet, 1936), RCA-Victor.

Thalberg, Zaré; bereits vor ihrem Londoner Bühnendebüt von 1875 war sie in Paris in Salonkonzerten aufgetreten. 1880 Gastspiel an der Mailänder Scala als Gilda im «Rigoletto».

Thallaug, Edith; Schallplatten: NFK-Disco Centre (Lieder von Grieg), BIS (Lieder und Duette mit Gösta Winbergh).

Thaller, Willy, † 7. 4. 1941 Wien; seit 1924 war er als Schauspieler am Burgtheater in Wien engagiert und ist dort noch bis 1940 als Gast aufgetreten. Er wurde zum Ehrenbürger der Stadt Wien ernannt.
Schallplatten: Sieben Aufnahmen auf G & T (Wien 1902), darunter auch Couplets aus Operetten.

Thau, Pierre; 1979 hörte man ihn in Toulouse in Cavallis Oper «Ercole amante», 1977 wirkte er bei den Festspielen von Glyndebourne als Commendatore im «Don Giovanni» mit. 1987 sang er an der Wiener Staatsoper den Calchas in Glucks «Iphigénie en Aulide», 1988 am Teatro Colón Buenos Aires den Mephisto in «Damnation de Faust» von Berlioz.
Schallplatten: MRF (Phanuël in «Hérodiade» von Massenet), Le Chant du monde («Le Roi d'Ys» von Lalo), Pickwick-Video (Commendatore im «Don Giovanni», Glyndebourne 1977).

Thaw, David; als Antrittsrolle sang er 1955 am Theater am Gärtnerplatz München den Herzog im «Rigoletto». Gastspiele bei den Festspielen von Aix-en-Provence (1956) und Salzburg (1964–68), an der Komischen Oper Berlin (1960–61), an der Wiener Staatsoper und am Théâtre de la Monnaie Brüssel (1963).
Schallplatten: DGG («Capriccio» von R. Strauss).

Thebom, Blanche; ihre Stimme wurde während eines Besuchs in Schweden durch den Pianisten Kosti Vehanen, den Begleiter von Marian Anderson, entdeckt. Bis dahin hatte sie als Büroangestellte gearbeitet. Im November 1944 debütierte sie bei einem Gastspiel der Metropolitan Oper in Philadelphia als Brangäne im «Tristan» und sang diese Partie wenige Wochen später bei ihrem ersten Auftreten im New Yorker Haus der Metropolitan Oper. Bis 1967 blieb sie deren Mitglied und hat dort in 22 Spielzeiten und 236 Vorstellungen 26 Partien gesungen, darunter die Carmen, die Azucena im «Troubadour», die Eboli in Verdis «Don Carlos», die Ortrud im «Lohengrin», die Fricka im Nibelungenring und 1953 die Türkenbaba in der amerikanischen Erstaufführung von Strawinskys «The Rake's Progress». 1946 Debüt an der Oper von Chicago als Brangäne, 1947–59 regelmäßig an der Oper von San Francisco zu Gast. Europäisches Debüt 1950 an der Oper von Stockholm, später u. a. auch in Amsterdam zu Gast gewesen. Seit 1980 Professorin an der Universität von Arkansas.
Schallplatten: Victor («Lieder eines fahrenden Gesellen» von G. Mahler).

Thein, Hanuš, * 17. 1. 1904 Pardubice (Pardubitz, ČSR); Gesangstudium 1922–28 bei Eugen Fuchs am Konservatorium von Prag.

Theodorini, Elena; sie war auch die Lehrerin des griechischen Bassisten Nicola Moscona.
Schallplatten: Vielleicht stammen die beiden Athener Odeon-Aufnahmen nicht von ihr, sondern von einer griechischen Sopranistin namens Elena Theodorides.

T'Hézan, Helia; 1988 sang sie an der Pariser Opéra-Comique die Juno in der Offenbach-Operette «Orphée aux Enfers».
Schallplatten: HMV («La Fille du régiment» von Donizetti), Véga (Querschnitt «Cavalleria rusticana», wobei sie sowohl die Santuzza, die Lola als auch die Mamma Lucia singt).

Thierry, Marie, Sopran, * 9. 5. 1870 Châlons-sur-Marne, † 1918 Paris. Sie wollte zunächst Pianistin werden, studierte dann Gesang am Conservatoire National Paris bei Mauverisay und bei dem Dirigenten Alexandre Luigini (1850–1906), den sie heiratete. Debüt 1898 an der Oper von Lyon als Juliette in «Roméo et Juliette» von Gounod. Bereits 1898 kam sie an die Opéra-Comique Paris, an der sie bis 1907 sang. Man hörte sie dort in den großen Partien aus dem Koloraturfach. Sie war in Paris so beliebt, daß sie nur selten im Ausland gastierte. 1900 sang sie am Théâtre de la Monnaie Brüssel die Mimi in der dortigen Erstaufführung von Puccinis «La Bohème»; 1902 war sie nochmals in Brüssel zu Gast. Sie gab ihre Karriere früh auf.
Ihre einzigen Schallplattenaufnahmen erschienen bei Pathé, darunter einige, bei denen sie von ihrem Gatten am Flügel begleitet wird. – (Neufassung) –.

Thill, Georges; Studium am Conservatoire de Paris bei Ernest Dupré und André Gresse. Bühnendebüt 1919 an der Opéra-Comique Paris als José in «Carmen». Nachdem er dort Partien wie den Gérald in «Lakmé» von Delibes, den des Grieux in Massenets «Manon», den Werther, den Cavaradossi in «Tosca» und den Canio im «Bajazzo» gesungen hatte, debütierte er 1924 an der Grand Opéra Paris als Nicias in «Thaïs» von Massenet. Als Herzog in Verdis «Rigoletto» hatte er dort einen sensationellen Erfolg. Als Antrittsrolle sang er 1929 an der Mailänder Scala den Kalaf in «Turandot» von Puccini. Seit 1929 war er während acht Spielzeiten an der Oper von Monte Carlo zu hören. Ebenfalls seit 1929 Gastspiele am Teatro Colón Buenos Aires. An der Covent Garden Oper London sang er als Antrittsrolle 1928 den Samson in «Samson et Dalila» von Saint-Saëns. Im März 1931 debütierte er an der Metropolitan Oper New York als Roméo in Gounods «Roméo et Juliette» und sang an deren Haus in den folgenden zwei Spielzeiten den Faust von Gounod, den Gérald in «Lakmé» und in «Sadko» von Rimsky-Korssakow. 1936 unternahm er eine große Rußland-Tournee; in den Nachkriegsjahren folgte eine ähnliche Konzertreise durch Australien. Am 22. 6. 1933 sang er an der Grand Opéra Paris die Titelrolle in der Uraufführung der Oper «Vercingétorix» von Canteloube.
Schallplatten: Columbia (älteste Aufnahmen noch akustisch aufgenommen, dann elektrische Aufnah-

men), auch einige HMV-Platten (u. a. Kavatine des Faust).

Thillon, Sophie Anne; sie heiratete ihren Lehrer, den Kapellmeister Claude-Thomas Thillon. Sie ergänzte später ihre Ausbildung in Paris bei dem berühmten Komponisten Auber. In England trat sie gern in den Opernwerken von Michael Balfe auf.

Thomamüller, Liselotte, * 1908 Mannheim, † 24. 6. 1988 Bremen. Sie debütierte 1937 unter dem Namen Liselotte Trautmann am Theater von Kaiserslautern und kam 1938 an das Stadttheater von Bremen. Dort ist sie noch 1981 aufgetreten, bis 1945 als Ensemblemitglied, danach als Gast. Nach dem Zweiten Weltkrieg war sie aktiv am Wiederaufbau des Opern- und Musiklebens in Bremen beteiligt. Neben ihrem Wirken auf der Bühne war sie eine geschätzte Konzertsängerin.

Thomas, Jess; 1958 kam er an das Staatstheater Karlsruhe, an dem er als Lohengrin debütierte. 1960 sang er bei den Münchner Festspielen den Bacchus in «Ariadne auf Naxos». 1976 hörte man ihn in Bayreuth als Siegfried in der «Götterdämmerung». Seit 1962 gastierte er oft an der Staatsoper Stuttgart. 1963 wurde er für zwölf Spielzeiten Mitglied der Metropolitan Oper New York, in deren New Yorker Haus er 15 Partien in 97 Vorstellungen sang, neben seinen Wagner-Heroen den Florestan im «Fidelio» und den Samson in «Samson et Dalila» von Saint-Saëns. Seit 1965 Gastspiele an der Staatsoper von Wien, seit 1975 Mitglied des Opernhauses von Zürich.

Thomas, John Charles; sein Vater war ein Methodistengeistlicher. Ausbildung am Peabody Conservatory Boston und bei Adelin Fermin in New York. Seit 1915 große Erfolge in Operetten und Musicals am New Yorker Broadway, wo er namentlich in dem Musical «Apple Blossoms» brillierte. Er war einer der beliebtesten amerikanischen Künstler auf diesem Gebiet. Dennoch strebte er die Laufbahn eines Opern- und Konzertsängers an. 1922 kam er nach Europa, studierte bei Jean de Reszke in Paris und wurde 1925 an die Oper von Brüssel engagiert. Bereits zuvor hatte er 1924 in Washington den Amonasro in «Aida» gesungen. An der Oper von San Francisco hatte er seine ersten großen Bühnenerfolge in Nordamerika (1930 Debüt als Jochanaan in «Salome»). 1930–42 war er an der Chicago Opera (Debüt als Tonio im «Bajazzo») tätig. An der Metropolitan Oper New York sang er 1934–43 in neun Spielzeiten Partien wie den Rigoletto, den Germontpère in «La Traviata», den Amonasro in «Aida», den Figaro im «Barbier von Sevilla» und 1939 den Athanaël in «Thaïs» mit Helen Jepson in der Titelrolle. Nach dem Zweiten Weltkrieg gab er zahlreiche Konzerte und Liederabende in Nordamerika, England, Deutschland, Frankreich und Italien. Während seiner Lehrtätigkeit in Los Angeles ist er dort noch in Operetten aufgetreten; er wirkte auch in Filmen mit.

Schallplatten: Auf Vocalion zumeist Ausschnitte aus Musicals (1917–20), seit 1934 RCA-Aufnahmen.

Thomas, Mostyn; er gastierte auch in Philadelphia und Cincinnati sowie 1940 an der Oper von Havanna.

Thomaschek-Hinrichsen, Berta; Schülerin von Francesco Lamperti in Berlin. Bei der zweiten Tournee mit Angelo Neumanns Wagner-Theater sang sie 1889 in Rußland die Freia, die Helmwige und die dritte Norn im Nibelungenring. Bis 1902 trat sie noch in Gastspielen auf.

Thomaschke, Thomas; Gesangstudium an der Musikhochschule Dresden bei Harry Schwickardi. Er war Preisträger bei den Internationalen Gesangwettbewerben von Moskau und s'Hertogenbosch. 1974 sang er bei seinem Debüt an der Mailänder Scala den Hunding in der «Walküre»; 1976 Gastspiel an der Staatsoper von München als Sarastro in der «Zauberflöte». Weitere Gastspiele an der Covent Garden Oper London und an der Staatsoper von Hamburg, am Opernhaus von Zürich, am Teatro San Carlos Lissabon, an der Deutschen Oper Berlin und bei den Festspielen von Glyndebourne.

Thorborg, Kerstin; 1922–24 gehörte sie als Elevin der Stockholmer Oper an, wo sie kleine Partien wie die Gräfin Ceprano im «Rigoletto» und die Grimgerde in der «Walküre» übernahm. Ihr eigentliches Solistendebüt erfolgte dort 1924 als Ortrud. 1928 sang sie an der Stockholmer Oper in der schwedischen Erstaufführung der Oper «I Cavalieri di Ekebù» von Zandonai (nach dem Roman «Gösta Berling» von Selma Lagerlöf) die Partie der Majorin. 1930–31 am Stadttheater von Nürnberg verpflichtet. 1935–36 sang sie in Salzburg die Brangäne im «Tristan», 1936 die Mercedes in Hugo Wolfs «Der Corregidor». Bei der deutschen Besetzung von Österreich gab sie 1938 sofort ihr Wiener Engagement auf. 1936–39 gastierte sie an der Covent Garden Oper London als Brangäne, als Kundry und als Fricka, seit 1933 trat sie mehrfach am Teatro Colón Buenos Aires auf. Gastspiele an den Opern von Chicago (1942–45) und San Francisco (1938, 1942). An der Metropolitan Oper New York war sie seit 1936 während 13 Spielzeiten in 234 Aufführungen und 19 Partien zu hören. Dabei waren ihre großen Erfolge der Orpheus von Gluck, die Marina im «Boris Godunow», die Dalila in «Samson et Dalila», die Klytämnestra in «Elektra», die Herodias in «Salome», die Azucena im «Troubadour» und die Ulrica in Verdis «Ballo in maschera».
Schallplatten: Odeon (frühe Aufnahmen aus Schweden, dann aus Deutschland), Victor (USA, seit 1934), UORC («Lohengrin», 1943).

Thornton, Edna; sie sang 1919 an der Covent Garden Oper London die Kontschakowna in Borodins «Fürst Igor». Sie verbrachte ihren Ruhestand in der Nähe von Brighton.
Schallplatten: Zonophone (1905), Odeon (1907), G

& T und HMV (seit 1907, dabei noch zwei elektrische HMV-Platten von 1927).

Thygesen, Thyge, † 17. 1. 1972 Kopenhagen; er war zu Gast an der Grand Opéra wie an der Opéra-Comique Paris (1947 als Radames und als José in «Carmen»). Beim Maggio musicale Florenz sang er 1950–51 in «Olympia» von Spontini und in «Orfeo ed Euridice» von J. Haydn.
Schallplattenaufnahmen auf HMV und Odeon.

Tibbett, Lawrence; sein Vater war Sheriff in Kern County und wurde bei der Verfolgung einer Gangsterbande erschossen. Er verbrachte seine Jugend in Los Angeles; im Ersten Weltkrieg diente er in der US-Navy und wurde nach Kriegsende durch Basil Ruysdael in Los Angeles ausgebildet. Er trat u. a. als Kirchensolist in New Rochelle (New York) auf. Im November 1923 debütierte er an der Metropolitan Oper als Lovitzky im «Boris Godunow» und hatte acht Tage später dort seinen sensationellen Erfolg als Ford in Verdis «Falstaff» (mit Antonio Scotti in der Titelrolle). An der Metropolitan Oper wirkte er 1925 in der Erstaufführung von Ravels «L'Heure espagnole» mit und sang sehr erfolgreich den Titelhelden im «Boris Godunow» von Mussorgsky. 1937 sang er bei einem Gastspiel an der Covent Garden Oper London den Scarpia, den Jago im «Othello» und den Amonasro in «Aida». Weitere Gastspiele führten ihn an die Opernhäuser von Budapest, Rom, Bologna und Stockholm, nach Chicago (1936–46), Cincinnati (1943–46) und San Francisco (1927–49), 1947 nochmals nach London. An der New Yorker Metropolitan Oper hat er in 27 Spielzeiten 50 Partien in 396 Vorstellungen gesungen (dazu weitere 163 Vorstellungen im Rahmen der alljährlichen Gastspiel-Tournee des Ensembles). Bis 1950 blieb er Mitglied des Hauses; 1949 gastierte er an der Oper von New Orleans als Jochanaan in «Salome» von R. Strauss. 1956 trat er am New Yorker Broadway in dem Musical «Fanny» auf. Der Familienname des Künstlers kommt auch in der (eigentlichen) Schreibweise Tibbet vor.
Schallplatten: Seit 1927 Victor-Aufnahmen; 1955 erschienen Arien-Aufnehmen auf Allegro Royale.

Tichatschek, Joseph; seine Antrittsrolle an der Hofoper von Dresden war 1838 der König Gustave in «Le Bal masqué» von Auber.

Tichonow, Pawel Iljitsch; Schallplattenaufnahmen der staatlichen sowjetrussischen Produktion.

Ticozzi, Ebe; sie erhielt ihre Ausbildung in Mailand und debütierte 1916 in Genua als Mignon in der gleichnamigen Oper von A. Thomas. 1933–35 und 1941–58 war sie an der Mailänder Scala in kleinen Partien anzutreffen. Sie war verheiratet mit dem Dirigenten Pietro Fabbroni (1883–1942).

Tietjens, Therese; große Erfolge erzielte sie bei einer ausgedehnten Nordamerika-Tournee 1875–76.

Tiffany, Marie; eigentlicher Name Marie Burg. An der Metropolitan Oper New York debütierte sie

1916 als Putzmacherin im «Rosenkavalier» und sang anschließend dort das Sandmännchen in «Hänsel und Gretel». Später wirkte sie in der Uraufführung der Oper «L'Oiseau bleu» von Albert Wolff mit (27.12.1919). Sie sang dort auch in den Premieren der Opern «Louise» von Charpentier (1921), «Zazà» von Leoncavallo (1920) und «La Reine Fiammette» von Xavier Leroux (1919, zugleich amerikanische Erstaufführung des Werks).
Schallplatten: Edison-Platten (um 1918), dann Aufnahmen auf Brunswick (1920–30).

Tijssen, Josef, *26.3.1871 Roermond; er studierte am Konservatorium von Brüssel bei A. Warnots Musiktheorie und Dirigieren und war zuerst als Korrepetitor und 2. Kapellmeister an der Niederländischen Oper in Amsterdam tätig. Auf Anraten seiner Gattin ließ er dann seine Stimme durch Cornélie van Zanten in Amsterdam ausbilden. Er trat erstmals als Sänger in der Partie des Evangelisten in der Matthäuspassion von J.S. Bach in Leiden auf. 1897 Operndebüt an der Niederländischen Oper, an der er bis 1902 blieb. 1902–03 war er dann an der Oper von Frankfurt a. M., 1903–05 am Opernhaus (Stadttheater) von Hamburg, 1905–11 wieder in Frankfurt engagiert. 1911–12 sang er am Stadttheater Kiel, 1912–15 an der Stuttgarter Hofoper. Während der Jahre des Ersten Weltkrieges lebte er in Holland. 1904 sang er bei den Festspielen von Bayreuth den Walther von der Vogelweide im «Tannhäuser». Gastspiele an den Hofopern von Dresden (1904), Wien (1905) und München (1908), am Hoftheater Wiesbaden (1910) und in Rotterdam (1911). Verheiratet mit der Sopranistin *Anna Tijssen-Bremerkamp* (*1871). Sein Familienname kommt auch in der Schreibweise Tyssen vor.
Schallplatten: Sechs G & T-Aufnahmen (fünf deutsche, eine in französischer Sprache mit einer Arie aus «Mignon», Hannover 1904).

Tikalová, Drahomira; sie war Schülerin der Pädagogin L. Neumannová in Prag. Zu ihren großen Bühnenpartien zählten die Marie in der «Verkauften Braut», die Katuška in Smetanas «Teufelswand», die Anežka in «Zwei Witwen», die Rusalka in Dvořáks Märchenoper, die Aida, die Leonore im «Fidelio», die Senta im «Fliegenden Holländer» und die Milena in «Svaetopluk» von E. Suchon.

Timper, Rudo, *28.11.1920 Rehau (Oberfranken), †22.3.1970 in der Nähe von Sainte-Cécile-les-Vignes (Provence). Mit 34 Jahren entschloß er sich zur Sängerlaufbahn. Seine Lehrer waren Hans-Joachim Vetter, Franziska Martienssen-Lohmann und Maja Stein. Er war ein hervorragender Interpret des finnischen Liedes von Jan Sibelius und Yrjö Kilpinen, beherrschte aber auch mit Meisterschaft das klassische und romantische deutsche Lied und eine Vielfalt von Oratorienpartien. Er trat in Liedsendungen des deutschen, des dänischen, des finnischen, des argentinischen und des Schweizer Rundfunks auf.

Tinsley, Pauline; 1951 begann sie ihre Karriere zunächst als Konzertsängerin. Seit 1963 trat sie bei der English National Opera London auch als Gräfin in «Nozze di Figaro» und als Fiordiligi in «Così fan tutte» auf. 1988 sang sie dort in «Hänsel und Gretel» gleichzeitig in einer Vorstellung die Partien der Hexe und der Mutter. An der Covent Garden Oper London hörte man sie 1971 als Amelia in Verdis «Ballo in maschera», 1983 als Mère Marie in «Dialogues des Carmélites von Poulenc, 1989 als Lady Billows in «Albert Herring» von B. Britten. An der Scottish wie der Welsh Opera sang sie die Küsterin in «Jenufa» von Janáček. 1988 Gastspiel am Grand Théâtre Genf.

Tiphaine, Jeanne; sie wirkte auch an der Opéra-Comique Paris in der Uraufführung der Oper «La Reine Fiammette» von Xavier Leroux mit (23.12.1905).
Schallplatten: Wenige Aufnahmen auf Beka, Idéal (1906) und Pathé.

Tipton, Thomas; Bühnendebüt 1952 an der New York City Centre Opera in Menottis «The Old Maid and the Thief». 1956 kam er nach Europa und studierte dort nochmals in Deutschland bei Hedwig Fichtmüller. 1957 erhielt er einen Anfängervertrag am Nationaltheater Mannheim und sang dann 1958–59 am Stadttheater von Hagen (Westfalen), 1959–64 wieder am Mannheimer Nationaltheater. Hier wirkte er in der Uraufführung von «Das lange Weihnachtsmahl» von P. Hindemith mit (17.12.1961). Gastspiele an der Oper von San Francisco (1962, 1968), an der Oper von Rom (1968) und am Théâtre de la Monnaie Brüssel (1970). Aus seinem Repertoire für die Bühne sind noch die Titelpartien in den Verdi-Opern «Nabucco» und «Macbeth» hervorzuheben.
Lit,: «Thomas Tipton, ein Leben in Bildern» (München, 1987).

Tirmont, Edmond, *1884, †November 1985 (im Alter von 101 Jahren).

Tisci-Rubini, Giuseppe; bereits 1898 hatte er an der Oper von Monte Carlo den Lodovico in Verdis «Othello» gesungen. Am 22.11.1898 wirkte er am Teatro Costanzi Rom in der Uraufführung von Mascagnis «Iris» als Il Cieco mit. Die gleiche Partie sang er dann auch 1899 an der Mailänder Scala. 1917 war er am Teatro Dal Verme Mailand anzutreffen.

Titta, Enzo, *23.8.1912 Pisa; Bühnendebüt 1936 an der Oper von Rom als Vinicio in «Nerone» von Mascagni. 1950 gastierte er am Stadttheater von Freiburg i. Br.

Titterton, Frank, *31.12.1882 Birmingham.

Titus, Alan; er entstammte einer russisch-französischen Familie. Seine Jugend verlebte er in Denver. Zunächst wollte er Tänzer werden und trat in das John Lemon Ballett ein. Dann Gesangstudium an der Juilliard Music School und bei Hans Heinz in New York sowie bei Aksel Schiøtz an der Colorado School of Music. 1971 kreierte er im New Yorker

Lincoln Centre in der Uraufführung von Leonard Bernsteins «Mass» die Partie des Celebrant. 1972 sang er als Antrittsrolle an der City Centre Opera New York den Archie Kramer in «Summer and Smoke» von Lee Hoiby, einer Oper, in deren Uraufführung er 1971 in St. Paul gesungen hatte. Seine Karriere an der City Centre Opera wurde durch die berühmte Sopranistin Beverly Sills gefördert. Mit ihr zusammen hatte er große Erfolge in Lehárs «Lustiger Witwe». 1973 debütierte er für Europa, als er in Amsterdam den Pelléas in «Pelléas et Mélisande» vortrug. 1976 kam es zu seinem Debüt an der Metropolitan Oper New York als Harlekin in «Ariadne auf Naxos» von R. Strauss. 1987 sang er beim Maggio musicale Florenz den Olivier in «Capriccio» von R. Strauss, in Los Angeles den Dandini in «La Cenerentola» von Rossini. 1987 großer Erfolg an der Bayerischen Staatsoper München, deren Mitglied er war, als Valentin im «Faust» von Gounod, 1989 als Lorenz von Pommersfelden in «Mathis der Maler» von Hindemith. 1990 sang er am Teatro Comunale Bologna den Storch in der italienischen Erstaufführung von «Intermezzo» von R. Strauss.
Schallplatten: Ariola-Eurodisc (Szenen aus «Arabella» mit Lucia Popp), CBS («Mass» von L. Bernstein).

Tobin, Eugene; 1955–68 Mitglied der Staatsoper Stuttgart. In den Jahren 1956–64 bestand ein Gastspielvertrag mit der Hamburger Staatsoper; in ähnlicher Weise war der Künstler 1959–61 der Städtischen Oper Berlin, 1960–65 dem Opernhaus von Köln verbunden. 1954 gastierte er beim Maggio musicale Florenz, 1956 am Opernhaus von Zürich. 1963 sang er an der Mailänder Scala den Froh im «Rheingold».
Schallplatten: Opera (Querschnitt «Othello»).

Toczyska, Stefania; sie war bis 1978 am Theater von Gdansk engagiert. Sie hatte bald bei Gastspielen und Konzerten in Warschau und in weiteren Zentren des polnischen Musiklebens ihre ersten großen Erfolge. Bereits 1977 erregte sie am Stadttheater von Basel als Amneris in «Aida» Aufsehen. 1979 gastierte sie an der Wiener Staatsoper als Ulrica in «Un Ballo in maschera» und als Preziosilla in «La forza del destino» von Verdi und wurde darauf an dieses Haus verpflichtet. 1987 trat sie an der Oper von Houston/Texas als Adalgisa in «Norma» auf und sang in der Eröffnungsvorstellung des neuen Hauses die Amneris in «Aida». Ebenfalls 1987 hörte man sie am Teatro Liceo Barcelona, 1990 an der Staatsoper Hamburg als Venus im «Tannhäuser», 1989 an der Metropolitan Oper New York als Laura in «La Gioconda».
Schallplatten: Orfeo (Statira in «Olimpia» von Spontini), Rizzoli Records («Beatrice di Tenda» von Bellini), Erato (Helene in «Krieg und Frieden» von Prokofieff).

Todi, Luiza Rosa d'Aguiar; 1770 sang sie in Lissabon in der Oper «Il viaggiatore ridiculo» von Scolari. 1777 hörte man sie in Madrid in «Olimpia» von

Paisiello. Auch in Prag hatte sie bei Gastspielauftritten glänzende Erfolge.

Töpper, Hertha; sie war die Tochter eines Musiklehrers und spielte bereits mit sechs Jahren Violine. Mit 17 Jahren begann sie ihr Gesangstudium. 1948 debütierte sie am Theater von Graz, dem sie bis 1952 angehörte. Sie gastierte am Teatro Fenice Venedig (1955), an der Berliner Staatsoper, am Théâtre de la Monnaie Brüssel (1963) und kam bei einer Japan-Tournee 1968 zu großen Erfolgen. Erst 1981 gab sie ihr Bühnenengagement an der Staatsoper von München auf.
Schallplatten: Amadeo («Buch mit sieben Siegeln» von F. Schmidt), MMS (Hohe Messe von J. S. Bach), Columbia (3. Akt «Walküre»), Decca (Weihnachtsoratorium von J. S. Bach), Haydn Society, MGM (Bach-Kantaten).

Tofts, Catherine, * etwa 1685; in London kam es zu einem Skandal, als ihre Zofe die Primadonna und Nebenbuhlerin ihrer Herrin Margherita de l'Epine auf der Bühne des Drury Lane Theatre mit drei Orangen bewarf. 1709 mußte Catherine Tofts wegen einer (vorübergehenden) geistigen Störung ihre Karriere aufgeben; später heiratete sie den englischen Konsul in Venedig Joseph Smith.

Tokatyan, Armand; er sang in Alexandria in Ägypten gelegentlich in Cafés, ebenso später in Paris, wo er das Schneiderhandwerk erlernte. Er kam 1914 wieder nach Ägypten zurück und trat bis 1918 in Kairo und Alexandria in Operetten auf. Der Direktor der Oper von Kairo riet zur Karriere eines Opernsängers, worauf er Schüler von Nino Cairone in Mailand wurde. Er sang 1921 in Mailand, in Cremona und Monza unter dem Namen Armando Tocatian. 1923 wurde er an die Metropolitan Oper New York engagiert und blieb deren Mitglied bis 1946. Er debütierte an der Metropolitan Oper als Lucio in der Premiere der Oper «Anima allegra» von Vittadini und hat dann dort in zwanzig Spielzeiten 38 Partien in 237 Aufführungen (in deren New Yorker Haus) gesungen. Er sang dort auch in der Premiere der Oper «La Habanera» von Raoul Laparra und hatte besonders große Erfolge in den Sunday Night Concerts. 1923–30 wirkte er bei den Festspielen in Ravinia bei Chicago mit. 1931–34 kam es zu Gastspielen an der Staatsoper von Wien, 1932 an der Staatsoper Berlin. Seit 1948 wirkte er als Gesangpädagoge in Los Angeles.
Schallplatten: Erste Aufnahmen auf Vocalion von 1924.

Tokody, Ilona; erstes Gesangstudium bei Valeria Berdal in Szeged, dann an der Budapester Musikakademie bei Sipon. Nach ihrem Debüt an der Nationaloper Budapest 1973 übernahm sie dort zuerst kleinere Partien, wurde dann aber in großen Rollen eingesetzt. Seit 1981 ständiger Gast an der Staatsoper Wien (Antrittsrolle: Mimi in «La Bohème»). Weitere Gastspiele an der Deutschen Oper Berlin (Liu in «Turandot», 1986 als Aida, 1987 als Desdemona in Verdis «Othello» mit Placido Domingo in

Stammbaum der Familie Tomaselli

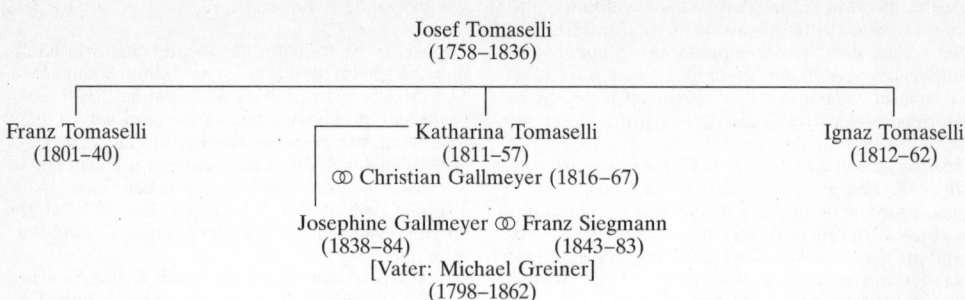

Josef Tomaselli
(1758–1836)

Franz Tomaselli
(1801–40)

Katharina Tomaselli
(1811–57)
∞ Christian Gallmeyer (1816–67)

Ignaz Tomaselli
(1812–62)

Josephine Gallmeyer ∞ Franz Siegmann
(1838–84)   (1843–83)
[Vater: Michael Greiner]
(1798–1862)

der Titelpartie). 1987 großer Erfolg an der Wiener Staatsoper als Amelia in Verdis «Simon Boccanegra», am Teatro Colón Buenos Aires als Mimi, 1989 an der Oper von Rom als Alice Ford im «Falstaff» von Verdi.
Schallplatten: Hungaroton (Deutsches Requiem von Brahms), Eurodisc («Il Tabarro» von Puccini), CBS («Iris» von Masscagni).

Tomei, Giulio; 1942 sang er am Teatro Massimo Palermo in «La Gioconda» von Ponchielli.

Tomlinson, John, Baß-Bariton; er wuchs in der Stadt Lancaster auf und studierte zunächst an der Universität von Manchester Brückenbau. Ausbildung der Stimme am Royal Manchester College of Music und namentlich durch Otakar Kraus in London. 1979 sang er erstmals an der Covent Garden Oper London. 1987 Gastspiel in Amsterdam als Ochs im «Rosenkavalier». Bei den Festspielen von Bayreuth sang er 1988 den Wotan im «Rheingold» und in der «Walküre», 1989 dazu den Wanderer im «Siegfried», 1988 an der Deutschen Oper Berlin den Hagen in der «Götterdämmerung». Bei den Salzburger Osterfestspielen gastierte er 1990 als Rocco im «Fidelio», an der English National Opera London als Mephisto im «Faust» von Gounod, an der Opera North Leeds als Boris Godunow.
Schallplatten: HMV («Giulio Cesare» von Händel), DGG («Alcina» von Händel, «La Forza del destino» von Verdi, «Manon Lescaut» von Puccini), RCA («Tosca»), GGR («Guntram» von R. Strauss).

Tomowa-Sintow, Anna; in Sofia auch Schülerin von Katja Spiridonova. Bereits während ihres Leipziger Engagements (1967–72) erregte sie als Traviata, als Donna Anna im «Don Giovanni», als Leonore im «Troubadour» und als Arabella von R. Strauss Aufsehen. Seit 1974 zahlreiche Gastspiele an der Staatsoper von München (Debüt als Donna Anna), seit 1974 auch an der Oper von San Francisco aufgetreten (ebenfalls Debüt als Donna Anna). 1975 sang sie als Debütrolle an der Covent Garden Oper London die Fiordiligi in «Così fan tutte». Große Erfolge an der Wiener Staatsoper, an der sie 1977 als Gräfin in «Figaros Hochzeit» debütierte. 1987–88 trat sie bei den Festspielen von Salzburg als Donna Anna im

«Don Giovanni», 1989 als Tosca auf. Seit 1978 erfolgreiches Wirken an der Metropolitan Oper New York, an der man sie u. a. als Elsa im «Lohengrin», als Aida, als Amelia in Verdis «Simon Boccanegra», als Marschallin im «Rosenkavalier» und 1987 als Traviata hörte. Die Marschallin sang sie auch beim Maggio musicale Florenz 1989.
Schallplatten: DGG («Ariadne auf Naxos», Mozart-Requiem), Video-Topaz («Andrea Chénier»), Capriccio («Madame Butterfly»).

Tomschik, Marie; bis 1902 und dann wieder 1913–25 war sie am Hoftheater Karlsruhe engagiert. 1902–03 sang sie am Hoftheater Wiesbaden, 1903–05 an der Oper von Riga, 1905–07 und 1908–10 am Theater von Graz, 1907–08 und 1910–12 am Stadttheater (Opernhaus) von Hamburg. Am Hoftheater Karlsruhe wirkte sie am 5. 11. 1918 in der Uraufführung der Oper «Schwarzschwanenreich» von Siegfried Wagner mit.

Tordek, Ella; 1892–97 Gesangstudium am Konservatorium von Prag bei der großen Wagner-Sopranistin Mathilde Mallinger, anschließend noch in Berlin. Sie debütierte 1898 am Tschechischen Nationaltheater Prag als Marie in Smetanas «Verkaufter Braut» und war 1899–1901 dort im Engagement. Während dieser Zeit wirkte sie in der Prager Uraufführung der Oper «Rusalka» von A. Dvořák (31. 3. 1901) in einer kleinen Partie mit. 1901 folgte sie dann einem Ruf an die Hofoper von München.

Tornari, Carmen; eine ihrer großen Bühnenpartien war die Suzuki in Puccinis «Madame Butterfly».

Torresella, Fanny; sie sang am 17. 1. 1901 am Teatro Regio Turin in einer der sechs gleichzeitigen (und alle erfolglosen) Uraufführungen von Mascagnis «Le Maschere». Ihr Familienname erscheint auch in der Schreibweise Toresella.

Torri, Rosina; studierte am Konservatorium von Parma zuerst Violinspiel, dann Gesang. Sie debütierte 1919 am Teatro Sociale von Valenza (Norditalien) als Mimi in Puccinis «La Bohème». 1921 gastierte sie am Theater von Sassari auf Sardinien in Boitos «Mefistofele». 1924 hörte man sie an der

Mailänder Scala als Musetta in «La Bohème»; dort wirkte sie auch 1926 in der Uraufführung der Oper «Il Diavolo nel campanile» von Lualdi mit. 1926 Gastspiel an der Covent Garden Oper London als Musetta. Die letztgenannte Partie, die als ein besonderer Höhepunkt in ihrem Bühnenrepertoire galt, sang sie 1934 nochmals an der Mailänder Scala.

Tóth, Lajós; Schallplatten: CBS («Andrea Chénier» von Giordano).

Tourangeau, Huguette; sie hatte einen ersten großen Erfolg 1964 in Montreal als Cherubino in «Nozze di Figaro».
Schallplatten: Decca («Rodelinda» von Händel).

Tourel, Jenny, * 26. 6. 1900 Witebsk (Weißrußland), † 23. 11. 1973 New York; sie studierte in Paris bei Anna El-Tour und bei Reynaldo Hahn. 1930–31 sang sie an der Oper von Chicago (Debüt als Lola), 1931–40 an der Opéra-Comique Paris. Bei der deutschen Besetzung von Frankreich flüchtete sie als Jüdin in die USA. An der Metropolitan Oper New York trat sie auch als Carmen, als Mignon und als Adalgisa in «Norma» auf. In vier Spielzeiten stand sie in deren New Yorker Haus in vier Partien 14mal auf der Bühne. 1944 sang sie an der City Centre Opera New York, 1949 beim Holland Festival ihre berühmte Carmen. Zu ihren Schülern gehörten die Sopranistin Barbara Hendricks und der Tenor Neil Shicoff.
Schallplatten: Columbia (russische und französische Lieder, Arien aus Rossini-Opern, Mozart-Requiem).

Tozzi, Giorgio; Studium bei Rosa Raisa, Giacomo Rimini und John Daggett Howell in Chicago. Zuerst als Konzertsänger (Bariton) tätig. In Italien debütierte er (nachdem der Pädagoge Giulio Lorand seine Stimme vom Bariton zum Baß umgeschult hatte) 1950 am Teatro Nuovo Mailand als Conte Rodolfo in Bellinis «La Sonnambula» und gastierte 1953 an der Mailänder Scala als Stromminger in «La Wally» von Catalani. An der Metropolitan Oper New York hat er seit seinem Debüt im März 1955 in 21 Spielzeiten (in deren New Yorker Haus) 399 Vorstellungen von 37 Partien gesungen. Seit 1955 Gastspiele an der Oper von San Francisco (Antrittsrolle: Ramphis in «Aida»). 1966 sang er in der Eröffnungsvorstellung der neuen Oper von Houston/Texas gleichfalls den Ramphis. Er betätigte sich auch als Pädagoge und war u. a. der Lehrer von Willard White.
Schallplatten: RCA (9. Sinfonie von Beethoven).

Trama, Ugo; bei den Festspielen von Glyndebourne wirkte er auch 1976 als Pistol in Verdis «Falstaff» mit.
Schallplatten: Melodram («Le Pescatrici» von J. Haydn), Pickwick-Video («Falstaff» aus Glyndebourne).

Transky, Eugen; Debüt 1910 am Theater von Thorn a. d. Weichsel (Toruń); er sang 1911–12 am Hofthea-

ter von Sondershausen (Thüringen), 1912–13 in Nürnberg, 1913–14 in Breslau. Dort wirkte er 1913 in der deutschen Erstaufführung des «Boris Godunow» mit. 1919–20 war er am Landestheater Gera (Thüringen) tätig. 1926–30 wirkte er in der Funkstunde des Berliner Rundfunks mit. 1933–37 trat er am Theater des Jüdischen Kulturbundes in Berlin u. a. als Samson in «Samson et Dalila» von Saint-Saëns auf. Es soll ihm noch in letzter Minute gelungen sein nach Südamerika zu flüchten. Dort soll er sich in Rio de Janeiro als Gesanglehrer betätigt haben, doch fehlen sichere Nachrichten.
Schallplatten: Bereits 1912 zwei Aufnahmen auf HMV, akustisch aufgenommene Ultraphon- und Fonychord-Platten, auf Pearl 9. Sinfonie von Beethoven 1928).

Trantoul, Antonin; bis 1931 ist er sehr erfolgreich an der Mailänder Scala aufgetreten.

Traubel, Helen, * 20. 6. 1898 St. Louis; sie war u. a. Schülerin von Louise Vetta Karst. Sie sang in den Jahren 1937–46 an der Oper von Chicago, 1945–47 an der San Francisco Opera. Während ihres Engagements an der Metropolitan Oper New York trat sie (in deren New Yorker Haus) in 133 Vorstellungen (plus 43 während der alljährlichen Gastspieltournee des Ensembles) und in zehn großen Partien auf. Die Kritik verglich ihre Stimme mit der der großen Lillian Nordica.
Schallplatten: Danacorn (Elsa im «Lohengrin», Metropolitan Oper 1950).

Traubmann, Sophie; sie war in den Jahren 1887–90 und dann wieder 1895–99 und 1901–02 an der Metropolitan Oper New York engagiert. 1890–92 sang sie am Opernhaus von Köln, 1892–95 am Stadttheater (Opernhaus) von Hamburg.

Traxel, Josef; Schallplatten: Melodram («Die Liebe der Danaë» von R. Strauss, 1951), Hunt Records (Mozart-Requiem).

Trebelli, Zélia, * 12. 11. 1838 Paris; mit sechs Jahren begann sie ihre Ausbildung im Klavierspiel, mit 16 ihr Gesangstudium. 1859 sang sie nach ihrem Debüt als Azucena in Madrid dort anschließend die Rosina im «Barbier von Sevilla» und den Arsace in Rossinis «Semiramide». 1870 hörte man sie am Drury Lane Theatre London als Frédéric in der Londoner Premiere der Oper «Mignon» von A. Thomas. Sie gab Gastspiele an der Königlichen Oper Stockholm (1875–80), an den Hofopern von Wien (1877–78) und Berlin (1877), am Deutschen Theater Prag, in Düsseldorf und Basel (1883), in Budapest, Amsterdam, Brüssel und am Teatro Apollo Rom. 1878 durchreiste sie die USA. An der Metropolitan Oper New York sang sie im Dezember 1883 in der Premiere von Boitos «Mefistofele» die Partie der Elena. (Gelegentlich hat sie sogar Tenorpartien wie den Grafen Almaviva im «Barbier von Sevilla» vorgetragen). Vorübergehend mit dem Tenor *Alessandro Bettini* (1821–98) verheiratet.

Treffner, Willy; er begann seine Karriere 1928 am Theater von Plauen (Sachsen). 1939–43 war er durch einen Gastspielvertrag der Wiener Volksoper verbunden. Er gab Gastspiele an den Staatsopern von Berlin (1940, 1942), München (1940) und Wien (1940).
Schallplatten: Solo-Aufnahmen auf HMV (Electrola) mit Opern- und Operettentiteln.

Treffz, Henriette, *28. 6. 1818 Wien.

Treigle, Norman; er sang in den Uraufführungen der Opern «The Passion of Jonathan Wade» (City Centre Opera New York, 1962), «The Sejourner and Mollie Sinclair» (Raleigh, South Carolina, 1963) und «Markheim» (New Orleans, 1966) von Carlisle Floyd (nicht in dessen «Susannah»).

Trekel-Burckhardt, Ute; seit 1975 Ensemblemitglied der Staatsoper Berlin. Sie sang 1984 am Theater von Bonn die Renata im «Feurigen Engel» von Prokofieff (nicht in Köln), gastierte an den Staatstheatern von Karlsruhe (1987 als Kundry im «Parsifal») und Wiesbaden (1988 als Ortrud im «Lohengrin»). Man hörte sie als Gast in Amsterdam (1980) und Bologna (1981), am Teatro Liceo Barcelona (1981, 1986), am Teatro Colón Buenos Aires (1986), an der Oper von Bordeaux (1986) und am Théâtre de la Monnaie Brüssel (1981). Verheiratet mit dem Bassisten *Jürgen Trekel,* der am Theater von Halle (Saale) und an der Komischen Oper Berlin wirkte.

Trempont, Michel; er absolvierte sein Gesangstudium in Brüssel. An der Grand Opéra Paris sang er den Titelhelden in «Figaros Hochzeit», er gastierte in München und Barcelona, am Grand Théâtre Genf und an der Mailänder Scala («Benvenuto Cellini» von Berlioz), an der Covent Garden Oper London, am Théâtre des Champs Élysées Paris («La gazza ladra» von Rossini) und an der Oper von San Francisco, wo er den Beckmesser in den «Meistersingern» sang. Dieser wie der Titelheld in Puccinis «Gianni Schicchi» und der Sancho Pansa in «Don Quichotte» von Massenet gehörten zu seinen Glanzrollen. 1987 großer Erfolg an der Opéra-Comique Paris als Sulpice in «La Fille du régiment» von Donizetti, 1990 in Lüttich als Sancho Pansa.
Schallplatten: HMV («Fra Diavolo» von Auber, Sulpice in «La Fille du régiment», 1986; «La Vie Parisienne» und weitere Operetten von Offenbach, «Richard Coeur de Lion» von Grétry).

Trentini, Emma; sie sang bereits 1902 in Siena; 1904 hatte sie an der Mailänder Scala erste große Erfolge als Jane in Franchettis «Germania». Am Manhattan Opera House New York trat sie auch 1909 als Lisa in Bellinis «La Sonnambula» auf. 1910–11 wirkte sie am New Yorker Boradway in der Uraufführung der Operette «Naughty Marietta» mit und kreierte dort zwei weitere Victor Herbert-Operetten «The Firefly» (1912) und «The Peasant Girl» (1915).

Treptow, Günther; seit 1940 Mitglied der Staatsoper München. 1950 Gastspiel an der Mailänder Scala. In der Saison 1950–51 war er an der Metropolitan Oper New York engagiert (Antrittsrolle: Siegmund in der «Walküre»). Er gastierte an Teatro Colón Buenos Aires (1954 als Tristan und als Parsifal), am Théâtre de la Monnaie Brüssel (1954–55), am Bolschoj Theater von Moskau und an der Oper von Leningrad. 1964 und 1968 sang er bei den Bayreuther Festspielen den Balthasar Zorn in den «Meistersingern». Zu seinen großen Partien gehörte auch der Adolar in Webers «Euryanthe».
Schallplatten: Fonit Cetra (Siegmund in der «Walküre», Scala-Gastspiel 1950).

Treskow, Emil; er sang zuerst 1919–23 am Landestheater von Dessau, seit 1923 am Opernhaus von Köln. Dort wirkte er in den Uraufführungen der Opern «Der Opferung des Gefangenen» von Egon Wellesz (1926) und «Der Heidenkönig» von Siegfried Wagner (1933) mit, ebenso in den deutschen Erstaufführungen von A. Honeggers «Judith» (1927 als Holofernes) und von Pizzettis «Orseolo» (1940 als Titelheld). Er gastierte 1932 in Amsterdam, 1933 und 1935 am Théâtre de la Monnaie Brüssel, 1938 an der Oper von Lüttich.

Treumann, Karl; er nahm an den Uraufführungen der Operetten «Flotte Bursche» (1863) und «Die schöne Galathee» (9. 9. 1865) von F. von Suppé am Wiener Carl-Theater teil.

Treumann, Louis; nachdem er 1890–91 als Chorist am Karl Schultze-Theater Hamburg aufgetreten war, kam es nacheinander zu Solisten-Engagements an den Stadttheatern von Freiberg i. Sachsen (1891–93), Heilbronn (1893–94), Pilsen (Plzeň, 1895–97), am Landestheater Salzburg (1896–97) und am Theater von Graz (1897–98). 1899 sang er am Wiener Carl-Theater den Josef in der Uraufführung der Johann Strauß-Operette «Wiener Blut». 1905–1908 und 1911–13 war er am Theater an der Wien, 1909–11 am Johann Strauß-Theater in Wien verpflichtet. Er wirkte in Wien in einer Vielzahl weiterer Operetten-Uraufführungen mit: «Die Dollarprinzessin» von Leo Fall (2. 11. 1907, Theater an der Wien), «Das Fürstenkind» (7. 10. 1909, Johann Strauß-Theater) von F. Lehár, «Eva» von F. Lehár (24. 1. 1911 Theater an der Wien), dazu in Operetten von E. Eysler, Ziehrer und Leo Ascher. Am 27. 7. 1907 sang er am Hoftheater Mannheim in der Uraufführung von «Der fidele Bauer» von Leo Fall. Nach dem Ersten Weltkrieg war er 1920–21 am Apollo-Theater Wien, dann wieder am Carl-Theater und in der Saison 1930–31 am Metropoltheater Berlin tätig.
Schallplatten: Insgesamt existieren über 40 Titel auf G & T, HMV und Polydor.

Trial, Antoine; er beging Selbstmord, indem er sich vergiftete.

Trianti, Alexandra; Schülerin von Maria Ivogün-Raucheisen und von deren Gatten Michael Raucheisen in Berlin. 1927 gab sie ihre ersten Liederabende in Berlin. Man hörte sie in Zürich (1930) und Hamburg (1930), in Stockholm (1930) und München (1931). Sie unternahm 1931 eine Spanien- und eine Südamerika-Tournee.

Trimarchi, Domenico; an der Covent Garden Oper London gastierte er u. a. 1987 als Bartolo im «Barbier von Sevilla», 1989 an der Mailänder Scala als Mamma Agata in «Viva la mamma» von Donizetti.
Schallplatten: Fonit-Cetra («La Cenerentola» von Rossini).

Tripp, Alva; er war 1965–68 am Pfalztheater Kaiserslautern, 1968–71 am Stadttheater Aachen engagiert und wirkte dann lange Zeit an der Deutschen Oper am Rhein Düsseldorf–Duisburg. Verheiratet mit der Opernsängerin *Drusilla Lodge*, die u. a. am Aachener Stadttheater tätig war.

Trötschel, Elfriede; ihr Vater *Albert Trötschel* war lange Zeit als Chorist an der Staatsoper Dresden tätig. 1933 wurde sie an die Staatsoper Dresden verpflichtet, an der sie bis 1950 im Engagement war. Zugleich seit 1947 Gastspielvertrag mit der Komischen Oper Berlin. 1950–51 sang sie an der Berliner Staatsoper, seit 1951 gehörte sie dem Ensemble der Städtischen Oper Berlin an. Sie gab Gastspiele an der Staatsoper von Wien, beim Maggio musicale Florenz (1942), am Teatro San Carlo Neapel (1942), am Teatro San Carlos Lissabon (1954) und am Opernhaus von Marseille (1954).

Troitzkaya, Natalia; der Vater der Sängerin war Geiger, die Mutter Pianistin. Sie studierte sechs Jahre lang Gesang in Moskau, dann in Belgrad. Sie gewann Gesangwettbewerbe in Toulouse, Vercelli und Barcelona. Bühnendebüt 1981 am Teatro Liceo Barcelona als Tosca mit Placido Domingo und Juan Pons als Partnern. 1982 gastierte sie bei den Festspielen von Macerata als Aida, 1984 sang sie als Antrittsrolle an der Wiener Staatsoper gleichfalls die Aida. 1988 hörte man sie an der Staatsoper von Hamburg als Nedda im «Bajazzo», am Deutschen Opernhaus Berlin als Desdemona in Verdis «Othello». 1989 USA-Debüt in Washington als Lisa in «Pique Dame».
Schallplatten: Decca («Die Glocken» von Rachmaninoff).

Tromben, Elisa; Schallplatten: Auf einigen Schallplatten der Odeon-Serie von 1905 wird auf dem Etikett nur «Tromben, soprano» angegeben. Man kann nicht mit Sicherheit feststellen, welche der beiden Schwestern, Elisa oder Adelina Tromben, diese Aufnahmen gesungen hat.

Troszel, Wilhelm, *26. 8. 1823 Warschau; er debütierte 1842 am Rozmaitosci-Theater Warschau. 1843 kam er an das Nationaltheater (Wielki-Theater) der polnischen Hauptstadt. Er wirkte hier in mehreren Premieren der Opern von Moniuszko mit, u. a. in «Halka» (1858), «Hrabina» und in «Das Gespensterschloß» («Strazny dwór», 1865). Am 1. 1. 1861 sang

er dort in der Uraufführung der Oper «Verbum nobile» von Moniuszko.

Troy, Dermot, *31. 7. 1927 in Irland; Schallplatten: Aufnahmen mit irischen Volksliedern auf privaten Marken.

Troyanos, Tatiana, *12. 9. 1938 New York; 1965 kam sie an die Staatsoper Hamburg, an der sie während der folgenden zehn Jahre blieb. An der Covent Garden Oper London sang sie seit 1969 Partien wie die Carmen, den Octavian und den Komponisten in «Ariadne auf Naxos». 1976 (nicht 1967) debütierte sie an der Metropolitan Oper New York als Octavian im «Rosenkavalier». 1984 sang sie dort die Brangäne in «Tristan», 1988 die Giulietta in «Hoffmanns Erzählungen»; sie trat dort auch als Sesto in «La clemenza di Tito» von Mozart, als Adalgisa in «Norma», als Amneris in «Aida», als Venus im «Tannhäuser», als Kundry im «Parsifal», als Eboli in Verdis «Don Carlos», als Charlotte im «Werther» von Massenet, als Orlowsky in der «Fledermaus» und als Gräfin Geschwitz in «Lulu« von A. Berg auf. Am 11. 8. 1984 sang sie die Titelrolle in der konzertanten Uraufführung der Oper «Monna Vanna» von Rachmaninoff in Saratoga (New York). In Chicago hörte man sie 1971 als Charlotte im «Werther», in Santa Fé 1987 in «Ariodante» von Händel. An der Mailänder Scala sang sie als Antrittsrolle 1977 die Adalgisa in «Norma»; bei den Salzburger Festspielen trat sie 1969 als Octavian auf, an der Oper von Boston 1975 als Romeo in Bellinis «I Capuleti ed I Montecchi».
Schallplatten: Philips («Gurrelieder» von Schönberg), DGG («La clemenza di Tito» von Mozart).

Trundt, Henny; debütierte 1919 am Stadttheater von Mainz als Marzelline im «Fidelio». Sie sang 1920–23 in Saarbrücken, 1923–24 am Stadttheater von Stettin und kam 1924 an das Opernhaus von Köln. 1931–32 gehörte sie der Wiener Staatsoper an, 1933–35 sang sie auch an der Staatsoper von München, 1933–39 am Opernhaus von Frankfurt a. M., seit 1939 am Stadttheater von Duisburg, wo ihre Karriere 1943 zum Abschluß kam.

Tschammer, Hans; er sang 1986 an der Oper von Nizza den Pogner in den «Meistersingern», 1987 am Grand Théâtre Genf den Hunding in der «Walküre».
Schallplatten: HMV (Fasolt im «Rheingold»).

Tschernoff (Tschernow), Arkadij Jakowlewitsch; er schloß sich 1876 mit 18 Jahren der Nowikow-Truppe auf einer Südrußland–Tournee an.

Tscherpa, Amanda; 1892–1903 am Opernhaus von Köln engagiert.

Tschischko, Oleg Semjonowitsch, †4. 12. 1976 Leningrad.

Tschurtschenthaler, Georg von; er begann seine Karriere als Konzertsänger und betrat erst spät die

Opernbühne. 1930–31 war er am Stadttheater von Basel engagiert, 1931–32 am Theater von Graz, 1933–34 am Stadttheater von Krefeld. Seit 1936 bis zu seinem Tod war er Mitglied des Staatstheaters von Oldenburg. Er gastierte an den Staatsopern von Wien (1935) und Hamburg (1938).

Tubiana, Willy, †1.9. 1980 Paris. An der Opéra-Comique soll er in seiner langjährigen Karriere insgesamt 66 Partien, davon zwanzig in Ur- und Erstaufführungen und in wichtigen Premieren gesungen haben.

Tucci, Gabriella; seit 1959 trat sie an der Mailänder Scala auf. 1960 sang sie an der Covent Garden Oper London die Aida und die Tosca. Ihre Antrittsrolle an der Metropolitan Oper New York war 1960 die Butterfly. Sie sang dort in 13 Spielzeiten (in deren Haus in New York) zwanzig Partien in 167 Vorstellungen, von denen die Aida, die Alice Ford im «Falstaff» von Verdi, die Leonore in «La forza del destino», die Traviata, die Euridice im «Orpheus» von Gluck und die Marguerite im «Faust» von Gounod genannt seien. In der Eröffnungsvorstellung der neuen Oper von Houston/Texas (Jones Hall) sang sie 1966 die Aida.
Schallplatten: Melodram («Troubadour», Mitschnitt einer Aufführung im Bolschoj Theater Moskau).

Tucker, Richard; Bühnendebüt mit der Salmaggi Opera Company 1943 am Jolson Theatre New York. Seit seinem Debüt an der Metropolitan Oper New York 1945 sang er in deren Haus in New York in 499 Vorstellungen, dazu noch in 225 Vorstellungen im Rahmen der jährlichen Gastspiel-Tournee des Ensembles. 1957–58 gab er glanzvolle Gastspiele an der Covent Garden Oper London und an der Wiener Staatsoper, wo er seinen ersten Tamino in der «Zauberflöte» sang. 1946 und 1957–64 war er an der Oper von Chicago, 1954–55 an der San Francisco Opera, seit 1960 mehrfach am Teatro Colón Buenos Aires zu hören. 1966 wirkte er in der Eröffnungsvorstellung der neuen Oper von Houston/Texas (Jones Hall) als Radames in «Aida» mit. 1969 (nicht bereits 1947) sang er als erste Partie an der Mailänder Scala den Rodolfo in Verdis «Luisa Miller». 1972 gastierte er nochmals bei den Festspielen von Verona als Riccardo in Verdis «Ballo in maschera». 1963 sang er bei den Begräbnisfeierlichkeiten für den ermordeten amerikanischen Präsidenten John F. Kennedy das «Panis angelicus» von C. Franck. Den Eleazar in Halévys «La Juive» sang er zuerst in einer konzertanten Aufführung der Oper 1964 in New York, dann endlich 1973 auf der Bühne an der Oper von New Orleans und nochmals 1974 am Teatro Liceo Barcelona. In einer ergreifenden Trauerfeier in der Metropolitan Oper nahmen seine Freunde und sein Publikum am 10. 1. 1975 von dem großen Sänger Abschied. Er war verheiratet mit Sara Perelmuth, einer Schwester des großen Tenors *Jan Peerce* (1904–84).
Lit.: James A. Drake: «Richard Tucker» (New York, 1984).

Tüscher, Nata, *13. 3. 1912 Bern; debütierte 1937 am Deutschen Opernhaus Berlin als Ramiro in «La finta giardiniera» und blieb dort bis 1940. In den Jahren nach dem Zweiten Weltkrieg war sie 1947–49 am Theater von St. Gallen, 1948–58 am Stadttheater von Bern engagiert. Gastspiele und Konzerte führten sie in die Zentren des europäischen Musiklebens. Bis 1961 trat sie als Konzertsolistin auf und lebte später in Zürich.
Schallplatten: MMS (Czipra im «Zigeunerbaron» von J. Strauß), Westminster («Le Vin herbé» von Frank Martin, 1961), RCA (Operetten-Melodien mit Peter Anders).

Tugarinowa, Klavdila; 1909 sang sie zusammen mit dem Ensemble der Petersburger Hofoper bei deren Gastspiel im Théâtre Sarah Bernhardt in Paris in Mussorgskys «Boris Godunow» den Feodor, während Fedor Schaljapin in der Titelpartie auftrat.
Schallplatten: Auf Zonophone singt sie u. a. die Arie der Gräfin aus «Pique Dame», auf Pathé-Zylindern und -Platten Opern- und Liedtitel (St. Petersburg, 1905 bzw. 1912).

Tugarinowa, Tatjana (Feodorowna), Mezzosopran/Sopran; sie sang am Moskauer Bolschoj Theater sowohl Partien für Mezzosopran wie auch dramatische Sopranpartien (Amneris in «Aida», Lady Macbeth in Verdis «Macbeth», Eboli in dessen «Don Carlos»). Neben ihrer Bühnenkarriere auch bedeutende Erfolge im Konzertsaal.

Tullinger, Moritz, s. unter *Tullinger,* Paula.

Tullinger, Paula; sie sang sowohl Koloraturpartien wie Rollen aus dem lyrischen Repertoire. Ihr jüngerer Bruder *Moritz Tullinger* (*1865 Wien, †26.2. 1901 Lussimpiccolo) debütierte 1887 am Hoftheater von Weimar und sang 1887 am Stadttheater Mainz, 1888–89 am Deutschen Opernhaus in Rotterdam, 1889–91 am Stadttheater Nürnberg, 1893–99 in Straßburg und 1899–1901 in Hamburg. Er starb im Alter von nur 36 Jahren.

Tunell, Lisa; Schallplatten; Olympic (9. Sinfonie von Beethoven unter W. Furtwängler).

Turba-Rabier, Odette; zu ihren großen Bühnenpartien zählten die Königin der Nacht in der «Zauberflöte», die Titelfiguren in «Lakmé» von Delibes und in «Mireille» von Gounod, die Marzelline im «Fidelio», die Konstanze wie die Blondchen in der «Entführung aus dem Serail».
Schallplatten: HMV (Werke von A. Honegger).

Turner, Claramae; 1946 sang sie als Antrittsrolle an der Metropolitan Oper New York die Marthe im «Faust» von Gounod. Sie hat in vier Spielzeiten in diesem Haus u. a. die Amneris in «Aida», die Zita in «Gianni Schicchi» von Puccini, insgesamt 14 Partien in 75 Vorstellungen, gesungen. 1952–69 wirkte sie an der City Centre Opera New York. Sie sang am 8. 5. 1946 am Brander Matthews Theatre der Columbia University in der Uraufführung von Menottis

«The Medium» die Partie der Madame Flora und debütierte in der gleichen Partie 1952 an der City Centre Opera New York. Sie wirkte in mehreren Filmen mit.
Schallplatten: Columbia («Hänsel und Gretel»), Quer («The Tender Land» von A. Copland), Mercury, Capitol, Command.

Turner, Eva, * 10. 3. 1892 Oldham bei Manchester, † 16. 6. 1990 London; sie studierte zuerst bei Dan Roothanr in Bristol, dann an der Academy of Music in London bei Albert R. Broads. Seit 1916 übernahm sie bei der Carl Rosa Opera Company kleinere Rollen. 1920 sang sie mit dieser Gesellschaft im Haus der Covent Garden Oper London die Santuzza in «Cavalleria rusticana». Nach ihrem Debüt an der Mailänder Scala 1924 trat sie dort sehr erfolgreich als Sieglinde in der «Walküre» auf. Bei den Festspielen in der Arena von Verona hörte man sie 1929 in der Titelrolle von Mascagnis Oper «Isabeau». Die gleiche Partie sang sie 1930 an der Oper von Rom. An der Covent Garden Oper London trat sie auch als Brünnhilde, als Sieglinde und 1938 erstmals in einer weiteren Glanzrolle, der Isolde im «Tristan», auf. In Südamerika gastierte sie u. a. in Rio de Janeiro. Als Antrittspartie sang sie 1928 an der Oper von Chicago die Aida. Diese Partie sang sie dann auch 1929 in einer Freilicht-Aufführung in Pasadena von 30 000 Zuhörern. 1939 gab sie Gastspiele in Kopenhagen, Wien, Lissabon und Athen. Besonders beliebt war die Künstlerin in Turin, wo sie 1926, 1932, 1934–35 und 1937 auftrat. 1979 Ehrendoktor der Universität Manchester, 1984 der Universität Oxford.
Schallplatten: Hervorragend schöne, aber relativ wenige Aufnahmen auf Columbia, die meisten bereits 1927 in Italien hergestellt. Auf HMV singt sie die Titelrolle in Ausschnitten aus Puccinis «Turandot».

Turowska-Leśkiewiczowa, Józefa, † 15. 1. 1884 Warschau; 1837 begann sie ihre Bühnenlaufbahn an der Oper von Warschau, an der sie als Isabella in Rossinis «Italiana in Algeri» debütierte. Sie gab auch Gastspiele in Berlin (1841) und in Frankfurt a. M. (1841). Noch bis 1862 konnte man sie als Konzert- und Oratoriensängerin hören. Ihre Schwester *Maria Turowska* (1820–85) war in den Jahren 1837–41 eine gefeierte Sopranistin in der polnischen Hauptstadt Warschau.

Turp, André; bereits 1960 sang er beim Empire State Music Festival New York in «Semele» von Händel.

Tuschkau-Huth, Elsa, † 7. 11. 1966 Bühl (Baden). Ausbildung durch Emmy Burg-Raabe in Berlin. 1904–05 war sie am Berliner Central-Theater als Anfängerin tätig, setzte dann ihre Ausbildung noch weiter fort und war darauf 1906–22 am Nationaltheater Mannheim engagiert. 1922–25 sang sie an der Großen Volksoper Berlin, 1925–27 an der Städtischen Oper Berlin–Charlottenburg. Sie gab Gastspiele an den Opernhäusern von Köln (1908) und Frankfurt a. M. (seit 1909), an den Hoftheatern von Stuttgart (seit 1909), Wiesbaden (seit 1909) und

Karlsruhe (1911). Sie wurde zum Ehrenmitglied des Mannheimer Nationaltheaters ernannt. Sie war verheiratet mit dem Dirigenten Erwin Huth, der 1906–18 in Mannheim wirkte.

Tyler, Marilyn; sie nahm 1951 ein Engagement am Stadttheater von Bern in der Schweiz an, wo sie bis 1954 wirkte. 1954–55 Mitglied des Stadttheaters von Krefeld. 1956–58 war sie durch einen Gastspielvertrag dem Opernhaus von Köln verbunden, 1961–64 an der Wiener Volksoper tätig.

Tynes, Margaret; ihr Bühnendebüt fand 1952 an der New York City Centre Opera als Fata Morgana in Prokofieffs «Liebe zu den drei Orangen» statt. An diesem Haus trat sie während ihrer Karriere in zahlreichen Partien auf. An der Metropolitan Oper New York sang sie als einzige Rolle 1974 in vier Vorstellungen die Titelpartie in Janáčeks «Jenufa».
Schallplatten: Hungaroton (Recital).

U

Ubrich, Asminde; eine ihrer Schülerinnen war die große Sopranistin Marie Wittich.

Ude, Armin; ausgebildet durch Erna Hähnel-Zuless in Leipzig und durch Dagmar Freiwald-Lange in Berlin. Er galt als großer Mozart-Interpret. Gastspiele (zum Teil innerhalb des Dresdner Ensembles) in Leningrad, Tokio, Budapest, Madrid, in Wiesbaden und Sofia.
Schallplatten: Eterna («Idomeneo», «Moses und Aron» von Schönberg), Christophorus-Verlag (Geistliche Musik von J. A. Hasse).

Udovick, Lucille; sie erhielt ihre Ausbildung in San Francisco und begann in ihrer amerikanischen Heimat eine Karriere als Konzertsängerin, trat dort aber auch in Operetten und Musicals auf. Es kam zu Konzert-Tourneen in den USA wie in Südamerika und 1953 in Italien. 1953 sang sie beim Maggio musicale von Florenz die Titelpartie in «Agnese di Hohenstaufen» von Spontini. 1955 gastierte sie an der Oper von Rom, 1956 (nicht 1951) sang sie beim Glyndebourne Festival die Elettra in «Idomeneo» von Mozart. Weitere Gastspiele in Amsterdam (1959), am Teatro Massimo Palermo (1959 als Turandot), am Teatro Colón Buenos Aires (als Titelheldin in «La Gioconda» von Ponchielli) und an der Oper von Tel Aviv (1959).
Schallplatten: Nuova Era («Fedra» von Paisiello).

Ugalde, Delphine; Gounod hätte ihr gerne bei der Uraufführung seiner Oper «Faust» die Partie der Marguerite übertragen. Das scheiterte jedoch daran, daß der Direktor des Théâtre-Lyrique Paris Léon Carvalho darauf bestand, daß seine Gattin Mme Miolan-Carvalho diese sang.

Uhde, Hermann; seit 1961 auch Mitglied der Deutschen Oper Berlin. 1955–61 und nochmals 1964 sang

er während sechs Spielzeiten im New Yorker Haus der Metropolitan Oper zwölf Partien in 60 Vorstellungen, darunter den Großinquisitor in Verdis «Don Carlos» und den Amfortas im «Parsifal».
Schallplatten: Melodram («Lohengrin», Bayreuth 1954), Discocorp («Zauberflöte», Salzburg 1949).

Uhl, Fritz; er debütierte 1952 am Stadttheater von Leoben als Faust von Gounod und war 1952–53 am Opernhaus von Graz engagiert. 1953–54 sang er am Stadttheater von Luzern, 1954–56 am Stadttheater von Oberhausen, 1956–58 am Opernhaus von Wuppertal. Seit 1956 Mitglied der Staatsoper München. An der Covent Garden Oper London gastierte er 1962 als Walther von Stolzing in den «Meistersingern». 1962 sang er in Osaka den Herodes in der japanischen Erstaufführung von «Salome» von R. Strauss. 1976 wirkte er am Landestheater von Linz (Donau) in der Uraufführung der Oper «Der Aufstand» von Helmut Eder mit. Seit 1981 Professor am Konservatorium der Stadt Wien.
Auch Schallplattenaufnahmen auf Vox.

Uhrmacher, Hildegard; sie sang auch unter dem Namen Hildegard Uhrmacher-Kronstein.
Schallplatten: LPT (Werke von Händel und Marschner).

Ulfung, Ragnar; seit 1971 trat er an der Oper von Chicago auf. Nach seinem Debüt im Dezember 1972 an der Metropolitan Oper New York sang er dort Partien wie den Herodes in «Salome», den Loge im «Rheingold», den Mime, den Hauptmann in «Wozzeck» von A. Berg und den Fatty in «Aufstieg und Fall der Stadt Mahagonny» von K. Weill. 1986 in Los Angeles als Herodes in «Salome» von R. Strauss zu Gast; 1988 gastierte er an der Opéra-Comique Paris (Schuiskij im «Boris Godunow») und am Grand Théâtre Genf (in «L'Ange de Feu» von Prokofieff).
Schallplatten: Philips (Ägisth in «Elektra» von R. Strauss).

Ulrich, Emilie, * 28. 11. 1872 Freslev (Dänemark). Sie war die Tochter eines Arztes und hieß eigentlich Emilie Luise Bøserup.

Unger, Georg; 1872–73 war er am Theater von Brünn (Brno), 1873–74 am Stadttheater von Elberfeld verpflichtet. 1874–75 sang er am Hoftheater Mannheim, 1875–76 an der Hofoper von München, 1877–78 am Opernhaus von Frankfurt a. M., 1878–79 am Opernhaus von Leipzig. 1882–83 nahm er an der großen Europa-Tournee mit Angelo Neumanns wanderndem Wagner-Theater teil und sang den Siegfried in Brüssel und an italienischen Opernhäusern. Bis 1884 war er noch als Gast, vor allem am Leipziger Opernhaus, tätig. Richard Wagner wählte ihn für die Partie des Siegfried in der Bayreuther Uraufführung des Nibelungenrings aus, weil sich unter den damaligen Heldentenören kaum einer fand, der die notwendigen Voraussetzungen für diese Partie und ihre hohen Ansprüche an den Interpreten aufzuweisen hatte.

Unger, Gerhard; er gastierte bereits früh an der Staatsoper von Dresden und hatte seine ersten Erfolge in Partien wie dem Tamino in der «Zauberflöte», dem Alfredo in «La Traviata» und dem Pinkerton in «Madame Butterfly». Bei den Salzburger Festspielen sang er bis 1969 auch den Valzacchi im «Rosenkavalier» und den Monostatos in der «Zauberflöte». An der Mailänder Scala gastierte er 1960 als Jacquino im «Fidelio», 1975 als Mime. Auch zu Gast an der Grand Opéra Paris, am Théâtre de la Monnaie Brüssel (1962), am Teatro Colón Buenos Aires (1966, 1981), an der Oper von Marseille (1955) und in Turin (1970). Noch 1987 trat er an der Stuttgarter Staatsoper als Mime im Nibelungenring auf.
Schallplatten: HMV («Bettelstudent»), Eterna.

Unger, Karoline, * 28. 10. 1803 Székesfehérvár (Stuhlweißenburg); Schülerin von Johann Michael Vogl in Wien.

Uppman, Theodor, * 12. 1. 1920 Palo·Alto bei San José (Kalifornien); er sang 1947 in einer konzertanten Aufführung von «Pelléas et Mélisande» in San Francisco den Pelléas. An der New Yorker Metropolitan Oper hat er seit 1953 in 24 Spielzeiten (in deren Haus in New York) 14 Partien in 312 Vorstellungen gesungen. Davon sind der Masetto im «Don Giovanni», der Papageno in der «Zauberflöte», der Sharpless in «Madame Butterfly», der Harlekin in «Ariadne auf Naxos» und der Paquillo in Offenbache «La Périchole» zu erwähnen. 1983 wirkte er an der Oper von Houston/Texas in der Uraufführung von L. Bernsteins «A quiet Place» mit. 1984 sang er in dieser Oper dann an der Mailänder Scala, 1986 an der Staatsoper von Wien.
Schallplatten: DGG («A quiet Place» von L. Bernstein), Nuova Era (Masetto im «Don Giovanni», Metropolitan Oper 1967).

Urbani, Valentino; er ist auch (vor allem in England) unter dem·Namen Valentini aufgetreten.

Urbano, Umberto; über die Anfänge seiner Karriere ist wenig bekannt. 1923 erschien er an der Mailänder Scala als Enrico in «Lucia di Lammermoor» und als Telramund im «Lohengrin», 1926 sang er am Teatro Massimo Palermo. 1929 (nicht 1926) zu Gast an der Oper von Frankfurt a. M., ebenfalls 1929 am Staatstheater Wiesbaden, 1930 an der Staatsoper Stuttgart. Er gab erfolgreiche Konzerte in Berlin (1926), Wien (1926, 1930) und Breslau (1934).

Urlus, Jacques, * 9. 1. 1867 Hergenrath bei Aachen (Belgien); 1887 trat er erstmals in Utrecht in einem Konzert auf. Seinen ersten großen Erfolg hatte er in Amsterdam in der Titelrolle der Oper «Joseph» von Méhul. 1898 ging er zum Studium des Wagnerstils nach Bayreuth zu Julius Kniese. 1900–17 war er als erster Tenor am Opernhaus von Leipzig tätig. Hier sang er in den Uraufführungen der Opern «Orestes» von F. von Weingartner (1902) und «Strandrecht» («The Wreckers») von Mrs. Ethel Smyth (11. 11.

1906) und in der deutschen Erstaufführung von Stanfords «Viel Lärm um nichts». An der Covent Garden Oper London sang er als Antrittsrolle 1910 den Tristan unter Thomas Beecham. Seit 1910 zahlreiche Gastspiele an der Hofoper von Dresden, 1901–10 auch an der Berliner Hofoper, 1908–10 an der Hofoper von München, 1908–09 an der Hofoper Wien. Weitere Gastspiele an der Oper von Stockholm (1918–20), am Théâtre de la Monnaie Brüssel (1925–30 als Siegfried und in weiteren Wagner-Partien, aber auch als Samson in «Samson et Dalila» von Saint-Saëns) und am Teatro Liceo Barcelona (1930). In Amsterdam sang er bei den großen Aufführungen des Wagner-Vereins. 1922–25 trat er als ständiger Gast an der Volksoper, 1926–27 an der Staatsoper Berlin auf. 1933 gastierte er nochmals als Tristan am Opernhaus von Hannover.
Schallplatten: Älteste Aufnahmen auf Pathé von 1903; Columbia, Grammophone, Edison, Polydor, HMV (1907–12), Odeon (1924–27; hier auch die einzige elektrisch aufgenommene Platte des Sängers mit der Gralserzählung aus «Lohengrin» und einer Arie aus «Le Cid» von Massenet).

Ursuleac, Viorica; sie wirkte 1928 am Staatstheater Wiesbaden in der Uraufführung der Oper «Der Diktator» von Ernst Křenek mit. 1934 Gastspiel an der Covent Garden Oper London als Desdemona in Verdis «Othello».
Schallplatten: DGG (Szenen aus «Arabella» und aus Verdis «Troubadour»).

Usatow, Dimitrij Andrejewitsch, * 10. (22.) 2. 1849, † 10. (23.) 8. 1913 Jalta (Krim). Eine seiner großen Bühnenpartien war auch der Andrej in «Mazeppa» von Tschaikowsky. Er war nicht nur der Entdecker und Lehrer des großen Fedor Schaljapin sondern sein großzügiger Förderer in den schwierigen Anfängen seiner Karriere.

Uxa, Guido; er ist während der Spielzeit 1921–22 an der Mailänder Scala aufgetreten. Er wirkte dort in der Uraufführung der Oper «Debora e Jaele» von I. Pizzetti (16. 12. 1922) unter Toscanini mit und sang den Ulrich Eisslinger in den «Meistersingern».

Uzunow, Dimiter; er gastierte 1963 bei Festival von Aix-en-Provence als Bacchus in «Ariadne auf Naxos» von R. Strauss. 1963–64 am Teatro Liceo Barcelona zu Gast. Anfang der siebziger Jahre mußte er sich einer Stimmbandoperation unterziehen, die jedoch erfolglos verlief. Er wurde bald darauf Direktor der Nationaloper von Sofia. 1976 kam er nach Wien. Er wirkte an der Wiener Staatsoper jetzt als Abendregisseur und ist dort noch bis 1980 in kleineren Charakterpartien aufgetreten.

V

Välkki, Anita; 1986 sang sie an der Oper von Helsinki in der Oper «Juha» von A. Merikanto.
Schallplatten: Finlandia (Szenen aus finnischen Opern).

Vaghi, Giacomo, * 21. 11. 1901 Como, † 29. 4. 1978 Rom; nach seiner Ausbildung, die in Mailand stattfand, begann er seine Karriere 1925 in Neapel. In den Jahren 1928–39 war er fast ständig an der Oper von Rom zu hören. 1929–31 kam er an der Mailänder Scala zu großen Erfolgen, ebenso 1937–41 am Teatro Colón Buenos Aires. An der Oper von Rom wirkte er in den Uraufführungen von «Cyrano de Bergérac» von Alfano (1936) und von Pizzettis «Lo Straniero» (1930) mit. Seine Karriere dauerte lange; 1951 trat er nochmals an der Oper von Rom auf. Seine letzten Bühnenauftritte fanden wohl 1956 statt.

Vahsel, Margarete von, † 1922 Berlin; verheiratet mit dem Tenor *Rudolf Schmalfeld* († 1922 Berlin).

Valaitis, Wladimir (Antonowitsch); Schallplatten: Melodiya («Pique Dame» von Tschaikowsky).

Valdengo, Giuseppe; bereits 1936 erregte er am Teatro Regio von Parma Aufsehen als Titelheld in «Figaros Hochzeit». Als Antrittsrolle sang er 1946 an der City Centre Opera New York den Sharpless in «Madame Butterfly». Seit 1947 ist er an der New Yorker Metropolitan Oper während sieben Spielzeiten (in deren New Yorker Haus) in 90 Vorstellungen von 17 verschiedenen Partien aufgetreten, darunter als Marcello in «La Bohème», als Germont-père in «La Traviata», als Graf in «Figaros Hochzeit» und als Belcore in «Elisir d'amore». An der Oper von San Francisco sang er als erste Partie 1947 den Valentin im «Faust» von Gounod.
Schallplatten: Bongiovanni (Arien-Album).

Valente, Alessandro; 1931 gab er Konzerte in Berlin und am Rundfunksender Köln.
Schallplatten: Auf HMV u. a. Canio in vollständigem «Bajazzo» mit Adelaide Saraceni, 1929.

Valente, Benita, * 19. 10. 1934 Delano (Kalifornien); 1973 debütierte sie an der Metropolitan Oper New York, an der sie neben den bereits erwähnten Rollen auch die Susanna in «Figaros Hochzeit», die Nannetta im «Falstaff» von Verdi, die Gilda im «Rigoletto» und die Traviata sang. An der Oper von Santa Fé gastierte sie 1987 als Ginevra in «Ariodante» von Händel.
Schallplatten: Pantheon (Spanische Lieder, Händel- und Mozart-Arien, Lieder von Hugo Wolf und Richard Strauss), IMP Classics (2. Sinfonie von G. Mahler), Hänssler-Verlag (Bach-Kantaten, Lieder von Brahms).

Valentini, s. unter *Urbani,* Valentino.

Valentini Terrani, Lucia; sie studierte in Padua und erwarb dort 1969 ihr Diplom für Operngesang und Gesangpädagogik. 1970 debütierte sie am Teatro Grande Brescia als Angelina in Rossinis «La Cenerentola» und sang diese Partie dann auch in Turin. 1971 wirkte sie bei den Festspielen von Verona mit. In der Saison 1978–79 überraschte sie das Publikum der Mailänder Scala als Marina im «Boris Godu-

now». In der Spielzeit 1974–75 war sie an der Metropolitan Oper New York engagiert, trat dort aber nur in einer Partie, der Isabella in Rossinis «Italiana in Algeri», auf. 1984 wirkte sie bei den Festspielen von Pesaro in der Premiere der neu entdeckten Rossini-Oper «Il Viaggio a Reims» (die später an der Mailänder Scala und 1988 an der Wiener Staatsoper wiederholt wurde) in der Partie der Marchesa Melibea mit. 1986 sang sie in Pesaro in einer weiteren Rossini-Oper, «Maometto II.». An der Covent Garden Oper London gastierte sie u. a. 1987 als Rosina im «Barbier von Sevilla»; am Teatro San Carlo Neapel bewunderte man 1988 ihre Gestaltung der Titelrolle im «Orpheus» von Gluck.
Schallplatten: RCA (Stabat mater von Pergolesi), DGG («Aida», «Nabucco»), Fonit-Cetra («La Cenerentola» von Rossini).

Valentino, Frank; er debütierte 1929 unter dem Namen Francesco Valentino als Alfonso in Donizettis «La Favorita» in Lago Iseo (Italien). 1929–39 war er mehrmals bei den Festspielen von Verona zu hören, 1930–40 am Teatro Carlo Felice Genua. 1938 wirkte er an der Mailänder Scala in der Uraufführung der Oper «Margherita di Cortona» von Licinio Refice mit (zugleich sein Debüt an diesem Haus). Am 29. 4. 1939 sang er in Florenz in der Uraufführung der Oper «Re Lear» von Vito Frazzi; 1938–39 beim Festival von Glyndebourne als Titelheld in Verdis «Macbeth» aufgetreten. Während seiner Karriere in Europa gastierte er auch an den Opern von Nizza und Budapest. Seit 1940 hat er in 21 Spielzeiten an der Metropolitan Oper New York 284 Vorstellungen von 26 Partien gesungen (dazu eine Anzahl von Vorstellungen bei den Gastspiel-Tourneen des Hauses), vor allem in Opern von Verdi und Puccini. Er gastierte an der Oper von San Francisco (1943–52) und in Mexico City.
Schallplatten: Melodram («Boris Godunow», 1947).

Valeriano; er kam 1705 an den Kurpfälzischen Hof in Düsseldorf. Hier wirkte er 1709 in der Uraufführung der Oper «Tassilone» von Agostino Steffani mit. Am 26. 12. 1709 sang er am Teatro San Giovanni Crisostomo in Venedig in der Uraufführung der Oper «Agrippina» von Händel. Bis 1716 ist seine Anwesenheit in Düsseldorf nachzuweisen.

Valero, Fernando; 1880 kam er nach Italien und sang dort zuerst am Teatro Brunetti Bologna in «I promessi sposi» von Ponchielli. 1882 Gastspiel in Buenos Aires, 1884 an der Hofoper von Wien, 1888 am Teatro Apollo Rom. 1890 kreierte er für Florenz den Turiddu in «Cavalleria rusticana»; an der Mailänder Scala hatte er 1895 große Erfolge als Titelheld im «Werther» von Massenet. Seine Antrittsrolle an der Covent Garden Oper London war 1890 der José in «Carmen» zusammen mit Zélie de Lussan in der Titelrolle; er sang dort auch den Herzog im «Rigoletto» mit so großen Stars wie Nellie Melba und Jean Lassalle. Den José hatte er auch 1885 an der Hofoper von St. Petersburg und am Teatro Costanzi Rom vorgetragen; er galt als seine besondere Glanzrolle. Er sang ihn auch während der Saison 1891–92

an der Metropolitan Oper New York, wo er in elf Vorstellungen (u. a. als Herzog im «Rigoletto» und als Lyonel in Flotows «Martha») auftrat.

Valjakka, Taru; bei den Festspielen von Savonlinna sang sie u. a. die Aida und die Senta im «Fliegenden Holländer». Am 30. 11. 1978 wirkte sie an der Oper von Helsinki in der Uraufführung einer weiteren Oper von Aulis Sallinen «Der rote Strich» («Punainen viiva») in der Partie der Riika mit. 1987 Gastspiel am Teatro Colón Buenos Aires als Senta.
Schallplatten: BIS (Opernszenen aus Savonlinna), Caprice («Peer Gynt» von Grieg).

Vallandri, Aline; sie sang an der Opéra-Comique die Ensoleidad in der Oper «Chérubin» von Massenet. Zu ihren großen Bühnenpartien gehörten noch die Euridice im «Orpheus» von Gluck, die sie u. a. als Partnerin von Alice Raveau sang, die Traviata, die Donna Elvira im «Don Giovanni» und die Rosenn in «Le Roi d'Ys» von Lalo. Gastspiele führten sie an die Oper von Monte Carlo (1907), an das Théâtre de la Monnaie Brüssel (1911) und in den Jahren 1909 und 1918 an die Grand Opéra Paris.

Valleria, Alwina; sie sang an der Mailänder Scala als Debütrollen 1873 die Isabella in Meyerbeers «Robert le Diable» und den Pagen Oscar in Verdis «Ballo in maschera», 1875–76 war sie dort als Gilda im «Rigoletto» und als Martha in Flotows gleichnamiger Oper anzutreffen. An der Metropolitan Oper New York hat sie in deren Eröffnungssaison 1883–84 in 14 Vorstellungen Partien wie die Philine in «Mignon» von A. Thomas, die Bertha in Meyerbeers «Le Prophète», die Isabella in dessen «Robert le Diable» und die Micaela in «Carmen» gesungen. 1888 trat sie in London nochmals im Konzertsaal auf.

Valletti, Cesare; in der Saison 1947–48 erfolgreiche Auftritte an der Oper von Rom. 1953 Nordamerika-Debüt an der Oper von San Francisco als Werther von Massenet. An der Mailänder Scala hatte er seine größten Erfolge als Graf Almaviva im «Barbier von Sevilla», als Lindoro in Rossinis «L'Italiana in Algeri» und als Nemorino in «Elisir d'amore». An der Oper von Mexico City sang er 1951 den Alfredo in «La Traviata» als Partner von Maria Callas, beim Maggio musicale Fiorentino gastierte er u. a. als Giacomo in «La Donna del lago» von Rossini (1958), als Idamante in «Idomeneo» von Mozart (1962) und als Gianetto in Rossinis «La gazza ladra» (1965). Nach seinem Debüt an der Metropolitan Oper New York 1953 hat er dort in sieben Spielzeiten 80 Vorstellungen von Partien aus dem lyrischen Fachbereich gesungen, darunter den Ernesto im «Don Pasquale», den Ferrando in «Così fan tutte», den Tamino in der «Zauberflöte», den Alfred in der «Fledermaus», den des Grieux in «Manon» von Massenet und den Grafen Almaviva im «Barbier von Sevilla».
Schallplatten: BJR («Don Pasquale»), Nuova Era («Falstaff», Scala 1951).

Vallier, Jean; er sang 1902 den Hagen in der französischen Erstaufführung der «Götterdämmerung» im Pariser Théâtre Château d'Eau. Er war 1890–91, 1900–1901 und 1903–07 am Théâtre de la Monnaie Brüssel im Engagement. 1903 und 1908–09 zu Gast an der Oper von Monte Carlo, 1892 und in der Saison 1910–11 an der Grand Opéra Paris.

Vallin, Ninon; sie war am Konservatorium von Lyon Schülerin von Mme. Mauvarnay. Sie sang am 22. 5. 1911 am Théâtre du Châtelet Paris in der Uraufführung von Debussys «Le Martyre de Saint Sébastien» der Stimme der Érigone. 1924 kreierte sie in Paris den Liederzyklus «Les Poèmes de Ronsard» von Albert Roussel. Als Interpretin der Lieder von Debussy, Gabriel Fauré, Reynaldo Hahn, Maurice Ravel und Joaquín Nin erlangte sie höchstes Ansehen. Seit 1916 trat sie während acht Spielzeiten am Teatro Colón Buenos Aires auf. An diesem Theater wirkte sie auch am 11. 8. 1918 in der Uraufführung der Oper «Jacquerie» von Marinuzzi mit. Sie gab Gastspiele an den Opern von Brüssel (1927), Budapest (1931), Genf (1946) und an der Wiener Staatsoper (1928). 1929 große Erfolge in Berlin als Konzertsolistin. 1935 gastierte sie in den USA wie auch in Südamerika. 1943 gab sie an der Oper von Monte Carlo ihre Abschiedsvorstellungen als Gräfin in «Figaros Hochzeit» und als Carmen.

Valls, Giovanni, * 1872 in der spanischen Provinz Katalanien, † 1943; er war ein Schüler des Pädagogen Juan Goula in Barcelona.

Valobra, Cesarina, * 2. 6. 1901 Spezia; sie war Schülerin von Vittorio Vanza in Mailand und debütierte 1923 am Teatro Sociale von Como in Puccinis «La Bohème». Es folgten Auftritte an kleineren italienischen Bühnen und eine Konzertreise durch die Schweiz. 1923 sang sie als Antrittsrolle an der Mailänder Scala die Lisa in Bellinis «La Sonnambula». Am 20. 12. 1924 wirkte sie dort in der Uraufführung der Oper «La cena delle beffe» von Giordano in der Rolle der Lisabetta mit. Bis 1929 war sie ständig an der Scala zu hören, darunter in der Uraufführung der Oper «Delitto e Castigo» von Arrigo Pedrollo (1926) und in der italienischen Erstaufführung von Rimsky-Korssakows «Das Märchen vom Zaren Saltan» (1928). Von ihren weiteren Partien sind die Liu in «Turandot» und die Lauretta in «Gianni Schicchi» von Puccini wie die Micaela in «Carmen» zu nennen. 1939 gab sie ihre Karriere auf, da ihr als Jüdin in Italien zunehmend Schwierigkeiten entstanden.
Auch elektrische Odeon-Aufnahmen.

Vandenburg, Howard, Tenor/Bariton; 1952–61 war er Mitglied der Bayerischen Staatsoper München. 1961–62 war er als Gast am Theater von Oberhausen, 1963–72, jetzt aber wieder als Bariton, am Opernhaus von Dortmund, engagiert. 1959 gastierte er an der Mailänder Scala als Erik im «Fliegenden Holländer».

Vanelli, Gino; nach seinem Debüt 1920 in Lodi als Don Carlos in «La forza del destino» sang er dort den Grafen Luna im «Troubadour» und den Giannotto in Mascagnis «Lodoletta», dann in Forli den Baron Hermann in Catalanis «Loreley». An der Mailänder Scala war er in den zwei Jahrzehnten 1926–46 immer wieder anzutreffen. Am Teatro Costanzi Rom hörte man ihn u. a. 1926 als Escamillo in «Carmen» zusammen mit Maria Gay. Er gastierte am Teatro Fenice Venedig, in Genua und Bologna, in Bergamo, Turin und Parma. Am Teatro Colón Buenos Aires nahm er an den Uraufführungen der argentinischen Opern «Chrysantheme» von Peacan del Sar (1927) und «Frenos» von R. H. Espoile (1928) teil. Er sang hier auch in den Premieren der Opern «Turandot» von Puccini (1926), «Fra Gherardo» von Pizzetti (1928), «Le Preziose ridicole» von Lattuada und «La Campana sommersa» von O. Respighi. Er ist auch an den Opern von Rio de Janeiro und São Paulo aufgetreten. 1951 wirkte er bei den Festspielen in der Arena von Verona mit. 1954 sang er am Teatro Fenice Venedig und am Teatro Donizetti Bergamo in den ersten Aufführungen der Oper «Alamistakeo» von Viozzi.

Vaness, Carol, * 27. 7. 1952 San Diego (Kalifornien); sie debütierte 1977 in San Francisco als Vitellia in «La clemenza die Tiro» von Mozart. Seit 1979 trat sie an der City Centre Opera New York auf (Debüt ebenfalls als Vitellia). An diesem Haus sang sie auch die Frau Fluth in den «Lustigen Weibern von Windsor» von Nicolai, die Leila in «Pêcheurs de perles» von Bizet und die Mimi in «La Bohème». In Glyndebourne sang sie 1982 die Donna Anna im «Don Giovanni», 1986 die Amelia in Verdis «Simon Boccanegra». Im Februar 1984 kam es zu ihrem Debüt an der New Yorker Metropolitan Oper als Armida in «Rinaldo» von Händel. Bereits 1982 hatte sie an der Covent Garden Oper London als Antrittsrolle die Mimi in «La Bohème» gesungen. 1987 hörte man sie an der Pariser Opéra-Comique als Elettra in «Idomeneo» und als Vitellia in «La clemenza di Tito», ebenfalls 1987 in München als Marguerite im «Faust» von Gounod, 1988 in Los Angeles als Fiordiligi. Bei den Salzburger Festspielen von 1988 trug sie wieder die Vitellia vor, an der Covent Garden Oper London 1988 die Rosalinde in «Fledermaus». An der Oper von Seattle sang sie 1986 die Desdemona in Verdis «Othello», 1987 die Leonore im «Troubadour», 1989 die Traviata.
Schallplatten: HMV (Fiordiligi in «Così fan tutte»), Nixa-Classics.

Vanni, Helen; Schallplatten: Foyer (Giovanna in Verdis «Ernani»).

Vantin, Martin; studierte 1938–40 am Konservatorium von Nürnberg, nahm dann am Zweiten Weltkrieg als Soldat teil und setzte seine Ausbildung danach seit 1945 bei W. Menke fort. Er debütierte 1945 bei einer Wanderbühne, sang 1948–50 an der Münchner Volksoper und 1948–50 am Stadttheater von Ulm, dann am Staatstheater Kassel (1950–51), am Opernhaus von Wuppertal (1951–55) und seither am Deutschen Opernhaus Berlin. Hier wirkte er in der Uraufführung der Oper «König Hirsch» von

H. W. Henze mit (23. 9. 1956). An der Wiener Staatsoper gastierte er 1971 als Mime; 1977–78 bei den Osterfestspielen von Salzburg aufgetreten. Schallplattenaufnahmen auch bei Opera und Eurodisc.

Vanzo, Alain; er wurde durch die Pädagogin Rolande Darcoeur in Paris auf die seriöse Sängerlaufbahn vorbereitet. 1961–63 trat er an der Covent Garden Oper London auf. 1973 Gastspiel mit dem Ensemble der Grand Opéra Paris in den USA (u. a. auch in der Metropolitan Oper New York), wobei er als Faust von Gounod auftrat. Auch am Opernhaus von Frankfurt a. M. und beim Wexford Festival zu Gast. 1985 erregte er an der Grand Opéra großes Aufsehen als Titelheld in Meyerbeers «Robert le Diable».
Schallplatten: Le Chant du monde («Le Roi d'Ys» von Lalo).

Varady, Julia; sie kam bereits 1970 nach Deutschland und sang 1970–72 an der Oper von Frankfurt a. M. u. a. die Antonia in «Hoffmanns Erzählungen», die Elisabetta im «Don Carlos» und die Donna Elvira im «Don Giovanni», in Köln die Fiordiligi in «Così fan tutte» und die Traviata. An der Deutschen Oper Berlin hörte man sie als Gräfin in «Figaros Hochzeit» (1978) und als Aida (1982). 1987–88 gastierte sie bei den Salzburger Festspielen als Donna Elvira im «Don Giovanni». Ebenfalls 1987 an der Covent Garden Oper London als Desdemona in Verdis «Othello» zu Gast, bei der Japan-Tournee der Deutschen Oper Berlin (1987) als Sieglinde in der «Walküre» aufgetreten.
Schallplatten: DGG (Lyrische Sinfonie von A. Zemlinsky, 14. Sinfonie von Schostakowitsch), Orfeo («Olympia» von Spontini), HMV («Zigeunerbaron» von J. Strauß), Philips (Komponist in «Ariadne auf Naxos», Rachel in «La Juive von Halévy).

Varesi, Elena, s. unter *Varesi, Felice.*

Varesi, Felice; er erhielt seine Ausbildung zum Sänger in Mailand. Er schrieb über die unglückliche Uraufführung von Verdis «La Traviata» an den Verleger Lucca: «Es mußte ja böse Folgen haben, mir nur ein einziges Cantabile (die große Arie «Di Provenza il mar») zu geben. Nachdem Verdi «Macbeth» und «Rigoletto» für mich komponiert hatte, erwartete das Teatro Fenice von mir einfach mehr ...» 1864 gastierte er am Her Majesty's Theatre London als Rigoletto.

Varnay, Astrid; ihre Mutter war die Sopranistin *Maria Yavor Varnay* (1889–1976); der eigentliche Name der Sängerin war Ibolyka Maria Varnay. Bereits 1937 sang sie unter dem Pseudonym Ines Melani an der Brooklyn Academy of Music die Ines im «Troubadour», während ihre Mutter als Leonore auf der Bühne stand. Von den Partien außerhalb des Wagner-Repertoires, die sie 1941–56 an der New Yorker Metropolitan Oper sang, sind die Amelia in Verdis «Simon Boccanegra», die Santuzza in «Cavalleria rusticana», die Titelheldinnen in «Salome»

und «Elektra» von R. Strauss und die Marschallin in dessen «Rosenkavalier» zu nennen. Sie debütierte 1956 an der Grand Opéra Paris, 1957 an der Mailänder Scala (an der sie ebenfalls zu einer großen Karriere kam) als Isolde. Von den Partien, die sie in Bayreuth sang, sind die Isolde (1952–53, 1963), die Ortrud im «Lohengrin» (1953–54, 1958, 1960, 1962, 1967) und die Senta im «Fliegenden Holländer» (1955–56, 1959) nachzutragen. 1946–51 gastierte sie an der Oper von San Francisco (u. a. als Leonore im «Fidelio» und als La Gioconda von Ponchielli). 1951 großer Erfolg beim Maggio musicale Florenz als Lady Macbeth in Verdis «Macbeth». 1974 folgte sie einem erneuten Ruf an die Metropolitan Oper New York, an der sie in den folgenden Spielzeiten ihre großen Charakterrollen sang (Küsterin in «Jenufa», Herodias, Klytämnestra, Begbick in «Aufstieg und Fall der Stadt Mahagonny»). Im New Yorker Haus der Metropolitan Oper hat sie in 19 Spielzeiten 24 Partien in 158 Vorstellungen gesungen.
Schallplatten: Melodram («Lohengrin», Bayreuth 1960).

Varpio, Veijo; seine Tochter *Marja Leena Varpio* (* 1956) war u. a. an der Wiener Volksoper engagiert.

Vartenissian, Shakeh; sie gastierte 1951 bei den Festspielen von Spoleto als Lady Macbeth in Verdis «Macbeth», beim Festival von Aix-en-Provence 1961 wie beim Wexford Festival des gleichen Jahres als Donna Elvira im «Don Giovanni».

Vasari, Mita; 1927 trat sie am Teatro Comunale Bologna auf, 1932 nochmals an der Mailänder Scala als Lola in «Cavalleria rusticana». Sie wirkte auch in Opernsendungen des italienischen Rundfunks mit, so 1937 bei EIAR Turin im «Rheingold».

Vasquez, Italia; 1890 erregte sie in Budapest durch ihre Konzerte Aufsehen. Darauf wurde sie sogleich an die dortige Nationaloper verpflichtet. 1900 gastierte sie am Berliner Theater des Westens, 1902 an der Wiener Hofoper als Aida. 1904 sang sie bei einem Gastspiel an der Hofoper von München die Donna Anna im «Don Giovanni».

Vater, Wolfgang; er setzte seine Karriere seit 1986 am Stadttheater von Bremen fort. Gastierte 1988 in Bonn als Frank in der «Fledermaus».
Schallplatten: HMV-Electrola (vollständige Opern «Werther» von Massenet und «Daphne» von R. Strauss).

Vaughan, Elizabeth, * 12. 3. 1937 Llanfyllin (Grafschaft Montgomeryshire, Wales). Bühnendebüt 1960 bei der Welsh Opera Company als Abigaille in Verdis «Nabucco». Sie sang seit 1961 an der Londoner Covent Garden Oper Partien wie die Mimi in «La Bohème», die Amelia in Verdis «Ballo in maschera», die Teresa in «Benvenuto Cellini» von Berlioz, die Butterfly, die Tytania in «A Midsummer Night's Dream» von Benjamin Britten und die Gayle in der Uraufführung von «The lee Break von M. Tip-

pett (7. 7. 1977). 1988 sang sie bei der Chelsea Opera Group die Laura in «La Gioconda» von Ponchielli.
Schallplatten: Virgin-Video («Gloriana» von B. Britten).

Vávra, Antonín; er war auch in Prag an den Uraufführungen der Opern «König und Köhler» («Král a uhlíř», 24. 11. 1874) und «Die Dickschädel» («Tvrdé palice», 2. 10. 1881) von A. Dvořák beteiligt.

Veasey, Josephine, * 10. 7. 1930 Peckham (Sussex); eine ihrer großen Partien war die Carmen. 1982 beendete sie ihre Bühnenlaufbahn und wurde dann Gesangmeisterin an der English National Opera London, seit 1983 Pädagogin an der Royal Academy of Music London.

Vecko, Vincenz (Čeněk), * 17. 1. 1834 Roždalovice (ČSR); er kam 1863 an die Tschechische Nationaloper Prag (im Prozatímní divadlo), wo er als Manrico im «Troubadour» debütierte. 1865 ging er an das Deutsche Theater Prag. 1873 gab er seine Karriere auf.

Veer, Nevada van der, * 1870 (nach anderen Quellen 1884) Brooklyn, † 26. 9. 1958 New York; sie war die Altistin in dem Croxton-Quartett, in dem sie zusammen mit Agnes Kimball, Reed Miller und Frank Croxton sang. Sie heiratete den Tenor dieses Vokal-Quartetts *Reed Miller* (1880–1923).

Vejzović, Dunja; 1984 gastierte sie am Théâtre de la Monnaie Brüssel, 1988 an der Wiener Staatsoper als Senta im «Fliegenden Holländer». Man hörte sie am Teatro Liceo Barcelona 1986 als Ortrud, im gleichen Jahr an der Staatsoper Stuttgart als Titelheldin in der klassischen Oper «Alceste» von Gluck.
Schallplatten: Bongiovanni («La Vestale» von Mercadante).

Vela, Louisa, s. unter *Sagi-Barba,* Emilio.

Velásquez, Conchita, * 1904 Cartagena, † 18. 2. 1974 Madrid; eigentlicher Name Concepción Rodriguez. In Deutschland war sie 1937 an den Stadttheatern von Bremen und Augsburg als Gast zu hören.

Velis, Andrea; seit 1961 war er für mehr als 25 Jahre ein verdientes Mitglied der Metropolitan Oper New York. Hier hörte man ihn (in deren New Yorker Haus) in über 50 Partien, hauptsächlich aus dem Comprimario-Fach, die er in mehr als 1500 Vorstellungen vortrug. 1987 sang er den Kaiser in Puccinis «Turandot», 1988 den Spalanzani in «Hoffmanns Erzählungen». Unter seinen Rollen fanden sich eindrucksvolle Charakterstudien (Valzacchi im «Rosenkavalier», Mime im Nibelungenring, Mr. Triquet im «Eugen Onegin», Gottesnarr im «Boris Godunow», Hexe in «Hänsel und Gretel»).

Vento, Marc; Schallplatten: HMV («Padmâvati» von A. Roussel).

Ventura, Elvino; 1897 sang er am Teatro Regio Turin in der Oper «Forza d'amore» von Buzzi-Peccia, 1900 am Teatro Carlo Felice Genua den Alfredo in «La Traviata». 1901 gastierte er am Teatro Massimo in Mascagnis «Iris» mit Fausta Labia als Partnerin. Am 17. 1. 1901 sang er in einer der sieben gleichzeitigen (erfolglosen) Uraufführungen von Mascagnis Oper «Le Maschere» am Teatro Fenice Venedig die Partie des Florindo.

Venturini, Emilio; am 17. 1. 1901 wirkte er am Teatro Regio Turin in einer der sieben gleichzeitigen Uraufführungen von Mascagnis «Le Maschere» mit, die hier wie überall erfolglos ablief. Bereits in den Spielzeiten 1903–04 (Antrittsrolle: Froh im «Rheingold») und 1905–06 sang er an der Mailänder Scala, u. a. in der Uraufführung der Oper «Siberia» von Umberto Giordano (19. 12. 1903); in der von Puccinis «Turandot» kreierte er den Pang (25. 4. 1926). 1928 nahm er an der Deutschland-Tournee der Operngesellschaft von Max Sauter teil.
Schallplatten: Zwei elektrisch aufgenommene Ensembleszenen auf Fonotipia, darunter das Minister-Terzett aus «Turandot» von Puccini.

Venuti, Maria; Schallplatten: FSM (Utrechter Te Deum von Händel), Bayer-Records (Mozart-Requiem).

Verdière, René; an der Covent Garden Oper London ersetzte er 1936 René Maison als Julien in Charpentiers «Louise». 1948–49 Gastspiel an der Oper von Monte Carlo als Dimitrij im «Boris Godunow».

Vergnet, Edmond-Alphonse; 1886 Gastspiel am Her Majesty's Theatre London. 1892 sang er an der Grand Opéra Paris den Samson in der dortigen Premiere von «Samson et Dalila» von Saint-Saëns, nachdem die Uraufführung der Oper bereits 1877 in Weimar stattgefunden hatte. Zahlreiche Gastspiele an der Oper von Monte Carlo (1884–85, 1887, 1890, 1896–99).

Verhunk, Fanchette, Sopran, * 8. 8. 1874 Laibach (Ljubljana), † 11. 9. 1944 Golnik (Jugoslawien); sie war eine Schülerin der Pädagogen J. Gänsbacher und Mancio in Wien. Sie war 1897–98 am Stadttheater von Posen (Poznań) engagiert und wurde 1898 an die Oper von Breslau berufen, an der sie eine große Karriere zur Entwicklung bringen konnte. 1901 wirkte sie bei den Festspielen von Bayreuth als Freia im «Rheingold» mit. 1903 gastierte sie sehr erfolgreich an der Wiener Hofoper in den Titelpartien der Opern «Mignon» von A. Thomas und «Louise» von G. Charpentier. 1901 zu Gast an der Hofoper von Dresden, 1902 an der Münchner Hofoper. 1907 sang sie bei einem Gastspiel des Breslauer Ensembles an der Wiener Volksoper die Titelpartie in «Salome» von R. Strauss, was gleichzeitig die erste Aufführung des Werks für Wien bedeutete. Auch in Amsterdam und Budapest als Gast aufgetreten. In Breslau, wo sie sehr beliebt war, gab sie 1916 nochmals ein Wohltätigkeitskonzert und nahm dann 1917 ihren

Abschied von der Bühne. Sie wirkte seither als Pädagogin in Breslau. Sie war verheiratet mit dem Dirigenten Julius Prüwer (1874–1943), der nach 1933 als Dirigent des Orchesters des Jüdischen Kulturbundes in Berlin tätig war. Ihm wurde ein Ausreisevisum in die USA erteilt, der Sängerin jedoch ein solches verweigert. 1938 lebte sie in Frankfurt a. M., kehrte dann schließlich in die jugoslawische Heimat zurück. Ihr Familienname kommt auch in den Schreibweisen Verhunc oder Verhunck vor.
Einige schöne G & T- (Breslau, 1908) und Odeon-Aufnahmen sind von ihrer Stimme vorhanden. – (Neufassung) –.

Verlet, Alice; sie hieß eigentlich Alice Verheyen und debütierte unter diesem Namen 1894 am Stadttheater von Aachen. Seit 1897 war sie an der Opéra Comique Paris tätig (Debüt in «Les Noces de Jeannette» von Victor Massé) und sang an Bühnen in der französischen Provinz, so 1902 an der Oper von Bordeaux in «Grisélidis» von Massenet. Nachdem sie auch am Théâtre de la Monnaie Brüssel erfolgreich aufgetreten war, sang sie 1904 an der Grand Opéra Paris als Antrittsrolle die Blondchen (nicht die Konstanze) in der «Entführung aus dem Serail». Von den Partien die sie an diesem Haus gesungen hat, seien die Marguerite im «Faust» von Gounod, die Philine in «Mignon» von A. Thomas, die Ophélie in dessen «Hamlet», die Königin der Nacht in der «Zauberflöte», die Gilda im «Rigoletto», die Manon von Massenet und die Königin Marguerite de Valois in den «Hugenotten» von Meyerbeer genannt. Sie sang auch in Paris das Sopransolo in Beethovens 9. Sinfonie unter Willem Mengelberg und in einem Gala-Konzert im Élysée-Palast vor König Eduard VII. von England.

Verlooy, Elisabeth; Schallplatten: DGG-Archivserie (Kantaten von Rameau).

Vermeersch, Jef, Baß-Bariton; seit 1984 Mitglied des Opernhauses von Wuppertal. Auch 1988 gastierte er bei den Bayreuther Festspielen als Kothner in den «Meistersingern».

Vernon, Joseph; er war auch selbst als Komponist tätig und schrieb eine Pantomime «The Witches» und Lieder zu Bühnenwerken von Shakespeare.

Verrett, Shirley, Alt-Sopran; sie war auch Schülerin von Hall Johnson in Los Angeles und von der großen Mezzosopranistin Giulietta Simionato. An der Oper von Köln debütierte sie 1959 in der Oper «Rasputins Tod» von Nabokow. Ihr Debüt an der Mailänder Scala fand 1966 in ihrer großen Glanzrolle, der Carmen, statt. 1973 feierte man sie an der Grand Opéra Paris als Selika in «L'Africaine» von Meyerbeer. Auch an der Metropolitan Oper New York erfolgte ihr Debüt im September 1968 als Carmen. Seither sang sie dort in mehr als hundert Vorstellungen Partien wie die Eboli im «Don Carlos» von Verdi, die Azucena im «Troubadour», die Cassandre wie die Didon in «Les Troyens» von Berlioz, die Judith in «Herzog Blaubarts Burg» von B. Bar-

tók, die Néocle in Rossinis «Le Siège de Corinthe», die Adalgisa wie die Norma in Bellinis «Norma», die Tosca, die Mme Lidoine in «Dialogues des Carmélités» von F. Poulenc und die Leonora in «La Favorita» von Donizetti. Einen besonderen Erfolg erzielte sie 1974 an der Mailänder Scala als Lady Macbeth in Verdis «Macbeth». Am 13. 7. 1989 sang sie im Eröffnungskonzert der neu erbauten Pariser Bastille-Oper.
Schallplatten: Decca («Macbeth» von Verdi), TIS («Maria Stuarda» von Donizetti).

Versalle, Richard; er sang den Tannhäuser 1986 am Teatro Margherita Genua und 1988 am Niki Kai-Theater Tokio. 1986 gastierte er an der Staatsoper von Wien als Florestan im «Fidelio», 1988 als Erik im «Fliegenden Holländer» und als Tannhäuser, den er auch wieder 1989 in Bayreuth sang. Bei den Salzburger Festspielen von 1988 wirkte er in einer konzertanten Aufführung der Oper «Der Prozeß» von Gottfried von Einem mit.
Schallplatten: HMV (8. Sinfonie von G. Mahler).

Veselá, Marie; Schallplatten: Supraphon («Der listige Bauer» von Dvořák), Topaz-Video («Die verkaufte Braut»).

Vestris, Elisabeth; ihr Großvater war der aus Italien stammende Maler und Graveur Francecsco Bartoluzzi; ihr Vater, Gaetano Bartoluzzi, hatte sich in London niedergelassen. Sie war Schülerin des Pädagogen Domenico Corri in London. In erster Ehe mit Auguste Armand Vestris (1788–1825), in zweiter mit dem Opernmanager Charles Matthews verheiratet, der 1839–42 die Londoner Covent Garden Oper leitete.

Větra, Mariss; er war 1928–30 an der Oper von Frankfurt a. M. engagiert und sang an diesem Haus 1929 den Albert Gregor in der deutschen Erstaufführung von Janáčeks «Die Sache Makropoulos». 1928 und 1935 zu Gast an der Wiener Staatsoper. 1937 sang er im Berliner Admiralspalast in der Uraufführung der Operette «Kaiserin Katharina» von R. Kattnig. In Deutschland trat er auch unter dem Namen Mariss Wehtra auf.

Vettori, Elda; Schallplatten: Auf Opal erschien eine vollständige «Traviata» von 1935 (mit Rose Pauly in der Titelrolle).

Vezzani, César; seine Ausbildung am Conservatoire National de Paris wurde durch die Sopranistin *Agnes Borgo* finanziert, die er dann heiratete.
Schallplatten: HMV (vollständige Oper «Faust» von Gounod in der Titelpartie, 1930 aufgenommen).

Viafora, Gina, † Januar 1936 New York. 1910 sang sie in einer einzigen Vorstellung an der Metropolitan Oper New York die Mimi in «La Bohème» mit Enrico Caruso als Partner.

Vialtzeva, Anastasia; 1903 entstanden in St. Petersburg zehn Aufnahmen ihrer Stimme auf Pathé-Zylindern, eine zweite Serie von Plattenaufnahmen, darunter ihre berühmten Zigeunerlieder, kam später, gleichfalls bei Pathé, in St. Petersburg heraus.

Viardot, Louise; sie ist auch unter dem Namen Louise Héritte-Viardot aufgetreten.

Viardot-Garcia, Pauline; sie heiratete 1840 den Direktor des Théâtre-Italien Paris Louis Viardot (* 1800, † 5.5. 1883). 1859 sang sie den Titelhelden im «Orpheus» von Gluck am Théâtre-Lyrique Paris (nicht an der Grand Opéra) in einer berühmten Aufführung, die 138mal wiederholt werden mußte. 1860 kam es in Paris (nicht in Baden-Baden) zu der privaten Aufführung des 2. Aktes von Wagners «Tristan», bei der der Pianist Karl Klindworth die Klavierbegleitung übernahm. Am 3.3. 1870 sang sie in der Uraufführung der Alt-Rhapsodie von Johannes Brahms in Jena die Solopartie. Nach 1870 sang sie noch in der Uraufführung des Oratoriums «Marie Magdeleine» von Massenet (11.4. 1873 Paris). 1874 ließ sie in ihrem Privattheater in Coissy den ersten Akt der Oper «Samson et Dalila» von Saint-Saëns aufführen; am 20.8. 1874 folgte der zweite Akt der Oper in ihrem Haus in Paris mit ihr in der Titelrolle, dem Tenor Charles-Auguste Nicot als Samson und dem Bariton Numa Auguez als Grand Prêtre, während der Komponist am Flügel die Begleitung ausführte (die Uraufführung des Werks konnte erst 1877 am Hoftheater von Weimar unter F. Liszt stattfinden). Zu ihren Schülern gehörten auch Mafalda Salvatini, Martha Leffler-Burckhard, Annie Louise Cary und der Tenor George Meader.

Vickers, John; er sang 1954–56 beim Stratford Festival (Ontario) den José in «Carmen» und den Male Chorus in B. Brittens «The Rape of Lucretia». 1957 Debüt an der Covent Garden Oper London als Riccardo im «Maskenball» von Verdi. Hier sang er im Lauf einer langen Karriere bis 1969 Partien wie den Titelhelden in Verdis «Don Carlos», den Radames in «Aida», den Florestan im «Fidelio», den Giasone in Cherubinis «Medea», den Samson in «Samson et Dalila» von Saint-Saëns wie im «Samson» von Händel, den Aeneas in «Dido and Aeneas» von Purcell, den Enée in «Les Troyens» von Berlioz, den Siegmund in der «Walküre» und den Tristan. Als Antrittsrolle sang er im Januar 1960 an der Metropolitan Oper New York den Canio im «Bajazzo». Er hat in deren New Yorker Haus in zwanzig Spielzeiten 16 Partien in 225 Aufführungen gesungen, darunter den Florestan, den Siegmund, den Othello, den Peter Grimes von B. Britten, den Hermann in «Pique Dame», den Tristan, den Samson in «Samson et Dalila» wie in «Samson» von Händel, den Laça in Janáčeks «Jenufa» und den Alvaro in «La forza del destino». An der Mailänder Scala debütierte er 1960 als Florestan, an der Oper von Chicago 1961 als Siegmund, in San Francisco 1959 als Radames.
Schallplatten: RCA (9. Sinfonie von Beethoven).

Vieuille, Félix; 1907 wirkte er an der Opéra-Comique Paris auch in der Uraufführung der Oper «Circé», einem Werk der Brüder Paul und Théodore Hillemacher, mit. Am 7.2. 1912 sang er dort in der Uraufführung von Sylvio Lazzaris «La Lépreuse».

Viganò, Irma; in der Saison 1913–14 wirkte sie an der Mailänder Scala in der Uraufführung der Oper «L'Ombra di Don Giovanni» (2.4. 1914) von Franco Alfano mit. 1920 kam sie als Aida zu erfolgreichen Auftritten am Teatro Massimo Palermo und am Teatro Regio Parma, 1922 gastierte sie am Teatro Donizetti Bergamo in der Partie der Mariella in Mascagnis «Il piccolo Marat».
Auch Schallplatten bei Compagnia Generale del Disco (CGD).

Viglione-Borghese, Domenico; Schüler von Antonio Cotogni in Rom. 1925 wirkte er am Teatro Regio Turin in der italienischen Erstaufführung von Rimsky-Korssakows «Der goldene Hahn» mit. 1919 gastierte er am Teatro Colón Buenos Aires. Noch 1938 ist er gastweise am Théâtre de la Monnaie Brüssel aufgetreten. Er gab seine Lebenserinnerungen unter dem Titel *Due ore di buon umore* (Mailand, 1939) heraus.

Vignas, Francecso; er war verheiratet mit der Mezzosopranistin *Giulia Novelli* (1860–1932), die u. a. in den Uraufführungen der Opern «Asrael» (11.2. 1888 Reggio Emilia) und «Cristoforo Colombo» (6.10. 1892 Teatro Carlo Felice Genua zum 400. Geburtstag der Entdeckung Amerikas durch Columbus) von Alberto Franchetti mitwirkte.

Vigneau, Daniel, † März 1970; Ausbildung am Conservatoire National Paris durch Duvernoy.

Vikström, Sven Erik: Schallplatten: Swedish Society (4. Sinfonie von Alfvén), Caprice (Arien aus schwedischen Opern).

Viljakainen, Raili; Schallplatten: BIS (Opernszenen aus Savonlinna).

Villa, Natale, Tenor, * 11.6. 1890 Turin, † 5.3. 1967 Turin; sein Vater *Francesco Villa* (1861–1944) war ebenfalls ein Tenor und wirkte während 40 Jahren als Chorist am Teatro Regio Turin. Er selbst arbeitete zunächst als Mechaniker bei den FIAT-Automobilwerken in Turin. Nachdem man seine Stimme entdeckt hatte, wurde diese durch Maestro Perigozzo am Liceo musicale Turin ausgebildet. 1919–24 sang er kleinere, gelegentlich auch größere Partien am Teatro Regio seiner Heimatstadt Turin; 1925 holte ihn Arturo Toscanini an die Mailänder Scala. Hier sang er gleichfalls Comprimario-Rollen aus allen Bereichen der Opernliteratur. Länger als zwanzig Jahre gehörte er als ganz unentbehrliches Ensemblemitglied diesem großen Opernhaus an. 1928 wirkte er bei den Festspielen in der Arena von Verona mit, 1929 nahm er an dem Gastspiel der Mailänder Scala in Berlin unter A. Toscanini teil. Auch im italienischen Rundfunk (EIAR, später RAI) hat er seine Partien in zahlreichen Opernsendungen vorgetragen.

Comprimario-Partien sang er in den Jahren um 1930 auch in vollständigen Schallplattenaufnahmen der Opern «La Traviata», «Manon Lescaut» von Puccini und «Andrea Chénier» von Giordano, die bei Columbia herauskamen. – (Neufassung) –.

Villabella, Miguel; Schüler von Jaques Isnardon in Paris. 1930 und 1936 gastierte er an der Oper von Monte Carlo. 1935 sang er zuerst in Paris, dann beim Maggio musicale Florenz als Partner von Germaine Lubin in «Castor et Pollux» von Rameau. Zu seinen großen Partien zählte auch der Georges Brown in «La Dame blanche» von Bieldieu.
Schallplatten: Odeon, Pathé (akustische Aufnahmen 1923–25, spätere elektrische Aufnahmen), HMV (Arien aus «La Traviata»).

Villani, Luisa; eine Nichte ihrer Mutter war die bekannte Sopranistin *Alice Zeppilli* (* 1885). Sie debütierte 1907 an der Mailänder Scala als Euridice im «Orpheus» von Gluck, während Maria Gay in der Titelrolle auftrat. Danach sang sie am Teatro Costanzi Rom die Desdemona in Verdis «Othello» und die Eva in den «Meistersingern». Ihr Nordamerika-Debüt fand am New Yorker Broadway Theatre statt. Sie gehörte 1910 der Bessie Abott Opera Company an, mit der sie die USA bereiste. 1911 nahm sie an einer Coast-to-Coast-Tournee der Savage Opera Company teil, bei der Puccinis Oper «La Fanciulla del West» mit ihr in der Rolle der Minnie zur Aufführung kam. In ähnlicher Weise war sie auch bei Tourneen der Boston Opera Company 1913–16 zu hören.

Villeneuve, Louise; sie ist später in Italien aufgetreten, wo man von ihr u. a. 1796 Auftritte am Teatro Avvalorati in Livorno berichtet.

Vilma, Michèle; bei den Bayreuther Festspielen von 1972 sang sie die Waltraute in der «Walküre».
Schallplatten: HMV (Gertrude in «Roméo et Juliette» von Gounod).

Vilmar, Wilhelm; er erlangte als Pädagoge hohes Ansehen. Zu seinen Schülern gehörten so bedeutende Sänger wie Fritz Windgassen, Albert Reiss, Friedrich Weidemann und Paul Wiesendanger. 1934 lebte er noch in Hamburg.

Vinay, Ramon, * 31. 8. 1911 Chillán (Chile). Im Alter von sechs Jahren kam er nach Frankreich und erhielt seine Erziehung am Lycée Gassendi in Digne. Er debütierte 1938 mit einer Wanderoper in Mexico City als Graf Luna und sang dort später den Alfonso in Donizettis «La Favorita». An der City Centre Opera New York sang er als Antrittsrollen 1945 den Samson in «Samson et Dalila» von Saint-Saëns und den José in «Carmen»; später hörte man ihn dort als Cavaradossi in «Tosca» und als des Grieux in «Manon Lescaut» von Puccini. Seine große Glanzrolle, den Othello von Verdi, hat er im Verlauf seiner Karriere mehr als 250mal gesungen, darunter 1947 in einer Radioaufführung der NBC unter A. Toscanini. Auch an der Metropolitan Oper New York waren seine Glanzrollen in den Jahren 1946–61 der Othello und der Radames in «Aida». In 16 Spielzeiten ist er im New Yorker Haus der Metropolitan Oper in 14 Tenor-Partien zu hören gewesen, die er in 121 Vorstellungen zum Vortrag brachte. 1966 sang er an diesem Haus nochmals in einer einzigen Aufführung des «Barbiers von Sevilla» eine Bariton-Partie, den Bartolo. Im Bariton-Fach gehörten der Jago in Verdis «Othello», der Titelheld in dessen «Falstaff» und der Scarpia in «Tosca» zu seinen besten Leistungen.

Vincent, Jo; die große holländische Liedersängerin Julia Culp führte sie in den Liedgesang ein. Fast alljährlich hörte man sie in Holland als Solistin in den Aufführungen der Matthäuspassion von J. S. Bach, auch als Solistin in Beethovens 9. Sinfonie bekannt geworden. Als einzige Bühnenpartie sang sie im August 1939 im Kursaal von Scheveningen die Gräfin in «Figaros Hochzeit». Nach ihrer Heirat mit dem Pianisten Maurice van Yzer, der sie oft bei ihren Liederabenden begleitete, ist sie bis 1930 auch unter dem Namen Jo van Yzer-Vincent aufgetreten. Während des Zweiten Weltkrieges lebte sie ganz zurückgezogen, nahm aber 1945 wieder ihre Karriere auf.
Schallplatten: Auch zwei Aufnahmen auf Telefunken.

Vincent, Ruth; 1903 sang sie am Londoner Coronet Theatre die Titelrolle in der englischen Erstaufführung von Messagers «Véronique». 1905–06 bereiste sie die USA, wobei sie u. a. am Broadway Theatre New York auch in der dortigen Premiere von «Véronique» auftrat (1905). 1906 kreierte sie in London «Amasis» von Faraday. Ihr Operndebüt erfolgte am 22. 10. 1910 an der Covent Garden Oper London in der englischen Erstaufführung von «A Village Ro-

Stammbaum der Familie Villani

Giuseppe Villani sr

Vincenzo Villani	Roberto Villani	Giuseppe Villani jr
⚭ Giuseppina Zeppilli	⚭ Maria Santoliva-Villani	
	(1875–1948)	
Luisa Villani (1884–1961)	Renata Villani	

meo and Juliet» von Delius in der Rolle der Vrenchen (nach der Uraufführung 1907 an der Komischen Oper Berlin). Sie ist auch am Londoner His Majesty's Theatre unter Sir Thomas Beecham aufgetreten.
Schallplatten; HMV (Szenen aus «Tom Jones»).

Vinco, Ivo; er gastierte 1988 am Teatro Liceo Barcelona als Alvise in «La Gioconda» von Ponchielli.

Vinzing, Ute, * 9. 9. 1936 Wuppertal; sie war Schülerin von E. Boeker in Lüdenscheid, von Carrino in Düsseldorf und nicht zuletzt von der großen Sängerin Martha Mödl. 1987 Gastspiel am Teatro Colón Buenos Aires als Elektra in der gleichnamigen Oper von Richard Strauss, am Staatstheater Kassel als Leonore im «Fidelio». Weitere Gastspiele an der Königlichen Oper Kopenhagen, an der Staatsoper von Dresden und am Deutschen Opernhaus Berlin. 1988 hörte man sie in Florenz als Isolde im «Tristan». Hinzu trat eine große Karriere als Konzertsolistin.
Schallplatten: HMV (Färberin in «Die Frau ohne Schatten» von R. Strauss).

Visser, Lieuwe; Schallplatten: Telefunken (Bach-Kantaten).

Vitali, Filippo, * etwa 1590 Florenz; dort verbrachte er, abgesehen von zwei längeren Aufenthalten in Venedig und Rom, sein ganzes Leben.

Vittori, Loreto, getauft 5. 9. 1600 Spoleto; er hatte zuerst am Hof Cosimos II. de' Medici in Florenz gewirkt und kam dann 1622 in die Päpstliche Kapelle in Rom. Er genoß als Musik- und Gesanglehrer hohes Ansehen. Die schwedische Königin Christina, die nach ihrer Abdankung in Rom lebte, war seine Schülerin, ebenso der Komponist Benvenuto Pasquini.

Vitulli, Thea; 1920 sang sie am Teatro Costanzi Rom die Micaela in «Carmen», 1922 die Sophie im «Rosenkavalier», am 14. 4. 1921 wirkte sie dort in der Uraufführung der Oper «Anima allegra» von Vittadini als Coralito mit. 1922 Gastspiel am Teatro Massimo Palermo als Lauretta in Puccinis «Gianni Schicchi» und als Olga in Giordanos «Fedora». 1922 kam sie für viele Jahre an das Teatro Colón Buenos Aires (Debüt als Sophie im «Rosenkavalier»). Am 23. 4. 1923 sang sie an der Mailänder Scala in der Uraufführung der Oper «Belfagor» von O. Respighi, 1927 hörte man sie dort als Musetta in «La Bohème». Im argentinischen Rundfunk war sie bei vielen Gelegenheiten als Konzertsängerin anzutreffen.

Vivarelli, Gisela; ausgebildet am Konservatorium von Genf durch Anna-Maria Guglielmetti. Sie debütierte 1950 am Opernhaus von Genf und war 1951–53 am Staatstheater Wiesbaden, 1953–57 an der Hamburger Staatsoper engagiert. Durch Gastspielverträge war sie der Staatsoper Stuttgart (1957–64), der Deutschen Oper am Rhein Düsseldorf-Duisburg (1959–62) und dem Opernhaus von Frankfurt a. M. (1955–57) verbunden. Bis 1961 gastierte sie auch

noch in Hamburg und am Opernhaus von Zürich. 1964 gab sie aus gesundheitlichen Gründen ihre vielversprechende Karriere auf.

Viviani, Gaetano; er war in den USA geboren, erhielt aber seine Ausbildung zum Sänger in Italien. 1922 sang er am Teatro Dal Verme Mailand den Grafen Luna im «Troubadour»; er gastierte in Italien u. a. am Teatro San Carlo Neapel und am Teatro Comunale Padua. 1928 sang er bei den Festspielen in der Arena von Verona den Amonasro in «Aida», 1929 an der Mailänder Scala den Don Carlos in Verdis «La forza del destino». An der Oper von San Francisco trat er als Germont-père in «La Traviata», als Enrico in «Lucia di Lammermoor», als Marcello in «La Bohème» und als Jack Rance in Puccinis «La Fanciulla del West» auf. Am 24. 2. 1937 sang er in der Uraufführung der Oper «Lucrezia» von Ottorino Respighi an der Mailänder Scala den Tarquinius. 1939 hörte man ihn am Teatro Petruzzelli von Bari als Rigoletto.
Schallplatten: Columbia (vollständige Oper «La Gioconda»).

Vix, Geneviève, * 31. 12. 1879 Nantes; 1907 sang sie an der Opéra Comique Paris in der Uraufführung der Oper «Circé» der Brüder Paul und Théodore Hillemacher die Titelpartie. 1919 gastierte sie am Teatro Colón Buenos Aires als Carmen in der dortigen Premiere dieser Oper (44 Jahre nach der Uraufführung des Werks!).

Völker, Franz; an der Covent Garden Oper London gastierte er als Florestan im «Fidelio» und als Siegmund in der «Walküre». Weiter zu Gast in Budapest (1934), Amsterdam (1935) und beim Maggio musicale Florenz (1938). In Rom gab er 1938 sehr erfolgreiche Konzerte.
Schallplatten: Auf Preiser singt der den Titelhelden in einer «Lohengrin»-Aufnahme (Staatsoper Berlin, 1941), auf Fonit-Cetra und Telefunken Ausschnitte aus der gleichen Oper (Bayreuth, 1936).

Völker, Georg; er sang 1950–53 am Theater von Gelsenkirchen, 1953–57 am Stadttheater von Augsburg, 1957–59 am Staatstheater Karlsruhe, 1959–61 an der Städtischen Oper Berlin. Seit 1961 wirkte er für mehr als 25 Jahre am Nationaltheater Mannheim. Gastspiele an der Staatsoper von Wien und am Opernhaus von Köln.
Schallplatten: HMV-Electrola (Querschnitte «Wenn ich König wär» von Adam, «La Bohème», «Martha» von Flotow).

Vogel, Adolf; 1928–32 am Opernhaus von Leipzig, 1932–37 an der Staatsoper von München engagiert. In Leipzig wirkte er 1928 in der Uraufführung der Oper «Die schwarze Orchidee» von E. d'Albert mit. 1942 sang er bei den Festspielen von Zoppot seine große Glanzrolle, den Beckmesser in den «Meistersingern». Verheiratet mit der Sopranistin *Eleanore Rieger*, die u. a. am Stadttheater von Gelsenkirchen auftrat.

Vogel, Barbara; Schallplatten: HMV-Electrola («Jakob Lenz» von W. Rihm).

Vogel, Christian, *3.2. 1951 Glosa (Sachsen); ausgebildet vor allem durch Eva Schubert-Hoffmann in Leipzig. Seine größten Erfolge hatte er in Partien wie dem Ferrando in «Così fan tutte», dem Tamino in der «Zauberflöte» und dem Prinzen in «L'Amour des trois Oranges» von Prokofieff.

Vogel, Siegfried; an der Berliner Staatsoper sang er auch den Kaspar im «Freischütz», den Rocco im «Fidelio» und wirkte am 15. 11. 1986 in der Eröffnungsvorstellung des renovierten Hauses mit Webers «Euryanthe» in der Rolle des Königs mit. Er unternahm mit dem Ensemble des Hauses eine Japan-Tournee; durch Gastspielverträge der Staatsoper Hamburg verbunden. 1979 sang er bei den Festspielen von Salzburg den Ochs im «Rosenkavalier». Gastspiele an den Opern von Nizza (1986) und Nancy (1989) wie am Teatro Massimo Palermo (1988 als Morosus in der «Schweigsamen Frau» von R. Strauss). 1986 sang er bei seinem Debüt an der Metropolitan Oper New York den Hunding in der «Walküre». 1989 wirkte er bei den Festspielen von Bayreuth als Fasolt im Ring-Zyklus, als Biterolf im «Tannhäuser» und als «Titurel» im «Parsifal» mit.

Vogelstrom, Fritz; er trat als Gast an den Hofopern von Wien (1904 und 1910), München (1908) und Stuttgart (1908 und 1910), am Deutschen Theater Prag (1910), in Bremen (1910) und Frankfurt a. M. (1910) auf. 1922 wirkte er bei den Festspielen in der Waldoper von Zoppot als Siegfried im Nibelungenring mit.

Voggenhuber, Vilma von; sie gastierte bereits 1864 an der Hofoper von München. 1877 trat sie als Gast am Opernhaus von Köln, 1882 an der Wiener Hofoper auf.

Vogl, Heinrich, *15.1. 1845 Au bei München; als Antrittsrolle sang er an der Metropolitan Oper New York 1890 den Lohengrin und im Lauf der folgenden Saison noch den Tannhäuser, den Loge, den Siegfried und den Tristan. Glanzvolle Gastspiele führten ihn an die Opernhäuser von Frankfurt a. M. (1875–97) und Leipzig (seit 1877), an die Hofopern von Berlin (1881), Dresden (1885, 1896) und Stuttgart (seit 1886), an die Opern von Riga (1886) und Graz (1894) und an das Deutsche Theater Prag (1896). Er kreierte für München die Titelpartie in Verdis «Othello» und 1894 den Dalibor in der deutschen Erstaufführung der gleichnamigen Oper Smetanas. Seit 1868 verheiratet mit der berühmten Sopranistin *Therese-Vogl-Thoma* (1845–1921).

Vogl, Johann Michael; er verlor früh seine Eltern und wurde in der Familie seines Onkels erzogen. Er kam dann zur Ausbildung in das Stift Kremsmünster und studierte an der Wiener Universität Jura. 1795–1822 gehörte er der Wiener Hofoper an (Debüt in der Oper «Die gute Mutter» von Paul Wranitzky). Neben den bereits genannten Partien sang er dort erfolgreich als Titelheld in «Milton» von Spontini und als Dunois in «Agnes Sorel» von A. Gyrowetz.

Vogl, Therese; seit 1868 mit dem berühmten Tenor *Heinrich Vogl* (1845–1900) verheiratet. Sie gab auch Gastspiele am Opernhaus (Stadttheater) von Hamburg (1877), an den Hoftheatern von Mannheim und Weimar, an der Stuttgarter Hofoper (1887) und am Hoftheater von Wiesbaden.

Voketaitis, Arnold; Schallplatten: FSM (Lieder von Rachmaninoff).

Voli, Albert; 1966 wirkte er an der Pariser Opéra-Comique in «Béatrice et Bénédict» von Berlioz mit. Er war zu Gast in Amsterdam und Bern, in Genf und Montreal, in Wien, Palermo und Lissabon. Von seinen Partien seien der Alfredo in «La Traviata», der Gérald in «Lakmé» von Delibes, der Graf Almaviva im «Barbier von Sevilla», der Vincent in «Mireille» von Gounod und der Pelléas in «Pelléas et Mélisande» erwähnt.

Voltolini, Ismaele; anschließend an sein Debüt hörte man ihn 1919 am Teatro Regio von Parma als Radames in «Aida». Diese Partie sang er auch 1922 am Teatro Carlo Felice Genua. 1931 am Teatro Donizetti Bergamo aufgetreten.

Votipka, Thelma, *20.12. 1906 Cleveland; sie studierte abschließend noch bei Anna Schoen-René in New York. Bühnendebüt 1927 bei der Philadelphia Summer Opera (American Opera Company) als Gräfin in «Figaros Hochzeit». Auf der Bühne der Metropolitan Oper in New York ist sie in 1029 Vorstellungen von vierzig verschiedenen Rollen aufgetreten (ohne die Auftritte im Rahmen der alljährlichen Gastspieltournee des Ensembles). Dabei handelte es sich hauptsächlich um Comprimario-Partien; besonders bekannt wurde sie als Marthe im «Faust» von Gounod, als Frasquita in «Carmen», als Suzuki in «Madame Butterfly, als Emilia in Verdis «Othello» und als Marianne Leitmetzerin im «Rosenkavalier». Dabei erwies sie sich als Darstellerin von großer Begabung. 1938–47 und nochmals 1952 sang sie an der Oper von San Francisco.

Voutsinos, Frangiskos; 1987 wurde er an das Opernhaus von Frankfurt a. M. berufen. 1986 sang er bei den Festspielen in der Grange sublime von Mezières wie in Lausanne den Seneca in Monteverdis «Incoronazione di Poppea», 1987 in Lyon in «Les Troyens» von Berlioz. An der Komischen Oper Berlin gastierte er als Osmin in der «Entführung aus dem Serail», bei den Festspielen von Aix-en-Provence in «Orfeo» von Monteverdi (1985). Er trat sehr erfolgreich in Japan als Konzertsänger auf.
Schallplatten: Concerts Athens («Der Ring der Mutter» von Manolis Kalomiris).

Voyer, Giovanni, *28.10. 1901 Benincario in der spanischen Provinz Valencia. Er sang an der Mailänder Scala auch den Siegmund in der «Walküre» und am 29. 4. 1939 beim Maggio musicale Fiorentino in der Uraufführung von Vito Frazzis «Re Lear».

Vrenios, Alexander; sein eigentlicher Name war Anastasios Vrenios, unter dem er auch aufgetreten ist.

Vrooman, Richard van; er war 1962–64 an der Deutschen Oper am Rhein Düsseldorf-Duisburg, 1964–78 am Opernhaus von Zürich verpflichtet. 1965 wirkte er am Landestheater von Linz (Donau) in der Uraufführung der Oper «Der Kardinal» von H. Eder mit.
Schallplatten: Turandot («Doktor und Apotheker» von Dittersdorf), Philips (Requiem von Cimarosa), HMV (Salve Regina von J. Haydn, religiöse Musik von Mozart), CBS (Andres im «Wozzeck»).

Vroons, Frans; Schallplattenaufnahmen auch auf Decca.

Vulpius, Jutta; an der Berliner Staatsoper wurde sie vor allem als Verdi- und Wagner-Sängerin bekannt. 1954–65 wirkte sie ständig bei den Händel-Festspielen von Halle (Saale) mit, und zwar in den Opern- wie in den Oratorienaufführungen. Sie gastierte, zum Teil im Rahmen von Ensemble-Gastspielen der Staatsoper Berlin. So ist sie u. a. an der Covent Garden Oper London, an der Grand Opéra Paris, am Bolschoj Theater Moskau und an der Oper von Kairo aufgetreten.
Schallplatten: Eterna («Acis und Galatea» von Händel), Philips (Szenen aus «Orpheus in der Unterwelt» von Offenbach).

Vyvyan, Jennifer, †5. 4. 1974 London; sie debütierte 1947 bei der English Opera Group. 1953 sang sie beim Glyndebourne Festival die Elettra in Mozarts «Idomeneo». 1955 unternahm sie eine große Tournee durch die Sowjetunion. 1969 gastierte sie bei den Luzerner Festwochen, 1970 an der Deutschen Oper am Rhein Düsseldorf-Duisburg. Im Konzertsaal trug sie auch Werke von Monteverdi, J. S. Bach und Benjamin Britten vor.
Schallplatten: Decca (Gouvernante in «The Turn of the Screw» von Benjamin Britten), Oiseau Lyre, Everest, Capitol.

W

Wachsmuth, Hans-Jürgen; Schüler von C. Weiland in Halle (Saale).
Schallplatten: Eterna («Belsazar» von Händel).

Wachtel, Theodor; als erste Partie sang er 1863 an der Berliner Hofoper den Edgardo in «Lucia di Lammermoor». In London ist er, abgesehen von einigen Unterbrechungen durch seine Gastspielreisen, seit 1862 bis zur Aufgabe seiner Karriere 1879 alljährlich zu hören gewesen. 1876 versuchte er, mit dem Lohengrin eine Wagner-Partie in sein Repertoire aufzunehmen, blieb damit aber erfolglos; dage-

gen war der Raoul in den «Hugenotten» von Meyerbeer eine seiner Glanzrollen.

Wachter, Ernst; 1894–1909 war er Mitglied der Hofoper von Dresden, 1910–11 am Stadttheater von Zürich engagiert, 1915–19 am Opernhaus von Leipzig. Während seines Dresdner Engagements wirkte er in mehreren Uraufführungen mit: am 12. 12. 1896 in «Die Heimkehr des Odysseus» von A. Bungert, am 21. 11. 1901 in «Feuersnot» von R. Strauss (als Jürg Pöschl) und am 9. 12. 1905 in «Salome», ebenfalls von R. Strauss (als Kappadozier). Er gastierte an den Hofopern von Berlin (1903) und München (1900–1902) und trat in London in einem von Felix Mottl dirigierten Konzert auf.

Wächter, Eberhard; seit 1960 Gastspiele an der Mailänder Scala (Debüt als Graf in «Figaros Hochzeit»). An der Metropolitan Oper New York sang er in der Saison 1960–61 lediglich dreimal den Wolfram im «Tannhäuser» (Debüt Januar 1961). In dieser Partie hatte er auch 1959 an der Grand Opéra Paris debütiert; an der Oper von Chicago sang er als Antrittsrolle 1960 den Grafen in «Figaros Hochzeit». Am 18. 9. 1980 wirkte er am Theater an der Wien in der Uraufführung der Oper «Jesu Hochzeit» von W. Egk mit. Er trat sehr oft auch an der Wiener Volksoper auf, deren Direktion er 1987 übernahm. 1985 nahm er mit deren Ensemble an einer Japan-Tournee teil.
Schallplatten: Denon («Czardasfürstin» von E. Kálmán), Amadeo-Polygram («Der Besuch der alten Dame»).

Wächter, Johann Michael; er wirkte auch in der Uraufführung der Oper «Tannhäuser» von Richard Wagner am 19. 10. 1845 an der Hofoper von Dresden in der Partie des Biterolf mit, hat also an drei Uraufführungen der frühen Wagner-Opern teilgenommen. Seine Gattin *Therese Wächter-Wittmann* (* 1802) hatte 1820 in ihrer Geburtsstadt Wien debütiert.

Wagemann, Rose; sie trat im späteren Ablauf ihrer Karriere u. a. an den Theatern von Aachen und Kiel auf, 1989 sang sie in Karlsruhe die Isolde im «Tristan».

Wagner, Sieglinde; bis 1986 ist sie an der Städtischen Oper (Deutsches Opernhaus) Berlin aufgetreten. 1950–52 und 1956 gastierte sie an der Mailänder Scala; seit 1962 erschien sie fast alljährlich in verschiedenen Partien bei den Festspielen von Bayreuth.
Schallplatten: Westminster, Vox, Fonit-Cetra (Grimgerde in der «Walküre»), auf Discocorp wie auf Fonit-Cetra ist sie als dritte Dame in der «Zauberflöte» zu hören (Salzburg 1949 bzw. 1951).

Wakefield, Henriette, * 1878 New York, †23. 10. 1974 Norwalk (Connecticut). 1909 wirkte sie an der Metropolitan Oper New York in der amerikanischen Erstaufführung von Smetanas «Verkaufter Braut» mit; sie sang an diesem Haus in den Uraufführungen der Opern «The King's Henchman» von Deems Taylor (17. 2. 1927) und «Merry Mount» von Howard Hanson (10. 2. 1934).

Wakefield, John, *21. 6. 1936 Wakefield (Grafschaft Yorkshire); gastierte 1967 beim Glyndebourne Festival in «L'Ormindo» von Cavalli.

Wald, Ilse; sie sang 1923–26 am Deutschen Opernhaus (Städtische Oper) Berlin-Charlottenburg, 1927–29 am Stadttheater von Danzig, 1929–30 am Landestheater von Gera, 1930–38 am Stadttheater von Freiburg i. Br. 1939–43 war sie Mitglied des Opernhauses von Frankfurt a. M., 1943–44 des Deutschen Theaters im Haag (Holland). Später lebte sie in Freiburg i. Br.
Schallplatten: auch Solo-Aufnahmen auf Beka vorhanden.

Waldmüller, Lizzy, † 29. 4. 1945 Wien.

Walker, Edyth; sie sang mit 14 Jahren als Alt-Solistin in der Kirche von Howell, dann in der von Utica (New York) und auf Long Island. Sie arbeitete zeitweilig als Schullehrerin, konnte dann aber mit Hilfe eines Mäzens ihr Studium aufnehmen. Sie war in Wien Schülerin der berühmten Marianne Brandt. 1903 debütierte sie an der Metropolitan Oper New York als Amneris in «Aida» und blieb dort bis 1906 im Engagement. Sie sang während dieser Zeit an der Metropolitan Oper Partien wie die Ortrud im «Lohengrin», die Brangäne im «Tristan», die Erda im Nibelungenring, den Siebel im «Faust» von Gounod, die Cieca in «La Gioconda» von Ponchielli, die Nancy in Flotows «Martha», die Leonora in «La Favorita» und den Orsini in «Lucrezia Borgia» (1904) von Donizetti. Sie gastierte 1900 an der Covent Garden Oper London als Amneris, als Ortrud, als Fricka und als Waltraute, 1908 und 1910 als Isolde und als Elektra (19. 10. 1910 in der englischen Erstaufführung dieser Richard Strauss-Oper). Zu großen Erfolgen kam sie auch in Holland. Dort wirkte sie in zahlreichen Aufführungen mit, die der Amsterdamer Wagner-Verein veranstaltete, zuletzt im Mai 1918 in der «Götterdämmerung». 1909 sang sie beim Beethoven-Fest im Haag die Leonore im «Fidelio» unter Willem Mengelberg; 1910 beim Richard Strauss-Fest in Holland große Erfolge als Salome und als Elektra. In den Jahren 1917–19 hatte sie ihren Wohnsitz in dem holländischen Seebad Scheveningen. Nach dem Ersten Weltkrieg ließ sie sich in Paris als Pädagogin nieder und unterrichtete am American Conservatory in Fountainebleau.
Schallplatten: 1914 wurden von ihrer Stimme Edison-Platten aufgenommen, die jedoch nicht veröffentlicht wurden.

Walker, Mallory; nach ersten Erfolgen in Nordamerika kam er nach Europa und war 1963–64 am Staatstheater von Oldenburg, 1964–66 am Opernhaus von Köln engagiert.
Schallplatten: CBS (8. Sinfonie von Gustav Mahler), RCA (Werke von J. S. Bach).

Walker, Norman; er debütierte an der Covent Garden Oper London 1935 als einer der Edlen im «Lohengrin». 1936 kreierte er an diesem Haus den Toby Weller in der Uraufführung von «Pickwick» von Albert Coates. 1937 dort großer Erfolg als König Marke im «Tristan». 1938 trat er als Konzertbassist im holländischen Scheveningen auf. Er wirkte auch in englischen Tonfilmen («Sing As We Go») mit.

Walker, Sarah, *11. 3. 1943 Cheltenham (Grafschaft Gloucester). Sie sang bei den Glyndebourner Festspielen von 1971 die Octavia in Monteverdis «Incoronazione di Poppea» und die Diana in «La Calisto von Cavalli. Sie trat seit 1972 bei der English National Opera London auf; seit 1979 auch Mitglied der Covent Garden Oper London (Antrittsrolle: Charlotte im «Werther» von Massenet). Mit dem Ensemble der English National Opera gastierte sie 1984 im Haus der New Yorker Metropolitan Oper. 1986 wurde sie dann als reguläres Mitglied an dieses Operninstitut berufen, wo sie als Micah in «Samson» von Händel debütierte. 1988 sang sie an der Metropolitan Oper die Cornelia in «Giulio Cesare» von Händel. 1986 zu Gast an der Oper von San Francisco (als Olga in Tschaikowskys «Eugen Onegin»). 1987 wirkte sie an der Covent Garden Oper London in der englischen Erstaufführung der Oper «The King Goes forth to France» von dem finnischen Komponisten A. Sallinen mit. In Europa wie in Nordamerika gab sie zahlreiche Liederabende, bei denen sie zumeist durch den Pianisten Roger Vignoles begleitet wurde. 1976 kreierte sie in London das Oratorium «Jephte» von Carissimi-Henze.
Schallplatten: Hyperion (Lied-Aufnahmen), HMV (9. Sinfonie von Beethoven, «The Mask of Time» von M. Tippet), Virgin-Video («Gloriana» von Benjamin Britten).

Wallace, Ian; 1966–75 trat er immer wieder bei der Scottish Opera Glasgow auf.

Wallis, Delia, *1944 Chelmsford (Grafschaft Essex); sie wirkte in Glyndebourne in der Uraufführung der Oper «The Rising of The Moon» von Nicholas Maw (19. 7. 1970) mit.

Wallnöfer, Adolf; er debütierte als Bariton wahrscheinlich 1878 am Theater von Olmütz (Olomouc), an dem er 1881–82 dann als Tenor engagiert war. 1882–85 sang er am Stadttheater von Bremen (nicht Bremerhaven), 1885–95 am Deutschen Theater Prag. Hier wirkte er 1888 in der Premiere der Oper «Die drei Pintos» von Weber in der Neu-Bearbeitung durch Gustav Mahler mit. 1895–97 war er Mitglied des Stadttheaters Stettin, 1897–99 des Opernhauses Breslau, 1899–1905 des Stadttheaters Nürnberg. 1905–08 leitete er als Direktor das Stadttheater von Rostock. 1906–07 und 1909–10 gehörte er dem Ensemble der Wiener Volksoper an, zwischen diesen beiden Engagements war er 1907–09 am Theater von Graz zu hören. Bis 1914 ist er noch gastierend aufgetreten. Im Ablauf seiner langen Karriere gab er Gastspiele an der Hofoper von Wien (1904–09, zumeist im Wagner-Fach), an den Opernhäusern von

Hamburg (1898), Riga (1896, 1909) und Brünn (Brno, 1907). Er war ein begabter Liedersänger und kreierte einige Lieder, die Johannes Brahms für ihn komponiert hatte. Die von ihm selbst komponierte Oper «Eddystone» wurde am 29. 9. 1889 am Deutschen Theater Prag uraufgeführt. Er war verheiratet mit der Schauspielerin Marie Walter.

Wallström, Tord; Schallplatten: Virgin-Classics-Video (Masetto im «Don Giovanni»).

Walt, Deon van der; er war am Salzburger Mozarteum Schüler von Hanna Ludwig. Er war als ständiger Gast auch am Staatstheater Wiesbaden zu hören. 1985–88 gastierte er an der Covent Garden Oper London u. a. als Belmonte (1987) und als Lindoro in Rossinis «Italiana in Algeri». 1987–89 trat er bei den Salzburger Festspielen sehr erfolgreich als Belmonte in der «Entführung aus dem Serail» auf. 1986 Gastspiel am Opernhaus von Zürich als Tamino in der «Zauberflöte», 1988 als Tonio in «La Fille du régiment» von Donizetti. Gastspiele am Opernhaus von Köln (1987), an der Wiener Staatsoper und an der Oper von Monte Carlo, an der er 1988 in seiner besonderen Glanzrolle, dem Belmonte, brillierte. Schallplatten: Schwann («Massimilla Doni» von O. Schoeck).

Walter, Georg A.; er begann seine Tätigkeit als Konzertsänger etwa 1900 in Berlin. Bei den Händel-Festspielen von Göttingen übernahm er seit 1920 auch einige Opernpartien in Werken dieses Meisters, so den Grimwald in «Rodelinda» (1920), Partien in «Radamisto» (1927) und «Giulio Cesare» (1928). Er gab glanzvolle Konzerte u. a. in Wien (1907, 1914), in Kopenhagen (1921, 1932), in Holland (1921, 1924), in Schweden (1920), in Rom (1931), Barcelona (1921), Amsterdam (1931) und Paris (1938). 1938 unternahm er eine große Italien-Tournee. Nach 1940 hat er in Berlin, wo er Professor an der Musikhochschule wurde, noch Konzerte gegeben. Sein Sohn *Hans-Jürgen Walter* trat zu Beginn der dreißiger Jahre als Konzertsänger in Erscheinung. Seine Tochter *Lisa Walter* wurde etwa gleichzeitig als Konzertsolistin bekannt, nahm dann auch als Bühnensängerin Engagements in Cottbus, Essen, Oberhausen, Basel, Mainz und Münster wahr. Seit 1959 wirkte sie als Dozentin an der Musikhochschule Berlin. Georg A. Walter sang auch auf Vox-Platten (Schubert-Lieder); auf «Die Cantorei» erschienen Bach-Kantaten.

Walter, Gustav, † 30. 1. 1910 Wien; 1882 sang er in Wien in der dortigen Erstaufführung von Schuberts «Alfonso und Estrella», 54 Jahre nach dem Tod des Komponisten. Er kreierte für die Wiener Hofoper eine Vielzahl von Tenorpartien: den Manrico im «Troubadour» (1859), den Herzog im «Rigoletto» (1860), den Riccardo in Verdis «Ballo in maschera», den Vasco in Meyerbeers «Africaine» (1866), den Walther von Stolzing in den «Meistersingern» (1870), den Wilhelm Meister in «Mignon» von A. Thomas (1868) und den Loge im «Rheingold»

(1878). 1886 wurde er zum Ehrenmitglied der Wiener Hofoper ernannt. Er gastierte im Lauf seiner Karriere am Opernhaus von Frankfurt a. M. (1864–82), an der Hofoper von München (1868), am Hoftheater von Wiesbaden (1874–75), am Deutschen Theater Prag (1885) und am Theater von Brünn (seit 1875). 1881 und 1887 gab er Konzerte in Dresden, 1888 in München und 1897 – wohl sein letzter Auftritt – einen Liederabend in Graz. Er sang am 28. 2. 1869 in Wien in der Uraufführung der Kantate «Rinaldo» von Johannes Brahms und kreierte zwischen 1869 und 1887 zahlreiche Lieder dieses Meisters, der ihn sehr schätzte, wie auch dessen «Liebesliederwalzer» op. 52. Antonín Dvořák widmete ihm seine «Zigeunermelodien» op. 55. Seit 1882 wirkte er als Professor am Wiener Konservatorium.
1904 entstanden in Wien drei Aufnahmen für G & T, die zu den Seltenheiten aus der Frühzeit der Schallplatte gehören und trotz ihrer mangelhaften Aufnahmetechnik von höchstem Dokumentarwert sind. Dies trifft auch für zwei Phonogramme zu, die von 1906 stammen, und 1985 veröffentlicht wurden.

Walter, Ignaz; Ausbildung durch Josef Starzer in Wien. Er komponierte zur Krönung Kaiser Leopolds II. eine Cantata sacra, zum Tod des Dichters Schiller eine Trauermusik. Seit 1788 war er mit der Sopranistin *Juliane Walter-Roberts* (* 1763 Braunschweig) verheiratet. Diese betrat 1781 erstmals die Bühne und hatte seit 1792 große Erfolge am Hoftheater von Hannover.

Walter, Lisa, s. unter *Walter, Georg A.*

Walter, Minna; erstes Konzert 1881 in Graz, wobei sie zusammen mit ihrem berühmten Vater auftrat. 1881 sang sie als Gast an der Oper von Frankfurt a. M. und war deren Mitglied in den Jahren 1881–85. 1885–86 sang sie am Deutschen Theater Prag, 1886–87 am Theater von Graz. In der Spielzeit 1886–87 gastierte sie an der Wiener Hofoper als Pamina in der «Zauberflöte».

Walter, Raoul; er sang am Residenz-Theater München in den Uraufführungen von zwei Opern von Ermanno Wolf-Ferrari: «Die neugierigen Frauen» («Le donne curiose», 27. 11. 1903) und «Die vier Grobiane» («I quattro rusteghi», 19. 3. 1906). Von seinen weiteren Gastspielen sind die an der Wiener Hofoper (1894, 1899), an den Theatern von Bremen (1894–1901), Frankfurt a. M. (1899–1907), Zürich (1897, 1901), am Hoftheater Karlsruhe (1901) und am Opernhaus von Riga (1899–1902) zu nennen. Schallplatten: Sechs sehr seltene Aufnahmen auf G & T (München, 1905–07).

Walther, Ute; Gesangstudium bei Adelheid Müller-Hess und bei A. Orth an der Berliner Musikhochschule. Mit dem Ensemble der Deutschen Oper Berlin sang sie 1987 bei einer Japan-Tournee die Fricka und die Waltraute in den Opern des Ring-Zyklus. Schallplatten: HMV-Electrola («Die Walküre»).

Waltz, Gustavus; 1732 taucht sein Name erstmalig am Londoner King's Theatre (nicht New English Theatre) auf, wo er u. a. am 10. 6. 1732 in der Uraufführung von Händels «Acis and Galatea» die Partie des Polyphem sang. Er wirkte in den Uraufführungen mehrerer Oratorien von Händel mit, so in «Deborah» (King's Theatre London, 17. 3. 1733), «Athalia» (Oxford, 10. 7. 1733) und «Saul» (King's Theatre London, 16. 1. 1739). Die Bemerkung, die Händel über Gluck gegenüber der Sängerin Mrs. Cibber machte (wobei er diesen mit Waltz verglich), erfolgte nach der Londoner Aufführung von Glucks Oper «La caduta de' Giganti» 1746.

Ward, David; Debüt an der Covent Garden Oper London 1960 als Pogner in den «Meistersingern». 1967 gastierte er am Teatro Colón Buenos Aires als Wotan im Nibelungenring.

Warfield, Sandra; sie debütierte in der Spielzeit 1953–54 an der Metropolitan Oper New York als Marcellina in «Figaros Hochzeit». 1960–1970 trat sie am Opernhaus von Zürich auf. Verheiratet mit dem großen Heldentenor *James McCracken* (1926–88).

Warfield, William; in der Spielzeit 1970–71 trat er an der Wiener Volksoper in dem Musical «Show Boat» von J. Kern auf. Seit 1974 Dozent an der University of Illinois, seit 1984 Präsident der National Association of Negro Musicians.

Warlich, Reinhold von, * 24. 5. 1877 St. Petersburg.

Warner, Genevieve; sie nahm ihre Karriere dann wieder auf und war 1955–58 am Theater von Gelsenkirchen engagiert.

Warnots, Elly, s. unter *Warnots*, Henry.

Warot, Victor; er sang an der Opéra-Comique Paris auch am 7. 5. 1860 in der Uraufführung der nachgelassenen Donizetti-Oper «Rita» die Partie des Beppe.

Warren, Leonard; sein Vater war Pelzhändler in New York, und auch er sollte zunächst diesen Beruf ergreifen. 1939 debütierte er an der Metropolitan Oper New York in einem Konzert und übernahm dann als erste Bühnenpartie den Tschelkalow in Mussorgskys «Boris Godunow». Seine eigentliche Antrittspartie war am 11. 1. 1939 der Paolo Albani in Verdis «Simon Boccanegra». Er gastierte während seiner gesamten Karriere an der Oper von San Francisco, 1944–46 an der Oper von Chicago, 1942 in Rio de Janeiro, 1948 in Mexico City. Während seiner Rußland-Tournee 1958 ist er auch an der Oper von Kiew aufgetreten. An der New Yorker Metropolitan Oper hat er in 22 Spielzeiten 26 Partien in 416 Vorstellungen gesungen (ohne die Vorstellungen innerhalb der alljährlichen Gastspiel-Tournee des Ensembles), darunter an erster Stelle Rollen aus dem italienischen Repertoire. Am 20. 2. 1942 sang er an der Metropolitan Oper in der Uraufführung von

Menottis Oper «The Island God» die Partie des Ilo.
Schallplatten: Foyer («Ernani» von Verdi).

Wartel, Pierre-François; er sang an der Grand Opéra Paris auch am 27. 2. 1833 in der Uraufführung der Oper «Gustave III. ou le Bal masqué» von Auber. Sein Sohn *Louis-Émile Wartel* (* 1834) war in den Jahren 1857–70 als Bassist am Pariser Théâtre-Lyrique engagiert.

Waschow, Gustav; nachdem er zuerst als Verwaltungsangestellter gearbeitet hatte, wurde seine Stimme durch Frau Stieber-Barn und durch Emrich in Berlin ausgebildet. 1900 debütierte er am Berliner Theater des Westens als Peter Iwanow in «Zar und Zimmermann» von Lortzing. Er sang dort bis 1903 und war dann 1904–29 Mitglied des Opernhauses von Düsseldorf. In der zweiten Hälfte seiner Karriere wandte er sich dort dem Repertoire für Baß-Buffo zu. Seit 1913 war er in Düsseldorf auch als Regisseur, seit 1921 als Oberspielleiter tätig. Insgesamt soll sein Repertoire mehr als hundert Partien enthalten haben. Gastspiele an den Hofopern von Berlin (1901, 1903) und Wien (1904), am Hoftheater Hannover und am Opernhaus von Leipzig (1902), in Amsterdam und Bukarest. 1910 sang er in Düsseldorf in der Uraufführung der Oper «Stella maris» von A. Kaiser sowie in der deutschen Erstaufführung von «Le Chemineau» («Der Vagabund») von Xavier Leroux. Verheiratet mit der Sopranistin *Anna Künstler,* die ebenfalls Mitglied des Düsseldorfer Opernhauses war.

Washington, Paolo; eigentlicher Name Paolo Vasington. Seit 1967 trat er an der Mailänder Scala in Erscheinung. Er ist als Gast an der Opéra de Wallonie Lüttich aufgetreten und wurde auch an die Metropolitan Oper New York berufen. Neben dem italienischen Repertoire seines Stimmfachs beherrschte er eine Anzahl von Partien aus der slawischen Opernliteratur. 1989 sang er beim Maggio musicale den Arkel in «Pelléas et Mélisande».

Wasserthal, Elfriede; sie sang 1939–41 am Stadttheater von Essen, 1941–43 am Opernhaus von Düsseldorf, seit 1943 an der Deutschen Oper Berlin. In der Zeit nach dem Zweiten Weltkrieg war sie in den Jahren 1951–54 nochmals Mitglied dieses Hauses (jetzt unter dem Namen Städtische Oper Berlin). 1941 wirkte sie in Düsseldorf in der Uraufführung der Oper «Die Hexe von Passau» von O. Gerster mit. 1960 Gastspiel an der Oper von Kopenhagen.

Wassiljew, Wladimir; er wurde in St. Petersburg durch die Pädagogen T. Caselli und F. Picci ausgebildet. Er wirkte an der Petersburger Hofoper in wichtigen Opern-Uraufführungen mit: am 28. 5. 1863 in «Judith» von Alexander Serow (als Eliakim), am 8. 11. 1865 in «Rogneda», ebenfalls von A. Serow, am 8. 2. (27. 1.) 1874 als Pimen in Mussorgskys «Boris Godunow», am 24. 4. 1874 in «Opritschnik» («Der Leibwächter») von Tschaikowsky (als Prinz Zemuschin). 1871 hatte er in der Uraufführung der nachgelassenen Oper von A. Serow «Die Macht des Bösen» die Partie des Ilja gesungen. (Er wirkte jedoch nicht in der Uraufführung von «Wakula der Schmied» von Tschaikowsky mit).

Watanabe, Yoko; ihren ersten großen Erfolg erzielte sie 1980 am Stadttheater von Basel. Sie gastierte bei der Scottish Opera Company Glasgow (1987), in Washington und sang 1987 in der Eröffnungsvorstellung der neuen Oper von Pittsburgh die Liu in «Turandot» von Puccini. 1988 gestaltete sie am Opernhaus von Zürich die Margherita wie die Elena in Boitos «Mefistofele» als Doppelrolle. 1989 debütierte sie an der Covent Garden Oper London als Butterfly.

Watkin-Mills, David; Schallplatten: Bereits von 1905 stammen Pathé-Platten mit zehn Liedern, die ebenfalls in London hergestellt wurden.

Watkinson, Carolyn; erfolgreiche Auftritte als Solistin zusammen mit dem Concertgebouw Orchest Amsterdam. Seit 1984 hörte man sie bei den Festspielen von Glyndebourne als Cherubino in «Nozze di Figaro» von Mozart und als Titelfigur in Rossinis «La Cenerentola». 1985 sang sie mit dem Bostoner Sinfonie-Orchester beim Tanglewood Festival. Bei den Festspielen von Aix-en-Provence sang sie in Monteverdis «Orfeo»; 1987 Australien-Tournee und Gastspiele an der Oper von Sydney. 1989 sang sie in einer Fensehübertragung der Johannespassion von J. S. Bach aus der Kathedrale von Gloucester über BBC London.
Schallplatten: CBS (9. Sinfonie von Beethoven), Orfeo («Das Buch mit sieben Siegeln» von F. Schmidt), HMV (Messe KV 427 von Mozart, Nelson-Messe von Haydn), Philips («Salomon» und «Alexanderfest» von Händel), Häussler-Verlag (Bach-Kantaten), HMV-Electrola («Walküre»).

Watson, Claire; sie debütierte 1951 in Graz als Desdemona in Verdis «Othello», ging dann aber wieder in die USA zurück, wo sie nur gelegentlich auftrat. 1956–59 hatte sie ihre ersten großen Erfolge am Opernhaus von Frankfurt a. M., seit 1958 Mitglied der Staatsoper München. Bei den Salzburger Festspielen 1966–68 wurde sie als Gräfin in «Figaros Hochzeit» bewundert. Seit 1969 gab sie erfolgreiche Gastspiele in ihrer amerikanischen Heimat. 1979 nahm sie in München als Marschallin im «Rosenkavalier» von der Bühne Abschied.
Schallplatten: Intercord (Lieder).

Watson, Jean; sie gab in New York erfolgreiche Konzerte in der Carnegie Hall. An der Covent Garden Oper London hat sie seit 1949 Partien wie die Annina im «Rosenkavalier», die Erda im Nibelungenring, die Mary im «Fliegenden Holländer», die Flora in «La Traviata», die Amme im «Boris Godunow», die Marcellina in «Figaros Hochzeit», später auch die Azucena im «Troubadour» und die Amneris in «Aida» gesungen. Sie wirkte dort in der Uraufführung der Oper «The Pilgrim's Progress» von Vaughan-Williams mit (26. 4. 1951). An der Sadler's

Wells Oper London sang sie 1953 die Amme in der Erstaufführung der Oper «Romeo und Julia» von H. Sutermeister (1953). 1955–57 war sie am Opernhaus von Nürnberg engagiert.

Watson, Lillian; 1980 wie 1988 sang sie bei den Festspielen von Glyndebourne die Blondchen in der «Entführung aus dem Serail», die als ihre besondere Glanzrolle galt, und in der sie auch 1988–89 bei den Festspielen von Salzburg mit großem Erfolg auftrat (wo sie auch 1982 als Marzelline im «Fidelio» gastiert hatte). Einen ähnlichen Erfolg hatte sie 1989 an der Covent Garden Oper London (Debüt 1981 als Blondchen) als Adele in der «Fledermaus». Gastspiele an der Staatsoper Wien (Susanna, Despina), in München, Paris (1989 Sophie im «Rosenkavalier») und Rouen.
Schallplatten: HMV (Despina in «Così fan tutte»).

Watzke, Rudolf; an der Berliner Staatsoper trat er 1924–28 zumeist in kleineren Partien auf. Bei den Bayreuther Festspielen wirkte er als Titurel im «Parsifal» und als Nachtwächter in den «Meistersingern» mit. 1926 gab er Konzerte in Holland, 1928–32 in Schweden, 1931 in Italien, 1932 in Belgien und Polen. Er sang als Konzertsolist in Prag (1932, 1937) und Paris (1932, 1937), in Belgrad und Athen (1934), in London (1937) und Wien (1937) und gab Konzerte im Rahmen des Maggio musicale Florenz (1939, 1942). 1950 trat er zuerst in Hamburg, dann in zahlreichen anderen deutschen Städten, wieder als Oratoriensänger auf, auch jetzt mit großem Erfolg.
Schallplatten: Telefunken, Polydor (Kurzoper «Lohengrin», Loewe-Balladen), Parlophon (Ausschnitte aus «Martha» von Flotow).

Weaving, John Weymouth; Schallplatten: HMV (Querschnitt «Orphée aux Enfers» von Offenbach in Englisch).

Weber, Aloysia, * 1760 oder 1761 Zell im Wiesenthal (Schwarzwald), † 8. 6. 1839 Salzburg. Ihr eigentlicher Name war Luisa Maria Antonia Weber. 1788 übernahm sie bei der Wiener Premiere des «Don Giovanni» die Partie der Donna Anna. Die jüngste der vier Schwestern Weber, *Sophie Weber* (* 1763, † 1946 Salzburg) heiratete nach einer kurzen Bühnenkarriere den Tenor und Komponisten *Jakob Haibl* (1762–1826). Nach dessen Tod zog sie zu ihrer Schwester Konstanze Mozart-Nissen nach Salzburg und lebte in deren Haus in dieser Stadt.

Weber, Josepha, * 1758 oder 1759 Zell im Wiesental (Schwarzwald); sie war die älteste der vier Schwestern Weber. Sie war in zweiter Ehe mit dem Bassisten *Friedrich Sebastian Mayer* (1763–1846) verheiratet.

Weber, Ludwig; gastierte 1930 am Théâtre des Champs-Élysées Paris unter Franz von Hoesslin als Fafner und als Hunding im Nibelungenring. An der Staatsoper München wirkte er am 14. 7. 1938 in der Uraufführung der Richard Strauss-Oper «Der Frie-

denstag» mit. Bei den Bayreuther Festspielen sang er auch den Marke im «Tristan». In der Eröffnungsvorstellung nach der Kriegszerstörung der wieder aufgebauten Wiener Staatsoper trat er am 5. 11. 1955 als Rocco im «Fidelio» auf.
Schallplatten: Pathé (1930), Fonit-Cetra («Die Walküre», Scala 1950).

Weber, Sophie, s. unter *Weber, Aloysia.*

Weckerlin, Mathilde; 1896 gab sie ihre Bühnenkarriere auf und sang als Abschiedsrolle an der Münchner Hofoper die Donna Anna im «Don Giovanni».

Wedekind, Erika; ihre Tante *Sophie Kammerer* war um 1850 in Wien eine bekannte Sängerin gewesen. Sie selbst studierte 1891–94 bei Gustav Scharfe und bei Aglaja von Orgeni in Dresden. Sie sang an der Hofoper von Dresden das klassische Koloraturrepertoire, zahlreiche lyrische Partien und allein 105mal ihre große Glanzrolle, die Mignon in der gleichnamigen Oper von A. Thomas. Am 7. 9. 1907 sang sie in der Dresdner Uraufführung der Oper «Die Schönen von Fogaras» von Alfred Grünfeld die Partie der Verona, die der Komponist für sie geschrieben hatte. Zu ihren Erfolgen auf der Bühne trugen ihre charmante Erscheinung und ihr temperamentvolles Bühnenspiel wesentlich bei. 1895 trat sie einem Leipziger Gewandhauskonzert auf, das von Johannes Brahms dirigiert wurde. 1896 und 1897 sang sie in Moskau als Solistin im Konzertsaal zusammen mit dem Concertgebouw-Orchest unter Willem Mengelberg.

Wedernikow, Alexander (Filippowitsch), *23. 12. 1927 Mokino bei Kirow (Ural); er studierte zuerst Bergbau, dann Gesangstudium in Moskau und in der Opernschule der Mailänder Scala. 1987 gastierte er bei den Wiesbadener Festspielen und bei einer nachfolgenden Tournee des Bolschoj Theaters Moskau durch Westdeutschland in seiner großen Glanzrolle, dem Boris Godunow von Mussorgsky. Er sang auch den Pimen in der gleichen Oper, den Gremin in Tschaikowskys «Eugen Onegin» und den Kutusow in «Krieg und Frieden» von Prokofieff.
Schallplatten: Auch eine Lied-Platte wurde auf Ariola-Eurodisc übernommen. In einer Videoaufnahme auf Gostelradio-TV erscheint er als Pimen im «Boris Godunow».

Weed, Marion, †23. 6. 1947 New York; sie sang 1903 bis 1908 an der Metropolitan Oper New York (in deren New Yorker Haus) in fünf Spielzeiten 17 Partien in 70 Vorstellungen, neben den Wagner-Partien auch die Mutter in «Hänsel und Gretel» und den Orlowsky in der «Fledermaus».

Weede, Robert, *11. 2. 1903 Baltimore; er sang im New Yorker Haus der Metropolitan Oper bis 1950 in zehn Spielzeiten acht Partien in 21 Vorstellungen, darunter den Scarpia in «Tosca» und den Manfredo in «L'amore dei tre Re» von Montemezzi. Seit 1940 gastierte er während der folgenden zwanzig Jahre immer wieder an der Oper von San Francisco; seit

1939 auch an der Oper von Chicago (Antrittsrolle: Rigoletto), seit 1948 an der City Centre Opera New York als Gast aufgetreten. Am New Yorker Broadway kreierte er 1956 den Tony in dem Musical «The Most Happy Fella» von Loewe.

Wegner, Walburga, *25. 8. 1908 Iserlohn; sie war 1946–59 und dann nochmals 1961–68 Mitglied des Opernhauses von Köln. Dort nahm sie 1968 als Tosca von der Bühne Abschied. 1955 wirkte sie beim Maggio musicale Florenz mit. Zu ihren großen Partien gehörten die Donna Anna im «Don Giovanni», die Leonore im «Fidelio», die Elisabeth im «Tannhäuser», die Kundry im «Parsifal», die Leonore im «Troubadour», die Tosca und die Salome.
Schallplatten: Fonit-Cetra (Gerhilde in der «Walküre», Scala 1950).

Wegrzyn, Roman; er sang in den Aufführungen des Nibelungenrings 1988–89 an der Oper von Warschau den Loge.

Wehtra, Mariss, s. unter *Vētra,* Mariss.

Weidemann, Friedrich; er gastierte 1908 an der Berliner Hofoper, 1917 am Theater von Zürich, 1910 an der Covent Garden Oper London. Als Konzertsänger war er eng mit dem Schaffen von Gustav Mahler verbunden. Er kreierte am 29. 1. 1905 in Wien dessen «Kindertotenlieder» (unter der Leitung des Komponisten) und sang diese Partie ebenfalls 1905 in Berlin. Am 20. 11. 1911 wirkte er in München in der Uraufführung von Mahlers «Das Lied von der Erde» in der Erstfassung des Werks, bereits nach dem Tod des Komponisten, mit.

Weidinger, Christine; 1972 gewann sie einen Gesangwettbewerb der Metropolitan Oper New York, an der sie 1973–76 tätig war. Gastspiele an der Mailänder Scala, an der Staatsoper Wien, am Teatro Liceo Barcelona, an der Deutschen Oper Berlin, in Venedig und an der Oper von Marseille. 1988 großer Erfolg an der Oper von Monte Carlo als Konstanze in der «Entführung aus dem Serail», 1989 in Montreal als Adèle in Rossinis «Le Comte Ory».
Schallplatten: Sie sang auf DGG die Eusebia in «Die Freunde von Salamanca» von Schubert, beim Christophorus-Verlag in «Il lutto dell'universo» von Kaiser Leopold I. von Österreich, auf Nuova Eva die Armida in «Rinaldo» von Händel.

Weidlich, Elfriede; sie sang 1933–35 am Opernhaus von Breslau, 1935–37 am Stadttheater von Görlitz, dann 1937–39 am Opernhaus von Dortmund, 1939–40 am Opernhaus von Düsseldorf, 1940–41 am Landestheater Hannover. 1941 wurde sie an die Staatsoper von Dresden berufen. 1950 verließ sie Dresden und war dann 1950–58 am Staatstheater Hannover engagiert. Als man 1950 das im Zweiten Weltkrieg zerstörte Opernhaus von Hannover nach dem Wiederaufbau eröffnete, sang sie in der Eröffnungsvorstellung die Marschallin im «Rosenkavalier». Sie war auch als Gesanglehrerin tätig.

Weidmann, Fritz; er war 1878–80 und nochmals 1882–84 am Theater von Graz engagiert, 1880–82 am Theater von Salzburg, 1884–86 am Friedrich Wilhelmstädtischen Theater Berlin. Seit 1887 wirkte er dann bis zu seinem Tod am Stadttheater (Opernhaus) von Hamburg. Gastspiele führten ihn u. a. an die Berliner Hofoper (1885) und an das Opernhaus von Leipzig (1909). Er war ein beliebter Operettensänger.

Weidt, Lucie; sie sang 1900–1903 am Opernhaus von Leipzig (Debüt als Elisabeth im «Tannhäuser») und wurde dann Mitglied der Wiener Hofoper (seit 1918 Staatsoper Wien). Sie wurde zu deren Ehrenmitglied ernannt, als sie 1927 ihre Bühnenkarriere aufgab. 1901 gastierte sie an der Hofoper von Dresden, 1904 und 1906 am Deutschen Theater Prag, 1906–07 am Opernhaus von Frankfurt a. M., 1909 in Zürich, 1910 an der Münchner Hofoper. In der Saison 1910–11 war sie an der Metropolitan Oper New York anzutreffen, an der sie als Antrittsrolle die Brünnhilde in der «Walküre» sang. Von ihren großen Partien seien noch die Isolde im «Tristan», die Elisabeth im «Tannhäuser» und die Brünnhilde in den Opern des Ring-Zyklus genannt. Verheiratet mit dem österreichischen Diplomaten Johann Andreas Freiherrn von Eichhoff.

Weikenmeier, Albert; er sang 1930–31 am Stadttheater von Bamberg, 1931–32 am Stadttheater von Kaiserslautern, 1932–33 am Stadttheater von Krefeld, 1933–34 am Staatstheater Braunschweig, 1934–36 am Opernhaus von Breslau, 1936–38 am Stadttheater von Duisburg und 1939–50 am Opernhaus (Staatstheater) Hannover. Seit 1950 Tätigkeit am Opernhaus von Köln. Hier wirkte er 1950 in der deutschen Erstaufführung von Benjamin Brittens «Albert Herring» in der Titelrolle mit. Am 15. 2. 1965 sang er in Köln in der Uraufführung der Oper «Die Soldaten» von B. A. Zimmermann, 1952 in der deutschen Erstaufführung der Oper «Iwan der Schreckliche» von Bizet, 1963 in Düsseldorf in der deutschen Premiere von «Die Nase» von Schostakowitsch. 1969 Gastspiel mit dem Ensemble der Kölner Oper in London (englische Erstaufführung von Henzes «Der junge Lord» an der Sadler's Wells Opera), 1972 mit dem Ensemble der Deutschen Oper am Rhein Düsseldorf-Duisburg beim Festival von Edinburgh (englische Erstaufführung von B. A. Zimmermanns «Die Soldaten»). Gegen Ende seiner Karriere sang er hauptsächlich Partien aus dem Charakterfach wie den Doktor im «Wozzeck» von A. Berg oder die Hexe in «Hänsel und Gretel». Er betätigte sich auch als Opernregisseur und als Dozent an der Opernschule Köln.

Weikl, Bernd; debütierte 1969 am Opernhaus (Staatstheater) Hannover als Ottokar im «Freischütz». Neben seinem Wirken in Hamburg auch Mitglied der Staatsoper Wien. Bei den Bayreuther Festspielen sang er 1972–74 und 1977–78 den Wolfram im «Tannhäuser», 1975–80 und 1989 den Amfortas und 1981–88 den Hans Sachs in den «Meistersingern», der als seine größte Partie galt. An der

Covent Garden Oper London fand sein Debüt 1975 als Figaro in Rossinis «Barbier von Sevilla» statt. 1977 folgte er einem Ruf an die Metropolitan Oper New York, an der er dann als Jochanaan in «Salome», als Amfortas und als Minister im «Fidelio» auftrat. 1987 gastierte er an der Mailänder Scala als Jochanaan, im gleichen Jahr an der Covent Garden Oper London als Fliegender Holländer; 1988 großer Erfolg an der Wiener Staatsoper als Mandryka in «Arabella» von R. Strauss, 1990 an der Scala als Hans Sachs. 1988 wurde er zum Honorarprofessor an der Musikhochschule Lübeck ernannt.
Schallplatten: Acanta («Feuersnot» von R. Strauss).

Weil, Hermann; er studierte am Konservatorium von Karlsruhe Musiktheorie, Dirigieren und Musikwissenschaft. Er sang an der Hofoper von Stuttgart in den Premieren der Opern «Salome» (1905 als Jochanaan) und «Elektra» (1908 als Orest) von Richard Strauss und «Der arme Heinrich» (1910) von Hans Pfitzner. 1909 gastierte er in Amsterdam als Sebastiano in «Tiefland« von d'Albert, 1911 als Kurwenal im «Tristan». 1912–14 hörte man ihn an der Oper von Boston. An der Metropolitan Oper New York war er seit 1911 in sechs Spielzeiten in 115 Vorstellungen von 16 Partien (hauptsächlich aus dem Wagner-Repertoire) zu hören. Nach dem Eintritt der USA in den Ersten Weltkrieg war er 1917–19 als Deutscher dort interniert. 1919 trat er mit einer aus deutschen Sängern zusammengestellten Operntruppe im New Yorker Lexington Theatre auf, doch kam es in dieser unmittelbaren Nachkriegszeit nicht zu einer erfolgreichen Saison.
Schallplatten: Odeon (2. Akt «Tannhäuser» von 1909), HMV (seit 1908), Vox (letzte Aufnahmen um 1924), Pathé-Platten (Berlin, 1912).

Weinberg, Vittorio; 1924 sang er am Teatro Petruzzelli von Bari, 1926 am Teatro Costanzi Rom (in Donizettis «Elisir d'amore» mit Tito Schipa), 1928 am Teatro Comunale Piacenza (als Partner von Carmen Melis in «Manon Lescaut» von Puccini). 1924–26 kam er am Teatro Massimo Palermo zu großen Erfolgen, u. a. als Rabbi David in Mascagnis «Amico Fritz». 1930 hörte man ihn an der Mailänder Scala in der Oper «La Via della Finestra» von Zandonai. Noch 1948 ist er an der Oper von San Francisco als Rigoletto aufgetreten.

Weiner, Mary, † 1926 Teplitz-Schönau (Teplice, ČSR); sie sang 1887–88 am Theater von Olmütz (Olomouc), 1890–92 am Opernhaus (Stadttheater) von Hamburg, seit 1892 am Opernhaus von Breslau. 1902 gab sie dieses Engagement auf, trat aber später noch gelegentlich bei Gastspielen und in Konzerten auf. Sie gründete mit ihrem Gatten, dem Cellisten Lorenz Kraus (* 1874), in Teplitz-Schönau in Böhmen eine Musikschule.

Weinert, Filip, * 26. 5. 1798 Rogalin (Polen), † 16. 8. 1843 Warschau.

Weinhold, Elisabeth, s. unter *Schack,* Benedikt.

Weinlich-Tipka, Louise; zu ihre Schülern gehörten die große Primadonna Marie Renard und der Bassist Josef Mödlinger.

Weinzierl, Johanna Constanzia; aus ihrer Ehe mit dem Professor Johann Baptist Großmann stammte eine Tochter Friederike Großmann (1839–1906), die eine bekannte Schauspielerin wurde und 1861 den Grafen Anton von Prokesch-Osten heiratete, der sich als Schriftsteller betätigte.

Weiss, Amalie, † 3. 2. 1899 Berlin; ausgebildet durch Julie von Falck in Graz. 1888 brachte sie die «Zigeunerlieder» von Johannes Brahms zur Uraufführung; dieser Komponist schätzte sie als Interpretin seiner Werke besonders und widmete ihr mehrere seiner Lieder. 1888 sang sie nochmals in Hamburg den Orpheus von Gluck, ebenfalls 1888 diese Partie und die Azucena im «Troubadour» an der Berliner Kroll-Oper. Da sie dabei nicht den erwarteten Erfolg hatte, beließ sie es bei diesen Bühnenauftritten. In den Jahren 1889–97 hatte sie aber weiterhin glänzende Erfolge als Konzert-, Oratorien- und Liedersängerin und trat in Hamburg, Berlin, Breslau und in weiteren Zentren des deutschen Musiklebens auf. Ihre Tochter *Marie Joachim* (1868–1918) wurde eine bekannte Opern- und Konzertsängerin.

Weitz, Adrienne, † nach 1920; sie wirkte an der Hofoper von München am 29. 6. 1888 in der Uraufführung der Jugendoper Richard Wagners «Die Feen» mit. Sie war bis 1907 dort engagiert. Sie arbeitete später im pädagogischen Bereich in Berlin.

Welitsch, Alexander; eigentlicher Name Alexander Asgaruh. Er war 1936–41 an der Staatsoper von Stuttgart, 1941–42 am Theater von Königsberg (Ostpreußen), 1942–44 an der Wiener Volksoper engagiert. Nach Kriegsende folgte er 1946 einem abermaligen Ruf an die Stuttgarter Staatsoper, deren Mitglied der bis 1957 und als ständiger Gast noch bis 1963 blieb. Er gastierte an der Staatsoper von Wien (1940 und seit 1945), am Teatro Massimo Palermo (1955), in Rom und Neapel und am Teatro Liceo Barcelona, an der Staatsoper von München und 1954 beim Maggio musicale von Florenz (in «Euryanthe» von Weber). 1955 hörte man ihn an der Oper von San Francisco. An der Stuttgarter Staatsoper sang er 1950 den Don Juan in der Uraufführung der Oper «Don Juan und Faust» von Hermann Reutter. Schallplatten: Melodram (Recital zusammen mit Inge Borkh); auf Telefunken existiert eine Aufnahme des 3. Aktes «Don Carlos» von Verdi (etwa 1943 aufgenommen).

Welitsch, Ljuba; sie zeigte als Kind große Begabung für das Violinspiel, studierte dann aber an der Universität von Sofia Philosophie. Sie ließ ihre Stimme durch Gyorgy Zlater-Cherkin in Sofia ausbilden. 1946 wie 1950 sang sie bei den Festspielen von Salzburg die Donna Anna im «Don Giovanni». 1948 wurde sie an die Metropolitan Oper New York berufen, an der sie als Antrittsrolle im Februar 1949 ihre berühmte Salome sang. In vier Spielzeiten ist sie

in deren New Yorker Haus in 52 Vorstellungen aufgetreten, als Aida und als Tosca, als Donna Anna und als Rosalinde in der «Fledermaus» und einmal in einer weiteren Glanzrolle aus ihrem Repertoire, der Musetta in «La Bohème». 1950–53 unternahm sie große Konzerttourneen in den USA wie in Südamerika. Nach 1955 wandte sie sich mehr und mehr dem Charakterfach zu, das sie auf Grund ihrer großen darstellerischen Begabung mit Meisterschaft beherrschte. Sie sang diese Rollen bis 1964 an der Wiener Staatsoper, bis 1981 an der Volksoper Wien. 1974 erschien sie nochmals an der Metropolitan Oper New York in der Sprechrolle der Herzogin von Crakentorp in Donizettis «Fille du régiment» und wurde begeistert begrüßt. Zeitweilig verheiratet mit dem Opernregisseur Fred Schroer.
Schallplattenaufnahmen auch auf CBS.

Weller, Dieter; er sang 1959–63 im Chor des Theaters von Gelsenkirchen und debütierte 1963 am Stadttheater von Bremerhaven als Solist.
Schallplatten: Wergo («Le grand Macabre» von G. Ligeti).

Wells, Patricia; Schallplatten: Vollständige Oper «Three Sisters» von Pasatieri auf PS (Aufnahme aus Columbus/Ohio von 1986).

Welsby, Norman; er sang an der English National Opera London 1974 in der englischen Bühnen-Erstaufführung von H. W. Henzes Oper «Die Bassariden», 1973–74 den Gunther in der «Götterdämmerung» und 1977 in «The Magic Fountain» von Delius.

Welter, Ludwig; er debütierte in der Spielzeit 1949–50 am Landestheater Detmold, sang 1950–59 an der Oper von Frankfurt a. M. und wurde 1959 an die Wiener Staatsoper berufen.
Schallplatten: Melodram («Intermezzo» von R. Strauss).

Welting, Ruth, * 11. 5. 1949 Memphis (Tennessee); sie gastierte 1979 in Ottawa, 1980 in Washington in Massenets Märchenoper «Cendrillon». 1987 sang sie an der Oper von Cincinnati die Rosina im «Barbier von Sevilla», 1988 am Teatro Regio Parma die Olympia in «Hoffmanns Erzählungen». An der Staatsoper von München als Zerbinetta zu Gast. An der Metropolitan Oper New York hörte man sie auch als Sophie im «Rosenkavalier» und als Prinzessin in «L'Enfant et les sortilèges» von Ravel.

Weltlinger, Sigmund; bis 1909 blieb er Mitglied des Hoftheaters von Kassel, an dem er sich als Florestan im «Fidelio» von seinem Publikum verabschiedete. 1934 lebte er noch.

Weltner, Armin; nach seinem Debüt 1919 am Theater von Olmütz (Olomouc) sang er 1921–22 am Theater von Brünn (Brno), 1922–23 am Opernhaus von Leipzig, 1923–25 am Stadttheater von Bern, 1925–26 in Königsberg (Ostpreußen), 1926–27 an der Staatsoper Berlin, 1927–29 am Stadttheater Stettin, 1929–33 am Stadttheater von Dortmund. Nachdem er 1933 Deutschland verlassen hatte wirkte er in der Schweiz 1933–42 am Stadttheater von Basel, 1942–49 in Luzern. Im Lauf seiner Karriere gab er Gastspiele u. a. in Wien, München, Florenz und Rom. Seine Stimme blieb ihm ungewöhnlich lange erhalten; noch im Alter von 82 Jahren ist er am Schweizerischen Rundfunk (Sender Bern) aufgetreten.

Wendling, Elisabeth; sie heiratete 1764 den Violinisten Carl Wendling.

Wendon, Henry, * 1900 Plymouth, † 4. 10. 1963 Dorking (Surrey); er war (seit seinem Debüt bei dieser Gesellschaft 1925 im Londoner Old Vic Theatre) bis 1940 Mitglied der Sadler's Wells Opera London. In den Jahren 1927–39 Auftritte bei verschiedenen englischen Opern-Wanderbühnen, aber auch an der Covent Garden Oper London. 1942 wirkte er am Londoner Strand Theatre in Aufführungen von Offenbachs «Hoffmanns Erzählungen» mit. Später Professor an der Guildhall School of Music London.

Wendorf, Alma; sie blieb bis 1912 ein hoch geschätztes Ensemblemitglied des Opernhauses von Frankfurt a. M. 1898 gastierte sie am Hoftheater von Wiesbaden, im gleichen Jahr am Hoftheater von Mannheim und 1905 am Hoftheater von Darmstadt.

Wendt-Walther, Ursula; sie sang nacheinander am Staatstheater Hannover (1956–58), am Stadttheater Rheydt (1958–59), am Stadttheater Luzern (1959–60), am Landestheater Detmold (1960–63), als Gast am Landestheater Esslingen (1964–65), dann Mitglied der Stadttheater von Mainz (1965–66) und Bremerhaven (1966–70); seit 1970 am Opernhaus von Nürnberg tätig. Dort wirkte sie 1980 in der Uraufführung der Oper «Der Traumgörge» von A. Zemlinsky mit. Sie gastierte auch an der Staatsoper von Wien.
Schallplatten: Colosseum (geistliche Musik von A. Bruckner).

Wenglor, Ingeborg; Debüt 1948 am Landestheater von Dessau als Marie im «Waffenschmied» von Lortzing. Sie sang an der Berliner Staatsoper in der Uraufführung der Oper «Der arme Konrad» von Forest (4. 10. 1959); auch als Zdenka in «Arabella» von R. Strauss erfolgreich aufgetreten.

Wenk, Erich; Schallplatten: Ariola-Eurodisc (Matthäuspassion von J. S. Bach), L'Oiseau Lyre (Bach-Kantaten).

Wenkel, Ortrun; 1988 sang sie am Théâtre des Champs-Élysées Paris die Erda im Nibelungenring; 1988–89 gastierte sie beim Festival von Spoleto. Sie sang auch unter dem Namen Ortrun Wenkel-Rothe.
Schallplatten: CBS (Lieder von A. Schönberg), SAS (Matthäuspassion von J. S. Bach), Decca (Sinfonie Nr. 15 von Schostakowitsch).

Wenkoff, Spas; er war 1975–84 Mitglied der Staatsoper Berlin. 1980 Gastspiel an der Staatsoper von München. 1981 wurde er an die Metropolitan Oper New York berufen (Debüt als Tristan). 1987 trat er am Stadttheater von Bern als Titelheld im «Tannhäuser» auf. Auch sein älterer Bruder *Wenko Wenkoff* (* 1921) war ein bekannter Tenor.
Schallplatten: Eterna (Wagner-Recital), Ars Vivendi (Szenen aus Wagner-Opern).

Wennberg, Siw; sie wechselte 1973 mit dem Dirigenten Silvio Varviso von Stockholm an die Staatsoper von Stuttgart. 1986 sang sie an der Königlichen Oper Stockholm die Amelia in Verdis «Ballo in maschera».

Werber, Mia; 1899 Tourneen mit dem Ferenczy-Ensemble durch Deutschland und Rußland. 1897–98 sang sie am Carl Schultze-Theater Hamburg. 1898 kam sie an das Zentraltheater Berlin, an dem sie bis 1908 immer wieder mit großem Erfolg auftrat. Sie sang in Berlin auch an anderen Operettenbühnen, so 1908–09 am Neuen Berliner Operettentheater. In der Spielzeit 1912–13 trat sie am Theater von Königsberg in einigen Opernpartien auf. Gastspiele führten sie an das Opernhaus von Leipzig (1900), an die Berliner Hofoper (1901), an das Opernhaus von Frankfurt a. M. (1901–02), an das Deutsche Theater Prag (1905) und seit 1901 häufig an das Hoftheater Mannheim. 1910–11 unternahm sie eine große Südamerika-Tournee. Noch 1920 ist sie in Berlin aufgetreten, wo sie dann als Pädagogin wirkte.
Unter ihren Schallplattenaufnahmen befinden sich Edison-Zylinder (Berlin, 1907).

Werbitzkaja, Eugenia (Matvejewna); aus ihrem breit gefächerten Bühnenrepertoire sind die Fürstin in «Rusalka» von Dargomyshski, die Amme im «Boris Godunow», die Jegorowna in «Dubrowsky» von Napravnik, der Wanja in Glinkas «Iwan Susanin», der Ratmir in «Ruslan und Ludmilla», ebenfalls von Glinka, die Wassiljewna in «Das Mädchen von Pskow» und die Schwägerin in «Die Mainacht» von Rimsky-Korssakow, die Pauline in Schukowskis «Von ganzem Herzen» und die Fürstin Olga Mironowna in «Die Dekabristen» von Schaporin genannt, die sie am Bolschoj Theater Moskau in der Uraufführung der Oper 1953 sang.
Schallplatten: Melodiya («Das Märchen vom Zaren Saltan» von Rimsky-Korssakow).

Wermińska, Wanda, Alt/Sopran, * 18. 11. 1897 Blaszczyńce (Ukraine), † 27. 8. 1988 Warschau. Ihre Stimme wurde durch den damals an der Warschauer Oper wirkenden Dirigenten Arthur Rodzinski entdeckt und während ihrer Karriere an diesem Haus gefördert. Sie debütierte an der Warschauer Oper in der Spielzeit 1925–26 als Amneris in «Aida». 1932 begann sie ihre ausgedehnte Gastspieltätigkeit. 1947 kam sie in ihre polnische Heimat zurück und ist noch bis 1953 gastweise an der Nationaloper Warschau aufgetreten. Zu den bereits erwähnten Glanzrollen der Künstlerin traten noch die Elsa im «Lohengrin» und die Sieglinde in der «Walküre» hinzu.

Wernigk, William; er gastierte 1927 an der Staatsoper Dresden, 1935 beim Maggio musicale Florenz, 1940 an der Wiener Volksoper. Bei den Salzburger Festspielen trat er nicht nur als Konzertsolist sondern auch in Opernpartien auf; so wirkte er dort in der Uraufführung der Oper «Dantons Tod» von Gottfried von Einem mit (6.8. 1947).

Werninghaus, Agnes, s. unter *Gläser,* John.

Werrenrath, Reinald; er sang an der New Yorker Metropolitan Oper auch den Valentin im «Faust» von Gounod und den Escamillo in «Carmen». Er unterrichtete später am Peabody Conservatory und an anderen Musikinstituten. 1932 erlitt er einen Schlaganfall, der eine halbseitige Lähmung zurückließ.
Neben seinen zahlreichen Victor-Platten sind wenigstens sieben Edison-Zylinder vorhanden.

Werter-Rutkowska, Karolina, Sopran, *1766, †1828 Lwów (Lemberg); die Karriere der Sängerin nahm 1780 in Lublin ihren Anfang. 1783 war sie am Nièswicz-Theater anzutreffen, das der polnische Prinz Radziwill in seinem Privatpalast eingerichtet hatte. 1784 debütierte sie an der Oper von Warschau (Narodowyn Theater) als Violanta in der Oper «Frascantana» von Paisiello. 1784–87 sang sie in Lublin, 1787–90 am Theater von Wilna. 1799–1801 und nochmals 1815–18 war sie als Primadonna an der Oper von Warschau tätig, 1795–99 und 1801–07 in Wilna. In den Jahren 1807–15 gab sie Gastspiele. 1821 nahm sie in Warschau von der Bühne Abschied. 1786 heiratete sie den Sänger, Schauspieler und Regisseur *Andrzej Rutkowski* (1760–1830), der als Operndirektor und Impresario in Polen großen Einfluß hatte. Aus dieser Ehe stammten mehrere Kinder, die die Sänger- und Schauspielerlaufbahn einschlugen, darunter die Sopranistin *Katrzyna Aszperger* (1795–1835). – (Neufassung) –.

Werth, Helene, †1987 Hamburg; sie gastierte 1952 an der Covent Garden Oper London als Amelia im «Maskenball» von Verdi. Auch an der Staatsoper von Wien, am Teatro Liceo Barcelona, an der Grand Opéra Paris und am Opernhaus von Zürich als Gast aufgetreten.

Wessely, Karl; er begann seine Karriere 1927–28 mit einem Engagement am Theater von Troppau (Opava) und sang 1929–32 am Stadttheater von Beuthen (Oberschlesien), 1932–35 am Stadttheater von Krefeld, 1935–37 in Braunschweig und 1937–39 am Stadttheater von Nürnberg. Seit 1939 Mitglied der Staatsoper Dresden. 1941 sang er bei den Festspielen von Salzburg den Basilio in «Figaros Hochzeit» und den Monostatos in der «Zauberflöte», 1942 bei den Festspielen in der Waldoper von Zoppot den Mime. 1940 gastierte er an der Staatsoper von Wien, 1943 mit dem Dresdner Ensemble beim Maggio musicale Florenz.

West, Lucretia; Schallplatten: Westminster (Alt-Solo im Mozart-Requiem).

Westhofen-Robinson, Ada von; sie debütierte 1896 in einem Konzert in Brünn (Brno), 1897 auf der Bühne des Stadttheaters von Olmütz (Olomouc) als Elsa im «Lohengrin». Bereits 1897 wurde sie an das Hoftheater Wiesbaden verpflichtet, dem sie bis 1904 angehörte. 1904–13 war sie Mitglied des Hoftheaters Karlsruhe. Sie kam zu großen Erfolgen bei Gastspielen an den Opernhäusern von Frankfurt a.M. (1899–1902) und Köln (1905), an den Hofopern von München (1903, 1909), Dresden (1906) und Stuttgart (1908). 1907 Gastspiel an der Covent Garden Oper London als Senta im «Fliegenden Holländer» und als Sieglinde in der «Walküre». Am 23.1. 1910 wirkte sie in Karlsruhe in der Uraufführung von Siegfried Wagners Oper «Banadietrich» mit.

Wetchor, Nathalie; sie trat 1931 in einer Saison Russe am Londoner Lyceum Theatre (nicht am Drury Lane Theatre) auf. Auch in Spanien ist sie als Gast auf der Bühne wie im Konzertsaal erschienen.

Weth-Falke, Margret, Alt, *23.12. 1903 Zöblitz (Sachsen), †17.12. 1978 Basel; sie verbrachte ihre Kindheit in Leipzig. Zuerst Klavier-, dann Gesangstudium bei Geist in Leipzig. Abschluß der Gesangausbildung bei den Pädagogen Armin und Hartmann in Berlin. 1934 debütierte sie am Landestheater von Oldenburg als Amneris und wurde 1935 als erste Altistin an das Stadttheater von Rostock verpflichtet. Aus politischen Gründen konnte sie nicht in Deutschland bleiben und emigrierte 1935 in die Schweiz. Hier sang sie 1936–37 und wieder 1941–42 am Stadttheater von Basel, 1943–45 am Opernhaus von Zürich. Sie trat als Gast an der Mailänder Scala und an der Oper von Rom, am Stadttheater von Bern und am Grand Théâtre Genf, in Marseille und Luzern und mehrfach am Teatro Liceo Barcelona auf. Sie lebte später als Pädagogin in Basel. Verheiratet mit dem Schweizer Musiker Felix Weth. Von ihren Bühnenpartien sind die Ortrud im «Lohengrin», die Magdalene in den «Meistersingern», die Brangäne im «Tristan», die Fricka im Nibelungenring, die Ulrica in Verdis «Ballo in maschera», die Preziosilla in «La forza del destino», die Marcellina in «Figaros Hochzeit», die Olga im «Eugen Onegin», die Irmentraud im «Waffenschmied» von Lortzing und die Czipra im «Zigeunerbaron» von J. Strauß zu nennen.
Schallplatten: In einer integralen Ring-Aufnahme unter dem Etikett der Bruno Walter-Society singt sie die erste Norn und die Erda im «Rheingold».

Wettergren, Gertrud, *17.2. 1896 Eslöv bei Malmö (Schweden). An der Stockholmer Oper sang sie u. a. in den Uraufführungen der Opern «Marionetter» von Hilding Rosenberg (14.2. 1939 als Donna Sirena), «Singoalla» von Gunnar de Frumerie (16.3. 1940 als Titelheldin) und «Lycksalighetens ö», ebenfalls von H. Rosenberg, (1.2. 1945 als Nyx). 1939 sang sie dort die Eboli in der (späten) Premiere von Verdis «Don Carlos», 1941 die Küsterin in der von Janáčeks «Jenufa», 1952 die Mutter in «The Consul» von Menotti.

Wewel, Günter; Schallplatten: Moro (Landgraf im «Tannhäuser»), Polyphonia (Arienplatte).

Wewezow, Gudrun; Schallplatten: Ariola-Eurodisc («Verkaufte Braut» von Smetana).

White, Carolina, * 23. 12. 1886 Dorchester (Massachusetts); seit 1909 hatte sie an italienischen Bühnen große Erfolge, darunter in Venedig, Mailand und Rom, in der Schweiz in Luzern. 1913 sang sie bei den Verdi-Gedenkfeiern am Teatro Regio Parma die Aida. 1911 gastierte sie mit dem Ensemble der Oper von Chicago im Haus der New Yorker Metropolitan Oper und brachte dabei Ermanno Wolf-Ferraris «Il Segreto di Susanna» zur amerikanischen Erstaufführung (14. 3. 1911). Ihre großen Partien in Chicago waren die Aida, die Santuzza in «Cavalleria rusticana», die Gräfin in «Nozze di Figaro», die Titelfigur in Puccinis «Manon Lecaut», die Donna Elvira im «Don Giovanni», die Gioconda in der gleichnamigen Oper von Ponchielli und die Giulietta in «Hoffmanns Erzählungen».

White, Willard, * 10. 10. 1946 St. Catherine (Jamaika). Nach ersten Studien bei Marian Nowakowski auf Jamaika setzte er seine Ausbildung an der Juilliard School of Music in New York fort. An der New York City Centre Opera hatte er nach seinem Debüt 1974 große Erfolge u. a. als Créon in «Médée» von Cherubini und als Osmin in der «Entführung aus dem Serail». Die letztgenannte Partie sang er auch 1976 bei seinem Europa-Debüt an der Welsh Opera Cardiff. 1976 hörte man ihn bei der English National Opera London als Seneca in Monteverdis «Incoronazione di Poppea». An der Niederländischen Oper Amsterdam sang er bei häufigen Gastspielen u. a. den Pimen im «Boris Godunow», den Gremin im «Eugen Onegin», den Mustafà in Rossinis «Il Turco in Italia» und den Förster im «Schlauen Füchslein» von Janáček. 1980 erfolgte sein Debüt an der Covent Garden Oper London als Don Diego in Meyerbeers «Africaine». 1988 gastierte er dort als Klingsor im «Parsifal»; ebenfalls 1988 sang er bei der Scottish Opera Glasgow den Wotan im «Rheingold». Er wirkte auch 1982 (König in «L'Amour des trois oranges» von Prokofieff) und 1988 bei den Festspielen von Glyndebourne mit, 1986–87 sang er dort den Porgy in «Porgy and Bess» von Gershwin. Im Konzertsaal ist er in zeitgenössischen Werken von Stockhausen und von anderen Komponisten aufgetreten.
Schallplatten: Decca («Orfeo» von Monteverdi), Philips (Baß-Solo im Requiem von Mozart).

Whitehill, Clarence, * 5. 11. 1871 Marengo bei Parnell (Iowa). 1902–04 war er am Stadttheater von Elberfeld, 1904–09 am Opernhaus von Köln engagiert. In Elberfeld sang er am 30. 3. 1904 in der Uraufführung der Oper «Koanga» von F. Delius die Titelpartie. 1905 kam er in Köln in der deutschen Erstaufführung der Oper «Messalina» von de Lara zu einem großen Erfolg. 1905 trat er am Hoftheater Hannover, 1906–07 an der Hofoper München, 1908 in Amsterdam als Gast auf. An der Metropolitan

Oper New York ist er in deren New Yorker Haus während 19 Spielzeiten in 317 Vorstellungen von 16 Partien aufgetreten. Seit 1909 wirkte er an der Covent Garden Oper London in den berühmten Ring-Aufführungen unter Hans Richter mit. In seiner amerikanischen Heimat galt er als Autorität auf dem Gebiet des Konzert- und namentlich des Oratoriengesangs («Elias» und «Paulus» von Mendelssohn, «Messias» von Händel, Verdi-Requiem, Werke englischer Komponisten).
Schallplatten: Zonophone (New York, 1903).

Why, Foster; er wirkte später als Pädagoge im amerikanischen Staat Colorado.

Wiborg, Elisa, † 1938; sie debütierte 1889 als Konzertsängerin in Leipzig. Bühnendebüt 1890 am Hoftheater Schwerin als Marguerite im «Faust» von Gounod. 1893–1909 war sie Mitglied der Hofoper von Stuttgart. 1909 verabschiedete sie sich dort als Sieglinde in der «Walküre» von der Bühne. Gastspiele an den Hofoper von Wien (1895) und Berlin (1897) sowie seit 1899 am Hoftheater Karlsruhe. 1896 sang sie in Moskau anläßlich der Krönungsfeierlichkeiten für Zar Nikolaus II. In Stuttgart wirkte sie in der Uraufführung der Oper «Ein Fest auf Solhaug» von Stenhammar (1899) und in der deutschen Erstaufführung von Giordanos «Siberia» (1906) mit.

Wickham, Florence; eigentlicher Name Florence Beaver. Sie debütierte 1903 am Hoftheater von Wiesbaden als Fides im «Propheten» von Meyerbeer. 1906–09 war sie am Hoftheater von Schwerin engagiert. Bereits 1913 gab sie ihre Bühnenkarriere auf.

Wicks, Dennis; 1974 wirkte er bei der English National Opera London in der englischen Bühnen-Erstaufführung von H. W. Henzes Oper «Die Bassariden» mit.

Widdop, Walter; seine erste Ausbildung erfolgte durch den Pädagogen Arthur Hinchcliffe, dann durch Dinh Gilly in London. 1923 Bühnendebüt bei der British National Opera Company bei deren Gastspiel in Leeds als Radames. An der Covent Garden Oper London sang er am 25. 6. 1929 in der Uraufführung der Oper «Judith» von Eugène Goossens die Partie des Bagoas. Er nahm an der englischen Erstaufführung der 8. Sinfonie von Gustav Mahler als Solist teil.
Schallplatten: Auf HMV singt er u. a. die Tenorsoli in der h-moll-Messe von J. S. Bach und in Beethovens 9. Sinfonie sowie Szenen aus Wagner-Opern zusammen mit Göta Ljungberg.

Widmer, Kurt, Baß-Bariton; * 28. 12. 1940 Wil im Kanton St. Gallen (Schweiz); er besuchte das Lehrerseminar in Rorschach und unterrichtete sechs Jahre lang in Zürich. Er studierte am Konservatorium von Zürich Violinspiel und Gesang (bei Ria Ginster), dann bei Paul Lohmann und Franziska Martienssen-Lohmann in Luzern und Wiesbaden und bei Burga Schwarzbach in Wien. Seit 1966 kam er als Konzertsänger in der Schweiz, dann auch auf internationaler Ebene zu einer großen Karriere. 1967 gewann er den Solistenpreis des Schweizerischen Tonkünstlervereins. Er wirkte bei den Festwochen von Montreux und beim English Bach-Festival in London, bei den Festwochen von Luzern, beim Israel Festival, bei den Schwetzinger Festspielen, beim Brighton Festival und beim Festival von Straßburg mit. Man hörte ihn in der Schweiz (Basel, Bern, Zürich, Genf, Lugano, Lausanne) und in Deutschland (Berlin, Frankfurt a. M., Hamburg, Köln, München, Stuttgart), in Wien und Graz, in Mailand, Rom, Turin, Triest und Neapel, in Paris, Brüssel und Lüttich, in Amsterdam, London und Rotterdam, in Dresden, Leipzig und Bratislava, in Madrid, Valencia und Lissabon, bei den Salzburger Festspielen und beim Cleveland Festival, in Budapest, beim Festival von Wroclaw (Breslau) und beim Deutschen Bachfest in Mainz. Sein Repertoire auf den Gebieten des Oratoriums und der religiösen Vokalmusik hatte einen fast unerschöpflichen Umfang und enthielt Werke von J. S. Bach, Händel und Meistern der Barock-Epoche bis zu zeitgenössischen Kompositionen. Er kreierte mehrere Vokalwerke moderner Komponisten wie R. Kelterborn, Armin Schibler, H. Sutermeister und Klaus Huber. In seinen Liederabenden brachte er die Lieder des Schweizer Komponisten Othmar Schoeck ebenso zum Vortrag wie Lieder von Schubert, R. Schumann, J. Brahms, Mussorgsky, Richard Strauss, A. Honegger und B. Britten. Auf der Bühne gastierte er nur gelegentlich, sang aber Partien in konzertanten und Radio-Aufführungen von Opern. Seit 1968 wirkte er als Pädagoge an der Musikakademie von Basel. Sein Sohn *Oliver Widmer* (* 24. 3. 1965 Zürich) wurde wie sein Vater ein bekannter Bariton.

Nicht zuletzt wurde er durch eine Vielzahl von Schallplattenaufnahmen bekannt, auf Harmonia mundi («Die Schöpfung» von Haydn, Deutsches Requiem von J. Brahms, Johannes-Passion von Scarlatti, Missa solemnis von Beethoven), Toccata («Winterreise» von Schubert), Electrola (Werke von Carissimi und Heinrich Schütz), Philips (Requiem von Cimarosa), BASF («Penthesilea» von O. Schoeck), Vox (Oratorien «Die Schöpfung» und «Die Jahreszeiten» von Haydn), DGG (Werke von G. de Machaut, B. Marcello), HMV (Johannes-Passion von J. S. Bach), Jecklin-Disco (Lieder von Schubert, Mozart und A. Zemlinsky), Erato (Werke von M. A. Charpentier, «Der Tod Jesu» von Graun, Werke von H. Schütz und Zelenka), Calig-Verlag (Weihnachtsoratorium von Saint-Saëns), Schwann (Requiem von Gabriel Fauré), Pan (Lieder von O. Schoeck und W. Burkhard). – (Neufassung) –.

Wieber, Elsa; sie war schließlich in Berlin noch Schülerin von Ernst Grenzebach. Sie gastierte 1934 an der Staatsoper Berlin, 1935–36 an der Staatsoper München. Bei den Festspielen von Zoppot wirkte sie 1933–35 als Eva in den «Meistersingern», 1935 als Irene in «Rienzi» von R. Wagner mit. Sie ist auch als Liedersängerin in Erscheinung getreten.

Wiedemann, Hermann; er debütierte 1904 am Stadttheater von Elberfeld, dem er zwei Jahre lang angehörte. 1906–09 am Theater von Brünn (Brno), 1909–13 am Opernhaus (Stadttheater) von Hamburg, 1913–16 an der Berliner Hofoper engagiert. (Er sang nicht in der Uraufführung von E. Wolf-Ferraris «Schmuck der Madonna», die an der Berliner Kurfürstenoper stattfand). Gastspiele an den Hofopern von Dresden (1907) und München (1909), am Teatro Liceo Barcelona (1927), am Teatro Colón Buenos Aires (1933) und am Théâtre de la Monnaie Brüssel (1936). 1934–41 war er fast alljährlich bei den Festspielen von Zoppot anzutreffen. Bei den Münchner Festspielen sang er den Alberich und den Donner. 1912 sang er in Hamburg in der Uraufführung der Oper «Die Brautwahl» von F. Busoni, 1918 in Wien in der ersten deutschsprachigen Aufführung von Janáčeks «Jenufa». Verheiratet mit der Opernsängerin *Maria Dopler,* die vor dem Ersten Weltkrieg in Brünn, Hamburg und Magdeburg engagiert war.

Wiedemann, Poul, † 19. 6. 1969 Kopenhagen. Er begann seine Ausbildung bei Valdemar Linke in Kopenhagen. 1933 zu Gast am Teatro Colón Buenos Aires.

Wiedey, Ferdinand, † 1922 Weimar; er wirkte bis 1921 als Regisseur und Oberspielleiter am Hof- bzw. Nationaltheater von Weimar. Als Richard Strauss seine Jugendoper «Guntram» am 10. 5. 1894 in Weimar zur Uraufführung brachte, führte er Regie und sang zugleich die Partie des Friedhold. In den Jahren 1888–89 wirkte er bei den Bayreuther Festspielen mit (Gralsritter im «Parsifal»). 1902 gastierte er am Hoftheater Hannover, 1903 am Hoftheater Kassel. Sein Familienname kommt auch in der Schreibweise Widey vor.

Wiegand, Heinrich; 1878 wirkte er an der Academy of Music New York in der nordamerikanischen Erstaufführung von Richard Wagners «Rienzi» mit.

Wiemann, Ernst; er begann seine Bühnenkarriere 1940–41 am Stadttheater von Kiel und sang 1941–44 an der Berliner Volksoper. Nach nochmaligem Studium nahm er nach dem Krieg 1951 seine Karriere am Stadttheater von Gelsenkirchen wieder auf. 1955–57 sang er am Opernhaus von Nürnberg, seit 1957 an der Staatsoper von Hamburg. 1961–69 gehörte er der Metropolitan Oper New York an, an der er seine Wagner-Partien, aber auch Rollen in Verdi- und Mozart-Opern, vortrug. An der Covent Garden Oper London hörte man ihn 1971 als Gurnemanz im «Parsifal». Aus seinem Repertoire seien noch der Rocco im «Fidelio», der Arkel in Debussys «Pelléas et Mélisande», der König Philipp in Verdis «Don Carlos» und der Osmin in der «Entführung aus dem Serail» genannt.

Schallplatten: Eurodisc (9. Sinfonie von Beethoven), Metronome-Sonopress (Querschnitte durch «Aida» und «Troubadour» in deutscher Sprache).

Wiener, Julia; sie galt als hervorragende Verdi-Interpretin.
Schallplatten: Harmonia mundi-Balkanton («Aida»), Eterna (Desdemona in Verdis «Othello»).

Wiener, Otto; in der Saison 1962–63 war er an der Metropolitan Oper New York tätig (Antrittsrolle: Hans Sachs in den «Meistersingern»); 1950 an der Grand Opéra Paris tätig.
Schallplatten: HMV-Electrola («Lohengrin»), Columbia (8. Sinfonie von Gustav Mahler), Remington.

Wieter, Georg, † 20. 3. 1988 München; Studium bei Hans Emge in Hannover (1913–14), dann, ebenfalls in Hannover, bei F. Notholt und bei Franz Xaver Battisti. Er begann seine Karriere 1922 am Landestheater von Gotha, dem er bis 1924 angehörte, 1924–35 sang er am Opernhaus von Nürnberg, seit 1935 an der Bayerischen Staatsoper München. Hier sang er am 5. 2. 1939 in der Uraufführung der Oper «Der Mond» von Carl Orff die Partie des vierten Burschen. Er wirkte in München in der Uraufführung von zwei Richard Strauss-Opern mit: am 14. 7. 1938 in «Der Friedenstag» und am 28. 10. 1942 im «Capriccio».
Schallplatten: Columbia (nicht Electrola; Szenen aus «Die Kluge» von C. Orff).

Wild, Elfriede; sie begann ihre Bühnenkarriere 1946 am Landestheater von Linz (Donau), wo sie bis 1951 blieb. 1952–53 war sie am Opernhaus von Köln, 1953–54 am Staatstheater von Wiesbaden engagiert. Dort blieb sie jedoch nur während einer Spielzeit im Engagement; sie war dann 1958–59 nochmals am Landestheater Saarbrücken verpflichtet. Sie gastierte an der Wiener Staatsoper und an der Volksoper Wien (1951) und übernahm 1955 an der Mailänder Scala in einer Aufführung der «Walküre» die Partie einer der Walküren.

Wildbrunn, Helene; sie debütierte 1905 im Konzertsaal, 1906 auf der Bühne der Wiener Volksoper, noch unter ihrem wirklichen Namen Helene Wehrenpfennig. 1916 und 1917 gastierte sie an der Münchner Hofoper, 1919 an der Staatsoper von Dresden, 1928 am Opernhaus von Leipzig. Gastspiele in Stockholm, Madrid, Barcelona und Rio de Janeiro. 1932 wurde sie zum Ehrenmitglied der Wiener Staatsoper ernannt. Verheiratet mit dem Tenor *Karl Wildbrunn* (1872–1938).

Wildermann, William; er kam als Kind in die USA; im Laufe seiner Karriere verlegte er seine Tätigkeit weitgehend nach Westdeutschland. Hier sang er 1955–56 am Stadttheater von Gelsenkirchen, 1964–72 und noch später als Gast an der Staatsoper Stuttgart. 1949 wirkte er in New Haven (Connecticut) in der Uraufführung der Oper «Regina» von M. Blitzstein mit. 1986 sang er an der Oper von Chicago in «Katja Kabanowa» von Janáček, 1988 in Santa Fé den Daland im «Fliegenden Holländer».
Schallplatten: Columbia (9. Sinfonie von Beetho-

ven, Matthäuspassion von J. S. Bach), Da Vinci (Kardinal in «La Juive» von Halévy).

Wildhagen, Erik, Bariton, * 6. 6. 1894 Pirna-Copitz (Sachsen), † 6. 6. 1966 Passau; eigentlicher Name Erich Lehmann. Er wurde zunächst Lehrer und nahm am Ersten Weltkrieg als Soldat teil. Während eines Lazarettaufenthaltes wurde seine Stimme entdeckt und durch R. Handtke in Dresden ausgebildet. Er sang dann am Dresdner Albert-Theater als Operettensänger und 1919–23 als Opern-Tenor am Sächsischen Landestheater Dresden, einer Wanderbühne. Nachdem seine Stimme sich zum Bariton gewandelt hatte und nach weiteren Studien in Italien bei dem berühmten Mattia Battistini in Rom und dem nicht weniger berühmten Giuseppe Borgatti in Mailand wurde er 1925 als erster Bariton an die Staatsoper von München verpflichtet. Hier debütierte er als Rigoletto und blieb bis 1930 Mitglied des Hauses. Bereits zuvor hatte er 1924–25 am Teatro Costanzi in Rom erfolgreiche Bühnenauftritte gehabt. Gastspiele führten ihn an die Staatsoper von Wien (1927, 1929, 1931) und nach Amsterdam (1933), 1930–31 bereiste er die USA. 1934–41 wirkte er als Bühnendirektor und Regisseur am Staatstheater von Karlsruhe, mußte aber seine Sängerkarriere aus gesundheitlichen Gründen aufgeben. 1941 übernahm er die Leitung des Stadttheaters von Mühlhausen (Mulhouse) im Elsaß. Nach dem Zweiten Weltkrieg war er in dem Jahrzehnt 1951–61 Intendant des Städtebundtheaters Passau-Landshut in Bayern. Aus seinem Bühnenrepertoire sind der Papageno in der «Zauberflöte», der Don Giovanni, der Donner im «Rheingold», der Klingsor im «Parsifal» und der Titelheld in «Schwanda der Dudelsackpfeifer» von Weinberger zu nennen. Auch als Konzertsänger erfolgreich aufgetreten.
Schallplatten: Von der Stimme des Künstlers wurden einige Aufnahmen auf Vox gemacht, die jedoch bislang nicht veröffentlicht worden sind. – (Neufassung) –.

Wilfert, Hertha, * 1921 Berlin; sie begann ihre Laufbahn 1949 am Staatstheater Wiesbaden, an dem sie bis 1951 tätig blieb. 1951–61 war sie am Staatstheater von Hannover engagiert. 1954 und 1956 wirkte sie beim Maggio musicale Florenz mit. Weitere Gastspiele am Teatro Comunale Florenz (1953 als Eva in den «Meistersingern»), am Teatro San Carlos Lissabon (1955), in Bologna (1956) und an der Staatsoper Berlin (1955). In den Jahren 1961–63 war sie durch einen Gastspielvertrag dem Opernhaus von Dortmund verbunden.

Wilhelm, Horst; er gastierte an der Berliner Staatsoper wie auch 1968 und 1970 am Théâtre de la Monnaie Brüssel. An der Hamburger Staatsoper wirkte er in den Uraufführungen der Opern «Der goldene Bock» von E. Křenek (16. 6. 1964) und «Die Teufel von Loudun» von K. Penderecki (20. 6. 1969) mit.
Schallplatten: HMV (Ausschnitte aus «Die lustigen Weiber von Windsor» von Nicolai), Ariola («Gasparone»), Philips («Die Teufel von Loudun»).

Wilkens, Anne, * 1948; sie sang 1972 in der Londoner Festival Hall in einer konzertanten Aufführung von Verdis «Ernani». 1973 wirkte sie beim Aldeburgh Festival in der Uraufführung von Benjamin Brittens «Death in Venice», 1974 in der von «The Voice of Ariadne» von Thea Musgrave mit. 1976 sang sie an der Covent Garden Oper London in der Uraufführung von «We come to the River» von H. W. Henze, am 7. 7. 1977 am gleichen Haus in der von «Ice Break» von M. Tippett. In Karlsruhe hörte man sie in der Uraufführung der Oper «Der Meister und Margarita von Rainer Kunad (6. 3. 1986). Gastspiele in Brüssel, Venedig, Frankfurt a. M. (Azucena im «Troubadour»), an der Staatsoper Stuttgart (Brangäne im «Tristan») und an der Oper von Marseille. Schallplatten: Decca (Religiöse Musik von Vivaldi), DGG (Rossweisse in der «Walküre»).

Willer, Luise; weitere Gastspiele an der Staatsoper Wien (1941), in Paris (Wagner-Konzert 1931) und beim Maggio musicale Florenz (1938). Sie gastierte 1938 mit dem Ensemble der Münchner Oper an der Mailänder Scala. In München wirkte sie in den Uraufführungen der Opern «Violanta» von Korngold (28. 3. 1916) und «Das Himmelskleid» von E. Wolf-Ferrari (1927) mit. Sie wirkte später als Pädagogin; zu ihren Schülerinnen gehörten so bedeutende Sängerinnen wie Ina Gerhein, Sieglinde Wagner und Hanna Ludwig.
Von ihrer Stimme sind auch Aufnahmen auf der Marke Christschall vorhanden.

Williams, Camilla, * 18. 2. 1922 Denville (Virginia); 1950 unternahm sie eine Alaska-Tournee, 1954 trat sie in London auf, 1958–59 besuchte sie 14 Länder in einer großen Afrika-Tournee, 1962 Australien, Neuseeland, Japan, Korea und Vietnam. 1960 gab sie ein Konzert für US-Präsident Eisenhower und den japanischen Kronprinzen. 1974 bereiste sie Polen. Sie sang bis 1954 an der City Centre Opera New York Partien wie die Nedda im «Bajazzo», die Aida und die Mimi in «La Bohème». 1955 sang sie als erste farbige Sängerin an der Staatsoper von Wien, und zwar die Annina in «The Saint of Bleecker Street» von Menotti. Seit 1970 unterrichtete sie am Bronx College, 1930–73 Professorin am Brooklyn College, seit 1974 am Queens College. 1977 wurde sie (als erste farbige Pädagogin) Professorin an der Indiana University Bloomington.

Williams, Evan, * 7. 9. 1867 Mineral Ridge (Ohio). Nach weiteren Studien bei den Pädagogen Saubage, Ben Davies und Ffrangcon Davies in New York unternahm er 1903 eine England-Tournee. 1910 kam nochmals eine England-Tournee zustande, die von der British Gramophone Company organisiert wurde.
Schallplatten: Seine Victor-Aufnahmen entstanden seit 1908 in den USA.

Williams, Harold; seine Stimme wurde während seiner Dienstzeit als Soldat des Ersten Weltkrieges in England entdeckt und in London ausgebildet. 1919 debütierte er mit einem Lieder-Konzert in der Londoner Wigmore Hall. Er wirkte in den englischen Erstaufführungen der 8. Sinfonie von Gustav Mahler und von «Serenade to Music» (1938) von Vaughan Williams mit. Auch in den Jahren 1936–37 war er an der Covent Garden Oper London zu hören, u. a. 1936 als Boris Godunow. 1938 sang er in der Westminster Abbey London bei der Krönung von König Georg VI. und von Königin Elizabeth. 1952 wurde er zum Professor am South Wales Conservatory of Music ernannt; zu seinen Schülern gehörten die australischen Sänger Raymond Nilsson, Neil Easton und Margreta Elkins.

Williams, Irene; sie trat bereits mit sechs Jahren als Pianistin auf, mit 15 war sie als Solistin in Kirchenkonzerten zu hören. 1918 gehörte sie für eine Saison zu den «American Singers», die zunächst Gilbert & Sullivan-Operetten aufführten. 1919–23 bereiste sie mit dieser Truppe die USA; diese brachte aber jetzt Mozart-Opern zum Vortrag. Die Reisetätigkeit dieser Wanderbühne erstreckte sich auch auf Kuba und endete mit einem Besuch in Paris. Später sang sie bei der Steel Peer Grand Opera Company in Atlanta City. Seit 1940 wirkte sie als Pädagogin in Philadelphia.
Schallplatten: Brunswick (1921).

Williams, Tom, * 2. 8. 1902 Burry Port Llamelly (Wales).

Willis, Constance; sie sang in der Uraufführung der Oper «Hugh the Drover» von Vaughan Williams durch die British National Opera am 7. 7. 1924 die Partie der Aunt Jane. 1936–37 hörte man sie an der Londoner Covent Garden Oper als Hexe in «Hänsel und Gretel».

Wilson, Catherine; 1977 wirkte sie beim Edinburgh Festival in der Uraufführung der Oper «Mary Queen of Scots» von Thea Musgrave mit.
Schallplatten: Decca («Dido and Aeneas» von Purcell).

Wilson, Dolores, * 9. 8. 1929 Philadelphia; sie debütierte im Alter von 16 Jahren im amerikanischen Rundfunk. 1948 fand ihr Bühnendebüt unter dem Namen Dolores Vilsoni in Italien statt. 1952 sang sie am Teatro Grande Brescia die Rosina im «Barbier von Sevilla». In dieser Partie gastierte sie auch 1953 bei den Festspielen von Aix-en-Provence. 1956 wirkte sie in Central City in der Uraufführung der Oper «The Ballad of Baby Doe» von Douglas Moore in der Titelrolle mit. 1957 mußte sie ihre Karriere aufgeben, erschien 1959 nochmals an der New Yorker Metropolitan Oper als Lucia di Lammermoor, legte danach aber erneut eine längere Pause ein. 1968–71 trat sie dann am New Yorker Broadway in dem Musical «The Fiddler on the Roof» auf.
Schallplatten: RCA (Ausschnitte aus «Don Pasquale»).

Wilson, Steuart, † 18. 12. 1966 Petersfield bei Bristol; 1911 sang er das Tenorsolo in der Uraufführung des Vokalwerks «On Wenlock Edge» von Vaughan

Williams. Dieser Komponist widmete ihm seine «Four Hymns», die er 1920 in Cardiff kreierte.

Wilton, Ebba; seit 1915 Schülerin von Paul Bank in Kopenhagen.

Wimberger, Peter; 1987 gastierte er am Opernhaus von Köln. 1988 sang er am Teatro Massimo Palermo und am Teatro San Carlo Neapel den Amfortas im «Parsifal». Mitglied des Landestheaters von Linz (Donau).

Winbergh, Gösta; 1986 Gastspiel am Teatro Liceo Barcelona als Don Ottavio im «Don Giovanni». Diese Partie sang er 1987 auch bei den Festspielen von Salzburg, bei denen er 1988 als Titelheld in «La clemenza di Tito» sehr erfolgreich auftrat. 1988 gastierte er an der Oper von Houston/Texas als Ferrando in «Così fan tutte».
Schallplatten: Decca («Così fan tutte», «Entführung aus dem Serail»), Erato («Zauberflöte»).

Windgassen, Fritz, *9.2. 1883 Lennep bei Remscheid; Gesangstudium am Konservatorium von Hamburg bei W. Vilmar. Seit 1919 ging er ins heldische und Wagner-Fach über. Seit 1939 war er in Stuttgart auch als Regisseur tätig. 1949 gab er dort sein Abschiedskonzert. Er sang im Lauf seiner Karriere in mehreren Uraufführungen: in Hamburg in «Die Brautwahl» von F. Busoni (13.4. 1912), in Stuttgart in «Der Gondoliere des Dogen» von Reznicek (1931) und «Michael Kohlhaas» von Paul von Klenau (1933 in der Titelrolle). Dort sang er auch in der deutschen Erstaufführung von A. Boitos «Nerone». Hoch angesehener Konzert- und Liedersänger.

Windgassen, Wolfgang, *26.6. 1914 Annemasse (Haute-Savoie, Frankreich). Er gastierte 1954–66 an der Covent Garden Oper London (Antrittsrolle: Tristan); 1952 debütierte er an der Mailänder Scala als Florestan im «Fidelio». An der Metropolitan Oper New York sang er als erste Partie im Januar 1957 den Siegmund in der «Walküre», wobei er sehr erfolgreich war, ist aber dort nur in dieser Partie und als Siegfried in sechs Vorstellungen zu hören gewesen. 1970 Gastspiel an der Oper von San Francisco als Tristan mit Birgit Nilsson in der Partie der Isolde. 1967 wurde er zum Ehrenbürger der Stadt Bayreuth ernannt. 1963–72 war er Präsident der Genossenschaft Deutscher Bühnenangehöriger. Sein Sohn Peter Windgassen betätigte sich als Opernregisseur.
Schallplatten: Melodram («Lohengrin», Bayreuth 1954).
Stammbaum der Familie Windgassen, s. unter Stammbaum der Familie *Osten, von der -Windgassen.*

Winkelmann, Hermann; wollte zunächst, wie sein Vater, Klavierbauer werden und ging zur Erlernung dieses Berufs nach Paris. Dort wurde seine Stimme in dem deutschen Männergesangverein «Teutonia» entdeckt. Auf den Rat von Hugo Wittmann studierte er bei verschiedenen Lehrern in Paris, dann

bei Koch in Hannover. In Hamburg sang er 1883 in der deutschen Erstaufführung von Massenets «Hérodiade» den Jean. Bis 1883 blieb er am Hamburger Opernhaus, das damals unter der Leitung von B. Pollini ein besonders hohes künstlerisches Niveau aufzuweisen hatte. Seither Mitglied der Wiener Hofoper. Für Wien kreierte er den Tristan (1883), den Othello von Verdi (1888) und den Titelhelden in «Dalibor» von Smetana (1892). Er gastierte an den Hofopern von Dresden (1875) und Berlin (1887), in Leipzig (1877) und am Deutschen Theater Prag (1901–02). Große Karriere auch als Konzert-, Oratorien- und Liedersänger; so gab er 1900 ein glanzvolles Konzert in Paris. Abschiedsvorstellung an der Wiener Hofoper 1906 als Tannhäuser, 1908 gab er in Wien noch ein Konzert; seit 1903 war er Ehrenmitglied der Wiener Oper. Auch sein Sohn *Hans Winkelmann* (1881–1943) wurde ein bekannter Sänger.

Winkler, Hermann, *3.3. 1924 Duisburg; Ausbildung durch Frau Martha Schiele in Hannover. 1949–56 war er am Staatstheater Hannover, 1956–58 am Stadttheater Bielefeld, 1958–60 am Opernhaus von Zürich engagiert; 1959–86 Mitglied des Kölner Opernhauses. Bereits 1959–61 und 1963–64 sang er kleine Partien bei den Festspielen von Bayreuth (Augustin Moser in den «Meistersingern»). Ein Gastspiel an der Frankfurter Oper 1964 als Lohengrin leitete eine ständige Tätigkeit an diesem Haus ein. Er gastierte in Brüssel (1963) und Rom (1968), in Monte Carlo (1968), am Teatro Colón Buenos Aires (1974), an der Grand Opéra Paris (1981) und an der Covent Garden Oper London (1984). 1980 USA-Debüt an der Oper von Chicago als Don Ottavio. 1987 hörte man ihn an der Mailänder Scala als Herodes in «Salome» von R. Strauss, in Bologna als Loge im «Rheingold», im italienischen Rundfunk RAI als Ägisth in «Elektra», ebenfalls von R. Strauss. 1987–88 trat er am Teatro Real Madrid in den Opern «Wozzeck» und «Lulu» von A. Berg auf. An der Komischen Oper Berlin sang er den Titelhelden in der Offenbach-Operette «Ritter Blaubart».
Schallplatten: Edition Schwann («Massimilla Doni» von O. Schoeck), Intercord (Krönungsmesse von Mozart) (sang nicht auf Denon in Mahlers 8. Sinfonie).

Winterfeldt, Margarete von, †7.10. 1978 Berlin; von ihren vielen Schülern seien noch Aldo Baldin, Cilla Mayer, Roland Hermann, Brigitte Dürrler, Joan Caroll und Donald Grobe genannt.

Winternitz-Dorda, Martha; sie begann ihre Karriere 1899–1901 in kleinen Rollen am Deutschen Volkstheater Wien, war 1901–02 in Troppau (Opava), 1902–03 in Linz (Donau) und 1903–06 am Theater von Graz engagiert. Sie gastierte auch an den Hoftheatern von Karlsruhe (1912) und Mannheim (1912) und am Opernhaus von Leipzig (1912). Sie widmete sich auf der Bühne wie namentlich auch im Konzertsaal intensiv dem zeitgenössischen Musikschaffen. So sang sie in den Uraufführungen von Gustav Mahlers 8. Sinfonie («Sinfonie der Tausend», München, 12.9. 1910), von Arnold Schönbergs «Das Buch der hängenden Gärten» (Wien, 14. 1. 1910) und übernahm die Partie der Tove in der Uraufführung von dessen «Gurreliedern» (Wien, 23. 2. 1913; sie wiederholte diese Partie bei der Premiere des Werks in Leipzig 1914). Nach dem Tod ihres ersten Gatten, des Komponisten und Dirigenten Arnold Winternitz (1874–1928) heiratete sie in zweiter Ehe den Pianisten Richard Goldschmied.

Winters, Lawrence; er trat bis 1956 sehr erfolgreich an der City Centre Opera New York auf. In Europa war er 1952–57 an der Staatsoper von Hamburg engagiert, 1957–61 Mitglied der Städtischen Oper Berlin. 1950–51 an der Königlichen Oper Stockholm zu Gast, erfolgreiche Gastspiele auch an der Staatsoper von Wien. 1950 wirkte er an der City Centre Opera New York in der amerikanischen Premiere der Oper «Die Kluge» von Carl Orff mit. Er ist auch als Schauspieler in Erscheinung getreten.

Wirl, Erik; Sohn eines Arztes. Er wirkte an der Oper von Frankfurt a. M. auch in den Uraufführungen der Opern «Fennimore und Gerda» von Frederick Delius (21. 10. 1919) und «Die Gezeichneten» von Franz Schreker (25. 4. 1918) mit, an der Berliner Kroll-Oper in «Neues vom Tage» von P. Hindemith (8. 6. 1929).
Schallplatten: Vox (Volkstümliche Lieder, um 1920), Polydor (Operettenszenen mit Fritzi Massary und Vera Schwarz), HMV-Electrola (elektrische Aufnahmen, um 1930).

Wirtz, Dorothea; 1987 Gastspiel am Teatro Colón Buenos Aires als Blondchen in der «Entführung aus dem Serail».

Wischnewskaja, Galina (Pawlowna); debütierte 1950 an der Oper von Leningrad als Polenka in «Kholop» von Strelnikow und kam 1953 an das Bolschoj Theater Moskau (Antrittsrolle: Tatjana im «Eugen Onegin»). 1961 sang sie als erste Partie an der Metropolitan Oper New York die Butterfly, 1962 an der Covent Garden Oper London die Aida. An der Mailänder Scala debütierte sie 1964 als Liu in Puccinis «Turandot». Am 30. 5. 1962 kreierte sie in der Kathedrale von Coventry die Sopranpartie im War Requiem von Bejamin Britten, die der Komponist für ihre Stimme geschrieben hatte. 1982 nahm sie an der Grand Opéra Paris als Tatjana im «Eugen Onegin» von der Bühne Abschied. Sie veröffentlichte ihre Memoiren unter dem Titel *«Galina»* (1987). 1990 wurde dem Künstlerehepaar erneut die russische Staatsbürgerschaft verliehen, indem sich zugleich die Regierung für ihr Vorgehen entschuldigte.
Schallplatten: Melodiya («Falstaff» von Verdi), Erato (Natascha in einer zweiten Aufnahme von Prokofieffs «Krieg und Frieden» von 1986).

Wise, Patricia; große Erfolge auch an der Staatsoper von Wien, mit deren Ensemble sie 1986 eine Japan-Tournee unternahm. 1988 sang sie dort die Mimi in «La Bohème» und die Zdenka in «Arabella» von R. Strauss. 1986 hörte man sie am Grand Théâtre

Genf, 1987 am Teatro Real Madrid als Lulu in der gleichnamigen Oper von A. Berg.
Schallplatten: Edition Schwann (Mozart-Messen), Amadeo (Arien).

Wissmann, Lore; seit 1946 trat sie an der Stuttgarter Staatsoper, deren Mitglied sie seit 1942 war, in großen lyrischen Sopranpartien auf. 1946 wirkte sie dort in der deutschen Erstaufführung von P. Hindemiths «Mathis der Maler» mit, 1951 in der von Strawinskys «The Rake's Progress» (als Anne Trulove), 1953 in Carl Orffs «Il Trionfo di Afrodite» und 1964 in der deutschen Premiere der Oper «Auferstehung» von Ján Cikker. Bei den Bayreuther Festspielen sang sie 1951 die Wellgunde, 1956 die Woglinde im Nibelungenring, 1956 auch die Eva in den «Meistersingern».

With, Dora; sie begann ihre Karriere 1920 am Opernhaus von Graz, an dem sie bis 1927 blieb. 1927–28 war sie am Stadttheater von Bremen und nach einem Gastspiel an der Wiener Staatsoper (1927) seit 1928 an diesem Haus verpflichtet. Sie trat bis 1944 an der Wiener Staatsoper als Mitglied und später noch als Gast auf. Am 4. 4. 1941 sang sie dort in der Uraufführung der Oper «Johanna Balk» von Wagner-Regény. Seit 1948 Pädagogin am Konservatorium der Stadt Wien.

Witherspoon, Herbert; Studium der Musiktheorie bei Stoeckel, Parker und Mac Dowell in New York. Am 14. 3. 1912 wirkte er an der New Yorker Metropolitan Oper in der Uraufführung der Oper «Mona» von Horatio Parker mit. Während der acht Spielzeiten, die er an der Metropolitan Oper sang, trug er hauptsächlich Wagner-Partien vor.

Witt, Josef von, †17. 9. 1887 Berlin; er gehörte einem alten böhmischen Adelsgeschlecht an. Er galt als großer Wagner-Interpret und wirkte in den damals viel beachteten Wagner-Premieren am Schweriner Hoftheater mit, u. a. als Siegmund in der «Walküre» und als Titelheld im «Siegfried». In der Eröffnungsvorstellung des nach dem Brand von 1882 wieder aufgebauten Schweriner Hoftheaters sang er am 3. 10. 1886 den Achilles in Glucks «Iphigenie in Aulis». Von seiner USA-Reise 1886–87 kehrte er krank zurück. Er mußte sich schließlich in der Berliner Klinik des berühmten Chirurgen Prof. von Bergmann einer Operation unterziehen und starb wenige Wochen danach.

Witt, Josef; 1937 Gastspiel an der Staatsoper Hamburg, 1938 an der Oper von Antwerpen, 1943 an der Mailänder Scala (Ägisth in «Elektra» von R. Strauss). An der Wiener Staatsoper sang er in der Uraufführung der Oper «Johanna Balk» von Wagner-Regény (4. 4. 1941); bereits 1937 wirkte er am Staatstheater Braunschweig in der deutschen Erstaufführung von Strawinskys «Persephone» mit.
Schallplatten: HMV (Schlußszene aus «Salome» mit Ljuba Welitsch), Belvedere (mehrere Ausschnitte aus «Palestrina» von H. Pfitzner von 1937, darunter die große Szene «Allein in dunkler Tiefe»).

Wittazscheck, Oskar; er sang auch am 23. 2. 1943 am Opernhaus von Frankfurt a. M. in der Uraufführung von Carl Orffs «Die Kluge».

Witte, Erich; er gab Gastspiele an der Oper von Monte Carlo (1936 und 1937 als Mime im Nibelungenring), am Teatro Colón Buenos Aires (1938) und an weiteren Bühnen von Rang. 1961–66 war er als Oberspielleiter an der Oper von Frankfurt a. M., 1964 bis in die siebziger Jahre als Sänger wie als Regisseur an der Staatsoper Berlin tätig. Seit 1970 Dozent an der Musikhochschule Berlin.

Wittekopf, Rudolf; er war 1896–99 am Stadttheater (Opernhaus) von Hamburg tätig, seit 1899–1907 Mitglied der Berliner Hofoper. Hier sang er u. a. in der Uraufführung der Oper «Der Roland von Berlin» von Leoncavallo (13. 12. 1904). 1907 wurde er an die Oper von Breslau engagiert, an der er sich erst 1930 als Rocco im «Fidelio» von der Bühne verabschiedete.

Wittich, Marie, * 27. 5. 1868 (nach anderen Quellen 1862) Giessen. Schülerin von Asminde Ubrich in Würzburg. In Schwerin sang sie in der Eröffnungsvorstellung des nach dem großen Brand von 1882 wieder aufgebauten Hoftheaters am 3. 10. 1886 die Titelpartie in Glucks «Iphigenie in Aulis». In Dresden wirkte sie auch in den Uraufführungen der Opern «Odysseus Heimkehr» von August Bungert (12. 12. 1896 als Penelope) und «Herrat» von Felix Draeseke (10. 3. 1892) mit. Sie gastierte 1905–06 an der Covent Garden Oper London als Elisabeth im «Tannhäuser», als Elsa im «Lohengrin» und als Brünnhilde in der «Walküre». Weitere Gastspiele am Deutschen Theater Prag (1902), an der Hofoper München (1906, 1907) und am Théâtre de la Monnaie Brüssel (1907). 1914 nahm sie in Dresden als Isolde von der Bühne Abschied.

Witting, Gerhard, * 23. 9. 1889 Graudenz (Grudziaz, Westpreußen). 1919–23 am Staatstheater von Schwerin engagiert, seit 1923 Mitglied der Berliner Staatsoper. Hier sang er Partien für Spiel- und Charaktertenor wie den David in den «Meistersingern», den Mime im Nibelungenring und den Monostatos in der «Zauberflöte». Er wirkte an der Berliner Staatsoper in den Uraufführungen der Opern «Wozzeck» von Alban Berg (14. 12. 1925 als Andres) und «Schneider Wibbel» von Mark Lothar (12. 5. 1938) mit. Bei den Bayreuther Festspielen sang er 1933–34 einen der Knappen im «Parsifal», 1933–34 und 1943–44 den Balthasar Zorn in den «Meistersingern». Er wurde zum Ehrenmitglied der Staatsoper Berlin ernannt.
Schallplatten: HMV-BASF («Meistersinger» aus Bayreuth von 1943), Urania (Szene aus «Hoffmanns Erzählungen» mit Peter Anders).

Wittrisch, Marcel; seine Familie mußte 1918 Belgien verlassen und zog nach Leipzig. Er war auch Schüler von Jacques Stückgold in Berlin. 1931 sang er an der Berliner Staatsoper in der deutschen Erstaufführung der Oper «La vedova scaltra» («Die schalkhafte

Witwe») von E. Wolf-Ferrari. Er trat dort in Wagners «Liebesverbot» (1933), als Titelheld in Pfitzners «Palestrina» (1933) und 1940 in der Premiere von Gotovacs «Ero der Schelm» auf. 1931 Gastspiel an der Covent Garden Oper London als Tamino und als Alfred (nicht als Eisenstein) in der «Fledermaus». Er gastierte am Théâtre de la Monnaie Brüssel (1934, 1935) und in Amsterdam (1936) und gab 1940 Konzerte bei den Salzburger Festspielen. Nach dem Zweiten Weltkrieg war er als Gast an der Wiener Staatsoper und 1950–52 an der Wiener Volksoper zu hören.
Schallplatten: Älteste Aufnahmen auf HMV-Electrola; auf ANNA-Records kam eine vollständige Aufnahme der Operette «Eine Nacht in Venedig» von J. Strauß zur Veröffentlichung.

Wixell, Ingvar; debütierte 1956 an der Stockholmer Oper als Silvio im «Bajazzo». Dort ist er noch 1988 als Scarpia in «Tosca» aufgetreten. 1966–69 sang er bei den Festspielen von Salzburg den Grafen in «Figaros Hochzeit» und den Scarpia. 1987 gastierte er an der Oper von Houston/Texas als Jochanaan in «Salome» von R. Strauss und sang 1988 dort in der Eröffnungsvorstellung des neuen Opernhauses den Amonasro in «Aida». Diese Partie sang er auch 1989 bei den Festspielen in den Thermen des Caracalla Rom, bei den Wiesbadener Festspielen den Rigoletto.
Schallplatten: Decca (Titelheld im «Rigoletto»), Lévon (Amonasro in «Aida»), Topaz-Video (Scarpia in «Tosca»).

Wlaschiha, Ekkehard; 1970–83 Mitglied des Opernhauses Leipzig, seit 1983 der Staatsoper Berlin, mit deren Ensemble er mehrfach Gastspielreisen unternahm. Bei den Festspielen von Bayreuth sang er 1986 den Kurwenal im «Tristan», 1987–89 den Telramund im «Lohengrin». 1987 großer Erfolg an der Staatsoper München als Jochanaan (mit Hildegard Behrens als Partnerin) und als Alberich im Nibelungenring. In dieser Partie erfolgte 1988 sein Debüt an der Covent Garden Oper London wie auch an der Metropolitan Oper New York. 1988 Gastspiel an der Oper von Chicago (Pizarro im «Fidelio»). 1988 sang er den Alberich auch an der Deutschen Oper Berlin, in der Saison 1989–90 abermals an der Metropolitan Oper. An den Opern von Ljubljana (Laibach) und Bratislava (Preßburg) zu Gast. Bedeutende Erfolge als Konzert- und Oratoriensänger.
Schallplatten: Denon, Philips (Matthäuspassion von J. S. Bach, Kurwenal im «Tristan»).

Wlassow, Stefan Grigorjewitsch, † 1919 Moskau.

Wocke, Hans, * 1904 Köln, † 7. 1. 1972 Pinneberg (Holstein); er war seit 1927 als Chorsänger beim Westdeutschen Rundfunk Köln tätig, wo er zunehmend in Solopartien eingesetzt wurde. 1933–35 war er am Stadttheater von Bielefeld engagiert (Debüt als Rigoletto), 1935–44 und 1945–50 hatte er eine bedeutende Karriere am Deutschen Opernhaus (Städtische Oper) Berlin. 1950–53 war er am Opernhaus von Leipzig, 1953–54 am Nationaltheater Wei-

mar tätig. Danach trat er noch einige Zeit gastweise auf, verlegte aber bald seinen Wohnsitz nach Westdeutschland. Hier sang er nochmals 1962–63 am Landestheater Saarbrücken, bis 1964 an Berliner Operettenbühnen.
Schallplatten: Auf Odeon auch Querschnitt durch «La Traviata», weitere Aufnahmen auf Royale (Duette mit Rita Streich) und auf Eterna.

Wörle, Willi; er sang nacheinander 1924–25 am Stadttheater von Ulm, 1925–26 am Stadttheater von Cottbus, 1926–29 am Opernhaus von Breslau, 1929–33 am Opernhaus von Frankfurt a. M. und seit 1933 am Deutschen Opernhaus (Städtische Oper) Berlin. Er gastierte 1927 an der Staatsoper von Dresden, 1927 und 1929 an der Wiener Staatsoper, 1934 am Teatro Colón Buenos Aires. 1931 sang er an der Covent Garden Oper London den Lohengrin.
Schallplatten: Neben der Solo-Platte auf Odeon-Parlophon singt er auf Telefunken in einem Querschnitt durch die Operette «Der Vogelhändler» von Zeller (mit Anita Gura und Anni Frind), auf Polydor in Operettenszenen.

Wohlers, Rüdiger; Schallplatten: RCA (Werke von Cherubini), Orfeo («Faust» von L. Spohr).

Wohlfart, Erwin; er sang 1955–57 am Stadttheater von Aachen, 1957–59 an der Komischen Oper Berlin, 1959–63 am Opernhaus von Köln; seit 1961 Mitglied der Staatsoper von Hamburg. Hier wirkte er in den Uraufführungen der Opern «Jacobowsky und der Oberst» von G. Klebe (1965), «Das Lächeln am Fuß der Leiter» von Bibalo (1965), «Zwischenfälle bei einer Notlandung» von Boris Blacher (1966) und «The Visitation» von G. Schuller (1966) mit. 1963 Gastspiel als Mime an der Mailänder Scala, 1967 an der Oper von Rom (ebenfalls im Nibelungenring), 1967 an der Deutschen Oper Berlin und zusammen mit dem Ensemble der Berliner Komischen Oper, in New York und Montreal.
Schallplatten: Philips (Nibelungenring aus Bayreuth), Europa/Miller Intern. (Operetten-Querschnitte), Columbia (Barockmusik), Frequenz («Entführung aus dem Serail»).

Wolansky, Raymond; Studium in Cleveland und Boston, wo er bereits 1948–50 kleine Partien bei der New England Opera Company übernahm. Sein eigentliches Bühnendebüt erfolgte 1950 als Silvio im «Bajazzo» in Milwaukee. 1953 kam er nach Europa und studierte weiter bei Stoja von Milinković in Graz. Er sang dann 1954–56 am Theater von Luzern, 1956–58 am Opernhaus von Graz und seit 1958 für mehr als 30 Jahre an der Staatsoper von Stuttgart. Er gastierte 1963 als Wolfram im «Tannhäuser», 1976 als Faninal im «Rosenkavalier» an der Grand Opéra Paris. 1964 und 1967 zu Gast am Théâtre de la Monnaie Brüssel; Gastspiele an der Staatsoper wie an der Volksoper Wien, am Teatro San Carlo Neapel und an der Chicago Opera. 1976 trat er an der Mailänder Scala als Faninal im «Rosenkavalier» auf.
Schallplatten: Intercord (Arien-Platte).

Wolf, Otto; Gesangstudium bei Wilhelmine Niehr-Bingenheimer und bei Adolf Sondegg. Er sang u. a. 1899–1901 am Stadttheater von Mainz, 1901–09 am Hoftheater Darmstadt, 1909–30 (und noch später als Gast) an der Hofoper (Staatsoper) München. 1912 Gastspiel an der Wiener Hofoper. 1915 (holländische Erstaufführung von G. Mahlers «Lied von der Erde»), 1916 und 1923 (als Tristan) zu Gast in Amsterdam. 1919 gastierte er an der Staatsoper von Dresden; er unternahm eine Tournee durch die skandinavischen Länder. 1934 sang er als Abschiedspartie an seinem 65. Geburtstag an der Münchener Oper den Tannhäuser, trat dort aber 1937 nochmals als Pedro in «Tiefland» von d'Albert auf.

Wolf-Matthäus, Lotte, † November 1979 Ilten bei Hannover; sie trat oft als Solistin zusammen mit dem Leipziger Thomanerchor auf. 1938 sang sie das Alt-Solo in der Matthäuspassion in Paris.

Wolff, Beverley; 1952 sang sie im Fernsehen CBS die Dinah in Bernsteins «Trouble in Tahiti». 1958 debütierte sie in der gleichen Rolle an der City Centre Opera New York. Nachdem sie dort 1963 sehr erfolgreich den Cherubino in «Figaros Hochzeit» gesungen hatte, kam sie an diesem Haus als Carmen, als Sesto in «Giulio Cesare» von Händel und als Sara in Donizettis «Roberto Devereux» abermals zu großen Erfolgen.

Wolff, Ernst; er war der Sohn eines jüdischen Kantors und arbeitete zunächst in Frankfurt a. M. als Angestellter. Er nahm dann Gesangunterricht und studierte Musik und Klavierspiel am Hoch'schen Konservatorium in Frankfurt bei E. Sekles und L. Rottenberg. 1925–30 war er als Opern- und Konzertrepetitor dort tätig, u. a. als Assistent von Paul Hindemith, seit 1931 Korrepetitor an der Frankfurter Oper. 1933 mußte er aus politischen Gründen Deutschland verlassen und emigrierte zuerst nach Österreich, dann in die USA. 1933–35 unternahm er erfolgreiche Konzertreisen durch die europäischen Länder und wirkte 1935–36 als Pädagoge am Salzburger Mozarteum. Max Reinhardt und Kurt Weill veranlaßten ihn, nach Nordamerika zu kommen, wo er 1936 bei den Aufführungen von Weills «Eternal Road» mitwirkte. Er lehrte als Dozent an verschiedenen amerikanischen Universitäten, unternahm aber immer wieder seine Konzerttourneen, die ihm seit 1948 auch in Europa wieder große Erfolge brachten.

Wolff, Willy; er kam zu ersten Erfolgen 1934–35 am Opernhaus von Köln und sang dann 1935–36 am Stadttheater von Münster (Westfalen), 1936–38 am Opernhaus von Wuppertal, 1938–48 am Opernhaus von Leipzig, 1948–52 am Opernhaus von Zürich und seit 1952 an der Oper von Frankfurt a. M. Seit 1951 bis 1964 auch dem Nationaltheater Mannheim von Mannheim verbunden. 1950 sang er bei den Festspielen von Salzburg den Grafen im «Capriccio» von R. Strauss (nicht jedoch 1952 und 1955–56 den Jago im «Othello»). In Leipzig sang er in der Uraufführung der Oper «Die pfiffige Magd» von Julius Weismann (11. 2. 1939), in Frankfurt wirkte er 1953 in der deutschen Erstaufführung einer Neufassung von Hindemiths «Cardillac» mit. Nach Beendigung seiner Karriere lebte er in Königstein im Taunus.

Wolff-Knauer, Marie, s. unter *Wolff,* Josef.

Wolfram, Karl, *13. 5. 1908 Berlin, † Mai 1989; er debütierte 1936 in Berlin in einem Konzert und sang 1937–38 am Stadttheater von Innsbruck, 1938–41 in Königsberg (Ostpreußen), 1941–43 am Opernhaus von Leipzig, 1943–44 am Deutschen Opernhaus Berlin. Nach dem Zweiten Weltkrieg kam er 1946–51 an der Berliner Staatsoper zu einer erfolgreichen Karriere; spätere Engagements 1951–55 am Opernhaus von Düsseldorf, 1955–59 am Opernhaus von Wuppertal. Schließlich war er 1959–63 am Stadttheater von Krefeld und 1962–64 bei der Deutschen Gastspieloper anzutreffen. Verheiratet mit der Altistin *Veronica Peuser.*
Schallplatten: HMV (Bach-Messen), Polydor.

Wollrad, Rolf; er gehörte 1961–64 dem Opernstudio der Dresdner Staatsoper an. Debüt 1964 an den Landesbühnen Sachsen in Dresden-Radebeul als Sarastro. Seit 1970 Mitglied der Staatsoper Dresden; 1990 zu deren stellvertretendem Intendanten berufen.
Schallplatten: Philips («Ariadne auf Naxos» von R. Strauss).

Woodland, Rae; Schallplatten: Pickwick-Video («Macbeth» aus Glyndebourne, 1972 als Hofdame).

Woollam, Kenneth; er sang 1974 an der English National Oper London in der englischen Erstaufführung von H. W. Henzes Oper «Die Bassariden». An der Londoner Covent Garden Oper gastierte er als Ägisth in «Elektra» von R. Strauss, an der Oper von Kopenhagen in «Saul og David» von C. Nielsen, in Frankfurt a. M. als Florestan im «Fidelio». 1989 hörte man ihn beim Edinburgh Festival als Herodes in «Salome» von R. Strauss; in Bath sang er in der Uraufführung der Oper «A Gentle Spirit» von John Tavener.
Schallplatten: Nippon-Columbia («La mort d'Orphée» von Berlioz, «Margot la Rouge» von F. Delius).

Workman, William; er sang u. a. 1977 an der Grand Opéra Paris in Rossinis «La Cenerentola». 1987 Gastspiel an der Oper von Santa Fé in «Die schweigsame Frau» von R. Strauss. 1987 wirkte er in der Eröffnungsvorstellung des neuen Opernhauses von Pittsburgh als Ping in Puccinis «Turandot» mit, 1988 Gastspiel am Théâtre de la Monnaie Brüssel in «Der ferne Klang» von F. Schreker.

Worobyowa-Petrowa, Anna, s. unter *Petrowa,* Anna Jakowlewa.

Woud, Annie; Gesangstudium bei Frau Schuyl-Hol in Haarlem, in Amsterdam und bei Irene Schlemmer-Ambros in Wien. 1929 debütierte sie in einer Aufführung der 8. Sinfonie von Gustav Mahler in

Wien. Sie gab erfolgreiche Konzerte in Brüssel und Antwerpen, in Basel und München, in Edinburgh und Köln und bereiste Schweden und Norwegen. 1956 beendete sie ihre Karriere und wirkte später als Professorin am Konservatorium von Leiden.
Schallplatten: Handel-Society.

Woworsky, Anton, † 30. 10. 1910 Berchtesgaden.

Woytowicz, Stefania; 1949 kam es zu ihrem Konzertdebüt. 1965 großer Erfolg bei einem Konzert im Rahmen der Salzburger Festspiele; 1970 gab sie Konzerte in Brüssel, 1973 beim Maggio musicale Florenz.
Schallplatten: Edition Schwann (Sinfonie Nr. 3 von Górecki), Eterna, RCA («Utrenja» von K. Penderecki).

Wranitzy, Karoline, s. unter *Seidler,* Karoline.

Wüllner, Ludwig; er debütierte 1888 in einem Konzert des Kölner Gürzenich-Orchesters unter der Leitung seines Vaters als Solist in der 9. Sinfonie von Beethoven. Sein Bühnendebüt erfolgte 1896 am Hoftheater von Weimar in der Partie des Tannhäuser. 1898 gastierte er an der Oper von Frankfurt a. M. als Siegmund in der «Walküre», 1901 am Stadttheater von Bremen, 1901 und 1903 am Theater des Westens Berlin, zumeist als Tannhäuser. Seine eigentliche große Karriere spielte sich jedoch im Konzertsaal ab. 1903 gab er Konzerte in Wien, ebenfalls 1903 sang er in London und Manchester u. a. in Oratorien und in Vokalwerken von Elgar. 1910 wirkte er in New York in der amerikanischen Erstaufführung der «Kindertotenlieder» von Gustav Mahler unter der Leitung des Komponisten mit. Glanzvolle Liederabende in Berlin, Breslau, Dresden, Köln und Leipzig, in Oslo (1923) und Amsterdam (1928, 1932) bedeuteten weitere Höhepunkte in seiner Karriere. Er kreierte die Lieder op. 98 von Hans Pfitzner und sang 1902 in Düsseldorf das Solo in der deutschen Erstaufführung von «The Dream of Gerontius» von Edward Elgar. Bekannt als Solist in der Missa solemnis von Beethoven, in dessen 9. Sinfonie und in der «Schöpfung» von Haydn; als Rezitator bewunderte man ihn in «Manfred» von R. Schumann und im «Hexenlied» von Max von Schillings. Dabei trat er oft zusammen mit seiner Schwester, der Schauspielerin Anna Hoffmann-Wüllner, auf. Ludwig Wüllner trat auch als Schauspieler auf der Sprechbühne in Erscheinung, so in der Spielzeit 1916–17 am Wiener Burgtheater. Große Verdienste erwarb er sich durch seinen Einsatz für das Liedschaffen zeitgenössischer Komponisten wie Hugo Wolf, Richard Strauss, Hans Pfitzner, Arnold Mendelssohn, Felix von Weingartner und Conrad Ansorge. Seinen wahrscheinlich letzten Liederabend gab er im Oktober 1937 in Berlin.
Schallplatten: Auf Polydor ist er als Rezitator im «Hexenlied» unter der Leitung des Komponisten M. von Schillings, von etwa 1930 zu hören.

Wüstemann, Karl; seit 1984 Mitglied des Staatstheaters Karlsruhe. Hier sang er in der Uraufführung von

«Der Meister und Margarita» von Rainer Kunad (9.3.1986).

Wulf, Martina, *28.11. 1907 Hamburg; sie begann ihre Karriere 1927 an der Hamburger Volksoper und kam dann 1929 an die Staatsoper von Hamburg. Hier wirkte sie 1929 in der deutschen Erstaufführung von Giordanos Oper «La cena delle beffe» («Das Gastmahl der Spötter») mit. Sie ist auch in Tonfilmen aufgetreten.
Auf Telefunken sind Solo-Aufnahmen ihrer Stimme vorhanden.

Wulkopf, Cornelia; Schallplatten: Fono (Vier ernste Gesänge und Lieder von J. Brahms).

Wulman, Paolo, *1863, †1918; sein Name begegnet erstmals 1887 am Teatro San Carlo Neapel. 1888 zu Gast am Teatro Argentina Rom; in der Saison 1891–92 wirkte er an der Mailänder Scala in einem Rossini-Gedächtniskonzert mit. 1897 sang er dann am Teatro Massimo Palermo den Alvise in «La Gioconda» zusammen mit Enrico Caruso. 1905 gastierte er an der Covent Garden Oper London, 1910 sang er an der Scala den Fafner im «Siegfried».

Wunderlich, Fritz; seine Antrittsrolle an der Stuttgarter Staatsoper war 1955 der Ulrich Eisslinger in den «Meistersingern». Seit 1962 war er der Wiener Staatsoper durch Gastspielverträge verbunden, wo er 1965 als Titelheld in «Palestrina» von H. Pfitzner Aufsehen erregte. 1966 glanzvolles Gastspiel an der Covent Garden Oper London als Don Ottavio im «Don Giovanni». In dieser Partie sollte er auch im gleichen Jahr an der Metropolitan Oper New York debütieren, wozu es durch seinen plötzlichen Tod nicht mehr kam.
Schallplatten: DGG («Die schöne Müllerin» von F. Schubert), Philips (Lied-Aufnahmen), Acanta (Arien aus Rundfunksendungen von Radio Stuttgart, Operette «Gräfin Mariza» von E. Kálmán), Frequenz («Die Entführung aus dem Serail»).

Wuzél, Hans; er blieb bis 1930 in Kassel im Engagement. Gastspiele führten ihn an die Berliner Hofoper, an das Hoftheater Wiesbaden und an das Opernhaus von Leipzig. Verheiratet mit der Sängerin *Lilli Schuchardt.*

Wyatt, Carol; sie gastierte 1982–83 am Opernhaus von Köln als Maddalena in «Andrea Chénier» von Giordano, als Eboli in Verdis «Don Carlos» und als Azucena im «Troubadour».

Wysocki, Walery, *4.6. 1835 Radomsk; Ausbildung in der Opernschule des Wielki-Theaters Warschau, wo er als Chorist und in kleinen Opernpartien eingesetzt wurde. Offizielles Debüt 1861 in Odessa. Nach seiner abschließenden Ausbildung in Italien sang er dort erfolgreich in den Zentren des Musiklebens, in Mailand und Rom, in Neapel und Florenz, in Genua, Palermo und Turin, dann auch in Köln und Breslau (1864). 1868 kam er nach Polen zurück, betätigte sich hier aber nur noch als Konzertsänger

und vor allem als hoch geschätzter Gesanglehrer. Seit 1885 nahm er eine Professur am Konservatorium von Lwów (Lemberg) wahr. Von seinen zahlreichen Schülern sind noch Eugen Guszalewicz und Modest Menzinsky zu nennen.

Wyss, Sophie; ihre Schwester *Colette Wyss* (* 1893) war eine angesehene Konzertsängerin, mit der sie oft zusammen auftrat. Auch eine dritte Schwester *Émilie Perret-Wyss,* war Sängerin und ist zusammen mit ihren beiden Schwestern als Trio in Erscheinung getreten.
Die Stimme von Sophie Wyss ist auf Decca-Platten zu hören.

Y

Yachmi, Rohangiz; sie wuchs in Frankfurt a. M. auf und studierte sieben Jahre hindurch an der dortigen Musikhochschule bei Gertrude Pitzinger und bei Bruno Vondenhoff; weitere Studien bei Toffolo in Triest. 1963–66 war sie am Staatstheater Wiesbaden engagiert und folgte 1966 einem Ruf an die Wiener Staatsoper, an der sie länger als zwanzig Jahre tätig war und noch 1988 die Olga in Tschaikowskys «Eugen Onegin» sang. 1970 sang sie in Teheran in einem Hofkonzert vor Schah Reza Pahlevi und dem russischen Staatspräsidenten Podgorny. 1986 gastierte sie am Stadttheater von Bern (Schweiz).

Yakar, Rachel; bereits 1966 wirkte sie bei den Festspielen von Aix-en-Provence in «Ariadne auf Naxos» von R. Strauss mit. 1987 Gastspiel in Amsterdam als Marschallin im «Rosenkavalier». Verheiratet mit dem Tenor *Michel Lecocq.*
Schallplatten: Decca («Così fan tutte»), RCA-Erato («Sylla et Glaucus» von J. M. Leclair, «Paulus» von Mendelssohn), Pickwick-Video («Don Giovanni» aus Glyndebourne, 1977).

Yavor, Maria, *15.10. 1889 Rakosliget bei Budapest, †9.7. 1976 Honolulu (Hawaii); sie debütierte 1913 an der Oper von Budapest als Gilda im «Rigoletto». 1914 heiratete sie den Tenor *Alexander Varnay.* 1918 waren beide an der Gründung der Opéra-Comique in Oslo beteiligt, an der Maria Yavor dann sang. 1923 nahm sie an einer Tournee mit einer Operngesellschaft durch Argentinien teil. Dabei sang sie am Teatro Nuovo Buenos Aires die Königin der Nacht in der argentinischen Erstaufführung (!) der «Zauberflöte». Nach dem frühen Tod ihres Gatten Alexander Varnay (†13.6. 1924 New York) heiratete sie in zweiter Ehe den italienischen Tenor *Fortunato de Angelis.* Mit ihm zusammen sang sie nochmals 1937 an der Brooklyn Academy of Music in Verdis «Troubadour» (und ihre Tochter *Astrid Varnay* trat dabei unter dem Namen Ines Melani in der Partie der Ines auf). Der Familienname der Sängerin kommt auch in der Schreibweise Javor vor.

Yaw, Ellen, s. unter *Beach-Yaw,* Ellen.

Yeend, Frances, *28.1. 1918 Vancouver; sie setzte ihr Gesangstudium an der Washington University fort. Als Antrittsrolle sang sie 1948 an der City Centre Opera New York die Traviata; 1953 Gastspiel an der Covent Garden Oper London als Mimi in «La Bohème». 1953 an der Wiener Staatsoper als Turandot von Puccini zu Gast. Bis 1959 hörte man sie an der City Centre Opera New York u. a. als Gräfin in «Nozze di Figaro», als Micaela in «Carmen», als Marguerite im «Faust» von Gounod und als Eva in den «Meistersingern». An der Metropolitan Oper New York sang sie nach ihrem Debüt 1961 in drei Spielzeiten drei Partien (neben der Chrysothemis die Traviata und die Gutrune in der «Götterdämmerung») in acht Vorstellungen.
Schallplatten: RCA (9. Sinfonie von Beethoven, Ausschnitte aus «Elektra» von R. Strauss), HMV (ebenfalls 9. Sinfonie unter Koussevitzky).

Young, Alexander; 1950 debütierte er beim Glyndebourne Festival als Scaramuccio in «Ariadne auf Naxos» von R. Strauss. Bei der Sadler's Wells Opera London sang er u. a. den Belmonte in der «Entführung aus dem Serail», den Grafen Almaviva im «Barbier von Sevilla» und den Titelhelden in Rossinis «Le Comte Ory». 1969 gastierte er beim Holland Festival; erfolgreiche Konzertauftritte in Düsseldorf (1970) und Köln (1973).
Schallplatten: Decca (9. Sinfonie von Beethoven, Cäcilienode von Purcell, «Idomeneo» von Mozart), HMV («The Kingdom» von E. Elgar), Argo, Unicorn («Saul og David» von C. Nielsen).

Young, Cecilia, † 1. 10. 1789 London.

Youreneff, Georges; aus seinem Bühnenrepertoire verdienen noch der Scarpia in «Tosca», der Tonio im «Bajazzo», der Amonasro in «Aida», der Mephisto im «Faust» von Gounod und der Escamillo in «Carmen» Erwähnung. An der Oper von Antwerpen hat er den Titelhelden in Borodins «Fürst Igor» u. a. in holländischer Sprache gesungen.

Schallplatten: Unter seinen HMV-Aufnahmen finden sich Arien aus «Ruslan und Ludmilla» und aus «Fürst Igor».

Z

Zaccaria, Nicola, *9.3. 1923 Piraeus bei Athen; er sang an der Covent Garden Oper London 1957 den Oroveso in «Norma», 1959 den Kreon in Cherubinis «Medea» als Partner von Maria Callas.
Schallplatten: Melodram («Olympia» von Spontini), Fonit-Cetra («Tancredi» von Rossini).

Zaccarini, Franco; 1924–25 sang er am Teatro Costanzi Rom den Colline in «La Bohème» und den Gran Bramino in Meyerbeers «Africaine», 1931–32 am Teatro Carlo Felice Genua den Marke im «Tristan» und den Cieco in «Iris» von Mascagni. Am italienischen Rundfunk EIAR Turin wirkte er in Sendungen der Opern «I Vespri Siciliani» von Verdi (1932) und «L'ultimo Lord» von Franco Alfano (1938) mit.

Zadek, Hilde; bereits 1946 sang sie in Winterthur ein Solo in der Uraufführung des Oratoriums «Königin Esther» von Max Ettinger. Nach ihrem Bühnendebüt 1947 als Aida blieb sie für mehr als zwanzig Jahre an der Wiener Staatsoper tätig. Sie sang bei den Salzburger Festspielen 1948 die Brangäne in «Le Vin herbé» von Frank Martin (nicht im «Tristan»). 1949 wirkte sie dort als Solistin im Verdi-Requiem unter H. von Karajan mit. 1948–49 gastierte sie am Teatro Comunale Florenz als Aida, 1949 beim Maggio musicale Fiorentino als Donna Anna im «Don Giovanni». An der Covent Garden Oper London hörte man sie auch als Aida und als Tosca. 1957 gastierte sie an der Berliner Staatsoper als Iphigenie in Glucks «Iphigenie auf Tauris»; erfolgreiche Gastspiele auch am Bolschoj Theater Moskau und in Rio de Janeiro. In der Saison 1952–53 debütierte sie an der Metropo-

Stammbaum der Familie Young

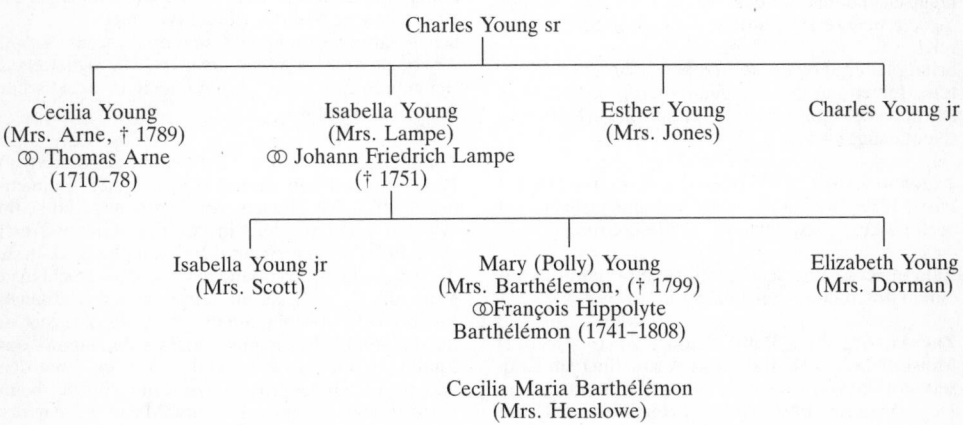

Charles Young sr

Cecilia Young
(Mrs. Arne, † 1789)
∞ Thomas Arne
(1710–78)

Isabella Young
(Mrs. Lampe)
∞ Johann Friedrich Lampe
(† 1751)

Esther Young
(Mrs. Jones)

Charles Young jr

Isabella Young jr
(Mrs. Scott)

Mary (Polly) Young
(Mrs. Barthélemon, († 1799)
∞François Hippolyte
Barthélémon (1741–1808)

Elizabeth Young
(Mrs. Dorman)

Cecilia Maria Barthélémon
(Mrs. Henslowe)

litan Oper als Donna Anna und kam dort als Eva in den «Meistersingern», als Elsa im «Lohengrin» und als Aida zu großen Erfolgen. 1971 nahm sie von der Bühne Abschied.
Schallplatten: Cetra Opera Live (Vitellia in «Titus» von Mozart, Titelheldin in «Aida»), Remington.

Zador, Desider; an der Komischen Oper Berlin sang er den schwarzen Geiger in der Uraufführung der Oper «Romeo und Julia auf dem Dorfe» von F. Delius (21. 2. 1907). Er wirkte dort auch in der deutschen Erstaufführung von Leoncavallos «Zazà» mit (1908) und kam als Vater in Charpentiers «Louise» zu einem besonderen Erfolg. 1910 bewunderte man ihn beim Beethoven-Fest im Haag als Pizarro im «Fidelio». 1920–24 war er an der Staatsoper Berlin engagiert. Bei der USA-Tournee der German Opera wirkte er 1923 am Great Northern Theatre in Chicago in der amerikanischen Erstaufführung der Oper «Der Evangelimann» von W. Kienzl mit, die 1924 in New York wiederholt wurde. Seit 1924 war er bis zu seinem Tod Mitglied der Städtischen Oper Berlin, wo er zuletzt kleinere Partien übernahm.

Zador-Bassth, Emma, Alt, * 4. 12. 1888 New York, † (?); sie begann ihre Künstlerlaufbahn 1913 am Stadttheater von Heidelberg, dem sie bis 1915 angehörte. 1916–18 sang sie am Stadttheater von Koblenz, 1919–22 am Stadttheater von Stettin; 1922–24 Mitglied der Staatsoper Berlin, 1924–33 der Berliner Städtischen Oper. Sie war verheiratet mit dem bekannten ungarischen Baß-Bariton *Desider Zador* (1873–1931). 1922–23 und 1923–24 war sie mit ihm zusammen im Ensemble der German Opera Company engagiert, das Gastspiel-Tourneen in den USA unternahm. Dabei sang sie in New York in der amerikanischen Erstaufführung der Oper «Die toten Augen» von E. d'Albert die Rolle der Ruth. Sehr erfolgreich war sie auch als Magdalene in den «Meistersingern». 1927 wirkte sie bei den Festspielen in der Waldoper von Zoppot mit. In Berlin sang sie gegen Ende ihrer Karriere zumeist kleinere Partien aus allen Bereichen der Opernliteratur. 1933–34 erschien sie nochmals am Theater des Jüdischen Kulturbundes in Berlin, verließ dann aber als Jüdin Deutschland und wanderte in die USA aus. In New York arbeitete sie seitdem im pädagogischen Bereich.
Schallplatten: Polydor (Kurzoper «Hänsel und Gretel», Terzett aus dem «Zigeunerbaron»), Columbia (Sextett aus «Die verkaufte Braut»), Parlophon. – (Neufassung) –.

Zagonara, Adelio; 1935 zu Gast an der Grand Opéra Paris, 1939–40 sang er an der Mailänder Scala. Seit 1963 wirkte er als Pädagoge in Melbourne.

Zahradníček, Jiři; Schallplatten: Supraphon («Aus einem Totenhaus» von Janáček).

Zaleski, Zygmund, Baß-Bariton, * 21. 10. 1885 bei Minsk, † 23. 3. 1945 Bukarest; Ausbildung am Konservatorium von Lwów (Lemberg), dann in Italien. Er debütierte 1907 in St. Petersburg und war

1907–16 an der Oper von Odessa tätig. 1917–18 Mitglied der Oper von Warschau. Es kam dann zur Ausbildung einer großen internationalen Karriere. So gastierte er 1922 an der Wiener Volksoper als Boris Godunow, 1924 am Teatro Colón Buenos Aires und sang 1923–24 wie 1935 an der Grand Opéra Paris seine große Glanzrolle, den Boris Godunow, aber auch den Titelhelden in Verdis «Rigoletto». Den Boris Godunow sang er auch in glanzvollen Gastspielen an der Mailänder Scala in den Jahren 1922, 1923, 1924 und nochmals 1935, zum Teil unter der Leitung von Arturo Toscanini. 1929–30 war er wiederum als Sänger, vor allem aber als Regisseur, an der Oper von Warschau tätig. 1930–36 leitete er als Direktor das Opernhaus von Lwów. 1936 ging er nach Bukarest, wo er sich hauptsächlich der Lehrtätigkeit widmete.
Wahrscheinlich sind keine Schallplattenaufnahmen seiner Stimme vorhanden. – (Neufassung) –.

Zambelli, Corrado; er gastierte 1937–38 an den Opern von Rio de Janeiro und Sao Paulo. 1947 war er in Genua als Nourabad in «Les Pêcheurs de perles» von Bizet zu hören.

Zambon, Amedeo; 1974 sang er in Torre del Lago (nicht am Gardasee sondern bei Lucca gelegen) den Kalaf in Puccinis «Turandot» bei den Feierlichkeiten zu dessen 50. Todestag. 1988 Gastspiel an der Deutschen Oper Berlin als Othello von Verdi.

Zamboni, Maria; debütierte 1921 am Teatro Municipale Piacenza als Marguerite im «Faust» von Gounod. 1924 sang sie an der Mailänder Scala als Antrittsrolle die Mimi in «La Bohème» und trat dort neben den bereits genannten Partien auch als Euridice im «Orpheus» von Gluck, als Elsa im «Lohengrin», als Eva in den «Meistersingern», als Titelheldin in «Manon Lescaut» von Puccini und unter Bruno Walter als Donna Elvira im «Don Giovanni» auf. 1928 gastierte sie am Teatro Regio Parma als Manon in der Oper gleichen Namens von Massenet, 1931 in Puccinis «Manon Lescaut». 1934 sang sie bei der Italienischen Oper in Holland, 1936 im Italienischen Rundfunk die Eva in den «Meistersingern». 1936 nahm sie von der Bühne Abschied.
Schallplatten: Columbia («Manon Lescaut» sowie Arien, elektrisch aufgenommen), HMV (Duette mit Benjamino Gigli und Arien, noch in akustischer Aufnahmetechnik).

Zampieri, Mara, * 30. 1. 1951 Padua; sie studierte in Padua bei A. Rognoni und bei L. Gomez. Bühnendebüt 1972 am Theater von Pavia als Nedda im «Bajazzo» und als Nella in Puccinis «Gianni Schicchi». 1977–78 sang sie an der Mailänder Scala u. a. die Amelia in Verdis «Ballo in maschera» (nicht in «I Masnadieri») 1981–82 und 1988 erfolgreiche Gastspiele an der Wiener Staatsoper, 1986 am Staatstheater von Karlsruhe in «Francesca da Rimini» von Zandonai. 1987 großer Erfolg als Norma bei den Festspielen in der Arena von Nîmes, 1988 beim Festival von Spoleto als Lady Macbeth. An der

Covent Garden Oper London sang sie 1984 als Antrittsrolle die Tosca.
Schallplatten: Erato-Conifer («La caduta di Adamo» von Galuppi).

Zanasi, Mario; Schallplatten: Melodram («La Traviata»), Opera Rara («Maria di Rohan» von Donizetti).

Zancanaro, Giorgio, * 9. 5. 1939 Verona; absolvierte ein ganz kurzes Studium bei Sergio Ravazzin und debütierte dann am Teatro Nuovo Mailand als Riccardo in «I Puritani» von Bellini. Er gastierte u. a. 1988 an der Staatsoper von Hamburg als Graf Luna im «Troubadour». An der Metropolitan Oper New York sang er 1982 als Antrittsrolle den Renato in Verdis «Ballo in maschera». 1988 großer Erfolg an der Mailänder Scala als Titelheld in Rossinis «Wilhelm Tell».
Schallplatten: HMV («La forza del destino» als Don Carlos, «Rigoletto»), Philips (Titelheld in «Wilhelm Tell»), Video-Topaz («Don Carlos» von Verdi), Virgin-Video («Madame Butterfly»), Hungaroton-CBS («Andrea Chénier»).

Zandt, Marie van; 1880 Gastspiel am Her Majesty's Theatre London als Amina in «La Sonnambula». Gastspiele führten sie an das Teatro San Carlos Lissabon (1887, 1889), an die Oper von Budapest (1889), an die Hofopern von St. Petersburg und Moskau (1888), an die Opern von Kopenhagen (1880) und Monte Carlo (1897) und an das Théâtre de la Monnaie Brüssel (1896); 1887 kam sie als Konzertsängerin in Paris zu großen Erfolgen. Sie debütierte 1891 mit dem Ensemble der Metropolitan Oper New York bei deren Gastspiel in Chicago als Amina in «La Sonnambula». 1898 gab sie nach ihrer Heirat ihre Karriere auf.

Zanelli, Renato; er begann sein Gesangstudium erst nach seinem Dienst in der chilenischen Armee und nach seiner Heirat. 1917 sang er an der Oper von Santiago de Chile den Grafen Luna im «Troubadour» und den Tonio im «Bajazzo». In den zwanziger Jahren unternahm er in den USA mehrere Konzerttourneen. Den Othello von Verdi sang er erstmals 1926 am Teatro Regio Turin, dann 1927–28 an der Oper von Monte Carlo und 1928 mit grandiosem Erfolg an den Opernhäusern von Parma und Piacenza. 1930 und 1932 hörte man ihn an der Mailänder Scala als Tristan, dann auch als Othello, 1929 am Teatro Costanzi Rom als Othello, als Pollione in «Norma» und als Siegmund in der «Walküre». 1929–33 gastierte er mit großen Erfolgen am Teatro Colón Buenos Aires; fast alljährlich war er in Santiago de Chile zu Gast. Er starb plötzlich nach einer Operation.
Schallplatten: als Bariton auf Victor (1919–22 in den USA aufgenommen), als Tenor auf HMV (Aufnahmen aus Italien, in England herausgegeben).

Zanolli, Silvana; Bühnendebüt 1947 an der Mailänder Scala als Nicoletta in «L'Amour des trois oranges» von Prokofieff. Sie ist dort immer wieder bis in

die siebziger Jahre aufgetreten, darunter auch in der Oper «La buona figliuola» von Piccinni und 1950 in der Uraufführung der Oper «L'Allegra brigata» von Gian Francesco Malipiero.
Schallplatten: Vox («La Traviata»).

Zareška, Ermá, Sopran, * 9. 6. 1889 Olomouc (Olmütz), † (?); eigentlicher Name Herma Mariá Zárská. Ausbildung in der Opernschule Zerotina in Olomouc, bei Anton Petzold in Prag und bei Cairati in Berlin. 1914–15 war sie am Nationaltheater Prag engagiert. Bereits 1915 kam sie an die Metropolitan Oper New York, wo sie als Elsa im «Lohengrin» debütierte und in der gleichen Saison auch die Santuzza in «Cavalleria rusticana» und in zwei Sunday Night Concerts sang. 1916 kehrte sie nach Prag zurück, wo sie jetzt bis 1926 als führendes Mitglied der Nationaloper wirkte. 1919–21 gastierte sie am Deutschen Theater Prag. Auch als Konzertsolistin genoß sie hohes Ansehen.
Während ihres kurzen Aufenthalts in Nordamerika sang sie einige Aufnahmen auf Columbia, darunter tschechische Volkslieder. – (Neufassung) –.

Zareska, Eugenia; sie sang 1948 beim Glyndebourne Festival die Dorabella in «Così fan tutte».
Schallplatten: Disques Montaigne («Oedipus Rex» von Strawinsky unter Leitung des Komponisten).

Zarest, Julius; debütierte 1888 am Stadttheater von Trier als Eremit im «Freischütz». 1892–94 war er am Hoftheater von Mannheim engagiert, 1894–1902 am Hoftheater von Hannover, 1902–06 am Stadttheater Stettin, wo er später eine Gesangschule leitete und noch 1937 lebte. Gastspiele führten ihn u. a. 1901 an die Hofoper von München, 1903 an das Opernhaus von Riga.

Zarou, Jeannette, * 1942 Ramallah (Palästina).
Schallplatten: Edition Schwann.

Zaszewski, Józef; ist in den Jahren 1693–1701 als Diskantist an der Kathedrale von Wloclawek (Leslau) nachzuweisen.

Zawadska, Stanislawa, † 21. 7. 1988 Skolimow (Polen); sie studierte zunächst Medizin in Leningrad, dann Gesang in Warschau und in Italien. Sie sang in den zwanziger Jahren an den führenden italienischen Opernhäusern und 1927 bei den Festspielen in der Arena von Verona die Giulia in «La Vestale» von Spontini (nicht die Aida). 1931 erneutes Gastspiel an der Covent Garden Oper London als Alice Ford in Verdis «Falstaff». 1936–38 war sie am Theater von Poznań (Posen) engagiert; an diesem Haus ist sie nach dem Zweiten Weltkrieg noch bis 1948 aufgetreten.

Zawilowksi, Konrad von, Bariton, * 16. 2. 1880 Krakau, † August 1952 Berlin; er begann das Musikstudium in seiner polnischen Heimat, ging dann zur weiteren Ausbildung nach Wien und war schließlich an der Royal Academy of Music London Schüler von Battison Haynes. In Wien studierte er Musikwissenschaft u. a. bei Guido Adler. Konzertdebüt 1902 in Lwów (Lemberg), Bühnendebüt 1903 an der Oper von Warschau als Wotan in der «Walküre». 1903–04 war er Mitglied des Opernhauses von Lwów. 1904–07 war er als erster Bariton an der Wiener Hofoper engagiert, 1907–08 wieder an der Oper von Warschau tätig. Er gastierte in Paris und Mailand und war 1911–13 in Berlin an der Kurfürstenoper im Engagement. Hier wirkte er am 23. 12. 1911 in der Uraufführung der Oper «Der Schmuck der Madonna» («I gioielli della Madonna») von Ermanno Wolf-Ferrari in der Partie des Raffaele mit. Er gastierte 1909–11 am Opernhaus von Düsseldorf, 1910 an der Berliner Hofoper, 1911 an der Königlichen Oper Kopenhagen, 1912 am Stadttheater von Bremen. Gleichzeitig war er ein hoch geschätzter Konzert- und Liedersänger. Schon während seines Wirkens in Berlin war er als Pädagoge bekannt und sammelte zahlreiche Schüler um sich. Nach dem Ersten Weltkrieg verlegte er seine Tätigkeit nach England. Er trat dort noch als Konzertsänger auf, wurde aber vor allem als Gesanglehrer international berühmt. Er entwickelte ein besonderes pädagogisches Lehrsystem und unterrichtete bis 1917 in London. Dann ging er als Pädagoge nach Nordamerika, wo er wiederum zahlreiche Schüler ausbildete. 1918 veröffentlichte er ein Lehrbuch *The Practical Psychology of Voice and Life*. Als Komponist gab er Vokal- und Orchesterwerke, mehrere Liederzyklen und Einzellieder heraus. Schallplatten der Marken Pathé und HMV. – (Neufassung) –.

Zeani, Virginia; die Traviata blieb während ihrer ganzen Karriere ihre Glanzrolle, die sie in deren Ablauf mehr als 800mal gesungen hat. 1955 debütierte sie an der Oper von Rom. 1966 sang sie als Antrittsrolle an der Metropolitan Oper New York ebenfalls die Traviata. Seit 1958 war sie mit dem großen Bassisten *Nicola Rossi-Lemeni* (* 1920) verheiratet. Noch in der Spielzeit 1977–78 sang sie am Teatro Liceo Barcelona die Titelrolle in «Fedora» von Giordano. Schallplatten: LR («Tosca», «Mefistofele» von Boito), OPR (Titelheldin in «Maria di Rohan» von Donizetti, Neapel 1967), Cetra («Il piccolo Marat» von Mascagni).

Zeč, Nikolaus, † 9. 7. 1958 Bad Aussee (Steiermark, Österreich); er begann seine Karriere 1907 an der Wiener Volksoper, der er bis 1912 als Mitglied angehörte. Dort sang er in der Uraufführung der Oper «Der Kuhreigen» von W. Kienzl die Partie des Dursel (23. 11. 1911). 1909 Gastspiel an der Hofoper von Dresden. 1912–15 sang er am Deutschen Theater Prag und ging dann an die Hofoper von Wien. 1924 Gastspiel an der Covent Garden Oper London als Hunding in der «Walküre».

Zednik, Heinz; 1987–89 sang er bei den Festspielen von Salzburg den Pedrillo in der «Entführung aus dem Serail». Am 23. 5. 1971 wirkte er an der Wiener Staatsoper in der Uraufführung der Oper «Der Besuch der alten Dame», am 17. 12. 1976 in der von

«Kabale und Liebe», beide von Gottfried von Einem, mit. Am 15. 8. 1986 sang er bei den Salzburger Festspielen in der Uraufführung von Pendereckis Oper «Die schwarze Maske». Auch an der Metropolitan Oper New York aufgetreten, u. a. 1988 als Pedrillo und 1989–90 als Mime im Nibelungenring. Schallplatten: Decca («Entführung aus dem Serail»), DGG («Ariadne auf Naxos», «Wozzeck»), HMV-Electrola («Fledermaus»), Amadeo-Polygram («Der Besuch der alten Dame», Mitschnitt der Uraufführung von 1971), HMV (Loge im «Rheingold»).

Zeithammer, Gottlieb; er war 1926–29 am Opernhaus von Breslau, 1929–34 am Staatstheater Wiesbaden, 1934–36 am Opernhaus von Nürnberg, 1936–38 an der Bayerischen Staatsoper München, 1938–44 am Opernhaus von Leipzig engagiert. 1947–50 war er auch Mitglied der Komischen Oper Berlin, seit 1948 des Opernhauses von Zürich. 1944 zu Gast an der Wiener Volksoper, 1939 an der Staatsoper Wien. In Leipzig wirkte er 1939 in der Uraufführung der Oper «Die pfiffige Magd» von Julius Weismann mit, in Zürich 1949 in der von W. Burkhards «Die schwarze Spinne», 1954 in der Lehár-Operette «Frühling».

Zeller, Heinrich; in Weimar sang er in der Uraufführung der Richard Strauss-Oper «Guntram» die Titelpartie mit Pauline de Ahna als Partnerin (10. 5. 1894). Gastspiele an den Opernhäusern von Frankfurt a. M. (1892–1907) und Leipzig (1898), an den Hofopern von Berlin (1898) und München (1906–07), in Köln (seit 1906) und Hamburg (1901) wie am Deutschen Theater Prag (1909). 1907 großer Erfolg an der Covent Garden Oper London als Tannhäuser. 1917 verabschiedete er sich in Weimar von der Bühne und wurde zum Ehrenmitglied des Hauses ernannt. Schallplattenaufnahmen seiner Stimme sind offensichtlich nicht vorhanden; das ist um so verwunderlicher, als in der ersten Dekade unseres Jahrhunderts von den meisten Weimarer Sängern Aufnahmen gemacht wurden.

Zenatello, Giovanni; erste Ausbildung durch Zannoni in Verona. 1902 sang er als Antrittspartie an der Mailänder Scala den Titelhelden in «Damnation de Faust» von Berlioz. Hier sang er auch noch 1903 in der Uraufführung einer weiteren Oper «Oceana» von Antonio Smareglia. Bereits drei Monate nach der unglücklichen Uraufführung von Puccinis «Madame Butterfly» sang er die gleiche Partie des Pinkerton in der Neu-Bearbeitung der Oper am Teatro Grande Brescia (28. 5. 1904) mit Salomea Kruszelnicka (statt Rosina Storchio) als Butterfly und leitete damit den Welterfolg der Oper ein. 1905 gastierte er an der Covent Garden Oper London als Riccardo in Verdis «Ballo in maschera». Bei der Tournee der Metropolitan Oper 1909 ersetzte er den erkrankten Enrico Caruso als Radames, als Faust und als Pinkerton. 1925 war er als Gast in Moskau zu hören, 1928–30 sang er an der Oper von Philadelphia u. a. den Titelhelden in «Andrea Chénier» von Giordano,

den Alvaro in «La forza del destino», den des Grieux in Puccinis «Manon Lescaut» und den José in «Carmen».
Schallplatten: Edison-Zylinder (1916); seine letzten elektrisch aufgenommenen Victor-Platten (1929–30) zeigen seine Stimme in keiner Weise gealtert.

Zeppilli, Alice; sie gastierte 1907 an der Covent Garden Oper London als Musetta in «La Bohème» und als Bersi in «Andrea Chénier» von Giordano. 1910 sang sie am Manhattan Opera House New York in der amerikanischen Premiere der Oper «La Princesse d'Auberge» von Jan Blockx. An der Oper von Chicago erreichte ihre Karriere in den Jahren 1910–14 einen weiteren Höhepunkt; hier sang sie ein umfangreiches Repertoire. An der Oper von Monte Carlo sang sie u. a. 1910 die Gilda im «Rigoletto» mit Enrico Caruso und Maurice Renaud als Partnern, 1919 die Nannetta im «Falstaff» von Verdi. Sie war eine Cousine (mütterlicherseits) der bekannten Sopranistin *Luisa Villani* (1884–1961).
Die einzige Columbia-Platte, die von ihrer Stimme existiert, enthält die Gavotte der Manon aus Massenets «Manon» und die Arie der Olympia aus «Hoffmanns Erzählungen».

Zerbini, Antonio, * 1924 Reggiolo bei Reggio Emilia, † 19. 12. 1987 Mailand; er studierte in Mailand. Als erste Partie sang er 1953 an der Mailänder Scala den Monterone in Verdis «Rigoletto»; an der Oper von Rom hatte er einen seiner überzeugendsten Erfolge als Pimen im «Boris Godunow». Seit 1961 immer wieder an der Scala aufgetreten. Auch zu Gast an der Staatsoper von München (1960) wie in Holland (1971). Aus seinem Bühnenrepertoire sind noch der Ramphis in «Aida», der Ferrando im «Troubadour», der Oroveso in «Norma» und der Raimondo in «Lucia di Lammermoor» erwähnenswert.

Zerola, Nicola; er debütierte 1898 am Teatro Politeama Rossetti Triest. 1908 folgte er einem Ruf an das Manhattan Opera House New York, an dem er sogleich große Erfolge erzielen konnte. 1910–11 sang er dann bei der Philadelphia Chicago Opera Company und trat 1911–12 am London Opera House auf. An diesen Bühnen hörte man ihn als Othello von Verdi, als Manrico im «Troubadour», als Radames in «Aida», als Riccardo in Verdis «Ballo in maschera», als Canio im «Bajazzo» und als Raoul in den «Hugenotten» von Meyerbeer.
Schallplatten: G & T (wahrscheinlich nur ein Duett mit Karolina Pietraczewska) und Victor (1910, darunter Ausschnitte aus «Othello»).

Zerr, Anna, † 14. 6. 1881 Winterbach (Schwarzwald).

Žídek, Ivo; an der Wiener Staatsoper hatte er einen seiner größten Erfolge in der Titelpartie von Verdis «Don Carlos». Weitere Höhepunkte in seinem Bühnenrepertoire bildeten Partien wie der Hans in der «Verkauften Braut», der Lenski im «Eugen One-

gin», der Faust von Gounod, der Pelléas in «Pelléas et Mélisande», der des Grieux in «Manon» von Massenet, dazu Aufgaben in Werken aus der tschechischen Opernliteratur, Partien in Opern von Mozart, Verdi, Puccini und Bizet. Nach der Ablösung des kommunistischen Regimes in der ČSSR im November 1989 wurde der Intendant der Prager Nationaloper.

Ziegler, Karl; er begann seine Karriere mit einem Engagement 1908–13 an der Wiener Volksoper. Hier sang er 1911 in der Wiener Premiere der «Königskinder» von Humperdinck die Partie des Königssohns. 1913–17 sang er am Stadttheater (Opernhaus) von Hamburg, 1917–19 am Opernhaus von Frankfurt a. M., 1919–22 Mitglied der Staatsoper Wien, an der er bis 1937 als Gast auftrat. 1939–41 war er als ständiger Gast an der Wiener Volksoper verpflichtet. Dort sang er als letzte Rolle 1941 den Eisenstein in der «Fledermaus». Er gab im Lauf seiner Karriere Gastspiele an der Berliner Hofoper (1909), an der Covent Garden Oper London (1913) und am Théâtre Pigalle Paris (1930 in der «Fledermaus»).

Zika, Zdenka, s. unter *Ziková,* Zdenka.

Zikherl, Vanda, * 25. 9. 1915 Gornja Štojerska (Scheitling) in Slowenien. Sie war u. a. in Ljubljana Schülerin des bekannten Bassisten Julius Betetto.

Zikmundová, Evá; sie war später als Professorin am National-Konservatorium Prag im pädagogischen Bereich tätig.

Ziková, Zdenka; sie studierte in Prag und Wien und debütierte bereits 1922 in Prag. 1922–26 war sie am Opernhaus von Ljubljana (Laibach) engagiert, 1926–30 an der Nationaloper von Zagreb, 1930–34 am Nationaltheater Prag. 1930 Gastspiel an der Oper von Monte Carlo. 1964–75 wirkte sie als Professorin an der Musikakademie von Belgrad.
Schallplatten: Eine Serie älterer Aufnahmen, darunter auch Ausschnitte aus dem «Rosenkavalier», wurde auf Supraphon neu herausgegeben; weitere Aufnahmen auf Columbia vorhanden.

Ziliani, Alessandro, * 3. 6. 1907 Busseto; Schüler von Alfredo Cecchi in Mailand. 1932 sang er an der Mailänder Scala als Debüt eine Rolle in der Uraufführung der Oper «Primavera Fiorentina» von A. Pedrollo, anschließend den Enzo in «La Gioconda» von Ponchielli. Er ist an diesem Opernhaus bis 1946, auch während der Kriegsjahre, immer wieder aufgetreten. 1942 hatte er an der Scala große Erfolge als Paolo in «Francesca da Rimini» von Zandonai und als Pinkerton in «Madame Butterfly». 1934 zu Gast am Opernhaus von Zürich, auch am Teatro Colón Buenos Aires aufgetreten. Bis 1956 gab er Gastspiele, wobei er sich zuletzt auch als Wagner-Tenor präsentierte (1955 Siegfried in der «Götterdämmerung» am Teatro Massimo Palermo).

Zilio, Elena; sie sang 1987 beim Maggio musicale Fiorentino in «Benvenuto Cellini» von Berlioz. 1988

brillierte sie am Teatro Comunale Bologna in der Offenbach-Operette «La Grande-Duchesse de Gerolstein».
Schallplatten: Nuova Era («Gianni di Parigi» von Donizetti).

Zimmermann, Emmy, * 1844; sie sang nach ihrer Heirat auch unter dem Namen Emmy Schmidt-Zimmermann.

Zimmermann, Erich; nach dem Zweiten Weltkrieg war er bis 1954 Mitglied der Städtischen Oper Berlin, an der er 1955 nochmals gastierte. Weitere Gastspiele führten ihn an die Staatsoper von Dresden (1927), an das Opernhaus von Zürich (1938) und an die Oper von Monte Carlo (1937, 1938). Er wirkte an der Berliner Staatsoper in den Uraufführungen der Opern «Peer Gynt» von Werner Egk (24. 11. 1938), «Schneider Wibbel» von Mark Lothar (12. 5. 1938) und «Schloß Dürande» von Othmar Schoeck (1. 4. 1943) mit.
Schallplatten: HMV (Loge in der «Rheingold»-Schlußszene mit Georg Hann), ANNA-Records («Eine Nacht in Venedig» von J. Strauß).

Zimmermann, Wolfram; er debütierte 1944 in Bukarest als Sparafucile im «Rigoletto». 1946–51 war er hauptsächlich als Konzert- und Rundfunksänger tätig. Er gastierte 1947 an der Stuttgarter Staatsoper als Basilio im «Barbier von Sevilla». Sein erstes Engagement fand er in der Spielzeit 1952–53 am Stadttheater von Giessen. 1953–55 sang er am Staatstheater von Darmstadt, 1955–61 am Opernhaus von Graz, 1961–73 am Opernhaus von Nürnberg. 1959 sang er in Graz in der Premiere der Oper «Titus Feuerfuchs» von H. Sutermeister. 1959–63 Gastspiele an der Staatsoper Wien (Leporello, Doktor in «Wozzeck»). Er wirkte als Pädagoge und seit 1980 als Professor am Konservatorium von Nürnberg. Sein Bruder *Richard Zimmermann* (* 1921) trat als Tenor in Erscheinung. Er debütierte 1952 am Stadttheater von Pforzheim und war dann in Detmold, Mainz, Klagenfurt und Graz engagiert und wurde namentlich als Operettensänger bekannt.

Zinetti, Giuseppina; in der Saison 1914–15 sang sie am Teatro Colón Buenos Aires kleinere Partien im «Faust» von Gounod, im «Oberon» von Weber und in Montemezzis «Amore dei tre Re». 1917 hörte man sie dann am Teatro Dal Verme Mailand als Azucena und anschließend in der Titelpartie der Oper «Mignon» von A. Thomas. 1920 gastierte sie in Bergamo als Carmen, in Catania ebenfalls als Carmen und als Dalila in «Samson et Dalila» von Saint-Saëns, in Venedig wieder als Carmen und in Triest als Dalila. 1921 Gastspiel am Teatro Massimo Palermo, einmal mehr in ihrer Glanzrolle, der Carmen, jetzt mit Miguel Fleta als Partner, 1923 am Teatro Costanzi Rom in «La damnation de Faust» von Berlioz und als Azucena. Weitere Glanzrollen der Sängerin waren der Titelheld im «Orpheus» von Gluck, der Octavian im «Rosenkavalier», die Ortrud im «Lohengrin» und die Isabella in Rossinis «Italiana in Algeri». 1935

sang sie an der Mailänder Scala die Fricka in der «Walküre».

Zitek, Vaclav; 1988 Gastspiel an der Grand Opéra Paris in Janáčeks «Aus einem Totenhaus».
Schallplatten: Supraphon («Dalibor» und «Hubička» von Smetana, «Der listige Bauer» und «Dimitrij» von Dvořák), Eurodisc (Werke von Janáček und B. Martinù, Weihnachtskantate von A. Honegger).

Zlatogorowa, Bronislawa, * 7. (20.) 5. 1905.

Zoghby, Linda, * 17. 8. 1949 Mobile (Alabama); auch als Marguerite im «Faust» von Gounod erfolgreich aufgetreten.

Zottmayr, Georg; seine Mutter war die Sängerin *Euphrosyne Stanko-Zottmayr* (1831–90); er wurde durch seine Eltern ausgebildet. Er begann seine Karriere als Bühnensänger 1898–99 am Stadttheater von Zittau und sang dann am Stadttheater von Lübeck (1899–1900), am Stadttheater von Trier (1900–1901), am Stadttheater von Metz (1901–02), am Stadttheater von Regensburg (1902–03), am Stadttheater von Basel (1903–04), am Stadttheater von Mühlhausen (Mulhouse, Elsaß 1904–05) und 1905–10 am Deutschen Theater Prag. 1910 folgte er einem Ruf an die Hofoper Dresden, der er bis 1924 als Mitglied angehörte. Gastspiele an den Hofopern von Berlin (seit 1906) und München (1908), in Brüssel (1914) und Zürich (1909). Seit 1928 pädagogische Tätigkeit am Konservatorium von Dresden.

Zottmayr, Ludwig; er war verheiratet mit der Sängerin *Euphrosyne Stanko-Zottmayr* (* 28. 6. 1831 Landshut, † 4. 10. 1890 Hamburg). Sein Bruder *Max Zottmayr* (1833–1905) war verheiratet mit der Opernsängerin *Nina Hartmann-Zottmayr* (* 30. 8. 1836 Aachen, † 2. 3. 1903 Kassel).

Zucchelli, Carlo; er sang am 19. 6. 1825 am Théâtre-Italien Paris in der Uraufführung von Rossinis «Il Viaggio a Reims» die Partie des Lord Sidney.

Zucchini, Giovanni; er wurde durch den Pädagogen L. Britti in Bologna ausgebildet.

Zur Mühlen, Raimund von; von den vielen Sängern, die er ausgebildet hat, seien Paul Reimers, Georg A. Walter, Paul Wiedemann, Eidé Norena und Hans Lissmann genannt.

Zwetkowa, Elena Jakowlewa; Schallplatten: 1911–1912 wurden bei Pathé Plattenaufnahmen, darunter Opern- und Liedtitel, veröffentlicht, die in St. Petersburg angefertigt worden waren.

Zylinski, Faustyn, * 17. 2. 1796 Zary (Litauen).

Zylis-Gara, Teresa, * 23. 1. 1935 Landwarow bei Wilna (Vilnius). 1976 sang sie an der Covent Garden Oper London als Antrittsrolle die Traviata; 1966 Gastspiel an der Grand Opéra Paris, 1968–70 bei den

Salzburger Festspielen als Donna Elvira im «Don Giovanni». An der Metropolitan Oper New York sang sie nach ihrem Debüt als Donna Elvira (1968) die Fiordiligi in «Così fan tutte», die Desdemona in Verdis «Othello», die Elisabeth im «Tannhäuser», die Elsa im «Lohengrin», die Marschallin im «Rosenkavalier», die Manon Lescaut wie die Suor Angelica in den gleichnamigen Puccini-Opern und die Tatjana im «Eugen Onegin». 1988 gastierte sie an der Staatsoper Hamburg als Desdemona in Verdis «Othello». Auch als Konzert- und Oratoriensolistin international bekannt geworden.

Schallplatten: DGG (Donna Elvira im «Don Giovanni»), Rodolphe Records (Bach-Kantaten), Nimbus Records («Das klagende Lied» von Gustav Mahler).

OPERN UND OPERETTEN UND DEREN URAUFFÜHRUNGEN

OPERN

Die Abreise von Eugen d'Albert, 20. 10. 1898 Frankfurt a. M. mit Hedwig Schacko / Max Pichler / Rudolf Brinkmann.

Abstrakte Oper Nr. 1 von Boris Blacher, 17. 10. 1953 Bühnenuraufführung Nationaltheater Mannheim.

Achille in Sciro von Domenico Sarro, 4. 11. 1737 (zur Eröffnung des Teatro San Carlo Neapel).

Adam und Eva von Johann Theile, 12. 1. 1678 (zur Eröffnung des Theaters am Gänsemarkt Hamburg; Musik verloren).

Adelaide di Borgogna ossia *Ottone Re d'Italia* von Gioacchino Rossini, 27. 11. 1817 Teatro Argentina Rom mit Elisabetta Manfredini-Guarmani / Elisabetta Pinotti / Anna Maria Muratori / Luisa Bottesi / Savino Monelli / Antonio Ambrosi / Giovanni Puglieschi.

Adelia ossia *La figlia dell'arciere* von Gaetano Donizetti, 11. 2. 1841 Teatro Apollo Rom mit Giuseppina Strepponi.

Adelisa e Aleramo von Simone Mayr, 26. 12. 1806 Scala Mailand.

Adelson e Salvini von Vincenzo Bellini, Frühjahr 1825 Conservatorio San Sebastiano Neapel.

Adriana Lecouvreur von Francesco Cilea, 6. 11. 1902 Teatro Lirico Mailand mit Angelica Pandolfini / Edvige Ghibaudo / Enrico Caruso / Giuseppe De Luca, Dirig. Cl. Campanini.

Adriano in Siria von Giovanni Battista Pergolesi, 25. 10. 1734 Teatro San Bartolomeo Neapel.

Aeneas in Carthago von Joseph Martin Kraus, 18. 12. 1799 Stockholm.

L'Africaine von Giacomo Meyerbeer, 28. 4. 1865 Grand Opéra Paris mit Marie Sass / Marie Battu / Emilio Naudin / Jean Baptiste Faure / Jules-Bernard Belval / Victor Warot / Armand Castelmary / Louis-Henri Obin / Mlle Levieilly, Dirig. Haine.

Agrippina von Georg Friedrich Händel, 26. 12. 1709 Teatro San Giovanni Crisostomo Venedig mit Francesca Boschi / Valeriano Pellegrini / Giuseppe Boschi / Tesi.

Akhnaten von Philip Glass, s. unter *Echnathon*.

Alceste von Christoph Willibald Gluck, 26. 12. 1767 Hofburgtheater Wien (in italienischer Sprache) mit Antonia Bernasconi / Giuseppe Tibaldi / Antonio Pilloni / Teresa Eberardi / Filippo Laschi. – Neubearbeitung (in französischer Sprache), 23. 4. 1776 Grand Opéra Paris mit Rosalie Levasseur / Joseph Legros / Nicolas Gélin.

Alcina von Georg Friedrich Händel, 16. 4. 1735 Covent Garden Oper London mit Anna Strada / Maria Caterina Negri / Giovanni Carestini / John Beard / Gustavus Waltz.

Aleko von Sergej Rachmaninoff, 27. 4. 1893 Bolschoj Theater Moskau mit Bogomir Korsow / Lew Klementyeff / Maria Deysha-Sionitzkaja / Stefan Wlassow / Shubina, Dirig. Altani.

Alessandro nell'Indie von Francesco Corselli, 9. 5. 1738 Palacio Real Buen Retiro Madrid (zur Hochzeit Karls IV. von Neapel und der Prinzessin Maria Amalia von Sachsen; erste in Madrid aufgeführte Oper).

Alessandro nell'Indie von Niccolo Piccinni, 12. 1. 1774 Teatro San Carlo Neapel.

Alessandro Stradella von Friedrich von Flotow, 30. 12. 1844 Hamburg mit Josef Wurda / Eduard Bost / Adele Herbst-Jazedé / August Christian Gerstel / Amandus Kaps.

Alessandro vincitor de si stesso von Francesco Cavalli, 20. 1. 1651 Teatro San Giovanni e Paolo Venedig.

Alfred von Antonín Dvořák, 10. 12. 1938 Olomouc (Olmütz).

Alina Regina di Golconda von Gaetano Donizetti, 12. 5. 1828 Genua.

Allez-Hop von Luciano Berio, 23. 9. 1959 Teatro Fenice Venedig.

Alpenkönig und Menschenfeind von Leo Blech, 1. 10. 1903 Hofoper Dresden mit Karl Scheidemantel.

Amadis von Jean Baptiste Lully, 18. 1. 1684 Grand Opéra Paris mit Moreau / Du Mesny / Jean Dun sr.

Amadis von Jules Massenet, 1. 4. 1922 Monte Carlo.

Amahl and the Night Visitors, Fernseh-Uraufführung 24. 12. 1951 NBC (erste direkt für das Fernsehen komponierte Oper) mit Rosemary Kuhlmann / Chet Allan, Dirig. Th. Schippers; erste Bühnen-Aufführung 21. 2. 1952 Indiana University.

Amica von Pietro Mascagni, 16. 3. 1905 Oper von Monte Carlo mit Geraldine Farrar / Charles Rousselière / Maurice Renaud.

Amleto von Franco Faccio, 30. 5. 1865 Teatro Carlo Felice Genua.

Amleto von Saverio Mercadante, 26. 12. 1822 Scala Mailand.

Amore artigiano von Florian Leopold Gassmann, 26. 4. 1767 Hofburgtheater Wien.

L'Amour des trois oranges von Sergej Prokofieff, 30. 12. 1921 Chicago mit Nina Koshetz / Irene Pavloska / Octave Dua / Hector Dufranne / Philine Falco / Jeanne Dusseau / James Wolfe / Édouard Cotreuil, Dirig. Prokofieff.

Amy Robson von Isidore de Lara, 20. 7. 1895 Covent Garden Oper London.

L'Ancêtre von Camille Saint-Saëns, 24. 2. 1906 Oper von Monte Carlo mit Geraldine Farrar / Charles Rousselière / Maurice Renaud / Félia Litrinne / Marie Charbonnel.

L'Ange de Feu s. unter *Der feurige Engel*.

Angelique von Jacques Ibert, 28. 1. 1927 Théâtre Fémina Paris mit Marguerite Bériza / Edmond Warnery / Robert Marvini / Ducroz, Dirig. Golschmann.

The Angelus von Edward Naylor, 27. 1. 1909 Covent Garden Oper London.

Anima allegra von Franco Vittadini, 15. 4. 1921 Teatro Costanzi Rom mit Gilda Dalla Rizza / Anna Gramegna / Antonio Cortis.

Anna Karenina von Jenö Hubay, 10. 11. 1923 Nationaloper Budapest.

Antar von Gabriel Dupont, 14. 3. 1921 Grand Opéra Paris mit Fanny Heldy / Ketty Lapeyrette / Paul Franz / Edouard Rouard / Jean-François Delmas.

Antonio e Cleopatra von Francesco Malipiero, 4. 5. 1938 Teatro Comunale Florenz.

Antony and Cleopatra von Samuel Barber, 16. 9. 1966 Metropolitan Oper New York mit Leontyne Price / Justino Diaz / Jess Thomas, Dirig. Th. Schippers.

Anush von Armen Tigranjan, 4. 8. 1912 Alexandropol (Armenien).

Aphrodite von Camille Erlanger, 27. 3. 1906 Opéra-Comique Paris mit Mary Garden / Léon Beyle / Claire Friché / David Devriès / Suzanne Brohly / André Allard / Zina Brozia.

Arabella von Richard Strauss, 1. 7. 1933 Staatsoper Dresden mit Viorica Ursuleac / Margit Bokor / Camilla Kallab / Ellice Illiard / Alfred Jerger / Friedrich Plaschke / Martin Kremer / Rudolf Schmalnauer / Jessica Koettrich, Dirig. Clemens Krauss.

L'Arbore di Diana von Vicente Martín y Soler, 1. 10. 1787 Hofburgtheater Wien.

Ariadne auf Naxos von Richard Strauss: Erstfassung 25. 10. 1912 Hofoper Stuttgart mit Maria Jeritza / Margarethe Siems / Hermann Jadlowker / Sigrid Onegin-Hoffmann / Erna Ellmenreich / Margarethe Burchardt / Albin Swoboda, Dirig. R. Strauss; Zweitfassung, 4. 10. 1916 Hofoper Wien mit Maria Jeritza / Selma Kurz / Lotte Lehmann / Béla Környey / Hans Duhan / Rudolf Hofbauer / Victor Madin / Karola Jovanović, Dirig. F. Schalk.

Arianna von Claudio Monteverdi, 28. 5. 1608 mit Virginia Andreini / Francesco Rasi.

Ariodante von Georg Friedrich Händel, 8. 1. 1735 Covent Garden Oper London mit Anna Strada / Maria Caterina Negri / Giovanni Carestini / John Beard / Gustavus Waltz / Stoppelaer.

Armida von Pasquale Anfossi, Karneval 1770 Teatro Regio Turin.

Armida von Joseph Haydn, 26. 2. 1784 Esterháza mit Mathilde Bologna / Constanza Valdesturla / Prospero Braghetti / Paolo Mandini / Antonio Specioli / Leopold Dichtler.

Armida von Joseph Mysliveček, 26. 12. 1779 Scala Mailand.

Armide von Christoph Willibald Gluck, 23. 9. 1777 Grand Opéra Paris mit Rosalie Levasseur / Joseph Legros / Nicolas Gélin / Henri Larrivée / Célestine Durancy / Antoinette Cécile Saint-Huberty / Le Bourgeois / Châteauneuf / Durand / Tirot.

Armide von Jean Baptiste Lully, 15. 2. 1686 Grand Opéra Paris mit Marthe Rochois / Jean Dun / Mlle Desmatins / Moreau / Mr Desmatins / Frère / Du Mesnys.

Artaserse von Niccolò Jommelli, 4. 2. 1749 Teatro Argentina Rom.

Artaxerxes von Thomas Arne, 2. 2. 1762 Covent Garden Oper London mit Charlotte Brent / Giusto Ferdinando Tenducci / Peretti.

Ascanio in Alba von Wolfgang Amadeus Mozart, 17. 10. 1771 Teatro Regio Ducale Mailand mit Mazuoli / Falchini / Girelli – Aguilar / Tibaldi / Solzi.

The Aspern Papers von Dominick Argento 19. 11. 1988 Dallas mit Elisabeth Söderström / Catherine Ciesinski / Frederica von Stade / Richard Stilwell / Neil Rosenshein / Eric Halfvarson, Dirig. N. Rescigno.

L'Assassinio nella Cattedrale von Ildebrando Pizzetti, 1. 3. 1958 Scala Mailand mit Nicola Rossi-Lemeni / Gabriella Carturan, Dirig. Gavazzeni.

Atalanta von Georg Friedrich Händel, 23. 5. 1736 Covent Garden Oper London mit Gizziello / Maria Caterina Negri / Anna Strada / John Beard.

L'Attaque du moulin von Alfred Bruneau, 23. 11. 1893 Opéra-Comique Paris mit Georgette Leblanc / Marie Delna / Edmond Clément / Maximilien-Nicolas Bouvet / Edmond-Alphonse Vergnet, Dirig. Danbé.

Der Aufstand von Georghe Dumitrescu, s. unter *Rašcoala.*

Der Aufstand von Helmut Eder, 2. 9. 1976 Landestheater Linz (Donau) mit William Ingle / Margit Neubauer / Kurt Schossmann / Fritz Uhl, Dirig. Th. Guschlbauer.

Aufstieg und Fall der Stadt Mahagonny von Kurt Weill, 9. 3. 1930 Leipzig mit Mali Trummer / Hanns Fleischer / Walter Zimmer / Magda Dannenberg / Paul Beinert / Ernst Osterkamp, Dirig. Brecher (1927 bereits Aufführung als «Songspiel» in Baden-Baden).

Aureliano in Palmira von Gioacchino Rossini, 26. 12. 1813 Scala Mailand mit Lorenza Correa / Luigia Sorrentini / Giambattista Velluti / Luigi Mari / Gaetano Pozzi / Pietro Vasoli / Vincenzo Botticelli.

Aus einem Totenhaus (*Z mrtvéno domu*) von Leoš Janáček, 12. 4. 1930 Brno mit V. Širma / G. Fischer / Žlabková / F. Olšovský / Antonín Pelc / Valentin Šindler / Pribytkov, Dirig. Bakala.

Die Ausflüge des Herrn Broučck (Výlety pana Broučka) von Leoš Janáček, 23. 4. 1920 Nationaltheater Prag mit Mirko Štork / M. Jeník / E. Miriovská / V. Pivonková / Vilem Zítek / B. Novák / Bohumil Sobeský / Antonín Lebeda / Crhová / Hruška, Dirig. O. Ostrčil.

Baal von Friedrich Cerha, 7. 8. 1981 Festspiele Salzburg.

Bacchus von Jules Massenet, 5. 5. 1909 Grand Opéra Paris mit Lucienne Bréval / Lucy Arbell / Mme Laute-Brun / Lucien Muratore / André Gresse, Dirig. Henri Rabaud.

Der Bärenhäuter von Siegfried Wagner, 22. 1. 1899 Hofoper München mit Heinrich Knote / Anton

Fuchs / Viktor Klöpfer / Lotte Schloss / Albin Scholz / Theodor Mayer.

The Ballad of Baby Doe von Douglas Moore, 7. 6. 1956 Central City (Colorado) mit Dolores Wilson / Frances Bible / Walter Cassel / Michael Davidson, Dirig. Buckley.

Un Ballo in maschera von Giuseppe Verdi, 17. 2. 1859 Teatro Apollo Rom mit Eugenia Julienne-Dejean / Pamela Scotti / Zelinda Sbriscia / Gaetano Fraschini / Leone Giraldoni / Stefano Santucci / Cesare Bossi / Giovanni Bernadini / Giuseppe Bazzoli, Dirig. Angelini.

Les Barbares von Camille Saint-Saëns, 23. 10. 1901 Grand Opéra Paris mit Jeanne Hatto / Meyriane Héglon / Albert Vaguet / Charles Rousselière / Jean François Delmas, Dirig. Taffanel.

Il Barbiere di Siviglia (*Der Barbier von Sevilla*) ossia *L'inutile precauzione* von Gioacchino Rossini, 20. 2. 1816 Teatro Argentina Rom mit Geltrude Giorgi-Righetti / Manuel Garcia sr. / Luigi Zamboni / Zenobio Vitarelli / Bartolomeo Botticelli / Elisab. Loyselet / Paolo Biagelli, Dirig. Rossini.

La Battaglia (*Der rote Federbusch*) von Gerhard Wimberger, 12. 5. 1960 Festspiele Schwetzingen.

Die Bauern (*Chlopi*) von Witold Rudziński, 30. 6. 1974 Nationaloper Warschau.

The Bear von William Walton, 3. 6. 1967 Festival von Aldeburgh.

Béatrice et Bénédict von Hector Berlioz, 9. 8. 1862 Baden-Baden, mit Anne Charton-Demeure / Monrose / Montaubry, Dirig. Berlioz.

Beatrix Cenci von Alberto Ginastera, 14. 3. 1973 City Centre Opera New York.

Die beiden Schützen von Albert Lortzing, 20. 2. 1837 Leipzig mit Albert Lortzing / Wilhelm Pögner / Gotthold Leberecht Berthold / Richter / Dlle Limbach / Caroline Günther.

Belfagor von Ottorino Respighi, 23. 4. 1923 Scala Mailand mit Mariano Stabile / Margaret Sheridan / Anna Gramegna.

Belmont und Constanze oder *Die Entführung aus dem Serail* von Johann André, 25. 5. 1781 Berlin.

Berenice von Georg Friedrich Händel, 18. 5. 1737 Covent Garden Oper London mit Anna Strada / Giziello / Domenico Annibali / Francesco Bertolli / Maria Caterina Negri.

Bertoldo, Bertoldino e Cacasenno von Vincenzo Ciampi, 27. 12. 1748 Teatro San Moisè Venedig.

Betly (*La Capanna svizzera*) von Gaetano Donizetti, 24. 8. 1838 Teatro Nuovo Neapel mit Adelaida Toldi / Lorenzo Salvi / Giuseppe Fioravanti.

Bianca e Falliero ossia *Il Consiglio di tre* von Gioacchino Rossini, 26. 12. 1819 Scala Mailand mit Violanta Camporese / Carolina Bassi / Adelaide Chinzani / Claudio Bonoldi / Alessandro de Angelis / Giuseppe Fioravanti.

Billy Budd von Benjamin Britten, 1. 12. 1951 Covent Garden Oper London mit Peter Pears / Theodor Uppmann / Frederick Dalberg / Hervey Allan / Geraint Evans / Michael Langdon / Anthony Marlow / Inia Te Wiata, Dirig. Benjamin Britten.

Blimuda von Azio Corghi, 20. 5. 1990 Scala Mailand mit Marta Szirmay / Roy Stevens / William Levis / Kattia Lytting, Dirig. Z. Pesko.

The Boatswain's Mate von Dame Ethel Smyth, 28. 1. 1916 Shaftesbury Theatre London mit Rosina Buckman / Frederick Ranalow / Townsend / Pounds, Dirig. Goossens.

La Bohème (Neufassung 1915 als *Mimi Pinson*) von Ruggiero Leoncavallo, 6. 5. 1897 Teatro Fenice Venedig mit Elsa Frandin / Rosina Storchio / Beduschi / Angelini-Fornari / Isnardon, Dirig. Pomé.

La Bohème von Giacomo Puccini, 1. 2. 1896 Teatro Regio Turin mit Evan Gorga / Cesira Ferrani / Camilla Pasini / Antonio Pini-Corsi / Tieste Wilmant / Mazzara, Dirig. A. Toscanini.

The Bohemian Girl von Michael Balfe, 27. 11. 1843 Drury Lane Theatre London mit Emma Romer / Betts / Harrison / Durnset / Borrani / Stretton.

Boulevard Solitude von Hans Werner Henze, 17. 2. 1952 Staatstheater Hannover mit Sigrid Klaus / Theo Zilliken / Walter Buckow, Dirig. Johannes Schüler.

Die Brandenburger in Böhmen (*Braniboři v Čechach*) von Bedřich Smetana, 5. 1. 1866 Provisorisches Nationaltheater Prag mit Josef Lev / Alois Doubravský / Arnošt Grund / Josef Paleček, Dirig. Smetana.

Die Brautwahl von Ferruccio Busoni, 13. 4. 1912 Hamburg mit Ottokar Mařák / Hermann Wiedemann / Fritz Windgassen / Willy Birrenkoven / Eduard Lichtenstein / Max Lohfing.

Briseïs von Emmanuel Chabrier, 14. 1. 1899 Hofoper Berlin mit Ida Hiedler / Wilhelm Grüning / Baptist Hoffmann / Paul Knüpfer.

Bruder Lustig von Siegfried Wagner, 13. 10. 1905 Stadttheater (Opernhaus) Hamburg.

De Bruid der Zee (*La Fiancée de la mer*) von Jan Blockx, 30. 11. 1901 Königliche Oper Antwerpen.

Die Bürgschaft von Kurt Weill, 10. 3. 1932 Städtische Oper Berlin mit Henk Noort / Charlotte Müller.

La Cambiale di matrimonio von Gioacchino Rossini, 3. 11. 1810 Teatro San Moisè Venedig mit Rosa Morandi / Clementina Lanari / Tommaso Ricci / Luigi Raffanelli / Nicola De Grecis / Domenico Remolini.

La Campana Sommersa (*Die versunkene Glocke*) von Ottorino Respighi, 18. 11. 1927 Opernhaus Hamburg mit Gertrude Callam / Gunnar Graarud / Julius Gutmann / Rudolf Bockelmann / Paul Schwarz, Dirig. Wolff.

Il Campanello di notte von Gaetano Donizetti, 1. 6. 1836 Teatro Nuovo Neapel mit Amalia Schütz-Oldosi / Giorgio Ronconi / Raffaele Casaccia.

Il Campiello von Ermanno Wolf-Ferrari, 12. 2. 1936 Scala Mailand mit Mafalda Favero / Margherita Carosio / Giulia Tess / Iris Adami-Corradetti / Salvatore Baccaloni / Fernando Autori, Dirig. Marinuzzi.

Candide von Leonard Bernstein, 29. 10. 1956 Colonial Theatre Boston mit Cook / Adrian / Ira Petina / Robert Rounseville / Olvis, Dirig. Krachmalnik; – Neufassung 13. 10. 1982 City Centre Opera New York.

The Canterbury Pilgrims von Henry Louis Reginald

de Koven, 8. 3. 1917 Metropolitan Oper New York mit Edith Mason / Marie Sundelius / Margarethe Arndt-Ober / Johannes Sembach, Dirig. Bodanzky.

Il capello di paglia di Firenze (Der Florentiner Hut) von Nino Rota, 1955 Palermo.

Le Capitaine Henriot von François-Auguste Gevaert, 29. 12. 1864 Opéra-Comique Paris mit Léon Achard / Célestine Galli-Marié / Mlle Bélie / Joseph-Antoine-Charles Couderc / Charles-Marie-Auguste Ponchard.

Capriccio, Konversationsstück für Musik von Richard Strauss, 28. 10. 1942 Staatsoper München mit Viorica Ursuleac / Hildegard Ranczak / Georg Hann / Hans Hotter / Horst Taubmann / Walter Höfermayer, Dirig. Clemens Krauss.

I Capuleti ed I Montecchi von Vincenzo Bellini, 11. 3. 1830 Teatro Fenice Venedig mit Maria Rosalbina Caradon-Allan / Giuditta Grisi / Lorenzo Bonfigli / Gaetano Antoldi / Rainieri Pocchini-Cavalieri.

Caratacco von Johann Christoph Bach, 14. 2. 1767 King's Theatre London.

Cardillac von Paul Hindemith, 9. 9. 1926 Staatsoper Dresden mit Claire Born / Grete Merrem-Nikisch / Max Hirzel / Robert Burg / Paul Schöffler / Max Eybisch / Adolf Schoepflin, Dirig. F. Busch; Neufassung 20. 6. 1952 Zürich.

La Carmélite von Reynaldo Hahn, 16. 7. 1902 Opéra-Comique Paris mit Emma Calvé / Lucien Muratore / Hector Dufranne.

Carmina Burana von Carl Orff, 8. 6. 1937 Frankfurt a. M mit Clara Ebers / Jean Stern / Rudolf Gonszar / Coba Wackers / Maria-Madlen Madsen / Elisabeth Rosenkranz / Hellmuth Schweebs / Carl Ebert / Oskar Wittazscheck / Emil Staudenmeyer, Dirig. Wetzelsberger

Il castello di Kenilworth (Elisabetta o il castello di Kenilworth) von Gaetano Donizetti, 6. 7. 1829 Neapel.

Castor et Pollux von Jean Philippe Rameau, 24. 10. 1737 Grand Opéra Paris mit Mlle Pélissier / Claude-Louis-Dominique Chassé de Chinois / Mlle Eremans / Marie Fel / Marie Antier / Mr Le Page / Jean Dun / Mr. Rabou.

Caterina Cornaro von Gaetano Donizetti, 12. 1. 1844 Teatro San Carlo Neapel mit Fanny Goldberg / Gaetano Fraschini / Filippo Coletti / Salvetti / Arati.

Cavalleria rusticana von Pietro Mascagni, 17. 5. 1890 Teatro Costanzi Rom mit Gemma Bellincioni / Roberto Stagno / Gaudenzio Salassa / Ida Nobili / Federica Casali, Dirig. Mugnone.

Cecilia von Licinio Refice, 15. 2. 1934 Teatro Reale Rom mit Claudia Muzio / Giuseppe Garuti / Carmelo Maugeri.

Célestine von Maurice Ohana, 13. 6. 1988 Grand Opéra Paris mit Cathérine Ciesinski / Constance Bradburn / Stephen Dickson / Jean-Philippe Courtis / Bruce Brewer / Ian Caley / Jean-Paul Bogart / Valérie Chouanière / Jean-Luc Boutte / Liliane Mazeron / Roselyn Allouche, Dirig. A. Tamayo.

Cendrillon von Jules Massenet, 24. 5. 1899 Opéra-Comique Paris mit Julia Guiraudon / Mme Bréjean-Silver / Mme Deschamps-Jehin / Jeanne Marié de l'Isle / Lucien Fugère / Gustave Huberdeau, Dirig. Luigini.

La Cenerentola von Gioacchino Rossini, 25. 1. 1817 Teatro Valle Rom mit Geltrude Giorgi-Righetti / Caterina Rossi / Teresa Mariani / Giacomo Guglielmi / Giuseppe De Begnis / Zenobio Vitarelli / Andrea Verni.

Charlotte Corday von Lorenzo Ferrero, 21. 2. 1989 Oper von Rom mit Elena Mauti Nunziata / Roberto Scandiuzzi.

La Chartreuse de Parme von Henri Sauguet, 16. 3. 1939 Grand Opéra Paris.

Chérubin von Jules Massenet, 14. 2. 1905 Monte Carlo mit Mary Garden / Marguerite Carré / Lina Cavalieri / Maurice Renaud.

Christelflein von Hans Pfitzner, 11. 12. 1917 Hofoper Dresden mit Grete Merrem-Nikisch.

Christina von Hans Gefors, 18. 10. 1986 Königliche Oper Stockholm mit Brigitta Svendén / Margarete Hallin / Per-Arne Wahlgren / Siv Wennberg / Curt Appelgren / Helge Brilioth / Jorunn Svensk / Alf Olsson / Hans Dornbusch / Sten Wahlund, Dirig. Gary Berkson.

Christophe Colomb von Darius Milhaud, 5. 5. 1930 Staatsoper Berlin (mit deutschem Text) mit Delia Reinhardt / Theodor Scheidl, Dirig. Kleiber.

Christophorus oder *Die Vision einer Oper* von Franz Schreker, 1. 10. 1978 Freiburg i. Br.

Der Cid von Peter Cornelius, 21. 5. 1865 Hoftheater Weimar mit Hans Feodor von Milde / Rosa von Milde-Agthe / Karl Knopp / August Meffert / Lipp.

The Circassian Bride von Henry Bishop, 23. 2. 1809 Drury Lane Theatre London.

Ciro in Babilonia ossia *La Caduta di Baldassare* von Gioacchino Rossini, 14. 3. 1812 Ferrara mit Marietta Marcolini / Elisabetta Manfredini-Guarmani / Anna Savinelli / Giovanni Fraschi / Eliodoro Bianchi / Giovanni Layner / Francesco Savinelli.

Claudine von Villa Bella, Schauspiel mit Musik von Ignaz von Beeck (Text von J. W. Goethe), 13. 6. 1780 Burgtheater Wien.

La clemenza di Tito von Christoph Willibald Gluck, 4. 11. 1752 Teatro San Carlo Neapel.

Cleopatra's Night von Henry Kimball Hadley, 31. 1. 1920 Metropolitan Oper New York mit Frances Alda / Jeanne Gordon / Orville Harrold, Dirig. Papi.

Le Clown von Isaac de Camondo, 26. 4. 1906 Théâtre Nouveau Paris mit Geraldine Farrar / Marie Delna / Charles Rousselière / Maurice Renaud / Marguerite Mérentié.

Colas Breugnon von Dimitrij Kabalewsky, 22. 2. 1938 Oper von Leningrad.

Columbus von Werner Egk; Bühnenfassung 13. 1. 1942 Frankfurt a. M. mit Hellmuth Schweebs / Jakob Sabel / Clara Ebers / Rudolf Schenk / Paul Kötter, Dirig. F. Konwitschny.

I Compagnacci von Primo Riccitelli, 10. 4. 1923 Teatro Costanzi Rom.

Conchita von Riccardo Zandonai, 14. 10. 1911 Teatro Dal Verme Mailand mit Tarquinia Tarquini / Piero Schiavazzi.

Condor von Carlos Gomes, 21. 2. 1891 Scala Mailand mit Hariclea Darclée / Adelina Stehle / Francesco Navarini / Giovanni Battista de Negri / Vittorina Fabbri.

La Contessa dei Numi von Christoph Willibald Gluck, 9. 4. 1749 Kopenhagen (zur Geburt des dänischen Kronprinzen Christian).

Der Corregidor von Hugo Wolf, 7. 6. 1896 Hoftheater Mannheim mit Hans Rüdiger / Joachim Kromer / Karl Marx / Hohenleitner / Helene Seubert-Hansen.

Il Corsaro von Giuseppe Verdi, 25. 10. 1848 Teatro Grande Triest mit Marianna Barbieri-Nini / Carolina Rapazzini / Gaetano Fraschini / Achille de Bassini / Giovanni Volpini / Giovanni Petrovich.

Costanza e Fortezza von Johann Joseph Fuchs, 28. 8. 1723 Hradschin-Palast Prag (zur Krönung Kaiser Karls VI. zum König von Böhmen).

Crispino e la Comare ossia *Il Medico e la Morte* von Luigi und Federico Ricci, 28. 2. 1850 Teatro San Benedetto Venedig mit Carlo Cambaggio / Pecorini / Prinetti.

Cristóbal Colón von Lonardo Balada, 24. 9. 1989 Teatro Liceo Barcelona mit José Carreras (dem die Oper gewidmet war) / Montserrat Caballé / Victoria Vergara / Carlos Chausson / Luis Alvarez / Stefano Palatchi / Gregorio Poblador / Miguel Solá / Juan Pedro García Marquez / Jesus Sanz Ramiro / Miguel Lopez Galindo, Dirig. Th. Alcántara

Christoforo Colombo von Alberto Franchetti, 6. 10. 1892 Teatro Carlo Felice Genua (zum 400. Jahrestag der Entdeckung Amerikas) mit Giuseppe Kaschmann / Elvira Colonnese / Giulia Novelli / Edoardo Garbin / Francesco Navarrini, Dirig. Mancinelli.

Csongor und Tünde von Attila Bozay, 20. 1. 1985 Nationaloper Budapest.

Cymbelin von Arne Eggen, 7. 12. 1951 Oper von Oslo mit John Neergaard / Aase Nordmo-Lövberg / Bjarne Buntz / Øeystein Frantzen, Dirig. A. Fladmoe.

Cyrano de Bergerac von Franco Alfano, 22. 1. 1936 Teatro Reale Rom mit Maria Caniglia / José Luccioni / Giuseppe Manacchini / Giacomo Vaghi / Alessio de Paolis, Dirig. T. Serafin.

Cythère assiégée von Christoph Willibald Gluck, Sommer 1759 Hofburgtheater Wien.

Der Dämon von Anton Rubinstein, 25. 1. 1875 Hofoper St. Petersburg mit Alexandra Krutikowa / Ossip Petrow / Wilhelmina Raab / Fedor Kommissartschewsky / Iwan Melnikow, Dirig. Naprawnik.

Dalibor von Bedřich Smetana, 16. 5. 1868 Provisorisches Nationaltheater Prag mit Emilia Benevicová-Micová / Eleonora Ehrenbergová / Jan Ludvik Lukes / Josef Lev / Voijček Šebesta (Adalbert Schebesta) / Josef Paleček, Dirig. Smetana (zur Grundsteinlegung des Nationaltheaters Prag).

La Dame blanche von François Adrien Boieldieu,

10. 12. 1825 Opéra-Comique Paris mit Antoinette-Eugénie Rigaut / Mme Boulanger / Marie Desbrosses / Henri-Louis-Antoine-Eléonore Ponchard / Louis Féréol / Mr Henri / Firmin / Belnic.

Dame Kobold von Gerhard Wimberger, 24. 9. 1964 Frankfurt a. M.

La damnation de Faust von Hector Berlioz, konzertante Uraufführung 6. 12. 1846 Opéra-Comique Paris mit Mme Duflot-Maillard / Gustave Roger / Léonard Hermann-Léon, Dirig. H. Berlioz; Bühnen-Uraufführung 18. 2. 1893 Monte Carlo mit Rose Caron / Jean de Reszke / Léon Melchissèdec / Maurice Renaud, Dirig. Léon Jehin.

Danton und Robespierre von John Eaton, 21. 4. 1978 Bloomington (Indiana) mit Anderson / Noble, Dirig. Baldner.

Daphne von Richard Strauss, 15. 10. 1938 Staatsoper Dresden mit Margarethe Teschemacher / Helena Jung / Torsten Ralf / Martin Kremer / Hans Loebel, Dirig. Karl Böhm.

Dardanus von Jean Philippe Rameau, 19. 11. 1739 Grand Opéra Paris mit Mlle Pélissier / Marie Fel / Pierre de Jélyotte / Mr Le Page / Mr Albert / Mlle Bourbonnais.

David von Darius Milhaud, Bühnen-Uraufführung 2. 1. 1955 Scala Mailand mit Marcella Pobbe / Eugenia Ratti / Jolanda Gardino / Nicola Rossi-Lemeni / Italo Tajo, Dirig. Sanzogno.

Debora e Jaele von Ildebrando Pizetti, 16. 12. 1922 Scala Mailand mit Giulia Tess / Elvira Casazza / Ezio Pinza / Anna Gramegna / Umberto di Lelio, Dirig. A. Toscanini.

Deidamia von Georg Friedrich Händel, 21. 1. 1741 Lincoln's Inn Fields Theatre London mit Giovanni Battista Andreoni / Francescina / Henry Theodore Reinhold / Mrs. Edwards.

Déjanire von Camille Saint-Saëns, 14. 3. 1911 Oper von Monte Carlo.

Die Dekabristen von Jurij Alexandrowitsch Schaporin, 23. 6. 1953 Bolschoj Theater Moskau mit Alexej Iwanow / Alexander Pirogoff / Sergej Selivanow / Eugenia Werbitzkaja / Nina Pokrowskaja / Kositzina, Dirig. Melik-Paschajew.

Demetrio e Polibio von Gioacchino Rossini, 18. 5. 1812 Teatro Valle Rom mit Ester Mombelli / Marianna Mombelli / Domenico Mombelli / Lodovico Olivieri.

Demofoonte von Christoph Willibald Gluck, 6. 1. 1743 Teatro Regio Ducale Mailand.

Le dernier Sauvage von Gian Carlo Menotti, s. unter *The Last Savage.*

De Temporum fine Comoedia von Carl Orff, 20. 8. 1973 Festspiele Salzburg mit Colette Lorand / Sylvia Anderson / Gwendolyn Killebrew / Kay Griffel / Jane Marsh / Kari Lövaas / Anna Tomowa-Sintow / Wolfgang Anheisser / Siegfried Rudolf Frese / Anton Diakow / Boris Carmeli / Christa Ludwig / Peter Schreier / Josef Greindl.

Les deux Journées von Luigi Cherubini, 16. 1. 1800 Théâtre Feydeau Paris mit Julie-Angélique Scio / Pierre Gaveaux / Juliet / Platel / Jausserand / Gavaudan / Prevost / Desmarets / Dessaules / George / Garnier.

Le Diable boiteux von Jean Français, 30. 6. 1938